JN161074

第十八改正
日本薬局方
医薬品情報
JP DI 2021

公益財団法人　日本薬剤師研修センター　編集

じほう

序に代えて　－修二会－

東大寺二月堂の修二会が，十分な感染防止対策を講じて，今年も行われました。

東大寺の解説によれば，修二会は正式名称を「十一面悔過」と言い，われわれが日常に犯しているさまざまな過ちを，二月堂の本尊である十一面観世音菩薩の前で懺悔するものだそうです。つまり，天災や疫病や反乱は国家の病気と考え，そうした病気を取り除いて，人々の幸福を願う行事です。このような意義からして，新型コロナウイルスの感染が続く現今にこそ行うべきものなのでしょう。

この修二会の儀式の一つに「お水取り」があります。若狭井（閼伽井）という井戸から十一面観世音菩薩にお供えする「お香水」を汲み上げるものです。この若狭井には，魚を採っていて二月堂への参集に遅れた若狭国の遠敷明神が二月堂のほとりに清水を涌き出させて十一面観世音菩薩に奉ったという由来があります。この行事が始まった天平勝宝４（752）年以来，水脈が若狭国から大和国の東大寺に，長きに亙って繋がっているようです。

日本薬局方は，明治19（1886）年の制定以来，このたび公布された第十八改正まで，135年の歴史を有しています。その役割は時代によって変遷していますが，医薬品の根幹たるものを定めた書物としての意義は変わりません。お水取りには遠く及びませんが，医薬品の根底をなすものとして，長きに亙って繋がってきているものといえると思います。

本書は，第十八改正日本薬局方に収載されている医薬品について，原薬の構造式や物性のほか，製剤の製品名，効能又は効果，用法及び用量，薬物動態，警告等を取りまとめています。装丁は，頻繁な使用にも耐え，書架に置いても栄えるようなものとした前回を踏襲しました。

この書籍が役目を果たし終える５年後，新型コロナウイルス感染症が医療の歴史の一齣となっていることを願っています。

令和３年６月

公益財団法人　日本薬剤師研修センター

理事長　　豊　島　　聰

凡　例

【収載品目と配列】

「第十八改正日本薬局方」（令和3年6月7日告示，以下日本薬局方）の医薬品各条に収載された化学薬品及び生薬等について，日本薬局方医薬品各条の配列に則り掲載した。ただし，原薬とその製剤が医薬品各条に収載されている品目については，原薬の項目にまとめて掲載している。

【掲載内容】

原則として日本薬局方による原薬の基本的物性情報の他，その原薬を含む製剤が薬価収載（未収載品目を一部含む）されているものについては，先発医薬品等の製品名及び後発医薬品の有無，各製剤における物性等の基本的情報，薬剤取扱いや患者へ交付する際の留意点，製剤毎の効能又は効果，用法及び用量，薬物動態，警告及び禁忌情報等を纏めた。なお，製剤に関する情報は，インタビューフォーム及び添付文書等の記載によったものである。製剤が流通していない等，これらの情報源が現在入手不可能な品目については，日本薬局方に則った情報に限って記載した。本書の記載のうち，日本薬局方に則った項目（原薬の性状等）の記載は，特段の断り書きがない限り，第十八改正日本薬局方の通則，或いは各総則に準拠している。

複数の剤形や投与経路を有するものについては，それぞれの情報を可能な限り掲載した。本書で用いた主な剤形記号は以下の通りである。

[末] 末剤（原末を含む）　[散] 散剤　[細] 細粒剤　[徐放細] 徐放性細粒剤　[顆] 顆粒剤
[徐放顆] 徐放性顆粒剤　[錠] 錠剤　[徐放錠] 徐放性錠剤
[口腔内崩壊錠] 口腔内崩壊錠剤　[カ] 硬カプセル剤　[軟カ] 軟カプセル剤
[徐放カ] 徐放性カプセル剤　[シ] シロップ剤　[シロップ用] ドライシロップ製剤
[内用液] 内用液剤　[注] 注射剤　[注射用] 注射用剤（凍結乾燥粉末等）
[吸入] 吸入用剤　[坐] 坐剤　[腟用] 腟用剤（錠剤，坐剤を含む）
[眼軟膏] 眼軟膏剤　[軟] 軟膏剤　[クリーム] クリーム剤　[外用液] 外用液剤（ローションを含む）
[貼] 貼付剤（テープ，パップ剤を含む）　[歯科用] 歯科用製剤

【医薬品各条（化学薬品）】

1．品目名和名正名，品目名英名，品目名和名別名

日本薬局方に則り，その和名正名，英名，和名別名を記載した。原薬を含む製剤が収載されている品目は同一項目として，それぞれの和名正名を並べて記載した。

2．概要

2-1.　薬効分類：原則として，日本標準商品分類番号による薬効小分類を記載した。製剤の投与経路や効能及び効果を複数有するものについては，それぞれの分類番号と薬効小分類を記載した。

2-2.　構造式：化学構造式を表すことができない一部の品目等を除き，化学構造式を記載した。なお先発医薬品等のインタビューフォーム等を参考に記載したため，日本薬局方に記載された化学構造式と異なるものがある。

2-3.　分子式・分子量：日本薬局方に則って記載した。

2-4.　略号・慣用名：日本薬局方別名以外の略号或いは慣用名がある場合に記載した。

2-5.　ステム：当該医薬品インタビューフォーム及び「医薬品の名前 ステムを知ればクスリがわかる」（宮田直樹編著，じほう，2013）等を参考に，可能な限り記載した。

2-6.　原薬の規制区分：医薬品医療機器法，麻薬及び向精神薬取締法等により規定されている規制区分を，以下のように記載した。投与経路或いは含量等により規制が異なる場合は，その旨も記載した。なお，処方箋医薬品の規制区分については「製剤の規制区分」欄に記載し，この項では省略した。

[毒] …　毒薬
[劇] …　劇薬
[麻] …　麻薬

(向Ⅰ) (向Ⅱ) (向Ⅲ)　…　第1種～第3種向精神薬
(習)　…　習慣性医薬品

2-7.　**原薬の外観・性状**：日本薬局方に記載された性状を参考に記載した。原則として，日本薬局方に記載された「本品は」等は省略した。

2-8.　**原薬の吸湿性，融点・沸点・凝固点**：原則として日本薬局方に記載がある場合はそれを，それ以外の場合は先発医薬品等のインタビューフォーム等を参考に記載した。

2-9.　**原薬の酸塩基解離定数**：原則として先発医薬品等のインタビューフォーム等を参考に記載した。測定法等により複数の解離定数がある場合はそれぞれ記載した。

2-10.　**先発医薬品等**：「保険薬事典Plus^{+}」（発行：じほう）の情報を基に，当該品目の先発医薬品等の代表的な製品名を剤形毎に記載した。なお，古くから日本薬局方に収載されている品目については，複数の品目を記載している場合がある。

2-11.　**後発医薬品**：「保険薬事典Plus^{+}」（発行：じほう）の情報を基に，当該品目の診療報酬上における後発医薬品が存在するものについて，剤形と規格単位を記載した。

2-12.　**国際誕生年月**：原則として，当該品目の初めて製造・販売が認められた年月を，先発医薬品等のインタビューフォーム等を参考に記載した。なお，投与経路等により年月が異なるものについては，それぞれの国際誕生年月を記載したものがある。

2-13.　**海外での発売状況**：当該品目の海外における承認・発売状況について，先発医薬品等のインタビューフォーム等を参考に記載した。米，英，仏，独において承認・発売されているものはその国名を，その他の国や地域での発売については適宜国名或いはその数を記載した。なお，効能・用法等，国内と異なる承認状況に関する情報は記載を省略した。

3．製剤

3-1.　**規制区分**：剤形毎の規制区分を，主に先発医薬品等のインタビューフォーム等を参考に，以下のように記載した。全ての剤形が同一の規制区分である場合，剤形記号を省略した。投与経路或いは含量等により規制区分が異なる場合は，その旨を記載した。

(毒)　…　毒薬
(劇)　…　劇薬
(麻)　…　麻薬
(向Ⅰ) (向Ⅱ) (向Ⅲ)　…　第1種～第3種向精神薬
(習)　…　習慣性医薬品
(処)　…　処方箋医薬品

3-2.　**製剤の性状**：剤形毎の外観・性状等を，主に先発医薬品等のインタビューフォーム等を参考に記載した。

3-3.　**有効期間又は有効期限，貯法・保存条件**：剤形毎の情報を，主に先発医薬品等のインタビューフォーム等を参考に記載した。有効期間又は有効期限は，特別の記載がない限り製造後における情報を記載した。全ての剤形の情報が同一である場合，剤形記号を省略した。製品の流通がない品目等については，日本薬局方に記載された貯法・保存条件を記載した。なお，PTP包装の誤飲防止に関する記載，口腔内崩壊錠服用時の留意事項，筋肉内注射時の神経走行部位を避ける等の一般的な留意点等，医薬品個々の注意事項でないものは省略した。

3-4.　**薬剤取扱い上の留意点**：剤形毎に，薬局等における取扱い上や保管上の注意，薬剤交付時の注意（患者への服薬情報説明時の注意点等），配合変化等に関する注意，その他必要と思われる留意点等を，主に先発医薬品等のインタビューフォーム等を参考に記載した。

3-5.　**患者向け資料等**：剤形毎に「くすりのしおり」，「患者向医薬品ガイド」及び製品個別の患者向け指導箋等の有無について記載した。

3-6.　**溶液及び溶解時のpH，浸透圧比，安定なpH域，調製時の注意**：主に経口・外用の液剤及び注射剤等について，主に先発医薬品等のインタビューフォーム等を参考にそれぞれ記載した。なお，抗生物質製剤等の単位の力価記載は省略した。

4．薬理作用

4-1.　**分類，作用部位・作用機序**：当該品目の薬理学的分類及び作用部位・作用機序の概要を，主に先発医薬品等のインタビューフォーム等を参考に記載した。投与経路等により異なる薬理作用を有する品目については，可能な限り分けて記載した。

4-2.　同効薬：薬理学的に類似の作用を有する医薬品成分名を，主に先発医薬品等のインタビューフォーム等を参考に記載した。投与経路等により異なる薬理作用を有する品目については，可能な限り分けて記載した。

5．治療

5-1.　効能・効果，効能・効果に関連する使用上の注意，用法・用量，用法・用量に関連する使用上の注意：「日本医薬品集 医療薬2019」（日本医薬品集フォーラム監修，じほう，2018）に記載された情報を基に，剤形毎に記載した。一部，同一有効成分で塩が異なる剤形等に関する情報も参考として記載した。また，第十七改正日本薬局方告示後に当該有効成分を含む医薬品すべてが販売中止となった品目については，参考として†に続けて当該品目が有していた効能・効果を記載した。

5-2.　禁忌・原則禁忌となる特定患者集団：当該品目の添付文書における禁忌・原則禁忌に，主に高齢者，妊婦・妊娠している可能性のある女性及び授乳婦，小児等に関する情報が記載されている場合に，その情報を記載した。

6．使用上の注意

6-1.　警告，禁忌，相互作用概要，過量投与：「日本医薬品集 医療薬2019」（日本医薬品集フォーラム監修，じほう，2018）に記載された情報を基に，剤形毎に記載した。一部，同一有効成分で塩が異なる剤形等に関する情報も参考として記載した。

7．薬物動態

「日本医薬品集 医療薬2019」（日本医薬品集フォーラム監修，じほう，2018）に記載された情報を基に，剤形毎に記載した。一部，同一有効成分で塩が異なる剤形等に関する情報も参考として記載した。

8．その他の管理的事項

8-1.　投与期間制限：主に麻薬・向精神薬等に係る薬剤投与日数制限について，該当するものを記載した。

8-2.　保険給付上の注意：主に健康保険一部限定適用となる品目，薬価基準未収載品目に関する情報等を記載した。

9．資料

各項目を記載するにあたり，参考としたインタビューフォーム及び添付文書とその改訂年月を記載した。

【医薬品各条（生薬等）】

1．品目名和名正名，品目名英名，品目名ラテン名，品目名和名別名

日本薬局方に則り，その和名正名，英名，ラテン名，和名別名を記載した。

2．概要・製法・性状

日本薬局方に則り，その基原等について記載した。日本薬局方に製法の記載のある品目については，その旨も記載した。性状については，原則として定量に関する記載を省略した。

3．この生薬を含む主な医療用漢方処方

当該生薬を含む主な医療用漢方処方製剤について，「日本生薬関係規格集2014」（合田幸広，袴塚高志監修，じほう，2014）に記載された情報を基に記載した。

4．貯法

日本薬局方に則り，保存容器及び保存条件について記載した。

5．治療（漢方エキス製剤のみ）

5-1.　効能・効果，効能・効果に関連する使用上の注意，用法・用量，用法・用量に関連する使用上の注意：「日本医薬品集 医療薬2019」（日本医薬品集フォーラム監修，じほう，2018）に記載された情報を基に，当該漢方エキス製剤を製造販売する会社毎に記載した。

6．使用上の注意

6-1.　警告，禁忌，過量投与：「日本医薬品集 医療薬2019」（日本医薬品集フォーラム監修，じほう，2018）に記載された情報を基に，当該漢方エキス製剤を製造販売する会社毎に記載した。

第十八改正日本薬局方　医薬品情報

医薬品各条　目次

ア

イ

ウ

エ

オ

カ

キ

ク

ケ

コ

サ

シ

ス

セ

ソ

タ

チ

ツ

テ

ト

ナ

ニ

ネ

ノ

ハ

ヒ

へ

ホ

マ

ミ

ム

メ

モ

ヤ

ユ

ヨ

ラ

リ

レ

ロ

ワ

第十八改正日本薬局方　医薬品情報

医薬品各条　生薬等目次

ア

イ

ウ

エ

オ

カ

キ

ク

ケ

コ

サ

シ

セ

ソ

タ

チ

ツ

テ

ト

ナ

ニ

ハ

ヒ

フ

ヘ

ホ

マ

ミ

モ

ヤ

ユ

ヨ

ラ

リ

レ

ロ

亜鉛華デンプン
Zinc Oxide Starch Powder

別名：酸化亜鉛デンプン

概要
薬効分類 264 鎮痛，鎮痒，収斂，消炎剤
原薬の規制区分 該当しない
先発医薬品等
[外用末] 亜鉛華デンプン(山善)
亜鉛華デンプン「コザカイ・M」(小堺＝丸石)
亜鉛華デンプン「司生堂」(司生堂)

製剤
製剤の性状 [末] 白色の粉末である
貯法・保存条件 密閉容器，室温保存
薬剤取扱い上の留意点 空気中から二酸化炭素を吸収して変質しやすいので注意すること
患者向け資料等 くすりのしおり

薬理作用
分類 外用局所収斂剤

治療
効能・効果 次の皮膚疾患の収れん・消炎・保護・緩和な防腐：湿疹・皮膚炎，汗疹，間擦疹 日焼け
用法・用量 1日1～数回，綿等に含ませ軽く散布

使用上の注意
禁忌 ①重度又は広範囲の熱傷［酸化亜鉛が創傷部位に付着し，組織修復を遷延させることがある］ ②患部が湿潤している場合［酸化亜鉛が創傷部位に付着し，組織修復を遷延させることがある］

資料
添付文書 亜鉛華デンプン「ケンエー」 2003年5月改訂(第2版)

亜鉛華軟膏
Zinc Oxide Ointment

別名：酸化亜鉛軟膏

概要
薬効分類 262 創傷保護剤，264 鎮痛，鎮痒，収斂，消炎剤
分子式 ZnO
分子量 81.39
原薬の規制区分 該当しない
原薬の外観・性状 白色の無結晶の粉末で，におい及び味はない．水，エタノール(95)，酢酸(100)又はジエチルエーテルにほとんど溶けない．希塩酸又は水酸化ナトリウム試液に溶ける
原薬の吸湿性 示さない
先発医薬品等
[軟] 亜鉛華軟膏「JG」(日本ジェネリック)
亜鉛華軟膏「コザカイ・M」(小堺＝岩城)
亜鉛華軟膏 シオエ(シオエ＝日本新薬)
亜鉛華軟膏「司生堂」(司生堂)
亜鉛華軟膏「東豊」(東豊＝日医工)
亜鉛華軟膏「日医工」(日医工)
亜鉛華軟膏「ニッコー」(日興製薬＝丸石)
亜鉛華軟膏〈ハチ〉(東洋製化＝小野＝健栄)
亜鉛華軟膏「ホエイ」(マイラン＝ファイザー)
亜鉛華軟膏「ヨシダ」(吉田製薬)
後発医薬品
[軟] 10%・20%
[貼] 20%

製剤
製剤の性状 [軟] 白色の軟膏
有効期間又は使用期限 5年
貯法・保存条件 気密容器，室温保存
患者向け資料等 くすりのしおり

薬理作用
分類 外用局所収斂剤
作用部位・作用機序 皮膚．局所の収れん，分泌物の減少などの作用．酸化亜鉛の作用に加え，皮膚軟化性及び皮膚密着性を持ち，痂皮を軟化し，肉芽形成・表皮形成を促進させて皮膚疾患を改善
同効薬 亜鉛華(10%)単軟膏

治療
効能・効果 [外用末] 軽度の皮膚病変の収れん・消炎・保護・緩和な防腐
[軟] [貼] ①次の皮膚疾患の収れん・消炎・保護・緩和な防腐：外傷，熱傷，凍傷，湿疹・皮膚炎，肛門そう痒症，白癬，面皰，せつ，よう ②その他の皮膚疾患によるびらん・潰瘍・湿潤面
用法・用量 [外用末] 外用散剤(散布剤)として15～100%．軟膏剤・液剤(懸濁剤・リニメント剤・ローション剤等)として2～60%．前記濃度に調製し，いずれも症状に応じ1日1～数回適用
[軟] 1日1～数回患部に塗擦又は貼付
[貼] 1日1～数回貼付

使用上の注意
禁忌 ①重度又は広範囲の熱傷［酸化亜鉛が創傷部位に付着し，組織修復を遷延させることがある］ ②[外用末] 患部が湿潤している場合［酸化亜鉛が創傷部位に付着し，組織修復を遷延させることがある］

その他の管理的事項
投与期間制限 該当しない
保険給付上の注意 該当しない

資料
IF 亜鉛華軟膏「ホエイ」 2013年1月改訂(第5版)

アクチノマイシンD
Actinomycin D

別名：ダクチノマイシン

概要
薬効分類 423 抗腫瘍性抗生物質製剤
構造式

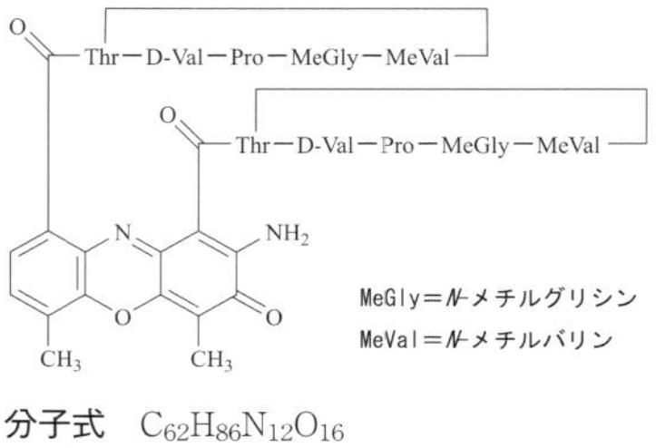
Thr－D-Val－Pro－MeGly－MeVal
Thr－D-Val－Pro－MeGly－MeVal
N
O
NH2
O
CH3
CH3
MeGly＝N-メチルグリシン
MeVal＝N-メチルバリン

分子式 $C_{62}H_{86}N_{12}O_{16}$
分子量 1255.42
略語・慣用名 ACT-D，ACD
ステム *Streptomyces*属の産生する抗生物質：-mycin
原薬の規制区分 [毒](ただし，1バイアル中アクチノマイシンD0.5mg力価以下を含有するものは[劇])
原薬の外観・性状 橙赤色～赤色の結晶性の粉末である．アセ

トンに溶けやすく，アセトニトリル又はメタノールにやや溶けにくく，エタノール(99.5)に溶けにくく，水に極めて溶けにくい

原薬の吸湿性　該当資料なし

原薬の融点・沸点・凝固点　融点：241.5～243℃(分解)

原薬の酸塩基解離定数　該当資料なし

先発医薬品等

注射用　コスメゲン静注用0.5mg(ノーベル)

国際誕生年月　不明

海外での発売状況　米，英ほか各国

製剤

規制区分　**注射用**　㊖ ㊇

製剤の性状　**注射用**　橙赤色の粉末で，用時溶解して用いる注射用製剤

有効期間又は使用期限　3年

貯法・保存条件　遮光・冷所保存

薬剤取扱い上の留意点　全ての廃棄物は廃棄物処理法に基づいて適正に処理しなければならない．眼，皮膚及び衣類に触れないようにする．口に入れない．粉じんを吸入しないこと．容器を閉めて保管する．換気が十分な場所でのみ使用．妊娠中は暴露を避ける．取扱い後は十分に洗浄する

溶液及び溶解時のpH　5.5～7.5(0.5mg/1.1mL注射用水)

浸透圧比　約0.4(0.5mg/1.1mL注射用水)(対生食)

安定なpH域　5.5～7.5(0.5mg/1.1mL注射用水)

調製時の注意　本剤1バイアルにつき1.1mLの注射用水(保存剤を含まないもの)を加え，溶解する．この溶解液は，1mL中にアクチノマイシンDを約0.5mg含有する．1.1mLの生理食塩液では完全に溶解せず白濁するので，必ず注射用水で溶解すること．必ず用時調製し，使用されなかった薬液は廃棄すること

薬理作用

分類　抗悪性腫瘍性抗生物質

作用部位・作用機序　アクチノマイシンDの作用機序はいまだ明らかにされていないが，本剤が，DNAのGuanineと結合し，複合体をつくり，そのためDNA依存性のRNA polymeraseによるDNAの転写反応が阻害され，RNA生成が抑制されることにあると考えられている

同効薬　マイトマイシンC，ブレオマイシン塩酸塩など

治療

効能・効果　①ウイルムス腫瘍，絨毛上皮腫，破壊性胞状奇胎　②次の悪性腫瘍に対する他の抗悪性腫瘍剤との併用療法：小児悪性固形腫瘍(ユーイング肉腫ファミリー腫瘍，横紋筋肉腫，腎芽腫その他腎原発悪性腫瘍)

用法・用量　効能①：1日0.01mg/kg，小児0.015mg/kg，5日間の静注を1クールとする．休薬期間は通常2週間で，前回の投与によって中毒症状が現れた場合は，中毒症状が消失するまで休薬する　効能②：(1)1回投与法：他の抗悪性腫瘍剤との併用においては，1日1回1.25～1.35mg/m^2(体重30kg以上：1日最大投与量2.3mg)又は0.045mg/kg(体重30kg未満)を静注又は点滴静注　(2)分割投与法：他の抗悪性腫瘍剤との併用における用法・用量は，1日1回0.015mg/kg(1日最大投与量0.5mg)を静注又は点滴静注，5日間連続投与．休薬期間は通常2週間で，前回の投与によって中毒症状が現れた場合は，中毒症状が消失するまで休薬する．年齢，併用薬，患者の状態に応じて適宜減量　(調製法は添付文書参照)

用法・用量に関連する使用上の注意　小児悪性固形腫瘍に対する他の抗悪性腫瘍剤との併用療法においては，併用薬剤の添付文書も参照する

使用上の注意

警告　①本剤を含むがん化学療法は，緊急時に十分対応できる医療施設において，がん化学療法に十分な知識・経験をもつ医師のもとで，本療法が適切と判断される症例についてのみ実施する．適応患者の選択にあたっては，各併用薬剤の添付文書を参照して十分注意する．また，治療開始に先立ち，患者又はその家族に有効性及び危険性を十分説明し，同意を得てから投与する　②本剤を含む小児悪性固形腫瘍に対するがん化学療法は，小児のがん化学療法に十分な知識・経験をもつ医師のもとで実施する

禁忌　①本剤の成分に対し過敏症の既往歴のある患者　②水痘又は帯状疱疹の患者［致命的全身障害が現れることがある］

過量投与　過量投与により，消化管潰瘍等の粘膜炎，表皮剥脱・表皮融解等の皮膚障害，重篤な骨髄抑制，肝静脈閉塞症，急性腎不全，死亡等が報告されている

薬物動態

(外国人)　**血中濃度**　悪性黒色腫3症例に^{3}H-標識体10，15μg/kg静注時の血中半減期は約36時間，生体内においてほとんど代謝されない　**排泄**　15μg/kg静注後9日間の回収率は，尿中20%，糞中14%

その他の管理的事項

投与期間制限　該当しない

保険給付上の注意　該当しない

資料

IF　コスメゲン静注用0.5mg　2019年7月改訂(第15版)

アクラルビシン塩酸塩
Aclarubicin Hydrochloride

概要

薬効分類　423　抗腫瘍性抗生物質製剤

構造式

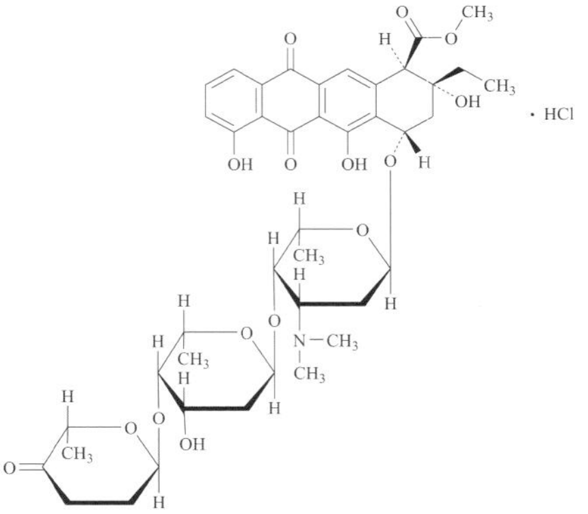

分子式　$C_{42}H_{53}NO_{15}$・HCl

分子量　848.33

略語・慣用名　ACM

ステム　アントラサイクリン系抗悪性腫瘍剤：-rubicin

原薬の規制区分　㊕(ただし，1バイアル中アクラルビシンとして20mg力価以下を含有するものは㊖)

原薬の外観・性状　黄色～微橙黄色の粉末である．メタノール又はクロロホルムに極めて溶けやすく，水に溶けやすく，エタノール(95)に溶けにくい．0.05gを水10mLに溶かした液のpHは5.5～6.5である

原薬の吸湿性　吸湿性であるが90%RH以上の高湿度条件でも，固化，潮解等の変化は認められない

原薬の融点・沸点・凝固点　分解点：150～151℃

原薬の酸塩基解離定数　pKa'＝8.33(フェノール性水酸基)，pKa'＝9.55(ジメチルアミノ基)(50%ジメチルホルムアミド水溶液中での0.1N水酸化ナトリウム溶液による滴定)

先発医薬品等

注射用 アクラシノン注射用20mg（マイクロバイオ＝アステラス）
国際誕生年月 不明
海外での発売状況 中国
製剤
規制区分 注射用 ㊟ ㊕
製剤の性状 注射用 黄色～微黄色の粉末
有効期間又は使用期限 2年
貯法・保存条件 遮光・室温保存
薬剤取扱い上の留意点 該当しない
溶液及び溶解時のpH 5.0～6.5（1バイアル/10mL生食溶解液）
浸透圧比 約1（1バイアル/10mL生食溶解液）
安定なpH域 4.0～5.0（1バイアル/10mL生食溶解液）
調製時の注意 本品1バイアルに生食又は5%ブドウ糖液10mLを加えて溶解する．溶解後は，できるだけ速やかに使用すること．溶解時のpHが高いと濁りを生じることがあるので，pH7以上の注射剤との配合は避けること
薬理作用
分類 抗腫瘍性抗生物質
作用部位・作用機序 部位：癌細胞内核酸（DNA，RNA），特にRNA 機序：癌細胞内に取り込まれ，DNAに結合して核酸合成，特にRNA合成を強く阻害
同効薬 アントラサイクリン系抗生物質，ダウノルビシン塩酸塩，エピルビシン塩酸塩など
治療
効能・効果 胃癌，肺癌，乳癌，卵巣癌，悪性リンパ腫，急性白血病の自覚的ならびに他覚的症状の寛解及び改善
用法・用量 20mgを生理食塩液又は5%ブドウ糖液10mLに溶解：①固形癌及び悪性リンパ腫：⑴1日40～50mg（0.8～1mg/kg）（力価）を1週間に2回，1，2日連日又は1，4日に静脈内へワンショット投与又は点滴投与 ⑵1日20mg（0.4mg/kg）（力価）を7日間連日静脈内へワンショット投与又は点滴投与後，7日間休薬し，これを反復 ②急性白血病：1日20mg（0.4mg/kg）（力価）を10～15日間連日静脈内へワンショット投与又は点滴投与
使用上の注意
禁忌 ①心機能異常又はその既往歴のある患者［心筋障害が現れることがある］ ②本剤の成分に対し重篤な過敏症の既往歴のある患者
薬物動態
血中濃度 ①40～100mgワンショット静注：全血中濃度は，投与後急速に低下したが，活性型の代謝物が12時間以上にわたり20～30ng/mL ②20mg点滴静注（1時間）：全血中濃度は投与後速やかに消失したが，活性型の代謝物が12時間以上にわたり10～20ng/mL
その他の管理的事項
投与期間制限 該当しない
保険給付上の注意 該当しない
資料
IF アクラシノン注射用20mg 2016年1月改訂（第9版）

アクリノール水和物
Acrinol Hydrate
別名：乳酸エタクリジン

概要
薬効分類 261 外皮用殺菌消毒剤
構造式

分子式 $C_{15}H_{15}N_3O \cdot C_3H_6O_3 \cdot H_2O$
分子量 361.39
ステム 不明
原薬の規制区分 該当しない
原薬の外観・性状 黄色の結晶性の粉末である．水，メタノール又はエタノール（99.5）にやや溶けにくい．1gを水100mLに溶かした液のpHは5.5～7.0である
原薬の吸湿性 該当資料なし
原薬の融点・沸点・凝固点 融点：約245℃（分解）
原薬の酸塩基解離定数 該当資料なし
先発医薬品等
外用液 アクリノール液0.1%「シオエ」（シオエ＝日本新薬）
アクリノール消毒液0.1%「東豊」（東豊）
後発医薬品
外用液 0.1%・0.2%
国際誕生年月 不明
製剤
製剤の性状 液 黄色澄明の液体で，においはなく，収れん性の苦味がある
有効期間又は使用期限 3年
貯法・保存条件 遮光した気密容器
薬剤取扱い上の留意点 該当資料なし
患者向け資料等 くすりのしおり
溶液及び溶解時のpH 中性
浸透圧比 該当資料なし
安定なpH域 該当資料なし
調製時の注意 該当しない
薬理作用
分類 外用殺菌消毒剤
作用部位・作用機序 グラム陽性・陰性菌に有効で，特にレンサ球菌，ウェルシュ菌，ブドウ球菌，淋菌に対し，静菌及び殺菌作用 作用機序：生体でアクリジニウムイオンとなり細胞の呼吸酵素を阻害するといわれている．生体組織にはほとんど刺激を与えず，血清やタンパク質の存在下でも殺菌力は低下しない
治療
効能・効果 化膿局所の消毒：泌尿器・産婦人科術中術後，化膿性疾患（せつ，よう，扁桃炎，副鼻腔炎，中耳炎）
用法・用量 0.05～0.2%液
その他の管理的事項
投与期間制限 該当しない
保険給付上の注意 該当しない
資料
IF 0.1%アクリノール液・液0.2%「ヤクハン」 2011年11月作成（第1版）

アクリノール・亜鉛華軟膏
Acrinol and Zinc Oxide Ointment
別名：アクリノール酸化亜鉛軟膏

概要
原薬の規制区分　該当しない
製剤
製剤の性状　黄色である
貯法・保存条件　気密容器，遮光保存

アクリノール・チンク油
Acrinol and Zinc Oxide Oil

概要
薬効分類　264　鎮痛，鎮痒，収斂，消炎剤
原薬の規制区分　該当しない
製剤
製剤の性状　黄白色の泥状物で，長く静置するとき成分の一部を分離する
貯法・保存条件　遮光した気密容器，室温保存
薬剤取扱い上の留意点　着色すると脱色しにくいので，必要以外のものに付着しないよう注意すること
治療
効能・効果　小範囲の第一度熱傷及び擦傷，小範囲の湿疹・皮膚炎における水疱・膿疱
用法・用量　1日1～数回塗布
使用上の注意
禁忌　重度又は広範囲の熱傷
その他の管理的事項
投与期間制限　該当しない
保険給付上の注意　該当しない
資料
添付文書　アクリノール・チンク油「ヨシダ」 2015年1月改訂（第4版）

複方アクリノール・チンク油
Compound Acrinol and Zinc Oxide Oil

概要
原薬の規制区分　該当しない
製剤
製剤の性状　淡黄色～黄色である．長く静置するとき，成分の一部を分離する
貯法・保存条件　気密容器，遮光保存

アザチオプリン
アザチオプリン錠
Azathioprine

概要
薬効分類　399　他に分類されない代謝性医薬品
構造式

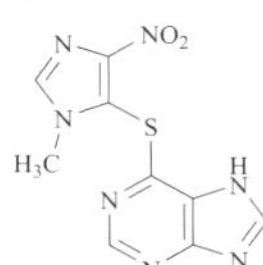

分子式　$C_9H_7N_7O_2S$
分子量　277.26
略語・慣用名　AZA
ステム　該当資料なし
原薬の規制区分　㊙
原薬の外観・性状　淡黄色の結晶又は結晶性の粉末で，においはない．ピリジン又は*N*,*N*-ジメチルホルムアミドにやや溶けにくく，水又はエタノール(99.5)に極めて溶けにくく，ジエチルエーテル又はクロロホルムにほとんど溶けない．水酸化ナトリウム試液又はアンモニア試液に溶ける．光によって徐々に着色する
原薬の吸湿性　該当資料なし
原薬の融点・沸点・凝固点　融点：約240℃（分解）
原薬の酸塩基解離定数　pKa＝8.2
先発医薬品等
錠 アザニン錠50mg（田辺三菱）
イムラン錠50mg（アスペン）
国際誕生年月　1966年3月
海外での発売状況　米，英
製剤
規制区分　錠 ㊙
製剤の性状　錠 淡黄白色の割線入りのフィルムコート錠
有効期間又は使用期限　5年
貯法・保存条件　遮光した気密容器，室温保存
薬剤取扱い上の留意点　該当しない
患者向け資料等　患者向医薬品ガイド，くすりのしおり
溶液及び溶解時のpH　該当しない
浸透圧比　該当しない
安定なpH域　該当しない
調製時の注意　該当しない
薬理作用
分類　免疫抑制剤
作用部位・作用機序　代謝拮抗薬の6-メルカプトプリン(6-MP)のプロドラッグで，生体内で6-MPに分解され，核酸合成を阻害することにより免疫抑制作用．細胞内に取り込まれた6-MPは，チオイノシン酸から6-チオグアニンヌクレオチド(6-TGN)に変換されDNAへ取り込まれて細胞障害作用を発揮すると考えられている．また，チオイノシン酸及びそのメチル化体は，5-ホスホリボシル-1-ピロリン酸(PRPP)から5-ホスホリボシルアミンへの形成反応等プリンヌクレオチド合成に不可欠な反応を阻害
同効薬　シクロスポリン，タクロリムス水和物，ミゾリビン，ミコフェノール酸モフェチル
治療
効能・効果　①次の臓器移植における拒絶反応の抑制：腎移植，肝移植，心移植，肺移植　②ステロイド依存性のクローン病の緩解導入及び緩解維持ならびにステロイド依存性の潰瘍性大腸炎の緩解維持　③治療抵抗性の次のリウマチ性疾患：全身性血管炎（顕微鏡的多発血管炎，ウェゲナ肉芽腫症，結節性

多発動脈炎，Churg-Strauss症候群，大動脈炎症候群等），全身性エリテマトーデス(SLE)，多発性筋炎，皮膚筋炎，強皮症，混合性結合組織病，及び難治性リウマチ性疾患　④自己免疫性肝炎

効能・効果に関連する使用上の注意　①臓器移植における拒絶反応の抑制を目的として投与する場合は，副腎皮質ステロイドや他の免疫抑制剤との併用で用いる　②ステロイド依存性のクローン病及びステロイド依存性の潰瘍性大腸炎を有する患者に投与する場合は，他の標準的な治療法では十分に効果が得られない患者に限る．なお，ステロイド依存性のクローン病における緩解導入を目的として投与する場合は，副腎皮質ステロイドとの併用で用いる　③治療抵抗性のリウマチ性疾患に投与する場合，副腎皮質ステロイド等との併用を考慮する　④自己免疫性肝炎に投与する場合は，副腎皮質ステロイドとの併用を考慮する

用法・用量　成人，小児に，次の量を1日量として内服　効能①：⑴腎移植の場合：初期量2～3mg/kg相当量，維持量0.5～1mg/kg相当量　⑵肝，心及び肺移植の場合：初期量2～3mg/kg相当量，維持量1～2mg/kg相当量．しかし，耐薬量及び有効量は患者によって異なるので，最適の治療効果を得るために，用量の注意深い増減が必要である　効能②：1～2mg/kg相当量(通常，成人には50～100mg)　効能③：成人及び小児には，1日量として1～2mg/kg相当量を経口投与．なお，症状により適宜増減可能であるが1日量として3mg/kgを超えない　効能④：1日量として1～2mg/kg相当量

用法・用量に関連する使用上の注意　①肝機能障害又は腎不全のある患者では，投与量を通常投与量の下限とすることが望ましい．臨床検査値(血液検査，肝機能，腎機能検査等)を慎重に観察し，異常を認めた場合さらに減量を考慮する　②ステロイド依存性のクローン病及びステロイド依存性の潰瘍性大腸炎の患者では，2年程度を目安に本剤の投与継続の要否を検討する．なお，臨床的な治療効果は3～4カ月の投与では現れない場合がある　③治療抵抗性のリウマチ性疾患に投与する場合，本剤の治療効果が認められた際には効果を維持できる最低用量まで減量することを検討する　④自己免疫性肝炎に投与する場合，治療効果が認められた際には効果を維持できる最低用量まで減量することを検討する．また，6カ月投与しても治療効果が現れない場合には，投与継続の要否を検討する

使用上の注意

> **警告**　①臓器移植における本剤の投与は，免疫抑制療法及び移植患者の管理に精通している医師又はその指導のもとで行う　②治療抵抗性のリウマチ性疾患に投与する場合，緊急時に十分対応できる医療施設において，本剤についての十分な知識と治療抵抗性のリウマチ性疾患治療の経験を持つ医師のもとで行う

禁忌　①本剤の成分に対し過敏症の既往歴のある患者　②白血球数3000/mm^{3}以下の患者［白血球数がさらに減少することがある］　③フェブキソスタット又はトピロキソスタットを投与中の患者

過量投与　①徴候・症状：長期過量投与による骨髄抑制の結果，感染症，咽頭の潰瘍形成，内出血及び出血が発現する．また，本剤7.5gを服用した後，悪心・嘔吐，下痢に引き続き軽度の白血球減少及び軽度の肝機能障害が発現し，回復した症例が報告されている　②治療：胃洗浄・対症療法等の適切な処置を行う．その後，頻回に検査を行う等，患者の状態を注意深く観察し，異常が認められた場合には適切な処置を行う．なお，血液透析により一部除去可能ではあるが(8時間の血液透析により約43%除去されることが報告されている)，過量投与に対する血液透析の有用性は不明である

薬物動態

(外国人．効能は腎，肝及び心，肺移植における拒絶反応の抑制)　**吸収**　白血病患者に経口投与された^{35}S標識アザチオプリンは，胃腸管から速やかに吸収．7名の腎移植患者にアザチオプリン1.3～2.8mg/kgを1日1回反復投与したときの薬物動態パラメータ[6-メルカプトプリン(6-MP)，6-チオ尿酸(6-TU)の順]はCmax(ng/mL) 73.7±23.7，1210±785，Tmax(hr) 1.8±1.1，3.5±0.6，$T_{1/2}$(hr) 1.9±0.6，3.4±1，AUC_{0-24}(ng・hr/mL) －，7860±5210　**代謝・排泄**　生体内で速やかに6-MPに分解，さらにキサンチンオキシダーゼ及びチオプリンメチルトランスフェラーゼ(TPMT)により代謝後，尿中に排泄．^{35}S標識アザチオプリン(100mg)を3名の白血病患者に経口投与時，24時間尿中に約50%，48時間尿中に約70%が主に6-TU及び無機硫酸塩として排泄※)．一方，細胞内に入った6-MPはヒポキサンチン-グアニンホスホリボシルトランスフェラーゼ(HGPRT)によってチオイノシン酸に代謝後，6-チオグアニンヌクレオチド(6-TGN)あるいはメチルチオイノシン一リン酸(meTIMP)に変換．6-MP及びチオイノシン酸のメチル化反応に関与するTPMTには遺伝多型が報告されている．38名の腎又は心移植患者に投与時，赤血球中TPMT活性と6-TGN濃度の間に有意な負の相関性($r=-0.785$，$p<0.01$)　※)本剤は白血病の適応は有していない

その他の管理的事項

投与期間制限　該当しない

保険給付上の注意　該当しない

資料

IF　イムラン錠50mg　2019年2月改訂(第13版)

亜酸化窒素
Nitrous Oxide

概要

薬効分類　111　全身麻酔剤

分子式　N_2O

分子量　44.01

原薬の規制区分　該当しない

原薬の外観・性状　室温，大気圧下において無色のガスで，においはない．1mLは温度20℃，気圧101.3kPaで，水1.5mL又はエタノール(95) 0.4mLに溶け，ジエチルエーテル又は脂肪油にやや溶けやすい．1000mLは温度0℃，気圧101.3kPaで約1.96gである

原薬の融点・沸点・凝固点　沸点：－88.96℃　臨界温度：36.65℃

先発医薬品等

[吸入] アネスタ(星医療酸器)
液化亜酸化窒素(日産)
液化亜酸化窒素(日本エア・リキード)
小池笑気(小池メディカル)
マルワ亜酸化窒素(和歌山酸素)

製剤

規制区分　[吸入]　[処]

製剤の性状　[吸入] 室温，大気圧下において無色のガスで，においはない

貯法・保存条件　40℃以下(耐圧金属製密封容器)

薬剤取扱い上の留意点　容器は転落・転倒，打撃などの衝撃を与えないよう静かに取り扱うこと．清潔で乾いた皮手袋を使用すること

薬理作用

分類　吸入麻酔剤

治療
効能・効果　全身麻酔，鎮痛
用法・用量　酸素と併用し，酸素の吸気中濃度は必ず20%以上に保つ．使用目的，患者の状態に応じ，適宜酸素濃度を増加させる

薬物動態
吸収は，吸入開始直後は大量(約1L/分)に吸収されるが，時間の経過とともに急減し，20～30分でほぼ飽和状態となり，以後は微量しか吸収されない．また，排泄は，吸収と同じパターンをとり，最初大量排泄があり，次いで約10分以内で半減し以後長時間続く

その他の管理的事項
投与期間制限　該当しない
保険給付上の注意　該当しない

資料
添付文書　液化亜酸化窒素(日産化学工業)　2018年7月改訂(第6版)

アシクロビル
アシクロビル錠
アシクロビル顆粒
アシクロビルシロップ
シロップ用アシクロビル
アシクロビル注射液
注射用アシクロビル
アシクロビル眼軟膏
アシクロビル軟膏
Aciclovir

概要
薬効分類　131　眼科用剤，625　抗ウイルス剤
構造式

分子式　$C_8H_{11}N_5O_3$
分子量　225.20
略語・慣用名　ACV
ステム　抗ウイルス剤，複素二環化合物：-ciclovir
原薬の規制区分　該当しない
原薬の外観・性状　白色～微黄白色の結晶性の粉末である．水に溶けにくく，エタノール(99.5)に極めて溶けにくい．0.1mol/L塩酸試液又は希水酸化ナトリウム試液に溶ける
原薬の吸湿性　認められない
原薬の融点・沸点・凝固点　融点：約300℃(分解)
原薬の酸塩基解離定数　**顆**　**錠**　**軟**　**クリーム**　**眼軟膏**　$pKa_1 = 9.35$，$pKa_2 = 2.52$　**注**　$pKa_1 = 2.52$(吸光度法)，25℃，$pKa_2 = 9.35$(吸光度法)，25℃　**注射用**　$pKa_1 = 2.27$，$pKa_2 = 9.25$
先発医薬品等
顆　ゾビラックス顆粒40%(GSK)
錠　ゾビラックス錠200・400(GSK)
注射用　ゾビラックス点滴静注用250(GSK)
眼軟膏　アシクロビル眼軟膏3%「日点」(日本点眼薬)
アシクロビル眼軟膏3%「ニットー」(東亜薬品＝日東メディック)
ゾビラックス眼軟膏3%(日東メディック＝参天)
軟　ゾビラックス軟膏5%(GSK)
クリーム　ゾビラックスクリーム5%(GSK)
後発医薬品
顆　40%
錠　200mg・400mg
シ　8%
シロップ用　80%
内用ゼリー　200mg・800mg
注　125mg・250mg
注射用　250mg
キット　250mg
軟　5%
クリーム　5%
国際誕生年月　1981年6月
海外での発売状況　**顆**　**錠**　米，英，独，仏など　**シ**　イタリア，韓国など　**注射用**　英，仏など　**軟**　英　**クリーム**　米，英，独など　**眼軟膏**　英，独，スイスなど

製剤
規制区分　**顆**　**錠**　**シ**　**シロップ用**　**注**　**注射用**　㊣
製剤の性状　**顆**　白色～微黄白色の顆粒剤　**錠**　白色割線入りの素錠で，においはない　**シ**　振り混ぜるとき，白色の均一な懸濁液で，芳香があり，味は甘い　**シロップ用**　白色～微黄白色の顆粒　**注**　無色～微黄色の澄明な注射液　**注射用**　白色～微黄白色の軽質の塊又は粉末を注射用バイアルに充てんした注射剤　**軟**　白色の軟膏剤で，においはないか，又は僅かに特異なにおいがある　**クリーム**　白色の滑らかなクリーム剤で，粒，固まり及び異物を認めず，分離も認めない　**眼軟膏**　白色の軟膏剤
有効期間又は使用期限　**顆**　**シ**　**シロップ用**　**注**　**注射用**　**軟**　**クリーム**　**眼軟膏**　3年　**錠**　5年
貯法・保存条件　**顆**　**錠**　**シロップ用**　**注**　**注射用**　**軟**　**クリーム**　室温保存　**シ**　気密容器，室温保存　**眼軟膏**　高温を避け，室温保存
薬剤取扱い上の留意点　**顆**　**錠**　**シ**　**シロップ用**　**注**　**注射用**　意識障害等が現れることがあるので，自動車の運転等，危険を伴う機械の操作に従事する際には注意するよう患者に十分に説明すること．なお，腎機能障害患者では，特に意識障害等が現れやすいので，患者の状態によっては従事させないよう注意すること　**顆**　**錠**　腎障害のある患者又は腎機能が低下している患者，高齢者等の脱水症状を起こしやすいと考えられる患者では，本剤の投与中は適切な水分補給を行うこと　**クリーム**　冷所保存しないこと．特別に配合された基剤を含有しており，薄めたり他剤を混合するための基剤として使用してはいけない　**眼軟膏**　使用中はコンタクトレンズの着用を避けるように指導すること
患者向け資料等　**顆**　**錠**　**シ**　**シロップ用**　**注**　**注射用**　患者向医薬品ガイド，くすりのしおり　**軟**　**クリーム**　**眼軟膏**　くすりのしおり
溶液及び溶解時のpH　**シ**　3.7～5.4　**注**　10.0～11.0(10mL/100mL生食)　**注射用**　約10.4(1バイアル/100mL生食溶解液)
浸透圧比　**注**　約1(対生食)　**注射用**　約1.1(1バイアル/100mL生食溶解液)
調製時の注意　**注**　**注射用**　補液で希釈する際，補液によっては白濁あるいは結晶が析出する場合があるのでそのような場合には使用しないこと．本剤を含め，調製溶液の冷却は結晶の析出をまねきやすいので冷却しないこと．本剤はアルカリ性を呈し，pH等の変化により配合変化が起こりやすいので，他剤との混注は可能な限り避けること

薬理作用
分類　抗ヘルペスウイルス剤
作用部位・作用機序　単純ヘルペスウイルス1型(HSV-1)，同2

型(HSV-2)，水痘・帯状疱疹ウイルス(VZV)感染細胞内に入ると，ウイルス性のチミジンキナーゼにより一リン酸化された後，細胞性キナーゼによりリン酸化され，アシクロビル三リン酸(ACV-TP)となる．ACV-TPは正常基質であるデオキシグアノシン三リン酸(dGTP)と競合してウイルスDNAポリメラーゼによりウイルスDNAの3'末端に取り込まれると，ウイルスDNA鎖の伸長を停止させ，ウイルスDNAの複製を阻害．アシクロビルリン酸化の第一段階である一リン酸化は感染細胞内に存在するウイルス性チミジンキナーゼによるため，ウイルス非感染細胞に対する障害性は低いものと考えられる

同効薬 バラシクロビル塩酸塩，ビダラビン，ファムシクロビル

治療

効能・効果 **顆** **錠** **シ** **シロップ用** **内用ゼリー** ①成人：(1)単純疱疹(内用ゼリー800mgは除く) (2)造血幹細胞移植における単純ヘルペスウイルス感染症(単純疱疹)の発症抑制(内用ゼリー800mgは除く) (3)帯状疱疹 ②小児：(1)単純疱疹(内用ゼリー800mgは除く) (2)造血幹細胞移植における単純ヘルペスウイルス感染症(単純疱疹)の発症抑制(内用ゼリー800mgは除く) (3)帯状疱疹 (4)**顆** **シ** **シロップ用** 水痘 (5)性器ヘルペスの再発抑制(内用ゼリー800mgは除く)

注 **注射用** **キット** ①単純ヘルペスウイルス及び水痘・帯状疱疹ウイルスに起因する次の感染症：免疫機能の低下した患者(悪性腫瘍・自己免疫疾患等)に発症した単純疱疹・水痘・帯状疱疹，脳炎・髄膜炎 ②新生児単純ヘルペスウイルス感染症

軟 **クリーム** 単純疱疹

眼軟膏 単純ヘルペスウイルスに起因する角膜炎

効能・効果に関連する使用上の注意 **顆** **錠** **シ** **シロップ用** **内用ゼリー** ①効能共通：主として免疫機能の低下を伴わない患者に適応される．悪性腫瘍，自己免疫疾患等の免疫機能の低下した患者には，アシクロビル注射剤の点滴静脈内投与等を考慮する ②水痘：16歳以上の水痘に対する本剤の使用経験はない ③性器ヘルペスの再発抑制：(1)性器ヘルペスの発症を繰り返す患者(免疫正常患者においては，おおむね年6回以上の頻度で再発する者)に対して投与する (2)体重40kg以上に限り投与する

用法・用量 **顆** **錠** **シ** **シロップ用** **内用ゼリー** ①成人：効能(1)：アシクロビルとして1回200mg，1日5回(適宜増減) 効能(2)：アシクロビルとして1回200mg，1日5回造血幹細胞移植施行7日前から施行後35日まで投与(適宜増減) 効能(3)：アシクロビルとして1回800mg，1日5回(適宜増減) ②小児：効能(1)：アシクロビルとして小児1回20mg/kg，1日4回(適宜増減)．1回最高用量200mg 効能(2)：アシクロビルとして小児1回20mg/kg，1日4回造血幹細胞移植施行7日前より施行後35日まで投与．1回最高用量200mg 効能(3)：アシクロビルとして小児1回20mg/kg，1日4回(適宜増減)．1回最高用量800mg 効能(4)：アシクロビルとして小児1回20mg/kg，1日4回(適宜増減)．1回最高量800mg 効能(5)：アシクロビルとして小児1回20mg/kg，1日4回(適宜増減)．1回最高用量200mg

注 **注射用** **キット** 効能①〔成人〕アシクロビルとして1回5mg/kgを1日3回，8時間ごとに1時間以上かけて，7日間点滴静注．脳炎・髄膜炎では，必要に応じて投与期間の延長もしくは増量ができる．上限は1回10mg/kgまで〔小児〕アシクロビルとして1回5mg/kgを1日3回，8時間ごとに1時間以上かけて，7日間点滴静注．なお，必要に応じて増量できるが，上限は1回20mg/kgまで．さらに，脳炎・髄膜炎においては，投与期間の延長もできる 効能②：新生児にはアシクロビルとして1回10mg/kgを1日3回，8時間毎に1時間以上かけて，10日間点滴静注．なお，必要に応じて投与期間の延長もしくは増量ができる．ただし，上限は1回20mg/kgまで． ※注射液の調製法：添付文書参照

軟 **クリーム** 1日数回塗布

眼軟膏 1日5回塗布．症状により適宜回数を減らす

用法・用量に関連する使用上の注意 **顆** **錠** **シ** **シロップ用** **内用ゼリー** ①効能共通：(1)投与は，発病初期に近いほど効果が期待できるので，早期に投与を開始することが望ましい (2)腎障害を有する成人患者におけるクレアチニンクリアランスに応じた本剤の投与間隔の目安は次のとおりである(外国人データ)．なお，腎障害を有する小児患者における本剤の投与間隔及び投与量調節の目安は確立していない：クレアチニンクリアランス(mL/min/1.73m^2)，単純疱疹の治療，帯状疱疹の治療の順に，＞25では1回200mgを1日5回，1回800mgを1日5回，10～25では1回200mgを1日5回，1回800mgを1日3回，＜10では1回200mgを1日2回，1回800mgを1日2回 ②単純疱疹：5日間使用し，改善の兆しが見られないか，あるいは悪化する場合には，他の治療に切り替える．ただし，初発型性器ヘルペスは重症化する場合があるため，本剤を10日間まで使用可能とする ③帯状疱疹：(1)原則として皮疹出現後5日以内に投与を開始する (2)7日間使用し，改善の兆しが見られないか，あるいは悪化する場合には，他の治療に切り替える ④水痘：(1)原則として皮疹出現後3日以内に投与を開始する (2)5日間使用し，改善の兆しが見られないか，あるいは悪化する場合には，他の治療に切り替える ⑤性器ヘルペスの再発抑制：1年間投与後，投与継続の必要性について検討することが推奨される

注 **注射用** **キット** 腎障害のある患者又は腎機能の低下している患者，高齢者では，精神神経系の副作用が現れやすいので，投与間隔を延長するか又は減量する等，注意する．なお，本剤の投与間隔及び減量の標準的な目安は次の通りである(参考：外国人の成績)．クレアチニンクリアランス(mL/min/1.73m^2)，標準1回投与量に対応する百分率，投与間隔の順に，＞50では100%，8時間，25～50では100%，12時間，10～25では100%，24時間，0～10では50%，24時間

軟 **クリーム** ①使用は，発病初期に近いほど効果が期待できるので，早期に使用を開始することが望ましい ②7日間使用し，改善の兆しが見られないか，あるいは悪化する場合には，他の治療に切り替える

使用上の注意

禁忌 本剤の成分あるいはバラシクロビル塩酸塩に対し過敏症の既往歴のある患者

相互作用概要 OAT1，MATE1及びMATE2-Kの基質である

過量投与 **顆** **錠** **シ** **シロップ用** **内用ゼリー** ①症状：アシクロビルを数日間経口過量投与された際には，胃腸管症状(嘔気，嘔吐等)及び精神神経症状(頭痛，錯乱等)の発現が認められている．過量静脈内投与の場合は，血清クレアチニン及びBUNの上昇に続き腎不全の発現が認められている．また，過量静脈内投与後に，精神神経症状(錯乱，幻覚，興奮，てんかん発作，昏睡等)が認められている ②処置：血液透析により，アシクロビルを血中より効率的に除去することができる **注** **注射用** **キット** ①症状：血清クレアチニン及びBUNの上昇に続き腎不全の発現が認められている．また，過量静脈内投与後に，精神神経症状(錯乱，幻覚，興奮，てんかん発作，昏睡等)が認められている ②処置：血液透析により，アシクロビルを血中より効率的に除去することができる

薬物動態

顆 **錠** **血中濃度** ①単回投与：健康成人に200mg及び800mgを単回経口投与時，投与約1.3時間後にそれぞれ最高血漿中濃度0.63μg/mL及び0.94μg/mLに達し，血漿中濃度半減期は約2.5時間 ②反復投与：健康成人に200mgを4時間毎に1日5回，3日間反復経口投与時，平均ピーク濃度は0.77～0.85μg/mL，平均トラフ濃度は0.41～0.45μg/mL．また，800mgを同様の投与方法で反復経口投与時，平均ピーク濃度は2.02～2.31μg/mL，平均トラフ濃度は1.18～1.36μg/mL

分布 ①血漿蛋白結合率：*In vitro*での血漿蛋白結合率は22～33% ②水疱中アシクロビル濃度：200mgの1日4時間毎反復経口投与時，水疱中アシクロビル濃度は血漿中濃度と同程

度(外国人データ) ③腟分泌物中アシクロビル濃度：性器ヘルペス患者への200mgの1日5回10日間経口投与時，腟分泌物中への移行(投与終了0.5～1時間後：約0.43μg/g)が認められた(外国人データ) ④乳汁中アシクロビル濃度：ヒトに200mgを1日5回経口投与時の乳汁中アシクロビル濃度は血漿中濃度の0.6～4.1倍で，最高約1.31μg/mL(200mg投与3時間後)(外国人データ) **排泄** 健康成人に200mg及び800mgを単回経口投与時，48時間以内にそれぞれ投与量の25.0%及び12.0%が未変化体として尿中に排泄．健康成人に400mgを単回経口投与時，主な尿中代謝体9-カルボキシメトキシメチルグアニンの未変化体に対する割合は約7.5% **特定の背景を有する患者** ①腎機能障害患者：腎機能障害のある患者では点滴静注時，アシクロビルの生体内半減期の延長及び全身クリアランスの低下が認められた(外国人データ)．重症腎機能障害患者への2.5mg/kg1時間点滴静注時，6時間の血液透析により血漿中濃度は約60%減少(外国人データ) ②小児等：小児患者に200mgを単回経口投与時，6歳以上では体内薬物動態は成人とほぼ同等．小児骨髄移植患者においても他の患者と同等の吸収が認められたが，クレアチニンクリアランス値が40～60mL/min/1.48m^{2}の一部の患者では2.25μg/mL以上の血清中濃度 **薬物相互作用** *In vitro*で，OAT1，OAT2，MATE1及びMATE2-Kの基質であった

注 **血中濃度** ①単回投与：健康成人への5又は10mg/kg1時間点滴静注時の平均血漿中半減期は約2.5時間，全身クリアランスは336.6±26.9mL/min，定常状態の分布容積は47.0±3.7L ②反復投与：健康成人への1日3回，8時間毎の1時間点滴静注終了時における血漿中濃度は，5又は10mg/kgでそれぞれ5.6～9.2又は8.3～13.9μg/mL，また各回点滴開始後8時間の濃度はそれぞれ0.5又は0.8～1.3μg/mL．薬物動態は，日本人と外国人ではほぼ同等 **分布** ①血漿蛋白結合率：*In vitro*での血漿蛋白結合率は22～33% ②水疱液中アシクロビル濃度：水痘・帯状疱疹ウイルス感染症の患者への投与では，水疱液中のアシクロビル濃度は血漿中濃度と同程度(外国人データ) ③髄液中アシクロビル濃度：ヘルペス群ウイルス感染症の患者への投与では，髄液中のアシクロビル濃度は血漿中濃度の約1/2(外国人データ) ④乳汁中アシクロビル濃度：ヒトに200mgを1日5回経口投与時の乳汁中アシクロビル濃度は血漿中濃度の0.6～4.1倍で，最高約1.31μg/mL(200mg投与3時間後)(外国人データ) **排泄** 健康成人へ5又は10mg/kgを1時間点滴静注時，48時間以内にそれぞれ68.6%又は76.0%が未変化体として尿中排泄．主たる尿中代謝体は9-カルボキシメトキシメチルグアニン(投与量の約7%) **特定の背景を有する患者** ①腎機能障害患者：腎機能障害のある患者では点滴静注時，アシクロビルの生体内半減期の延長及び全身クリアランスが低下(外国人データ)．重症腎機能障害患者への2.5mg/kg1時間点滴静注時の平均血漿中半減期は，約19.5時間．また，6時間の血液透析により血漿中濃度は約60%減少(外国人データ) ②小児等：小児患者へ，250又は500mg/m^2(約5又は10mg/kgに相当)1時間点滴静注時の最高血漿中濃度は10.3又は20.7μg/mLで，薬物動態は成人とほぼ同等(外国人データ)．新生児患者では，血漿中半減期は成人や小児患者の約1.5倍であり，やや長かったが，最高血漿中濃度は，5又は10mg/kgを1時間点滴静注時に，6.8又は13.8μg/mLで，成人や小児患者とほぼ同等(外国人データ)

軟 **クリーム** **血中濃度** 健康成人の正常皮膚に本剤100mgを単回塗布又は1日5回5日間連続塗布時の血漿中アシクロビル濃度は，いずれも検出限界(<0.007μg/mL)以下 **分布** ラットの正常皮膚に5% ^{3}H-アシクロビル軟膏50mgを単回塗布後8時間の尿中放射活性回収率は，0.42%で経皮吸収性は低かったが，角質層下の表皮及び真皮中の推定アシクロビル濃度は57μg/cm^3 **排泄** 健康成人の正常皮膚に100mgを単回塗布又は1日5回5日間連続塗布時の尿中アシクロビル濃度は，いずれも検出限界(<0.11μg/mL)以下

眼軟膏 **吸収** 健常人に1日5回14日間塗布後の血漿中濃度は検出限界以下(<0.23μg/mL) **眼房水中移行(外国人)** 白内障患者に5時間ごとに4～6回塗布後の眼房水中濃度は，平均1.7μg/mL(適応は単純ヘルペスウイルスに起因する角膜炎)

その他の管理的事項

投与期間制限 **顆** **錠** 該当しないが，投薬量は予見することができる必要期間に従ったものとすること

保険給付上の注意 該当しない

資料

IF ゾビラックス顆粒40%・錠200・400 2020年5月改訂(第4版)
アシクロビルシロップ8%「タカタ」 2019年9月改訂(第13版)
アストリックドライシロップ80% 2015年3月改訂(第12版)
ビクロックス点滴静注125mg・250mg 2020年4月改訂(第14版)
ゾビラックス点滴静注用250 2020年5月改訂(第13版)
ゾビラックス軟膏5%・クリーム5% 2019年2月改訂(第3版)
ゾビラックス眼軟膏3% 2018年4月改訂(第6版)

アジスロマイシン水和物
Azithromycin Hydrate

概要

薬効分類 131 眼科用剤，614 主としてグラム陽性菌，マイコプラズマに作用するもの

構造式

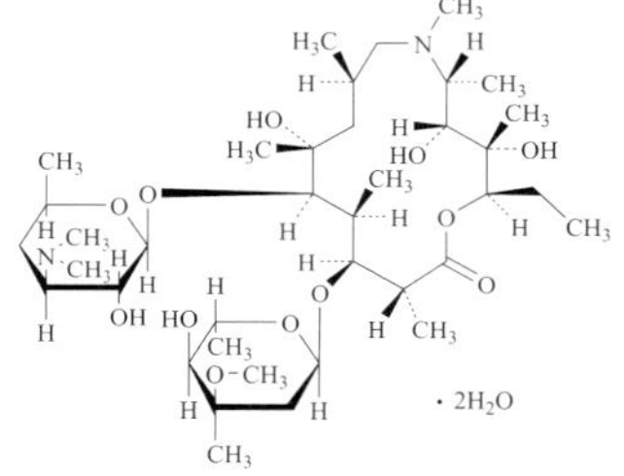

分子式 $C_{38}H_{72}N_2O_{12}\cdot 2H_2O$

分子量 785.02

略語・慣用名 AZM

ステム *Streptomyces*属の産生する抗生物質：-mycin

原薬の規制区分 該当しない

原薬の外観・性状 白色の結晶性の粉末である．メタノール又はエタノール(99.5)に溶けやすく，水にほとんど溶けない

原薬の吸湿性 示さない

原薬の融点・沸点・凝固点 融点：約133～135℃

原薬の酸塩基解離定数 pKa＝8.1(15員環上N-メチル基由来)，pKa＝8.8(デソサミンのN-ジメチル基由来)

先発医薬品等

- **細** ジスロマック細粒小児用10%(ファイザー)
- **錠** ジスロマック錠250mg・600mg(ファイザー)
- **カ** ジスロマックカプセル小児用100mg(ファイザー)
- **注射用** ジスロマック点滴静注用500mg(ファイザー)
- **点眼液** アジマイシン点眼液1%(千寿＝武田)

後発医薬品

- **細** 10%
- **錠** 100mg・250mg・500mg

力 100mg
国際誕生年月 1991年4月
海外での発売状況 細 250mg錠 600mg錠 力 英など138カ国 注射用 米，独，イタリアなど59カ国 点眼液 米など3カ国

製剤

規制区分 ㊄
製剤の性状 細 淡いだいだい色の細粒で，特異な芳香があり，味が甘い 250mg錠 600mg錠 白色のフィルムコート錠 力 だいだい色と淡黄白色の硬カプセル剤 注射用 白色の塊又は粉末 点眼液 微白色で濁りのある粘性の水性点眼液
有効期間又は使用期限 細 250mg錠 力 注射用 3年 600mg錠 5年 点眼液 2年
貯法・保存条件 細 250mg錠 力 注射用 室温保存 点眼液 2～8℃で保存(開栓後室温保存)
薬剤取扱い上の留意点 250mg錠 600mg錠 注射用 意識障害等が現れることがあるので，自動車の運転等，危険を伴う機械の操作に従事する際には注意するよう患者に十分に説明すること 注射用 2時間かけて点滴静注すること．なお，急速静注(ボーラス)は行わないこと
患者向け資料等 細 250mg錠 600mg錠 力 点眼液 患者向医薬品ガイド，くすりのしおり 注射用 患者向医薬品ガイド
溶液及び溶解時のpH 注射用 6.2～6.8(4.8mL注射用水にて溶解した濃度100mg/mLの溶液) 点眼液 5.9～6.7
浸透圧比 注射用 約1(4.8mL注射用水にて溶解した濃度100mg/mLの溶液)(対生食) 点眼液 0.9～1.1

薬理作用

分類 15員環マクロライド系抗生物質
作用部位・作用機序 細菌の70Sリボゾームの50Sサブユニットと結合し，細菌の蛋白合成を阻害することにより抗菌作用を示す
同効薬 クラリスロマイシン，レボフロキサシン，ミノサイクリン塩酸塩，ロキシスロマイシン，エリスロマイシン，ジョサマイシン，スピラマイシン酢酸エステル

治療

効能・効果 細 100mg錠・力〈適応菌種〉アジスロマイシンに感性のブドウ球菌属，レンサ球菌属，肺炎球菌，モラクセラ(ブランハメラ)・カタラーリス，インフルエンザ菌，肺炎クラミジア(クラミジア・ニューモニエ)，マイコプラズマ属〈適応症〉咽頭・喉頭炎，扁桃炎(扁桃周囲炎，扁桃周囲膿瘍を含む)，急性気管支炎，肺炎，肺膿瘍，中耳炎
250・500mg錠〈適応菌種〉アジスロマイシンに感性のブドウ球菌属，レンサ球菌属，肺炎球菌，モラクセラ(ブランハメラ)・カタラーリス，インフルエンザ菌，ペプトストレプトコッカス属，クラミジア属，マイコプラズマ属，レジオネラ・ニューモフィラ，(250mg錠のみ)淋菌，プレボテラ属〈適応症〉深在性皮膚感染症，リンパ管・リンパ節炎，咽頭・喉頭炎，扁桃炎(扁桃周囲炎，扁桃周囲膿瘍を含む)，急性気管支炎，肺炎，肺膿瘍，慢性呼吸器病変の二次感染，尿道炎，子宮頸管炎，副鼻腔炎，歯周組織炎，歯冠周囲炎，顎炎，(250mg錠のみ)骨盤内炎症性疾患
600mg錠〈適応菌種〉マイコバクテリウム・アビウムコンプレックス(MAC)〈適応症〉後天性免疫不全症候群(エイズ)に伴う播種性マイコバクテリウム・アビウムコンプレックス(MAC)症の発症抑制及び治療
注射用〈適応菌種〉アジスロマイシンに感性のブドウ球菌属，レンサ球菌属，肺炎球菌，淋病，モラクセラ(ブランハメラ)・カタラーリス，インフルエンザ菌，レジオネラ・ニューモフィラ，ペプトストレプトコッカス属，プレボテラ属，クラミジア属，マイコプラズマ属〈適応症〉肺炎，骨盤内炎症性疾患
点眼液〈適応菌種〉アジスロマイシンに感性のブドウ球菌属，レンサ球菌属，肺炎球菌，コリネバクテリウム属，インフルエンザ菌，アクネ菌〈適応症〉結膜炎眼瞼炎，麦粒腫，涙嚢炎
効能・効果に関連する使用上の注意 細 100mg錠・力 咽頭・喉頭炎，扁桃炎(扁桃周囲炎，扁桃周囲膿瘍を含む)，急性気管支炎，中耳炎への使用にあたっては，「抗微生物薬適正使用の手引き」を参照し，抗菌薬投与の必要性を判断した上で，本剤の投与が適切と判断される場合に投与する
250・500mg錠 ①咽頭・喉頭炎，扁桃炎(扁桃周囲炎，扁桃周囲膿瘍を含む)，急性気管支炎，副鼻腔炎への使用にあたっては，「抗微生物薬適正使用の手引き」を参照し，抗菌薬投与の必要性を判断した上で，投与が適切と判断される場合に投与する ②淋菌を適応菌種とするのは，骨盤内炎症性疾患の適応症に限る
点眼液 臨床成績の項の内容を熟知し，本剤の有効性及び安全性を十分に理解した上で，適応患者の選択を行う
用法・用量 細 100mg錠・力 アジスロマイシンとして小児には10mg(力価)/kgを1日1回，3日間．ただし，1日量は成人の最大投与量500mg(力価)を超えない
250・500mg錠 アジスロマイシンとして500mg(力価)を1日1回3日間，合計1.5g(力価)．尿道炎，子宮頸管炎に対しては1回1000mg(力価)．骨盤内炎症性疾患に対しては，注射剤による治療を行った後，1日1回250mg(力価)
600mg錠 アジスロマイシンとして発症抑制には1200mg(力価)を週1回，治療には1日1回600mg(力価)
注射用 アジスロマイシンとして500mg(力価)を1日1回，2時間かけて点滴静注
点眼液 ①結膜炎：成人及び7歳以上の小児には，1回1滴，1日2回2日間，その後1日1回5日間点眼する ②眼瞼炎，麦粒腫，涙嚢炎：1回1滴，1日2回2日間，その後1日1回12日間点眼する
用法・用量に関連する使用上の注意 細 100mg錠・力 ①使用にあたっては，耐性菌の発現等を防ぐため，原則として感受性を確認する ②体重換算による1日あたりの服用量(細粒分包数，カプセル数)の概算は，次の通り．体重15～25kg：200mg(力価)(2包，2カプセル) 26～35kg：300mg(力価)(3包，3カプセル) 36～45kg：400mg(力価)(4包，4カプセル) 46kg～：500mg(力価)(5包，5カプセル) ※錠 力 15kg未満の患児には細粒を投与 ③外国の臨床における体内動態試験の成績から，500mg(力価)を1日1回3日間経口投与することにより，感受性菌に対して有効な組織内濃度が約7日間持続することが予測されているので，治療に必要な投与期間は3日間とする ④4日目以降においても臨床症状が不変もしくは悪化の場合には，医師の判断で適切な他の薬剤に変更する
250・500mg錠 ①使用にあたっては，耐性菌の発現等を防ぐため，原則として感受性を確認する ②本剤で治療を開始し，4日目以降においても臨床症状が不変もしくは悪化の場合，医師の判断で適切な他の薬剤に変更する．ただし，尿道炎，子宮頸管炎の場合には投与開始後2～4週間は経過を観察し，効果を判定する．細菌学的検査結果又は臨床症状から効果が認められない場合，医師の判断で適切な他の薬剤に変更する ③外国の臨床における体内動態試験の成績から，500mg(力価)を1日1回3日間投与することにより，感受性菌に対して有効な組織内濃度が約7日間持続することが予測されているので，注射剤による治療が適応されない感染症の治療に必要な投与期間は3日間とする．ただし，尿道炎，子宮頸管炎の場合は本剤1000mg(力価)を1回投与することにより，アジスロマイシン感性のトラコーマクラミジア(クラミジア・トラコマティス)に対して有効な組織内濃度が約10日間持続することが予測されているので，治療に必要な投与回数は1回とする ④肺炎については，症状に応じて注射剤から治療を開始する必要性を判断する．なお，注射剤による治療を行った肺炎に対して，本剤に切り替える場合，症状に応じて投与期間を変更することができる ⑤注射剤から本剤へ切り替え，総投与期間が10日を超える場合，経過観察を十分に行う (1)肺炎：注射剤から本剤へ切り替えた臨床試験は，医師が経口投与可

能と判断した時点で，注射剤から本剤に切り替え注射剤の投与期間は2～5日間，総投与期間は合計7～10日間で実施され，総投与期間として10日間を超える投与経験は少ない (2)骨盤内炎症性疾患：注射剤から本剤へ切り替えた臨床試験は，医師が経口投与可能と判断した時点で，注射剤から本剤に切り替え，注射剤の投与期間は1～2日間，総投与期間は合計7日間で実施され，総投与期間として7日間を超える投与経験はない ⑥レジオネラ・ニューモフィラに対して，注射剤による治療を実施せずに本剤のみで治療した場合の有効性及び安全性は確立していない(投与経験が少ない) ⑦骨盤内炎症性疾患に対して，注射剤による治療を実施せずに本剤のみで治療した場合の有効性及び安全性は確立していない(投与経験はない)

600mg錠 ①治療に関する海外臨床試験においてエタンブトールとの併用効果が示されているため，治療の際にはエタンブトール(1日15mg/kg)と併用する ②治療に際してはエタンブトールに加え，医師の判断によりMACに対する抗菌活性(*in vitro*)のある他の抗菌薬を併用することが望ましい ③使用する際には，投与開始時期，投与期間，併用薬等について国内外の学会のガイドライン等，最新の情報を参考にし，投与する

シロップ用 ①使用にあたっては，耐性菌の発現等を防ぐため，原則として感受性を確認する ②外国の臨床における体内動態試験の成績から，2g(力価)を単回経口投与することにより，感受性菌に対して有効な組織内濃度が約7日間持続することが予測されているので，治療に必要な投与回数は1回とする ③食後2時間以上の空腹時に服用する．服用後は，次の食事を2時間以上控える ④懸濁する際は，容器の目盛りを目安に適量の水(約60mL)で十分に振とうした後，速やかに服用する．また，本剤を完全に服用する ⑤4日目以降においても臨床症状が不変もしくは悪化の場合には，医師の判断で適切な他の薬剤への変更を検討する．ただし，尿道炎，子宮頸管炎の場合には本剤1回投与後2～4週間は経過を観察し，効果を判定する．細菌学的検査結果又は臨床症状から効果が認められない場合には医師の判断で適切な他の薬剤に変更する ⑥本剤を含む抗菌薬は，指示どおり正しく服用しなかった場合，初期治療の有効性が低下し，原因菌の薬剤耐性化が起こり易くなり，本剤のみならずその他の抗菌薬による治療にも反応しなくなる可能性があることを患者に指導する

注射用 ①使用にあたっては，耐性菌の発現等を防ぐため，原則として感受性を確認し，疾病の治療上必要な最小限の期間の投与にとどめる ②投与期間として5日間を超える投与経験は少ないことから，投与期間が5日を超える場合は，経過観察を十分行う ③臨床症状の改善等，経口投与可能と医師が判断した場合は，錠剤に切り替えることができる．本剤から錠剤へ切り替え，総投与期間が10日を超える場合，経過観察を十分行う (1)肺炎：本剤から錠剤に切り替えた臨床試験は，医師が経口投与可能と判断した時点で，本剤から250mg錠をアジスロマイシンとして500mg(力価)を1日1回投与に切り替え，本剤の投与期間は2～5日間，総投与期間は合計7～10日間で実施され，総投与期間として10日間を超える投与経験は少ない (2)骨盤内炎症性疾患：本剤から錠剤に切り替えた臨床試験は，医師が経口投与可能と判断した時点で，本剤から250mg錠をアジスロマイシンとして250mg(力価)を1日1回投与に切り替え，本剤の投与期間は1～2日間，総投与期間は合計7日間で実施され，総投与期間として7日間を超える投与経験はない

使用上の注意

禁忌 本剤の成分に対し過敏症の既往歴のある患者

相互作用概要 CYPによる代謝は確認されていない

過量投与 **細** **250mg錠** **カ** **注射用** ①(1)症状：過量投与により聴力障害を起こす可能性がある (2)処置：異常が認められた場合には中止し，症状に応じて対症療法等の適切な処置を行う．なお，組織内半減期が長いことを考慮し，症状の観察ならびに対症療法を行う場合には十分な期間行う ②(1)症状：外国の臨床試験で総投与量が1.5gを超えた症例において，消化器症状の増加が認められている (2)処置：これらの症状が認められた場合には，症状に応じて中止あるいは対症療法等の適切な処置を行う．なお，組織内半減期が長いことを考慮し，症状の観察ならびに対症療法を行う場合には十分な期間行う

薬物動態

細 **250mg錠** **カ** **注射用** **組織内濃度(外国人データ)** 手術予定患者に500mgを経口投与後12時間～8日目の各種組織内濃度の検討では，いずれの組織においても，血清中濃度が消失後も数日にわたって高い組織内濃度を維持．ヒトにおける全身クリアランス及び分布容積はそれぞれ10mL/分/kg及び33.3L/kgと報告されており，分布容積が大きく，組織へ移行しやすい **血清中濃度** ①**カ** **細** 小児患者(外国人データ)：小児患者16例(1～9歳)に10mg/kgを3日間反復経口投与時，最終投与後の最高血清中濃度(Cmax)は0.31±0.26μg/mL，血清中濃度・時間曲線下面積($AUC_{0\text{-}24}$)は2.35±1.90μg・hr/mL ②健常成人男子：(1)(ア)**カ** **細** 単回投与：6名に500mgを単回経口投与時の最高血清中濃度(Cmax)は0.58μg/mL，血清中濃度は多相性の消失．投与後48～168時間の消失半減期($t_{1/2}$)は61.9時間(イ)**250mg錠** 単回投与：薬物動態パラメータは，tmax(h)，Cmax(μg/mL)，$t_{1/2}$(h)，$AUC_{0\text{-}48}$(μg・h/mL)，$AUC_{0\text{-}168}$(μg・h/mL)の順に，投与量250mg：2.7±0.8，0.24±0.12，NA，1.73±0.39，NA 投与量500mg：2.5±0.8，0.58±0.11，61.9±9.4，3.32±0.46，4.41±0.48 投与量1000mg：2.3±0.8，0.74±0.14，68.1±12.4，7.29±1.16，10.51±1.72(ウ)**注射用** 各10例に500mgを，1mg/mLの濃度で3時間及び2時間かけて点滴静注し，単回及び1日1回，5日間反復投与した．単回投与後の薬物動態パラメータ[Cmax(μg/mL)，$t_{1/2}$(hr)，$AUC_{0\text{-}24}$(μg・hr/mL)，$AUC_{0\text{-}\infty}$(μg・hr/mL)の順]は，3時間投与(10例)[1.53±0.36，65.2±14.9※)，6.88±1.23，10.9±1.0※)]，2時間投与(10例)[1.99±0.36，89.7±43.2，7.02±1.41，13.2±3.0]．5日間反復投与時，単回投与時と比較して，Cmaxは約8～12%上昇，$AUC_{0\text{-}24}$は約1.5～1.6倍増加．※)9例 (2)(注射用は除く)反復投与：6名に(**250mg錠** 250mg)，500mgを1日1回3日間反復経口投与時，初回投与及び最終投与後の血清中濃度に差はみられず，蓄積は認められなかった (3)(注射用は除く)食事の影響：8名に500mgをクロスオーバー法で，空腹時又は食後に単回経口投与時の体内動態パラメータには有意差は認められず，吸収に及ぼす食事の影響はないと考えられる **血清蛋白結合率** ヒト血清蛋白との結合率は12.2～20.3%(*in vivo*，超遠心法) **代謝・排泄** 健常成人男子6名に500mgを単回経口投与後168時間までの尿中に未変化体として9%が排泄．健常成人男子の尿及び患者の胆汁中代謝物について検討時，いずれもほとんどは未変化体で，代謝物として脱メチル体，脱クラジノース体を確認．胆汁，消化管分泌を介して，未変化体としてほとんど糞中に排泄．(参考；ラット)^{14}C-標識アジスロマイシン20mg/kgを単回経口投与後168時間までに80.3%が糞中に，13.3%が尿中に排泄，投与後72時間までに3.1%が呼気中に排泄 **肝機能障害患者(外国人データ)** 軽度及び中等度の成人肝機能障害患者16例に500mgを単回経口投与時，健常成人男子に比べて，Cmaxが増加し，$t_{1/2}$が延長する傾向が認められたが，有意差は認められなかった．尿中排泄率においても有意差は認められなかった **腎機能障害患者** 成人腎機能障害患者17例に500mgを単回経口投与時，体内動態は健常成人と有意差は認められなかった

600mg錠 **組織内濃度** 250mg錠参照 **末梢血白血球中濃度(外国人)** 1200mgを単回経口投与時の末梢血白血球中濃度(最高濃度の平均値)は140μg/mLで，32μg/mLを上回る濃度が約60時間持続．男性及び女性各6名における平均消失半減期はそれぞれ34時間及び57時間．最高血漿中濃度(Cmax)に対する最高白血球中濃度比(白血球Cmax/血漿Cmax)は，男

性258(±77%)，女性175(±60%)．AUC比(白血球AUC/血漿AUC)は，それぞれ804(±31%)及び541(±28%)．HIV陽性被験者に600mgを1日1回反復経口投与時の末梢血白血球中濃度(最高濃度の平均値)は252μg/mL(±49%)，定常状態における末梢血白血球中濃度のトラフ値は146μg/mL(±33%)．白血球Cmax/血清Cmaxは456(±38%)，白血球AUC/血清AUCは816(±31%)　**血中濃度(外国人)**　①単回投与：HIV陽性被験者12名に1200mgを単回経口投与時のCmaxは0.66μg/mL，$AUC_{0\text{-}last}$は6.3μg・hr/mL　②食事の影響：1200mgを食後経口投与時，Cmaxは31%増加したが，吸収の程度(AUC)は変化せず，本剤の吸収に及ぼす食事の影響はないと考えられる　③反復投与：HIV陽性被験者7名に600mgを1日1回22日間反復経口投与時のCmaxは投与初日0.33μg/mL，投与22日目0.55μg/mL，C24は投与初日0.039μg/mL，投与22日目0.14μg/mL．$AUC_{0\text{-}24}$は投与初日2.4μg・hr/mL，投与22日目5.8μg・hr/mL．血清中濃度は投与15日目までに定常状態に達した

[点眼液] **血中濃度**　健康成人(各群男性6例)に1%アジスロマイシン点眼液を両眼に1回1滴，1日1回又は2回7日間点眼時*)，7日目の血漿中アジスロマイシン濃度は1日1回点眼時で点眼後0.50時間(中央値)で最高濃度708±338pg/mL(平均値±標準偏差)，消失半減期は19.12時間(平均値)．1日2回点眼時では点眼後0.38時間(中央値)に最高濃度352±129pg/mL，消失半減期は17.94時間(平均値)　*)承認最大点眼回数は16回

分布　ウサギに0.5%アジスコマイシン点眼液を両眼にそれぞれ26μLずつ単回点眼時の涙液，結膜，角膜及び眼瞼中アジスロマイシン濃度は，投与後2時間までに最高濃度．消失半減期は涙液を除いた組織において46時間以上．また，1%アジスロマイシン点眼液を片眼に1日2回(30μL/回)2日間，その後続けて1日1回5日間反復点眼時の眼瞼，結膜，角膜及び房水中アジスロマイシン濃度は，点眼開始後2〜3日で定常状態

その他の管理的事項

投与期間制限　該当しない
保険給付上の注意　該当しない

資料

IF　ジスロマック錠250mg・細粒小児用10%・カプセル小児用100mg　2018年12月改訂(第22版)
　ジスロマック錠600mg　2018年12月改訂(第15版)
　ジスロマック点滴静注用500mg　2018年12月改訂(第10版)
　アジマイシン点眼液1%　2020年3月改訂(第5版)

アジマリン
アジマリン錠
Ajmaline

概要

構造式

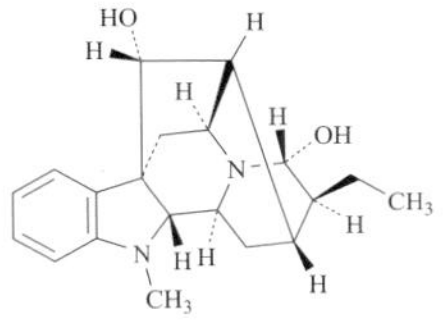

分子式　$C_{20}H_{26}N_2O_2$
分子量　326.43
原薬の規制区分　[劇](ただし，注射剤以外の製剤であって，一個中ラウオルフィアセルペンチナ総アルカロイド2mg以下を含有するものを除く)

原薬の外観・性状　白色〜微黄色の結晶性の粉末で，においはなく，味は苦い．無水酢酸又はクロロホルムに溶けやすく，メタノール，エタノール(95)，アセトン又はジエチルエーテルにやや溶けにくく，水に極めて溶けにくい．希塩酸に溶ける
原薬の融点・沸点・凝固点　融点：約195℃(分解)

亜硝酸アミル
Amyl Nitrite

概要

薬効分類　217　血管拡張剤，392　解毒剤
分子式　$C_5H_{11}NO_2$
分子量　117.15
ステム　不明
原薬の規制区分　[劇]
原薬の外観・性状　淡黄色澄明の液で，特異な果実様のにおいがある．エタノール(95)又はジエチルエーテルと混和する．水にほとんど溶けない．光又は熱によって変化する．常温で揮散しやすく，低温でも引火しやすい
原薬の吸湿性　該当資料なし
原薬の融点・沸点・凝固点　沸点：約97℃
原薬の酸塩基解離定数　該当資料なし
先発医薬品等
　[吸入] 亜硝酸アミル「AFP」(アルフレッサファーマ)
国際誕生年月　不明
海外での発売状況　米

製剤

規制区分　[吸入]　[劇] [処]
製剤の性状　[吸入] 淡黄色澄明の液で，特異な果実ようのにおいがある
有効期間又は使用期限　1年
貯法・保存条件　遮光，火気を避け冷所保存
薬剤取扱い上の留意点　該当しない
患者向け資料等　くすりのしおり
溶液及び溶解時のpH　該当しない
浸透圧比　該当資料なし
安定なpH域　該当資料なし
調製時の注意　該当しない

薬理作用

分類　血管拡張剤・シアン化合物解毒剤
作用部位・作用機序　狭心症：非特異的に平滑筋に作用してその弛緩を起こす．特に血管平滑筋の弛緩が著明　機序：分子内から一酸化窒素(NO)を遊離し，これが血管細胞内のグアニル酸シクラーゼ活性化し，細胞内cGMPを増量して血管平滑筋の弛緩を起こす　シアン及びシアン化合物による中毒：①細胞呼吸の回復：酸化作用をもち，三価の鉄イオン(メトヘモグロビン)を生成させ，人為的にメトヘモグロビン生成を誘起し，CN-メトヘモグロビンの形成を促すことにより，競合的にcytochrome oxidaseの機能を回復させる　②シアンの排出による解毒：体内に摂取されたCN排出はthiocyanateを形成しての排出経路が生体内での主要な排出経路となっている．thiocyanateの形成はミトコンドリア内の酵素rhodanaseによって行われるが，基質であるチオ硫酸ナトリウムの量がthiocyanate形成の律速となっているため，体内に取り込まれたCNが少ない場合には，亜硝酸アミル単独投与による細胞呼吸回復後，体内に存在するチオ硫酸ナトリウムで排出が可能である．しかしながら，CNが多量に取り込まれた場合，基質追加のためのチオ硫酸ナトリウムが投与され，これによってCNの排出が促進される

同効薬 狭心症：ニトログリセリン，硝酸イソソルビド シアン及びシアン化合物による中毒：チオ硫酸ナトリウム水和物，ヒドロキソコバラミン，亜硝酸ナトリウム（国内未承認），EDTA-dicobalt（国内未承認）

治療

効能・効果 ①狭心症 ②シアン及びシアン化合物による中毒

用法・用量 効能①：1回1管を，被覆を除かずそのまま打ち叩いて破砕し，内容を被覆に吸収させ鼻孔にあてて吸入させる 効能②：(1)直接吸入：自発呼吸がある場合．1回1管を，被覆を除かずそのまま打ち叩いて破砕し，内容を被覆に吸収させ，鼻孔にあてて吸収させる．適宜増量 (2)回路内への投入：バックマスク等の呼吸器経路内に1回1管を，被覆を除かずそのまま打ち叩いて破砕したアンプルを投入し内容を吸入させる．適宜増量

用法・用量に関連する使用上の注意 効能②：①用法・用量は患者の全身状態等に応じて決めるが，一般に次の用法が標準的解毒方法として推奨される：(1)亜硝酸アミルの吸入（亜硝酸ナトリウム溶液の準備ができるまで，2分ごと）：アシドーシスが認められた場合，炭酸ナトリウム静注により補正を行う (2)亜硝酸ナトリウムの静注〔3%亜硝酸ナトリウム溶液10mL＊1）を3分間で静注〕：血圧低下をきたした場合，ノルエピネフリン等の静注によりコントロールする (3)チオ硫酸ナトリウムの静注〔25%チオ硫酸ナトリウム溶液50mL＊2）を10分以上かけて静注〕 (4)前記により効果がなければ(2)，(3)を初回の半量投与する．＊1）注射用水20mLに亜硝酸ナトリウム0.6gを溶解して製する．＊2）注射用水100mLにチオ硫酸ナトリウム12.5gを溶解して製する．市販のチオ硫酸ナトリウム注射液を用いる場合は125mLを投与する ②ニトロプルシドナトリウム注射液の過量投与によるシアン中毒の治療には，チオ硫酸ナトリウムの静注，本剤の吸入等が有効である

使用上の注意

禁忌 効能①：①心筋梗塞の急性期の患者［心筋梗塞の急性期では血圧低下がみられるので，投与により末梢血管が拡張され，さらに血圧が低下し，心原性ショックを誘発するおそれがある］ ②閉塞隅角緑内障の患者［眼圧を上昇させるおそれがある］ ③頭部外傷又は脳出血のある患者［頭蓋内圧を上昇させるおそれがある］ ④高度な貧血のある患者［血圧低下により貧血症状（めまい，立ちくらみ等）を悪化させるおそれがある］ ⑤硝酸・亜硝酸エステル系薬剤に対し過敏症の既往歴のある患者 ⑥ホスホジエステラーゼ5阻害作用を有する薬剤（シルデナフィルクエン酸塩，バルデナフィル塩酸塩水和物，タダラフィル），グアニル酸シクラーゼ刺激作用を有する薬剤（リオシグアト）を投与中の患者

その他の管理的事項

投与期間制限 該当しない

保険給付上の注意 該当しない

資料

IF 亜硝酸アミル「AFP」 2019年3月作成（第1版）

アスコルビン酸
アスコルビン酸散
アスコルビン酸注射液
Ascorbic Acid

別名：ビタミンC

概要

薬効分類 314 ビタミンC剤

構造式

分子式 $C_6H_8O_6$

分子量 176.12

原薬の規制区分 該当しない

原薬の外観・性状 白色の結晶又は結晶性の粉末で，においはなく，酸味がある．水に溶けやすく，エタノール(95)にやや溶けにくく，ジエチルエーテルにほとんど溶けない．1.0gを水20mLに溶かした液のpHは2.2～2.5である

原薬の吸湿性 該当資料なし

原薬の融点・沸点・凝固点 融点：約190℃（分解）

原薬の酸塩基解離定数 $pKa_1 = 4.17$，$pKa_2 = 11.57$

先発医薬品等

末 アスコルビン酸原末「マルイシ」（丸石）
アスコルビン酸（岩城）
アスコルビン酸「ケンエー」（健栄）
アスコルビン酸「ニッコー」（日興製薬＝中北）
アスコルビン酸（山善）
アスコルビン酸「ヨシダ」（吉田製薬）

散 ビタミンC散「フソー」-50mg・100mg（扶桑）

顆 ハイシー顆粒25%（武田テバ薬品＝武田）

注 アスコルビン酸注100mg・500mg・1g「NP」（ニプロ）
アスコルビン酸注100mg・500mg「イセイ」（コーアイセイ）
アスコルビン酸注射液100mg・500mg「サワイ」（沢井）
アスコルビン酸注射液100mg・500mg「ツルハラ」（鶴原）
アスコルビン酸注射液100mg・500mg・1000mg・2000mg「トーワ」（東和薬品）
アスコルビン酸注射液100mg・500mg「日医工」（日医工）
ビタC注10%・25%（共和クリティケア）
ビタシミン注射液100mg・500mg（武田テバ薬品＝武田）
ビタミンC注「フソー」-100mg・500mg・2g（扶桑＝アルフレッサファーマ）

後発医薬品

注 500mg

国際誕生年月 不明

海外での発売状況 **注** 発売されていない

製剤

規制区分 **注** ㊃

製剤の性状 **末** 白色の結晶又は結晶性の粉末で，においはなく，酸味がある **散** 白色の散剤 **注** 無色澄明の液

有効期間又は使用期限 **末** 3年6カ月 **散** **注** 3年

貯法・保存条件 **末** 遮光・防湿保存 **散** **100mg注** 室温保存 **500mg・2g注** 冷所保存

薬剤取扱い上の留意点 **末** 還元性，キレート性が強いので配合変化を起こしやすく，その際，本品の効力は低下するので注意を要する

患者向け資料等 くすりのしおり

溶液及び溶解時のpH **注** 5.6～7.4

浸透圧比 **100mg注** 4.0～5.0 **500mg注** 9.1～10.5 **2g注** 7.3～8.5

調製時の注意　該当しない

薬理作用

分類　ビタミン剤

作用部位・作用機序　①コラーゲン形成促進作用：アスコルビン酸の投与により組織のヒドロキシプロリン産生増とともに非コラーゲン性プロリンの減少が認められ，創傷部のプロリン含有物質がコラーゲンに変換されていることを示唆する成績が得られている．また，結合織のコラーゲンと類似の組成から成る上皮基底膜の合成もアスコルビン酸依存性であり，壊血病の徴候のいくつかが基底膜の合成不全によることが示されている　②副腎防禦作用：ラットにエピネフリン注射によるストレスを負荷すると，好酸球の減少とともに組織学的には副腎の警告反応を示唆する像が得られるが，アスコルビン酸を前投与しておいた動物では有意の好酸球増加が認められ，また組織学的に副腎は正常で，副腎防禦作用を有することが示されている　③メラニン生成に及ぼす影響：*in vitro*においてアスコルビン酸はドパキノン→ドパクロムの酸化に還元系として作用してドパクロムの生成を阻害する成績が得られており，モルモット及びウサギに大量投与した場合にも*in vitro*で認められたドパクロム生成阻害を起こし得る量が皮膚へ到達することが認められている

同効薬　アスコルビン酸製剤

治療

効能・効果　①ビタミンC欠乏症の予防及び治療(壊血病，メルレル・バロー病)　②ビタミンCの需要が増大し，食事からの摂取が不十分な際の補給(消耗性疾患，妊産婦，授乳婦，激しい肉体労働時等)　③次の疾患のうち，ビタミンCの欠乏又は代謝障害が関与すると推定される場合：(1)毛細管出血(鼻出血，歯肉出血，血尿等)　(2)薬物中毒　(3)副腎皮質機能障害　(4)骨折時の骨基質形成・骨癒合促進　(5)肝斑・雀卵斑・炎症後の色素沈着　(6)光線過敏性皮膚炎．なお，効能③に対して，効果がないのに月余にわたって漫然と使用すべきでない

用法・用量　**末** **散** **顆** アスコルビン酸として1日50～2000mgを1～数回に分服(適宜増減)

注 アスコルビン酸として1日50～2000mgを1～数回に分けて皮下注，筋注又は静注(適宜増減)．500mg，1000mg注は静注にのみ使用することが多いので添付文書参照

その他の管理的事項

投与期間制限　該当しない

保険給付上の注意　該当しない

資料

IF　ビタミンC散「フソー」-50mg・-100mg　2013年5月改訂(第6版)

ビタミンC注「フソー」-100mg・-500mg・-2g　2016年3月改訂(第4版)

添付文書　アスコルビン酸「ニッコー」　2011年10月作成(第1版)

アスコルビン酸・パントテン酸カルシウム錠
Ascorbic Acid and Calcium Pantothenate Tablets

概要

薬効分類　317　混合ビタミン剤(ビタミンA・D混合製剤を除く.)

分子式　[L-アスコルビン酸] $C_6H_8O_6$　[パントテン酸カルシウム] $C_{18}H_{32}CaN_2O_{10}$

分子量　[L-アスコルビン酸] 176.12　[パントテン酸カルシウム] 476.53

原薬の規制区分　該当しない

原薬の外観・性状　[アスコルビン酸] 白色の結晶又は結晶性の粉末で，においはなく，酸味がある．水に溶けやすく，エタノール(95)にやや溶けにくく，ジエチルエーテルにほとんど溶けない　[パントテン酸カルシウム] 白色の粉末である．水に溶けやすく，エタノール(99.5)にほとんど溶けない．1.0gを水20mLに溶かした液のpHは7.0～9.0である．結晶多形が認められる

原薬の吸湿性　[アスコルビン酸] 該当資料なし　[パントテン酸カルシウム] 吸湿性である

原薬の融点・沸点・凝固点　[アスコルビン酸] 融点：約190℃(分解)　[パントテン酸カルシウム] 融点：195～196℃(分解)

原薬の酸塩基解離定数　[アスコルビン酸] $pK_1=4.17$，$pK_2=11.57$　[パントテン酸カルシウム] 該当資料なし

先発医薬品等

顆 シナール配合顆粒(シオノギファーマ＝塩野義)

錠 シナール配合錠(シオノギファーマ＝塩野義)

後発医薬品

顆

国際誕生年月　不明

海外での発売状況　該当資料なし

製剤

製剤の性状　**顆** 淡黄色の顆粒剤　**錠** 淡黄色の円形の素錠

有効期間又は使用期限　3年

貯法・保存条件　**顆** 気密容器，遮光・室温保存　**錠** 気密容器，室温保存

薬剤取扱い上の留意点　アルカリ性薬剤，吸湿性薬剤との配合は避けること．配合時の粉砕は避けること

患者向け資料等　くすりのしおり

溶液及び溶解時のpH　該当しない

浸透圧比　該当しない

安定なpH域　該当しない

調製時の注意　該当しない

薬理作用

分類　ビタミンC・パントテン酸カルシウム配合剤

作用部位・作用機序　各項目参照

同効薬　アスコルビン酸

治療

効能・効果　本剤に含まれるビタミン類の需要が増大し，食事からの摂取が不十分な際の補給(消耗性疾患，妊産婦，授乳婦等)，炎症後の色素沈着．効果がないのに月余にわたって漫然と投与すべきでない

用法・用量　1回1～3g又は1～3錠，1日1～3回(適宜増減)

薬物動態

血漿中濃度　健康成人男子1例にアスコルビン酸400mgを空腹時単回経口投与時，アスコルビン酸の血漿中濃度は投与1～2時間後に1.6mg/dL前後の最大値，その後漸減し，一定濃度　**排泄**　健康成人女子2例にアスコルビン酸300mgを1日1回経口投与時，尿中総アスコルビン酸排泄量は4時間後に最高値，9時間目にはほぼ投与前値

その他の管理的事項

投与期間制限　該当しない

保険給付上の注意　該当しない

資料

IF　シナール配合顆粒・配合錠　2020年3月改訂(第11版)

アズトレオナム
注射用アズトレオナム
Aztreonam

概要

薬効分類　612　主としてグラム陰性菌に作用するもの

構造式

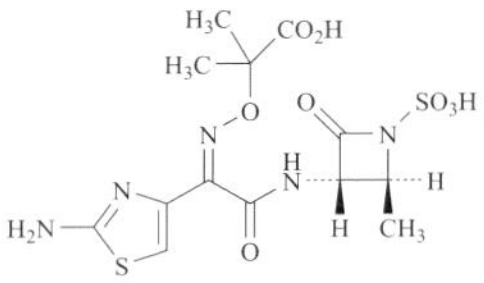

分子式　$C_{13}H_{17}N_5O_8S_2$

分子量　435.43

略語・慣用名　AZT

ステム　不明

原薬の規制区分　該当しない

原薬の外観・性状　白色～帯黄白色の結晶性の粉末である．ジメチルスルホキシドに溶けやすく，水又はメタノールに溶けにくく，エタノール(95)に極めて溶けにくい．0.05gを水10mLに溶かした液のpHは2.2～2.8である

原薬の吸湿性　25℃で11～93％RHに7日間放置した時の重量変化は－0.6～＋0.8％，93％相対の高湿度下でも＋0.8％の僅かな増加

原薬の融点・沸点・凝固点　温度を上げていくと210℃付近から褐色を帯びはじめ，220℃に至っても黒変するのみで融解せず，また明確な分解点も示さない

原薬の酸塩基解離定数　pKa_1＝－0.1(スルホン酸)，pKa_2＝2.7(カルボン酸)，pKa_3＝3.3(アミン)(溶解度法)

先発医薬品等

注射用　アザクタム注射用0.5g・1g(エーザイ)

国際誕生年月　該当しない

海外での発売状況　米，英，独など

製剤

規制区分　**注射用**　㊇

製剤の性状　**注射用**　白色～黄白色の塊又は粉末で，用時溶解して用いる注射剤

有効期間又は使用期限　3年

貯法・保存条件　室温保存．外箱開封後は遮光保存(光によって徐々に着色する)

薬剤取扱い上の留意点　該当しない

患者向け資料等　くすりのしおり

溶液及び溶解時のpH　4.5～7.0(100mg/mL)

浸透圧比　約1.6(対生食)

安定なpH域　2～8(25℃，72時間まで)

調製時の注意　点滴静注に際しては，注射用水を使用しないこと(溶液が低張になるため)

薬理作用

分類　β-ラクタム系抗生物質

作用部位・作用機序　感受性細菌のペニシリン結合蛋白(PBP)のうち，特にPBP3に高い結合親和性を有し，細胞壁合成阻害により強い殺菌作用を示す．また，グラム陰性菌の外膜に対する透過性も良好

治療

効能・効果　〈適応菌種〉本剤に感性の淋菌，髄膜炎菌，大腸菌，シトロバクター属，クレブシエラ属，エンテロバクター属，セラチア属，プロテウス属，モルガネラ・モルガニー，プロビデンシア属，インフルエンザ菌，緑膿菌　〈適応症〉敗血症，肺炎，肺膿瘍，慢性呼吸器病変の二次感染，膀胱炎，腎盂腎炎，前立腺炎(急性症，慢性症)，尿道炎，子宮頸管炎，腹膜炎，腹腔内膿瘍，胆嚢炎，胆管炎，バルトリン腺炎，子宮内感染，子宮付属器炎，子宮旁結合織炎，化膿性髄膜炎，角膜炎(角膜潰瘍を含む)，中耳炎，副鼻腔炎

効能・効果に関連する使用上の注意　中耳炎，副鼻腔炎への使用にあたっては，「抗微生物薬適正使用の手引き」を参照し，抗菌薬投与の必要性を判断した上で，本剤の投与が適切と判断される場合に投与する

用法・用量　1日1～2g(力価)，2回に分けて，静注，点滴静注又は筋注(適宜増減)．ただし，淋菌感染症及び子宮頸管炎には1日1回1～2g(力価)筋注又は静注(適宜増減)．小児1日40～80mg(力価)/kg，2～4回に分けて，静注又は点滴静注(適宜増減)．難治性又は重症感染症には成人1日4g(力価)まで増量し2～4回に分け，小児1日150mg(力価)/kgまで増量し3～4回に分けて投与．未熟児，新生児には，1回20mg(力価)/kgを生後3日までは1日2回，4日以降は1日2～3回静注又は点滴静注．調製法は添付文書参照．溶液の安定性：溶解後微黄色～淡黄色澄明であり，この溶液は放置するとわずかに変色する．溶解後は速やかに使用する．やむを得ず，保存する場合には，冷蔵庫保存では48時間以内，室温保存では24時間以内に使用する．ただし総合アミノ酸補液に溶解して保存しない

用法・用量に関連する使用上の注意　使用にあたっては，耐性菌の発現等を防ぐため，原則として感受性を確認し，疾病の治療上必要な最小限の期間の投与にとどめる

使用上の注意

禁忌　本剤の成分によるショックの既往歴のある患者

薬物動態

血中濃度　①静注：健康成人に1回0.5g(3例)，1g(5例)，2g(5例)静注5分後の平均血中濃度は各70.7，130.6，256μg/mLで，用量にほぼ比例して上昇．半減期は各1.76，1.85，1.63時間．血中濃度曲線下面積は各99，222，389μg・hr/mL．分布容積は各15.9，13.1，13.6L　②点滴静注：健康成人5名に1gを1時間で点滴終了直後に最高値93.4μg/mL，以後の血清中濃度推移は静注と同様　③筋注：健康成人5名に1回1g筋注40分後に最高値66.3μg/mL，半減期2.01時間　④反復投与：健康成人6名に12時間ごと1g，連続9回(5日間)静注しても，血清中濃度及び尿中排泄の推移から蓄積は認められていない　**分布**　患者の喀痰，胆汁，腹腔内浸出液，髄液，骨盤死腔浸出液，眼房水等の体液中への移行性及び胆嚢組織，前立腺組織，子宮・子宮付属器各組織，中耳粘膜等への移行性は良好　**代謝及び排泄**　生体内でほとんど代謝されず主として尿中に排泄．健康成人に静注及び筋注後24時間までの尿中排泄率はそれぞれ57％，81％，ほとんどは投与後8時間以内　**腎機能障害時の血中濃度と尿中排泄**　腎機能障害成人8例に1g単回静注時の血中濃度は，クレアチニン・クリアランス(Ccr)の低下とともに高値を示し，半減期は延長．尿中排泄率もCcrの低下とともに減少．したがって，腎機能障害患者には，投与量，投与間隔の適切な調節が必要である　**小児の静脈内投与の血中濃度**　小児に1回10mg，20mg及び50mg/kg単回静注15分後の平均血中濃度は各50.1，160.4及び179.2μg/mLと高値．半減期は1.35～1.56時間と健康成人と比べてやや短い

その他の管理的事項

投与期間制限　該当しない

保険給付上の注意　該当しない

資料

IF　アザクタム注射用0.5g・1g　2018年5月改訂(第7版)

Lーアスパラギン酸
L-Aspartic Acid

概要

構造式

HO_2C CO_2H H NH_2

分子式　$C_4H_7NO_4$

分子量　133.10

原薬の規制区分　該当しない

原薬の外観・性状　白色の結晶又は結晶性の粉末である．水に溶けにくく，エタノール(99.5)にほとんど溶けない．希塩酸又は0.2mol/L水酸化ナトリウム試液に溶ける．0.4gを水100mLに加温して溶かし，冷却した液のpHは2.5～3.5である

アスピリン
アスピリン錠
Aspirin

別名：アセチルサリチル酸

概要

薬効分類　114　解熱鎮痛消炎剤，339　その他の血液・体液用薬

構造式

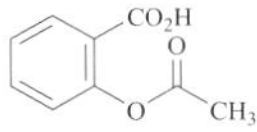

分子式　$C_9H_8O_4$

分子量　180.16

原薬の規制区分　該当しない

原薬の外観・性状　白色の結晶，粒又は粉末で，においはなく，僅かに酸味がある．エタノール(95)又はアセトンに溶けやすく，ジエチルエーテルにやや溶けやすく，水に溶けにくい．水酸化ナトリウム試液又は炭酸ナトリウム試液に溶ける．湿った空気中で徐々に加水分解してサリチル酸及び酢酸になる

原薬の吸湿性　該当資料なし

原薬の融点・沸点・凝固点　融点：約136℃(あらかじめ浴液を130℃に加熱しておく)

原薬の酸塩基解離定数　pKa＝3.49(25℃)

先発医薬品等

末　アスピリン(山善)
アスピリン原末「マルイシ」(丸石)
アスピリン「ケンエー」(健栄)
アスピリン「日医工」(日医工)
アスピリン「ホエイ」(マイラン＝ファイザー)
アスピリン「ヨシダ」(吉田製薬)

後発医薬品

腸溶錠 100mg

国際誕生年月　1853年

海外での発売状況　**錠** 独など84カ国

製剤

製剤の性状　**末** 白色の結晶，粒又は粉末で，においはなく，僅かに酸味がある　**錠** 白色のフィルムコート錠

有効期間又は使用期限　**末** 5年　**錠** 3年

貯法・保存条件　室温保存

薬剤取扱い上の留意点　**末** 湿った空気中で徐々に分解するので注意すること

患者向け資料等　くすりのしおり

溶液及び溶解時のpH　該当しない

浸透圧比　該当しない

安定なpH域　該当しない

調製時の注意　該当しない

薬理作用

分類　非ステロイド性解熱鎮痛消炎剤　川崎病用剤

作用部位・作用機序　①解熱作用：視床下部の体温調節中枢に作用して，末梢血管を拡張し，血流量を増加させて，熱放散を高めることにより解熱　②鎮痛作用：痛覚などの知覚系通路のシナプスの感受性を低下させ，また，プロスタグランジン(PG)の合成阻害により，鎮痛効果　③消炎作用：炎症におけるPGの合成過程において，アラキドン酸からのPGE_2などの生成を阻害することにより，抗炎症作用　④血小板凝集抑制作用：シクロオキシゲナーゼ-1(COX-1)を阻害(セリン残基のアセチル化)することにより，トロンボキサンA_2(TXA_2)の合成を阻害し，血小板凝集抑制作用．血小板におけるCOX-1阻害作用は，血小板が本酵素を再合成できないため，不可逆的

同効薬　**末** 解熱・鎮痛・消炎剤，非ステロイド性解熱鎮痛消炎剤，川崎病用剤，人免疫グロブリン　**錠** クロピドグレル硫酸塩，プラスグレル塩酸塩，チクロピジン塩酸塩，シロスタゾール，ジピリダモール

治療

効能・効果　**末〔解熱鎮痛用〕** ①関節リウマチ，リウマチ熱，変形性関節症，強直性脊椎炎，関節周囲炎，結合織炎，術後疼痛，歯痛，症候性神経痛，関節痛，腰痛症，筋肉痛，捻挫痛，打撲痛，痛風による痛み，頭痛，月経痛　②次の疾患の解熱・鎮痛：急性上気道炎(急性気管支炎を伴う急性上気道炎を含む)　③(「純生」「ケンエー」を除く)川崎病(川崎病による心血管後遺症を含む)

腸溶錠〔抗血小板用〕 ①次の疾患における血栓・塞栓形成の抑制：狭心症(慢性安定狭心症，不安定狭心症)，心筋梗塞，虚血性脳血管障害(一過性脳虚血発作(TIA)，脳梗塞)　②冠動脈バイパス術(CABG)あるいは経皮経管冠動脈形成術(PTCA)施行後における血栓・塞栓形成の抑制　③川崎病(川崎病による心血管後遺症を含む)

用法・用量　**末〔解熱鎮痛用〕** 効能①：1回0.5～1.5g，1日1～4.5g，適宜増減するが，前記の最高量まで　効能②：1回0.5～1.5gを頓用(適宜増減)，原則として1日2回まで，1日最大4.5gを限度とし，空腹時の投与は避けさせることが望ましい　効能③：急性期有熱期間は，1日30～50mg/kgを3回に分服．解熱後の回復期から慢性期は，1日1回3～5mg/kg(適宜増減)

腸溶錠〔抗血小板用〕 効能①②：1日1回100mg．症状により1回300mgまで増量できる　効能③：急性期有熱期間は，1日30～50mg/kgを3回に分服．解熱後の回復期から慢性期は，1日1回3～5mg/kg(適宜増減)

用法・用量に関連する使用上の注意　**末〔解熱鎮痛用〕** 効能③に使用する場合：①原則として川崎病の診断がつき次第，投与を開始することが望ましい　②川崎病では発病後数カ月間，血小板凝集能が亢進しているので，川崎病の回復期において，本剤を発症後2～3カ月間投与し，その後断層心エコー図等の冠動脈検査で冠動脈障害が認められない場合には，中止する．冠動脈瘤を形成した症例では，冠動脈瘤の退縮が確認される時期まで投与を継続することが望ましい　③川崎病の治療において，低用量では十分な血小板機能の抑制が認められない場合もあるため，適宜，血小板凝集能の測定等を考慮する

腸溶錠〔抗血小板用〕 ①急性心筋梗塞ならびに脳梗塞急性期の初期治療において，抗血小板作用の発現を急ぐ場合には，初回投与時には本剤をすりつぶしたり，かみ砕いて服用する　②心筋梗塞患者及び経皮経管冠動脈形成術(PTCA)施行患者の初期治療においては，常用量の数倍を投与することが望ましい　③原則として川崎病の診断がつき次第，投与を開始することが望ましい　④川崎病では発症後数カ月間，血小板凝

集能が亢進しているので，川崎病の回復期において，本剤を発症後2～3カ月間投与し，その後断層心エコー図等の冠動脈検査で冠動脈障害が認められない場合には，中止する．冠動脈瘤を形成した症例では，冠動脈瘤の退縮が確認される時期まで投与を継続することが望ましい ⑤川崎病の治療において，低用量では十分な血小板機能の抑制が認められない場合もあるため，適宜，血小板凝集能の測定等を考慮する

禁忌・原則禁忌となる特定患者集団 出産予定日12週以内の妊婦

使用上の注意

禁忌 **末〔解熱鎮痛用〕**①〔効能①②に使用する場合〕(1)本剤又はサリチル酸系製剤に対し過敏症の既往歴のある患者 (2)消化性潰瘍のある患者［プロスタグランジン生合成抑制作用により，胃の血流量が減少し，消化性潰瘍を悪化させることがある］ (3)重篤な血液の異常のある患者［血小板機能障害を起こし，血液の異常をさらに悪化させるおそれがある］ (4)重篤な肝障害のある患者［肝障害をさらに悪化させるおそれがある］ (5)重篤な腎障害のある患者［腎障害をさらに悪化させるおそれがある］ (6)重篤な心機能不全のある患者［腎のプロスタグランジン生合成抑制作用により，浮腫，循環体液量の増加が起こり，心臓の仕事量が増加するため，心機能をさらに悪化させるおそれがある］ (7)アスピリン喘息(非ステロイド性消炎鎮痛剤等による喘息発作の誘発)又はその既往歴のある患者［重篤なアスピリン喘息発作を誘発させることがある］ (8)出産予定日12週以内の妊婦 ②〔効能③に使用する場合〕(1)本剤又はサリチル酸系製剤に対し過敏症の既往歴のある患者 (2)消化性潰瘍のある患者［プロスタグランジン生合成抑制作用により，胃の血液量が減少し，消化性潰瘍を悪化させることがある］ (3)出血傾向のある患者［血小板機能異常が起こることがあるため，出血傾向を助長するおそれがある］ (4)アスピリン喘息(非ステロイド性消炎鎮痛剤等による喘息発作の誘発)又はその既往歴のある患者［重篤なアスピリン喘息発作を誘発させることがある］ (5)出産予定日12週以内の妊婦

腸溶錠〔抗血小板用〕①本剤の成分又はサリチル酸系製剤に対し過敏症の既往歴のある患者 ②消化性潰瘍のある患者［プロスタグランジン生合成抑制作用により，胃の血流量が減少し，消化性潰瘍を悪化させることがある］ ③出血傾向のある患者［血小板機能異常が起こることがあるため，出血傾向を助長するおそれがある］ ④アスピリン喘息(非ステロイド性消炎鎮痛剤等による喘息発作の誘発)又はその既往歴のある患者［重篤なアスピリン喘息発作を誘発させることがある］ ⑤出産予定日12週以内の妊婦 ⑥低出生体重児，新生児又は乳児

過量投与 **末〔解熱鎮痛用〕**①徴候と症状：耳鳴，めまい，頭痛，悪心・嘔吐，消化管出血・潰瘍，難聴，軽度の頻呼吸等の初期症状から血中濃度の上昇に伴い，重度の過呼吸，呼吸性アルカローシス，代謝性アシドーシス等の酸塩基平衡障害，痙攣，昏睡等の中枢神経系障害，心血管虚脱，呼吸不全等が認められる ②処置：催吐，胃洗浄を行い，その上で活性炭や下剤を投与する．ブドウ糖輸液等により体液と電解質のバランスの維持を図る．小児の高熱には，スポンジ浴を行う．炭酸水素ナトリウムの静脈注射等によりアシドーシスを補正するとともに尿のアルカリ化を図る．重篤な場合，血液透析，腹膜灌流等を考慮する **腸溶錠〔抗血小板用〕**①徴候と症状：耳鳴，めまい，頭痛，嘔吐，難聴，軽度の頻呼吸等の初期症状から血中濃度の上昇に伴い，重度の過呼吸，呼吸性アルカローシス，代謝性アシドーシス，痙攣，昏睡，呼吸不全等が認められる ②処置：催吐，胃洗浄，活性炭投与(ただし，催吐及び胃洗浄後)，輸液注入によるアシドーシス是正，アルカリ尿促進(ただし，腎機能が正常の場合)，血液透析，腹膜透析を必要に応じて行う

薬物動態

解熱鎮痛用 **分布** サリチル酸は中枢神経系，母乳，胎児組織を含む全身の組織及び体液中に広く分布．高濃度の分布が認められるのは血漿，肝臓，腎皮質，心臓，肺．蛋白結合率は血中濃度依存性を示し，低濃度域(＜100μg/mL)では約90%であるのに対し，高濃度域(＞400μg/mL)では約75%．耳鳴等の過量投与の初期徴候は血中サリチル酸濃度が約200μg/mLに達すると認められる．重度の毒性作用は400μg/mLを超えると発現 **代謝** アスピリンは腸管での吸収過程，生体内(主として肝臓)でサリチル酸に加水分解される．サリチル酸はさらに生体内でグリシン抱合及びグルクロン酸抱合を受け，また，ごく一部は水酸化を受けゲンチジン酸に代謝される．血中濃度の上昇に伴い，サリチル酸代謝能は飽和に達し，全身クリアランスが低下する．毒性用量(10～20g)投与後では，サリチル酸の半減期は20時間を超えるほど延長することがある **排泄** サリチル酸の腎クリアランスは尿pH依存性を示し，低pHでは5%未満であるが，pH＞6.5では80%以上となることから，尿のアルカリ化は過量投与の処置上重要

抗血小板用 **血中濃度** 健康成人男性6例に100mg空腹時単回投与時の血中濃度及び薬物動態学的パラメータ(アスピリン，サリチル酸，サリチル尿酸の順)は，最高血中濃度Cmax(μg/L)455.3，6301.4，498.8，最高血中濃度到達時間Tmax(hr)4，4.5，4.75，血中濃度時間曲線下面積AUC(μg・hr/L)542.2，24843，2485.4，半減期$T_{1/2}$(hr)0.44，2.03，2.42(Tmaxは中央値，その他は幾何平均値)．なお，本剤は腸溶錠であり，他製剤(アスピリン普通錠等)と比較して吸収が遅延するので，血中アスピリン，サリチル酸のTmaxが長く，Cmaxは低い **分布** サリチル酸は中枢神経系，母乳，胎児組織を含む全身の組織及び体液中に広く分布し，血漿，肝臓，腎皮質，心臓，肺に高濃度分布．サリチル酸の蛋白結合率は血中濃度依存性で，低濃度域(＜100μg/mL)では約90%であるのに対し，高濃度域(＞400μg/mL)では約75%．耳鳴等の過量投与の初期徴候は，血中サリチル酸濃度が約200μg/mLに達すると認められる．重度の毒性作用は400μg/mLを超えると発現 **代謝** 腸管での吸収過程及び生体内(主として肝臓)でサリチル酸に加水分解．サリチル酸はさらに，生体内でグリシン抱合及びグルクロン酸抱合を受け，また，ごく一部は水酸化を受けゲンチジン酸に代謝．血中濃度上昇に伴い，サリチル酸代謝能は飽和に達し，全身クリアランスが低下．毒性用量(10～20g)投与後では，サリチル酸の半減期は20時間を超えるほど延長することがある **排泄** 100mgを空腹時単回経口投与後24時間までに大部分がサリシレートとして尿中に排出，投与24時間の尿中累積排泄率は約90%．サリチル酸の腎クリアランスは尿pH依存性で，低pHでは5%未満であるが，pH＞6.5では80%以上となることから，尿のアルカリ化は過量投与の処置上重要

その他の管理的事項

投与期間制限 該当しない

保険給付上の注意 該当しない

資料

IF アスピリン「ホエイ」 2017年6月改訂(第6版)
バイアスピリン錠100mg 2020年9月改訂(第15版)

アスピリンアルミニウム
Aspirin Aluminum

別名：アセチルサリチル酸アルミニウム

概要

構造式

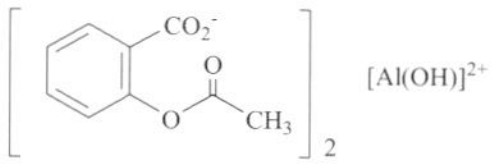

分子式　$C_{18}H_{15}AlO_9$
分子量　402.29
原薬の規制区分　該当しない
原薬の外観・性状　白色の結晶性の粉末で，においはないか，又は僅かに酢酸臭がある．水，メタノール，エタノール(95)又はジエチルエーテルにほとんど溶けない．水酸化ナトリウム試液又は炭酸ナトリウム試液に分解しながら溶ける

アスポキシシリン水和物
Aspoxicillin Hydrate

概要

薬効分類　613　主としてグラム陽性・陰性菌に作用するもの
構造式

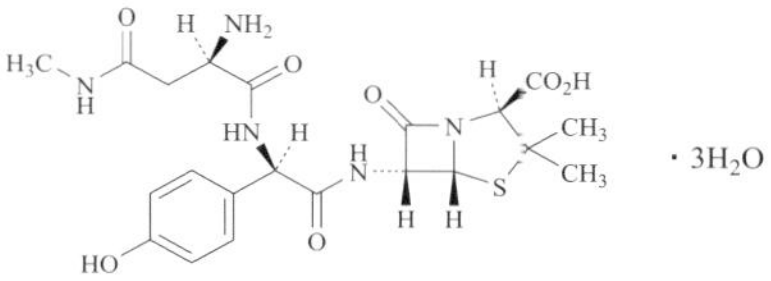

分子式　$C_{21}H_{27}N_5O_7S \cdot 3H_2O$
分子量　547.58
原薬の規制区分　該当しない
原薬の外観・性状　白色の結晶又は結晶性の粉末である．*N,N*-ジメチルホルムアミドに溶けやすく，水にやや溶けにくく，アセトニトリル，メタノール又はエタノール(95)にほとんど溶けない．1.0gを水50mLに溶かした液のpHは4.2～5.2である

アセタゾラミド
Acetazolamide

概要

薬効分類　213　利尿剤
構造式

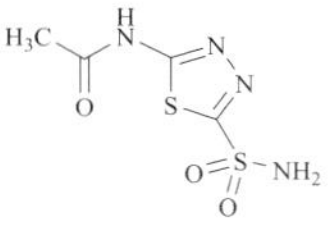

分子式　$C_4H_6N_4O_3S_2$
分子量　222.25
ステム　不明
原薬の規制区分　該当しない
原薬の外観・性状　白色～微黄白色の結晶性の粉末で，においはなく，味は僅かに苦い．エタノール(95)に溶けにくく，水に極めて溶けにくく，ジエチルエーテルにほとんど溶けない
原薬の吸湿性　該当資料なし
原薬の融点・沸点・凝固点　融点：約255℃(分解)
原薬の酸塩基解離定数　$pKa_1 = 7.4$，$pKa_2 = 9.1$
先発医薬品等
　末　ダイアモックス末(三和化学)
　錠　ダイアモックス錠250mg(三和化学)
　注射用　ダイアモックス注射用500mg(三和化学)
国際誕生年月　不明
海外での発売状況　各国(アセタゾラミド製剤として)

製剤

規制区分　**末**　**錠**　**注射用**　㊇
製剤の性状　**末** 白色ないし微黄白色の結晶性粉末　**錠** 白色の素錠(割線あり)　**注射用** 白色の結晶性の粉末又は塊で，用時溶解して用いる注射用製剤
有効期間又は使用期限　**末**　**錠** 5年　**注射用** 4年
貯法・保存条件　**末** 遮光・室温保存　**錠**　**注射用** 室温保存
薬剤取扱い上の留意点　降圧作用に基づくめまい，ふらつきが現れることがあるので，高所作業，自動車の運転等危険を伴う機械を操作する際には注意させること
患者向け資料等　**末**　**錠** くすりのしおり
溶液及び溶解時のpH　**注射用** 9.0～10.0(100mg/mL注射用水で溶解)
浸透圧比　**注射用** 約3(100mg/mL注射用水で溶解時の対生食比)
安定なpH域　該当資料なし

薬理作用

分類　炭酸脱水酵素抑制剤
作用部位・作用機序　腎上皮，赤血球，脳，毛様体上皮等に存在し，生体内で炭酸ガスと水から炭酸を生成する可逆反応($CO_2 + H_2O \Leftrightarrow H_2CO_3$)にあずかる炭酸脱水酵素を特異的に抑制
同効薬　該当なし

治療

効能・効果　**末**　**錠** ①緑内障　②てんかん(他の抗てんかん薬で効果不十分な場合に付加)　③肺気腫における呼吸性アシドーシスの改善　④心性浮腫　⑤肝性浮腫　⑥月経前緊張症　⑦メニエル病及びメニエル症候群　⑧(**錠**のみ)睡眠時無呼吸症候群
　注射用 ①緑内障　②てんかん(他の抗てんかん薬で効果不十分な場合に付加)　③肺気腫における呼吸性アシドーシスの改善　④メニエル病及びメニエル症候群
用法・用量　**末**　**錠** 効能①：1日250mg～1g分服(適宜増減)　効能②：1日250～750mg分服(適宜増減)　効能③④⑤：1日1回250～500mg(適宜増減)　効能⑥：1日1回125～375mg，月経前5～10日間又は症状が発現した日から(適宜増減)　効能⑦：1日1回250～750mg(適宜増減)　効能⑧：1日250～500mgを分服(適宜増減)
　注射用 注射用水，生理食塩液，5%ブドウ糖液で完全に溶解してから使用する．効能①：1日250mg～1g分割して静注又は筋注(適宜増減)　効能②：1日250～750mg分割して静注又は筋注(適宜増減)　効能③：1日1回250～500mg静注又は筋注(適宜増減)　効能④：1日1回250～750mg静注又は筋注(適宜増減)
用法・用量に関連する使用上の注意　**注射用** 経口投与が困難な場合や緊急の場合，また，経口投与で効果が不十分と考えられる場合にのみ行う．なお，経口投与が可能で効果が十分と判断された場合には速やかに経口投与に切り換える

使用上の注意

禁忌　①次の患者には投与しない：⑴本剤の成分又はスルホンアミド系薬剤に対し過敏症の既往歴のある患者　⑵肝硬変等の進行した肝疾患患者又は高度の肝機能障害のある患者［血中アンモニア濃度を上昇させ，肝性昏睡を誘発するおそれがあ

る］(3)無尿，急性腎不全の患者［本剤の排泄遅延により副作用が強く現れるおそれがある］(4)高クロール血症性アシドーシス，体液中のナトリウム・カリウムが明らかに減少している患者，副腎機能不全・アジソン病の患者［電解質異常が増悪されるおそれがある］②次の患者には長期投与しない：慢性閉塞隅角緑内障の患者［緑内障の悪化が不顕性化されるおそれがある］

過量投与　①徴候，症状：電解質異常(特に低カリウム血症)，アシドーシス及び中枢神経系障害を起こす可能性がある　②処置：本剤の特異的解毒薬は不明である．過量投与が生じた場合は，服用後短時間ならば胃洗浄により本剤をできる限り除去する．電解質(特にカリウム)及び血液pHのモニターを行い，必要により電解質の補充，炭酸水素ナトリウムを投与する．腎排泄性でありかつ血液透析により除去されることより，特に腎障害者において過量投与により状態が悪化した場合は血液透析の適応も考慮する

薬物動態

吸収　健常成人12名に1回5mg/kg経口投与時，血中濃度は2〜4時間後に最高値20〜30μg/mL，半減期は約10〜12時間．小児水頭症患者2名にそれぞれ14，18mg/kg静注時，血中濃度はそれぞれ70，80μg/mL以上，半減期は90〜100分(アメリカ)　**赤血球内濃度**　健常成人8名に1回5mg/kg経口投与時，赤血球内濃度の推移は血中濃度の推移より緩徐で，12時間後にも最高値25〜52μg/mLに近い14〜47μg/mLを維持　**髄液内濃度**　小児8名(水頭症患者を含む)に1回75mg/kg経口投与時，髄液内に血中蛋白非結合体濃度の約10%，また血中総濃度の約1%が移行(アメリカ)　**代謝・排泄**　ヒトに投与後，未変化体のまま，ほぼ24時間以内にそのほとんどが尿中に排泄．小児3名(水頭症患者を含む)に1回75mg/kg経口投与時，80%以上が尿細管分泌により，残りは糸球体ろ過により，尿中へ排泄(アメリカ)

その他の管理的事項

投与期間制限　該当しない

保険給付上の注意　該当しない

資料

IF　ダイアモックス末・錠250mg　2011年12月改訂(第6版)
　　ダイアモックス注射用500mg　2011年12月改訂(第7版)

注射用アセチルコリン塩化物
Acetylcholine Chloride for Injection

概要

薬効分類　123　自律神経剤

構造式

分子式　$C_7H_{16}ClNO_2$

分子量　181.66

ステム　不明

原薬の規制区分　(劇)

原薬の外観・性状　白色の結晶又は結晶性の粉末である．水に極めて溶けやすく，エタノール(95)に溶けやすい

原薬の吸湿性　極めて吸湿性である

原薬の融点・沸点・凝固点　融点：149.5〜152.5℃

原薬の酸塩基解離定数　該当資料なし

先発医薬品等

注射用　オビソート注射用0.1g(第一三共)

国際誕生年月　不明

海外での発売状況　米，イタリア

製剤

規制区分　**注射用**　(劇)(処)

製剤の性状　**注射用**　白色の結晶又は結晶性の粉末

有効期間又は使用期限　3年

貯法・保存条件　室温保存

患者向け資料等　くすりのしおり

浸透圧比　約2(1アンプル/添付溶解液2mLに溶解時)(対生食)

調製時の注意　酸・アルカリで配合不適とされている

薬理作用

分類　アセチルコリン受容体刺激薬(合成コリンエステル)

作用部位・作用機序　部位：内因性アセチルコリンの効果器細胞の接合部後膜又はニューロン　機序：運動神経，自律神経節及び副交感神経の節後線維の伝達物質と考えられている．中枢神経系においても神経伝達物質と考えられている．コリンと酢酸から生合成され，神経終末に保存され，神経が興奮すると遊離され，受容体と結合して生理作用を示す．興奮伝達の役目を果たした後，分解酵素であるコリンエステラーゼにより速やかに分解され，コリンと酢酸となり，効力を失う

同効薬　麻酔後の腸管麻痺，消化管機能低下のみられる急性胃拡張，円形脱毛症：カルプロニウム塩化物など．冠動脈造影検査時の冠攣縮薬物誘発試験における冠攣縮の誘発：なし

治療

効能・効果　麻酔後の腸管麻痺，消化管機能低下のみられる急性胃拡張，円形脱毛症

用法・用量　①麻酔後の腸管麻痺，消化管機能低下のみられる急性胃拡張：1回0.1gを1〜2mLの注射用水に使用のたびごとに溶解し，1日1〜2回皮下又は筋注する　②円形脱毛症：1回0.1gを5mLの注射用水に使用のたびごとに溶解し，局所皮内の数カ所に毎週1回ずつ注射する

用法・用量に関連する使用上の注意　静注は危険なので行わない

禁忌・原則禁忌となる特定患者集団　妊婦又は妊娠している可能性のある婦人

使用上の注意

警告　①本剤の冠動脈内への投与は，緊急時に十分措置できる医療施設において，冠攣縮性狭心症の診断及び治療に十分な知識と経験をもつ医師のもとで，本剤の投与が適切と判断される症例にのみ行う　②冠攣縮の誘発により，血圧低下や心原性ショック，重症不整脈(心室頻拍，心室細動，心房細動，房室ブロック，徐脈等)，心筋梗塞，心停止等が生じる可能性があるため，蘇生処置ができる準備をしておく．冠攣縮薬物誘発試験中は血圧及び心電図等の継続した監視を行い，注意深く患者を観察する．また，検査の継続が困難と判断した場合には検査を中断する

禁忌　①気管支喘息の患者［気管支痙攣を起こし，また気管支粘液分泌を亢進するので，症状が悪化するおそれがある］②甲状腺機能亢進症の患者［心血管系に作用して不整脈を起こすおそれがある］③重篤な心疾患のある患者［心拍数，心拍出量の減少により，症状が悪化するおそれがある］④消化性潰瘍のある患者［消化管運動の促進及び胃酸分泌作用により，症状が悪化するおそれがある］⑤本剤の成分に対し過敏症の既往歴のある患者　⑥アジソン病の患者［副腎皮質機能低下による症状が悪化するおそれがある］⑦消化管又は膀胱頸部に閉塞のある患者［消化管又は排尿筋を収縮，緊張させ，閉塞状態が悪化するおそれがある］⑧てんかんの患者［痙攣を起こし，症状が悪化するおそれがある］⑨パーキンソニズムの患者［ドパミン作動性神経系とコリン作動性神経系に不均衡を生じ，症状が悪化するおそれがある］⑩妊婦又は妊娠している可能性のある婦人

過量投与　①症状：冠攣縮薬物誘発試験での過量投与の場合は，高度かつ広範な冠攣縮が誘発されること及び誘発された冠攣縮が遷延することがあり，血圧低下や心原性ショック，重症不整脈(心室頻拍，心室細動，心房細動，房室ブロック，徐脈

等)，心筋梗塞，心停止を起こすおそれがある　②処置：本剤を中止し，硝酸薬を冠動脈内に注入する．血圧低下にはドパミン塩酸塩等の昇圧薬の投与，重症不整脈には電気的除細動を直ちに行う

その他の管理的事項

投与期間制限　該当しない

保険給付上の注意　該当しない

資料

IF　オビソート注射用0.1g　2017年8月改訂(第11版)

アセチルシステイン
Acetylcysteine

概要

薬効分類　223　去たん剤，392　解毒剤

構造式

分子式　$C_5H_9NO_3S$

分子量　163.19

ステム　ブロムヘキシン系以外の粘液溶解薬：-steine

原薬の規制区分　該当しない

原薬の外観・性状　白色の結晶又は結晶性の粉末である．水又はエタノール(99.5)に溶けやすい．水酸化ナトリウム試液に溶ける

原薬の吸湿性　該当資料なし

原薬の融点・沸点・凝固点　融点：107～111℃

原薬の酸塩基解離定数　該当資料なし

先発医薬品等

内用液　アセチルシステイン内用液17.6%「あゆみ」(あゆみ製薬)

吸入　ムコフィリン吸入液20%(サンノーバ=エーザイ)

国際誕生年月　不明

海外での発売状況　吸入液　独など

製剤

製剤の性状　内用液　無色で特異なにおいがある液剤．味は塩からく，僅かに苦く，えぐみがある　吸入液　無色澄明な液体で僅かに特異な臭いがある

有効期間又は使用期限　3年

貯法・保存条件　室温保存

薬剤取扱い上の留意点　該当しない

患者向け資料等　吸入液　くすりのしおり

溶液及び溶解時のpH　7.0～8.0

調製時の注意　内用液　投与時必要に応じて，「患者の体重と本剤投与量の対比表」に従い調製する．本剤をそのまま，あるいはソフトドリンク(又は水)で希釈して投与する

薬理作用

分類　アセトアミノフェン中毒解毒剤，気道粘液溶解剤

作用部位・作用機序　内用液　部位：肝臓　機序：グルタチオンの前駆物質として働き，解毒作用を示すと考えられている　吸入液　ムコ蛋白を分解し喀痰粘度を低下させる(SH基が粘液ムコ蛋白のS-S結合を開裂して，速やかに喀痰の粘度を低下させる)．痰のレオロジカルな変化をもたらす．pHの上昇とともに薬剤の効力が増し，pH7～9で粘液溶解作用は最大となる．病的な気管支内分泌物のpHは，アルカリ側に傾いているので効果的に作用し，感染時にも使用できる

同効薬　吸入液　ブロムヘキシン塩酸塩，L-カルボシステイン

治療

効能・効果　内用液　アセトアミノフェン過量摂取時の解毒　吸入　①次の疾患の去痰：気管支喘息，慢性気管支炎，気管支拡張症，肺結核，肺気腫，上気道炎(咽頭炎，喉頭炎)，肺化膿症，肺炎，嚢胞性線維症，術後肺合併症　②次における前後処置：気管支造影，気管支鏡検査，肺癌細胞診，気管切開術

用法・用量　内用液　本剤又は希釈液をアセチルシステインとして初回140mg/kg，以降70mg/kgずつ4時間ごとに17回，計18回投与．経口投与が困難な場合は胃管又は十二指腸管から投与．投与後1時間以内に嘔吐した場合は再度同量投与　吸入液　アセチルシステインナトリウム塩20%液として1回1～4mLを単独又は他の薬剤を混じて気管内に直接注入，又は噴霧吸入(適宜増減)

用法・用量に関連する使用上の注意　内用液　①アセトアミノフェン摂取後なるべく早期に投与を開始する．8時間以内が望ましいが，24時間以内であれば効果が認められることが報告されている　②投与の要否は，次のすべてを参考に決定する：(1)アセトアミノフェンの血漿中濃度：ノモグラム(添付文書参照)において，アセトアミノフェンの血漿中濃度が本剤投与推奨ラインより上である場合に投与する．摂取後4時間までは血漿中濃度がピークとなっていないため，参考にならない　(2)アセトアミノフェンの摂取量：血漿中濃度が迅速に測定できない場合でも，アセトアミノフェンとして7.5g又は150mg/kg以上の摂取が疑われる場合には投与する　(3)配合剤による中毒，薬剤の常用者，あるいは基礎疾患のある患者の場合：次の(ア)～(ウ)に示す患者には，摂取量が前記(1)(2)の目安以下であっても投与を考慮すべきである：(ア)配合剤による中毒の場合(次に示す薬物とは相互作用によってアセトアミノフェンの毒性が強く発現するとの報告がある)：エテンザミド，無水カフェイン，ブロムワレリル尿素　(イ)併用薬を服用中である場合(次に示す薬物とは肝薬物代謝酵素の誘導によってアセトアミノフェンの毒性が強く発現するとの報告がある)：カルバマゼピン，イソニアジド，フェノバルビタール，フェニトイン，リファンピシン　(ウ)アセトアミノフェンやアルコールの常用者，肝疾患のある患者，絶食状態や低栄養状態が続いている患者(低用量でもグルタチオンの枯渇が生じるおそれがある)　③「患者の体重と本剤投与量の対比表」(添付文書参照)を参考に投与する

薬物動態

内用液 **経口投与における血漿中濃度**　外国人でのデータ：健常人6例(男性2例，女性4例)に400mgを空腹時単回投与※)時の血漿中アセチルシステイン(AC)濃度は，投与後速やかに上昇，投与後30分に還元型AC及び総ACともに最高濃度(Cmax)3.47及び9.95μmol/L．その後の消失半減期は総ACでは6.25時間．吸収率は還元型ACで4%，総ACでは9.1%．用量の増加※)(200，600，1200mg)に伴い，還元型ACのCmaxは増加，最高濃度到達時間は遅延．600mgを1日2回，5日間反復投与※)時の血漿中AC濃度推移は，単回投与時と同程度 **肝障害患者における血漿中濃度**　慢性肝障害患者(アルコール性，原発性胆汁性，二次性胆管狭窄)9例(男性7例，女性2例)及び健常人6名(男性4例，女性2例)に本剤600mgを単回静注※)，血漿中濃度は肝障害患者の方が高濃度で推移し，消失半減期は健常人2.6時間に対し，肝障害患者では4.9時間と有意に遅延．この他，肝障害患者では，AUCが有意に高く，全身クリアランスは有意に低かった．薬物動態パラメータは次の通り(健常人(6例)，肝障害患者(9例)の順)：消失半減期(hr)2.6±0.3，4.9±1.7，AUC(mg・hr/mL)93.9±9.6，152.3±50.4，分布容積(L)17.4±2.8，25.5±8.4，全身クリアランス(L/hr)6.5±0.8，4.5±1.9 **体内動態**　参考(ラット)：^{35}S-アセチルシステインを200mg/kg単回投与時，2時間後に全身に広く分布，腎臓，肝臓に高濃度に存在．肝臓における主な代謝産物は，システイン及びシスチンで，未変化体や*N,N'*-ジアセチルシスチンは検出されない．このことから，

本剤は，吸収後，肝臓において急速に脱アセチル化されてシステインとなり，以下システインと同様の経路で代謝されると考えられる．投与後24時間の尿中排泄は約56%，尿中ではほとんどが無機硫酸塩であることから，肝代謝型薬剤であると考えられる　※)承認された用法については用法・用量参照

その他の管理的事項

投与期間制限　該当しない

保険給付上の注意　該当しない

資料

IF　アセチルシステイン内用液17.6%「あゆみ」 2016年3月改訂(第4版)
　ムコフィリン吸入液20%　2011年4月改訂(第4版)

アセトアミノフェン
Acetaminophen

別名：パラセタモール

概要

薬効分類　114　解熱鎮痛消炎剤

構造式

分子式　$C_8H_9NO_2$

分子量　151.16

ステム　不明

原薬の規制区分　㊙(ただし，1個中0.3g以下を含有するもの，2%以下を含有するシロップ剤又はエリキシル剤であって1容器中0.6g以下を含有するものを除く)

原薬の外観・性状　白色の結晶又は結晶性の粉末である．メタノール又はエタノール(95)に溶けやすく，水にやや溶けにくく，ジエチルエーテルに極めて溶けにくい．水酸化ナトリウム試液に溶ける

原薬の吸湿性　25℃，90%RH以上で，ごく僅かに吸湿する

原薬の融点・沸点・凝固点　融点：169～172℃

原薬の酸塩基解離定数　pKa＝9.5(25℃)

先発医薬品等

末　アセトアミノフェン原末「マルイシ」(丸石)
　アセトアミノフェン「JG」原末(長生堂＝日本ジェネリック)
　アセトアミノフェン〈ハチ〉(東洋製化＝小野＝健栄＝丸石)
　アセトアミノフェン「ファイザー」原末(マイラン＝ファイザー)
　アセトアミノフェン「ヨシダ」(吉田製薬)
　カロナール原末(あゆみ製薬)
　ピレチノール(岩城)

注　アセリオ静注液1000mgバッグ(テルモ)

坐　アセトアミノフェン坐剤小児用50mg・100mg「JG」(長生堂＝日本ジェネリック)
　アセトアミノフェン坐剤小児用50mg・100mg「TYK」(武田テバ薬品＝武田テバファーマ＝武田)
　アセトアミノフェン坐剤小児用50mg・100mg「シオエ」(シオエ＝日本新薬)
　アセトアミノフェン坐剤小児用50mg・100mg「日新」(日新製薬)
　アルピニー坐剤50・100(久光＝三和化学)・坐剤200(久光)
　アンヒバ坐剤小児用50mg・100mg・200mg(マイランEPD)
　カロナール坐剤小児用50・坐剤100・200・400(あゆみ製薬)

後発医薬品

細　20%・50%
錠　200mg・300mg・500mg
シ　2%
シロップ用　20%・40%
坐　200mg

国際誕生年月　不明

海外での発売状況　米ほか各国

製剤

規制区分　**末**　**20・50%細(0.6g分包品を除く)**　**500mg錠**　**シ**　**400坐**　㊙　**注**　㊙ ㊋

製剤の性状　**末** 白色の結晶又は結晶性の粉末　**細** 淡橙色の細粒で，僅かにオレンジようのにおいがあり，味は甘く，のち苦い　**200mg錠** 白色割線入り錠剤で，僅かにメントールのにおいがあり，味は苦い　**300mg錠** 白色の素錠で，僅かにメントールのにおいがあり，味は苦い　**500mg錠** 白色のカプレット素錠である　**シ** 無色～淡黄褐色澄明のシロップ剤で，オレンジようのにおいがあり，味は僅かに甘い **小児用50坐** 白色～淡黄色の紡錘形の坐剤で，僅かに脂肪臭を有する　**100・200・400坐** 白色～淡黄白色の紡錘形の坐剤で，においはない　**注** 無色～微黄色澄明の液である

有効期間又は使用期限　**末**　**細**　**錠**　**シ**　**小児用50坐**　**400坐** 3年　**100・200坐** 5年　**注** 2年

貯法・保存条件　**末** 気密容器，遮光・室温保存　**細**　**錠**　**注** 室温保存　**シ** 遮光・室温保存　**小児用50坐** 室温保存(30℃以下)　**100・200・400坐** 冷所保存

薬剤取扱い上の留意点　**注** 凍結保存しないこと．低温下では，結晶析出の可能性がある．結晶が析出した場合は，湯煎(60℃以下)にて加温溶解後，放冷して使用すること

患者向け資料等　患者向医薬品ガイド，くすりのしおり

溶液及び溶解時のpH　**シ** 4.9～6.0　**注** 5.0～6.0

浸透圧比　**注** 約1(対生食)

安定なpH域　該当資料なし

調製時の注意　**注** 本剤への他剤の混注は行わないこと

薬理作用

分類　解熱鎮痛剤

作用部位・作用機序　視床下部の体温中枢に作用し，熱放散を増大させ解熱作用．解熱鎮痛作用はサリチル酸類と同様に中枢性で，体水分の移動と末梢血管の拡張とが相まって起こる発汗を伴う解熱と，視床と大脳皮質の痛覚閾値の上昇効果とによる．また，体温中枢に関与しているプロスタグランジンの合成阻害はアスピリンと同程度とされているが，末梢におけるプロスタグランジンの合成阻害はアスピリンに比べ極めて弱いという．平熱時にはほとんど体温に影響を及ぼさず，発熱時には投与3時間当たりで，最大効果を発現する．鎮痛作用はアスピリンと同じく緩和な痛みに限られている．抗炎症作用はほとんどない

同効薬　アスピリン，イブプロフェン，ジクロフェナクナトリウム，メフェナム酸など

治療

効能・効果　**末**　**細**　**錠**　**40%シロップ用** ①次の疾患ならびに症状の鎮痛：頭痛，耳痛，症候性神経痛，腰痛症，筋肉痛，打撲痛，捻挫痛，月経痛，分娩後痛，癌による疼痛，歯痛，歯科治療後の疼痛，(ピレチノール，「ヨシダ」，原末「マルイシ」除く)変形性関節症　②次の疾患の解熱・鎮痛：急性上気道炎(急性気管支炎を伴う急性上気道炎を含む)　③小児科領域における解熱・鎮痛
　シ　**20%シロップ用**　**坐** 小児科領域における解熱・鎮痛
　注 経口製剤及び坐剤の投与が困難な場合における疼痛及び発熱

効能・効果に関連する使用上の注意　**注** 経口製剤及び坐剤の

投与が困難で，静注剤による緊急の治療が必要である場合等，静注剤の投与が臨床的に妥当である場合に本剤の使用を考慮する．経口製剤又は坐剤の投与が可能になれば速やかに中止し，経口製剤又は坐剤の投与に切り替える

用法・用量 **末** **細** **40%シロップ用** 効能①：(1)〔**末** カロナール，〈ハチ〉，「ファイザー」，「JG」，**細** **40%シロップ用**〕アセトアミノフェンとして1回300～1000mg（適宜増減）．投与間隔は4～6時間以上とし，1日総量として1日4000mgを限度とする．空腹時の投与は避けさせることが望ましい (2)〔(1)を除く〕アセトアミノフェンとして1回300～500mg，1日900～1500mg（適宜増減） 効能②：アセトアミノフェンとして1回300～500mgを頓用（適宜増減），原則として1日2回まで，1日最大1500mgを限度とし，空腹時の投与は避けさせることが望ましい．ドライシロップは用時懸濁して投与するが，そのまま投与することもできる 効能③：乳児，幼児及び小児にはアセトアミノフェンとして1回10～15mg/kg（適宜増減）．投与間隔は4～6時間以上とし，1日総量として60mg/kgを限度とする．ただし，成人の用量を超えない．また，空腹時の投与は避けさせることが望ましい

錠 効能①：アセトアミノフェンとして1回300～1000mg（適宜増減）．投与間隔は4～6時間以上とし，1日総量として1日4000mgを限度とする．空腹時の投与は避けさせることが望ましい 効能②：アセトアミノフェンとして1回300～500mgを頓用（適宜増減），原則として1日2回まで，1日最大1500mgを限度とする．空腹時の投与は避けさせることが望ましい 効能③：幼児及び小児にはアセトアミノフェンとして1回10～15mg/kg（適宜増減）．投与間隔は4～6時間以上とし，1日総量として60mg/kgを限度とする．ただし，成人の用量を超えない．また，空腹時の投与は避けさせることが望ましい

シ **20%シロップ用** 乳児，幼児及び小児にはアセトアミノフェンとして1回10～15mg/kg（適宜増減）．投与間隔は4～6時間以上とし，1日総量として60mg/kgを限度とする．ただし，成人の用量を超えない．また，空腹時の投与は避けさせることが望ましい

注 次のとおり本剤を15分かけて静脈内投与する：①成人における疼痛：成人には1回300～1000mgを15分かけて静注し，投与間隔は4～6時間以上とする．なお，年齢，症状により適宜増減するが，1日総量として4000mgを限度とする．ただし，体重50kg未満の成人には体重1kgあたり1回15mgを上限として静注し，投与間隔は4～6時間以上とする．1日総量として60mg/kgを限度とする ②成人における発熱：成人には1回300～500mgを15分かけて静注し，投与間隔は4～6時間以上とする．なお，年齢，症状により適宜増減するが，原則として1日2回までとし，1日最大1500mgを限度とする ③2歳以上の幼児及び小児における疼痛及び発熱：2歳以上の幼児及び小児には体重1kgあたり1回10～15mgを15分かけて静注し，投与間隔は4～6時間以上とする．なお，年齢，症状により適宜増減するが，1日総量として60mg/kgを限度とする．ただし，成人の用量を超えない ④乳児及び2歳未満の幼児における疼痛及び発熱：乳児及び2歳未満の幼児には体重1kgあたり1回7.5mgを15分かけて静注し，投与間隔は4～6時間以上とする．なお，年齢，症状により適宜増減するが，1日総量として30mg/kgを限度とする

坐 乳児，幼児及び小児にはアセトアミノフェンとして1回10～15mg/kgを直腸内に挿入（適宜増減）．投与間隔は4～6時間以上とし，1日総量として60mg/kgを限度とする．ただし，成人の用量を超えない

用法・用量に関連する使用上の注意 ①**末** **細** **錠** **シ** **シロップ用** **坐** 小児科領域における1回投与量の目安（アセトアミノフェン量）は次の通り（慎重投与，重要な基本的注意，**坐** 適用上の注意参照）：〔1〕体重5kg：50～75mg 〔2〕体重10kg：100～150mg 〔3〕体重20kg：200～300mg 〔4〕体重30kg：300～450mg ②**40%シロップ用** 通常，用時懸濁して投与するが，そのまま投与することもできる ③**末** **細** **錠** **シ** **20%シロップ用** **坐**「小児科領域における解熱・鎮痛」の効能・効果に対する1回あたりの最大用量はアセトアミノフェンとして500mg，1日あたりの最大用量はアセトアミノフェンとして1500mg ④**注** (1)投与に際しては，投与速度を厳守する（有効性及び安全性は15分かけて静注した臨床試験において確認されている）．なお，投与速度及び投与量により，循環動態に影響を及ぼすことが明らかに予想される患者には投与しない (2)乳児，幼児及び小児の1回投与量の目安は次の通り（体重/アセリオ静注液1000mgで表す）：5kg/3.75mL，10kg/7.5～15mL，20kg/20～30mL，30kg/30～45mL (3)乳児，幼児及び小児に対する1回あたりの最大用量は500mg，1日あたりの最大用量は1500mgである

使用上の注意

> **警告** ①本剤により重篤な肝障害が発現するおそれがあることに注意し，1日総量1500mgを超す高用量で長期投与する場合には，定期的に肝機能等を確認する等，慎重に投与する ②本剤とアセトアミノフェンを含む他の薬剤（一般用医薬品を含む）との併用により，アセトアミノフェンの過量投与による重篤な肝障害が発現するおそれがあることから，これらの薬剤との併用を避ける

禁忌 ①（**坐** 除く）消化性潰瘍のある患者［症状が悪化するおそれがある］ ②重篤な血液の異常のある患者［重篤な転帰をとるおそれがある］ ③重篤な肝障害のある患者［重篤な転帰をとるおそれがある］ ④重篤な腎障害のある患者［重篤な転帰をとるおそれがある］ ⑤重篤な心機能不全のある患者［循環系のバランスが損なわれ，心不全が増悪するおそれがある］ ⑥本剤の成分に対し過敏症の既往歴のある患者 ⑦アスピリン喘息（非ステロイド性消炎鎮痛剤による喘息発作の誘発）又はその既往歴のある患者［アスピリン喘息の発症にプロスタグランジン合成阻害作用が関与していると考えられる］

過量投与 ①肝臓・腎臓・心筋の壊死が起こったとの報告がある ②総合感冒剤や解熱鎮痛剤等の配合剤には，アセトアミノフェンを含むものがあり，本剤とこれら配合剤との偶発的な併用により，アセトアミノフェンの過量投与による重篤な肝障害が発現するおそれがある ③アセトアミノフェン過量投与時の解毒（肝障害の軽減等）には，アセチルシステインの投与を考慮する

薬物動態

シ 小児患者：発熱小児に10mg/kg（6例）及び15mg/kg（5例）投与1時間後の血漿中濃度（μg/mL）は8.06±2.79及び9.61±3.59，以降徐々に消失

40%シロップ用 健康成人男子に1g単回経口投与時，最高血漿中濃度は投与後約0.54時間に得られ，約5.74μg/mLに達した．以後，速やかに消失し，血漿中濃度の半減期は約2.81時間

注 **血漿中濃度** ①本剤の単回投与（国内臨床試験）：日本人健康成人男性に本剤300，650，1000mgをいずれも15分かけて静注時，血漿中アセトアミノフェンの薬物動態パラメータは次に示す通りで，投与量にかかわらず，血漿中濃度は投与終了直後にCmaxに達した後，約2.5時間の$t_{1/2}$で低下した．300mgから1000mgの用量範囲で，血漿中アセトアミノフェン濃度のCmax及びAUCは用量に比例して増加し，線形性が認められた：$AUC_{0\text{-}t}$（μg・hr/mL），Cmax（μg/mL），$t_{1/2}$（hr），CL（L/hr/kg），tmax（hr）の順に，(1)300mg群：17.38（1.87），11.06（1.37），2.79（0.28），0.238（0.033），0.25（0.0） (2)650mg群：44.29（4.15），22.35（5.72），2.83（0.37），0.212（0.029），0.25（0.0） (3)1000mg群：59.72（10.83），46.17（5.93），2.59（0.20），0.253（0.042），0.25（0.0） n=8 ②本剤の反復投与（国内臨床試験）：日本人健康成人男性に本剤650mgを1日6回（4時間毎）2日間反復静注（投与速度65mL/15分）又は本剤1000mgを1日4回（6時間毎）2日間反復静注（投与速度100mL/15分）時の薬物動態パラメータは次に示す通りで

あった．いずれも反復投与開始後12時間までに定常状態に達し，蓄積性は認められなかった：AUC τ（μg・hr/mL），Cmax（μg/mL），$t_{1/2}$（hr），CL（L/hr/kg），tmax（hr）の順に，⑴650m群：㈠1回投与：30.66（4.62），31.22（1.95），2.53（0.32），0.244（0.033），0.25（0.0）㈡12回投与：44.34（6.42），32.47（3.47），2.61（0.21），0.241（0.021），0.25（0.0）⑵1000mg：㈠1回投与：52.35（5.77），42.05（7.13），2.39（0.14），0.274（0.035），0.25（0.0）㈡8回投与：64.37（11.31），49.23（5.28），2.65（0.32），0.268（0.038），0.25（0.0）n=8 ③本剤と経口製剤の薬物動態比較（国内臨床試験）：日本人健康成人男性に本剤と経口製剤（いずれもアセトアミノフェンとして1000mg）をクロスオーバー法により単回投与（本剤の投与速度100mL/15分）時，血漿中アセトアミノフェンの薬物動態パラメータは次に示す通りであった．Cmaxの増加，tmaxの短縮はあったが投与後30分以降の血漿中濃度は経口製剤と同様の推移を示し，AUCや$t_{1/2}$，尿中代謝物プロファイル等その他薬物動態パラメータに投与経路による違いは認められなかった：AUC_{0-t}（μg・hr/mL），Cmax（μg/mL），$t_{1/2}$（hr），CL（L/hr/kg），tmax（hr）の順に，⑴アセトアミノフェン静注液（1000mg，1バイアル，19例）：60.01（8.66），43.01（6.62），2.72（0.38），0.256（0.037），0.25（0.0）⑵アセトアミノフェン錠（200mg，5錠，20例）53.62（9.87），23.56（8.51），2.78（0.47），0.285（0.051），0.49（0.24）④小児（及び成人）における薬物動態パラメータ：本剤を小児集団（外国人）に15mg/kg及び成人（外国人）に1000mgを単回静注時の薬物動態パラメータの推定値を次に要約する：平均値（標準偏差）で表す．AUC（μg・hr/mL），Cmax（μg/mL），$t_{1/2}$（hr），CL（L/hr/kg），Vss（L/kg）の順に，⑴新生児：62（11），25（4），7.0（2.7），0.12（0.04），1.1（0.2）⑵乳児：57（54），29（24），4.2（2.9），0.29（0.15），1.1（0.3）⑶幼児：38（8），29（7），3.0（1.5），0.34（0.10），1.2（0.3）⑷青年：41（7），31（9），2.9（0.7），0.29（0.08），1.1（0.3）⑸成人：43（11），28（21），2.4（0.6），0.27（0.08），0.8（0.2）幼児及び青年におけるAUCは成人と同程度であるが，新生児及び乳児では成人より大きい．生後1カ月以上2歳未満の乳児及び28日齢までの新生児においては，投与量をそれぞれ33%及び50%減量し，投与間隔を6時間以上空けることにより，2歳以上の小児と同様のAUCが得られることが，乳児及び新生児の薬物動態データに基づいた用量シミュレーションにより示されている **分布** ①血漿蛋白結合：アセトアミノフェンの血漿蛋白結合率は低く，血漿中濃度60μg/mLまでは結合はみられず，血漿中濃度280μg/mLにおいても約20%であった ②組織への移行：妊娠した女性を対象とした試験で，アセトアミノフェンの経胎盤移行が示されている **代謝** アセトアミノフェンの代謝は主に肝臓で行われ，主な代謝経路には，グルクロン酸抱合，硫酸抱合，チトクロムP450を介した酸化的代謝経路の3つがある．チトクロムP450を介した酸化的代謝経路では，主としてCYP2E1により反応性中間代謝物[N-アセチル-p-ベンゾキノンイミン（NAPQI）]が生成される．治療用量では，NAPQIは迅速にグルタチオン抱合を受け，その後さらに代謝されてシステイン及びメルカプツール酸との抱合体を形成する **排泄** アセトアミノフェン代謝物は主に尿中に排泄される．投与量の約80%が12時間以内に，90%以上が48時間以内に尿中に排泄された．アセトアミノフェン未変化体及び各代謝物の尿中累積排泄率は，投与経路によらず同程度であった

坐 **血漿中濃度** 健康成人10例に400mgを直腸内単回投与時の薬物動態パラメータはCmax4.18±0.31μg/mL，tmax1.60±0.16hr，$AUC_{0-\infty}$20.36±1.75μg・hr/mL，$t_{1/2}$ 2.72±0.26hr（注：本剤は小児用製剤で，小児の承認1回用量は50～200mg）**分布（参考：動物実験）** イヌに300mg/kgを経口投与2時間後の組織/血漿中濃度比は，ほとんどの組織でほぼ1．脂肪では他の組織より低い値 **代謝・排泄** 8カ月～6歳4カ月の健康乳幼小児に，1歳未満には50mg，1歳以上には100mgを直腸内投与し，12時間尿中代謝パターンを検討した結果，未変化体の排泄率は0.9～2.7%．代謝物としてグルクロン酸及び硫酸抱合体が排泄，それらを含めた総排泄量は尿全量が採取できた1歳以上の小児で63.5～68.1% **その他** 血清蛋白結合率：25～30%

その他の管理的事項

投与期間制限 該当しない

保険給付上の注意 該当しない

資料

IF カロナール原末 2016年1月改訂（第7版）
カロナール細粒20%・50% 2018年4月改訂（第13版）
カロナール錠200・300・500 2018年12月改訂（第14版）
カロナールシロップ2% 2016年1月改訂（第14版）
カロナール坐剤小児用50・坐剤100・200・400 2016年1月改訂（第13版）
アセリオ静注液1000mgバッグ 2019年12月改訂（第2版）

アセトヘキサミド
Acetohexamide

概要

薬効分類 396 糖尿病用剤

構造式

分子式 $C_{15}H_{20}N_2O_4S$

分子量 324.40

ステム 不明

原薬の規制区分 劇

原薬の外観・性状 白色～帯黄白色の粉末である．*N,N*-ジメチルホルムアミドに溶けやすく，アセトンにやや溶けにくく，メタノール又はエタノール（99.5）に溶けにくく，水にほとんど溶けない

原薬の吸湿性 該当資料なし

原薬の融点・沸点・凝固点 融点：約185℃（分解）

原薬の酸塩基解離定数 pKa＝6.75（スルホンアミド基，滴定法），4.63（由来基：不明，分光光度法）

先発医薬品等
錠 ジメリン錠250mg（共和薬品）

国際誕生年月 不明

海外での発売状況 発売されていない

製剤

規制区分 **錠** 劇 処

製剤の性状 **錠** 白色又は僅かに黄色を帯びた白色の長いだ円形の錠剤（割線入り）

有効期間又は使用期限 3年

貯法・保存条件 室温保存

薬剤取扱い上の留意点 重篤かつ遷延性の低血糖を起こすことがあるので，高所作業，自動車の運転等に従事している患者に投与するときには注意すること

患者向け資料等 くすりのしおり

溶液及び溶解時のpH 該当しない

浸透圧比 該当しない

安定なpH域 該当しない

調製時の注意 該当しない

薬理作用

分類 スルホニル尿素系血糖降下剤

作用部位・作用機序 主として膵β細胞を刺激して，内因性イ

ンスリンの分泌を促進し血糖を下げる．主代謝物L-(−)-ヒドロキシヘキサミドはアセトヘキサミドとほぼ同等の血糖降下作用を有する

同効薬　トルブタミド，クロルプロパミド，グリクロピラミド，グリベンクラミド，グリクラジド，グリメピリド

治療

効能・効果　インスリン非依存型糖尿病(ただし，食事療法・運動療法のみで十分な効果が得られない場合に限る)

用法・用量　1日250mg，必要に応じ適宜増量して維持量を決定．1日最高投与量は1000mgとする．1回投与では朝食前又は後，2回投与では朝夕それぞれ食前又は後

禁忌・原則禁忌となる特定患者集団　妊婦又は妊娠している可能性のある婦人

使用上の注意

> **警告**　重篤かつ遷延性の低血糖症を起こすことがある．用法・用量，使用上の注意に特に留意する

禁忌　①重症ケトーシス，糖尿病性昏睡又は前昏睡，インスリン依存型糖尿病(若年型糖尿病，ブリットル型糖尿病等)の患者［インスリンの適用である］　②重篤な肝又は腎機能障害のある患者［低血糖を起こすおそれがある］　③重症感染症，手術前後，重篤な外傷のある患者［インスリンの適用である］　④下痢，嘔吐等の胃腸障害のある患者［低血糖を起こすおそれがある］　⑤本剤の成分又はスルホンアミド系薬剤に対し過敏症の既往歴のある患者　⑥妊婦又は妊娠している可能性のある婦人

過量投与　①徴候，症状：低血糖が起こることがある　②処置：(1)飲食が可能な場合：ブドウ糖(5～15g)又は10～30gの砂糖の入った吸収のよいジュース，キャンディ等を摂取させる　(2)意識障害がある場合：ブドウ糖液(50%20mL)を静注し，必要に応じて5%ブドウ糖液点滴により血糖値の維持を図る　(3)場合によっては，血糖上昇ホルモンとしてのグルカゴンを投与してもよい

薬物動態

血清中濃度　糖尿病患者(4名)に250mgを朝食前30分に経口投与時の未変化体及び主代謝物ヒドロキシヘキサミドの総和の薬物動態パラメータはCmax33.2±8.7μg/mL，Tmax1.11±0.24hr，$AUC_{0-\infty}$ 162.4±75.5μg・hr/mL，$T_{1/2}$ 3.17±1.47hr(HPLC法)　**分布**　分布容積Vd(4例)7.1±2.1L　**代謝**　経口投与でほとんど吸収され，肝臓で代謝されて，主としてL-(−)-ヒドロキシヘキサミドになり，アセトヘキサミドとほぼ同等の血糖降下作用　**排泄**　①排泄部位：主に尿中，一部胆汁中に排泄　②排泄率：糖尿病患者6例に^{14}C-標識アセトヘキサミド1gを経口投与時，尿中総放射能排泄率は24時間で投与量の71.6%，48時間で77.2%(外国人)　**その他(外国人)**　血清蛋白結合率：平衡透析法で測定されたアルブミンとの結合率はpH6.5，7.4，8.4のとき，それぞれ85.1%，88.1%，85%

その他の管理的事項

投与期間制限　該当しない

保険給付上の注意　該当しない

資料

IF　ジメリン錠250mg　2018年4月改訂(第14版)

アセブトロール塩酸塩
Acebutolol Hydrochloride

概要

薬効分類　212　不整脈用剤

構造式

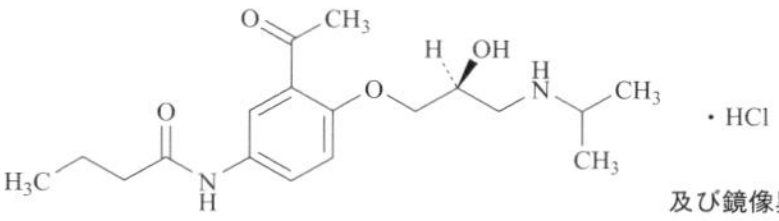

及び鏡像異性体

分子式　$C_{18}H_{28}N_2O_4$・HCl

分子量　372.89

ステム　アドレナリンβ受容体拮抗薬：-olol

原薬の規制区分　[劇]

原薬の外観・性状　白色～微黄白色の結晶又は結晶性の粉末である．水，メタノール，エタノール(95)又は酢酸(100)に溶けやすく，ジエチルエーテルにほとんど溶けない．本品の水溶液(1→20)は旋光性を示さない

原薬の吸湿性　室温及び40℃とも90%RH以下の条件では，ほとんど吸湿しない．100%RHでは次第に吸湿し，溶解する

原薬の融点・沸点・凝固点　融点：141～145℃

原薬の酸塩基解離定数　pKa＝9.51(20℃)

先発医薬品等

[カ] アセタノールカプセル100・200(サノフィ)

国際誕生年月　1974年12月

海外での発売状況　英，仏

製剤

規制区分　[カ]　[劇] [処]

製剤の性状　[カ] 白色不透明の硬カプセル剤

有効期間又は使用期限　3年

貯法・保存条件　室温保存

薬剤取扱い上の留意点　めまい，立ちくらみが現れることがあるので，本剤投与中の患者には，自動車の運転等，危険を伴う機械の作業に注意させること．手術前24時間は投与しないことが望ましい

患者向け資料等　くすりのしおり

薬理作用

分類　心臓選択性β受容体遮断剤

作用部位・作用機序　部位：アドレナリン作動性β受容体　機序：$β_1$選択性(*in vitro*)，内因性交感神経刺激作用(ラット)，膜安定化作用(*in vitro*)，降圧作用(ラット)，血漿レニン活性抑制作用(ヒト)，循環動態(ヒト)

同効薬　セリプロロール塩酸塩，ベタキソロール塩酸塩

治療

効能・効果　①本態性高血圧症(軽症～中等症)　②狭心症　③頻脈性不整脈(洞性頻脈，期外収縮，発作性上室性頻拍，新鮮心房細動，除細動後の洞調律の維持)

用法・用量　効能①：アセブトロールとして1日200～400mgを1～2回に分服(適宜増減)　効能②③：アセブトロールとして1日300～600mgを食後3回に分服(適宜増減)

用法・用量に関連する使用上の注意　褐色細胞腫の患者では，単独投与により急激に血圧が上昇することがあるので，α遮断剤で初期治療を行った後に本剤を投与し，常にα遮断剤を併用する

禁忌・原則禁忌となる特定患者集団　妊婦又は妊娠している可能性のある婦人，授乳中の婦人

使用上の注意

禁忌　①本剤の成分に対し過敏症の既往歴のある患者　②糖尿病性ケトアシドーシス，代謝性アシドーシスのある患者［アシドーシスに基づく心筋収縮力抑制を増強させるおそれがある］　③高度の徐脈(著しい洞性徐脈)，房室ブロック(II，III度)，洞房ブロックのある患者［心刺激伝導系を抑制し，症状

を悪化させるおそれがある］ ④心原性ショックの患者［心機能を抑制し，症状を悪化させるおそれがある］ ⑤肺高血圧による右心不全の患者［心機能を抑制し，症状を悪化させるおそれがある］ ⑥うっ血性心不全の患者［心機能を抑制し，症状を悪化させるおそれがある］ ⑦未治療の褐色細胞腫の患者 ⑧妊婦及び妊娠している可能性のある婦人，授乳中の婦人

過量投与 ①症状：β遮断剤の過量投与により，徐脈，完全房室ブロック，心不全，低血圧，気管支痙攣等が現れることがある ②処置：過量投与の場合は，本剤を中止し，必要に応じて催吐，胃洗浄，血液透析等により薬剤の除去を行うとともに，次記等の適切な処置を行い，これらの処置の間は常に観察下に置く：(1)徐脈，完全房室ブロック：硫酸アトロピン，イソプレナリン等の投与や心臓ペーシングを適用する (2)心不全，低血圧：強心剤，昇圧剤，輸液等の投与や補助循環を適用する (3)気管支痙攣：β_2刺激剤又はアミノフィリンの静注等の投与や補助呼吸を適用する

薬物動態

胃，小腸から吸収され一部未変化体と同じ薬理活性をもつN-アセチル体に代謝される．健康成人(男子)6例に400mg経口投与時の未変化体及びN-アセチル体の平均最高血漿中濃度はそれぞれ1.4，2.1時間後に平均1116，2010ng/mL，平均半減期3.4，6.7時間

その他の管理的事項

投与期間制限 該当しない

保険給付上の注意 該当しない

資料

IF アセタノールカプセル100・200 2019年2月改訂(第4版)

アセメタシン
アセメタシン錠
アセメタシンカプセル
Acemetacin

概要

薬効分類 114 解熱鎮痛消炎剤

構造式

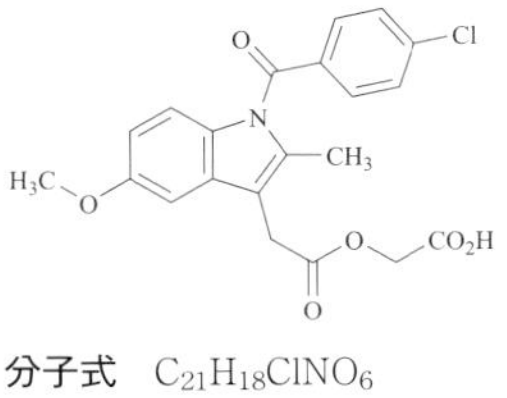

分子式 $C_{21}H_{18}ClNO_6$

分子量 415.82

ステム インドメタシン系抗炎症薬：-metacin

原薬の規制区分 劇

原薬の外観・性状 淡黄色の結晶性の粉末である．アセトンにやや溶けやすく，メタノールにやや溶けにくく，エタノール(99.5)に溶けにくく，水にほとんど溶けない

原薬の吸湿性 該当資料なし

原薬の融点・沸点・凝固点 融点：151～154℃

原薬の酸塩基解離定数 pKa＝2.86(25℃，カルボキシル基，滴定法)

先発医薬品等

錠 ランツジールコーワ錠30mg(興和)

国際誕生年月 不明

製剤

規制区分 錠 劇 処

製剤の性状 錠 白色のフィルムコーティング錠

有効期間又は使用期限 3年

貯法・保存条件 室温保存

薬剤取扱い上の留意点 眠気，めまいが現れることがあるので，本剤投与中の患者には自動車の運転等危険を伴う機械の操作には従事させないよう注意すること

患者向け資料等 くすりのしおり

溶液及び溶解時のpH 該当しない

浸透圧比 該当しない

安定なpH域 該当しない

調製時の注意 該当しない

薬理作用

分類 非ステロイド性抗炎症・鎮痛・解熱剤

作用部位・作用機序 生体内でインドメタシンに代謝されてから効力を発揮するプロドラッグで，その作用発現には活性物質であるインドメタシンのプロスタグランジン合成抑制が重要な役割をしているものと考えられる

同効薬 インドメタシン，インドメタシンファルネシル

治療

効能・効果 ①次の疾患ならびに症状の消炎・鎮痛：肩関節周囲炎，腰痛症，頸肩腕症候群，変形性関節症，関節リウマチ ②手術後及び外傷後の消炎・鎮痛 ③次の疾患の解熱・鎮痛：急性上気道炎(急性気管支炎を伴う急性上気道炎を含む)

用法・用量 効能①②：1回30mg，1日3～4回(適宜増減)，1日最高用量180mg．効能③：1回30mgを頓用(適宜増減)，原則として1日2回まで，1日最大90mgを限度とし，空腹時の投与は避けさせることが望ましい

禁忌・原則禁忌となる特定患者集団 妊婦又は妊娠している可能性のある婦人

使用上の注意

禁忌 ①消化性潰瘍のある患者［消化性潰瘍，胃腸出血等が報告されており，潰瘍を悪化させるおそれがある］ ②重篤な血液の異常のある患者［血液の異常が報告されており，悪化させるおそれがある］ ③重篤な肝障害のある患者［肝障害が報告されており，悪化させるおそれがある］ ④重篤な腎障害のある患者［腎障害が報告されており，悪化させるおそれがある］ ⑤重篤な心機能不全のある患者［プロスタグランジン合成阻害作用による水，Na貯留傾向があるため，症状を悪化させるおそれがある］ ⑥重篤な高血圧症の患者［プロスタグランジン合成阻害作用による水，Na貯留傾向があるため，血圧をさらに上昇させるおそれがある］ ⑦重篤な膵炎の患者［非ステロイド性消炎鎮痛剤による膵炎が報告されており，症状を悪化させるおそれがある］ ⑧本剤，インドメタシン又はサリチル酸系化合物(アスピリン等)に過敏症の患者 ⑨アスピリン喘息(非ステロイド性消炎鎮痛剤等による喘息発作の誘発)又はその既往歴のある患者［プロスタグランジン合成阻害作用により，喘息を悪化又は誘発するおそれがある］ ⑩妊婦又は妊娠している可能性のある婦人 ⑪トリアムテレンを投与中の患者

薬物動態

血中濃度 健康成人に錠30mg経口投与時の血中インドメタシン濃度は1.5時間後最高，3時間までは比較的高いレベルに維持，8時間後まで速やかな減少とそれ以後の緩やかな消失の2相性 **代謝及び排泄(参考)** 健康成人にカプセル30mg経口投与で，尿中には99%以上を代謝物として排泄．尿中の主代謝物はインドメタシンとデスクロロベンゾイルアセメタシンで，ほかにデスメチルインドメタシン及びデスクロロベンゾイルインドメタシンが比較的多い．尿中排泄率は約40%(0～24時間)

その他の管理的事項

投与期間制限 該当しない

保険給付上の注意 該当しない

資料
IF　ランツジールコーワ錠30mg　2020年4月改訂(第8版)

アゼラスチン塩酸塩
アゼラスチン塩酸塩顆粒
Azelastine Hydrochloride

概要
薬効分類　449　その他のアレルギー用薬
構造式

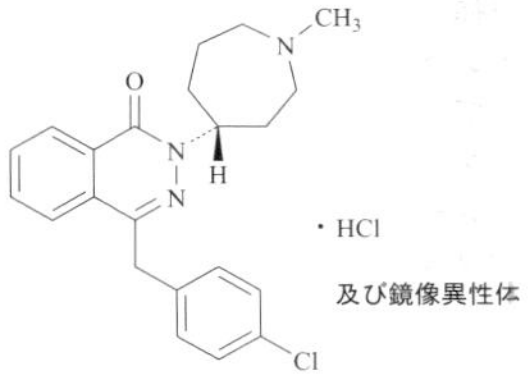

及び鏡像異性体

分子式　$C_{22}H_{24}ClN_3O \cdot HCl$
分子量　418.36
ステム　抗ヒスタミン薬：-astine
原薬の規制区分　劇(ただし，1錠又は1カプセル中アゼラスチンとして2mg以下を含有するもの及びアゼラスチンとして0.2%以下を含有する顆粒剤を除く)
原薬の外観・性状　白色の結晶性の粉末である．ギ酸に溶けやすく，水又はエタノール(99.5)に溶けにくい．本品の水溶液(1→200)は旋光性を示さない
原薬の吸湿性　臨界湿度：約80%RH
原薬の融点・沸点・凝固点　融点：約225℃(分解)
原薬の酸塩基解離定数　pKa＝9.5(溶解度法)
先発医薬品等
錠　アゼプチン錠0.5mg・1mg(エーザイ)
後発医薬品
錠　0.5mg・1mg
国際誕生年月　該当しない
海外での発売状況　該当しない
製剤
製剤の性状　錠　白色の糖衣錠
有効期間又は使用期限　3年
貯法・保存条件　錠　室温保存．錠バラ包装は開栓後，遮光・防湿保存
薬剤取扱い上の留意点　眠気を催すことがあるので，本剤投与中の患者には，自動車の運転等の危険を伴う機械の操作には従事させないように十分注意すること
患者向け資料等　くすりのしおり
溶液及び溶解時のpH　該当しない
浸透圧比　該当しない
安定なpH域　該当しない
調製時の注意　該当しない
薬理作用
分類　アレルギー性疾患治療剤
作用部位・作用機序　①ロイコトリエン産生・遊離抑制，拮抗作用：モルモットの肺切片，ヒト好中球，好酸球からのロイコトリエンC_4，D_4及びB_4の産生・遊離を抑制．抑制機序は細胞内へのカルシウム流入抑制作用，5-リポキシゲナーゼの阻害作用，細胞内サイクリックAMP上昇作用，細胞膜安定化作用等によると考えられる．また，ロイコトリエンC_4，D_4によるモルモットの回腸及び気管支筋の収縮，ロイコトリエンB_4によるヒト好中球遊走を抑制　②ヒスタミン遊離抑制，抗ヒスタミン作用：ヒト，ウサギ好塩基球及びラット肥満細胞からのヒスタミンの遊離を抑制し，モルモット気管筋，回腸を用いた収縮反応において抗ヒスタミン作用　③炎症細胞の遊走・浸潤抑制作用，活性酸素産生抑制作用：ロイコトリエンB_4によるヒト好中球の遊走，PAFによるモルモット好酸球の遊走・浸潤を抑制．またモルモット好中球からの活性酸素の産生を顕著に抑制
同効薬　スプラタストトシル酸塩，エピナスチン塩酸塩，プランルカスト水和物，ケトチフェンフマル酸塩，オキサトミド，トラニラスト，エバスチン，セチリジン塩酸塩など
治療
効能・効果　①気管支喘息　②アレルギー性鼻炎　③蕁麻疹，湿疹・皮膚炎，アトピー性皮膚炎，皮膚そう痒症，痒疹
用法・用量　効能①：アゼラスチン塩酸塩として1回2mg　効能②③：アゼラスチン塩酸塩として1回1mg，1日2回朝食後及び就寝前(適宜増減)
薬物動態
血中濃度　健康成人男子に1回1mg(4名)，2mg(4名)，3mg(6名)，4mg(4名)単回経口投与時，最高血漿中濃度はそれぞれ0.6，1.1，2.0及び2.1ng/mL，到達時間1～3mg投与時で4時間，4mg投与時で6時間．また，健康成人男子6名に1回3mgを1日2回反復経口投与時，血漿中濃度は6日以内にほぼ定常状態に達し，生物学的半減期は約16.5時間　**排泄**　①健康成人男子3名に1回4mgを単回経口投与時，投与後72時間までに未変化体として投与量の2.5%が尿中に，1.2%が糞中に排泄　②^{14}C-アゼラスチン塩酸塩4.4mgを健康成人男子に経口投与時，120時間までに投与放射能の26.2%が尿中に，53.2%が糞中に排泄(外国人データ)
その他の管理的事項
投与期間制限　該当しない
保険給付上の注意　該当しない
資料
IF　アゼプチン錠0.5mg・1mg　2020年11月改訂(第10版)

アゼルニジピン
アゼルニジピン錠
Azelnidipine

概要
薬効分類　214　血圧降下剤
構造式

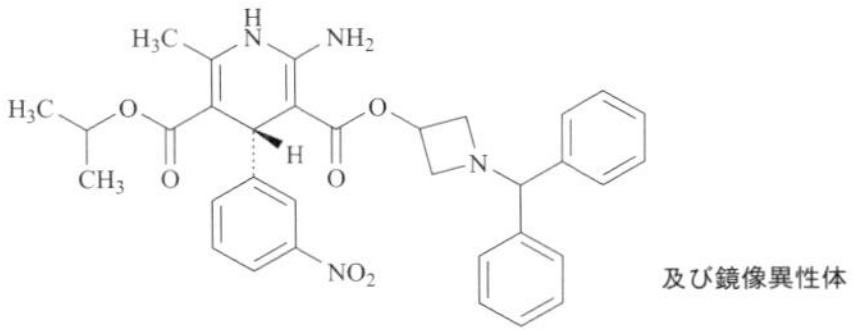

及び鏡像異性体

分子式　$C_{33}H_{34}N_4O_6$
分子量　582.65
ステム　ニフェジピン系カルシウムチャネル拮抗薬：-dipine
原薬の規制区分　該当しない
原薬の外観・性状　淡黄色～黄色の結晶性の粉末又は塊を含む粉末である．エタノール(99.5)又は酢酸(100)に溶けやすく，水にほとんど溶けない．本品のエタノール(99.5)溶液(1→100)は旋光性を示さない．結晶多形が認められる
原薬の吸湿性　吸湿性なし
原薬の融点・沸点・凝固点　融点：121～125℃
原薬の酸塩基解離定数　pKa＝7.89(エタノール(99.5)/水混液

（エタノール濃度：70～90％）に溶解後，中和滴定法により解離定数を求め，エタノール濃度0％（水中）へ外挿）

先発医薬品等

錠 カルブロック錠8mg・16mg（第一三共）

後発医薬品

錠 8mg・16mg

国際誕生年月 2003年1月

海外での発売状況 発売されていない

製剤

規制区分 **錠** ㊇

製剤の性状 **錠** 淡黄白色の素錠（割線入）

有効期間又は使用期限 3年

貯法・保存条件 室温保存．光により着色するので開封後は遮光して保存すること

薬剤取扱い上の留意点 降圧作用に基づくめまい等が現れることがあるので，高所作業，自動車の運転等，危険を伴う機械を操作する際には注意させること．光により着色するので開封後は遮光して保存すること

患者向け資料等 くすりのしおり

溶液及び溶解時のpH 該当しない

浸透圧比 該当しない

安定なpH域 該当しない

調製時の注意 該当しない

薬理作用

分類 持続性Ca拮抗薬

作用部位・作用機序 L型Caチャネル拮抗作用に基づき，血管を拡張させることにより降圧作用を発現

同効薬 ニフェジピン，ニカルジピン塩酸塩，ニルバジピン，ニソルジピン，ニトレンジピン，マニジピン塩酸塩，ベニジピン塩酸塩，エホニジピン塩酸塩エタノール付加物，フェロジピン，シルニジピン，アラニジピン，アムロジピンベシル酸塩など

治療

効能・効果 高血圧症

用法・用量 1日1回8～16mg朝食後（適宜増減）．1回8mgあるいはさらに低用量から開始し，1日最大16mgまで

禁忌・原則禁忌となる特定患者集団 妊婦又は妊娠している可能性のある女性

使用上の注意

禁忌 ①妊婦又は妊娠している可能性のある女性 ②本剤の成分に対し過敏症の既往歴のある患者 ③アゾール系抗真菌剤（経口剤，注射剤）（イトラコナゾール，ミコナゾール，フルコナゾール，ホスフルコナゾール，ボリコナゾール），HIVプロテアーゼ阻害剤（リトナビル含有製剤，サキナビル，インジナビル，ネルフィナビル，アタザナビル，ホスアンプレナビル，ダルナビル含有製剤），コビシスタット含有製剤，オムビタスビル・パリタプレビル・リトナビルを投与中の患者

相互作用概要 主としてCYP3A4で代謝される

薬物動態

血中濃度 ①反復投与：健康成人男性6例に8mgを1日1回7日間連続経口投与時，最高血漿中濃度到達時間は2～3時間，半減期は19～23時間．投与後24時間の血漿中濃度は投与2日目からほぼ一定値，速やかに定常状態に達した ②単回投与：軽症・中等症本態性高血圧症患者6例に8mgを朝食後単回経口投与時，最高血漿中濃度到達時間は3.7時間，Cmax9.4ng/mL，半減期（一相性）6.1時間，AUC_{0-24}は66.5ng・hr/mL．血漿中濃度は健康成人と同様のレベルと考えられた **吸収** 食事の影響：健康成人男性6例に10mgを空腹時投与時，Cmax及び$AUC_{0-\infty}$は食後投与と比較してそれぞれ38％及び69％ **分布** 蛋白結合率：本剤の*in vitro*の血漿蛋白結合率は90～91％，主にリポ蛋白に非特異的に結合 **代謝** 主な代謝部位は小腸及び肝臓で，CYP3A4によりジヒドロピリジン環が酸化される **排泄** 健康成人男性4例に^{14}C-アゼルニジピン4mgを単回経口投与時，投与後7日までの尿及び糞中への総投与放射能排泄率は，尿中26％，糞中63％（外国人データ）．注）承認用量は1日に8～16mg **特定の背景を有する患者** ①腎機能障害患者：腎機能低下を伴う高血圧症患者6例（血清クレアチニン1.5～5.3mg/dL）に8mgを1日1回朝食後7日間連続経口投与時，投与1日目及び7日目の最高血漿中濃度は8.6ng/mL及び17.1ng/mL，AUC_{0-24}は67.3ng・hr/mL及び154.5ng・hr/mLと，7日目で有意に大きな値を示したが，投与24時間後の血漿中濃度は6日目以降ほぼ一定の値を示し定常状態 ②肝機能障害患者：軽度・中等度の肝機能障害患者及び健康人各8例に8mgを単回経口投与時，ほぼ同様の血漿中濃度推移（外国人データ） ③高齢者：高齢高血圧症患者（65～84歳）5例に8mgを1日1回朝食後7日間連続経口投与時，投与1日目及び7日目の最高血漿中濃度到達時間はそれぞれ4.4時間及び3.2時間，半減期はそれぞれ6.4時間及び8.6時間，AUC_{0-24}はそれぞれ107.0ng・hr/mL及び242.8ng・hr/mLで，最高血漿中濃度，半減期及びAUC_{0-24}は7日目に有意に大きな値を示したが，投与24時間後の血漿中濃度は7日目までにほぼ一定の値を示し定常状態 **薬物相互作用** ①イトラコナゾールとの相互作用：健康成人男性8例（20～29歳）に本剤8mg及びイトラコナゾール50mgを併用投与時，血漿中アゼルニジピンのCmax及びAUCは単独投与に比較してそれぞれ1.6倍（0.8～3.1倍），2.8倍（1.7～5.4倍）に増加 ②ジゴキシンとの相互作用：健康成人男性16例（22～41歳）に本剤8mg及びジゴキシン0.25mgを併用投与時，血漿中ジゴキシンのCmax及びAUCは単独投与に比較してそれぞれ1.5倍（0.8～3.1倍），1.3倍（0.6～2.3倍）に増加 ③HMG-CoA還元酵素阻害剤との相互作用：健康成人男性8例（22～34歳）に本剤8mg及びシンバスタチン10mgを併用投与時，単独投与に比較して血漿中アゼルニジピン濃度はほとんど変化しなかったが，血漿中シンバスタチン濃度はCmax及びAUCがそれぞれ1.9倍（1.4～3.5倍），2.0倍（1.6～3.3倍）に増加．なお，本剤8mgとアトルバスタチン10mg又はプラバスタチン10mgの併用投与では，血漿中アゼルニジピン濃度にほとんど変化はなく，血漿中アトルバスタチン濃度はCmax及びAUCがそれぞれ1.0倍（0.4～2.0倍），1.0倍（0.5～1.4倍），血漿中プラバスタチン濃度は同じく0.9倍（0.4～1.9倍），1.0倍（0.3～2.3倍） ④グレープフルーツジュースとの相互作用：健康成人男性8例（23～40歳）に本剤8mgをグレープフルーツジュースとともに単回経口投与時，水で服用時に比較してCmax及びAUCはそれぞれ2.5倍（1.6～3.2倍），3.3倍（2.3～4.3倍）に増加

その他の管理的事項

投与期間制限 該当しない

保険給付上の注意 該当しない

資料

IF カルブロック錠8mg・16mg 2020年4月改訂（第17版）

アゾセミド
アゾセミド錠
Azosemide

概要

薬効分類 213 利尿剤

構造式

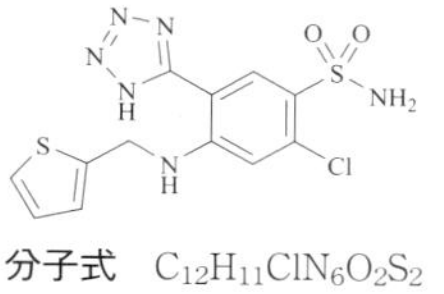

分子式 $C_{12}H_{11}ClN_6O_2S_2$

分子量　370.84
ステム　フロセミド型の利尿薬：-semide
原薬の規制区分　該当しない
原薬の外観・性状　白色～黄白色の結晶性の粉末である．*N*,*N*-ジメチルホルムアミドに溶けやすく，メタノール又はエタノール(99.5)に溶けにくく，水にほとんど溶けない．希水酸化ナトリウム試液に溶ける．光によって徐々に黄色となる
原薬の融点・沸点・凝固点　融点：約226℃(分解)
原薬の酸塩基解離定数　$pKa_1 = 3.69$，$pKa_2 = 10.14$(吸収スペクトル法)
先発医薬品等
[錠] ダイアート錠30mg・60mg(三和化学)
後発医薬品
[錠] 30mg・60mg
国際誕生年月　該当資料なし
海外での発売状況　韓国

製剤

規制区分　[錠] [処]
製剤の性状　[30mg錠] 片面に割線を有するだ円の白色のフィルムコーティング錠　[60mg錠] 片面に割線を有するだ円の淡黄色のフィルムコーティング錠
有効期間又は使用期限　3年
貯法・保存条件　室温保存
薬剤取扱い上の留意点　該当しない
患者向け資料等　くすりのしおり
溶液及び溶解時のpH　該当しない
浸透圧比　該当しない
安定なpH域　該当しない
調製時の注意　該当しない

薬理作用

分類　持続性ループ利尿剤
作用部位・作用機序　部位：ヘンレ係蹄上行脚　機序：腎尿細管，主としてヘンレ係蹄上行脚におけるNa，Clの再吸収を抑制し，利尿作用を発現(ラット，イヌ，ヒト)．また，抗ADH作用(*in vitro*)も認められた
同効薬　フロセミド，ブメタニド，トラセミド

治療

効能・効果　心性浮腫(うっ血性心不全)，腎性浮腫，肝性浮腫
用法・用量　1日1回60mg(適宜増減)

使用上の注意

禁忌　①無尿の患者［本剤の効果が期待できない］　②肝性昏睡の患者［低カリウム血症によるアルカローシスの増悪により肝性昏睡が悪化するおそれがある］　③体液中のナトリウム，カリウムが明らかに減少している患者［電解質異常を起こすおそれがある］　④デスモプレシン酢酸塩水和物(男性における夜間多尿による夜間頻尿)を投与中の患者　⑤スルフォンアミド誘導体に対し過敏症の既往歴のある患者

薬物動態

吸収　健常成人6名に60mg単回経口投与時の血漿中濃度はAUC2640±374ng・hr/mL，Cmax445±42ng/mL，Tmax3.3±0.5hr，$T_{1/2}$2.6±0.2hr　**代謝・排泄**　健常成人への経口投与では，尿中に未変化体，酸化的脱テニル体，グルクロン酸抱合体が排泄．投与48時間後までの排泄率は尿中4%，糞中71%

その他の管理的事項

投与期間制限　該当しない
保険給付上の注意　該当しない

資料

IF　ダイアート錠30mg・60mg　2019年8月改訂(第11版)

アテノロール
Atenolol

概要

薬効分類　212　不整脈用剤，214　血圧降下剤
構造式

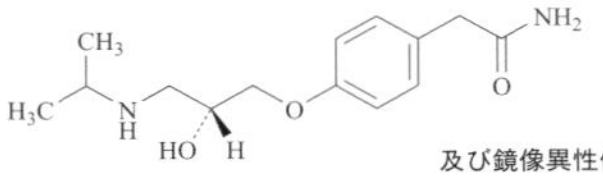

及び鏡像異性体

分子式　$C_{14}H_{22}N_2O_3$
分子量　266.34
ステム　アドレナリンβ受容体拮抗薬：-olol
原薬の規制区分　[劇](ただし，1錠中50mg以下を含有するもの及び10%以下を含有するシロップ剤を除く)
原薬の外観・性状　白色～微黄色の結晶性の粉末である．メタノール又は酢酸(100)に溶けやすく，エタノール(99.5)にやや溶けやすく，水に溶けにくい．本品のメタノール溶液(1→25)は旋光性を示さない
原薬の吸湿性　吸湿性はほとんどなし
原薬の融点・沸点・凝固点　融点：152～156℃
原薬の酸塩基解離定数　pKa＝9.75±0.08
先発医薬品等
[錠] テノーミン錠25・50(アストラゼネカ)
後発医薬品
[錠] 25mg・50mg
国際誕生年月　1976年3月
海外での発売状況　米，英を含む80カ国以上

製剤

規制区分　[錠] [処]
製剤の性状　[錠] 白色のフィルムコート錠
有効期間又は使用期限　3年
貯法・保存条件　遮光・防湿・室温保存
薬剤取扱い上の留意点　めまい，ふらつきが現れることがあるので，本剤投与中の患者(特に投与初期)には，自動車の運転等危険を伴う機械の作業に注意させること．手術前48時間は投与しないことが望ましい
患者向け資料等　くすりのしおり

薬理作用

分類　交感神経β受容体遮断剤
作用部位・作用機序　交感神経β受容体において，カテコールアミンと競合的に拮抗し，β受容体遮断作用を示すことによって抗狭心症作用，抗不整脈作用を発揮するものと考えられる．降圧作用の機序については十分には解明されていないが，心拍出量の減少，末梢血管抵抗減少作用，レニン分泌抑制作用等が考えられる
同効薬　メトプロロール酒石酸塩，アセブトロールなど

治療

効能・効果　①本態性高血圧症(軽症～中等症)　②狭心症　③頻脈性不整脈(洞性頻脈，期外収縮)
用法・用量　アテノロールとして1日1回50mg(適宜増減)．最高量1日1回100mgまで
用法・用量に関連する使用上の注意　褐色細胞腫の患者では，投与により急激に血圧が上昇することがあるので単独で投与しない．褐色細胞腫の患者に投与する場合には，α遮断剤で初期治療を行った後に投与し，常にα遮断剤を併用する

使用上の注意

禁忌　①本剤の成分に対し過敏症の既往歴のある患者　②糖尿病性ケトアシドーシス，代謝性アシドーシスのある患者［アシドーシスによる心筋収縮力の抑制を増強するおそれがある］　③高度又は症状を呈する徐脈，房室ブロック(II，III度)，洞房ブロック，洞不全症候群のある患者［これらの症状が悪化するおそれがある］　④心原性ショックのある患者［心機

能を抑制し，症状が悪化するおそれがある］ ⑤肺高血圧による右心不全のある患者［心機能を抑制し，症状が悪化するおそれがある］ ⑥うっ血性心不全のある患者［心機能を抑制し，症状が悪化するおそれがある］ ⑦低血圧症の患者［心機能を抑制し，症状が悪化するおそれがある］ ⑧重度の末梢循環障害のある患者(壊疽等)［症状が悪化するおそれがある］ ⑨未治療の褐色細胞腫の患者

過量投与　過度の徐脈をきたした場合は，まずアトロピン硫酸塩水和物(1～2mgを静注)を投与し，さらに必要に応じてβ_1刺激剤であるドブタミン(毎分2.5～10μg/kgを静注)を投与する．グルカゴン(10mgを静注)が有効であったとの報告もある

薬物動態

血中濃度　本態性高血圧症患者(各5例)に1日1回連続経口投与時の血中濃度パラメータ(25，50mg投与の順)は，Tmax4.6±1.9，3.8±0.4hr，Cmax92.8±32.5，159.8±54.6ng/mL，$T_{1/2}$7.88±3.52，10.8±2.7hr　**吸収**　約50%が消化管から吸収(イギリス)．肝臓で初回通過効果を受けずに体循環に入る　**代謝**　肝臓でほとんど代謝を受けないが，健康男子に経口投与時，グルクロン酸抱合体，アミド側鎖の水酸化体等をわずかに生成(イギリス)　**分布**　プロプラノロール塩酸塩，メトプロロール酒石酸塩に比べ脳内移行が少ない(脳手術を必要とした患者．イギリス)．出産前の高血圧患者に経口投与時，胎盤を通過(スウェーデン)　**排泄**　健康男子に経口投与後，尿中，糞中からそれぞれ約50%回収，その約90%は未変化体(イギリス)．授乳中の高血圧患者に経口投与後，母乳中に移行(スウェーデン)

その他の管理的事項

投与期間制限　該当しない

保険給付上の注意　該当しない

資料

IF　テノーミン錠25mg・50mg　2016年4月改訂(第14版)

アトルバスタチンカルシウム水和物
アトルバスタチンカルシウム錠
Atorvastatin Calcium Hydrate

概要

薬効分類　218　高脂血症用剤

構造式

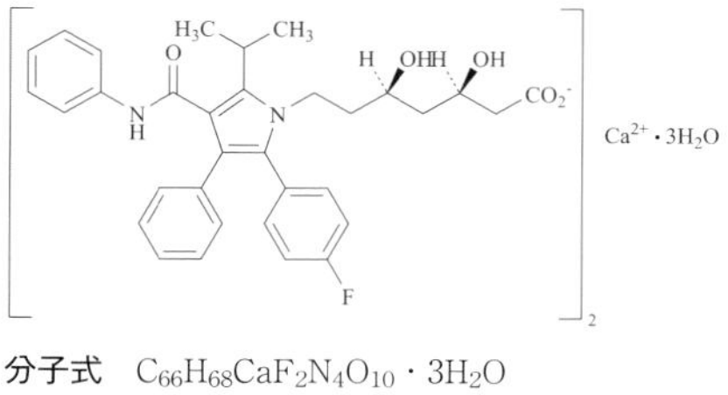

$\left[\ \cdots\ \right]_2$ $Ca^{2+}\cdot 3H_2O$

分子式　$C_{66}H_{68}CaF_2N_4O_{10}\cdot 3H_2O$

分子量　1209.39

ステム　HMG-CoA還元酵素阻害薬：-(v)astatin

原薬の規制区分　該当しない

原薬の外観・性状　白色～微黄白色の結晶性の粉末である．メタノールに極めて溶けやすく，ジメチルスルホキシドに溶けやすく，水又はエタノール(99.5)に極めて溶けにくい．光によって徐々に黄白色となる．結晶多形が認められる

原薬の吸湿性　75%RH及び93%RHに14日間放置したところ，吸湿性は認められなかった

原薬の融点・沸点・凝固点　融点測定法により融点を測定したところ，温度上昇に伴い収縮し，徐々に透明化したが，流動化せず，明確な融点は得られなかった

原薬の酸塩基解離定数　pKa＝4.2

先発医薬品等

錠 リピトール錠5mg・10mg(アステラス)

後発医薬品

錠 5mg・10mg・20mg・OD錠5mg・10mg

国際誕生年月　1996年11月

海外での発売状況　米，英，仏，独を含む約140の国及び地域

製剤

規制区分　錠 ㉄

製剤の性状　5mg錠 ごくうすい紅色のフィルムコーティング錠　10mg錠 白色のフィルムコーティング錠

有効期間又は使用期限　3年

貯法・保存条件　気密容器，室温保存(開封後は防湿保存)

薬剤取扱い上の留意点　本品は高防湿性の内袋により品質保持をはかっている

患者向け資料等　患者向医薬品ガイド，くすりのしおり

溶液及び溶解時のpH　該当しない

浸透圧比　該当しない

安定なpH域　該当しない

調製時の注意　該当しない

薬理作用

分類　HMG-CoA還元酵素阻害剤

作用部位・作用機序　血液中のコレステロール量を調節する主要臓器である肝臓のHMG-CoA還元酵素を選択的かつ競合的に阻害し，アトルバスタチンと同程度の活性を有する代謝物とともに，肝臓のコレステロール合成を抑制し，肝臓のLDL受容体数を増加させ，かつリポたん白分泌を抑制することにより血中コレステロール量を低下させる．また，血中脂質動態を改善して，高コレステロール血症に伴う動脈硬化の発症を抑制する

同効薬　プラバスタチンナトリウム，シンバスタチン，フルバスタチンナトリウム，ピタバスタチンカルシウム，ロスバスタチンカルシウム，ベザフィブラート，フェノフィブラート，プロブコール，コレスチラミン，コレスチミド

治療

効能・効果　高コレステロール血症，家族性高コレステロール血症

効能・効果に関連する使用上の注意　①適用の前に十分な検査を実施し，高コレステロール血症，家族性高コレステロール血症であることを確認した上で適用を考慮する　②家族性高コレステロール血症ホモ接合体については，LDL-アフェレーシス等の非薬物療法の補助として，あるいはそれらの治療法が実施不能な場合に適用を考慮する

用法・用量　アトルバスタチンとして1日1回10mg(適宜増減)．重症の場合，高コレステロール血症は1日20mg，家族性高コレステロール血症は1日40mgまで増量できる

禁忌・原則禁忌となる特定患者集団　妊婦又は妊娠している可能性のある女性，授乳婦

使用上の注意

禁忌　①本剤の成分に対し過敏症の既往歴のある患者　②肝代謝能が低下していると考えられる次のような患者：急性肝炎，慢性肝炎の急性増悪，肝硬変，肝癌，黄疸　③妊婦又は妊娠している可能性のある女性及び授乳婦　④グレカプレビル・ピブレンタスビルを投与中の患者

相互作用概要　主としてCYP3A4により代謝される

薬物動態

血中濃度　①単回投与：健康成人6例に本剤5*)，10，20及び40mgを絶食下単回経口投与時，血漿中未変化体のCmax及び$AUC_{0-\infty}$は投与量に比例して増加，Tmax及び半減期はほぼ一定で，本剤の体内動態は線形性を示すと考えられた．なお，日本人と外国人との体内動態を比較した結果，個人差を上回る人種差は認められなかった．また，本剤10mgを健康成人6

例に単回経口投与時の血漿中主代謝物であるアミド結合位置のベンゼン環の2位の水酸化物(M-2，o-OH体)のTmax，Cmax及び半減期はそれぞれ6.17時間，1.39ng/mL及び8.00時間　②反復投与：健康成人5例に本剤10及び20mgを1日1回朝食後，7日間反復経口投与時，血漿中薬物濃度は投与開始後4日目までに定常状態に到達．また，1日目と7日目の血漿中薬物濃度の比較で，20mg投与群で上昇しているものの有意な差ではなく，蓄積性は認められなかった　**吸収**　①食事の影響：健康成人12例で本剤10mgを絶食下及び食後に単回経口投与時，本剤の吸収速度は食事により低下するものの，吸収率はほとんど影響を受けなかった　**分布**　①蛋白結合率：ヒト血漿を用いた*in vitro*の実験で，蛋白結合率は95.6～99.0%以上　**代謝**　健康成人6例に本剤10及び40mgを単回経口投与時，血漿中にアミド結合位置のベンゼン環の4位の水酸化体(M-1)及び2位の水酸化体(M-2)の2種類が確認されているが，血漿中主活性代謝物はM-2．アトルバスタチンの主要代謝臓器は肝臓で，M-1及びM-2はCYP3A4によって生成することが明らかにされている　**排泄**　健康成人に^{14}C-アトルバスタチンを経口投与時，放射能の尿中排泄率は極めて低く(<2%)，糞中に未変化体，M-1及びM-2がそれぞれ糞中放射能の8.3%，11.7%及び18.2%排泄．更に，^{14}C-アトルバスタチンを用いたヒト胆汁中排泄試験では，経口投与された放射能の43.7～70.2%が胆汁中に排泄，未変化体の他にM-1，M-2及びM-2のグルクロン酸抱合体が同定　**特定の背景を有する患者**　①腎機能障害患者：腎機能正常者6例及び腎機能障害者14例に本剤10mgを1日1回2週間反復経口投与時，腎機能障害は本剤の薬効及び体内動態に影響を及ぼさなかった(外国人データ)　②肝機能障害患者：健康成人及び肝硬変患者8例ずつに本剤10mgを1日1回2週間反復経口投与時，肝硬変患者では健康成人に比べてChild-Pugh A患者及びChild-Pugh B患者で，Cmaxではそれぞれ5.5倍及び14.4倍，$AUC_{0\text{-}24h}$ではそれぞれ4.4倍及び9.8倍増加，Tmaxではいずれも1/2の短縮が認められたが半減期はほとんど変化しなかった．また，血清脂質に対する作用には差がなかった(外国人データ)　③高齢者：健康高齢者(66～73歳)6例及び若年者(20～22歳)6例に，本剤10mgを絶食下単回経口投与時，高齢者は若年者に比べてCmax及び$AUC_{0\text{-}\infty}$は約2倍に増加したが，Tmax及び半減期に差は認められなかった　＊）承認された用法及び用量は，アトルバスタチンとして10mgを1日1回経口投与．なお，年齢，症状により適宜増減できるが，重症の場合は，高コレステロール血症で1日20mgまで，家族性高コレステロール血症で1日40mgまでの増量

その他の管理的事項

投与期間制限　該当しない

保険給付上の注意　該当しない

資料

IF　リピトール錠5mg・10mg　2020年5月改訂(第29版)

アドレナリン
アドレナリン液
アドレナリン注射液
Adrenaline

別名：エピネフリン

概要

薬効分類　245　副腎ホルモン剤

構造式

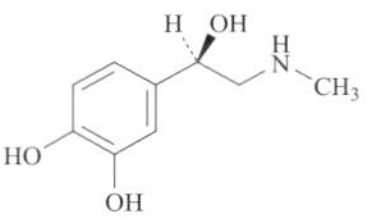

分子式　$C_9H_{13}NO_3$

分子量　183.20

ステム　該当しない

原薬の規制区分　毒(ただし，製剤は劇(ただし左旋性アドレナリンとして0.1%以下を含有する外用剤，坐剤及び吸入剤を除く))

原薬の外観・性状　白色～灰白色の結晶性の粉末である．ギ酸又は酢酸(100)に溶けやすく，水に極めて溶けにくく，メタノール又はエタノール(99.5)にほとんど溶けない．希塩酸に溶ける．空気又は光によって徐々に褐色となる

原薬の吸湿性　該当資料なし

原薬の融点・沸点・凝固点　約210℃(分解)

原薬の酸塩基解離定数　該当資料なし

先発医薬品等

注　ボスミン注1mg(第一三共)

キット　エピペン注射液0.15mg・0.3mg(マイランEPD)

外用液　ボスミン外用液0.1%(第一三共)

後発医薬品

キット　0.1%

国際誕生年月　不明

海外での発売状況　(エピペン)米，英，独を含む20カ国以上　(ボスミン)米，英，仏など

製剤

規制区分　注　劇 処

製剤の性状　注　無色澄明の液　液　無色～僅かに赤色を帯びた澄明の液

有効期間又は使用期限　3年

貯法・保存条件　遮光・室温保存

薬剤取扱い上の留意点　液　変色したり，あるいは沈殿を生じたものは使用しないこと　注(エピペン)変色していたり，沈殿物が認められたりしないか定期的に確認すること．認められた場合，本剤を使用せず新しい製品の処方を受けること

患者向け資料等　注(エピペン)患者向医薬品ガイド，くすりのしおり　注(ボスミン)液　くすりのしおり

溶液及び溶解時のpH　注　液　2.3～5.0

浸透圧比　注　約1(対生食)

調製時の注意　該当しない

薬理作用

分類　カテコールアミン系交感神経作動剤

作用部位・作用機序　注(エピペン)化学的に合成した副腎髄質ホルモン(アドレナリン)を含有しており，交感神経のα，β受容体に作用する：①循環器系に対する作用：心臓においては，洞房結節の刺激発生のペースをはやめて心拍数を増加させ，心筋の収縮力を強め，心拍出量を増大するので強心作用(β_1作用)．血管に対しては，収縮作用と拡張作用の両方を現し，心臓の冠動脈を拡張し(β_2作用)，皮膚毛細血管を収縮させ(α_1作用)末梢抵抗を増加させて血圧を上昇　②血管以外の平滑筋に対する作用：気管支筋に対して弛緩作用(β_2作

用)を現し，気管支を拡張させて呼吸量を増加 ③その他の作用：喘息において，肥満細胞から抗原誘発性の炎症性物質を遊離することを抑制し，気管支分泌物を減少させ，粘膜の充血を減らす効果もある．また，虹彩筋収縮(α_1作用)による散瞳が見られる．肝臓・筋肉のグリコーゲン分解を促進し(β_2作用)，血糖値を上昇させる．皮膚血管を収縮させ出血抑制，局所麻酔薬の作用を強める **注**(ボスミン)**液** 交感神経節後線維支配下の効果器細胞に直接作用し，心筋，平滑筋などに分布するα及びβ受容体と結合し，各種の効果を示す．α受容体に関連した作用：血管収縮，散瞳 β受容体に関連した作用：血管拡張，心機能亢進，気管支筋弛緩，腸管弛緩等

同効薬 ノルアドレナリンなど

治療

効能・効果 **注** **キット(アドレナリン注)** ①次の疾患に基づく気管支痙攣の緩解：気管支喘息，百日咳 ②各種疾患もしくは状態に伴う急性低血圧又はショック時の補助治療 ③局所麻酔薬の作用延長 ④手術時の局所出血の予防と治療 ⑤心停止の補助治療 ⑥虹彩毛様体炎時における虹彩癒着の防止．※**キット** は効能①②⑤のみ

キット(エピペン) 蜂毒，食物及び薬物等に起因するアナフィラキシー反応に対する補助治療(アナフィラキシーの既往のある人又はアナフィラキシーを発現する危険性の高い人に限る)

外用液 ①次の疾患に基づく気管支痙攣の緩解：気管支喘息，百日咳 ②局所麻酔薬の作用延長(粘膜面の表面麻酔に限る) ③手術時の局所出血の予防と治療 ④耳鼻咽喉科領域における局所出血 ⑤耳鼻咽喉科領域における粘膜の充血・腫脹 ⑥外創における局所出血

効能・効果に関連する使用上の注意 **注** **キット(アドレナリン注)** キットはシリンジ入りアドレナリン注射液キット製剤であるため，前記以外の効能又は効果を目的として使用しない

キット(エピペン) ①アナフィラキシー反応は，病状が進行性であり，初期症状(しびれ感，違和感，口唇の浮腫，気分不快，吐き気，嘔吐，腹痛，蕁麻疹，咳込み等)が患者により異なることがあるので，本剤を患者に交付する際には，過去のアナフィラキシー発現の有無，初期症状等を必ず聴取し，本剤の注射時期について患者，保護者又はそれに代わり得る適切な者に適切に指導する ②また，本剤の注射時期については，次のような目安も参考とし，注射時期を遺失しないよう注意する：(1)初期症状が発現し，ショック症状が発現する前の時点 (2)過去にアナフィラキシーを起こしたアレルゲンを誤って摂取し，明らかな異常症状を感じた時点

用法・用量 **注** **キット(アドレナリン注)** 効能①②⑤：1回0.2～1mgを皮下注又は筋注(適宜増減)．蘇生等の緊急時には，1回0.25mgを超えない量を生理食塩液等で希釈し，できるだけゆっくりと静注．なお，必要があれば5～15分ごとに繰り返す 効能③：0.1％溶液として，血管収縮薬未添加の局所麻酔薬10mLに1～2滴(本剤濃度1：10～20万)の割合に添加して用いる(適宜増減) 効能④：0.1％溶液として，単独に，又は局所麻酔薬に添加し，局所注入(適宜増減) 効能⑥：0.1％溶液として，点眼又は結膜下に0.1mg以下を注射(適宜増減)

キット(エピペン) 0.01mg/kgが推奨用量であり，患者の体重を考慮して，0.15mg又は0.3mgを筋注

外用液 効能①：5～10倍に希釈して吸入．1回の投与量0.3mg以内．2～5分間たって効果が不十分な場合でも，前記投与をもう一度行うのを限度とする．続けて用いる必要がある場合でも，少なくとも4～6時間の間隔をおく 効能②：血管収縮薬未添加の局所麻酔薬10mLに1～2滴(本剤濃度1：10～20万)の割合に添加して用いる 効能③④⑤⑥：0.1％溶液をそのままかあるいは5～10倍希釈液を直接塗布，点鼻，もしくは噴霧するか，又はタンポンとして用いる

用法・用量に関連する使用上の注意 **キット(エピペン)** ①成人には0.3mg製剤を使用し，小児には体重に応じて0.15mg製剤又は0.3mg製剤を使用する ②0.01mg/kgを超える用量，すなわち，体重30kg未満の患者に本剤0.3mg製剤，体重15kg未満の患者に本剤0.15mg製剤を投与すると，過量となるおそれがあるので，副作用の発現等に十分な注意が必要であり，本剤以外のアドレナリン製剤の使用についても考慮する必要があるが，0.01mg/kgを超える用量を投与することの必要性については，救命を最優先し，患者ごとの症状を観察した上で慎重に判断する ③投与量を安定化するため，1管中2mLの薬液が封入されているが，投与されるのは約0.3mLであり，注射後にも約1.7mLの薬液が注射器内に残るように設計されていることから，残液の量をみて投与しなかったと誤解するおそれがあるので注意する ④安全キャップが装着されており，安全キャップを外すと，予期せぬときに作動するおそれがあるので，注射を必要とするときまで，絶対に安全キャップを外さない ⑤一度注射すると，再度注射しても薬液が放出しない仕組みとなっているので，同一の製剤を用いて二度注射しない ⑥臀部からの注射を避け，大腿部の前外側から注射する．また，緊急時には衣服の上からでも注射可能である ⑦誤注射を防止するため，指又は手等をオレンジ色のニードルカバー先端にあてないよう注意する．なお，もし指又は手等に誤って注射した場合には，ただちに医療機関を受診して，適切な処置を受けるよう指導する ⑧患者に交付する際には，前記事項について患者，保護者又はそれに代わり得る適切な者に対して十分指導する

使用上の注意

警告 **キット(エピペン)** ①患者に交付する際には，必ずインフォームドコンセントを実施し，交付前に自らが適切に自己注射できるよう，保管方法，使用方法，使用時に発現する可能性のある副作用等を患者に対して指導し，患者，保護者又はそれに代わり得る適切な者が理解したことを確認した上で交付する［誤った方法で使用すると手指等への誤注射等の重大な事故につながるおそれがある］ ②患者に交付する際には，患者，保護者又はそれに代わり得る適切な者に対して，本剤に関する患者向けの説明文書等を熟読し，また，本剤の練習用エピペントレーナーを用い，日頃から使用方法について訓練しておくよう指導する ③本剤は，アナフィラキシー発現時の緊急補助的治療として使用するものであるので，患者に交付する際には，医療機関での治療に代わり得るものではなく，使用後には必ず医療機関を受診し，適切な治療を受けるよう指導する ④大量投与又は不慮に静注された場合には，急激な血圧上昇により，脳出血を起こす場合があるので，静注しない．また，患者に対しても投与部位についての適切な指導を行う

禁忌 **注** **キット(アドレナリン注)** ①次の薬剤を投与中の患者：(1)ブチロフェノン系・フェノチアジン系等の抗精神病薬，α遮断薬(ただし，アナフィラキシーショックの救急治療時はこの限りでない) (2)イソプロテレノール等のカテコールアミン製剤，アドレナリン作動薬(ただし，蘇生等の緊急時はこの限りでない) ②狭隅角や前房が浅い等，眼圧上昇の素因のある患者(点眼・結膜下注射使用時)［閉塞隅角緑内障患者の発作を誘発することがある］

外用液 ①次の薬剤を投与中の患者：(1)ブチロフェノン系・フェノチアジン系等の抗精神病薬，α遮断薬 (2)イソプロテレノール等のカテコールアミン製剤，アドレナリン作動薬(ただし，緊急時はこの限りでない) ②狭隅角や前房が浅い等，眼圧上昇の素因のある患者(眼周囲部等に用いる場合)［閉塞隅角緑内障患者の発作を誘発することがある］

過量投与 **注** **キット(アドレナリン注)** ①ときに心室細動，脳出血等が現れることがあるので注意する．またアドレナリン受容体感受性の高い患者では，特に注意する ②腎血管の異常収縮により，腎機能が停止するおそれがある ③血中の乳酸濃度が上昇し，重篤な代謝性アシドーシスが現れるおそ

れがある **キット(エピペン)** ①ときに心室細動，脳出血等が現れることがあるので注意する．またアドレナリン受容体感受性の高い患者では，特に注意する ②腎血管の異常収縮により，腎機能が停止するおそれがある ③血中の乳酸濃度が上昇し，重篤な代謝性アシドーシスが現れるおそれがある **外用液** 過度の使用により神経過敏や頻脈等，心臓に対する副作用が現れるおそれがあるため注意する

薬物動態

注 **キット** **代謝・排泄** 交感神経細胞内に取り込まれるかあるいは組織内で主としてカテコール-O-メチルトランスフェラーゼ，モノアミンオキシダーゼによって速やかに代謝・不活化され，大部分がメタネフリン，そのグルクロン酸及び硫酸抱合体，3-メトキシ-4-ヒドロキシマンデル酸等の代謝物として尿中に排泄

その他の管理的事項

投与期間制限 該当しない

保険給付上の注意 該当しない

資料

IF エピペン注射液0.15mg・0.3mg 2018年4月改訂(第2版)
ボスミン注1mg 2018年6月改訂(第13版)
ボスミン外用液0.1% 2018年6月改訂(第13版)

アトロピン硫酸塩水和物
アトロピン硫酸塩注射液
Atropine Sulfate Hydrate

概要

薬効分類 124 鎮けい剤，131 眼科用剤

構造式

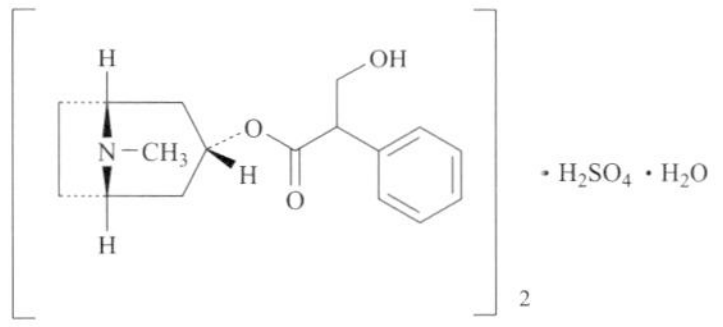

$\cdot H_2SO_4 \cdot H_2O$

分子式 $(C_{17}H_{23}NO_3)_2 \cdot H_2SO_4 \cdot H_2O$

分子量 694.83

ステム アトロピン誘導体：-trop

原薬の規制区分 毒(ただし，製剤は劇)

原薬の外観・性状 無色の結晶又は白色の結晶性の粉末で，においはない．水又は酢酸(100)に極めて溶けやすく，エタノール(95)に溶けやすく，ジエチルエーテルにほとんど溶けない．光によって変化する

原薬の吸湿性 該当資料なし

原薬の融点・沸点・凝固点 融点：188～194℃(分解)

原薬の酸塩基解離定数 pKa＝9.8

先発医薬品等

末 硫酸アトロピン「ホエイ」(マイラン＝ファイザー)

注 アトロピン硫酸塩注0.5mg「フソー」(扶桑＝アルフレッサファーマ)
アトロピン硫酸塩注0.5mg「タナベ」(ニプロES)

眼軟膏 リュウアト1%眼軟膏(参天)

点眼液 日点アトロピン点眼液1%(日本点眼薬)

後発医薬品

キット 0.05%

国際誕生年月 不明

海外での発売状況 該当しない

製剤

規制区分 **末** 毒 **注** 劇 処 **点眼液** **眼軟膏** 劇

製剤の性状 **末** 無色の結晶又は白色の結晶性の粉末で，においはない **注** 無色澄明の注射液 **点眼液** 無色澄明の無菌水性点眼剤 **眼軟膏** 白色～微黄色の眼軟膏

有効期間又は使用期限 3年

貯法・保存条件 **末** 気密容器，遮光・室温保存 **注** **点眼液** 遮光・室温保存 **眼軟膏** 気密容器，室温保存

薬剤取扱い上の留意点 **末** **注** 視調節障害，散瞳等を起こすことがあるので，本剤投与中の患者には，自動車の運転等危険を伴う機械の操作に従事させないよう注意すること **点眼液** **眼軟膏** 散瞳又は調節麻痺が起こるので，本剤投与中の患者には，散瞳又は調節麻痺が回復するまで自動車の運転等危険を伴う機械の操作に従事させないよう注意すること．また，サングラスを着用する等太陽光や強い光を直接見ないように指導すること

患者向け資料等 **注** **点眼液** **眼軟膏** くすりのしおり

溶液及び溶解時のpH **注** 4.0～6.0 **点眼液** 5.0～6.5

浸透圧比 **注** 0.9～1.1 **点眼液** 約1

安定なpH域 **注** 4.0～5.0

調製時の注意 該当しない

薬理作用

分類 抗コリン剤

作用部位・作用機序 **末** 中枢神経系に対して緩和な迷走神経興奮様作用を現し，副交感神経系に作用してアセチルコリンに拮抗する **注** 平滑筋，心筋，外分泌腺などを支配するコリン作動性節後繊維にのみ作用して，選択的遮断効果を示す **点眼液** **眼軟膏** 副交感神経線維末端において，アセチルコリンと競合的に拮抗して神経伝達を遮断し，瞳孔括約筋を弛緩することによって散瞳，毛様体筋の緊張を抑制することによって遠視性調節麻痺を引き起こす

同効薬 スコポラミン臭化水素酸塩水和物，ブチルスコポラミン臭化物，ブトロピウム臭化物など

治療

効能・効果 **末(経口)** 胃・十二指腸潰瘍における分泌ならびに運動亢進，胃腸の痙攣性疼痛，痙攣性便秘，胆管・尿管の疝痛，有機リン系殺虫剤・副交感神経興奮剤の中毒，迷走神経性徐脈及び迷走神経性房室伝導障害，夜尿症，その他の徐脈及び房室伝導障害，非薬物性パーキンソニズム，麻酔前投薬 **注** **キット** 胃・十二指腸潰瘍における分泌ならびに運動亢進，胃腸の痙攣性疼痛，痙攣性便秘，胆管・尿管の疝痛，有機リン系殺虫剤・副交感神経興奮剤の中毒，迷走神経性徐脈及び迷走神経性房室伝導障害，その他の徐脈及び房室伝導障害，麻酔前投薬，ECTの前投与
末(眼科用) **点眼液** **眼軟膏** 診断又は治療を目的とする散瞳と調節麻痺

用法・用量 **末**〔経口用〕1日1.5mgを3回に分服(適宜増減)．非薬物性パーキンソニズムの場合には，最初1日0.5～1mgを3回に分服し，以後漸次増量(適宜増減)
〔眼科用〕0.5～1%液を1回1～2滴，1日1～3回点眼．1%軟膏を1日1～3回，結膜嚢に塗布
注 **キット** 0.5mgを皮下又は筋注(適宜増減)．場合により静注することもできる．有機リン系殺虫剤中毒の場合には，症状により，軽症には0.5～1mgを皮下注又は内服(シリンジは皮下注のみ)．中等症には1～2mgを皮下・筋注又は静注．必要があれば，その後20～30分ごとに繰り返し注射．重症には初回2～4mgを静注，その後症状に応じアトロピン飽和の徴候が認められるまで繰り返し注射．ECT前投与の場合には，0.5mgを皮下，筋注又は静注(適宜増減)
点眼液 1回1～2滴，1日1～3回点眼
眼軟膏 1%眼軟膏を1日1～3回，適量を結膜嚢に塗布

使用上の注意

禁忌 **末(経口)** **注** **キット** ①閉塞隅角緑内障の患者［抗コリン作用により眼圧が上昇し，症状を悪化させることがあ

る］ ②前立腺肥大による排尿障害のある患者［抗コリン作用による膀胱平滑筋の弛緩，膀胱括約筋の緊張により，排尿困難を悪化させるおそれがある］ ③麻痺性イレウスの患者［抗コリン作用により消化管運動を抑制し，症状を悪化させるおそれがある］ ④本剤に対し過敏症の既往歴のある患者
[末(眼科用)] [点眼液] [眼軟膏] 緑内障及び狭隅角や前房が浅い等の眼圧上昇の素因のある患者［急性閉塞隅角緑内障の発作を起こすおそれがある］

過量投与 [注] [キット] アトロピン中毒：①徴候・症状：頻脈，心悸亢進，口渇，散瞳，近接視困難，嚥下困難，頭痛，熱感，排尿障害，腸ぜん動の減弱，不安，興奮，せん妄等を起こすことがある ②処置：重度な抗コリン症状には，コリンエステラーゼ阻害薬ネオスチグミンの0.5～1mgを筋注する．必要に応じて2，3時間ごとに繰り返す

薬物動態

[注] 参考：ヒトに2mg筋注時の血漿中濃度は投与後20分以内に最高11.1μg/mL，半減期3.8時間．24時間以内に85%が尿中排泄，尿中排泄物の約50%は未変化体で，加水分解により生成するトロパ酸の排泄は2%以下
[点眼液] [眼軟膏] 眼内移行(参考；家兎)：^{14}Cで標識した硫酸アトロピン1%液を点眼30分後の眼内移行率は房水1.41%，角膜0.7%，強膜・脈絡膜0.38%，硝子体0.3%，虹彩・毛様体0.1%，網膜0.01%

その他の管理的事項

投与期間制限 該当しない
保険給付上の注意 該当しない

資料

IF 硫酸アトロピン「ホエイ」 2019年8月改訂(第6版)
アトロピン硫酸塩注0.5mg「フソー」 2019年8月改訂(第7版)
日点アトロピン点眼液1% 2010年1月改訂(第5版)
リュウアト1%眼軟膏 2017年10月改訂(第6版)

亜ヒ酸パスタ
Arsenical Paste

概要

原薬の規制区分 [毒]
原薬の外観・性状 灰黒色で，チョウジ油のにおいがある

製剤

貯法・保存条件 気密容器

アプリンジン塩酸塩
アプリンジン塩酸塩カプセル
Aprindine Hydrochloride

概要

薬効分類 212 不整脈用剤
構造式

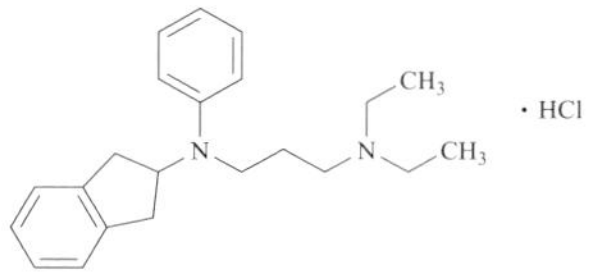

分子式 $C_{22}H_{30}N_2 \cdot HCl$
分子量 358.95
ステム 該当しない
原薬の規制区分 [劇]
原薬の外観・性状 白色～微黄白色の結晶性の粉末であり，味は苦く，舌を麻痺させる．水，メタノール又は酢酸(100)に極めて溶けやすく，エタノール(99.5)に溶けやすい．光によって徐々に褐色となる．1.0gを水50mLに溶かした液のpHは6.4～7.0である
原薬の吸湿性 ほとんど認めない
原薬の融点・沸点・凝固点 融点：127～131℃
原薬の酸塩基解離定数 pKa_1≒4.3,pKa_2≒10.2(滴定法,外挿法)
先発医薬品等
[カ] アスペノンカプセル10・20(バイエル)
[注] アスペノン静注用100(バイエル)
後発医薬品
[カ] 10mg・20mg
国際誕生年月 不明
海外での発売状況 発売されていない

製剤

規制区分 [カ] [注射用] [劇] [処]
製剤の性状 [10mgカ] 淡だいだい色の硬カプセル [20mgカ] だいだい色の硬カプセル [注射用] 無色澄明の注射液
有効期間又は使用期限 [カ] 4年 [注射用] 3年
貯法・保存条件 遮光・室温保存
薬剤取扱い上の留意点 [カ] 本剤の投与中に，手指振戦，めまい，ふらつき等の精神神経系症状が発現し，増悪する傾向がある場合には，直ちに減量又は投与を中止すること(精神神経系の症状は用量依存的に発現しやすい)．また，本剤投与中の患者には自動車の運転等危険を伴う機械の操作に従事させないよう注意すること
患者向け資料等 [カ] くすりのしおり
溶液及び溶解時のpH [注射用] 5.3～6.7
浸透圧比 [注射用] 約1(対生食)
安定なpH域 該当資料なし
調製時の注意 [注射用] 必ず5%ブドウ糖液又は生食等で10倍に希釈して使用する．光に対して不安定であるため，開封後の分割使用は不適である．溶解時のpHが高いと白濁・沈殿を生じることがあるので，pH7.4以上の注射液及び輸液との配合は避けること

薬理作用

分類 Vaughan Williams分類Ⅰ群抗不整脈剤
作用部位・作用機序 部位：心筋細胞のNaイオンチャネル抑制作用により，活動電位の最大脱分極速度を抑制し，心筋の興奮性，刺激伝導系を抑制することにより抗不整脈作用 機序：Sicillian Ganbit(日本版)による薬剤分類によると本剤はNaイオンチャネル抑制作用だけでなく，Caイオンチャネル，Kイオンチャネルなどに抑制的な作用をもたらし，心房，心室筋の各活動電位相に影響をもたらし抗不整脈作用を発揮すると考えられている
同効薬 ジソピラミド，キニジン硫酸塩，プロカインアミド塩酸塩，リドカイン塩酸塩，メキシレチン塩酸塩，プロパフェノン塩酸塩など

治療

効能・効果 [カ] 次の状態で他の抗不整脈薬が使用できないか，又は無効の場合：頻脈性不整脈
[注] 頻脈性不整脈
用法・用量 [カ] 1日40mgから始め，効果が不十分な場合は60mgまで増量し，2～3回に分服(適宜増減)
[注] 必ず5%ブドウ糖液等で10倍に希釈し，血圧ならびに心電図監視下に，希釈液として1回1.5～2mL/kg(1.5～2mg/kg)を5～10mL/分の速度で徐々に静注．注入総量は希釈液として1回100mL(100mg)まで
禁忌・原則禁忌となる特定患者集団 妊婦又は妊娠している可能性のある女性

使用上の注意

禁忌　①重篤な刺激伝導障害(完全房室ブロック等)のある患者［刺激伝導障害を増悪させるおそれがある］　②重篤なうっ血性心不全のある患者［心筋収縮力低下により，心不全を悪化させるおそれがある］　③妊婦又は妊娠している可能性のある女性

薬物動態

血中濃度　[力]　健康成人及び不整脈患者に経口投与時，消化管からの吸収は良好で2～4時間後最高血漿中濃度．半減期(β)は25mg投与で8時間，50mg投与で9.4時間，100mg投与で15.8時間と投与量に依存して延長し，投与量と血漿中濃度は非直線関係を示す．不整脈患者に反復経口投与時，血漿中濃度は7～14日でほぼ定常状態に達し，その消失半減期は約50時間．(注意)非線形の薬物動態を示すため，投与量と最高血漿中濃度(Cmax)，曲線下面積(AUC)は比例しない．投与量の増加に伴い，半減期(β)は延長し，予想以上の血漿中濃度上昇がみられることがある：(1)特定薬剤治療管理料：暦月に1回，特定薬剤治療管理料が認められている　(2)有効血中濃度：0.25～1.25μg/mL

[注]　心室性期外収縮患者に50mg(7例)，100mg(9例)を10mg/分静注時，各群の半減期(β)は5.3±5.6時間，12.3±6.7時間．総体内クリアランスは32.4L/hr，17.2L/hrと投与量の増加に伴って減少し，経口投与と同様に非線形の薬物動態を呈する．Vdt は 88.1L，146.7L，AUC_{0-48} は 2.9μg・hr / mL，8.5μg・hr/mL．心筋梗塞患者及び非心筋梗塞患者に2mg/kgを10mg/分静注時，各群の半減期(β)は13.6±5.1時間，9.7±6.6時間で，心筋梗塞患者での著しい延長は認められない：(1)最低有効血漿中濃度：0.38±0.19μg/mL(心室性期外収縮)　(2)作用発現時間：1.2～34分(投与開始から不整脈消失まで)

血漿蛋白結合率　94～97%(平衡透析法)　**代謝**　主に肝臓で代謝され，健康成人での主要代謝物はデスエチル体及び水酸化体．肝臓の薬物代謝酵素CYP2D6が代謝に関与しているとの報告(外国人)がある．代謝物のうちデスエチル体は，動物実験(イヌ)で未変化体と同等の抗不整脈作用が認められているが，ヒトの血中には検出されないか，認められてもわずか

排泄(外国人)　健康成人に^{3}H-アプリンジンを経口投与，静注時の全排泄量は，24時間で経口17%，静注14.3%，120時間で42.5%，39.9%．健康成人に経口投与時の未変化体尿中排泄率(96時間)1%以下

その他の管理的事項

投与期間制限　該当しない

保険給付上の注意　該当しない

資料

IF　アスペノンカプセル10・20　2019年7月改訂(第8版)
　　アスペノン静注用100　2019年7月改訂(第7版)

アフロクアロン
Afloqualone

概要

薬効分類　124　鎮けい剤

構造式

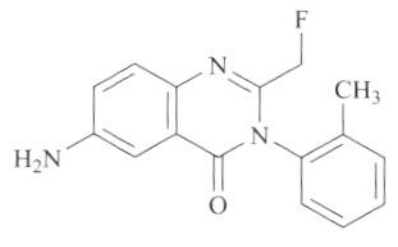

分子式　$C_{16}H_{14}FN_3O$

分子量　283.30

ステム　不明

原薬の規制区分　[劇](ただし，1個中20mg以下を含有する内用剤を除く)

原薬の外観・性状　白色～淡黄色の結晶又は結晶性の粉末である．アセトニトリルにやや溶けやすく，エタノール(99.5)にやや溶けにくく，水にほとんど溶けない．光によって徐々に着色する

原薬の吸湿性　吸湿性なし

原薬の融点・沸点・凝固点　融点：約197℃(分解)

原薬の酸塩基解離定数　pKa＝約2.65

先発医薬品等

[錠]　アロフト錠20mg(ニプロES)

後発医薬品

[錠]　20mg

国際誕生年月　1982年10月

海外での発売状況　発売されていない

製剤

規制区分　[錠]　[処]

製剤の性状　[錠]　白色の糖衣錠

有効期間又は使用期限　4年6カ月

貯法・保存条件　室温保存．開封後は遮光保存

薬剤取扱い上の留意点　反射運動能力の低下，眠気等が起こることがあるので，本剤投与中の患者には自動車の運転等危険を伴う機械の操作に従事させないよう注意すること

患者向け資料等　くすりのしおり

溶液及び溶解時のpH　該当しない

浸透圧比　該当しない

安定なpH域　該当しない

調製時の注意　該当しない

薬理作用

分類　中枢神経系作用筋緊張性疾患治療剤

作用部位・作用機序　脊髄から上部の中枢にかけての広範囲の部位に作用して，筋緊張亢進状態を緩解させる

同効薬　トルペリゾン塩酸塩，バクロフェン

治療

効能・効果　①次の疾患における筋緊張状態の改善：頸肩腕症候群，腰痛症　②次の疾患による痙性麻痺：脳血管障害，脳性麻痺，痙性脊髄麻痺，脊髄血管障害，頸部脊椎症，後縦靱帯骨化症，多発性硬化症，筋萎縮性側索硬化症，脊髄小脳変性症，外傷後遺症(脊髄損傷，頭部外傷)，術後後遺症(脳・脊髄腫瘍を含む)，その他の脳脊髄疾患

用法・用量　1日60mg，3回に分服(適宜増減)

使用上の注意

禁忌　本剤の成分に対し過敏症の既往歴のある患者

薬物動態

健康成人男子に20mg経口投与後の血漿中濃度は約1時間後に最高，半減期は約3.3時間

その他の管理的事項

投与期間制限　該当しない

保険給付上の注意　該当しない

資料

IF　アロフト錠20mg　2018年6月改訂(第8版)

アヘンアルカロイド塩酸塩
アヘンアルカロイド塩酸塩注射液
Opium Alkaloids Hydrochlorides

別名：オピアル

概要

薬効分類　811　あへんアルカロイド系麻薬

原薬の規制区分 [劇](ただし，1個中あへん30mg以下を含有する坐剤を除く)，[麻]
原薬の外観・性状 白色～淡褐色の粉末である．水にやや溶けやすく，エタノール(99.5)に溶けにくい．光によって着色する．1.0gを水50mLに溶かした液のpHは3.0～4.0である
先発医薬品等
[末] パンオピン「タケダ」(武田)
[注] パンオピン皮下注20mg(武田)

製剤

規制区分 [末] [注] [劇][麻][処]
製剤の性状 [末] 白色～淡褐色の粉末 [注] 無色～淡褐色澄明の液で，光によって変化する
貯法・保存条件 室温保存．開封後も遮光保存
薬剤取扱い上の留意点 連用により薬物依存を生じることがあるので，観察を十分に行い，慎重に投与すること．眠気，眩暈が起こることがあるので，本剤投与中の患者には自動車の運転等危険を伴う機械の操作に従事させないよう注意すること
溶液及び溶解時のpH [注] 2.5～3.5
浸透圧比 [注] 約0.4(対生食)

薬理作用

分類 オピオイド類(鎮痛鎮痙鎮咳止瀉薬)
作用部位・作用機序 アヘン中の主要なアルカロイドであるモルヒネ，ノスカピン，パパベリン，コデイン，テバイン等の塩酸塩を含有し，これらが拮抗的あるいは協力的に作用するため，作用はモルヒネと全く同一ではない．毒性，呼吸抑制作用はモルヒネより弱いが，反射興奮性はモルヒネより強い
同効薬 アヘンアルカロイド・アトロピン，アヘンアルカロイド・スコポラミン，弱アヘンアルカロイド・スコポラミン，アヘン散，アヘン末，アヘンチンキなど

治療

効能・効果 ①激しい疼痛時における鎮痛・鎮静・鎮痙 ②激しい咳嗽発作における鎮咳 ③激しい下痢症状の改善及び手術後等の腸管ぜん動運動の抑制 ④([注] のみ)麻酔前投薬
用法・用量 [末] 1回10mg，1日30mg(適宜増減)
[注] 1回10mg皮下注(適宜増減)

使用上の注意

禁忌 ①重篤な呼吸抑制のある患者［呼吸抑制を増強する］ ②気管支喘息発作中の患者［気道分泌を妨げる］ ③重篤な肝障害のある患者［昏睡に陥ることがある］ ④慢性肺疾患に続発する心不全の患者［呼吸抑制や循環不全を増強する］ ⑤痙攣状態(てんかん重積症，破傷風，ストリキニーネ中毒)にある患者［脊髄の刺激効果が現れる］ ⑥急性アルコール中毒の患者［呼吸抑制を増強する］ ⑦アヘンアルカロイドに対し過敏症の患者 ⑧出血性大腸炎の患者［腸管出血性大腸菌(O157等)や赤痢菌等の重篤な細菌性下痢のある患者では，症状の悪化，治療期間の延長をきたすおそれがある］ ⑨ナルメフェン塩酸塩水和物を投与中又は投与中止後1週間以内の患者
過量投与 ①徴候・症状：呼吸抑制，意識不明，痙攣，錯乱，血圧低下，重篤な脱力感，重篤なめまい，嗜眠，心拍数の減少，神経過敏，不安，縮瞳，皮膚冷感等を起こすことがある ②処置：過量投与時には次の治療を行うことが望ましい：(1)中止し，気道確保，補助呼吸及び呼吸調節により適切な呼吸管理を行う (2)麻薬拮抗剤投与を行い，患者に退薬症候又は麻薬拮抗剤の副作用が発現しないよう慎重に投与する．なお，麻薬拮抗剤の作用持続時間はモルヒネのそれより短いので，患者のモニタリングを行うか又は患者の反応に応じて初回投与後は注入速度を調節しながら持続静注する (3)必要に応じて補液，昇圧剤等の投与又は他の補助療法を行う

その他の管理的事項

投与期間制限 [末] 14日

資料

添付文書 パンオピン「タケダ」 2020年2月改訂(第8版)
パンオピン皮下注20mg 2020年2月改訂(第9版)

アヘンアルカロイド・アトロピン注射液
Opium Alkaloids and Atropine Injection

概要

原薬の規制区分 該当しない

治療

効能・効果† ①激しい疼痛時における鎮痛・鎮静・鎮痙 ②激しい咳嗽発作における鎮咳 ③激しい下痢症状の改善及び手術後等の腸管ぜん動運動の抑制 ④麻酔前投薬

アヘンアルカロイド・スコポラミン注射液
Opium Alkaloids and Scopolamine Injection

概要

原薬の規制区分 該当しない

治療

効能・効果† ①激しい疼痛時における鎮痛・鎮静・鎮痙 ②激しい咳嗽発作における鎮咳 ③激しい下痢症状の改善及び手術後等の腸管ぜん動運動の抑制 ④麻酔前投薬

弱アヘンアルカロイド・スコポラミン注射液
Weak Opium Alkaloids and Scopolamine Injection

概要

原薬の規制区分 該当しない

治療

効能・効果† ①激しい疼痛時における鎮痛・鎮静・鎮痙 ②激しい咳嗽発作における鎮咳 ③激しい下痢症状の改善及び手術後等の腸管ぜん動運動の抑制 ④麻酔前投薬

アマンタジン塩酸塩
Amantadine Hydrochloride

概要

薬効分類 116 抗パーキンソン剤，117 精神神経用剤，119 その他の中枢神経系用薬，625 抗ウイルス剤
構造式

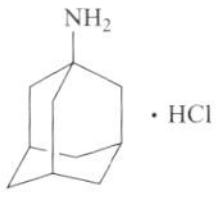

分子式 $C_{10}H_{17}N \cdot HCl$
分子量 187.71
原薬の規制区分 該当しない

原薬の外観・性状　白色の結晶性の粉末で，においはなく，味は苦い．ギ酸に極めて溶けやすく，水，メタノール又はエタノール(95)に溶けやすく，ジエチルエーテルにほとんど溶けない．1.0gを水5mLに溶かした液のpHは4.0～6.0である
原薬の吸湿性　75％RH(25℃)で約0.08％吸湿する
原薬の融点・沸点・凝固点　融点：約310℃(分解)
原薬の酸塩基解離定数　pKa＝10.3±0.2(水溶液)
先発医薬品等
細　シンメトレル細粒10％(サンファーマ＝田辺三菱)
錠　シンメトレル錠50mg・100mg(サンファーマ＝田辺三菱)
後発医薬品
細　10％
錠　50mg・100mg
国際誕生年月　1966年10月
海外での発売状況　10数カ国(いずれも抗パーキンソン剤又は抗A型インフルエンザウイルス剤として)

製剤

規制区分　**細**　**錠**　㉄
製剤の性状　**細**　白色で，においはなく，苦味がある　**錠**　白色のフィルムコート錠で，においはなく，微かに苦味がある
有効期間又は使用期限　3年
貯法・保存条件　室温保存
薬剤取扱い上の留意点　めまい，ふらつき，立ちくらみ，霧視等が現れることがあるので，自動車の運転，機械の操作，高所作業等危険を伴う作業に従事させないよう注意すること
患者向け資料等　患者向医薬品ガイド，くすりのしおり
溶液及び溶解時のpH　該当しない
浸透圧比　該当しない
安定なpH域　該当しない
調製時の注意　該当しない

薬理作用

分類　アダマンタン誘導体
作用部位・作用機序　①精神活動改善作用：高次中枢神経機能低下に対する薬物の改善効果を，前臨床的に評価する有効な方法は現在のところまだ開発されておらず，本剤に関してもその作用機序は十分に解明されていないが，動物試験及び臨床薬理試験において，各種動物の脳内ドパミン，ノルアドレナリン及びセロトニン作動神経系に影響を及ぼすことにより，高次中枢神経系に対する機能改善作用を示す結果が得られている　②抗パーキンソン作用：パーキンソン症候群に対する作用機序はまだ十分に解明されていない点もあるが，動物実験(ラット)においてドパミンの放出促進作用・再取り込み抑制作用・合成促進作用が認められている．これらの作用によりドパミン作動ニューロンの活性が高められ，機能的にアセチルコリン作動系が，カテコールアミン作動系に対して過動な状態にあるパーキンソン症候群に対して，主としてドパミン作動神経系の活動を亢進することにより効果を示すものと考えられている　③A型インフルエンザウイルスに対する作用：抗A型インフルエンザウイルス作用は，主として感染初期にウイルスの脱穀の段階を阻害し，ウイルスのリボヌクレオプロテインの細胞核内への輸送を阻止することにあると考えられる
同効薬　〔パーキンソン症候群〕ブロモクリプチンメシル酸塩など　〔脳梗塞後遺症に伴う意欲・自発性低下の改善〕ニセルゴリンなど　〔A型インフルエンザウイルス感染症〕オセルタミビルリン酸塩など

治療

効能・効果　①脳梗塞後遺症に伴う意欲・自発性低下の改善　②パーキンソン症候群　③A型インフルエンザウイルス感染症
効能・効果に関連する使用上の注意　A型インフルエンザウイルス感染症に用いる場合　①医師が特に必要と判断した場合にのみ投与する．たとえば，次の場合に投与を考慮することが望ましい．A型インフルエンザウイルス感染症に罹患した場合に，症状も重く死亡率が高いと考えられる者(高齢者，免疫不全状態の患者等)及びそのような患者に接する医療従事者等　②治療に用いる場合は，抗ウイルス薬の投与が全てのA型インフルエンザウイルス感染症の治療に必須ではないことを踏まえ，本剤の使用の必要性を慎重に検討する　③予防に用いる場合は，ワクチンによる予防を補完するものであることを考慮し，次の場合にのみ用いる：(1)ワクチンの入手が困難な場合　(2)ワクチン接種が禁忌の場合　(3)ワクチン接種後抗体を獲得するまでの期間　④A型以外のインフルエンザウイルス感染症には効果がない
用法・用量　効能①：アマンタジン塩酸塩として1日100～150mg，2～3回に分服(適宜増減)　効能②：アマンタジン塩酸塩として初期量1日100mgを1～2回に分服し，1週間後に維持量として1日200mgを2回に分服(適宜増減)．1日300mgを3回分服まで　効能③：アマンタジン塩酸塩として1日100mgを1～2回に分服(適宜増減)．ただし，高齢者及び腎障害のある患者では上限1日100mg
用法・用量に関連する使用上の注意　①大部分が未変化体として尿中に排泄されるため，腎機能が低下している患者では，血漿中濃度が高くなり，意識障害，精神症状，痙攣，ミオクロヌス等の副作用が発現することがあるので，腎機能の程度に応じて投与間隔を延長する等，慎重に投与する〔参考：クレアチニンクリアランス(mL/min/1.73m^2)と投与間隔(100mg/回)の目安〕クレアチニンクリアランス>75：投与間隔12時間，35～75：1日，25～35：2日，15～25：3日．注)前記は外国人における試験に基づく目安であり，本剤の国内で承認されている用法及び用量とは異なる　②脳梗塞後遺症に伴う意欲・自発性低下の改善に投与する場合，投与期間は，臨床効果及び副作用の程度を考慮しながら慎重に決定するが，投与12週で効果が認められない場合には中止する　③A型インフルエンザウイルス感染症に投与する場合：(1)発症後に用いる場合：発症後は可能な限り速やかに開始する(発症後48時間以降に開始しても十分な効果が得られないとされている)．また，耐性ウイルスの発現を防ぐため，必要最小限の期間(最長でも1週間)の投与にとどめる　(2)ワクチンの入手が困難な場合又はワクチン接種が禁忌の場合：地域又は施設において流行の徴候が現れたと判断された後，速やかに開始し，流行の終息後は速やかに中止する　(3)ワクチン接種後抗体を獲得するまでの期間に投与する場合：抗体獲得までの期間は通常10日以上とされるが，抗体獲得後は速やかに中止する　(4)小児に対する用法及び用量は確立していないので，小児に投与する場合は医師の判断において患者の状態を十分に観察した上で，用法及び用量を決定する
禁忌・原則禁忌となる特定患者集団　妊婦又は妊娠している可能性のある婦人，授乳婦

使用上の注意

> **警告**　①A型インフルエンザウイルス感染症に用いる場合：(1)医師が特に必要と判断した場合にのみ投与する　(2)治療に用いる場合は，本剤の必要性を慎重に検討する　(3)予防に用いる場合は，ワクチンによる予防を補完するものであることを考慮する　(4)A型以外のインフルエンザウイルス感染症には効果がない　(5)インフルエンザの予防や治療に短期投与中の患者で自殺企図の報告があるので，精神障害のある患者又は中枢神経系に作用する薬剤を投与中の患者では治療上の有益性が危険性を上回ると判断される場合にのみ投与する　②てんかん又はその既往歴のある患者及び痙攣素因のある患者では，発作を誘発又は悪化させることがあるので，患者を注意深く観察し，異常が認められた場合には減量する等の適切な措置をとる　③催奇形性が疑われる症例報告があり，また，動物実験による催奇形性の報告があるので，妊婦又は妊娠している可能性のある婦人には投与しない

禁忌　①透析を必要とするような重篤な腎障害のある患者［大

部分が未変化体として尿中に排泄されるので，蓄積により，意識障害，精神症状，痙攣，ミオクロヌス等の副作用が発現することがある．また，本剤は血液透析によって少量しか除去されない〕 ②妊婦又は妊娠している可能性のある婦人及び授乳婦 ③本剤の成分に対し過敏症の既往歴のある患者

過量投与 ①徴候，症状：神経筋障害(反射亢進，運動不穏，痙攣，ジストニー姿勢，捻転痙攣等の錐体外路症状，瞳孔散大，嚥下障害，ミオクロヌス等)と急性精神病徴候(錯乱，見当識障害，幻視，せん妄，攻撃性，意識レベルの低下，昏睡等)が急性中毒の顕著な特徴である．そのほか肺浮腫，呼吸窮迫，洞性頻脈，不整脈，高血圧，悪心，嘔吐，尿閉等がみられることがある．また，心停止及び心突然死が報告されている ②処置：特異的な解毒薬は知られていない．また，本剤は血液透析によって少量しか除去されない．必要に応じて次のような処置が行われる (1)催吐，胃内容物の吸引，胃洗浄．活性炭及び必要に応じ塩類下剤の投与 (2)強制利尿及び尿の酸性化 (3)痙攣，過度の運動不穏に対しては抗痙攣剤投与(ジアゼパム静注等) (4)尿閉にはカテーテル挿入 (5)血圧，心拍数，心電図，呼吸，体温をモニターし，必要に応じて低血圧，不整脈等に対する処置を行う

薬物動態

血中濃度 (健康成人男子各5例)早朝空腹時1回50mg又は100mg経口投与時の薬物動態パラメータ[Tmax(hr)，Cmax(ng/mL)，$AUC_{0\to\infty}$(ng・h/mL)，$T_{1/2}$(hr)の順]は，50mg投与[3.3，124.8，2601，12.3]，100mg投与[3.0，256.0，4520，10.3] **分布** アマンタジンの*in vitro*血漿蛋白結合率は約67% **代謝** (外国人)ヒトでの尿中代謝物はN-アセチル体が5〜15%，約80%は未変化体 **排泄** 健康成人に50mg及び100mgを1回経口投与時，投与後約24時間で投与量の約60%が，48時間までに約70%が未変化体で尿中に排泄．また，100mgを経口投与後72時間までの糞中回収は少量(1mg以下)

その他の管理的事項

投与期間制限 該当しない

保険給付上の注意 該当しない

資料

IF シンメトレル細粒10%・錠50mg・100mg 2018年8月改訂(第7版)

アミオダロン塩酸塩
アミオダロン塩酸塩錠
Amiodarone Hydrochloride

概要

薬効分類 212 不整脈用剤

構造式

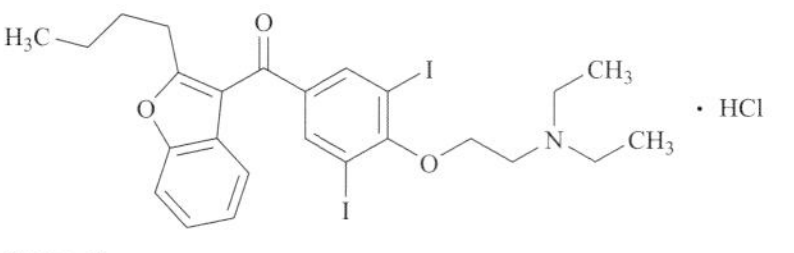

分子式 $C_{25}H_{29}I_2NO_3 \cdot HCl$

分子量 681.77

略語・慣用名 AMD

ステム 抗不整脈薬：-arone

原薬の規制区分 毒(ただし，1アンプル中アミオダロンとして150mg以下を含有する注射剤は劇)

原薬の外観・性状 白色〜微黄白色の結晶性の粉末である．80℃の水に極めて溶けやすく，ジクロロメタンに溶けやすく，メタノールにやや溶けやすく，エタノール(95)にやや溶けにくく，水に極めて溶けにくい

原薬の吸湿性 低い

原薬の融点・沸点・凝固点 融点：約161℃(分解)

原薬の酸塩基解離定数 pKa＝8.97(電位差滴定法，テトラヒドロフラン・水混液を用いた外挿値)

先発医薬品等

錠 アンカロン錠100(サノフィ)

注 アンカロン注150(サノフィ)

後発医薬品

錠 50mg・100mg

注 150mg

国際誕生年月 1966年12月

海外での発売状況 錠 欧米主要国含む約130カ国 注 100カ国以上

製剤

規制区分 錠 毒 処 注 劇 処

製剤の性状 錠 白色〜微黄色の素錠 注 淡黄色澄明の液

有効期間又は使用期限 錠 3年 注 2年

貯法・保存条件 錠 気密容器，遮光・室温保存 注 凍結を避け，25℃以下に遮光して保存

薬剤取扱い上の留意点 該当資料なし

患者向け資料等 錠 患者向医薬品ガイド，くすりのしおり 注 患者向医薬品ガイド

溶液及び溶解時のpH 注 3.5〜4.5

浸透圧比 注 約0.6(対生食)

安定なpH域 該当資料なし

調製時の注意 注 沈殿を生じるので，生食と配合しないこと

薬理作用

分類 電気生理学的にVaughan Williams分類Ⅲ群に属する不整脈治療剤

作用部位・作用機序 心筋のK^+チャネル遮断作用により活動電位持続時間，有効不応期を延長させる．また，Na^+チャネル遮断作用，Ca^{2+}チャネル遮断作用及び抗アドレナリン作用を併せ持つ

同効薬 ソタロール塩酸塩，ニフェカラント塩酸塩

治療

効能・効果 錠 生命に危険のある次の再発性不整脈で他の抗不整脈薬が無効か，又は使用できない場合：心室細動，心室性頻拍，心不全(低心機能)，肥大型心筋症に伴う心房細動

注 ①生命に危険のある次の不整脈で難治性かつ緊急を要する場合：心室細動，血行動態不安定な心室頻拍 ②電気的除細動抵抗性の心室細動あるいは無脈性心室頻拍による心停止

用法・用量 錠 ①導入期：1日400mgを1〜2回に分服(適宜増減)，1〜2週間 ②維持期：1日200mgを1〜2回に分服(適宜増減)

注 効能①：次の通り点滴静注により投与する．なお，症状に応じて適宜増減あるいは追加投与を行う．ただし，最大量として1日の総投与量は1250mgを超えないこと及び投与濃度は2.5mg/mLを超えない：(1)投与方法(48時間まで)：(ア)初期急速投与：125mg(2.5mL)を5%ブドウ糖液100mLに加え，容量型の持続注入ポンプを用い，600mL/時(10mL/分)の速度で10分間投与する (イ)負荷投与：750mg(15mL)を5%ブドウ糖液500mLに加え，容量型の持続注入ポンプを用い33mL/時の速度で6時間投与する (ウ)維持投与：17mL/時の速度で合計42時間投与する：(a)6時間の負荷投与後，残液を33mL/時から17mL/時に投与速度を変更し，18時間投与する (b)750mg(15mL)を5%ブドウ糖液500mLに加え，容量型の持続注入ポンプを用い17mL/時の速度で24時間投与する(アミオダロン塩酸塩として600mg) (2)追加投与：血行動態不安定な心室頻拍あるいは心室細動が再発し，本剤投与が必要な場合には追加投与できる．1回の追加投与は125mg(2.5mL)を5%ブドウ糖液100mLに加え，容量型の持続注入ポンプを用い，600mL/時(10mL/分)の速度で10分間投与する (3)継続投与(3日以降)：48時間の投与終了後，本剤の継続投与が必要と判

断された場合は，継続投与を行うことができる．750mg(15mL)を5%ブドウ糖液500mLに加え，容量型の持続注入ポンプを用い17mL/時の速度で投与する（アミオダロン塩酸塩として600mg/24時間） 効能②：300mg(6mL)又は5mg/kg(体重)を5%ブドウ糖液20mLに加え，静脈内へボーラス投与する．心室性不整脈が持続する場合には，150mg(3mL)又は2.5mg/kg(体重)を5%ブドウ糖液10mLに加え，追加投与することができる

用法・用量に関連する使用上の注意 **注**〔効能①〕①注射部位反応を避けるため，可能な限り中心静脈より点滴により投与する．また，投与には容量型の持続注入ポンプを用いる ②初期急速投与及び追加投与時は，1アンプル(3mL)から本剤2.5mLを注射筒で抜き取り調製する ③継続投与に関し，国内においては最長7日間までの投与経験しかなく，継続投与の期間については十分注意する ④追加投与に関し，国内においては3回までの投与経験しかなく，追加投与については十分注意する ⑤低体重の患者及び高齢者では血圧の変動を来たしやすいと考えられるため，これらの患者に投与する場合には減量又は投与速度の調節を考慮する

使用上の注意

警告 **錠** ①施設の限定：使用は致死的不整脈治療の十分な経験のある医師に限り，諸検査の実施が可能で，緊急時にも十分に対応できる設備の整った施設でのみ使用する ②患者の限定：他の抗不整脈薬が無効か，又は副作用により使用できない致死的不整脈患者にのみ使用する［本剤による副作用発現頻度は高く，致死的な副作用(間質性肺炎，肺胞炎，肺線維症，肝障害，甲状腺機能亢進症，甲状腺炎)が発現することも報告されているため］ ③患者への説明と同意：使用にあたっては，患者又はその家族に本剤の有効性及び危険性を十分説明し，可能な限り同意を得てから，入院中に投与を開始する ④副作用に関する注意：長期間投与した際，血漿からの消失半減期は19～53日と極めて長く，中止した後も本剤が血漿中及び脂肪に長期間存在するため，副作用発現により中止，あるいは減量しても副作用はすぐには消失しない場合があるので注意する ⑤相互作用に関する注意：種々の薬剤との相互作用が報告されており，これらの薬剤を併用する場合，また本剤中止後に使用する場合にも注意する

注 ①施設の限定：使用は致死的不整脈治療の十分な経験のある医師に限り，諸検査の実施が可能で，CCU，ICUあるいはそれに準ずる体制の整った，緊急時にも十分に対応できる施設でのみ使用する ②患者の限定：致死的不整脈患者で，難治性かつ緊急を要する場合にのみ使用する ③本剤では新たな不整脈や不整脈の増悪等を含む重篤な心障害が報告されており，ときに致死的な場合もあるので，CCU，ICU等で心電図及び血圧の連続監視下で使用する．なお，血圧については可能な限り動脈内圧を連続監視することが望ましい ④投与後24時間以内に重篤な肝機能障害が生じ，肝不全や死亡に至る場合もある（海外症例の副作用報告）ので，患者の状態を慎重に観察する等，十分に注意する

禁忌 **錠** ①重篤な洞不全症候群のある患者［洞機能抑制作用により，洞不全症候群を増悪させるおそれがある］ ②2度以上の房室ブロックのある患者［刺激伝導抑制作用により，房室ブロックを増悪させるおそれがある］ ③本剤の成分又はヨウ素に対する過敏症の既往歴のある患者 ④リトナビル，サキナビル，サキナビルメシル酸塩，インジナビル硫酸塩エタノール付加物，ネルフィナビルメシル酸塩，スパルフロキサシン，モキシフロキサシン塩酸塩，バルデナフィル塩酸塩水和物，シルデナフィルクエン酸塩，トレミフェンクエン酸塩，テラプレビル，フィンゴリモド塩酸塩又はエリグルスタット酒石酸塩を投与中

注 ①洞性徐脈，洞房ブロック，重度伝導障害(高度な房室ブロック，二束ブロック又は三束ブロック)又は洞不全症候群があり，ペースメーカーを使用していない患者［洞停止のリスクがある］ ②循環虚脱又は重篤な低血圧のある患者(血行動態不安定な心室細動又は心室頻拍発作発現中を除く) ③本剤の成分又はヨウ素に対し過敏症の既往歴のある患者 ④リトナビル，サキナビル，サキナビルメシル酸塩，インジナビル硫酸塩エタノール付加物，ネルフィナビルメシル酸塩，クラスIa及びクラスIII（ソタロール，ニフェカラント）の抗不整脈薬，ベプリジル塩酸塩水和物，スパルフロキサシン，モキシフロキサシン塩酸塩，エリスロマイシン(注射剤)，ペンタミジンイセチオン酸塩，トレミフェンクエン酸塩，テラプレビル，フィンゴリモド塩酸塩又はエリグルスタット酒石酸塩を投与中 ⑤重篤な呼吸不全のある患者

ただし，心停止時はこの限りでない

相互作用概要 主としてCYP3A4で代謝される

過量投与 **注** 過量投与に関する情報は得られていない．過量投与の場合は，全身支持療法以外に対症療法を施す．アミオダロン塩酸塩とその代謝産物は，いずれも透析不可能である

薬物動態

錠 **血中濃度** 患者8名に400mg単回経口投与時，Cmax1.194μg／mL，tmax4.6時間，$t_{1/2}$ 13.4時間，AUC9.725μg・時/mL **分布** （参考；外国人）血漿からの消失半減期は，19～53日と極めて長く，これはdeep stock compartmentである脂肪からの緩慢な消失による．脂肪の他に，肝及び肺に高く分布し，脳移行は低い **代謝** 5つの代謝経路すなわち脱ヨウ素化，O-脱アルキル化，N-脱アルキル化，水酸化及びグルクロン酸抱合により代謝を受けると推定される **排泄** （参考；外国人）胆汁を介した糞排泄が主排泄経路と考えられた

注 **血清中濃度** ①日本人健康成人男子10人に本剤5mg/kgを15分間単回静注時の薬物動態パラメータ：Cmax13.7μg/mL，$AUC_{0\text{-}96}$16.6μg・hr/mL，AUC_{∞}28.1μg・hr/mL，$t_{1/2}$ 14.6day，CL200.0mL/hr/kg ②日本人患者45例に本剤を三段階注入法(初期急速投与：0～10分125mg，負荷投与：10分～6時間300mg及び維持投与：6時間～24時間450mg+24時間～48時間600mg)にて静注時の薬物動態パラメータは次の通り．なお，有効性評価期間中にHDVT/VFが再発した場合は，本剤125mgの追加投与を可とした．なお，3日目以降は本剤の投与が必要な場合はさらに，最大1週間まで延長して(1日量として最大1250mg)継続投与が可とされた：(1)ノンコンパートメントモデル解析：[Cmaxは最小値-最大値，その他は平均値±標準偏差，( )内はCV%．アミオダロン，代謝物のデスエチルアミオダロン(DEA)の順]Cmax※1)(ng/mL，39例)2184-13406，5.5-514.9，C_{24h}※2)(ng/mL/mg，30例※3))1.15±0.354(30.8)，0.0854±0.0453(53.0)，C_{48h}※2)(ng/mL/mg，25例※3))0.842±0.246(29.2)，0.08±0.035(43.2)，AUC_{24h}※2)(ng・h/mL/mg，30例※3))31.8±7.40(23.2)，1.29±0.765(59.4)，AUC_{48h}※2)(ng・h/mL/mg，25例※3))37.2±9.13(24.6)，2.30±1.082(47.1)．なお，血清中のアミオダロンとDEAの24時間及び48時間までの比率を見積もると，それぞれ0.0422及び0.0659．※1)初回急速静注直後に採血を行わなかった症例を除く ※2)C_{24h}，C_{48h}，AUC_{24h}及びAUC_{48h}をそれぞれ投与量1mgあたりに標準化した値とする ※3)24時間及び48時間までの血清中濃度値がなかった症例は除外 (2)母集団解析：アミオダロンの消失プロファイルは3-コンパートメントモデルによく合致した．共変量の検討結果では，最終モデルに反映される影響因子はなかった．最終モデルから得られた母集団パラメータは次の通り．CL(血清クリアランス)15.6L/h，$t_{1/2}\lambda 1$(消失第1相目の半減期)3.10min，$t_{1/2}\lambda 2$(消失第2相目の半減期)2.12h，$t_{1/2}\lambda z$(消失第3相目の半減期)55.1h，Vss(定常状態の分布容積)791L，Kel(消失速度)2.30(h-1)．最終モデルにおけるCLの個人間変動は27.8% **分布** 血清からの消失半減期は，平均14.6日(6.8～32.8日)と極めて長かった．これは，deep stock compartmentである脂肪からの緩慢な消失による．脂肪の他に，

肝，肺及びリンパ節に高く分布し，脳への移行は低かった **代謝** アミオダロンは，5つの代謝経路すなわち脱ヨウ素化，O-脱アルキル化，N-脱アルキル化，水酸化及びグルクロン酸抱合あるいは硫酸抱合により代謝を受けると推定 **排泄** (参考)外国人による成績：胆汁を介した糞排泄が主排泄経路と考えられた

その他の管理的事項

投与期間制限 該当しない
保険給付上の注意 該当しない

資料

IF アンカロン錠100 2019年4月改訂(第11版)
アンカロン注150 2019年4月改訂(第8版)

アミカシン硫酸塩
アミカシン硫酸塩注射液
注射用アミカシン硫酸塩
Amikacin Sulfate

概要

薬効分類 612 主としてグラム陰性菌に作用するもの
構造式

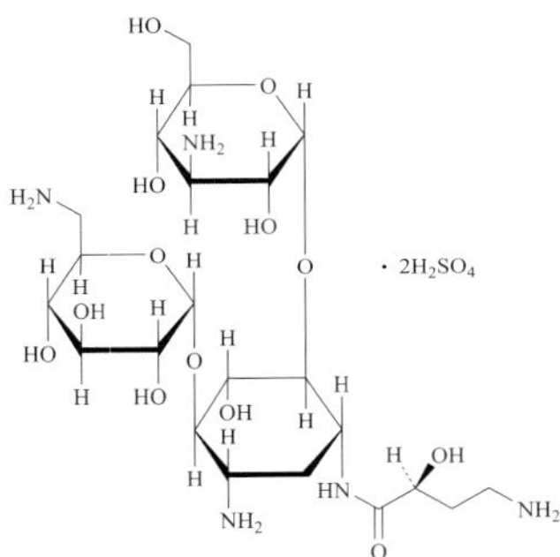

分子式 $C_{22}H_{43}N_5O_{13} \cdot 2H_2SO_4$
分子量 781.76
略語・慣用名 AMK
ステム カナマイシン・ベカナマイシン関連抗生物質(*Streptmyces kanamyceticus*の産生するもの)：-kacin
原薬の規制区分 該当しない
原薬の外観・性状 白色～黄白色の粉末である．水に極めて溶けやすく，エタノール(95)にほとんど溶けない．1.0gを水100mLに溶かした液のpHは6.0～7.5である
原薬の吸湿性 臨界相対湿度：50～55％(測定温度：37℃)
原薬の融点・沸点・凝固点 融点：230～240℃(分解)
原薬の酸塩基解離定数 pKa＝8.4
先発医薬品等
注 アミカシン硫酸塩注射液100mg・200mg「F」(富士製薬)
アミカシン硫酸塩注射液100mg・200mg「NikP」(日医工ファーマ＝日医工)
アミカシン硫酸塩注100mg・200mg「NP」(ニプロ)
アミカシン硫酸塩注射液100mg・200mg「サワイ」(沢井)
アミカシン硫酸塩注射液100mg・200mg「日医工」(日医工)
アミカシン硫酸塩注射液100mg・200mg「明治」(MeijiSeika)
注射用 アミカシン硫酸塩注射用100mg・200mg「日医工」(日医工)
国際誕生年月 不明
海外での発売状況 米，英，仏，独を含む約30カ国

製剤

規制区分 **注** **注射用** ㊕
製剤の性状 **注** 無色～微黄色澄明の液 **注射用** 白色～黄白色の塊又は粉末
有効期間又は使用期限 3年
貯法・保存条件 室温保存
患者向け資料等 くすりのしおり
溶液及び溶解時のpH **注** 6.0～7.5 **注射用** 6.0～7.5(100mg/10mL注射用水)
浸透圧比 **注** **注射用** 約1(対生食)
調製時の注意 β-ラクタム系抗生物質製剤(カルベニシリン，スルベニシリン等)との混注により，両剤ともに不活性化されるとの報告がある．それぞれ別経路にて投与を行うこと

薬理作用

分類 アミノグリコシド系抗生物質
作用部位・作用機序 部位：細菌のリボソーム 機序：細菌の蛋白合成を阻害することにより，細胞分裂の増殖過程を阻止し，殺菌的に作用
同効薬 ゲンタシン硫酸塩，トブラマイシン，ジベカシン硫酸塩，イセパマイシン硫酸塩など

治療

効能・効果 〈適応菌種〉アミカシンに感性の大腸菌，シトロバクター属，クレブシエラ属，エンテロバクター属，セラチア属，プロテウス属，モルガネラ・モルガニー，プロビデンシア属，緑膿菌 〈適応症〉敗血症，外傷・熱傷及び手術創等の二次感染，肺炎，肺膿瘍，慢性呼吸器病変の二次感染，膀胱炎，腎盂腎炎，腹膜炎
用法・用量 **筋注の場合** 1回100～200mg(力価)1日1～2回(適宜増減)．小児1日4～8mg(力価)/kgを1～2回に分注(適宜増減)．注射用の場合は1バイアルに生理食塩液又は注射用水1～2mLを加え溶解する
点滴静注の場合 1回100～200mg(力価)1日2回(適宜増減)．小児1日4～8mg(力価)/kgを2回に分注(適宜増減)．新生児(未熟児を含む)1回6mg(力価)/kg，1日2回(適宜増減)．通常100～500mLの補液中に100～200mg(力価)の割合で溶解し，30分～1時間かけて投与する
用法・用量に関連する使用上の注意 ①腎障害患者：腎障害患者では，投与量を減らすか，投与間隔をあけて投与する ②使用にあたっては，耐性菌の発現等を防ぐため，原則として感受性を確認し，疾病の治療上必要な最小限の期間の投与にとどめる

使用上の注意

禁忌 本剤の成分ならびにアミノグリコシド系抗生物質又はバシトラシンに対し過敏症の既往歴のある患者
過量投与 ①徴候，症状：腎障害，聴覚障害，前庭障害，神経筋遮断症状，呼吸麻痺が現れることがある ②処置：血液透析，腹膜透析による薬剤の除去を行う．神経筋遮断症状，呼吸麻痺に対してはコリンエステラーゼ阻害剤，カルシウム製剤の投与又は機械的呼吸補助を行う

薬物動態

腎機能正常者での血中濃度 ①健常成人に100mg(力価)又は200mg(力価)を筋注時，血中濃度のピークは30分ないし1時間後にあり，それぞれ5.8～8.5μg/mL(n=3)，13.5～15.0μg/mL(n=2)を示した．また，健常成人(n=3)に100mg(力価)又は200mg(力価)を1時間で点滴静注時，血中濃度のピークは点滴終了時にあり，それぞれ7.5～8.6μg/mL，13.9～18.8μg/mLを示し，血中半減期($T_{1/2}$)は，1.7～2.2時間．なお，健常成人(n=3)に200mg(力価)をCross overにより筋注及び点滴静注時，両者の血中濃度推移はほぼ一致し，$T_{1/2}$，血中濃度曲線下面積(AUC)もほぼ同一の値を示す ②小児(n=3)に4mg(力価)/kgを1時間で点滴静注時，血中濃度のピークは点滴終了時にあり，13.4～13.9μg/mLを示し，$T_{1/2}$は，1.2～1.4時間である ③新生児に6mg(力価)/kgを筋注時，血中濃

度のピークはおよそ30分後にみられ12～19μg/mL(n=17)を示す．また，同用量を30分間で点滴静注時のピーク値は12～17μg/mL(n=11)であり，筋注時とほぼ同様の血中濃度推移を示す　**腎障害患者の血中濃度**　腎機能の程度の異なる患者に100mg(力価)を筋注時，$T_{1/2}$は腎機能障害の程度に応じて延長する．このような傾向は点滴静注時においても認められる　**血中濃度モニタリング**　アミノグリコシド系抗生物質による副作用発現の危険性は，一過性であっても異常に高い最高血中濃度(ピーク値)が繰り返されるほど大きくなり，また，異常に高い最低血中濃度(谷間値-次回投与直前値)が繰り返されるほど大きくなるといわれている．本剤の場合は，最高血中濃度が35μg/mL以上，最低血中濃度が10μg/mL以上が繰り返されると第8脳神経障害や腎障害発生の危険性が大きくなるといわれている．腎機能障害患者，新生児，未熟児，高齢者及び大量投与患者等では血中濃度が高くなりやすいので，初回投与時において，また長期間投与患者においても適当な間隔で最高血中濃度と最低血中濃度を測定し，異常な高値を示す場合には，次回投与より投与量や投与間隔を調整することが望ましい．たとえば，異常に高い最高血中濃度が繰り返されている場合は投与量を減量し，異常に高い最低血中濃度が繰り返されている場合は投与間隔を延長する等，調整を行う　**組織内移行**　口蓋扁桃，咽頭扁桃，上顎洞粘膜，喀痰，臍帯血，羊水等への移行が認められる．なお，乳汁中への移行は痕跡程度に認められるにすぎない　**代謝**　本剤は生体内で代謝を受けない　**排泄**　健常成人に本剤100mg(力価)又は200mg(力価)を筋注時の8時間までの平均尿中排泄率はそれぞれ70.3%，72.4%である．また，1時間点滴静注の場合，点滴終了後6時間までの平均尿中排泄率はそれぞれ64.4%，68.8%で，ともに速やかに尿中に排泄される

その他の管理的事項

投与期間制限　該当しない

保険給付上の注意　該当しない

資料

IF　アミカシン硫酸塩注射用100mg/200mg「日医工」・注射液100mg/200mg「日医工」 2013年11月改訂(第3版)

アミドトリゾ酸
Amidotrizoic Acid

概要

構造式

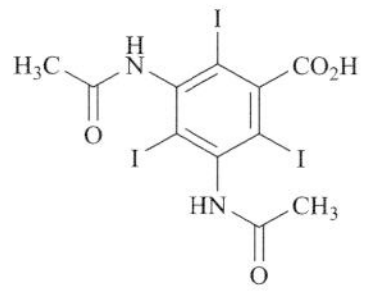

分子式　$C_{11}H_9I_3N_2O_4$

分子量　613.91

原薬の規制区分　該当しない

原薬の外観・性状　白色の結晶性の粉末で，においはない．エタノール(95)に溶けにくく，水に極めて溶けにくく，ジエチルエーテルにほとんど溶けない．水酸化ナトリウム試液に溶ける

アミドトリゾ酸ナトリウムメグルミン注射液
Meglumine Sodium Amidotrizoate Injection

概要

薬効分類　721　X線造影剤

分子式　$C_{11}H_9I_3N_2O_4$

分子量　613.91

原薬の規制区分　該当しない

原薬の吸湿性　該当資料なし

原薬の融点・沸点・凝固点　融点：約291～308℃(分解)

原薬の酸塩基解離定数　該当資料なし

先発医薬品等

内用液　ガストログラフイン経口・注腸用(バイエル)

注　ウログラフイン注60%・76%(バイエル)

国際誕生年月　1954年10月(ウログラフイン)　1961年5月(ガストログラフイン)

海外での発売状況　**60%注**　独など5カ国　**76%注**　独など40カ国　**液**　英など40カ国

製剤

規制区分　**注**　**液**　㊙

製剤の性状　**注**　**液**　無色～微黄色澄明の液で，僅かに粘性がある．光によって徐々に着色する

有効期間又は使用期限　5年

貯法・保存条件　**注**　遮光保存　**液**　遮光・室温保存

薬剤取扱い上の留意点　**注**　**液**　冷時まれに結晶が析出することがあるが，その場合は水浴中で溶解してから使用すること

患者向け資料等　**液**　くすりのしおり

溶液及び溶解時のpH　**注**　6.0～7.7　**液**　6.0～7.0

浸透圧比　**60%注**　約6　**76%注**　約9　**液**　約9(対生食)

薬理作用

分類　直接膵管胆道・逆行性尿路・関節・唾液腺造影剤

作用部位・作用機序　部位：造影部位　機序：本剤の主成分(アミドトリゾ酸)の構成元素であるヨウ素は高いX線吸収能をもつ．これに基づき，本剤の存在部位と他の生体組織との間にX線画像上のコントラストが生じる

同効薬　イオタラム酸メグルミン注射液，イオパミドール注射液(逆行性尿路撮影)，イオトロラン注射液(関節撮影)

治療

効能・効果　**ウログラフイン60%注**　逆行性尿路撮影，内視鏡的逆行性膵胆管撮影，経皮経肝胆道撮影，関節撮影

ウログラフイン76%注　唾液腺撮影

内用液　①消化管撮影(次の場合における消化管造影)：(1)狭窄の疑いのあるとき　(2)急性出血　(3)穿孔のおそれのあるとき(消化器潰瘍，憩室)　(4)その他，外科手術を要する急性症状時　(5)胃及び腸切除後(穿孔の危険，縫合不全)　(6)内視鏡検査法実施前の異物及び腫瘍の造影　(7)胃・腸ろう孔の造影　②コンピュータ断層撮影における上部消化管造影

効能・効果に関連する使用上の注意　**ウログラフイン60%注**　内視鏡的逆行性膵胆管撮影の場合：原則として，急性膵炎の診断には本剤を用いた内視鏡的逆行性膵胆管撮影を施行しない(急性膵炎発作時に内視鏡的逆行性膵胆管撮影を施行した場合，急性膵炎が悪化するおそれがある)．ただし，他の方法で診断され，胆管炎の合併や胆道通過障害の遷延が疑われる胆石性膵炎等の内視鏡的治療を前提とした内視鏡的逆行性膵胆管撮影の場合は，最新の急性膵炎診療ガイドライン等を参考に施行する

用法・用量　1回次の量を使用する(適宜増減)

ウログラフイン60%注　逆行性尿路撮影20～150mL(原液又は2～4倍希釈)，内視鏡的逆行性膵胆管撮影20～40mL，経皮経肝胆道撮影20～60mL，関節撮影1～10mL

ウログラフイン76%注　唾液腺撮影0.5～2mL

内用液　効能①：60mL(レリーフ造影には10～30mL)内服，又は3～4倍量の水で希釈し，最高500mLを注腸　効能②：30～

50倍量の水で希釈し，250～300mL内服

使用上の注意

警告　**注** ①ショック等の重篤な副作用が現れることがある　②脳・脊髄腔内に投与すると重篤な副作用が発現するおそれがあるので，脳槽・脊髄造影には使用しない

禁忌　**注** ①ヨード又はヨード造影剤に過敏症の既往歴のある患者　②重篤な甲状腺疾患のある患者［ヨード過剰に対する自己調節メカニズムが機能できず，症状が悪化するおそれがある］

内用液 ヨード又はヨード造影剤に過敏症の既往歴のある患者

薬物動態

内用液 胃・腸健常者に^{131}I-標識体50～100mL経口投与時，糞便中にほとんど排泄，消化管吸収はごく微量，尿中排泄2%以下(外国データ)

注(参考；外国データ)　**血中濃度**　300mgI/mL，1mL/kgを急速静注時，血漿中ヨウ素濃度は5分後に2～3mgI/mL，30分後までに速やかに低下，半減期は1～2時間　**排泄**　300mgI/mL，1mL/kgを静注30分後に約15%が，3時間後に50%が，24時間後に80%以上が尿中に排泄．特に代謝物は認めなかった

その他の管理的事項

投与期間制限　該当しない

保険給付上の注意　該当しない

資料

IF　ウログラフイン注60%・76%　2019年6月改訂(第7版)
ガストログラフイン経口・注腸用　2019年6月改訂(第6版)

アミトリプチリン塩酸塩
アミトリプチリン塩酸塩錠
Amitriptyline Hydrochloride

概要

薬効分類　117　精神神経用剤

構造式

・HCl（N-CH3, CH3）

分子式　$C_{20}H_{23}N \cdot HCl$

分子量　313.86

ステム　三環系抗うつ剤：-triptyline

原薬の規制区分　劇(ただし，1錠中アミトリプチリンとして25mg以下を含有するものを除く)

原薬の外観・性状　無色の結晶又は白色～微黄色の結晶性の粉末で，味は苦く，麻痺性である．水，エタノール(95)又は酢酸(100)に溶けやすく，無水酢酸にやや溶けやすく，ジエチルエーテルにほとんど溶けない．1.0gを水20mLに溶かした液のpHは4.0～5.0である

原薬の吸湿性　該当資料なし

原薬の融点・沸点・凝固点　融点：195～198℃

原薬の酸塩基解離定数　pKa＝9.4

先発医薬品等

錠 アミトリプチリン塩酸塩錠10mg・25mg「サワイ」(沢井)
トリプタノール錠10・25(日医工)

国際誕生年月　不明

海外での発売状況　米など

製剤

規制区分　**錠** 処

製剤の性状　**10mg錠** 青色の円形フィルムコーティング錠　**25mg錠** 黄色の円形フィルムコーティング錠

有効期間又は使用期限　3年

貯法・保存条件　**10mg錠** 気密容器，遮光・室温保存　**25mg錠** 気密容器，室温保存

薬剤取扱い上の留意点　眠気，注意力・集中力・反射運動能力等の低下が起こることがあるので，本剤投与中の患者には，自動車の運転等危険を伴う機械の操作に従事させないよう注意すること

患者向け資料等　患者向医薬品ガイド，くすりのしおり

溶液及び溶解時のpH　該当資料なし

浸透圧比　該当資料なし

安定なpH域　該当資料なし

調製時の注意　該当しない

薬理作用

分類　三環系抗うつ剤

作用部位・作用機序　抗うつ作用に関する詳細な作用機序は明らかにされていないが，脳内におけるノルアドレナリン及びセロトニン再取り込みを抑制する結果，シナプス領域にこれらモノアミン量が増量することにより抗うつ作用を示すと考えられている．さらに，これらの活性アミンのシナプス間隙での増加によっておこるアドレナリンβ受容体の機能低下やセロトニン受容体機能の変化が抗うつ薬の作用機序として有力視されている

同効薬　三環系抗うつ剤(イミプラミン塩酸塩など)，四環系抗うつ剤(マプロチリン塩酸塩など)

治療

効能・効果　精神科領域におけるうつ病・うつ状態，夜尿症，末梢性神経障害性疼痛

効能・効果に関連する使用上の注意　①抗うつ剤の投与により，24歳以下の患者で，自殺念慮，自殺企図のリスクが増加するとの報告があるため，投与にあたっては，リスクとベネフィットを考慮する　②末梢性神経障害性疼痛に対して投与する場合は，自殺念慮，自殺企図，敵意，攻撃性等の精神症状の発現リスクを考慮し，投与の適否を慎重に判断する

用法・用量　①うつ病・うつ状態：1日30～75mgを初期用量とし，1日150mgまで漸増し，分服．まれに300mgまで増量することもある　②夜尿症：1日10～30mg就寝前．いずれも適宜減量　③末梢性神経障害性疼痛：1日10mgを初期用量とし，その後，年齢，症状に応じて適宜増減．1日150mgを超えない

使用上の注意

禁忌　①閉塞隅角緑内障の患者［抗コリン作用により眼圧が上昇し，症状を悪化させることがある］　②三環系抗うつ剤に対し過敏症の患者　③心筋梗塞の回復初期の患者［循環器系に影響を及ぼすことがあり，心筋梗塞が悪化するおそれがある　④尿閉(前立腺疾患等)のある患者［抗コリン作用を有するため，症状が悪化するおそれがある］　⑤モノアミン酸化酵素阻害剤(セレギリン塩酸塩，ラサギリンメシル酸塩)を投与中あるいは投与中止後2週間以内の患者

相互作用概要　主にCYP2D6により代謝される．また，CYP3A4，CYP2C19及びCYP1A2によっても代謝されることが示されている

過量投与　①徴候・症状：嗜眠，昏迷，幻視，錯乱，激越，痙攣，筋硬直，反射亢進等の中枢神経症状や重篤な低血圧，頻脈，不整脈，QT延長，伝導障害，心不全等の循環器症状ならびに呼吸抑制，低体温，異常高熱，嘔吐，散瞳等が現れる　②処置：特異的解毒剤はないので，対症療法かつ補助療法を行う．本剤を過量に服用した場合は，催吐ならびに胃洗浄を行う．胃洗浄後，活性炭を投与してもよい．気道を確保し，補液を十分に行い体温を調節する．また，心電図検査を行い，異常が認められた場合には少なくとも5日間は心機能を十分に観察することが望ましい．全身痙攣の管理には，ジアゼパ

ム静注又は他の抗痙攣剤を投与する．ただし，これらの薬剤による呼吸抑制，低血圧，昏睡の増悪に注意する

薬物動態

血漿中濃度　うつ病患者15例に2週間以上1日30，75，125～180mgを3分服時の血漿中濃度は，それぞれ36±5，43±3，79±10ng/mL，代謝物ノルトリプチリンの血漿中濃度はそれぞれ8±2，22±4，89±25ng/mL

その他の管理的事項

投与期間制限　該当しない

保険給付上の注意　該当しない

資料

IF　トリプタノール錠10・25　2019年8月改訂(第8版)

アミノ安息香酸エチル
Ethyl Aminobenzoate

別名：アネスタミン
ベンゾカイン

概要

薬効分類　121　局所麻酔剤，264　鎮痛，鎮痒，収斂，消炎剤，271　歯科用局所麻酔剤

構造式

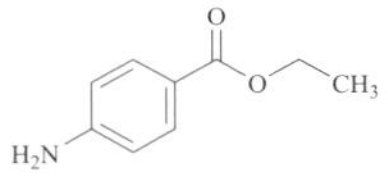

分子式　$C_9H_{11}NO_2$

分子量　165.19

原薬の規制区分　該当しない

原薬の外観・性状　白色の結晶又は結晶性の粉末で，においはなく，味はやや苦く，舌を麻痺させる．エタノール(95)またはジエチルエーテルに溶けやすく，水に極めて溶けにくい．希塩酸に溶ける

原薬の吸湿性　該当資料なし

原薬の融点・沸点・凝固点　融点：89～91℃

原薬の酸塩基解離定数　pKa＝2.9

後発医薬品

[歯科用] 20%

国際誕生年月　不明

海外での発売状況　[歯科用ゲル] 米，カナダ

製剤

規制区分　[処]

製剤の性状　[歯科用液] 淡黄色の液体　[歯科用ゲル] ほとんど無色の半固形のゲル，ミントようのにおいがあり，なめると甘く，舌を麻痺する　[歯科用ゼリー] 青色透明～半透明の半固形ゼリーで，芳香があり，味は僅かに苦く，舌を麻痺する

有効期間又は使用期限　[歯科用ゼリー] 5年

貯法・保存条件　室温保存

溶液及び溶解時のpH　[歯科用ゲル] 5.0～6.0

薬理作用

分類　エステル型局所麻酔剤，鎮痛・鎮痒剤

作用部位・作用機序　神経末梢に作用し，神経細胞膜へのナトリウムイオンの透過性を阻害することにより粘膜・皮膚の知覚神経の求心性刺激(神経インパルスの発生と伝達の両者)の伝達を遮断して，患部の疼痛・掻痒を緩和する

同効薬　該当しない

治療

効能・効果　[末(経口)] 次の疾患に伴う疼痛・嘔吐：胃炎，胃潰瘍

[末(外用)] [軟] 次の疾患における鎮痛・鎮痒：外傷，熱傷，日焼け，皮膚潰瘍，そう痒症，痔疾

[歯科用] 歯科領域における表面麻酔

用法・用量　[末(経口)] 1日0.6～1g，3回に分服(適宜増減)

[末(外用)] 5～15%の軟膏，液，散布剤として，又は1個中200～300mg坐剤として適宜使用

[軟] 適宜患部に使用

[歯科用] 塗布．ハリケインは小綿球又は綿棒に取り，塗布又は圧接．術後うがいをする

使用上の注意

禁忌　[末(経口)] [末(外用)] [軟] ①本剤に対し過敏症の既往歴のある患者　②(経口，坐剤)乳児，幼児［メトヘモグロビン血症が報告されている］

[歯科用] ①本剤の成分又は安息香酸エステル系局所麻酔剤に対して，過敏症の既往歴のある患者　②メトヘモグロビン血症のある患者

その他の管理的事項

投与期間制限　該当しない

保険給付上の注意　該当しない

資料

IF　ハリケインゲル歯科用20%　2016年2月作成(第1版)
ビーゾカイン歯科用ゼリー20%　2017年10月改訂(第3版)

添付文書　ハリケインリキッド歯科用20%　2016年2月改訂(第4版)

アミノフィリン水和物
アミノフィリン注射液
Aminophylline Hydrate

概要

薬効分類　211　強心剤，225　気管支拡張剤

構造式

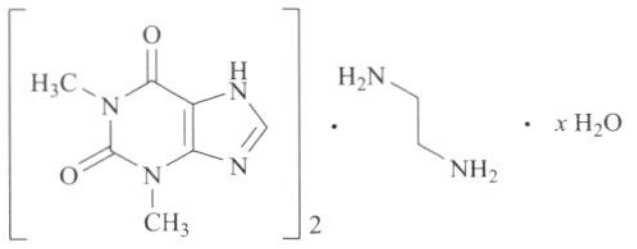

分子式　$(C_7H_8N_4O_2)_2 \cdot C_2H_8N_2 \cdot xH_2O$

ステム　N-メチルキサンチン誘導体：-fylline

原薬の規制区分　[劇](ただし，1個中アミノフィリンとして0.25g以下を含有するものを除く)

原薬の外観・性状　白色～微黄色の粒又は粉末で，においはないか，又は僅かにアンモニア様のにおいがあり，味は苦い．水にやや溶けやすく，メタノールに溶けにくく，エタノール(95)又はジエチルエーテルにほとんど溶けない．1gに水5mLを加えて振り混ぜるとき，ほとんど溶け，2～3分後，結晶が析出し始める．この結晶は少量のエチレンジアミンを追加するとき溶ける．光によって徐々に変化し，空気中に放置するとき，次第にエチレンジアミンを失う．1.0gを水25mLに溶かした液のpHは8.0～9.5である

原薬の吸湿性　該当資料なし

原薬の酸塩基解離定数　該当資料なし

先発医薬品等

[末] ネオフィリン原末(サンノーバ＝エーザイ)

[錠] ネオフィリン錠100mg(サンノーバ＝エーザイ)

[注] アプニション静注15mg(エーザイ)
アミノフィリン静注2.5%「ミタ」(キョーリンリメディオ＝杏林)
アミノフィリン注250mg「NP」(ニプロ)

アミノフィリン静注250mg・250mgPB「日新」(日新製薬)
アミノフィリン静注液250mg「ツルハラ」(鶴原)
アミノフィリン静注250mg「トーワ」(東和薬品)
アミノフィリン静注液250mg「日医工」(日医工)
キョーフィリン静注250mg(杏林)
ネオフィリン注250mg・注PL250mg(エーザイ)
キット ネオフィリン注点滴用バッグ250mg(エーザイ)

国際誕生年月 該当しない

海外での発売状況 米など世界各国

製剤

規制区分 **末** ㊥㊦ **錠** **注** ㊦

製剤の性状 **末** 白色～微黄色の粒又は粉末 **錠** 白色の割線ありの素錠 **注** 無色澄明な注射剤で，味は僅かに苦い．光によって徐々に変化する **注PL** 無色澄明な注射剤で，味はわずかに苦い **点滴用注** 無色澄明な注射剤

有効期間又は使用期限 3年

貯法・保存条件 **末** **錠** 室温保存．開栓後は遮光・防湿保存 **注** 室温保存．外箱開封後は遮光保存

薬剤取扱い上の留意点 **末** 配合変化が多いので，配合しないことが望ましい．直射日光に長時間さらすと次第にエチレンジアミンを失うとともに着色するので，直射日光にさらさないこと **錠** 配合変化が多いので，配合しないことが望ましい **注** 緩衝性が強く，他剤を本剤のpH域に近づける性質がある．したがって，アルカリ性で不安定な薬剤や酸性の薬剤等とは変化を生ずる場合があるので配合には注意すること

患者向け資料等 **末** **錠** 患者向医薬品ガイド，くすりのしおり **注** くすりのしおり

溶液及び溶解時のpH **注** 8.0～10.0

浸透圧比 **注** **注PL** 約0.4 **点滴用注** 約1(対生食)

調製時の注意 **注** ブドウ糖及び果糖液で希釈した場合，経時的に添加物のエチレンジアミンと糖含量が低下し，黄変を認める可能性があるため，調製後は速やかに使用すること．

薬理作用

分類 強心・喘息治療剤

作用部位・作用機序 テオフィリン2分子とエチレンジアミン1分子の塩であり，体内ではテオフィリンとして存在．テオフィリンの作用機序はホスホジジエステラーゼ阻害による細胞内c-AMPの増加，アデノシン受容体拮抗，細胞内Ca^{2+}の分布調節等の説がある

同効薬 テオフィリン，ジプロフィリン，プロキシフィリン

治療

効能・効果 **末** **錠** 気管支喘息，喘息性(様)気管支炎，閉塞性肺疾患(肺気腫，慢性気管支炎等)における呼吸困難，肺性心，うっ血性心不全，心臓喘息(発作予防)
15mg注 早産・低出生体重児における原発性無呼吸(未熟児無呼吸発作)
250mg注 **キット** 気管支喘息，喘息性(様)気管支炎，肺性心，うっ血性心不全，肺水腫，心臓喘息，チェーン・ストークス呼吸，閉塞性肺疾患(肺気腫，慢性気管支炎等)における呼吸困難，狭心症(発作予防)，脳卒中発作急性期

効能・効果に関連する使用上の注意 **15mg注** 原発性無呼吸に対する治療薬であるので，投与前に二次性無呼吸の除外診断を行う．二次性無呼吸を呈する患者には，原疾患に応じ適切な処置を行う

用法・用量 **末** **錠** アミノフィリンとして1日300～400mgを3～4回に分服(適宜増減)．小児1回2～4mg/kg，1日3～4回(適宜増減)
15mg注 アミノフィリン水和物として初回投与量4～6mg/kg，維持投与量2～6mg/kg/日を1日2～3回に分け，緩徐に静注．臨床症状，血中濃度に応じて適宜増減
250mg注 アミノフィリン水和物として1回250mg，1日1～2回生理食塩液又は糖液に希釈して5～10分を要して緩徐に静注，必要に応じて点滴静注(適宜増減)．小児1回3～4mg/kg静注．投与間隔は8時間以上とし，最高用量は1日12mg/kgを限度とする．必要に応じて点滴静注(適宜増減)
キット アミノフィリン水和物として1回250mg，1日1～2回，点滴静注(適宜増減)．小児1回3～4mg/kg点滴静注(適宜増減)．投与間隔は8時間以上とし，最高用量は1日12mg/kgを限度とする

用法・用量に関連する使用上の注意 **15mg注** 適宜増減の際にはテオフィリン有効血中濃度の上限である15μg/mLを超えないよう注意する．また，血中濃度の上限付近でも治療に反応しない場合は中止し，他の治療法への切り替えを考慮する **250mg注** **キット** 小児の気管支喘息に投与する場合の投与量，投与方法等については，学会のガイドライン等，最新の情報を参考に投与する

使用上の注意

禁忌 本剤又は他のキサンチン系薬剤に対し重篤な副作用の既往歴のある患者

相互作用概要 主としてCYP1A2で代謝される

過量投与 **末** **錠** **250mg注** **キット** ①症状：テオフィリン血中濃度が高値になると，血中濃度の上昇に伴い，消化器症状(特に悪心，嘔吐)や精神神経症状(頭痛，不眠，不安，興奮，痙攣，せん妄，意識障害，昏睡等)，心・血管症状(頻脈，心室頻拍，心房細動，血圧低下等)，低カリウム血症その他の電解質異常，呼吸促進，横紋筋融解症等の中毒症状が発現しやすくなる．なお，軽微な症状から順次発現することなしに重篤な症状が発現することがある ②処置：(1)**末** **錠** 過量投与時の処置には，テオフィリンの除去，出現している中毒症状に対する対症療法がある．消化管内に残存するテオフィリンの除去として催吐，胃洗浄，下剤の投与，活性炭の経口投与等があり，血中テオフィリンの除去として輸液による排泄促進，活性炭の経口投与，活性炭を吸着剤とした血液灌流，血液透析等がある．なお，テオフィリン血中濃度が低下しても，組織に分布したテオフィリンにより血中濃度が再度上昇することがある：(ア)痙攣，不整脈の発現がない場合：(a)服用後短時間しか経過していないと思われる場合，嘔吐を起こさせることが有効である．服用後1時間以内の患者では特に有効である (b)下剤を投与する．ただし，体液，電解質の異常に注意する (c)活性炭を反復投与し，テオフィリン血中濃度をモニターする (d)痙攣の発現が予測されるようなら，フェノバルビタール等の投与を考慮する．ただし，フェノバルビタールは呼吸抑制作用を示すことがあるので，使用に際しては注意する (イ)痙攣の発現がある場合：(a)気道を確保する (b)酸素を供給する (c)痙攣治療のためにジアゼパム静注等を行う．痙攣がおさまらない場合には全身麻酔薬投与を考慮する (d)バイタルサインをモニターする．血圧の維持及び十分な水分補給を行う (ウ)痙攣後に昏睡が残った場合：(a)気道を確保し，酸素吸入を行う (b)大口径の胃洗浄チューブを通じて下剤及び活性炭の投与を行う (c)テオフィリン血中濃度が低下するまでICU管理を継続し，十分な水分補給を続ける．活性炭を反復経口投与しても血中濃度が下がらない場合には，活性炭による血液灌流，血液透析も考慮する (エ)不整脈の発現がある場合：(a)不整脈治療としてペーシング，直流除細動，抗不整脈薬の投与等，適切な処置を行う (b)バイタルサインをモニターする．血圧の維持及び十分な水分補給を行う．また，電解質異常がある場合はその補正を行う (2)**250mg注** **キット** 過量投与時の処置には，テオフィリンの除去，出現している中毒症状に対する対症療法がある．血中テオフィリンの除去として輸液による排泄促進，活性炭の経口投与，活性炭を吸着剤とした血液灌流，血液透析等がある．なお，テオフィリン血中濃度が低下しても，組織に分布したテオフィリンにより血中濃度が再度上昇することがある：(ア)痙攣，不整脈の発現がない場合：(a)中止し，テオフィリン血中濃度をモニターする (b)痙攣の発現が予測されるようなら，フェノバルビタール等の投与を考慮する．ただし，フェノバルビタールは呼吸抑制作用を示すことがあるので，使用に際しては注意する (イ)痙攣の発現がある場合：(a)気道を確保する (b)酸

素を供給する (c)痙攣治療のためにジアゼパム静注等を行う．痙攣がおさまらない場合には全身麻酔薬投与を考慮する (d)バイタルサインをモニターする．血圧の維持及び十分な水分補給を行う (ウ)痙攣後に昏睡が残った場合：(a)気道を確保し，酸素吸入を行う (b)テオフィリン血中濃度が低下するまでICU管理を継続し，十分な水分補給を続ける．血中濃度が下がらない場合には，活性炭による血液灌流，血液透析も考慮する (エ)不整脈の発現がある場合：(a)不整脈治療としてペーシング，直流除細動，抗不整脈薬の投与等，適切な処置を行う (b)バイタルサインをモニターする．血圧の維持及び十分な水分補給を行う．また，電解質異常がある場合はその補正を行う **15mg注** ①症状：早産・低出生体重児においては，テオフィリン血中濃度が高値になると，血中濃度の上昇に伴い，消化器症状(嘔吐，下痢)や精神神経症状(興奮，痙攣，昏睡，振戦)，心・血管症状(頻脈，心室頻拍，血圧低下，心不全)，低カリウム血症，低ナトリウム血症，高血糖，呼吸促進等の中毒症状が発現しやすくなる．一方，小児・成人においては，消化器症状(特に悪心，嘔吐)や精神神経症状(頭痛，不眠，不安，興奮，痙攣，せん妄，意識障害，昏睡等)，心・血管症状(頻脈，心室頻拍，心房細動，血圧低下等)，低カリウム血症その他の電解質異常，呼吸促進，横紋筋融解症等の中毒症状が発現しやすくなる．なお，軽微な症状から順次発現することなしに重篤な症状が発現することがある ②処置：過量投与時の処置には，テオフィリンを除去する方法と，出現している中毒症状に対する対症療法がある．血中テオフィリンの除去として，活性炭の経口投与，活性炭を吸着剤とした血液灌流，血液透析，交換輸血等がある．なお，テオフィリン血中濃度が低下しても，組織に分布したテオフィリンにより血中濃度が再度上昇することがある：(1)痙攣の発現がある場合：気道を確保し，酸素を供給しながら，必要に応じて抗痙攣薬等(ジアゼパム静注等)の処置を行う (2)不整脈の発現がある場合：不整脈治療として抗不整脈薬の投与等，適切な処置を行う

薬物動態

末 **錠** **250mg注** **キット** **血中濃度** ①血漿中濃度推移：健康成人男子に末又は錠として1回100mg，1日4回6時間間隔(1日量400mg)で，13回連続経口投与時の血漿中濃度は，投与後2日間順次増加，3日目(48時間)以降はほぼ定常状態．最終投与時(13回目)の末及び錠による値(平均値±標準偏差)は最高血漿中濃度Cmax(μg/mL)9.05±1.06，8.62±1.26，到達時間Tmax(hr)1.38±0.52，1.43±0.53，半減期$T_{1/2}$(hr)9.25±1.67，9.61±1.65，血漿中濃度曲線下面積AUC(μg・hr/mL)44.68±5.97，42.7±5.79．健康成人男子(非喫煙者6例)に400mgを30分間単回点滴静注直後に最高血漿中濃度，消失半減期$T_{1/2}$(hr)9.51±1.05時間で血中から消失．Vd(L/kg)0.46±0.04，AUC(μg・hr/mL)187.4±19.1，CL(L/hr/kg)0.035±0.004．なお，非喫煙者に比べ喫煙者は，血中半減期が短縮する傾向があり，血中濃度曲線下面積は有意に低下($p<0.05$) ②TDM：有効血中濃度：成人8～20μg/mL．本剤の代謝に関与する主なP450分子種：CYP1A2 **血中濃度と臨床効果，副作用の関係** テオフィリン製剤の投与にあたっては，血中濃度を測定しながら投与量を調節することが望ましい．有効血中濃度は通常8～20μg/mLとされているが，血中濃度の上昇に伴い消化器症状等の副作用が発現しやすくなるので，投与量の設定にあたっては規定の用法・用量から開始し，症状をよく観察しながら徐々に増減する等，留意が必要．血中濃度(μg/mL)と副作用の関係は20～25では消化器系症状，心拍増加(100～119/分)．25～40では期外収縮を伴わない心拍増加(120/分以上)，呼吸促進，まれに不整脈又は痙攣．40～60では中枢症状，不整脈，痙攣．60以上では痙攣又は死亡

15mg注 **血中濃度** 低出生体重児19例．低出生体重児の在胎週数29.2±3.2(25-35)週，出生体重は1203±362(705-1750)g，修正週数(週)31.9±2.7(27-35)]に5mg/kgの用量で静注(ボーラス投与)時の血漿中テオフィリン濃度推移は，投与直後に平均11.7μg/mLの血漿中濃度を示したのち，1時間後までは速やかに減少し，その後はゆっくりと減少．テオフィリンの薬物動態パラメータ[( )内は範囲]は，$T_{1/2}$(hr)20.6±8.0(7.7-34)，Vd(L/kg)0.57±0.15(0.35-0.82)，CL(mL/kg/hr)23.5±14.2(9.3-51.8) **代謝・排泄** (外国人，早産・低出生体重児)尿中代謝物の割合は未変化のテオフィリン43～71%，1,3-ジメチル尿酸15～34%，1-メチル尿酸7.9～14%，3-メチルキサンチン0.1～1.3%，カフェイン6.5～11%，テオブロミン2～3.8%．小児・成人とは異なり，早産・低出生体重児では，肝薬物代謝酵素が未発達で，未変化のテオフィリンのまま腎から排泄される割合が高い．代謝に関与する主な代謝酵素は，小児・成人と同様にCYP1A2であると推察される．その他，代謝物として，小児・成人では認められないカフェイン・テオブロミンが検出 **TDM(外国人)** 有効血中濃度：5～15μg/mL **血中濃度と臨床効果，副作用との関係** テオフィリン製剤の投与にあたっては，テオフィリン血中濃度を測定しながら投与量を調節することが望ましい．多くの児では，投与開始から6～10日で定常状態に至るが，有効血中濃度に達していない場合でも慎重に投与する．有効血中濃度は通常5～15μg/mL(中毒域：20μg/mL以上)とされているが，血中濃度の上昇に伴い中枢神経興奮症状や消化器症状等の副作用が発現しやすくなるので，症状をよく観察しながら投与する必要がある．また，血中には代謝物であるカフェインがテオフィリン濃度の約1/3(1/8～1/2)存在するため，テオフィリン血中濃度が有効血中濃度の範囲内であっても，カフェインが臨床効果及び副作用の発現に影響する可能性がある．これらのことから，症状をよく観察しながら投与する必要がある **胎盤通過性(参考；外国人)** 母体の血清中テオフィリン濃度が9.69±1.62μg/mL(9例)のとき，臍帯血の血清中テオフィリン濃度は10.21±1.71μg/mL(12例) **乳汁移行性(参考；外国人)** 母体の血清中テオフィリン濃度と母乳中テオフィリン濃度比は約1：0.7(4例)

その他の管理的事項

投与期間制限 該当しない

保険給付上の注意 該当しない

資料

IF ネオフィリン原末・錠100mg 2015年11月改訂(第9版)
ネオフィリン注250mg・注PL250mg・注点滴用バッグ 2020年11月改訂(第17版)

アムホテリシンB
アムホテリシンB錠
アムホテリシンBシロップ
注射用アムホテリシンB
Amphotericin B

概要

薬効分類 617 主としてカビに作用するもの

構造式

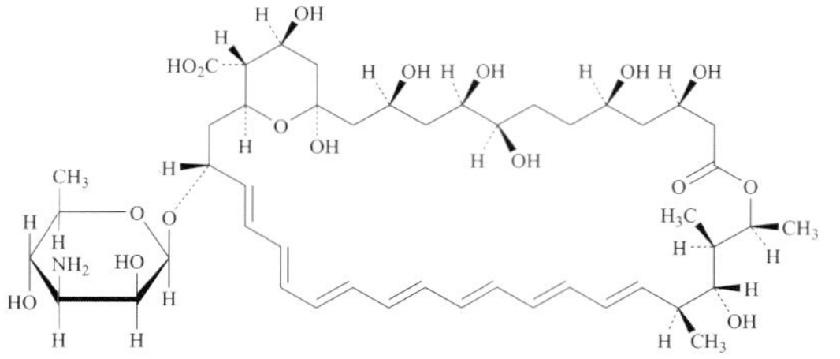

分子式 $C_{47}H_{73}NO_{17}$

分子量 924.08

略語・慣用名 AMPH-B

ステム 不明

原薬の規制区分 毒(ただし，注射剤以外の製剤であって1錠又は1mL中アムホテリシンB100mg力価以下を含有するものは劇)

原薬の外観・性状 黄色～橙色の粉末である．ジメチルスルホキシドに溶けやすく，水又はエタノール(95)にほとんど溶けない

原薬の吸湿性 該当資料なし

原薬の融点・沸点・凝固点 融点：170℃(分解)

原薬の酸塩基解離定数 $pKa_1=5.7$, $pKa_2=10.0$

先発医薬品等

錠 ハリゾン錠100mg(富士製薬)

シ ハリゾンシロップ100mg/mL(富士製薬)
ファンギゾンシロップ100mg/mL(クリニジェン)

注射用 アムビゾーム点滴静注用50mg(大日本住友)
ファンギゾン注射用50mg(クリニジェン)

国際誕生年月 1958年3月

海外での発売状況 **点滴静注用** 米，英など

製剤

規制区分 **錠** **シ** 劇 処 **注射用** **点滴静注用** 毒 処

製剤の性状 **錠** 黄色の裸錠 **シ** うすいだいだい色の濃ちょうな懸濁液で，オレンジよう芳香があり，味は甘い **注射用** 黄色～黄褐色の粉末で用時溶解して用いる粉末の注射剤．アムホテリシンBは水に不溶性なため，可溶化剤としてデスオキシコール酸ナトリウムを配合した注射用製剤．本剤の水溶液は澄明であるが，チンダル現象が確認されるコロイド分散液であり，食塩液中では混濁する **点滴静注用** 黄色の塊又は粉末

有効期間又は使用期限 **錠** **シ** **注射用** 2年 **点滴静注用** 3年

貯法・保存条件 **錠** 室温保存 **シ** 遮光・室温保存 **注射用** 遮光・15℃以下に保存 **点滴静注用** 凍結を避け25℃以下に保存

薬剤取扱い上の留意点 **注射用** 溶解液(アムホテリシンB 5mg/mL)は遮光し，冷蔵庫に保存し，なるべく早く使用すること **点滴静注用** ①添付フィルターはアルコールを含む消毒剤で拭かないこと〔接続部分にひび割れが生じる可能性がある〕 ②10mL以下の注射筒を使用しないこと〔フィルターに過剰に圧力がかかり，最大使用圧力を超えることがある〕 ③可塑剤としてDEHP〔di-(2-ethylhexyl)phthalate；フタル酸ジ-2-エチルヘキシル〕を含むポリ塩化ビニル製の輸液セット等を使用した場合，DEHPが製剤中に溶出するので，DEHPを含まない輸液セット等を使用することが望ましい

患者向け資料等 **錠** **シ** **点滴静注用** くすりのしおり

溶液及び溶解時のpH **シ** 5.0～7.0 **注射用** 7.2～8.0(0.1mg/mL水溶液) **点滴静注用** 5.0～6.0(4mg/mL注射用水)

浸透圧比 **注射用** 約1(0.1mg/mL5%ブドウ糖液)

安定なpH域 **シ** 5.0～7.0 **注射用** 7.2～8.0

調製時の注意 **注射用** **点滴静注用** 注意：溶解剤として，生理食塩液等の電解質溶液を使用しないこと(沈殿が生じる) **注射用** 糖尿病患者でブドウ糖液が使用できない場合は，キシリトール輸液等の非電解質液の使用を考慮すること **点滴静注用** 本品1バイアル〔50mg(力価)〕中に注射用水12mLを加えて，直ちに振とうし，均一な黄色の半透明な液になるまで激しく振り混ぜる．溶解にあたっては注射用水のみを使用すること．希釈にあたっては，必ず5%ブドウ糖注射液を使用すること

薬理作用

分類 ポリエンマクロライド系抗真菌性抗生物質

作用部位・作用機序 感受性真菌の膜成分であるエルゴステロールと結合することにより膜障害をおこし，細胞質成分の漏出が生じてその真菌を死滅させる

同効薬 ナイスタチン，フルシトシン，ミコナゾール，イトラコナゾール，フルコナゾール，ミカファンギンナトリウム，ボリコナゾール

治療

効能・効果 **錠** **シ** 消化管におけるカンジダ異常増殖

注射用〔ファンギゾン〕 〈有効菌種〉アスペルギルス，カンジダ，ムコール，クリプトコッカス，ブラストマイセス，ヒストプラズマ，コクシジオイデス，ホルモデンドラム，ヒアロホーラ，ホルミシチウム 〈適応症〉前記真菌による深在性感染症

注射用〔アムビゾーム〕 ①真菌感染症：アスペルギルス属，カンジダ属，クリプトコッカス属，ムーコル属，アブシジア属，リゾプス属，リゾムーコル属，クラドスポリウム属，クラドヒアロホーラ属，ホンセカエア属，ヒアロホーラ属，エクソフィアラ属，コクシジオイデス属，ヒストプラズマ属及びブラストミセス属による次の感染症：真菌血症，呼吸器真菌症，真菌髄膜炎，播種性真菌症 ②真菌感染が疑われる発熱性好中球減少症 ③リーシュマニア症

効能・効果に関連する使用上の注意 **注射用〔アムビゾーム〕** ①真菌感染症：(1)アゾール系抗真菌薬等が十分奏効するような軽症のカンジダ感染症に対しては，他剤を第一選択薬として使用することを考慮する (2)クロモブラストミコーシス(黒色分芽菌症)に対する有効性は確立されていない ②真菌感染が疑われる発熱性好中球減少症：(1)本剤は次の3条件を満たす症例に投与する：(ア)1回の検温で38℃以上の発熱，又は1時間以上持続する37.5℃以上の発熱 (イ)好中球数が500/mm^3未満の場合，又は1000/mm^3未満で500/mm^3未満に減少することが予測される場合 (ウ)適切な抗菌薬投与を行っても解熱せず，抗真菌薬の投与が必要と考えられる場合 (2)発熱性好中球減少症の患者への投与は，発熱性好中球減少症の治療に十分な経験をもつ医師のもとで，本剤の投与が適切と判断される症例についてのみ実施する (3)発熱性好中球減少症に投与する場合には，投与前に適切な培養検査等を行い，起炎菌を明らかにする努力を行う．起炎菌が判明した際には，本剤投与継続の必要性を検討する

用法・用量 **錠** **シ** アムホテリシンBとして1回100mg(力価)，1日2～4回食後(適宜増減)．小児にはシロップを1回50～100mg(力価)，1日2～4回食後

注射用〔ファンギゾン〕 ①静注：1バイアル(50mg)中に注射用水又は5%ブドウ糖注射液10mLで溶解し，溶液が透明になるまでゆっくりと振とうする．さらに5%ブドウ糖注射液で500mL以上に希釈(0.1mg/mL以下)して使用．1日0.25mg(力価)/kgから開始し，次回から症状を観察しながら漸増し，

1日0.5mg(力価)/kgを点滴静注するが，投与量は1日1mg(力価)/kg，又は隔日1.5mg(力価)/kgまで．副作用の発現のため投与困難な場合には，初回量は1日1mg(力価)から開始し，症状を観察しながら漸増し，1日総量50mg(力価)までを連日又は隔日1回点滴静注．点滴静注は3〜6時間以上かけて徐々に行う．患者の症状，状態に応じて適宜用量を調節する　②気管内注入：1バイアル(50mg)を注射用水10mLに溶解し，その0.2〜4mL(1〜20mg)をさらに注射用水約10mLに希釈(0.1〜2mg/mL)して用いる．初回量は1日1mg(力価)又は5〜10mg(力価)から開始し，漸次増量し，1日10〜20mg(力価)を隔日1回気管内に注入　③胸膜内注入：気管内注入と同じ要領で溶解した液を，初回量は1日1mg(力価)から開始し，漸次増量し，5〜20mg(力価)を週1〜3回，胸水排除後，胸腔内に注入　④髄腔内注入：1バイアル(50mg)を注射用水10mLに溶解し，その0.2〜4mL(1〜20mg)をさらに注射用水20〜30mLに適宜希釈して用いる．1回0.25〜1mg(力価)を採取髄液量を超えない液量で漸増法により1日1回，隔日又は3日ごとに徐々に注入　⑤膀胱内注入：膀胱内の尿を排除し，15〜20mg(力価)を注射用水100mLに溶解，1日1〜2回尿道カテーテルを通して直接注入する．注入後薬剤は1時間以上(できれば2〜3時間)膀胱内にとどめておく　⑥皮内注：1バイアル(50mg)を2%プロカイン10mLに溶かし，その0.1〜0.4mL〔0.5〜2mg(力価)〕を病巣皮内及び皮下に分注する．1回の総量は50mg(力価)を限度とし，10〜30日の間隔で行う　⑦吸入：1バイアル(50mg)を注射用水10〜20mLで溶解し，1回2.5〜5mg/mLを1日2〜5回吸入．1〜2カ月継続して行う

注射用〔アムビゾーム〕 効能①：アムホテリシンBとして2.5mg(力価)/kgを1日1回，1〜2時間以上かけて点滴静注(適宜増減)．1日総投与量は5mg(力価)/kgまで．ただし，クリプトコッカス髄膜炎では，1日総投与量は6mg(力価)/kgまで投与できる　効能②：アムホテリシンBとして2.5mg(力価)/kgを1日1回，1〜2時間以上かけて点滴静注　効能③：免疫能の正常な患者には，投与1〜5日目の連日，14日目及び21日目にそれぞれ1日1回アムホテリシンBとして2.5mg(力価)/kg，1〜2時間以上かけて点滴静注．免疫不全状態の患者には，投与1〜5日目の連日，10日目，17日目，24日目，31日目及び38日目にそれぞれ1日1回アムホテリシンBとして4.0mg(力価)/kg，1〜2時間以上かけて点滴静注

用法・用量に関連する使用上の注意　**注射用〔ファンギゾン〕** ①静注においては，副作用発現により投与困難な場合があるので，初回は試験的に1mg(力価)を5%ブドウ糖注射液20mLに溶解し20〜30分かけて投与し，30分ごとに体温，脈拍，呼吸，血圧を2〜4時間観察することが望ましい　②静注においては，1日総投与量は体重1kgあたり1.5mg(力価)を超えない　③静注においては，休薬後7日以上を経て投与を再開する場合には用法・用量欄の記載に従い初回量から再開する

注射用〔アムビゾーム〕 ①投与時関連反応(発熱，悪寒，悪心，嘔吐，頭痛，背部痛，骨痛等)が発現した場合は，点滴を一時中断し，患者の様子をみながら点滴速度を遅らせて投与を再開する等の措置をとる．投与時関連反応の予防あるいは治療法には，点滴速度を遅らせるか，ジフェンヒドラミン，アセトアミノフェン及びヒドロコルチゾン等の投与が有効であるとの報告がある　②投与量に相関して副作用の発現率が上昇するため，高用量を投与する場合には十分注意する　③注射液の調製法：本品1バイアル〔50mg(力価)〕中に注射用水12mLを加えて，ただちに振とうし，均一な黄色の半透明な液になるまで激しく振り混ぜる．溶解にあたっては注射用水のみを使用する(詳しい調製方法は添付文書参照)．このアムホテリシンB 4mg(力価)/mLの薬液を必要量シリンジに採取し，添付のフィルター(孔径5μm)を取り付け，フィルターろ過しながら薬液を5%ブドウ糖注射液(2.5mg/kg/日未満投与の場合100mL，2.5mg/kg/日以上投与の場合250mLが望ましい)で希釈して使用する．希釈にあたっては，必ず5%ブドウ糖注射液を使用する

使用上の注意

禁忌　①本剤の成分に対し過敏症の既往歴のある患者　②**注射用〔アムビゾーム〕** 白血球を輸注中の患者

過量投与　**錠**　**シ** 高用量でも消化管からほとんど吸収されないため，通常，過量投与で全身障害が発現することはない　**注射用〔ファンギゾン〕** 過量投与により，心停止，呼吸停止が起こることがある．過量投与の疑いがある場合には，中止し，患者の状態(心肺・腎・肝機能，血液学的状態，血清電解質)を観察し，適切な処置を行う．なお，本剤は血液透析によって除去できない　**注射用〔アムビゾーム〕** 過量投与による毒性は明らかではない(ただし，米国臨床試験では小児患者では10mg/kg，成人患者では15mg/kgまでの忍容性は確認されている)．過量投与した場合はただちに中止し対症療法を開始，腎機能，肝機能，電解質，血液学的状態に注意して観察する．血液透析や腹膜透析では，本剤は体内から除去されないと思われる

薬物動態

シ 経口投与しても消化管からはほとんど吸収されない

注射用[ファンギゾン] **血中濃度(外国人)**　約0.5mg/kg/dayを連続投与時，平均最高血漿中濃度は0.5〜2μg/mL．初期血漿中半減期は約24時間で消失半減期は約15日．乳幼児及び小児における薬物動態のデータは少ない　**分布**　血漿蛋白結合率：血漿蛋白と高度に(>90%)結合し，ほとんど透析されない．投与後の血漿中濃度の約2/3が炎症性の胸膜，腹膜，滑膜及び房水中に認められている．なお，脳脊髄液中からはほとんど検出されない．また正常もしくは炎症性の髄膜，硝子体及び正常の羊水にはほとんど移行しない．組織内分布については解明されていないが，主に肝組織に蓄積されるとの報告がある　**排泄**　腎臓からきわめて緩徐に排泄され，2〜5%は生物学的活性体として排泄．また消失速度が遅いため，中止後3〜4週間尿中に検出．胆汁排泄が重要な排泄経路である可能性もあるが，代謝経路について他に詳細な報告はない．血中濃度は腎機能及び肝機能による影響を受けない

注射用[アムビゾーム] **血中濃度**　①日本人による成績(成人)：深在性真菌症患者31例に1mg/kg/日，2.5mg/kg/日及び5mg/kg/日を1時間かけて静注時の薬物動態パラメータ(1mg(13例)，2.5mg(9例)，5mg(9例)の順)は，Cmax(μg/mL)5.96±3.02，16.19±7.41，45.71±20.14，$T_{1/2}$(h)8.3±2.0，9.8±8.0，7.0±1.4，$AUC_{0\text{-}24}$(μg・h/mL)55.5±39.0，138.5±56.5，390.3±223.2，平均滞留時間(MRT)(h)11.3±3.2，13.7±12.4，9.9±1.9，クリアランス(Cl)(mL/h/kg)26±18，19±13，18±17，分布容積(Vd)(L/kg)0.30±0.25，0.21±0.13，0.18±0.16で，Cmax及び$AUC_{0\text{-}24}$は用量増につれ増加，特に5mg/kg/日投与群で一段と増加傾向．半減期($T_{1/2}$)は用量による一定の変化はみられなかった．また，深在性真菌症患者8例において，限外ろ過によりアムホテリシンBの血漿中での存在形態を検討した結果，リポソーム型，蛋白結合型及びフリー体としての存在比率はそれぞれ89.1±15.1，10.1±13.9及び0.8±1.1%で，ほとんどがリポソーム型として血漿中に存在　②外国人による成績(米国)：(1)成人：発熱性好中球減少症患者33例を対象に，1mg/kg/日，2.5mg/kg/日，5mg/kg/日及び7.5mg/kg/日を1時間かけて静注時の薬物動態パラメータ(1mg(8例)，2.5mg(7例)，5mg(12例)，7.5mg(6例)の順)は，Cmax(μg/mL)7.3±3.8，17.2±7.1，57.6±21.0，83.7±43.0，$T_{1/2}$(h)10.7±6.4，8.1±2.3，6.4±2.1，8.5±3.9，$AUC_{0\text{-}24}$(μg・h/mL)27±14，65±33，269±96，476±371，平均滞留時間(MRT)(h)12.2±6.8，8.0±1.0，8.2±2.0，9.5±3.2，クリアランス(Cl)(mL/h/kg)39±22，51±44，21±14，25±22，分布容積(Vd)(L/kg)0.44±0.27，0.40±0.37，0.16±0.10，0.18±0.10で，Cmax及び$AUC_{0\text{-}24}$は用量増につれ増加，半減期($T_{1/2}$)には用量による一定の変化はみられなかった　(2)小児：免疫不全状態にある小児の発熱性好中球減少症あるいは侵襲性真菌感染症の患者に対し，2.5mg/kg/日及び5mg/kg/日を1時間かけて静

注時の薬物動態パラメータ(2.5mg(10例), 5mg(13例)の順)は, Cmax(μg/mL)15.1±9.0, 46.2±46.7, $T_{1/2}$(h)8.8±2.1(8例), 12.6±8.4, AUC_{0-24}(μg・h/mL)54.7±32.9, 351±445, クリアランス(Cl)(mL/h/kg)38±13(8例), 45±38, 分布容積(Vd)(L/kg)0.47±0.18(8例), 0.86±0.86で, 成人と大きな差はなかった. 注)本剤の承認された1日用量はアムホテリシンBとして2.5mg(力価)/kg(ただし, 免疫不全状態のリーシュマニア症患者においては4mg(力価)/kg). なお, 真菌感染症においては, 患者の症状に応じて5mg(力価)/kgまで投与できる(ただし, クリプトコッカス髄膜炎においては6mg(力価)/kgまで) **分布(参考)** ラット(1及び9mg/kg)及びイヌ(1mg/kg)に単回静注時の臓器中アムホテリシンB濃度は, 細網内皮系臓器である肝臓, 脾臓で高く, 消失は緩やか **代謝** 健康成人(外国人)に2mg/kgを1回静注, 代謝物の存在を調査したが, アムホテリシンBの代謝物の存在は確認できなかった. ラット及びイヌの肝S9では, 種々の補酵素添加系においても明確な代謝反応は認められず, 本剤を静注時の各種臓器, 排泄物及び屍体ホモジネートを分析時のHPLCクロマトグラムには代謝物と考えられるピークは検出されなかった(参考) **排泄** 健康成人(外国人)に^{14}C-コレステロール脂質標識体2mg/kgを1回静注した結果, 投与後1週間までにアムホテリシンBの約10%が尿中及び糞便中に排泄され, 血漿中のアムホテリシンBと併せて24.0%が確認された. 胆汁導出ラットに3mg/kgを単回静注時, 投与後72時間までのアムホテリシンBの累積排泄率は, 尿中4.3%, 胆汁中5.9%で, 肝臓中アムホテリシンB残存率は投与量の60.1%. 肝障害モデルラットでのアムホテリシンBの血漿クリアランスは, 対照動物に比べ約4分の1に低下したが, 腎障害モデルラットでは対照動物と差がなかったことから, 本剤のクリアランスには主に肝臓が関与し, 腎臓の関与は小さいと考えられた(参考)

その他の管理的事項

投与期間制限 該当しない

保険給付上の注意 該当しない

資料

IF　ハリゾン錠100mg　2017年9月改訂(第7版)
　ファンギゾンシロップ100mg/mL　2020年4月改訂(第8版)
　ファンギゾン注射用50mg　2020年4月改訂(第8版)
　アムビゾーム点滴静注用50mg　2018年9月改訂(第10版)

アムロジピンベシル酸塩
アムロジピンベシル酸塩錠
アムロジピンベシル酸塩口腔内崩壊錠
Amlodipine Besilate

概要

薬効分類 217　血管拡張剤

構造式

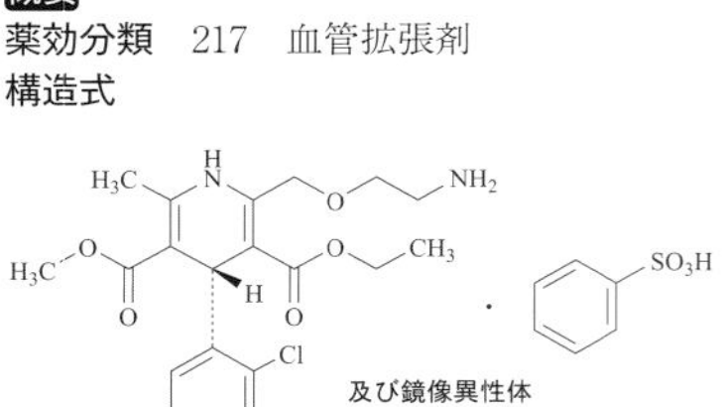

及び鏡像異性体

分子式 $C_{20}H_{25}ClN_2O_5 \cdot C_6H_6O_3S$

分子量 567.05

ステム ニフェジピン系カルシウムチャネル拮抗薬：-dipine

原薬の規制区分 ㊢(ただし, 1錠中アムロジピンベシル酸塩として13.87mg以下を含有するものは㊦)

原薬の外観・性状 白色〜帯黄白色の結晶性の粉末である. メタノールに溶けやすく, エタノール(99.5)にやや溶けにくく, 水に溶けにくい. 本品のメタノール溶液(1→100)は旋光性を示さない

原薬の吸湿性 吸湿平衡測定法により各種相対湿度槽(43〜92%, 25℃)に7日間保存したときの吸湿増量を測定した結果, 吸湿性は認められなかった

原薬の融点・沸点・凝固点 融点：約198℃(分解)

原薬の酸塩基解離定数 pKa＝8.85(中和滴定法)

先発医薬品等

錠 アムロジン錠2.5mg・5mg・10mg(大日本住友)
アムロジンOD錠2.5mg・5mg・10mg(大日本住友)
ノルバスク錠2.5mg・5mg・10mg(ファイザー)
ノルバスクOD錠2.5mg・5mg・10mg(ファイザー)

後発医薬品

錠 2.5mg・5mg・10mg・OD錠2.5mg・5mg・10mg
内用フィルム 2.5mg・5mg

国際誕生年月 1989年3月

海外での発売状況 米, 英, 仏を含む119カ国

製剤

規制区分 **錠** ㊦ ㊇

製剤の性状 **2.5mg錠** 白色のフィルムコーティング錠 **5・10mg錠** 白色の割線入りフィルムコーティング錠 **2.5mg口腔内崩壊錠** 淡黄色の素錠 **5・10mg口腔内崩壊錠** 淡黄色の割線入り素錠

有効期間又は使用期限 **2.5・5mg錠** 4年 **10mg錠** **口腔内崩壊錠** 3年

貯法・保存条件 **錠** 室温保存 **口腔内崩壊錠** 気密容器, 室温保存

薬剤取扱い上の留意点 降圧作用に基づくめまい等が現れることがあるので, 高所作業, 自動車の運転等危険を伴う機械を操作する際には注意させること **口腔内崩壊錠** アルミピロー開封後は湿気を避けて保存すること. 瓶の開封後は湿気, 光を避けて保存すること

患者向け資料等 くすりのしおり

調製時の注意 該当しない

薬理作用

分類 ジヒドロピリジン系Ca拮抗薬

作用部位・作用機序 主として血管平滑筋における膜電位依存性Caチャンネルに直接作用し, 細胞内へのCa流入を抑制し, 血管の収縮を抑制

同効薬 ニフェジピン, アゼルニジピン, ニカルジピン, ニソルジピン, ニトレンジピン, マニジピン, ベニジピンなどのジヒドロピリジン系Ca拮抗薬

治療

効能・効果 ①高血圧症 ②狭心症

効能・効果に関連する使用上の注意 効果発現が緩徐であるため, 緊急な治療を要する不安定狭心症には効果が期待できない

用法・用量 効能①：(1)成人にはアムロジピンとして1日1回2.5〜5mg(適宜増減). 効果不十分な場合には1日1回10mgまで増量することができる (2)**錠** **口腔内崩壊錠** **2.5mg・5mg** **内用ゼリー** 6歳以上の小児には, アムロジピンとして1日1回2.5mg(適宜増減) 効能②：アムロジピンとして1日1回5mg(適宜増減)

用法・用量に関連する使用上の注意 **2.5mg・5mg錠** 6歳以上の小児は, 1日5mgを超えない

禁忌・原則禁忌となる特定患者集団 妊婦又は妊娠している可能性のある女性

使用上の注意

禁忌 ①妊婦又は妊娠している可能性のある女性 ②ジヒドロピリジン系化合物に対し過敏症の既往歴のある患者

相互作用概要 主としてCYP3A4が関与していると考えられて

いる

過量投与 ①症状：過度の末梢血管拡張により，ショックを含む著しい血圧低下と反射性頻脈を起こすことがある ②処置：特異的な解毒薬はない．本剤は蛋白結合率が高いため，透析による除去は有効ではない．また，本剤服用直後に活性炭を投与した場合，本剤のAUCは99%減少し，服用2時間後では49%減少したことから，本剤過量投与時の吸収抑制処置として活性炭投与が有効であると報告されている

薬物動態

錠 **口腔内崩壊錠** **血中濃度** ①単回投与：健康成人に普通錠又は口腔内崩壊錠2.5mg又は5mgを単回経口投与時の血清中アムロジピン濃度推移及び薬物動態パラメータ（口腔内崩壊錠2.5mg（24例），普通錠2.5mg（24例），口腔内崩壊錠5mg（23例），普通錠5mg（23例）の順）は，Tmax（hr）6.0±0.8，5.8±1.0，5.6±1.0，5.5±1.4，Cmax（ng/mL）1.13±0.25，1.23±0.26，2.51±0.66，2.81±0.40，AUC（ng・hr/mL）37.1±10.2，38.0±10.1，84.3±20.8，84.8±15.0，$T_{1/2}$（hr）37.8±6.8，36.5±4.2，36.2±5.0，35.4±7.4（クロスオーバー法）．血清中アムロジピン濃度は用量に比例して推移し，いずれの投与量においても投与後約6時間で最高血清中濃度，血清中濃度半減期は長かった．また，口腔内崩壊錠と普通錠は生物学的に同等であることが確認された．また，健康成人20例（平均年齢32.1歳）に10mgを単回投与時の血漿中濃度のTmax，Cmax，$AUC_{0-\infty}$及び$T_{1/2}$は，それぞれ9.3時間，5.84ng/mL，298ng・hr/mL及び35.1時間で，外国人と同様 ②反復投与：健康成人6例（平均年齢33.5歳）に2.5mgを1日1回14日間反復投与時の血清中アムロジピン濃度は，投与6～8日後に定常状態，以後の蓄積は認められなかった．最終投与日（14日目）のCmax及びAUC_{0-24hr}はそれぞれ3.5ng/mL及び61.8ng・hr/mL，初回投与時（1.4ng/mL及び19.3ng・hr/mL）の約3倍．投与中止後血清中濃度は漸減，投与中止5日目には0.24ng/mL **吸収** 食事の影響：健康成人に5mgを空腹時又は食後単回経口投与時の薬物動態パラメータに有意差は認められず，アムロジピンの吸収に及ぼす食事の影響は少ないものと考えられる（クロスオーバー法） **分布** 血漿蛋白結合率：ヒト血漿蛋白との結合率は97.1%（*in vitro*，平衡透析法） **代謝** 健康成人16例に5mgを単回経口投与時，24時間までに認められた主たる尿中代謝体はジヒドロピリジン環の酸化したピリジン環体及びその酸化的脱アミノ体 **排泄** 尿中排泄：健康成人6例に2.5mg又は5mgを単回経口投与時，尿中に未変化体として排泄される割合は小さく，いずれの投与量においても尿中未変化体排泄率は投与後24時間までに投与量の約3%，144時間までに約8%．また2.5mgを1日1回14日間連続投与時の尿中排泄率は投与開始6日目でほぼ定常状態，6日目以降の1日当たりの未変化体の尿中排泄率は6.3～7.4%．健康成人2例に^{14}C-標識アムロジピン15mgを単回経口投与時，投与12日目までに投与放射能の59.3%は尿中，23.4%は糞中に排泄され，投与後72時間までの尿中放射能の9%が未変化体．その他に9種の代謝物が認められた（外国人データ）．なお，これら代謝物にはアムロジピンをしのぐ薬理作用は認められていない **特定の背景を有する患者** ①肝機能障害患者：成人肝硬変患者（Child分類A，B）5例に2.5mgを単回投与時の血中濃度推移並びに薬物動態パラメータ（肝機能障害患者（5例），健常成人（6例）の順）は，Tmax（hr）7.2±1.2，7.3±0.4，Cmax（ng/mL）1.9±0.2，1.64±0.07，$AUC_{0-\infty}$（ng・hr/mL）104.0±15.5，68.1±5.4，$T_{1/2}$（hr）43.0±8.0，33.3±2.2で，健康成人に比し投与72時間後の血中濃度が有意に上昇，$T_{1/2}$，AUCはやや高値を示したが有意差は認められなかった ②小児：高血圧症患者に1日1.25～20mgを連続投与した母集団薬物動態試験の結果，クリアランス（平均値）は，6～12歳（34例）で24.9L/hr，13～17歳（28例）で27.9L/hrと推定，成人における値と同様（外国人データ）．注）小児患者において本剤の承認された1日通常用量は2.5mg ③高齢者：老年高血圧症患者6例（男2，女4，平均年齢79.7歳）に5mgを単回及び8日間反復投与時の血漿中濃度推移並びに薬物動態パラメータ（高齢高血圧患者単回投与，高齢高血圧患者連続投与，若年健常者単回投与，若年健常者連続投与の順）は，Cmax（ng/mL）4.24±0.08，14.9±2.2，2.63±0.35，7.51±0.32，Tmax（hr）7.2±0.49，8.0±1.8，6.7±0.42，8.0±0.7，$T_{1/2}$（hr）37.5±6.0，47.4±11.3，27.7±4.6，34.7±2.7，AUC_{0-48}（ng・hr/mL）116.9±8.4，－，63.2±5.5，－で，単回投与した場合，若年健康成人（男6，平均年齢22.3歳）に比しCmax，AUCは有意に高値を示したが，$T_{1/2}$に有意差は認められなかった．反復投与時には老年者の血清中アムロジピン濃度は若年者よりも高く推移したが，そのパターンは若年者に類似しており，老年者でその蓄積が増大する傾向は認められなかった

その他の管理的事項

投与期間制限 該当しない

保険給付上の注意 該当しない

資料

IF ノルバスク錠2.5mg・5mg・10mg・OD錠2.5mg・5mg・10mg 2020年8月改訂（第22版）

アモキサピン
Amoxapine

概要

薬効分類 117 精神神経用剤

構造式

分子式 $C_{17}H_{16}ClN_3O$

分子量 313.78

ステム 三環系抗うつ薬：-apine

原薬の規制区分 劇

原薬の外観・性状 白色～淡黄白色の結晶又は結晶性の粉末である．酢酸（100）に溶けやすく，エタノール（95）又はジエチルエーテルに溶けにくく，水にほとんど溶けない

原薬の吸湿性 ほとんど認められない

原薬の融点・沸点・凝固点 融点：178～182℃

原薬の酸塩基解離定数 該当資料なし

先発医薬品等

細 アモキサン細粒10%（ファイザー）

カ アモキサンカプセル10mg・25mg・50mg（ファイザー）

国際誕生年月 1973年6月

海外での発売状況 該当資料なし

製剤

規制区分 **細** **カ** 劇 処

製剤の性状 **細** 微黄白色～淡黄白色の細粒剤 **10mgカ** 淡赤褐色の硬カプセル剤 **25mgカ** 淡赤褐色と白色のツートンの硬カプセル剤 **50mgカ** 白色の硬カプセル剤

有効期間又は使用期限 3年

貯法・保存条件 室温保存

薬剤取扱い上の留意点 眠気，注意力・集中力・反射運動能力等の低下が起こることがあるので，本剤投与中の患者には，自動車の運転等危険を伴う機械の操作に従事させないよう注意すること

患者向け資料等 患者向医薬品ガイド，くすりのしおり

薬理作用

分類　ジベンズオキサゼピン誘導体三環系抗うつ剤

作用部位・作用機序　うつ病・うつ状態に対する作用機序の一つとして，脳神経細胞への遊離カテコールアミンの再取り込みを阻害することにより，シナプスにおけるカテコールアミンの濃度を上昇させる

同効薬　イミプラミン，アミトリプチリンなど

治療

効能・効果　うつ病・うつ状態

効能・効果に関連する使用上の注意　抗うつ剤の投与により，24歳以下の患者で，自殺念慮，自殺企図のリスクが増加するとの報告があるため，投与にあたっては，リスクとベネフィットを考慮する

用法・用量　1日25～75mgを1～数回に分服．効果不十分と判断される場合には1日150mg，症状が特に重篤な場合には1日300mgまで増量することもある

使用上の注意

禁忌　①閉塞隅角緑内障の患者［抗コリン作用により眼圧が上昇し，症状を悪化させることがある］　②三環系抗うつ剤に対し過敏症の患者　③心筋梗塞の回復初期の患者［循環器系に影響を及ぼすことがあるので，心筋梗塞を増悪させるおそれがある］　④モノアミン酸化酵素阻害剤を投与中又は投与中止後2週間以内の患者［発汗，不穏，全身痙攣，異常高熱，昏睡等が現れることがある］

過量投与　①徴候・症状：痙攣(てんかん重積状態を含む)，昏睡，膵炎，QT延長及びアシドーシスが現れることがある．また，数日後に横紋筋融解に伴う急性腎尿細管壊死及びミオグロビン尿を合併し急性腎不全が現れることがある　②処置：特に痙攣の発現に注意し，対症療法及び補助療法を行う．患者に意識がある場合はできるだけ速やかに嘔吐させ，その後胃洗浄を行う．また，活性炭を繰り返し投与し，薬物の吸収を阻害し排出を促進する

薬物動態

血中濃度　健常成人14例に10%細粒0.5g又はカプセル50mgを1回経口投与時の未変化体の血清中濃度は投与1～1.5時間後に最高値(細粒46.7±16.4ng/mL，カプセル43.8±20.8ng/mL)に達し，24時間後にほとんど消失．また体内主要代謝物8-ヒドロキシアモキサピンの血清中濃度は投与1.5～2.5時間後に最高値(細粒37.3±11.9ng/mL，カプセル33±11.7ng/mL)に達し，24時間後にも比較的高値　**代謝・排泄**　健常成人26例にカプセル50mgを1回経口投与時の血中濃度は投与1.46時間後に最高(34.8ng/mL)．体内において大部分が8-ヒドロキシアモキサピンに代謝され，未変化体及び8-ヒドロキシアモキサピンの血中半減期はそれぞれ約8時間及び30時間．また未変化体及びその代謝物は主として尿中へグルクロン酸抱合体として排泄され，尿中排泄率は48時間で43%(アメリカ)

その他の管理的事項

投与期間制限　該当しない

保険給付上の注意　該当しない

資料

IF　アモキサン細粒10%・カプセル10mg・25mg・50mg　2020年6月改訂(第16版)

アモキシシリン水和物
アモキシシリンカプセル
Amoxicillin Hydrate

概要

薬効分類　613　主としてグラム陽性・陰性菌に作用するもの

構造式

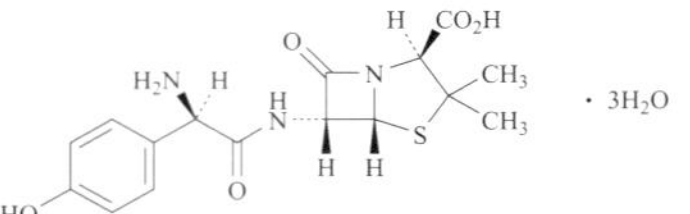

分子式　$C_{16}H_{19}N_3O_5S \cdot 3H_2O$

分子量　419.45

略語・慣用名　AMPC

ステム　6-アミノペニシラン酸系抗生物質：-cillin(x)

原薬の規制区分　該当しない

原薬の外観・性状　白色～淡黄白色の結晶又は結晶性の粉末である．水又はメタノールに溶けにくく，エタノール(95)に極めて溶けにくい

原薬の吸湿性　37℃で91%RH以下，48時間では水分約13%でほとんど吸湿しないが，37℃で96%RH，48時間では水分約15%となり吸湿する

原薬の融点・沸点・凝固点　融点：約195℃(分解)

原薬の酸塩基解離定数　pKa'$_1$＝約2.6(-COOH)，pKa'$_2$＝約7.3(-NH_2)，pKa'$_3$＝約9.7(-OH)

先発医薬品等

- **細** サワシリン細粒10%(LTL)
  パセトシン細粒10%(アスペン)
- **錠** サワシリン錠250(LTL)
- **カ** サワシリンカプセル125・250(LTL)
  パセトシンカプセル125(アスペン)

後発医薬品

- **細** 10%・20%
- **カ** 125mg・250mg

国際誕生年月　1972年3月

海外での発売状況　英など28カ国

製剤

規制区分　**細**　**錠**　**カ**　㊈

製剤の性状　**細** うすいだいだい色の細粒で芳香があり，味は甘い　**錠** うすいだいだい色の素錠　**カ** 褐色/白色の硬カプセル剤

有効期間又は使用期限　**細** 2年　**錠**　**カ** 3年

貯法・保存条件　防湿・室温保存

薬剤取扱い上の留意点　該当しない

患者向け資料等　くすりのしおり

溶液及び溶解時のpH　該当しない

浸透圧比　該当しない

安定なpH域　該当しない

調製時の注意　該当しない

薬理作用

分類　広範囲スペクトル合成ペニシリン系抗生物質

作用部位・作用機序　部位：細菌の細胞壁　機序：①ペニシリンは細菌の細胞壁を合成するペプチドグリカン生合成の最終過程であるペプタイド転移酵素(trans-peptidase)とD-アラニン-カルボキシペプチダーゼ(D-Ala-carboxypeptidase)反応とを阻害すると考えられている　②*Penicillinase*によってアンピシリンと同程度水解され不安定であるが，*Cephalosporinase*に対してはアンピシリンと同様安定　③殺菌作用はアンピシリンより強い　④ブドウ球菌属，レンサ球菌属，肺炎球菌，腸球菌属等のグラム陽性菌，及び淋菌，大腸菌，プロテウス・ミラビリス，インフルエンザ菌等のグラ

ム陰性菌に対し抗菌作用．作用形式は殺菌的で，殺菌作用はアンピシリンより強い

同効薬　アンピシリン水和物

治療

効能・効果　**細(アモリンを除く)**〈適応菌種〉本剤に感性のブドウ球菌属，レンサ球菌属，肺炎球菌，腸球菌属，淋菌，大腸菌，プロテウス・ミラビリス，インフルエンザ菌，ヘリコバクター・ピロリ，梅毒トレポネーマ　〈適応症〉①表在性皮膚感染症，深在性皮膚感染症，リンパ管・リンパ節炎，慢性膿皮症，外傷・熱傷及び手術創等の二次感染，びらん・潰瘍の二次感染，乳腺炎，骨髄炎，咽頭・喉頭炎，扁桃炎，急性気管支炎，肺炎，慢性呼吸器病変の二次感染，膀胱炎，腎盂腎炎，前立腺炎(急性症，慢性症)，精巣上体炎(副睾丸炎)，淋菌感染症，梅毒，子宮内感染，子宮付属器炎，子宮旁結合織炎，涙嚢炎，麦粒腫，中耳炎，歯周組織炎，歯冠周囲炎，顎炎，猩紅熱　②胃潰瘍・十二指腸潰瘍におけるヘリコバクター・ピロリ感染症

錠　カ　細(アモリン)〈適応菌種〉本剤に感性のブドウ球菌属，レンサ球菌属，肺炎球菌，腸球菌属，淋菌，大腸菌，プロテウス・ミラビリス，インフルエンザ菌，ヘリコバクター・ピロリ，梅毒トレポネーマ　〈適応症〉①表在性皮膚感染症，深在性皮膚感染症，リンパ管・リンパ節炎，慢性膿皮症，外傷・熱傷及び手術創等の二次感染，びらん・潰瘍の二次感染，乳腺炎，骨髄炎，咽頭・喉頭炎，扁桃炎，急性気管支炎，肺炎，慢性呼吸器病変の二次感染，膀胱炎，腎盂腎炎，前立腺炎(急性症，慢性症)，精巣上体炎(副睾丸炎)，淋菌感染症，梅毒，子宮内感染，子宮付属器炎，子宮旁結合織炎，涙嚢炎，麦粒腫，中耳炎，歯周組織炎，歯冠周囲炎，顎炎，猩紅熱　②胃潰瘍・十二指腸潰瘍・胃MALTリンパ腫・特発性血小板減少性紫斑病・早期胃癌に対する内視鏡的治療後胃におけるヘリコバクター・ピロリ感染症，ヘリコバクター・ピロリ感染胃炎

効能・効果に関連する使用上の注意　**細(アモリンを除く)**咽頭・喉頭炎，扁桃炎，急性気管支炎，中耳炎への使用にあたっては，「抗微生物薬適正使用の手引き」を参照し，抗菌薬投与の必要性を判断した上で，投与が適切と判断される場合に投与する

錠　カ　細(アモリン)①咽頭・喉頭炎，扁桃炎，急性気管支炎，中耳炎への使用にあたっては，「抗微生物薬適正使用の手引き」を参照し，抗菌薬投与の必要性を判断した上で，投与が適切と判断される場合に投与する　②進行期胃MALTリンパ腫に対するヘリコバクター・ピロリ除菌治療の有効性は確立していない　③特発性血小板減少性紫斑病に対しては，ガイドライン等を参照し，ヘリコバクター・ピロリ除菌治療が適切と判断される症例にのみ除菌治療を行う　④早期胃癌に対する内視鏡的治療後胃以外には，ヘリコバクター・ピロリ除菌治療による胃癌の発症抑制に対する有効性は確立していない　⑤ヘリコバクター・ピロリ感染胃炎に用いる際には，ヘリコバクター・ピロリが陽性であること及び内視鏡検査によりヘリコバクター・ピロリ感染胃炎であることを確認する

用法・用量　**細(アモリンを除く)**①ヘリコバクター・ピロリ感染を除く感染症：⑴成人：1回250mg(力価)，1日3～4回服用(適宜増減)　⑵小児：1日20～40mg(力価)/kgを3～4回に分服(適宜増減)．1日量として最大90mg(力価)/kgを超えない　②胃潰瘍・十二指腸潰瘍におけるヘリコバクター・ピロリ感染症：⑴本剤，クラリスロマイシン及びランソプラゾール併用の場合：本剤1回750mg(力価)，クラリスロマイシンとして1回200mg(力価)及びランソプラゾールとして1回30mgの3剤を同時に1日2回，7日間．なお，クラリスロマイシンは，必要に応じて適宜増量することができる．ただし，1回400mg(力価)1日2回を上限とする　⑵本剤，クラリスロマイシン及びラベプラゾールナトリウム併用の場合：本剤1回750mg(力価)，クラリスロマイシンとして1回200mg(力価)及びラベプラゾールナトリウムとして1回10mgの3剤を同時に1日2回，7日間．なお，クラリスロマイシンは，必要に応じて適宜増量することができる．ただし，1回400mg(力価)1日2回を上限とする

錠　カ　細(アモリン)①ヘリコバクター・ピロリ感染を除く感染症：⑴成人：1回250mg(力価)，1日3～4回服用(適宜増減)　⑵小児：1日20～40mg(力価)/kgを3～4回に分服(適宜増減)．1日量として最大90mg(力価)/kgを超えない　②ヘリコバクター・ピロリ感染症，ヘリコバクター・ピロリ感染胃炎：⑴本剤，クラリスロマイシン及びプロトンポンプインヒビター併用の場合：本剤1回750mg(力価)，クラリスロマイシンとして1回200mg(力価)及びプロトンポンプインヒビターの3剤を同時に1日2回，7日間．なお，クラリスロマイシンは，必要に応じて適宜増量することができる．ただし，1回400mg(力価)1日2回を上限とする　⑵本剤，クラリスロマイシン及びプロトンポンプインヒビター併用によるヘリコバクター・ピロリの除菌治療が不成功の場合：本剤1回750mg(力価)，メトロニダゾール1回250mg及びプロトンポンプインヒビターの3剤を同時に1日2回，7日間

用法・用量に関連する使用上の注意　**細(アモリンを除く)**①使用にあたっては，耐性菌の発現等を防ぐため，原則として感受性を確認し，疾病の治療上必要な最少限の期間の投与にとどめる　②高度の腎障害のある患者には，投与量を減らすか，投与間隔をあけて投与する等，慎重に投与する

錠　カ　細(アモリン)①使用にあたっては，耐性菌の発現等を防ぐため，原則として感受性を確認し，疾病の治療上必要な最少限の期間の投与にとどめる　②高度の腎障害のある患者には，投与量を減らすか，投与間隔をあけて投与する等，慎重に投与する　③ヘリコバクター・ピロリ感染症，ヘリコバクター・ピロリ感染胃炎に用いる場合，プロトンポンプインヒビターはランソプラゾールとして1回30mg，オメプラゾールとして1回20mg，ラベプラゾールナトリウムとして1回10mg，エソメプラゾールとして1回20mg又はボノプラザンとして1回20mgのいずれか1剤を選択する

使用上の注意

禁忌　①本剤の成分に対し過敏症の既往歴のある患者　②伝染性単核症の患者［発疹の発現頻度を高めるおそれがある］

薬物動態

本剤単剤投与時　①吸収：健常人に250mg(56例)及び500mg(49例)を経口投与時の血中濃度の推移は添付文書参照　②分布：⑴体組織への分布(参考：ラット)：100mg/kg経口投与時，1時間後の分布は肝臓＞腎臓＞血清＞脾臓＞肺＞心臓の順　⑵移行性：授乳婦に500mg単回投与後の母乳中移行は2～6時間後でtrace～0.6μg/mL．その他の組織へは喀痰，胆汁中，骨髄内，臍帯血，羊水へ移行　⑶蛋白結合率(*in vitro*)：16～25%(ヒト血清)　③代謝：健常人5例に500mgを経口投与時，尿中代謝物としてペニシロ酸(penicilloic acid)が24時間までに20.7%排泄　④排泄：健常人に250mg及び500mgを経口投与時，6時間までに未変化体が，250mg投与で52.9%(31例の平均値)，500mg投与で46.2%(25例の平均値)尿中排泄　**クラリスロマイシン及びプロトンポンプインヒビター併用時**　①本剤，クラリスロマイシン及びランソプラゾール併用の場合：健常人6例に1回本剤1g(本剤の承認用量は1回750mgであり，承認用量と異なる)，クラリスロマイシン400mg及びランソプラゾール30mgの3剤を同時に経口投与(絶食下)時，本剤の薬物動態学的パラメータはCmax10.05±1.62μg/mL，Tmax1.67±0.52hr，$T_{1/2}$1.0±0.2hr，AUC29.04±7.15μg・hr/mL．3剤併用時の3剤各々の血中濃度は単独投与時とほぼ同様の推移．また，健常人7例に3剤を同様の用量で同時に1日2回7日間反復経口投与時，薬物動態に変化は認められていない　②本剤，クラリスロマイシン及びオメプラゾール併用の場合：健常人11例(※は3例)に1回本剤750mg，クラリスロマイシン400mg及びオメプラゾール20mgの3剤を同時に1日2回7日間反復経口投与時，最終投与後の本剤の薬物動態学的パラメータはCmax5.6878±1.7574μg/mL，Tmax4.2±

1.1hr, $T_{1/2}$1.15±0.14hr※, $AUC_{0-\infty}$27.069±10.002μg・hr/mL※ ③本剤, クラリスロマイシン及びラベプラゾールナトリウム併用の場合：健常人19例に1回本剤750mg, クラリスロマイシン400mg及びラベプラゾールナトリウム20mgを1日2回7日間反復経口投与時(計12回, 第1日目及び第7日目は1日1回朝経口投与(絶食下)), 本剤の血中濃度パラメータは, Cmax9.86±2.79μg/mL, Tmax1.63±0.37hr, $T_{1/2}$(16例)1.09±0.19hr, AUC_{0-12}(16例)25.82±5.41μg・hr/mL

その他の管理的事項

投与期間制限 該当しない

保険給付上の注意 該当しない

資料

IF サワシリン細粒10%・錠250・カプセル125・250 2019年11月改訂(第29版)

アモスラロール塩酸塩
アモスラロール塩酸塩錠
Amosulalol Hydrochloride

概要

薬効分類 214 血圧降下剤

構造式

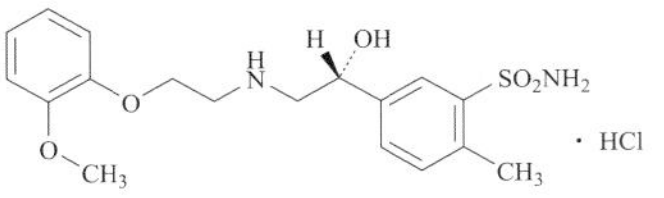

及び鏡像異性体

分子式 $C_{18}H_{24}N_2O_5S \cdot HCl$

分子量 416.92

ステム β-アドレナリン受容体拮抗薬：-alol(-olol)

原薬の規制区分 劇(ただし, 1個中アモスラロールとして18.25mg以下を含有する内用剤を除く)

原薬の外観・性状 白色の結晶又は結晶性の粉末で, 味は苦い. ギ酸に極めて溶けやすく, メタノールに溶けやすく, 水又はエタノール(99.5)にやや溶けにくい. 本品のメタノール溶液(1→100)は旋光性を示さない

原薬の吸湿性 吸湿性があり相対湿度が高くなると吸湿率も高くなるが, いずれの保存条件でも3日でほぼ恒量に達する

原薬の融点・沸点・凝固点 融点：158～162℃

原薬の酸塩基解離定数 pKa＝7.72(第二アミン), 10.04(スルホンアミド)

先発医薬品等

錠 ローガン錠10mg(LTL)

国際誕生年月 1988年3月

海外での発売状況 韓国

製剤

規制区分 錠 処

製剤の性状 錠 白色のフィルムコーティング錠

有効期間又は使用期限 3年

貯法・保存条件 気密容器, 室温保存

薬剤取扱い上の留意点 めまい・立ちくらみ等が現れることがあるので高所作業, 自動車の運転等危険を伴う機械の作業に注意させること. 褐色細胞腫の手術時に使用する場合を除き, 手術前24時間は投与しないことが望ましい

患者向け資料等 くすりのしおり

溶液及び溶解時のpH 該当しない

浸透圧比 該当しない

安定なpH域 該当しない

調製時の注意 該当しない

薬理作用

分類 α・β遮断剤

作用部位・作用機序 部位：心・血管系のα_1受容体, β受容体 機序：①ラット, イヌを用いた実験でα_1受容体遮断作用とβ受容体遮断作用を同程度に併せもつ. また, ウサギ, ラット, モルモットの摘出臓器を用いた実験でα_1受容体を選択的に遮断することが確認されている ②血圧降下作用は, 選択的α_1受容体遮断作用により血管の緊張を緩和するためと考えられる. また, 血圧降下に基づく反射性頻脈や血漿レニン活性の亢進はβ受容体遮断作用により抑制されていると考えられる

同効薬 ラベタロール塩酸塩, アロチノロール塩酸塩

治療

効能・効果 本態性高血圧症, 褐色細胞腫による高血圧症

用法・用量 1日20mgから開始し, 効果不十分な場合は1日60mgまで漸増し, 1日2回に分服(適宜増減)

禁忌・原則禁忌となる特定患者集団 妊婦又は妊娠している可能性のある婦人

使用上の注意

禁忌 ①心原性ショックのある患者［心臓のポンプ機能が低下するおそれがある］ ②高度の徐脈(著しい洞性徐脈), 房室ブロック(II, III度), 洞房ブロックのある患者［陽性変時作用, 陽性変伝導作用を抑制するおそれがある］ ③うっ血性心不全のある患者［心臓のポンプ機能が低下するおそれがある］ ④糖尿病性ケトアシドーシス, 代謝性アシドーシスのある患者［心筋収縮力の抑制を増強するおそれがある］ ⑤肺高血圧による右心不全のある患者［心臓のポンプ機能低下により, 症状が悪化するおそれがある］ ⑥気管支喘息, 気管支痙攣のおそれのある患者［喘息症状の誘発及び悪化を招くおそれがある］ ⑦妊婦又は妊娠している可能性のある婦人

薬物動態

血中濃度 健常成人に12.5(2例), 25(2例), 50(4例), 100(4例), 150(6例)mg経口投与後の吸収は極めてよく, 血漿中未変化体濃度は2～4時間後に最高値, 消失半減期4～6時間. ヒトでは初回通過効果をほとんど受けない **代謝, 排泄** 健常成人に50mg経口投与24時間後までの尿中排泄は未変化体30.1%, 代謝物(o-methoxyphenoxy環の水酸化物の硫酸抱合体)12.7%

その他の管理的事項

投与期間制限 該当しない

保険給付上の注意 該当しない

資料

IF ローガン錠10mg 2018年9月改訂(第14版)

アモバルビタール
Amobarbital

概要

薬効分類 112 催眠鎮静剤, 抗不安剤

構造式

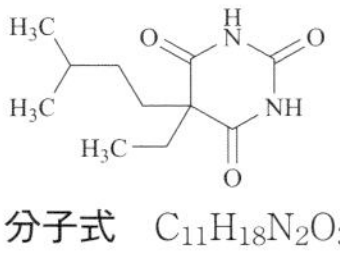

分子式 $C_{11}H_{18}N_2O_3$

分子量 226.27

略語・慣用名 アミタール

ステム 催眠剤, バルビツール酸誘導体：-barb

原薬の規制区分 劇 向II 習

原薬の外観・性状 白色の結晶又は結晶性の粉末で, においは

なく，味は僅かに苦い．エタノール(95)，アセトン又はジエチルエーテルに溶けやすく，クロロホルムにやや溶けにくく，水にほとんど溶けない．水酸化ナトリウム試液又は炭酸ナトリウム試液に溶ける．本品の飽和水溶液のpHは5.0〜5.6である

原薬の吸湿性　該当資料なし

原薬の融点・沸点・凝固点　融点：157〜160℃

原薬の酸塩基解離定数　該当資料なし

先発医薬品等

末 イソミタール原末(日本新薬)

国際誕生年月　不明

海外での発売状況　米，仏を含む6カ国

製剤

規制区分　末 劇 向Ⅱ 習 処

製剤の性状　末 白色の結晶又は結晶性の粉末で，においはなく，味は僅かに苦い

有効期間又は使用期限　5年

貯法・保存条件　気密容器，室温保存

薬剤取扱い上の留意点　本剤投与中の患者には，自動車の運転等危険を伴う機械の操作に従事させないよう注意すること

患者向け資料等　患者向医薬品ガイド，くすりのしおり

溶液及び溶解時のpH　該当しない

浸透圧比　該当しない

安定なpH域　該当しない

調製時の注意　該当資料なし

薬理作用

分類　バルビツール酸系化合物

作用部位・作用機序　大脳皮質及び脳幹網様体の上行性賦活系に対して強く作用し，求心性刺激による皮質ニューロンの賦活を抑制

同効薬　バルビタール，フェノバルビタールなど

治療

効能・効果　不眠症，不安緊張状態の鎮静

用法・用量　①不眠症：1日0.1〜0.3g就寝前　②不安緊張状態の鎮静：1日0.1〜0.2gを2〜3回に分服(適宜増減)

用法・用量に関連する使用上の注意　不眠症には，就寝の直前に服用させる．また，服用して就寝した後，睡眠途中において一時的に起床して仕事等をする可能性があるときは服用させない

使用上の注意

禁忌　①バルビツール酸系化合物に対し過敏症の患者　②急性間歇性ポルフィリン症の患者［症痛や精神神経症状等，本症の急性症状を誘発することがある］

相互作用概要　主としてCYP3Aを誘導することが示唆されている

薬物動態

経口投与で全消化管から容易に吸収，体内の各組織及び体液に分布．一般に脳，腎及び肝に高濃度に分布．投与量の33〜51%はヒドロキシ体に代謝され尿中排泄．未変化体は4〜5日間，ヒドロキシ体は6〜9日間にわたって尿中に検出(日本人のデータではない)

その他の管理的事項

投与期間制限　14日

保険給付上の注意　該当しない

資料

IF　イソミタール原末　2019年3月改訂(第5版)

アラセプリル
アラセプリル錠
Alacepril

概要

薬効分類　214　血圧降下剤

構造式

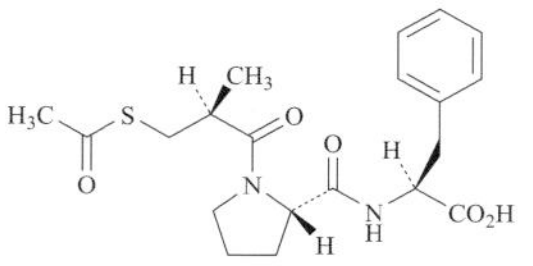

分子式　$C_{20}H_{26}N_2O_5S$

分子量　406.50

ステム　アンジオテンシン変換酵素(ACE)阻害薬：-pril

原薬の規制区分　該当しない

原薬の外観・性状　白色の結晶又は結晶性の粉末である．メタノールに溶けやすく，エタノール(95)にやや溶けやすく，水に溶けにくい．水酸化ナトリウム試液に溶ける

原薬の吸湿性　認められない

原薬の融点・沸点・凝固点　融点：153〜157℃

原薬の酸塩基解離定数　pKa＝3.8(中和滴定法)

先発医薬品等

錠 セタプリル錠25mg(大日本住友)

後発医薬品

錠 12.5mg・25mg・50mg

国際誕生年月　1988年3月

海外での発売状況　韓国

製剤

規制区分　錠 処

製剤の性状　12.5・50mg錠 白色の両面割線入りの素錠　25mg錠 白色の片面割線入りの素錠

有効期間又は使用期限　3年

貯法・保存条件　気密容器，室温保存

薬剤取扱い上の留意点　降圧作用に基づくめまい，ふらつきが現れることがあるので，高所作業，自動車の運転など危険を伴う機械を操作する際には注意させること．手術前24時間は投与しないことが望ましい

患者向け資料等　患者向医薬品ガイド，くすりのしおり

溶液及び溶解時のpH　該当しない

浸透圧比　該当しない

安定なpH域　該当しない

調製時の注意　該当しない

薬理作用

分類　持続性ACE阻害降圧剤

作用部位・作用機序　部位：血管組織，腎臓　機序：経口投与後，デアセチルアラセプリルとカプトプリルに変換されて作用を発現．*in vivo*においてACEを阻害することにより昇圧系(レニン・アンジオテンシン・アルドステロン系)を抑制，血管収縮物質であるアンジオテンシンⅡの産生を抑制して末梢血管の緊張を低下させ，またアルドステロンの産生を低下させて循環血漿流量を減少させることなどにより，全末梢血管抵抗を低下させる．また，キニナーゼⅡを阻害することにより降圧系(カリクレイン・キニン・プロスタグランジン系)を亢進させる．すなわち，ブラジキニンの分解を抑制することによりその濃度を高め，直接あるいはプロスタグランジンを介して全末梢血管拡張あるいは腎臓を介する水電解質代謝を亢進させる

同効薬　イミダプリル塩酸塩，キナプリル塩酸塩，テモカプリル塩酸塩，デラプリル塩酸塩，ベナゼプリル塩酸塩，カプトプリル，シラザプリル，トランドラプリル，ペリンドプリル

エルブミン，エナラプリルマレイン酸塩，リシノプリルなど

治療

効能・効果　本態性高血圧症，腎性高血圧症

用法・用量　1日25～75mg，1～2回に分服（適宜増減）．重症例でも1日最大量100mgまで

用法・用量に関連する使用上の注意　重篤な腎機能障害のある患者では，活性代謝物の血中濃度が上昇し，過度の血圧低下，腎機能の悪化が起こるおそれがあるので，血清クレアチニン値が3mg/dLを超える場合には，投与量を減らすか又は投与間隔を延ばす等，慎重に投与する

禁忌・原則禁忌となる特定患者集団　妊婦又は妊娠している可能性のある婦人

使用上の注意

禁忌　①本剤の成分に対し過敏症の既往歴のある患者　②血管浮腫の既往歴のある患者（アンジオテンシン変換酵素阻害剤等の薬剤による血管浮腫，遺伝性血管浮腫，後天性血管浮腫，特発性血管浮腫等）［高度の呼吸困難を伴う血管浮腫を発現することがある］　③デキストラン硫酸固定化セルロース，トリプトファン固定化ポリビニルアルコール又はポリエチレンテレフタレートを用いた吸着器によるアフェレーシスを施行中の患者［ショックを起こすことがある］　④アクリロニトリルメタリルスルホン酸ナトリウム膜（AN69）を用いた血液透析施行中の患者［アナフィラキシー様症状が発現することがある］　⑤妊婦又は妊娠している可能性のある婦人　⑥アリスキレンを投与中の糖尿病患者（ただし，他の降圧治療を行ってもなお血圧のコントロールが著しく不良の患者を除く）［非致死性脳卒中，腎機能障害，高カリウム血症及び低血圧のリスク増加が報告されている］

薬物動態

血中濃度　健康成人に遊離型カプトプリルを空腹時25mg1回投与，50mg1回投与でのTmax（hr）は1，0.5，Cmax（ng/mL）は86.1，150，$T_{1/2}$（hr）はいずれも1～2．本態性高血圧症患者（7例）に非空腹時25mgを1回経口投与時，遊離型カプトプリル及び総カプトプリルのTmax（hr）は3.4±0.2，3.9±0.4，Cmax（ng/mL）は71.9±11，305.9±66.2，$T_{1/2}$（hr）は2.6±0.6，7.2±0.9．健康成人（8例）に非空腹時100mgを1回経口投与時，遊離型デアセチルアラセプリル及び総デアセチルアラセプリルのTmax（hr）は2.4±1.4，3.9±2.9，Cmax（ng/mL）は23.6±14，64.3±13.3，$T_{1/2}$（hr）は3.7，4.9　**吸収率（参考）**　約67％（ラット）　**血漿蛋白結合率**　約61％（健康成人，空腹時50mg投与1時間後）　**主な代謝産物及び代謝経路**　①主な代謝産物：カプトプリル（活性あり），デアセチルアラセプリル（活性あり）　②代謝経路：アラセプリルは体内で脱アセチル化され，デアセチルアラセプリルとなり，次いでフェニルアラニンを遊離し，カプトプリルに至る．デアセチルアラセプリルとカプトプリルは生体内で蛋白質等とジスルフィド結合を行う　**排泄経路及び排泄率**　①排泄経路：主として尿中　②排泄率：投与後24時間までに60～70％が遊離型カプトプリル及びジスルフィド結合体として尿中排泄（健康成人）　**効果発現時間**　投与後約1時間（本態性高血圧症患者，非空腹時25mg1回投与）　**腎機能障害患者における薬物動態**［血清クレアチニン2～8.7mg/dL（平均4.4mg/dL）の患者（9例）及び健康成人（7例），空腹時50mg1回投与］①血漿中濃度（腎障害者，健康成人の順）：遊離型カプトプリル，（　）内総カプトプリルの順：Tmax（hr）1.1±0.2，1±0.2（2.8±0.4，1.6±0.4），Cmax（ng/mL）239±33，226±53（1433±142，764±73），$T_{1/2}$（hr）1.6±0.2，1.5±0.1（18.3±3.8，5±0.1），AUC（ng・hr/mL）763±56，861±47（21006±2269，4056±395）　②排泄率（総カプトプリル尿中排泄率（％）（0～24時間））：腎障害者34.5±3.4，健康成人59.2±2.8

その他の管理的事項

投与期間制限　該当しない

保険給付上の注意　該当しない

資料

IF　セタプリル錠12.5mg・25mg・50mg　2017年10月改訂（第21版）

L－アラニン
L-Alanine

概要

構造式

H_3C　CO_2H
H　NH_2

分子式　$C_3H_7NO_2$

分子量　89.09

原薬の規制区分　該当しない

原薬の外観・性状　白色の結晶又は結晶性の粉末で，味は僅かに甘い．水又はギ酸に溶けやすく，エタノール（99.5）にほとんど溶けない．6mol/L塩酸試液に溶ける．1.0gを水20mLに溶かした液のpHは5.7～6.7である

アリメマジン酒石酸塩
Alimemazine Tartrate

概要

薬効分類　441　抗ヒスタミン剤

構造式

CH₃ CH₃ N CH₃ N S ・ OH HO₂C CO₂H OH

分子式　$(C_{18}H_{22}N_2S)_2 \cdot C_4H_6O_6$

分子量　746.98

ステム　不明

原薬の規制区分　㊀（ただし，1個中アリメマジンとして25mg以下を含有する内用剤及び0.2％以下を含有する内用液剤を除く）

原薬の外観・性状　白色の粉末で，においはなく，味は苦い．水又は酢酸（100）に溶けやすく，エタノール（95）にやや溶けにくく，ジエチルエーテルにほとんど溶けない．1.0gを水50mLに溶かした液のpHは5.0～6.5である．光によって徐々に着色する

原薬の吸湿性　該当資料なし

原薬の融点・沸点・凝固点　融点：159～163℃

原薬の酸塩基解離定数　該当資料なし

先発医薬品等

シ　アリメジンシロップ0.05％（ニプロファーマ＝第一三共）

国際誕生年月　該当資料なし

海外での発売状況　英，仏など

製剤

製剤の性状　シ　赤色の澄明な濃稠液で，芳香（ストロベリー臭）がある

有効期間又は使用期限　3年

貯法・保存条件　遮光・室温保存

薬剤取扱い上の留意点　眠気を催すことがあるので，本剤投与

中の患者には自動車の運転等危険を伴う機械の操作には従事させないよう十分注意すること

患者向け資料等　くすりのしおり

溶液及び溶解時のpH　[シ] 2.5～3.2

調製時の注意　該当しない

[薬理作用]

分類　フェノチアジン系抗ヒスタミン剤

作用部位・作用機序　部位：①中枢神経系　②末梢神経系（ヒスタミンH_1受容体）　機序：①抗ヒスタミン作用　②皮膚そう痒に対して中枢性に作用

同効薬　ジフェンヒドラミン塩酸塩，クロルフェニラミンマレイン酸塩，メキタジンなど

[治療]

効能・効果　①皮膚疾患に伴うそう痒（湿疹，皮膚そう痒症，小児ストロフルス，中毒疹，咬刺症）　②蕁麻疹　③感冒等上気道炎に伴うくしゃみ・鼻汁・咳嗽　④アレルギー性鼻炎

用法・用量　小児1回投与例：10～12歳3.5mL，7～9歳3mL，4～6歳2mL，2～3歳1.5mL，1歳1mL

[使用上の注意]

禁忌　①フェノチアジン系化合物又はその類似化合物に対し過敏症の既往歴のある患者　②昏睡状態の患者又はバルビツール酸誘導体・麻酔薬等の中枢神経抑制薬の強い影響下にある患者［中枢神経抑制作用を有するため，呼吸抑制等が現れるおそれがある］　③閉塞隅角緑内障の患者［抗コリン作用を有するため，症状が悪化するおそれがある］　④前立腺肥大等，下部尿路に閉塞性疾患のある患者［抗コリン作用を有するため，排尿障害等が現れるおそれがある］

[薬物動態]

血中濃度，排泄　（参考（海外データ））患者に^{35}S-アリメマジン酒石酸塩5mg（カプセル）を経口投与し，放射能濃度を測定したところ，投与後4～5時間で最高血清中濃度（約0.12μg/mL）に達し，投与後24時間での尿中排泄率は約50%

[その他の管理的事項]

投与期間制限　該当しない

保険給付上の注意　該当しない

[資料]

IF　アリメジンシロップ0.05%　2020年4月改訂（第10版）

亜硫酸水素ナトリウム
Sodium Bisulfite

[概要]

分子式　$NaHSO_3$

分子量　104.06

原薬の規制区分　該当しない

原薬の外観・性状　白色の粒又は粉末で，二酸化硫黄のにおいがある．水に溶けやすく，エタノール（95）又はジエチルエーテルにほとんど溶けない．水溶液（1→20）は酸性である．空気又は光によって徐々に変化する

乾燥亜硫酸ナトリウム
Dried Sodium Sulfite

[概要]

分子式　Na_2SO_3

分子量　126.04

原薬の規制区分　該当しない

原薬の外観・性状　白色の結晶又は粉末で，においはない．水に溶けやすく，エタノール（95）又はジエチルエーテルにほとんど溶けない．1.0gを水10mLに溶かした液のpHは約10である．湿った空気中で徐々に変化する

アルガトロバン水和物
Argatroban Hydrate

[概要]

薬効分類　219　その他の循環器官用薬

構造式

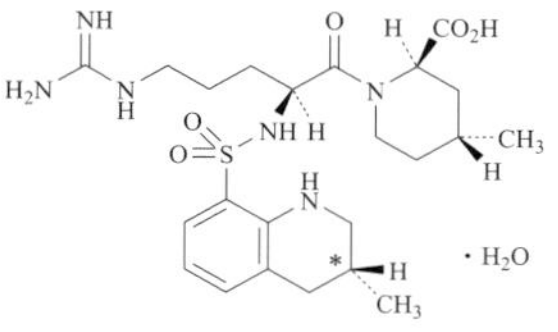

及びC*位エピマー

分子式　$C_{23}H_{36}N_6O_5S \cdot H_2O$

分子量　526.65

略語・慣用名　アルギピジン（argipidine）

ステム　トロンボキサンA_2受容体拮抗薬；抗トロンビン剤：-troban

原薬の規制区分　該当しない

原薬の外観・性状　白色の結晶又は結晶性の粉末で，味は苦い．酢酸（100）に溶けやすく，メタノールにやや溶けにくく，エタノール（99.5）に溶けにくく，水に極めて溶けにくい．光によって徐々に分解する

原薬の吸湿性　0～90%RHで14日間放置しても，吸湿性及び結晶水の脱離は認められない

原薬の融点・沸点・凝固点　融点：180～220℃（分解）

原薬の酸塩基解離定数　pKa＝0.5（カルボン酸），11.0（グアニジノ基）

先発医薬品等

[注] スロンノンHI注10mg/2mL（第一三共）
　　ノバスタンHI注10mg/2mL（田辺三菱）

後発医薬品

[注] 10mg
[キット] 10mg

国際誕生年月　1990年1月

海外での発売状況　米，英，独，仏など

[製剤]

規制区分　[注] [処]

製剤の性状　[注] 無色澄明の液

有効期間又は使用期限　3年

貯法・保存条件　遮光・室温保存

患者向け資料等　くすりのしおり

溶液及び溶解時のpH　[注] 5.5～6.8

浸透圧比　[注] 約1（2mL/200mL生食で希釈時）（対生食）．なお，希釈しない場合，本品の浸透圧比は約29

調製時の注意　そのまま静脈内に投与せずに希釈して使用すること

[薬理作用]

分類　抗トロンビン剤

作用部位・作用機序　部位：血液中の凝固因子であるトロンビンに選択的に作用　機序：本剤の3本足（トライポッド）構造がトロンビンの活性部位と立体的に結合することにより，トロンビンによるフィブリン生成，血小板凝集，血管収縮の3つ

の作用を抑制(*in vitro*)

同効薬　〔脳血栓症急性期〕オザグレルナトリウム，ウロキナーゼなど　〔慢性動脈閉塞症〕アルプロスタジル，アルプロスタジル アルファデクス，サルポグレラート塩酸塩，チクロピジン塩酸塩，バトロキソビンなど

治療

効能・効果　①次の疾患に伴う神経症候(運動麻痺)，日常生活動作(歩行，起立，座位保持，食事)の改善：発症後48時間以内の脳血栓症急性期(ラクネを除く)　②慢性動脈閉塞症(バージャー病・閉塞性動脈硬化症)における四肢潰瘍，安静時疼痛ならびに冷感の改善　③次の患者における血液体外循環時の灌流血液の凝固防止(血液透析)：(1)先天性アンチトロンビンIII欠乏患者　(2)アンチトロンビンIII低下を伴う患者(アンチトロンビンIIIが正常の70%以下に低下し，かつ，ヘパリンナトリウム，ヘパリンカルシウムの使用では体外循環路内の凝血(残血)が改善しないと判断されたもの)　(3)ヘパリン起因性血小板減少症(HIT)II型患者　④(スロンノンHI，ノバスタンHIのみ)ヘパリン起因性血小板減少症(HIT)II型(発症リスクのある場合を含む)における経皮的冠インターベンション施行時の血液の凝固防止　⑤(スロンノンHI，ノバスタンHIのみ)ヘパリン起因性血小板減少症(HIT)II型における血栓症の発症抑制

効能・効果に関連する使用上の注意　血液体外循環時に使用する場合，汎発性血管内血液凝固症候群(DIC)に伴うアンチトロンビンIII低下患者では，血液体外循環時に投与した経験がないので，投与しないことが望ましい

用法・用量　効能①：初めの2日間は1日60mgを適当量の輸液で希釈し，24時間かけて持続点滴静注．その後の5日間は1回10mgを適当量の輸液で希釈し1日朝夕2回，1回3時間かけて点滴静注(適宜増減)　効能②：1回10mgを輸液で希釈し，1日2回，1回2～3時間かけて点滴静注(適宜増減)　効能③：体外循環開始時に10mgを回路内に投与し，体外循環開始後は毎時25mgより開始する．凝固時間の延長，回路内凝血(残血)，透析効率及び透析終了時の止血状況等を指標に投与量を増減し，患者ごとの投与量を決定するが，毎時5～40mgを目安とする　効能④(ノバスタンHIのみ)：適当量の輸液で希釈し，アルガトロバン水和物として0.1mg/kgを3～5分かけて静注し，術後4時間まで6μg/kg/分を目安に静脈内持続投与．その後抗凝固療法の継続が必要な場合は，0.7μg/kg/分に減量し静脈内持続投与．なお，持続投与量は目安であり，適切な凝固能のモニタリングにより適宜調節　効能⑤(スロンノンHI，ノバスタンHIのみ)：適当量の輸液で希釈し，0.7μg/kg/分より点滴静注を開始し，持続投与．なお，肝機能障害のある患者や出血のリスクのある患者に対しては，低用量から開始する．活性化部分トロンボプラスチン時間(aPTT)を指標に投与量を増減し，患者ごとの投与量を決定する

用法・用量に関連する使用上の注意　①慢性動脈閉塞症の患者に使用する場合：4週間を超えて投与した経験は少ないので，投与期間は4週間以内をめどとする　②アンチトロンビンIII低下状態の血液透析患者：本剤を使用することによりアンチトロンビンIIIが70%以上に回復し，体外循環路内の凝血(残血)が管理可能と判断されたときには，ヘパリンナトリウム，ヘパリンカルシウムの使用を速やかに検討し，本剤を漫然と使用しない　③ヘパリン起因性血小板減少症(HIT)II型(発症リスクのある場合を含む)における経皮的冠インターベンション施行時の血液の凝固防止に使用する場合：(1)投与開始から10分程度で活性化全血凝固時間(ACT)を測定し，術後4時間まではACTが250～450秒となるように持続投与量を調節．患者の状態により，術後4時間以降の抗凝固療法の継続の要否を判断するが，その後も抗凝固療法の継続が必要な場合は，0.7μg/kg/分に減量後，適宜aPTTを測定し，aPTTが投与前値の1.5～3倍程度となるよう持続投与量を適宜調節し，目標とする範囲に達した後は1日に1回aPTTを測定　(2)本剤のクリアランスが低下している肝機能障害のある患者に対して術後4時間以降も抗凝固療法が必要な場合は，0.2μg/kg/分に減量する等，注意する．aPTTが目標とする範囲に達するまでは，適宜aPTTを測定し，目標とする範囲に達した後は1日に1回aPTTを測定　(3)本剤による治療開始及び投与量変更時には，次を参考に投与する：(ア)本剤を10mLに希釈し，6μg/kg/分で投与する場合の投与速度は，体重〔本剤(mg/時)，希釈液として(mL/時)の順〕別に，40kg〔14.4，14.4〕，50kg〔18.0，18.0〕，60kg〔21.6，21.6〕，70kg〔25.2，25.2〕　(イ)本剤を20mLに希釈し，0.7μg/kg/分で投与する場合の投与速度は，体重〔本剤(mg/時)，希釈液として(mL/時)の順〕別に，40kg〔1.7，3.4〕，50kg〔2.1，4.2〕，60kg〔2.5，5.0〕，70kg〔2.9，5.8〕　(ウ)本剤を20mLに希釈し，0.2μg/kg/分で投与する場合の投与速度は，体重〔本剤(mg/時)，希釈液として(mL/時)の順〕別に，40kg〔0.5，1.0〕，50kg〔0.6，1.2〕，60kg〔0.7，1.4〕，70kg〔0.8，1.6〕　(エ)術後4時間以降も抗凝固療法を継続する必要があり，本剤を0.7μg/kg/分に減量後，aPTTが投与前値の3倍を超えた場合は，中止する．再開する場合，aPTTが治療域(投与前値の1.5～3倍以下)に回復したことを確認し，再開時の投与量は，投与中止前の1/2の用量を目安にする　④ヘパリン起因性血小板減少症(HIT)II型における血栓症の発症抑制に使用する場合：(1)本剤のクリアランスが低下している肝機能障害のある患者，又は出血のリスクのある患者に対しては，低用量(0.2μg/kg/分)から開始する等，注意する　(2)本剤による治療開始時には，次を参考に開始する　(ア)本剤を20mLに希釈し，0.7μg/kg/分投与する場合の投与速度は，体重〔アルガトロバン水和物として(mg/時)，希釈液として(mL/時)の順〕別に，40kg〔1.7，3.4〕，50kg〔2.1，4.2〕，60kg〔2.5，5.0〕，70kg〔2.9，5.8〕　(イ)本剤を20mLに希釈し，0.2μg/kg/分で投与する場合の投与速度は，体重〔アルガトロバン水和物として(mg/時)，希釈液として(mL/時)の順〕別に，40kg〔0.5，1.0〕，50kg〔0.6，1.2〕，60kg〔0.7，1.4〕，70kg〔0.8，1.6〕　(3)開始後は，aPTTを投与前値の1.5～3倍の範囲かつ100秒以下となるように用量を調節する．なお，出血のリスクのある患者ではaPTTが，投与前値の1.5～2倍となるように用量を調節する　(4)投与開始2時間後及び本剤の投与量の変更2時間後を目安にaPTTを測定し，投与量を調節する．肝機能障害がある患者又は出血のリスクがある患者に対しては，投与開始あるいは投与量変更6時間後にもaPTTを測定することが望ましい．aPTTが目標とする範囲に達するまでは，適宜aPTTを測定し，目標とする範囲に達した後は1日に1回aPTTを測定する　(5)aPTTが投与前値の3倍又は100秒を超えた場合は中止する．再開する場合，aPTTが治療域(投与前値の1.5～3倍かつ100秒以下)に回復したことを確認し，中止前の1/2の用量を目安に開始する　(6)本剤を使用することにより血小板数が回復し，安定した場合には，経口抗凝固薬(ワルファリン等)による治療の開始を考慮する．なお，ワルファリンに切り替える場合は，本剤とワルファリンを5日間程度併用する．ワルファリンとの併用時は，aPTT及びプロトロンビン時間-国際標準比(PT-INR)をモニタリングする．なお，ワルファリンとの相互作用によりPT-INRが延長することから，本剤中止後にPT-INRが短縮することに注意する　(7)経口抗凝固療法への移行が困難な患者を除き，漫然と使用しない(国内外の臨床試験において本剤投与期間はおおむね7～14日間．また，国内で実施された臨床試験では，ワルファリンへの切り替えができなかった患者1例での投与期間は最長35日)

使用上の注意

警告　脳血栓症急性期の臨床試験において，出血性脳梗塞の発現が認められている．脳血栓症の患者に使用する場合には，臨床症状及びコンピュータ断層撮影による観察を十分に行い，出血が認められた場合にはただちに中止し，適切な処置を行う

禁忌　①出血している患者：頭蓋内出血，出血性脳梗塞，血小

板減少性紫斑病，血管障害による出血傾向，血友病その他の凝固障害，月経期間中，手術時，消化管出血，尿路出血，喀血，流早産・分娩直後等，性器出血を伴う妊産婦等［出血している患者に投与した場合には止血が困難になるおそれがある］ ②脳塞栓又は脳塞栓のおそれがある患者(ただし，ヘパリン起因性血小板減少症(HIT)II型の患者を除く)［出血性脳梗塞を起こすおそれがある］ ③重篤な意識障害を伴う大梗塞の患者［大梗塞の患者には出血性脳梗塞を起こすおそれがある］ ④本剤の成分に対し過敏症の既往歴のある患者

過量投与 ①症状：過量投与により，出血の危険性が増大する ②処置：出血性の合併症が発現した場合は中止し，出血の原因を確認する．本剤の抗凝固作用を中和する薬剤は知られていないので，症状に応じて，外科的止血や新鮮凍結血漿輸注等，適切な処置を行う

薬物動態

血中濃度 健常成人に2.25mgを30分間点滴静注時の最高血中濃度0.08μg/mL(0.144μmol/L)．血中消失は速やかで半減期は15分(α相)，30分(β相)．9mg，3時間の点滴静注を1日1回，3日間繰り返したとき，血中濃度は速やかに上昇後プラトーに達し，蓄積性は認められなかった **血漿蛋白結合率** 本剤5×10^{-7}mol/Lのヒト血清蛋白及びヒト血清アルブミンに対する結合率は，53.7%及び20.3% **代謝・排泄** 健常成人に300μg/分で30分間点滴静注時，投与後24時間までに尿中には未変化体22.8%，代謝物1.7%，糞中には未変化体12.4%，代謝物13.1%排泄．酸化的代謝に関与する主な薬物代謝酵素はCYP3A4

その他の管理的事項

投与期間制限 該当しない

保険給付上の注意 該当しない

資料

IF スロンノンHI注10mg/2mL 2016年3月改訂(第12版)

L－アルギニン
L-Arginine

概要

構造式

(構造式：H_2N–C(=NH)–NH–$CH_2CH_2CH_2$–C(H)(NH_2)–CO_2H)

分子式 $C_6H_{14}N_4O_2$

分子量 174.20

原薬の規制区分 該当しない

原薬の外観・性状 白色の結晶又は結晶性の粉末で，特異なにおいがある．水又はギ酸に溶けやすく，エタノール(99.5)にほとんど溶けない．希塩酸に溶ける．1.0gを水10mLに溶かした液のpHは10.5～12.0である

原薬の吸湿性 吸湿性である

L－アルギニン塩酸塩 L－アルギニン塩酸塩注射液
L-Arginine Hydrochloride

概要

薬効分類 399 他に分類されない代謝性医薬品，722 機能検査用試薬

構造式

(構造式：H_2N–C(=NH)–NH–$CH_2CH_2CH_2$–C(H)(NH_2)–CO_2H ・HCl)

分子式 $C_6H_{14}N_4O_2$・HCl

分子量 210.66

ステム 不明

原薬の規制区分 該当しない

原薬の外観・性状 白色の結晶又は結晶性の粉末で，においはなく，僅かに特異な味がある．水又はギ酸に溶けやすく，エタノール(95)に極めて溶けにくい．1.0gを水10mLに溶かした液のpHは4.7～6.2である

原薬の吸湿性 該当資料なし

原薬の融点・沸点・凝固点 分解点：235℃

原薬の酸塩基解離定数 L－アルギニンとして：$pK_1=1.82$，$pK_2=8.99$，$pK_3=12.48$

先発医薬品等

注 アルギU点滴静注20g(エイワイファーマ＝EAファーマ) アルギニン点滴静注30g「AY」(エイワイファーマ＝陽進堂)

国際誕生年月 1999年9月(アルギU)

海外での発売状況 該当しない

製剤

規制区分 注 ㊈

製剤の性状 顆 白色の顆粒剤で，においはなく，僅かに特異な味がある 注 無色澄明の水性注射液

有効期間又は使用期限 3年

貯法・保存条件 顆 室温保存(開封後は吸湿に注意して保管) 注 室温保存

患者向け資料等 顆 くすりのしおり

溶液及び溶解時のpH 注 5.0～6.0

浸透圧比 注 約3(対生食)

安定なpH域 注 該当資料なし

調製時の注意 該当しない

薬理作用

分類 尿素サイクル異常症薬 下垂体機能検査薬

作用部位・作用機序 (アルギU)部位：尿素サイクル 機序：尿素サイクルではオルニチン，シトルリン，アルギニノコハク酸，アルギニンの4種類のアミノ酸が酵素を利用しサイクルを形成している．先天性尿素サイクル異常症及びリジン尿性蛋白不耐症に基づく高アンモニア血症の発現は，尿素サイクル酵素の部分欠損又は二塩基性アミノ酸(リシン，アルギニン，オルニチン)の吸収阻害によって尿素サイクル内の基質が欠乏していることによるが，欠損する酵素の種類によって代謝像が異なっている．アルギナーゼ欠損症を除く尿素サイクル異常症については，基質であるアルギニンを外部から補充することにより，残存酵素が活性化され，尿素サイクルが円滑に回転して，尿中排泄性の高い尿素，シトルリン，アルギニノコハク酸による窒素排泄の促進により血中アンモニアを減少させる

(アルギニン点滴静注)部位：視床下部 機序：本剤は下垂体機能検査時に用いる負荷剤で，これを投与することにより，血漿中ヒト成長ホルモンが上昇する．その分泌刺激にはヒスタミンが関与しているとも言われるが機序は複雑で，低血糖

あるいはインシスリン増加を介するものでないことが明らかにされている．また，アルギニン負荷により，副腎皮質刺激ホルモン(ACTH)系の機能亢進は示さない

同効薬 なし

治療

効能・効果 **注治療用** 次の疾患における高アンモニア血症の急性増悪において経口製剤により調節不能な場合の緊急的血中アンモニア濃度の低下：先天性尿素サイクル異常症〔カルバミルリン酸合成酵素欠損症，オルニチントランスカルバミラーゼ欠損症，アルギニノコハク酸合成酵素欠損症(シトルリン血症)，アルギニノコハク酸分解酵素欠損症，(アルギニノコハク酸尿症)〕又はリジン尿性蛋白不耐症

注検査用 下垂体機能検査：正常反応は個々の施設で設定されるべきであるが，通常正常人では注射開始後60～120分でピークに達し，ラジオイムノアッセイによる血中成長ホルモン値は10ng/mLになる．しかし，前値が低値でかつ最高値が5ng/mLを超えない場合には再度本試験を行って判定することが望ましい

効能・効果に関連する使用上の注意 **注治療用** 原則として，診断が確定し，アルギニン製剤等の補助療法により治療が行われている患者に投与する．ただし，先天性尿素サイクル異常症が予測される患者で緊急に投与する場合は，血中アンモニア濃度，自他覚症状を参考にしながら投与する

用法・用量 **注治療用** 1日2～10mL(0.2～1g)/kgを1時間以上かけて点滴静注

注検査用 被検者を12～14時間空腹にし，30分間安静にさせた後，5mL(0.5g)/kgを約30分で持続点滴静注．血漿成長ホルモン測定用の採血は，点滴開始前，開始後30分，60分，90分，120分，150分にわたり分離し，測定を行う

用法・用量に関連する使用上の注意 **注治療用** ①本剤により高アンモニア血症の改善がみられなかった場合，腹膜透析，血液透析あるいは交換輸血等の治療も行い適切な併用処置をとる ②塩酸塩を大量に投与することにより高クロル性アシドーシスになることがあるので，血液pH等を観察し，投与する．なお，アシドーシスの可能性がある場合は本剤を中止し，炭酸水素ナトリウム等のアルカリ化剤を投与する等の適切な処置をとる

使用上の注意

禁忌 **注治療用** アルギナーゼ欠損症の患者［アルギニン血症を増悪させる］

薬物動態

注治療用 健康成人(外国人8名)に3，9，15，21mg/kg/分の投与速度で，30分間持続静注終了後のアルギニン血清中濃度は，1.17，3.44，6.84，9.25mmol/L．代謝クリアランスは10.6～12.8mL/分/kg，消失半減期は15mg/kg/分以下の投与速度で約15分，21mg/kg/分の投与速度で約27分．参考：マウスにアミジン基を標識した^{14}C-標識アルギニンを500mg/kgで静注時，尿中には3時間後までに54%，24時間後までに74%，呼気中には24時間後までに8.3%，糞中には48時間後までに0.53%排泄．投与24時間後までに排泄された尿中代謝物は，尿素75%，その他の代謝物16%，未変化アルギニン9%

その他の管理的事項

投与期間制限 該当しない

保険給付上の注意 該当しない

資料

IF アルギU配合顆粒 2016年4月改訂(第6版)
アルギU点滴静注20g 2017年3月改訂(第3版)
アルギニン点滴静注30g「AY」 2017年4月改訂(第2版)

アルジオキサ
アルジオキサ錠
アルジオキサ顆粒
Aldioxa

概要

薬効分類 232 消化性潰瘍用剤

構造式

O, H, N, OAl(OH)$_2$, H, N, O, NH, H_2N
及び鏡像異性体

分子式 $C_4H_7AlN_4O_5$

分子量 218.10

ステム 不明

原薬の規制区分 該当しない

原薬の外観・性状 白色の粉末である．水又はエタノール(99.5)にほとんど溶けない．希塩酸に溶ける．本品のフッ化ナトリウム・塩酸試液溶液(1→100)は旋光性を示さない

原薬の吸湿性 該当資料なし

原薬の融点・沸点・凝固点 融点：約230℃(分解)

原薬の酸塩基解離定数 該当資料なし

後発医薬品

顆 10%・20%・25%・50%

錠 100mg

国際誕生年月 不明

海外での発売状況 該当しない

製剤

製剤の性状 **顆** 白色の顆粒剤 **錠** 白色の素錠

有効期間又は使用期限 **顆** **錠** 4年

貯法・保存条件 **顆** **錠** 気密容器，室温保存

薬剤取扱い上の留意点 該当しない

患者向け資料等 くすりのしおり

溶液及び溶解時のpH 該当しない

浸透圧比 該当しない

安定なpH域 該当しない

調製時の注意 該当しない

薬理作用

分類 胃炎・消化性潰瘍治療剤(アラントイン誘導体)

作用部位・作用機序 部位：消化管(とくに胃・十二指腸)の障害粘膜面又はそれらの組織間と推定される 機序：①損傷部位において，正常な肉芽組織を速やかに増生させるとともに，粘膜上皮の再生促進，微小血管の新生促進，粘液成分の合成分泌促進などの諸作用により，積極的な組織の修復をもたらす(ラット) ②抗ペプシン・制酸作用を有し，塩酸，ペプシンなどの浸潤から損傷部位を保護する(イヌ，*in vitro*)

同効薬 メチルメチオニンスルホニウムクロリド，ゲファルナート，スクラルファート，セトラキサート塩酸塩，ソファルコン，テプレノン，イルソグラジンマレイン酸塩

治療

効能・効果 次の疾患における自覚症状及び他覚所見の改善：胃潰瘍，十二指腸潰瘍，胃炎

用法・用量 アルジオキサとして1日300～400mg，3～4回に分服(適宜増減)

使用上の注意

禁忌 透析療法を受けている患者［他のアルミニウム含有製剤で，長期投与によりアルミニウム脳症，アルミニウム骨症が現れたとの報告がある］

薬物動態

参考：アルジオキサ-^{14}Cをラットに経口投与時，消化管内でアラントインと水酸化アルミニウムに加水分解され，アラン

トインの大部分は吸収され，血中濃度は投与後0.5～1時間で最高に達した

その他の管理的事項

投与期間制限　該当しない

保険給付上の注意　該当しない

資料

IF　アルジオキサ顆粒25%・50%・錠100mg「あすか」 2018年6月改訂(第16版)

アルプラゾラム
Alprazolam

概要

薬効分類　112　催眠鎮静剤，抗不安剤

構造式

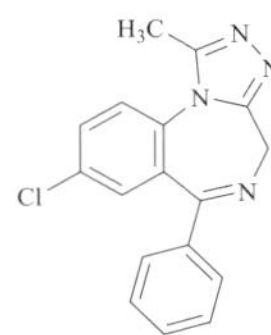

分子式　$C_{17}H_{13}ClN_4$

分子量　308.76

ステム　ジアゼパム誘導体：-azolam

原薬の規制区分　(向Ⅲ)

原薬の外観・性状　白色の結晶又は結晶性の粉末である．クロロホルムに溶けやすく，メタノール又はエタノール(95)にやや溶けやすく，無水酢酸にやや溶けにくく，水にほとんど溶けない．希硝酸に溶ける

原薬の吸湿性　乾燥減量：0.5%以下(1g，減圧・0.67kPa以下，60℃，4時間)

原薬の融点・沸点・凝固点　融点：228～232℃

原薬の酸塩基解離定数　pKa＝2.4(25℃)

先発医薬品等

錠 コンスタン0.4mg・0.8mg錠(武田テバ薬品＝武田)
　ソラナックス0.4mg・0.8mg錠(ファイザー)

後発医薬品

錠 0.4mg・0.8mg

国際誕生年月　1980年3月

海外での発売状況　米，英，仏を含む約110カ国

製剤

規制区分　錠　(向Ⅲ)(処)

製剤の性状　錠 白色の割線入り素錠

有効期間又は使用期限　3年

貯法・保存条件　室温保存

薬剤取扱い上の留意点　連用により薬物依存を生じることがあるので，漫然とした継続投与による長期使用を避けること．眠気，注意力・集中力・反射運動能力等の低下が起こることがあるので，本剤投与中の患者には自動車の運転等危険を伴う機械の操作に従事させないよう注意すること

患者向け資料等　患者向医薬品ガイド，くすりのしおり

薬理作用

分類　トリアゾロベンゾジアゼピン系抗不安剤

作用部位・作用機序　情動活動及び覚醒維持に関与している視床下部，並びに情動面で視床下部に対し，促進的に働く大脳辺縁系(扁桃核を含む)神経回路に対する抑制と推定される

同効薬　ジアゼパム，ブロマゼパム，クロチアゼパム，エチゾラム，ロフラゼプ酸エチル

治療

効能・効果　心身症(胃・十二指腸潰瘍，過敏性腸症候群，自律神経失調症)における身体症候ならびに不安・緊張・抑うつ・睡眠障害

用法・用量　1日1.2mg，3回に分服(適宜増減)．増量する場合には最高用量を1日2.4mgとして漸次増量し，3～4回に分服．高齢者では1回0.4mg1日1～2回から開始し，増量する場合でも1日1.2mgを超えないものとする

使用上の注意

禁忌　①本剤に対し過敏症の既往歴のある患者　②急性閉塞隅角緑内障の患者［抗コリン作用により眼圧が上昇し，症状を悪化させることがある］　③重症筋無力症の患者［筋弛緩作用により，症状を悪化させるおそれがある］　④次の薬剤を投与中の患者：HIVプロテアーゼ阻害剤(インジナビル等)

相互作用概要　代謝には主にCYP3Aが関与している

過量投与　①症状：過量投与により，傾眠，錯乱，協調運動障害，反射減退及び昏睡等が現れることがある　②処置：呼吸，脈拍，血圧の監視を行うとともに，胃洗浄，輸液，気道の確保等の適切な処置を行う．また，過量投与が明白又は疑われた場合の処置としてフルマゼニル(ベンゾジアゼピン受容体拮抗剤)を投与する場合には，使用前にフルマゼニルの使用上の注意(禁忌，慎重投与，相互作用等)を必ず読む

薬物動態

健康成人に1回0.4mg経口投与時の最高血中濃度は約2時間後値6.8ng/mL，半減期約14時間

その他の管理的事項

投与期間制限　30日

保険給付上の注意　該当しない

資料

IF　ソラナックス0.4mg錠・0.8mg錠　2019年8月改訂(第13版)

アルプレノロール塩酸塩
Alprenolol Hydrochloride

概要

構造式

H OH　H N CH3　CH3　・HCl　O　CH2

及び鏡像異性体

分子式　$C_{15}H_{23}NO_2 \cdot HCl$

分子量　285.81

原薬の規制区分　(劇)

原薬の外観・性状　白色の結晶又は結晶性の粉末である．水，エタノール(95)又は酢酸(100)に溶けやすく，無水酢酸に溶けにくく，ジエチルエーテルにほとんど溶けない．1.0gを水10mLに溶かした液のpHは4.5～6.0である

原薬の融点・沸点・凝固点　融点：108～112℃

治療

効能・効果[†]　狭心症，頻脈性不整脈

アルプロスタジル
アルプロスタジル注射液
Alprostadil

概要

薬効分類 219 その他の循環器官用薬

構造式

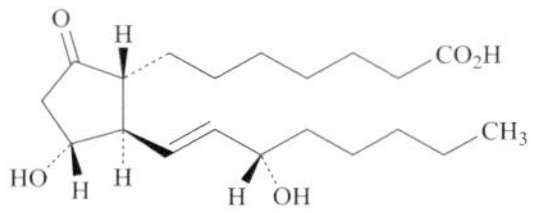

分子式 $C_{20}H_{34}O_5$

分子量 354.48

略語・慣用名 Lipo PGE_1

ステム 血管拡張薬：-dil，プロスタグランジン類：-prost-

原薬の規制区分 ㊀劇

原薬の外観・性状 白色の結晶又は結晶性の粉末である．エタノール(99.5)又はテトラヒドロフランに溶けやすく，アセトニトリルに溶けにくく，水にほとんど溶けない

原薬の吸湿性 吸湿性なし

原薬の融点・沸点・凝固点 融点：114～118℃

原薬の酸塩基解離定数 pKa＝4.89

先発医薬品等

注 パルクス注5μg・10μg(大正製薬)
リプル注5μg・10μg(田辺三菱)

キット パルクス注ディスポ10μg(大正製薬)
リプルキット注10μg(田辺三菱)

後発医薬品

注 5μg・10μg

キット 5μg・10μg

国際誕生年月 1988年6月

海外での発売状況 韓国，中国

製剤

規制区分 **注** ㊀劇 ㊀処

製剤の性状 **注** 白色の乳濁液で，僅かに粘性があり，特異なにおいがある

有効期間又は使用期限 **5μg・10μg注** 1年2カ月 **ディスポ10μg注** 1年

貯法・保存条件 凍結を避け5℃以下に遮光して保存

薬剤取扱い上の留意点 凍結したものは使用しないこと

患者向け資料等 くすりのしおり

溶液及び溶解時のpH 4.5～6.0

浸透圧比 約1(対生食)

安定なpH域 4.5～6.0

調製時の注意 本剤を輸液に混和し使用する場合は混和後24時間以内に使用し残液は廃棄すること

薬理作用

分類 プロスタグランジンE_1製剤

作用部位・作用機序 PGE_1の血管拡張作用に基づく血流増加作用及び血小板凝集抑制作用．なお，本剤はPGE_1を脂肪微粒子中に封入したもので，PGE_1のα-シクロデキストリン包接体(PGE_1-CD)に比べ作用の増強と持続性が知られている

同効薬 アルプロスタジルアルファデクス

治療

効能・効果 ①慢性動脈閉塞症(バージャー病，閉塞性動脈硬化症)における四肢潰瘍ならびに安静時疼痛の改善 ②次の疾患における皮膚潰瘍の改善：進行性全身性硬化症，全身性エリテマトーデス ③糖尿病における皮膚潰瘍の改善 ④振動病における末梢血行障害に伴う自覚症状の改善ならびに末梢循環・神経・運動機能障害の回復 ⑤動脈管依存性先天性心疾患における動脈管の開存 ⑥(**注** **5μgキット**(「サワイ」除く))経上腸間膜動脈性門脈造影における造影能の改善

用法・用量 効能①②③④：1日1回5～10μg，そのまま又は輸液に混和し緩徐に静注又は点滴静注(適宜増減) 効能⑤：輸液に混和し，開始時5ng/kg/分として持続静注．その後は症状に応じて適宜増減し，有効最小量とする 効能⑥：1回5μgを生理食塩液で10mLに希釈し，造影剤注入30秒前に3～5秒間で経カテーテル的に上腸間膜動脈内に投与する

用法・用量に関連する使用上の注意 ①本剤を輸液以外の他の薬剤と混和使用しない．ただし血漿増量剤(デキストラン，ゼラチン製剤等)との混和は避ける．なお，持続投与を行う場合には，ライン内での凝集を防ぐため，必ず単独ラインで投与する ②効能⑥に用いる場合には，凝集・クリーミングを起こす可能性があるため，造影剤と直接混和しない．また，本剤を投与した後，カテーテル内を生理食塩液で洗浄してから造影剤を投与する

禁忌・原則禁忌となる特定患者集団 妊婦又は妊娠している可能性のある婦人

使用上の注意

警告 動脈管依存性先天性心疾患(新生児)に投与する場合には，本剤投与により無呼吸発作が発現することがあるので，呼吸管理設備の整っている施設で投与する

禁忌 ①重篤な心不全の患者［心不全の増強が現れるとの報告がある］ ②出血(頭蓋内出血，消化管出血，喀血等)している患者［出血を助長するおそれがある］ ③妊婦又は妊娠している可能性のある婦人 ④本剤の成分に対し過敏症の既往歴のある患者

薬物動態

ヒトにおける薬物動態(健康成人) 点滴静注直後の血中PGE_1をRIA2抗体法で測定したが，微量定量であること，その代謝が速いこと等の理由により信頼性の高い数値を得ることはできなかった **動物における薬物動態(参考；ラット，イヌ)** ①血液，血漿中濃度：^{3}Hで標識した本剤5μgPGE_1/kgをラットに静注30秒後，血中濃度24.74ngeq.PGE_1/mL，血漿中濃度39.82ngeq.PGE_1/mLを示した後，いずれも4相性の推移で消失，8時間後には30秒後の1%以下．イヌでもほぼ同様 ②分布：^{3}Hで標識した本剤をラットに静注後5分以内に大部分の組織で最高濃度を示し，以後の消失は血漿に比べやや緩慢．腎，肝及び肺で高濃度を示し，中枢神経系，眼球及び精巣は最も低い．反復投与による特定組織への残存は認められない．自然発症高血圧ラットに静注後の血管内分布は，病変血管で^{3}H-PGE_1に比べ有意に高い ③代謝，排泄：^{3}Hで標識した本剤をラットに静注後の血漿中未変化体の割合は^{3}H-PGE_1-CDより有意に高い．主代謝物は13,14-dihydro-15-keto-PGE_1．主排泄経路は尿中で，168時間までに尿中59%，糞中24%，呼気中約8%．48時間までに胆汁中へ約28%排泄，一部は腸肝循環する

その他の管理的事項

投与期間制限 該当しない

保険給付上の注意 該当しない

資料

IF パルクス注5μg・10μg・注ディスポ10μg 2019年4月改訂(第12版)

アルプロスタジル　アルファデクス
Alprostadil Alfadex

概要

薬効分類　219　その他の循環器官用薬，269　その他の外皮用薬

構造式

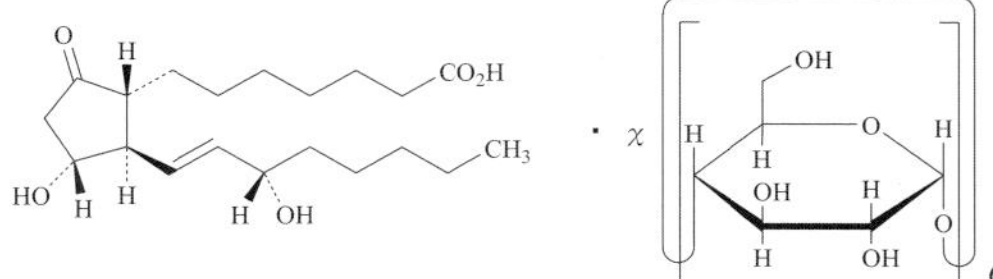

分子式　$C_{20}H_{34}O_5 \cdot xC_{36}H_{60}O_{30}$

略語・慣用名　慣用名：PGE_1・α-CD，PGE_1・CD

ステム　血管拡張薬：-dil，プロスタグランジン類：-prost-

原薬の規制区分　㊕

原薬の外観・性状　白色の粉末である．水に溶けやすく，エタノール(95)，酢酸エチル又はジエチルエーテルにほとんど溶けない．0.10gを水20mLに溶かした液のpHは4.0～5.0である

原薬の吸湿性　吸湿性である

原薬の融点・沸点・凝固点　アルプロスタジルの融点：114～118℃

原薬の酸塩基解離定数　アルプロスタジルのpKa＝5.02

先発医薬品等

注射用　プロスタンディン注射用20μg・点滴静注用500μg(丸石)

軟　プロスタンディン軟膏0.003%(小野)

後発医薬品

注射用　20μg・500μg

国際誕生年月　1979年8月

海外での発売状況　注　米，英，仏，独など

製剤

規制区分　注射用　点滴静注用　軟　㊕ ㊔

製剤の性状　注射用　点滴静注用　白色の塊又は粉末，凍結乾燥品　軟　白色～白色半透明の均質な軟膏

有効期間又は使用期限　注射用　点滴静注用　4年　軟　3年

貯法・保存条件　注射用　点滴静注用　遮光・室温保存　軟　気密容器，室温保存

薬剤取扱い上の留意点　該当しない

患者向け資料等　くすりのしおり

溶液及び溶解時のpH　注射用　4.0～6.0(5バイアル/3mL生食に溶かした液)　点滴静注用　3.5～5.5(1バイアル/5mL生食に溶かした液)

浸透圧比　注射用　1.1～1.2(1バイアル/5mL生食に溶かした液)　点滴静注用　1.2～1.3(1バイアル/5mL生食に溶かした液)

調製時の注意　該当しない

薬理作用

分類　プロスタグランジンE_1製剤，軟　褥瘡，皮膚潰瘍治療剤

作用部位・作用機序　注射用　PGE_1は血管平滑筋弛緩作用を有し血流量を増加させ，更に，血小板凝集抑制作用，赤血球変形能改善作用，活性酸素産生抑制作用を示し，慢性動脈閉塞症，振動病，及び血行再建時に効果が認められている．また，PGE_1は動脈管拡張作用を有し，動脈管依存性先天性心疾患における動脈管の開存に有効であることが認められている．勃起障害の診断においては，陰茎海綿体平滑筋弛緩作用が認められている　点滴静注用　速やかな血圧下降作用を示し，調節性に富み，重要臓器の血流を維持することから，外科手術時の低血圧維持及び異常高血圧の救急処置に有用であることが認められている　軟　褥瘡，皮膚潰瘍の増悪・難治化の主な原因といわれている病変局所の循環障害を改善し，血管新生作用，表皮角化細胞増殖作用により肉芽形成及び表皮形成を促進する

同効薬　注射用　アルプロスタジル，リマプロストアルファデクス，ベラプロストナトリウム　点滴静注用　ニトログリセリン，ニトロプルシドナトリウム水和物，ニカルジピン塩酸塩，ジルチアゼム塩酸塩　軟　リゾチーム塩酸塩，ブクラデシンナトリウム，トレチノイントコフェリル，精製白糖・ポビドンヨード，トラフェルミン(遺伝子組換え)

治療

効能・効果　20μg注射用　①動注：慢性動脈閉塞症(バージャー病，閉塞性動脈硬化症)における四肢潰瘍ならびに安静時疼痛の改善　②静注：⑴振動病における末梢血行障害に伴う自覚症状の改善ならびに末梢循環・神経・運動機能障害の回復　⑵血行再建術後の血流維持　⑶動注が不適と判断される慢性動脈閉塞症(バージャー病，閉塞性動脈硬化症)における四肢潰瘍ならびに安静時疼痛の改善　⑷動脈管依存性先天性心疾患における動脈管の開存　③陰茎海綿体内投与：勃起障害の診断

500μg注射用　①次における外科手術時の低血圧維持：高血圧症又は軽度の虚血性心疾患を合併する場合　②外科手術時の異常高血圧の救急処置．なお，昭和62年8月28日厚生省保険局医療課長から，保険発第58号の通知が出ている．「外科手術時の低血圧維持・外科手術時の異常高血圧の救急処置においては，既に他の薬剤が用いられており一般的に特に本剤を用いる必然性はないが，本剤の作用上の特徴等を踏まえ，保険診療上は，術前から，高血圧症を合併する場合であって腎機能障害もしくは肝機能障害を有する場合，又は軽度の虚血性心疾患を合併する場合における外科手術時の低血圧維持に限り本剤の使用を認めるものであること」

軟　褥瘡，皮膚潰瘍(熱傷潰瘍，糖尿病性潰瘍，下腿潰瘍，術後潰瘍)

効能・効果に関連する使用上の注意　軟　熱傷潰瘍に使用する場合，対象は熱傷後の二次損傷により生じた熱傷潰瘍であるので，新鮮熱傷に対しては他の適切な療法を考慮する

用法・用量　20μg注射用　①動注：アルプロスタジルとして1日10～15μgを生理食塩液(20μgに対して5mL)に溶かし，シリンジポンプを用い持続的(約0.1～0.15ng/kg/分)に動注．症状により0.05～0.2ng/kg/分の間で適宜増減　②静注：効能⑴⑵⑶：アルプロスタジルとして1日1～2回，1回40～60μgを輸液500mLに溶解し2時間かけて(5～10ng/kg/分)点滴静注(適宜増減)．速度は2時間あたり1.2μg/kgを超えない　効能⑷：アルプロスタジルとして50～100ng/kg/分で静注を開始し，症状に応じて適宜増減し，有効最小量で持続投与　③陰茎海綿体内投与：効能③：アルプロスタジル20μgを生理食塩液1mLに溶かし，1回20μgを陰茎海綿体へ注射

500μg注射用　アルプロスタジルとして500μgを輸液100mLに溶解し5～10μg/分(0.1～0.2μg/kg/分)の注入速度で点滴静注を開始．血圧の下降に注意しながら目的とする血圧まで下げ，以後それを維持できる点滴速度に調節する．低血圧を維持するためには通常2.5～10μg/分(0.05～0.2μg/kg/分)を必要とする

軟　アルプロスタジルとして症状及び病巣の大きさに応じて使用．潰瘍周囲から潰瘍部にかけて消毒・清拭後，1日2回，ガーゼ等にのばして潰瘍部に貼付するか，潰瘍部に直接塗布し，ガーゼ等で保護

用法・用量に関連する使用上の注意　20μg注射用　効能②の⑷に対し投与する場合は，観察を十分行い慎重に投与量の調整を行う．効果が得られた場合には減量し，有効最小量で持続する．動脈管開存の維持には10ng/kg/分でも有効な場合がある

禁忌・原則禁忌となる特定患者集団　妊婦又は妊娠している可能性のある婦人

使用上の注意

> **警告　20μg注射用** ①動脈管依存性先天性心疾患に投与する場合には，本剤投与により無呼吸発作が発現することがあるので，呼吸管理設備の整っている施設で投与する　②勃起障害の診断で投与する場合　(1)本剤投与により4時間以上の勃起の延長又は持続勃起症(6時間以上持続する勃起)が発現することがあるので，勃起が4時間以上持続する症状がみられた場合，速やかに適切な処置を行う．持続勃起症に対する処置を速やかに行わないと陰茎組織の損傷又は勃起機能を永続的に損なうことがある　(2)本剤投与により勃起の延長又は持続勃起症，不整脈，一過性の低血圧等が発現することがあるので，本剤を用いた勃起障害の診断は，勃起障害の診断及び治療に精通し，本剤投与時の副作用への対処が可能な医師が，緊急時の対応が可能な状況で行う

禁忌　20μg注射用 ①重篤な心不全，肺水腫のある患者(ただし，動脈管依存性先天性心疾患の患者は除く)［心不全，肺水腫を増悪させることがある］　②出血(頭蓋内出血，出血性眼疾患，消化管出血，喀血等)している患者［出血を助長するおそれがある］　③妊婦又は妊娠している可能性のある婦人　④本剤の成分に対し過敏症の既往歴のある患者

500μg注射用 ①重症の動脈硬化症及び心あるいは脳に高度な循環障害のある患者［低血圧により症状が悪化するおそれがある］　②重症の肝疾患，腎疾患のある患者［低血圧により症状が悪化するおそれがある］　③非代償性の高度の出血，ショック状態及び呼吸不全の患者，未治療の貧血患者［低血圧により症状が悪化するおそれがある］　④妊婦又は妊娠している可能性のある婦人　⑤本剤の成分に対し過敏症の既往歴のある患者

軟 ①重篤な心不全のある患者［心不全を増強させるおそれがある］　②出血(頭蓋内出血，出血性眼疾患，消化管出血，喀血等)している患者［出血を助長するおそれがある］　③妊婦又は妊娠している可能性のある婦人　④本剤の成分に対し過敏症の既往歴のある患者

薬物動態

20μg注射用　静脈内投与　心カテーテル中の3例に^{3}H-PGE_1 0.03ng/kg/分静注で全血代謝クリアランス率2686±654L/日/m^2，肺代謝67.8±6.8%．すなわち，ヒトでは静注後，肺で完全に代謝されず，約1/3は全身循環すると考えられる　**陰茎海綿体内投与**　①勃起障害患者にPGE_1 20μgを陰茎海綿体投与後，PGE_1及び代謝物15-keto-13，14 dihydro-PGE_1濃度は陰茎海綿体で上昇したが，速やかに減少　②勃起障害患者にPGE_1 20μgを陰茎海綿体投与後，PGE_1濃度は末梢血で投与4.8分後をピークに上昇したが速やかに減少し，投与60分以内に投与前まで減少　(参考)動物における吸収・分布・代謝・排泄(ラット)：^{3}H標識PGE_1・^{14}C標識CDをラットに動脈又は静脈内に投与を行った実験では，いずれもPGE_1血中濃度は2相性を示し，6分で血中から速やかに消失．静注5分後の主要臓器内のPGE_1は，肺12%，腎16%，肝25%であり，投与24時間以内に投与量の30～40%が尿中に，25～30%が糞中に排泄．この時の主代謝物は8-［(1R，2R，5R)-2-(2-Carboxyeth-1-yl)-5-hydroxy-3-oxocyclopentyl］-6-oxooctanoic acid．一方，CDは代謝を受けずに，そのままの形で90～100%が尿中に排泄．なお，7日間連続静注時，PGE_1及びCDとも各臓器への蓄積は認められない

500μg注射用 ICUへ入室しSwan-Ganzカテーテルを挿入した正常肺動脈圧患者(平均肺動脈圧25mmHg以下，5例)にPGE_1 20～40ng/kg/分持続投与し，1時間後肺動脈血と末梢動脈血を同時に採取して，血中PGE_1濃度をRIA(ラジオイムノアッセイ法)測定で，肺動脈血は916pg/mL，末梢動脈血は172pg/mL．PGE_1肺内代謝率を100×(1－末梢動脈血濃度/肺動脈血濃度)%として表現したとき，肺内代謝率は77.6%．動物における吸収・分布・代謝・排泄は20μg注射用参照

軟 参考：動物(ラット)における吸収・分布・代謝・排泄：角質剥離ラットに単回塗布時，投与部位皮膚内に広く分布するが，皮膚表面が最も高濃度で，深度が増すにつれて低下し，投与部位から徐々に吸収．なお，投与部位の皮膚内に多く残存するが，吸収されたものは腎臓及び肝臓に多く分布．また皮膚，血漿中にPGE_1，15-keto-PGE_1，13,14-dihydro-15-keto-PGE_1等が認められるが，皮膚組織中では未変化体が約50%，血漿中では約2%．24時間後で約60%は未吸収で，糞中に雄で4.5%，雌で2.9%，尿中に雄で9.7%，雌で8.6%排泄

その他の管理的事項

投与期間制限　軟 本製剤の使用上の注意において，「本剤による治療は保存的治療であることに留意し，約8週間以上使用しても症状の改善が認められない場合には，外科的療法等を考慮すること」とされていることから，本製剤の投与期間は，原則として8週間までとすること

保険給付上の注意　注射用 本製剤を勃起障害の診断に用いる場合の手技料は，G000皮内，皮下及び筋肉内注射にて算定する　**点滴静注用** 外科手術時の低血圧維持・外科手術時の異常高血圧の救急処置においては，既に他の薬剤が用いられており一般的に特に本剤を用いる必然性はないが，本剤の作用上の特徴等を踏まえ，保険診療上は，術前から，高血圧症を合併する場合であって腎機能障害若しくは肝機能障害を有する場合，又は軽度の虚血性心疾患を合併する場合における外科手術時の低血圧維持に限り本剤の使用を認めるものであること

資料

IF　プロスタンディン注射用20μg　2018年12月作成(第1版)
プロスタンディン点滴静注用500μg　2018年12月作成(第1版)
プロスタンディン軟膏0.003%　2018年10月改訂(第5版)

アルベカシン硫酸塩
アルベカシン硫酸塩注射液
Arbekacin Sulfate

概要

薬効分類　611　主としてグラム陽性菌に作用するもの

構造式

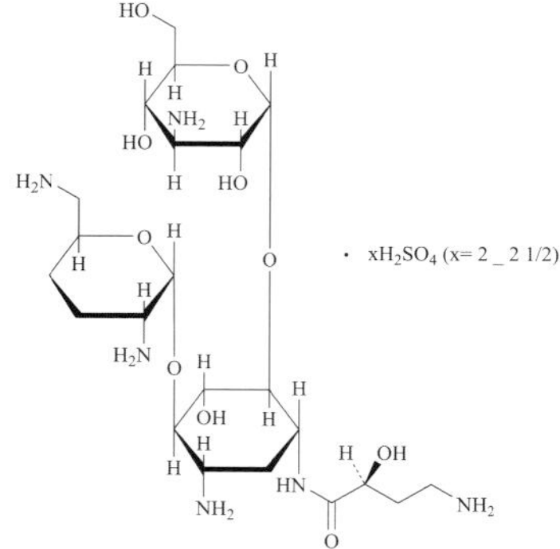

分子式　$C_{22}H_{44}N_6O_{10}\cdot xH_2SO_4$($x$＝2_2½)

分子量　552.62(アルベカシンとして)

略語・慣用名　ABK

原薬の規制区分　劇

原薬の外観・性状　白色の粉末である．水に極めて溶けやすく，エタノール(99.5)にほとんど溶けない．0.75gを水10mLに溶かした液のpHは6.0～8.0である

原薬の吸湿性　高い

原薬の融点・沸点・凝固点　融点：237～239℃（発泡分解）
原薬の酸塩基解離定数　pKa'＝8.2
先発医薬品等
注 アルベカシン硫酸塩注射液25mg・75mg・100mg・200mg「HK」（大興＝光）
アルベカシン硫酸塩注射液25mg・75mg・100mg・200mg「ケミファ」（シオノ＝ケミファ）
アルベカシン硫酸塩注射液25mg・75mg・100mg・200mg「テバ」（武田テバファーマ＝武田）
ハベカシン注射液25mg・75mg・100mg・200mg（MeijiSeika）
国際誕生年月　1990年9月
海外での発売状況　韓国

製剤

規制区分　**注** 劇 処
製剤の性状　**注** 無色澄明の注射液
有効期間又は使用期限　3年
貯法・保存条件　室温保存
薬剤取扱い上の留意点　該当資料なし
患者向け資料等　くすりのしおり
溶液及び溶解時のpH　6.0～8.0
浸透圧比　約1（対生食）

薬理作用

分類　アミノグリコシド系抗生物質
作用部位・作用機序　細菌の蛋白合成を阻害することにより抗菌作用を示し，その作用は殺菌的である．また，MRSAに対して強い抗菌力を有し，AGs系薬の中で最も優れた抗菌力
同効薬　バンコマイシン塩酸塩，テイコプラニン，リネゾリド

治療

効能・効果　〈適応菌種〉アルベカシンに感性のメチシリン耐性黄色ブドウ球菌（MRSA）〈適応症〉敗血症，肺炎
用法・用量　①成人：1日1回150～200mg（力価）を30分～2時間かけて点滴静注．必要に応じ，1日150～200mg（力価）を2回に分けて点滴静注することもできる．また，静注が困難な場合，1日150～200mg（力価）を1回又は2回に分けて筋注することもできる（適宜増減）　②小児：1日1回4～6mg（力価）/kgを30分かけて点滴静注．必要に応じ，1日4～6mg（力価）/kgを2回に分けて点滴静注することもできる（適宜増減）
用法・用量に関連する使用上の注意　①本剤の薬効は最高血中濃度と最も相関するとされていることから，1日1回静注が望ましい　②使用にあたっては，耐性菌の発現等を防ぐため，原則として感受性を確認し，疾病の治療上必要な最小限の期間の投与にとどめる　③使用にあたっては，腎機能異常及び聴力障害等の副作用に留意し，投与期間は，原則として14日以内とする．患者の状態等から判断して，14日以上にわたって投与する場合には，その理由を常時明確にし，漫然とした継続投与は行わない

使用上の注意

禁忌　本剤の成分ならびにアミノグリコシド系抗生物質又はバシトラシンに対し過敏症の既往歴のある患者
過量投与　①徴候，症状：腎障害，聴覚障害，前庭障害，神経筋遮断症状，呼吸麻痺が現れることがある　②処置：血液透析，腹膜透析による薬剤の除去を行う．神経筋遮断症状，呼吸麻痺に対してはコリンエステラーゼ阻害剤，カルシウム製剤の投与又は機械的呼吸補助を行う

薬物動態

血中濃度　①健康成人：(1)点滴静注：75mg（3例），100mg（3例），200mg（5例）を1時間点滴静注時の薬物動態パラメータは，Tmax（hr）点滴終了時，Cmax（μg/mL）6.80，7.56，13.2，$T_{1/2}$（hr）2.8，2.1，2.3，Vd（L/man）12.7，12.5，15.4，CLtot（L/hr/man）4.01，4.55，5.11，AUC（μg・hr/mL）18.7，22.0，40.5　(2)筋注：75mg，100mg（各4例）を筋注時の薬物動態パラメータは，Tmax（hr）0.5，0.5，Cmax（μg/mL）4.2，5.6，$T_{1/2}$（hr）1.66，1.68，Vd（L/man）17.8，14.2，CLtot（L/hr/man）5.40，5.75，AUC（μg・hr/mL）13.9，17.4　②小児患者（乳児・幼児：生後29日以上6歳未満まで，新生児：生後28日まで）：乳児・幼児3例（1歳9カ月～4歳8カ月）に2.38～2.92mg/kgを点滴静注時の薬物動態パラメータは，Tmax0.53hr，Cmax7.91μg / mL，$T_{1/2}$ 1.73hr，Vdss0.304L / kg，Cltot0.154L/hr/kg，$AUC_{0-\infty}$17.77μg・hr/mL．新生児4例（1～18日）に1.99～2.99mg/kgを点滴静注時の薬物動態パラメータは，Tmax0.88hr，Cmax6.64μg / mL，$T_{1/2}$ 3.20hr，Vdss0.382L/kg，Cltot0.091L/hr/kg，$AUC_{0-\infty}$28.71μg・hr/mLで，Cltotは新生児よりも乳児・幼児の方が大きかった　③腎機能障害患者：(1)200mg30分間点滴静注：腎機能障害程度の異なる患者に200mgを30分間点滴静注時の薬物動態パラメータ（正常（Ccr＞80），軽度腎機能障害（3例，50＜Ccr＜80），中等度-高度腎機能障害（4例，Ccr＜50）の順）は，Tmax（hr）0.47±0.08（10例），0.42±0.00，0.50±0.09，Cmax（μg/mL）15.2±5.7（10例），14.8±2.4，19.8±3.7，Cmin（μg/mL）0.3±0.4（10例），0.2±0.3，3.9±1.1，$T_{1/2}$（hr）3.51±2.67（5例），3.95±2.32，16.82±6.02，Vdss（L/man）14.6±4.3（5例），15.9±3.9，15.7±3.5，CLtot（L/hr/man）3.71±1.31（5例），3.30±1.06，0.70±0.14，AUC_{0-24}（μg・hr/mL）58.6±22.5（5例），62.9±18.0，188.8±24.0で，腎機能が正常な患者と軽度腎機能障害患者では各パラメータはほぼ同様，中等度-高度腎機能障害患者では，腎機能正常患者と比較してCmin，$T_{1/2}$，AUC_{0-24}が大きく，CLtotは小さかった　(2)100mg1時間点滴静注：健康成人及び腎機能障害程度の異なる患者各3例に100mgを1時間点滴静注時の薬物動態パラメータ（健康成人（Ccr100），腎機能障害患者（50＜Ccr＜70），腎機能障害患者（30＜Ccr＜50）の順）は，$T_{1/2}\beta$（hr）2.46±0.40，2.91±1.20，4.85±1.63，Vdβ（L/man）19.12±4.20，16.05±2.34，15.74±3.44，CLtot（L/hr/man）5.40±0.31，4.10±1.03，2.35±0.51，$AUC_{0-\infty}$（μg・hr/mL）18.56±1.04，25.51±6.72，43.85±8.63で，障害の程度に応じて$T_{1/2}$が延長．また，Ccrが50未満の患者の24時間までの尿中排泄率は56.9%，Ccrが100の健康成人は90.3%で明らかに障害程度が高くなるにつれ尿中排泄が遅延傾向　**分布**　①蛋白結合：平衡透析法で測定したヒト血清蛋白との結合率は5～20μg/mLの濃度範囲で3～12%（*in vitro*）　②体液・組織内濃度：(1)喀痰中濃度：慢性気道感染症患者に100mg点滴静注時の最高値は1.15～1.32μg/mL　(2)腹水中濃度：腹膜炎患者に75mg点滴静注時の最高値は0.36～5.29μg/mL　(3)胆汁中濃度：胆道手術患者に75mg筋注時，2時間後に最高値0.67μg/mL　**代謝**　尿中に抗菌活性代謝物は認められない　**排泄**　主として腎臓より排泄される．健康成人に200mgを1時間点滴静注（単回投与）時，投与24時間までの尿中排泄率は約80%．また，75mg又は100mgを投与時，投与8時間までの尿中排泄率は点滴静注で70～80%，筋注で約70%　**血中濃度モニタリング**　アミノグリコシド系抗生物質による副作用発現の危険性は，最高血中濃度（ピーク値）あるいは最低血中濃度（次回投与直前値）が異常に高い値を繰り返すほど大きくなるといわれており，特に本剤の場合は，最低血中濃度2μg/mL以上が繰り返されると第8脳神経障害や腎障害発生の危険性が大きくなる可能性がある．また，最高血中濃度は薬効と関係しており，本剤では，その標準的な目安は9～20μg/mLと考えられている．特に新生児，低出生体重児，高齢者及び大量投与患者では適当な間隔で最高血中濃度（A，A'）と最低血中濃度（B，B'）を測定し，異常な高値を示す場合には，次回投与より投与量や投与間隔を調整することが望ましい．たとえば，異常に高い最高血中濃度が繰り返されている場合は投与量を減量し，異常に高い最低血中濃度が繰り返されている場合は投与間隔を延長する等，調整を行う

その他の管理的事項

投与期間制限　該当しない
保険給付上の注意　該当しない

資料
IF　ハベカシン注射液25mg・75mg・100mg・200mg　2015年9月改訂（第9版）

アルミノプロフェン
アルミノプロフェン錠
Alminoprofen

概要
薬効分類　114　解熱鎮痛消炎剤
構造式

H　CH3
CO2H
H2C　N H
CH3
及び鏡像異性体

分子式　$C_{13}H_{17}NO_2$
分子量　219.28
原薬の規制区分　該当しない
原薬の外観・性状　白色～微黄色の結晶又は結晶性の粉末である．エタノール（99.5）又は酢酸（100）に溶けやすく，水に極めて溶けにくい．光により徐々に茶褐色となる．本品のエタノール（99.5）溶液（1→10）は旋光性を示さない
原薬の融点・沸点・凝固点　融点：106～108℃

アレンドロン酸ナトリウム水和物
アレンドロン酸ナトリウム錠
アレンドロン酸ナトリウム注射液
Alendronate Sodium Hydrate

概要
薬効分類　399　他に分類されない代謝性医薬品
構造式

H2N　PO3HNa　HO　PO3H2　・3H2O

分子式　$C_4H_{12}NNaO_7P_2 \cdot 3H_2O$
分子量　325.12
略語・慣用名　AHBuBP，ABDP，慣用名：アレンドロネート
ステム　カルシウム（骨）代謝改善薬：-dronic acid
原薬の規制区分　㊕（ただし，1個中アレンドロン酸として10mg以下を含有する注射剤及び35mg以下を含有する内用剤は㊗）
原薬の外観・性状　白色の結晶性の粉末である．水にやや溶けにくく，エタノール（99.5）にほとんど溶けない．0.1mol/Lクエン酸三ナトリウム試液に溶ける．1.0gを新たに煮沸して冷却した水100mLに溶かした液のpHは4.0～5.0である
原薬の吸湿性　室温，32～100％RHの条件下に41日間保存し，試料の重量変化を測定したところ，いずれの条件でも重量変化は認められなかった
原薬の融点・沸点・凝固点　融点：約252℃（分解，ただし乾燥後）
原薬の酸塩基解離定数　$pKa_1<2$，$pKa_2<2$，$pKa_3=6.2$，$pKa_4=9.9$，$pKa_5=10.2$
先発医薬品等
錠　フォサマック錠5・錠35mg（MSD）
ボナロン錠5mg・35mg（帝人ファーマ）
内用ゼリー　ボナロン経口ゼリー35mg（帝人ファーマ）
キット　ボナロン点滴静注バッグ900μg（帝人ファーマ）
後発医薬品
錠　5mg・35mg
キット　900μg
国際誕生年月　1993年7月
海外での発売状況　**錠**　米，英，仏，独など

製剤
規制区分　**錠**　**内用ゼリー**　**キット**　㊗　㊈
製剤の性状　**錠**　白色の裸錠　**内用ゼリー**　無色～微黄色の透明なゼリー剤．白色の微粒子を認めることがある　**キット**　無色澄明の水性注射液
有効期間又は使用期限　**錠**　**キット**　3年　**内用ゼリー**　2年
貯法・保存条件　室温保存
薬剤取扱い上の留意点　**内用ゼリー**　高温を避けて保存すること．低温では有効成分の結晶が析出しやすくなるので，低温・凍結（冷蔵庫，冷凍庫等）を避けて保存すること．なお，結晶が析出した製品は服用しないこと．上に重いものをのせないこと．携帯するときは，折り曲げないように注意すること　**キット**　製品の品質を保持するため，本品を包んでいる外袋は使用時まで開封しないこと．また，開封後は速やかに使用すること．包装内に水滴が認められるものや内容液が着色又は混濁しているものは使用しないこと
患者向け資料等　患者向医薬品ガイド，くすりのしおり
溶液及び溶解時のpH　**内用ゼリー**　5.0～6.0　**キット**　5.5～6.5
浸透圧比　**キット**　0.9～1.1（対0.9％生食）
安定なpH域　**キット**　該当資料なし
調製時の注意　**キット**　カルシウム又はマグネシウムイオンと結合して不溶性沈殿物を形成することがあるので，カルシウム又はマグネシウムを含有する点滴溶液とは混和しないこと

薬理作用
分類　ビスホスホネート系化合物
作用部位・作用機序　部位：アレンドロネートは破骨細胞下の骨吸収面に特異的な分布を示し，中性条件下（pH7.0）ではハイドロキシアパタイトに強く結合しているが，破骨細胞により作られる酸性の閉鎖環境下で遊離し，破骨細胞に選択的に作用するものと考えられている　機序：アレンドロネートは骨吸収面に特異的に分布し，破骨細胞により形成される酸性条件下で閉鎖環境に遊離することで，破骨細胞に選択的に作用し，水素イオン放出の抑制や波状縁を消失させることで，破骨細胞の骨吸収活性を抑制する．これらの破骨細胞抑制機構の一つとして，破骨細胞に取り込まれたアレンドロネートが，骨吸収活性に必須の酵素活性を抑制することが考えられる．アレンドロネートは骨形成には直接影響せず，アレンドロネートが分布した骨面の上に新たに骨が形成されるものと考えられた．また，破骨細胞に取り込まれたアレンドロネートの最も有力な分子作用点は，他の窒素原子含有ビスホスホネートと同様に，メバロン酸/コレステロール生合成経路上のファルネシル2リン酸（FPP）シンターゼと考えられた．本酵素の阻害は，ゲラニルゲラニル2リン酸（GGPP）の生成抑制を介し，細胞骨格の再構成や細胞内小移動を制御するRho，Rac，Cdc42，Rab等のGTP結合蛋白のプレニル化を抑制し，アポトーシスに依存せず破骨細胞の骨吸収機能を抑制するものと考えられた
同効薬　エチドロン酸二ナトリウム，リセドロン酸ナトリウム水和物，ミノドロン酸水和物，アルファカルシドール，カルシトリオール，エルデカルシトール，エルカトニン，メナテトレノン，エストリオール，エストラジオール，イプリフラボン，ラロキシフェン塩酸塩，バゼドキシフェン酢酸塩，テリパラチド（遺伝子組換え），テリパラチド酢酸塩，デノスマブ，イバンドロン酸ナトリウム水和物など

治療

効能・効果 **錠** **内用ゼリー** **キット** 骨粗鬆症

効能・効果に関連する使用上の注意 **錠** **内用ゼリー** **キット** 適用にあたっては，日本骨代謝学会の診断基準等を参考に，骨粗鬆症との診断が確定している患者を対象とする

用法・用量 **5mg錠** アレンドロン酸として5mgを1日1回，毎朝起床時に水約180mLとともに内服．なお，服用後少なくとも30分は横にならず，飲食(水を除く)ならびに他の薬剤の経口摂取も避ける

35mg錠 **内用ゼリー** アレンドロン酸として35mgを1週間に1回，朝起床時に水約180mLとともに内服．なお，服用後少なくとも30分は横にならず，飲食(水を除く)ならびに他の薬剤の経口摂取も避ける

キット 4週に1回アレンドロン酸として900μgを30分以上かけて点滴静注

用法・用量に関連する使用上の注意 **錠** **内用ゼリー** ①本剤は水のみで服用する．水以外の飲み物(Ca，Mg等の含量の特に高いミネラルウォーターを含む)，食物及び他の薬剤と一緒に服用すると，吸収を抑制するおそれがある ②食道及び局所への副作用の可能性を低下させるため，速やかに胃内へと到達させることが重要である．服用に際しては，次の事項に注意する：(1)起床してすぐにコップ1杯の水(約180mL)とともに服用する (2)口腔咽頭部に潰瘍を生じる可能性があるため，本剤を噛んだり又は口中で溶かしたりしない (3)服用後，少なくとも30分経ってからその日の最初の食事を摂り，食事を終えるまで横にならない (4)就寝時又は起床前に服用しない

使用上の注意

禁忌 **錠** **内用ゼリー** ①食道狭窄又はアカラシア(食道弛緩不能症)等の食道通過を遅延させる障害のある患者［食道通過が遅延することにより，食道局所における副作用発現の危険性が高くなる］ ②30分以上上体を起こしていることや立っていることのできない患者 ③本剤の成分あるいは他のビスホスホネート系薬剤に対し過敏症の既往歴のある患者 ④低カルシウム血症の患者

キット ①本剤の成分あるいは他のビスホスホネート系薬剤に対し過敏症の既往歴のある患者 ②低カルシウム血症の患者

過量投与 **錠** **内用ゼリー** ①徴候・症状：低カルシウム血症，低リン酸血症，ならびに上部消化管障害(胃不調，胸やけ，食道炎，胃炎，又は潰瘍等)が発現することがある ②処置：アレンドロン酸と結合させるために，ミルクあるいは制酸剤等の投与を考慮する．食道に対する刺激の危険性があるので嘔吐を誘発してはならず，患者を立たせるか，上体を起こして座らせる

薬物動態

錠 **血中濃度(健康成人男子)** ①5，10，20及び40mgの錠剤を，朝食2時間前に単回経口投与時(各群5～6例)の血清中アレンドロン酸濃度は，5及び10mg投与群では全例で定量限界(11.5ng/mL)未満，20mgでは6例中2例(13.1，18.3ng/mL)，40mgでは6例中4例(13.8～79.3ng/mL)で投与2時間後にわずかに検出 ②6例に20mgを含有する錠剤を，朝食2時間前に1日1回7日間反復経口投与時，血清中アレンドロン酸濃度は6例中の1例で投与4日目(27.0ng/mL)と7日目(19.0ng/mL)に，別の1例で7日目(11.7ng/mL)に，それぞれわずかに検出された他，すべて定量限界(11.5ng/mL)未満 **吸収** 経口投与後のアレンドロン酸は血清中濃度が低く，薬物吸収の評価ができないため，唯一の消失経路である尿中排泄を吸収の指標とした．生物学的利用率の幾何平均値は，非高齢者及び高齢者でそれぞれ2.49%及び2.83% **代謝** アレンドロン酸ナトリウム水和物投与により，動物又はヒトで代謝物は認められていない **排泄** ①健康成人男子に5，10，20及び40mgを含有する錠剤を，朝食2時間前に単回経口投与時(各群5～6例)の投与後48時間までの尿中排泄率は0.65～1.41%(幾何平均値)で，投与量による有意な差は認められなかった．そのほとんどは投与後6時間までに排泄された ②非高齢女性(閉経後60歳未満，8例)及び高齢女性(閉経後65歳以上，8例)に2期クロスオーバー法で経口(5mg)及び点滴静注(0.1mg)し，投与後48時間までの尿中排泄率(非高齢者，高齢者の順)は静注44.7%，44.1%，経口投与1.11%，1.25%．生物学的利用率は2.49%，2.83% ③海外の試験で，閉経後女性(49例)に10mgを含有する錠剤を，単回経口投与(朝食の2，1，0.5時間前，直後及び2時間後の5期クロスオーバー法)時の投与後36時間までの尿中排泄量(幾何平均値)は，朝食2，1及び0.5時間前の投与ではそれぞれ12.68μg，8.88μg及び6.78μgで，朝食2時間前に投与した場合が最も多かった．一方，朝食直後及び2時間後の投与では多くが定量限界(1ng/mL)未満 ④海外の試験で，閉経後女性(40例)に10mgを含有する錠剤を，水，コーヒー又はオレンジジュースと同時に単回経口投与(3期クロスオーバー法)時の投与後24時間までの尿中排泄量(幾何平均値)は，水(19.20μg)を同時に摂取した場合と比べ，コーヒー(7.43μg)，オレンジジュース(6.77μg)では約60%減少

キット **血中濃度** ①閉経後女性に100，200，400，800，1600及び2000μgを含有する注射剤を30分間単回持続点滴静注時，tmaxは持続投与終了時である投与開始後0.5時間．Cmax(ng/mL)(幾何平均(CV%))，AUC_t(ng・h/mL)(幾何平均(CV%))，血中消失半減期(h)(幾何平均(CV%))は投与量別に，100μg(7例)：8.89(8.3)，8.53(8.9)，0.650(3.6)．200μg(7例)：16.28(7.0)，16.04(6.4)，0.649(9.5)．400μg(7例)：35.32(13.4)，34.62(12.4)，0.632(5.9)．800μg(7例)：70.32(10.3)，68.28(10.3)，0.642(9.0)．1600μg(7例)：141.18(8.0)，137.69(6.0)，0.645(5.6)．2000μg(8例)：170.86(11.9)，163.64(12.0)，0.626(4.7) ②閉経後女性に2パネル2期クロスオーバー法によるオープン試験で，200μgの単回点滴静注(23例)及び35mgの単回経口投与(24例)時，Cmaxの幾何平均値(CV%)はそれぞれ17.28(16.6)及び10.25(142.4)ng/mL．AUC_tの幾何平均値(CV%)はそれぞれ16.35(15.8)及び16.29(149.7)ng・h/mL，AUC_{inf}の幾何平均値(CV%)はそれぞれ18.59(14.6)及び26.59(126.1)ng・h/mL **代謝** アレンドロン酸ナトリウム水和物投与により，動物又はヒトで代謝物は認められていない **排泄** ①閉経後女性に100，200，400，800，1600及び2000μgを含有する注射剤を，30分間単回持続点滴静注時，投与開始から48時間まで(2000μg群は投与開始から36時間まで)の累積尿中排泄量の幾何平均値(CV%)は投与量(アレンドロン酸として)100μg(8例)46.19(17.6)，200μg(7例)106.27(6.0)，400μg(8例)186.27(17.5)，800μg(8例)384.21(10.6)，1600μg(8例)855.10(7.6)，2000μg(8例)962.27(7.3)．以上より累積尿中排泄量は用量に依存して増加，そのほとんどは投与後8時間までに排泄 ②閉経後女性に2パネル2期クロスオーバー法によるオープン試験で，朝食30分前に200μg単回点滴静注(23例)及び35mgの単回経口投与(24例)時，投与開始時から48時間までの累積尿中排泄量の幾何平均値(CV%)はそれぞれ98.55(12.5)μg及び103.59(124.3)μg．生物学的利用率(%)(幾何平均(CV%))は，0.60(122.1) **特定の背景を有する患者** 腎機能障害患者：閉経後女性の腎機能正常者(7例)及び軽度(8例)・中等度(7例)・高度(4例)の腎機能低下患者に900μgを含有する注射剤を単回投与時，各群の腎機能正常者に対するCmaxの幾何平均値の比率は，軽度群，中等度群，高度群でそれぞれ1.1，1.1，1.0．AUC_tの幾何平均値の比率は，軽度群，中等度群，高度群でそれぞれ1.1，1.2，1.3．また，血中消失半減期の幾何平均値(CV%)は，腎機能正常者群，軽度群，中等度群，高度群でそれぞれ1.224(5.3)，1.381(7.2)，1.342(13.5)，1.692(6.8)h．また，投与開始から48時間までのアレンドロン酸の累積尿中排泄量の幾何平均値(CV%)は，正常者群，軽度群，中等度群，高度群でそれぞれ423.69(18.5)，445.73(17.2)，298.02(29.2)，154.47(25.8)μg．投与後48時間までの累積尿中排泄

率の幾何平均値(CV%)は，正常者群，軽度群，中等度群，高度群でそれぞれ47.08(18.5)，49.53(17.2)，33.11(29.2)，17.15(25.9)%

その他の管理的事項

投与期間制限 該当しない

保険給付上の注意 該当しない

資料

IF ボナロン錠5mg・35mg・経口ゼリー35mg 2020年7月改訂(第12版)
ボナロン点滴静注バッグ900μg 2019年11月改訂(第5版)

アロチノロール塩酸塩
Arotinolol Hydrochloride

概要

薬効分類 212 不整脈用剤

構造式

・HCl
及び鏡像異性体

分子式 $C_{15}H_{21}N_3O_2S_3$・HCl

分子量 408.00

ステム アドレナリンβ受容体拮抗薬：-olol

原薬の規制区分 ㊕(ただし，1個中アロチノロールとして10mg以下を含有する内用剤を除く)

原薬の外観・性状 白色～淡黄色の結晶性の粉末である．ジメチルスルホキシドに溶けやすく，メタノール又は水に溶けにくく，エタノール(99.5)に極めて溶けにくく，ジエチルエーテルにほとんど溶けない．本品のメタノール溶液(1→125)は旋光性を示さない

原薬の吸湿性 認められない

原薬の融点・沸点・凝固点 融点：約235℃(分解)

原薬の酸塩基解離定数 pKa＝9.4(滴定法)

先発医薬品等

錠 アロチノロール塩酸塩錠5mg・10mg「DSP」(大日本住友)

後発医薬品

錠 5mg・10mg

国際誕生年月 1985年11月

海外での発売状況 中国，韓国

製剤

規制区分 **錠** ㊆

製剤の性状 **5mg錠** 白色の糖衣錠 **10mg錠** うすいだいだい色の糖衣錠

有効期間又は使用期限 3年

貯法・保存条件 室温保存

薬剤取扱い上の留意点 めまい・ふらつきが現れることがあるので，本剤投与中の患者(特に投与初期)には，自動車の運転等危険を伴う機械の作業に注意させること．手術前48時間は投与しないことが望ましい

患者向け資料等 くすりのしおり

溶液及び溶解時のpH 該当しない

浸透圧比 該当しない

安定なpH域 該当しない

調製時の注意 該当しない

薬理作用

分類 交感神経α，β遮断剤

作用部位・作用機序 β及びα遮断作用により，心拍数，心拍出量の減少，末梢血管抵抗の亢進抑制，レニン分泌抑制等を示し，降圧，抗狭心症，抗不整脈作用を示す．また，骨格筋のβ_2遮断作用により抗振戦作用を発現し，その作用は末梢性であると考えられる

同効薬 プロプラノロール塩酸塩，ラベタロール塩酸塩などβ及びαβ遮断剤

治療

効能・効果 ①本態性高血圧症(軽症～中等症)，狭心症，頻脈性不整脈 ②本態性振戦

用法・用量 効能①：1日20mg，2回に分服(適宜増減)，効果不十分な場合は1日30mgまで増量することができる 効能②：1日10mgから開始し，効果不十分な場合は1日20mgを維持量として2回に分服(適宜増減)，1日30mgを超えない

用法・用量に関連する使用上の注意 褐色細胞腫の患者では，投与により急激に血圧が上昇するおそれがあるので単独で投与しない．褐色細胞腫の患者に投与する場合には，α遮断剤で初期治療を行った後に本剤を投与し，常にα遮断剤を併用する

禁忌・原則禁忌となる特定患者集団 妊婦又は妊娠している可能性のある婦人

使用上の注意

禁忌 ①高度の徐脈(著しい洞性徐脈)，房室ブロック(II，III度)，洞房ブロック，洞不全症候群のある患者［これらの症状が悪化するおそれがある］ ②糖尿病性ケトアシドーシス，代謝性アシドーシスのある患者［アシドーシスによる心筋収縮力の抑制を増強するおそれがある］ ③気管支喘息，気管支痙攣のおそれのある患者［気管支を収縮させ喘息症状の誘発，悪化を起こすおそれがある］ ④心原性ショックのある患者［心機能を抑制し症状が悪化するおそれがある］ ⑤肺高血圧による右心不全のある患者［心機能を抑制し症状が悪化するおそれがある］ ⑥うっ血性心不全のある患者［心機能を抑制し症状が悪化するおそれがある］ ⑦未治療の褐色細胞腫の患者 ⑧妊婦又は妊娠している可能性のある婦人 ⑨本剤の成分に対し過敏症の既往歴のある患者

過量投与 ①症状：過量投与により，徐脈，完全房室ブロック，心不全，低血圧，気管支痙攣等が現れる可能性がある ②処置：過量投与の場合は，本剤を中止し，必要に応じて胃洗浄等により薬剤の除去を行うとともに，次のような処置を行う：(1)徐脈，完全房室ブロック：アトロピン，イソプレナリン等の投与や心臓ペーシングを適用する (2)心不全，低血圧：強心剤，昇圧剤，輸液等の投与や補助循環を適用する (3)気管支痙攣：β_2刺激剤又はアミノフィリンの静注等の投与や補助呼吸を適用する

薬物動態

血中濃度 健常成人に1回10mg経口投与時，約2時間後に最高血中濃度(117ng/mL)に達し，血中半減期は約10時間．また，連続投与による蓄積性は認められていない **代謝・排泄** 血中及び尿中の主要代謝体はカルバモイル基の加水分解活性代謝体，その他2種類の代謝体が尿中に同定されている

その他の管理的事項

投与期間制限 該当しない

保険給付上の注意 該当しない

資料

IF アロチノロール塩酸塩錠5mg・10mg「DSP」 2018年3月改訂(第9版)

アロプリノール アロプリノール錠 Allopurinol

概要

薬効分類　394　痛風治療剤

構造式

分子式　$C_5H_4N_4O$

分子量　136.11

原薬の規制区分　(劇)(ただし，1錠中0.1g以下を含有するものを除く)

原薬の外観・性状　白色～微黄白色の結晶又は結晶性の粉末である．*N,N*-ジメチルホルムアミドに溶けにくく，水又はエタノール(99.5)に極めて溶けにくい．アンモニア試液に溶ける

原薬の吸湿性　該当資料なし

原薬の融点・沸点・凝固点　融点：320℃以上(分解)

原薬の酸塩基解離定数　pKa＝9.34

先発医薬品等

錠　ザイロリック錠50・錠100(GSK)

後発医薬品

錠　50mg・100mg

国際誕生年月　1966年

海外での発売状況　英，独を含む107カ国(承認)

製剤

規制区分　錠　(処)

製剤の性状　50mg錠　白色のフィルムコート錠　100mg錠　白色の割線入りフィルムコーティング錠

有効期間又は使用期限　3年

貯法・保存条件　室温保存

薬剤取扱い上の留意点　使用中は摂水量を多くし，1日の尿量を2L以上とすることが望ましい

患者向け資料等　くすりのしおり

溶液及び溶解時のpH　該当資料なし

浸透圧比　該当資料なし

安定なpH域　該当資料なし

調製時の注意　該当しない

薬理作用

分類　キサンチンオキシダーゼ(XO)特異的阻害高尿酸血症治療剤

作用部位・作用機序　キサンチンオキシダーゼに対して，ヒポキサンチン及びキサンチンと拮抗することによって尿酸の生合成を抑制し，その結果，血中尿酸値及び尿中尿酸値を低下させる．また，アロプリノールの主代謝産物であるオキシプリノールもキサンチンオキシダーゼ抑制作用を有する

同効薬　フェブキソスタット，トピロキソスタット，プロベネシド，ベンズブロマロン

治療

効能・効果　次の場合における高尿酸血症の是正：痛風，高尿酸血症を伴う高血圧症

用法・用量　アロプリノールとして1日200～300mg，2～3回に食後分服(適宜増減)

使用上の注意

禁忌　本剤の成分に対し過敏症の既往歴のある患者

薬物動態

吸収　健康成人に200mg単回経口投与時，未変化体は，約2.1時間後に最高血中濃度は平均1.48μg/mL，半減期約1.6時間．主代謝物のオキシプリノールは，約4.6時間後に最高血中濃度で平均4.1μg/mL，半減期約17.1時間　**代謝・排泄(外国人)**　キサンチンオキシダーゼにより酸化されて，大部分オキシプリノールとなる．[14]C-アロプリノール169mgを単回経口投与時，一部は未変化のまま尿中に排泄され，残りの大部分はオキシプリノールに代謝されて，48時間で約40%が尿中に排泄，20%が未吸収のまま糞便中に排泄

その他の管理的事項

投与期間制限　該当しない

保険給付上の注意　該当しない

資料

IF　ザイロリック錠50・100　2020年5月改訂(第10版)

安息香酸 Benzoic Acid

概要

構造式

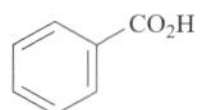

分子式　$C_7H_6O_2$

分子量　122.12

原薬の規制区分　該当しない

原薬の外観・性状　白色の結晶又は結晶性の粉末で，においはないか，又は僅かにベンズアルデヒド様のにおいがある．エタノール(95)，アセトン又はジエチルエーテルに溶けやすく，熱湯にやや溶けやすく，水に溶けにくい

原薬の融点・沸点・凝固点　融点：121～124℃

製剤

貯法・保存条件　密閉容器

薬理作用

分類　調剤用薬

その他の管理的事項

投与期間制限　該当しない

保険給付上の注意　該当しない

資料

添付文書　安息香酸「コザカイ・M」　2012年4月改訂(第4版)

安息香酸ナトリウム Sodium Benzoate

概要

薬効分類　731　防腐剤

構造式

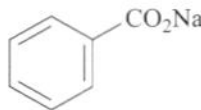

分子式　$C_7H_5NaO_2$

分子量　144.10

原薬の規制区分　該当しない

原薬の外観・性状　白色の粒，結晶又は結晶性の粉末で，においはなく，甘味及び塩味がある．水に溶けやすく，エタノール(95)に溶けにくく，ジエチルエーテルにほとんど溶けない

先発医薬品等

末　安息香酸ナトリウム原末「マルイシ」(丸石)
安息香酸ナトリウム(小堺)

製剤
貯法・保存条件 密閉容器
薬理作用
分類 調剤用薬
治療
効能・用法 保存・防腐・殺菌の目的で調剤に用いる
その他の管理的事項
投与期間制限 該当しない
保険給付上の注意 該当しない
資料
添付文書 安息香酸ナトリウム「コザカイ・M」 2012年4月改訂(第5版)

安息香酸ナトリウムカフェイン
Caffeine and Sodium Benzoate

概要
薬効分類 211 強心剤
略語・慣用名 慣用名：アンナカ
原薬の規制区分 ㊣(ただし，1個中カフェインとして0.25g以下を含有するもの，カフェイン0.5%以下を含有する内用液剤であって1容器中カフェイン0.25g以下を含有するもの，カフェインとして2.5%以下を含有する散剤及び顆粒剤，1容器中カフェインとして55mg以下を含有する内用液剤を除く)
原薬の外観・性状 白色の粉末で，においはなく，味は僅かに苦い．水に溶けやすく，酢酸(100)又は無水酢酸にやや溶けやすく，エタノール(95)にやや溶けにくく，ジエチルエーテルにほとんど溶けない
原薬の吸湿性 該当資料なし
原薬の酸塩基解離定数 該当資料なし
先発医薬品等
末 安息香酸ナトリウムカフェイン原末「マルイシ」(丸石)
安息香酸ナトリウムカフェイン「ケンエー」(健栄)
アンナカ「ホエイ」(マイラン＝ファイザー)
後発医薬品
注 10%・20%
国際誕生年月 不明
海外での発売状況 該当しない
製剤
規制区分 末 ㊣ 注 ㊇
製剤の性状 末 白色の粉末で，においはなく，味は僅かに苦い
注 無色澄明の水性注射液
有効期間又は使用期限 末 5年 注 3年
貯法・保存条件 室温保存
患者向け資料等 注 くすりのしおり
溶液及び溶解時のpH 注 7.0〜8.0
浸透圧比 10%注 2.5〜3.0 20%注 4.8〜5.8
安定なpH域 該当しない
調製時の注意 該当しない
薬理作用
分類 キサンチン系中枢興奮・鎮痛剤
作用部位・作用機序 主としてカフェインに基づく作用．中枢において，大脳皮質に作用し感覚受容能及び精神機能をたかめ眠気を除去するほか，運動中枢や延髄の呼吸中枢を興奮させる．また，腎尿細管の再吸収阻害による利尿作用，脳血管抵抗増大や脳血流量低下，またそれに伴う脳脊髄圧低下によると考えられる頭痛緩解作用がある
同効薬 カフェイン
治療
効能・効果 末 ①眠気，倦怠感 ②血管拡張性及び脳圧亢進性頭痛(片頭痛，高血圧性頭痛，カフェイン禁断性頭痛等)
注 ①眠気，倦怠感 ②血管拡張性及び脊椎穿刺後頭痛
用法・用量 末 1回0.1〜0.6g，1日2〜3回(適宜増減)
注 1回0.1〜0.4g，1日1〜3回皮下，筋注又は静注(適宜増減)
使用上の注意
過量投与 ①徴候，症状：消化器症状(悪心，嘔吐等)，循環器症状(不整脈，血圧上昇等)，精神神経症状(痙攣，昏睡)，呼吸器症状(呼吸促進，呼吸麻痺等)等の増悪を起こすことがある ②処置：末 胃洗浄や吸着剤・下剤の投与により薬物を除去し，輸液等により排泄促進を行う．また，興奮状態には対症療法としてジアゼパム注，フェノバルビタール注等の中枢神経抑制薬投与を考慮し，呼吸管理を実施する．注 輸液等により排泄促進を行う．また，興奮状態には対症療法としてジアゼパム注，フェノバルビタール注等の中枢神経抑制薬投与を考慮し，呼吸管理を実施する
その他の管理的事項
投与期間制限 該当しない
保険給付上の注意 該当しない
資料
IF アンナカ「ホエイ」 2013年1月改訂(第5版)
アンナカ注「フソー」-10%・-20% 2015年12月改訂(第3版)

安息香酸ベンジル
Benzyl Benzoate

概要
構造式

分子式 $C_{14}H_{12}O_2$
分子量 212.24
原薬の規制区分 該当しない
原薬の外観・性状 無色澄明の粘稠性のある液で，僅かに芳香があり，刺激性でやくような味がある．エタノール(95)又はジエチルエーテルと混和する．水にほとんど溶けない
原薬の融点・沸点・凝固点 凝固点：約17℃ 沸点：約323℃

アンチピリン
Antipyrine

別名：フェナゾン

概要
構造式

分子式 $C_{11}H_{12}N_2O$
分子量 188.23
原薬の規制区分 ㊣(ただし，1個中アンチピリン0.5g以下を含有するものを除く)

原薬の外観・性状　無色若しくは白色の結晶又は結晶性の粉末で，においはなく，味は僅かに苦い．水に極めて溶けやすく，エタノール(95)に溶けやすく，ジエチルエーテルにやや溶けにくい．水溶液(1→10)は中性である

原薬の融点・沸点・凝固点　融点：111～113℃

歯科用アンチホルミン
Dental Antiformin

別名：歯科用次亜塩素酸ナトリウム液

概要

分子式　NaClO

原薬の規制区分　該当しない

先発医薬品等

歯科用　キャナクリン(アグサジャパン)
歯科用アンチホルミン「日薬」(日本歯科)
キャナルクリーナー歯科用液10%(ビーブランド)
ネオクリーナー「セキネ」(ネオ)

外用液　テキサント消毒液6%(シオエ＝日本新薬)
ヤクラックス消毒液0.1%・6%(ヤクハン＝日医工)

後発医薬品

外用液　1%・6%・10%

製剤

製剤の性状　微淡黄緑色澄明の液で，僅かに塩素のにおいがある．光によって徐々に変化する

貯法・保存条件　気密容器，冷暗所(1～10℃)保存

薬理作用

分類　根管清掃消毒剤

作用部位・作用機序　次亜塩素酸の酸化力により，緩慢であるが持続性の局所殺菌・消毒，制臭作用．ウイルス，一般無胞子細菌，抗酸性細菌，細菌胞子，糸状菌，藻類，原虫類すべてに有効

治療

効能・効果　齲窩及び根管の清掃・消毒

用法・用量　適量を綿繊維に浸し挿入又は注入器で注入し，洗盪又は洗浄する

資料

添付文書　歯科用アンチホルミン　2014年7月改訂(第8版)

無水アンピシリン
Anhydrous Ampicillin

概要

構造式

分子式　$C_{16}H_{19}N_3O_4S$

分子量　349.40

原薬の規制区分　該当しない

原薬の外観・性状　白色～淡黄白色の結晶又は結晶性の粉末である．水にやや溶けにくく，メタノールに溶けにくく，エタノール(95)に極めて溶けにくく，アセトニトリルにほとんど溶けない．1.0gを水100mLに溶かした液のpHは4.0～5.5である

アンピシリン水和物
Ampicillin Hydrate

概要

薬効分類　613　主としてグラム陽性・陰性菌に作用するもの

構造式

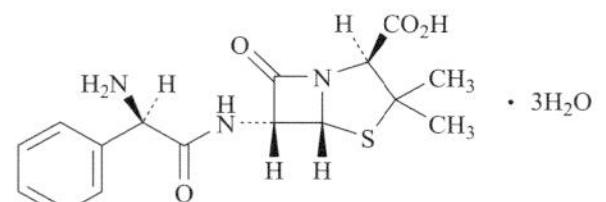

分子式　$C_{16}H_{19}N_3O_4S \cdot 3H_2O$

分子量　403.45

略語・慣用名　ABPC

ステム　6-アミノペニシラン酸系抗生物質：-cillin

原薬の規制区分　該当しない

原薬の外観・性状　白色～淡黄白色の結晶又は結晶性の粉末である．水にやや溶けにくく，メタノールに溶けにくく，エタノール(95)に極めて溶けにくく，アセトニトリルにほとんど溶けない．1.0gを水400mLに溶かした液のpHは3.5～5.5である

原薬の吸湿性　吸湿性なし

原薬の融点・沸点・凝固点　融点：202℃(分解)

原薬の酸塩基解離定数　該当資料なし

先発医薬品等

カ　ビクシリンカプセル250mg(MeijiSeika)

シロップ用　ビクシリンドライシロップ10%(MeijiSeika)

国際誕生年月　不明

海外での発売状況　英，タイ

製剤

規制区分　**カ**　**シロップ用**　㊙

製剤の性状　**カ**　赤色と黄色の硬カプセル剤　**シロップ用**　淡紅色の細粒で，芳香を有し，味は甘い

有効期間又は使用期限　3年

貯法・保存条件　室温保存

薬剤取扱い上の留意点　**シロップ用**　開封後は密栓し，湿気を避けて保存すること．シロップ剤にして冷蔵庫中に10日間保存しても力価の低下は認められないが，なるべく早く服用すること．シロップ剤にしてしばらくすると沈殿を生じるので，使用の際はよく振盪すること

患者向け資料等　くすりのしおり

溶液及び溶解時のpH　該当しない

浸透圧比　該当しない

安定なpH域　該当しない

薬理作用

分類　ペニシリン系抗生物質

作用部位・作用機序　細菌の細胞壁合成阻害で，殺菌的に作用

同効薬　無水アンピシリン，アモキシシリン

治療

効能・効果　**カ**　**シロップ用**〈適応菌種〉本剤に感性のブドウ球菌属，レンサ球菌属，肺炎球菌，腸球菌属，淋菌，炭疽菌，放線菌，大腸菌，赤痢菌，プロテウス・ミラビリス，インフルエンザ菌，(**カ**のみ)梅毒トレポネーマ〈適応症〉表在性皮膚感染症，深在性皮膚感染症，リンパ管・リンパ節炎，慢性膿皮症，外傷・熱傷及び手術創等の二次感染，乳腺炎，骨髄炎，咽頭・喉頭炎，扁桃炎，急性気管支炎，肺炎，肺膿瘍，膿胸，慢性呼吸器病変の二次感染，膀胱炎，腎盂腎炎，淋菌感染症，腹膜炎，肝膿瘍，感染性腸炎，子宮内感染，眼瞼膿

瘍，麦粒腫，角膜炎（角膜潰瘍を含む），中耳炎，副鼻腔炎，歯周組織炎，歯冠周囲炎，顎炎，抜歯創・口腔手術創の二次感染，猩紅熱，炭疽，放線菌症，（**カ** のみ）梅毒

効能・効果に関連する使用上の注意　咽頭・喉頭炎，扁桃炎，急性気管支炎，感染性腸炎，中耳炎，副鼻腔炎への使用にあたっては，「抗微生物薬適正使用の手引き」を参照し，抗菌薬投与の必要性を判断した上で，本剤の投与が適切と判断される場合に投与する

用法・用量　**カ**　**シロップ用** 1回250～500mg（力価）を1日4～6回，小児1日25～50mg（力価）/kgを4回に分服（適宜増減）

用法・用量に関連する使用上の注意　①使用にあたっては，耐性菌の発現等を防ぐため，原則として感受性を確認し，疾病の治療上必要な最小限の期間の投与にとどめる　②高度の腎障害のある患者には，投与間隔をあけて使用する

使用上の注意

禁忌　**カ**　**シロップ用** ①本剤の成分に対し過敏症の既往歴のある患者　②伝染性単核症のある患者［発疹の発現頻度を高めることがある］

薬物動態

吸収・排泄　①**カ** 腎機能正常者（4例）に250mg経口投与時，血中濃度のピークは1時間後に3.3μg/mL，以降漸減．尿中排泄率は6時間後に21%　②**シロップ用** 250mgを小児（5例，体重15～18.3kg；平均16.8kg）に経口投与時，血中濃度のピークは1時間後に2.24μg/mL，以降漸減．尿中排泄率は6時間後に約30%

その他の管理的事項

投与期間制限　該当しない

保険給付上の注意　該当しない

資料

IF　ビクシリンカプセル250mg・ドライシロップ10%　2019年4月改訂（第7版）

アンピシリンナトリウム
注射用アンピシリンナトリウム
Ampicillin Sodium

概要

薬効分類　613　主としてグラム陽性・陰性菌に作用するもの

構造式

分子式　$C_{16}H_{18}N_3NaO_4S$

分子量　371.39

略語・慣用名　ABPC，別名：アミノベンジルペニシリンナトリウム

ステム　6-アミノペニシラン酸系抗生物質：-cillin

原薬の規制区分　該当しない

原薬の外観・性状　白色～淡黄白色の結晶又は結晶性の粉末である．水に極めて溶けやすく，エタノール（99.5）にやや溶けにくい．1.0gを水10mLに溶かした液のpHは8.0～10.0である

原薬の吸湿性　強い

原薬の融点・沸点・凝固点　融点：205℃（分解）

原薬の酸塩基解離定数　$pKa_1 = 2.7$，$pKa_2 = 7.2$

先発医薬品等

注射用 ビクシリン注射用0.25g・0.5g・1g・2g（MeijiSeika）

国際誕生年月　不明

海外での発売状況　イタリア，インドネシア

製剤

規制区分　**注射用**　㊇

製剤の性状　**注射用** 白色～淡黄白色の結晶性の粉末

有効期間又は使用期限　3年

貯法・保存条件　室温保存

患者向け資料等　くすりのしおり

溶液及び溶解時のpH　**注射用** 8.0～10.0（1.0g/10mL水）

浸透圧比　**注射用** 約2～3（250mg/2mL注射用水），約4～5（500mg/2mL注射用水，1g/4mL注射用水，2g/8mL注射用水）（対生食）

薬理作用

分類　ペニシリン系抗生物質

作用部位・作用機序　細菌の細胞壁合成阻害で，殺菌的に作用する

同効薬　アモキシシリン水和物

治療

効能・効果　〈適応菌種〉アンピシリンに感性のブドウ球菌属，レンサ球菌属，肺炎球菌，腸球菌属，淋菌，髄膜炎菌，炭疽菌，放線菌，大腸菌，赤痢菌，プロテウス・ミラビリス，インフルエンザ菌，リステリア・モノサイトゲネス　〈適応症〉敗血症，感染性心内膜炎，表在性皮膚感染症，深在性皮膚感染症，リンパ管・リンパ節炎，慢性膿皮症，外傷・熱傷及び手術創等の二次感染，乳腺炎，骨髄炎，咽頭・喉頭炎，扁桃炎，急性気管支炎，肺炎，肺膿瘍，膿胸，慢性呼吸器病変の二次感染，膀胱炎，腎盂腎炎，淋菌感染症，腹膜炎，肝膿瘍，感染性腸炎，子宮内感染，化膿性髄膜炎，眼瞼膿瘍，角膜炎（角膜潰瘍を含む），中耳炎，副鼻腔炎，歯周組織炎，歯冠周囲炎，顎炎，抜歯創・口腔手術創の二次感染，猩紅熱，炭疽，放線菌症

効能・効果に関連する使用上の注意　咽頭・喉頭炎，扁桃炎，急性気管支炎，感染性腸炎，中耳炎，副鼻腔炎への使用にあたっては，「抗微生物薬適正使用の手引き」を参照し，抗菌薬投与の必要性を判断した上で，本剤の投与が適切と判断される場合に投与する

用法・用量　①成人：⑴筋注：1回250～1000mg（力価），1日2～4回筋注（適宜増減）．敗血症，感染性心内膜炎，化膿性髄膜炎については，一般に通常用量より大量を使用．溶解には注射用水を用い，250～500mg（力価）は1.5～2mL，1g（力価）は3～4mLに溶解　⑵静注：1日1～2g（力価）を1～2回に分けて生理食塩液又はブドウ糖注射液に溶解して静注し，点滴静注の場合は，1日1～4g（力価）を1～2回に分けて輸液100～500mLに溶解し，1～2時間かけて点滴静注（適宜増減）．敗血症，感染性心内膜炎，化膿性髄膜炎については，一般に通常用量より大量を使用　②小児：小児には1日100～200mg（力価）/kgを3～4回に分けて生理食塩液又はブドウ糖注射液に溶解し静注し，点滴静注による場合は，輸液に溶解して用いる．なお，症状・病態に応じて適宜増量とするが，投与量の上限は1日400mg（力価）/kgまで　③新生児：新生児には1日50～200mg（力価）/kgを2～4回に分けて生理食塩液又はブドウ糖注射液に溶解し静注し，点滴静注による場合は，輸液に溶解して用いる

用法・用量に関連する使用上の注意　①使用にあたっては，耐性菌の発現等を防ぐため，原則として感受性を確認し，疾病の治療上必要な最小限の期間の投与にとどめる　②高度の腎障害のある患者には，投与間隔をあけて使用する

使用上の注意

禁忌　①本剤の成分に対し過敏症の既往歴のある患者　②伝染性単核症のある患者［発疹の発現頻度を高めることがある］

薬物動態

血中濃度　①筋注：健康成人（3例）に500mg筋注時の薬物動態パラメータはCmax（μg/mL）5.51，Tmax（hr）1，$T_{1/2}$（hr（文献から算出））1　②静注：健康成人（各3例）に500mgを静

注時，投与30分後19.36μg/mL，以後漸減し，6時間後0.03μg/mL，$T_{1/2}$(文献から算出)は0.7hr　③点滴静注：健康成人(3例)に3gを5%ブドウ糖100mLに溶解し1時間点滴静注時の薬物動態パラメータはCmax(μg/mL)150，Tmax(hr)点滴終了時，$T_{1/2}$(hr)0.98　**排泄**　健康成人(各3例)に500mg筋注，静注及び3g点滴静注時6時間後までの尿中排泄率は，それぞれ85.6，60.7，70.3%

その他の管理的事項

投与期間制限　該当しない

保険給付上の注意　該当しない

資料

IF　ビクシリン注射用0.25g・0.5g・1g・2g　2018年9月改訂(第8版)

注射用アンピシリンナトリウム・スルバクタムナトリウム
Ampicillin Sodium-Sulbactam Sodium for Injection

概要

薬効分類　613　主としてグラム陽性・陰性菌に作用するもの

分子式　［アンピシリンナトリウム］$C_{16}H_{18}N_3NaO_4S$　［スルバクタムナトリウム］$C_8H_{10}NNaO_5S$

分子量　［アンピシリンナトリウム］371.39　［スルバクタムナトリウム］255.22

略語・慣用名　［アンピシリンナトリウム］ABPC　［スルバクタムナトリウム］略号：SBT

原薬の規制区分　該当しない

原薬の外観・性状　［アンピシリンナトリウム］白色～淡黄白色の結晶又は結晶性の粉末である．水に極めて溶けやすく，エタノール(99.5)にやや溶けにくい．アンピシリン($C_{16}H_{19}N_3O_4S$)1.0 g(力価)に対応する量を水10 mLに溶かした液のpHは8.0 ～ 10.0である　［スルバクタムナトリウム］白色～帯黄白色の結晶性の粉末である．水に溶けやすく，メタノールにやや溶けにくく，エタノール(99.5)に極めて溶けにくく，アセトニトリルにほとんど溶けない

原薬の吸湿性　［アンピシリンナトリウム］臨界相対湿度：50%(25℃)　［スルバクタムナトリウム］臨界相対湿度：85%(25℃)

原薬の融点・沸点・凝固点　［アンピシリンナトリウム］融点：約205℃(分解)　［スルバクタムナトリウム］融点：約265℃(分解)

原薬の酸塩基解離定数　［アンピシリンナトリウム］pKa_1＝約2.7，pKa_2＝約7.2　［スルバクタムナトリウム］pKa＝約2.6

先発医薬品等

[注射用] ユナシン-S静注用0.75g・1.5g・3g(ファイザー)

[キット] ユナシン-Sキット静注用1.5g・3g(ファイザー)

後発医薬品

[注射用] 0.75g・1.5g・3g

国際誕生年月　1983年11月

海外での発売状況　米，独など59カ国と地域

製剤

規制区分　[注射用] [処]

製剤の性状　[注射用] [キット] 白色～帯黄白色の粉末で，僅かに特異なにおいがあり，味は僅かに苦く，水又は生理食塩液に溶けやすい

有効期間又は使用期限　3年

貯法・保存条件　密封容器，室温保存

薬剤取扱い上の留意点　該当しない

溶液及び溶解時のpH　[注射用] 9.3(1.5g/10mL注射用水)，9.1(1.5g/100mL注射用水)，9.2(3.0g/100mL注射用水)，9.3(1.5g/10mL生食)，9.0(1.5g/100mL生食)，9.1(3.0g/100mL生食)，9.2(1.5g/10mL5%ブドウ糖注射液)，9.0(1.5g/100mL5%ブドウ糖注射液)，8.9(3.0g/100mL5%ブドウ糖注射液)　[キット] 9.2(1.5g/100mL生食)，9.3(3.0g/100mL生食)

浸透圧比　[注射用] 約2.8(1.5g/10mL注射用水)，約0.3(1.5g/100mL注射用水)，約0.6(3.0g/100mL注射用水)，約4.4(1.5g/10mL生食)，約1.4(1.5g/100mL生食)，約1.6(3.0g/100mL生食)，約4.6(1.5g/10mL5%ブドウ糖注射液)，約1.5(1.5g/100mL5%ブドウ糖注射液)，約1.7(3.0g/100mL5%ブドウ糖注射液)(対生食)　[キット] 約1.3(1.5g/100mL生食)，約1.7(3g/100mL生食)(対生食)

調製時の注意　[注射用] 溶解後は速やかに使用すること(特にグルコース，フルクトース，キシリトール，マルトース等の糖質含有溶解液に溶解した場合にはアンピシリンの力価が低下するので，速やかに使用し，保存しないこと)

薬理作用

分類　β-ラクタマーゼ阻害剤配合抗生物質

作用部位・作用機序　アンピシリン：ペニシリン結合蛋白への高い親和性を示し，細菌細胞壁の合成阻害による殺菌作用を示す　スルバクタム：各種細菌の産生するβ-ラクタマーゼを不可逆的に阻害する

同効薬　スルバクタムナトリウム・セフォペラゾンナトリウム，タゾバクタムナトリウム・ピペラシリンナトリウム

治療

効能・効果　〈適応菌種〉本剤に感性のブドウ球菌属，肺炎球菌，モラクセラ(ブランハメラ)・カタラーリス，大腸菌，プロテウス属，インフルエンザ菌　〈適応症〉肺炎，肺膿瘍，膀胱炎，腹膜炎

用法・用量　①成人：(1)肺炎，肺膿瘍，腹膜炎：1日6g(力価)を2回に分け，バイアルは静注又は点滴静注，キットは用時添付の溶解液にて溶解し点滴静注．なお，重症感染症の場合は必要に応じて適宜増量することができるが，1回3g(力価)1日4回(1日量として12g(力価))を上限とする　(2)膀胱炎：1日3g(力価)を2回に分け，バイアルは静注又は点滴静注，キットは用時添付の溶解液にて溶解し点滴静注　②小児：1日60～150mg(力価)/kgを3～4回に分けて，バイアルは静注又は点滴静注，キットは用時添付の溶解液にて溶解し点滴静注

※[バイアル] 静注に際しては注射用水，生理食塩液，ブドウ糖注射液に溶解し，緩徐に投与．なお，点滴静注に際しては補液に溶解して用いる　[キット] 溶解後は速やかに使用する．溶解操作方法は添付文書参照

用法・用量に関連する使用上の注意　①使用にあたっては，耐性菌の発現等を防ぐため，β-ラクタマーゼ産生菌，かつアンピシリン耐性菌を確認し，疾病の治療上必要な最小限の期間の投与にとどめる　②(ユナシンのみ)高度の腎障害のある成人患者に投与する場合，投与量及び投与間隔を調節する等，慎重に投与する

使用上の注意

禁忌　①本剤の成分に対し過敏症の既往歴のある患者　②伝染性単核症の患者［アンピシリンの投与により発疹が高頻度に発現したとの報告がある］

相互作用概要　スルバクタム，アンピシリンともほとんど代謝されず，未変化体として主に尿中に排泄される

過量投与　β-ラクタム系抗生物質製剤の脳脊髄液中濃度が高くなると，痙攣等を含む神経系の副作用を引き起こすことが考えられるので，腎障害患者に過量投与された場合は血液透析を用いて体内から除去する

薬物動態

血清中濃度　①成人(健常人6例)：0.75g又は1.5gをクロスオーバー法で静注時の平均血清中濃度推移は，静注後5分で，0.75g投与時スルバクタム(SBT)18.7μg/mL，アンピシリン(ABPC) 39.2μg / mL，1.5g投与時SBT40.0μg / mL，ABPC78.8μg/mL．SBTとABPCの血清中濃度半減期はいずれも約1時間で，両薬物の血中動態は良く近似　②小児(患者

16例）：30mg/kg静注時のSBT及びABPCの血清中濃度半減期は約1時間で，成人とほぼ同様 **尿中排泄及び代謝** 健常成人6例に0.75g又は1.5g静注後0～1時間の平均尿中濃度は0.75gでSBT約2000μg/mL及びABPC約4000μg/mL，1.5gでSBT約4000μg/mL及びABPC約10000μg/mLと高値．投与後24時間までの累積尿中排泄率は0.75g，1.5gともSBT，ABPCいずれも約80%．両薬物ともほとんど代謝されず未変化体として主に尿中排泄 **腎機能障害患者** ①海外の報告によれば，中等度ないし高度腎機能が低下している患者（10例）ではSBT及びABPCの血中濃度半減期が延長する ②日本人市中肺炎患者47例（クレアチニンクリアランス（CLcr）：34.6～176mL/min）から得られた222点の血漿中スルバクタム及びアンピシリン濃度データを用いて，母集団薬物動態解析を行った．その結果，腎機能（CLcr）はスルバクタム及びアンピシリンのクリアランスの有意な変動因子であり，腎機能（CLcr）の低下によりスルバクタム及びアンピシリンの$t_{1/2}$は延長し，濃度-時間曲線下面積（AUC）が上昇する傾向が認められた．腎機能が異なる患者に対して投与間隔を調整した時の薬物動態パラメータ[CLcr（mL/min）（投与間隔），スルバクタム[Cmax（μg/mL），$AUC_{0\text{-}48}$（μg・h/mL），$t_{1/2}$（h）]，アンピシリン[Cmax（μg/mL），$AUC_{0\text{-}48}$（μg・h/mL），$t_{1/2}$（h）]の順]は，⑴90～60（1日4回，6時間ごと）[68.6～74.2，650～861，1.09～1.33][139～151，1260～1670，1.20～1.42] ⑵59～30（1日4回，6時間ごと）[74.4～85.1，872～1380，1.34～1.96][151～173，1690～2690，1.43～2.02] ⑶59～30（1日3回，8時間ごと）[73.3～81.5，655～1050，1.34～1.96][149～166，1270～2030，1.43～2.02] ⑷29～15（1日2回，12時間ごと）[79.5～86.4，718～1120，2.00～3.03][162～176，1400～2190，2.06～3.06] ⑸14～5（1日1回，24時間ごと）[83.1～90.7，599～1190，3.16～6.28][170～185，1160～2310，3.20～6.27]であり，いずれの腎機能障害患者においても同様の最高濃度（Cmax）及びAUCの推定値が得られた ※腎機能が異なる患者に本剤3g（力価）を30分かけて点滴静注時の血漿中スルバクタム及びアンピシリン濃度推移シミュレーションから得られた薬物動態パラメータ（PKパラメータの下限値及び上限値は，それぞれCLcrの区分の上限値及び下限値に対応している） ③ナトリウム摂取制限患者へ投与する場合，ユナシン-S静注用1.5g，ユナシン-Sキット静注用1.5gの上室（薬剤部分）に，ナトリウムがそれぞれ115mg（5mEq），ユナシン-Sキット静注用3gの上室（薬剤部分）にナトリウムが230mg（10mEq）含まれていることに留意する **組織内移行** ①成人患者に本剤1.5gを静注時のSBT及びABPCの胆汁中濃度は静注後1時間でそれぞれ平均3.6μg/mL，19.8μg/mL ②体液・組織への移行は次の通りで，SBT及びABPCともに良好であることが認められた（投与量（力価），SBT濃度（μg/mL・g），ABPC濃度（μg/mL・g）の順）：⑴喀痰：3g，2.40，1.50 ⑵腹腔内滲出液：1.5g，1.82，2.71 ⑶子宮・付属器：1.5g，7.06～15.4，6.6～27 ⑷骨盤死腔滲出液：1.5g，11.6～16.4，19.1～21.6 ⑸髄液（小児）：100mg/kg，17.2，16.0 ⑹膿汁（小児）：66.7mg/kg，1.34，2.66

その他の管理的事項

投与期間制限 該当しない

保険給付上の注意 該当しない

資料

IF ユナシン-S静注用0.75g・1.5g・3g・-Sキット静注用1.5g・3g 2019年2月改訂（第18版）

アンピロキシカム
アンピロキシカムカプセル
Ampiroxicam

概要

薬効分類 114 解熱鎮痛消炎剤

構造式

及び鏡像異性体

分子式 $C_{20}H_{21}N_3O_7S$

分子量 447.46

ステム イソキシカム系抗炎症薬：-icam

原薬の規制区分 該当しない

原薬の外観・性状 白色～帯黄白色の結晶性の粉末である．酢酸（100）に溶けやすく，アセトニトリルにやや溶けやすく，エタノール（99.5）に極めて溶けにくく，水にほとんど溶けない．本品のアセトニトリル溶液（1→20）は旋光性を示さない．結晶多形が認められる

原薬の吸湿性 33～92%RHの各種相対温度で25℃，7日間放置したとき，吸湿増量はなく，極めて吸湿しにくい

原薬の融点・沸点・凝固点 融点：約156℃（分解）

原薬の酸塩基解離定数 pKa＝2.85（吸光度法）

先発医薬品等

力 フルカムカプセル13.5mg・27mg（ファイザー）

国際誕生年月 1993年10月

海外での発売状況 該当しない

製剤

製剤の性状 13.5mg力 淡黄色/淡黄色の硬カプセル 27mg力 淡黄緑色/淡黄緑色の硬カプセル

有効期間又は使用期限 3年

貯法・保存条件 密閉容器，室温保存

薬剤取扱い上の留意点 特になし

患者向け資料等 くすりのしおり

薬理作用

分類 オキシカム系酸性非ステロイド性鎮痛抗炎症剤

作用部位・作用機序 胃内をほとんど未変化体のまま通過し，小腸壁で吸収される際，エステラーゼにより加水分解を受け活性本体ピロキシカムとなって鎮痛・抗炎症作用を示す．活性本体のピロキシカムの主な作用機序としては，アラキドン酸代謝酵素シクロオキシゲナーゼ阻害によるプロスタグランジン生合成抑制であり，その他に活性酸素の産生抑制，ライソゾーム酵素の遊離抑制，プロテオグリカン分解抑制作用などが知られている

同効薬 オキシカム系非ステロイド性鎮痛抗炎症剤：ピロキシカム，メロキシカム，ロルノキシカム 非ステロイド性鎮痛抗炎症剤のプロドラッグ：ロキソプロフェンナトリウム水和物，インドメタシンファルネシル，スリンダク，アセメタシン，プログルメタシンマレイン酸塩，ナブメトン

治療

効能・効果 次の疾患ならびに症状の鎮痛，消炎：関節リウマチ，変形性関節症，腰痛症，肩関節周囲炎，頸肩腕症候群

効能・効果に関連する使用上の注意 ①腰痛症，肩関節周囲炎，頸肩腕症候群に対し用いる場合には，慢性期のみに投与する ②他の非ステロイド性消炎鎮痛剤の治療効果が不十分と考えられる患者のみに投与する

用法・用量 1日1回27mg食後（適宜減量）

用法・用量に関連する使用上の注意 ①1日最大27mg（ピロキシカムとして20mg） ②投与に際しては，その必要性を明確

に把握し，少なくとも投与後2週間を目処に治療継続の再評価を行い，漫然と投与し続けないよう注意する(外国において，本剤が他の非ステロイド性消炎鎮痛剤に比較して，胃腸障害及び重篤な皮膚障害の発現率が高いとの報告がされている)

禁忌・原則禁忌となる特定患者集団　妊娠末期の患者

使用上の注意

禁忌　①消化性潰瘍のある患者［消化性潰瘍を悪化させることがある］　②重篤な血液の異常のある患者［血液の異常を悪化させることがある］　③重篤な肝障害のある患者［肝障害を悪化させることがある］　④重篤な腎障害のある患者［腎障害を悪化させることがある］　⑤重篤な心機能不全のある患者［心機能障害を悪化させることがある］　⑥重篤な高血圧症のある患者［高血圧症を悪化させることがある］　⑦妊娠末期の患者　⑧本剤の成分又はピロキシカムに対し過敏症の既往歴のある患者　⑨アスピリン喘息(非ステロイド性消炎鎮痛剤等による喘息発作の誘発)又はその既往歴のある患者［重篤な喘息発作を誘発又は再発させることがある］　⑩リトナビルを投与中の患者

過量投与　①非ステロイド性消炎鎮痛剤の過量投与時の一般的な徴候・症状，処置は次の通りである：(1)徴候・症状：嗜眠，傾眠，嘔気・嘔吐，心窩部痛　(2)処置：催吐，胃洗浄，活性炭投与，浸透圧性下剤投与，その他症状に応じた支持療法及び対症療法　②蛋白結合率が高いため，透析による除去は有用ではないと考えられる

薬物動態

血中濃度　健常成人9名に13.5mg又は27mgをクロスオーバー法で単回経口投与時のパラメータは最高血漿中ピロキシカム濃度(Cmax)は0.86±0.04μg/mL，1.81±0.1μg/mL，最高血漿中濃度到達時間(Tmax)4.2±0.5hr，4hr，血漿中濃度半減期($T_{1/2}$)40.2±2.3hr，41.9±2.2hr．27mg投与時のパラメータは，ピロキシカムの等量(20mg)経口投与時の値(Cmax：2.36±0.16μg/mL，Tmax：3.2±0.5hr，$T_{1/2}$：40.9±2.4hr)に類似．本剤は生体内に吸収後，活性本体ピロキシカムとしての体内動態を示す．健常成人6名に27mgを1日1回14日間連続経口投与時の毎回投与後24時間の血漿中ピロキシカム濃度は，投与7日目にはほぼ定常状態，以降投与最終日の14日目まで6.09～7.86μg/mL．中止後漸減し，最終投与後7日目には1.62μg/mLまで減少．ピロキシカムの血漿中蛋白結合率99.8%　**代謝・排泄**　健常成人10名に27mgを単回経口投与後9日間の尿中へのピロキシカムの排泄率はわずか0.2%．その他に5′-ヒドロキシピロキシカム及びそのグルクロン酸抱合体等の代謝物の総和が約23%．なお，これら代謝物に本剤をしのぐ薬理作用，毒性は認められていない　**体液組織内移行**　関節リウマチ患者又は関節疾患で手術施行の患者11例に27mgを単回経口投与時，活性本体ピロキシカムの滑膜移行率は，血漿中濃度の約35%．また，関節リウマチ患者に27mgを4～61週経口投与時，血漿中濃度の約53%が膝関節液に移行

その他の管理的事項

投与期間制限　該当しない

保険給付上の注意　該当しない

資料

IF　フルカムカプセル13.5mg・27mg　2019年7月改訂(第10版)

アンベノニウム塩化物
Ambenonium Chloride

ア

概要

薬効分類　123　自律神経剤

構造式

(構造式: H_3C, CH_3, N^+, O, H, N, Cl, $2Cl^-$)

分子式　$C_{28}H_{42}Cl_4N_4O_2$

分子量　608.47

ステム　第四級アンモニウム化合物：-ium，-onium

原薬の規制区分　該当しない

原薬の外観・性状　白色の粉末である．水，メタノール又は酢酸(100)に溶けやすく，エタノール(95)にやや溶けやすく，無水酢酸に溶けにくい

原薬の吸湿性　吸湿性である

原薬の融点・沸点・凝固点　融点：約205℃(分解)

原薬の酸塩基解離定数　pKa＝12.58(吸光度法)

先発医薬品等

錠　マイテラーゼ錠10mg(アルフレッサファーマ)

国際誕生年月　不明

海外での発売状況　仏

製剤

製剤の性状　錠　白色の割線入りフィルムコーティング錠

有効期間又は使用期限　3年

貯法・保存条件　気密容器，室温保存

薬剤取扱い上の留意点　本剤投与中の患者の全身麻酔時に脱分極性筋弛緩剤(スキサメトニウム塩化物水和物)を使用しないこと

患者向け資料等　くすりのしおり

溶液及び溶解時のpH　該当しない

浸透圧比　該当しない

安定なpH域　該当しない

調製時の注意　該当しない

薬理作用

分類　抗コリンエステラーゼ重症筋無力症治療剤

作用部位・作用機序　選択的に真性ChEに対して抑制作用．著明な運動神経－骨格筋伝達促進作用を有し，アセチルコリンによる骨格筋収縮，間接電気刺激による骨格筋れん縮を増強．また，抗クラーレ作用を有す

同効薬　ネオスチグミン臭化物，ピリドスチグミン臭化物

治療

効能・効果　重症筋無力症

用法・用量　1日15mg，3回に分服(適宜増減)

使用上の注意

禁忌　①本剤の成分に過敏症の既往歴のある患者　②消化管又は尿路の器質的閉塞のある患者［消化管機能を亢進させ，症状を悪化させるおそれがある．また，尿の逆流を引き起こすおそれがある］　③迷走神経緊張症の患者［迷走神経の緊張を増強させるおそれがある］　④脱分極性筋弛緩剤(スキサメトニウム塩化物水和物)を投与中の患者［全身麻酔時に持続性呼吸麻痺を起こすことがある］

過量投与　①症状：コリン作動性クリーゼ(悪心・嘔吐，腹痛，下痢，発汗，唾液分泌過多，気道分泌過多，徐脈，縮瞳，霧視，蒼白，頻尿，血圧上昇，随意筋麻痺，呼吸困難等)　②処置：ただちに中止し，胃洗浄を行うとともに，アトロピン硫酸塩水和物0.5～1mg(適宜増減)を静注する．さらに，呼吸不全に至ることもあるので，その場合は気道を確保し，人工換気を考慮する．また，プラリドキシムヨウ化物1gを症状の変化に注意しながら徐々に静注する

その他の管理的事項
投与期間制限　該当しない
保険給付上の注意　該当しない
資料
IF　マイテラーゼ錠10mg　2019年11月改訂（第8版）

アンモニア水
Ammonia Water

概要
薬効分類　264　鎮痛，鎮痒，収斂，消炎剤
分子式　NH_3（参考：NH_4OH）
分子量　17.03（アンモニア）
原薬の規制区分　該当しない
原薬の外観・性状　無色澄明の液で，特異な強い刺激性のにおいがある．アルカリ性である
先発医薬品等
外用液 アンモニア水恵美須（恵美須）
アンモニア水「ケンエー」（健栄）
アンモニア水「コザカイ・M」（小堺＝中北）
アンモニア水「司生堂」（司生堂）
アンモニア水「タイセイ」（大成）
アンモニア水「東海」（東海製薬）
アンモニア水「ニッコー」（日興製薬）
アンモニア水「マルイシ」（丸石）
アンモニア水（山善）
製剤
製剤の性状　**液** 無色澄明の液で，特異な強い刺激性のにおいがある．アルカリ性である
有効期間又は使用期限　4年
貯法・保存条件　気密容器，30℃以下で保存
薬剤取扱い上の留意点　該当資料なし
患者向け資料等　くすりのしおり
調製時の注意　該当資料なし
薬理作用
作用部位・作用機序　去痰作用（局所刺激による気道分泌の反射的亢進．吸収後，一部炭酸塩となり気管支粘膜から分泌され，溶解性去痰作用を現すとともに気管支繊毛運動を促進）
治療
効能・効果　①経口：アンモニア・ウイキョウ精の調剤原料に用いる　②外用：虫さされ
用法・用量　効能②：2～10倍に希釈し，塗布する
その他の管理的事項
投与期間制限　該当しない
保険給付上の注意　該当しない
資料
添付文書　アンモニア水「マルイシ」 2014年9月改訂（第2版）

アンレキサノクス
アンレキサノクス錠
Amlexanox

概要
構造式

分子式　$C_{16}H_{14}N_2O_4$
分子量　298.29
原薬の規制区分　該当しない
原薬の外観・性状　白色～帯黄白色の結晶又は結晶性の粉末である．エタノール（99.5）に極めて溶けにくく，水にほとんど溶けない．薄めた水酸化ナトリウム試液（1→3）に溶ける
治療
効能・効果†　**錠** 気管支喘息，アレルギー性鼻炎
点眼液 アレルギー性結膜炎，花粉症，春季カタル

イオウ
Sulfur

概要
薬効分類　265　寄生性皮ふ疾患用剤
分子式　S
分子量　32.07
原薬の規制区分　該当しない
原薬の外観・性状　淡黄色～黄色の粉末で，におい及び味はない．二硫化炭素に溶けやすく，水，エタノール（95）又はジエチルエーテルにほとんど溶けない
先発医薬品等
外用末 イオウ（小堺）
製剤
製剤の性状　**末** 淡黄色～黄色の粉末で，におい及び味はない
貯法・保存条件　密閉容器
薬理作用
分類　寄生性皮膚疾患用剤
作用部位・作用機序　皮膚表面でも徐々に硫化水素やポリチオン酸特にペンタチオンとなり抗菌作用を現し，寄生虫性皮膚疾患に奏効する．また皮膚角化に関係があるといわれる-SH基をS-Sに変えることにより角質軟化作用．イオウの粒子が細かくなるほどイオウの化学変化は促進されるので，コロイドイオウを用いるとき上記の諸作用は特に顕著に現れ，またアルカリ剤と配合すると角質軟化，殺菌，殺虫作用は増強される．硫黄及び硫化物は，疥癬のつくった疥癬隧道Milbengangを破壊し，虫体並びに虫卵は死滅する
治療
効能・効果　疥癬，汗疱状白癬，小水疱性斑状白癬，頑癬，頭部浅在性白癬，黄癬，乾癬，ざ瘡，脂漏，慢性湿疹
用法・用量　3～10％の軟膏，懸濁液又はローションとして1日1～2回塗布
使用上の注意
禁忌　本剤に対し過敏症の既往歴のある患者
資料
添付文書　イオウ「コザカイ・M」 2012年4月改訂（第6版）

イオウ・カンフルローション
Sulfur and Camphor Lotion

概要

薬効分類　266　皮ふ軟化剤(腐しょく剤を含む.)

原薬の規制区分　該当しない

製剤

製剤の性状　淡黄色の混濁液で，放置するとき，成分の一部を分離する

貯法・保存条件　気密容器，開封後は冷所保存

治療

効能・効果　ざ瘡，酒さ

用法・用量　1日2回患部に塗布．朝は上清液，晩は混濁液を用いる

イオウ・サリチル酸・チアントール軟膏
Sulfur, Salicylic Acid and Thianthol Ointment

概要

原薬の規制区分　該当しない

製剤

製剤の性状　淡黄色である

貯法・保存条件　気密容器

イオタラム酸
Iotalamic Acid

概要

構造式

分子式　$C_{11}H_9I_3N_2O_4$

分子量　613.91

原薬の規制区分　該当しない

原薬の外観・性状　白色の粉末で，においはない．エタノール(95)に溶けにくく，水に極めて溶けにくく，ジエチルエーテルにほとんど溶けない．水酸化ナトリウム試液に溶ける．光によって徐々に着色する

イオタラム酸ナトリウム注射液
Sodium Iotalamate Injection

概要

分子式　$C_{11}H_8I_3N_2NaO_4$

分子量　635.90

原薬の規制区分　該当しない

原薬の外観・性状　〔イオタラム酸〕白色の粉末で，においはない．光によって徐々に着色する．エタノール(95)に溶けにくく，水に極めて溶けにくく，ジエチルエーテルにほとんど溶けない．水酸化ナトリウム試液に溶ける

治療

効能・効果†　精嚢腺撮影

イオタラム酸メグルミン注射液
Meglumine Iotalamate Injection

概要

分子式　$C_{18}H_{26}I_3N_3O_9$

分子量　809.13

原薬の規制区分　該当しない

原薬の外観・性状　〔イオタラム酸〕白色の粉末で，においはない．光によって徐々に着色する．エタノール(95)に溶けにくく，水に極めて溶けにくく，ジエチルエーテルにほとんど溶けない．水酸化ナトリウム試液に溶ける

治療

効能・効果†　**30%** 逆行性尿路撮影

60% ①逆行性尿路撮影　②内視鏡的逆行性膵胆管撮影　③経皮経肝胆道撮影　④関節撮影

イオトロクス酸
Iotroxic Acid

概要

構造式

分子式　$C_{22}H_{18}I_6N_2O_9$

分子量　1215.81

ステム　ヨード含有造影剤：io-

原薬の規制区分　該当しない

原薬の外観・性状　白色の結晶性の粉末である．メタノールにやや溶けやすく，エタノール(95)にやや溶けにくく，水又はジエチルエーテルにほとんど溶けない．光によって徐々に着色する

原薬の吸湿性　ほとんど認めない

原薬の酸塩基解離定数　該当資料なし

先発医薬品等

注 ビリスコピン点滴静注50(バイエル)

国際誕生年月　1977年9月

海外での発売状況　〔イオトロクス酸メグルミン〕オーストラリア，ニュージーランド

製剤

規制区分　〔イオトロクス酸メグルミン〕**注** ㊹

製剤の性状　〔イオトロクス酸メグルミン〕**注** 無色〜微黄色澄明の注射液

有効期間又は使用期限　〔イオトロクス酸メグルミン〕5年

貯法・保存条件　〔イオトロクス酸メグルミン〕遮光・室温保存

薬剤取扱い上の留意点　投与前に体温まで温めること．投与前には極端な水分制限をしないこと

溶液及び溶解時のpH　〔イオトロクス酸メグルミン〕6.4〜7.5

浸透圧比 〔イオトロクス酸メグルミン〕約1(対生食)
調製時の注意 他の薬剤(抗ヒスタミン剤，副腎皮質ホルモン剤等)を併用する場合は別々に投与すること

薬理作用

分類 〔イオトロクス酸メグルミン〕点滴静注胆嚢・胆管造影剤
作用部位・作用機序 〔イオトロクス酸メグルミン〕部位：胆嚢・胆管　機序：主成分の構成元素であるヨウ素は高いX線吸収能をもつ．これに基づき，本剤の存在部位と他の生体組織との間にX線画像上のコントラストが生じる
同効薬 なし

治療

効能・効果 〔イオトロクス酸メグルミン〕胆嚢・胆管撮影
用法・用量 〔イオトロクス酸メグルミン〕100mLを30～60分で点滴静注(適宜増減)

使用上の注意

> **警告** 〔イオトロクス酸メグルミン〕①ショック等の重篤な副作用が現れることがある　②本剤を脳・脊髄腔内に投与すると重篤な副作用が発現するおそれがあるので，脳槽・脊髄造影には使用しない

禁忌 〔イオトロクス酸メグルミン〕①ヨード又はヨード造影剤に過敏症の既往歴のある患者　②重篤な甲状腺疾患のある患者［ヨード過剰に対する自己調節メカニズムが機能できず，症状が悪化するおそれがある］

その他の管理的事項

投与期間制限 〔イオトロクス酸メグルミン〕該当しない
保険給付上の注意 〔イオトロクス酸メグルミン〕該当しない

資料

IF　ビリスコピン点滴静注50　2019年6月改訂(第6版)

イオパミドール
イオパミドール注射液
Iopamidol

概要

薬効分類 721　X線造影剤
構造式

分子式 $C_{17}H_{22}I_3N_3O_8$
分子量 777.09
ステム ヨード含有造影剤：io-
原薬の規制区分 該当しない
原薬の外観・性状 白色の結晶性の粉末である．水に極めて溶けやすく，メタノールにやや溶けにくく，エタノール(99.5)に極めて溶けにくい
原薬の吸湿性 ほとんど認めない
原薬の融点・沸点・凝固点 融点：300℃以上(分解)
原薬の酸塩基解離定数 pKa＝約10.7(中和滴定法による外挿計算値)
先発医薬品等
　注 イオパミロン注150・注300・注370(バイエル)
　キット イオパミロン注300・注370シリンジ(バイエル)
後発医薬品
　注 30.62%・61.24%・75.52%
　キット 61.24%・75.52%
国際誕生年月 1981年5月
海外での発売状況 米など80カ国以上

製剤

規制区分 **注** ㊄
製剤の性状 **注** 無色～微黄色澄明の注射液で，僅かに粘性がある．光によって徐々に微黄色になる
有効期間又は使用期限 **注** 5年　**シリンジ** 3年
貯法・保存条件 遮光・室温保存
薬剤取扱い上の留意点 投与前に体温まで温めること．投与前には極端な水分制限をしないこと
溶液及び溶解時のpH **注** 6.5～7.5
浸透圧比 **150注** 約1　**300注** 約3　**370注** 約4　(対生食)
安定なpH域 **注** 中性条件で最も安定性が高く，次に酸性条件及びアルカリ性条件の順であった．また，各々の液性中では温度上昇とともに分解が促進される
調製時の注意 他の薬剤(抗ヒスタミン剤，副腎皮質ホルモン剤等)を併用する場合は別々に投与すること

薬理作用

分類 非イオン性尿路・血管造影剤
作用部位・作用機序 主成分の構成元素であるヨウ素は高いX線吸収能をもつ．これに基づき，本剤の存在部位と他の生体組織との間にX線画像上のコントラストが生じる
同効薬 イオヘキソール，イオベルソール，イオメプロール，イオプロミド，イオキシラン

治療

効能・効果 **150** ①ディジタルX線撮影法による動脈性血管撮影　②コンピュータ断層撮影における造影　③静脈性尿路撮影　④逆行性尿路撮影
300 ①脳血管撮影　②大動脈撮影　③選択的血管撮影　④四肢血管撮影　⑤ディジタルX線撮影法による静脈性血管撮影　⑥ディジタルX線撮影法による動脈性血管撮影　⑦コンピュータ断層撮影における造影　⑧静脈性尿路撮影　⑨逆行性尿路撮影
370 ①血管心臓撮影(肺動脈撮影を含む)　②大動脈撮影　③選択的血管撮影　④四肢血管撮影　⑤ディジタルX線撮影法による静脈性血管撮影　⑥ディジタルX線撮影法による動脈性血管撮影　⑦コンピュータ断層撮影における造影　⑧静脈性尿路撮影
用法・用量 **150** 1回次の量を使用する(適宜増減)　効能①：5～50mL　効能②③：200mL(点滴静注)　効能④：10～400mL
300 1回次の量を使用する(適宜増減)　効能①：6～13mL　効能②：30～50mL　効能③：5～40mL　効能④：20～50mL　効能⑤：30～50mL　効能⑥：3～30mL(原液又は原液を生理食塩液で2～4倍希釈し用いる*)　効能⑦：100mL(50mL以上の場合点滴静注)　※**注** 及びオイパロミンシリンジ150mLのみ：胸・腹部を高速らせんコンピュータ断層撮影で撮像する場合は，撮影対象部位により静注速度を調節する．ただし，投与量は肝臓領域を除く胸・腹部の場合は100mLまでとするが，肝臓領域の場合は150mLまで投与することができる　効能⑧：40～100mL(50mL以上の場合点滴静注*)　効能⑨：5～200mL(原液又は原液を生理食塩液で2～4倍希釈し用いる*)　*)**キット** を除く
370 1回次の量を使用する(適宜増減)　効能①：20～50mL　効能②：30～50mL　効能③：5～40mL　効能④：20～50mL　効能⑤：30～50mL　効能⑥：3～30mL(原液又は原液を生理食塩液で2～4倍希釈し用いる*)　効能⑦：100mL(50mL以上の場合点滴静注*)　効能⑧：20～100mL(50mL以上の場合点滴静注*)(ただし*)は**キット** を除く)

使用上の注意

> **警告** ①ショック等の重篤な副作用が現れることがある　②

尿路・血管用造影剤であり，特に高濃度製剤(370mgI/mL)については脳・脊髄腔内に投与すると重篤な副作用が発現するおそれがあるので，脳槽・脊髄造影には使用しない

禁忌 ①ヨード又はヨード造影剤に過敏症の既往歴のある患者 ②重篤な甲状腺疾患のある患者［ヨード過剰に対する自己調節メカニズムが機能できず，症状が悪化するおそれがある］

薬物動態

健康成人男子(4名)に370注40mL静注：血中濃度血漿中ヨウ素濃度(mgI/mL)は静注5分後約1.9，30分後約1，4時間後0.2以下　排泄静注後2時間までに約60%，24時間後には全量が尿中排泄

その他の管理的事項

投与期間制限 該当しない

保険給付上の注意 該当しない

資料

IF イオパミロン注150・300・370・注300シリンジ・370シリンジ　2019年6月改訂(第15版)

イオヘキソール
イオヘキソール注射液
Iohexol

概要

薬効分類 721　X線造影剤

構造式

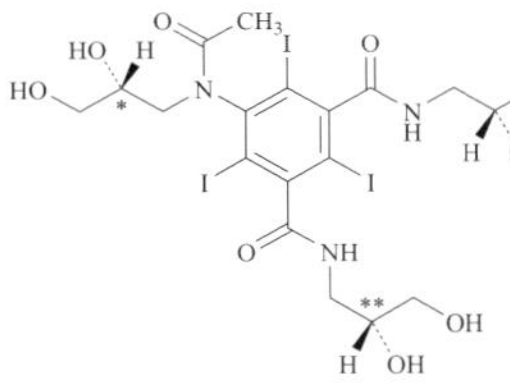

並びにそのC*位及びC**位のエピマー並びに鏡像異性体

分子式 $C_{19}H_{26}I_3N_3O_9$

分子量 821.14

ステム ヨード含有造影剤：io-

原薬の規制区分 該当しない

原薬の外観・性状 白色の粉末である．水に極めて溶けやすく，メタノールに溶けやすく，エタノール(99.5)にやや溶けにくい．水酸化ナトリウム溶液(1→20)に溶ける．水溶液(1→20)は旋光性を示さない

原薬の吸湿性 75%RH以上ではアメ状を呈し，高い吸湿性を示す

原薬の融点・沸点・凝固点 約170℃から湿潤し，180〜190℃で融解する(本品は無晶性のため，結晶性粉末と異なり明確な融点を示さない)

原薬の酸塩基解離定数 該当資料なし

先発医薬品等

注 オムニパーク140注50mL・220mL・180注10mL・240注10mL・20mL・50mL・100mL・300注10mL・20mL・50mL・100mL・150mL・350注20mL・50mL・100mL(GEヘルスケア)

キット イオヘキソール300注シリンジ50mL「F」(富士製薬)
イオヘキソール300注シリンジ50mL「FF」(武田テバファーマ)
イオヘキソール300注シリンジ50mL「HK」(光)
オムニパーク240注シリンジ100mL・300注シリンジ50mL・80mL・100mL・110mL・125mL・150mL・350注シリンジ45mL・70mL・100mL(GEヘルスケア)

後発医薬品

注 64.71%・75.49%

キット 64.71%・75.49%

国際誕生年月 1982年6月

海外での発売状況 米，英，仏，独を含む100カ国以上(承認)

製剤

規制区分 **注** ㊄

製剤の性状 **注** 無色澄明の液である

有効期間又は使用期限 **140注** **240注50mL・100mL** **300注150mL**〔バイアル製剤〕〔シリンジ製剤〕3年　**180注** **240注10mL・20mL** **300注10mL・20mL・50mL・100mL** **350注**〔バイアル製剤〕4年

貯法・保存条件 室温保存

薬剤取扱い上の留意点 投与前に体温まで温めること　**尿路・血管・CT用** 投与前に極端な水分制限はしないこと　**脳槽・脊髄用** 嘔吐をできるだけ回避するため患者を空腹状態にしておくこと．ただし水分制限をしないこと

溶液及び溶解時のpH **注** 6.8〜7.7

浸透圧比 **140注** **180注** 約1　**240注** **300注** 約2　**350注** 約3(対生食)

安定なpH域 **注** 8.5以下

調製時の注意 **尿路・血管・CT用** 抗ヒスタミン薬又は副腎皮質ホルモン剤と混合すると配合変化を起こす場合があるので，併用する場合は別々に使用すること　**脳槽・脊髄用** 他の薬剤との混注はしないこと

薬理作用

分類 非イオン性造影剤

作用部位・作用機序 トリヨード芳香環を基本骨格に，化学的に安定な親水基を導入したイオヘキソールを主成分とする非イオン性低浸透圧造影剤．本剤はヨードによりX線吸収率を向上させ，X線診断能を上げる

同効薬 イオジキサノール，イオパミドール，イオベルソール，イオメプロール，イオプロミド，イオキサグル酸，イオトロラン

治療

効能・効果 **140(血管用)** ①ディジタルX線撮影法による動脈性血管撮影　②コンピュータ断層撮影における造影

240(尿路・血管・CT用) ①四肢血管撮影　②コンピュータ断層撮影における造影　③静脈性尿路撮影

300(尿路・血管・CT用) ①脳血管撮影　②選択的血管撮影　③四肢血管撮影　④ディジタルX線撮影法による動脈性血管撮影　⑤ディジタルX線撮影法による静脈性血管撮影　⑥コンピュータ断層撮影における造影　⑦静脈性尿路撮影

350(尿路・血管・CT用) ①血管心臓撮影(肺動脈撮影を含む)　②大動脈撮影　③選択的血管撮影　④四肢血管撮影　⑤ディジタルX線撮影法による静脈性血管撮影　⑥コンピュータ断層撮影における造影　⑦静脈性尿路撮影　⑧小児血管心臓撮影(肺動脈撮影を含む)

180(脳槽・脊髄用) ①コンピュータ断層撮影による脳槽造影　②コンピュータ断層撮影による脊髄造影　③腰部脊髄撮影

240(脳槽・脊髄用) ①コンピュータ断層撮影による脳槽造影　②コンピュータ断層撮影による脊髄造影　③頸部脊髄撮影　④胸部脊髄撮影　⑤腰部脊髄撮影

300(脊髄用) ①コンピュータ断層撮影による脊髄造影　②頸部脊髄撮影

用法・用量 **140(血管用)** 1回次の量を使用する(適宜増減)
効能①：5〜50mL　効能②：150〜220mL(50mL以上の場合，点滴)

240(尿路・血管・CT用) 1回次の量を使用する(適宜増減)
効能①：25〜50mL　効能②：40〜100mL(50mL以上の場合，点滴*)　効能③：60〜100mL(60mL以上の場合，点滴*)
*)シリンジ製剤を除く

300(尿路・血管・CT用) 1回次の量を使用する(適宜増減)
効能①：5〜15mL　効能②：5〜50mL　効能③：10〜50mL

効能④：1.5～50mL　効能⑤：20～50mL　効能⑥：40～100mL（50mL以上の場合，点滴*)）．高速ラセンコンピュータ断層撮影で腹部の撮影を行う場合は150mLまで可能とする）　効能⑦：50～100mL（60mL以上の場合，点滴*)）　*）シリンジ製剤を除く

350（尿路・血管・CT用） 1回次の量を使用する（適宜増減）　効能①：⑴心腔内・肺動脈撮影20～40mL　⑵冠状動脈撮影3～8mL　効能②：30～50mL　効能③：5～50mL　効能④：10～50mL　効能⑤：20～50mL　効能⑥：40～100mL（50mL以上の場合，点滴*)）　効能⑦：40mL　効能⑧：⑴心腔内・肺動脈・上行大動脈撮影0.5～2mL/kg　⑵冠状動脈撮影2.0～4.0mL　*）イオパークシリンジ，オムニパークシリンジを除く

180（脳槽・脊髄用） 1回次の穿刺部位・量を使用する（適宜増減）　効能①：腰椎5～10mL　効能②③：腰椎8～12mL

240（脳槽・脊髄用） 1回次の穿刺部位・量を使用する（適宜増減）　効能①：腰椎5～10mL　効能②：腰椎8～12mL　効能③：⑴外側頸椎8～10mL　⑵腰椎8～12mL　効能④⑤：腰椎8～12mL

300（脊髄用） 1回次の穿刺部位・量を使用する（適宜増減）　効能①②：腰椎8～10mL

使用上の注意

> **警告**　**尿路・血管・CT用**　①ショック等の重篤な副作用が現れることがある　②尿路・血管・CT用造影剤であり，特に高濃度製剤（350mgI/mL）については，脳・脊髄腔内に投与すると重篤な副作用が発現するおそれがあるので，脳槽・脊髄造影には使用しない
> **脳槽・脊髄用**　ショック等の重篤な副作用が現れることがある

禁忌　**尿路・血管・CT用**　①ヨード又はヨード造影剤に過敏症の既往歴のある患者　②重篤な甲状腺疾患のある患者［ヨードが甲状腺に集積し，症状が悪化するおそれがある］

脳槽・脊髄用　①既往歴を含め，痙攣，てんかん及びその素質がある患者　②ヨード又はヨード造影剤に過敏症の既往歴のある患者　③重篤な甲状腺疾患のある患者［ヨードが甲状腺に集積し，症状が悪化するおそれがある］

薬物動態

尿路・血管・CT用　健康成人に本剤（350mgI/mL）250mgI/kg（4例）又は500mgI/kg（6例）を20mL/分の速度で単回静注時の薬物動態は次の通り：①血中濃度：⑴血漿中濃度推移は投与後1分で4.7mg/mL及び7.2mg/mLとなった後，$T_{1/2}\alpha$で6.8分及び5.1分，$T_{1/2}\beta$で54分及び48分，$T_{1/2}\gamma$で3.1時間及び2.6時間の消失半減期で速やかに減衰．**単回静注における薬物動態パラメータ**　（投与量（mgI/kg），1分後の濃度（mg/mL），$T_{1/2}\alpha$（min），$T_{1/2}\beta$（min），$T_{1/2}\gamma$（hr），見かけ上の分布容積（Vd，mL/kg），全身クリアランス（ClT，mL/min）の順）㋐250：4.7，6.8，54，3.1，111，113，㋑500：7.2，5.1，48，2.6，144，102　⑵血漿蛋白結合率：250mgI/mLを単回静注時の血漿蛋白結合率は，投与2時間後で1.3%，24時間後で1.5%であり，ほとんど蛋白結合は認められなかった　②代謝：単回静注時，血漿中及び尿中ともに未変化体以外の代謝物は検出されなかった　③排泄：単回静注後の累積尿中排泄率は，投与30分後で29～37%，1時間後で41～53%，24時間後で93～99%であり，速やかに排泄

脳槽・脊髄用　脳槽造影あるいは脊髄造影を要した患者に，脳槽造影用として（180mgI/mL）7～7.5mL及び脊髄造影用として（240mgI/mL）10～12mLを髄腔内投与時の薬物動態は次の通り：①血中濃度：⑴180mgI/mL投与群での最高血漿中濃度到達時間（Tmax）は0.5～6時間（平均2.4時間）で，最高血漿中濃度（Cmax）は31～45.8μg/mL（平均39μg/mL）．消失半減期（$T_{1/2}$）は6～15時間．静注時に比べ血漿中濃度推移は個体間のバラツキが大きかった　⑵240mgI/mL投与群でのTmaxは0.5～6時間（平均3.1時間）で，Cmaxは32.2～107.8μg/mL（平均60.8μg/mL）．$T_{1/2}$は5.2～15.6時間．静注時に比べ血漿中濃度推移は個体間のバラツキが大きかった　②排泄：髄腔内単回投与時の尿中排泄率はバラツキが大きく，投与後24時間で21.2～96.7%，72時間で49.5～103.9%．単回静注時に比べ尿中排泄が遅延する例が認められた

その他の管理的事項

投与期間制限　該当しない

保険給付上の注意　該当しない

資料

IF　オムニパーク140注50mL・140注220mL・240注20mL・240注50mL・240注100mL・300注20mL・300注50mL・300注100mL・300注150mL・350注20mL・350注50mL・350注100mL・240注シリンジ100mL・300注シリンジ50mL・300注シリンジ80mL・300注シリンジ100mL・300注シリンジ110mL・300注シリンジ125mL・300注シリンジ150mL・350注シリンジ45mL・350注シリンジ70mL・350注シリンジ100mL　2020年3月作成（第1版）

オムニパーク180注10mL・240注10mL・300注10mL　2020年3月作成（第1版）

イクタモール
Ichthammol

概要

原薬の規制区分　該当しない

原薬の外観・性状　赤褐色～黒褐色の粘稠性のある液で，特異なにおいがある．水と混和する．エタノール（95）又はジエチルエーテルに一部溶ける

イコサペント酸エチル
イコサペント酸エチルカプセル
Ethyl Icosapentate

概要

薬効分類　218　高脂血症用剤，339　その他の血液・体液用薬

構造式

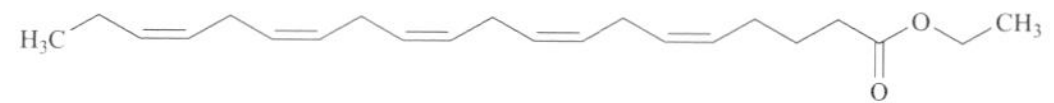

分子式　$C_{22}H_{34}O_2$

分子量　330.50

略語・慣用名　別名：EPA-E，エイコサペンタエン酸エチルエステル，イコサペンタエン酸エチル

ステム　該当資料なし

原薬の規制区分　該当しない

原薬の外観・性状　無色～微黄色の澄明な液で，僅かに特異なにおいがある．エタノール（99.5），酢酸（100），ヘキサンと混和する．水又はエチレングリコールにほとんど溶けない

原薬の吸湿性　該当資料なし

原薬の融点・沸点・凝固点　沸点：177～178℃（1mmHg）

原薬の酸塩基解離定数　該当資料なし

先発医薬品等

カ　エパデールカプセル300・S300・S600・S900（持田）

後発医薬品

カ　300mg・粒状カプセル300mg・600mg・900mg

国際誕生年月　1990年3月

海外での発売状況　発売されていない

製剤

製剤の性状　[軟カ] 淡黄色透明の軟カプセル剤　[粒状カ] 微黄色透明の軟カプセル剤

有効期間又は使用期限　[軟カ] 3.5年　[粒状カ] 3年

貯法・保存条件　室温保存

薬剤取扱い上の留意点　[軟カ] [粒状カ] 空腹時に投与すると吸収が悪くなるので食直後に服用させること．かまずに服用させること　[軟カ] 開封後は高温，湿気，光を避けて保存すること．高温・高湿下ではカプセルが軟化することがある

患者向け資料等　くすりのしおり

溶液及び溶解時のpH　該当しない

浸透圧比　該当しない

安定なpH域　該当しない

調製時の注意　該当しない

薬理作用

分類　EPA製剤

作用部位・作用機序　EPAは消化管より吸収されたのち，全身の血管や臓器などの細胞膜のリン脂質に取り込まれ，その細胞機能に変化を与える．血管や血小球・血小板の細胞膜のなかでは，炎症性サイトカインなどの産生抑制により炎症を抑えたり，トロンボキサンA_3(TXA$_3$)，プロスタグランジンI_3(PGI$_3$)となり血小板凝集を抑えるなど，EPAはさまざまな細胞膜に取り込まれることにより　多彩な作用を発揮：①血清リポ蛋白に取り込まれ，リポ蛋白の代謝を促進　②肝ミクロソームに取り込まれ，脂質の生合成・分泌を抑制　③血小板膜リン脂質に取り込まれ，血小板凝集を抑制　④血管壁に取り込まれ，動脈の弾力性を保持

同効薬　チクロピジン塩酸塩，クロピドグレル硫酸塩，シロスタゾール，アスピリン，リマプロストアルファデクス，ベラプロストナトリウム，サルポグレラート塩酸塩
クリノフィブラート，ベザフィブラート，フェノフィブラート，シンバスタチン，フルバスタチンナトリウム，アトルバスタチンカルシウム水和物，ピタバスタチンカルシウム，ロスバスタチン，コレスチラミン，コレスチミド，ニセリトロール，プロブコール，エラスターゼ，エゼチミブ，オメガ-3脂肪酸エチル

治療

効能・効果　①閉塞性動脈硬化症に伴う潰瘍，疼痛及び冷感の改善　②高脂血症

用法・用量　効能①：1回600mg，1日3回食直後(適宜増減)　効能②：1回900mg，1日2回又は1回600mg，1日3回食直後．ただし，トリグリセリドの異常を呈する場合には，その程度により，1回900mg，1日3回まで増量できる

使用上の注意

禁忌　出血している患者(血友病，毛細血管脆弱症，消化管潰瘍，尿路出血，喀血，硝子体出血等)［止血が困難となるおそれがある］

薬物動態

血漿中濃度　①健常成人男子にカプセル1800mgあるいは2700mg※)，Sカプセル2700mg※)を食直後単回投与6時間後に最高血漿中濃度，(カプセル)24時間後にほぼ前値に回復．また，1回600mgあるいは900mgを1日3回食直後に連日4週間経口投与時の血漿中濃度は約1週間後に定常状態に達した　②カプセル1回900mgを1日2回(朝・夕)あるいは1回600mgを1日3回(朝・昼・夕)，食直後に8日間反復投与時の薬物動態は類似しており，血漿中濃度は投与日数に従い徐々に上昇し，いずれの群においても投与5～6日目に定常状態に達した
※)承認された1回用量は，900mgまで　**排泄(参考)**　雄ラットに^{14}C標識EPA-Eを経口投与時，168時間までに尿中2.7%，糞中16.7%排泄．呼気中排泄44.4%

その他の管理的事項

投与期間制限　該当しない

保険給付上の注意　該当しない

資料

IF　エパデールS300・S600・S900　2017年2月改訂(第4版)
エパデールカプセル300　2017年2月改訂(第4版)

イセパマイシン硫酸塩
イセパマイシン硫酸塩注射液
Isepamicin Sulfate

概要

薬効分類　612　主としてグラム陰性菌に作用するもの

構造式

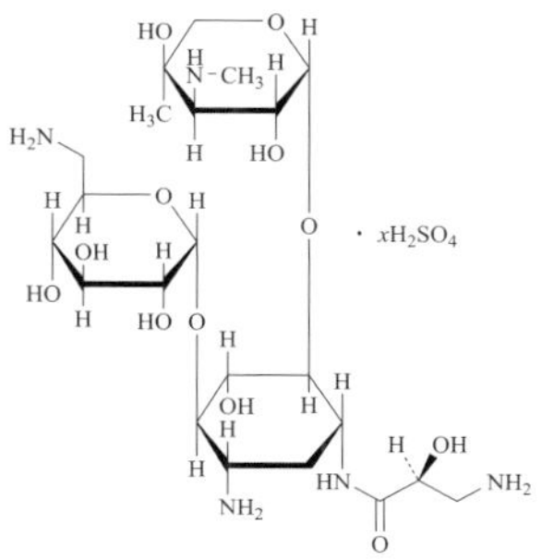

分子式　$C_{22}H_{43}N_5O_{12}\cdot xH_2SO_4$

分子量　569.60(イセパマイシンとして)

略語・慣用名　ISP

ステム　*Streptomyces*属以外の放線菌の産生する抗生物質：-micin

原薬の規制区分　該当しない

原薬の外観・性状　白色～微黄白色の粉末である．水に極めて溶けやすく，メタノール又はエタノール(95)にほとんど溶けない．0.5gを水5mLに溶かした液のpHは5.5～7.5である

原薬の吸湿性　吸湿性である

原薬の融点・沸点・凝固点　融点：218～226℃(分解)

原薬の酸塩基解離定数　pKa＝8.25(滴定による半中和点法)

先発医薬品等
[注] イセパマイシン硫酸塩注射液200mg・400mg「日医工」(日医工)
エクサシン注射液200・400(旭化成ファーマ)

国際誕生年月　1988年1月

海外での発売状況　中国，台湾

製剤

規制区分　[注] [処]

製剤の性状　[注] 無色澄明の溶液

有効期間又は使用期限　2年

貯法・保存条件　室温保存

薬剤取扱い上の留意点　該当しない

患者向け資料等　くすりのしおり

溶液及び溶解時のpH　[注] 5.5～7.5

浸透圧比　[200注] 約1　[400注] 約2　(対生食)

調製時の注意　アンピシリン，セフォチアム，セフロキシムと混合すると，両剤の反応によりアミドを形成し，本剤の活性低下を起こすことがあるので，それぞれ別経路で投与すること．アスコルビン酸注射液と混合すると，本剤の活性低下を起こすことがあるので，それぞれ別経路で投与すること

薬理作用

分類　アミノグリコシド系抗生物質

作用部位・作用機序　細菌のリボソームに結合し，蛋白合成を

阻害することにあると考えられている

同効薬　アミノグリコシド系抗生物質(アミカシン硫酸塩，ゲンタマイシン硫酸塩，ジベカシン硫酸塩，トブラマイシン，ミクロノマイシン硫酸塩，アルベカシン硫酸塩など)

治療

効能・効果　〈適応菌種〉イセパマイシンに感性の大腸菌，シトロバクター属，クレブシエラ属，エンテロバクター属，セラチア属，プロテウス属，モルガネラ・モルガニー，プロビデンシア属，緑膿菌　〈適応症〉敗血症，外傷・熱傷及び手術創等の二次感染，肺炎，慢性呼吸器病変の二次感染，膀胱炎，腎盂腎炎，腹膜炎

用法・用量　1日400mg(力価)，1～2回に分け筋注又は点滴静注(適宜増減)．点滴静注には1日1回の場合1時間，2回の場合30分～1時間かけて注入

用法・用量に関連する使用上の注意　①使用にあたっては，耐性菌の発現等を防ぐため，原則として感受性を確認し，疾病の治療上必要な最小限の期間の投与にとどめる　②腎障害のある患者には，投与量を減ずるか，投与間隔をあけて使用する

使用上の注意

禁忌　本剤の成分ならびに他のアミノグリコシド系抗生物質及びバシトラシンに対し過敏症の既往歴のある患者

過量投与　①徴候，症状：腎障害，聴覚障害，前庭障害，神経筋遮断症状，呼吸麻痺が現れることがある　②処置：血液透析等による薬剤の除去を行う．神経筋遮断症状，呼吸麻痺に対してはコリンエステラーゼ阻害剤，カルシウム製剤の投与又は機械的呼吸補助を行う

薬物動態

血中濃度(μg/mL)　①健康成人に200mgを筋注又は30分及び1時間点滴静注，400mgを筋注又は1時間点滴静注時の血漿中濃度及び薬物速度論的パラメータは次の通り(投与量・投与法，Tmax(hr)，Cmax(μg/mL)，$T_{1/2}$(hr)，AUC(μg・hr/mL))：(1)200mg筋注(5例)：0.85，10.2，1.79，36.05，(2)200mg点滴静注(30min，4例)：0.5※)，17.13，1.78，34.85，(3)200mg点滴静注(1hr，3例)：1※)，11.18，1.94，29.14，(4)400mg筋注(4例)：0.93，18.63，1.87，70.88，(5)400mg点滴静注(1hr，3例)：1※)，21.5，1.84，48.05．200mg投与で12時間後0.3μg/mL以下，400mg投与で24時間後平均0.39μg/mLに低下　※)点滴終了時　②健康成人及び腎機能障害患者200mgを筋注時の血清中濃度及び薬物速度論的パラメータは次のとおり(クレアチニン・クリアランス(mL/min)，Tmax(hr)，Cmax(μg/mL)，$T_{1/2}$(hr)，AUC(μg・hr/mL))：(1)100(3例)：0.77，11.04，1.83，38.9，(2)65，61.7(2例)：1，12.31，3.24，70.87，(3)52.6，37.5(2例)：1.2，11.49，4，79.59，(4)30，18.3(2例)：1.08，15.83，4.96，126.78．腎機能低下に伴い$T_{1/2}$が延長し，Cmaxの上昇及びAUCの増加が認められた　**分布**　①体液・組織内移行：(1)喀痰中濃度：呼吸器感染症患者に400mgを筋注時，投与3～4時間後に最高2.19μg/mL　(2)腹水中濃度：胃癌，直腸癌及び胆石症の腹部手術施行患者に200mgを1時間点滴静注時，投与開始2時間後に最高8.44μg/mL．また，腹膜炎患者に400mgを1時間点滴静注時，投与開始1及び2時間後ともに最高15.25μg/mL　(3)術創・熱傷患部浸出液中濃度：直腸及び乳房切断術施行患者に200mgを筋注時，投与4時間後に7.8～8μg/mLの最高術後浸出液中濃度．また，熱傷二次感染患者に200mgを筋注時，投与2～4時間後に4.01μg/mLの最高熱傷潰瘍部浸出液中濃度　(4)臍帯血清中・羊水中濃度：満期産妊婦に200mgを筋注時，投与約1.5及び約5時間後に7.1μg/mLの最高臍帯血清中濃度，投与約4時間後に3.5μg/mLの最高羊水中濃度　(5)母乳中濃度：授乳婦に200mgを筋注時，投与1～6時間の間でいずれも母乳中濃度は測定限界値0.156μg/mL以下　②血漿蛋白結合：ヒト血漿蛋白結合率は，12.5～50μg/mLの濃度範囲で3.46～6.3%(*in vitro*)　**代謝**　①健康成人に300mgを筋注時，尿中に抗菌活性代謝物は検出されなかった　②ラットに^{14}Cイセパマイシン硫酸塩を筋注時，尿中放射能の大部分は未変化体で，本剤はほとんど代謝されないと考えられた　**排泄**　主排泄経路は尿中排泄．健康成人に200mgを筋注又は30分及び1時間点滴静注時，投与後12時間までに約80%が尿中に排泄．また，400mgを筋注又は1時間点滴静注時，投与後24時間までに約80%が尿中に排泄　**腎機能障害患者への投与法**　腎機能障害患者では，血中濃度の半減期が延長し，高い血中濃度が長時間持続して，第8脳神経障害又は腎障害が現れるおそれがあるので，腎機能障害度に応じて，投与量及び投与間隔を調節すべきである：①初回量，維持量ともに調節する方法：クレアチニンクリアランスを用い，初回量及び維持量を投与する(添付文書参照)　②投与間隔を調節する方法：通常量を「血清クレアチニン値(mg/dL)×9」時間ごとに投与する　**血中濃度モニタリング**　アミノグリコシド系抗生物質による副作用発現の危険性は，一過性であっても異常に高い最高血中濃度(ピーク値)が繰り返されるほど大きくなり，また，異常に高い最低血中濃度(次回投与直前値)が繰り返されるほど大きくなるといわれている．最高血中濃度が35μg/mL以上，最低血中濃度が10μg/mL以上が繰り返されると第8脳神経障害や腎障害発生の危険性が大きくなると考えられている．腎機能障害患者，新生児，低出生体重児，高齢者及び大量投与患者等では血中濃度が高くなりやすいので，初回投与時において，また，長期間投与患者においても適当な間隔で最高血中濃度と最低血中濃度を測定し，異常な高値を示す場合には，次回投与から投与量や投与間隔を調整することが望ましい．たとえば，異常に高い最高血中濃度が繰り返されている場合は投与量を減量し，異常に高い最低血中濃度が繰り返されている場合は投与間隔を延長する等，調整を行う

その他の管理的事項

投与期間制限　該当しない

保険給付上の注意　該当しない

資料

IF　エクサシン注射液200・400　2018年8月改訂(第12版)

イソクスプリン塩酸塩
イソクスプリン塩酸塩錠
Isoxsuprine Hydrochloride

概要

薬効分類　124　鎮けい剤，217　血管拡張剤

構造式

・HCl

及び鏡像異性体

分子式　$C_{18}H_{23}NO_3$・HCl

分子量　337.84

ステム　不明

原薬の規制区分　劇(ただし，1錠中イソクスプリンとして10mg以下を含有するものを除く)

原薬の外観・性状　白色の粉末又は結晶性の粉末である．ギ酸又はメタノールにやや溶けやすく，水又はエタノール(99.5)に溶けにくい．本品のメタノール溶液(1→50)は旋光性を示さない．0.5gを水50mLに加温して溶かし，放冷した液のpHは4.5～6.0である

原薬の吸湿性　吸湿しにくい

原薬の融点・沸点・凝固点　融点：約204℃(分解)

原薬の酸塩基解離定数　該当資料なし

先発医薬品等
錠 ズファジラン錠10mg(第一三共)
注 ズファジラン筋注5mg(第一三共)
国際誕生年月 不明
海外での発売状況 米など

製剤

規制区分 注 劇 処
製剤の性状 錠 白色の割線入りの素錠 注 無色澄明の液
有効期間又は使用期限 3年
貯法・保存条件 室温保存
患者向け資料等 くすりのしおり
溶液及び溶解時のpH 注 4.9〜6.0
浸透圧比 注 約1(対生食)
安定なpH域 該当しない
調製時の注意 該当しない

薬理作用

分類 脳・末梢血行動態改善剤，子宮鎮痙剤
作用部位・作用機序 部位：血管平滑筋のβ受容体 機序：中枢作用，神経節遮断作用及び副交感神経興奮作用はなく，血管平滑筋のアドレナリン系薬物受容体のβ受容体を興奮させ，α受容体を抑制．いわゆるmicrocirculatory regulatorとして働き，脳・末梢血行動態を改善．また子宮筋に対しても鎮痙作用
同効薬 錠 末梢循環障害：ヘプロニカートなど 注 切迫流・早産：リトドリン塩酸塩など

治療

効能・効果 ①次に伴う随伴症状：頭部外傷後遺症 ②次に伴う末梢循環障害：ビュルガー病，閉塞性動脈硬化症，血栓性静脈炎，静脈血栓症，レイノー病及びレイノー症候群，凍瘡・凍傷，特発性脱疽，糖尿病による末梢血管障害 ③子宮収縮の抑制(切迫流・早産，過強陣痛*) ④月経困難症 *)過強陣痛は注のみ
用法・用量 錠 効能①②④：1回10〜20mg，1日3〜4回(適宜増減) 効能③：1日30〜60mg，3〜4回に分服(適宜増減) 注 効能①②：重症・急性の場合1回5〜10mg，1日2〜3回筋注(適宜増減) 効能③：1回5〜10mg，1〜2時間ごとに筋注(適宜増減) 効能④：重症の場合1回5〜10mg筋注(適宜増減)．いずれの場合も症状が治まったら内服に切り換える
禁忌・原則禁忌となる特定患者集団 注 分娩直後の患者

使用上の注意

禁忌 注 ①脳出血のある患者［症状が悪化するおそれがある］ ②分娩直後の患者［分娩直後の出血を助長するおそれがある］ ③胎盤の早期剥離患者［疼痛，出血，止血障害，急性貧血及びショック症状等が悪化するおそれがある］

薬物動態

経口投与(胃腸管から速やかに吸収され)又は筋注で，1時間以内に最高血漿中濃度に達し，主に尿中へ排泄．血漿中からの半減期は約1.5時間

その他の管理的事項

投与期間制限 該当しない
保険給付上の注意 該当しない

資料

IF ズファジラン錠10mg 2016年9月改訂(第8版)
ズファジラン筋注5mg 2019年10月改訂(第9版)

イソソルビド
Isosorbide

概要

薬効分類 213 利尿剤
構造式

分子式 $C_6H_{10}O_4$
分子量 146.14
ステム 不明
原薬の規制区分 該当しない
原薬の外観・性状 白色の結晶又は塊で，においはないか，又は僅かに特異なにおいがあり，味は苦い．水又はメタノールに極めて溶けやすく，エタノール(95)に溶けやすく，ジエチルエーテルに溶けにくい
原薬の吸湿性 吸湿性である
原薬の酸塩基解離定数 該当資料なし
先発医薬品等
内用液 イソバイドシロップ70%・70%分包20mL・23mL・30mL(興和＝日本新薬)
内用ゼリー イソソルビド内服ゼリー70%分包20g・30g「日医工」(三和化学＝エルメッド＝日医工)
後発医薬品
内用液 70%
国際誕生年月 不明
海外での発売状況 錠 台湾，韓国

製剤

規制区分 シ 内用ゼリー 処
製剤の性状 シ 無色〜淡黄褐色の内用液剤．初め甘みと酸味があり，後やや苦い．芳香あり 内用ゼリー 褐色のゼリーようで，チョコレートようのにおいがあり，味は甘く，僅かに苦い
有効期間又は使用期限 3年
貯法・保存条件 室温保存
薬剤取扱い上の留意点 シ 保存条件により，多少色調の変化が見られることがあるが，品質，薬効には影響はない．500mL瓶を開封後は密栓し冷所に保存すること．分包品は服用直前まで開封しないこと．服用後の残液は廃棄し，保存しないこと
患者向け資料等 くすりのしおり
溶液及び溶解時のpH シ 約2.3
調製時の注意 該当しない

薬理作用

分類 経口浸透圧利尿・メニエール病改善剤
作用部位・作用機序 部位：細胞外液 機序：体内ではとんど代謝を受けないため，濃厚液を大量に投与すると組織中の水分を血液中に移動させる．腎糸球体で容易にろ過され，糸球体ろ過量(GFR)を増加させる．尿細管で再吸収されないため，尿細管腔内の浸透圧が上昇し，水の再吸収が抑制される．その結果，電解質及び水の排泄が増加し，組織中の水分量が減少するため，頭蓋内圧や眼圧が低下する．内耳の血管条，内リンパ嚢，内リンパ管に作用して内リンパ圧を降下させる．血管条の辺縁細胞内にイソソルビドが移行し，細胞内浸透圧を高める結果，内リンパとの間に浸透圧勾配が生じ内リンパを吸収する
同効薬 D-マンニトール，グリセリン，アセタゾラミド

治療

効能・効果 ①脳腫瘍時の脳圧降下，頭部外傷に起因する脳圧亢進時の脳圧降下，腎・尿管結石時の利尿，緑内障の眼圧降

下　②メニエル病

用法・用量　効能①：1日**内用液** 70～140mL，**内用ゼリー** 70～140g，2～3回に分服（適宜増量）　効能②：1日**内用液** 1.5～2.0mL/kg，**内用ゼリー** 1.5～2.0g/kgを標準量とし，1日**内用液** 90～120mL，**内用ゼリー** 90～120g，毎食後3回に分服（適宜増減）．**内用液** 必要に応じ冷水で2倍程度に希釈

使用上の注意

禁忌　①本剤及び本剤の成分に対し過敏症の既往歴のある患者　②急性頭蓋内血腫のある患者［急性頭蓋内血腫を疑われる患者に，頭蓋内血腫の存在を確認することなく投与した場合，脳圧により，一時止血していたものが，頭蓋内圧の減少とともに再び出血し始めることもあるので，出血源を処理し，再出血のおそれのないことを確認しない限り投与しない］

薬物動態

内用液 健常人3名に70％液剤30mLを単回投与時の半減期（$T_{1/2}$）は6.84±0.17時間，体内平均滞留時間（MRT）は10.68±0.8時間，分布容積（Vd）は0.66±0.03L/kg．また24時間の尿中排泄量は約81％が未変化のまま排泄

その他の管理的事項

投与期間制限　該当しない

保険給付上の注意　該当しない

資料

IF　イソバイドシロップ70％・70％分包20mL・70％分包23mL・70％分包30mL　2018年4月改訂（第9版）
メニレット70％ゼリー20g・30g　2019年4月改訂（第6版）

イソニアジド
イソニアジド錠
イソニアジド注射液
Isoniazid

概要

薬効分類　622　抗結核剤

構造式

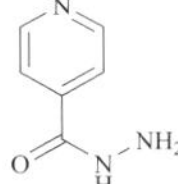

分子式　$C_6H_7N_3O$

分子量　137.14

略語・慣用名　INH

ステム　不明

原薬の規制区分　該当しない

原薬の外観・性状　無色の結晶又は白色の結晶性の粉末で，においはない．水又は酢酸（100）に溶けやすく，エタノール（95）にやや溶けにくく，無水酢酸に溶けにくく，ジエチルエーテルに極めて溶けにくい．1.0gを新たに煮沸して冷却した水10 mLに溶かした液のpHは6.5～7.5である

原薬の吸湿性　該当資料なし

原薬の融点・沸点・凝固点　融点：170～173℃

原薬の酸塩基解離定数　pKa_1＝1.8（ヒドラジド基），pKa_2＝3.5（ピリジン基），pKa_3＝10.8（アミド基）

先発医薬品等

末 イスコチン原末（アルフレッサファーマ）
錠 イスコチン錠100mg（アルフレッサファーマ）
ヒドラ錠「オーツカ」50mg（大塚工場＝大塚製薬）
注 イスコチン注100mg（アルフレッサファーマ）

国際誕生年月　不明

海外での発売状況　米，仏，独を含む24カ国

製剤

規制区分　**末**　**錠**　**注**　㊕

製剤の性状　**末** 白色の粉末　**錠** 白色の割線入り素錠　**注** 無色澄明の液である

有効期間又は使用期限　**末** 3.5年　**錠** 5年　**注** 4年

貯法・保存条件　遮光・室温保存

薬剤取扱い上の留意点　該当しない

患者向け資料等　くすりのしおり

溶液及び溶解時のpH　**注** 6.5～7.5

浸透圧比　**注** 約2（対生食）

調製時の注意　該当しない

薬理作用

分類　合成殺菌性抗結核薬

作用部位・作用機序　合成の殺菌性抗結核薬で，おもに活発に分裂しているマイコバクテリアに対して作用．正確な作用機序は明らかではないが，第一の作用点は結核菌に特異な細胞壁成分であるミコール酸の合成を阻害して，細胞壁合成を阻害することにあるとされている．他に核酸の生合成阻害，糖及びアミノ酸代謝の阻害などが考えられている

同効薬　イソニアジドメタンスルホン酸ナトリウム水和物，リファンピシン，ストレプトマイシン硫酸塩，エタンブトール塩酸塩，パラアミノサリチル酸カルシウム水和物，ピラジナミドなど

治療

効能・効果　〈適応菌種〉本剤に感性の結核菌　〈適応症〉肺結核及びその他の結核症

用法・用量　**末**　**錠** 1日200～500mg（4～10mg/kg）を1～3回に分けて毎日又は週2日投与（適宜増減）．必要な場合1日成人1gまで，13歳未満20mg/kgまで増量できる．他の抗結核薬と併用することが望ましい
注 1日200～500mg（4～10mg/kg）筋注又は静注，髄腔内・胸腔内注入又は局所分注の場合1回50～200mg（適宜増減）．他の抗結核薬と併用することが望ましい

使用上の注意

禁忌　重篤な肝障害のある患者［肝障害が悪化するおそれがある］

過量投与　経口投与で次のような報告がある：①症状：痙攣，昏睡，代謝性アシドーシス，高血糖が現れることがある　②処置：痙攣の抑制にはジアゼパムを，代謝性アシドーシスには炭酸水素ナトリウムを静注する．気道を確保し，十分な呼吸を確保する．イソニアジドの服用量と同量のピリドキシンを静注する．重症の場合，血液灌流あるいは血液透析を行うことが望ましい

薬物動態

吸収　参考（動物）：経口投与では小腸から速やかに，かつほぼ完全に吸収された　**蛋白結合**　血清蛋白（主にアルブミン）と結合し，ヒト血清アルブミン1molあたりに結合するイソニアジドのmol比は0.08　**代謝**　投与後，大部分は肝臓でアセチル化され，1-acetyl-2-isonicotinylhydrazineとなった後，さらに代謝され，1,2-diacetylhydrazine，acetylhydrazineとなって尿中に排泄．このN-アセチル化の代謝速度には遺伝的多様性（rapid又はslow acetylator）があり，人種差がみられる（日本人でslow acetylatorは10％以下）　**腎機能障害患者での体内動態**　**末**　**錠** ①主要排泄経路が腎臓であるため，腎機能低下患者では代謝物が血中に蓄積して高濃度になるとの報告がある　②参考：腎機能障害患者に対するイソニアジドの投与法の目安（血液透析患者含む．腎機能（Ccr mL/min），1回投与量（mg），投与間隔（day）の順）：⑴50＜Ccr：300，1，⑵30＜Ccr＜50：300，1～2，⑶10＜Ccr＜30：300，2，⑷Ccr＜10：200～300，2～3

その他の管理的事項

投与期間制限　該当しない

保険給付上の注意　該当しない

資料
IF　イスコチン原末・錠100mg　2019年3月作成(第1版)
　　イスコチン注100mg　2019年3月作成(第1版)

イソフルラン
Isoflurane

概要
薬効分類　111　全身麻酔剤
構造式

及び鏡像異性体

分子式　$C_3H_2ClF_5O$
分子量　184.49
ステム　全身吸入麻酔剤：-flurane
原薬の規制区分　劇
原薬の外観・性状　無色透明の流動性の液である．エタノール(99.5)，メタノール又は*o*-キシレンと混和する．水に溶けにくい．揮発性で引火性はない．旋光性を示さない
原薬の吸湿性　吸湿性なし
原薬の融点・沸点・凝固点　沸点：47～50℃
原薬の酸塩基解離定数　なし
後発医薬品
　吸入
国際誕生年月　不明
海外での発売状況　該当資料なし
製剤
規制区分　吸入　劇 処
製剤の性状　吸入 無色透明の流動性の液
貯法・保存条件　遮光・室温保存
薬剤取扱い上の留意点　正確な濃度の気体を供給できるイソフルラン専用気化器を使用することが望ましい
溶液及び溶解時のpH　該当しない
浸透圧比　該当しない
安定なpH域　該当しない
調製時の注意　該当しない
薬理作用
分類　吸入麻酔剤(エンフルラン構造異性体)
作用部位・作用機序　健常成人及び手術患者で麻酔の導入及び覚醒は速やかで，軽度の気道刺激性があるが，唾液及び気管の分泌刺激は少なく，咽頭・喉頭反射は速やかに消失する．麻酔深度は容易に調節できる
同効薬　ハロタン，セボフルラン，デスフルラン
治療
効能・効果　全身麻酔
用法・用量　①導入：睡眠量の静脈麻酔薬を投与し，本剤と酸素もしくは酸素・亜酸化窒素混合ガスとで導入．本剤と酸素もしくは酸素・亜酸化窒素混合ガスでも導入できる．本剤による導入では，最初0.5%から始めて徐々に濃度を上げ，手術に必要な濃度にすることが望ましい．通常，4%以下の濃度で導入できる　②維持：患者の臨床徴候を観察しながら，酸素・亜酸化窒素と併用し，最小有効濃度で外科的麻酔状態を維持．通常，2.5%以下の濃度で維持できる
使用上の注意
禁忌　①本薬又は他のハロゲン化麻酔薬に対して過敏性のある患者　②血族に悪性高熱がみられた患者［悪性高熱が現れやすいとの報告がある］
薬物動態
血中濃度　健常成人に1.2又は1.8%を1時間吸入後，動脈血中濃度は速やかに上昇．吸入終了時の動脈血中濃度はそれぞれ，平均7.1mg/dL，10.1mg/dL．吸入中止10分後(覚醒時間とほぼ一致)の動脈血中濃度はそれぞれ，平均1.7mg/dL，2.9mg/dLと，速やかに低下．消失半減期は第1相半減期2.2～2.8分，第2相半減期50.2～51.0分　**代謝・排泄**　手術患者を1.2%で1～2時間麻酔時，平均92.3%が未変化体のまま呼気中から排泄．平均0.43%が有機及び無機フッ化物として尿中に排泄され，代謝率は極めて低かった
その他の管理的事項
投与期間制限　該当しない
保険給付上の注意　該当しない
資料
IF　イソフルラン吸入麻酔液「ファイザー」 2015年6月改訂(第12版)

l−イソプレナリン塩酸塩
l-Isoprenaline Hydrochloride

概要
薬効分類　211　強心剤
構造式

・HCl

分子式　$C_{11}H_{17}NO_3$・HCl
分子量　247.72
略語・慣用名　別名：*l*-塩酸イソプロテレノール
ステム　気管支拡張薬，フェネチルアミン誘導体：-prenaline
原薬の規制区分　劇(ただし，1錠中イソプロテレノールとして10mg以下を含有するもの，イソプロテレノールとして5%以下を含有する外用剤及びイソプロテレノールとして1%以下を含有する吸入剤を除く)
原薬の外観・性状　白色の結晶性の粉末で，においはない．水に溶けやすく，エタノール(95)にやや溶けにくく，酢酸(100)，無水酢酸，ジエチルエーテル又はクロロホルムにほとんど溶けない．空気又は光によって徐々に着色する．0.10gを水10mLに溶かした液のpHは4.5～5.5である
原薬の吸湿性　該当資料なし
原薬の酸塩基解離定数　該当資料なし
先発医薬品等
　注 プロタノールL注0.2mg・1mg(興和)
国際誕生年月　不明
海外での発売状況　台湾
製剤
規制区分　注　劇 処
製剤の性状　注 無色澄明の液
有効期間又は使用期限　3年
貯法・保存条件　室温保存
薬剤取扱い上の留意点　外箱開封後は遮光して保存すること
溶液及び溶解時のpH　注 3.5～5.0
浸透圧比　注 約1(対生食)
調製時の注意　炭酸水素ナトリウムのようなアルカリ剤と混合すると直ちに紅色～褐色になるので，混合を避けること
薬理作用
分類　アドレナリンβ受容体刺激薬
作用部位・作用機序　部位：心臓，血管，気管支等　機序：アドレナリンβ_1及びβ_2受容体に非選択的に作用し，強いβ作用を発現．心拍出量増大(陽性変力作用：β_1作用)，洞機能及

び房室伝導亢進による心拍数増加(陽性変時作用：β_1作用)，骨格筋，内臓血管拡張作用(β_2作用)，気管支拡張作用(β_2作用)を示すといわれている

同効薬　アドレナリン，ノルアドレナリン，ドパミン塩酸塩，ドブタミン塩酸塩

治療

効能・効果　アダムス・ストークス症候群(徐脈型)の発作時(高度の徐脈，心停止を含む)，あるいは発作反復時．心筋梗塞や細菌内毒素等による急性心不全，手術後の低心拍出量症候群，気管支喘息の重症発作時

用法・用量　①点滴静注：0.2～1mgを等張溶液200～500mLに溶解し，心拍数又は心電図をモニターしながら注入．徐脈型アダムス・ストークス症候群には，心拍数を原則として毎分50～60に保つ．ショックないし低拍出量症候群には，心拍数を原則として毎分110前後に保つようにする　②緊急時：急速な効果発現の必要時には0.2mgを等張溶液20mLに溶解し，その2～20mLを静注(徐々に)，筋注又は皮下注．心臓がまさに停止しようとするときには0.02～0.2mgを心内に与えてもよい．症状により適宜増量

使用上の注意

禁忌　①特発性肥大性大動脈弁下狭窄症の患者［心収縮力を増強するため，左室からの血液流出路の閉塞が増強され，症状を増強させるおそれがある］　②ジギタリス中毒の患者［重篤な不整脈が起こる可能性がある］　③カテコールアミン製剤((アドレナリン等)，エフェドリン，メチルエフェドリン，メチルエフェドリンサッカリネート，オルシプレナリン，フェノテロール，ドロキシドパ)との併用は避ける

過量投与　①症状：過度に心拍数の増加を来し，心悸亢進，頻脈，胸部不快感，顔面潮紅，発汗，めまい，嘔吐，頭痛を生ずることがある　②処置：中止するか，減量又は点滴注入速度を遅くする

薬物動態

注 **代謝**　主に消化管，肝，肺等で，消化管では抱合を受け，肝ではカテコール-*O*-メチルトランスフェラーゼにより分解される．静注時の主な代謝産物は3-*O*-メチルイソプレナリンとその抱合体　**排泄**　ラットに*dl*-〔7-^{3}H〕イソプレナリンを静注時の排泄部位は腎，胆汁

その他の管理的事項

投与期間制限　該当しない

保険給付上の注意　該当しない

資料

IF　プロタノールL注0.2mg・1mg　2020年5月改訂(第6版)

イソプロパノール
Isopropanol

別名：イソプロピルアルコール

概要

薬効分類　261　外皮用殺菌消毒剤

構造式

$(CH_3)_2CHOH$（OH / H_3C CH_3）

分子式　C_3H_8O

分子量　60.10

ステム　不明

原薬の規制区分　該当しない

原薬の外観・性状　無色澄明の液で，特異なにおいがある．水，メタノール，エタノール(95)又はジエチルエーテルと混和する．燃えやすく，揮発性である

先発医薬品等

外用液　イソプロパノール(兼一)・消毒液50%(兼一＝日興製薬販売)・70%「カネイチ」(兼一)
イソプロパノール(山善)
イソプロパノール「イマヅ」・消毒液50%「イマヅ」(今津)
イソプロパノール「ケンエー」・消毒液50%・70%・消毒B液70%「ケンエー」(健栄)
イソプロパノール消毒液50%・70%「シオエ」(シオエ＝日本新薬)
イソプロパノール消毒液50%「昭和」(昭和製薬＝阪神局方)
イソプロパノール「タイセイ」・消毒液50%・70%「タイセイ」(大成)
イソプロパノール消毒液50%・70%「東豊」(東豊＝サラヤ)
イソプロパノール消毒液50%・70%「ニプロ」(ニプロ)
イソプロパノール消毒液50%・70%〈ハチ〉(東洋製化＝小野)
イソプロパノール消毒液50%・70%「メタル」(中北)
イソプロパノール「ヨシダ」・消毒液50%・70%「ヨシダ」(吉田製薬)
イソプロパノール「コザカイ・M」・消毒液70%「純生」(小堺)
消毒用イソプロパノール液50%「ヤクハン」(ヤクハン＝日医工＝岩城)・イソプロパノール消毒液70%「ヤクハン」(ヤクハン＝日医工)
イソプロパノール「カナダ」(金田直)
イソプロパノール「三恵」・50%消毒用イソプロパノール「三恵」(三恵)
イソプロパノール「東海」・50%消毒用・70%イソプロパノール「東海」(東海製薬)
イソプロパノール「ニッコー」・50%消毒用イソプロパノール「ニッコー」(日興製薬＝ファイザー)・70%消毒用イソプロパノール「ニッコー」(日興製薬＝ファイザー＝中北)
イソプロパノール「マルイシ」(丸石)
イソプロパノールワコー・50%・70%イソプロパノールワコー(富士フイルムワコーケミカル＝富士フイルム和光純薬)
50V/V%消毒用イソプロ「コザカイ」(小堺)
50%・70%イソプロ消アル「ヤマゼン」(山善)
50%・70%イソプロピルアルコール(丸石)

海外での発売状況　該当資料なし

製剤

製剤の性状　**外用液** 無色澄明の液で，特異なにおいがある

有効期間又は使用期限　3年

貯法・保存条件　気密容器，火気を避けて保存

薬剤取扱い上の留意点　合成ゴム製品，合成樹脂製品，光学器具，鏡器具，塗装カテーテル等には変質するものがあるので，このような器具は長時間浸漬しないこと

患者向け資料等　くすりのしおり

調製時の注意　該当資料なし

薬理作用

分類　外用殺菌消毒剤

作用部位・作用機序　微生物のタンパク質の変性凝固，代謝障害，溶菌により殺菌作用．最適濃度は50～60%と考えられる．栄養型細菌(グラム陽性菌，グラム陰性菌)，酵母菌，ウイルスなどには有効だが，芽胞及び一部のウイルスには殺菌・不活化作用は期待できない

同効薬　エタノール

治療

効能・効果　手指・皮膚の消毒，(不織布を除く)医療機器の消

毒
用法・用量　50〜70%液を用いる
使用上の注意
禁忌　損傷皮膚及び粘膜［刺激作用があるので］
その他の管理的事項
投与期間制限　該当しない
保険給付上の注意　該当しない
資料
添付文書　50%イソプロピルアルコール（丸石）　2014年9月改訂（第2版）
70%イソプロピルアルコール（丸石）　2014年9月改訂（第2版）

イソプロピルアンチピリン
Isopropylantipyrine

別名：プロピフェナゾン

概要
薬効分類　114　解熱鎮痛消炎剤
構造式

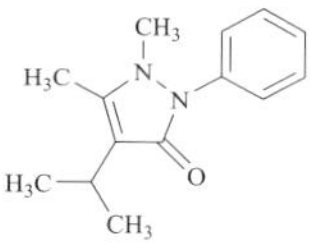

分子式　$C_{14}H_{18}N_2O$
分子量　230.31
原薬の規制区分　[劇]（ただし，1個中0.5g以下を含有するものを除く）
原薬の外観・性状　白色の結晶又は結晶性の粉末で，においはなく，味は僅かに苦い．酢酸(100)に極めて溶けやすく，エタノール(95)又はアセトンに溶けやすく，ジエチルエーテルにやや溶けやすく，水に溶けにくい
原薬の融点・沸点・凝固点　融点：103〜105℃
製剤
規制区分　[末]　[劇]
製剤の性状　[末] 白色の結晶又は結晶性の粉末で，においはなく，味は僅かに苦い
貯法・保存条件　気密容器，室温保存
患者向け資料等　くすりのしおり
溶液及び溶解時のpH　[末] 該当しない
浸透圧比　該当しない
安定なpH域　該当しない
調製時の注意　該当しない
薬理作用
分類　解熱鎮痛剤
作用部位・作用機序　アンチピリン，アミノピリンとほぼ同様な解熱鎮痛作用をもつ．単品としての特色は少なく，他の鎮痛，解熱，消炎，各薬剤などと配合したときの臨床効果が大きいといわれている
治療
効能・用法　解熱鎮痛薬の調剤に用いる
使用上の注意
禁忌　本剤又はピラゾロン系化合物（スルピリン等）に対し，過敏症の既往歴のある患者
薬物動態
ヒトに経口投与後，消化管から速やかに吸収，1〜2時間後に血中濃度は最高，効果は4〜6時間前後で最大．1時間6%ずつ血中から消失し，主な尿中代謝体は脱メチル体のエノール型グルクロン酸抱合体で総尿中代謝体の約80%．250mg投与の健常被検者の24時間尿中に代謝物を0.8%，未変化体を0.04%認めた
資料
添付文書　ヨシピリン　2009年6月改訂（第5版）

イソマル水和物
Isomalt Hydrate

別名：イソマル

概要
構造式

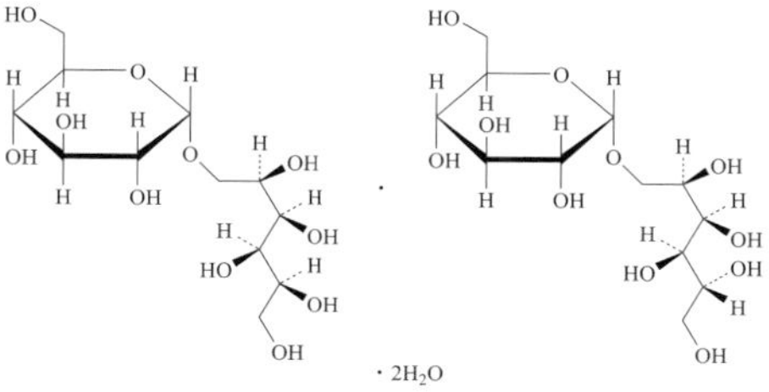

分子式　6-*O*-α-D-Glucopyranosyl-D-glucitol：$C_{12}H_{24}O_{11}$
1-*O*-α-D-Glucopyranosyl-D-mannitol dihydrate：$C_{12}H_{24}O_{11}\cdot 2H_2O$
分子量　6-*O*-α-D-Glucopyranosyl-D-glucitol：344.31
1-*O*-α-D-Glucopyranosyl-D-mannitol dihydrate：380.34
原薬の規制区分　該当しない
原薬の外観・性状　白色の粉末又は粒である．水に溶けやすく，エタノール(95)にほとんど溶けない

L−イソロイシン
L-Isoleucine

概要
構造式

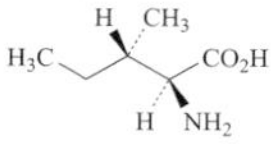

分子式　$C_6H_{13}NO_2$
分子量　131.17
原薬の規制区分　該当しない
原薬の外観・性状　白色の結晶又は結晶性の粉末で，においはないか，又は僅かに特異なにおいがあり，味は僅かに苦い．ギ酸に溶けやすく，水にやや溶けにくく，エタノール(95)にほとんど溶けない．希塩酸に溶ける．1.0gを水100mLに溶かした液のpHは5.5〜6.5である

イソロイシン・ロイシン・バリン顆粒
L-Isoleucine, L-Leucine and L-Valine Granules

概要

薬効分類 325 たん白アミノ酸製剤

分子式 [L-イソロイシン] $C_6H_{13}NO_2$ [L-ロイシン] $C_6H_{13}NO_2$ [L-バリン] $C_5H_{11}NO_2$

分子量 [L-イソロイシン] 131.17 [L-ロイシン] 131.17 [L-バリン] 117.15

原薬の規制区分 該当しない

原薬の外観・性状 [L-イソロイシン] 白色の結晶又は結晶性の粉末で，においはないか，又は僅かに特異なにおいがあり，味は僅かに苦い．ギ酸に溶けやすく，水にやや溶けにくく，エタノール(95)にほとんど溶けない．希塩酸に溶ける [L-ロイシン] 白色の結晶又は結晶性の粉末で，においはないか，又は僅かに特異なにおいがあり，味は僅かに苦い．ギ酸に溶けやすく，水にやや溶けにくく，エタノール(95)にほとんど溶けない．希塩酸に溶ける [L-バリン] 白色の結晶又は結晶性の粉末で，においはないか，又は僅かに特異なにおいがあり，味は僅かに甘いが，後に苦い．ギ酸に溶けやすく，水にやや溶けやすく，エタノール(95)にほとんど溶けない．希塩酸に溶ける

原薬の吸湿性 該当資料なし

原薬の融点・沸点・凝固点 [L-イソロイシン] 融点：284～286℃(分解) [L-ロイシン] 融点：293～295℃(分解) [L-バリン] 融点：315℃

原薬の酸塩基解離定数 [L-イソロイシン] $pK_1=2.26$, $pK_2=9.62$ [L-ロイシン] $pK_1=2.36$(DL), $pK_2=9.60$(DL) [L-バリン] $pK_1=2.32$, $pK_2=9.62$

先発医薬品等

顆 リーバクト配合顆粒(EAファーマ)

内用ゼリー リーバクト配合経口ゼリー(EAファーマ)

後発医薬品

顆 4.5g・4.74g

国際誕生年月 1996年1月

海外での発売状況 韓国を含む6カ国

製剤

製剤の性状 **顆** 白色の顆粒で，僅かに芳香がある

内用ゼリー 白色～帯黄白色のゼリーで，においはないか又は僅かに特有なにおいがある

有効期間又は使用期限 3年

貯法・保存条件 **顆** 気密容器，遮光・室温保存 **内用ゼリー** 気密容器，室温保存

薬剤取扱い上の留意点 特になし

患者向け資料等 くすりのしおり

溶液及び溶解時のpH **内用ゼリー** 7.0

浸透圧比 該当しない

安定なpH域 該当しない

調製時の注意 該当しない

薬理作用

分類 分岐鎖アミノ酸製剤

作用部位・作用機序 非代償性肝硬変患者の血中アミノ酸インバランスの是正を介して，アルブミン合成促進をもたらすものと考えられる

同効薬 なし

治療

効能・効果 食事摂取量が十分にもかかわらず低アルブミン血症を呈する非代償性肝硬変患者の低アルブミン血症の改善

効能・効果に関連する使用上の注意 ①適用対象となる患者は，血清アルブミン値が3.5g/dL以下の低アルブミン血症を呈し，腹水・浮腫又は肝性脳症を現有するかその既往のある非代償性肝硬変患者のうち，食事摂取量が十分にもかかわらず低アルブミン血症を呈する患者，又は，糖尿病や肝性脳症の合併等で総熱量や総蛋白(アミノ酸)量の制限が必要な患者である．糖尿病や肝性脳症の合併等がなく，かつ，十分な食事摂取が可能にもかかわらず食事摂取量が不足の場合には食事指導を行う．なお，肝性脳症の発現等が原因で食事摂取量不足の場合には熱量及び蛋白質(アミノ酸)を含む薬剤を投与する ②次の患者は肝硬変が高度に進行しているため本剤の効果が期待できないので投与しない：(1)肝性脳症で昏睡度がIII度以上の患者 (2)総ビリルビン値が3mg/dL以上の患者 (3)肝臓での蛋白合成能が著しく低下した患者

用法・用量 **顆** 1回1包(**内用ゼリー** 1回1個)，1日3回食後

用法・用量に関連する使用上の注意 ①分岐鎖アミノ酸のみからなる製剤で，本剤のみでは必要アミノ酸のすべては満たすことはできないので，本剤使用時には患者の状態に合わせた必要蛋白量(アミノ酸量)及び熱量(1日蛋白量40g以上，1日熱量1000kcal以上)を食事等により摂取する．特に蛋白制限を行っている患者に用いる場合には，必要最小限の蛋白量及び熱量を確保しないと本剤の効果は期待できないのみでなく，本剤の長期投与により栄養状態の悪化を招くおそれがあるので注意する ②投与によりBUN又は血中アンモニアの異常が認められる場合，本剤の過剰投与の可能性があるので注意する．また，長期にわたる過剰投与は栄養状態の悪化のおそれもあるので注意する ③2カ月以上投与しても低アルブミン血症の改善が認められない場合は，他の治療に切り替える等，適切な処置を行う

使用上の注意

禁忌 先天性分岐鎖アミノ酸代謝異常のある患者［メープルシロップ尿症においては痙攣，呼吸障害等が現れるおそれがある］

薬物動態

リーバクト配合ゼリー1個又は標準製剤(リーバクト配合顆粒)1包(L-イソロイシン952mg，L-ロイシン1904mg，L-バリン1144mgを含有)をクロスオーバー法により健康成人男性に空腹時単回経口投与し，各分岐鎖アミノ酸の血漿中濃度を測定した．投与前値からの濃度変化量から算出した薬物動態パラメータ(AUC，Cmax)について統計解析を行った結果，両剤の生物学的同等性が確認された **動物における吸収，分布，代謝及び排泄(参考：ラット)** **顆** 分岐鎖アミノ酸は速やかに吸収，血漿及び全血中濃度は投与後4時間に最高値後，漸減．血漿中の分岐鎖アミノ酸は速やかに血漿蛋白合成に利用．分岐鎖アミノ酸は全身に広く分布，蛋白合成の盛んな組織には強く分布．分岐鎖アミノ酸は168時間までに尿・糞中に各4%，呼気中に41%排泄，分岐アミノ酸の一部はエネルギー源としても利用．反復投与でも，その吸収・分布・排泄に大きな影響を与えない．肝障害ラットの吸収は正常ラットに比べ緩徐であったが，血漿蛋白への移行，組織分布及び尿，糞への排泄はほぼ同等で，分岐鎖アミノ酸は肝障害ラットでも体蛋白合成の基質として有効に利用されていると考えられた．また，呼気への排泄は，肝障害ラットの方が正常ラットに比べて高く，エネルギー源として分岐鎖アミノ酸はより有効に利用されていると考えられた(社内資料)

その他の管理的事項

投与期間制限 該当しない

保険給付上の注意 **顆** **内用ゼリー** 血清アルブミン値が3.5g/dL以下の低アルブミン血症を呈し，腹水・浮腫又は肝性脳症を現有するかその既往のある非代償性肝硬変患者のうち，食事摂取量が十分にもかかわらず低アルブミン血症を呈する患者，又は，糖尿病若しくは肝性脳症の合併等で総熱量や総蛋白(アミノ酸)量の制限が必要な患者に使用するものであること

資料

IF リーバクト配合顆粒・経口ゼリー 2016年4月改訂(第10版)

イダルビシン塩酸塩
注射用イダルビシン塩酸塩
Idarubicin Hydrochloride

概要

薬効分類 423 抗腫瘍性抗生物質製剤

構造式

分子式 $C_{26}H_{27}NO_9$・HCl

分子量 533.95

略語・慣用名 IDAR

ステム アントラサイクリン系抗悪性腫瘍剤：-rubicin

原薬の規制区分 毒

原薬の外観・性状 黄赤色の粉末である．メタノールにやや溶けにくく，水又はエタノール(95)に溶けにくく，アセトニトリル又はジエチルエーテルにほとんど溶けない．10mgを水10mLに溶かした液のpHは5.0～6.5である

原薬の吸湿性 いずれの湿度においても4日後までには吸湿平衡に達し，63%RH以下ではほとんど吸湿せず，75%RH以上で吸湿した

原薬の融点・沸点・凝固点 融点：約160℃(分解)

原薬の酸塩基解離定数 pKa＝8.01

先発医薬品等

注射用 イダマイシン静注用5mg(ファイザー)

国際誕生年月 1989年11月

海外での発売状況 米，英，仏，独を含む63カ国

製剤

規制区分 **注射用** 毒 処

製剤の性状 **注射用** 黄赤色の塊である

有効期間又は使用期限 3年

貯法・保存条件 室温保存

薬剤取扱い上の留意点 眼や皮膚に付着した場合には直ちに水で洗浄し，適切な処置を行うこと

溶液及び溶解時のpH **注射用** 5.0～7.0(1バイアル/5mL注射用水)

浸透圧比 **注射用** 約0.1(対生食)

調製時の注意 溶解時のpHにより安定性が低下したり，他の薬剤と混合することにより沈殿を生じることがあるので，混注を避け，注射用水に溶解して投与すること．溶解後は速やかに使用すること．調製した溶液は2～8℃で48時間，常温で24時間は化学的に安定であるが，2～8℃でも24時間以上保存しないことが望ましい

薬理作用

分類 抗腫瘍性抗生物質

作用部位・作用機序 部位：白血病細胞 機序：ダウノルビシンの4位が脱メトキシル化された構造のため，脂溶性が増し，その結果，速やかに，かつ高濃度に細胞内へ取り込まれる．DNAと結合後，核酸ポリメラーゼ活性を阻害し，また，トポイソメラーゼⅡ阻害によりDNA鎖を切断する

同効薬 ダウノルビシン塩酸塩など

治療

効能・効果 急性骨髄性白血病(慢性骨髄性白血病の急性転化を含む)

用法・用量 5mg(力価)に5mLの注射用水を加え溶解し，1日1回12mg(力価)/m^2を3日間連日静注．骨髄機能が回復するまで休薬し，投与を繰り返す

使用上の注意

警告 ①投与は，緊急時に十分対応できる医療施設において白血病の治療に十分な知識と経験をもつ医師のもとで行う ②使用にあたっては，患者又はその家族に有効性及び危険性を十分説明し，同意を得てから投与を開始する ③強い骨髄抑制作用を有する薬剤であり，本剤に関連したと考えられる死亡例が認められている．投与したすべての患者に強い骨髄抑制が起こり，その結果致命的な感染症(敗血症，肺炎等)及び出血(脳出血，消化管出血等)等を引き起こすことがあるので，次について十分注意する：(1)本剤の投与後に認められる骨髄抑制は重篤かつ長期に持続することもあるので，感染予防や致命的な出血の予防に十分な対策を行う (2)重篤な感染症を合併している患者には投与しない (3)本剤投与時に前治療又は他の薬剤による骨髄抑制を起こしている患者では，治療上の有益性が危険性を上回ると判断されるとき以外は投与しない (4)投与開始後は，頻回に血液検査を行う等，患者の状態を注意深く観察し，重篤な感染症又は出血等を引き起こした場合は中止し，必要な処置を行う ④心筋障害作用を有するため，慎重に患者を選択し，本剤が適切と判断される症例にのみ投与し，次の患者には投与しない：(1)心機能異常又はその既往歴のある患者 (2)他のアントラサイクリン系薬剤等，心毒性を有する薬剤による前治療が限界量(塩酸ダウノルビシンでは総投与量が25mg/kg，塩酸エピルビシンでは総投与量がアントラサイクリン系薬剤未治療例で900mg/m^2等)に達している患者 ⑤本剤に対し重篤な過敏症の既往歴のある患者には投与しない．なお，使用にあたっては，添付文書を熟読する

禁忌 ①心機能異常又はその既往歴のある患者［心筋障害が現れることがある］ ②本剤に対し重篤な過敏症の既往歴のある患者 ③重篤な感染症を合併している患者［感染症が増悪し致命的となることがある］ ④他のアントラサイクリン系薬剤等，心毒性を有する薬剤による前治療が限界量(塩酸ダウノルビシンでは総投与量が体重あたり25mg/kg，塩酸エピルビシンでは総投与量がアントラサイクリン系薬剤未治療例で体表面積あたり900mg/m^2等)に達している患者［心筋障害が増強されるおそれがある］ ⑤重篤な肝障害のある患者［血中からの消失が遅延するとの報告がある］ ⑥重篤な腎障害のある患者［血中からの消失が遅延するとの報告がある］

過量投与 本剤を3日間で135mg/m^2を投与した1例と3日間で本剤45mg/m^2と塩酸ダウノルビシン90mg/m^2を投与した1例に死亡が報告されている．過量投与に関する心毒性の影響については詳細には判明していないが，前記2例の過量投与例のうち1例に重篤な不整脈が出現していることから急性心毒性及び高い発生率の遅延性心不全の発現が予想される．また，本剤の過量投与により重篤かつ長期間の骨髄抑制，及び重篤な消化器毒性の発現が考えられる

薬物動態

①血中濃度及び排泄(急性白血病患者21例で，5，7.5，10，12.5，15mg/m^2を3日間静注)：(1)血中濃度：未変化体(イダルビシン)は投与後速やかに減少，24時間後にはほとんど血漿中から消失．主代謝物イダルビシノール血漿中濃度は2～4時間後に未変化体濃度を超え，3日間投与後96時間でも血漿中に認められた．投与3日目の消失半減期(時間)は，未変化体では血漿で6.4～9.85，血球で8.48～16.34，イダルビシノールでは血漿で43.46～51.01，血球で36.61～54.7 (2)排泄：投与後7日までの累積尿中排泄率は13.57%(未変化体2.04%，イダルビシノール11.53%) ②肝・腎機能障害患者の薬物動態試験(外国人)：腎機能障害患者では，腎機能正常患者に比べ，未変化体血漿クリアランスが有意に低下．また，主代謝物の血漿中消失半減期，平均滞留時間も有意に延長．高度肝

機能障害患者で，未変化体の血漿からの消失が遅延する例がみられた

その他の管理的事項

投与期間制限　該当しない

保険給付上の注意　該当しない

資料

IF　イダマイシン静注用5mg　2019年8月改訂(第6版)

70%一硝酸イソソルビド乳糖末
一硝酸イソソルビド錠
Isosorbide Mononitrate 70%／Lactose 30%

概要

薬効分類　217　血管拡張剤

構造式

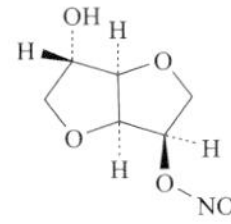

分子式　$C_6H_9NO_6$

分子量　191.14

略語・慣用名　5-ISMN

ステム　不明

原薬の規制区分　該当しない

原薬の外観・性状　白色の粉末，結晶性の粉末，又は塊である．水に溶けやすく，エタノール(99.5)にほとんど溶けない

原薬の吸湿性　吸湿性なし

原薬の融点・沸点・凝固点　融点：88～99℃

原薬の酸塩基解離定数　該当しない

先発医薬品等

錠　アイトロール錠10mg・20mg(トーアエイヨー＝アステラス)

後発医薬品

錠　10mg・20mg

国際誕生年月　1981年11月

海外での発売状況　なし

製剤

規制区分　錠　㊅

製剤の性状　10mg錠　白色の素錠　20mg錠　割線を有する白色の素錠

有効期間又は使用期限　3年

貯法・保存条件　気密容器，室温保存

薬剤取扱い上の留意点　本剤の投与開始時には，他の硝酸・亜硝酸エステル系薬剤と同様に血管拡張作用による頭痛等の副作用を起こすことがある．これらの副作用のために注意力，集中力，反射運動能力等の低下が起こることがあるので，このような場合には，自動車の運転等の危険を伴う機械の操作に従事させないよう注意すること

患者向け資料等　くすりのしおり

溶液及び溶解時のpH　該当しない

浸透圧比　該当しない

安定なpH域　該当しない

調製時の注意　該当しない

薬理作用

分類　狭心症治療用ISMN製剤

作用部位・作用機序　部位：血管平滑筋　心血管系作用機序：①主として細胞外へのCa^{++}流出促進により末梢静脈系を拡張し，前負荷(pre load)を減少させるとともに，末梢動脈系をも拡張し，後負荷(after load)を減少させ，左室壁張力を低下して心筋酸素消費量を減少させる．この末梢血管の拡張は，動脈系に比べ静脈系に対する作用がより強い　②左室拡張終期圧(肺毛細管圧)を低下させ，心内膜側心筋への冠血流を増加　③冠状動脈の太い部分を拡張してスパズム(攣縮)を防ぐとともに側副血行路を増強．抗狭心症作用は，主にcyclic GMPによって媒介される静脈血管の弛緩作用が重要であると考えられている　血管平滑筋弛緩の作用機序：5-ISMNの細胞レベルにおける血管平滑筋弛緩の作用機序は必ずしも明確ではないが，仮説として生体内のSH基により亜硝酸イオン(NO_2^-)に還元された後，酸化窒素(NO)に変化し，guanylate cyclaseを活性化すると考えられている．更に，活性化されたguanylate cyclaseはcyclic GMPの生成を促進し，その結果，cyclic GMP依存性の蛋白リン酸化酵素(G-Kinase)の活性化が起こり，細胞外へのCa^{++}排出や筋小胞体へのCa^{++}の取り込み促進による細胞内の遊離Ca^{++}濃度の低下等を介して，血管平滑筋が弛緩すると考えられている．また，血管トーヌス(緊張度)は種々のシグナル伝達のバランスにより制御されており，近年，特にRhoA/RhoキナーゼシグナルがCa^{++}感受性を亢進するシグナルとして注目されている．硝酸エステル系薬剤の血管平滑筋弛緩作用の一部には，RhoA/Rhoキナーゼ系の抑制が関与していると考えられている

同効薬　硝酸イソソルビド，ニトログリセリン

治療

効能・効果　狭心症

効能・効果に関連する使用上の注意　狭心症の発作寛解を目的とした治療には不適であるので，この目的のためには速効性の硝酸・亜硝酸エステル系薬剤を使用する

用法・用量　1回20mg，1日2回(適宜増減)．効果不十分な場合には1回40mg，1日2回まで増量．ただし，労作狭心症又は労作兼安静狭心症で発作回数及び運動耐容能の面で重症と判断された場合には1回40mg，1日2回投与できる

使用上の注意

禁忌　①重篤な低血圧又は心原性ショックのある患者［血管拡張作用によりさらに血圧を低下させ，症状を悪化させるおそれがある］　②閉塞隅角緑内障の患者［眼圧を上昇させるおそれがある］　③頭部外傷又は脳出血のある患者［頭蓋内圧を上昇させるおそれがある］　④高度な貧血のある患者［血圧低下により貧血症状(めまい，立ちくらみ等)を悪化させるおそれがある］　⑤硝酸・亜硝酸エステル系薬剤に対し過敏症の既往歴のある患者　⑥ホスホジエステラーゼ5阻害作用を有する薬剤(シルデナフィルクエン酸塩，バルデナフィル塩酸塩水和物，タダラフィル)又はグアニル酸シクラーゼ刺激作用を有する薬剤(リオシグアト)を投与中の患者［降圧作用が増強され，過度に血圧を低下させることがある］

その他の管理的事項

投与期間制限　該当しない

保険給付上の注意　該当しない

資料

IF　アイトロール錠10mg・20mg　2014年7月改訂(第9版)

イドクスウリジン
イドクスウリジン点眼液
Idoxuridine

概要

薬効分類 131 眼科用剤

構造式

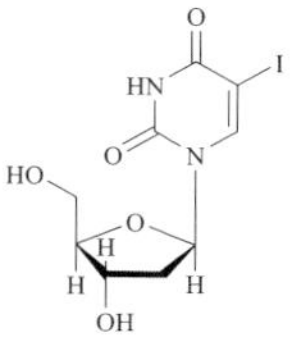

分子式 $C_9H_{11}IN_2O_5$

分子量 354.10

原薬の規制区分 該当しない

原薬の外観・性状 無色の結晶又は白色の結晶性の粉末で，においはない．*N,N*-ジメチルホルムアミドに溶けやすく，水に溶けにくく，エタノール(95)に極めて溶けにくく，ジエチルエーテルにほとんど溶けない．水酸化ナトリウム試液に溶ける

原薬の融点・沸点・凝固点 融点：約176℃(分解)

イトラコナゾール
Itraconazole

概要

薬効分類 629 その他の化学療法剤

構造式

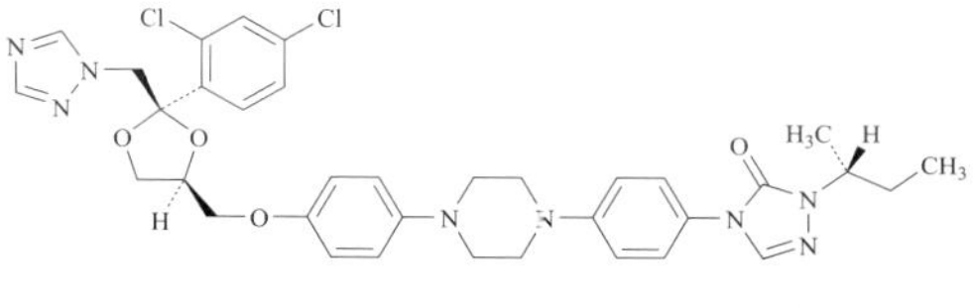

及び鏡像異性体

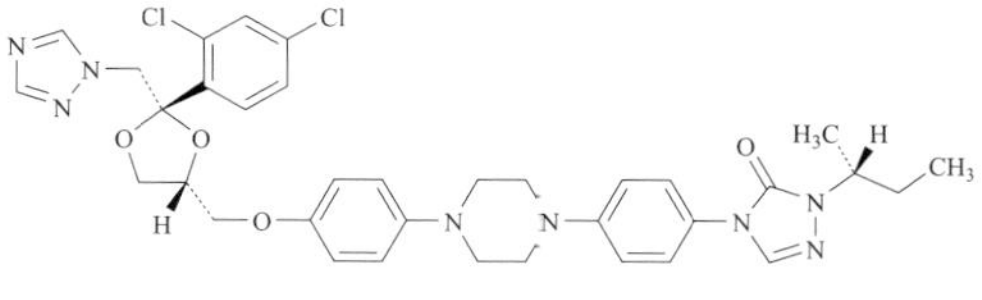

及び鏡像異性体

分子式 $C_{35}H_{38}Cl_2N_8O_4$

分子量 705.63

略語・慣用名 ITCZ

ステム ミコナゾール系抗真菌剤：-conazole

原薬の規制区分 ㊯(ただし，1個中200mg以下又は1%以下を含有する内用剤を除く)

原薬の外観・性状 白色の粉末である．*N,N*-ジメチルホルムアミドにやや溶けやすく，エタノール(99.5)に極めて溶けにくく，水及び2-プロパノールにほとんど溶けない．本品の*N,N*-ジメチルホルムアミド溶液(1→100)は旋光性を示さない

原薬の吸湿性 吸湿性なし

原薬の融点・沸点・凝固点 融点：166～170℃

原薬の酸塩基解離定数 pKa＝3.70(ピペラジン部分)

先発医薬品等
カ イトリゾールカプセル50(ヤンセン)
内用液 イトリゾール内用液1%(ヤンセン)
注 イトリゾール注1%(ヤンセン)

後発医薬品
錠 50mg・100mg・200mg
カ 50mg
内用液 1%

国際誕生年月 1988年4月

海外での発売状況 錠 米，英，仏など カ 米，英，独を含む109カ国 内用液 欧米をはじめ64カ国 注 米，英，オランダなど28カ国

製剤

規制区分 錠 カ 内用液 ㊈ 注 ㊯㊈

製剤の性状 50mg錠 白色のフィルムコート錠 100・200mg錠 白色で片面割線入りのフィルムコート錠 カ 淡黄色不透明の硬カプセル剤 内用液 黄色～微褐色澄明の液で，チェリー様のにおいを有する 注 無色～微黄色澄明の液(希釈後：無色澄明の液)

有効期間又は使用期限 錠 カ 3年 内用液 2年 注 2.5年

貯法・保存条件 錠 内用液 室温保存 カ 防湿・室温保存 注 遮光・室温保存

患者向け資料等 患者向医薬品ガイド，くすりのしおり

溶液及び溶解時のpH 内用液 1.6～2.0 注 4.2～5.2(希釈後溶液：3.6～5.6)

浸透圧比 注 約2(対生食)

調製時の注意 注 ①必ず専用希釈液を使用し，他剤を混合しないこと ②本剤と専用希釈液との容量比が1：2以外ではイトラコナゾールが析出する可能性がある

薬理作用

分類 トリアゾール系抗真菌剤

作用部位・作用機序 部位：真菌の細胞膜の主要構成脂質であるエルゴステロールの生合成酵素(チトクロームP450) 機序：真菌細胞膜の主要構成物であるエルゴステロールはその前駆体であるラノステロールのステロイド骨格上の14α位の脱メチル化反応により生合成される．この脱メチル化反応はチトクロームP450により誘導される反応であり，チトクロームP450上でキレートを構成している鉄原子に酸素原子が配位することにより電子伝達がなされて反応が進行する．イトラコナゾールは最も外側に位置するトリアゾール基の窒素原子が真菌のチトクロームP450の鉄原子に配位し，その結果酸素原子のチトクロームP450への配位が阻害され，エルゴステロールの生合成反応を阻害する

同効薬 フルコナゾール，グリセオフルビン，フルシトシン，アムホテリシンB，ミコナゾール，テルビナフィン，ホスフルコナゾール，ミカファンギン，ボリコナゾールなど

治療

効能・効果 錠 カ 〈適応菌種〉皮膚糸状菌(トリコフィトン属，ミクロスポルム属，エピデルモフィトン属)，カンジダ属，マラセチア属，アスペルギルス属，クリプトコックス属，スポロトリックス属，ホンセカエア属 〈適応症〉①内臓真菌症(深在性真菌症)：真菌血症，呼吸器真菌症，消化器真菌症，尿路真菌症，真菌髄膜炎 ②深在性皮膚真菌症：スポロトリコーシス，クロモミコーシス ③表在性皮膚真菌症(爪白癬以外)：(1)白癬：体部白癬，股部白癬，手白癬，足白癬，頭部白癬，ケルスス禿瘡，白癬性毛瘡 (2)カンジダ症：口腔カンジダ症，皮膚カンジダ症，爪カンジダ症，カンジダ性爪囲爪炎，カンジダ性毛瘡，慢性皮膚粘膜カンジダ症 (3)癜風，マラセチア毛包炎 ④爪白癬

内用液 ①真菌感染症：〈適応菌種〉アスペルギルス属，カンジダ属，クリプトコックス属，ブラストミセス属，ヒストプラスマ属 〈適応症〉真菌血症，呼吸器真菌症，消化器真菌症，尿路真菌症，真菌髄膜炎，口腔咽頭カンジダ症，食道カンジダ症，ブラストミセス症，ヒストプラスマ症 ②真菌感染が

疑われる発熱性好中球減少症　③好中球減少が予測される血液悪性腫瘍又は造血幹細胞移植患者における深在性真菌症の予防

注 ①真菌感染症：〈適応菌種〉アスペルギルス属，カンジダ属，クリプトコックス属，ブラストミセス属，ヒストプラスマ属　〈適応症〉真菌血症，呼吸器真菌症，消化器真菌症，尿路真菌症，真菌髄膜炎，食道カンジダ症，ブラストミセス症，ヒストプラスマ症　②真菌感染が疑われる発熱性好中球減少症

効能・効果に関連する使用上の注意　**錠**　**カ** 表在性皮膚真菌症に対しては，難治性あるいは汎発性の病型に使用する

内用液 ①発熱性好中球減少症の患者への投与は，発熱性好中球減少症の治療に十分な経験を持つ医師のもとで，本剤の投与が適切と判断される症例についてのみ実施する　②真菌感染が疑われる発熱性好中球減少症に投与する場合には，投与前に適切な培養検査等を行い，起炎菌を明らかにする努力を行う．起炎菌が判明した際には，本剤投与継続の必要性を検討する　③好中球減少が予測される血液悪性腫瘍又は造血幹細胞移植患者における深在性真菌症の予防に対しては，好中球数が500/mm^{3}未満に減少することが予測される場合に本剤を投与する

注 ①重度もしくは急性期の真菌感染症患者に使用する　②食道カンジダ症に対しては，経口抗真菌剤が無効あるいは忍容性に問題があると考えられる場合に本剤を使用する　③真菌感染が疑われる発熱性好中球減少症に対しては，次の3条件を満たす患者に投与する：⑴1回の検温で38℃以上の発熱，又は1時間以上持続する37.5℃以上の発熱　⑵好中球数が500/mm^{3}未満の場合，又は1000/mm^{3}未満で500/mm^{3}未満に減少することが予測される場合　⑶適切な抗菌剤投与を行っても解熱せず，抗真菌剤の投与が必要と考えられる場合　④発熱性好中球減少症の患者への投与は，発熱性好中球減少症の治療に十分な経験をもつ医師のもとで，本剤の投与が適切と判断される症例についてのみ実施する　⑤真菌感染が疑われる発熱性好中球減少症に投与する場合には，投与前に適切な培養検査等を行い，起炎菌を明らかにする努力を行う．起炎菌が判明した際には，本剤投与継続の必要性を検討する

用法・用量　**錠**　**カ** 効能①：イトラコナゾールとして1日1回100～200mg，食直後(適宜増減)．ただし，イトラコナゾール注射剤からの切り替えの場合，1回200mgを1日2回(1日量400mg)食直後　効能②：イトラコナゾールとして1日1回100～200mg，食直後(適宜増減)．1日最高200mg　効能③：イトラコナゾールとして1日1回50～100mg，食直後(適宜増減)．ただし，爪カンジダ症及びカンジダ性爪囲爪炎には1日1回100mg，食直後(適宜増減)．1日最高200mg　効能④：イトラコナゾールとして1回200mg，1日2回(1日量400mg)，食直後1週間投与し，その後3週間休薬．これを1サイクルとし，3回繰り返す．適宜減量

内用液 効能①：⑴真菌血症，呼吸器真菌症，消化器真菌症，尿路真菌症，真菌髄膜炎，ブラストミセス症，ヒストプラスマ症：20mL(イトラコナゾールとして200mg)を1日1回空腹時(適宜増減)．ただし，1回量の最大は20mL，1日量の最大は40mL　⑵口腔咽頭カンジダ症，食道カンジダ症：20mL(イトラコナゾールとして200mg)を1日1回空腹時　効能②：イトラコナゾール注射剤からの切り替え投与として，20mL(イトラコナゾールとして200mg)を1日1回空腹時(適宜増減)．ただし，1回量の最大は20mL，1日量の最大は40mL　効能③：20mL(イトラコナゾールとして200mg)を1日1回空腹時(適宜増減)．ただし，1回量の最大は20mL，1日量の最大は40mL

注 投与開始から2日間はイトラコナゾールとして1日400mgを2回に分けて，3日目以降は1日1回200mgを点滴静注．投与に際しては，必ず添付の専用フィルターセットを用いて，1時間かけて点滴静注する

用法・用量に関連する使用上の注意　**錠**　**カ** ①爪白癬(パルス療法)：⑴投与終了後も爪甲中に長期間貯留することから，効果判定は爪の伸長期間を考慮して行う　⑵抗菌薬であるため，新しい爪が伸びてこない限り，いったん変色した爪所見を回復させるものではない　②錠剤・カプセル剤はイトリゾール内用液と生物学的に同等ではなく，イトリゾール内用液はバイオアベイラビリティが向上しているため，錠剤・カプセル剤からイトリゾール内用液に切り替える際には，イトラコナゾールの血中濃度(AUC，Cmax)の上昇による副作用の発現に注意する．また，イトリゾール内用液の添加物であるヒドロキシプロピル-β-シクロデキストリンに起因する胃腸障害(下痢，軟便等)の発現に注意する．一方，イトリゾール内用液から錠剤・カプセル剤への切り替えについては，イトラコナゾールの血中濃度が低下することがあるので，イトリゾール内用液の添加物であるヒドロキシプロピル-β-シクロデキストリンに起因する胃腸障害(下痢，軟便等)による異常を認めた場合等を除き，原則として切り替えを行わない

内用液 ①真菌感染症：⑴ブラストミセス症，ヒストプラスマ症：ブラストミセス症及びヒストプラスマ症の初期治療又は重症の患者に対して本剤を使用する場合は，イトラコナゾール注射剤から切り替えて投与する　⑵口腔咽頭カンジダ症：服薬の際，数秒間口に含み，口腔内に薬剤をゆきわたらせた後に嚥下する．なお，本剤は，主として消化管から吸収され作用を発現する　②好中球減少が予測される血液悪性腫瘍又は造血幹細胞移植患者における深在性真菌症の予防：⑴好中球数が1000/mm^{3}以上に回復する，又は免疫抑制剤の投与終了等，適切な時期に投与を終了する　⑵患者の状態(服薬コンプライアンス，併用薬及び消化管障害等)により血中濃度が上昇しないと予測される場合，血中濃度モニタリングを行うことが望ましい　③本剤はイトリゾールカプセル50と生物学的に同等ではなく，バイオアベイラビリティが向上しているため，イトリゾールカプセル50から本剤に切り替える際には，イトラコナゾールの血中濃度(AUC，Cmax)の上昇による副作用の発現に注意する．また，本剤の添加物であるヒドロキシプロピル-β-シクロデキストリンに起因する胃腸障害(下痢，軟便等)及び腎機能障害の発現に注意する．一方，本剤からイトリゾールカプセル50への切り替えについては，イトラコナゾールの血中濃度が低下することがあるので，本剤の添加物であるヒドロキシプロピル-β-シクロデキストリンに起因する胃腸障害(下痢，軟便等)及び腎機能障害による異常を認めた場合等を除き，原則として切り替えを行わない

注 ①本剤の14日間を超えて投与した場合の安全性は確認されていない．継続治療が必要な場合は，次の通りイトラコナゾールカプセル剤又は内用液剤に切り替える：⑴イトラコナゾールカプセル剤への切り替え：1回200mg1日2回(1日用量400mg)を食直後に経口投与する　⑵イトラコナゾール内用液剤への切り替え：1回20mL1日1回(イトラコナゾールとして200mg)を空腹時に経口投与する．なお，年齢，症状により適宜増減する．ただし，1回量の最大は20mL，1日量の最大は40mLとする　②調製に際しては，必ず専用希釈液を使用する．他剤を混合しない　③投与に際しては，他剤との同時注入を行わない　④投与の前後に生理食塩液によるライン洗浄(フラッシング)を行う

禁忌・原則禁忌となる特定患者集団　妊婦又は妊娠している可能性のある婦人

使用上の注意

禁忌 ①ピモジド，キニジン，ベプリジル，トリアゾラム，シンバスタチン，アゼルニジピン，ニソルジピン，エルゴタミン，ジヒドロエルゴタミン，エルゴメトリン，メチルエルゴメトリン，バルデナフィル，エプレレノン，ブロナンセリン，シルデナフィル(レバチオ)，タダラフィル(アドシルカ)，アスナプレビル，バニプレビル，スボレキサント，イブルチニブ，チカグレロル，アリスキレン，ダビガトラン(**注** を除く)，リバーロキサバン，リオシグアトを投与中の患者　②肝臓又は腎臓に障害のある患者で，コルヒチンを投与中の患者　③**注** クレアチニンクリアランスが30mL/min未満の患者［添加

物であるヒドロキシプロピル-β-シクロデキストリンが蓄積することによる腎機能の悪化等を招くおそれがある］ ④本剤の成分に対して過敏症の既往歴のある患者 ⑤重篤な肝疾患の現症，既往歴のある患者［不可逆的な肝障害に陥るおそれがある］ ⑥妊婦又は妊娠している可能性のある婦人

相互作用概要 主にCYP3A4によって代謝される．また，CYP3A4及びP糖蛋白に対して阻害作用を示す

過量投与 ①徴候，症状：高用量の本剤を服用した患者の転帰に関するデータは限られている．1000mgから3000mgまでを経口投与した場合及び注射剤を1日2回，4日間点滴静注した場合に認められた有害事象は推奨用量を投与した場合と類似している ②処置：過量投与した場合には応急措置を取る．なお，血液透析によって除去できない．**カ** **内用液** 特別な解毒剤はないが，必要に応じて胃洗浄や活性炭の投与など適切な処置を行う

薬物動態

カ **吸収・血中濃度** ①血中濃度推移：⑴健康成人5例に50～200mg単回経口投与時，速やかに吸収，血漿中最高未変化体濃度は投与約4～5時間後，以後2相性で消失し，β相消失半減期は約14～28時間．活性代謝物ヒドロキシ体の最高血漿中濃度は投与約4～6時間後，消失半減期約10～21時間．血中濃度パラメータ値（未変化体，主活性代謝物の順）はCmax（ng/mL）50mg投与時37±14.9，146.2±43.8，100mg投与時132.2±80.7，267.4±71.4，200mg投与時215.6±58.1，678.6±62.4，Tmax（hr）50mg投与時4.4±0.9，4.4±0.9，100mg投与時4.8±1.8，6±1.4，200mg投与時4.4±0.9，5.2±1.8，AUC（ng・hr/mL）50mg投与時456±184，1819±612，100mg投与時2221±1141，6772±3221，200mg投与時4142±1272，15028±2524，$t_{1/2}$（hr）50mg投与時13.8±7，21.3±36，100mg投与時24.9±7.7，17.4±11.2，200mg投与時27.9±9.9，9.5±2.1 ⑵健康成人12例に1回200mgを1日2回，15日間反復経口投与時の血漿中未変化体，ヒドロキシ体のトラフ時の濃度は徐々に上昇，投与12日目（288時間目）にはほぼ定常状態．$t_{1/2}$は31時間，22.2時間 ②食事による影響：空腹時経口投与では食直後投与時の最高血漿中濃度の約40％で，ヒドロキシ体も同傾向，食直後投与により本剤の生物学的利用率が向上 **分布** ①体組織への分布：外国人（患者・健康成人）に100mg投与後の肺，腎，肝，皮膚等の組織内未変化体濃度は血漿中濃度よりも高かった **イトリゾールカプセル** 皮膚組織内濃度は最終投与後1週間は治療濃度域 ②乳汁移行性：外国人（健康女性）データでは授乳婦に200mgを1日2回投与で乳汁中に未変化体検出 ③血漿蛋白結合率：99.8％（*in vitro*，平衡透析法，0.5μg/mL） **代謝** ヒトに経口投与時，肝臓で主に代謝され，主な代謝物はヒドロキシイトラコナゾール：⑴（注射剤除く）初回通過効果の有無，その割合：あり（割合は不明） ⑵代謝物の活性の有無：ヒドロキシイトラコナゾール（主活性代謝物）は，未変化体と比較してほぼ同等の抗真菌活性 ⑶代謝酵素（チトクロムP450）の分子種：CYP3A4 **排泄** 外国人（健康成人）に^{3}H-イトラコナゾール100mg経口投与7日間以内に54.1％が糞中に，35.2％が尿中に排泄

内用液 **血中濃度** ①健康成人における成績：⑴単回投与：㋐健康成人男性（6例）に，100mg及び200mgを空腹時単回経口投与時の薬物動態パラメータ（血漿中未変化体，主活性代謝物ヒドロキシイトラコナゾールの順）は，Cmax（ng/mL）100mg投与時309.9±43.8，539.5±67.5，200mg投与時688.3±163.8，1002.3±203.1，Tmax（hr）100mg投与時1.8±0.4，2.5±0.8，200mg投与時2.2±0.4，3.0±1.1，AUC（ng・hr/mL）100mg投与時2842.7±703.3，7055.1±1718.2，200mg投与時7914.3±1874.7，19073.7±3732.6，$t_{1/2}$（hr）100mg投与時24.1±9.6，7.7±1.8，200mg投与時26.3±5.2，8.3±1.4 ㋑健康成人男性を対象に，本剤（空腹時）又はカプセル剤（食直後）を100及び200mgを単回経口投与した試験の成績を比較した結果，本剤のバイオアベイラビリティはカプセル剤と比べ高値を示した．薬物動態パラメータ（Cmax（ng/mL），Tmax（hr），AUC（ng・hr/mL），$t_{1/2}$（hr）の順．未変化体[主活性代謝物]で表す）は，ⓐ本剤100mg群（6例）：309.9±43.8[539.5±67.5]，1.8±0.4[2.5±0.8]，2842.7±703.3[7055.1±1718.2]，24.1±9.6[7.7±1.8]ⓑカプセル剤100mg群（5例）：132.2±80.7[267.4±71.4]，4.8±1.8[6.0±1.4]，2221±1141[6772±3221]，24.9±7.7[17.4±11.2]ⓒ本剤200mg群（6例）：688.3±163.8[1002.3±203.1]，2.2±0.4[3.0±1.1]，7914.3±1874.7[19073.7±3732.6]，26.3±5.2[8.3±1.4]ⓓカプセル剤200mg群（5例）：215.6±58.1[678.6±62.4]，4.4±0.9[5.2±1.8]，4142±1272[15028±2524]，27.9±9.9[9.5±2.1] ⑵食事による影響：空腹時に単回経口投与時，食直後投与よりも未変化体及びヒドロキシイトラコナゾールのTmaxの短縮（約0.5倍），Cmaxの上昇（1.7倍及び1.6倍）及びAUCの増加（1.1倍及び1.2倍）が認められた ⑶反復投与：健康成人男性（7例）に，100mg及び200mgを空腹時1日1回12日間反復経口投与時の薬物動態パラメータ[投与1日目の未変化体，投与最終日の未変化体，投与1日目の主活性代謝物，投与最終日の主活性代謝物の順]は，Cmax（ng/mL）100mg投与時[296.5±67.8，1028.0±98.8，511.5±45.5，1298.1±186.1]，200mg投与時[738.0±174.4，2503.7±537.1，914.8±102.0，2851.7±692.6]，Tmax（hr）100mg投与時[1.7±0.5，1.9±0.7，2.1±0.4，3.6±0.5]，200mg投与時[1.7±0.8，2.1±1.1，2.6±1.0，3.0±1.0]，AUC$_{(0→24)}$（ng・hr/mL）100mg投与時[2004.9±456.0，12248.3±2076.0，6267.0±1162.7，25998.9±4665.1]，200mg投与時[4932.0±1069.3，31169.1±7527.8，13359.0±2358.0，59652.5±14939.6]，$t_{1/2}$（hr）100mg投与時[－，28.1±10.4，－，19.0±8.2]，200mg投与時[－，39.0±5.6，－，37.6±12.1]で，各投与群における未変化体及びヒドロキシイトラコナゾールはいずれも投与期間中に定常状態．また，最終投与後の未変化体及びヒドロキシイトラコナゾールのCmaxは，ほぼ投与量に比例して増加したが，最終投与後の未変化体及びヒドロキシイトラコナゾールの$t_{1/2}$は単回投与時よりも延長．また，AUC$_{(0→24)}$は用量比を上回る増加（2.5倍及び2.3倍）を示し，肝代謝の飽和に起因すると考えられる非線形性が認められた ②患者における成績：⑴注射剤から本剤への切り替え投与：深在性真菌症患者及び真菌感染が疑われる発熱性好中球減少症患者を対象とした第III相試験での薬物濃度を用いて構築した母集団薬物動態解析モデルに基づき，深在性真菌症患者及び真菌感染が疑われる発熱性好中球減少症患者に本剤を投与時の血漿中未変化体のトラフ濃度を推定した．深在性真菌症患者及び真菌感染が疑われる発熱性好中球減少症患者を対象に注射剤から本剤を200mg1日1回，150mg1日2回及び200mg1日2回に切り替えて投与時の血漿中未変化体のトラフ濃度（推定値）は，本剤投与開始前の血漿中未変化体のトラフ濃度（推定値）以上の値で推移．また，本剤投与中の血漿中未変化体のトラフ濃度（推定値）は，深在性真菌症患者を対象に注射剤からカプセル剤を200mg1日2回に切り替えて投与時の血漿中未変化体のトラフ濃度（実測値）と同程度又は高値を示した．結果の詳細は次の通り（単位ng/mL）．㋐本剤200mg1日1回群：ⓐ0週※）：FN（12例）952±238，SFI（5例）881±204ⓑ1週：FN（7例）1072±409，SFI（5例）1460±609ⓒ2週：FN（1例）2094，SFI（4例）2017±1078ⓓ6週：FNはNA，SFI（4例）2380±1349ⓔ12週：FNはNA，SFI（1例）739㋑本剤150mg1日2回群：ⓐ0週※）：SFI（2例）2264ⓑ1週：SFI（2例）3073ⓒ2週：SFI（2例）3759ⓓ6週：SFI（1例）3927ⓔ12週：SFI（1例）5193㋒本剤200mg1日2回群：ⓐ0週※）：FN（10例）853±340，SFI（6例）1723±408ⓑ1週：FN（7例）1840±885，SFI（4例）2979±633ⓒ2週：FN（1例）1905，SFI（4例）4280±1433ⓓ6週：FNはNA，SFI（2例）6005ⓔ12週：FNはNA，SFIはNA㋓カプセル剤200mg1日2回群：ⓐ0週※）：SFI（28例）1510±574ⓑ1週：SFI（26例）1808±799ⓒ2週：SFI（24例）1914±805ⓓ6週：SFI（21例）2276±910ⓔ12週：SFI（19例）2520±1451 ※）本剤投与開始前 NA：データな

し　SFI：深在性真菌症　FN：真菌感染が疑われる発熱性好中球減少症　(2)本剤単独投与：日本人患者(深在性真菌症患者及び真菌感染が疑われる発熱性好中球減少症患者)を対象に本剤を200mg1日1回投与時，血漿中未変化体のトラフ濃度(推定値の平均値)は日本人患者に本剤を2.5mg/kg1日2回投与時と比べ低値を示したが，その分布範囲に大きな差はなく，外国人の重度好中球減少症を有する血液悪性疾患患者を対象に本剤を2.5mg/kg1日2回投与時の血漿中未変化体のトラフ濃度(実測値)と同程度又は高値を示すと考えられた．結果の詳細は次の通り(平均値±標準偏差[範囲]．単位ng/mL)．(ｱ)日本人200mg1日1回群：1週(51例)492±290[93.2-1520]，2週(51例)852±616[104-3130]，3週(51例)1129±932[104-4674]，4週(51例)1366±1243[104-6183]，5週(102例)1676±1701[105-9146](ｲ)日本人2.5mg/kg1日2回群：1週(51例)787±362[224-1666]，2週(51例)1451±789[284-3296]，3週(51例)2018±1220[299-4938]，4週(51例)2534±1653[304-6554]，5週(102例)3250±2315[305-9743](ｳ)外国人2.5mg/kg1日2回群：1週(122例)512±367[NQ-2359]，2週(88例)764±482[NQ-2236]，3週(55例)1028±658[59-3069]，4週(30例)1253±918[NQ-3460]，5週(25例)2052±1180[193-5165]　NQ：定量下限未満　**分布・代謝**　カプセル参照　**排泄**　健康成人男性に，単回及び反復経口投与時，未変化体及びヒドロキシイトラコナゾールの尿中排泄率はそれぞれ投与量の1%未満　**ヒドロキシプロピル-β-シクロデキストリン**　添加物であるヒドロキシプロピル-β-シクロデキストリンは，血漿中には検出されず，ほとんど未変化体として吸収されない．また，未変化体の尿中排泄率は投与量の1%未満で，投与量の約50%は未変化体のまま糞中に排泄，残りは消化管内で腸内細菌叢により分解後に糞中排泄あるいは吸収される

注　血中濃度　①単回投与：健康成人に50mg，100mg，200mg(各10例)を1時間で単回静注時の薬物動態パラメータ：(1)未変化体(ITCZ)[50mg，100mg，200mgの順]：Cmax(ng/mL)701.7±119.7，1549.2±204.9，3201.7±1055.0，Tmax(hr)0.9±0.2，1.0±0.0，0.9±0.2，$t_{1/2}$(hr)12.1±4.7，21.0±5.9，22.0±3.8，AUC(ng・hr/mL)1959.7±464.9，5484.7±972.2，17020.0±4793.4　(2)主活性代謝物(OH-ITCZ)[50mg，100mg，200mgの順]：Cmax(ng/mL)97.6±23.2，260.3±56.1，565.6±124.1，Tmax(hr)1.2±0.1，1.3±0.1，4.2±3.7，$t_{1/2}$(hr)8.5±1.8，10.1±1.6，13.5±4.9，AUC(ng・hr/mL)1078.4±557.6，4772.3±1337.4，21031.5±9406.6．未変化体及びその主活性代謝物ヒドロキシイトラコナゾールの血漿中濃度は用量依存的に推移　②反復投与：健康成人に100mg，200mg(各6例)を投与開始から2日間は1日2回，3日目以降は1日1回5日間点滴静注時，未変化体と主活性代謝物の血漿中濃度は，投与2日後にはほぼ定常状態　**分布・代謝**　カプセル参照　**排泄**　健康成人に単回及び反復静注時，未変化体及びヒドロキシイトラコナゾールの尿中排泄率はそれぞれ投与量の1%未満　**腎機能障害患者における薬物動態**　腎機能低下を示す外国人患者を対象に本剤200mgを1時間かけて単回持続静注(ヒドロキシプロピル-β-シクロデキストリン8g含有)時，中等度(クレアチニンクリアランス(Ccr)20～49mL/min)及び重度(Ccr＜20mL/min)腎機能障害患者では腎機能正常患者に比べ，未変化体のAUCがそれぞれ約30%及び40%減少．また，重度腎機能障害患者では腎機能正常患者に比べ，ヒドロキシプロピル-β-シクロデキストリンの全身クリアランスが1/6に減少し，$t_{1/2}$が6倍に延長　**ヒドロキシプロピル-β-シクロデキストリン**　健康成人に1時間かけて単回持続静注時，添加物であるヒドロキシプロピル-β-シクロデキストリンの血中濃度は，2～8gの用量範囲において線形性が認められた．また，投与後24時間以内に投与量の83.5～94.3%が尿中に排泄

その他の管理的事項
投与期間制限　該当しない
保険給付上の注意　該当しない

資料
IF　イトラコナゾール錠50・100・200「MEEK」　2020年4月改訂(第19版)
イトリゾールカプセル50　2017年7月改訂(第19版)
イトリゾール内用液1%　2018年2月改訂(第16版)
イトリゾール注1%　2019年1月改訂(第17版)

イフェンプロジル酒石酸塩
イフェンプロジル酒石酸塩錠
イフェンプロジル酒石酸塩細粒
Ifenprodil Tartrate

概要
薬効分類　133　鎮暈剤，219　その他の循環器官用薬
構造式

OH　CH3　OH　N　2　・　H OH　HO2C　CO2H　H OH

分子式　$(C_{21}H_{27}NO_2)_2 \cdot C_4H_6O_6$
分子量　800.98
ステム　血管拡張薬：-dil
原薬の規制区分　劇(ただし，1個中イフェンプロジルとして20mg以下を含有する内用剤及びイフェンプロジルとして5%以下を含有する散剤を除く)
原薬の外観・性状　白色の結晶性の粉末で，においはない．酢酸(100)に溶けやすく，エタノール(95)にやや溶けやすく，水又はメタノールに溶けにくく，ジエチルエーテルにほとんど溶けない
原薬の吸湿性　通常の保存状態では認められない
原薬の融点・沸点・凝固点　融点：約148℃(分解)
原薬の酸塩基解離定数　pKa＝9.69(-OH)，pKa＝9.05(ピペリジンの-N)
先発医薬品等
細　セロクラール細粒4%(サノフィ＝日医工)
錠　セロクラール錠10mg・20mg(サノフィ＝日医工)
後発医薬品
錠　10mg・20mg
国際誕生年月　1971年
海外での発売状況　仏

製剤
製剤の性状　細　白色の細粒剤　錠　白色のフィルムコーティング錠
有効期間又は使用期限　3年
貯法・保存条件　細　遮光・室温保存　錠　室温保存
薬剤取扱い上の留意点　該当しない
患者向け資料等　くすりのしおり
溶液及び溶解時のpH　該当しない
浸透圧比　該当しない
安定なpH域　該当しない
調製時の注意　該当しない

薬理作用
分類　ピペリジノアルカノール誘導体・脳循環代謝改善薬
作用部位・作用機序　血管平滑筋弛緩作用，交感神経α受容体遮断作用などに基づく脳血流増加作用，脳ミトコンドリア呼吸機能の促進による脳代謝改善作用並びに血小板凝集能の抑制による血液性状改善作用の3作用が認められる

同効薬　ニセルゴリン，イブジラスト

治療

効能・効果　脳梗塞後遺症，脳出血後遺症に伴うめまいの改善

用法・用量　1回20mg，1日3回毎食後

用法・用量に関連する使用上の注意　投与期間は，臨床効果及び副作用の程度を考慮しながら慎重に決定するが，投与12週で効果が認められない場合には中止

使用上の注意

禁忌　頭蓋内出血発作後，止血が完成していないと考えられる患者

薬物動態

血漿中濃度　健康成人男子24名に60mg単回経口投与時の抱合型イフェンプロジルの血漿中濃度パラメータ（10mg錠，20mg錠，細粒の順）はTmax（hr）1.77，1.77，0.74，Cmax（ng/mL）70.4，67.3，79.5，$T_{1/2}$（hr）1.33，1.4，1.3，AUC（ng・hr/mL）200.3，198.9，174.9　**吸収，分布，排泄**　参考：ラットに^{14}C-セロクラールを経口投与時，30分後に最高血中濃度に達し，脳，肝臓，腎臓，筋肉等に分布．投与後24時間以内に約30%が尿中に，約60%が糞中に排泄　**排泄**　健康成人男子3名に錠10，20及び40mg，また，脳血管障害患者3例に20及び40mg単回投与24時間までの累積排泄率は約20～30%．1群3名の健康成人男子9名に，錠10，20又は40mgを1日3回，4又は5日間連続投与時，蓄積性は認められなかった

その他の管理的事項

投与期間制限　該当しない

保険給付上の注意　該当しない

資料

IF　セロクラール細粒4%・錠10mg・20mg　2014年4月改訂（第9版）

イブジラスト
Ibudilast

概要

薬効分類　131　眼科用剤，219　その他の循環器官用薬，449　その他のアレルギー用薬

構造式

（構造式：ピラゾロ[1,5-a]ピリジン環，CH_3，CH_3，O，H_3C，CH_3）

分子式　$C_{14}H_{18}N_2O$

分子量　230.31

ステム　抗ヒスタミン作用とは異なる作用機序の抗喘息薬又は抗アレルギー薬：-ast

原薬の規制区分　劇（ただし，1個中10mg以下を含有する内用剤及び0.01%以下を含有する点眼剤を除く）

原薬の外観・性状　白色の結晶性の粉末である．メタノールに極めて溶けやすく，エタノール（99.5）又は無水酢酸に溶けやすく，水に極めて溶けにくい

原薬の吸湿性　40℃，各種相対湿度（53～100%RH）で30日間保存したが，ほとんど吸湿は認められなかった

原薬の融点・沸点・凝固点　融点：54～58℃

原薬の酸塩基解離定数　解離しないため，pKaは存在しない

先発医薬品等

徐放力　ケタスカプセル10mg（杏林）

点眼液　ケタス点眼液0.01%（杏林＝千寿＝武田）

国際誕生年月　1989年1月

海外での発売状況　徐放力　韓国

製剤

製剤の性状　徐放力　白色の硬カプセル剤　点眼液　無色澄明の水性点眼剤

有効期間又は使用期限　徐放力　3年　点眼液　2年

貯法・保存条件　室温保存

薬剤取扱い上の留意点　徐放力　徐放性製剤であるため，カプセル内容物を取り出して調剤しないこと

患者向け資料等　くすりのしおり

溶液及び溶解時のpH　点眼液　5.5～7.0

浸透圧比　点眼液　約1（対生食）

安定なpH域　該当しない

調製時の注意　該当しない

薬理作用

分類　ホスホジエステラーゼ阻害脳血管障害・気管支喘息改善剤，アレルギー性結膜炎治療剤

作用部位・作用機序　徐放力　①脳血管障害：ホスホジエステラーゼ活性を阻害し，脳血流改善作用，抗血小板作用を発揮　②気管支喘息：ホスホジエステラーゼ活性阻害，ロイコトリエン拮抗，遊離抑制作用及びPAF拮抗作用により，気管支喘息気道過敏性の改善，気道炎症及び気道攣縮の抑制に効果を発揮　点眼液　部位：結膜　機序：①IgEあるいはIgG関与のI型アレルギー反応の抑制作用　②ケミカルメディエーター遊離抑制作用　③好酸球及び好中球遊走抑制作用　④好酸球及び好中球活性酸素産生抑制作用

同効薬　脳循環代謝改善薬：イフェンプロジル酒石酸塩，ニセルゴリン　抗アレルギー薬：クロモグリク酸ナトリウム，トラニラスト，アンレキサノクス，レピリナスト，ペミロラストカリウム

治療

効能・効果　徐放力　①気管支喘息　②脳梗塞後遺症に伴う慢性脳循環障害によるめまいの改善

点眼液　アレルギー性結膜炎（花粉症を含む）

用法・用量　徐放力　効能①：1回10mg，1日2回（適宜増減）　効能②：1回10mg，1日3回（適宜増減）

点眼液　1回1～2滴，1日4回（朝昼夕及び就寝前）点眼

用法・用量に関連する使用上の注意　徐放力　効能②：投与期間は，臨床効果及び副作用の程度を考慮しながら慎重に決定するが，投与12週で効果が認められない場合には中止する

使用上の注意

禁忌　徐放力　頭蓋内出血後，止血が完成していないと考えられる患者［止血の完成を遅らせるおそれがある］

点眼液　本剤の成分に対し過敏症の既往歴のある患者

薬物動態

徐放力　**血中濃度**　健康成人20例に10mg単回経口投与時の未変化体濃度及び薬物速度論的パラメータはTmax4hr，Cmax25ng/mL，$T_{1/2}$12hr，AUC_{0-30}334ng・hr/mL　**代謝・排泄**　健康成人に10mg単回経口投与後72時間までに約60%尿中排泄．尿中に未変化体は検出されず，主代謝物は6,7-ジヒドロジオール体（抱合体），2β，3β-ジオール体（抱合体）

点眼液　**血中濃度**　健康成人眼に1回2滴，1日4回点眼で8日間投与時，8日目の2回目点眼30分後の血中濃度は，検出限界（2ng/mL）以下　**眼内移行（参考；ウサギ）**　①結膜嚢内滞留濃度：白色ウサギ正常眼に1回50μL，2分間隔で5回点眼時の結膜嚢内滞留濃度（μg/mL）は，点眼後30分で6.58，1時間で3.21，3時間で1.12　②眼組織内濃度：^{14}C標識体を白色ウサギ正常眼に1回50μL，1日3回4時間間隔で8日間投与し，眼組織及び血中への移行性を検討．最終点眼後10分での各眼組織内濃度（ng eq./g）は，角膜（1020）が最も高く，次いで虹彩・毛様体（204），眼瞼（169），瞬膜（140），眼房水（89），結膜（51）の順．最終点眼終了後の血中移行でも点眼後10分を最高（7ng eq./mL）として，速やかに消失し，1時間では検出限界（2ng eq./mL）以下で，眼組織，血中にも残存しない．また，白色及び有色ウサギの反復点眼投与時の眼組織内分布についての検討で，メラニンに対して親和性がないことが確かめら

れた

その他の管理的事項

投与期間制限　該当しない

保険給付上の注意　該当しない

資料

IF　ケタスカプセル10mg　2016年4月改訂（第13版）
　ケタス点眼液0.01％　2019年2月改訂（第7版）

イブプロフェン
Ibuprofen

概要

薬効分類　114　解熱鎮痛消炎剤

構造式

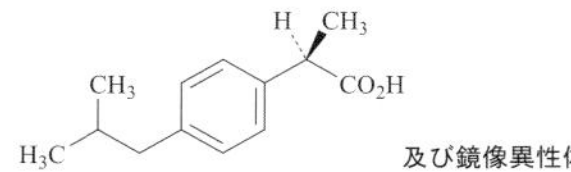

分子式　$C_{13}H_{18}O_2$

分子量　206.28

ステム　イブプロフェン系抗炎症薬：-profen

原薬の規制区分　該当しない

原薬の外観・性状　白色の結晶性の粉末である．エタノール(95)又はアセトンに溶けやすく，水にほとんど溶けない．希水酸化ナトリウム試液に溶ける

原薬の吸湿性　該当資料なし

原薬の融点・沸点・凝固点　融点：75～77℃

原薬の酸塩基解離定数　pKa＝5.2（60％エタノール中）

先発医薬品等

顆 ブルフェン顆粒20％（科研）

錠 ブルフェン錠100・200（科研）

後発医薬品

顆 20％

錠 100mg・200mg

国際誕生年月　1969年2月

海外での発売状況　英，仏を含む80カ国以上

製剤

製剤の性状　**顆** 白色の顆粒剤　**錠** 白色の糖衣錠

有効期間又は使用期限　3年

貯法・保存条件　室温保存

薬剤取扱い上の留意点　該当しない

患者向け資料等　くすりのしおり

溶液及び溶解時のpH　該当しない

浸透圧比　該当しない

安定なpH域　該当しない

調製時の注意　該当しない

薬理作用

分類　フェニルプロピオン酸系化合物

作用部位・作用機序　酸性非ステロイド抗炎症薬で，アラキドン酸からプロスタグランジン（PG）類への変換をつかさどる酵素シクロオキシゲナーゼ（COX）を阻害することによってPGの生成を阻害し，PGによる炎症・発熱・痛覚過敏作用などを抑制．イブプロフェンの作用はアスピリンより数倍～数十倍強力

同効薬　フルルビプロフェン，ケトプロフェン，ナプロキセン，プラノプロフェン，チアプロフェン酸，オキサプロジン，ロキソプロフェンナトリウム水和物，アルミノプロフェン，ザルトプロフェンなど

治療

効能・効果　①次の疾患ならびに症状の消炎鎮痛：関節リウマチ，関節痛及び関節炎，神経痛及び神経炎，背腰痛，頸腕症候群，子宮付属器炎，月経困難症，紅斑（結節性紅斑，多形滲出性紅斑，遠心性環状紅斑）　②手術ならびに外傷後の消炎・鎮痛　③次の疾患の解熱・鎮痛：急性上気道炎（急性気管支炎を伴う急性上気道炎を含む）

用法・用量　効能①②：イブプロフェンとして1日600mg，小児には11～15歳400～600mg，8～10歳300～400mg，5～7歳200～300mg，3回に分服（適宜増減）　効能③：イブプロフェンとして1回200mgを頓用（適宜増減），原則として1日2回まで，1日最大600mgを限度とする．いずれの場合も，空腹時の投与は避けさせることが望ましい

禁忌・原則禁忌となる特定患者集団　妊娠後期の婦人

使用上の注意

禁忌　①消化性潰瘍のある患者［プロスタグランジン合成阻害作用による胃粘膜防御能の低下により，消化性潰瘍を悪化させることがある］　②重篤な血液の異常のある患者［副作用として血液障害が現れることがあるので，血液の異常をさらに悪化させるおそれがある］　③重篤な肝障害のある患者［副作用として肝障害が現れることがあるので，肝障害をさらに悪化させるおそれがある］　④重篤な腎障害のある患者［プロスタグランジン合成阻害作用による腎血流量の低下等により，腎障害をさらに悪化させるおそれがある］　⑤重篤な心機能不全のある患者［プロスタグランジン合成阻害作用による水・ナトリウム貯留傾向があるため，心機能不全がさらに悪化するおそれがある］　⑥重篤な高血圧症のある患者［プロスタグランジン合成阻害作用による水・ナトリウム貯留傾向があるため，血圧をさらに上昇させるおそれがある］　⑦本剤の成分に対し過敏症の既往歴のある患者　⑧アスピリン喘息（非ステロイド性消炎鎮痛剤等による喘息発作の誘発）又はその既往歴のある患者［喘息発作を誘発することがある］　⑨ジドブジンを投与中の患者　⑩妊娠後期の婦人

相互作用概要　主としてCYP2C9により代謝される

薬物動態

吸収　健康成人14例に200mg単回経口投与時の最高血漿中濃度Cmaxは16.6±0.9μg/mL，最高血漿中濃度到達時間Tmaxは2.1±0.2hr，$T_{1/2}$は1.8±0.1hr　**代謝・排泄（外国人）**　健康成人に200mg1日3回経口投与後，24時間までに約60％が代謝物（側鎖イソブチル基が酸化されたもの2種，及びそれらの抱合体）として尿中排泄，未変化体は認められていない

その他の管理的事項

投与期間制限　該当しない

保険給付上の注意　該当しない

資料

IF　ブルフェン顆粒20％・錠100・200　2019年6月改訂（第8版）

イブプロフェンピコノール
イブプロフェンピコノール軟膏
イブプロフェンピコノールクリーム
Ibuprofen Piconol

概要

薬効分類　264　鎮痛，鎮痒，収斂，消炎剤

構造式

及び鏡像異性体

分子式　$C_{19}H_{23}NO_2$

分子量 297.39
略語・慣用名 ピメプロフェン，IPPN
ステム イブプロフェン系抗炎症薬：-profen
原薬の規制区分 該当しない
原薬の外観・性状 無色～微黄色澄明の液で，においはないか，又は僅かに特異なにおいがある．メタノール，エタノール(95)，アセトン又は酢酸(100)と混和する．水にほとんど溶けない．光により分解する．旋光性を示さない
原薬の吸湿性 吸湿性はほとんどない(30℃における吸湿性を吸湿平衡測定法により測定した結果，100%RHで吸湿量は約1%)
原薬の融点・沸点・凝固点 沸点：約178℃(減圧0.13kPa)
原薬の酸塩基解離定数 pKa≒3.8
先発医薬品等
軟 スタデルム軟膏5%(鳥居)
ベシカム軟膏5%(久光)
クリーム スタデルムクリーム5%(鳥居)
ベシカムクリーム5%(久光)
国際誕生年月 1984年3月
海外での発売状況 該当しない

製剤

製剤の性状 軟 白色半透明の全質均等の無水性の軟膏である
クリーム 白色～微黄色の全質均等のクリームで，僅かに特異なにおいがある
有効期間又は使用期限 軟 4年 クリーム 3年
貯法・保存条件 気密容器，遮光・室温保存
薬剤取扱い上の留意点 該当しない
患者向け資料等 くすりのしおり
溶液及び溶解時のpH 該当資料なし
浸透圧比 該当資料なし
安定なpH域 該当資料なし
調製時の注意 該当資料なし

薬理作用

分類 非ステロイド系消炎・鎮痛外用剤(イブプロフェンのピコノールエステル)
作用部位・作用機序 作用部位：皮膚 作用機序：抗炎症作用(カラゲニン皮膚浮腫抑制作用，紫外線紅斑抑制作用)，鎮痛作用
同効薬 ブフェキサマク，ベンダザック，ウフェナマートなど

治療

効能・効果 急性湿疹，接触皮膚炎，アトピー皮膚炎，慢性湿疹，酒さ様皮膚炎・口囲皮膚炎，帯状疱疹，(クリーム のみ)尋常性ざ瘡
用法・用量 1日数回(尋常性ざ瘡には石ケンで洗顔後)患部に塗布，帯状疱疹には1日1～2回患部に貼付

使用上の注意

禁忌 本剤の成分に対し過敏症の既往歴のある患者

薬物動態

5%クリームを健常成人男子7名に30g1日14時間3日間密封塗布時，血中にはイブプロフェンとその代謝物が検出，いずれも0.4μg/mL以下．また，尿中にはイブプロフェンとその代謝物及びピコノールの代謝物が検出，未変化体は血中・尿中のいずれにも検出されなかった．全代謝物が塗布終了後比較的速やかに血中・尿中から消失．参考：ラットにおける薬物動態：①密封塗布時，正常皮膚では投与後24時間で約30%，48時間で約50%が吸収，損傷皮膚では24時間で約70%が吸収．吸収後，皮膚内に最も多く分布．また，正常皮膚に7日間連続経皮投与時，皮膚・腎内濃度は単回投与の約2倍に上昇，その他の組織では顕著な変化は認められなかった ②妊娠ラットに経皮投与(損傷皮膚)・皮下投与時，胎盤，羊水，胎児中の濃度は，母獣の血漿中濃度より低かった．また分娩後14～16日目に皮下投与時，イブプロフェンとして比較的容易に乳汁中へ移行，乳汁中濃度は母獣の血漿中濃度より高い値を示した

その他の管理的事項

投与期間制限 該当しない
保険給付上の注意 該当しない

資料

IF スタデルム軟膏5%・クリーム5% 2014年4月改訂(第5版)

イプラトロピウム臭化物水和物
Ipratropium Bromide Hydrate

概要

薬効分類 225 気管支拡張剤
構造式

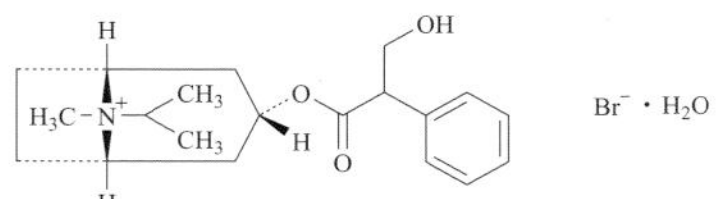

分子式 $C_{20}H_{30}BrNO_3 \cdot H_2O$
分子量 430.38
ステム アトロピン誘導体：-trop
原薬の規制区分 劇(ただし，1容器中イプラトロピウム臭化物5.236mg以下を含有する吸入剤を除く)
原薬の外観・性状 白色の結晶性の粉末である．水に溶けやすく，エタノール(99.5)にやや溶けやすく，アセトニトリル又は酢酸(100)に溶けにくく，ジエチルエーテルにほとんど溶けない．1.0gを水20mLに溶かした液のpHは5.0～7.5である
原薬の吸湿性 吸湿性なし
原薬の融点・沸点・凝固点 融点：約223℃(分解，ただし乾燥後)
原薬の酸塩基解離定数 該当資料なし
先発医薬品等
吸入 アトロベントエロゾル20μg(帝人ファーマ)
国際誕生年月 1974年8月
海外での発売状況 米を含む99カ国

製剤

規制区分 吸入 処
製剤の性状 吸入 内容物は無色澄明の液で，エタノール臭を有するエアゾール剤
有効期間又は使用期限 3年
貯法・保存条件 気密容器，遮光・室温保存
薬剤取扱い上の留意点 吸入 ガスに特定フロンを用いたエアゾール剤である
患者向け資料等 くすりのしおり
溶液及び溶解時のpH 該当しない
浸透圧比 該当しない
安定なpH域 該当しない
調製時の注意 該当しない

薬理作用

分類 抗コリン性気管支収縮抑制剤
作用部位・作用機序 作用部位：気管支平滑筋 作用機序：アセチルコリン受容体において迷走神経末端より遊離されるアセチルコリンと拮抗し，その作用を遮断することによって気管支の収縮を抑制
同効薬 オキシトロピウム臭化物，チオトロピウム臭化物水和物

治療

効能・効果 次の疾患の気道閉塞性障害に基づく呼吸困難等，諸症状の緩解：気管支喘息，慢性気管支炎，肺気腫
用法・用量 1回1～2噴射(無水物として20～40μg)，1日3～4回吸入(適宜増減)．口腔への噴霧法は添付文書参照

使用上の注意

禁忌　①本剤の成分又はアトロピン系薬剤に対して過敏症の既往歴のある患者　②閉塞隅角緑内障の患者［抗コリン作用により眼圧が上昇し，症状を悪化させることがある］　③前立腺肥大症の患者［排尿障害を起こすおそれがある］

薬物動態

血中濃度　健康成人に静注時の消失半減期は約1.6時間．総クリアランスは2.3L/分で，その内，腎クリアランスは0.9L/分(外国人データ)

その他の管理的事項

投与期間制限　該当しない

保険給付上の注意　該当しない

資料

IF　アトロベントエロゾル20μg　2020年9月改訂(第6版)

イプリフラボン
イプリフラボン錠
Ipriflavone

概要

薬効分類　399　他に分類されない代謝性医薬品

構造式

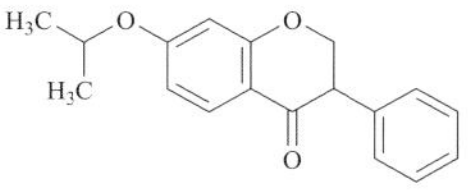

分子式　$C_{18}H_{16}O_3$

分子量　280.32

原薬の規制区分　該当しない

原薬の外観・性状　白色〜帯黄白色の結晶又は結晶性の粉末である．アセトニトリルにやや溶けやすく，メタノール又はエタノール(99.5)にやや溶けにくく，水にほとんど溶けない．光により徐々に黄色となる

原薬の吸湿性　25℃・93%RHで12カ月保存したが，吸湿性は認められなかった

原薬の融点・沸点・凝固点　融点：116〜119℃

原薬の酸塩基解離定数　該当資料なし

先発医薬品等

[錠] オステン錠200mg(武田テバ薬品＝武田)

後発医薬品

[錠] 200mg

国際誕生年月　1988年7月

海外での発売状況　発売されていない

製剤

規制区分　[錠] [処]

製剤の性状　[錠] 白色〜帯黄白色の素錠

有効期間又は使用期限　5年

貯法・保存条件　室温保存．開封後も遮光保存

薬剤取扱い上の留意点　該当しない

患者向け資料等　くすりのしおり

溶液及び溶解時のpH　該当しない

浸透圧比　該当しない

安定なpH域　該当しない

調製時の注意　該当しない

薬理作用

分類　骨粗鬆症治療剤(イソフラボン誘導体)

作用部位・作用機序　機序：直接的な骨吸収抑制作用，エストロゲンのカルシトニン分泌促進作用を増強することによる間接的な骨吸収抑制作用，並びに骨形成促進作用が考えられている

同効薬　エチドロン酸二ナトリウム，アレンドロン酸ナトリウム水和物，リセドロン酸ナトリウム水和物など

治療

効能・効果　骨粗鬆症における骨量減少の改善

用法・用量　1回200mg，1日3回食後(適宜増減)

薬物動態

血中濃度　健康成人(6例)に1回200mg食後経口投与時の血中には未変化体及び代謝物が検出されるが，未変化体は少量．未変化体の血中濃度は1.3時間でピーク(170ng/mL)に達し，半減期9.8時間．なお，血中に未変化体とともに存在する5種類の代謝物はそれぞれ骨吸収抑制活性があり，代謝物-IとIIIは未変化体と同等，代謝物-II，IV，Vは未変化体より弱い活性を示す．骨吸収抑制効果は未変化体及び代謝物の作用の総和として現れたものと考えられる　**尿中排泄**　健康成人(6例)に1回200mg食後経口投与後，尿中にはすべて代謝物で，投与後48時間までに42.9%排泄．なお，骨粗鬆症患者(3例)に1日600mg(分3)を60〜65週間連日食後経口投与時の血中濃度，尿中排泄から，体内への著しい蓄積性はないものと推察された

その他の管理的事項

投与期間制限　該当しない

保険給付上の注意　該当しない

資料

IF　オステン錠200mg　2016年10月改訂(第4版)

イミダプリル塩酸塩
イミダプリル塩酸塩錠
Imidapril Hydrochloride

概要

薬効分類　214　血圧降下剤

構造式

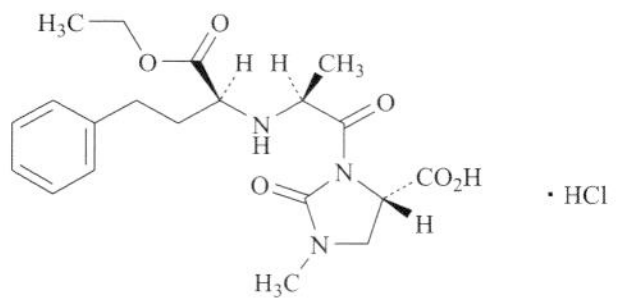

分子式　$C_{20}H_{27}N_3O_6 \cdot HCl$

分子量　441.91

ステム　アンジオテンシン変換酵素(ACE)阻害薬：-pril

原薬の規制区分　該当しない

原薬の外観・性状　白色の結晶である．メタノールに溶けやすく，水にやや溶けやすく，エタノール(99.5)にやや溶けにくい．1.0gを水100mLに溶かした液のpHは約2である

原薬の吸湿性　25℃，75%RH及び40℃，75%RHの条件では吸湿性を示さなかった

原薬の融点・沸点・凝固点　融点：約203℃(分解)

原薬の酸塩基解離定数　pKa＝5.23(カルボン酸，滴定法)

先発医薬品等

[錠] タナトリル錠2.5・5・10(田辺三菱)

後発医薬品

[錠] 2.5mg・5mg・10mg

国際誕生年月　1993年10月

海外での発売状況　英，仏を含む71カ国

製剤

規制区分　[錠] [処]

製剤の性状 **2.5mg錠** 白色の素錠 **5・10mg錠** 割線入りの白色の素錠
有効期間又は使用期限 3年1カ月
貯法・保存条件 室温保存．開封後も遮光保存
薬剤取扱い上の留意点 降圧作用に基づくめまい，ふらつきが現れることがあるので，高所作業，自動車の運転等危険を伴う機械を操作する際には注意させること．手術前24時間は投与しないことが望ましい
患者向け資料等 患者向医薬品ガイド，くすりのしおり
溶液及び溶解時のpH 該当しない
浸透圧比 該当しない
安定なpH域 該当しない
調製時の注意 該当しない

薬理作用

分類 プロドラッグ型アンジオテンシン変換酵素（ACE）阻害剤
作用部位・作用機序 経口投与後，加水分解により活性代謝物であるジアシド体（イミダプリラート）に変換される．イミダプリラートが血中・組織中のACE活性を阻害し，昇圧物質であるアンジオテンシンIIの生成を抑制することによって降圧作用を発現．また，糖尿病性腎症に対し，腎ACE阻害作用に関連して蛋白尿を減少させ，腎機能低下の進行を抑制
同効薬 エナラプリルマレイン酸塩，キナプリル塩酸塩など

治療

効能・効果 ①高血圧症，腎実質性高血圧症 ②（2.5mg・5mgのみ）1型糖尿病に伴う糖尿病性腎症
用法・用量 効能①：1日1回5～10mg（適宜増減）．重症高血圧症，腎障害を伴う高血圧症又は腎実質性高血圧症の患者では2.5mgから開始することが望ましい 効能②：1日1回5mg．ただし，重篤な腎障害を伴う患者では2.5mgから開始することが望ましい
用法・用量に関連する使用上の注意 クレアチニンクリアランスが30mL/分以下，又は血清クレアチニンが3mg/dL以上の重篤な腎機能障害のある患者では，投与量を半量にするか，もしくは投与間隔をのばす等，慎重に投与する（排泄の遅延による過度の血圧低下及び腎機能を悪化させるおそれがある）
禁忌・原則禁忌となる特定患者集団 妊婦又は妊娠している可能性のある婦人

使用上の注意

禁忌 ①本剤の成分に対し，過敏症の既往歴のある患者 ②血管浮腫の既往歴のある患者（アンジオテンシン変換酵素阻害剤等の薬剤による血管浮腫，遺伝性血管浮腫，後天性血管浮腫，特発性血管浮腫等）［呼吸困難を伴う血管浮腫を発現することがある］ ③デキストラン硫酸固定化セルロース，トリプトファン固定化ポリビニルアルコール又はポリエチレンテレフタレートを用いた吸着器によるアフェレーシスを施行中の患者［ショックを起こすことがある］ ④アクリロニトリルメタリルスルホン酸ナトリウム膜（AN69）を用いた血液透析施行中の患者［アナフィラキシーを発現することがある］ ⑤妊婦又は妊娠している可能性のある婦人 ⑥アリスキレンフマル酸塩を投与中の糖尿病患者（ただし，他の降圧治療を行ってもなお血圧のコントロールが著しく不良の患者を除く）［非致死性脳卒中，腎機能障害，高カリウム血症及び低血圧のリスク増加が報告されている］

薬物動態

未変化体のほかに4種の代謝物中，活性を有するのはジアシド体（イミダプリラート）のみ **血漿中濃度** ①単回投与：健康成人（6例）に10mgを単回経口投与2時間前後に未変化体は最高血漿中濃度，以後約2時間の半減期で減少．一方，活性代謝物イミダプリラートは投与後6～8時間に最高血漿中濃度約15ng/mLの後，半減期約8時間で緩徐に消失 ②反復投与：⑴健康成人（6例）：10mgを1日1回，7日間反復経口投与時のイミダプリラート濃度は投与後3～5日で定常状態．薬物動態パラメータ［イミダプリル，イミダプリラート（初回・反復投与）の順］はCmax28.9・27.1，7.8・20.3ng/mL，Tmax2・2.3，9.3・7hr，$T_{1/2}$1.7・1.6，14.8・7.6hr，$AUC_{0\text{-}24h}$113.3・113.6，107.8・246.6ng・hr/mL ⑵腎障害患者：高度腎障害を伴う高血圧症患者（血清クレアチニン；3.3，2.9，1.9mg/dLの3例）に5mgを1日1回8～10日間反復経口投与時のイミダプリラート濃度推移は，腎障害を伴わない高血圧症患者（13例）に10mgを5～14日間投与時と比べると，最高血漿中濃度到達時間（Tmax）の延長（約11時間）ならびに消失半減期の延長（約18時間）が認められた．腎障害患者の最高血漿中濃度（Cmax）約18ng/mLは腎障害を伴わない患者の約11ng/mLに比べ高かった **代謝，排泄** 健康成人に10mgを単回経口投与後24時間までの尿中総排泄率25.5％

その他の管理的事項

投与期間制限 該当しない
保険給付上の注意 該当しない

資料

IF タナトリル錠2.5・5・10 2013年3月改訂（第9版）

イミプラミン塩酸塩
イミプラミン塩酸塩錠
Imipramine Hydrochloride

概要

薬効分類 117 精神神経用剤
構造式

CH3 N CH3 ・HCl

分子式 $C_{19}H_{24}N_2$・HCl
分子量 316.87
ステム イミプラミン系の抗うつ剤（飽和三環系化合物）：-pramine
原薬の規制区分 ㊙（ただし，1個中イミプラミンとして25mg以下を含有する内用剤を除く）
原薬の外観・性状 白色～微黄白色の結晶性の粉末で，においはない．水又はエタノール（95）に溶けやすく，ジエチルエーテルにほとんど溶けない．1.0gを水10mLに溶かした液のpHは4.2～5.2である．光によって徐々に着色する
原薬の吸湿性 該当資料なし
原薬の融点・沸点・凝固点 融点：172～176℃（分解）
原薬の酸塩基解離定数 該当資料なし
先発医薬品等
錠 イミドール糖衣錠（10）・（25）（田辺三菱＝吉富薬品）
トフラニール錠10mg・25mg（アルフレッサファーマ）
国際誕生年月 1958年
海外での発売状況 米，カナダ，スイスなど

製剤

規制区分 **錠** ㊇
製剤の性状 **錠** 灰赤色の糖衣錠
有効期間又は使用期限 3年
貯法・保存条件 気密容器，室温保存
薬剤取扱い上の留意点 眠気，注意力・集中力・反射運動能力等の低下が起こることがあるので，本剤投与中の患者には，自動車の運転等危険を伴う機械の操作に従事させないよう注意すること

患者向け資料等 患者向医薬品ガイド，くすりのしおり
溶液及び溶解時のpH 該当資料なし
浸透圧比 該当資料なし
安定なpH域 該当資料なし
調製時の注意 該当しない

薬理作用

分類 イミノジベンジル系三環系抗うつ剤・遺尿症治療剤

作用部位・作用機序 脳内のセロトニン(5-HT)及びノルアドレナリン(NA)の神経終末への取り込み阻害による受容体刺激の増強が抗うつ効果と結びついていると考えられている．イミプラミンは両者に作用するが，NA取り込み阻害がより強く，代謝物デシプラミンではNA取り込み阻害はさらに強くなる

同効薬 クロミプラミン塩酸塩，アミトリプチリン塩酸塩など

治療

効能・効果 ①精神科領域におけるうつ病・うつ状態 ②遺尿症(昼，夜)

効能・効果に関連する使用上の注意 抗うつ剤の投与により，24歳以下の患者で，自殺念慮，自殺企図のリスクが増加するとの報告があるため，投与にあたっては，リスクとベネフィットを考慮する

用法・用量 効能①：1日25～75mgを初期用量とし，1日200mgまで漸増，分服．まれに300mgまで増量することもある．適宜減量 効能②：1日学童25～50mgを1～2回に分服，幼児25mg1回(適宜増減)

使用上の注意

禁忌 ①閉塞隅角緑内障の患者［抗コリン作用により眼圧が上昇し，症状を悪化させることがある］ ②本剤の成分又は三環系抗うつ剤に対し過敏症の既往歴のある患者 ③心筋梗塞の回復初期の患者［症状を悪化させるおそれがある］ ④尿閉(前立腺疾患等)のある患者［抗コリン作用により症状が悪化することがある］ ⑤MAO阻害剤(セレギリン塩酸塩，ラサギリンメシル酸塩)を投与中あるいは投与中止後2週間以内の患者［発汗，不穏，全身痙攣，異常高熱，昏睡等が現れるおそれがある］ ⑥QT延長症候群のある患者［心室性不整脈を起こすおそれがある］

相互作用概要 代謝にはCYP2D6が関与している．また，CYP1A2，CYP3A4，CYP2C19も関与していると考えられている

過量投与 ①徴候・症状：最初の徴候・症状は通常服用30分～2時間後に高度の抗コリン作用を主症状として出現する：(1)中枢神経系：眠気，昏迷，意識障害，運動失調，情動不安，激越，反射亢進，筋強剛，アテトーシス及び舞踏病アテトーシス様運動，痙攣，セロトニン症候群 (2)心血管系：不整脈，頻脈，伝導障害，心不全，非常にまれにQT延長，トルサード・ド・ポアン (3)その他：呼吸抑制，チアノーゼ，低血圧，ショック，嘔吐，散瞳，発汗，乏尿，無尿等 ②処置：特異的な解毒剤は知られていない．催吐もしくは胃洗浄を行い活性炭を投与する．なお，腹膜透析又は血液透析はほとんど無効である．必要に応じて，次のような処置を行う．症状が重篤な場合には，ただちに入院させ，少なくとも48時間は心モニターを継続する．心電図に異常がみられた患者は，心電図が正常に復した後であっても再発の可能性があるため，少なくとも72時間は，心機能の観察を継続する (1)呼吸抑制：挿管及び人工呼吸 (2)高度低血圧：患者を適切な姿勢に保ち，血漿増量剤，ドパミン，あるいはドブタミンを点滴静注 (3)不整脈：症状に応じた処置を行う．ペースメーカー挿入を必要とする場合もある．低カリウム血症及びアシドーシスがみられた場合はこれらを是正する (4)痙攣発作：ジアゼパム静注又は他の抗痙攣剤(フェノバルビタール等)投与(ただし，これらの薬剤による呼吸抑制，低血圧，昏睡の増悪に注意)

薬物動態

血中濃度 経口投与時，通常1週間後に定常血漿中濃度に達し，その濃度は個人差が大きいが，75mg/日投与の平均値では未変化体70ng/mL，活性代謝物デシプラミン29ng/mL(うつ病患者) **代謝・排泄(外国人)** 経口投与により，速やかに，かつ完全に吸収．経口投与時，筋注に比べ，デシプラミンに代謝される率が高い．連続投与時の血中半減期は未変化体9～20時間，代謝物デシプラミン13～61時間(健常人)．排泄は速やかで，経口投与後，尿中に24時間まで約43%，72時間までに合計72%排泄，残りは糞中に排泄．尿中に未変化体のほか，desmethyl体，2-hydroxy体，2-hydroxy-desmethyl体，N-oxide体，水酸化体のグルクロン酸抱合体等の代謝物が確認(うつ病患者)

その他の管理的事項

投与期間制限 該当しない
保険給付上の注意 該当しない

資料

IF トフラニール錠10mg・25mg 2019年9月改訂(第5版)

イミペネム水和物
Imipenem Hydrate

概要

構造式

分子式 $C_{12}H_{17}N_3O_4S \cdot H_2O$
分子量 317.36
略語・慣用名 IPM
原薬の規制区分 該当しない
原薬の外観・性状 白色～淡黄色の結晶性の粉末である．水にやや溶けにくく，エタノール(99.5)にほとんど溶けない．1.0gを水200mLに溶かした液のpHは4.5～7.0である

薬理作用

作用部位・作用機序 部位：イミペネムは，ペニシリン結合蛋白(PBPs)に高い親和性を示し，細菌のペプチドグリカン細胞壁の特異的合成阻害により強力な殺菌作用 機序：グラム陰性菌のペニシリン結合蛋白(PBPs)の中で，特にPBP-la，lb，2に強い親和性を示し，PBPsへの結合の結果，菌体は球型化しbulgeを形成して速やかに溶菌．これは，多くのセフェム系抗生物質がPBP-3に対して強い親和性を示し，隔壁合成を抑えて菌体をフィラメント化するのとは異なった溶菌形態である

注射用イミペネム・シラスタチンナトリウム
Imipenem and Cilastatin Sodium for Injection

概要

薬効分類 613 主としてグラム陽性・陰性菌に作用するもの
分子式 ［イミペネム水和物］$C_{12}H_{17}N_3O_4S \cdot H_2O$ ［シラスタチンナトリウム］$C_{16}H_{25}N_2NaO_5S$
分子量 ［イミペネム水和物］317.36 ［シラスタチンナトリウム］380.43
略語・慣用名 IPM/CS
ステム 不明
原薬の規制区分 該当しない
原薬の外観・性状 ［イミペネム水和物］白色～淡黄色の結晶性

の粉末である．水にやや溶けにくく，メタノールに溶けにくく，エタノール(99.5)，アセトン，ジエチルエーテル又はクロロホルムにほとんど溶けない ［シラスタチンナトリウム］白色～微帯黄白色の粉末である．水に極めて溶けやすく，メタノールに溶けやすく，エタノール(99.5)に溶けにくい．アセトン，ジエチルエーテル又はクロロホルムにほとんど溶けない

原薬の吸湿性 ［イミペネム水和物］なし ［シラスタチンナトリウム］あり

原薬の融点・沸点・凝固点 ［イミペネム水和物］融点：約140℃(分解) ［シラスタチンナトリウム］融点：約150℃(分解)

原薬の酸塩基解離定数 ［イミペネム水和物］pKa＝3.2，10.8 ［シラスタチンナトリウム］pKa＝2.0，4.2，9.0

先発医薬品等

注射用 チエナム点滴静注用0.5g・筋注用0.5g(MSD)

キット チエナム点滴静注用キット0.5g(MSD)

後発医薬品

注射用 250mg・500mg

国際誕生年月 1984年6月

海外での発売状況 **筋注用** 米，英，仏を含む13カ国 **静注用** 米，英，仏，独を含む50カ国

製剤

規制区分 **筋注用** **静注用** ㊄

製剤の性状 **筋注用** 白色～淡黄白色の粉末 **静注用** 白色～淡黄白色の粉末．生食に溶解後は無色～微黄色澄明

有効期間又は使用期限 **筋注用** 3年 **静注用** 2年

貯法・保存条件 密封容器，室温保存

薬剤取扱い上の留意点 **筋注用** 懸濁液調製後は速やか(30分以内)に使用すること **静注用** 溶解後は速やかに使用すること．なお，やむをえず保存を必要とする場合でも室温保存で4時間以内に使用すること．本剤溶解時，溶液は無色から微黄色澄明を呈するが，色の濃淡は本剤の効力には影響しない．寒冷期には溶解液を体温程度に温めて使用すること

患者向け資料等 くすりのしおり

溶液及び溶解時のpH **筋注用** 6.0～7.5(リドカイン注射液に懸濁) **静注用** 6.5～8.0(生食100mLに溶解)

浸透圧比 **筋注用** 約5 **静注用** 約1(対生食)

調製時の注意 **注射用** ①溶解後徐々に力価が低下するため速やかに使用すること．なお，やむをえず保存を必要とする場合でも室温保存で4時間以内に使用すること ②バイアル製剤：注射用水は溶液が等張とならないため使用しないこと．本剤は，乳酸塩とは化学的に不安定であるので，乳酸塩を含んだ溶液に溶解しないこと

薬理作用

分類 カルバペネム系抗生物質

作用部位・作用機序 作用部位：イミペネムは，ペニシリン結合蛋白(PBPs)に高い親和性を示し，細菌のペプチドグリカン細胞壁の特異的合成阻害により強力な殺菌作用を有する 作用機序：グラム陰性菌のペニシリン結合蛋白(PBPs)の中で，特にPBP-la，lb，2に強い親和性を示し，PBPsへの結合の結果，菌体は球型化しbulgeを形成して速やかに溶菌する．これは，多くのセフェム系抗生物質がPBP-3に対して強い親和性を示し，隔壁合成を抑えて菌体をフィラメント化するのとは異なった溶菌形態である

同効薬 注射用カルバペネム系抗生剤，注射用セフェム系抗生剤，注射用ペニシリン系抗生剤など

治療

効能・効果 **点滴用** **キット**〈適応菌種〉イミペネムに感性のブドウ球菌属，レンサ球菌属，肺炎球菌，腸球菌属，大腸菌，シトロバクター属，クレブシエラ属，エンテロバクター属，セラチア属，プロテウス属，モルガネラ・モルガニー，プロビデンシア属，インフルエンザ菌，シュードモナス属，緑膿菌，バークホルデリア・セパシア，アシネトバクター属，ペプトストレプトコッカス属，バクテロイデス属，プレボテラ属〈適応症〉敗血症，感染性心内膜炎，外傷・熱傷及び手術創等の二次感染，骨髄炎，関節炎，急性気管支炎，肺炎，肺膿瘍，膿胸，慢性呼吸器病変の二次感染，膀胱炎，腎盂腎炎，前立腺炎(急性症，慢性症)，腹膜炎，胆嚢炎，胆管炎，肝膿瘍，バルトリン腺炎，子宮内感染，子宮付属器炎，子宮旁結合織炎，角膜炎(角膜潰瘍を含む)，眼内炎(全眼球炎を含む)

筋注用〈適応菌種〉イミペネムに感性のブドウ球菌属，レンサ球菌属，肺炎球菌，腸球菌属，大腸菌，シトロバクター属，クレブシエラ属，エンテロバクター属，セラチア属，プロテウス属，モルガネラ・モルガニー，プロビデンシア属，インフルエンザ菌，シュードモナス属，緑膿菌，バークホルデリア・セパシア，アシネトバクター属，ペプトストレプトコッカス属，バクテロイデス属，プレボテラ属〈適応症〉外傷・熱傷及び手術創等の二次感染，骨髄炎，関節炎，急性気管支炎，肺炎，肺膿瘍，膿胸，慢性呼吸器病変の二次感染，膀胱炎，腎盂腎炎，前立腺炎(急性症，慢性症)，腹膜炎，胆嚢炎，胆管炎，肝膿瘍，バルトリン腺炎，子宮内感染，子宮付属器炎，子宮旁結合織炎

用法・用量 **点滴用** **キット** イミペネムとして1日0.5～1g(力価)を2～3回に分け，小児には30～80mg(力価)/kgを3～4回に分け，30分以上かけて点滴静注(適宜増減)．重症・難治性感染症には，1日2g(力価)，小児100mg(力価)/kgまで増量できる．注射液の調製法は添付文書参照

筋注用 1日0.5～1g(力価)を2回に分け筋注(適宜増減)．筋注に際して，0.5g(力価)/0.5gに対し添付のリドカイン注射液(0.5%)を2mL用い，よく振とうして懸濁

用法・用量に関連する使用上の注意 **点滴用** **キット** ①腎障害患者：腎機能障害患者では腎機能に応じて用量，用法を調節し，血中蓄積による副作用発現を防ぐ必要がある．次にその一例を示したが，本剤の場合はその体内薬物動態からみて投与量による調節が望ましい：⑴クレアチニン-クリアランス70～50mL/分：0.5g(力価)を12時間間隔，重症，難治性感染症の場合は1日2g(力価)まで増量することができる〔12時間ごとに1g(力価)〕 ⑵50～30mL/分：0.5～0.25g(力価)を12時間間隔又は0.5g(力価)を12～24時間間隔で投与する ⑶30～10mL/分：0.25～0.125g(力価)を12時間間隔で投与する ⑷10mL/分以下の場合は血液透析を含め慎重に考慮の上，使用する．イミペネム及びシラスタチンはいずれも血液透析により血中から排除される ②使用にあたっては，耐性菌の発現等を防ぐため，原則として感受性を確認し，疾病の治療上必要な最小限の期間の投与にとどめる

筋注用 使用にあたっては，耐性菌の発現等を防ぐため，原則として感受性を確認し，疾病の治療上必要な最小限の期間の投与にとどめる

使用上の注意

禁忌 ①本剤の成分に対し過敏症の既往歴のある患者 ②バルプロ酸ナトリウム投与中の患者［点滴用製剤との併用により，バルプロ酸の血中濃度が低下し，てんかんの発作が再発することがある］ ③**筋注用** リドカイン等のアニリド系局所麻酔剤に対し過敏症の既往歴のある患者(添付の懸濁用液はリドカインを含有している)

薬物動態

血中濃度 健常成人にイミペネムとして0.25g(11例)，0.5g(4例)を30分点滴静注時のCmaxはそれぞれ18.46μg/mL，40.1μg/mL，半減期はそれぞれ0.94時間，0.97時間．同じく小児に10mg/kg(19例)，20mg/kg(19例)，30mg/kg(3例)を1時間点滴静注時のCmaxはそれぞれ27.7μg/mL，47.1μg/mL，82.8μg/mL，半減期はそれぞれ1.05時間，0.9時間，0.98時間．同じく健常成人に0.25g(6例)，0.5g(6例)筋注時のCmaxはそれぞれ3.61μg/mL，7.42μg/mL，Tmaxはそれぞれ1.58時間，1.92時間，半減期はそれぞれ3時間，3.8時間 **排泄** 主として腎から排泄され，健常成人にイミペネムとして0.25g及び0.5gを30分点滴静注後12時間までのイミペネムの平均尿中回収率は70.2%及び72.8%．同じく0.5gを30分点滴静注後

のイミペネムの尿中濃度(μg/mL)は1時間までで4943，1〜2時間で1733.5，4〜6時間で91，10〜12時間で1．小児(腎機能正常者)にイミペネムとして10mg/kg，20mg/kg，30mg/kgを1時間点滴静注後6時間までのイミペネムの平均尿中回収率は57.9%，67.6%及び64.3%，成人とほぼ同じ．同じく健常成人に0.25g及び0.5g筋注後24時間までの平均尿中回収率は53%，48%．0.5g筋注後の尿中濃度は1時間までで582.7，1〜2時間で973.5，2〜4時間で637.3，4〜6時間で329.7，8〜10時間で56.6，12〜15時間で29.3 **組織内移行** 点滴用製剤で喀痰，前立腺，腎，胆嚢，胆汁，腹腔内滲出液，子宮，骨盤死腔滲出液，骨髄，羊水，乳汁等へ移行 **腎機能障害時の血中濃度，尿中排泄(点滴用)** 腎機能の低下に伴い尿中への排泄が減少し，血中濃度の上昇，半減期が延長．したがって，腎機能障害者に投与の場合，その障害の程度により投与量の減量又は投与間隔の延長を行う必要がある

その他の管理的事項

投与期間制限 該当しない

保険給付上の注意 該当しない

資料

IF チエナム筋注用0.5g 2019年12月改訂(第20版)
チエナム点滴静注用0.5g・キット0.5g 2019年12月改訂(第14版)

イリノテカン塩酸塩水和物
イリノテカン塩酸塩注射液
Irinotecan Hydrochloride Hydrate

概要

薬効分類 424 抗腫瘍性植物成分製剤

構造式

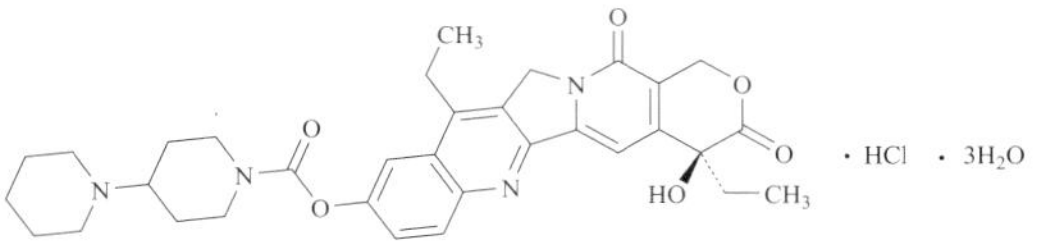

分子式 $C_{33}H_{38}N_4O_6 \cdot HCl \cdot 3H_2O$

分子量 677.18

略語・慣用名 慣用名：CPT-11

ステム 抗悪性腫瘍剤，トポイソメラーゼI阻害剤：-tecan

原薬の規制区分 ㊓

原薬の外観・性状 微黄色〜淡黄色の結晶又は結晶性の粉末である．メタノールにやや溶けにくく，水又はエタノール(99.5)に溶けにくい．光によって徐々に黄褐色となり，分解する．結晶多形が認められる．1gを水50mLに加熱して溶かし，放冷した液のpHは3.5〜4.5である

原薬の吸湿性 吸湿性はない

原薬の融点・沸点・凝固点 融点：約255℃(分解)

原薬の酸塩基解離定数 $pKa_1=1.07$(吸光度法) $pKa_2=7.89$(分配率法)

先発医薬品等

注 オニバイド点滴静注43mg(日本セルヴィエ＝ヤクルト)
カンプト点滴静注40mg・100mg(ヤクルト)
トポテシン点滴静注40mg・100mg(第一三共)

後発医薬品

注 40mg・100mg

国際誕生年月 1994年1月

海外での発売状況 欧米を含む100カ国以上

製剤

規制区分 **注** ㊓ ㊇

製剤の性状 **注** 微黄色澄明の液

有効期間又は使用期限 3年

貯法・保存条件 室温保存

薬剤取扱い上の留意点 本剤は細胞毒性を有するため，調製時には手袋を着用することが望ましい．皮膚，眼，粘膜に薬液が付着した場合には，直ちに多量の流水でよく洗い流すこと．眼に薬液が入った場合には，流水で十分に洗眼すること．凍結しないように注意すること．注射液がこぼれた時は漏出処理用品(ペーパータオル等)で吸い取り，吸い取った後は袋に入れて廃棄・焼却する

患者向け資料等 患者向医薬品ガイド，くすりのしおり

溶液及び溶解時のpH **注** 3.0〜4.0

浸透圧比 **注** 1.0〜1.3

安定なpH域 酸性領域

調製時の注意 ①投与時，生理食塩液，ブドウ糖液又は電解質維持液に混和する ②ヴィーンF注，アミパレン輸液，アミノフリード輸液，ツインパル輸液において，1時間以内にCPT-11の残存率が90%以下に低下することが確認されているため，これらの輸液との混和は避けること．ビーフリード輸液，イントラリポス輸液20%において，2時間以内にCPT-11の残存率が90%以下に低下することが確認されているため，これらの輸液との混和は避けること．ハルトマン液pH：8-「HD」，ラクテック注において，3時間以内に残存率が90%以下に低下することが確認されているため，これらの輸液との混和は避けること．ソルデム3A輸液との混和において，24時間後のCPT-11の残存率が90%以下に低下することが認められているため，混和後はできるだけ速やかに投与を開始すること．生理食塩液500mL又は5%ブドウ糖液500mLに本剤200mgと各種注射剤の臨床用量を混和した配合変化試験結果より，ソル・メドロール静注用500mg，強力ネオミノファーゲンシー静注5mL，メイロン静注7%において，3時間以内にCPT-11の残存率が90%以下に低下することが確認されているため，これらの注射剤との混和は避けること．また，ウロナーゼ静注用6万単位，ロイコン注射液20mgとの混和において，6時間後の残存率が90%以下に低下することが確認されているため，混和後は3時間以内に投与を終了するか，もしくはPiggy back等で投与すること

薬理作用

分類 抗悪性腫瘍剤(カンプトテシン半合成誘導体)

作用部位・作用機序 I型DNAトポイソメラーゼ(Topo I)を阻害し，DNA合成を阻害．殺細胞効果は細胞周期のS期に特異的で，制限付時間依存性に効果を示す．Topo IはDNAに結合したのち二本鎖DNAのうち一方を切断するが，この際イリノテカン塩酸塩水和物の活性代謝物であるSN-38がTopo Iと複合体を形成し，その複合体を安定化させることによりDNAの再結合が阻害されると考えられている

同効薬 ノギテカン塩酸塩など

治療

効能・効果 **カンプト・トポテシン** 小細胞肺癌，非小細胞肺癌，子宮頸癌，卵巣癌，胃癌(手術不能又は再発)，結腸・直腸癌(手術不能又は再発)，乳癌(手術不能又は再発)，有棘細胞癌，悪性リンパ腫(非ホジキンリンパ腫)，小児悪性固形腫瘍，治癒切除不能な膵癌

オニバイド がん化学療法後に増悪した治癒切除不能な膵癌

用法・用量 **カンプト・トポテシン** 小細胞肺癌・非小細胞肺癌・乳癌・有棘細胞癌はA法，子宮頸癌・卵巣癌・胃癌及び結腸・直腸癌はA法又はB法，悪性リンパ腫はC法，小児悪性固形腫瘍はD法，膵癌はE法を使用．(1)A法：成人1日1回100mg/m^2，1週間間隔で3〜4回点滴静注，少なくとも2週間休薬を1クールとして繰り返す(適宜増減) (2)B法：成人1日1回150mg/m^2，2週間間隔で2〜3回点滴静注，少なくとも3週間休薬を1クールとして繰り返す(適宜増減) (3)C法：成人1日1

回40mg/m², 3日間連日点滴静注．これを1週ごとに2〜3回繰り返し，少なくとも2週間休薬を1クールとして繰り返す（適宜増減） (4)D法：1日1回20mg/m², 5日間連日点滴静注．これを1週ごとに2回繰り返し，少なくとも1週間休薬を1クールとして繰り返す（適宜減量） (5)E法：成人1日1回180mg/m², 点滴静注．少なくとも2週間休薬を1クールとして繰り返す（適宜減量）．投与量に応じて生食，ブドウ糖液又は電解質維持液（A・B・E法は500mL以上，C法は250mL以上，D法は100mL以上）に混和し，A・B・E法は90分以上，C・D法は60分以上かけて点滴静注

オニバイド フルオロウラシル及びレボホリナートとの併用で1回70mg/m², 90分かけて2週間間隔で点滴静注（適宜減量）

用法・用量に関連する使用上の注意 **オニバイド** UGT1A1*6もしくはUGT1A1*28のホモ接合体を有する患者，又はUGT1A1*6及びUGT1A1*28のヘテロ接合体を有する患者：開始量1回50mg/m². 忍容性が認められる場合は1回70mg/m²に増量できる

使用上の注意

警告 **注〔カンプト・トポテシン〕** ①使用にあたっては，患者又はその家族に有効性及び危険性を十分説明し，同意を得てから投与を開始する ②臨床試験において，骨髄機能抑制あるいは下痢に起因したと考えられる死亡例が認められている．本剤の投与は，緊急時に十分に措置できる医療施設及びがん化学療法に十分な経験を持つ医師のもとで，投与が適切と判断される症例についてのみ投与し，次の患者には投与しないなど適応患者の選択を慎重に行う：(1)骨髄機能抑制のある患者 (2)感染症を合併している患者 (3)下痢（水様便）のある患者 (4)腸管麻痺，腸閉塞のある患者 (5)間質性肺炎又は肺線維症の患者 (6)多量の腹水，胸水のある患者 (7)黄疸のある患者 (8)アタザナビル硫酸塩を投与中の患者 (9)本剤の成分に対し過敏症の既往歴のある患者 ③本剤を含む小児悪性固形腫瘍に対するがん化学療法は，小児のがん化学療法に十分な知識・経験を持つ医師のもとで実施する ④投与に際しては，骨髄機能抑制，高度な下痢等の重篤な副作用が起こることがあり，ときに致命的な経過をたどることがあるので，頻回に臨床検査（血液検査，肝機能検査，腎機能検査等）を行う等，患者の状態を十分に観察する ⑤骨髄機能抑制による致命的な副作用の発現を回避するために，特に次の事項に十分注意する：(1)投与予定日（投与前24時間以内）に末梢血液検査を必ず実施し，結果を確認してから，本剤投与の適否を慎重に判断する (2)投与予定日の白血球数が3000/mm³未満又は血小板数が10万/mm³未満（膵癌FOLFIRINOX法においては，2クール目以降7.5万/mm³未満）の場合には，本剤の投与を中止又は延期する (3)投与予定日の白血球数が3000/mm³以上かつ血小板数が10万/mm³以上（膵癌FOLFIRINOX法においては，2クール目以降7.5万/mm³以上）であっても，白血球数又は血小板数が急激な減少傾向にある等，骨髄機能抑制が疑われる場合には，本剤の投与を中止又は延期する．なお，使用にあたっては，添付文書を熟読する

注〔オニバイド〕 ①従来のイリノテカン塩酸塩水和物製剤の代替として本剤を投与しない ②投与にあたっては，緊急時に十分対応できる医療施設において，がん化学療法に十分な知識・経験を持つ医師のもとで，本療法が適切と判断される症例についてのみ実施する．また，治療開始に先立ち，患者又はその家族に有効性及び危険性を十分説明し，同意を得てから投与する ③投与に際しては，骨髄抑制，重度の下痢等の重篤な副作用が起こることがあり，ときに致命的な経過をたどることがあるので，頻回に臨床検査（血液検査，肝機能検査，腎機能検査等）を行う等，患者の状態を十分に観察する

禁忌 ①骨髄機能抑制のある患者［骨髄機能抑制が増悪して重症感染症等を併発し，致命的となることがある］ ②感染症を合併している患者［感染症が増悪し，致命的となることがある］ ③下痢（水様便）のある患者（〔オニバイド〕重度の下痢のある患者）［下痢が増悪して脱水，電解質異常，循環不全を起こし，致命的となることがある］ ④腸管麻痺，腸閉塞のある患者［腸管からの排泄が遅れ，重篤な副作用が発現し，致命的となることがある］ ⑤間質性肺炎又は肺線維症の患者［症状が増悪し，致命的となることがある］ ⑥多量の腹水，胸水のある患者［重篤な副作用が発現し，致命的となることがある］ ⑦黄疸のある患者［重篤な副作用が発現し，致命的となることがある］ ⑧アタザナビル硫酸塩を投与中の患者 ⑨本剤の成分に対し過敏症の既往歴のある患者

薬物動態

血中濃度 各種悪性腫瘍患者に，50mg/m²(3例)，100mg/m²(4例)，165mg/m², 250mg/m²(各5例)，350mg/m²(1例)を単回点滴静注時，未変化体は血漿中からの減衰速度が速く，半減期3.7〜5.8時間，活性代謝物（SN-38）の半減期は11.4〜18.5時間で，未変化体に比べ持続的な濃度推移．未変化体及びSN-38は投与後72時間程度でほぼ完全に血中から消失．各種悪性腫瘍患者における本剤（CPT-11），SN-38の薬物動態学的パラメータ（投与量ごとでCPT-11，SN-38の順）は，Cmax（μg/mL）は50mg/m²で0.7，0.02，100mg/m²で1.9，0.03，165mg/m²で4.7，0.05，250mg/m²で7.6，0.07，350mg/m²で7.1，0.14，$T_{1/2}$(hr)は50mg/m²で5.6，11.4，100mg/m²で5.8，18.5，165mg/m²で4.2，12.2，250mg/m²で4.5，13.9，350mg/m²で3.7，14.8，AUC（μg・hr/mL）は50mg/m²で3.6，0.2，100mg/m²で14.2，0.6，165mg/m²で21.5，0.7，250mg/m²で27.9，0.9，350mg/m²で44.7，1.1．承認された1回用量は180mg/m²以下（用法・用量参照） **分布（参考：動物実験）** ラットに^{14}C標識体を単回静注後の組織内濃度は，脳，中枢神経系，生殖系を除く各組織で血漿中より高く，速やかでかつ良好な組織移行性 **代謝** ①ヒトの肝及び各組織において，カルボキシルエステラーゼにより活性代謝物（SN-38）に直接変換される．その他，CYP3A4により一部は無毒化され，一部は間接的にSN-38に変換される．SN-38は，主に肝の代謝酵素であるUDP-グルクロン酸転移酵素（UGT）の一分子種であるUGT1A1によりグルクロン酸抱合され，SN-38のグルクロン酸抱合体（SN-38G）となり，主に胆汁中に排泄される．UGT1A1にはUGT1A1*6，UGT1A1*28等の遺伝子多型が存在し，UGT1A1*6，もしくはUGT1A1*28においては，これら遺伝子多型をもたない患者に比べてヘテロ接合体，ホモ接合体としてもつ患者の順にSN-38Gの生成能力が低下し，SN-38の代謝が遅延する．日本人におけるUGT1A1*6，UGT1A1*28のアレル頻度は13.0〜17.7%，8.6〜13.0%との報告．各種癌患者（176例）における各UGT1A1遺伝子多型のAUC比（SN-38GのAUCをSN-38のAUCで除した値）の中央値（四分位範囲）は，UGT1A1*6とUGT1A1*28をともにもたない遺伝子多型（85例）は5.55（4.13-7.26），UGT1A1*6又はUGT1A1*28をヘテロ接合体としてもつ遺伝子多型（75例）は3.62（2.74-5.18），UGT1A1*6又はUGT1A1*28をホモ接合体としてもつ，もしくはUGT1A1*6とUGT1A1*28をヘテロ接合体としてもつ遺伝子多型（16例）は2.07（1.45-3.62） ②参考（動物実験）：ラットにおいてSN-38Gは，腸内細菌がもつβ-グルクロニダーゼによりSN-38に脱抱合される **排泄** 各種悪性腫瘍患者に165mg/m²又は250mg/m²を単回点滴静注時の24時間までの尿中排泄率は，未変化体16.3〜21.1%，SN-38 0.11〜0.15%

その他の管理的事項

投与期間制限 該当しない

保険給付上の注意 該当しない

資料

IF オニバイド点滴静注43mg 2020年8月改訂（第3版）
カンプト点滴静注40mg・100mg 2020年4月改訂（第11版）

イルソグラジンマレイン酸塩
イルソグラジンマレイン酸塩錠
イルソグラジンマレイン酸塩細粒
Irsogladine Maleate

概要

薬効分類　232　消化性潰瘍用剤

構造式

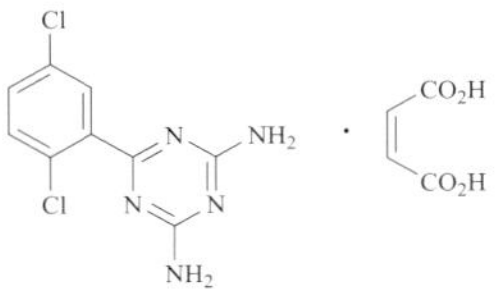

分子式　$C_9H_7Cl_2N_5 \cdot C_4H_4O_4$

分子量　372.16

略語・慣用名　ジクログアミンマレイン酸塩

ステム　アルカロイド及び有機塩基：-ine

原薬の規制区分　㊀(ただし，1個中イルソグラジンとして4mg以下を含有する内用剤及びイルソグラジンとして0.8%以下を含有する内用剤を除く)

原薬の外観・性状　白色の結晶又は結晶性の粉末で，味はやや苦い．酢酸(100)又はエチレングリコールにやや溶けにくく，メタノール又はエタノール(99.5)に溶けにくく，水にほとんど溶けない

原薬の吸湿性　37℃，91%RH，30日間保存において，吸湿性は認められなかった

原薬の融点・沸点・凝固点　融点：175～183℃(分解)

原薬の酸塩基解離定数　pKa＝2.30

先発医薬品等

細　ガスロンN細粒0.8%(日本新薬)

錠　ガスロンN錠2mg・4mg(日本新薬)
ガスロンN・OD錠2mg・4mg(日本新薬)

後発医薬品

細　0.8%

錠　2mg・4mg

国際誕生年月　1988年9月

海外での発売状況　韓国，中国

製剤

製剤の性状　**細**　白色の細粒で，味はやや甘く，においはない　**2mg錠**　白色の素錠　**4mg錠**　白色の割線入り素錠　**口腔内崩壊錠**　白色の素錠で，ヨーグルトようの味がある

有効期間又は使用期限　**細**　**錠**　5年　**口腔内崩壊錠**　3年

貯法・保存条件　**細**　**錠**　気密容器，室温保存　**口腔内崩壊錠**　気密容器，防湿・室温保存

薬剤取扱い上の留意点　該当しない

患者向け資料等　くすりのしおり

溶液及び溶解時のpH　該当しない

浸透圧比　該当しない

安定なpH域　該当しない

調製時の注意　該当しない

薬理作用

分類　粘膜防御性胃炎・胃潰瘍治療剤

作用部位・作用機序　胃粘膜障害物質(胃酸等)による胃粘膜表層上皮細胞の細胞間間隙開大や胃粘膜血流低下を抑制することにより細胞防御作用．これらの作用には本剤の胃粘膜内cAMP増加作用や細胞間コミュニケーション活性化作用(組織の共役促進による粘膜抵抗力及びバリア機能の増強)が関与すると考えられている

同効薬　セトラキサート塩酸塩，テプレノン，レバミピド，エカベトナトリウムなど

治療

効能・効果　①胃潰瘍　②次の疾患の胃粘膜病変(びらん，出血，発赤，浮腫)の改善：急性胃炎，慢性胃炎の急性増悪期

用法・用量　イルソグラジンマレイン酸塩として1日4mg，1～2回に分服(適宜増減)

用法・用量に関連する使用上の注意　**口腔内崩壊錠**　口腔内で崩壊するが，口腔の粘膜から吸収されることはないため，唾液又は水で飲み込む

薬物動態

吸収　①単回投与：健康成人男子4名に4mgを単回経口投与時の薬物動態パラメータは，Tmax3.5±1.9hr，Cmax0.154±0.034μg/mL，$t_{1/2}$152±47hr，AUC23.0±5.0hr・μg/mL　②反復投与：(1)健康成人男子：6名に2mgを1日1回28日間反復経口投与時の未変化体の血漿中濃度は14日以降ほぼ定常状態．投与終了後血漿中濃度は緩やかに減少，消失半減期は約170時間　(2)胃潰瘍患者：10名に4mgを4週間から8週間1日1回あるいは2回に分服時，健康成人男子に2mgを反復投与した場合と同様に投与後約2週間で定常状態　**分布**　①作用部位への移行性(ラット)：(参考)^{14}C-イルソグラジンを静注後の胃粘膜での放射能濃度は血漿中より高かった　②蛋白結合：^{14}C-イルソグラジンの1%ヒト血清アルブミンに対する結合率は62.4%　**代謝**　健康成人男子に4mgを経口投与時，尿中主代謝物は，イルソグラジンのm-OH体の抱合体で，この他p-OH抱合体及びN-Oxide体が検出．なお，これら代謝物の薬理作用・毒性は未変化体と比べ，著しく弱いかほとんど認められない　**排泄**　健康成人男子に4mg経口投与時，80時間までの尿中排泄率は未変化体1.77%，m-OH体の抱合体3.54%，p-OH体の抱合体0.79%，N-oxide体0.94%

その他の管理的事項

投与期間制限　該当しない

保険給付上の注意　該当しない

資料

IF　ガスロンN細粒0.8%・N錠2mg・4mg・N・OD錠2mg・4mg　2011年4月改訂(第6版)

イルベサルタン
イルベサルタン錠
Irbesartan

概要

薬効分類　214　血圧降下剤

構造式

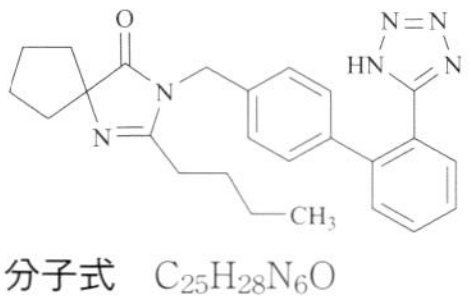

分子式　$C_{25}H_{28}N_6O$

分子量　428.53

ステム　アンジオテンシンⅡ受容体拮抗薬：-sartan

原薬の規制区分　該当しない

原薬の外観・性状　白色の結晶性の粉末である．酢酸(100)に溶けやすく，メタノールにやや溶けにくく，エタノール(99.5)に溶けにくく，水にほとんど溶けない．結晶多形が認められる

原薬の吸湿性　吸湿性はない

原薬の融点・沸点・凝固点　融点：182.4～184.6℃

原薬の酸塩基解離定数　pKa_1＝3.3～3.9(キャパシティーファクター法)，pKa_2＝4.2～4.8(電位差滴定法)

先発医薬品等
[錠] アバプロ錠50mg・100mg・200mg(大日本住友)
イルベタン錠50mg・100mg・200mg(シオノギファーマ=塩野義)
後発医薬品
[錠] 50mg・100mg・200mg・OD錠50mg・100mg・200mg
国際誕生年月 1997年8月
海外での発売状況 米，英など

[製剤]
規制区分 [錠] [処]
製剤の性状 [錠] 白色～帯黄白色のだ円形の割線入りフィルムコーティング錠
有効期間又は使用期限 3年
貯法・保存条件 室温保存
薬剤取扱い上の留意点 降圧作用に基づくめまい，ふらつきが現れることがあるので，高所作業，自動車の運転等危険を伴う機械を操作する際には注意させること．手術前24時間は投与しないことが望ましい
患者向け資料等 患者向医薬品ガイド，くすりのしおり
溶液及び溶解時のpH 該当しない
浸透圧比 該当しない
安定なpH域 該当しない
調製時の注意 該当しない

[薬理作用]
分類 長時間作用型アンジオテンシンⅡ受容体拮抗薬
作用部位・作用機序 *in vitro*試験においてウサギ摘出大動脈のアンジオテンシンⅡ(AⅡ)誘発収縮を特異的に抑制し，*in vivo*試験(ラット，イヌ，サル)においてもAⅡ誘発昇圧反応に対して抑制作用を示した．*in vitro*結合試験から，その抑制作用はAⅡ受容体に対する競合的拮抗に基づくものであり，更にAⅡタイプ1受容体(AT_1受容体)選択的であることが示唆された．その他の受容体には親和性を示さず，アンジオテンシン変換酵素も阻害しなかった
同効薬 カンデサルタン シレキセチル，ロサルタンカリウムなど

[治療]
効能・効果 高血圧症
用法・用量 1日1回50～100mg(適宜増減)．1日最大投与量200mgまで
禁忌・原則禁忌となる特定患者集団 妊婦又は妊娠している可能性のある女性

[使用上の注意]
禁忌 ①本剤の成分に対し過敏症の既往歴のある患者 ②妊婦又は妊娠している可能性のある女性 ③アリスキレンを投与中の糖尿病患者(ただし，他の降圧治療を行ってもなお血圧のコントロールが著しく不良の患者を除く)
過量投与 処置：本剤は血液透析では除去できない

[薬物動態]
血中濃度 ①単回投与：健康成人男性18例に50，100及び200mgをクロスオーバー法により空腹時単回経口投与時，血漿中には主として活性を有する未変化体で存在．薬物動態パラメータ(50mg，100mg，200mgの順．測定法：LC-MS/MS)は，Cmax(ng/mL)1084±375，1758±483，2098±455，Tmax(hr)1.4±0.7，1.6±0.9，2.0±1.3，AUC(ng・hr/mL)3821±1208，6848±1974，11742±3549，$T_{1/2}$(hr)10.1±5.9，13.6±15.4，15.2±18.6 ②反復投与：健康成人男性6例に50，100mgを1日1回7日間食後反復経口投与時，血漿中濃度は投与開始後約3～4日で定常状態，両投与量とも蓄積性はみられなかった．また，高齢者を含む本態性高血圧症患者14例に100，200mgを1日1回8日間食後反復経口投与時，Cmax及びAUCに投与1日目と投与8日目との間で有意な差はなく，両投与量とも蓄積性はみられなかった **吸収** 食事の影響：健康成人男性14例に100mgを単回経口投与(空腹時又は食後)時，Cmax及びAUCに食事の影響はみられなかった **分布** 蛋白結合率：ヒト血清蛋白結合率は約97%(*in vitro*) **代謝** 主としてCYP2C9による酸化的代謝とグルクロン酸抱合により代謝される．ヒト肝ミクロソームを用いて，CYP活性に対するイルベサルタンの阻害作用について検討した結果，CYP1A2，CYP2D6及びCYP2E1に対しては阻害せず，CYP2A6，CYP2C8，CYP2C9及びCYP3A4に対して阻害作用が認められたものの，いずれも阻害の程度は弱かった(*in vitro*) **排泄** 健康成人で未変化体尿中排泄率は約0.3～1.3%．健康成人に^{14}C-標識イルベサルタンを経口投与時，放射能の約20%は尿中に，約54%は糞中に排泄された(外国人データ)
特定の背景を有する患者 ①腎機能障害患者：軽・中等度(9例)，高度(10例)の腎機能障害患者に100mgを1日1回8日間反復経口投与時，腎機能正常者と比較してCmax，AUCに有意な差はみられなかった．血液透析中の患者を含め，腎機能障害患者に投与時にも蓄積傾向はほとんどないことが示唆された(外国人データ) ②肝機能障害患者：軽・中等度の肝硬変患者10例に，300mg*)を空腹時1日1回7日間反復経口投与時，健康成人と比較してCmax，AUCに有意な差はみられなかった．また蓄積傾向がほとんどないことも示唆された(外国人データ) ③高齢者：高齢者(65～80歳，男性10例，女性10例)と若年者(18～35歳，男性10例)に25mg*)を1日1回反復経口投与時，Cmaxに有意な差はみられなかったが，AUCは若年者に比べて50～68%上昇(外国人データ)．＊）承認1日通常用量は50～100mg，1日最大用量は200mg **薬物相互作用** ワルファリン：ワルファリン(CYP2C9の基質)と併用時，ワルファリンの薬物動態に変化はみられなかった(外国人データ)

[その他の管理的事項]
投与期間制限 該当しない
保険給付上の注意 該当しない

[資料]
IF アバプロ錠50mg・100mg・200mg 2020年2月改訂(第15版)

イルベサルタン・アムロジピンベシル酸塩錠
Irbesartan and Amlodipine Besilate Tablets

[概要]
薬効分類 214 血圧降下剤
分子式 ［イルベサルタン］$C_{25}H_{28}N_6O$ ［アムロジピンベシル酸塩］$C_{20}H_{25}ClN_2O_5 \cdot C_6H_6O_3S$
分子量 ［イルベサルタン］428.53 ［アムロジピンベシル酸塩］567.05
ステム ［イルベサルタン］アンジオテンシンⅡ受容体拮抗薬：-sartan ［アムロジピンベシル酸塩］ニフェジピン系カルシウムチャネル拮抗薬：-dipine
原薬の規制区分 ［アムロジピンベシル酸塩］[毒](ただし，1錠中アムロジピンベシル酸塩として13.87mg以下を含有するものは[劇])
原薬の外観・性状 ［イルベサルタン］白色の結晶性の粉末である．酢酸(100)に溶けやすく，メタノールにやや溶けにくく，エタノール(99.5)に溶けにくく，水にほとんど溶けない．結晶多形が認められる ［アムロジピンベシル酸塩］白色～帯黄白色の結晶性の粉末である．メタノールに溶けやすく，エタノール(99.5)にやや溶けにくく，水に溶けにくい．本品のメタノール溶液(1→100)は旋光性を示さない
原薬の吸湿性 ［イルベサルタン］吸湿性はない ［アムロジピンベシル酸塩］吸湿平衡測定法により各種相対湿度槽(43～92%，25℃)に7日間保存したときの吸湿増量を測定した結果，吸湿性は認められなかった
原薬の融点・沸点・凝固点 ［イルベサルタン］融点：182.4～

184.6℃ ［アムロジピンベシル酸塩］融点：約198℃(分解)
原薬の酸塩基解離定数 ［イルベサルタン］pKa_1＝3.3〜3.9(キャパシティーファクター法)，pKa_2＝4.2〜4.8(電位差滴定法) ［アムロジピンベシル酸塩］pKa＝8.85(中和滴定法)
先発医薬品等
錠 アイミクス配合錠LD・HD(大日本住友＝塩野義)
後発医薬品
錠
国際誕生年月 2012年9月
海外での発売状況 発売されていない

製剤

規制区分 **錠** 劇 処
製剤の性状 ［LD錠］白色〜帯黄白色のフィルムコーティング錠 ［HD錠］うすいだいだい色のフィルムコーティング錠
有効期間又は使用期限 36カ月
貯法・保存条件 室温保存
薬剤取扱い上の留意点 降圧作用に基づくめまい，ふらつきが現れることがあるので，高所作業，自動車の運転等危険を伴う機械を操作する際には注意させること．手術前24時間は投与しないことが望ましい
患者向け資料等 患者向医薬品ガイド，くすりのしおり
溶液及び溶解時のpH 該当しない
浸透圧比 該当しない
安定なpH域 該当しない
調製時の注意 該当しない

薬理作用

分類 長時間作用型アンジオテンシンⅡ受容体拮抗薬・持続性Ca拮抗薬配合剤
作用部位・作用機序 各項目参照
同効薬 バルサルタン/アムロジピンベシル酸塩配合錠，オルメサルタン メドキソミル/アゼルニジピン配合錠，カンデサルタン シレキセチル/アムロジピンベシル酸塩配合錠，テルミサルタン/アムロジピンベシル酸塩配合錠，アジルサルタン/アムロジピンベシル酸塩配合錠

治療

効能・効果 高血圧症
効能・効果に関連する使用上の注意 過度な血圧低下のおそれ等があり，本剤を高血圧治療の第一選択薬としない
用法・用量 1日1回1錠(イルベサルタン/アムロジピンとして100mg/5mg又は100mg/10mg)を経口投与．高血圧治療の第一選択薬として用いない
用法・用量に関連する使用上の注意 ①次のイルベサルタンとアムロジピンの用法・用量を踏まえ，患者毎に用量を決める：⑴イルベサルタン：50〜100mgを1日1回経口投与(適宜増減)．1日最大投与量は200mgまで ⑵アムロジピン：高血圧症：2.5〜5mgを1日1回経口投与(適宜増減)．効果不十分な場合には1日1回10mgまで増量することができる ②原則として，イルベサルタン100mg及びアムロジピンとして5mgを併用している場合，あるいはいずれか一方を使用し血圧コントロールが不十分な場合に，100mg/5mgへの切り替えを検討する ③原則として，イルベサルタン100mg及びアムロジピンとして5mgを併用もしくは100mg/5mgで血圧コントロールが不十分な場合に，100mg/10mgへの切り替えを検討する
禁忌・原則禁忌となる特定患者集団 妊婦・妊娠している可能性のある婦人

使用上の注意

禁忌 ①本剤の成分又はジヒドロピリジン系化合物に対し過敏症の既往歴のある患者 ②妊婦又は妊娠している可能性のある婦人 ③アリスキレンを投与中の糖尿病患者(ただし，他の降圧治療を行ってもなお血圧のコントロールが著しく不良の患者を除く)［非致死性脳卒中，腎機能障害，高カリウム血症及び低血圧のリスク増加が報告されている］
相互作用概要 アムロジピンの代謝には主としてCYP3A4が関与していると考えられている
過量投与 ①症状：イルベサルタンの主な徴候，症状は，著しい血圧低下，頻脈と考えられる．アムロジピンは，過度の末梢血管拡張により，ショックを含む著しい血圧低下と反射性頻脈を起こすことがある ②処置：通常，次のような処置を行う：⑴心・呼吸機能のモニターを行い，頻回に血圧を測定する．著しい血圧低下が認められた場合は，四肢の挙上，輸液の投与等，心血管系に対する処置を行う．症状が改善しない場合は，循環血液量及び排尿量に注意しながら昇圧剤の投与を考慮する ⑵催吐，活性炭投与又は胃洗浄：アムロジピン服用直後に活性炭を投与した場合，アムロジピンのAUCは99％減少し，服用2時間後では49％減少したことから，アムロジピン過量投与時の吸収抑制処置として活性炭投与が有効であると報告されている ③注意：イルベサルタン及びアムロジピンは蛋白結合率が高いため，血液透析による除去は有効ではない

薬物動態

血中濃度 ①食事の影響：健康成人男性16例にイルベサルタン/アムロジピン100mg/10mg配合錠を単回経口投与(空腹時又は食後)時，空腹時投与と比べて食後投与のイルベサルタン及びアムロジピンのCmax及びAUCに差はみられなかった ②配合剤有効成分間の相互作用：健康成人男性(外国人)24例にイルベサルタン300mg(承認外用量)及びアムロジピンとして10mgを併用して経口単回投与時のイルベサルタンとアムロジピンの薬物動態は各単剤投与後と差はなく，イルベサルタンとアムロジピンの間に薬物動態に関する相互作用は認められなかった ③腎機能障害患者：軽・中等度(9例)，高度(10例)の腎機能障害患者(外国人)にイルベサルタン100mgを1日1回8日間反復経口投与時，腎機能正常者と比較してCmax，AUCに有意な差はみられなかった．血液透析中の患者を含め，腎機能障害患者に投与した場合にも蓄積傾向はほとんどないことが示唆された ④肝機能障害患者：軽・中等度の肝硬変患者(外国人)10例に，イルベサルタン300mg(承認外用量)を空腹時1日1回7日間反復経口投与時，健康成人と比較して，Cmax，AUCに有意な差はみられなかった．また蓄積傾向がほとんどないことも示唆された．肝硬変患者(Child A，Bクラス)5例にアムロジピンとして2.5mgを単回経口投与時，健康成人に比較して，Tmax，Cmaxにはほとんど差が認められなかったが，$T_{1/2}$の延長，AUCの増大が認められた ⑤高齢者：高齢者(外国人，65〜80歳，男性10例，女性10例)と若年者(外国人，18〜35歳，男性10例)にイルベサルタン25mgを1日1回反復経口投与時，Cmaxに有意な差はみられなかったが，AUCは若年者と比べて50〜68％上昇．老年高血圧患者(平均年齢79.7歳)6例にアムロジピンとして5mgを単回投与時，若年健康成人に比較して，Cmax，AUCは有意に高値であった．また，8日間連続投与時，若年健康成人に比較して，Cmaxは有意に高値 **蛋白結合率** イルベサルタンのヒト血清蛋白結合率及びアムロジピンのヒト血漿蛋白結合率はいずれも約97％ **代謝** イルベサルタンは主としてCYP2C9による酸化的代謝とグルクロン酸抱合により代謝．ヒト肝ミクロソームを用いて，CYP活性に対するイルベサルタンの阻害作用を検討した結果，CYP1A2，CYP2D6，CYP2E1に対しては阻害せず，CYP2A6，CYP2C8，CYP2C9，CYP3A4に対して阻害作用が認められたものの，いずれも阻害の程度は弱かった．アムロジピンの代謝には主としてCYP3A4が関与 **排泄** 健康成人でイルベサルタンの未変化体尿中排泄率は約0.3〜1.3％．また，健康成人(外国人)に^{14}C-標識イルベサルタンを経口投与時，放射能の約20％は尿中に排泄，約54％は糞中に排泄された．健康成人にアムロジピンとして2.5mg又は5mgを単回経口投与時，尿中に未変化体として排泄される割合は小さく，いずれの投与量においても尿中未変化体排泄率は投与後24時間までに投与量の約3％，144時間までに約8％．主たる尿中代謝物はジヒドロピリジン環の酸化したピリジン環体及びその酸化的脱アミノ体．また，健康成人(外国人)2例

に^{14}C-標識アムロジピン15mg(承認外用量)を単回経口投与時，投与後12日までに投与放射能の59.3%が尿中に23.4%が糞中に排泄され，投与後72時間までの尿中放射能の9%が未変化体

その他の管理的事項

投与期間制限　該当しない

保険給付上の注意　該当しない

資料

IF　アイミクス配合錠LD・HD　2018年10月改訂(第12版)

インジゴカルミン
インジゴカルミン注射液
Indigocarmine

概要

薬効分類　722　機能検査用試薬，729　その他の診断用薬(体外診断用医薬品を除く.)

構造式

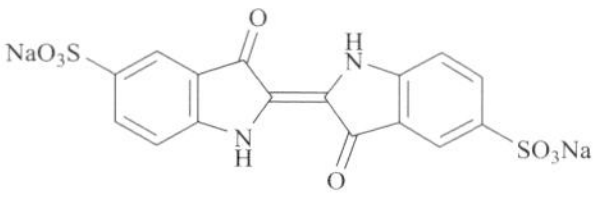
NaO3S
O
H
N
N
H
O
SO3Na

分子式　$C_{16}H_8N_2Na_2O_8S_2$

分子量　466.35

略語・慣用名　IND　別名：Indigotine

ステム　不明

原薬の規制区分　該当しない

原薬の外観・性状　青色～暗青色の粉末又は粒で，においはない．水にやや溶けにくく，エタノール(95)又はジエチルエーテルにほとんど溶けない．圧縮するとき，銅に似た色沢を呈する．0.10gを水20 mLに溶かした液のpHは5.0～6.0である

原薬の吸湿性　吸湿性である

原薬の酸塩基解離定数　該当資料なし

先発医薬品等

[注] インジゴカルミン注20mg「AFP」(アルフレッサファーマ)

国際誕生年月　不明

海外での発売状況　米

製剤

規制区分　[注] [処]

製剤の性状　[注] 暗青色の液

有効期間又は使用期限　3年

貯法・保存条件　遮光・室温保存

患者向け資料等　くすりのしおり

溶液及び溶解時のpH　[注] 3.0～5.0

浸透圧比　[注] 約0.1(対生食)

調製時の注意　該当しない

薬理作用

分類　腎機能検査用薬，センチネルリンパ節同定用薬

作用部位・作用機序　該当資料なし

同効薬　なし

治療

効能・効果　①腎機能検査(分腎機能測定による)　②次の疾患におけるセンチネルリンパ節の同定：乳癌，悪性黒色腫

効能・効果に関連する使用上の注意　本剤を用いたセンチネルリンパ節生検は，本検査法に十分な知識と経験を有する医師のもとで，実施が適切と判断される症例において実施する．なお，症例の選択にあたっては，最新の関連ガイドライン等を参照し，適応となる腫瘍径や部位等について十分な検討を行う

用法・用量　効能①：20～40mgを静注後，膀胱鏡で初排泄時間を調べる．(参考)健康成人の初排泄時間は3～5分で，遅くとも10分以内であれば機能異常ではない．腎機能障害がある場合，初排泄時間は遅延する．他に，色素が尿中排泄最高濃度に達する時間(正常5～7分)，排泄持続時間(正常90分)を調べる場合もある　効能②：乳癌のセンチネルリンパ節の同定においては，20mg以下を悪性腫瘍近傍又は乳輪部の皮下に適宜分割して投与．悪性黒色腫のセンチネルリンパ節の同定においては，4～12mgを悪性腫瘍近傍の皮内数箇所に適宜分割して投与

用法・用量に関連する使用上の注意　センチネルリンパ節の同定においては，可能な限り本剤とラジオアイソトープ法を併用することが望ましい．その際には，併用する薬剤の添付文書を参照した上で使用する

使用上の注意

禁忌　本剤の成分に対し過敏症の既往歴のある患者

薬物動態

血中濃度　健康成人に20mg静注時，血漿中濃度は注射直後にピーク，その後急速に降下し静注2～3時間後にはほとんど認められない　**排泄**　健康成人の尿中初排泄時間は静注後3～5分で，5～7分後に尿中排泄最高濃度．参考(動物実験)ラットに^{35}S-インジゴカルミン1.4mg/kg(ヒトの腎機能検査相当量)静注6時間後までに63%が尿中排泄，うち12%がisatin-5-sulfonic acidとして，6%が5-sulfoanthranilic acidとして代謝，残りの45%は未変化体．胆汁中には静注30分後に投与量の約10%が未変化体として認められるが，以後増加する傾向はみられない

その他の管理的事項

投与期間制限　該当しない

保険給付上の注意　該当しない

資料

IF　インジゴカルミン注20mg「AFP」　2019年3月作成(第1版)

インスリン　ヒト(遺伝子組換え)
インスリン　ヒト(遺伝子組換え)注射液
イソフェンインスリン　ヒト(遺伝子組換え)水性懸濁注射液
二相性イソフェンインスリン　ヒト(遺伝子組換え)水性懸濁注射液
Insulin Human (Genetical Recombination)

概要

薬効分類　249　その他のホルモン剤(抗ホルモン剤を含む.)

構造式

GIVEQCCTSI CSLYQLENYC N
FVNQHLCGSH LVEALYLVCG ERGFFYTPKT

分子式　$C_{257}H_{383}N_{65}O_{77}S_6$(2本鎖)

分子量　5807.57(2本鎖)

ステム　該当しない

原薬の規制区分　[劇]

原薬の外観・性状　白色の粉末である．水又はエタノール(95)にほとんど溶けない．0.01mol/L塩酸試液又は水酸化ナトリウム試液に溶ける

原薬の吸湿性　吸湿性である

原薬の酸塩基解離定数　該当資料なし

先発医薬品等

[注] ノボリンR注100単位/mL(ノボ)

ヒューマリンR・N・3/7注100単位/mL(リリー)
キット イノレット30R注(ノボ)
ノボリンR・N・30R注フレックスペン(ノボ)
ヒューマリンR・N・3/7注カート(リリー)
ヒューマリンR・N・3/7注ミリオペン(リリー)

国際誕生年月 1988年3月
海外での発売状況 欧州を含め約120カ国

製剤

規制区分 **注** ㊞ ㊇
製剤の性状 **R注・キット** 無色澄明の液で，保存中に微細な沈殿物を僅かに認めることがある． **30R・Nキット** 白色の懸濁液で，放置するとき，白色の沈殿物と無色の上澄液に分離し，この沈殿物は，穏やかに振り混ぜるとき，再び容易に懸濁状となる
有効期間又は使用期限 30カ月
貯法・保存条件 凍結を避け，2～8℃に遮光して保存
薬剤取扱い上の留意点 **ノボリン** 使用中は冷蔵庫に入れず，室温に保管し，6週間以内に使用すること
患者向け資料等 患者向医薬品ガイド，くすりのしおり，患者用注意文書
溶液及び溶解時のpH **R注・キット** 7.0～7.8 **30R・Nキット** 6.9～7.5
浸透圧比 **R注・キット** 0.6～0.8 **30R・Nキット** 0.8～1.0
調製時の注意 該当しない

薬理作用

分類 インスリン製剤
作用部位・作用機序 標的臓器のインスリンレセプターに結合し，次のような種々の作用により血糖降下作用を示す：①筋肉・脂肪組織における糖の取込み促進 ②肝臓における糖新生の抑制 ③肝臓・筋肉におけるグリコーゲン合成の促進 ④肝臓における解糖系の促進 ⑤脂肪組織における脂肪合成促進
同効薬 インスリン製剤などの糖尿病用薬

治療

効能・効果 インスリン療法が適応となる糖尿病
効能・効果に関連する使用上の注意 糖尿病の診断が確立した患者に対してのみ適用を考慮する．糖尿病以外にも耐糖能異常，尿糖陽性等，糖尿病類似の症状をもつ疾患(腎性糖尿，甲状腺機能異常等)があることに留意する
用法・用量 **速効型**〔ノボリンR 100・ヒューマリンR 100〕初期1回4～20単位を毎食前に皮下注．ときに回数をふやしたり，他のインスリン製剤を併用．以後症状及び検査所見に応じて投与量を増減．維持量1日4～100単位(必要により前記用量を超えて使用することがある)．糖尿病昏睡には，必要に応じ皮下，筋注，静注又は持続静脈内注入〔ヒューマリンR・ノボリンRフレックスペン〕本剤は持続型インスリン製剤と併用する速効型インスリン製剤である．毎食前に2～20単位を皮下注．なお，症状及び検査所見に応じて適宜増減．持続型インスリン製剤の投与量を含めた維持量1日4～100単位
混合型 1回4～20単位を1日2回，朝食前と夕食前30分以内に皮下注．なお，1日1回投与のときは朝食前に皮下注．症状及び検査所見に応じて適宜増減．維持量1日4～80単位(必要により上記用量を超えて使用することがある)
中間型 初期1回4～20単位を朝食前30分以内に皮下注．ときに回数をふやしたり，他のインスリン製剤を併用．以後症状及び検査所見に応じて投与量を増減．維持量1日4～80単位(必要により上記用量を超えて使用することがある)
用法・用量に関連する使用上の注意 **速効型** 適用にあたっては本剤の作用時間，1mLあたりのインスリン含有単位と患者の病状に留意し，その製剤的特徴に適する場合に投与する
混合型 適用にあたっては本剤の作用時間，1mLあたりのインスリン含有単位と患者の病状に留意し，その製剤的特徴に適する場合に投与する．なお，糖尿病性昏睡，急性感染症，手術等，緊急の場合は，本剤のみで処置することは適当でなく，速効型インスリン製剤を使用する
中間型 適用にあたっては本剤の作用時間，1mLあたりのインスリン含有単位と患者の病状に留意し，その製剤的特徴に適する場合に投与する．なお，糖尿病性昏睡，急性感染症，手術等，緊急の場合は，本剤のみで処置することは適当でなく，速効型インスリン製剤を使用する

使用上の注意

禁忌 ①低血糖症状を呈している患者 ②本剤の成分に対し過敏症の既往歴がある患者
過量投与 ①徴候・症状：低血糖は，食事，エネルギー消費又はその両方との関連で，本剤が相対的に過剰となって起こることがある．また，低血糖は臨床的にいったん回復したと思われる場合にも後で再発することがあるので，炭水化物の摂取や経過観察を継続して行うことが必要な場合がある ②処置：低血糖の起こる時間はインスリンの種類，量等により異なるため，低血糖が発現しやすい時間帯に特に経過を観察し，適切な処置を行う

薬物動態

(血糖降下作用のおよその目安は添付文書参照) **ノボリンR100** 健康成人男子16名に0.1単位/kg皮下注時，血中インスリン濃度(IRI)は，60分後に最高値，その後経時的に低下，240分後にほぼ前値に復した．Cmax(μU/mL)29.8，Tmax(hr)0.84，AUC(μU・hr/mL)80.3
ノボリン30R 半合成ヒトインスリン製剤のノボリン30R40について実施．健康成人男子6名を対象に，ノボリン30R40を0.3単位/kg皮下注時，血中インスリン濃度は1時間後に最大値，その後徐々に下降し，18時間後に投与前値に復した
ノボリンN100 健康成人男子10名に0.2単位/kgを皮下注時，血中インスリン濃度(IRI)は，2.5時間後に最高値，その後漸減し，投与14時間後には投与開始前値まで復した．Cmax(μU/mL)19.2，Tmax(hr)2.2，AUC(μU・hr/mL)206.8
ヒューマリンR 100 健康成人男子8名に0.1単位/kgを皮下注時，Cmax(μU/mL)29.1，Tmax(min)52.7，AUC(μU・min/mL)3127
ヒューマリンN 100 健康成人男子8名に0.2単位/kgを皮下注時，Cmax(μU/mL)18.1，Tmax(min)94，AUC(μU・min/mL)3374
ヒューマリン3/7 100 健康成人男子16名に14単位を皮下注時，Cmax(μU/mL)25.5，Tmax(min)65.6，AUC(μU・min/mL)7956

その他の管理的事項

投与期間制限 該当しない
保険給付上の注意 該当しない

資料

IF ノボリンR注フレックスペン・R注100単位/mL・30R注フレックスペン・N注フレックスペン・イノレット30R注 2018年6月改訂(第11版)

インスリン　アスパルト(遺伝子組換え)
Insulin Aspart (Genetical Recombination)

概要

薬効分類 249 その他のホルモン剤(抗ホルモン剤を含む．)
構造式

GIVEQCCTSI CSLYQLENYC N
FVNQHLCGSH LVEALYLVCG ERGFFYTDKT

分子式 $C_{256}H_{381}N_{65}O_{79}S_6$(2本鎖)
分子量 5825.54(2本鎖)
ステム 該当しない

原薬の規制区分 [劇]
原薬の外観・性状 白色の粉末である．水又はエタノール(95)にほとんど溶けない．0.01mol/L塩酸試液に溶ける
原薬の吸湿性 吸湿性である
原薬の酸塩基解離定数 該当資料なし
先発医薬品等
[注] ノボラピッド注100単位/mL
ノボラピッド注・30ミックス注ペンフィル(ノボ)
フィアスプ注100単位/mL(ノボ)
フィアスプ注ペンフィル(ノボ)
[キット] ノボラピッド注・30・50・70ミックス注フレックスペン(ノボ)
ノボラピッド注イノレット(ノボ)
ノボラピッド注フレックスタッチ(ノボ)
フィアスプ注フレックスタッチ(ノボ)
国際誕生年月 1999年9月
海外での発売状況 〔ノボラピッド〕欧米を含む139カ国 〔フィアスプ〕欧米を含む22カ国

製剤

規制区分 [注] [劇] [処]
製剤の性状 無色澄明の液である．〔ノボラピッド〕微細な沈殿物をわずかに認めることがある
有効期間又は使用期限 〔ノボラピッド〕24カ月 〔フィアスプ〕30カ月
貯法・保存条件 凍結を避け，2～8℃に遮光して保存
患者向け資料等 患者向医薬品ガイド，くすりのしおり，患者用注意文書
溶液及び溶解時のpH **注・カート・キット〔ノボラピッド〕** 7.20～7.60 **30カート・キット〔ノボラピッド〕** 7.20～7.44 **50・70キット〔ノボラピッド〕** 7.10～7.44 **注・カート・キット〔フィアスプ〕** 7.1
浸透圧比 **注・カート・キット〔ノボラピッド〕** 0.8～1.0(対生食) **30カート・キット〔ノボラピッド〕** **50・70キット〔ノボラピッド〕** 0.8～1.1(対生食) **注・カート・キット〔フィアスプ〕** 約1(対生食)
調製時の注意 該当しない

薬理作用

分類 インスリンアナログ製剤
作用部位・作用機序 インスリンB鎖28位のプロリン残基をアスパラギン酸に置換したインスリンアナログで，製剤中では亜鉛イオンあるいはフェノール等の作用により弱く結合した六量体を形成している．皮下注射後は体液で希釈されることにより，六量体から急速に二量体 単量体へと解離して速やかに血中に移行し，インスリンレセプターに結合，インスリンで認められる次の作用により短時間で血糖降下作用を発現：①筋肉・脂肪組織における糖の取込み促進 ②肝臓における糖新生の抑制 ③肝臓・筋肉におけるグリコーゲン合成の促進 ④肝臓における解糖系の促進 ⑤脂肪組織における脂肪合成促進
同効薬 インスリン製剤などの糖尿病用薬

治療

効能・効果 インスリン療法が適応となる糖尿病
効能・効果に関連する使用上の注意 **ノボラピッド** 糖尿病の診断が確立した患者に対してのみ適用を考慮する．糖尿病以外にも耐糖能異常や尿糖陽性を呈する糖尿病類似の病態(腎性糖尿，甲状腺機能異常等)があることに留意する
フィアスプ 2型糖尿病患者においては，急を要する場合以外は，あらかじめ糖尿病治療の基本である食事療法，運動療法を十分行ったうえで適用を考慮する
用法・用量 **ノボラピッド** ①超速効型：〔1〕ペンフィル・フレックスタッチ：持続型インスリン製剤と併用する超速効型インスリンアナログ製剤である．初期は1回2～20単位を毎食直前に，専用のインスリン注入器を用いて皮下注．なお，投与量は症状及び検査所見に応じて適宜増減するが，持続型インスリン製剤の投与量を含めた維持量は1日4～100単位〔2〕バイアル：初期は1回2～20単位を毎食直前に皮下注するが，持続型インスリン製剤と併用することがある．なお，投与量は症状及び検査所見に応じて適宜増減するが，持続型インスリン製剤の投与量を含めた維持量は通常1日4～100単位．必要に応じ静注，持続静脈内注入又は筋注 ②混合型：〔1〕30ミックス：超速効型インスリンアナログと中間型インスリンアナログを3：7の割合で含有する混合製剤である．初期は1回4～20単位を朝食直前と夕食直前に(カートリッジは専用の注入器を用いて)皮下注．なお，1日1回投与時は朝食直前．投与量は症状及び検査所見に応じて適宜増減するが，維持量は1日4～80単位〔2〕50ミックス：本剤は，超速効型インスリンアナログと中間型インスリンアナログを5：5の割合で含有する混合製剤である．初期は1回4～20単位を1日2回，朝食直前と夕食直前に皮下注．なお，1日1回投与のときは朝食直前に皮下注．投与量は症状及び検査所見に応じて適宜増減するが，維持量は1日4～80単位〔3〕70ミックス：超速効型インスリンアナログと中間型インスリンアナログを7：3の割合で含有する混合製剤である．初期は1回2～20単位を1日3回毎食直前に皮下注．投与量は症状及び検査所見に応じて適宜増減するが，他のインスリン製剤の投与量を含めた維持量は1日4～100単位
フィアスプ 本剤は持続型インスリン製剤と併用する超速効型インスリンアナログ製剤．①成人：初期は1回2～20単位を毎食事開始時に皮下注，必要な場合は食事開始後の投与もできる(適宜増減)．持続型インスリン製剤の投与量を含めた維持量は通常1日4～100単位 ②小児：毎食事開始時に皮下注，必要な場合は食事開始後の投与もできる(適宜増減)．持続型インスリン製剤の投与量を含めた維持量は通常1日0.5～1.5単位/kg
用法・用量に関連する使用上の注意 **ノボラピッド** ①超速効型：〔1〕速効型ヒトインスリン製剤より作用発現が速いため，食直前に投与する 〔2〕適用にあたっては作用時間，1mLあたりのインスリンアスパルト含有単位と患者の病状に留意し，その製剤的特徴に適する場合に投与する 〔3〕(バイアルのみ)静注，持続静注，筋注は医師等の管理下で行う ②混合型：〔1〕ヒト二相性イソフェンインスリン水性懸濁注射液より作用発現が速いため，食直前に投与する 〔2〕適用にあたっては作用時間，1mLあたりのインスリンアスパルト含有単位と患者の病状に留意し，その製剤的特徴に適する場合に投与する 〔3〕糖尿病性昏睡，急性感染症，手術等緊急の場合は，本剤のみで処置することは適当でなく，速効型ヒトインスリン製剤を使用する
フィアスプ ①本剤はノボラピッド注より作用発現が速いため，食事開始時(食事開始前の2分以内)に投与する．また，食事開始後の投与の場合は食事開始から20分以内に投与する．なお，食事開始後の投与については，血糖コントロールや低血糖の発現に関する臨床試験成績を踏まえた上で，患者の状況に応じて判断する ②他の追加インスリン製剤から本剤へ切り替える場合，前治療で使用していた製剤と同じ単位数を目安として投与を開始し，本剤への切替え時及びその後の数週間は血糖コントロールのモニタリングを十分に行う ③小児では，インスリン治療開始時の初期投与量は，患者の状態により個別に決定する

使用上の注意

禁忌 ①低血糖症状を呈している患者 ②本剤の成分に対し過敏症の既往歴のある患者

薬物動態

(ノボラピッド)**超速効型** 健康成人男子12例に本剤又は速効型ヒトインスリン0.05単位/kgを皮下注時の外因性血中インスリン濃度(ΔIRI：本剤投与時はインスリンアスパルト濃度に相当)の薬物動態パラメータ及びΔ血糖値(投与前値からの血糖降下量)の薬力学的パラメータ(本剤，速効型インスリンの順．各12例)：①皮下注後の血中濃度：投与後のΔIRIの

Cmaxは速効型ヒトインスリン投与後の約2倍，Tmaxは約1/2．Cmax30.9±9.2，13.3±4.1μU/mL，Tmax39.2±18.8，99.2±53.8min，AUC3164±515，2941±530μU・min/mL ②皮下注後の血糖値：本剤投与により，速やかな血糖降下作用，最大血糖降下量（Δ血糖値のCmax）は速効型ヒトインスリンに比べ大きい．Cmax29.6±12.1，17.3±9.3mg/dL，Tmax69.6±22.2，124.2±53.7min，AUC2897±1073，2552±1654mg・min/dL ③**バイアル** 持続静脈内注入後の血中濃度：日本人1型糖尿病患者7例に本剤又は速効型ヒトインスリンを持続静脈内注入時の薬物動態パラメータは，CLss（L/h），$t_{1/2}$（4.0〜4.5h）（h），$t_{1/2}$（4.5h〜）（h）※）の順に，本剤（7例）42.919，0.142，0.900　速効型ヒトインスリン（7例）41.025，0.134，1.213　比[95%信頼区間]（7例）1.046[0.967；1.132]，1.059[0.914；1.227]，0.741[0.540；1.019]．幾何平均値及び幾何平均値の比（本剤/速効型ヒトインスリン）．CLssは定常状態（注入開始後180〜240分）におけるクリアランス．本剤又はヒトインスリンの投与は，最初の1分間は初回負荷用量として注入速度3.56m単位/kg/minで持続静脈内注入し，続く9分間は1分間隔で段階的に注入速度を調節，その後は1.25m単位/kg/minの一定速度で240分まで注入を継続．本剤と速効型ヒトインスリンの持続静脈内注入時（0〜240分）及び注入終了後の血清中濃度は同様のプロファイルを示した．本剤とヒトインスリンの血清中濃度はともに持続注入開始直後から上昇し，注入終了時まで定常状態を維持．注入終了後はともに二相性の消失プロファイルを示し，注入終了後30分までは急速に，その後は緩やかに減少した　※）6例　④**バイアル** 筋肉内注射後の血中濃度：日本人1型糖尿病患者6例に本剤又は速効型ヒトインスリン0.2単位/kgを単回筋注時の薬物動態パラメータは，Cmax（pmol/L），Tmax（h），$AUC_{0\text{-}480min}$（h・pmol/L）の順に，本剤（6例）538.201，1.222，1509.190　速効型ヒトインスリン（6例）451.734，2.542，1543.517　比又は差[95%信頼区間]（6例）1.191[0.557；2.546]，-1.319[-2.378；-0.261]，0.978[0.825；1.159]．Cmax及び$AUC_{0\text{-}480min}$は幾何平均値及び幾何平均値の比（本剤/速効型ヒトインスリン）．Tmaxは平均値及び平均値の差（本剤-速効型ヒトインスリン）．本剤の単回筋注後の血清中濃度推移からは，その吸収及び消失が速効型ヒトインスリンと比べてわずかに速い傾向がみられた

30ミックス 健康成人男子16例に本剤又は中間型混合ヒトインスリン（速効型：中間型=3：7）0.15単位/kgを皮下注時の外因性血中インスリン濃度（ΔIRI：本剤投与時はインスリンアスパルト濃度に相当）の薬物動態パラメータ及びΔ血糖値（投与前値からの血糖降下量）の薬力学的パラメータ（本剤，中間型混合ヒトインスリンの順．各16例）：①皮下注射後の血中濃度：本剤投与後のΔIRIのCmaxは中間型混合ヒトインスリン投与後より有意に高く，Tmaxは有意に速かった．Cmax27.7±8.1，16.2±3.4μU/mL，Tmax58.8±17，101.6±37.3min，$AUC_{0\text{-}600min}$5660±750，4935±749μU・min/mL ②皮下注後の血糖値：本剤投与により，速やかな血糖降下作用，最大血糖降下量（Δ血糖値のCmax）は中間型混合ヒトインスリンに比べ大きい．Cmax31.6±9.1，26.6±6.9mg/dL，Tmax103.1±75.7，196.9±86.8分，AUC6844±2330，6163±1732mg・min/dL ③血糖降下作用のおよその目安：作用発現時間10〜20分，最大作用発現時間1〜4時間，作用持続時間24時間

50・70ミックス 1型糖尿病患者を対象とした海外臨床薬理試験 海外で1型糖尿病患者32例を対象に，ノボラピッド70ミックス注，同50ミックス注，同30ミックス注及びノボラピッド注をグルコースクランプ施行下にてそれぞれ単回皮下投与後の薬物動態及び薬力学的作用を検討（投与量：各0.4単位/kg）：①Cmax及び$AUC_{0\text{-}2h}$は速効型画分の割合の増加に伴い高値を示した．いずれの製剤でもTmaxの中央値は80分で，速効型画分の割合に関わらず同様．外因性血中インスリン濃度の薬物動態パラメータ（Cmax（mU/L），Tmax（min），$AUC_{0\text{-}28h}$（mU・h/L）の順）は，ノボラピッド30ミックス注（31例）67±30，80（45-210）※），440±240，ノボラピッド50ミックス注（31例）98±29，80（15-180）※），467±216，ノボラピッド70ミックス注（31例）152±71，80（45-120）※），569±224，ノボラピッド注（31例）212±107，80（30-150）※），610±216　※）中央値（最小値-最大値）　②本治験における薬力学的作用の結果は，薬物動態の結果を反映したもの．主要評価項目であるAUCGIR，0-2hは，速効型画分の割合の増加に伴い高値を示した．また，Tmax，GIRの中央値は149〜164分で，速効型画分の割合に関わらず同様．薬力学的パラメータ（AUCGIR，0-2h（mg/kg），Tmax，GIR（min），AUCGIR，0-28h（mg/kg）の順）は，ノボラピッド30ミックス注（31例）281±132，157（105-311）※），2046±778，ノボラピッド50ミックス注（31例）410±179，149（83-250）※），2090±762，ノボラピッド70ミックス注（31例）476±178，164（105-357）※），2218±481，ノボラピッド注（31例）578±195，159（58-252）※），2152±583　※）中央値（最小値-最大値）

その他の管理的事項

投与期間制限　該当しない

保険給付上の注意　該当しない

資料

IF　ノボラピッド注フレックスタッチ・フレックスペン・イノレット・ペンフィル・100単位/mL　2020年8月改訂（第13版）
ノボラピッド30ミックス注フレックスペン・50ミックス注フレックスペン・70ミックス注フレックスペン・30ミックス注ペンフィル　2020年8月改訂（第12版）
フィアスプ注フレックスタッチ・ペンフィル・100単位/mL　2020年6月改訂（第2版）

インスリン　グラルギン（遺伝子組換え）
インスリン　グラルギン（遺伝子組換え）注射液
Insulin Glargine (Genetical Recombination)

概要

薬効分類　249　その他のホルモン剤（抗ホルモン剤を含む．）

構造式

GIVEQCCTSI CSLYQLENYC G
FVNQHLCGSH LVEALYLVCG ERGFFYTPKT RR

分子式　$C_{267}H_{404}N_{72}O_{78}S_6$（2本鎖）

分子量　6062.89（2本鎖）

ステム　該当しない

原薬の規制区分　劇

原薬の外観・性状　白色の粉末である．水又はエタノール（99.5）にほとんど溶けない．0.01mol/L塩酸試液にやや溶けにくい．光により徐々に分解する

原薬の吸湿性　吸湿性である

原薬の酸塩基解離定数　該当資料なし

先発医薬品等

注 ランタス注100単位/mL（サノフィ）
ランタス注カート（サノフィ）

キット ランタス注・XR注ソロスター（サノフィ）

後発医薬品

注 300単位

キット 300単位

国際誕生年月　2000年4月

海外での発売状況　**ランタス** 米を含む141カ国　**ランタスXR** 米，英，独，仏を含む34カ国

製剤

規制区分　**注** [劇] [処]

製剤の性状　**注** 無色澄明の液

有効期間又は使用期限　**注〔カート〕** **キット〔ソロスター〕** 3年　**注〔バイアル〕** **キット〔XR〕** 2年

貯法・保存条件　凍結を避け，2～8℃に遮光して保存

薬剤取扱い上の留意点　低血糖を起こすことがあるので，高所作業，自動車の運転等に従事している患者に投与するときには注意すること　**キット** 使用開始後は本剤を冷蔵庫に保存せず，遮光保存すること

患者向け資料等　患者向医薬品ガイド，くすりのしおり，患者用注意文書

溶液及び溶解時のpH　**注** 3.5～4.5

浸透圧比　**注** 約0.8(対生食)

調製時の注意　該当しない

薬理作用

分類　持効型溶解インスリンアナログ製剤

作用部位・作用機序　中性のpH領域で低い溶解性を示すように設計されたヒトインスリンアナログ．約pH4の無色澄明な溶液であるが，皮下に投与すると直ちに生理的pHにより微細な沈殿物を形成．皮下に滞留したこの沈殿物からインスリン グラルギンが緩徐に溶解し，皮下から血中に移行することから，24時間にわたりほぼ一定の濃度で明らかなピークを示さない血中濃度推移を示す．ランタスXR注はインスリン グラルギンの濃度を高くして注射液量を少なくすることで，皮下に形成される無晶性沈殿物の単位量当たりの表面積が小さくなり，投与部位からのインスリン グラルギンの吸収がより緩やかになるため，100単位/mL製剤よりも平坦で持続的な薬物動態及び薬力学プロファイルとなって，24時間にわたり安定した血糖降下作用を示すと考えられる．インスリン及びインスリン グラルギンを含むその誘導体の主要な活性は，グルコース代謝の調節にある．インスリン及びその誘導体は，末梢におけるグルコースの取り込み，特に骨格筋及び脂肪による取り込みを促進し，また肝におけるグルコース産生を阻害し血糖値が降下．更に，蛋白分解を阻害し，蛋白合成を促進するとともに，脂肪細胞における脂肪分解を阻害する

同効薬　各種インスリン製剤

治療

効能・効果　インスリン療法が適応となる糖尿病

効能・効果に関連する使用上の注意　糖尿病の診断が確立した患者に対してのみ適用を考慮する．糖尿病以外にも耐糖能異常や尿糖陽性を呈する糖尿病類似の病態(腎性糖尿，甲状腺機能異常等)があることに留意する

用法・用量　**注** **キット(XRを除く)** 初期1日1回4～20単位を(カートリッジ製剤はペン型注入器を用いて)皮下注．ときに他のインスリン製剤を併用することがある．注射時刻は朝食前又は就寝前のいずれでもよいが，毎日一定とする．投与量は，症状及び検査所見に応じて増減する．なお，その他のインスリン製剤の投与量を含めた維持量は，1日4～80単位．ただし，必要により前記用量を超えて使用することがある　**キット(XR)** 初期1日1回4～20単位を皮下注．ときに他のインスリン製剤を併用することがある．注射時刻は毎日一定とする．投与量は，症状及び検査所見に応じて増減する．なお，その他のインスリン製剤の投与量を含めた維持量は，通常1日4～80単位．ただし，必要により前記用量を超えて使用することがある

用法・用量に関連する使用上の注意　**注** **キット(XRを除く)** ①適用にあたっては本剤の作用時間，1mLあたりのインスリン含有単位と患者の病状に留意し，その製剤的特徴に適する場合に投与する　②糖尿病性昏睡，急性感染症，手術等緊急の場合は，本剤のみで処置することは適当でなく，速効型インスリン製剤を使用する　③中間型又は持続型インスリン製剤から本剤に変更する場合，次を参考に本剤を開始し，その後の患者の状態に応じて用量を増減する等，本剤の作用特性を考慮の上慎重に行う：⑴インスリングラルギン300単位/mL製剤から本剤に変更する場合：通常初期用量は，前治療のインスリングラルギン300単位/mL製剤の1日投与量と同単位よりも低用量を目安として投与を開始する　⑵インスリングラルギン300単位/mL製剤以外の中間型又は持続型インスリン製剤から本剤に変更する場合：㋐1日1回投与の中間型又は持続型インスリン製剤から本剤に変更する場合，通常初期用量は，前治療の中間型又は持続型インスリン製剤の1日投与量と同単位を目安として開始する　㋑1日2回投与の中間型インスリン製剤から本剤への切り替えに関しては，国内では使用では経験がない　⑶インスリングラルギン300単位/mL製剤又は中間型インスリン製剤から本剤への切り替え直後に低血糖が現れることがあるので，中間型又は持続型インスリン製剤から本剤に変更する場合，併用している速効型インスリン製剤，超速効型インスリンアナログ製剤又は他の糖尿病用薬の投与量及び投与スケジュールの調整が必要となることがあるので注意する　④インスリン製剤以外の他の糖尿病用薬から本剤に変更する場合又はインスリン製剤以外の他の糖尿病用薬と本剤を併用する場合：投与にあたっては低用量から開始する等，本剤の作用特性を考慮の上慎重に行う　⑤ヒトインスリンに対する獲得抗体を有し，高用量のインスリンを必要としている患者では，他のインスリン製剤から本剤に変更することによって，本剤の需要量が急激に変化することがあるので，経過を観察しながら慎重に投与する

キット(XR) ①適用にあたっては本剤の作用時間，1mLあたりのインスリン含有単位と患者の病状に留意し，その製剤的特徴に適する場合に投与する　②糖尿病性昏睡，急性感染症，手術等緊急の場合は，本剤のみで処置することは適当でなく，速効型インスリン製剤を使用する　③他の基礎インスリン製剤から本剤に変更する場合，次を参考に本剤の投与を開始し，その後の患者の状態に応じて用量を増減する等，本剤の作用特性を考慮の上慎重に行う　⑴インスリングラルギン100単位/mL製剤から本剤に変更する場合：通常初期用量は，前治療のインスリングラルギン100単位/mL製剤の1日投与量と同単位を目安として投与を開始する　⑵インスリングラルギン100単位/mL製剤以外の基礎インスリン製剤から本剤に変更する場合：㋐1日1回投与の基礎インスリン製剤から本剤に変更する場合，通常初期用量は，前治療の中間型又は持効型インスリン製剤の1日投与量と同単位を目安として投与を開始する　㋑1日2回投与の基礎インスリン製剤から本剤に変更する場合，通常初期用量は，前治療の中間型又は持効型インスリン製剤の1日投与量の80%を目安として投与を開始する　⑶併用している速効型インスリン製剤，超速効型インスリンアナログ製剤又は他の糖尿病用薬の投与量及び投与スケジュールの調整が必要となることがあるので注意する　④インスリン製剤以外の他の糖尿病用薬から本剤に変更する場合又はインスリン製剤以外の他の糖尿病用薬と本剤を併用する場合：投与にあたっては低用量から開始する等，本剤の作用特性を考慮の上慎重に行う　⑤ヒトインスリンに対する獲得抗体を有し，高用量のインスリンを必要としている患者では，他のインスリン製剤から本剤に変更することによって，本剤の需要量が急激に変化することがあるので，経過を観察しながら慎重に投与する

使用上の注意

禁忌　①低血糖症状を呈している患者　②本剤の成分又は他のインスリングラルギン製剤に対し過敏症の既往歴のある患者

過量投与　①徴候・症状：低血糖が起こることがある　②処置：次を参考に，速やかに適切な処置を行う：⑴ショ糖を経口摂取する．ただし，α-グルコシダーゼ阻害剤を併用中の場合は，必ずブドウ糖を経口摂取する　⑵ブドウ糖を静注する　⑶グルカゴンを筋注又は静注する

薬物動態

注 **キット(XRを除く)** ①健康成人での正常血糖クランプ

試験：日本人健康成人男子15例に，本剤及びNPHヒトインスリン（対照薬）0.4単位/kgを腹部に単回皮下注し，30時間正常血糖クランプ法で本剤の作用を検討時，本剤投与後の血清中インスリン濃度は，最初に上昇後，投与30時間後まで比較的平坦に推移．一方，対照薬投与後では，投与後2.5～15時間の間，やや高い濃度で推移し，その後徐々に低下．血糖降下作用を示すグルコース注入率の推移は，対照薬投与時では，投与後2～6時間の間に明らかなピークを示したが，本剤投与時では投与初期に上昇後，比較的一定に推移．グルコース注入率の$AUC_{0\text{-}30h}$に両製剤間で有意な差は認められなかった ②1型糖尿病患者における作用持続時間（参考；外国人）：1型糖尿病患者20例に本剤及びNPHヒトインスリン（対照薬）0.3単位/kgを大腿部に単回皮下注し，正常血糖クランプ法で本剤の作用を検討時，グルコース注入率の推移から，投与時から作用が消失するまでの持続時間は，対照薬で14.5時間（中央値），本剤でほぼ24時間．本剤投与時のグルコース注入率は対照薬と比べてより平坦に推移し，明らかなピークは認められなかった．このときの血清中遊離インスリン濃度の推移はグルコース注入率と同様 ③1型糖尿病患者における体内動態（参考；外国人）：1型糖尿病患者15例に各患者の至適用量（14～34単位）を11日間，腹部に反復皮下注時，本剤を用いて補正した血清中遊離インスリン濃度推移から蓄積性は認められなかった ④投与部位による比較（参考；外国人）：健康成人男子12例に，^{125}I-インスリングラルギン0.2単位/kgを上腕部，大腿部及び腹部に単回皮下注時，血清中インスリン濃度，血清中外因性インスリン濃度ならびに血糖値の推移に差はみられなかった．また，血清中インスリン濃度及び外因性インスリン濃度のAUC及びCmax，血糖値のAUC及び最大降下度に投与部位間で有意な差は認められなかった．以上のことから薬理作用に投与部位による差はない ⑤静注時の血糖降下作用（参考；外国人）：健康成人20例に本剤及び速効型ヒトインスリン0.1単位/kgを30分間かけて持続静注し，正常血糖クランプ法を用いて検討時，グルコース注入率の$AUC_{0\text{-}6h}$の90％信頼区間は同等の許容域の範囲内で，両剤の血糖降下作用は同等と判断

XR **反復皮下投与後の定常状態における血清中濃度及び血糖降下作用（参考：外国人データ）** 外国人の1型糖尿病患者男女30名に本剤（0.4又は0.6単位/kg）及びランタス注（0.4単位/kg）を1日1回8日間反復皮下投与（2コホート，2期クロスオーバー，正常血糖クランプ試験）時，本剤では3～4日，ランタス注では1～2日で定常状態に到達．定常状態における本剤投与後の血清中インスリングラルギン濃度及び血糖降下作用の指標であるグルコース注入率（GIR）について，本剤はランタス注の投与時に比べて投与後24時間の血清中インスリングラルギン濃度及びGIRがより平坦かつ持続的に推移．定常状態における本剤皮下投与後24時間の血清中インスリングラルギン曝露量（INS-$AUC_{0\text{-}24}$）の変動係数に基づく被験者内変動は17.4％

その他の管理的事項

投与期間制限 該当しない

保険給付上の注意 該当しない

資料

IF ランタス注ソロスター・注カート・注100単位/mL 2015年9月改訂（第9版）
ランタスXR注ソロスター 2020年5月改訂（第7版）

インダパミド
インダパミド錠
Indapamide

概要

薬効分類 214 血圧降下剤

構造式

及び鏡像異性体

分子式 $C_{16}H_{16}ClN_3O_3S$

分子量 365.83

略語・慣用名 IDP

ステム スルファモイルベンズアミド系利尿剤：-pamide

原薬の規制区分 該当しない

原薬の外観・性状 白色の結晶性の粉末である．エタノール（99.5）に溶けやすく，水にほとんど溶けない．本品のエタノール（99.5）溶液（1→10）は旋光性を示さない

原薬の吸湿性 温度37℃，32％～72％RH，5日間保存で，吸湿性は認められなかった

原薬の融点・沸点・凝固点 融点：167～171℃

原薬の酸塩基解離定数 pKa＝9.22±0.09（紫外可視吸光度測定法），pKa＝9.19±0.04（溶解度測定法）

先発医薬品等

錠 テナキシル錠1mg・2mg（アルフレッサファーマ）
ナトリックス錠1・2（京都＝大日本住友）

国際誕生年月 不明

海外での発売状況 英など

製剤

規制区分 **錠** ㊇

製剤の性状 **1mg錠** 白色～帯黄白色の割線入りフィルムコーティング錠 **2mg錠** 淡桃色の糖衣錠

有効期間又は使用期限 3年

貯法・保存条件 気密容器，室温保存

薬剤取扱い上の留意点 降圧作用に基づくめまい，ふらつきが現れることがあるので，高所作業，自動車の運転等危険を伴う機械を操作する際には注意させること **1mg錠** 開封後は湿気を避けて保存すること **2mg錠** 光により僅かに退色（有効成分の含量に影響はない）することがあるので，開封後は光を避けて保存すること

患者向け資料等 患者向医薬品ガイド，くすりのしおり

溶液及び溶解時のpH 該当しない

浸透圧比 該当しない

安定なpH域 該当しない

調製時の注意 該当しない

薬理作用

分類 持続型非チアジド系降圧剤

作用部位・作用機序 次の両面から降圧作用を示すと考えられる：①末梢血管平滑筋の収縮抑制（反応性の低下） ②尿細管（特に遠位尿細管）におけるNa及び水再吸収率の減少による利尿作用に基づく循環血量の減少

同効薬 トリクロルメチアジド，メチクラン，ヒドロクロロチアジド，トリパミド

治療

効能・効果 本態性高血圧症

用法・用量 1日1回2mg朝食後（適宜増減）．ただし，少量から開始して徐々に増量する

[使用上の注意]

禁忌　①無尿の患者［腎機能がさらに悪化するおそれがある］　②急性腎不全の患者［腎機能がさらに悪化するおそれがある］　③体液中のナトリウム・カリウムが明らかに減少している患者［低ナトリウム血症・低カリウム血症が現れるおそれがある］　④チアジド系薬剤又はその類似化合物(スルフォンアミド誘導体)に対して過敏症の既往歴のある患者　⑤デスモプレシン酢酸塩水和物(男性における夜間多尿による夜間頻尿)を投与中の患者

過量投与　①症状：水分/電解質異常(低ナトリウム血症，低カリウム血症，血液量減少)及びそれに伴う症状(痙直，低血圧，錯乱，多尿又は乏尿)　②処置：初期段階の処置としては生理食塩液で胃洗浄を行い，活性炭を投与する等して，胃からの除去を行う．次いで電解質及び体液平衡を正常範囲内に維持する

[薬物動態]

①単回投与(健康成人)：本剤1mg(10例)又は2mg(14例)を空腹時単回経口投与時の血漿中濃度[1mg投与群，2mg投与群の順]は，Tmax(hr)1.7±0.9，1.9±1.0，Cmax(ng/mL)9.9±2.2，23.4±3.5，$T_{1/2}$(hr)13.2±2.1，19.8±20.6，AUC_{0-24}(ng・hr/mL)110.3±27.0，257.9±42.4　②連続投与：健康成人に2週間連続経口投与時又は本態性高血圧症患者に1.5～15カ月間投与時の血液中濃度から，長期連用による蓄積性は認められなかった　③代謝・排泄：健常成人に4mgを経口投与時，96時間までに49.5%が尿中排泄，未変化体は6%．代謝産物は主に5-OH-インダパミド，4-chloro-3-sulfamoylbenzoic acid　④血清蛋白結合率(ヒト　平衡透析法)：約83%

[その他の管理的事項]

投与期間制限　該当しない

保険給付上の注意　該当しない

[資料]

IF　ナトリックス錠1・2　2020年2月改訂(第8版)

インターフェロン　アルファ(NAMALWA)
インターフェロン　アルファ(NAMALWA)注射液
Interferon Alfa(NAMALWA)

[概要]

薬効分類　639　その他の生物学的製剤

分子量　17000～30000

略語・慣用名　慣用名：HLBI (Human Lymphoblastoid Interferon)

ステム　該当しない

原薬の規制区分　[劇]

原薬の外観・性状　無色澄明の液である

原薬の吸湿性　該当資料なし

原薬の酸塩基解離定数　該当資料なし

先発医薬品等

[注] スミフェロン注DS300万IU・600万IU(大日本住友)

国際誕生年月　1986年3月

海外での発売状況　発売されていない

[製剤]

規制区分　[注]　[生物] [劇] [処]

製剤の性状　[注] 無色澄明の注射液である

有効期間又は使用期限　21カ月

貯法・保存条件　遮光し，凍結を避け，10℃以下に保存すること

薬剤取扱い上の留意点　調製時：混濁しているものは投与しないこと

患者向け資料等　患者向医薬品ガイド，くすりのしおり，取り扱い説明書

溶液及び溶解時のpH　6.0～7.1

浸透圧比　1.0～1.4(対生食)

調製時の注意　該当しない(無菌性が保証されないため分割投与をしない)

[薬理作用]

分類　天然型インターフェロン-α製剤

作用部位・作用機序　抗腫瘍作用，抗ウイルス作用，BRM(Biological Response Modifiers)作用

同効薬　インターフェロン アルファ-2b(遺伝子組換え)，インターフェロン ベータ，インターフェロン ガンマ-1a(遺伝子組換え)，ペグインターフェロン アルファ-2a(遺伝子組換え)など

[治療]

効能・効果　①腎癌，多発性骨髄腫，ヘアリー細胞白血病，慢性骨髄性白血病　②HBe抗原陽性でかつDNAポリメラーゼ陽性のB型慢性活動性肝炎のウイルス血症の改善　③C型慢性肝炎におけるウイルス血症の改善(血中HCV RNA量が高い場合を除く)　④C型代償性肝硬変におけるウイルス血症の改善(セログループ1の血中HCV RNA量が高い場合を除く)　⑤DS300 亜急性硬化性全脳炎におけるイノシン プラノベクスとの併用による臨床症状の進展抑制　⑥DS300 HTLV-I脊髄症(HAM)

効能・効果に関連する使用上の注意　使用にあたっては，以下を確認すること：①C型慢性肝炎におけるウイルス血症の改善：(1)HCV RNAが陽性であること，及び組織像又は肝予備能，血小板数等により，慢性肝炎であることを確認する．また，ウイルス量，セログループ，ジェノタイプ等により有効性が異なるので，適切な症例及び用法・用量を選ぶ．なお，HCV RNA量が高い場合は効果が低い　②C型代償性肝硬変におけるウイルス血症の改善：(1)HCV RNAが陽性であること，及び組織像又は肝予備能，血小板数等により，代償性肝硬変であることを確認する．また，ウイルス量，セログループ，ジェノタイプ等により有効性が異なるので，適切な症例及び用法・用量を選ぶ．なお，HCV RNA量が高い場合は効果が低い　(2)セログループ1の場合には，血中HCV RNA量がアンプリコアモニター法では500KIU/mL以上でないこと，又はDNAプローブ法では4Meq/mL以上でないこと(臨床試験において，セログループ1で血中HCV RNA量がアンプリコアモニター法で500KIU/mL以上の患者のウイルス陰性化(投与終了24週後)は認められていない)

用法・用量　効能①：1日1回300万～600万IUを皮下注又は筋注(適宜増減又は隔日投与)　効能②：1日1回300万～600万IUを皮下注又は筋注　効能③：使用にあたっては，HCV RNAが陽性であることを確認した上で行う．1日1回300万～900万IUを連日又は週3回皮下注又は筋注　効能④：使用にあたっては，HCV RNAが陽性であることを確認したうえで行う．1日1回600万国際単位で投与を開始し，投与後2週間までは連日，その後1日1回300万～600万国際単位を週3回皮下又は筋注(適宜減量)　効能⑤：イノシン プラノベクスと併用し，1日1回100万～300万IUを週1～3回髄腔内(脳室内を含む)投与(適宜減量)　効能⑥：1日1回300万IUを皮下注又は筋注

用法・用量に関連する使用上の注意　①長期投与する場合には，臨床効果及び副作用の程度を考慮し，投与を行う．なお，効果が認められない場合には投与を中止する　②(効能②)使用にあたっては，4週間投与を目安とし，その後の継続投与については，臨床効果及び副作用の程度を考慮し，慎重に行う　③(効能③)(1)投与期間は，臨床効果及び副作用の程度を考慮しながら慎重に決定するが，投与12週で効果が認められない場合には投与を中止する　(2)900万単位の投与にあたっては，臨床効果及び患者の状態を考慮し，慎重に行う　④(効能④)(1)使用にあたっては，300万単位を48週を超えて投与した場合，及び600万単位を25週を超えて投与した場合の有効性及

び安全性は確立していない (2)投与期間は，臨床効果及び副作用の程度を考慮しながら慎重に決定する (3)C型代償性肝硬変では，一般的にC型慢性肝炎患者に比べて白血球数及び血小板数が少なく，また，本剤の投与により白血球減少，血小板減少等が現れるおそれがあるため，減量又は投与間隔の延長及び投与の中止について次を参考にして考慮する：(ア)白血球数1500/mm^3未満，血小板数30000/mm^3未満等の著しい異常が認められた場合には投与を中止する (イ)血小板数30000/mm^3以上50000/mm^3未満等の異常が認められた場合には減量又は投与間隔を延長する ⑤(効能⑤)使用にあたっては，患者の状態を十分に勘案し，初回投与は100万単位から開始する等十分考慮する．また，6カ月投与を目安とし，その後の継続投与については，臨床症状及び副作用の程度を考慮し，慎重に行う

使用上の注意

> **警告** 投与により間質性肺炎，自殺企図が現れることがあるので，患者に対し副作用発現の可能性について十分説明する

禁忌 ①本剤の成分又は他のインターフェロン製剤に対し，過敏症の既往歴のある患者 ②ワクチン等，生物学的製剤に対し，過敏症の既往歴のある患者 ③小柴胡湯を投与中の患者 ④自己免疫性肝炎の患者

薬物動態

血中濃度 ①筋肉内投与(癌患者において)※1)：(1)1回投与時[Cmax(IU/mL)，Tmax(hr)，$T_{1/2}$(hr)の順]：投与量3×10^6IU[25, 6, 9.6]，投与量6×10^6IU[42, 9, -] (2)4週間以上連続投与時[Cmax(IU/mL)]：投与量3×10^6IU[110]，投与量6×10^6IU[150] ②皮下投与(慢性骨髄性白血病において，値は平均値 ± S.E.)[Cmax※1)(IU／mL)，Tmax※1)(hr)，AUC※2)(IU・hr/mL)の順]：(1)投与量3×10^6IU(3例)[17.8±3.1, 8.0±1.0, 203.5±44.1]，投与量6×10^6IU(2例)[29.5±4.7, 6.0±1.0, 384.9±38.0] ※1)各個人の最高血中濃度より算出 ※2)台形法により算出 ③脳室内投与：亜急性硬化性全脳炎患者(3例)に1.5又は3.0×10^6単位をオンマイヤ リザーバーから脳室内に単回投与時，髄液中濃度は投与3時間後に最大値6.3×10^3～1.0×10^4単位/mL，その後減少したが，投与48時間後も定量下限値(4.00単位/mL)以上 **分布** SD系ラットに6×10^6単位/kgを筋注時，組織内濃度は腎で最も高く，次いで血漿，肺，脾及び肝で高かった．また，リンパ系へ移行することが認められた **排泄** SD系ラットに6×10^6単位/kgを筋注時，投与6時間目までの尿及び胆汁中排泄率は投与量の0.1%以下

その他の管理的事項

投与期間制限 該当しない

保険給付上の注意 該当しない

資料

IF スミフェロン注DS300万IU・600万IU 2020年3月改訂(第23版)

インデノロール塩酸塩
Indenolol Hydrochloride

概要

構造式

H OH, N, CH3, CH3 ・HCl 及び鏡像異性体 / H OH, N, CH3, CH3 ・HCl 及び鏡像異性体

分子式 $C_{15}H_{21}NO_2\cdot HCl$

分子量 283.79

原薬の規制区分 ㊀

原薬の外観・性状 白色～微黄色の結晶又は結晶性の粉末である．水又は酢酸(100)に溶けやすく，エタノール(95)又はクロロホルムにやや溶けやすく，無水酢酸に溶けにくく，酢酸エチルに極めて溶けにくく，ジエチルエーテルにほとんど溶けない．1.0gを水10mLに溶かした液のpHは3.5～5.5である．光によって着色する

原薬の融点・沸点・凝固点 融点：140～143℃

インドメタシン
インドメタシンカプセル
インドメタシン坐剤
Indometacin

概要

薬効分類 114 解熱鎮痛消炎剤，131 眼科用剤，219 その他の循環器官用薬，264 鎮痛，鎮痒，収斂，消炎剤

構造式

O, N, Cl, CH3, H3C O, CO2H

分子式 $C_{19}H_{16}ClNO_4$

分子量 357.79

ステム インドメタシン系抗炎症薬：-metacin

原薬の規制区分 ㊀(ただし，インドメタシン1%以下を含有する外用剤及びインドメタシン5%以下を含有する硬膏剤を除く)

原薬の外観・性状 白色～淡黄色の微細な結晶性の粉末である．メタノール，エタノール(95)又はジエチルエーテルにやや溶けにくく，水にほとんど溶けない．水酸化ナトリウム試液に溶ける．光によって着色する．結晶多形が認められる

原薬の吸湿性 吸湿しにくい

原薬の融点・沸点・凝固点 融点：155～162℃

原薬の酸塩基解離定数 pKa＝4.2

先発医薬品等

坐 インテバン坐剤25・50(帝國製薬)
インドメタシン坐剤12.5mg・25mg・50mg「JG」(長生堂＝日本ジェネリック)
インドメタシン坐剤25・50「NP」(ニプロ)

軟 インテバン軟膏1%(帝國製薬)

クリーム イドメシンコーワクリーム1%(興和)
インテバンクリーム1%(帝國製薬)

外用液 イドメシンコーワゾル1%(興和)
インテバン外用液1%(帝國製薬)

外用ゲル イドメシンコーワゲル1%(興和)

貼 アコニップパップ70mg(テイカ製薬)
イドメシンコーワパップ70mg(興和)
インサイドパップ70mg(久光)
インテナースパップ70mg(東光＝ラクール＝日医工＝祐徳)
カトレップテープ35mg・70mg(帝國製薬)
カトレップパップ70mg(帝國製薬)
コリフメシンパップ70mg(東和：和歌山)
ゼムパックパップ70(救急＝三和化学)

ハップスターID70mg(大石＝日医工)
ラクティオンパップ70mg(テイカ製薬＝三笠)

後発医薬品
クリーム 1%
外用液 1%
外用ゲル 1%
貼 パップ70mg

国際誕生年月 1963年5月

海外での発売状況 なし

製剤

規制区分 **徐放力** **坐** 劇 処

製剤の性状 **徐放力** 青色(不透明)/無色(透明)の硬カプセル剤 **坐** 白色～淡黄白色の紡錘形肛門坐剤 **軟** 黄色ゼリー状の親水性軟膏 **クリーム** 白色～帯黄白色のクリーム状の軟膏剤で僅かに芳香がある **外用液** 黄色澄明の液で，芳香がある **貼**〔テープ〕膏体は淡黄白色半透明～淡黄褐色半透明で，特異な芳香がある **貼**〔パップ〕白色～淡黄色の膏体を不織布に展延した含水性貼付剤で，僅かに芳香がある

有効期間又は使用期限 **徐放力** **坐** **軟** **クリーム** **外用液** **貼** 3年

貯法・保存条件 **徐放力** **クリーム** 室温保存 **坐** 密閉容器，遮光・冷所保存 **軟** 火気を避けて，室温保存 **外用液** 密栓し，火気を避けて，室温保存 **貼** 気密容器，遮光・室温保存

薬剤取扱い上の留意点 **徐放力** **坐** 眠気，めまい，ふらつき感等が現れることがあるので，本剤投与中の患者には，自動車の運転等危険を伴う機械の操作に従事させないように十分注意すること **軟** **外用液** 密封包帯法で使用しないこと **外用液** 黄色の薬液が衣類，皮革，装身具，家具等に付着すると，変色・変質することがあるので注意すること

患者向け資料等 くすりのしおり

溶液及び溶解時のpH 該当しない

浸透圧比 該当しない

安定なpH域 該当しない

調製時の注意 該当しない

薬理作用

分類 酸性非ステロイド性鎮痛・解熱・抗炎症剤

作用部位・作用機序 アラキドン酸からプロスタグランジン(PG)類への変換をつかさどる酵素シクロオキシゲナーゼ(COX)を阻害することによってPGの生成を阻害し，PGによる炎症・発熱・痛覚過敏作用などを抑制

同効薬 ジクロフェナクナトリウム，イブプロフェン，ロキソプロフェンナトリウム，アセメタシン，ピロキシカム，メフェナム酸

治療

効能・効果 **坐** ①手術後の炎症及び腫脹の緩解 ②次の疾患の消炎・鎮痛：関節リウマチ，変形性関節症
軟 **クリーム** **外用液** **外用ゲル** **貼** 次の疾患ならびに症状の鎮痛・消炎：変形性関節症，肩関節周囲炎，腱・腱鞘炎，腱周囲炎，上腕骨上顆炎(テニス肘等)，筋肉痛，外傷後の腫脹・疼痛

用法・用量 **坐** 1回25～50mg，1日1～2回直腸内に投与(適宜増減)．低体温によるショックを起こすことがあるので，高齢者に投与する場合には，少量から開始する
軟 **クリーム** **外用液** **外用ゲル** **貼** 1日数回患部に塗擦又は塗布．貼付剤は1日2回貼付

禁忌・原則禁忌となる特定患者集団 **徐放力** **坐** 妊婦又は妊娠している可能性のある婦人
原則禁忌：小児

使用上の注意

禁忌 **坐** ①消化性潰瘍のある患者［消化器への直接刺激作用及びプロスタグランジン合成阻害作用により，胃粘膜防御能が低下するため，消化性潰瘍が悪化するおそれがある］ ②重篤な血液の異常のある患者［血液の異常が悪化するおそれがある］ ③重篤な肝障害のある患者［肝障害が悪化するおそれがある］ ④重篤な腎障害のある患者［プロスタグランジン合成阻害作用により，腎血流量低下及び水，ナトリウムの貯留が起こるため，腎障害が悪化するおそれがある］ ⑤重篤な心機能不全のある患者［プロスタグランジン合成阻害作用により，水，ナトリウムの貯留が起こるため，心機能不全が悪化するおそれがある］ ⑥重篤な高血圧症の患者［プロスタグランジン合成阻害作用により，水，ナトリウムの貯留が起こるため，血圧が上昇するおそれがある］ ⑦重篤な膵炎の患者［症状が悪化するおそれがある］ ⑧本剤の成分又はサリチル酸系化合物(アスピリン等)に対し過敏症の既往歴のある患者 ⑨直腸炎，直腸出血又は痔疾のある患者［直腸炎，直腸出血が悪化するおそれがある．また，痔疾のある患者で肛門(直腸)出血が現れたとの報告がある］ ⑩アスピリン喘息(非ステロイド性消炎鎮痛剤等による喘息発作の誘発)又はその既往歴のある患者［重症喘息発作を誘発することがある］ ⑪妊婦又は妊娠している可能性のある婦人 ⑫トリアムテレンを投与中の患者
軟 **クリーム** **外用液** **外用ゲル** **貼** ①本剤又は他のインドメタシン製剤に対して過敏症の既往歴のある患者 ②アスピリン喘息(非ステロイド性消炎鎮痛剤等による喘息発作の誘発)又はその既往歴のある患者［重症喘息発作を誘発するおそれがある］

過量投与 **力** **徐放力** 痙攣，錯乱，失見当識等が認められた場合には，症状に応じ支持療法，対症療法を行う．なお，本剤は透析で除去されないとの報告がある **坐** 痙攣，錯乱，失見当識等が認められた場合には，症状に応じ支持療法，対症療法を行う．なお，本剤は透析では除去されないとの報告がある

薬物動態

徐放力 健常男子成人に25mg経口投与時，血中濃度(ng/mL)は1時間後に約150，2時間後に最高値約480，4時間後に約360，6時間後に約240，12時間後に約100，持続性が認められ，かつ急激な上昇は抑えられている
坐 健常男子成人に投与時，血中濃度は1～2時間で最高値に達し，25mgで822ng/mL，50mgで1318ng/mL
軟 **クリーム** **外用液** **貼** **吸収・排泄** ①**軟** 健常成人の背部に10g(インドメタシンとして100mg)1回塗布時の血中濃度は，経口剤50mg1回投与時に比べ，はるかに低濃度．尿中排泄量は72時間累積排泄量(塗布量の1%)の約90%が48時間までに排泄．炎症性関節水腫患者の片膝に軟膏5g(インドメタシンとして50mg)1回塗布した場合，塗布側の関節液中にのみ検出 ②**外用液** 健常成人の背部に10mL(インドメタシンとして100mg)1回塗布時の血中濃度は極めて微量．尿中排泄量は，72時間までの累積排泄量(塗布量の約0.3%)の約80%が48時間までに排泄．参考：外用液を塗布すると，皮膚から吸収され，皮下組織，筋肉に浸透(ラット) ③**貼(パップのみ)** 健常成人の背部に76.8g(インドメタシンとして384mg)を貼付．血漿中濃度は貼付後徐々に上昇し，12時間後の薬剤除去時に14.9ng/mLに達した．除去後の半減期は11時間．健常成人の大腿部に1回38.4g(インドメタシンとして192mg)を1日2回，28日間連続貼付時，血漿中濃度は，貼付7日目に最高濃度10.1ng/mL，薬剤除去時の28日目までほぼ一定(約7ng/mL)．尿中の24時間総排泄量は，7日目以降ほぼ一定値除去後3日目には除去時の約1/5に減少．変形性関節症患者の膝に，1回19.2g(インドメタシンとして96mg)を1日2回，1.5～6日間連続貼付時，摘出した膝組織内の未変化体濃度は皮下組織から滑膜にかけて平均23ng/g，平均血清中濃度1.5ng/mLよりも高い値 **吸収・分布** **クリーム** 参考：ラットに塗布時，皮膚から吸収，皮下組織，筋肉に浸透

その他の管理的事項

投与期間制限 該当しない

保険給付上の注意 該当しない

資料

IF インテバンSP25・37.5 2014年7月改訂(第5版)

インテバン坐剤25・50　2014年7月改訂(第4版)
インテバン軟膏1%・クリーム1%・外用液1%　2019年11月改訂(第5版)
カトレップテープ35mg・70mg　2016年7月改訂(第4版)
カトレップパップ70mg　2016年7月改訂(第6版)

インフルエンザHAワクチン
Influenza HA Vaccine

概要

薬効分類　631　ワクチン類
分子式　該当しない
略語・慣用名　慣用名：HAワクチン
ステム　該当しない
原薬の規制区分　[劇]
原薬の外観・性状　澄明又は僅かに白濁した液である
原薬の吸湿性　該当しない
原薬の融点・沸点・凝固点　該当しない
原薬の酸塩基解離定数　該当しない
先発医薬品等
[注] インフルエンザHAワクチン「KMB」(KMバイオロジクス＝MeijiSeika＝北里薬品)
インフルエンザHAワクチン「生研」(デンカ＝アステラス＝武田)
インフルエンザHAワクチン「第一三共」1mL(第一三共)
「ビケンHA」(阪大微研＝田辺三菱＝MSD)
フルービックHA(阪大微研＝田辺三菱＝MSD)
[キット] インフルエンザHAワクチン「KMB」シリンジPF0.5mL(KMバイオロジクス)
インフルエンザHAワクチン「第一三共」シリンジ0.25mL・0.5mL(第一三共)
フルービックHAシリンジ(阪大微研＝田辺三菱＝MSD)
国際誕生年月　不明
海外での発売状況　該当しない

製剤

規制区分　[注] [生物] [劇] [処]
製剤の性状　[注] 澄明又は僅かに白濁した液である
有効期間又は使用期限　1年
貯法・保存条件　遮光，10℃以下に冷凍を避けて保存
患者向け資料等　患者向医薬品ガイド，くすりのしおり，ワクチン接種を受ける人へのガイド
溶液及び溶解時のpH　6.8〜8.0
浸透圧比　1.0±0.3(対生食)
調製時の注意　[注] 一度針をさしたものは，遮光して，10℃以下に凍結を避けて保存し，24時間以内に使用する

薬理作用

分類　ウイルスワクチン類
作用部位・作用機序　ヘムアグルチニンは，インフルエンザウイルスの表面抗原の一つであり，ウイルスの宿主細胞への吸着に関与している．本剤の接種により，ヘムアグルチニンに対する抗体が産生され，インフルエンザウイルスの防御抗体として働くことで，インフルエンザの予防が期待される

治療

効能・効果　インフルエンザの予防
用法・用量　〔混合型〕6カ月以上3歳未満(「第一三共」：1歳以上3歳未満)0.25mL，3歳以上13歳未満0.5mLをおよそ2〜4週間の間隔をおいて2回皮下注．13歳以上は，0.5mL1回又はおよそ1〜4週間の間隔をおいて2回皮下注
〔A型〕0.5mLを，1回又はおよそ1〜4週間の間隔をおいて2回皮下注．ただし，6〜12歳0.3mL，1〜5歳0.2mL，1歳未満0.1mLずつ2回
用法・用量に関連する使用上の注意　①[キット] 使用：0.25mL接種対象者には使用しない　②接種間隔：2回接種を行う場合の接種間隔は，免疫効果を考慮すると4週間おくことが望ましい　③同時接種：医師が必要と認めた場合には，他のワクチンと同時に接種することができる

使用上の注意

禁忌　［接種不適当者］　予防接種を受けることが適当でない者：①明らかな発熱を呈している者　②重篤な急性疾患にかかっていることが明らかな者　③本剤の成分によってアナフィラキシーを呈したことがあることが明らかな者　④前記に掲げる者のほか，予防接種を行うことが不適当な状態にある者

その他の管理的事項

投与期間制限　該当しない
保険給付上の注意　薬価基準適用外

資料

IF　ビケンHA　2019年7月改訂(第22版)

ウベニメクス
ウベニメクスカプセル
Ubenimex

概要

薬効分類　429　その他の腫瘍用薬
構造式

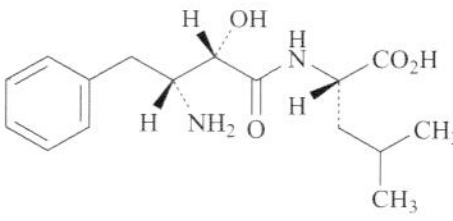

分子式　$C_{16}H_{24}N_2O_4$
分子量　308.37
原薬の規制区分　該当しない
原薬の外観・性状　白色の結晶性の粉末である．酢酸(100)に溶けやすく，水に溶けにくく，エタノール(99.5)に極めて溶けにくい．1mol/L塩酸試液に溶ける
原薬の吸湿性　各種相対湿度(14〜93%)において吸湿性は認められなかった
原薬の融点・沸点・凝固点　融点：約230℃(分解)
原薬の酸塩基解離定数　pKa＝3.2(カルボキシル基)，pKa＝8.1(アミノ基)
先発医薬品等
[カ] ベスタチンカプセル10mg・30mg(日本化薬)
国際誕生年月　1987年3月
海外での発売状況　該当しない

製剤

規制区分　[カ] [処]
製剤の性状　[カ] 白色の硬カプセル剤
有効期間又は使用期限　3年
貯法・保存条件　室温保存
患者向け資料等　くすりのしおり
溶液及び溶解時のpH　該当しない
浸透圧比　該当しない
安定なpH域　該当しない
調製時の注意　該当しない

薬理作用

分類　抗悪性腫瘍剤

作用部位・作用機序　①免疫担当細胞の表面に存在するアミノペプチダーゼと結合し作用を示す　②骨髄幹細胞の分化を促進　③マクロファージを活性化し癌細胞を傷害　④癌に対するキラーT細胞誘導を増強　⑤サイトカインの産生を増強　⑥がん細胞のカスパーゼ3を活性化しアポトーシスを誘導

同効薬　該当しない

治療

効能・効果　成人急性非リンパ性白血病に対する完全寛解導入後の維持強化化学療法剤との併用による生存期間の延長

用法・用量　成人急性非リンパ性白血病の完全寛解導入後に維持強化化学療法剤と併用．1日1回30mg（適宜増減）

薬物動態

血中濃度　①単回投与：健康成人男子5名への1回30mg経口投与時の平均血清中濃度は1時間後に最高値2.2μg/mL，その後2相性に減少，24時間後にほとんど消失　②連続投与：癌患者3名に1日1回30mg，2～9週間連続経口投与では，投与後24時間値（次回投与直前値）は上昇傾向，最高血中濃度値もわずかに上昇したが，半減期の延長はほとんどみられなかった

代謝・排泄　健康成人男子に10，30，100及び200mg単回経口投与時，24時間尿中の未変化体及び代謝物の(2S，3R)-3-アミノ-2-ヒドロキシ-4-フェニル酪酸とp-ヒドロキシ体の総和は，投与量に対しそれぞれ94，90，89及び83％で，投与量の増加に伴い尿中排泄率が低下．24時間尿中，投与量の67～73％は未変化体，9～25％は(2S，3R)-3-アミノ-2-ヒドロキシ-4-フェニル酪酸，2～5％はp-ヒドロキシ体

その他の管理的事項

投与期間制限　該当しない

保険給付上の注意　該当しない

資料

IF　ベスタチンカプセル10mg・30mg　2018年6月改訂（第6版）

ウラピジル
Urapidil

概要

薬効分類　214　血圧降下剤，259　その他の泌尿生殖器官及び肛門用薬

構造式

分子式　$C_{20}H_{29}N_5O_3$

分子量　387.48

ステム　血管拡張薬：-dil

原薬の規制区分　該当しない

原薬の外観・性状　白色～微黄白色の結晶又は結晶性の粉末で，味は苦い．酢酸(100)に溶けやすく，エタノール(95)又はアセトンにやや溶けにくく，水に極めて溶けにくい

原薬の吸湿性　該当資料なし

原薬の融点・沸点・凝固点　融点：156～161℃

原薬の酸塩基解離定数　pKa＝約7.4

先発医薬品等

徐放カ　エブランチルカプセル15mg・30mg（科研＝三和化学）

国際誕生年月　1980年7月

海外での発売状況　独を含む19カ国

製剤

規制区分　徐放カ　㊙

製剤の性状　徐放カ　白色の硬カプセル剤

有効期間又は使用期限　3年

貯法・保存条件　室温保存

薬剤取扱い上の留意点　本剤の投与初期又は用量の急増時等に，起立性低血圧に基づく立ちくらみ，めまい等が現れることがあるので，高所作業，自動車の運転等危険を伴う作業に従事する人には注意を与えること．徐放製剤であるため，カプセル中の顆粒をかまずに服用させること（一過性血漿度上昇による副作用が起こるおそれがある）

患者向け資料等　くすりのしおり

溶液及び溶解時のpH　該当しない

浸透圧比　該当しない

安定なpH域　該当しない

調製時の注意　該当資料なし

薬理作用

分類　選択的α_1受容体遮断剤

作用部位・作用機序　部位：血管平滑筋，前立腺，尿道及び膀胱三角部平滑筋のα_1受容体　機序：シナプス後α_1受容体に対する選択的遮断作用を有し，末梢血管抵抗，尿道抵抗を減少することにより降圧作用，排尿障害改善作用

同効薬　降圧剤：プラゾシン塩酸塩，ブナゾシン塩酸塩，ドキサゾシンメシル酸塩，テラゾシン塩酸塩水和物など　前立腺肥大症に伴う排尿障害治療剤：プラゾシン塩酸塩，タムスロシン塩酸塩，テラゾシン塩酸塩水和物，ナフトピジル，シロドシンなど　低緊張性膀胱による排尿困難治療剤：ベタネコール塩化物，ジスチグミン臭化物

治療

効能・効果　①本態性高血圧症，腎性高血圧症，褐色細胞腫による高血圧症　②前立腺肥大症に伴う排尿障害　③神経因性膀胱に伴う排尿困難

用法・用量　1日30mgから開始　効能①：効果不十分な場合1～2週間の間隔をおき1日120mgまで漸増，1日2回朝夕食後に分服（適宜増減）．効能②：効果が不十分な場合は1～2週間の間隔をおき1日60～90mgまで漸増，1日2回朝夕食後に分服（適宜増減）．1日最高90mgまで．効能③：1～2週間の間隔をおき1日60mgに漸増，1日2回朝夕食後に分服（適宜増減）．1日最高90mgまで

使用上の注意

禁忌　本剤の成分に対し過敏症の既往歴のある患者

薬物動態

血中濃度　健康成人男子に単回経口投与時[15mg（6名），30mg（14名）の順]の未変化体のCmax（ng/mL）143.6±25.8，271.4±104.8，Tmax（hr）4.7±1.2，3.6±0.5．30mgを1日2回7日間反復経口投与時，未変化体の血漿中濃度推移に蓄積性はみられなかった．$T_{1/2}$(hr)2.7±1.4，3.8±1.6　**代謝・排泄**　①健康成人男子（6名）に30mg単回経口投与後24時間までの未変化体の排泄率は約12％，代謝産物の排泄率はp-ヒドロキシ体では約35％，o-デメチル体では約4％，N-デメチル体では約3％．その後1日2回5日間反復経口投与時の排泄比率は，投与期間中ほぼ一定　②代謝に関与する肝薬物代謝酵素チトクロムP450の分子種はCYP2D6である（*in vitro*）

その他の管理的事項

投与期間制限　該当しない

保険給付上の注意　該当しない

資料

IF　エブランチルカプセル15mg・30mg　2013年1月改訂（第8版）

ウリナスタチン
Ulinastatin

概要
薬効分類 399 他に分類されない代謝性医薬品
分子式 ヒトの尿から分離，精製して得た糖タンパク質
分子量 67000±5000
原薬の規制区分 該当しない
原薬の外観・性状 淡褐色～褐色の澄明な液である．pH：6.0～8.0
原薬の吸湿性 該当資料なし
原薬の酸塩基解離定数 該当資料なし
先発医薬品等
注 ミラクリッド注射液5万単位・10万単位(持田)
国際誕生年月 不明
海外での発売状況 該当しない

製剤
規制区分 **注** **注射用** 生物 処
製剤の性状 **注** 無色～淡褐色澄明な水性注射液 **注射用** 白色～淡褐色の凍結乾燥製剤
有効期間又は使用期限 **注** 3年 **注射用** 3.5年
貯法・保存条件 室温保存
溶液及び溶解時のpH **注** 4.8～5.8 **注射用** 6.0～7.5(蒸留水に溶かした50000単位/mL溶液)
浸透圧比 **注** **注射用** 約1(対生食)

薬理作用
分類 多価・酵素阻害糖蛋白質
作用部位・作用機序 白血球エラスターゼをはじめ，種々の酵素を阻害．また，酵素阻害作用のみならずライソゾーム膜安定化作用及びライソゾーム酵素の遊離抑制作用等を有し，ショック時の循環動態を改善
同効薬 ガベキサートメシル酸塩，ナファモスタットメシル酸塩，カモスタットメシル酸塩

治療
効能・効果 ①急性膵炎(外傷性，術後及びERCP後の急性膵炎を含む)，慢性再発性膵炎の急性増悪期 ②急性循環不全(出血性ショック，細菌性ショック，外傷性ショック，熱傷性ショック)
用法・用量 効能①：初期投与量1回25000～50000単位を500mLの輸液に溶かし，1回あたり1～2時間かけて1日1～3回点滴静注(適宜増減)．以後は症状の消退に応じ減量 効能②：1回100000単位を500mLの輸液に溶かし，1回あたり1～2時間かけて1日1～3回点滴静注，又は1回100000単位を注射液はそのまま，注射用は2mLの輸液に溶かし，1日1～3回緩徐に静注(適宜増減)

使用上の注意

警告 投与は緊急時に十分対応できる医療施設において，患者の状態を観察しながら行う

禁忌 ウリナスタチン製剤に対し過敏症の既往歴のある患者

薬物動態
注射用 健常成人男子に30万単位/10mLを静注後，血中濃度は3時間までほぼ直線的に低下し，消失半減期は約40分．6時間までに約24%が尿中に排泄(承認1回用量は，静注の場合，10万単位まで)

その他の管理的事項
投与期間制限 該当しない
保険給付上の注意 該当しない

資料
IF ミラクリッド注射液2万5千単位・5万単位・10万単位・ミラクリッド 2011年4月改訂(第3版)

ウルソデオキシコール酸
ウルソデオキシコール酸錠
ウルソデオキシコール酸顆粒
Ursodeoxycholic Acid

概要
薬効分類 236 利胆剤
構造式

H_3C H CO_2H H_3C H H_3C H H H H HO H H H OH

分子式 $C_{24}H_{40}O_4$
分子量 392.57
略語・慣用名 UDCA
ステム 不明
原薬の規制区分 該当しない
原薬の外観・性状 白色の結晶又は粉末で，味は苦い．メタノール，エタノール(99.5)又は酢酸(100)に溶けやすく，水にほとんど溶けない
原薬の吸湿性 該当資料なし
原薬の融点・沸点・凝固点 融点：201～205℃
原薬の酸塩基解離定数 pKa＝4.63(カルボキシル基，滴定法)
先発医薬品等
顆 ウルソ顆粒5%(田辺三菱)
錠 ウルソ錠50mg・100mg(田辺三菱)
後発医薬品
錠 50mg・100mg
国際誕生年月 1957年3月
海外での発売状況 米，英，仏，独を含む30数カ国

製剤
製剤の性状 **顆** 白色の顆粒でにおいはなく，味は苦い **50mg錠** 白色の素錠 **100mg錠** 白色の割線入り素錠
有効期間又は使用期限 5年
貯法・保存条件 室温保存
薬剤取扱い上の留意点 該当しない
患者向け資料等 くすりのしおり
溶液及び溶解時のpH 該当しない
浸透圧比 該当しない
安定なpH域 該当しない
調製時の注意 該当しない

薬理作用
分類 肝・胆・消化機能改善剤
作用部位・作用機序 胆汁分泌を促進する作用(利胆作用)により胆汁うっ滞を改善．また，肝臓において，細胞障害性の強い疎水性胆汁酸と置き換わり，その相対比率を上昇させ，疎水性胆汁酸の肝細胞障害作用を軽減(置換効果)．更に，サイトカイン・ケモカイン産生抑制作用や肝臓への炎症細胞浸潤抑制作用により肝機能を改善する．その他，胆石溶解作用，消化吸収改善作用が知られている
同効薬 利胆薬：アネトールトリチオン，デヒドロコール酸 肝臓疾患用薬：グリチルリチン・グリシン・システイン配合剤，グリチルリチン，チオプロニン 胆石溶解用薬：ケノデオキシコール酸

治療
効能・効果 ①(1)次の疾患における利胆：胆道(胆管・胆嚢)系疾患及び胆汁うっ滞を伴う肝疾患 (2)慢性肝疾患における肝機能の改善 (3)次の疾患における消化不良：小腸切除後遺症，炎症性小腸疾患 ②外殻石灰化を認めないコレステロール系

胆石の溶解　③原発性胆汁性肝硬変における肝機能の改善　④C型慢性肝疾患における肝機能の改善

効能・効果に関連する使用上の注意　①原発性胆汁性肝硬変における肝機能の改善：硬変期で高度の黄疸のある患者に投与する場合は，症状が悪化するおそれがあるので慎重に投与する．血清ビリルビン値の上昇等がみられた場合には，中止する等，適切な処置を行う　②C型慢性肝疾患における肝機能の改善：(1)C型慢性肝疾患においては，まずウイルス排除療法を考慮することが望ましい．本薬にはウイルス排除作用はなく，現時点ではC型慢性肝疾患の長期予後に対する肝機能改善の影響は明らかではないため，ウイルス排除のためのインターフェロン治療無効例もしくはインターフェロン治療が適用できない患者に対して本薬の投与を考慮する　(2)非代償性肝硬変患者に対する有効性及び安全性は確立していない．高度の黄疸のある患者に投与する場合は，症状が悪化するおそれがあるので慎重に投与する．血清ビリルビン値の上昇等がみられた場合には，中止する等，適切な処置を行う

用法・用量　効能①：ウルソデオキシコール酸として1回50mg，1日3回(適宜増減)　効能②：ウルソデオキシコール酸として1日600mgを3回に分服(適宜増減)　効能③④：ウルソデオキシコール酸として1日600mgを3回に分服(適宜増減)，増量する場合は1日最大投与量900mgとする

使用上の注意

禁忌　①完全胆道閉塞のある患者［利胆作用があるため，症状が増悪するおそれがある］　②劇症肝炎の患者［症状が増悪するおそれがある］

薬物動態

血清中濃度　健常成人6名での最高血清中濃度(μg/mL)は，200mgを投与(100mg錠を2錠)時[illegible].9±0.25，400mgを投与(100mg錠を4錠)時7.09±1.43　**吸収・排泄**　健常成人6名に400mg(100mg錠を4錠)を投与時，血清中の主代謝物は，グリコウルソデオキシコール酸(GUDCA)及びその硫酸抱合体(GUDCA-S)．尿中の主代謝物はGUDCA-S及びウルソデオキシコール酸のN-アセチルグルコサミン抱合体で，投与後24時間の排泄量はそれぞれ0.25%及び0.11%　**吸収・代謝**　外国データ※)：健康人(米国)に1g/日を2週間経口投与後，^{14}C-ウルソデオキシコール酸を静注し，同位体希釈分析法でその吸収量等を測定．腸肝循環中のプールサイズは約940mgで，投与された本剤はそのほとんどが腸肝循環．胆汁中胆汁酸分画に占める本剤は最大56%で，ケノデオキシコール酸(CDCA)とコール酸(CA)の比率はともに減少．※)承認1日用量は150mg又は600mg

その他の管理的事項

投与期間制限　該当しない

保険給付上の注意　症候性の原発性胆汁性肝硬変は特定疾患に指定されており，社会保険各法の規定に基づく医療費の自己負担分について公費負担される

資料

IF　ウルソ顆粒5%・錠50mg・100mg　2012年5月改訂(第11版)

ウロキナーゼ
Urokinase

概要

薬効分類　395　酵素製剤

分子量　約54000

略語・慣用名　UK

原薬の規制区分　該当しない

原薬の外観・性状　無色澄明の液である．本品のpHは5.5～7.5である

原薬の吸湿性　該当しない

原薬の融点・沸点・凝固点　該当しない

原薬の酸塩基解離定数　該当しない

先発医薬品等

注射用　ウロナーゼ静注用6万単位・冠動注用12万単位・静注用24万単位(持田)

国際誕生年月　該当しない

海外での発売状況　該当資料なし

製剤

規制区分　**冠動注用**　**静注用**　㊓㊕

製剤の性状　**冠動注用**　**静注用**　白色の注射用凍結乾燥製剤

有効期間又は使用期限　3.5年

貯法・保存条件　室温保存

溶液及び溶解時のpH　**冠動注用**　6.0～7.0(1V/20mL生食に溶解)　**静注用6万単位**　6.0～7.0(1V/10mL生食に溶解)　**静注用24万単位**　6.0～7.0(4V/生食又は50～200mL5%ブドウ糖注射液に溶解)

浸透圧比　**冠動注用**　**静注用6万単位**　約1(対生食)　**静注用24万単位**　約2(4V/生食又は50mL5%ブドウ糖注射液に溶解)　約1(4V/生食又は100～200mL5%ブドウ糖注射液に溶解)

調製時の注意　**冠動注用**　**静注用**　溶解後は速やかに使用すること．デフィブロチドナトリウム投与後24時間以内は本剤を投与しないことが望ましい．本剤投与後24時間以内はデフィブロチドナトリウムを投与しないこと

薬理作用

分類　線維素溶解酵素剤

作用部位・作用機序　プラスミノーゲン分子中のアルギニン－バリン結合を加水分解して直接プラスミンを生成．生成したプラスミンはフィブリンを分解することにより血栓及び塞栓を溶解．ウロキナーゼで活性化されたプラスミンはフィブリンに強い親和性をもち，フィブリンを分解する作用は強いが，フィブリノーゲンをはじめとする凝固因子に対する作用は弱い

同効薬　**冠動注用**　**静注用**〔24万単位〕アルテプラーゼ，モンテプラーゼ，パミテプラーゼ　**静注用**〔6万単位〕ヘパリン，ワーファリン，デキストラン硫酸，組織培養ウロキナーゼ

治療

効能・効果　**6万単位**　次の血栓・閉塞性疾患の治療：①脳血栓症(発症後5日以内で，コンピュータ断層撮影において出血の認められないもの)　②末梢動・静脈閉塞症(発症後10日以内)

12万単位　**24万単位**　急性心筋梗塞における冠動脈血栓の溶解(発症後6時間以内)

用法・用量　**6万単位**　用時6万単位/10mL生理食塩液溶液として静注．生理食塩液又はブドウ糖注射液に混ぜて点滴静注することが望ましい．脳血栓症には1日1回6万単位約7日間．末梢動・静脈閉塞症には初期1日量6万～24万単位，以後漸減し約7日間

12万単位　12万単位を20mLの生理食塩液又はブドウ糖注射液に溶解，48万～96万単位を2.4万単位/4mL/分で冠状動脈内に注入(適宜増減)

24万単位　96万単位を生理食塩液又はブドウ糖注射液50～200mLに溶解し，約30分間で静注

用法・用量に関連する使用上の注意　**12万単位**　発症から6時間以内に投与を開始する

24万単位　発症から6時間以内に投与を開始する

使用上の注意

> **警告**　**6万単位**　重篤な出血性脳梗塞の発現が報告されている．出血性脳梗塞を起こしやすい脳塞栓の患者に投与することのないよう，脳血栓の患者であることを十分確認する

禁忌　**6万単位**　①止血処置が困難な患者：頭蓋内出血，喀血，後腹膜出血等［出血が助長されることがある］　②頭蓋内あるいは脊髄の手術又は損傷を受けた患者(2カ月以内)［出血

を惹起し，止血が困難になるおそれがある］ ③動脈瘤のある患者［出血を惹起し，止血が困難になるおそれがある］ ④重篤な意識障害を伴う患者［脳内出血を発症している可能性が高い］ ⑤脳塞栓又はその疑いのある患者［出血性脳梗塞を起こすことがある］ ⑥デフィブロチドナトリウムを投与中の患者

12万単位　24万単位 ①出血している患者：消化管出血，尿路出血，後腹膜出血，頭蓋内出血，喀血［出血を助長し，止血が困難になるおそれがある］ ②頭蓋内あるいは脊髄の手術又は障害を受けた患者(2カ月以内) ③頭蓋内腫瘍，動静脈奇形，動脈瘤のある患者 ④出血性素因のある患者 ⑤重篤な高血圧症患者［②～⑤出血を惹起し，止血が困難になるおそれがある］ ⑥デフィブロチドナトリウムを投与中の患者

薬物動態

6万単位 **血中半減期** 患者に^{125}I標識ウロキナーゼを静注時の放射活性の血漿中半減期は2～7分及び17～33分であり，二相性を示して速やかに消失した **分布・排泄(参考)** ラット及びイヌに^{131}I標識ウロキナーゼを静注時の臓器内分布は肝及び腎に高く，投与後15分で最高値を示した．また，投与した放射活性の大部分は尿中に排泄された

12万単位 **血中半減期・排泄(参考)** ^{125}I標識ウロキナーゼをビーグル犬の冠状動脈内に投与した結果，放射活性の血漿中半減期は，第1相6.8分，第2相4.4時間であった．また，投与した放射活性の大部分は尿中に排泄された

24万単位 **血中半減期・排泄(参考)** ^{125}I標識ウロキナーゼをラットに静注した結果，放射活性の血漿中半減期は，第1相6分，第2相4時間であった．また，投与した放射活性の大部分は尿中に排泄された

その他の管理的事項

投与期間制限 該当しない

保険給付上の注意 該当しない

資料

IF ウロナーゼ静注用6万単位 2020年1月改訂(第3版)
ウロナーゼ静注用24万単位 2011年9月改訂(第2版)
ウロナーゼ冠動注用12万単位 2020年1月改訂(第4版)

エカベトナトリウム水和物
エカベトナトリウム顆粒
Ecabet Sodium Hydrate

概要

薬効分類 232 消化性潰瘍用剤

構造式

分子式 $C_{20}H_{27}NaO_5S \cdot 5H_2O$

分子量 492.56

ステム 不明

原薬の規制区分 該当しない

原薬の外観・性状 白色の結晶である．メタノールに溶けやすく，水又はエタノール(99.5)に溶けにくい．水酸化ナトリウム試液に溶ける．1.0gを水200mLに溶かした液のpHは約3.5である

原薬の吸湿性 吸湿性なし

原薬の融点・沸点・凝固点 融点：約370℃(分解)

原薬の酸塩基解離定数 $pKa_1 = 2.7$，$pKa_2 = 5.1$

先発医薬品等

顆 ガストローム顆粒66.7％(田辺三菱)

後発医薬品

顆 66.7％

国際誕生年月 1993年10月

海外での発売状況 韓国，中国

製剤

製剤の性状 **顆** 白色の顆粒剤

有効期間又は使用期限 3年1カ月

貯法・保存条件 室温保存．開封後は防湿保存

薬剤取扱い上の留意点 該当しない

患者向け資料等 くすりのしおり

溶液及び溶解時のpH 該当しない

浸透圧比 該当しない

安定なpH域 該当しない

調製時の注意 該当しない

薬理作用

分類 胃炎・胃潰瘍治療剤(テルペン系化合物)

作用部位・作用機序 経口投与により胃粘膜へ直接作用し，胃炎及び胃潰瘍に対して効果を発揮

同効薬 防御因子増強剤(テプレノン，ベネキサート塩酸塩ベータデクス，ゲファルナート，プラウノトール，セトラキサート塩酸塩，スクラルファート，レバミピド，イルソグラジンマレイン酸塩など)

治療

効能・効果 ①胃潰瘍 ②次の疾患の胃粘膜病変(びらん，出血，発赤，浮腫)の改善：急性胃炎，慢性胃炎の急性増悪期

用法・用量 エカベトナトリウム水和物として1回1g(顆粒1.5g)，1日2回朝食後，就寝前(適宜増減)

薬物動態

血中濃度 健康成人に1g投与後2～5時間で最高血漿中濃度約1μg/mL，以後約8時間の半減期で血中より消失 **代謝・排泄** 健康成人に1g経口投与時，代謝されずに72時間までに約3％が尿中に，90％以上が糞便中に未変化体として排泄 **分布(参考)** ラット及びイヌで消化管からの吸収率は低く，ほとんど未吸収のまま糞中排泄．体内分布は少なく，また，代謝物としてグルクロン酸抱合体を若干尿中に排泄

その他の管理的事項

投与期間制限 該当しない

保険給付上の注意 該当しない

資料

IF ガストローム顆粒66.7％ 2014年2月改訂(第8版)

エコチオパートヨウ化物
Ecothiopate Iodide

概要

構造式

分子式 $C_9H_{23}INO_3PS$

分子量 383.23

原薬の規制区分 毒

原薬の外観・性状 白色の結晶又は結晶性の粉末である．水に極めて溶けやすく，メタノールに溶けやすく，エタノール(95)に溶けにくく，ジエチルエーテルにほとんど溶けない．

0.10gを水40mLに溶かした液のpHは3.0～5.0である
原薬の融点・沸点・凝固点　融点：116～122℃

エスタゾラム
Estazolam

概要
薬効分類　112　催眠鎮静剤，抗不安剤
構造式

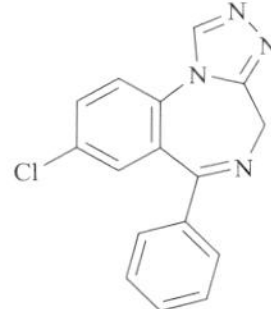

分子式　$C_{16}H_{11}ClN_4$
分子量　294.74
ステム　ジアゼパム誘導体：-azolam
原薬の規制区分　向Ⅲ 習
原薬の外観・性状　白色～微黄白色の結晶又は結晶性の粉末で，においはなく，味は苦い．メタノール又は無水酢酸にやや溶けやすく，エタノール(95)にやや溶けにくく，水又はジエチルエーテルにほとんど溶けない
原薬の吸湿性　該当資料なし
原薬の融点・沸点・凝固点　融点：229～233℃
原薬の酸塩基解離定数　pKa＝2.84
先発医薬品等
散 ユーロジン散1％(武田テバ薬品＝武田)
錠 ユーロジン1mg・2mg錠(武田テバ薬品＝武田)
後発医薬品
錠 1mg・2mg
国際誕生年月　1975年4月
海外での発売状況　仏，イタリアなど

製剤
規制区分　散 錠 向Ⅲ 習 処
製剤の性状　散 白色の細粒状の粉末　錠 白色の片面割線入りの素錠
有効期間又は使用期限　散 5年　錠 5年6カ月
貯法・保存条件　室温保存
薬剤取扱い上の留意点　連用により薬物依存を生じることがあるので，漫然とした継続投与による長期使用を避けること．本剤の投与により，その影響が翌朝以後に及ぶことがあるので，自動車の運転等危険を伴う機械の操作に従事させないよう注意すること
患者向け資料等　患者向医薬品ガイド，くすりのしおり

薬理作用
分類　トリアゾロベンゾジアゼピン系睡眠剤
作用部位・作用機序　既存のベンゾジアゼピン系化合物と同様，大脳辺縁系及び視床下部における情動機構並びに視床下部－脳幹覚醒維持機構の抑制によると考えられている．なお，覚醒機構そのものには直接作用せず，麻酔状態にはいたらない
同効薬　ニトラゼパムなどベンゾジアゼピン系睡眠剤

治療
効能・効果　不眠症，麻酔前投薬
用法・用量　①不眠症：エスタゾラムとして1回1～4mg就寝前(適宜増減)　②麻酔前投薬：エスタゾラムとして手術前夜1回1～2mg就寝前，麻酔前1回2～4mg(適宜増減)
用法・用量に関連する使用上の注意　不眠症には，就寝の直前に服用させる．また，服用して就寝した後，睡眠途中において一時的に起床して仕事等をする可能性があるときは服用させない

使用上の注意
禁忌　①重症筋無力症の患者［筋弛緩作用により，症状が悪化するおそれがある］　②リトナビル(HIVプロテアーゼ阻害剤)を投与中の患者
過量投与　過量投与が明白又は疑われた場合の処置としてフルマゼニル(ベンゾジアゼピン受容体拮抗剤)を投与する場合には，使用前にフルマゼニルの使用上の注意(禁忌，慎重投与，相互作用等)を必ず読む

薬物動態
健康成人(5例)に1回4mg経口投与時の血中濃度は，約5時間後最高値約107ng/mL，半減期約24時間

その他の管理的事項
投与期間制限　散 錠 30日
保険給付上の注意　該当しない

資料
IF　ユーロジン散1％・1mg・2mg錠　2017年3月改訂(第6版)

エストラジオール安息香酸エステル
エストラジオール安息香酸エステル水性懸濁注射液
Estradiol Benzoate

概要
薬効分類　247　卵胞ホルモン及び黄体ホルモン剤
構造式

分子式　$C_{25}H_{28}O_3$
分子量　376.49
原薬の規制区分　該当しない
原薬の外観・性状　白色の結晶性の粉末で，においはない．アセトンにやや溶けにくく，メタノール，エタノール(95)又はジエチルエーテルに溶けにくく，水にほとんど溶けない
原薬の融点・沸点・凝固点　融点：191～198℃

エストリオール
エストリオール錠
エストリオール水性懸濁注射液
Estriol

概要
薬効分類　247　卵胞ホルモン及び黄体ホルモン剤，252　生殖器官用剤(性病予防剤を含む．)
構造式

分子式 $C_{18}H_{24}O_3$
分子量 288.38
ステム 卵胞ホルモン(エストロゲン)類：estr-
原薬の規制区分 該当しない
原薬の外観・性状 白色の結晶性の粉末で，においはない．メタノールにやや溶けにくく，エタノール(99.5)に溶けにくく，水にほとんど溶けない
原薬の吸湿性 該当資料なし
原薬の融点・沸点・凝固点 融点：281～286℃
原薬の酸塩基解離定数 該当資料なし
先発医薬品等
錠 エストリール錠100γ・0.5mg・1mg(持田)
エストリオール錠1mg「F」(富士製薬)
ホーリン錠1mg(あすか製薬＝武田)
腟用 エストリール腟錠0.5mg(持田)
ホーリンV腟用錠1mg(あすか製薬＝武田)
国際誕生年月 不明
海外での発売状況 該当しない

製剤
規制区分 錠 腟用 ㊙
製剤の性状 錠 白色の素錠 腟用 白色・素錠(発泡腟錠)
有効期間又は使用期限 錠 3.5年 腟用 3年
貯法・保存条件 室温保存
患者向け資料等 錠 患者向医薬品ガイド，くすりのしおり 腟錠 くすりのしおり
調製時の注意 該当しない

薬理作用
分類 卵胞ホルモン製剤
作用部位・作用機序 卵巣から分泌されたエストロゲンは血流を介して標的細胞に入り，エストロゲンレセプターと特異的に結合して標的細胞内に集められる．このエストロゲンレセプターとの結合物は細胞質内で活性化されて核内に入り，核を活性化してm-RNA，次いで特定な蛋白を生合成して女性ホルモンとしての作用を発現する
同効薬 錠 結合型エストロゲン，アルファカルシドール，イプリフラボン，エチドロン酸二ナトリウム 腟用 エストリオールプロピオン酸エステル

治療
効能・効果 錠 ①更年期障害，腟炎(老人，小児及び非特異性)，子宮頸管炎ならびに子宮腟部びらん ②(0.5mg・1mg錠)老人性骨粗鬆症
腟用 腟炎(老人，小児及び非特異性)，子宮頸管炎ならびに子宮腟部びらん
用法・用量 錠 1回0.1～1.0mg，1日1～2回，骨粗鬆症には1回1.0mg，1日2回(適宜増減)
腟用 1日1回0.5～1.0mg，腟内挿入(適宜増減)
用法・用量に関連する使用上の注意 錠 老人性骨粗鬆症に投与する場合，投与後6カ月～1年後に骨密度を測定し，効果が認められない場合には中止し，他の療法を考慮する
禁忌・原則禁忌となる特定患者集団 妊婦又は妊娠している可能性のある女性

使用上の注意
禁忌 錠 ①エストロゲン依存性悪性腫瘍(たとえば乳癌，子宮内膜癌)及びその疑いのある患者［腫瘍の悪化あるいは顕性化を促すことがある］ ②乳癌の既往歴のある患者［乳癌が再発するおそれがある］ ③未治療の子宮内膜増殖症のある患者［子宮内膜増殖症は細胞異型を伴う場合があるため］ ④血栓性静脈炎，肺塞栓症又はその既往歴のある患者［血栓形成傾向が増強するおそれがある］ ⑤動脈性の血栓塞栓疾患(たとえば，冠動脈性心疾患，脳卒中)又はその既往歴のある患者 ⑥重篤な肝障害のある患者［代謝能が低下しており肝臓への負担が増加するため，症状が増悪することがある］ ⑦診断の確定していない異常性器出血のある患者［出血が子宮内膜癌による場合は，癌の悪化あるいは顕性化を促すことがある］ ⑧妊婦又は妊娠している可能性のある女性
腟用 ①エストロゲン依存性悪性腫瘍(たとえば乳癌，子宮内膜癌)及びその疑いのある患者［腫瘍の悪化あるいは顕性化を促すことがある］ ②本剤の成分に対し過敏症の既往歴のある患者 ③妊婦又は妊娠している可能性のある女性

薬物動態
錠 子宮癌あるいは子宮筋腫のため子宮全摘術を行った女性に，術後1～2週間後，1日3mg，1週間連日経口投与したところ，全例に尿中エストリオール値の著しい上昇が認められた
懸濁注 卵巣摘除婦人4例に50mgを筋注時，血中E3値は12時間までに最高，3日目でも高値．E2，E1値は軽度上昇傾向，FSHは3例に，LHは2例に抑制がみられた．(注)承認1日用量は5～20mg

その他の管理的事項
投与期間制限 該当しない
保険給付上の注意 該当しない

資料
IF エストリール錠100γ・0.5mg・1mg 2010年6月改訂
エストリール腟錠0.5mg 2013年3月改訂(第4版)

エタクリン酸
エタクリン酸錠
Etacrynic Acid

概要
構造式

CH₂ / H₃C / O / Cl / Cl / O / CO₂H

分子式 $C_{13}H_{12}Cl_2O_4$
分子量 303.14
原薬の規制区分 ㊚(ただし，1錠中エタクリン酸として50mg以下を含有するものを除く)
原薬の外観・性状 白色の結晶性の粉末で，においはなく，味は僅かに苦い．メタノールに極めて溶けやすく，エタノール(95)，酢酸(100)又はジエチルエーテルに溶けやすく，水に極めて溶けにくい
原薬の融点・沸点・凝固点 融点：121～125℃

エタノール
Ethanol

別名：アルコール

概要
薬効分類 261 外皮用殺菌消毒剤
構造式

H_3C–OH

分子式 C_2H_6O
分子量 46.07
ステム 不明
原薬の規制区分 該当しない
原薬の外観・性状 無色澄明の液である．水と混和する．燃えやすく，点火するとき，淡青色の炎をあげて燃える．揮発性である

原薬の吸湿性　該当資料なし
原薬の融点・沸点・凝固点　沸点：約78℃
原薬の酸塩基解離定数　該当資料なし
先発医薬品等
外用液 エタノール(兼一)
エタノール(小堺＝岩城)
エタノール(山善)
エタノール「イマヅ」(今津)
エタノール「ケンエー」(健栄)
エタノール「コニシ」(コニシ)
エタノール　シオエ(シオエ＝日本新薬)
エタノール「司生堂」(司生堂)
エタノール「昭和」(M)(昭和製薬)
エタノール「タイセイ」(大成)
エタノール「タカスギ」(高杉)
エタノール「東海」(東海製薬)
エタノール「東豊」(東豊)
エタノール「ニッコー」(日興製薬＝ファイザー)
エタノール〈ハチ〉(東洋製化＝小野)
エタノール「マルイシ」(丸石＝ニプロ)
エタノール(ミツマル)(サンケミファ)
エタノール「ヤクハン」(ヤクハン＝日医工＝中北)
エタノール「ヨシダ」(吉田製薬)
エタノールワコー(富士フイルムワコーケミカル＝富士フイルム和光純薬)
国際誕生年月　不明
海外での発売状況　該当資料なし

製剤
製剤の性状　**液** 無色澄明の液で，燃えやすく，揮発性
有効期間又は使用期限　3年
貯法・保存条件　遮光した気密容器に入れ，火気を避けて保存
患者向け資料等　くすりのしおり
調製時の注意　該当資料なし

薬理作用
分類　外用殺菌消毒剤
作用部位・作用機序　殺菌効果があり，使用濃度において栄養型細菌(グラム陽性菌，グラム陰性菌)，酵母菌，ウイルス等に有効であるが，細菌の芽胞(炭疽菌，破傷風菌など)及び一部のウイルスに対する殺菌効果は期待できない
同効薬　イソプロパノールなど

治療
効能・効果　手指・皮膚の消毒，手術部位(手術野)の皮膚の消毒，医療機器の消毒
用法・用量　830mLを精製水で薄めて1000mLとし，これを消毒部位に塗布

使用上の注意
禁忌　損傷皮膚及び粘膜［損傷皮膚及び粘膜への使用により，刺激作用を有する］

その他の管理的事項
投与期間制限　該当しない
保険給付上の注意　該当しない

資料
IF　エタノール「マルイシ」 2016年8月作成(第1版)

無水エタノール
Anhydrous Ethanol

別名：無水アルコール

概要
薬効分類　261　外皮用殺菌消毒剤，429　その他の腫瘍用薬
構造式

H_3C⌒OH

分子式　C_2H_6O
分子量　46.07
ステム　不明
原薬の規制区分　該当しない
原薬の外観・性状　無色澄明の液である．水と混和する．燃えやすく，点火するとき，淡青色の炎をあげて燃える．揮発性である
原薬の吸湿性　該当資料なし
原薬の融点・沸点・凝固点　沸点：78～79℃
原薬の酸塩基解離定数　該当資料なし
先発医薬品等
注 無水エタノール注「ファイザー」(マイラン＝ファイザー)
無水エタノール注「フソー」(扶桑)
外用液 無水エタノール(山善)
無水エタノール「イマヅ」(今津)
無水エタノール「ケンエー」(健栄)
無水エタノール「コザカイ・M」(小堺)
無水エタノール「コニシ」(コニシ)
無水エタノール　シオエ(シオエ＝日本新薬)
無水エタノール「司生堂」(司生堂)
無水エタノール「タイセイ」(大成)
無水エタノール「東海」(東海製薬)
無水エタノール「東豊」(東豊)
無水エタノール「ニッコー」(日興製薬＝ファイザー)
無水エタノール〈ハチ〉(東洋製化＝小野)
無水エタノール「マルイシ」(丸石＝健栄＝ニプロ)
無水エタノール(ミツマル)(サンケミファ)
無水エタノール「ヤクハン」(ヤクハン＝日医工)
無水エタノール「ヨシダ」(吉田製薬)
無水エタノールワコー(富士フイルムワコーケミカル＝富士フイルム和光純薬)
国際誕生年月　不明
海外での発売状況　該当資料なし

製剤
製剤の性状　**液** 無色澄明の液で，燃えやすく，揮発性
有効期間又は使用期限　3年
貯法・保存条件　遮光した気密容器に入れ，火気を避けて保存
患者向け資料等　くすりのしおり
調製時の注意　該当資料なし

薬理作用
分類　外用殺菌消毒剤
作用部位・作用機序　殺菌効果があり，使用濃度において栄養型細菌(グラム陽性菌，グラム陰性菌)，酵母菌，ウイルス等に有効であるが，細菌の芽胞(炭疽菌，破傷風菌など)及び一部のウイルスに対する殺菌効果は期待できない
同効薬　イソプロパノールなど

治療
効能・効果　**注** 肝細胞癌における経皮的エタノール注入療法
外用液 ①手指・皮膚の消毒　②手術部位(手術野)の皮膚の消毒　③医療機器の消毒
用法・用量　**注** 腫瘍病変ごとに対して，総注入量は腫瘍体積により決定する．患者あたり1日注入量は最大10mL以内を原則とする．総注入量が1日最大注入量を超える場合，数日に分けて治療を行うが，通常，週2回の注入手技を限度とする

外用液 精製水でうすめて，エタノールとして76.9～81.4vol%とし，これを消毒部位に塗布する

用法・用量に関連する使用上の注意 注 ①1日注入量が10mLを超える場合の安全性は確立されていないので，それ以上の注入量が必要な際は，慎重に注入する ②総注入量は，4/3π(r+0.5)3mL(r+0.5：腫瘍の最大径の半分+安全域cm)の計算式を目安として求める

使用上の注意

> 警告 注 経皮的エタノール注入療法は，緊急時に十分処置できる医療施設及び経皮的エタノール注入療法に十分な経験をもつ医師のもとで，本療法が適切と判断される症例についてのみ実施する

禁忌 注 エタノールに対し過敏症の既往歴のある患者
外用液 損傷皮膚及び粘膜［刺激作用を有する］

薬物動態

経口的に摂取されたエタノールは速やかに吸収される．吸収は胃において約1/4，残りの大部分は小腸で行われる．摂取後10分以内に肝，腎，肺，筋肉等で酸化され始め，1時間に10～15mLの速さで分解されるが，その速さは体質と習慣に基づく個人差があり，エタノールの濃度や筋肉運動には関係がない．最終的にCO_2となる．呼気中に未変化体とアセトアルデヒドが尿中に少量の未変化体とそのグルクロナイドが検出される．大量を摂取すると唾液，膵液，汗，乳汁等の外分泌液や，精液，羊水，眼房水，脊髄液にも移行する

その他の管理的事項

投与期間制限 該当しない
保険給付上の注意 該当しない

資料

IF 無水エタノール「マルイシ」 2015年10月作成(第1版)

消毒用エタノール
Ethanol for Disinfection

別名：消毒用アルコール

概要

薬効分類 261 外皮用殺菌消毒剤
分子式 C_2H_6O
分子量 46.07
ステム 不明
原薬の規制区分 該当しない
原薬の外観・性状 無色澄明の液である．水と混和する．点火するとき，淡青色の炎をあげて燃える．揮発性である
原薬の吸湿性 該当資料なし
原薬の融点・沸点・凝固点 沸点：約78℃
原薬の酸塩基解離定数 該当資料なし
先発医薬品等

外用 消毒用エタノール綿棒「ヨシダ」(吉田製薬)
消毒用エタノール綿「ヨシダ」4×4・4×8(吉田製薬)

外用液 サラヤ消毒用エタノール(サラヤ)
消毒用エタノール(兼一)
消毒用エタノール「ケンエー」・B液「ケンエー」(健栄)
消毒用エタノール「NP」(ニプロ)
消毒用エタノール「イマヅ」(今津)
消毒用エタノール「コザカイ・M」(小堺=岩城)
消毒用エタノール「コニシ」(コニシ)
消毒用エタノール シオエ(シオエ=日本新薬)
消毒用エタノール「司生堂」(司生堂)
消毒用エタノール「昭和」(M)(昭和製薬)
消毒用エタノール「タイセイ」(大成)
消毒用エタノール「タカスギ」(高杉)
消毒用エタノール「東海」(東海製薬)
消毒用エタノール「東豊」(東豊)
消毒用エタノール「トライックス」(グラフィコ)
消毒用エタノール「ニッコー」(日興製薬=丸石=ファイザー)
消毒用エタノール〈ハチ〉(東洋製化=小野)
消毒用エタノール「マルイシ」(丸石)
消毒用エタノール(ミツマル)(サンケミファ)
消毒用エタノール「メタル」(中北)
消毒用エタノール「ヤクハン」(ヤクハン=日医工=中北=日興製薬販売)
消毒用エタノール「ヤマゼン」M(山善)
消毒用エタノール「ヨシダ」(吉田製薬)
消毒用エタノールワコー(富士フイルムワコーケミカル=富士フイルム和光純薬)

後発医薬品

外用液

国際誕生年月 不明

製剤

製剤の性状 液 無色澄明の液で，特異なにおい及びやくような味がある
有効期間又は使用期限 5年
貯法・保存条件 気密容器，火気を避けて遮光・室温保存
薬剤取扱い上の留意点 金属器具を長時間浸漬する必要がある場合には，腐蝕を防止するために0.2～1.0%の亜硝酸ナトリウムを添加すること
患者向け資料等 くすりのしおり

薬理作用

分類 外用殺菌消毒剤
作用部位・作用機序 菌体溶性蛋白の変性，溶菌，原形質阻害，代謝機能阻害
同効薬 イソプロパノールなど

治療

効能・効果 ①手指・皮膚の消毒 ②手術部位(手術野)の皮膚の消毒 ③医療機器の消毒
用法・用量 そのまま消毒部位に塗布

使用上の注意

禁忌 損傷皮膚及び粘膜［刺激作用を有する］

薬物動態

経口的に摂取されたエタノールは速やかに吸収される．吸収は胃において約1/4，残りの大部分は小腸で行われる．摂取後10分以内に肝，腎，肺，筋肉等で酸化され始め，1時間に10～15mLの速さで分解されるが，その速さは体質と習慣に基づく個人差があり，エタノールの濃度や筋肉運動には関係がない．最終的にCO_2となる．呼気中に未変化体とアセトアルデヒドが尿中に少量の未変化体とそのグルクロナイドが検出される．大量を摂取すると唾液，膵液，汗，乳汁等の外分泌液や，精液，羊水，眼房水，脊髄液にも移行する

その他の管理的事項

投与期間制限 該当しない
保険給付上の注意 該当しない

資料

IF 消毒用エタノール「ケンエー」 2000年7月作成(第1版)

エダラボン
エダラボン注射液
Edaravone

[概要]

薬効分類　119　その他の中枢神経系用薬

構造式

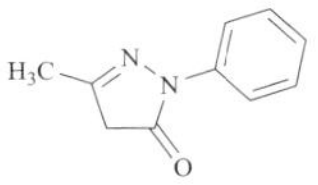

分子式　$C_{10}H_{10}N_2O$

分子量　174.20

ステム　不明

原薬の規制区分　該当しない

原薬の外観・性状　白色～微黄白色の結晶又は結晶性の粉末である．エタノール(99.5)又は酢酸(100)に溶けやすく，水に溶けにくい．20mgを水20mLに溶かした液のpHは4.0～5.5である

原薬の吸湿性　認められなかった(室温で約0%RH，約64%RH，約93%RH及び40℃，75%RHの条件下で38日間保存)

原薬の融点・沸点・凝固点　融点：127～131℃

原薬の酸塩基解離定数　pKa＝7.0

先発医薬品等

[注] ラジカット注30mg(田辺三菱)

[キット] ラジカット点滴静注バッグ30mg(田辺三菱)

後発医薬品

[注] 30mg

[キット] 30mg

国際誕生年月　2001年4月

海外での発売状況　発売していない

[製剤]

規制区分　[注] [処]

製剤の性状　[注] 無色澄明の水溶液

有効期間又は使用期限　3年

貯法・保存条件　室温保存

薬剤取扱い上の留意点　[点滴静注] 製品の安定性を保持するため脱酸素剤を封入しているので，プラスチックバッグの外包装は使用直前まで開封しないこと．また，開封後は速やかに使用すること．外包装内に挿入している酸素検知剤の色が，ピンク以外になっている場合は使用しないこと

患者向け資料等　患者向医薬品ガイド，くすりのしおり，ALS患者向け適正使用冊子

溶液及び溶解時のpH　[注] 3.0～4.5　[点滴静注] 3.5～5.0

浸透圧比　[注] [点滴静注] 約1(対生食)

調製時の注意　[注] 原則として生食で希釈すること　[注] [点滴静注] ①高カロリー輸液，アミノ酸製剤との混合又は同一経路からの点滴はしないこと　②抗痙攣薬の注射液(ジアゼパム，フェニトインナトリウム等)と混合しないこと　③カンレノ酸カリウムと混合しないこと

[薬理作用]

分類　フリーラジカルスカベンジャー

作用部位・作用機序　ヒドロキシルラジカル(・OH)等のフリーラジカルが虚血に伴う脳血管障害の主要な1因子であることは数多く報告されており，虚血ないし虚血―再開通時にはアラキドン酸代謝系の異常亢進等によりフリーラジカルの産生が増加する．このフリーラジカルは細胞膜脂質の不飽和脂肪酸を過酸化することにより細胞膜傷害ひいては脳機能障害を引き起こす．また，筋萎縮性側索硬化症(ALS)の発症並びに病勢進展は原因不明であるが，フリーラジカルによる酸化ストレスが関与している可能性が示唆されている．本剤は，フリーラジカルを消去し脂質過酸化を抑制する作用により，脳細胞(血管内皮細胞・神経細胞)の酸化的傷害を抑制する．すなわち，脳梗塞急性期に対しては，脳浮腫，脳梗塞，神経症候，遅発性神経細胞死などの虚血性脳血管障害の発現及び進展(増悪)を抑制することにより脳保護作用を示す．筋萎縮性側索硬化症(ALS)に対しても，神経細胞の酸化的傷害を抑制することで病勢進展の抑制を示す

同効薬　脳梗塞急性期：アルガトロバン水和物，オザグレルナトリウム　筋萎縮性側索硬化症(ALS)：リルゾール製剤

[治療]

効能・効果　①脳梗塞急性期に伴う神経症候，日常生活動作障害，機能障害の改善　②[ラジカット] 筋萎縮性側索硬化症(ALS)における機能障害の進行抑制

効能・効果に関連する使用上の注意　筋萎縮性側索硬化症(ALS)患者に使用する場合：①臨床試験に組み入れられた患者のALS重症度分類，呼吸機能等の背景及び試験ごとの結果を熟知し，本剤の有効性及び安全性を十分に理解した上で，適応患者の選択を行う　②ALS重症度分類4度以上の患者及び努力性肺活量が理論正常値の70%未満に低下している患者における本剤の投与経験は少なく，有効性及び安全性は確立していない．これらの患者に本剤を投与することについては，リスクとベネフィットを考慮して慎重に判断する

用法・用量　[注] 効能①：1回30mgを適当量の生理食塩液等で用時希釈し，30分かけて1日朝夕2回点滴静注．発症後24時間以内に開始し，投与期間は14日以内　効能②：1回60mgを適当量の生理食塩液等で用時希釈し，60分かけて1日1回点滴静注．通常，本剤投与期と休薬期を組み合わせた28日間を1クールとし，これを繰り返す．第1クールは14日間連日投与する投与期の後14日間休薬し，第2クール以降は14日間のうち10日間投与する投与期の後14日間休薬

[キット] 効能①：1回1袋(30mg)を，30分かけて1日朝夕2回の点滴静注．発症後24時間以内に投与を開始し，投与期間は14日以内とする　効能②：1回60mgを，60分かけて1日1回点滴静注．通常，本剤投与期と休薬期を組み合わせた28日間を1クールとし，これを繰り返す．第1クールは14日間連日投与する投与期の後14日間休薬し，第2クール以降は14日間のうち10日間投与する投与期の後14日間休薬

用法・用量に関連する使用上の注意　脳梗塞急性期の患者に使用する場合：症状に応じてより短期間で投与を終了することも考慮する

[使用上の注意]

禁忌　①重篤な腎機能障害のある患者［腎機能障害が悪化するおそれがある．筋萎縮性側索硬化症(ALS)患者に使用する場合は重要な基本的注意を参照］　②本剤の成分に対し過敏症の既往歴のある患者

[薬物動態]

[注] **血中濃度**　健常成人男子(5例)及び65歳以上の健常高齢者(5例)に0.5mg/kgを30分かけて1日2回2日間反復点滴静注時の初回投与時の血漿中未変化体濃度推移から求めた薬物動態パラメータ(健常成人男子，健常高齢者の順)は，Cmax(ng/mL)888±171，1041±106，$T_{1/2}\alpha$(hr)0.27±0.11，0.17±0.03，$T_{1/2}\beta$(hr)2.27±0.8，1.84±0.17．健常成人男子及び健常高齢者いずれも血漿中未変化体濃度はほぼ同様に消失，蓄積性は認められなかった　※本剤の脳梗塞急性期で承認された1回用量は30mg，筋萎縮性側索硬化症(ALS)で承認された1回用量は60mg　**血清蛋白結合率**　本剤(5μmol/L及び10μmol/L)のヒト血清蛋白及びヒト血清アルブミンに対する結合率は，92%及び89～91%(*in vitro*)　**代謝**　健常成人男子及び健常高齢者の血漿中における主代謝物は硫酸抱合体で，グルクロン酸抱合体も検出．尿中の主代謝物はグルクロン酸抱合体で，硫酸抱合体も認められた　**排泄**　健常成人男子及び健常高齢者に1日2回2日間反復点滴静注(0.5mg/kg/30分×2回/日)時，各回投与12時間までに尿中に未変化体0.7～0.9%，代謝物として71～79.9%が排泄　※本剤の脳梗塞急性期で承認された1回用量は30mg，筋萎縮性側索硬化症

（ALS）で承認された1回用量は60mg

その他の管理的事項

投与期間制限　該当しない

保険給付上の注意　ALSは指定難病であり，認定を受けた患者は，医療費の自己負担分の一部，または全額が公費負担される

資料

IF　ラジカット注30mg・点滴静注バッグ30mg　2017年6月改訂（第20版）

エタンブトール塩酸塩
Ethambutol Hydrochloride

概要

薬効分類　622　抗結核剤

構造式

分子式　$C_{10}H_{24}N_2O_2$・2HCl

分子量　277.23

略語・慣用名　EB

ステム　不明

原薬の規制区分　㊕

原薬の外観・性状　白色の結晶又は結晶性の粉末で，においはなく，味は苦い．水に極めて溶けやすく，メタノール又はエタノール（95）にやや溶けやすく，ジエチルエーテルにほとんど溶けない．1.0gを水20mLに溶かした液のpHは3.4～4.0である

原薬の吸湿性　40℃で61.8％RHまで吸湿性を示さないが，71.5％，82.8％及び89.4％で24時間後の吸湿量はそれぞれ1.4％，9.6％及び20％

原薬の融点・沸点・凝固点　融点：200～204℃

原薬の酸塩基解離定数　該当資料なし

先発医薬品等

錠　エサンブトール錠125mg・250mg（サンド）
エブトール125mg・250mg錠（科研）

国際誕生年月　不明

製剤

規制区分　錠　㊕ ㊈

製剤の性状　錠　黄色のフィルムコーティング錠

有効期間又は使用期限　4年

貯法・保存条件　室温保存（開封後は防湿保存）

患者向け資料等　患者向医薬品ガイド，くすりのしおり

溶液及び溶解時のpH　該当しない

浸透圧比　該当しない

安定なpH域　該当しない

調製時の注意　該当しない

薬理作用

分類　抗結核薬

作用部位・作用機序　機序は十分解明されていないが，Mycobacteriumの細胞増殖に必要な代謝産物の合成を阻害するものと考えられている．Mycobacteriumを用いた実験では，代謝系の阻害により，細胞増殖の停止，代謝の低下，更には生命力の消失などが明らかにみられる．また，人型結核菌H_{37}Rv株の培養液中に，^{14}Cでラベルしたエサンブトールを加えると速やかに菌に摂取され，エサンブトールを摂取した菌は摂取後24～48時間で発育が抑制され，分裂増殖が完全に阻害されることが観察されている．エサンブトールのMycobacterium細胞分裂を阻止する状態を，電子顕微鏡で観察したところ核酸の合成を阻害していることが判明した．また，化学的及び^{14}C同位元素による実験でも，エサンブトールの作用機序は，リボ核酸の合成を阻害するものであることが認められている．事実，エサンブトールによって細胞増殖を阻止された結核菌は，リボ核酸の欠乏状態になっている

同効薬　ストレプトマイシン硫酸塩，イソニアジド，パラアミノサリチル酸カルシウム水和物，カナマイシン硫酸塩，エチオナミド，リファンピシン

治療

効能・効果　〈適応菌種〉本剤に感性のマイコバクテリウム属〈適応症〉肺結核及びその他の結核症，マイコバクテリウム・アビウムコンプレックス（MAC）症を含む非結核性抗酸菌症

用法・用量　①肺結核及びその他の結核症：1日0.75～1g，1～2回に分服．年齢・体重により適宜減量．なお，他の抗結核薬と併用することが望ましい　②MAC症を含む非結核性抗酸菌症：1日1回0.5～0.75g.年齢，体重，症状により適宜増減するが1日量として1gを超えない

用法・用量に関連する使用上の注意　①肺結核及びその他の結核症に対する使用にあたっては，耐性菌の発現等を防ぐため，原則として感受性を確認し，疾病の治療上必要な最小限の期間の投与にとどめる　②MAC症を含む非結核性抗酸菌症に使用する際には，投与開始時期，期間，併用薬等について国内外の各種学会ガイドライン等，最新の情報を参考にし，投与する

禁忌・原則禁忌となる特定患者集団　原則禁忌：乳・幼児

使用上の注意

禁忌　本剤の成分に対し過敏症の既往歴のある患者

薬物動態

吸収　健常成人：1回経口投与時，速やかに吸収，最高血中濃度は15mg/kg投与で3時間後1.8μg/mL，25mg/kg投与で2時間後5.7μg/mL　**分布**　肺結核患者：0.5g1回経口投与時，肺組織内濃度は血中濃度より高い　**代謝・排泄**　肺結核患者，米国：25mg/kg1回経口投与後の尿糞中への累積排泄率は24時間で54～67％，48時間で72～86％及び144時間で79～94％．尿中へは，24時間までに54％が排泄．尿中排泄物は未変化体と代謝物（アルデヒド体，酪酸誘導体）で，その比率は約2：1

その他の管理的事項

投与期間制限　該当しない

保険給付上の注意　該当しない

資料

IF　エサンブトール錠125mg・250mg　2018年1月改訂（第14版）

エチオナミド
Ethionamide

概要

薬効分類　622　抗結核剤

構造式

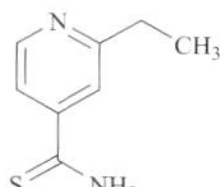

分子式　$C_8H_{10}N_2S$

分子量　166.24

略語・慣用名　ETH，1314TH

原薬の規制区分　該当しない

原薬の外観・性状　黄色の結晶又は結晶性の粉末で，特異なにおいがある．メタノール又は酢酸(100)にやや溶けやすく，エタノール(99.5)又はアセトンにやや溶けにくく，水にほとんど溶けない
原薬の吸湿性　該当資料なし
原薬の融点・沸点・凝固点　融点：161～165℃
原薬の酸塩基解離定数　pKa＝5.62
先発医薬品等
錠 ツベルミン錠100mg(MeijiSeika)
国際誕生年月　不明
海外での発売状況　米

製剤
規制区分　**錠** ㊕
製剤の性状　**錠** だいだい色の腸溶性フィルムコート錠
有効期間又は使用期限　3年
貯法・保存条件　室温保存
薬剤取扱い上の留意点　該当資料なし
患者向け資料等　くすりのしおり
溶液及び溶解時のpH　該当しない
浸透圧比　該当しない
安定なpH域　該当しない
調製時の注意　該当しない

薬理作用
分類　結核化学療法剤
作用部位・作用機序　機序は明らかでないが，DNA及び蛋白合成を阻害すると言われている
同効薬　イソニアジド，パラアミノサリチル酸カルシウム水和物，ピラジナミド，エタンブトール塩酸塩，サイクロセリン

治療
効能・効果　〈適応菌種〉本剤に感性の結核菌　〈適応症〉肺結核及びその他の結核症
用法・用量　最初1日0.3g，以後漸増して1日0.5～0.7g，1～3回に分服(適宜増減)．原則として他の抗結核剤と併用する

薬物動態
血中濃度：成人に500mg経口投与時の最高血中濃度は4～6時間後6～12.5μg/mL

その他の管理的事項
投与期間制限　該当しない
保険給付上の注意　該当しない

資料
IF　ツベルミン錠100mg　2016年11月改訂(第3版)

エチゾラム
エチゾラム錠
エチゾラム細粒
Etizolam

概要
薬効分類　117　精神神経用剤
構造式

分子式　$C_{17}H_{15}ClN_4S$
分子量　342.85
ステム　ジアゼパム誘導体(-azepam)の同類薬として分類されている：-tizolam
原薬の規制区分　向Ⅲ
原薬の外観・性状　白色～微黄白色の結晶性の粉末である．エタノール(99.5)にやや溶けやすく，アセトニトリル又は無水酢酸にやや溶けにくく，水にほとんど溶けない
原薬の吸湿性　認められない
原薬の融点・沸点・凝固点　融点：147～151℃
原薬の酸塩基解離定数　pKa＝2.6(チエノジアゼピン環，吸光度法)
先発医薬品等
細 デパス細粒1%(田辺三菱＝吉富薬品)
錠 デパス錠0.25mg・0.5mg・1mg(田辺三菱＝吉富薬品)
後発医薬品
細 1%
錠 0.25mg・0.5mg・1mg
国際誕生年月　1983年9月
海外での発売状況　イタリア，韓国

製剤
規制区分　**細**　**錠** 向Ⅲ ㊕
製剤の性状　**細** 白色の細粒剤　**0.25mg錠** 微赤色のフィルムコーティング錠　**0.5・1mg錠** 白色のフィルムコーティング錠
有効期間又は使用期限　3年
貯法・保存条件　遮光・室温保存
薬剤取扱い上の留意点　連用により薬物依存を生じることがあるので，漫然とした継続投与による長期使用を避けること．眠気，注意力・集中力・反射運動能力等の低下が起こることがあるので，本剤投与中の患者には自動車の運転等危険を伴う機械の操作に従事させないように注意すること
患者向け資料等　患者向医薬品ガイド，くすりのしおり
溶液及び溶解時のpH　該当しない
浸透圧比　該当しない
安定なpH域　該当しない
調製時の注意　該当しない

薬理作用
分類　チエノジアゼピン系化合物
作用部位・作用機序　視床下部及び大脳辺縁系，特に扁桃核のベンゾジアゼピン受容体に作用し，不安・緊張等の情動異常を改善する
同効薬　クロチアゼパム，ジアゼパム，クロルジアゼポキシド，クロキサゾラム，ニトラゼパム，トリアゾラム，エスタゾラムなど

治療
効能・効果　①神経症における不安・緊張・抑うつ・神経衰弱症状・睡眠障害　②うつ病における不安・緊張・睡眠障害　③心身症(高血圧症，胃・十二指腸潰瘍)における身体症候ならびに不安・緊張・抑うつ・睡眠障害　④統合失調症における睡眠障害　⑤次の疾患における不安・緊張・抑うつ及び筋緊張：頸椎症，腰痛症，筋収縮性頭痛
用法・用量　①神経症，うつ病：エチゾラムとして1日3mg，3回に分服(適宜増減)　②心身症，頸椎症，腰痛症，筋収縮性頭痛：エチゾラムとして1日1.5mg，3回に分服(適宜増減)　③睡眠障害：エチゾラムとして1日1回1～3mg就寝前(適宜増減)．いずれも高齢者には1日1.5mgまで

使用上の注意
禁忌　①急性閉塞隅角緑内障の患者［抗コリン作用により眼圧が上昇し，症状を悪化させることがある］　②重症筋無力症の患者［筋弛緩作用により，症状を悪化させるおそれがある］
相互作用概要　CYP2C9及びCYP3A4で代謝される
過量投与　①過量投与により運動失調，低血圧，呼吸抑制，意識障害等が現れることがある　②過量投与が明白又は疑われた場合の処置としてフルマゼニル(ベンゾジアゼピン受容体拮抗剤)を投与する場合には，使用前にフルマゼニルの使用

上の注意(禁忌，慎重投与，相互作用等)を必ず読む．なお，投与した薬剤が特定されないままにフルマゼニルを投与された患者で，新たに本剤を投与する場合，本剤の鎮静・抗痙攣作用が変化，遅延するおそれがある

薬物動態

血漿中濃度 ①単回投与：健康成人(10人)に2mgを食後30分に経口投与時の吸収は良好で，Tmaxは3.3±0.3hr，Cmaxは25±1.5ng/mL，$T_{1/2}$は6.3±0.8hr，$AUC_{0\text{-}36h}$は284.3±40.4ng・hr/mL ②反復投与：神経症例に1mg錠を1日3回食後30分から1時間に反復投与時，7日，14日及び28日目の血漿中濃度はほぼ等しかった **代謝** ①代謝部位：肝臓 ②代謝経路：健康成人に経口投与時の尿中主代謝物は，8位エチル基のα水酸化体(MIII)及びそのグルクロン酸抱合体，1位メチル基の水酸化体(MVI)のグルクロン酸抱合体 **排泄** ヒトでは約53%が尿中に排泄され，そのうち主なものはMIII及びそのグルクロン酸抱合体，MVIのグルクロン酸抱合体で未変化体は少なかった **チトクロムP450の分子種** 主代謝物であるMIIIを生成するP450分子種はCYP2C9，MVIを生成するP450分子種はCYP3A4 **蛋白結合率** 93%

その他の管理的事項

投与期間制限 [細] [錠] 30日

保険給付上の注意 該当しない

資料

IF デパス細粒1%・錠0.25mg・0.5mg・1mg 2019年9月改訂(第18版)

エチドロン酸二ナトリウム
エチドロン酸二ナトリウム錠
Etidronate Disodium

概要

薬効分類 399 他に分類されない代謝性医薬品

構造式

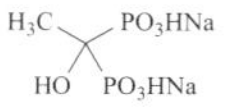

分子式 $C_2H_6Na_2O_7P_2$

分子量 249.99

略語・慣用名 慣用名：EHDP，HEBP

ステム カルシウム(骨)代謝改善薬：-dronic acid

原薬の規制区分 [劇]

原薬の外観・性状 白色の粉末である．水に溶けやすく，エタノール(99.5)にほとんど溶けない．0.10gを水10mLに溶かした液のpHは4.4～5.4である

原薬の吸湿性 吸湿性である

原薬の融点・沸点・凝固点 融点：290℃付近(分解)

原薬の酸塩基解離定数 pKa_1＝1.5，pKa_2＝2.8，pKa_3＝7.2，pKa_4＝10.6(滴定法)

先発医薬品等

[錠] ダイドロネル錠200(大日本住友)

国際誕生年月 1977年9月

海外での発売状況 販売されていない

製剤

規制区分 [錠] [劇] [処]

製剤の性状 [錠] 白色の割線入りの素錠

有効期間又は使用期限 3年

貯法・保存条件 気密容器，室温保存

薬剤取扱い上の留意点 該当しない

患者向け資料等 患者向医薬品ガイド，くすりのしおり

溶液及び溶解時のpH 該当しない

浸透圧比 該当しない

安定なpH域 該当しない

調製時の注意 該当しない

薬理作用

分類 ビスホスホネート系骨代謝改善剤

作用部位・作用機序 部位：軟部組織，破骨細胞 機序：骨の無機質表面でのハイドロキシアパタイト結晶の形成・溶解を抑制する物理化学的作用と，破骨細胞の抑制作用であると考えられる．破骨細胞の抑制作用は比較的低用量で発現し，高用量ではこれに加え骨石灰化を抑制

同効薬 アレンドロン酸ナトリウム水和物，リセドロン酸ナトリウム水和物，ミノドロン酸水和物，アルファカルシドール，イプリフラボン，メナテトレノン，ラロキシフェン塩酸塩など

治療

効能・効果 ①骨粗鬆症 ②次の状態における初期及び進行期の異所性骨化の抑制：脊髄損傷後，股関節形成術後 ③骨ページェット病

効能・効果に関連する使用上の注意 ①骨粗鬆症の場合：適用にあたっては，日本骨代謝学会の診断基準等を参考に骨粗鬆症と確定診断された患者を対象とする ②骨ページェット病の場合：適用にあたっては，日本骨粗鬆症学会の「骨Paget病の診断と治療ガイドライン」等を参考に骨ページェット病と確定診断された患者を対象とする

用法・用量 吸収をよくするため，服薬前後2時間は食物の摂取を避ける 効能①：1日1回200mg食間(適宜増減)．重症の場合(骨塩量の減少の程度が強い患者あるいは骨粗鬆症による安静時自発痛及び日常生活の運動時痛が非常に強い患者)には1日1回400mg食間．いずれの場合も，投与期間は2週間とする．再投与までの期間は10～12週間として，これを1クールとして周期的間欠投与を行う．1日400mgを超えない 効能②：1日1回800～1000mg食間(適宜増減) 効能③：1日1回200mg食間(適宜増減)．1日1000mgを超えない

用法・用量に関連する使用上の注意 効能①：(1)骨の代謝回転を抑制し，骨形成の過程で類骨の石灰化遅延を起こすことがある．この作用は投与量と投与期間に依存しているので，用法(周期的間欠投与：2週間投与・10～12週間休薬)及び用量を遵守するとともに，患者に用法・用量を遵守するよう指導する (2)400mg投与にあたっては次の点を十分考慮する (ア)骨塩量の減少の程度が強い患者(たとえばDXA法(QDR)で0.650g/cm^2未満を目安とする)である (イ)骨粗鬆症による安静時自発痛及び日常生活の運動時痛が非常に強い患者である (3)1日400mgを投与する場合は，200mg投与に比べ腹部不快感等の消化器系副作用が現れやすいので，慎重に投与する 効能②：通常用量(800～1000mg/日：15～20mg/kg相当)の場合，投与期間は3カ月を超えない 効能③：(1)骨の代謝回転を抑制し，骨形成の過程で類骨の石灰化遅延を起こすことがある．この作用は，投与量と投与期間に依存しているので，次のことを守る：通常用量(200mg/日：2.5～5mg/kg相当)の場合，投与期間は6カ月を超えない．また200mg/日の投与量を超える場合，投与期間は3カ月を超えない (2)再治療は少なくとも3カ月の休薬期間をおき，生化学所見，症状あるいはその他の所見で，症状の進行が明らかな場合にのみ行う

禁忌・原則禁忌となる特定患者集団 妊婦又は妊娠している可能性のある婦人，小児

使用上の注意

禁忌 ①重篤な腎障害のある患者［排泄が阻害されるおそれがある］ ②骨軟化症の患者［骨軟化症が悪化するおそれがある］ ③妊婦又は妊娠している可能性のある婦人 ④小児 ⑤本剤に対し過敏症の既往歴のある患者

薬物動態

(1回量は骨粗鬆症200mg，異所性骨化の抑制800～1000mg，骨ページェット病200mg) **血中濃度** 健常成人に1200mg

(20mg/kg)を1回経口投与時，最高血清中濃度は1時間後2.2μg/mL，以後低下，半減期約2時間，24時間後0.03μg/mL．1200mgを1日1回，7日間連続投与時の血清中濃度推移から蓄積傾向は認められていない **代謝・排泄** 健常成人に1200mg(20mg/kg)を1回経口投与時，24時間後までに未変化体3.1％を尿中排泄．推定吸収量は約6％

その他の管理的事項

投与期間制限 該当しない

保険給付上の注意 該当しない

資料

IF ダイドロネル錠200 2020年3月改訂(第12版)

エチニルエストラジオール
エチニルエストラジオール錠
Ethinylestradiol

概要

薬効分類 247 卵胞ホルモン及び黄体ホルモン剤

構造式

分子式 $C_{20}H_{24}O_2$

分子量 296.40

略語・慣用名 EE

ステム 卵胞ホルモン(エストロゲン)類：-estr-

原薬の規制区分 該当しない

原薬の外観・性状 白色～微黄色の結晶又は結晶性の粉末で，においはない．ピリジン又はテトラヒドロフランに溶けやすく，エタノール(95)又はジエチルエーテルにやや溶けやすく，水にほとんど溶けない．水酸化ナトリウム試液に溶ける

原薬の吸湿性 40℃，75％RH，6カ月保存で吸湿性を認めなかった

原薬の融点・沸点・凝固点 融点：180～186℃又は142～146℃

原薬の酸塩基解離定数 該当資料なし

先発医薬品等

錠 プロセキソール錠0.5mg(あすか製薬＝武田)

国際誕生年月 不明

海外での発売状況 該当しない

製剤

規制区分 **錠** ㊙

製剤の性状 **錠** 白色腸溶性フィルムコーティング錠

有効期間又は使用期限 5年

貯法・保存条件 室温保存

患者向け資料等 くすりのしおり

調製時の注意 該当しない

薬理作用

分類 卵胞ホルモン製剤

作用部位・作用機序 前立腺及び精嚢質量を減少させ，血中テストステロン値を低下させる

同効薬 なし

治療

効能・効果 前立腺癌，閉経後の末期乳癌(男性ホルモン療法に抵抗を示す場合)

用法・用量 1回0.5～1mg，1日3回(適宜増減)．再評価では1回0.05～1mg，1日3回(適宜増減)

使用上の注意

禁忌 ①エストロゲン依存性悪性腫瘍(例えば，乳癌，子宮内膜癌)及びその疑いのある患者(治療の目的で投与する場合を除く)［腫瘍の悪化あるいは顕性化を促すことがある］ ②血栓性静脈炎，肺塞栓症又はその既往歴のある患者［血液凝固能の亢進により，これらの症状が増悪することがある］ ③(閉経後の末期乳癌(男性ホルモン療法に抵抗を示す場合))未治療の子宮内膜増殖症のある患者［子宮内膜増殖症は細胞異型を伴う場合がある］

薬物動態

前立腺癌患者4例に5mg経口投与後の血中濃度は2～4時間後に最高，平均5.7ng/mL(承認1回用量は0.5～1mg)

その他の管理的事項

投与期間制限 該当しない

保険給付上の注意 該当しない

資料

IF プロセキソール錠0.5mg 2020年6月改訂(第12版)

L－エチルシステイン塩酸塩
Ethyl L-Cysteine Hydrochloride

概要

薬効分類 223 去たん剤

構造式

分子式 $C_5H_{11}NO_2S \cdot HCl$

分子量 185.67

略語・慣用名 CEE

ステム ブロムヘキシン系以外の粘液溶解薬：-steine

原薬の規制区分 該当しない

原薬の外観・性状 白色の結晶又は結晶性の粉末で，特異なにおいがあり，味は初め苦く，後に舌を焼くようである．水に極めて溶けやすく，エタノール(95)に溶けやすい

原薬の吸湿性 あり．臨界湿度：約70％RH

原薬の融点・沸点・凝固点 融点：約126℃(分解)

原薬の酸塩基解離定数 該当資料なし

先発医薬品等

錠 チスタニン糖衣錠100mg(ニプロES)

国際誕生年月 1968年8月

海外での発売状況 発売していない

製剤

製剤の性状 **錠** 白色の腸溶性の糖衣錠

有効期間又は使用期限 3年

貯法・保存条件 防湿・室温保存

薬剤取扱い上の留意点 腸溶性の糖衣錠なので，かまずに服用すること

患者向け資料等 くすりのしおり

溶液及び溶解時のpH 該当しない

浸透圧比 該当しない

安定なpH域 該当しない

調製時の注意 該当しない

薬理作用

分類 去痰剤

作用部位・作用機序 活性SH基が粘液中蛋白のジスルフィッド結合(-S-S-)を開裂することにより粘稠度低下作用を示す

同効薬 アセチルシステイン，メチルシステイン塩酸塩，カルボシステイン，ブロムヘキシン塩酸塩，アンブロキソール塩

酸塩，エプラジノン塩酸塩

[治療]

効能・効果　①次の各種疾患の去痰：急・慢性気管支炎，肺結核，手術後の喀痰喀出困難　②慢性副鼻腔炎の排膿

用法・用量　1回100mg，1日3回(適宜増減)

[薬物動態]

(参考：動物)①ラットに^{35}S-Lエチルシステイン塩酸塩を経口投与すると，投与3～6時間後に最高血中濃度を示す．1時間後では，肝及び腎に高濃度の分布が認められるほか，血液中，口腔，気管，鼻腔，唾液腺等にも比較的高濃度に分布　②ラットに^{35}S-Lエチルシステイン塩酸塩を経口又は腹腔内投与すると，両投与経路とも4日以内の尿中に約50%，糞中に約10%が排泄される

[その他の管理的事項]

投与期間制限　該当しない

保険給付上の注意　該当しない

[資料]

IF　チスタニン糖衣錠100mg　2019年4月改訂(第5版)

エチルセルロース
Ethylcellulose

[概要]

原薬の規制区分　該当しない

原薬の外観・性状　白色～帯黄白色の無晶性の粉末又は粒である．ジクロロメタンにやや溶けやすい．エタノール(95)を加えるとき，わずかに白濁又は白濁した粘性の液となる．1gに熱湯100mLを加え，振り混ぜて混濁し，室温まで冷却した後，新たに煮沸して冷却した水を加えて100mLとした液は中性である

[製剤]

貯法・保存条件　密閉容器

エチルモルヒネ塩酸塩水和物
Ethylmorphine Hydrochloride Hydrate

[概要]

構造式

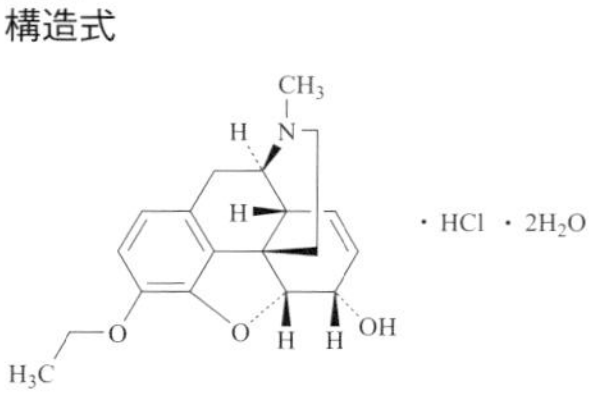

分子式　$C_{19}H_{23}NO_3 \cdot HCl \cdot 2H_2O$

分子量　385.88

原薬の規制区分　[劇] [麻]

原薬の外観・性状　白色～微黄色の結晶又は結晶性の粉末である．メタノール又は酢酸(100)に極めて溶けやすく，水に溶けやすく，エタノール(95)にやや溶けやすく，無水酢酸にやや溶けにくく，ジエチルエーテルにほとんど溶けない．光によって変化する．0.10gを水10mLに溶かした液のpHは4.0～6.0である

原薬の融点・沸点・凝固点　融点：約123℃(分解)

[治療]

効能・効果†　[経口] 各種呼吸器疾患における鎮咳，疼痛時における鎮痛

[眼科] 虹彩炎，緑内障，角膜潰瘍，硝子体混濁等の眼疾患

エチレフリン塩酸塩
エチレフリン塩酸塩錠
Etilefrine Hydrochloride

[概要]

薬効分類　211　強心剤

構造式

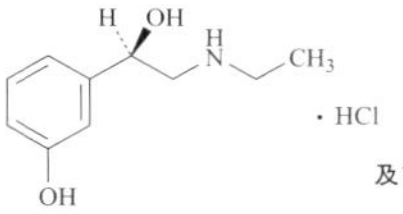

及び鏡像異性体

分子式　$C_{10}H_{15}NO_2 \cdot HCl$

分子量　217.69

ステム　交感神経刺激薬：-frine

原薬の規制区分　[劇](ただし，1錠中エチレフリンとして5mg以下を含有するものを除く)

原薬の外観・性状　白色の結晶又は結晶性の粉末である．水に極めて溶けやすく，エタノール(99.5)に溶けやすく，酢酸(100)にやや溶けにくい．光によって徐々に黄褐色に着色する．本品の水溶液(1→20)は旋光性を示さない

原薬の吸湿性　吸湿性なし

原薬の融点・沸点・凝固点　融点：118～122℃

原薬の酸塩基解離定数　該当資料なし

先発医薬品等

[注] エホチール注10mg(サノフィ)

国際誕生年月　該当資料なし

海外での発売状況　[錠] 仏，独を含む45カ国　[注] 伊を含む10カ国

[製剤]

規制区分　[注] [劇] [処]

製剤の性状　[錠] 白色の素錠(割線入り)　[注] 無色の注射液

有効期間又は使用期限　3年

貯法・保存条件　[錠] 気密容器，遮光保存　[注] 遮光保存

薬剤取扱い上の留意点　該当しない

患者向け資料等　くすりのしおり

溶液及び溶解時のpH　[注] 5.5～6.5

浸透圧比　[注] 約0.3

安定なpH域　[注] 1.22～12.29

調製時の注意　該当しない

[薬理作用]

分類　交感神経刺激作用(α，β刺激)昇圧剤

作用部位・作用機序　部位：心臓及び血管系　機序：α及びβアドレナリン受容体刺激作用を有し，内服によっても発効する．タキフィラキシー現象は認められない．心拍出量及び分時拍出量を増加させて血圧を上昇させるが，心拍数には影響しない．末梢血管抵抗を減弱してその循環を改善

同効薬　[錠] ミドドリン塩酸塩

[治療]

効能・効果　[錠] 本態性低血圧，症候性低血圧，起立性低血圧，網膜動脈の血行障害

[注] 起立性低血圧，各種疾患もしくは状態に伴う急性低血圧又はショック時の補助治療

用法・用量　[錠] 1回5～10mg，1日3回(適宜増減)

注 1回2～10mg，皮下注，筋注又は静注(適宜増減)

使用上の注意

禁忌　錠 ①甲状腺機能亢進症の患者［心悸亢進，頻脈等を悪化させるおそれがある］ ②高血圧の患者［さらに血圧を上昇させるおそれがある］

注 本剤の成分に対し過敏症の既往歴のある患者

過量投与　注 症状：ときに脳出血，肺水腫，頭痛等が現れることがあるので，特に感受性の高い患者には注意する

薬物動態

吸収・代謝・排泄(外国人)　健康成人に7mg経口投与後20～30分で最高血中濃度約20ng/mL．血中濃度半減期約2.5時間．0.75mg静注時の血中濃度半減期約2時間．主代謝物はエチレフリンのグルクロン酸及び硫酸抱合体．尿中排泄率は24時間以内に経口投与で約83%，静注で約78%．未変化体の尿中排泄率はそれぞれ約7%，約28%　分布(参考：ラット)　経口投与30分後に全身に分布，肝には大量に分布．静注2分後に全身に分布，心筋及び肝に大量に分布．経口及び静注とも脳内への分布は認められなかった

その他の管理的事項

投与期間制限　該当しない

保険給付上の注意　該当しない

資料

IF　エホチール錠5mg　2017年7月改訂(第6版)
　　エホチール注10mg　2019年7月改訂(第7版)

エチレンジアミン
Ethylenediamine

概要

構造式

H_2N–CH_2CH_2–NH_2

分子式　$C_2H_8N_2$

分子量　60.10

原薬の規制区分　該当しない

原薬の外観・性状　無色～微黄色澄明の液で，アンモニアようの特異なにおいがある．水，エタノール(95)又はジエチルエーテルと混和する．腐食性及び刺激性がある．空気中に放置するとき，徐々に変化する

エデト酸カルシウムナトリウム水和物
Calcium Sodium Edetate Hydrate

概要

薬効分類　392　解毒剤

構造式

$[\text{Ca-EDTA}]^{2-}$　$2Na^+ \cdot xH_2O$

分子式　$C_{10}H_{12}CaN_2Na_2O_8 \cdot xH_2O$

分子量　374.27(無水物)

ステム　なし

原薬の規制区分　該当しない

原薬の外観・性状　白色の粉末又は粒である．水に溶けやすく，メタノールにやや溶けにくく，エタノール(99.5)にほとんど溶けない．2.0gを水10mLに溶かした液のpHは6.5～8.0である

原薬の吸湿性　吸湿性である

原薬の酸塩基解離定数　該当資料なし

先発医薬品等

注 ブライアン点滴静注1g(日新製薬)

後発医薬品

錠 500mg

国際誕生年月　不明

海外での発売状況　該当資料なし

製剤

規制区分　注 ㊙

製剤の性状　錠 白色の腸溶性フィルムコーティング錠　注 無色澄明な水性注射液

有効期間又は使用期限　5年

貯法・保存条件　室温保存

薬剤取扱い上の留意点　錠 腸溶性であるので，かまずに服用させること

溶液及び溶解時のpH　注 6.5～8.0

浸透圧比　注 約6(対生食)

調製時の注意　該当しない

薬理作用

分類　鉛解毒剤

作用部位・作用機序　部位：各臓器，血液中　機序：体内においてPb^{2+}と結合し，Ca^{2+}との置換作用により水溶性の鉛錯塩となり，特異的にPb^{2+}を体外に排泄する

同効薬　ジメルカプロール，ペニシラミン

治療

効能・効果　鉛中毒

用法・用量　錠 1日1～2g，食後30分以上2～3回に分服(適宜増減)．最初5～7日間服用し，その後3～7日間休薬期をおき，これを1クールとし，必要があればこれを繰り返し行う

注 1回1gを5%ブドウ糖注射液又は生理食塩液250～500mLで希釈して約1時間かけて点滴静注．最初の5日間1日2回，その後必要があれば2日間休薬してさらに5日間点滴静注．小児は体重15kgあたり0.5g以下，1日2回点滴静注．ただし，15kgあたり1日1g以下とする

その他の管理的事項

投与期間制限　該当しない

保険給付上の注意　該当しない

資料

IF　ブライアン錠500mg　2017年11月改訂(第2版)
　　ブライアン点滴静注1g　2015年9月改訂(第2版)

エデト酸ナトリウム水和物
Disodium Edetate Hydrate

概要

構造式

NaO_2C–CH_2–N(CH_2CO_2H)–CH_2CH_2–N(CH_2CO_2H)–CH_2CO_2Na · $2H_2O$

分子式　$C_{10}H_{14}N_2Na_2O_8 \cdot 2H_2O$

分子量　372.24

原薬の規制区分　該当しない

原薬の外観・性状　白色の結晶又は結晶性の粉末で，においはなく，僅かに酸味がある．水にやや溶けやすく，エタノール

(95)又はジエチルエーテルにほとんど溶けない．1.0gを水100mLに溶かした液のpHは4.3～4.7である

エーテル
Ether

概要

構造式

H_3C⁀O⁀CH_3

分子式 $C_4H_{10}O$

分子量 74.12

原薬の規制区分 該当しない

原薬の外観・性状 無色澄明の流動しやすい液で，特異なにおいがある．エタノール(95)と混和する．水にやや溶けやすい．極めて揮発しやすく，引火しやすい．空気及び光によって徐々に酸化され，過酸化物を生じる．本品のガス及び空気の混合物は引火すると激しく爆発する

原薬の融点・沸点・凝固点 沸点：35～37℃

麻酔用エーテル
Anesthetic Ether

概要

構造式

H_3C⁀O⁀CH_3

分子式 $C_4H_{10}O$

分子量 74.12

原薬の規制区分 該当しない

原薬の外観・性状 無色澄明の流動しやすい液で，特異なにおいがある．エタノール(95)と混和する．水にやや溶けやすい．極めて揮発しやすく，引火しやすい．空気及び光によって徐々に酸化され，過酸化物を生じる．本品のガス及び空気の混合物は引火すると激しく爆発する

原薬の融点・沸点・凝固点 沸点：35～37℃

エテンザミド
Ethenzamide

概要

薬効分類 114 解熱鎮痛消炎剤

構造式

O, NH_2, O, CH_3

分子式 $C_9H_{11}NO_2$

分子量 165.19

原薬の規制区分 該当しない

原薬の外観・性状 白色の結晶又は結晶性の粉末である．メタノール，エタノール(95)又はアセトンにやや溶けやすく，水にほとんど溶けない．約105℃で僅かに昇華し始める

原薬の融点・沸点・凝固点 融点：131～134℃

先発医薬品等

末 エテンザミド「ヨシダ」(吉田製薬)

製剤

製剤の性状 末 白色の結晶又は結晶性の粉末

貯法・保存条件 室温保存

患者向け資料等 末 くすりのしおり

溶液及び溶解時のpH 末 中性(飽和水溶液)

浸透圧比 該当しない

安定なpH域 該当しない

薬理作用

分類 解熱鎮痛剤

作用部位・作用機序 アスピリンと同じく，作用本体はサリチル酸であり，酸性非ステロイド性抗炎症薬としての作用を現す．すなわち，プロスタグランジン生合成の律速酵素であるシクロオキシゲナーゼ(COX)を阻害し，プロスタグラジンの産生を抑制することにより，抗炎症作用，解熱作用，鎮痛作用を現す

治療

効能・用法 解熱鎮痛剤の調剤に用いる

使用上の注意

禁忌 ①消化性潰瘍のある患者［消化性潰瘍を悪化させるおそれがある］ ②重篤な血液の異常のある患者［血液の異常を悪化させるおそれがある］ ③重篤な肝障害のある患者［肝障害を悪化させるおそれがある］ ④重篤な腎障害のある患者［腎障害を悪化させるおそれがある］ ⑤重篤な心機能不全のある患者［心機能を悪化させるおそれがある］ ⑥本剤の成分に対し過敏症の既往歴のある患者 ⑦アスピリン喘息(非ステロイド性消炎鎮痛剤等による喘息発作の誘発)又はその既往歴のある患者［重篤喘息発作を誘発するおそれがある］

資料

IF エテンザミド「ヨシダ」 2019年11月改訂

エトスクシミド
Ethosuximide

概要

薬効分類 113 抗てんかん剤

構造式

H, N, O, O, CH_3, CH_3

及び鏡像異性体

分子式 $C_7H_{11}NO_2$

分子量 141.17

ステム 不明

原薬の規制区分 該当しない

原薬の外観・性状 白色のパラフィン状の固体又は粉末で，においはないか，又は僅かに特異なにおいがある．メタノール，エタノール(95)，ジエチルエーテル又は*N*,*N*-ジメチルホルムアミドに極めて溶けやすく，水に溶けやすい

原薬の吸湿性 該当資料なし

原薬の融点・沸点・凝固点 融点：約48℃

原薬の酸塩基解離定数 pKa＝約9.28(水，25℃)

先発医薬品等

散 エピレオプチマル散50%(エーザイ)

シ ザロンチンシロップ5%(第一三共)

国際誕生年月　シ 1960年6月
海外での発売状況　米，英，仏，独など

製剤

規制区分　散　シ　処
製剤の性状　散 白色の散剤である　シ だいだい色～だいだい赤色澄明の粘性の液で，芳香がある
有効期間又は使用期限　散 3年　シ 5年
貯法・保存条件　散 室温保存．開栓後は防湿保存　シ 室温保存
薬剤取扱い上の留意点　眠気，注意力・集中力・反射運動能力等の低下が起こることがあるので，本剤投与中の患者には自動車の運転等危険を伴う機械の操作に従事させないよう注意すること
患者向け資料等　くすりのしおり
溶液及び溶解時のpH　シ 5.0～6.5
調製時の注意　該当しない

薬理作用

分類　てんかん小発作治療剤
作用部位・作用機序　視床ニューロンで低閾値Ca^{2+}電流(T電流)を減少させる．視床は欠神発作に特徴的な3Hz の棘徐波リズムspike-and-wave rhythmの発現に重要な役割を果たしている．視床のニューロンは，活動電位の群発を起こす高振幅のT電流スパイクを発現させ，3Hzの棘徐波活動のような視床の発振活動に重要な働きをしている．エトスクシミドは臨床有効濃度でそのT電流を抑制するが，そのことはラットやモルモットから急性的に取り出した視床腹側基底核ニューロンにおけるvoltage-clamp法により明らかである．エトスクシミドは，定常状態の不活性化における電位依存性，又は不活性化からの回復の時間経過に影響せずに，この電流を減少する．エトスクシミドは臨床有効濃度では持続性の反復発火を抑制しないし，GABA反応を増強しない．T電流の抑制がエトスクシミドの欠神発作抑制のメカニズムであると考えられている
同効薬　トリメタジオン，バルプロ酸ナトリウム

治療

効能・効果　定型欠神発作(小発作)，小型(運動)発作〔ミオクロニー発作，失立(無動)発作，点頭てんかん(幼児けい縮発作，BNS痙攣等)〕
用法・用量　エトスクシミドとして1日0.45～1g，2～3回に分服，小児1日0.15～0.6g，1～3回に分服(適宜増減)

使用上の注意

禁忌　①本剤の成分に対して過敏症の既往歴のある患者　②重篤な血液障害のある患者［症状を悪化させることがある］

薬物動態

血中濃度　(外国人データ)健康成人に1g経口投与後1～4時間に最高血中濃度18～24μg/mL，生物学的半減期約60時間．小児に500mg経口投与後3～7時間で最高血中濃度，生物学的半減期は33.4時間　薬物代謝酵素　シ CYP3A4の基質となる(*in vitro*)

その他の管理的事項

投与期間制限　該当しない
保険給付上の注意　該当しない

資料

IF　エピレオプチマル散50%　2012年4月改訂(第7版)
　　ザロンチンシロップ5%　2020年1月改訂(第7版)

エトドラク
Etodolac

概要

薬効分類　114　解熱鎮痛消炎剤
構造式

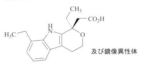

CH_3, CO_2H, H, N, H_3C, O
及び鏡像異性体

分子式　$C_{17}H_{21}NO_3$
分子量　287.35
ステム　イブフェナック系抗炎症薬：-ac
原薬の規制区分　劇
原薬の外観・性状　白色～微黄色の結晶又は結晶性の粉末である．メタノール又はエタノール(99.5)に溶けやすく，水にほとんど溶けない．本品のメタノール溶液(1→50)は旋光性を示さない
原薬の吸湿性　37℃，91%RH，30日間保存下，吸湿性は認められなかった
原薬の融点・沸点・凝固点　融点：約147℃(分解)
原薬の酸塩基解離定数　pKa＝4.5
先発医薬品等
　錠 オステラック錠100・200(あすか製薬＝武田)
　　ハイペン錠100mg・200mg(日本新薬)
後発医薬品
　錠 100mg・200mg
国際誕生年月　1984年8月
海外での発売状況　米，英，仏など世界各国

製剤

規制区分　錠　劇
製剤の性状　錠 淡黄色のフィルムコーティング錠
有効期間又は使用期限　5年
貯法・保存条件　気密容器，室温保存
薬剤取扱い上の留意点　該当しない
患者向け資料等　くすりのしおり
溶液及び溶解時のpH　該当しない
浸透圧比　該当しない
安定なpH域　該当しない
調製時の注意　該当しない

薬理作用

分類　ピラノ酢酸系非ステロイド性鎮痛・抗炎症剤
作用部位・作用機序　プロスタグランジンE_2生合成阻害作用(シクロオキシゲナーゼ-2選択的阻害作用)，多形核白血球機能抑制作用(ライソゾーム酵素遊離抑制作用，活性酸素産生抑制作用，遊走抑制作用)，ブラジキニン産生抑制作用を有することが明らかにされている(*in vitro*)
同効薬　ジクロフェナクナトリウム，インドメタシン，ケトプロフェン，ロキソプロフェンナトリウム，セレコキシブ，メロキシカム，ロルノキシカム

治療

効能・効果　①次の疾患ならびに症状の消炎・鎮痛：関節リウマチ，変形性関節症，腰痛症，肩関節周囲炎，頸腕症候群，腱鞘炎　②手術後ならびに外傷後の消炎・鎮痛
用法・用量　1日400mg，朝夕食後2回に分服(適宜増減)
禁忌・原則禁忌となる特定患者集団　妊娠末期の婦人

使用上の注意

禁忌　①消化性潰瘍のある患者［プロスタグランジン生合成阻害作用に基づき胃の血流量が減少するため，消化性潰瘍を悪化させることがある］　②重篤な血液の異常のある患者［白血球・赤血球・血小板減少が報告されているため，血液の異常を悪化させることがある］　③重篤な肝障害のある患者

［副作用として肝障害が報告されており，悪化するおそれがある］ ④重篤な腎障害のある患者［プロスタグランジン生合成阻害作用に基づく腎血流量低下作用があるため，腎障害を悪化させることがある］ ⑤重篤な心機能不全のある患者［プロスタグランジン生合成阻害作用に基づくNa・水分貯留傾向があるため，心機能不全を悪化させることがある］ ⑥重篤な高血圧症のある患者［プロスタグランジン生合成阻害作用に基づくNa・水分貯留傾向があるため，血圧を上昇させることがある］ ⑦本剤の成分に対し過敏症のある患者 ⑧アスピリン喘息(非ステロイド性消炎鎮痛剤等による喘息発作の誘発)又はその既往歴のある患者［シクロオキシゲナーゼの活性を阻害するので，喘息を誘発することがある］ ⑨妊娠末期の婦人

過量投与 本剤は過量投与に関する情報が少なく，典型的な臨床症状は確立していない．非ステロイド性消炎鎮痛剤の過量投与時の一般的な徴候・症状，処置は次の通りである ①徴候・症状：嗜眠，傾眠，悪心・嘔吐，心窩部痛 ②処置：催吐，活性炭投与，浸透圧性下剤投与．本剤は蛋白結合率が高いため，強制利尿，血液透析等はそれほど有用ではないと考えられる

薬物動態

血漿中濃度 健常成人5例に200mgを単回経口投与時，未変化体濃度は1.4時間後で最高値，その後6時間の半減期で消失 **薬動学的パラメータ値** 健常成人5例に200mgを単回経口投与時の薬物動態パラメータは，Tmax(hr)1.4±0.2，Cmax(μg/mL)12.2±0.8，$AUC_{0\text{-}48h}$(μg・hr/mL)61.1±8.3，$T_{1/2}$(hr)6.03．$T_{1/2}$は一次吸収を伴うtwo compartment model式に平均血漿中濃度をあてはめ，算出 **血清蛋白結合率** ヒト血清中*in vitro*0.5～50μg/mLの濃度範囲で98.6～98.9％ **尿中排泄率** 健常成人5例に200mgを単回経口投与時，未変化体，6-OH体及び7-OH体がそれぞれ15.8，3.6及び16.8％尿中に排泄．これらの大部分はいずれもグルクロン酸抱合体として存在 **反復投与時の吸収及び排泄** 健常成人6例に200mgを1日2回5日間反復経口投与時，血漿中未変化体濃度推移及び尿中排泄は，単回投与時と大差なく，蓄積性は認められなかった

その他の管理的事項

投与期間制限 該当しない
保険給付上の注意 該当しない

資料

IF ハイペン錠100mg・200mg 2018年7月改訂(第3版)

エトポシド
Etoposide

概要

薬効分類 424 抗腫瘍性植物成分製剤
構造式

分子式 $C_{29}H_{32}O_{13}$
分子量 588.56
略語・慣用名 VP-16
原薬の規制区分 劇
原薬の外観・性状 白色の結晶又は結晶性の粉末である．メタノールにやや溶けにくく，エタノール(99.5)に溶けにくく，水に極めて溶けにくい
原薬の吸湿性 室温，50～70％RHで8カ月間，40℃，75％RHで6カ月間又は40℃，90％RHで28日間の保存において変化を認めず，又吸湿性もなく安定である
原薬の融点・沸点・凝固点 融点：約260℃(分解)
原薬の酸塩基解離定数 該当資料なし
先発医薬品等
カ ベプシドカプセル25mg・50mg(クリニジェン)
ラステットSカプセル25mg・50mg(日本化薬)
注 ベプシド注100mg(クリニジェン)
ラステット注100mg/5mL(日本化薬)
後発医薬品
注 100mg
国際誕生年月 1976年2月
海外での発売状況 米，英，独など

製剤

規制区分 **カ** **注** 劇 処
製剤の性状 **カ** 白色の帯により接着された薄いだいだい色の硬カプセル剤．内容液は淡黄白色澄明の粘性の液である **注** 微黄色～淡黄色澄明の僅かに粘性の注射液
有効期間又は使用期限 3年
貯法・保存条件 **カ** 室温保存，吸湿注意 **注** 室温保存
薬剤取扱い上の留意点 **カ** **注** 処理法：焼却により分解する
患者向け資料等 **カ** 患者向医薬品ガイド，くすりのしおり **注** くすりのしおり
溶液及び溶解時のpH **注** 3.5～4.5(5mL/500mL生食で希釈時)，3.3～4.3(5mL/250mL生食で希釈時)
浸透圧比 **注** 約1(5mL/500mL生食で希釈時)，約2(5mL/250mL生食で希釈時)
調製時の注意 **注** あらかじめ100mgあたり250mL以上の生食等の輸液に混和する(溶解時の濃度により結晶が析出することがあるので濃度は0.4mg/mL以下になるよう調製する)．細胞毒性を有するため，調製時には手袋を着用することが望ましい．皮膚に薬液が付着した場合には，直ちに多量の流水でよく洗い流すこと

薬理作用

分類 DNAトポイソメラーゼ阻害抗悪性腫瘍剤
作用部位・作用機序 細胞周期のS期後半からG_2期にある細胞に対して殺細胞作用を示し，その機序は，DNAに対する直接作用ではなく，DNA構造変換を行う酵素トポイソメラーゼIIの活性を阻害するなどが考えられる．また，この殺細胞作用は作用濃度と作用時間の双方に依存して増強する

治療

効能・効果 **カ** 肺小細胞癌，悪性リンパ腫，子宮頸癌，がん化学療法後に増悪した卵巣癌
注 ①肺小細胞癌，悪性リンパ腫，急性白血病，睾丸腫瘍，膀胱癌，絨毛性疾患，胚細胞腫瘍(精巣腫瘍，卵巣腫瘍，性腺外腫瘍)．次の悪性腫瘍に対する他の抗悪性腫瘍剤との併用療法：小児悪性固形腫瘍(ユーイング肉腫ファミリー腫瘍，横紋筋肉腫，神経芽腫，網膜芽腫，肝芽腫その他肝原発悪性腫瘍，腎芽腫その他腎原発悪性腫瘍等) ②腫瘍特異的T細胞輸注療法の前処置
効能・効果に関連する使用上の注意 **カ** 卵巣癌に対して投与を行う場合には，白金製剤を含む化学療法施行後の症例を対象とし，白金製剤に対する感受性を考慮して本剤以外の治療法を慎重に検討した上で，開始する
用法・用量 **カ** ①肺小細胞癌：1日175～200mgを5日間連続投与し，3週間休薬(適宜増減)．これを1クールとし，繰り返す ②悪性リンパ腫：患者の状態に応じA法又はB法を選択：(1)A

法：1日175～200mgを5日間連続投与し，3週間休薬（適宜増減）．これを1クールとし，繰り返す　(2)B法：1日50mgを21日間連続投与し，1～2週間休薬（適宜増減）．これを1クールとし，繰り返す　③子宮頸癌：1日50mgを21日間連続投与し，1～2週間休薬（適宜減量）．これを1クールとし，繰り返す　④がん化学療法後に増悪した卵巣癌：1日50mg/m^{2}を21日間連続投与し，1週間休薬（適宜減量）．これを1クールとし，繰り返す

注 ①肺小細胞癌，悪性リンパ腫，急性白血病，睾丸腫瘍，膀胱癌，絨毛性疾患には1日60～100mg/m^2(体表面積)5日間連続点滴静注，3週間休薬（適宜増減）．これを1クールとし，繰り返す　②胚細胞腫瘍には，確立された標準的な他の抗癌剤との併用療法を行い，1日100mg/m^2(体表面積)5日間連続点滴静注し，16日間休薬．これを1クールとし，繰り返す　③小児悪性固形腫瘍（ユーイング肉腫ファミリー腫瘍，横紋筋肉腫，神経芽腫，網膜芽腫，肝芽腫その他肝原発悪性腫瘍，腎芽腫その他腎原発悪性腫瘍等）に対する他の抗悪性腫瘍剤との併用療法：他の抗悪性腫瘍剤との併用において，エトポシドの投与量及び投与方法は，1日量100～150mg/m^2(体表面積)を3～5日間連続点滴静注し，3週間休薬する．これを1クールとし，投与を繰り返す．なお，投与量及び投与日数は疾患，症状，併用する他の抗悪性腫瘍剤により適宜減ずる　腫瘍特異的T細胞輸注療法の前処置：再生医療等製品の用法及び用量又は使用方法に基づき使用する

用法・用量に関連する使用上の注意　注 ①投与時にはあらかじめ100mgあたり250mL以上の生理食塩液等の輸液に混和し，30分以上かけて点滴静注する　②胚細胞腫瘍に対し，確立された標準的な他の抗癌剤との併用療法〔BEP療法（ブレオマイシン塩酸塩，エトポシド，シスプラチン併用療法）〕においては，併用薬剤の添付文書を熟読する　③小児悪性固形腫瘍に対する他の抗悪性腫瘍剤との併用療法においては，併用薬剤の添付文書を熟読する　④再発・難治性悪性リンパ腫に対する他の抗悪性腫瘍剤との併用療法においては，関連文献（「抗がん剤報告書：シスプラチン（悪性リンパ腫）」等）及び併用薬剤の添付文書を熟読する

禁忌・原則禁忌となる特定患者集団　妊婦又は妊娠している可能性のある女性

使用上の注意

警告 カ 本剤を含むがん化学療法は，緊急時に十分対応できる医療施設において，がん化学療法に十分な知識・経験を持つ医師のもとで，本療法が適切と判断される症例についてのみ実施する．適応患者の選択にあたっては，各併用薬剤の添付文書を参照して十分注意する．また，治療開始に先立ち，患者又はその家族に有効性及び危険性を十分説明し，同意を得てから投与する

注 ①本剤を含むがん化学療法は，緊急時に十分対応できる医療施設において，がん化学療法に十分な知識・経験をもつ医師のもとで，本療法が適切と判断される症例についてのみ実施する．適応患者の選択にあたっては，各併用薬剤の添付文書を参照して十分注意する．また，治療開始に先立ち，患者又はその家族に有効性及び危険性を十分説明し，同意を得てから投与する　②本剤を含む小児悪性固形腫瘍に対するがん化学療法は，小児のがん化学療法に十分な知識・経験をもつ医師のもとで実施する

禁忌　①重篤な骨髄抑制のある患者［骨髄抑制は用量規制因子であり，感染症又は出血を伴い，重篤化する可能性がある］②本剤に対する重篤な過敏症の既往歴のある患者　③妊婦又は妊娠している可能性のある女性

薬物動態

血中濃度及び尿中排泄（癌患者）　1日150mg，5日間連日経口投与では1日目と5日目の血中濃度の推移に差はなく，蓄積傾向は認められなかった．1日50mg，21日間連日経口投与で1日目と21日目の血中濃度の推移に差はなく，蓄積傾向は認められなかった．5日間連日点滴静注では，血中濃度推移は2相性で初回投与後及び5日目投与後のα相とβ相の半減期及びAUCの値との比較では蓄積傾向は認められなかった．5日間の尿中へ未変化体32～61％排泄

その他の管理的事項

投与期間制限　該当しない

保険給付上の注意　該当しない

資料

IF　ベプシドカプセル25mg・50mg　2020年4月改訂（第8版）
ベプシド注100mg　2020年4月改訂（第8版）

エドロホニウム塩化物
エドロホニウム塩化物注射液
Edrophonium Chloride

概要

薬効分類　722　機能検査用試薬

構造式

(3-hydroxyphenyl)-N(CH$_3$)$_2$(C$_2$H$_5$)$^+$ Cl$^-$

分子式　$C_{10}H_{16}ClNO$

分子量　201.69

ステム　第四級アンモニウム化合物：-ium，-onium

原薬の規制区分　劇

原薬の外観・性状　白色の結晶又は結晶性の粉末で，においはない．水に極めて溶けやすく，エタノール(95)又は酢酸(100)に溶けやすく，無水酢酸又はジエチルエーテルにはほとんど溶けない．光によって徐々に着色する．1.0gを水10mLに溶かした液のpHは3.5～5.0である

原薬の吸湿性　吸湿性である．約60％RH(40℃)で，1日後には13％吸湿する

原薬の融点・沸点・凝固点　融点：166～171℃（分解）

原薬の酸塩基解離定数　pKa＝8.07(27℃)

先発医薬品等

注 アンチレクス静注10mg（杏林）

国際誕生年月　不明

海外での発売状況　カナダなど

製剤

規制区分　注 劇 処

製剤の性状　注 無色澄明の注射剤

有効期間又は使用期限　製造の翌月より5年

貯法・保存条件　遮光・室温保存

薬剤取扱い上の留意点　該当資料なし

溶液及び溶解時のpH　注 6.5～8.0

浸透圧比　注 約1（対生食）

調製時の注意　該当しない

薬理作用

分類　速効・一過性コリンエステラーゼ阻害剤（診断）

作用部位・作用機序　コリン作動性受容体でのアセチルコリンの蓄積を起こし，中枢神経系，末梢神経系を問わずコリン作動性受容体を過剰に刺激したのと同質の効果を強力に発揮する

同効薬　（治療薬として）ネオスチグミン，ピリドスチグミン，アンベノニウムなど

治療

効能・効果　重症筋無力症の診断，筋弛緩剤投与後の遷延性呼

吸抑制の作用機序の鑑別診断

用法・用量 ①重症筋無力症の診断：1回10mg静注．初めに2mgを15～30秒かけて注射し，45秒後に反応をみたうえで必要に応じて残りの8mgを注射 ②筋弛緩剤投与後の遷延性呼吸抑制の作用機序の鑑別診断：5～10mgを30～40秒かけて静注．筋弛緩状態が改善されれば非脱分極性ブロック，筋弛緩状態が増強されれば脱分極性ブロックと判定．必要があれば5～10分以内に同量を反復(適宜増減)

使用上の注意

禁忌 消化管又は尿路の器質的閉塞のある患者［症状を悪化させるおそれがある］

過量投与 ①ムスカリン作用(嘔気，嘔吐，下痢，発汗，気管支及び唾液分泌亢進，徐脈)が現れるので，このような場合はアトロピン硫酸塩水和物を投与する ②気管支分泌亢進により気道閉塞が起こることがあるので，このような場合は，吸引(特に気管切開を行った場合)及びアトロピン硫酸塩水和物を投与する ③エドロホニウム塩化物を過量投与した場合，十分な呼吸を維持し，心機能をモニターし，痙攣又はショックが起きた場合は適切な処置を行う

薬物動態

ラットに^{14}C-エドロホニウム塩化物4μmol/kg静注時の血中濃度は2相性に減少，第1相半減期8.3分．6時間後で投与量の約5%が胆汁中に排泄，代謝物のほとんどが3-oxyglucuronideで，未変化体はほとんど検出されなかった

その他の管理的事項

投与期間制限 該当しない

保険給付上の注意 該当しない

資料

IF アンチレクス静注10mg 2016年4月改訂(第9版)

エナラプリルマレイン酸塩
エナラプリルマレイン酸塩錠
Enalapril Maleate

概要

薬効分類 214 血圧降下剤，217 血管拡張剤

構造式

H_3C, O, H, H, CH_3, N, H, O, N, CO_2H, H, ・, CO_2H, CO_2H

分子式 $C_{20}H_{28}N_2O_5 \cdot C_4H_4O_4$

分子量 492.52

ステム アンジオテンシン変換酵素(ACE)阻害薬：-pril

原薬の規制区分 該当しない

原薬の外観・性状 白色の結晶又は結晶性の粉末である．メタノールに溶けやすく，水又はエタノール(99.5)にやや溶けにくく，アセトニトリルに溶けにくい

原薬の吸湿性 吸湿性なし(25℃，相対温度75%，3カ月放置で重量増加を認めず)

原薬の融点・沸点・凝固点 融点：約145℃(分解)

原薬の酸塩基解離定数 $pKa_1 = 3.0$，$pKa_2 = 5.4$

先発医薬品等

錠 レニベース錠2.5・5・10(MSD)

後発医薬品

細 1%

錠 2.5mg・5mg・10mg

国際誕生年月 1984年3月

海外での発売状況 米，英，仏，独など

製剤

規制区分 細 錠 ㊙

製剤の性状 錠 うすい桃色の裸錠

有効期間又は使用期限 3年

貯法・保存条件 室温保存(開封後は防湿保存)

薬剤取扱い上の留意点 降圧作用に基づくめまい，ふらつきが現れることがあるので，高所作業，自動車の運転等危険を伴う機械を操作する際には注意させること．手術前24時間は投与しないことが望ましい

患者向け資料等 患者向医薬品ガイド，くすりのしおり

溶液及び溶解時のpH 該当しない

浸透圧比 該当しない

安定なpH域 該当しない

調製時の注意 該当しない

薬理作用

分類 持続性アンジオテンシン変換酵素阻害剤

作用部位・作用機序 ①高血圧に対する作用：経口吸収後ジアシド体(エナラプリラト)に加水分解され，このジアシド体がアンジオテンシン変換酵素を阻害し，生理的昇圧物質であるアンジオテンシンⅡの生成を抑制することによって降圧効果を発揮 ②慢性心不全に対する作用：活性体であるジアシド体がアンジオテンシンⅡの生成を抑制することによって末梢血管抵抗を減少させ後負荷を軽減する．更に，アルドステロンの分泌を抑制し，ナトリウム・水の体内貯留を減少することで前負荷をも軽減することによって心血行動態を改善すると考えられる．また，慢性心不全ラットでの長期投与試験により延命効果が認められている

同効薬 カプトプリル，アラセプリル，デラプリル塩酸塩，シラザプリル，リシノプリルなど

治療

効能・効果 ①本態性高血圧症，腎性高血圧症，腎血管性高血圧症，悪性高血圧 ②次の状態で，ジギタリス製剤，利尿剤等の基礎治療剤を投与しても十分な効果が認められない場合：慢性心不全(軽症～中等症)

効能・効果に関連する使用上の注意 効能②：①ジギタリス製剤，利尿剤等の基礎治療剤で十分な効果が認められない患者にのみ，追加投与する．なお，本剤の単独投与での有用性は確立されていない ②重症の慢性心不全に対する本剤の有用性は確立されていない．使用経験が少ない

用法・用量 効能①：(1)成人1日1回5～10mg(適宜増減)．ただし，慢性心不全にはジギタリス製剤，利尿剤等と併用する．また，腎性・腎血管性高血圧症又は悪性高血圧の患者，腎障害を伴う又は利尿剤投与中の慢性心不全患者では，2.5mgから開始することが望ましい (2)生後1カ月以上の小児には，1日1回0.08mg/kg(適宜増減) 効能②：ジギタリス製剤，利尿剤等と併用する．1日1回5～10mg(適宜増減)．但し，腎障害を伴う患者又は利尿剤投与中の患者では2.5mg(初回量)から開始することが望ましい

用法・用量に関連する使用上の注意 小児等に投与する場合，1日10mgを超えない

禁忌・原則禁忌となる特定患者集団 錠 妊婦又は妊娠している可能性のある婦人

使用上の注意

禁忌 ①本剤の成分に対し過敏症の既往歴のある患者 ②血管浮腫の既往歴のある患者(アンジオテンシン変換酵素阻害剤等の薬剤による血管浮腫，遺伝性血管浮腫，後天性血管浮腫，特発性血管浮腫等)［高度の呼吸困難を伴う血管浮腫を発現することがある］ ③デキストラン硫酸固定化セルロース，トリプトファン固定化ポリビニルアルコール又はポリエチレンテレフタレートを用いた吸着器によるアフェレーシスを施行中の患者 ④アクリロニトリルメタリルスルホン酸ナトリウム膜(AN69)を用いた血液透析施行中の患者 ⑤妊婦又は

妊娠している可能性のある婦人，⑥アリスキレンを投与中の糖尿病患者（ただし，他の降圧治療を行ってもなお血圧のコントロールが著しく不良の患者を除く）

過量投与 ①症状：主な症状は，過度の低血圧である ②処置：過度の低血圧に対しては，生理食塩液の静脈注射等適切な処置を行う．本剤の活性代謝物は，血液透析により血中から除去できる．ただし，アクリロニトリルメタリルスルホン酸ナトリウム膜（AN69）を用いた血液透析を行わない

薬物動態

血中濃度 ①単回投与：健康成人に5及び10mgを1回経口投与時，速やかに吸収され，活性体ジアシド体の血漿中濃度は投与約4時間でピークに達し，半減期は約14時間 ②反復投与：健康成人に5及び10mgを1日1回7日間連続経口投与時の血漿中濃度から，蓄積性は認められない **排泄** 健康成人に5及び10mgを1回経口投与時，主に尿中に排泄され，投与後48時間までの総エナラプリルマレイン酸塩（未変化エナラプリルマレイン酸塩＋ジアシド体）の尿中排泄率は約52及び64%

特定の背景を有する患者 ①慢性腎不全患者：腎機能正常な本態性高血圧症患者及び慢性腎不全を伴う本態性高血圧症患者に10mgを1回経口投与時，慢性腎不全患者の血漿中濃度は，腎機能正常患者に比べ半減期の延長，最高血中濃度と血中濃度曲線下面積の増大が認められる ②小児：生後2カ月～15歳の小児高血圧症患者に，6歳未満：0.15mg/kg，6歳以上で体重28kg未満：2.5mg，6歳以上で体重28kg以上：5mg，12歳以上：5mgを1日1回7日間反復経口投与した試験で，活性体ジアシド体のAUC_{0-24hr}及びCmaxは年齢によらず同程度．体重あたりの用量に換算したAUC_{0-24hr}及びCmaxは年齢に伴って増加したが，体表面積あたりの用量に換算したAUC_{0-24hr}及びCmaxに増加は認められなかった．定常状態で活性体ジアシド体の半減期は14時間（外国人データ）

その他の管理的事項

投与期間制限 該当しない

保険給付上の注意 該当しない

資料

IF レニベース錠2.5・5・10 2020年9月改訂（第19版）

エノキサシン水和物
Enoxacin Hydrate

概要

薬効分類 624 合成抗菌剤

構造式

分子式 $C_{15}H_{17}FN_4O_3 \cdot 1\frac{1}{2}H_2O$

分子量 347.34

原薬の規制区分 該当しない

原薬の外観・性状 白色～微黄褐色の結晶又は結晶性の粉末である．酢酸(100)に溶けやすく，メタノールに溶けにくく，クロロホルムに極めて溶けにくく，水，エタノール(95)又はジエチルエーテルにほとんど溶けない．希水酸化ナトリウム試液に溶ける．光によって徐々に着色する

原薬の融点・沸点・凝固点 融点：225～229℃（乾燥後）

エバスチン
エバスチン錠
エバスチン口腔内崩壊錠
Ebastine

概要

薬効分類 449 その他のアレルギー用薬

構造式

分子式 $C_{32}H_{39}NO_2$

分子量 469.66

ステム 抗ヒスタミン薬：-astine

原薬の規制区分 該当しない

原薬の外観・性状 白色の結晶又は結晶性の粉末である．酢酸(100)に溶けやすく，メタノールにやや溶けやすく，エタノール(95)にやや溶けにくく，水にほとんど溶けない．光によって徐々に帯黄白色となる

原薬の吸湿性 吸湿性なし（25℃，23～98%RH，4週間）

原薬の融点・沸点・凝固点 融点：84～87℃

原薬の酸塩基解離定数 pKa＝8.78（中和滴定法）

先発医薬品等

錠 エバステル錠5mg・10mg（大日本住友＝MeijiSeika）
エバステルOD錠5mg・10mg（大日本住友＝MeijiSeika）

後発医薬品

錠 5mg・10mg・OD錠5mg・10mg

国際誕生年月 1996年1月

海外での発売状況 仏，独を含む50カ国

製剤

製剤の性状 5mg錠 白色のフィルムコート錠 10mg錠 白色の割線入りフィルムコート錠 5mg口腔内崩壊錠 うすい紅色の素錠 10mg口腔内崩壊錠 白色の割線入り素錠

有効期間又は使用期限 3年

貯法・保存条件 錠 気密容器，室温保存 口腔内崩壊錠 気密容器，遮光・室温保存

薬剤取扱い上の留意点 眠気を催すことがあるので，本剤投与中の患者には自動車の運転等危険を伴う機械の操作に注意させること

患者向け資料等 くすりのしおり

溶液及び溶解時のpH 該当しない

浸透圧比 該当しない

安定なpH域 該当しない

調製時の注意 該当しない

薬理作用

分類 持続性選択H_1受容体拮抗剤

作用部位・作用機序 アレルギー反応に対する抑制作用は，主代謝物であるカレバスチンによる末梢性のヒスタミンH_1受容体拮抗作用を主体とする．また，高濃度でヒスタミン遊離抑制作用も認められる（*in vitro*）

同効薬 ケトチフェンフマル酸塩，アゼラスチン塩酸塩，オキサトミド，セチリジン塩酸塩，フェキソフェナジン塩酸塩，オロパタジン塩酸塩，ベポタスチンベシル酸塩，ロラタジンなど

治療

効能・効果 蕁麻疹，湿疹・皮膚炎，痒疹，皮膚そう痒症，アレルギー性鼻炎

用法・用量 1日1回5～10mg（適宜増減）

使用上の注意

禁忌 本剤の成分に対し過敏症の既往歴のある患者

相互作用概要 主としてCYP2J2及びCYP3A4で代謝される

薬物動態

血漿中濃度 経口投与後，初回通過効果を強く受け，ほとんどがカレバスチンに代謝される．健康成人に普通錠5，10，20，40mg(20，40mgは承認範囲外用量)を空腹時1回経口投与後，未変化体であるエバスチンは，40mg投与1時間後にのみ14ng/mLが検出された．5mg，10mg普通錠及びOD錠5mg，OD錠10mg(口腔内崩壊錠)のクロスオーバー法による同等性試験における薬物動態パタメータ(普通錠5mg(47例．水で服用)，普通錠10mg(48例．水で服用)，OD錠10mg(24例．水で服用)，OD錠10mg(24例．水なしで服用)の順)は，Tmax(hr) 4.9±1.2，5.2±1.1，4.9±1.0，5.3±1.3，Cmax(ng/mL) 55.6±13.1，93.7±20.0，103.9±21.1，97.7±26.5，$T_{1/2}$(hr)18.3±2.7，18.5±2.6，18.8±3.0，17.6±1.7，$AUC_{0\text{-}72}$(ng・hr/mL)1405±330，2492±571，2817±639，2630±632で，それぞれ生物学的に同等であることが確認されている(健康成人，空腹時1回投与，測定対象：活性代謝物カレバスチン) **吸収率(参考)** 約90%(ラット) **血漿・血清蛋白結合率(*in vitro*)** 未変化体99.9%以上(ヒト血清，平衡透析法)，カレバスチン97.4～97.7%(ヒト血漿，限外ろ過法) **主な代謝産物，代謝経路及び代謝酵素** ①主な代謝産物：カレバスチン(活性あり) ②代謝経路(外国人)：tert-ブチル基の逐次酸化でカルボン酸体のカレバスチンに代謝され，さらに，フェニル基の4位の水酸化とそれに続く3位のメトキシ化，酸化的N-脱アルキル化，エーテル結合の切断及び抱合を受けることが認められている ③代謝酵素：カレバスチンへの代謝には主としてCYP2J2，CYP3Aが，また未変化体の酸化的N-脱アルキル化にはCYP3Aが関与する **排泄経路及び排泄率** ①排泄経路：尿中及び糞便中 ②排泄率：健康成人に1回経口投与後72時間までの未変化体及びカレバスチンの尿中排泄率は5mg投与で0.1%，1.7%，10mg投与で0%，1.8%．外国人にエバスチンmethoxy-^{14}C10mgを1回経口投与後，72時間までの尿中に63%，48時間までの糞中に16%が排泄 **相互作用** エリスロマイシン併用時の薬物動態：健康成人8例に10mgを1日1回14日間反復経口投与し，8日目からエリスロマイシン1200mg/日を併用時，7日目(単独投与最終日)と14日目(併用投与最終日)のカレバスチンのCmax(ng/mL)244±15，514±27，Tmax(hr)はともに5±1，$T_{1/2}$(hr)17.2±0.4，21.6±0.9，$AUC_{0\text{-}24}$(ng・hr/mL)は4092±181，9492±581

その他の管理的事項

投与期間制限 該当しない

保険給付上の注意 該当しない

資料

IF エバステル錠5mg・10mg・OD錠5mg・10mg 2018年1月改訂(第19版)

エパルレスタット
エパルレスタット錠
Epalrestat

概要

薬効分類 399 他に分類されない代謝性医薬品

構造式

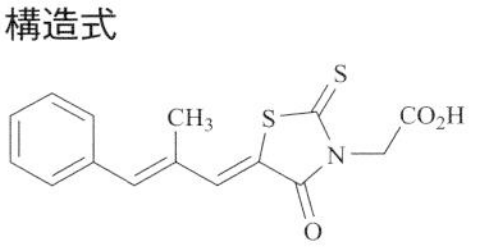

分子式 $C_{15}H_{13}NO_3S_2$

分子量 319.40

ステム 酵素阻害薬：-stat，アルドース還元酵素阻害薬：-restat

原薬の規制区分 該当しない

原薬の外観・性状 黄色～橙色の結晶又は結晶性の粉末である．*N*,*N*-ジメチルホルムアミドにやや溶けやすく，メタノール又はエタノール(99.5)に溶けにくく，水にほとんど溶けない．光により徐々に退色し，分解する．結晶多形が認められる

原薬の吸湿性 該当資料なし

原薬の融点・沸点・凝固点 融点：222～227℃

原薬の酸塩基解離定数 pKa＝4.3(カルボキシル基，中和滴定法)

先発医薬品等

錠 キネダック錠50mg(小野)

後発医薬品

錠 50mg

国際誕生年月 1992年1月

海外での発売状況 なし

製剤

規制区分 錠 ㊕

製剤の性状 錠 白色のフィルムコーティング錠

有効期間又は使用期限 3年

貯法・保存条件 気密容器，室温保存

薬剤取扱い上の留意点 該当しない

患者向け資料等 くすりのしおり

溶液及び溶解時のpH 該当しない

浸透圧比 該当しない

安定なpH域 該当しない

調製時の注意 該当しない

薬理作用

分類 アルドース還元酵素阻害剤

作用部位・作用機序 アルドース還元酵素を特異的に阻害し，神経内ソルビトールの蓄積を抑制することにより，糖尿病性末梢神経障害における自覚症状及び神経機能異常を改善

同効薬 なし

治療

効能・効果 糖尿病性末梢神経障害に伴う自覚症状(しびれ感，疼痛)，振動覚異常，心拍変動異常の改善(糖化ヘモグロビンが高値を示す場合)

用法・用量 1回50mg，1日3回食前(適宜増減)

薬物動態

健康成人に50mgを食前経口投与時血中濃度はTmax1.05±0.16hr，Cmax3896±1132ng/mL，AUC6435±1018ng・hr/mL，半減期1.844±0.387hr．4時間後0.37μg/mL．尿中主要代謝物はベンゼン環が水酸化を受けた一水酸化体及び二水酸化体の硫酸抱合体

その他の管理的事項

投与期間制限 該当しない

保険給付上の注意 錠 適応は，糖尿病性末梢神経障害に伴う自覚症状(しびれ感，疼痛)，振動覚異常，心拍変動異常の改善であるが，糖化ヘモグロビンが高値を示す場合に限定されること

資料

IF キネダック錠50mg 2013年11月改訂(第6版)

エピリゾール
Epirizole

概要

構造式

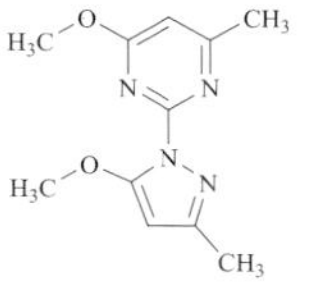

分子式 $C_{11}H_{14}N_4O_2$
分子量 234.25
原薬の規制区分 ㊜(ただし，1錠中エピリゾール100mg以下を含有するもの及び1包中エピリゾール150mg以下を含有するものを除く)
原薬の外観・性状 白色の結晶又は結晶性の粉末で，においはなく，味は苦い．メタノール又は酢酸(100)に極めて溶けやすく，エタノール(95)に溶けやすく，水又はジエチルエーテルにやや溶けにくい．希塩酸又は硫酸に溶ける．1.0gを水100mLに溶かした液のpHは6.0～7.0である
原薬の融点・沸点・凝固点 融点：88～91℃

治療

効能・効果† ①手術ならびに外傷後の消炎・鎮痛 ②次の疾患の消炎・鎮痛：腰痛症，頸肩腕症候群，関節症，神経痛，膀胱炎，子宮付属器炎，会陰裂傷，抜歯，智歯周囲炎，歯髄炎，関節リウマチ ③次の疾患の鎮痛：急性上気道炎

エピルビシン塩酸塩
Epirubicin Hydrochloride

概要

薬効分類 423 抗腫瘍性抗生物質製剤
構造式

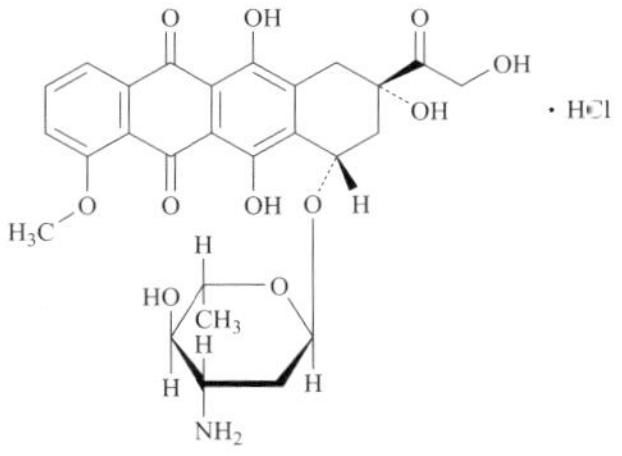

分子式 $C_{27}H_{29}NO_{11}$・HCl
分子量 579.98
ステム アントラサイクリン系抗悪性腫瘍剤：-rubicin
原薬の規制区分 ㊕(ただし，1バイアル中エピルビシンとして50mg力価以下を含有するものは㊜)
原薬の外観・性状 微帯黄赤色～帯褐赤色の粉末である．水又はメタノールにやや溶けやすく，エタノール(95)に溶けにくく，アセトニトリルにほとんど溶けない．10mgを水2mLに溶かした液のpHは4.0～5.5である
原薬の吸湿性 吸湿性である．20℃，52.0%RH及び20℃，72.6%RHに放置したとき，7日間で9.1%及び14.7%の重量増加を認め，吸湿性を示した
原薬の融点・沸点・凝固点 融点：148±7℃
原薬の酸塩基解離定数 pKa＝7.77(23℃，電位差滴定法)
先発医薬品等
注 ファルモルビシンRTU注射液10mg・50mg(ファイザー)
注射用 ファルモルビシン注射用10mg・50mg(ファイザー)
後発医薬品
注 10mg・50mg
注射用 10mg・50mg
国際誕生年月 1982年6月
海外での発売状況 英，仏，独を含む80カ国以上

製剤

規制区分 **注** **注射用** ㊜ ㊇
製剤の性状 **注** 赤色澄明の水性注射液 **注射用** 帯黄赤色～赤色の多孔性の固体及び粉末である
有効期間又は使用期限 **注** 2年 **注射用** 3年
貯法・保存条件 **注** 2～8℃ **注射用** 室温保存
患者向け資料等 **注射用** 患者向医薬品ガイド
溶液及び溶解時のpH **注** 2.5～3.5 **注射用** 4.5～6.0
浸透圧比 **注** 約1(対生食) **注射用** 約0.1(2mg/mL注射用水溶解時)，約1(2mg/mL生食溶解時)
調製時の注意 本剤が眼や皮膚に付着した場合には直ちに水で洗浄し，適切な処置を行うこと **注射用** 静脈内注射及び動脈内注射：注射用水に溶解する 膀胱腔内注入：生食に溶解する

薬理作用

分類 アントラサイクリン系抗腫瘍性抗生物質
作用部位・作用機序 部位：腫瘍細胞 機序：腫瘍細胞のDNAとcomplexを形成することにより，DNA polymerase反応，RNA polymerase反応を阻害し，DNA，RNAの双方の生合成を抑制することによって，抗腫瘍効果を示す．また，細胞周期においては，S期及び初期G2期で，最大の致死作用を発揮する
同効薬 ドキソルビシン塩酸塩などのアントラサイクリン抗腫瘍性抗生物質

治療

効能・効果 ①次の疾患の自覚的ならびに他覚的症状の緩解：急性白血病，悪性リンパ腫，乳癌，卵巣癌，胃癌，肝癌，尿路上皮癌(膀胱癌，腎盂・尿管腫瘍) ②次の悪性腫瘍に対する他の抗悪性腫瘍剤との併用療法：乳癌(手術可能例における術前，あるいは術後化学療法)
用法・用量 効能①：注はそのまま，注射用は次の(1)～(4)の場合約20mLの注射用水，(5)の場合30mLの生理食塩液で溶かして，次の1クールを反復する(適宜増減) (1)急性白血病：15mg(力価)/m^{2}を1日1回5～7日間連日静注し3週間休薬．必要に応じて2～3クール (2)悪性リンパ腫：40～60mg(力価)/m^{2}を1日1回静注し3～4週休薬．3～4クール (3)乳癌，卵巣癌，胃癌，尿路上皮癌(膀胱癌，腎盂・尿管腫瘍)：60mg(力価)/m^{2}を1日1回静注し3～4週休薬．3～4クール (4)肝癌：60mg(力価)/m^{2}を肝動脈内に挿入されたカテーテルから，1日1回肝動脈内に投与し3～4週休薬．3～4クール (5)膀胱癌(表在性膀胱癌に限る)：60mg(力価)を1日1回3日間連日膀胱腔内に注入し4日間休薬．2～4クール．注入に際しては，ネラトンカテーテルで導尿し十分に膀胱腔内を空にした後，同カテーテルから溶液を注入し，1～2時間膀胱腔内に把持 効能②：注はそのまま，注射用は約20mLの注射用水で溶かして，次の1クールを反復する(適宜減量) (1)シクロホスファミドとの併用において，100mg(力価)/m^{2}を1日1回静注し，20日間休薬．4～6クール (2)シクロホスファミド，フルオロウラシルとの併用において，100mg(力価)/m^{2}を1日1回静注し，20日間休薬．4～6クール 〔肝癌に対する肝動脈化学塞栓療法(TACE)の場合〕**注射用** 10mg(力価)に対し，ヨード化ケシ油脂肪酸エチルエステルを0.5～2mLの割合で加え，肝動脈内に挿入されたカテーテルより肝動脈内に投与．投与量は，1日60mg(力価)/m^2(体表面積)とする(適宜増減)．腫瘍血管に乳濁液が充満した時点で終了する
用法・用量に関連する使用上の注意 **注射用** 肝癌に対する肝動脈化学塞栓療法(TACE)の場合：①再投与を行う場合には，肝機能の回復状況等の患者の状態に応じて適切な投与間隔を

設定する　②X線透視下に乳濁液を緩徐に投与する

使用上の注意

> **警告**　本剤を含むがん化学療法は，緊急時に十分対応できる医療施設において，がん化学療法に十分な知識・経験をもつ医師のもとで，本療法が適切と判断される症例についてのみ実施する．適応患者の選択にあたっては，各併用薬剤の添付文書を参照して十分注意する．また，治療開始に先立ち，患者又はその家族に有効性及び危険性を十分説明し，同意を得てから投与する

禁忌　①心機能異常又はその既往歴のある患者［心筋障害が現れるおそれがある］　②本剤に対し重篤な過敏症の既往歴のある患者　③他のアントラサイクリン系薬剤等，心毒性を有する薬剤による前治療が限界量（ドキソルビシン塩酸塩では総投与量が体表面積あたり500mg/m^2，ダウノルビシン塩酸塩では総投与量が体重あたり25mg/kg等）に達している患者［うっ血性心不全が現れるおそれがある］　④**注射用** 肝癌に対する肝動脈化学塞栓療法（TACE）の場合：(1)ヨード系薬剤に対し過敏症の既往歴のある患者　(2)重篤な甲状腺疾患のある患者［乳濁液はヨード化合物を含むため，ヨード摂取量の増加により甲状腺障害を増悪させるおそれがある］

薬物動態

血中濃度　癌患者に40～100mg/m^2静注時の血漿中濃度（HPLC法による）は急速に減少，1時間後にいずれも約0.1μg/mL，以後緩徐に減少，24時間後約0.01μg/mL　**代謝**　尿中及び血中代謝物は，還元代謝物（エピルビシノール），グルクロン酸抱合体　**排泄**　48時間までの尿中排泄率10.7%

その他の管理的事項

投与期間制限　該当しない
保険給付上の注意　該当しない

資料

IF　ファルモルビシン注射用10mg・50mg・ファルモルビシンRTU注射液10mg・50mg　2018年10月改訂（第11版）

エフェドリン塩酸塩
エフェドリン塩酸塩錠
エフェドリン塩酸塩散10%
エフェドリン塩酸塩注射液
Ephedrine Hydrochloride

概要

薬効分類　211　強心剤，222　鎮咳剤
構造式

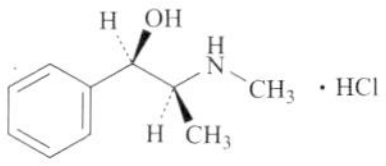

分子式　$C_{10}H_{15}NO \cdot HCl$
分子量　201.69
ステム　交感神経様作用薬：-drine
原薬の規制区分　[劇]（ただし，注射剤以外の製剤であって1個中エフェドリンとして25mg以下を含有するもの，1日量中エフェドリンとして50mg以下を含有するシロップ剤又はエリキシル剤及びエフェドリンとして1%以下を含有する外用剤を除く），[覚原]（ただし，10%以下を含有するものを除く）
原薬の外観・性状　白色の結晶又は結晶性の粉末である．水に溶けやすく，エタノール（95）にやや溶けやすく，酢酸（100）に溶けにくく，アセトニトリル又は無水酢酸にほとんど溶けない．1.0gを水20mLに溶かした液のpHは4.5～6.5である
原薬の吸湿性　該当資料なし
原薬の融点・沸点・凝固点　融点：218～222℃
原薬の酸塩基解離定数　pKa＝9.6（25℃）
先発医薬品等
[錠] エフェドリン「ナガヰ」錠25mg（日医工）
[注] エフェドリン「ナガヰ」注射液40mg（日医工）
国際誕生年月　該当資料なし
海外での発売状況　米，英，仏など

製剤

規制区分　[注] [劇] [処]
製剤の性状　[錠] 片面に割線を有する白色の素錠　[注] 無色澄明の液
有効期間又は使用期限　3年
貯法・保存条件　[錠] 室温保存　[注] 遮光・室温保存
薬剤取扱い上の留意点　特になし
患者向け資料等　くすりのしおり
溶液及び溶解時のpH　[注] 4.5～6.5
浸透圧比　[注] 約1.3（対生食）
安定なpH域　該当資料なし
調製時の注意　該当しない

薬理作用

分類　カテコールアミン系気管支拡張・鎮咳・昇圧剤
作用部位・作用機序　部位：交感神経α，β両受容体，交感神経節後神経終末　機序：交感神経末梢（α，β両受容体）に対する直接作用及び交感神経節後神経からノルアドレナリンを遊離させる間接作用の両者によると考えられる
同効薬　メチルエフェドリン塩酸塩　など

治療

効能・効果　①次の疾患に伴う咳嗽：気管支喘息，喘息性（様）気管支炎，感冒，急性気管支炎，慢性気管支炎，肺結核，上気道炎（咽喉頭炎，鼻カタル）　②鼻粘膜の充血・腫脹　③[注] 麻酔時の血圧降下
効能・効果に関連する使用上の注意　[注] 麻酔時の血圧降下に対する予防を目的とした投与は行わない（帝王切開時の本剤の予防投与により，母体の高血圧及び頻脈，胎児アシドーシスが発現したとの報告がある）
用法・用量　[錠] 1回12.5～25mg，1日1～3回（適宜増減）
[注] 1回25～40mg，皮下注．また，麻酔時の血圧降下には，1回4～8mgを静注することができる（適宜増減）
用法・用量に関連する使用上の注意　[注] ①静注する場合には，緩徐に投与する　（参考）日本麻酔科学会では次のような投与法が推奨されている：静注にあたっては，1アンプル（40mg/1mL）を9mLの生理食塩液と混合して計10mL（4mg/1mL）とし，1回1～2mL（4～8mg）を投与する．なお，年齢，症状により適宜増減する　②静注する場合には，血圧の異常上昇をきたさないよう慎重に投与する

使用上の注意

禁忌　カテコールアミン（アドレナリン，イソプロテレノール，ドパミン等）を投与中の患者
過量投与　[注] ①症状：頻脈，不整脈，血圧上昇，動悸，痙攣，昏睡，妄想，呼吸抑制等の症状が現れることがある　②処置：特異的解毒剤は知られていないので，心電図，呼吸及び血圧等の監視を行うとともに，対症療法及び維持療法等，適切な処置を行う

薬物動態

①[錠] (1)血漿中濃度：喘息患者（外国人），22mg単回経口投与時の血漿中濃度はTmax1.8時間，Cmax79.4ng/mL，$T_{1/2}$6.8時間　(2)排泄経路及び排泄率：排泄経路は主として尿中．健康成人に重水素標識*l*-エフェドリン塩酸塩49.5mg経口投与（承認範囲外用量）後24時間の尿中排泄率87.5%（エフェドリン77.2%，ノルエフェドリン4.0%，馬尿酸6.3%）　②[注] 25mg（遊離塩基換算）静注した1例で，未変化体エフェドリンの尿中（pH4.5～5.5）排泄速度において，明確な2相性の減少（外国人）

その他の管理的事項
投与期間制限 該当しない
保険給付上の注意 該当しない
資料
IF エフェドリン「ナガヰ」錠25mg 2019年1月改訂(第3版)
エフェドリン「ナガヰ」注射液40mg 2018年12月改訂(第3版)

エプレレノン
エプレレノン錠
Eplerenone

概要
薬効分類 214 血圧降下剤
構造式

分子式 $C_{24}H_{30}O_6$
分子量 414.49
原薬の規制区分 該当しない
原薬の外観・性状 白色の結晶性の粉末である．アセトニトリルに溶けやすく，メタノールにやや溶けにくく，水又はエタノール(99.5)に極めて溶けにくい．結晶多形が認められる
原薬の吸湿性 吸湿性はない
原薬の融点・沸点・凝固点 融解範囲：220〜225℃(分解)
原薬の酸塩基解離定数 分子中にイオン化する基を持たない
先発医薬品等
錠 セララ錠25mg・50mg・100mg(ファイザー)
国際誕生年月 2002年9月
海外での発売状況 米，欧州を含む60カ国以上(承認)
製剤
規制区分 錠 ㊇
製剤の性状 25mg錠 黄色のフィルムコート錠 50mg錠 淡赤色のフィルムコート錠 75mg錠 赤色のフィルムコート錠
有効期間又は使用期限 3年
貯法・保存条件 室温保存
薬剤取扱い上の留意点 降圧作用に基づくめまい等が現れることがあるので，高所作業，自動車の運転等危険を伴う機械を操作する際には注意させること
患者向け資料等 くすりのしおり
調製時の注意 該当しない
薬理作用
分類 選択的アルドステロン阻害剤
作用部位・作用機序 細胞内に存在する鉱質コルチコイド受容体(MR)に選択的に結合し，レニン-アンジオテンシン-アルドステロン系(RAAS)の最終産物であるアルドステロンのMRに対する結合を競合阻害する．アルドステロンは腎尿細管上皮細胞並びに心臓，血管及び脳などの非上皮組織に発現しているMRに結合し，ナトリウム再吸収及びその他の機序を介して血圧上昇させ，左室リモデリング，左室肥大や心血管系の損傷を引き起こす．これらのアルドステロンの作用を阻害することで降圧作用及び抗心不全作用を発揮するものと考えられる．レニン分泌へのアルドステロンによるネガティブフィードバックを抑制するため，血漿中レニン活性及び血清中アルドステロン濃度を持続的に上昇させるが，これらの上昇はエプレレノンの作用を減弱しない
同効薬 カンデサルタン シレキセチル，エナラプリルマレイン酸塩，スピロノラクトンなど
治療
効能・効果 ①25mg・50mg・100mg錠 高血圧症 ②25mg・50mg錠 次の状態で，アンジオテンシン変換酵素阻害薬又はアンジオテンシンII受容体拮抗薬，β遮断薬，利尿薬等の基礎治療を受けている患者：慢性心不全
用法・用量 効能①：1日1回50mgから開始し，効果不十分な場合は100mgまで増量することができる 効能②：1日1回25mgから開始し，血清カリウム値，患者の状態に応じて，投与開始から4週間以降を目安に1日1回50mgへ増量．ただし，中等度の腎機能障害のある患者では，1日1回隔日25mgから開始し，最大用量は1日1回25mg．なお，血清カリウム値，患者の状態に応じて適宜減量又は中断する
用法・用量に関連する使用上の注意 ①効能共通：CYP3A4阻害薬と併用する場合には本剤の投与量は1日1回25mgを超えない ②(効能①)：投与中に血清カリウム値が5.0mEq/Lを超えた場合には減量を考慮し，5.5mEq/Lを超えた場合は減量ないし中止し，6.0mEq/L以上の場合にはただちに中止する ③(効能②)：(1)中等度の腎機能障害(クレアチニンクリアランス30mL/分以上50mL/分未満)のある患者においては，1日1回隔日25mgから開始し，血清カリウム値，患者の状態に応じて，投与開始から4週間以降を目安に1日1回25mgへ増量する．なお，最大用量は1日1回25mgとする (2)定期的に血清カリウム測定を行い，次に従って用法・用量を調節する〔血清カリウム値(mEq/L)→用法・用量調節〕：(ア)5.0未満→50mg1日1回の場合：維持，25mg1日1回の場合：50mg1日1回に増量，25mg隔日の場合：25mg1日1回に増量 (イ)5.0〜5.4→維持 (ウ)5.5〜5.9→50mg1日1回の場合：25mg1日1回に減量，25mg1日1回の場合：25mg隔日に減量，25mg隔日の場合：中断 (エ)6.0以上→中断．中断後，血清カリウム値が5.0未満に下がった場合は，25mg隔日にて再開することができる
使用上の注意
禁忌 ①本剤の成分に対し過敏症の既往歴のある患者 ②高カリウム血症の患者もしくは本剤投与開始時に血清カリウム値が5.0mEq/Lを超えている患者［高カリウム血症を増悪させるおそれがある］ ③重度の腎機能障害(クレアチニンクリアランス30mL/分未満)のある患者 ④重度の肝機能障害(Child-Pugh分類クラスCの肝硬変に相当)のある患者 ⑤カリウム保持性利尿薬を投与中の患者 ⑥イトラコナゾール，リトナビル及びネルフィナビルを投与中の患者 ⑦(高血圧症)微量アルブミン尿又は蛋白尿を伴う糖尿病患者［高カリウム血症を誘発させるおそれがある］ ⑧(高血圧症)中等度以上の腎機能障害(クレアチニンクリアランス50mL/分未満)のある患者 ⑨(高血圧症)カリウム製剤を投与中の患者
相互作用概要 主としてCYP3A4で代謝される
薬物動態
血中濃度 ①単回投与：欧米人健康成人男性に単回経口投与時，約1.5時間後に平均最高血漿中濃度(Cmax)．25〜100mgまでの用量ではCmax及び血漿中濃度曲線下面積(AUC)はともに用量に比例して増加 ②反復投与：欧米人健康成人男性に1日1回反復経口投与時，2日以内に定常状態．反復投与後のエプレレノン血漿中濃度に蓄積性は認められなかった．日本人健康成人男性に100mg反復投与後のCmax，$AUC_{0\text{-}24}$，tmax及び$t_{1/2}$はそれぞれ1.78±0.34μg/mL，12.3±3.7μg・h/mL，1.46±0.84h及び5.00±1.74h，欧米人に100mg反復投与時の値に類似 ③バイオアベイラビリティ：経口投与時のバイオアベイラビリティは69%(外国人データ) **吸収** 食事の影響：高脂肪含有食摂取の欧米人健康成人における2種の試験で，100mg単回投与後のCmax及びAUCの平均値は空腹

時と比較してそれぞれCmax0.8及び1.0倍，AUC1.1及び1.0倍 **分布** ヒト血漿を用いた*in vitro*蛋白結合試験で，^{14}C-エプレレノンの平均蛋白結合率は0.02～60μg/mLの濃度範囲にて60.6％以下と低値．エプレレノンの結合蛋白質は血清アルブミン及びα_1-酸性糖蛋白質で，それぞれの平均蛋白結合率は11.5％及び53.7％以下．エプレレノンと血球との特異的な結合は認められなかった．Long-Evans系雄性ラットに^{14}C-エプレレノンを20mg/kgで単回経口投与後，消化管を除いた組織において組織内放射能濃度が高値を示した組織は肝臓，膵臓及び腎臓．組織内放射能濃度が低値を示した組織は眼（水晶体以外），脳及び脊髄．白色及び有色皮膚における組織内放射能濃度は同様な値を示したが，有色皮膚中放射能の消失半減期は白色皮膚中の消失半減期よりも高値を示した **代謝** 主としてCYP3A4にて代謝される．*In vitro*試験でエプレレノンはCYP1A2，CYP3A4，CYP2C19，CYP2C9及びCYP2D6活性を阻害しなかった．臨床投与量でヒト血漿中には抗アルドステロン作用を示す代謝物は認められなかった．^{14}C-エプレレノン単回経口投与後，糞中及び尿中にそれぞれ投与した放射能の32％及び67％が排泄．また未変化体として糞中及び尿中に投与量の2.5％が回収された．エプレレノンはP-糖蛋白の基質ではなく，阻害作用も認められなかった（外国人データ） **特定の背景を有する患者** ①腎機能障害患者：重度腎機能障害患者に100mgを反復投与時，定常状態で$AUC_{0\text{-}24}$及びCmaxは健康成人と比較してそれぞれ32％及び19％高値を示したが，有意な差ではなかった．反復投与後の血漿クリアランスとクレアチニンクリアランスに相関性は認められなかった．これらの患者において反復投与によるクレアチニンクリアランスの減少は認められなかった．エプレレノンは血液透析では除去されなかった（外国人データ） ②肝機能障害患者：中等度の肝機能障害患者で400mg*）を反復投与時，定常状態においてエプレレノンの$AUC_{0\text{-}24}$は健康成人と比較して42％高値．重度の肝機能障害患者における試験は行われていない（外国人データ） ＊）本剤の国内承認用量は高血圧症では1日1回50～100mg，慢性心不全では1日1回25～50mg ③高齢者：100mgを反復投与時，非高齢者（18～45歳）に比べて高齢者（65歳以上）の定常状態におけるエプレレノンのCmax及び$AUC_{0\text{-}24}$はそれぞれ22％及び45％高値（外国人データ） ④慢性心不全患者：心不全患者（NYHA心機能分類Ⅱ～Ⅳ）に50mgを反復投与時の定常状態でのAUC及びCmaxは，年齢，体重，性別を一致させた健康被験者と比較してそれぞれ38％及び30％高値（外国人データ） **薬物相互作用** ①ケトコナゾール（強力なCYP3A4阻害薬）：エプレレノン100mg及びケトコナゾール（経口剤は国内未承認）200mg（1日2回）を併用投与時，エプレレノンのCmax及び$AUC_{0\text{-}\infty}$はそれぞれ1.7倍及び5.4倍増加（外国人データ） ②エリスロマイシン，ベラパミル塩酸塩，サキナビル，フルコナゾール及びクラリスロマイシン（CYP3A4阻害薬）：エリスロマイシン500mg（1日2回），ベラパミル塩酸塩240mg（1日1回），サキナビル1200mg（1日3回），フルコナゾール200mg（1日1回）及びクラリスロマイシン500mg（1日2回）とエプレレノン100mgを併用投与時，エプレレノンのCmaxは1.3～1.6倍，AUCは2.0～3.3倍に増加（外国人データ） ③グレープフルーツジュース：グレープフルーツジュースの摂取によりエプレレノン100mgを投与後のエプレレノンの$AUC_{0\text{-}\infty}$及びCmaxはそれぞれ1.2倍及び1.3倍増加（外国人データ） ④セイヨウオトギリソウ（St. John's Wort，セント・ジョーンズ・ワート）：エプレレノン100mg及びセイヨウオトギリソウ300mg（1日3回）を併用投与時，エプレレノンの$AUC_{0\text{-}\infty}$及びCmaxはそれぞれ0.7倍及び0.8倍減少（外国人データ）

その他の管理的事項

投与期間制限 該当しない

保険給付上の注意 該当しない

資料

IF セララ錠25mg・50mg・100mg 2020年7月改訂（第12版）

エペリゾン塩酸塩
Eperisone Hydrochloride

概要

薬効分類 124 鎮けい剤

構造式

・HCl

及び鏡像異性体

分子式 $C_{17}H_{25}NO \cdot HCl$

分子量 295.85

ステム 不明

原薬の規制区分 劇（ただし，1個中エペリゾンとして50mg以下を含有する内用剤及びエペリゾンとして10％以下を含有する顆粒剤を除く）

原薬の外観・性状 白色の結晶性の粉末である．水，メタノール又は酢酸（100）に溶けやすく，エタノール（99.5）にやや溶けやすい．本品のメタノール溶液（1→100）は旋光性を示さない

原薬の吸湿性 吸湿性なし

原薬の融点・沸点・凝固点 融点：約167℃（分解）

原薬の酸塩基解離定数 pKa＝8.91（電位差滴定法）

先発医薬品等

顆 ミオナール顆粒10％（エーザイ）

錠 ミオナール錠50mg（エーザイ）

後発医薬品

錠 50mg

国際誕生年月 該当しない

海外での発売状況 中国，韓国など（承認）

製剤

規制区分 **顆** **錠** 処

製剤の性状 **顆** 白色～帯黄白色．僅かに特異な臭いあり．剤皮を施している **錠** 白色の糖衣錠

有効期間又は使用期限 3年

貯法・保存条件 **顆** 室温保存（開栓後は防湿保存） **錠** 室温保存（PTP包装は外箱開封後遮光保存．バラ包装は開栓後防湿・遮光保存）

薬剤取扱い上の留意点 本剤投与中に脱力感，ふらつき，眠気等が発現することがあるので，その場合には減量又は休薬すること．なお，本剤投与中の患者には自動車の運転など危険を伴う機械の操作には従事させないように注意すること

患者向け資料等 くすりのしおり

溶液及び溶解時のpH 該当しない

浸透圧比 該当しない

安定なpH域 該当しない

調製時の注意 該当しない

薬理作用

分類 中枢性筋弛緩剤

作用部位・作用機序 部位：主に脊髄レベルであるが，脊髄より上位の中枢にも作用する．神経筋接合部に対する作用は弱い 機序：脊髄反射及びγ-運動ニューロン自発発射を抑制し，筋緊張緩和作用を発揮する

同効薬 アフロクアロン，チザニジン塩酸塩，トルペリゾン塩酸塩，クロルフェネシンカルバミン酸エステル，ダントロレンナトリウム，バクロフェン

治療

効能・効果 ①次の疾患による筋緊張状態の改善：頸肩腕症候群，肩関節周囲炎，腰痛症 ②次の疾患による痙性麻痺：脳血管障害，痙性脊髄麻痺，頸部脊椎症，術後後遺症（脳・脊髄腫瘍を含む），外傷後遺症（脊髄損傷，頭部外傷），筋萎縮性側索硬化症，脳性小児麻痺，脊髄小脳変性症，脊髄血管障害，スモン（SMON），その他の脳脊髄疾患

用法・用量　エペリゾン塩酸塩として1日150mg，食後3回に分服（適宜増減）

使用上の注意

禁忌　本剤の成分に対し過敏症の既往歴のある患者

薬物動態

血中濃度　健康成人男子8名に1日1回150mg（150mg単回経口投与は承認外用量）14日間反復経口投与時，1日，8日及び14日目の血漿中濃度は，最高1.6～1.9時間後7.5～7.9ng/mL，半減期1.6～1.8時間，血漿中濃度曲線下面積19.7～21.1ng・hr/mL．初回投与時に比べ8日及び14日でも有意な変動を認めなかった

その他の管理的事項

投与期間制限　該当しない

保険給付上の注意　該当しない

資料

IF　ミオナール顆粒10%・錠50mg　2015年12月改訂（第8版）

エポエチン　アルファ（遺伝子組換え）
Epoetin Alfa (Genetical Recombination)

概要

薬効分類　399　他に分類されない代謝性医薬品

構造式

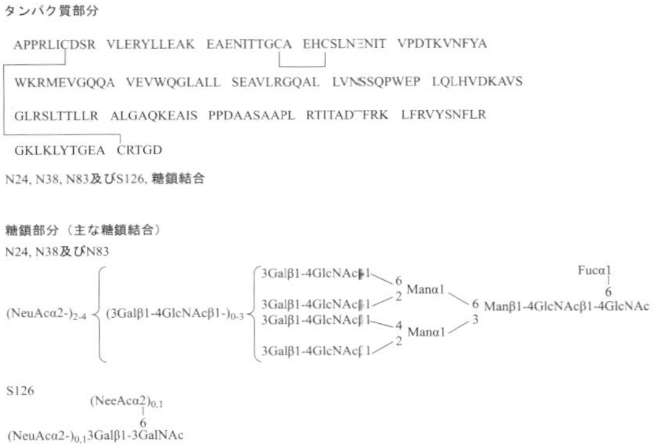
タンパク質部分
APPRLICDSR VLERYLLEAK EAENITTGCA EHCSLNENIT VPDTKVNFYA
WKRMEVGQQA VEVWQGLALL SEAVLRGQAL LVNSSQPWEP LQLHVDKAVS
GLRSLTTLLR ALGAQKEAIS PPDAASAAPL RTITADTFRK LFRVYSNFLR
GKLKLYTGEA CRTGD
N24, N38, N83及びS126, 糖鎖結合
糖鎖部分（主な糖鎖結合）
N24, N38及びN83
(NeuAcα2-)2-4
(3Galβ1-4GlcNAcβ1-)0-3
3Galβ1-4GlcNAcβ1
3Galβ1-4GlcNAcβ1
3Galβ1-4GlcNAcβ1
3Galβ1-4GlcNAcβ1
Manα1
Manα1
Manβ1-4GlcNAcβ1-4GlcNAc
Fucα1
S126
(NeeAcα2)0,1
(NeuAcα2-)0,13Galβ1-3GalNAc

分子式　$C_{809}H_{1301}N_{229}O_{240}S_5$（タンパク質部分）

分子量　18235.70（タンパク質部分）

ステム　エリスロポエチン類：-poetin

原薬の規制区分　[劇]

原薬の外観・性状　無色澄明の液である．pH：5.7～6.7

原薬の吸湿性　該当しない

原薬の酸塩基解離定数　該当資料なし

先発医薬品等

[注] エスポー注射液750（協和キリン）

[キット] エスポー皮下用24000シリンジ（協和キリン）

後発医薬品

[キット] 750国際単位・1,500国際単位・3,000国際単位

国際誕生年月　1988年7月

海外での発売状況　米など

製剤

規制区分　[注] [皮下注] [生物] [劇] [処]

製剤の性状　[注] [皮下注] 無色澄明の液である

有効期間又は使用期限　2年

貯法・保存条件　凍結を避け，遮光下10℃以下に保存

患者向け資料等　くすりのしおり

溶液及び溶解時のpH　[注] [キット] 5.5～6.5

浸透圧比　[注] [キット] 約1（対生食）

調製時の注意　本剤を投与する場合，他剤との混注を行わないこと

薬理作用

分類　遺伝子組換えヒトエリスロポエチン製剤

作用部位・作用機序　部位：赤血球前駆細胞の主として，後期赤芽球前駆細胞　機序：後期赤芽球前駆細胞を成熟赤血球へ分化・増殖させ赤血球産生を促進する

同効薬　エポエチン ベータ（遺伝子組換え），エポエチン カッパ（遺伝子組換え）〔エポエチン アルファ後続1〕，ダルベポエチン アルファ（遺伝子組換え），エポエチン ベータ ペゴル（遺伝子組換え）

治療

効能・効果　[エスポー注射液] [BS] ①透析施行中の腎性貧血　②未熟児貧血

[エスポー皮下用] ①腎性貧血　②貯血量が800mL以上で1週間以上の貯血期間を予定する手術施行患者の自己血貯血

効能・効果に関連する使用上の注意　[エスポー注射液] [BS] 効能①：(1)投与は貧血症に伴う日常生活活動の支障が認められる患者に限定する．なお，投与対象はヘモグロビン濃度で10g/dL（ヘマトクリット値で30%）未満を目安とする　(2)投与に際しては，腎性貧血であることを確認し，他の貧血症（失血性貧血，汎血球減少症，アルミニウム蓄積症等）には投与しない　効能②：投与は未熟児貧血に限定する．なお，投与対象はヘモグロビン濃度で12g/dL（ヘマトクリット値で36%）未満を目安とする．また，未熟児貧血におけるヘモグロビン濃度の低下は急速であるため，，未熟児貧血発症早期より本剤を投与することが望ましい

[エスポー皮下用] 効能①：投与対象は，貧血症に伴う日常生活活動の支障が認められる透析導入前の腎性貧血患者（血清クレアチニン濃度で2mg/dL以上，あるいはクレアチニンクリアランスが30mL/min以下）及び連続携行式腹膜灌流（CAPD）施行中の腎性貧血患者とする．なお，投与の目安はヘモグロビン濃度で10g/dL（ヘマトクリット値で30%）未満とする　効能②：投与は手術施行予定患者の中で貯血式自己血輸血施行例を対象とする．なお，骨髄機能障害を伴う疾患における自己血貯血の場合には，本剤の効果及び安全性が確認されていないため投与しない

用法・用量　[エスポー注射液] [BS] 効能①：投与初期1回3000IU週3回，できるだけ緩徐に静注．貧血改善効果が得られたら，維持量として1回1500IU週2～3回，又は1回3000IU週2回投与．貧血改善効果の目標値はヘモグロビン濃度で10g/dL（ヘマトクリット値で30%）前後とする．なお，いずれの場合も貧血症状の程度，年齢等により適宜増減するが，維持量での最高投与量は1回3000IU週3回投与とする　効能②：1回200IU/kg，週2回皮下注．ただし，未熟児早期貧血期を脱し，ヘモグロビン濃度が10g/dL（ヘマトクリット値で30%）前後で臨床症状が安定したと考えられる場合は中止する．なお，貧血症状の程度により適宜増減する

[エスポー皮下用] 効能①：投与初期1回6000IU週1回皮下注．貧血改善効果が得られたら，維持量として1回6000～12000IU2週に1回皮下注．小児には，1回100IU/kg週1回皮下注．貧血改善効果の目標値はヘモグロビン濃度で10g/dL（ヘマトクリット値で30%）前後とする．なお，患者の貧血症状の程度，年齢等により適宜増減する　効能②：待機的手術予定患者に対して，ヘモグロビン濃度が13g/dL未満の患者には初回採血1週間前から，ヘモグロビン濃度が13～14g/dLの患者には初回採血後から，1回24000IUを最終採血まで週1回皮下注．初回採血は，800mL貯血の場合は手術2週間前，1200mL貯血の場合は手術3週間前を目安とする．なお，患者のヘモグロビン濃度や予定貯血量等に応じて投与回数や投与期間を適宜増減する

使用上の注意

禁忌　本剤の成分又は他のエリスロポエチン製剤・ダルベポエチンアルファ製剤に過敏症の患者

薬物動態
750注射液 **血中濃度**　①単回投与：(1)健康成人：健康成人男性7例に300国際単位(IU)を単回静注時の血漿中濃度は，投与後$t_{1/2}$ 0.4時間及び7.0時間の2相性の消失　(2)透析施行中の腎不全患者：透析施行中の腎不全患者11例に300IUを単回静注時の血漿中濃度は，健康成人とほぼ同様の推移を示し，$t_{1/2}$は6.0時間．1500IU(8例)又は3000IU(12例)を静注時の$t_{1/2}$はそれぞれ5.9時間又は7.5時間で，投与量の増加に伴い血漿中からの消失はやや緩やか　(3)未熟児：極小未熟児3例に200IU/kgを単回皮下注時，Cmaxは434.0mIU/mL，$t_{1/2}$は10.4時間　**分布**　①組織移行性：(1)静脈内投与：雄性ラットに^{125}I-エポエチン アルファ60IU/kgを静注時，骨髄，甲状腺，血液，腎臓，脾臓，肺，肝臓及び副腎に高い放射能が認められた　(2)皮下投与：雄性ラットに^{125}I-エポエチン アルファ200IU/kgを皮下注時，骨髄，脾臓，腎臓及び血漿に高い放射能が認められた　**排泄**健康成人男性7例に300IUを単回静注時，投与後24時間までに投与量の0.88%が尿中へ排泄．極小未熟児2例に200IU/kgを皮下注時，投与後48時間までに投与量の0.18%が排泄
24000シリンジ **血中濃度**　①単回投与：(1)健康成人：健康成人男性に100IU/kg又は200IU/kgを単回投与時，静注では$t_{1/2}$はそれぞれ4.76又は5.01時間に対し，皮下注では投与後12時間にCmax(それぞれ103.6又は242.3mIU/mL)に達し，$t_{1/2}$はそれぞれ22.2又は22.4時間．投与後36時間以降は，皮下投与の方が高い濃度で推移　(2)透析導入前の腎性貧血患者：透析導入前の腎性貧血患者に6000IU又は9000IUを単回皮下注時，投与後12～24時間にCmax(ぞれぞれ153又は219mIU/mL)に達し，$t_{1/2}$はそれぞれ24.6又は19.1時間　**排泄**　健康成人男性に100IU/kg(5例)又は200IU/kg(4例)を単回投与時，静注では投与量の1.80又は2.13%，また，皮下注では0.15又は1.41%がいずれも投与後48時間までに排泄

その他の管理的事項
投与期間制限　該当しない
保険給付上の注意　該当しない

資料
IF　エスポー注射液750・皮下用24000シリンジ　2020年12月改訂(第1版)

エポエチン　ベータ(遺伝子組換え)
Epoetin Beta (Genetical Recombination)

概要
薬効分類　399　他に分類されない代謝性医薬品
構造式

タンパク質部分

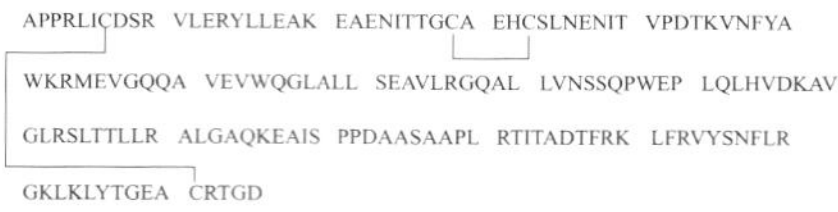
APPRLICDSR VLERYLLEAK EAENITTGCA EHCSLNENIT VPDTKVNFYA
WKRMEVGQQA VEVWQGLALL SEAVLRGQAL LVNSSQPWEP LQLHVDKAVS
GLRSLTTLLR ALGAQKEAIS PPDAASAAPL RTITADTFRK LFRVYSNFLR
GKLKLYTGEA CRTGD

N24, N38, N83及びS126，糖鎖結合

糖鎖部分（主な糖鎖結合）
N24, N38及びN83

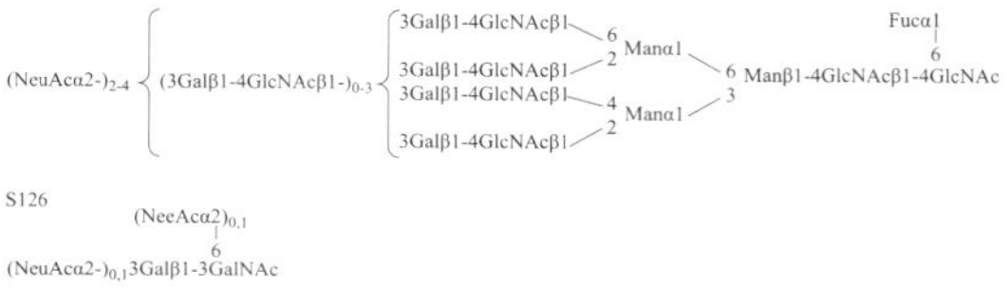
(NeuAcα2-)2-4
(3Galβ1-4GlcNAcβ1-)0-3
3Galβ1-4GlcNAcβ1
3Galβ1-4GlcNAcβ1
3Galβ1-4GlcNAcβ1
3Galβ1-4GlcNAcβ1
Manα1
Manα1
Fucα1
Manβ1-4GlcNAcβ1-4GlcNAc
S126
(NeeAcα2)0,1
(NeuAcα2-)0,13Galβ1-3GalNAc

分子式　$C_{809}H_{1301}N_{229}O_{240}S_5$(タンパク質部分)
分子量　18235.70(タンパク質部分)
ステム　エリスロポエチン類：-poetin
原薬の規制区分　[劇]
原薬の外観・性状　無色澄明の液である．pH：7.0～8.0
原薬の吸湿性　該当しない
原薬の酸塩基解離定数　該当資料なし
先発医薬品等
キット　エポジン注シリンジ750・1500・3000・6000・9000(中外)
エポジン皮下注シリンジ12000・24000(中外)
国際誕生年月　1990年1月
海外での発売状況　該当しない

製剤
規制区分　**注**　**皮下注**　[生物] [劇] [処]
製剤の性状　**キット**　**皮下注キット**　無色澄明の液
有効期間又は使用期限　2年
貯法・保存条件　凍結を避け，遮光下10℃以下に保存
薬剤取扱い上の留意点　該当しない
患者向け資料等　くすりのしおり
溶液及び溶解時のpH　**キット**　**皮下注キット**　6.8～7.2
浸透圧比　**キット**　**皮下注キット**　約1(対生食)
調製時の注意　該当しない

薬理作用
分類　遺伝子組換えヒトエリスロポエチン製剤
作用部位・作用機序　ヒト由来の天然エリスロポエチンと基本的に差異のない構造を有する糖タンパク質性の造血因子で，骨髄中の赤芽球系前駆細胞に働き，赤血球への分化と増殖を促すと考えられている
同効薬　エポエチン ベータ ペゴル(遺伝子組換え)，エポエチン アルファ(遺伝子組換え)，ダルベポエチン アルファ(遺伝子組換え)，エポエチン カッパ(遺伝子組換え)

治療
効能・効果　**750** ①透析施行中の腎性貧血　②透析導入前の腎性貧血　③未熟児貧血
1500　**3000** ①透析施行中の腎性貧血(皮下投与については，連続携行式腹膜灌流(CAPD)施行中の腎性貧血を対象とする)　②透析導入前の腎性貧血　③貯血量が800mL以上で1週間以上の貯血期間を予定する手術施行患者の自己血貯血　④未熟児貧血
6000 ①連続携行式腹膜灌流(CAPD)施行中の腎性貧血　②透析導入前の腎性貧血　③貯血量が800mL以上で1週間以上

の貯血期間を予定する手術施行患者の自己血貯血

9000 **12000** ①連続携行式腹膜灌流(CAPD)施行中の腎性貧血　②透析導入前の腎性貧血

24000 貯血量が800mL以上で1週間以上の貯血期間を予定する手術施行患者の自己血貯血

効能・効果に関連する使用上の注意　①透析施行中の腎性貧血及び透析導入前の腎性貧血：本剤の投与対象は，貧血症に伴う日常生活活動の支障が認められる透析施行中の腎性貧血患者及び透析導入前の腎性貧血患者(血清クレアチニン濃度で2mg/dL以上，あるいはクレアチニンクリアランスが30mL/min以下)とする．なお，投与の目安はヘモグロビン濃度で10g/dL(ヘマトクリット値で30%)未満とする　②貯血量が800mL以上で1週間以上の貯血期間を予定する手術施行患者の自己血貯血：本剤の投与は手術施行予定患者の中で貯血式自己血輸血施行例を対象とする．なお，造血機能障害を伴う疾患における自己血貯血の場合には，本剤の効果及び安全性が確認されていないため投与しない　③未熟児貧血：本剤の投与は未熟児貧血に限定する．なお，投与対象はヘモグロビン濃度で12g/dL(ヘマトクリット値で36%)未満を目安とする．また，未熟児貧血におけるヘモグロビン濃度の低下は急速であるため，未熟児貧血発症早期より本剤を投与することが望ましい

用法・用量　**750** 貧血改善効果の目標値はヘモグロビン濃度で10g/dL(ヘマトクリット値で30%)前後とする　効能①：投与初期は1回3000IU，週3回，できるだけ緩徐に静注．貧血改善効果が得られた後は維持量として1回1500IU，週2〜3回，あるいは1回3000IU，週2回静注．いずれの場合も貧血の程度，年齢等により適宜増減するが，維持量での最高投与量は1回3000IU，週3回　効能②：投与初期は1回6000IU，週1回，できるだけ緩徐に静注．貧血改善効果が得られた後は，維持量として，患者の貧血の程度，年齢等により，1週あたり6000IU以下の範囲で適宜調整　効能③1回200IU/kgを週2回皮下投与．ただし，未熟児早期貧血期を脱し，ヘモグロビン濃度が10g/dL(ヘマトクリット値で30%)前後で臨床症状が安定したと考えられる場合は中止する．貧血症状の程度により適宜増減

1500 **3000** 貧血改善効果の目標値はヘモグロビン濃度で10g/dL(ヘマトクリット値で30%)前後とする〔静注の場合〕効能①：投与初期は1回3000IU，週3回，できるだけ緩徐に投与．貧血改善効果が得られた後は，維持量として1回1500IU，週2〜3回，あるいは1回3000IU，週2回投与．いずれの場合も貧血の程度，年齢等により適宜増減するが，維持量での最高投与量は1回3000IU，週3回投与　効能②：投与初期は1回6000IU，週1回，できるだけ緩徐に投与．貧血改善効果が得られた後は維持量として患者の貧血の程度，年齢等により1週あたり6000IU以下の範囲で適宜調整　効能③：体重を考慮に入れヘモグロビン濃度が13〜14g/dL以下の患者を対象に，手術前の自己血貯血時期に1回6000IU，隔日週3回，できるだけ緩徐に投与．投与期間は予定貯血量が800mLの場合は術前2週間，1200mLの場合は術前3週間を目安とする．自己血採血日の投与は採血終了後に行い，患者のヘモグロビン濃度や予定貯血量等に応じて投与回数や投与期間を適宜増減　効能④：静注による用法はない〔皮下注の場合〕効能①②：投与初期は1回6000IU，週1回投与．貧血改善効果が得られた後は，維持量として1回6000〜12000IU，2週に1回投与．小児には投与初期は1回50〜100IU/kg，週1回投与，貧血改善効果が得られた後は，維持量として1回100〜200IU/kg，2週に1回投与．貧血の程度により適宜増減　効能③：皮下注による用法はない　効能④1回200IU/kgを週2回皮下投与．ただし，未熟児早期貧血期を脱し，ヘモグロビン濃度が10g/dL(ヘマトクリット値で30%)前後で臨床症状が安定したと考えられる場合は中止する．貧血症状の程度により適宜増減

6000 貧血改善効果の目標値はヘモグロビン濃度で10g/dL(ヘマトクリット値で30%)前後とする〔静注の場合〕効能①：静注による用法はない　効能②：投与初期は1回6000IU，週1回，できるだけ緩徐に投与．貧血改善効果が得られた後は，維持量として患者の貧血の程度，年齢等により，1週あたり6000IU以下の範囲で適宜調整　効能③：体重を考慮に入れ，ヘモグロビン濃度が13〜14g/dL以下の患者を対象に，手術前の自己血貯血時期に，1回6000IU，隔日週3回，できるだけ緩徐に投与．投与期間は予定貯血量が800mLの場合は術前2週間，1200mLの場合は術前3週間を目安とする．自己血採血日の投与は採血終了後に行い，患者のヘモグロビン濃度や予定貯血量等に応じて投与回数や投与期間を適宜増減〔皮下注の場合〕効能①②：投与初期は1回6000IU，週1回投与．貧血改善効果が得られた後は維持量として1回6000〜12000IU，2週に1回投与．小児には投与初期は1回50〜100IU/kg，週1回投与，貧血改善効果が得られた後は維持量として1回100〜200IU/kg，2週に1回投与．貧血の程度により適宜増減　効能③：皮下注による用法はない

9000 **12000** 貧血改善効果の目標値はヘモグロビン濃度で10g/dL(ヘマトクリット値で30%)前後とする　効能①②：投与初期は1回6000IU，週1回皮下注．貧血改善効果が得られた後は維持量として1回6000〜12000IU，2週に1回皮下注．小児には投与初期は1回50〜100IU/kg，週1回皮下注，貧血改善効果が得られた後は維持量として1回100〜200IU/kg，2週に1回皮下注．貧血の程度により適宜増減

24000 ヘモグロビン濃度が13g/dL未満の患者には初回採血1週間前から，ヘモグロビン濃度が13〜14g/dLの患者には初回採血後より，成人には1回24000国際単位を最終採血まで週1回皮下注．初回採血は，予定貯血量が800mLの場合は手術2週間前，1200mLの場合は手術3週間前を目安とする．なお，患者のヘモグロビン濃度や予定貯血量等に応じて投与回数や投与期間を適宜増減する

用法・用量に関連する使用上の注意　未熟児貧血：増量については，出生体重，在胎期間を考慮し，貧血によると考えられる臨床症状，合併症，急激なヘモグロビン濃度の低下等に十分留意して慎重に判断する

使用上の注意

禁忌　本剤又は他のエリスロポエチン製剤・ダルベポエチンアルファ製剤に過敏症の患者

薬物動態

血中濃度　(健康成人)①単回静注：健康成人男子4名に1800，3600IU＊1)をそれぞれ単回静注時の生物学的半減期$t_{1/2}$(hr)は3.3±0.1，5.2±1.2，血中濃度・時間曲線下面積AUC(mIU・hr/mL)は3008.3±316.8，5279.2±995.6，分布容積Vd(mL)は3623±243，6277±2778，クリアランスCL(mL/hr)は758±62，739±140．＊1)静注における承認用量は1500，3000及び6000IU　②単回皮下注：健康成人男子4名に1500，3000IU＊2)をそれぞれ単回皮下注時の最高血清中濃度Cmax(mIU/mL)は21.1±2.6，50.4±9，最高血清中濃度到達時間Tmax(hr)は12.8±2.3，14.3±0.7，$t_{1/2}$(hr)は31.2±4.7，18.3±1.5，AUC(mIU・hr/mL)は1059.4±178.9，1695.2±231.8，生物学的利用率F(%(AUCsc/AUCiv))は53.5±9，41.8±5.7．＊2)皮下注における成人の承認用量は6000〜12000IU　③反復皮下注：健康成人男子に1500国際単位IU＊2)を5日間隔で3回皮下注時の1回目及び3回目のCmax(mIU/mL)は25.7±4.3，23.3±3，Tmax(hr)は15，16.5±4，$T_{1/2}$(hr)は19.2±3.5，23.8±4.5，AUC(mIU・hr/mL)は872.4±116.4，888.3±84.4，F(%)は44.1±5.9，44.9±4.3．また，3回目投与後の各パラメータを1回目と比較した場合，変化は認められなかった　(透析施行中の腎性貧血患者)　④単回静注：血液透析患者8名に1800IU＊3)を単回静注時の$t_{1/2}$は9.4時間と健康成人より消失が遅延する傾向が認められた．＊3)透析施行中の腎性貧血における静注での承認用量は1500，3000IU　(未熟児貧血)　⑤母集団薬物動態解析の成績：未熟児に200IU/kgを週2回8週間皮下注，20名より得られた血清中濃度測定値により母集団薬物動態解析を行った．得られた母集団パラメータよりベイジアン法により推定したCL，Vd及

び$t_{1/2}$の平均値は，それぞれ41.7mL/h/kg，530mL/kg，9.02時間　**排泄**　①単回静注時の尿中排泄：健康成人男子4名に1800，3600IU＊1)をそれぞれ単回静注時の投与144時間までの累積尿中排泄率はそれぞれ2.4%，4.6%　②単回皮下注時の尿中排泄：健康成人男子4名に1500，3000IU＊2)をそれぞれ単回皮下注時の投与120時間までの尿中排泄量はいずれもプラセボ群(内因性エリスロポエチンの尿中排泄量)と同程度

その他の管理的事項

投与期間制限　該当しない

保険給付上の注意　**1500注キット**　**3000注キット**　**6000注キット**(貯血量が800mL以上で1週間以上の貯血期間を予定する手術施行患者の自己血貯血に使用する場合)保険適用上の取扱い：保険請求が認められるのは，貯血開始前のHb(ヘモグロビン)濃度が，体重70kg以上の場合は13g/dL以下，体重70kg未満の場合は14g/dL以下の患者へ投与する場合に限られるものであること　請求上の取扱い：診療報酬明細書の摘要欄には，貯血量，本剤を投与する前の患者の体重及びHb濃度を記載すること**24000皮下注キット**　請求上の取扱い：診療報酬明細書の摘要欄には，貯血量，本製剤を投与する前の患者の体重及びHb濃度を記載すること

資料

IF　エポジン注シリンジ750・1500・3000・6000・皮下注シリンジ9000・12000・24000　2020年1月改訂(第23版)

エメダスチンフマル酸塩
エメダスチンフマル酸塩徐放カプセル
Emedastine Fumarate

概要

薬効分類　449　その他のアレルギー用薬

構造式

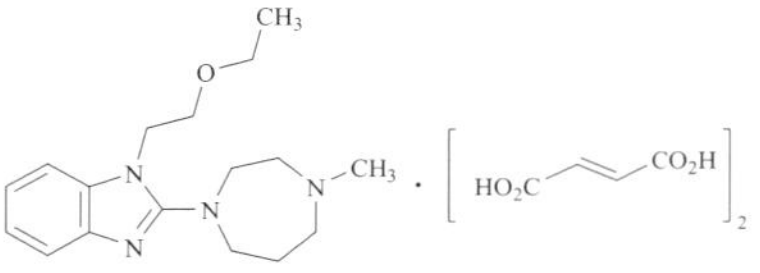

分子式　$C_{17}H_{26}N_4O \cdot 2C_4H_4O_4$

分子量　534.56

ステム　抗ヒスタミン薬：-astine

原薬の規制区分　㊙(ただし，1カプセル中エメダスチンとして1.14mg以下を含有するものを除く)

原薬の外観・性状　白色～微黄色の結晶性の粉末である．水に溶けやすく，メタノールにやや溶けやすく，エタノール(99.5)にやや溶けにくく，酢酸(100)に溶けにくい．結晶多形が認められる

原薬の吸湿性　20℃，12，33，54，75，84及び94%RHで30日間保存しても重量増加はなく，吸湿性は認められなかった

原薬の融点・沸点・凝固点　融点：149～152℃

原薬の酸塩基解離定数　pKa＝4.51，8.48

先発医薬品等

徐放力　レミカットカプセル1mg・2mg(興和)

貼　アレサガテープ4mg・8mg(久光)

後発医薬品

徐放力　1mg・2mg

国際誕生年月　**徐放力**　1993年4月　**貼**　2018年1月

海外での発売状況　米，英，仏，独など(点眼液として発売)

製剤

製剤の性状　**徐放力**　速放顆粒と遅放顆粒の混合物からなる白色不透明の硬カプセル剤で，内容物は白色の徐放性顆粒　**貼**　淡褐色～褐色のテープ剤で，膏体面は透明のライナーで覆われている

有効期間又は使用期限　3年

貯法・保存条件　**徐放力**　気密容器，室温保存　**貼**　室温保存(遮光した気密容器)

薬剤取扱い上の留意点　眠気を催すことがあるので，本剤投与中の患者には自動車の運転等危険を伴う機械の操作には従事させないよう十分注意すること．さらに，日常生活に支障がみられる場合があるので，本剤投与に際してはこのことを患者に十分説明しておくこと

患者向け資料等　**徐放力**　くすりのしおり　**貼**　患者向医薬品ガイド，くすりのしおり

溶液及び溶解時のpH　該当しない

浸透圧比　該当しない

安定なpH域　該当しない

調製時の注意　該当しない

薬理作用

分類　H_1受容体拮抗剤

作用部位・作用機序　抗ヒスタミン作用，ケミカルメディエーター遊離抑制作用，サブスタンスPによるヒスタミン遊離抑制作用及び好酸球遊走・浸潤抑制作用．ケミカルメディエーター遊離抑制作用の機序としては，細胞内Ca貯蔵部位からのCa^{2+}放出抑制作用及び細胞内へのCa^{2+}の流入抑制作用による

同効薬　ケトチフェンフマル酸塩，アゼラスチン塩酸塩，オキサトミド，エピナスチン塩酸塩，エバスチン，セチリジン塩酸塩，ベポタスチンベシル酸塩，フェキソフェナジン塩酸塩，オロパタジン塩酸塩，ロラタジン，レボセチリジン塩酸塩，ルパタジンフマル酸塩など

治療

効能・効果　①アレルギー性鼻炎　②**徐放力**　蕁麻疹，湿疹・皮膚炎，皮膚そう痒症，痒疹

用法・用量　**徐放力**　1回1～2mg，1日2回朝食後及び就寝前　**貼**　1回4mgを胸部，上腕部，背部又は腹部のいずれかに貼付し，24時間ごとに貼り替える．なお，症状に応じて1回8mgに増量できる

用法・用量に関連する使用上の注意　**徐放力**　高齢者では，副作用の発現に注意し，1回1mgから投与するなどの配慮をする

使用上の注意

禁忌　**貼**　本剤の成分に対し過敏症の既往歴のある患者

薬物動態

徐放力　**血中濃度**　①単回投与：健康成人5例に2mgを食後単回経口投与時，エメダスチンの最高血漿中濃度は1.26ng/mL，最高血漿中濃度到達時間は3.1時間，消失半減期は7.0時間　②反復投与：健康成人5例に2mgを1日2回14日間反復経口投与時，血漿中濃度は5回目で定常状態，定常状態における平均最低血漿中濃度は0.96ng/mL，平均最高血漿中濃度は1.87ng/mL　**吸収**　ラットに経口投与された^{14}C-エメダスチンフマル酸塩は小腸から速やかに，かつほぼ完全に吸収された　**分布**　①体組織への分布：ラットに経口投与された^{14}C-エメダスチンフマル酸塩は特に肝臓及び腎臓に高い分布を認めたが，中枢系への移行は低かった　②血清蛋白結合率：ヒト血清に^{14}C-エメダスチンフマル酸塩0.1μMを添加した*in vitro*の検討で，エメダスチンフマル酸塩の血清蛋白結合率は64.8%(平衡透析法)　**代謝**　健康成人に経口投与時の主代謝経路はベンズイミダゾール環の水酸化とそれに引き続く抱合化であった．また，エメダスチンは主に肝臓において代謝された(ラット)　**排泄**　健康成人5例に2mgを食後単回経口投与時，投与後24時間までに尿中へ排泄された未変化体及び代謝物の合計は投与量の約44.1%．未変化体は投与量の3.6%．なお尿中への排泄率はラットで約30%，モルモットで約40%，イヌで約70%で，ラットにおいて胆汁中排泄及び腸肝循環が認められた

貼 **血中濃度** ①単回投与(健康成人)：健康成人男性12例に，エメダスチンフマル酸塩として1.5，3，6，12，24mgを胸部に24時間単回投与時，血漿中エメダスチンの薬物動態パラメータ(Cmax，AUC_{0-t}，$AUC_{0-\infty}$)に，1.5～24mgにおいて線形性が確認された．薬物動態パラメータ[Cmax(ng/mL)，AUC_{0-t}(ng・hr/mL)，$AUC_{0-\infty}$(ng・hr/mL)，tmax※)(hr)，$t_{1/2}$(hr)の順]は，1.5mg投与群(12例)[0.320±0.112，8.48±3.03，9.15±2.97，26，11.7±3.19]，3mg投与群(12例)[0.642±0.235，18.4±5.44，19.3±5.41，(16，26)，13.2±2.00]，6mg投与群(12例)[1.59±0.567，43.8±13.2，46.2±13.1，26，13.8±2.29]，12mg投与群(12例)[3.09±1.01，86.4±25.3，90.5±24.9，16，13.0±2.47]，24mg投与群(12例)[5.43±1.89，156±53.3，164±52.7，26，13.0±2.84] ※)最頻値 ②単回投与(健康成人)：健康成人男性20例に，エメダスチンフマル酸塩として8mgを胸部，上腕部，背部，腹部，腰部に24時間単回投与時，投与部位間におけるAUC_{0-t}の幾何平均値の比の推定値は，胸部に対して上腕部で0.930，背部で1.000，腹部で0.923，腰部で0.740．腰部へ投与時のAUC_{0-t}は，胸部，上腕部，背部，腹部へ投与時よりも低かった ③反復投与(季節性アレルギー性鼻炎患者)：季節性アレルギー性鼻炎患者に，エメダスチンフマル酸塩として4，8，12mgを胸部に1日1回14日間反復投与時，血漿中エメダスチンの薬物動態パラメータ(Cmax及びAUC_{0-24})は，4～12mg間で投与量にほぼ比例して増加することが確認された．また，血漿中エメダスチン濃度は投与後7日目までに定常状態に到達した．投与1，7，14日目の薬物動態パラメータ[Cmax(ng/mL)，AUC_{0-24}(ng・hr/mL)，tmax※)(hr)，$t_{1/2}$(hr)の順]は，(1)1日目：4mg投与群(23例)[1.16±0.419，16.3±7.54，20]，8mg投与群(24例)[2.32±0.832，31.7±14.9，20]，12mg投与群(24例)[2.94±1.49，38.8±24.1，20，－]，(2)7日目：4mg投与群(22例)[1.80±0.579，36.0±10.9，16，－]，8mg投与群(24例)[3.98±1.18，79.5±23.8，12，－]，12mg投与群(24例)[5.49±2.62，112±57.1，16，－]，(3)14日目：4mg投与群(21例)[2.03±0.641，40.6±12.3，(12，16)，15.5±2.36]，8mg投与群(24例)[4.42±1.40，88.8±30.3，(12，16)，15.5±1.59]，12mg投与群(24例)[6.28±2.86，128±62.1，12，16.2±2.83] ※)最頻値 **分布** (参考：ラット)①組織分布：[14C]エメダスチンフマル酸塩含有経皮吸収型製剤をラットに単回経皮投与時の組織中放射能濃度は，ほとんどの組織で投与後8時間に最高濃度を示し，肝臓，腎臓，投与部位皮膚が最も高く，次いで脳下垂体及び鼻粘膜で高かった．一方，大脳及び小脳の放射能濃度は血漿に比べ低かった．投与部位皮膚を除く各組織からの放射能の消失は速やか．また，反復経皮投与時の組織中放射能濃度は，投与7回目までにほぼ定常状態に達した．投与部位皮膚の組織中放射能濃度は，いずれの投与回においても他の組織より高い放射能濃度を示した ②胎児・乳汁移行：[14C]エメダスチンフマル酸塩を妊娠ラットに単回経口投与時，胎児中へ放射能の移行が認められた．また，授乳期ラットにおいては乳汁中へ移行 **吸収** (参考：*in vitro*)主に肝臓で代謝され，皮膚における代謝は認められなかった．エメダスチンの代謝にはCYP1A2，2E1，3A4が関与 **排泄** 健康成人男性12例に，エメダスチンフマル酸塩として1.5，3，6，12，24mgを胸部に24時間単回投与時，投与開始後0～96時間のエメダスチン及びエメダスチンと代謝物(6-水酸化体，5-水酸化体及び各抱合体)の合計の累積尿中排泄率の平均値は2.9～4.4%，12.4～15.9% ※承認された1回用量は4又は8mg

その他の管理的事項

投与期間制限 該当しない

保険給付上の注意 該当しない

資料

IF レミカットカプセル1mg・2mg 2020年4月改訂(第9版)
アレサガテープ4mg・8mg 2019年5月改訂(第4版)

エモルファゾン
エモルファゾン錠
Emorfazone

概要

構造式

分子式 $C_{11}H_{17}N_3O_3$

分子量 239.27

原薬の規制区分 劇(ただし，1個中200mg以下を含有するものを除く)

原薬の外観・性状 無色の結晶又は白色～淡黄色の結晶性の粉末である．エタノール(99.5)に極めて溶けやすく，水又は無水酢酸に溶けやすい．1mol/L塩酸試液に溶ける．光によって徐々に黄色となり，分解する

原薬の融点・沸点・凝固点 融点：89～92℃(乾燥後)

治療

効能・効果† ①次の疾患ならびに症状の消炎・鎮痛：腰痛症，頸肩腕症候群，肩関節周囲炎，変形性関節症，会陰裂傷 ②手術後ならびに外傷後の消炎・鎮痛

エリスロマイシン
エリスロマイシン腸溶錠
Erythromycin

概要

薬効分類 614 主としてグラム陽性菌，マイコプラズマに作用するもの

構造式

分子式 $C_{37}H_{67}NO_{13}$

分子量 733.93

略語・慣用名 EM

ステム *Streptomyces*属の産生する抗生物質：-mycin

原薬の規制区分 該当しない

原薬の外観・性状 白色～淡黄白色の粉末である．メタノール又はエタノール(95)に溶けやすく，水に極めて溶けにくい

原薬の吸湿性 水分：10.0%以下(0.2g，容量滴定法，直接滴定)

原薬の酸塩基解離定数 pKa_1＝8.8

後発医薬品

錠 200mg

国際誕生年月 該当しない

製剤

規制区分 錠 処

製剤の性状 錠 橙色の腸溶性フィルムコーティング錠

有効期間又は使用期限 3年
貯法・保存条件 室温保存
薬剤取扱い上の留意点 該当しない
患者向け資料等 くすりのしおり
溶液及び溶解時のpH 該当資料なし
浸透圧比 該当資料なし
安定なpH域 該当資料なし
調製時の注意 該当しない

薬理作用

分類 マクロライド系抗生物質
作用部位・作用機序 グラム陽性菌，グラム陰性球菌，マイコプラズマ，梅毒トレポネーマ，クラミジアに対して強く作用し，作用は静菌的であるが，高濃度では殺菌的に作用する場合がある．作用機作はタンパク質合成阻害であり，細菌の70S系リボソームの50Sサブユニットに結合し作用する
同効薬 ジョサマイシン，クラリスロマイシン，ロキシスロマイシン，アジスロマイシン水和物など

治療

効能・効果 〈適応菌種〉本剤に感性のブドウ球菌属，レンサ球菌属，肺炎球菌，淋菌，髄膜炎菌，ジフテリア菌，赤痢菌，軟性下疳菌，百日咳菌，破傷風菌，ガス壊疽菌群，梅毒トレポネーマ，トラコーマクラミジア(クラミジア・トラコマティス)，マイコプラズマ属，赤痢アメーバ 〈適応症〉表在性皮膚感染症，深在性皮膚感染症，リンパ管・リンパ節炎，慢性膿皮症，外傷・熱傷及び手術創等の二次感染，乳腺炎，骨髄炎，咽頭・喉頭炎，扁桃炎(扁桃周囲炎を含む)，急性気管支炎，肺炎，肺膿瘍，膿胸，慢性呼吸器病変の二次感染，膀胱炎，腎盂腎炎，尿道炎，淋菌感染症，軟性下疳，梅毒，性病性(鼠径)リンパ肉芽腫，感染性腸炎，子宮内感染，子宮付属器炎，涙嚢炎，麦粒腫，外耳炎，中耳炎，副鼻腔炎，歯冠周囲炎，猩紅熱，ジフテリア，百日咳，破傷風，ガス壊疽，アメーバ赤痢
効能・効果に関連する使用上の注意 咽頭・喉頭炎，扁桃炎(扁桃周囲炎を含む)，急性気管支炎，感染性腸炎，中耳炎，副鼻腔炎への使用にあたっては，「抗微生物薬適正使用の手引き」を参照し，抗菌薬投与の必要性を判断した上で，本剤の投与が適切と判断される場合に投与する
用法・用量 1日800～1200mg(力価)，小児25～50mg(力価)/kg，4～6回に分服(適宜増減)．ただし，小児用量は成人量を上限とする

使用上の注意

禁忌 ①本剤の成分に対し過敏症の既往歴のある患者 ②エルゴタミン含有製剤，ピモジド，アスナプレビルを投与中の患者
相互作用概要 CYP3Aで代謝される．また，CYP3Aと結合し，複合体を形成する．また，P糖蛋白阻害作用を有する
過量投与 ①症状：胃腸症状，過敏症等がみられる．また，可逆性の難聴，一過性かつ軽症の急性膵臓炎が現れたとの報告がある ②処置：胃洗浄等により，未吸収の薬物を速やかに体外に排出させる．なお，エリスロマイシンは腹膜透析，血液透析では除去されない

薬物動態

血中濃度 健康成人男子11例に2錠(400mg(力価))を投与時の血中濃度は，投与後3～4時間で最高に達し，9時間でほぼ消失することが確認

その他の管理的事項

投与期間制限 該当しない
保険給付上の注意 該当しない

資料

IF エリスロマイシン錠200mg「サワイ」 2018年7月改訂(第8版)

エリスロマイシンエチルコハク酸エステル
Erythromycin Ethylsuccinate

概要

薬効分類 614 主としてグラム陽性菌，マイコプラズマに作用するもの
構造式

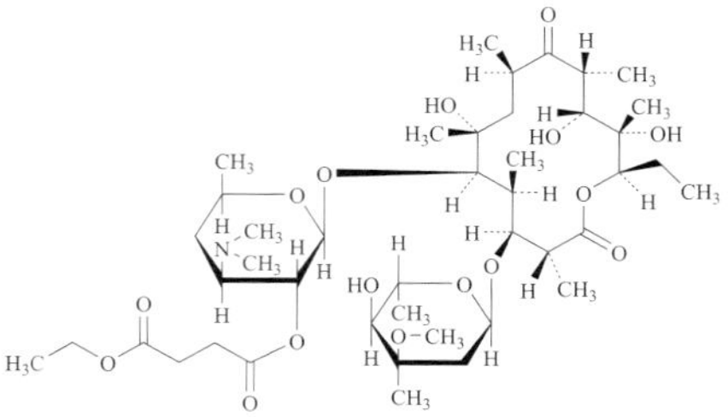

分子式 $C_{43}H_{75}NO_{16}$
分子量 862.05
ステム *Streptomyces*属の産生する抗生物質：-mycin
原薬の規制区分 該当しない
原薬の外観・性状 白色の粉末である．メタノール又はアセトンに溶けやすく，エタノール(95)にやや溶けやすく，水にほとんど溶けない
原薬の吸湿性 該当資料なし
原薬の融点・沸点・凝固点 分解点：109～110℃
原薬の酸塩基解離定数 pKa＝7.1
先発医薬品等
顆 エリスロシンW顆粒20％(マイランEPD)
シロップ用 エリスロシンドライシロップ10％・W20％(マイランEPD)
国際誕生年月 不明
海外での発売状況 米，英，仏，独など

製剤

規制区分 **顆** **シロップ用** ㊇
製剤の性状 **顆** 白色の顆粒．特異な芳香があり，味は甘い **シロップ用** 白色の顆粒．僅かに特異な芳香があり，味は甘い
有効期間又は使用期限 **顆** 3年6カ月 **10％シロップ用** 4年8カ月 **20％シロップ用** 3年
貯法・保存条件 **顆** **シロップ用** 室温保存
薬剤取扱い上の留意点 懸濁液調製後：冷蔵庫内に保存すること
患者向け資料等 くすりのしおり
溶液及び溶解時のpH 該当しない
浸透圧比 該当しない
安定なpH域 該当しない
調製時の注意 **10％シロップ用** 10gに20mLの水を加え，よくふりまぜると25mLの懸濁液になる．この懸濁液1mLはエリスロマイシン40mg(力価)に相当する **20％シロップ用** 10gに12mLの水を加え，よくふりまぜると20mLの懸濁液になる．この懸濁液1mLはエリスロマイシン100mg(力価)に相当する

薬理作用

分類 マクロライド系抗生物質
作用部位・作用機序 細菌の蛋白合成阻害で，70S系のリボソームの50S subunitと結合することによる
同効薬 クラリスロマイシン，ジョサマイシン，アセチルスピラマイシン，ロキシスロマイシン，アジスロマイシン

治療

効能・効果 〈適応菌種〉エリスロマイシンに感性のブドウ球菌属，レンサ球菌属，肺炎球菌，淋菌，髄膜炎菌，ジフテリア菌，百日咳菌，梅毒トレポネーマ，トラコーマクラミジア(クラミジア・トラコマティス)，マイコプラズマ属 〈適応症〉

表在性皮膚感染症，深在性皮膚感染症，リンパ管・リンパ節炎，外傷・熱傷及び手術創等の二次感染，乳腺炎，骨髄炎，咽頭・喉頭炎，扁桃炎，急性気管支炎，肺炎，肺膿瘍，膿胸，慢性呼吸器病変の二次感染，腎盂腎炎，尿道炎，淋菌感染症，梅毒，子宮内感染，中耳炎，猩紅熱，ジフテリア，百日咳

効能・効果に関連する使用上の注意　咽頭・喉頭炎，扁桃炎，急性気管支炎，中耳炎：「抗微生物薬適正使用の手引き」を参照し，抗菌薬投与の必要性を判断した上で，本剤の投与が適切と判断される場合に投与する

用法・用量　エリスロマイシンとして1日800～1200mg(力価)，小児25～50mg(力価)/kg，4～6回に分服(適宜増減)．ただし，小児用量は成人量を上限とする．ドライシロップの懸濁液調製法は添付文書参照

使用上の注意

禁忌　①本剤の成分に対し過敏症の既往歴のある患者　②エルゴタミン酒石酸塩・無水カフェイン・イソプロピルアンチピリン，ジヒドロエルゴタミンメシル酸塩，ピモジド，アスナプレビルを投与中の患者

相互作用概要　CYP3Aで代謝される．また，CYP3A，P糖蛋白質を阻害する

過量投与　①症状：胃腸症状がみられる．また，可逆性の難聴や一過性かつ軽症の急性膵炎があらわれたとの報告がある　②処置：エリスロマイシンは腹膜透析，血液透析では除去されない

薬物動態

血中濃度　健康成人，空腹時400mg(力価)，1回投与時のパラメータは次の通り：①**シロップ用(10%)** Tmax 31分，Cmax1.37μg / mL，$T_{1/2}$ 1.2時間　②**シロップ用(20%)** Tmax42分，Cmax1.27μg/mL，$T_{1/2}$1.6時間　③**顆** Tmax27分，Cmax1.12μg/mL，$T_{1/2}$1.3時間　**分布**　①組織移行：扁桃，副鼻腔粘膜，中耳滲出液，唾液に移行が認められた(外国人データ)　②血漿蛋白結合率：64.5%(*in vitro*，ヒト血漿，0.5μg/mL，平衡透析法)　**代謝**　CYP3Aによって脱メチル化され，des-N-methyl-erythromycinを生じる(ウサギ)　**排泄**　主として胆汁中に排泄され，尿中排泄は経口投与量の5%以下

その他の管理的事項

投与期間制限　該当しない

保険給付上の注意　該当しない

資料

IF　エリスロシンW顆粒20%・ドライシロップ10%・W20%　2018年11月改訂(第7版)

エリスロマイシンステアリン酸塩
Erythromycin Stearate

概要

薬効分類　614　主としてグラム陽性菌，マイコプラズマに作用するもの

構造式

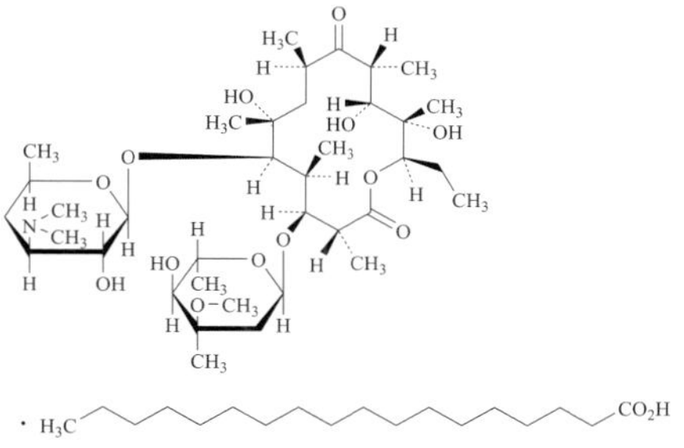

分子式　$C_{37}H_{67}NO_{13}$・$C_{18}H_{36}O_2$

分子量　1018.40

ステム　*Streptomyces*属の産生する抗生物質：-mycin

原薬の規制区分　該当しない

原薬の外観・性状　白色の粉末である．エタノール(95)又はアセトンに溶けやすく，メタノールにやや溶けやすく，水にほとんど溶けない

原薬の吸湿性　該当資料なし

原薬の融点・沸点・凝固点　分解点：168～172℃

原薬の酸塩基解離定数　pKa＝6.9

先発医薬品等

錠 エリスロシン錠100mg・200mg(マイランEPD)

国際誕生年月　不明

海外での発売状況　米，英，仏，独など

製剤

規制区分　**錠**　㉄

製剤の性状　**錠** 類白色のフィルム錠

有効期間又は使用期限　5年

貯法・保存条件　室温保存

患者向け資料等　くすりのしおり

溶液及び溶解時のpH　該当しない

浸透圧比　該当しない

安定なpH域　該当しない

薬理作用

分類　マクロライド系抗生物質

作用部位・作用機序　細菌の蛋白合成阻害で，70S系のリボソームの50S subunitと結合することによる

同効薬　クラリスロマイシン，ジョサマイシン，アセチルスピラマイシン，ロキシスロマイシン，アジスロマイシン

治療

効能・効果　〈適応菌種〉エリスロマイシンに感性のブドウ球菌属，レンサ球菌属，肺炎球菌，淋菌，髄膜炎菌，ジフテリア菌，軟性下疳菌，百日咳菌，破傷風菌，梅毒トレポネーマ，トラコーマクラミジア(クラミジア・トラコマティス)，マイコプラズマ属　〈適応症〉表在性皮膚感染症，深在性皮膚感染症，リンパ管・リンパ節炎，乳腺炎，骨髄炎，扁桃炎，肺炎，肺膿瘍，膿胸，腎盂腎炎，尿道炎，淋菌感染症，軟性下疳，梅毒，子宮内感染，中耳炎，歯冠周囲炎，猩紅熱，ジフテリア，百日咳，破傷風

効能・効果に関連する使用上の注意　扁桃炎，中耳炎：「抗微生物薬適正使用の手引き」を参照し，抗菌薬投与の必要性を判断した上で，本剤の投与が適切と判断される場合に投与する

用法・用量　エリスロマイシンとして1日800～1200mg(力価)，小児25～50mg(力価)/kg，4～6回に分服(適宜増減)．ただし，

小児用量は成人量を上限とする

使用上の注意

禁忌 ①本剤の成分に対し過敏症の既往歴のある患者 ②エルゴタミン酒石酸塩・無水カフェイン・イソプロピルアンチピリン，ジヒドロエルゴタミンメシル酸塩，ピモジド，アスナプレビルを投与中の患者

相互作用概要 CYP3Aで代謝される．また，CYP3A，P糖蛋白質を阻害する

過量投与 ①症状：胃腸症状がみられる．また，可逆性の難聴や一過性かつ軽症の急性膵炎があらわれたとの報告がある ②処置：エリスロマイシンは腹膜透析，血液透析では除去されない

薬物動態

血中濃度 健康成人，空腹時200mg錠1錠1回投与時のパラメータは次の通り：Tmax2.8時間，Cmax0.82μg/mL，$T_{1/2}$はデータなし **分布** ①組織移行：上顎洞粘膜，喀痰，気管支分泌物等に移行が認められた(外国人データ) ②血漿蛋白結合率：64.5%(*in vitro*，ヒト血漿，0.5μg/mL，平衡透析法) ③代謝：CYP3Aによって脱メチル化され，des-N-methyl-erythromycinを生じる(ウサギ) **排泄** 主として胆汁中に排泄され，尿中排泄は経口投与量の5%以下

その他の管理的事項

投与期間制限 該当しない

保険給付上の注意 該当しない

資料

IF エリスロシン錠100mg・200mg 2018年11月改訂(第7版)

エリスロマイシンラクトビオン酸塩
Erythromycin Lactobionate

概要

薬効分類 614 主としてグラム陽性菌，マイコプラズマに作用するもの

構造式

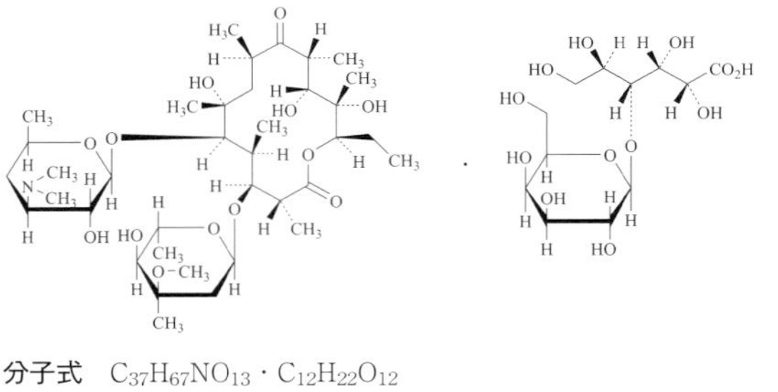

分子式 $C_{37}H_{67}NO_{13}$・$C_{12}H_{22}O_{12}$

分子量 1092.22

ステム *Streptomyces*属の産生する抗生物質：-mycin

原薬の規制区分 該当しない

原薬の外観・性状 白色の粉末である．水，メタノール又はエタノール(99.5)に溶けやすく，アセトンに極めて溶けにくい．0.5gを水10mLに溶かした液のpHは5.0～7.5である

原薬の吸湿性 該当資料なし

原薬の融点・沸点・凝固点 融点：145～150℃

原薬の酸塩基解離定数 該当資料なし

先発医薬品等

注射用 エリスロシン点滴静注用500mg(マイランEPD)

国際誕生年月 不明

海外での発売状況 米，英，仏，独など

製剤

規制区分 注射用 ㊩

製剤の性状 注射用 白色の粉末

有効期間又は使用期限 5年

貯法・保存条件 室温保存

溶液及び溶解時のpH 注射用 5.0～7.5(50mg/mL溶液)

浸透圧比 注射用 約1(対生食)

調製時の注意 注射用 5%溶液調製の際には，生食あるいは無機塩類を含有する溶液を使用しないこと．5%溶液をさらに希釈する際には，注射用水を使用しないこと(低張になる)．5%溶液は冷蔵庫内で2週間安定である

薬理作用

分類 マクロライド系抗生物質

作用部位・作用機序 細菌の蛋白合成阻害で，70S系のリボソームの50S subunitと結合することによる

同効薬 アセチルスピラマイシン，ジョサマイシン，クラリスロマイシン，ロキシスロマイシン，アジスロマイシン

治療

効能・効果 〈適応菌種〉エリスロマイシンに感性のブドウ球菌属，レンサ球菌属，肺炎球菌，ジフテリア菌 〈適応症〉外傷・熱傷及び手術創等の二次感染，肺炎，ジフテリア

効能・効果に関連する使用上の注意 経口投与が困難な場合，あるいは，緊急を要する場合に使用する

用法・用量 エリスロマイシンとして1日600～1500mg(力価)を2～3回に分け，1回2時間以上かけて点滴静注(適宜増減)．注射液調製法は添付文書参照

用法・用量に関連する使用上の注意 急速な静注によって心室頻拍(Torsades de pointesを含む)が発現したとの報告があるので，患者の状態に十分注意しながら，必ず1回2時間以上かけて点滴静注する

使用上の注意

禁忌 ①本剤の成分に対し過敏症の既往歴のある患者 ②エルゴタミン酒石酸塩・無水カフェイン・イソプロピルアンチピリン，ジヒドロエルゴタミンメシル酸塩，ピモジド，アスナプレビルを投与中の患者

相互作用概要 CYP3Aで代謝される．また，CYP3Aと結合し，複合体を形成する．また，P糖蛋白阻害作用を有する

薬物動態

血中濃度 患者(外国人)3例に400mg(力価)を5%ブドウ糖注射液500mLで溶解し，1.5時間かけて点滴静注時，点滴終了直後の血清中濃度は平均7.8μg/mL **分布** ①組織移行：気管支分泌物，唾液，胆汁等に移行が認められた(外国人データ) ②血漿蛋白結合率：64.5%(*in vitro*，ヒト血漿，0.5μg/mL，平衡透析法) **代謝** CYP3Aによって脱メチル化され，des-N-methyl-erythromycinを生じる(ウサギ) **排泄** ①排泄経路：尿中，胆汁中 ②排泄率：患者(外国人)3例に400mg(力価)を5%ブドウ糖注射液500mLで溶解し，1.5時間かけて点滴静注時，点滴静注後24時間までに投与量の5.5%が尿中に排泄されたが，その89%は12時間までに排泄

その他の管理的事項

投与期間制限 該当しない

保険給付上の注意 該当しない

資料

IF エリスロシン点滴静注用500mg 2017年2月改訂(第5版)

エリブリンメシル酸塩
Eribulin Mesilate

概要

薬効分類 429 その他の腫瘍用薬

構造式

$\cdot H_3C-SO_3H$

分子式 $C_{40}H_{59}NO_{11} \cdot CH_4O_3S$

分子量 826.00

ステム 不明

原薬の規制区分 毒

原薬の外観・性状 白色の粉末である．水，メタノール，エタノール(99.5)及びジメチルスルホキシドに溶けやすい

原薬の吸湿性 吸湿性である

原薬の融点・沸点・凝固点 融点：約160℃(分解)

原薬の酸塩基解離定数 pKa＝9.55

先発医薬品等

注 ハラヴェン静注1mg(エーザイ)

国際誕生年月 2010年11月

海外での発売状況 米，欧州

製剤

規制区分 注 毒 処

製剤の性状 注 無色澄明な注射剤

有効期間又は使用期限 4年

貯法・保存条件 室温保存

薬剤取扱い上の留意点 該当しない

患者向け資料等 患者向医薬品ガイド，くすりのしおり

溶液及び溶解時のpH 6.0～9.0

浸透圧比 約3(0.5mg/mL，希釈しない場合)，約1(0.0203mg/mL)(対生食)

調製時の注意 他の医薬品と混注しないこと．5%ブドウ糖注射液で希釈した場合，反応生成物が検出されるため，希釈する場合は生理食塩液を使用すること．また，0.01mg/mL未満の濃度に希釈しないこと．調製時には手袋，ゴーグル及び保護衣の着用が望ましい．皮膚に付着した場合には，直ちに石鹸及び多量の流水で洗い流すこと．また，粘膜に付着した場合には，直ちに多量の流水で洗い流すこと．本剤をシリンジに入れ，室温で保存した場合は6時間以内，冷蔵で保存した場合は24時間以内に投与すること

薬理作用

分類 抗悪性腫瘍剤(Halichondrin B合成誘導体)

作用部位・作用機序 微小管のプラス端(伸長端)に結合することで，微小管ダイナミクスを阻害．分裂期の細胞に対しては，微小管による正常な紡錘体形成を妨げて細胞周期を第2間期/分裂期(G_2/M期)で停止させ，この分裂停止の持続がアポトーシスによる細胞死を誘導する

同効薬 ビンカアルカロイド系化合物(ビノレルビン酒石酸塩，ビンクリスチン硫酸塩，ビンデシン硫酸塩，ビンブラスチン硫酸塩)，タキサン系化合物(ドセタキセル水和物，パクリタキセル)

治療

効能・効果 ①手術不能又は再発乳癌 ②悪性軟部腫瘍

効能・効果に関連する使用上の注意 効能①：(1)術前・術後補助化学療法における有効性及び安全性は未確立 (2)投与を行う場合には，アントラサイクリン系抗悪性腫瘍剤及びタキサン系抗悪性腫瘍剤を含む化学療法を施行後の増悪若しくは再発例を対象とする 効能②：(1)化学療法未治療例における有効性及び安全性は確立していない (2)臨床試験に組み入れられた患者の病理組織型等について，臨床成績の内容を熟知し，有効性及び安全性を十分理解した上で，適応患者の選択を行う

用法・用量 エリブリンメシル酸塩として，1日1回1.4mg/m^2(体表面積)を2～5分間かけ，週1回静注．これを2週連続で行い，3週目は休薬．これを1サイクルとして，投与を繰り返す(適宜減量)

用法・用量に関連する使用上の注意 ①他の抗悪性腫瘍剤との併用について，有効性及び安全性は未確立 ②投与にあたっては，次の基準を参考に必要に応じて，延期，減量，休薬する：(1)各サイクル1週目(ｱ)投与開始基準：次の基準を満たさない場合，投与延期 ・好中球数が1000/mm^{3}以上 ・血小板数が75000/mm^{3}以上 ・非血液毒性がGrade2※1)以下(ｲ)減量基準：前サイクルにおいて次の副作用等が発現した場合，減量の上で投与※2) ・7日間を超えて継続する好中球数減少(500/mm^{3}未満) ・発熱又は感染を伴う好中球数減少(1000/mm^{3}未満) ・血小板数減少(25000/mm^{3}未満) ・輸血を要する血小板数減少(50000/mm^{3}未満) ・Grade3※1)以上の非血液毒性・副作用等により，2週目に休薬した場合 (2)各サイクル2週目(ｱ)投与開始基準：次の基準を満たさない場合，投与延期 ・好中球数が1000/mm^{3}以上 ・血小板数が75000/mm^{3}以上 ・非血液毒性がGrade2※1)以下(ｲ)投与再開基準：投与延期後1週間以内に前記の投与開始基準を満たした場合，減量※2)(ｳ)休薬基準：投与延期後1週間以内に前記の投与開始基準を満たさない場合，休薬 ※1)Common Terminology Criteria for Adverse Events(CTCAE)に基づく ※2)減量を行う際，次の用量を参考にする：減量前の投与量(mg/m^2)→減量後の投与量(mg/m^2)の順に，1.4→1.1，1.1→0.7，0.7→投与中止を考慮 ③肝機能障害を有する患者に投与する場合，減量を考慮 ④投与時，希釈する場合は日局生理食塩液を使用する

禁忌・原則禁忌となる特定患者集団 妊婦又は妊娠している可能性のある婦人

使用上の注意

> **警告** ①本剤を含むがん化学療法は，緊急時に十分な対応ができる医療施設において，がん化学療法に十分な知識・経験を持つ医師のもとで，本療法が適切と判断される症例についてのみ実施する．また，治療開始に先立ち，患者又はその家族に有効性及び危険性を十分に説明し，同意を得てから投与する ②骨髄抑制が現れることがあるので，頻回に血液検査を行う等，患者の状態を十分に観察する．また，「禁忌」，「慎重投与」及び「重要な基本的注意」の項を参照し，適応患者の選択を慎重に行う．なお，使用にあたっては，添付文書を熟読する

禁忌 ①高度な骨髄抑制のある患者［骨髄抑制を悪化させる可能性がある］ ②本剤の成分に対し過敏症の既往歴のある患者 ③妊婦又は妊娠している可能性のある婦人

過量投与 本剤の過量投与に対する解毒剤は知られていない．過量投与が行われた場合には，観察を十分に行い，異常が認められた場合には，対症療法等の適切な処置を行う

薬物動態

血漿中濃度 (1)日本人固形がん患者15例に本剤0.7，1.0，1.4，2.0mg/m^2※)を2～10分間かけて静注時，本剤は3相性の消失推移を示した ※)本剤の承認された用量は1.4mg/m^2 (2) 1.4mg/m^{2}投与時の薬物動態パラメータは，Cmax(ng/mL)，$AUC_{0\text{-}inf}$(ng・hr/mL)，$t_{1/2}$(hr)，CL(L/hr/m^2)，Vss(L/m^2)の順に，第1日目群(6例)は，519.4±107.2，672.7±113.7，39.4±8.3，1.89±0.33，76.3±19.2．第8日目群(5例)は，544.4±52.5，698.5±128.8，38.6±5.2，1.82±0.34，67.8

±12.4 **分布** *In vitro*試験におけるエリブリン(100〜1000ng/mL)のヒト血漿蛋白結合率は48.92〜65.07% (参考)ラットに^{14}C標識エリブリン酢酸塩0.75mg/kgを単回静注時, 投与後7日目までに多くの組織に放射能が分布. 特に, 肺, 膀胱, 腎皮質, 腎髄質, 肝臓, 脾臓, 甲状腺, 胃, 唾液腺で高い放射能が認められ, 中枢神経系では低かった. イヌに^{14}C標識エリブリン酢酸塩0.08mg/kgを単回静注時, 血液中放射能/血漿中放射能の比は0.94〜1.25 **代謝(外国人における成績)** 固形がん患者6例に^{14}C標識体を単回静注時, 血漿中の放射能の大部分が未変化体. また, 投与後168時間までに尿糞中に排泄された放射能の78.6%が未変化体. *In vitro*試験の結果から, CYP3A4が主にエリブリンの代謝に寄与すると考えられた **排泄(外国人における成績)** 固形がん患者6例に^{14}C標識体を単回投与時, 投与後168時間までに, 投与した放射能の8.9%が尿中に, 77.6%が糞中に排泄. 尿糞中の放射能のうち, 78.6%が未変化体として排泄 **高齢者** 母集団薬物動態解析より, エリブリンのクリアランスは, 65歳以上の患者と65歳未満の患者において有意差なし **肝機能障害患者(外国人における成績)** (1)固形がん患者18例の肝機能をChild-Pugh分類によって, 正常, 軽度肝機能障害(Child-Pugh A)及び中等度肝機能障害(Child-Pugh B)に分類し, それぞれ本剤を1.4mg/m^2, 1.1mg/m^{2}及び0.7mg/m^{2}投与時の薬物動態パラメータにおいて, 肝機能の低下にともないクリアランスの低下, 半減期の延長, AUC(投与量補正時)の増加及びCmax(投与量補正時)の増加が認められた (2)薬物動態パラメータは, 正常群(6例), Child-Pugh A群(7例), Child-Pugh B群(5例)の順に, 用量(mg/m^2)1.4, 1.1, 0.7. Cmax(ng/mL/mg)※) 72.0±20.2, 83.9±28.5, 100±46.2. AUC$_{0\text{-}inf}$ (ng・hr/mL/mg)※) 229±58.3, 420±175.4, 646±412.6. t$_{1/2}$(hr)36.1±8.65, 41.1±12.73, 65.9±18.50. CL(L/hr/m^2) 4.57±0.959, 2.75±1.094, 2.06±1.028. Vss(L/m^2) 166±50.1, 113±29.1, 149±81.5 ※)エリブリン1mgあたりに補正した数値を示す **腎機能障害患者(外国人における成績)** (1)固形がん患者19例の腎機能をクレアチニンクリアランスによって, 正常(>80mL/min), 中等度腎機能障害(30-50mL/min)及び重度腎機能障害(15-<30mL/min)に分類し, それぞれ1.4mg/m^2, 1.4mg/m^{2}及び0.7mg/m^{2}投与した際の薬物動態パラメータにおいて, 腎機能の低下に伴い半減期は変化しないものの, クリアランスの低下, AUC(投与量補正時)の増加, Cmax(投与量補正時)の増加が認められた (2)薬物動態パラメータは, 正常(6例), 中等度(7例), 重度(6例)の順に, 用量(mg/m^2)1.4, 1.4, 0.7 Cmax(ng/mL/mg)※1) 109±50.4, 140±51.6, 236±176. AUC$_{0\text{-}inf}$(ng・hr/mL/mg)※1) 408±224, 595±299※2), 575±232. t$_{1/2}$(hr)43.4±15.3, 43.9±10.9※2), 38.7±12.5. CL(L/hr)3.13±1.65, 2.07±1.03※2), 2.01±0.88. Vss(L) 144±73.7, 86.5±32.7※2), 66.6±26.8 ※1)エリブリン1mgあたりに補正した数値を示す ※2)6例 **薬物相互作用** *In vitro*試験においてエリブリンはCYP3A4に対して可逆的な競合阻害作用(Ki:3〜17μmol/L)を示したが, CYP1A2, CYP2C9, CYP2C19, CYP2D6及びCYP2E1に対してはほとんど阻害作用を示さなかった. また, ヒト肝細胞においてCYP1A, CYP2C9, CYP2C19及びCYP3Aの酵素活性及びたん白発現量に影響を及ぼさなかった. 外国人固形がん患者10例に本剤とケトコナゾールを併用投与時, エリブリンの薬物動態パラメータはケトコナゾールの影響を受けなかった. 外国人固形がん患者11例にリファンピシンを反復投与後に本剤と併用投与した際に, エリブリンの薬物動態パラメータはリファンピシンの影響を受けなかった

その他の管理的事項

投与期間制限 該当しない

保険給付上の注意 該当しない

資料

IF ハラヴェン静注1mg 2020年7月改訂(第7版)

エルカトニン
Elcatonin

概要

薬効分類 399 他に分類されない代謝性医薬品

構造式

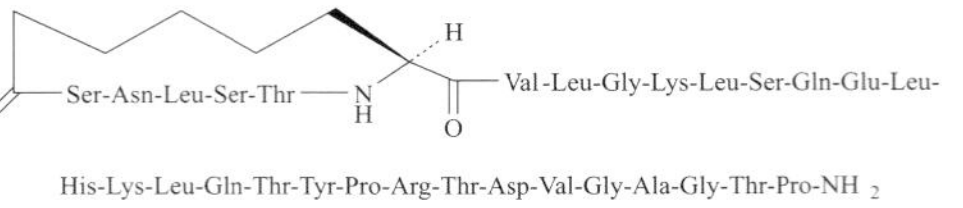

分子式 $C_{148}H_{244}N_{42}O_{47}$

分子量 3363.77

ステム 不明

原薬の規制区分 [劇]

原薬の外観・性状 白色の粉末である. 水に極めて溶けやすく, エタノール(95)に溶けやすく, アセトニトリルにほとんど溶けない. 本品の水溶液(1→500)のpHは4.5〜7.0である

原薬の吸湿性 吸湿性である. 約23℃で1時間放置すると, 80%RHで約8%, 58.5%RHで約3%の質量増加が認められる

原薬の融点・沸点・凝固点 融点:約240℃(分解)

原薬の酸塩基解離定数 該当資料なし

先発医薬品等

注 エルシトニン注10単位・20S・40単位(旭化成ファーマ)

キット エルシトニン注20Sディスポ(旭化成ファーマ)

後発医薬品

注 10エルカトニン単位・20エルカトニン単位・40エルカトニン単位

キット 10エルカトニン単位

国際誕生年月 1981年6月

海外での発売状況 中国, 韓国など

製剤

規制区分 **注** **キット** [劇] [処]

製剤の性状 **注** **キット** 無色澄明な液である

有効期間又は使用期限 **10・20単位注** 2年 **40単位注** 2年6カ月

貯法・保存条件 室温保存

患者向け資料等 くすりのしおり

溶液及び溶解時のpH **10単位注** **20単位注** **40単位注** 5.0〜6.5

浸透圧比 約1(対生食)

安定なpH域 5.0〜6.5

調製時の注意 **40単位注** 希釈する場合は, 通常生食を始めとする各種電解質を含む輸液で行うこと

薬理作用

分類 合成カルシトニン誘導体製剤

作用部位・作用機序 部位:主に骨, 腎等が考えられている 機序:**10・20単位注** 鎮痛効果が認められている. 鎮痛の作用メカニズムの一つとして, 疼痛抑制系のセロトニン神経系を介して作用を発現するものと考えられる. また, 実験的骨粗鬆症に対する改善効果, 骨吸収抑制作用が認められており, この作用メカニズムの一つとしては骨の破骨細胞のカルシトニンレセプターに結合し, サイクリックAMPを介して作用を発現するものと考えられる **40単位注** 主に骨吸収抑制作用により各種の実験的高カルシウム血症に対し血清カルシウム低下作用を示す

同効薬 **10単位注** 合成サケカルシトニン, アルファカルシドール, カルシトリオール, エチドロン酸二ナトリウム, アレンドロン酸ナトリウム水和物, リセドロン酸ナトリウム水和物, ミノドロン酸水和物, メナテトレノン, イプリフラボン, エストリオール, エストラジオール, ラロキシフェン塩酸塩 **20単位注** ブタカルシトニン, 合成サケカルシトニン, アルファカルシドール, カルシトリオール, エチドロン酸二ナトリ

ウム，アレンドロン酸ナトリウム水和物，リセドロン酸ナトリウム水和物，ミノドロン酸水和物，メナンテトレノン，イプリフラボン，エストリオール，エストラジオール，ラロキシフェン塩酸塩 **40単位注** パミドロン酸二ナトリウム製剤，アレンドロン酸ナトリウム水和物製剤，インカドロン酸二ナトリウム製剤，エチドロン酸二ナトリウム，リセドロン酸ナトリウム水和物，ゾレドロン酸水和物

治療

効能・効果 **10単位** **20単位** 骨粗鬆症における疼痛
40単位 高カルシウム血症，骨ページェット病

用法・用量 **10単位** 1回10単位，週2回筋注（適宜増減）
20単位 1回20単位，週1回筋注
40単位 ①高カルシウム血症：1回40単位を1日2回朝晩筋注又は点滴静注．点滴静注においては希釈後速やかに使用し，1～2時間かけて注入する．年齢及び血中カルシウムの変動により適宜増減 ②骨ページェット病：1回40単位を原則として1日1回筋注

禁忌・原則禁忌となる特定患者集団 **40単位** 妊娠末期の患者

使用上の注意

禁忌 ①本剤の成分に対し過敏症の既往歴のある患者 ②**40単位** 妊娠末期の患者

薬物動態

健康成人男子（6例）にエルカトニン10，20，40単位を単回筋注時※1）の薬物濃度パラメータ（10単位，20単位，40単位の順※2））は，Tmax（min）23.3±5.2，21.7±4.1，23.3±5.2，Cmax（pg/mL）7.6±2.2，24.8±7.8，57.8±11.7，$T_{1/2}$（min）41.7±8.7，35.4±9.8，36.6±4.1，$AUC_{0-\infty}$（pg・min/mL）632±199，1841±422，4640±991 **40単位** 40単位を90分間かけて点滴静注時，点滴中は筋注時よりやや高い血清中濃度を維持し，点滴終了後の血清中からの消失は速やか．※1）承認用量は用法・用量の通り．※2）本剤の活性は，日局標準品を基準にして生物学的測定法により測定し，約6000エルカトニン単位/mgである **体内分布（参考）** ^{3}H-エルカトニンをラットに筋注時の腎，膵，骨，胃に多く分布 **代謝（参考）** ラット臓器抽出物と反応させた場合，主に腎臓のミクロソーム画分で代謝 **排泄（参考）** ^{3}H-エルカトニンをラットに筋注後120時間までに尿，糞及び呼気中に44％排泄．ゲルろ過による尿中排泄物の分析では，未変化体は認められない

その他の管理的事項

投与期間制限 該当しない

保険給付上の注意 該当しない

資料

IF エルシトニン注10単位 2018年8月改訂（第8版）
エルシトニン注20S・ディスポ 2018年8月改訂（第7版）
エルシトニン注40単位 2018年8月改訂（第8版）

エルゴカルシフェロール
Ergocalciferol

別名：ビタミンD_2

概要

構造式

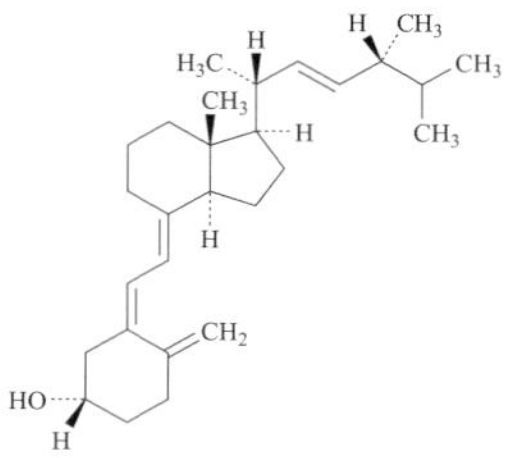

分子式 $C_{28}H_{44}O$

分子量 396.65

原薬の規制区分 該当しない

原薬の外観・性状 白色の結晶で，においはないか，又は僅かに特異なにおいがある．エタノール（95），ジエチルエーテル又はクロロホルムに溶けやすく，イソオクタンにやや溶けにくく，水にほとんど溶けない．空気又は光によって変化する

原薬の融点・沸点・凝固点 融点：115～118℃

エルゴタミン酒石酸塩
Ergotamine Tartrate

概要

構造式

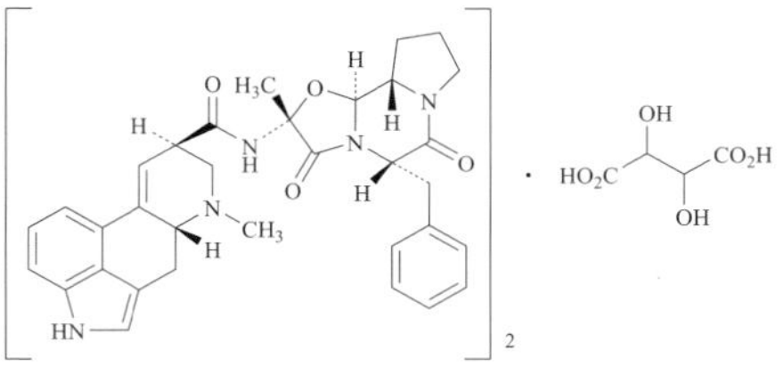

分子式 $(C_{33}H_{35}N_5O_5)_2 \cdot C_4H_6O_6$

分子量 1313.41

原薬の規制区分 ㊖

原薬の外観・性状 無色の結晶又は白色～微黄白色若しくは灰白色の結晶性の粉末である．水又はエタノール（95）に溶けにくい

原薬の融点・沸点・凝固点 融点：約180℃（分解）

エルゴメトリンマレイン酸塩
エルゴメトリンマレイン酸塩錠
エルゴメトリンマレイン酸塩注射液
Ergometrine Maleate

[概要]
薬効分類　253　子宮収縮剤
構造式

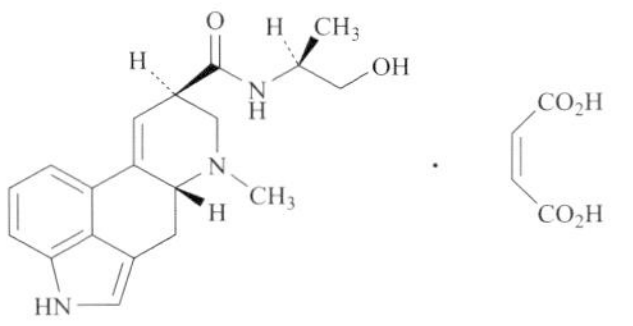

分子式　$C_{19}H_{23}N_3O_2 \cdot C_4H_4O_4$
分子量　441.48
ステム　麦角アルカロイド誘導体：-erg
原薬の規制区分　[劇]
原薬の外観・性状　白色～微黄色の結晶性の粉末で，においはない．水にやや溶けにくく，メタノール又はエタノール(95)に溶けにくく，ジエチルエーテルにほとんど溶けない．光によって徐々に黄色となる．0.10gを水10mLに溶かした液のpHは3.0～5.0である
原薬の吸湿性　該当資料なし
原薬の融点・沸点・凝固点　融点：約185℃(分解)
原薬の酸塩基解離定数　該当資料なし
先発医薬品等
[注] エルゴメトリンマレイン酸塩注0.2mg「F」(富士製薬)
国際誕生年月　不明
海外での発売状況　該当しない
[製剤]
規制区分　[注] [劇] [処]
製剤の性状　[注] 無色～微黄色澄明の液
有効期間又は使用期限　2年
貯法・保存条件　密封容器，遮光・冷所保存
薬剤取扱い上の留意点　特になし
溶液及び溶解時のpH　[注] 2.7～3.5
浸透圧比　[注] 約0.6(対生食)
調製時の注意　該当資料なし
[薬理作用]
分類　子宮収縮止血剤
作用部位・作用機序　バッカクアルカロイドの一つで，平滑筋(血管や子宮)収縮作用とα受容体遮断作用を示すが，血管収縮作用とα遮断作用は弱く，子宮収縮作用は強い．臨床的には子宮収縮薬として利用される
同効薬　メチルエルゴメトリンマレイン酸塩
[治療]
効能・効果　子宮収縮の促進ならびに子宮出血の予防及び治療の目的で次の場合に使用：胎盤娩出前後，弛緩出血，子宮復古不全，帝王切開術，流産，人工妊娠中絶
用法・用量　1回0.2mg，皮下注，筋注又は静注
禁忌・原則禁忌となる特定患者集団　妊婦又は妊娠している可能性のある女性，児頭娩出前
[使用上の注意]
禁忌　①妊婦又は妊娠している可能性のある女性　②児頭娩出前［子宮収縮作用により子宮破裂，胎児死亡のおそれがある］　③本剤又は麦角アルカロイドに対して過敏症の既往歴のある患者　④高度の冠動脈狭窄を有する患者［冠動脈の攣縮により狭心症，心筋梗塞が誘発されることがある］　⑤敗血症の患者［血管収縮に対する感受性が増大する可能性がある］　⑥HIVプロテアーゼ阻害剤(リトナビル，インジナビル，ネルフィナビル，サキナビル，アタザナビル，ホスアンプレナビル，ダルナビル)，エファビレンツ，アゾール系抗真菌薬(イトラコナゾール，ボリコナゾール)，テラプレビル，コビシスタット，5-$HT_{1B/1D}$受容体作動薬(スマトリプタン，ゾルミトリプタン，エレトリプタン，リザトリプタン，ナラトリプタン)，エルゴタミン，ジヒドロエルゴタミンを投与中の患者
相互作用概要　主にCYP3A4で代謝される
[資料]
IF　エルゴメトリンマレイン酸塩注0.2mg「F」 2015年10月改訂(第10版)

塩化亜鉛
Zinc Chloride

[概要]
薬効分類　279　その他の歯科口腔用薬
分子式　$ZnCl_2$
分子量　136.29
原薬の規制区分　[劇]
原薬の外観・性状　白色の結晶性の粉末，棒状又は塊で，においはない．水に極めて溶けやすく，エタノール(95)に溶けやすいが，僅かに混濁することがある．この混濁は塩酸少量を加えるとき澄明となる．1.0gを水2mLに溶かした液のpHは3.3～5.3である．潮解性である
原薬の吸湿性　潮解性である

塩化インジウム(^{111}In)注射液
Indium(^{111}In) Chloride Injection

[概要]
薬効分類　430　放射性医薬品
分子式　$^{111}InCl_3$
分子量　217.264
原薬の規制区分　該当しない
原薬の吸湿性　該当資料なし
原薬の酸塩基解離定数　該当資料なし
先発医薬品等
[注] 塩化インジウム(^{111}In)注(メジフィジックス)
国際誕生年月　1983年5月
海外での発売状況　発売されていない
[製剤]
規制区分　[注] [処]
製剤の性状　[注] 無色澄明の液
有効期間又は使用期限　検定日時から12日間
貯法・保存条件　遮光・室温保存
溶液及び溶解時のpH　1.0～2.5
浸透圧比　約1(対生食)
[薬理作用]
分類　放射性医薬品(造血骨髄診断薬)
作用部位・作用機序　肘静脈内に投与された本剤は，血清中のトランスフェリンと結合し，鉄イオンと類似した血中動態を示し，幼若赤血球に取り込まれるため，活性骨髄に集積する
同効薬　なし
[治療]
効能・効果　骨髄シンチグラムによる造血骨髄の診断
用法・用量　37～111MBq静注，約48時間後に被検部の骨髄シ

ンチグラムを撮る（適宜増減）

薬物動態

分布 健常者では，静注後，主に肝臓，脾臓，骨髄に漸増的に集積し約72時間でプラトーに達する傾向があること，造血機能障害が著明になると腎への集積が著しく増大し，24時間以後の肝臓，骨髄への取り込みが減少する傾向にあることが認められた **排泄** 健常者5例，造血機能障害4例について，投与48時間後までの累積尿中排泄率は，健常者群で数％以下（造血機能障害群で16％）

その他の管理的事項

投与期間制限 該当しない

保険給付上の注意 該当しない

資料

IF 塩化インジウム（^{111}In）注 2019年9月改訂（第6版）

塩化カリウム
Potassium Chloride

概要

薬効分類 322 無機質製剤，331 血液代用剤

分子式 KCl

分子量 74.55

ステム 該当しない

原薬の規制区分 該当しない

原薬の外観・性状 無色又は白色の結晶又は結晶性の粉末で，においはなく，味は塩辛い．水に溶けやすく，エタノール(95)又はジエチルエーテルにほとんど溶けない．本品の水溶液(1→10)は中性である

原薬の吸湿性 空気中で安定

原薬の融点・沸点・凝固点 融点：768℃，沸点：1411℃

原薬の酸塩基解離定数 該当資料なし

先発医薬品等

末 塩化カリウム（山善）
塩化カリウム「日医工」（日医工ファーマ＝日医工）
塩化カリウム「フソー」（扶桑）

徐放錠 塩化カリウム徐放錠600mg「St」（佐藤薬品＝アルフレッサファーマ）

内用液 K.C.L.エリキシル（10W/V％）（丸石）

注 K.C.L.点滴液15％（丸石）
KCL補正液1mEq/mL（大塚工場＝大塚製薬）

キット KCL補正液キット20mEq（大塚工場＝大塚製薬）

後発医薬品

キット 1モル

製剤

規制区分 **補正液注** ㊙

製剤の性状 **末** 無色又は白色の結晶又は結晶性の粉末である **徐放錠** 白色のフィルムコーティング錠 **内用液** 無色澄明の液で芳香甘味を有する **点滴注** 黄色～だいだい黄色の澄明の水性注射液である **補正液注** 黄色澄明の注射液である

有効期間又は使用期限 3年

貯法・保存条件 **末** **内用液** 室温保存 **徐放錠** 防湿・室温保存 **点滴注** **補正液注** 遮光・室温保存

薬剤取扱い上の留意点 **徐放錠** 本剤のゴーストタブレット（有効成分放出後の殻錠）が糞中に排泄されることがある **注** 着色剤として含有するリボフラビンリン酸エステルナトリウムは光に不安定で，分解すると退色あるいは沈殿を起こすので，外観に変化が見られた場合は使用しないこと **注(補正液)** 使用に際して，添加したリボフラビンリン酸エステルナトリウムの着色を目安として電解質補液に均一になるように希釈・混合して使用すること．包装内に水滴が認められるものや内容液が混濁しているものは使用しないこと

患者向け資料等 **末** **徐放錠** **内用液** くすりのしおり

溶液及び溶解時のpH **点滴注** 5.0～7.0 **補正液注** 5.0～6.5

浸透圧比 **点滴注** 約1（20mL/1000mL生食で希釈）（対生食）
補正液注 約7（対生食）

調製時の注意 該当しない

薬理作用

分類 カリウム製剤

作用部位・作用機序 主として細胞内にあって細胞浸透圧の維持に役立ち，細胞外液中のナトリウムイオン（Na^+）と拮抗的に作用する．グリコーゲン，たん白質の生合成及び分解機構に不可欠の要素である．骨格筋，心筋及び胃腸平滑筋等の筋肉活動の生理に影響を与える．酵素作用の増強，細胞の代謝調整及び機能調整に関与する．カルシウムと拮抗して神経系統の興奮と緊張に大きな影響を与える．ステロイドホルモン，サイアザイド系利尿剤及びジギタリス製剤等の長期投与によりカリウム欠乏が起こる．低カリウム性アルカローシスの場合，同時に低クロル血症を伴うことが多く，この際クロルをカリウムとともに補給すると速やかに低カリウム血症が是正される

同効薬 **末** 無機質製剤 **徐放錠** L-アスパラギン酸カリウム，グルコン酸カリウム

治療

効能・効果 **末** **内用液** ①次の疾患又は状態におけるカリウム補給：⑴降圧利尿剤，副腎皮質ホルモン，強心配糖体，インスリン，ある種の抗生物質等の連用時 ⑵低カリウム血症型周期性四肢麻痺 ⑶重症嘔吐，下痢，カリウム摂取不足及び手術後 ②低クロル性アルカローシス

徐放錠 低カリウム血症の改善

注 ①次の疾患又は状態におけるカリウム補給：⑴降圧利尿剤，副腎皮質ホルモン，強心配糖体，インスリン，ある種の抗生物質等の連用時 ⑵低カリウム血症型周期性四肢麻痺 ⑶重症嘔吐，下痢，カリウム摂取不足及び手術後 ②低クロル性アルカローシス ③電解質補液の電解質補正

注(補正液) **キット** 電解質補液の電解質補正

用法・用量 **末** **内用液** 塩化カリウムとして1日2～10g，数回に分服（適宜増減）．腸溶錠はかみ砕かない．その他は多量の水とともに服用

徐放錠 塩化カリウムとして1回1200mg，1日2回食後（適宜増減）

注 塩化カリウムとして1回0.75～3g（カリウムとして10～40mEq）（適宜増減）．小児には，カリウム欠乏の原因及び程度ないしは臨床上の反応によって調節されるが，通例，年齢，体重により1回60～380mg（カリウムとして0.8～5mEq）．注射用水，5％ブドウ糖注射液，生理食塩液又は他の適当な希釈剤で希釈する（均一な希釈状態の確認のためにリン酸リボフラビンナトリウムを配合して黄色液としている）．その液（希釈後）の濃度は0.3％（カリウムとして40mEq/L）以下として，1分間8mLを超えない速度で静注．成人1日7.5g（カリウムとして100mEq）を超えない量とする．電解質補液の補正には，体内の水分，電解質の不足に応じて電解質補液に添加して点滴静注

注(補正液) **キット** 電解質補液の補正用として，体内の水分，電解質の不足に応じて電解質補液に添加して点滴静注するか，腹膜透析液に添加して腹腔内投与する．キットの操作方法は添付文書参照

用法・用量に関連する使用上の注意 **注** カリウム剤を急速静注すると，不整脈，場合によっては心停止を起こすので，点滴静注のみに使用する

1モルキット ①電解質の補正用製剤であるため，必ず希釈して使用する（カリウムイオン濃度として40mEq/L以下に必ず希釈し，十分に混和した後に投与する） ②ゆっくり静脈内に投与し，投与速度はカリウムイオンとして20mEq/hrを超えない ③カリウムとしての投与量は1日100mEqを超えない

使用上の注意

禁忌 **末** **内用液** ①重篤な腎機能障害(前日の尿量が500mL以下あるいは投与直前の排尿が1時間あたり20mL以下)のある患者［高カリウム血症が悪化する］ ②副腎機能障害(アジソン病)のある患者［高カリウム血症が悪化する］ ③高カリウム血症の患者［不整脈や心停止を引き起こすおそれがある］ ④消化管の通過障害のある患者［消化管の閉塞，潰瘍又は穿孔が現れることがある］：(1)食道狭窄のある患者(心肥大，食道癌，胸部大動脈瘤，逆流性食道炎，心臓手術等による食道圧迫) (2)消化管狭窄又は消化管運動機能不全のある患者 ⑤高カリウム血性周期性四肢麻痺の患者［発作と高カリウム血症が誘発される］ ⑥エプレレノン(高血圧症)を投与中の患者 ⑦本剤の成分に対し過敏症の既往歴のある患者 ⑧**内用液** ジスルフィラム，シアナミド，カルモフール，プロカルバジン塩酸塩を投与中の患者

徐放錠 ①乏尿・無尿(前日の尿量が500mL以下あるいは投与直前の排尿が1時間あたり20mL以下)又は高窒素血症がみられる高度の腎機能障害のある患者［高カリウム血症が悪化する］ ②未治療のアジソン病患者［高カリウム血症が悪化する］ ③高カリウム血症の患者［不整脈や心停止を引き起こすおそれがある］ ④消化管通過障害のある患者［塩化カリウムの局所的な粘膜刺激作用により潰瘍，狭窄，穿孔をきたすことがある］：(1)食道狭窄のある患者(心肥大，食道癌，胸部大動脈瘤，逆流性食道炎，心臓手術等による食道圧迫) (2)消化管狭窄又は消化管運動機能不全のある患者 ⑤高カリウム血性周期性四肢麻痺の患者［発作を誘発するおそれがある］ ⑥本剤の成分に対し過敏症の既往歴のある患者 ⑦エプレレノン(高血圧症)を投与中の患者

注 ①重篤な腎機能障害(前日の尿量が500mL以下あるいは投与直前の排尿が1時間あたり20mL以下)のある患者［高カリウム血症が悪化する］ ②副腎機能障害(アジソン病)のある患者［高カリウム血症が悪化する］ ③高カリウム血症の患者［不整脈や心停止を引き起こすおそれがある］ ④高カリウム血性周期性四肢麻痺の患者［発作と高カリウム血症が誘発される］ ⑤エプレレノン(高血圧症)を投与中の患者 ⑥本剤の成分に対し過敏症の既往歴のある患者

過量投与 **末** **内用液** ①**末** 通常経口投与では重篤な高カリウム血症が現れることは少ないが，排泄機能の異常等がある場合には起こることがある．一般に高カリウム血症は初期には無症状のことが多いので，血清カリウム値及び特有な心電図変化(T波の尖鋭化，QRS幅の延長，ST部の短縮，P波の平坦化ないし消失)に十分注意し，高カリウム血症が認められた場合には血清カリウム値，臨床症状に応じ次のうち適切と思われる処置を行う．なお，筋肉及び中枢神経系の症状として，錯覚感，痙攣，反射消失が現れ，また，横紋筋の弛緩性麻痺は，呼吸麻痺に至るおそれがある：(1)カリウムを含む食物や薬剤の制限又は排除．カリウム保持性利尿剤の投与が行われている場合にはその中止 (2)インスリンをブドウ糖3～4gに対し1単位(もし糖尿病があれば2gに対し1単位)加えた20～50%高張ブドウ糖液200～300mLを30分位で静注 (3)アシドーシスのある場合には，乳酸ナトリウムあるいは炭酸水素ナトリウムを5%ブドウ糖200mL程度に溶解し静注 (4)グルコン酸カルシウム水和物の静注 (5)陽イオン交換樹脂(ポリスチレンスルホン酸ナトリウム等)の経口投与又は注腸 (6)血液透析又は腹膜透析 ②**内用液** 過量投与により，高カリウム血症が現れることがある．一般に高カリウム血症は初期には無症状のことが多いので，血清カリウム値及び特有な心電図変化(T波の尖鋭化，QRS幅の延長，ST部の短縮，P波の平坦化ないし消失)に十分注意し，高カリウム血症が認められた場合には血清カリウム値，臨床症状に応じ次のうち適切と思われる処置を行う．なお，筋肉及び中枢神経系の症状として，錯覚感，痙攣，反射消失が現れ，また，横紋筋の弛緩性麻痺は，呼吸麻痺に至るおそれがある：(1)カリウムを含む食物や薬剤の制限又は排除．カリウム保持性利尿剤の投与が行われている場合にはその中止 (2)グルコン酸カルシウム剤の静注 (3)ブドウ糖-インスリン療法 (4)高張ナトリウム液の静注 (5)炭酸水素ナトリウムの静注 (6)陽イオン交換樹脂(ポリスチレンスルホン酸ナトリウム等)の投与 (7)透析療法

徐放錠 ①徴候，症状：通常経口投与では重篤な高カリウム血症があらわれることは少ないが，排泄機能の異常等がある場合には起こることがある．一般に高カリウム血症は初期には無症状のことが多いので，血清カリウム値及び特有な心電図変化(T波の尖鋭化，QRS幅の延長，ST部の短縮，P波の平坦化ないしは消失)に十分注意する．なお，筋肉及び中枢神経系の症状として，錯感覚，痙攣，反射消失が現れ，横紋筋の弛緩性麻痺は，呼吸麻痺に至るおそれがある．また，大幅な過量投与で本剤が胃石を形成した事例が報告されている．本剤による胃石は薬剤摂取から数時間に渡り，継続的な塩化カリウム放出の原因となる ②処置：高カリウム血症が認められた場合には血清カリウム値，臨床症状に応じて次を参考に適切な処置を行う：(1)カリウムを含む食物や薬剤の制限又は排除．カリウム保持性利尿剤の投与が行われている場合にはその投与中止 (2)インスリンをブドウ糖3～4gに対し1単位(もし糖尿病があれば2gに対し1単位)加えた20～50%高張ブドウ糖液200～300mLを30分くらいで静注 (3)アシドーシスのある場合には，乳酸ナトリウムあるいは炭酸水素ナトリウムを5%ブドウ糖液200mL程度に溶解し静注 (4)グルコン酸カルシウムの静注 (5)陽イオン交換樹脂(ポリスチレンスルホン酸ナトリウム等)の経口投与又は注腸 (6)血液透析又は腹膜透析 ＊本剤による胃石が認められた場合には胃洗浄等の適切な処置を行う．胃石の大きさ及び摂取錠剤の数に応じて内視鏡的又は外科的処置も考慮に入れる

その他の管理的事項

投与期間制限 該当しない

保険給付上の注意 該当しない

資料

IF 塩化カリウム「フソー」 2020年3月改訂(第7版)
ケーサプライ錠600mg 2020年4月改訂(第9版)
KCL補正液1mEq/mL 2014年9月改訂(第7版)

添付文書 K.C.L.エリキシル(10w/v%) 2020年4月改訂(第10版)
K.C.L.点滴液15% 2020年4月改訂(第5版)

塩化カルシウム水和物
塩化カルシウム注射液
Calcium Chloride Hydrate

概要

薬効分類 321 カルシウム剤

分子式 $CaCl_2 \cdot 2H_2O$

分子量 147.01

略語・慣用名 別名：塩化カルシウム二水塩

ステム 該当しない

原薬の規制区分 該当しない

原薬の外観・性状 白色の粒又は塊で，においはない．水に極めて溶けやすく，エタノール(95)にやや溶けやすく，ジエチルエーテルにほとんど溶けない．潮解性である．1.0gを新たに煮沸して冷却した水20mLに溶かした液のpHは4.5～9.2である

原薬の吸湿性 潮解性である

原薬の酸塩基解離定数 該当資料なし

先発医薬品等

末 塩化カルシウム水和物(山善)

注 塩化Ca補正液1mEq/mL(大塚工場＝大塚製薬)
塩化カルシウム注2%「NP」(ニプロ)
大塚塩カル注2%(大塚工場＝大塚製薬)

国際誕生年月 該当しない

海外での発売状況 該当しない

製剤

規制区分 **注** ㊙

製剤の性状 **末** 白色の粒又は塊で，においはない **注** 無色澄明の注射液である

有効期間又は使用期限 **注** 3年

貯法・保存条件 **末** 気密容器，室温保存 **注** 室温保存

薬剤取扱い上の留意点 **末** 潮解性であるので，吸湿に注意して取り扱い，使用後は速やかに容器の閉栓をすること **注** 寒冷期には体温程度に温めて使用すること

溶液及び溶解時のpH **注** 4.5～7.5

浸透圧比 **注** 約2(対生食)

調製時の注意 **注** クエン酸塩，炭酸塩，リン酸塩，硫酸塩，酒石酸塩等を含む製剤と混合した場合，沈殿を生じるので混合を避けること．エタノールにより沈殿を生じるので，エタノールで消毒した注射器は用いないこと

薬理作用

分類 ハロゲン化カルシウム製剤

作用部位・作用機序 部位：全身 機序：カルシウムは人体内に最も大量に存在する無機質であり，骨の形成，維持，修復等に必須の役割を果たしているほか，神経及び筋の興奮性の調節など多くの複雑な生理学的過程に関与している．カルシウムは神経や骨格筋の興奮を鎮め 低カルシウム血症によって起こるテタニー症を改善する．また，鉛中毒，マグネシウム中毒の治療や妊産婦の骨軟化症に対するカルシウムの補給に用いる

同効薬 グルコン酸カルシウム水和物

治療

効能・効果 **末** 低カルシウム血症に起因する次の症候の改善：テタニー，テタニー関連症状

2%注 ①低カルシウム血症に起因する次の症候の改善：テタニー，テタニー関連症状 ②鉛中毒症 ③マグネシウム中毒症 ④次の代謝性骨疾患におけるカルシウム補給：妊婦・産婦の骨軟化症

補正用注 電解質補液の電解質補正，低カルシウム血症

用法・用量 **末** 1回1～2g，約5%水溶液にし，1日3回(適宜増減)

2%注 塩化カルシウムとして0.4～1g(カルシウムとして7.2～18mEq)を2%(0.36mEq/mL)液として，1日1回緩徐に(カルシウムとして0.68～1.36mEq/分)静注(適宜増減)．ただし，妊婦・産婦の骨軟化症に用いる場合は，経口投与不能時に限る

補正用注 **補正用キット** 電解質補液の電解質の補正用として，体内の水分，電解質の不足に応じて電解質補液に添加して用いる

使用上の注意

禁忌 **末** ①高カルシウム血症の患者［高カルシウム血症を増悪させるおそれがある］ ②腎結石のある患者［腎結石を助長するおそれがある］ ③重篤な腎不全のある患者［組織への石灰沈着を助長するおそれがある］

2%注 ①強心配糖体(ジゴキシン等)の投与を受けている患者 ②高カルシウム血症の患者［高カルシウム血症が悪化するおそれがある］ ③腎結石のある患者［結石症が悪化するおそれがある．また，腎の石灰化や尿路結石を誘発するおそれがある］ ④重篤な腎不全のある患者［高カルシウム血症が悪化するおそれがある］

その他の管理的事項

投与期間制限 該当しない

保険給付上の注意 該当しない

資料

IF 大塚塩カル注2% 2016年12月改訂(第6版)

添付文書 塩化カルシウム「ヤマゼン」 2009年2月改訂(第4版)

塩化タリウム(^{201}Tl)注射液
Thallium(^{201}Tl) Chloride Injection

概要

薬効分類 430 放射性医薬品

分子式 ^{201}TlCl

分子量 236.424

原薬の規制区分 該当しない

原薬の吸湿性 該当資料なし

原薬の酸塩基解離定数 該当資料なし

先発医薬品等

注 塩化タリウム(^{201}Tl)注NMP(メジフィジックス)
塩化タリウム-Tl201注射液(富士フイルム富山化学)

国際誕生年月 該当資料なし

海外での発売状況 欧米各国ほか

製剤

規制区分 **注** ㊙

製剤の性状 **注** 無色澄明の液

有効期間又は使用期限 検定日から3日間

貯法・保存条件 室温保存．放射線を安全に遮蔽できる貯蔵設備(貯蔵箱)に保存

薬剤取扱い上の留意点 心筋シンチグラフィを行う場合，心臓と重なる肝臓等への集積増加を防止するため検査前の一食は絶食が望ましい．放射性医薬品につき管理区域内でのみ使用すること．使用に際しては放射線を安全に遮蔽して行うこと

溶液及び溶解時のpH **注** 4.0～8.0

浸透圧比 **注** 約1(対生食)

調製時の注意 該当しない

薬理作用

分類 放射性医薬品

作用部位・作用機序 Tlは1価のイオンが安定で，そのイオン半径はK^+と似ている．したがって$^{201}Tl^+$は生体内においてK^+と類似の挙動を示し，心筋細胞膜のNa^+-K^+ATPaseの働きにより速やかに能動的に細胞内に摂取される．腫瘍に関しての^{201}Tlの集積機序は不明であるが，腫瘍のvascularityとの関係や，腫瘍親和性があるとされているアルカリ金属に類似していることなどが考えられている

同効薬 心筋シンチグラフィ用剤として：ヘキサキス(2-メトキシイソブチルイソニトリル)テクネチウム(^{99m}Tc)注射液，テトロホスミンテクネチウム(^{99m}Tc)注射液

治療

効能・効果 ①心筋シンチグラフィによる心臓疾患の診断 ②腫瘍シンチグラフィによる脳腫瘍，甲状腺腫瘍，肺腫瘍，骨・軟部腫瘍及び縦隔腫瘍の診断 ③副甲状腺シンチグラフィによる副甲状腺疾患の診断

用法・用量 タリウム201として次の量を投与，5～10分後からシンチレーションカメラで撮像，シンチグラムを得る．年齢，体重及び検査方法により適宜増減 効能①：74MBqを肘静注．正面像，左前斜位像，左側面像を含む多方向におけるシンチグラムを得る 効能②：脳腫瘍55.5～111MBq，甲状腺腫瘍，肺腫瘍，骨・軟部腫瘍，縦隔腫瘍55.5～74MBqを静注．必要に応じ，投与後約3時間に撮像を行う 効能③：74MBqを静注．必要に応じ，甲状腺シンチグラフィによるサブトラクションを行う

薬物動態

^{201}Tlは静注後Kとほぼ同様の動態を示し，Na-K ATPase系

の働きにより速やかに能動的に細胞内に摂取．最も集積の高いのは腎で，心筋周囲臓器では縦隔及び肺に低い集積，肝脾は心筋と同様又はやや低い集積．また^{201}Tlの有効半減期は2.22日．心筋梗塞巣では灌流が顕著に低下しており，細胞質のない膠原線維で置きかえられるためシンチグラム上，放射能の低下又は消失したcold areaとして表現される．腫瘍に関しての^{201}Tlの集積機序は不明であるが，腫瘍のvascularityとの関係や，腫瘍親和性があるとされているアルカリ金属に類似していること等が考えられている

その他の管理的事項

投与期間制限 該当しない

保険給付上の注意 該当しない

資料

IF 塩化タリウム-Tl201注射液 2018年10月改訂（第9版）

塩化ナトリウム
10%塩化ナトリウム注射液
Sodium Chloride

別名：食塩

概要

薬効分類 322 無機質製剤，331 血液代用剤，719 その他の調剤用薬

分子式 NaCl

分子量 58.44

ステム 該当しない

原薬の規制区分 該当しない

原薬の外観・性状 無色又は白色の結晶又は結晶性の粉末である．水に溶けやすく，エタノール（99.5）にほとんど溶けない

原薬の吸湿性 該当資料なし

原薬の酸塩基解離定数 該当しない

先発医薬品等

注 塩化Na補正液1mEq/mL・2.5mEq/mL（大塚工場＝大塚製薬）
塩化ナトリウム注10%「HK」（光）
塩化ナトリウム注10%「日新」（日新製薬＝日本ジェネリック）
塩化ナトリウム注10%「フソー」（扶桑）
大塚食塩注10%（大塚工場＝大塚製薬）
10%食塩注「小林」（共和クリティケア）

外用末 塩化ナトリウム「イヌイ」（日本家庭用塩）
塩化ナトリウム恵美須（恵美須）
塩化ナトリウム「オーツカ」（大塚工場＝大塚製薬）
塩化ナトリウム「東海」（東海製薬）
塩化ナトリウム「日医工」（日医工＝日興製薬販売）
塩化ナトリウム「フソー」（扶桑）
塩化ナトリウム（山善）

後発医薬品

キット 1モル・10%

国際誕生年月 不明

海外での発売状況 該当しない

製剤

規制区分 10%注 1mEq注 2.5mEq注 [処]

製剤の性状 末 無色又は白色の結晶又は結晶性の粉末である
10%・1mEq・2.5mEq注 無色澄明の注射液である

有効期間又は使用期限 末 5年 10%・1mEq・2.5mEq注 3年

貯法・保存条件 末 10%・2.5mEq注 室温保存 1mEq注 遮光・室温保存

薬剤取扱い上の留意点 10%・1・2.5mEq注 包装内に水滴が認められるものや内容液が着色又は混濁しているものは使用しないこと

患者向け資料等 末 10%注 くすりのしおり

溶液及び溶解時のpH 10%・2.5mEq注 5.0〜7.0 1mEq注 5.0〜7.5

浸透圧比 10%注 約11 1mEq注 約7 2.5mEq注 約16（いずれも対生食）

調製時の注意 該当しない

薬理作用

分類 補正用電解質液

作用部位・作用機序 部位：全身 機序：ナトリウムは生体内に最も普遍的に存在する無機物質で，主として細胞外液中にあって体液浸透圧維持の主体をなすとともに生体水分分布の重要な因子となっている．本品の0.9%水溶液は温血動物体液と等張で生理食塩液といい，注射しても溶血現象を起こさず，また局所組織の脱水，刺激などを招かない．ナトリウムイオンには特有のイオン作用はほとんどないが，ナトリウムイオンは，カリウムイオンとともに神経の興奮の維持と伝達に必要である．塩化ナトリウムは塩類作用を呈し，その吸収によって体液の浸透圧を上昇し，組織水分は体液中に吸収され，組織代謝が亢進し，利尿作用を現す．塩化ナトリウムの欠乏はアルカローシス，けいれん，時に筋肉の興奮を伴う嘔吐，異常発汗に基づく熱けいれんなどの原因となり，また，アジソン病に似た脱力症状を示すことがある

治療

効能・効果 経口 食塩喪失時の補給
0.4%注 注射剤の溶解希釈剤
10%注 10%キット ナトリウム欠乏時の電解質補給
1モル注 1モルキット 2.5モル注 電解質補液の電解質補正
外用 皮膚・創傷面・粘膜の洗浄・湿布，含嗽・噴霧吸入剤として気管支粘膜洗浄・喀痰排出促進
その他 医療用器具の洗浄

用法・用量 経口 塩化ナトリウムとして，1回1〜2gをそのまま，又は水に溶かして経口投与（適宜増減）
0.4%注 適量をとり注射用医薬品の希釈，溶解に用いる
10%注 10%キット 電解質補給の目的で，輸液剤等に添加して必要量を静注又は点滴静注
1モル注 1モルキット 2.5モル注 電解質補液の電解質の補正として体内の水分，電解質の不足に応じて電解質補液に添加して用いる
外用 ①等張液として皮膚，創傷面，粘膜の洗浄，湿布に用いる ②等張液として含嗽，噴霧吸入に用いる
その他 生理食塩液として医療用器具の洗浄に用いる

その他の管理的事項

投与期間制限 該当しない

保険給付上の注意 該当しない

資料

IF 塩化ナトリウム「オーツカ」 2008年2月改訂（第3版）
大塚食塩注10% 2016年12月改訂（第5版）
塩化Na補正液1mEq/mL 2016年12月改訂（第6版）
塩化Na補正液2.5mEq/mL 2016年12月改訂（第3版）

塩酸
Hydrochloric Acid

概要

薬効分類 719 その他の調剤用薬

分子式 HCl

分子量 36.46

原薬の規制区分 [劇]（ただし，塩化水素10%以下を含有するも

のを除く）

原薬の外観・性状　無色の液で，刺激性のにおいがある．発煙性であるが，2倍容量の水で薄めると，発煙性はなくなる

先発医薬品等

塩酸（小堺）
塩酸「司生堂」（司生堂＝日興製薬販売）
塩酸「タイセイ」（大成）
塩酸（山善）

製剤

規制区分　液　(劇)

製剤の性状　液 無色の液で刺激性のにおいがある．発煙性であるが，2倍容量の水で薄めると発煙性はなくなる

貯法・保存条件　気密容器

治療

効能・用法　希塩酸，塩酸リモナーデ等の調剤に用いる

資料

添付文書　塩酸「司生堂」 1991年10月作成

希塩酸
Dilute Hydrochloric Acid

概要

薬効分類　233　健胃消化剤

分子式　HCl

分子量　36.46

原薬の規制区分　該当しない

原薬の外観・性状　無色の液で，においはなく，強い酸味がある

先発医薬品等

内用液 希塩酸（小堺＝吉田製薬＝中北）
希塩酸（山善）
希塩酸「ケンエー」（健栄）
希塩酸「司生堂」（司生堂）
希塩酸「タイセイ」（大成）
希塩酸「東海」（東海製薬）
希塩酸「ニッコー」（日興製薬）
希塩酸「マルイシ」（丸石）

製剤

製剤の性状　液 無色の液で，においはなく，強い酸味がある

貯法・保存条件　気密容器

治療

効能・効果　低・無酸症における消化異常症状の改善

用法・用量　1日0.5～1mLを約200mLの水に薄めるか，又はリモナーデ剤として1～数回に分服（適宜増減）

使用上の注意

禁忌　アシドーシスのある患者［症状を悪化させるおそれがある］

資料

添付文書　希塩酸「司生堂」 2011年3月作成（第1版）

塩酸リモナーデ
Hydrochloric Acid Lemonade

概要

原薬の規制区分　該当しない

製剤

製剤の性状　無色澄明の液で，甘味及び清涼な酸味がある

エンタカポン
エンタカポン錠
Entacapone

概要

薬効分類　116　抗パーキンソン剤

構造式

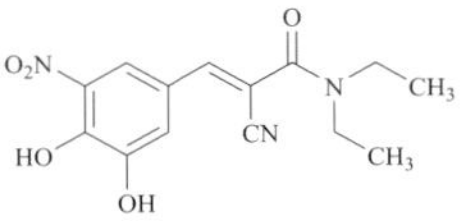

分子式　$C_{14}H_{15}N_3O_5$

分子量　305.29

原薬の規制区分　該当しない

原薬の外観・性状　黄色～帯緑黄色の結晶性の粉末である．メタノールにやや溶けにくく，エタノール（99.5）に溶けにくく，水にほとんど溶けない．結晶多形が認められる

原薬の吸湿性　吸湿性は認められていない

原薬の融点・沸点・凝固点　融点：163℃

原薬の酸塩基解離定数　pKa＝4.42～4.67

先発医薬品等

錠 コムタン錠100mg（ノバルティス）

後発医薬品

錠 100mg

国際誕生年月　1998年9月

海外での発売状況　米，英など50カ国以上

製剤

規制区分　錠　(処)

製剤の性状　錠 うすい黄赤色～くすんだ黄赤色の楕円形のフィルムコート錠

有効期間又は使用期限　3年

貯法・保存条件　室温保存

薬剤取扱い上の留意点　前兆のない突発的睡眠，傾眠，起立性低血圧が現れることがあるので，本剤投与中の患者には自動車の運転，高所での作業等，危険を伴う作業には従事させないように注意すること

患者向け資料等　患者向医薬品ガイド，くすりのしおり

薬理作用

分類　末梢COMT阻害剤

作用部位・作用機序　レボドパは末梢でドパ脱炭酸酵素によるドパミンへの代謝のほかにCOMTによる水酸基のメチル化も受けているため，wearing-off現象を起こしている患者ではCOMTを阻害してレボドパの脳への移行性をさらに向上させることで，レボドパ療法の作用持続時間の延長が期待できる．本剤はレボドパ・カルビドパ又はレボドパ・ベンセラジド塩酸塩と併用され，COMTによるレボドパの3-O-methyldopa（3-OMD）への代謝を阻害することでレボドパの生物学的利用率を増大し，血中レボドパの脳内移行を増加させ，その結果としてwearing-offを起こしている患者におけるレボドパの効果持続時間が延長する

同効薬　イストラデフィリン

治療

効能・効果　レボドパ・カルビドパ又はレボドパ・ベンセラジド塩酸塩との併用によるパーキンソン病における症状の日内変動（wearing-off現象）の改善

効能・効果に関連する使用上の注意 ①症状の日内変動(wearing-off現象)が認められるパーキンソン病患者に対して使用する ②レボドパ・カルビドパ又はレボドパ・ベンセラジド塩酸塩投与による治療(少なくともレボドパとして1日300mg)において，十分な効果の得られない患者に対して使用する

用法・用量 本剤は単独では使用せず，必ずレボドパ・カルビドパ又はレボドパ・ベンセラジド塩酸塩と併用する．1回100mg，症状により1回200mgを投与することができる．ただし，1日8回を超えない

用法・用量に関連する使用上の注意 ①レボドパ・カルビドパ又はレボドパ・ベンセラジド塩酸塩との併用により効果が認められる薬剤であり，単剤では効果が認められない ②レボドパの生物学的利用率を高めるため，レボドパによるドパミン作動性の副作用(ジスキネジー等)が現れる場合がある．このため，開始時又は増量時には患者の状態を十分観察し，ドパミン作動性の副作用がみられた場合は，本剤あるいはレボドパ・カルビドパ又はレボドパ・ベンセラジド塩酸塩を調節する ③1回200mgへ増量した場合，ジスキネジー等が発現することがあるので，増量は慎重に検討する．また，増量した際は観察を十分に行い，これらの症状が発現した場合には症状の程度に応じて本剤の1回投与量を減量する等，適切な処置を行う ④増量は慎重に行い，1回200mg，1日1600mgを超えない ⑤肝障害のある患者では，本剤の血中濃度が上昇したとの報告があるので，1回200mgへの増量は必要最小限にとどめる．やむを得ず1回200mgに増量する場合には，観察を十分に行いながら特に慎重に投与する ⑥体重40kg未満の低体重の患者では，1回200mgを投与した場合，ジスキネジーの発現が増加することがあるので，1回200mgへの増量は慎重に検討する

使用上の注意

禁忌 ①本剤の成分に対し過敏症の既往歴のある患者 ②悪性症候群，横紋筋融解症又はこれらの既往歴のある患者

相互作用概要 カテコール-O-メチルトランスフェラーゼ(COMT)によって代謝される薬剤の血中薬物濃度を増加させる可能性がある．また，CYP2C9を阻害することが示唆されている

過量投与 ①徴候，症状：過量投与による急性症状としては錯乱，活動性低下，傾眠，皮膚変色，蕁麻疹等が報告されている．なお，過量投与例の最高1日投与量は16000mgであった ②処置：症状に応じた対症療法を行う．必要に応じて入院を指示し，総合的な支持療法を行う

薬物動態

血中濃度 ①100mg及び200mgを日本人患者22例に単回経口投与時の薬物動態パラメータ(100mg，200mgの順)は，Cmax(ng/mL)873±676，1903±1222，Tmax(h)1.28±0.96，1.09±1.05，AUC_{0-4}(ng・h/mL)979±389，2246±880，$t_{1/2}$(h)0.85±0.52(16例)，0.75±0.44(17例)で，未変化体のCmax，AUC_{0-4}のパラメータは投与量にほぼ比例．また，日本人患者のCmax及びAUCは外国人患者(100mg投与時の25例の平均値：Cmax705ng/mL，AUC_{0-48}35ng・h/mL)と比較し高い傾向 ②日本人健康成人に25～800mgを単回経口投与時，Cmax及びAUCは投与量にほぼ比例，体内動態は線形．また，200mg及び400mgを4時間ごとに4回連続投与時，明確な累積傾向は認められなかった **吸収** 外国人健康成人に経口投与時のバイオアベイラビリティーは約32～38%．日本人健康成人に空腹時又は食事後30分に経口投与時，両投与条件でCmax及びAUCに差はなく，食事の影響は認められなかった **分布** 主に血清アルブミンと結合し，血漿蛋白結合率は約98%．*In vitro*試験で，本剤の蛋白結合はワルファリン，サリチル酸，フェニルブタゾン，ジアゼパムによる置換を受けなかった．また，本剤はこれらの薬剤の蛋白結合に影響を与えなかった．本剤は血球へはほとんど移行しない **代謝** Z体(*in vitro* COMT活性阻害作用は未変化体と同程度)への異性化を受ける．日本人健康成人における25～800mgの単回経口投与でZ体のCmax及びAUCは未変化体(E体)の3～8%．また，未変化体及びZ体はグルクロン酸抱合を受ける．ヒト肝ミクロソームを用いた*in vitro*試験から，本剤はチトクロムP450 CYP2C9を阻害することが示唆された(IC50約4μM)．その他のP450アイソザイム(CYP1A2，CYP2A6，CYP2D6，CYP2E1，CYP3A及びCYP2C19)は阻害しない，もしくはわずかに阻害する程度 **排泄** 日本人健康成人の25～800mg単回経口投与で，未変化体及びZ体の尿中排泄率はそれぞれ0.1～0.2%及び0.1%未満．未変化体及びZ体のグルクロン酸抱合体の尿中排泄率はそれぞれ4.6～7.2%及び1.5～2.1%．本剤及び代謝物は体内から尿中及び胆汁へ排泄されると考えられる **患者背景の影響** 外国人健康成人を対象とした経口投与で，高齢者と非高齢者で薬物動態パラメータに差は認められなかった．アルコール性肝硬変を有する外国人肝障害患者に経口投与時，健康成人に比べAUC及びCmaxが約2倍高かった．また，本剤の主排泄経路は胆汁排泄であると考えられるため胆管閉塞患者では排泄が遅延する可能性がある．外国人の経口投与で腎機能正常群(クレアチニンクリアランス>1.12mL/秒/1.73m^2)，腎機能中等度障害患者群(クレアチニンクリアランス0.60～0.89mL/秒/1.73m^2)，重症障害患者群(クレアチニンクリアランス0.20～0.44mL/秒/1.73m^2)，透析患者群の4群間で薬物動態パラメータを比較した結果，本剤の薬物動態に対する腎機能の重大な影響は認められなかった．透析治療患者では投与間隔の延長を必要に応じて考慮する

その他の管理的事項

投与期間制限 該当しない

保険給付上の注意 該当しない

資料

IF コムタン錠100mg 2019年1月改訂(第7版)

エンビオマイシン硫酸塩
Enviomycin Sulfate

概要

薬効分類 616 主として抗酸菌に作用するもの

構造式

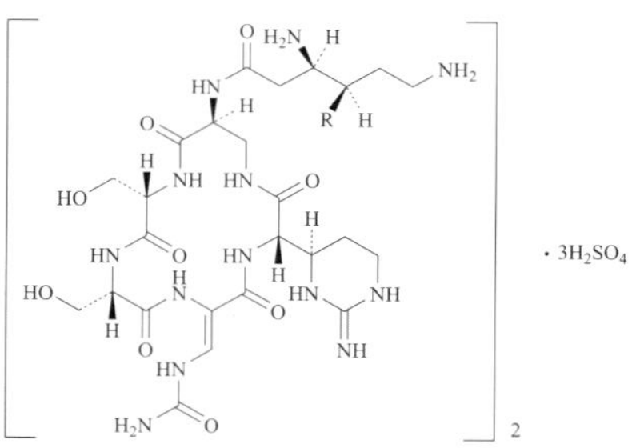

ツベラクチノマイシン N：R＝OH
ツベラクチノマイシン O：R＝H

分子式 ツベラクチノマイシンN 硫酸塩：$(C_{25}H_{43}N_{13}O_{10})_2$・$3H_2SO_4$ ツベラクチノマイシンO 硫酸塩：$(C_{25}H_{43}N_{13}O_9)_2$・$3H_2SO_4$

分子量 ツベラクチノマイシンN硫酸塩：1665.62 ツベラクチノマイシンO硫酸塩：1633.62

略語・慣用名 EVM

ステム *Streptomyces*属の産生する抗生物質：-mycin

原薬の規制区分 該当しない

原薬の外観・性状　白色の粉末である．水に極めて溶けやすく，エタノール(99.5)にほとんど溶けない．2.0gを水20mLに溶かした液のpHは5.5～7.5である
原薬の吸湿性　該当資料なし
原薬の融点・沸点・凝固点　融点：＞245℃(分解)
原薬の酸塩基解離定数　$pKa_1 = 7.25$，$pKa_2 = 10.05$，$pKa_3 =$ ＞11
先発医薬品等
注射用 ツベラクチン筋注用1g(旭化成ファーマ)
国際誕生年月　1975年4月
海外での発売状況　該当資料なし

製剤
規制区分　**注射用** ㊟
製剤の性状　**注射用** 白色の塊状又は粉末
有効期間又は使用期限　2年6カ月
貯法・保存条件　室温保存
薬剤取扱い上の留意点　該当しない
患者向け資料等　くすりのしおり
溶液及び溶解時のpH　**注射用** 5.5～7.5(1g/2mL，1g/4mL)
浸透圧比　**注射用** 約3(1g/2mL)，約1(1g/4mL)(対生食)
調製時の注意　原則として他剤との混注は避けること．本剤の水溶液は室温に保存して安定であるが，溶解後は速やかに使用すること

薬理作用
分類　抗結核性抗生物質
作用部位・作用機序　部位：*Mycobacterium smegmatis* ATCC 14468及び*E.coli* A19(RNase I－)由来のリボソーム並びにpoly(U)を用いてフェニルアラニンからのポリフェニルアラニンの生合成を行った．その結果，本品はポリフェニルアラニン生合成系を完全に阻害したことから蛋白合成阻害作用を示すと推定される　機序：構造類似のバイオマイシンの作用機序はリボソームに作用し蛋白合成の開始とペプチド鎖伸長中の転位反応を阻害すると報告されているが，本品も同一の作用を示すと考えられる
同効薬　(注射剤)ストレプトマイシン硫酸塩，カナマイシン硫酸塩，イソニアジド　(経口剤)サイクロセリン，リファンピシン，パラアミノサリチル酸カルシウム，イソニアジド，ピラジナミド，エチオナミド，エタンブトール塩酸塩

治療
効能・効果　〈適応菌種〉エンビオマイシンに感性の結核菌　〈適応症〉肺結核及びその他の結核症
用法・用量　1日1回1g(力価)を注射用水2～4mLに溶解し筋注(適宜増減)．初めの90日間は毎日，その後は1週間に2日投与．また，他の抗結核剤と併用することが望ましい
用法・用量に関連する使用上の注意　使用にあたっては，耐性菌の発現等を防ぐため，原則として感受性を確認し，疾病の治療上必要な最小限の期間の投与にとどめる

使用上の注意
禁忌　本剤の成分に対する過敏症の既往歴のある患者

薬物動態
健康成人男子(5例)に1g筋注時　**血中濃度(吸収)**　2時間後に最高値36.2μg/mL，6時間後11.5μg/mL　**代謝**　投与6時間後までの尿には，未変化体以外の抗菌活性物は認められなかった(バイオオートグラフィ)　**排泄**　尿中排泄は血中濃度とほぼ平行し投与後1～2時間で最高濃度，以後漸減．尿中排泄率は，投与後6時間で58%，24時間で75%

その他の管理的事項
投与期間制限　該当しない
保険給付上の注意　該当しない

資料
IF　ツベラクチン筋注用1g　2018年10月改訂(第4版)

エンフルラン
Enflurane

概要
薬効分類　111　全身麻酔剤
構造式

及び鏡像異性体

分子式　$C_3H_2ClF_5O$
分子量　184.49
原薬の規制区分　該当しない
原薬の外観・性状　無色澄明の液である．水に溶けにくい．エタノール(95)又はジエチルエーテルと混和する．揮発性で引火性はない．旋光性を示さない
原薬の融点・沸点・凝固点　沸点：54～57℃

オキサゾラム
Oxazolam

概要
薬効分類　112　催眠鎮静剤，抗不安剤
構造式

分子式　$C_{18}H_{17}ClN_2O_2$
分子量　328.79
ステム　ジアゼパム誘導体：-azolam
原薬の規制区分　向Ⅲ
原薬の外観・性状　白色の結晶又は結晶性の粉末で，におい及び味はない．酢酸(100)に溶けやすく，1,4-ジオキサン又はジクロロメタンにやや溶けやすく，エタノール(95)又はジエチルエーテルに溶けにくく，水にほとんど溶けない．希塩酸に溶ける．光によって徐々に着色する
原薬の吸湿性　吸湿性なし
原薬の融点・沸点・凝固点　融点：約187℃(分解)
原薬の酸塩基解離定数　$pKa = 5.61$
先発医薬品等
散 セレナール散10%(アルフレッサファーマ)
錠 セレナール錠5・10(アルフレッサファーマ)
国際誕生年月　1970年9月
海外での発売状況　発売していない

製剤
規制区分　**散** **細** **錠** 向Ⅲ ㊟
製剤の性状　**散** ほとんど白色の微細な粒を含む粉末で，味は僅かに苦い　**錠** 白色の糖衣錠
有効期間又は使用期限　3年
貯法・保存条件　**散** 遮光・室温保存　**錠** 室温保存
薬剤取扱い上の留意点　連用により薬物依存を生じることがあるので，漫然とした継続投与による長期使用を避けること．本剤の投与を継続する場合には，治療上の必要性を十分に検討すること．眠気，注意力・集中力・反射運動能力等の低下が起こることがあるので，自動車の運転等危険を伴う機械の操作に従事させないよう注意すること　**散** 光により僅かに

着色(微黄色～淡黄色)することがあるが，幾分着色しても効力に変化はない
患者向け資料等　患者向医薬品ガイド，くすりのしおり
溶液及び溶解時のpH　該当しない
浸透圧比　該当しない
安定なpH域　該当しない
調製時の注意　該当しない

薬理作用

分類　ベンゾジアゼピン系抗不安剤
作用部位・作用機序　部位：情動と密接に関連する大脳辺縁系，大脳皮質，小脳などに分布するベンゾジアゼピン受容体に作用して不安，緊張などを解消させる　機序：クロルジアゼポキシド，ジアゼパムと類似の薬理学的性質を有するが，すぐれた静穏作用を示す反面，毒性は低く，催眠・筋弛緩・歩行失調など自発性行動抑制作用は弱い．その静穏作用は扁桃核－視床下部を含めた大脳辺縁系に特異的に作用するものと推定される．即ち，歩行失調作用のED_{50}と，静穏作用の指標となる馴化作用及び抗痙攣作用のED_{50}との比，及び急性毒性と馴化作用との比(Safety Margin)を算出すると，オキサゾラムはクロルジアゼポキシド，ジアゼパムに比べ大きいことが認められている
同効薬　メキサゾラム，クロキサゾラム，ロラゼパム，メダゼパム，クロルジアゼポキシド，ジアゼパムなど

治療

効能・効果　①神経症における不安・緊張・抑うつ・睡眠障害　②心身症(消化器疾患，循環器疾患，内分泌系疾患，自律神経失調症)における身体症候ならびに不安・緊張・抑うつ　③麻酔前投薬
用法・用量　オキサゾラムとして1回10～20mg1日3回，麻酔前投薬の場合1～2mg/kgを就寝前又は手術前(適宜増減)

使用上の注意

禁忌　①本剤の成分に対し過敏症の既往歴のある患者　②急性閉塞隅角緑内障の患者［抗コリン作用により眼圧が上昇し，症状を悪化させることがある］　③重症筋無力症の患者［筋弛緩作用により症状を悪化させるおそれがある］
過量投与　過量投与が明白又は疑われた場合の処置としてフルマゼニル(ベンゾジアゼピン受容体拮抗剤)を投与する場合には，使用前にフルマゼニルの使用上の注意(禁忌，慎重投与，相互作用等)を必ず読む

薬物動態

吸収・代謝　健康成人7例に20mgを空腹時1回経口投与後の血中・尿中濃度はいずれも定量感度以下(高速液体クロマトグラフィ測定により8ng／mL以下)．主代謝物はN-desmethyldiazepam．尿中主代謝物は，2-amino-5-chloro-4-hydroxybenzophenone(ACHB)とその抱合体及び2-amino-5-chlorobenzophenone(ACB)　**分布(参考：動物)**　^{14}C-標識オキサゾラムをラットに経口投与して血中濃度及び臓器内濃度を測定した実験，全身マクロオートラジオグラフィでマウス体内分布を観察した実験では，投与30分後にすでに脳をはじめ全身の各臓器に広く分布，30～60分にピーク

その他の管理的事項

投与期間制限　30日
保険給付上の注意　該当しない

資料

IF　セレナール散10%・錠5・10　2019年9月改訂(第2版)

オキサピウムヨウ化物
Oxapium Iodide

概要

薬効分類　123　自律神経剤
構造式

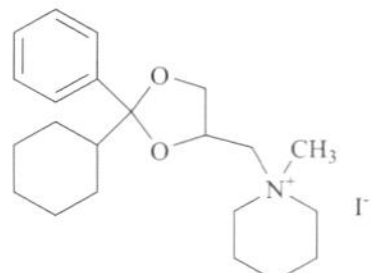

分子式　$C_{22}H_{34}INO_2$
分子量　471.42
原薬の規制区分　(劇)(ただし，1錠又は1カプセル中オキサピウムヨウ化物20mg以下を含有するもの及びオキサピウムヨウ化物2%以下を含有する顆粒剤を除く)
原薬の外観・性状　白色の結晶性の粉末である．アセトニトリル，メタノール又はエタノール(95)にやや溶けやすく，水，無水酢酸又は酢酸(100)に溶けにくく，ジエチルエーテルにほとんど溶けない．本品のメタノール溶液(1→100)は旋光性を示さない
原薬の融点・沸点・凝固点　融点：198～203℃

オキサプロジン
Oxaprozin

概要

薬効分類　114　解熱鎮痛消炎剤
構造式

分子式　$C_{18}H_{15}NO_3$
分子量　293.32
略語・慣用名　OXP
原薬の規制区分　(劇)
原薬の外観・性状　白色～帯黄白色の結晶性の粉末である．メタノール又はエタノール(95)にやや溶けにくく，ジエチルエーテルに溶けにくく，水にほとんど溶けない．光によって徐々に変化する
原薬の吸湿性　吸湿性なし
原薬の融点・沸点・凝固点　融点：161～165℃
原薬の酸塩基解離定数　$pKa_1=1.00$(溶解度法)，$pKa_2=4.23$
先発医薬品等
錠　アルボ錠100mg・200mg(大正製薬)
国際誕生年月　1968年7月
海外での発売状況　米など

製剤

規制区分　**錠**　(劇)
製剤の性状　**錠**　白色の素錠
有効期間又は使用期限　5年
貯法・保存条件　遮光・室温保存
患者向け資料等　くすりのしおり

薬理作用

分類　プロピオン酸系非ステロイド性持続性消炎・鎮痛剤

作用部位・作用機序　抗炎症・鎮痛作用は，主としてプロスタグランジン生合成抑制作用に基づくものと考えられる．ウシ精のう腺を用いた*in vitro*試験でシクロオキシゲナーゼを阻害することにより，プロスタグランジン生合成を抑制した

同効薬　イブプロフェン，インドメタシン，ジクロフェナクナトリウム，アンピロキシカム，ザルトプロフェン，プラノプロフェン，ロキソプロフェンナトリウムなど

治療

効能・効果　①次の疾患ならびに症状の消炎・鎮痛：関節リウマチ，変形性関節症，腰痛症，変形性脊椎症，頸肩腕症候群，肩関節周囲炎，痛風発作　②外傷後及び手術後の消炎・鎮痛

用法・用量　1日400mg，1～2回に分服(適宜増減)．1日最高量600mg

禁忌・原則禁忌となる特定患者集団　妊婦又は妊娠している可能性のある婦人

使用上の注意

禁忌　①消化性潰瘍のある患者［副作用として消化性潰瘍が報告されているため，消化性潰瘍を悪化させるおそれがある］②重篤な肝障害のある患者［副作用として肝障害が報告されているため，肝障害を悪化させるおそれがある］　③重篤な腎障害のある患者［腎血流量を低下させ腎障害を悪化させるおそれがある］　④本剤の成分に対し過敏症の患者　⑤アスピリン喘息(非ステロイド性消炎鎮痛剤等による喘息発作の誘発)又はその既往歴のある患者［喘息発作を誘発させるおそれがある］　⑥妊婦又は妊娠している可能性のある婦人

薬物動態

血中濃度(健常成人)　6例に400mg単回経口投与時の最高血中濃度は3.7時間後66.9μg/mL，血中濃度半減期は49.5時間，AUCは4001.8μg・hr/mL．400mgを1日1回又は2回に分割して10日間連続投与時の血中濃度は4～6日間で定常状態，平均血中濃度はほぼ一定値(約100μg/mL)．食事前後で体内動態に有意差は認められなかった　**組織中濃度(参考：動物)**　ラットに^{14}C-オキサプロジンを経口投与2時間後の放射活性は，消化管，腎，肝，血漿の順に高かった．その他の組織ではいずれも血液レベル以下で，脳は最も低かった．ウサギで，投与2時間後の放射活性は，血漿が最も高く，消化管，腎，血液，肝に比較的高濃度に分布．いずれの場合も特定臓器への残留性は認められなかった　**代謝・排泄**　健常成人に400mgを単回経口投与時，5日間で尿中には約32%が排泄．主代謝物はエステル型グルクロニド，他にフェニル基の水酸化体及びそれらのグルクロニドが検出

その他の管理的事項

投与期間制限　該当しない

保険給付上の注意　該当しない

資料

IF　アルボ錠100mg・200mg　2019年4月改訂(第5版)

オキシコドン塩酸塩水和物
Oxycodone Hydrochloride Hydrate

概要

薬効分類　811　あへんアルカロイド系麻薬

構造式

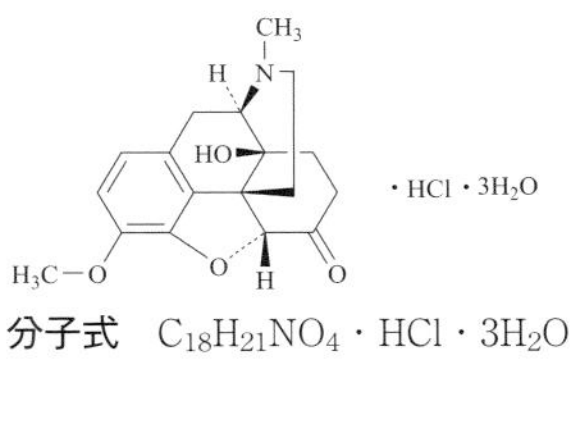

分子式　$C_{18}H_{21}NO_4 \cdot HCl \cdot 3H_2O$

分子量　405.87

ステム　不明

原薬の規制区分　[毒](ただし，製剤は[劇])，[麻]

原薬の外観・性状　白色の結晶性の粉末である．水，メタノール又は酢酸(100)に溶けやすく，エタノール(95)にやや溶けにくく，無水酢酸に溶けにくい．1.0gを水10mLに溶かした液のpHは3.8～5.8である．光によって変化する

原薬の吸湿性　該当資料なし

原薬の酸塩基解離定数　該当資料なし

先発医薬品等

[散] オキノーム散2.5mg・5mg・10mg・20mg(シオノギファーマ＝塩野義)

[徐放錠] オキシコンチンTR錠5mg・10mg・20mg・40mg(シオノギファーマ＝塩野義)

[注] オキファスト注10mg・50mg(シオノギファーマ＝塩野義)

後発医薬品

[錠] 2.5mg・5mg・10mg・20mg

[徐放錠] 5mg・10mg・20mg・40mg

[徐放カ] 5mg・10mg・20mg・40mg

[内用液] 2.5mg・5mg・10mg・20mg

[注] 1%

国際誕生年月　1995年12月

海外での発売状況　[散] [TR錠] 米，豪など　[注] 豪など

製剤

規制区分　[散] [TR錠] [注] [劇] [麻] [処]

製剤の性状　[散] 白色の散剤　[5mgTR錠] うすいだいだい色の円形のフィルムコーティング錠　[10mgTR錠] 白色の円形のフィルムコーティング錠　[20mgTR錠] 淡赤色の円形のフィルムコーティング錠　[40mgTR錠] 微黄白色～淡黄色の円形のフィルムコーティング錠　[注] 無色澄明の液

有効期間又は使用期限　[散] [注] 5年

貯法・保存条件　[散] 気密容器，遮光・室温保存　[TR錠] 気密容器，室温保存　[注] 遮光・室温保存

薬剤取扱い上の留意点　連用により薬物依存を生じることがあるので，観察を十分に行い，慎重に投与すること．眠気，眩暈が起こることがあるので，本剤投与中の患者には自動車の運転等危険を伴う機械の操作に従事させないように注意すること　[TR錠] 本剤は乱用防止を目的とした製剤であり，水を含むとゲル化するため，舐めたり，ぬらしたりせず，口に入れた後は速やかに十分な水でそのまま飲み込むよう患者に指導すること．嚥下が困難な患者及び消化管狭窄を伴う疾患を有する患者では，嚥下障害及び消化管閉塞のリスクが高まるため，本剤以外の鎮痛薬を使用することを考慮し，やむを得ず本剤を使用する際には，患者の状態を慎重に観察し，副作用の発現に十分注意すること

患者向け資料等　[散] [TR錠] くすりのしおり，患者用使用説明書　[注] くすりのしおり

溶液及び溶解時のpH　[注] 4.5～5.5

浸透圧比　[注] 約1.0(対生食)

調製時の注意　該当しない

薬理作用

分類　半合成オピオイド・持続性癌疼痛治療剤

作用部位・作用機序　モルヒネと同様オピオイド受容体にアゴニストとして働き，μオピオイド受容体を介して主として中枢神経系及び平滑筋組織に作用する．その薬理作用は主作用として鎮痛作用のほかに，鎮静作用，縮瞳作用，催吐作用，消化管運動抑制作用等がある．オキシコドンの鎮痛作用にはモルヒネ同様有効限界(ceiling effect)がないと考えられる

同効薬　モルヒネ塩酸塩水和物，モルヒネ硫酸塩水和物，フェンタニル，フェンタニルクエン酸塩，メサドン塩酸塩

治療

効能・効果　①中等度から高度の疼痛を伴う各種癌における鎮痛　②[TR錠] 非オピオイド鎮痛薬又は他のオピオイド鎮痛薬

で治療困難な中等度から高度の慢性疼痛における鎮痛

効能・効果に関連する使用上の注意 **TR錠** 慢性疼痛に用いる場合：慢性疼痛の原因となる器質的病変，心理的・社会的要因，依存リスクを含めた包括的な診断を行い，学会のガイドライン等の最新の情報を参考に，本剤の投与の適否を慎重に判断する

用法・用量 **散** **錠** 無水物として1日10～80mgを4回に分服（適宜増減）

徐放錠 **徐放カ** **TR錠** 効能①：無水物として1日10～80mgを2回に分服（適宜増減） 効能②：**TR錠** 無水物として1日10～60mgを2回に分服（適宜増減）

注 オキシコドン塩酸塩（無水物）として1日7.5～250mgを持続静注又は持続皮下注（適宜増減）

用法・用量に関連する使用上の注意 **散** **錠** ①臨時追加投与（レスキュードーズ）として使用する場合：疼痛が増強した場合や鎮痛効果が得られている患者で突発性の疼痛が発現した場合は，ただちに本剤の臨時追加投与を行い鎮痛を図る．本剤の1回量は定時投与中のオキシコドン塩酸塩経口製剤の1日量の1/8～1/4を経口投与する ②定時投与時：1日量を4分割して使用する場合には，6時間ごとの定時に経口投与する：⑴初回投与：本剤の投与開始前のオピオイド系鎮痛薬による治療の有無を考慮して初回投与量を設定することとし，既に治療されている場合にはその投与量及び鎮痛効果の持続を考慮して副作用の発現に注意しながら適宜投与量を調節する：㈠オピオイド系鎮痛薬を使用していない患者には，疼痛の程度に応じてオキシコドン塩酸塩として10～20mgを1日投与量とすることが望ましい㈡モルヒネ製剤の経口投与を本剤に変更する場合には，モルヒネ製剤1日投与量の2/3量を1日投与量の目安とすることが望ましい㈢経皮フェンタニル貼付剤から本剤へ変更する場合には，経皮フェンタニル貼付剤剥離後にフェンタニルの血中濃度が50%に減少するまで17時間以上かかることから，剥離直後の本剤の使用は避け，本剤の使用を開始するまでに，フェンタニルの血中濃度が適切な濃度に低下するまでの時間をあけるとともに，本剤の低用量から投与することを考慮する ⑵増量：投与開始後は患者の状態を観察し，適切な鎮痛効果が得られ副作用が最小となるよう用量調整を行う．2.5mgから5mgへの増量の場合を除き増量の目安は，使用量の25～50%増とする ⑶減量：連用中における急激な減量は，退薬症候が現れることがあるので行わない．副作用等により減量する場合は，患者の状態を観察しながら慎重に行う ⑷投与の中止：投与を必要としなくなった場合には，退薬症候の発現を防ぐために徐々に減量する

徐放錠 **徐放カ** **TR錠** ①初回投与：投与開始前のオピオイド系鎮痛薬による治療の有無を考慮して，1日投与量を決め，2分割して12時間ごとに投与する：⑴効能①：㈠オピオイド系鎮痛薬を使用していない患者には，疼痛の程度に応じて無水物として10～20mgを1日投与量とすることが望ましい ㈡モルヒネ製剤の経口投与を本剤に変更する場合には，モルヒネ製剤1日投与量の3分の2量を1日投与量の目安とすることが望ましい ⑵**TR錠** 効能②：㈠オピオイド鎮痛薬を使用していない患者には，オキシコドン塩酸塩として10mgを初回1日投与量とすることが望ましい ㈡オピオイド鎮痛薬を使用している患者には，添付文書の換算表を目安に適切な初回1日投与量を設定する．なお，初回1日投与量として60mgを超える使用経験はない ⑶効能共通：経皮フェンタニル貼付剤から本剤へ変更する場合には，経皮フェンタニル貼付剤剥離後にフェンタニルの血中濃度が50%に減少するまで17時間以上かかることから，剥離直後の本剤の使用は避け，本剤の使用を開始するまでに，フェンタニルの血中濃度が適切な濃度に低下するまでの時間をあけるとともに，本剤の低用量から投与することを考慮する ②疼痛増強時：癌性疼痛において，本剤服用中に疼痛が増強した場合や鎮痛効果が得られている患者で突発性の疼痛が発現した場合は，ただちにオキシコドン塩酸塩等の速放性製剤の追加投与（レスキュードーズ）を行い鎮痛を図る．慢性疼痛においては，突発性の疼痛に対してはオピオイド鎮痛薬の追加投与（レスキュー薬の投与）は行わない ③増量：投与開始後は患者の状態を観察し，適切な鎮痛効果が得られ副作用が最小となるよう用量調整を行う．5mgから10mgへの増量の場合を除き増量の目安は，使用量の25～50%増とする．ただし，慢性疼痛において1日投与量として60mgを超える用量への増量を行う場合には，その必要性について特に慎重に検討する ④減量：連用中における急激な減量は，退薬症候が現れることがあるので行わない．副作用等により減量する場合は，患者の状態を観察しながら慎重に行う ⑤**TR錠** 投与の継続：慢性疼痛において，本剤投与開始後4週間を経過してもなお期待する効果が得られない場合は，他の適切な治療への変更を検討する．また，定期的に症状及び効果を確認した上で，投与の継続の必要性について検討し，漫然と投与を継続しない ⑥投与の中止：投与を必要としなくなった場合には，退薬症候の発現を防ぐために徐々に減量する ⑦**TR錠** 食事の影響により本剤のCmax及びAUCが上昇することから，食後に投与する場合には，患者の状態を慎重に観察し，副作用発現に十分注意する．また，食後又は空腹時のいずれか一定の条件下で投与する

注 ①持続投与時：⑴初回：開始前のオピオイド系鎮痛薬による治療の有無を考慮して初回投与量を設定することとし，既に治療されている場合にはその投与量及び鎮痛効果の持続を考慮して副作用の発現に注意しながら適宜調節㈠オピオイド系鎮痛薬を使用していない患者には，疼痛の程度に応じてオキシコドン塩酸塩として1日7.5～12.5mgが望ましい㈡モルヒネ注射剤の持続静注を本剤に変更する場合，モルヒネ注射剤1日量の1.25倍量を1日量の目安とすることが望ましい㈢経口オキシコドン製剤から本剤へ変更する場合，製剤1日量の0.75倍量を1日量の目安とすることが望ましい㈣経皮フェンタニル貼付剤から本剤へ変更する場合，経皮フェンタニル貼付剤剥離後にフェンタニルの血中濃度が50%に減少するまで17時間以上かかることから，剥離直後の使用は避け，本剤を開始するまでに，フェンタニルの血中濃度が適切な濃度に低下するまでの時間をあけるとともに，本剤の低用量から投与することを考慮する ⑵増量：開始後は患者の状態を観察し，適切な鎮痛効果が得られ副作用が最小となるよう調整を行う．鎮痛効果が不十分な場合，レスキュードーズを考慮して前日の1日量の25～50%増を目安として増量を行う ⑶減量：連用中における急激な減量は，退薬症候が現れることがあるので行わない．副作用等により減量する場合，患者の状態を観察しながら慎重に行う ⑷中止：本剤を必要としなくなった場合，退薬症候の発現を防ぐために徐々に減量する ②臨時追加投与（レスキュードーズ）として本剤を使用する場合：疼痛が増強した場合や鎮痛効果が得られている患者で突発性の疼痛が発現した場合，1日量の1/24量（1時間量相当分）を目安に早送りによる投与又は追加の静注を行い，鎮痛を図る．ただし，レスキュードーズを連続して行う場合，呼吸抑制等の副作用の発現に注意する

使用上の注意

警告 **TR錠** 慢性疼痛に対しては，慢性疼痛の診断，治療に精通した医師のみが処方・使用するとともに，本剤のリスク等についても十分に管理・説明できる医師・医療機関・管理薬剤師のいる薬局のもとでのみ用いる．また，それら薬局においては，調剤前に当該医師・医療機関を確認した上で調剤を行う

禁忌 ①重篤な呼吸抑制のある患者，重篤な慢性閉塞性肺疾患の患者［呼吸抑制を増強する］ ②気管支喘息発作中の患者［呼吸を抑制し，気道分泌を妨げる］ ③慢性肺疾患に続発する心不全の患者［呼吸抑制や循環不全を増強する］ ④痙攣状態（てんかん重積症，破傷風，ストリキニーネ中毒）にある患者［脊髄の刺激効果が現れる］ ⑤麻痺性イレウスの患者［消化管運動を抑制する］ ⑥急性アルコール中毒の患者［呼

吸抑制を増強する］ ⑦アヘンアルカロイドに対し過敏症の患者 ⑧出血性大腸炎の患者［腸管出血性大腸菌（O157等）や赤痢菌等の重篤な細菌性下痢のある患者では，症状の悪化，治療期間の延長をきたすおそれがある］ ⑨ナルメフェン塩酸塩水和物を投与中又は投与中止後1週間以内の患者

相互作用概要 主としてCYP3A4及び一部CYP2D6で代謝される

過量投与 ①徴候・症状：呼吸抑制，意識不明，痙攣，錯乱，血圧低下，重篤な脱力感，重篤な眩暈，嗜眠，心拍数の減少，神経過敏，不安，縮瞳，皮膚冷感等を起こすことがある ②処置：過量投与時には次の治療を行うことが望ましい：⑴中止し，気道確保，補助呼吸及び調節呼吸により適切な呼吸管理を行う ⑵麻薬拮抗剤投与を行い，患者に退薬症候又は麻薬拮抗剤の副作用が発現しないよう慎重に投与する．なお，麻薬拮抗剤の作用持続時間は本剤のそれより短いので，患者のモニタリングを行うか又は患者の反応に応じて初回投与後は注入速度を調節しながら持続静注する ⑶必要に応じて，補液，昇圧剤等の投与又は他の補助療法を行う

薬物動態

血漿中濃度 ①単回投与：⑴**散** 癌疼痛患者に本剤2.5mg（18例），5.0mg（16例．1.5時間のみ15例）を食後単回経口投与時の，オキシコドン及びノルオキシコドンの薬物動態パラメータ（化学発光検出HPLC法．2.5mgオキシコドン，2.5mgノルオキシコドン，5.0mgオキシコドン，5.0mgノルオキシコドンの順）は，Cmax（ng/mL）6.80±1.89，2.32±1.18，13.7±4.8，5.28±1.91，Tmax（hr）1.9±1.4，2.1±1.4，1.7±1.3，1.8±1.2，$AUC_{0\text{-}6}$（ng・hr/mL）28.3±6.4，9.59±5.26，53.2±20.0，23.8±9.5，$T_{1/2}$（hr）6.0±3.9，－，4.5±2.3，－ ⑵**徐放錠** 健康成人（男性24例，徐放錠20mgを空腹時単回経口投与．測定法：LC/MS/MS）：薬物動態パラメータ（オキシコドン，ノルオキシコドン，オキシモルフォンの順）は，Cmax（ng/mL）23.3±3.1，14.3±2.8，0.3±0.1，Tmax（hr）2.5±1.4，3.8±1.8，2±1.1，$AUC_{0\text{-}48}$（ng・hr/mL）303.5±61.8，246.7±55.8，4.2±2，$T_{1/2}$（hr）5.7±1.1，7±1.3，16.8±8.9 ㈠オキシコドン及びその代謝物の血漿中濃度はCmax，AUCともにオキシコドン＞ノルオキシコドン＞オキシモルフォンの順で，オキシモルフォンは他に比べてかなり低かった ㈡ノルオキシコドンの活性は弱く，活性の強いオキシモルフォンは微量にしか生成しないため，投与時の薬力学的評価項目（瞳孔径，呼吸数，鎮静作用等）はオキシコドンの血漿中濃度と相関．オキシコドンのCmaxならびにAUCはほぼ投与量に比例して上昇 ⑶**注** 急速単回静注時（承認用法は持続静注及び持続皮下注，測定法：LC/MS/MS）：日本人癌疼痛患者7例に本剤2mgを急速静注時のオキシコドン及びノルオキシコドンの薬物動態パラメータ（オキシコドン2mg（7例），ノルオキシコドン2mg（7例）の順）は，Cmax（ng/mL）18.5±4.11，1.69±0.528，$AUC_{0\text{-}6hr}$（ng・hr/mL）37.11±10.65，8.928±2.772，$AUC_{0\text{-}inf}$（ng・hr/mL）54.38±25.19，33.02±18.47（4例），$T_{1/2}$（hr）3.26±0.774，12.1±5.81（4例）．オキシコドンに対するオキシモルフォンのCmax及び$AUC_{0\text{-}last}$の平均値の比はそれぞれ1％未満であった ②食事の影響：⑴**徐放錠**（外国健康成人22例）徐放錠の体内薬物動態には食事の影響がほとんどみられなかったが，160mgを高脂肪食摂取後に投与時，空腹時に比較してCmaxが25％増加したとの報告がある ⑵**TR錠** ㈠健康成人16例にTR錠10mgを高脂肪食摂取後に投与時，空腹時に比較してオキシコドンのCmaxが73％，AUCが38％増加 ㈡健康成人にTR錠40mgを高脂肪食摂取後（34例）に投与時，空腹時（28例）に比較してオキシコドンのCmaxが60％，AUCが28％増加 ⑶**散**（外国健康成人22例）内用液剤20mgを単回経口投与時の食事の影響について評価したところ，空腹時に比べ高脂肪食摂取後でCmaxは約80％に低下，AUCは約1.2倍に増大 ③バイオアベイラビリティ（外国人）：オキシコドン塩酸塩の健康成人9例でのバイオアベイラビリティは約60％．また，癌患者12例では平均87％ ④男女差（外国人）：健康成人男女各14例に徐放錠20mgを空腹時単回経口投与時，女性ではCmaxならびにAUCが，いずれも男性より約1.4倍高かった ⑤高齢者（外国人）：健康高齢者（65～79歳），健康非高齢者（21～45歳）各14例に徐放錠20mgを空腹時単回経口投与時，薬物動態に関しては高齢者と非高齢者との間に差は認められなかった ⑥肝障害者（外国人）：肝障害者12例に徐放錠20mgを空腹時単回経口投与時，AUCならびにCmaxはそれぞれ健康成人の約2倍及び約1.5倍と有意に高く，薬力学的評価項目を増強させる傾向がみられた ⑦腎障害者（外国人）：腎障害者12例（クレアチニンクリアランス：60mL/min未満）に徐放錠20mgを空腹時単回経口投与時，AUCならびにCmaxはそれぞれ健康成人の約1.6倍及び1.4倍．腎障害者の鎮静作用は健康成人と比べて増加傾向 **分布** ①体組織への移行（参考）：[^{3}H]-オキシコドン塩酸塩水和物をラットに投与時，速やかに全身へ分布，ほとんどの組織で投与約1時間後に最高濃度，その後速やかに低下．作用部位である脳内における消失は，他の組織に比べ緩やか．なお，投与72時間後すべての組織において残留することはなかった ②母乳中への移行（外国人）：オキシコドン塩酸塩とアセトアミノフェンの合剤を授乳婦へ経口投与時，母乳への移行が認められ，そのときの投与0.25～12時間後におけるオキシコドン塩酸塩濃度の乳汁/血漿中濃度の平均比率は3.4 **代謝** ①ヒトにおけるオキシコドンの主代謝経路は，N-脱メチル化反応によるノルオキシコドンへの代謝で，O-脱メチル化反応によるオキシモルフォンへの代謝及びグルクロン酸抱合代謝を受けることが知られている ②オキシコドンの代謝についてヒト肝ミクロソームを用いて検討した結果，ノルオキシコドンへの代謝についてはCYP3A4が，オキシモルフォンへの代謝についてはCYP2D6が主に関与していることが確認された **排泄（外国人）** 健康成人に0.28mg/kgを経口投与時，投与後24時間までの尿中に投与量の5.5±2.5％（mean±S.D.）が未変化体として，また2.3±5.5％がオキシコドンの抱合体として排泄．また，尿中にはノルオキシコドンとオキシモルフォン抱合体も排泄 **薬物相互作用** ①ボリコナゾール（100～200mg/日，経口投与）とオキシコドン塩酸塩（24～48mg/日，持続皮下投与）を4日間併用した症例（1例）の定常状態時におけるオキシコドンの血漿中濃度は，測定した全症例の平均の3.57倍（国内におけるオキシコドン注射剤の臨床試験成績）．また，ボリコナゾール[400mg/日（2日目のみ600mg/日）]の経口投与中にオキシコドン塩酸塩（10mg）を単回経口投与時，オキシコドンのCmaxが1.72倍，AUCが3.61倍上昇（外国人によるデータ） ②リトナビル（600mg/日）の経口投与中にオキシコドン塩酸塩（10mg）を単回経口投与時，オキシコドンのCmaxが1.74倍，AUCが2.95倍上昇（外国人によるデータ） ③クラリスロマイシン（1000mg/日：承認外用量）の経口投与中にオキシコドン塩酸塩（10mg）を単回経口投与時，若年者群（19～25歳）のオキシコドンのCmaxが1.45倍，AUCが2.02倍上昇し，また，高齢者群（70～77歳）のオキシコドンのCmaxが1.68倍，AUCが2.31倍上昇（外国人によるデータ） ④リファンピシン（600mg/日）の経口投与中にオキシコドン塩酸塩を単回静注（0.1mg/kg）時，AUCが1/2.2に，単回経口投与（15mg）時，AUCが1/7.1に減少（外国人によるデータ）

その他の管理的事項

投与期間制限 **散** **TR錠** 30日 **注** 14日

保険給付上の注意 **TR錠** 本製剤の使用に当たっての留意事項については，「オキシコドン塩酸塩水和物徐放製剤の使用に当たっての留意事項について」（令和2年10月29日付け薬生総発1029第1号・薬生薬審発1029第1号・薬生安発1029第1号・薬生監麻発1029第1号通知）により通知されたところであるので，十分留意する

資料

IF オキノーム散2.5mg・5mg・10mg・20mg 2020年7月改訂（第15版）

オキシコンチンTR錠5mg・10mg・20mg・40mg　2020年2月改訂(第4版)
オキファスト注10mg・50mg　2020年3月改訂(第9版)

複方オキシコドン注射液
Compound Oxycodone Injection

概要

原薬の規制区分　(劇)(麻)

製剤

貯法・保存条件　室温保存，開封後も光を遮り保存すること

治療

効能・効果†　①激しい疼痛時における鎮痛・鎮静　②激しい咳嗽発作における鎮咳　③麻酔前投薬

複方オキシコドン・アトロピン注射液
Compound Oxycodone and Atropine Injection

概要

原薬の規制区分　(劇)(麻)

製剤

貯法・保存条件　室温保存，開封後も遮光保存すること

治療

効能・効果†　①激しい疼痛時における鎮痛・鎮静・鎮痙　②激しい咳嗽発作における鎮咳　③麻酔前投薬

オキシテトラサイクリン塩酸塩
Oxytetracycline Hydrochloride

概要

薬効分類　276　歯科用抗生物質製剤

構造式

分子式　$C_{22}H_{24}N_2O_9$・HCl

分子量　496.89

ステム　テトラサイクリン系の抗生物質：-cycline

原薬の規制区分　(劇)

原薬の外観・性状　黄色の結晶又は結晶性の粉末である．水に溶けやすく，エタノール(95.5)に溶けにくい．結晶多形が認められる

原薬の吸湿性　吸湿性である

原薬の酸塩基解離定数　pKa＝3.27，7.32，9.11

先発医薬品等

歯科用　オキシテトラコーン歯科用挿入剤5mg(昭和薬化)

国際誕生年月　不明

海外での発売状況　該当資料なし

製剤

規制区分　歯科用　(劇)(処)

製剤の性状　歯科用　淡黄色～黄色でにおいはほとんどなく，小円すい型の挿入剤である

有効期間又は使用期限　2年

貯法・保存条件　室温保存

薬剤取扱い上の留意点　吸湿しやすいので絶えず湿気に注意し，使用後は必ず密栓して保存すること

溶液及び溶解時のpH　該当資料なし

浸透圧比　該当資料なし

安定なpH域　該当資料なし

薬理作用

分類　テトラサイクリン系抗生物質

作用部位・作用機序　グラム陽性・陰性菌，放射菌，レプトスピラ，リケッチア，クラミジアに強い作用を有し，その作用機序は菌体内リボソームでの蛋白合成阻害であり，静菌的である．臨床分離の耐性大腸菌の研究で，その耐性機序は膜透過の変化，すなわち能動輸送に関与する膜蛋白の変化であることが確認されている

同効薬　テトラサイクリン塩酸塩パスタ，エピジヒドロコレステリン・テトラサイクリン塩酸塩

治療

効能・効果　〈適応菌種〉オキシテトラサイクリン感性菌　〈適応症〉抜歯創・口腔手術創の二次感染

用法・用量　抜歯窩に1～数個挿入

用法・用量に関連する使用上の注意　使用にあたっては，耐性菌の発現等を防ぐため，原則として感受性を確認し，疾病の治療上必要な最小限の期間の投与にとどめる

使用上の注意

禁忌　テトラサイクリン系抗生物質，又はテトラカインに対し過敏症の患者

その他の管理的事項

投与期間制限　該当しない

保険給付上の注意　該当しない

資料

IF　オキシテトラコーン歯科用挿入剤5mg　2017年1月改訂(第6版)

オキシトシン
オキシトシン注射液
Oxytocin

概要

構造式

Cys-Tyr-Ile-Gln-Asn-Cys-Pro-Leu-Gly-NH_2

分子式　$C_{43}H_{66}N_{12}O_{12}S_2$

分子量　1007.19

ステム　オキシトン誘導体：-tocin

原薬の規制区分　該当しない

原薬の外観・性状　白色の粉末である．水に極めて溶けやすく，エタノール(99.5)に溶けやすい．塩酸試液に溶ける．0.10gを新たに煮沸し冷却した水10mLに溶かした液のpHは4.0～6.0である

原薬の吸湿性　吸湿性である

原薬の融点・沸点・凝固点　明確な融点を持たない

原薬の酸塩基解離定数　該当資料なし

先発医薬品等

注　アトニン-O注1単位・5単位(あすか製薬＝武田)

オキシトシン注射液5単位「F」(富士製薬)

国際誕生年月 不明

海外での発売状況 該当しない

製剤

規制区分 **注** ㊇

製剤の性状 **注** 無色澄明の水性注射液

有効期間又は使用期限 3年

貯法・保存条件 凍結を避け冷所保存

薬剤取扱い上の留意点 該当資料なし

患者向け資料等 患者向医薬品ガイド，その他患者用資材

溶液及び溶解時のpH **注** 2.5〜4.5

浸透圧比 **注** 約0.1(対生食)

安定なpH域 **注** 弱酸性溶液中では安定であるが，アルカリ性溶液中では不安定でその生理活性を失う

調製時の注意 **注** 点滴静注法の場合，通常5〜10単位を5%ブドウ糖注射液(500mL)等に混和する

薬理作用

分類 子宮収縮薬

作用部位・作用機序 子宮筋に作用して子宮の律動的な収縮を起こさせる．脳下垂体後葉ホルモン．ヒトでは生理的陣痛と同様の律動的な子宮収縮作用を示す．主として子宮底部に作用し，その効果は特に妊娠末期に強く現れる．また乳汁の分泌作用を示す

同効薬 ジノプロスト，ジノプロストン

治療

効能・効果 子宮収縮の誘発，促進ならびに子宮出血の治療の目的で次の場合に使用：分娩誘発，微弱陣痛，弛緩出血，胎盤娩出前後，子宮復古不全，帝王切開術(胎児の娩出後)，流産，人工妊娠中絶

用法・用量 原則として点滴静注法による：①分娩誘発，微弱陣痛：点滴静注法：5〜10単位を5%ブドウ糖液(500mL)等に混和し，点滴速度を1〜2ミリ単位/分から開始し，陣痛発来状況及び胎児心拍等を観察しながら適宜増減．なお，点滴速度は20ミリ単位/分を超えないようにする ②弛緩出血，胎盤娩出前後，子宮復古不全，流産，人工妊娠中絶：⑴点滴静注法：5〜10単位を5%ブドウ糖液(500mL)等に混和し，子宮収縮状況等を観察しながら適宜増減 ⑵静注法(弛緩出血及び胎盤娩出前後の場合)：5〜10単位を緩徐に静注 ⑶筋注法：5〜10単位を緩徐に筋注 ③帝王切開術(胎児の娩出後)：⑴点滴静注法：5〜10単位を5%ブドウ糖液(500mL)等に混和し，子宮収縮状況等を観察しながら適宜増減 ⑵筋注法：5〜10単位を緩徐に筋注 ⑶子宮筋注法：5〜10単位を子宮筋層内へ直接投与

用法・用量に関連する使用上の注意 ①筋注法，静注法は調節性に欠けるので，弛緩出血に用いる場合か，又はやむを得ない場合にのみ使用を考慮する ②分娩誘発，微弱陣痛の治療の目的で使用する場合は，次の点に留意する：⑴本剤に対する子宮筋の感受性は個人差が大きく，少量でも過強陣痛になる症例があること等を考慮し，できる限り少量(2ミリ単位/分以下)から開始し，陣痛発来状況及び胎児心音を観察しながら適宜増減する．過強陣痛等は，点滴開始初期に起こることが多いので，特に注意が必要である ⑵点滴速度をあげる場合は，一度に1〜2ミリ単位/分の範囲で，30分以上経過を観察しつつ徐々に行う．点滴速度を20ミリ単位/分にあげても有効陣痛に至らないときは，それ以上あげても効果は期待できないので増量しない ⑶投与する際は，精密持続点滴装置を用いて投与する

使用上の注意

警告 ①分娩誘発，微弱陣痛：過強陣痛や強直性子宮収縮により，胎児機能不全，子宮破裂，頸管裂傷，羊水塞栓等が起こることがあり，母体あるいは児が重篤な転帰に至った症例が報告されているので，本剤の投与にあたっては以下の事項を遵守し慎重に行う：⑴分娩監視装置を用いて母体及び胎児の状態を連続モニタリングできる設備を有する医療施設において，分娩の管理についての十分な知識・経験及び本剤の安全性についての十分な知識を持つ医師のもとで使用する．使用に先立ち，患者に本剤を用いた分娩誘発，微弱陣痛の治療の必要性及び危険性を十分説明し，同意を得てから使用を開始する ⑵母体及び胎児の状態を十分観察して，本剤の有益性及び危険性を考慮した上で，慎重に適応を判断する．特に子宮破裂，頸管裂傷等は多産婦，帝王切開あるいは子宮切開術既往歴のある患者で起こりやすいので，注意する ⑶投与中は，トイレ歩行時等，医師が必要と認めた場合に一時的に分娩監視装置を外すことを除き分娩監視装置を用いて連続的にモニタリングを行い，異常が認められた場合には，適切な処置を行う ⑷本剤の感受性は個人差が大きく，少量でも過強陣痛になる症例も報告されているので，ごく少量からの点滴より開始し，陣痛の状況により徐々に増減する．また，精密持続点滴装置を用いて投与する ⑸ジノプロストン(PGE_2(腟用剤))との同時併用は行わない．また，投与前に子宮頸管熟化の目的でジノプロストン(PGE_2(腟用剤))を投与している場合は終了後1時間以上の間隔をあけ，十分な分娩監視を行い，慎重に投与する ⑹プロスタグランジン製剤($PGF_{2\alpha}$，PGE_2(経口剤))との同時併用は行わない．また，前後して投与する場合も，過強陣痛を起こすおそれがあるので，十分な分娩監視を行い，慎重に投与する．特にジノプロストン(PGE_2(経口剤))を前後して投与する場合は，前の薬剤の投与が終了した後1時間以上経過してから次の薬剤の投与を開始する ②効能共通：本剤の使用にあたっては，添付文書を熟読する

禁忌 ①効能共通：本剤の成分又はオキシトシン類似化合物に対し過敏症の既往歴のある患者 ②分娩誘発，微弱陣痛：⑴プロスタグランジン製剤($PGF_{2\alpha}$，PGE_2)を投与中の患者 ⑵プラステロン硫酸(レボスパ)を投与中又は投与後で十分な時間が経過していない患者［過強陣痛を起こすおそれがある］ ⑶吸湿性頸管拡張材(ラミナリア等)を挿入中の患者又はメトロイリンテル挿入後1時間以上経過していない患者［過強陣痛を起こすおそれがある］ ⑷ジノプロストン(PGE_2)製剤の投与終了後1時間以上経過していない患者［過強陣痛を起こすおそれがある］ ⑸骨盤狭窄，児頭骨盤不均衡，横位のある患者［正常な経腟分娩が成立せず，母体及び胎児への障害を及ぼすおそれがある］ ⑹前置胎盤の患者［出血により，母体及び胎児への障害を起こすおそれがある］ ⑺常位胎盤早期剥離の患者(胎児生存時)［緊急な胎児娩出が要求されるため，外科的処置の方が確実性が高い］ ⑻重度胎児機能不全のある患者［子宮収縮により胎児の症状を悪化させるおそれがある］ ⑼過強陣痛の患者［子宮破裂，胎児機能不全，胎児死亡のおそれがある］ ⑽切迫子宮破裂の患者［子宮破裂のおそれがある］

過量投与 ①症状：⑴オキシトシンの過量投与の症状は子宮筋の感受性が高い場合に現れやすい ⑵子宮の過強収縮により過強陣痛，子宮破裂，頸管裂傷，胎児機能不全が現れることがある ⑶大量を点滴静注した場合には水中毒により昏睡，痙攣を来すことがある ②処置：子宮の過強収縮が現れた場合は直ちに投与を中止する．過強陣痛が持続し，子宮破裂，胎児機能不全の危険がある場合には，緊急帝王切開の適用も考慮する ⑴水中毒の場合：投与を中止し，水分摂取の制限，利尿，高張液の投与，電解質バランスの補正を行う ⑵痙攣の場合：抗痙攣剤を投与する

その他の管理的事項

投与期間制限 該当しない

保険給付上の注意 該当しない

資料

IF アトニン-O注1・5単位 2020年7月改訂(第13版)

オキシドール
Oxydol

概要
薬効分類 261 外皮用殺菌消毒剤
分子式 H_2O_2
分子量 34.01
ステム 不明
原薬の規制区分 該当しない
原薬の外観・性状 無色澄明の液で，においはないか，又はオゾンようのにおいがある．放置するか，又は強く振り動かすとき，徐々に分解する．酸化剤又は還元剤と接触するとき，速やかに分解する．アルカリ性にするとき，激しく泡だって分解する．光によって変化する．pH：3.0～5.0
原薬の吸湿性 該当資料なし
原薬の酸塩基解離定数 該当資料なし
先発医薬品等
外用液 オキシドール(小堺＝東豊)
オキシドール(山善)
オキシドール消毒用液「マルイシ」(丸石＝ニプロ)
オキシドール恵美須(恵美須)
オキシドール「カナダ」(M)(金田直)
オキシドール「ケンエー」(健栄)
オキシドール シオエ(シオエ＝日本新薬)
オキシドール「司生堂」(司生堂)
オキシドール「タイセイ」(大成)
オキシドール「東海」(東海製薬)
オキシドール「ニッコー」(日興製薬)
オキシドール「ホエイ」(マイラン＝ファイザー)
オキシドール「ヤクハン」(ヤクハン＝日医工＝岩城)
オキシドール「ヨシダ」(吉田製薬)
国際誕生年月 不明
海外での発売状況 該当資料なし

製剤
製剤の性状 液 無色澄明の液で，においはないか，又はオゾンようのにおいがある．光によって変化する
有効期間又は使用期限 3年6カ月
貯法・保存条件 遮光・30℃以下で保存
薬剤取扱い上の留意点 深い創傷に使用する場合の希釈液としては注射用蒸留水か滅菌精製水を用い，水道水や精製水を用いないこと
患者向け資料等 くすりのしおり
溶液及び溶解時のpH 液 3.0～5.0
調製時の注意 ①創傷・潰瘍の殺菌消毒：原液又は2～3倍に希釈 ②外耳・中耳の炎症，鼻炎，咽喉頭炎，扁桃炎などの粘膜の炎症：原液又は2～10倍に希釈(耳科の場合，時にグリセリン，アルコールで希釈する) ③口腔粘膜の消毒，齲窩及び根管の清掃・消毒，歯の清浄：原液又は2倍に希釈 ④口内炎の洗口：10倍に希釈

薬理作用
分類 外用殺菌消毒剤
作用部位・作用機序 組織，細菌，血液，膿汁等のカタラーゼによって分解し，発生期の酸素を生じ，殺菌作用を呈するが，低濃度ではその作用発現は極めて遅い．フェノール係数は黄色ブドウ球菌に対して0.012，大腸菌に対して0.014で強力とはいえず，また，持続性に乏しく，浸透性も弱い．3%液は0.1%昇汞水と同程度の殺菌力がある．しかし発泡により創面を機械的に清浄化する効果がある．また，ワンサン扁桃炎，膣トリコモナス症にも外用で効果が認められるといわれている

治療
効能・効果 ①創傷・潰瘍の殺菌・消毒 ②外耳・中耳の炎症，鼻炎，咽喉頭炎，扁桃炎等の粘膜の炎症 ③口腔粘膜の消毒，う窩及び根管の清掃・消毒，歯の清浄，口内炎の洗口
用法・用量 ①創傷・潰瘍：原液のままあるいは2～3倍希釈して塗布・洗浄 ②耳鼻咽喉：原液のまま塗布，滴下あるいは2～10倍(耳科の場合，ときにグリセリン，アルコールで希釈)希釈して洗浄，噴霧，含嗽 ③口腔：口腔粘膜の消毒，う窩及び根管の清掃・消毒，歯の清浄には原液又は2倍希釈して洗浄・拭掃，口内炎の洗口には10倍希釈して洗口

使用上の注意
禁忌 ろう孔，挫創等，本剤を使用した際に体腔にしみ込むおそれのある部位

その他の管理的事項
投与期間制限 該当しない
保険給付上の注意 該当しない

資料
IF オキシドール消毒用液「マルイシ」 2015年6月作成(第1版)

オキシブプロカイン塩酸塩
Oxybuprocaine Hydrochloride
別名：塩酸ベノキシネート

概要
薬効分類 131 眼科用剤
構造式

CH3 / O / N / CH3 / H2N / O / CH3 / ・HCl

分子式 $C_{17}H_{28}N_2O_3$・HCl
分子量 344.88
ステム 局所麻酔薬：-caine
原薬の規制区分 劇(ただし，オキシブプロカインとして0.4%以下を含有する点眼剤を除く)
原薬の外観・性状 白色の結晶又は結晶性の粉末で，においはなく，味は塩辛く，舌を麻痺させる．水に極めて溶けやすく，エタノール(95)又はクロロホルムに溶けやすく，ジエチルエーテルにほとんど溶けない．1.0gを水10mLに溶かした液のpHは5.0～6.0である．光によって徐々に着色する
原薬の吸湿性 常温，70%RH以下では約4%以上は吸湿しない
原薬の融点・沸点・凝固点 融点：158～162℃
原薬の酸塩基解離定数 $pKa_1＝2.0$，$pKa_2＝7.7$
先発医薬品等
点眼液 オキシブプロカイン塩酸塩点眼液0.4%「ニットー」(日東メディック)
オキシブプロカイン塩酸塩ミニ点眼液0.4%「参天」(参天)
オキシブプロカイン塩酸塩ミニムス点眼液0.4%「センジュ」(千寿＝武田)
ネオベノール点眼液0.4%(日本点眼薬)
ベノキシール点眼液0.4%(参天)
ラクリミン点眼液0.05%(参天)
国際誕生年月 不明
海外での発売状況 0.05%点眼液 台湾 0.4%点眼液 中国

製剤
製剤の性状 0.05%点眼液 無色澄明の液である 0.4%点眼液 無色～僅かに黄褐色の澄明の液である
有効期間又は使用期限 3年
貯法・保存条件 気密容器，室温保存

薬剤取扱い上の留意点　特になし
患者向け資料等　くすりのしおり
溶液及び溶解時のpH　**0.05・0.4%点眼液** 4.0～5.0
浸透圧比　**0.05%点眼液** 1.0～1.2　**0.4%点眼液** 0.9～1.1
調製時の注意　該当しない

薬理作用
分類　アミノ安息香酸エステル系眼科用表面麻酔・流涙症治療剤
作用部位・作用機序　**0.05%点眼液** 作用部位：結膜及び角膜の知覚神経，三叉神経反射弓　作用機序：結膜及び角膜の知覚麻痺並びに三叉神経反射弓の一過性遮断により涙液分泌を抑制する
0.4%点眼液 作用部位：結膜及び角膜の知覚神経　作用機序：結膜及び角膜の知覚神経における神経インパルスの発生と伝導を可逆的に抑制し，一過性に遮断する
同効薬　**0.4%点眼液** リドカイン塩酸塩

治療
効能・効果　**0.05%** 分泌性流涙症　**0.4%** 眼科領域における表面麻酔
用法・用量　**0.05%** 1日2～5回，1回1～2滴点眼　**0.4%** 1～4滴を点眼(適宜増減)
用法・用量に関連する使用上の注意　**0.05%** 角膜障害等の副作用を起こすことがあるので，用法・用量を厳守するよう患者に対して注意を与える

使用上の注意
禁忌　本剤の成分又は安息香酸エステル(コカインを除く)系局所麻酔剤に対し過敏症の既往歴のある患者

薬物動態
角膜における薬物動態(参考)　家兎摘出角膜を1%液に3分間浸した後の組織薬物濃度は，角膜上皮で70.6mg/100mL，角膜実質で7.55mg/100mL，上皮では実質の約10倍の取り込みが認められた．また，同様に家兎摘出角膜を1%液に3分間浸し1分，15分及び30分放置後の角膜中薬物濃度はそれぞれ21.95mg/100mL，7.39mg/100mL，4.24mg/100mL(*in vitro*)

その他の管理的事項
投与期間制限　該当しない
保険給付上の注意　該当しない

資料
IF　ラクリミン点眼液0.05%　2017年10月改訂(第7版)
　　ベノキシール点眼液0.4%　2017年10月改訂(第9版)

オキシメトロン
Oxymetholone

概要
構造式

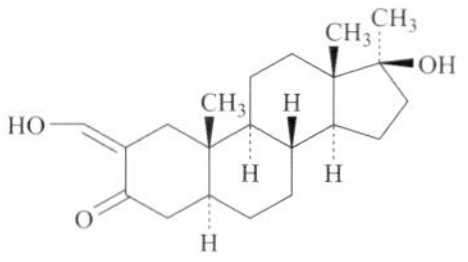

分子式　$C_{21}H_{32}O_3$
分子量　332.48
原薬の規制区分　該当しない
原薬の外観・性状　白色～微黄白色の結晶性の粉末でにおいはない．クロロホルムに溶けやすく，1,4-ジオキサンにやや溶けやすく，メタノール，エタノール(95)又はアセトンにやや溶けにくく，ジエチルエーテルに溶けにくく，水にほとんど溶けない．光によって徐々に着色し，分解する
原薬の融点・沸点・凝固点　融点：175～182℃

オキセサゼイン
Oxethazaine
別名：オキセタカイン

概要
薬効分類　121　局所麻酔剤
構造式

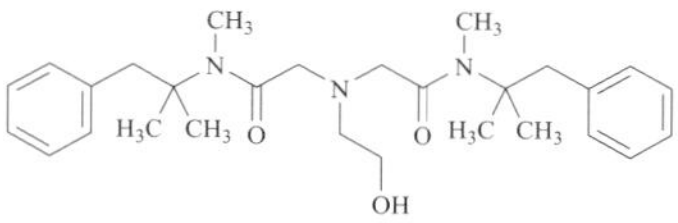

分子式　$C_{28}H_{41}N_3O_3$
分子量　467.64
ステム　不明
原薬の規制区分　㊛
原薬の外観・性状　白色～微黄白色の結晶性の粉末である．酢酸(100)に極めて溶けやすく，メタノール又はエタノール(95)に溶けやすく，ジエチルエーテルにやや溶けにくく，水にほとんど溶けない
原薬の吸湿性　該当資料なし
原薬の融点・沸点・凝固点　融点：101～104℃
原薬の酸塩基解離定数　該当資料なし
先発医薬品等
錠 ストロカイン錠5mg(サンノーバ＝エーザイ)
国際誕生年月　該当しない
海外での発売状況　香港，シンガポールなど

製剤
製剤の性状　**顆** 白色の顆粒剤　**錠** 僅かに褐色を帯びた白色の素錠
有効期間又は使用期限　3年
貯法・保存条件　**顆** 室温保存．バラ包装は開栓後湿気を避けて保存　**錠** 室温保存．PTP包装はアルミ袋開封後湿気を避けて保存
薬剤取扱い上の留意点　**顆** 服用にあたっては，口内にしびれ等を残さないため，速やかに飲みくだすよう注意させること　**錠** 服用にあたっては，口内にしびれ等を残さないため噛み砕いたりせずに，速やかに飲みくだすよう注意させること
患者向け資料等　くすりのしおり
溶液及び溶解時のpH　該当しない
浸透圧比　該当しない
安定なpH域　該当しない
調製時の注意　該当しない

薬理作用
分類　消化管粘膜局麻剤
作用部位・作用機序　部位：消化管粘膜　機序：ガストリン分泌細胞の刺激感受部位といわれている胃内腔に突起している微絨毛を麻酔することにより，その刺激感受性を低下させ，血中へのガストリン分泌を抑制すると考えられている．また，粘膜面の神経レセプターを介する迷走神経や交感神経線維中を上行する刺激をブロックすることにより，種々の愁訴を除去すると考えられる
同効薬　ピペリジノアセチルアミノ安息香酸エチル，アミノ安息香酸エチル

治療
効能・効果　次の疾患に伴う疼痛・酸症状・曖気・悪心・嘔吐・胃部不快感・便意逼迫：食道炎，胃炎，胃・十二指腸潰瘍，

過敏性大腸症(イリタブルコロン)
用法・用量 オキセサゼインとして1日15～40mg，3～4回に分服(適宜増減)
使用上の注意
禁忌 本剤の成分に対し過敏症の既往歴のある患者
その他の管理的事項
投与期間制限 該当しない
保険給付上の注意 該当しない
資料
IF ストロカイン顆粒5%・錠5mg 2016年4月改訂(第9版)

オクスプレノロール塩酸塩
Oxprenolol Hydrochloride

概要
薬効分類 212 不整脈用剤
構造式

及び鏡像異性体

分子式 $C_{15}H_{23}NO_3 \cdot HCl$
分子量 301.81
原薬の規制区分 劇(ただし，1錠中オクスプレノロールとして40mg以下を含有するものを除く)
原薬の外観・性状 白色の結晶性の粉末である．水に極めて溶けやすく，エタノール(95)又は酢酸(100)に溶けやすく，無水酢酸に溶けにくく，ジエチルエーテルにほとんど溶けない．1.0gを水10mLに溶かした液のpHは4.5～6.0である
原薬の融点・沸点・凝固点 融点：107～110℃

オザグレルナトリウム
オザグレルナトリウム注射液
注射用オザグレルナトリウム
Ozagrel Sodium

概要
薬効分類 399 他に分類されない代謝性医薬品
構造式

分子式 $C_{13}H_{11}N_2NaO_2$
分子量 250.23
ステム 血小板凝集阻害薬：-grel
原薬の規制区分 該当しない
原薬の外観・性状 白色の結晶又は結晶性の粉末である．水に溶けやすく，メタノールにやや溶けやすく，エタノール(99.5)にほとんど溶けない．0.5gを水10mLに溶かした液のpHは9.5～10.5である
原薬の吸湿性 91%RH(室温)で吸湿性を示し，7日後で潮解するが，80%RH(室温)以下ではほとんど吸湿性を示さない
原薬の融点・沸点・凝固点 融点：約300℃
原薬の酸塩基解離定数 pKa＝3.86(カルボキシル基)，pKa＝6.62(イミダゾール基)(中和滴定法)
先発医薬品等
注 カタクロット注射液20mg・40mg(丸石)
キサンボンS注射液20mg・40mg(キッセイ)
注射用 キサンボン注射用20mg・40mg(キッセイ)
注射用カタクロット20mg・40mg(丸石)
後発医薬品
注 20mg・40mg・80mg
注射用 20mg・40mg
キット 20mg・40mg・80mg
国際誕生年月 1988年1月
海外での発売状況 韓国
製剤
規制区分 **注** **注射用** 処
製剤の性状 **注** 無色透明な液 **注射用** 白色の塊又は粉末，凍結乾燥品
有効期間又は使用期限 **注** 3年 **注射用** 4年
貯法・保存条件 **注** 遮光・室温保存 **注射用** 室温保存
患者向け資料等 くすりのしおり
溶液及び溶解時のpH **注** 7.7～8.7 **注射用** 7.7～8.7(注射用水を加えて溶かした液)
浸透圧比 **注** 0.2～0.3 **注射用** 0.2～0.3(注射用水を加えて溶かした液)
調製時の注意 **注** カルシウムを含む輸液で希釈すると白濁することがあるので，カルシウムを含む輸液(リンゲル液等)を希釈に用いるときは，本剤80mgあたり300mL以上の輸液で使用すること **注射用** カルシウムを含む輸液での直接溶解は白濁するので避けること．なお，カルシウムを含む輸液(リンゲル液等)を希釈に用いるときは，カルシウムを含まない輸液又は注射用水であらかじめ溶解した後，本剤80mgあたり300mL以上の輸液で希釈すること
薬理作用
分類 トロンボキサン合成酵素阻害剤
作用部位・作用機序 トロンボキサン合成酵素を選択的に阻害してトロンボキサンA_2の産生を抑制し，プロスタサイクリンの産生を促進して，両者のバランス異常を改善するとともに血小板凝集抑制作用を示す．更に，脳血管攣縮及び脳血流量の低下を抑制し，脳の微小循環障害やエネルギー代謝異常を改善して，クモ膜下出血術後の脳血管攣縮及びこれに伴う脳虚血症状を改善すること並びに脳血栓症急性期に伴う運動障害を改善する
同効薬 (クモ膜下出血術後)ファスジル塩酸塩水和物 (脳血栓症急性期)ウロキナーゼ，アルガトロバン，エダラボン
治療
効能・効果 ①クモ膜下出血術後の脳血管攣縮及びこれに伴う脳虚血症状の改善 ②脳血栓症(急性期)に伴う運動障害の改善
用法・用量 効能①：1日80mgを電解質液又は糖液に溶解(バッグはそのまま)，24時間かけて持続静注(適宜増減)．クモ膜下出血術後早期に開始し，2週間持続することが望ましい
効能②：1回80mgを電解質液又は糖液に溶解し(バッグはそのまま)，2時間かけて1日朝夕2回の持続静注を約2週間行う(適宜増減)
使用上の注意
禁忌 ①出血している患者：出血性脳梗塞，硬膜外出血，脳内出血又は原発性脳室内出血を合併している患者［出血を助長する可能性がある］ ②脳塞栓症の患者［脳塞栓症の患者は出血性脳梗塞が発現しやすい］ ③本剤の成分に対し過敏症の既往歴のある患者
薬物動態
注射用 **血中濃度** ①健康成人：1又は15μg/kg/minで3時間持続静注時の血漿中濃度(速度論的パラメータ)[投与量1μg/kg/min，15μg/kg/minの順]は，Tmax(hr)2.07±0.79，3.00±0.00，Cmax(ng/mL)97.0±22.2，1657.3±274.4，AUC

(ng・hr/mL)281.0±58.5，4659.2±867.2，$T_{1/2}$(hr)0.79±0.56，0.66±0.04で，投与中止後3時間後，6.7及び52.6ng/mLに低下　②脳血栓症患者：脳血栓症患者に80mgを2時間かけて(体重換算13.1μg/kg/min)持続静注時，投与終了時の血漿中濃度は1000ng/mL　**代謝・排泄**　健康成人に本剤1又は15μg/kg/minを3時間持続静注時，本剤はアシル鎖のβ酸化及びα位のオレフィン還元反応により代謝，投与終了後24時間までに未変化体及び代謝物としてほとんどが尿中排泄

その他の管理的事項

投与期間制限　該当しない

保険給付上の注意　該当しない

資料

IF　カタクロット注射液20mg・40mg　2019年8月改訂(第3版)
　注射用カタクロット20mg・40mg　2019年8月改訂(第3版)

乾燥弱毒生おたふくかぜワクチン
Freeze-dried Live Attenuated Mumps Vaccine

概要

薬効分類　631　ワクチン類

分子式　該当しない

ステム　該当しない

原薬の規制区分　劇

原薬の外観・性状　溶剤を加えるとき，無色，帯黄色又は帯赤色の澄明な液剤となる

先発医薬品等

注射用　おたふくかぜ生ワクチン「第一三共」(第一三共＝北里薬品)
　乾燥弱毒生おたふくかぜワクチン「タケダ」(武田)

国際誕生年月　不明

海外での発売状況　該当しない

製剤

規制区分　**注射用**　生物　劇　処

製剤の性状　**注射用**　乳白色の乾燥製剤である．添付の溶剤(注射用水)0.7mLを加えると，速やかに溶解して無色の澄明な液剤となる

有効期間又は使用期限　18カ月

貯法・保存条件　遮光・5℃以下に保存

薬剤取扱い上の留意点　本剤のウイルスは日光に弱く，速やかに不活化されるので，溶解の前後にかかわらず光があたらないよう注意すること．本剤の溶解は摂取直前に行い，一度溶解したものは直ちに使用する

患者向け資料等　患者向医薬品ガイド，ワクチン接種を受ける人へのガイド

溶液及び溶解時のpH　6.8～8.5(0.7mL注射用水溶解時)

浸透圧比　約1(0.7mL注射用水溶解時)(対生食)

調製時の注意　接種直前に添付の溶剤(日本薬局方注射用水)0.7mLで溶解し，通常，その0.5mLを使用する

薬理作用

分類　ウイルスワクチン類

作用部位・作用機序　ムンプスウイルスは経気道的に感染し，上気道及び局所リンパ節で増殖後ウイルス血症を起こして全身の標的器官に運ばれ，発症すると考えられている．しかし，予め本剤の接種によりムンプスウイルスに対する液性免疫及び細胞性免疫が獲得されていると感染したウイルスの増殖は抑制され発症は阻止される

治療

効能・効果　おたふくかぜの予防

用法・用量　注射用水0.7mLで溶解し，その0.5mLを1回皮下注

用法・用量に関連する使用上の注意　①接種対象者：接種対象は，生後12カ月以上のおたふくかぜ既往歴のない者であれば性，年齢に関係なく使用できる．ただし，生後24～60カ月の間に接種することが望ましい　②輸血及びガンマグロブリン製剤投与との関係：輸血又はガンマグロブリン製剤の投与を受けた者は通常，3カ月以上間隔を置いて本剤を接種する．また，ガンマグロブリン製剤の大量療法(200mg/kg以上)を受けた者は，6カ月以上間隔を置いて本剤を接種する　③他の生ワクチン(注射剤)との接種間隔：他の生ワクチン(注射剤)の接種を受けた者は，通常，27日以上間隔を置いて本剤を接種する　④同時接種：医師が必要と認めた場合には，他のワクチンと同時に接種することができる

禁忌・原則禁忌となる特定患者集団　妊娠していることが明らかな者

使用上の注意

禁忌　［接種不適当者］ 予防接種を受けることが適当でない者：①明らかな発熱を呈している者　②重篤な急性疾患にかかっていることが明らかな者　③本剤の成分によってアナフィラキシーを呈したことがあることが明らかな者　④明らかに免疫機能に異常のある疾患を有する者及び免疫抑制をきたす治療を受けている者　⑤妊娠していることが明らかな者　⑥前記に掲げる者のほか，予防接種を行うことが不適当な状態にある者

その他の管理的事項

投与期間制限　該当しない

保険給付上の注意　薬価基準適用外

資料

IF　おたふくかぜ生ワクチン「第一三共」 2020年3月改訂(第7版)

オフロキサシン
Ofloxacin

概要

薬効分類　131　眼科用剤，132　耳鼻科用剤，624　合成抗菌剤

構造式

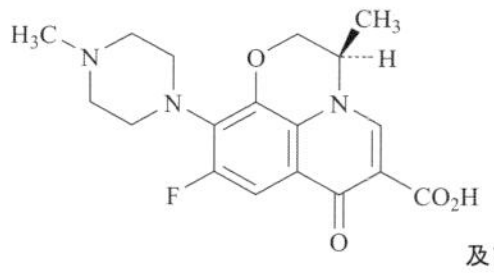

及び鏡像異性体

分子式　$C_{18}H_{20}FN_3O_4$

分子量　361.37

略語・慣用名　OFLX

ステム　ナリジクス酸系抗菌薬：-oxacin

原薬の規制区分　該当しない

原薬の外観・性状　帯微黄白色～淡黄白色の結晶又は結晶性の粉末である．酢酸(100)に溶けやすく，水に溶けにくく，アセトニトリル又はエタノール(99.5)に極めて溶けにくい．本品の水酸化ナトリウム試液溶液(1→20)は旋光性を示さない．光によって変色する

原薬の吸湿性　吸湿性なし

原薬の融点・沸点・凝固点　融点：約265℃(分解)

原薬の酸塩基解離定数　pKa_1＝5.74±0.03(カルボキシル基)，pKa_2＝7.90±0.05(ピペラジンの4位の窒素)(電位差滴定法)

先発医薬品等

錠　オフロキサシン錠100mg「JG」(長生堂＝日本ジェネリック)
　オフロキサシン錠100mg「サワイ」(沢井)
　オフロキサシン錠100mg「ツルハラ」(鶴原)

オフロキサシン錠100mg「テバ」(武田テバ薬品＝武田テバファーマ＝武田)
タリビッド錠100mg(アルフレッサファーマ)
眼軟膏 オフロキサシン眼軟膏0.3%「ニットー」(東亜薬品＝日東メディック)
タリビッド眼軟膏0.3%(参天)
耳科用液 オフロキサシン耳科用液0.3%「CEO」(セオリア＝武田)
タリビッド耳科用液0.3%(アルフレッサファーマ)
点眼液 オフロキサシン点眼液0.3%「CHOS」(CHO＝ファイザー)
オフロキサシン点眼液0.3%「JG」(長生堂＝日本ジェネリック)
オフロキサシン点眼液0.3%「杏林」(キョーリンリメディオ＝杏林＝共創未来ファーマ)
オフロキサシン点眼液0.3%「サワイ」(沢井)
オフロキサシン点眼液0.3%「テバ」(武田テバ薬品＝武田テバファーマ＝武田)
オフロキサシン点眼液0.3%「トーワ」(東和薬品)
オフロキサシン点眼液0.3%「日医工」(日医工)
オフロキサシン点眼液0.3%「日新」(日新製薬)
オフロキサシン点眼液0.3%「日点」(大興＝日本点眼薬)
オフロキサシン点眼液0.3%「ニットー」(東亜薬品＝日東メディック)
オフロキサシン点眼液0.3%「わかもと」(富士薬品＝わかもと)
オフロキサシンゲル化点眼液0.3%「わかもと」(わかもと)
タリビッド点眼液0.3%(参天)

国際誕生年月 1985年4月

海外での発売状況 **錠** 英，仏，独など **点眼液** **眼軟膏** 中国，香港，韓国など **耳科用液** 米，仏など

製剤

規制区分 **錠** **点眼液** **眼軟膏** **耳科用液** ㊙

製剤の性状 **錠** 白色～微黄白色のフィルムコーティング錠 **点眼液** 微黄色～淡黄色澄明の液である **眼軟膏** 淡黄色の眼軟膏で，においはない **耳科用液** 微黄色～淡黄色澄明の液

有効期間又は使用期限 **錠** **点眼液** **耳科用液** 3年 **眼軟膏** 4年

貯法・保存条件 **錠** **耳科用液** 室温保存 **点眼液** 気密容器，遮光・室温保存 **眼軟膏** 気密容器，室温保存

薬剤取扱い上の留意点 **錠** 意識障害等が現れることがあるので，自動車の運転等，危険を伴う機械の操作に従事する際には注意するよう患者に十分に説明すること **耳科用液** ボトル点耳口には穴が開いていないが，キャップを完全に締めることで初めて開くようになっているため，キャップは緩めに締められているので取扱いには注意すること

患者向け資料等 **錠** 患者向け医薬品ガイド，くすりのしおり **点眼液** **眼軟膏** **耳科用液** くすりのしおり

溶液及び溶解時のpH **点眼液** **耳科用液** 6.0～7.0

浸透圧比 **点眼液** 0.95～1.15 **耳科用液** 1.0～1.2(対生食)

安定なpH域 該当しない

調製時の注意 該当しない

薬理作用

分類 ニューキノロン系抗菌薬

作用部位・作用機序 細菌のDNA合成に関与するDNAジャイレース(トポイソメラーゼⅡ)活性及びトポイソメラーゼⅣ活性を阻害し，これにより細菌のDNA複製を特異的に阻害すると考えられる．抗菌作用は殺菌的でMIC濃度において溶菌が認められる．哺乳動物細胞のトポイソメラーゼⅡに対する阻害活性は，細菌のDNAジャイレース(トポイソメラーゼⅡ)阻害活性及びトポイソメラーゼⅣ阻害活性よりはるかに弱いことが認められている

同効薬 **錠** **点眼液** **眼軟膏** レボフロキサシン水和物，塩酸シプロフロキサシン，トスフロキサシントシル酸塩水和物など **耳科用液** 局所外用セフメノキシム塩酸塩，クロラムフェニコール外用液，局所外用ホスホマイシンナトリウムなど

治療

効能・効果 **錠**〈適応菌種〉本剤に感性のブドウ球菌属，レンサ球菌属，肺炎球菌，腸球菌属，淋菌，らい菌，大腸菌，赤痢菌，チフス菌，パラチフス菌，シトロバクター属，肺炎桿菌，エンテロバクター属，セラチア属，プロテウス属，モルガネラ・モルガニー，プロビデンシア属，インフルエンザ菌，緑膿菌，アシネトバクター属，カンピロバクター属，ペプトストレプトコッカス属，トラコーマクラミジア(クラミジア・トラコマティス)〈適応症〉表在性皮膚感染症，深在性皮膚感染症，リンパ管・リンパ節炎，慢性膿皮症，外傷・熱傷及び手術創等の二次感染，乳腺炎，肛門周囲膿瘍，咽頭・喉頭炎，扁桃炎，急性気管支炎，肺炎，慢性呼吸器病変の二次感染，膀胱炎，腎盂腎炎，前立腺炎(急性症，慢性症)，精巣上体炎(副睾丸炎)，尿道炎，子宮頸管炎，胆嚢炎，胆管炎，感染性腸炎，腸チフス，パラチフス，バルトリン腺炎，子宮内感染，子宮付属器炎，涙嚢炎，麦粒腫，瞼板腺炎，角膜炎(角膜潰瘍を含む)，中耳炎，副鼻腔炎，歯周組織炎，歯冠周囲炎，顎炎，ハンセン病

点眼液 **眼軟膏**〈適応菌種〉本剤に感性のブドウ球菌属，レンサ球菌属，肺炎球菌，腸球菌属，ミクロコッカス属，モラクセラ属，コリネバクテリウム属，クレブシエラ属，セラチア属，プロテウス属，モルガネラ・モルガニー，プロビデンシア属，インフルエンザ菌，ヘモフィルス・エジプチウス(コッホ・ウィークス菌)，シュードモナス属，緑膿菌，バークホルデリア・セパシア，ステノトロホモナス(ザントモナス)・マルトフィリア，アシネトバクター属，アクネ菌，トラコーマクラミジア(クラミジア・トラコマティス)*)〈適応症〉眼瞼炎，涙嚢炎，麦粒腫，結膜炎，瞼板腺炎，角膜炎(角膜潰瘍を含む)，眼科周術期の無菌化療法

*)ゲル化点眼液，眼軟膏のみ

耳科用液〈適応菌種〉本剤に感性のブドウ球菌属，レンサ球菌属，肺炎球菌，プロテウス属，モルガネラ・モルガニー，プロビデンシア属，インフルエンザ菌，緑膿菌〈適応症〉外耳炎，中耳炎

効能・効果に関連する使用上の注意 **錠** 咽頭・喉頭炎，扁桃炎，急性気管支炎，感染性腸炎，副鼻腔炎への使用にあたっては，「抗微生物薬適正使用の手引き」を参照し，抗菌薬投与の必要性を判断した上で，本剤の投与が適切と判断される場合に投与する

耳科用液 中耳炎への使用にあたっては，「抗微生物薬適正使用の手引き」を参照し，抗菌薬投与の必要性を判断した上で，本剤の投与が適切と判断される場合に投与する

用法・用量 **錠** 1日300～600mg，ハンセン病には400～600mg，2～3回に分服(適宜増減)．ハンセン病には，原則として他の抗ハンセン病剤と併用する．腸チフス，パラチフスには，1回200mgを1日4回，14日間

点眼液 **眼軟膏** 1日3回(**点眼液** 1回1滴)点眼又は塗布(適宜増減)

耳科用液 1回6～10滴，1日2回点耳(回数を増減)．小児には適宜滴数を減らす．点耳後は約10分間耳浴

用法・用量に関連する使用上の注意 ①使用にあたっては，耐性菌の発現等を防ぐため，原則として感受性を確認し，疾病の治療上必要な最小限の期間の投与にとどめる ②〔ゲル化点眼液〕他の点眼剤を併用する場合には，本剤投与前に少なくとも10分間の間隔をあけて投与する

禁忌・原則禁忌となる特定患者集団 **錠** 妊婦又は妊娠している可能性のある婦人，小児等

使用上の注意

禁忌 **錠** ①本剤の成分又はレボフロキサシン水和物に対し過敏症の既往歴のある患者 ②妊婦又は妊娠している可能性の

ある婦人　③小児等

点眼液　**眼軟膏**　本剤の成分及びキノロン系抗菌剤に対し過敏症の既往歴のある患者

耳科用液　本剤の成分又はレボフロキサシン水和物に対し過敏症の既往歴のある患者

薬物動態

錠　**血中濃度**　①血清中濃度の推移：健康成人に食後単回経口投与時，血清中濃度は投与量に相関して推移．100mg(5例)，200mg(3例)，300mg(5例)投与時の薬物動態パラメータ(平均値±標準偏差)：(1)Tmax(hr)：1.9±0.23，3，2.09±0.26，(2)Cmax(μg/mL)：0.95±0.17，1.65，2.65±0.41，(3) $T_{1/2}$：2.9±0.53，4.5，4.59±0.62，AUC(μg・hr/mL)：6.02±1.05，-，21.7±2.63，Vd(L/kg)：1.22±0.14，-，1.52±0.29　②血清蛋白結合率：ヒトに200mg単回経口投与時の血清蛋白結合率は，投与後1時間で平均20%．また，^{14}C-オフロキサシンの*in vitro*でのヒト血清蛋白結合率は血清中濃度約1μg/mL及び約10μg/mLで同様の値を示し，超遠心分離法で約30%，ゲルろ過法で0.5〜0.6%　**分布**　健康成人又は患者に200mg単回経口投与時，喀痰(投与後1時間で3.08μg/mL)，唾液(3時間で1.8μg/mL)，口蓋扁桃(約1時間で4.58μg/g)，前立腺(2時間で6.25μg/g)，前立腺液(1.5時間で3.79μg/mL)，子宮内膜(約3時間で4.76μg/g)，卵管(約3時間で3.83μg/g)，皮膚(2時間で2.24μg/g)，胆管胆汁(3時間で6.35μg/mL)，胆囊(3時間で3.01μg/g)，耳漏(2時間で0.92μg/mL)，上顎洞粘膜(2時間で2.77μg/g)，涙液(2時間で1.36μg/mL)等に高濃度に移行　**代謝**　①尿中代謝物：健康成人に600mg単回経口投与時，尿中には大部分が未変化体として存在し，脱メチル体及びN-オキシドと推定される2種の代謝物がわずかに認められた　②胆汁中代謝物：胆汁中代謝物としてグルクロン酸抱合体を検討したところ，200mg単回経口投与では4時間後に未変化体に換算して1.97μg/mL(胆汁中全未変化体濃度の26.1%)，500mg単回投与では2時間後に2.22μg/mL(胆汁中全未変化体濃度の15.3%)のグルクロン酸抱合体が認められた　**排泄**　健康成人に単回経口投与時，尿中濃度は投与量に相関して推移．100mg食後投与時の尿中濃度は投与後2〜4時間で最高(115μg/mL)に達し，12〜24時間では36μg/mL．尿中には投与後48時間までに投与量の90%以上が未変化体のまま排泄され，糞中には投与後48時間までに投与量の約4%が排泄　**腎機能障害患者での体内動態**　クレアチニン・クリアランス値(Ccr)により3群に分け，200mg単回経口投与時，腎機能の低下に伴い，血清中濃度の生物学的半減期の延長及び尿中排泄率の低下が認められた．腎機能(CcrmL/分)の(1)軽度障害(50<Ccr<70，5例)，(2)中等度障害(30<Ccr<50，6例)，(3)重度障害(Ccr<30，2例)の順に，半減期(hr)：5.1，5.3，12.6，12時間の累積尿中排泄率(%)：53，42.7，14.2

透析患者での体内動態　血液透析患者8例に200mg単回経口投与2時間後から4時間透析を実施(ダイアライザー：CL-S15W)．透析前後で血清中濃度は2.51μg/mLから1.64μg/mLに低下(除去率：34.7%)．透析終了44時間後も透析終了時の約50%の残存がみられた

点眼液　**眼軟膏**　**血中濃度**　①**点眼液**　健常成人眼に1回1滴30分ごと16回，又は15分ごと32回点眼時，最終点眼後30分の血中濃度(μg/mL)は液0.019，0.034，その後徐々に減少　②**眼軟膏**　健常成人眼に1回適量を30分ごと16回点眼時，点眼後30分以降の血中濃度は0.009μg/mL以下　**分布**　**点眼液**　①白内障手術患者(25例)に1回1滴を術前5分毎5回点眼時，房水中濃度は最終点眼後1時間前後に最高値(1.20μg/mL)　②白色ウサギに1回1滴点眼時，角膜，球結膜，眼筋，強膜，虹彩・毛様体及び房水に良好な移行．その移行量は角膜，強膜，眼筋，虹彩・毛様体において点眼終了1時間後に最高値を示し，それぞれの値は3.32μg/g，1.62μg/g，2.62μg/g，0.95μg/g．また球結膜では15分後に2.95μg/g，前房水では30分後に0.71μg/mLとそれぞれ最高値　③白色ウサギに1回1滴5分毎に5回点眼時，上記の1回点眼時と同様に眼組織へ良好な移行．その移行量は角膜，強膜，球結膜において点眼終了5分後に最高値を示し，それぞれの値は7.78μg/g，7.66μg/g，34.98μg/g．また眼筋では15分後に18.54μg/g，虹彩・毛様体，硝子体では30分後にそれぞれ3.12μg/g，0.80μg/mL，前房水では1時間後に3.56μg/mLと最高値　④白色及び有色ウサギに1回1滴1日3回2週間両眼に点眼し眼内動態を比較したメラニン含有組織である虹彩・毛様体，網脈絡膜における濃度差がみられた．メラニン含有していない組織では房水中濃度を除いて白色と有色ウサギの間に組織内濃度の動態に大きな差は認められなかった　**動物における眼組織内移行**　**眼軟膏**　参考(白色家兎，犬)：正常白色家兎に1回約40mg点眼時，眼球結膜及び強膜では，点眼5分後に眼球結膜9.72μg/g，強膜1.61μg/gの移行量の最高値を示し，その後徐々に減少．房水及び角膜では1時間後に房水0.69μg/mL，角膜4.87μg/gの最高値を示し，その後速やかに減少

耳科用液　**血中濃度**　①成人患者の中耳腔内に0.3%液1回10滴，1日2回，計14回点耳・耳浴30分後の血清中濃度は0.009〜0.012μg/mLと低値．また，小児患者の中耳腔内に0.3%液5滴を単回点耳・耳浴時，120分後までの血清中濃度は0.013μg/mL以下と低値　②参考：(1)経口投与では，フェニル酢酸系又はプロピオン酸系非ステロイド性消炎鎮痛剤との併用で痙攣を起こすおそれがある．しかしながら，本剤の点耳・耳浴による局所投与の場合には，最高血清中濃度が経口投与の場合に比べて1/100程度と低値であることから，これら消炎鎮痛薬との併用で痙攣が誘発される可能性はほとんどないと推定される　(2)小児に対する経口投与は，幼若動物で関節異常が認められており，安全性が確立していないので禁忌である．しかしながら，本剤の点耳・耳浴による局所投与については，最高血清中濃度が経口投与の場合に比較して1/100程度と低値であり，小児を対象とした臨床試験においても安全性が認められているので使用可能　**分布**　成人患者の中耳腔内に0.3%液1回10滴，1日2回，計19回点耳・耳浴90分後の中耳粘膜中濃度は19.5μg/g．また，0.1%液10滴単回点耳・耳浴30分後の耳漏中濃度は107〜610μg/mLと高値　**代謝(参考：動物実験)**　モルモットに0.3%^{14}C-オフロキサシン水溶液を中耳腔内に単回投与後0〜24時間での尿中代謝物は，未変化体が大部分(87%)で，脱メチル体，N-オキシド，グルクロン酸抱合体がわずかに認められた　**排泄(参考：動物実験)**　モルモットに0.3%^{14}C-オフロキサシン水溶液を中耳腔内に単回投与後72時間までに約90%が尿中に排泄，糞中への排泄はわずか

その他の管理的事項

投与期間制限　該当しない

保険給付上の注意　該当しない

資料

IF　タリビッド錠100mg　2019年10月改訂(第2版)
　タリビッド点眼液0.3%・眼軟膏0.3%　2017年10月改訂(第10版)
　タリビッド耳科用液0.3%　2016年10月改訂(第9版)

オメプラゾール
オメプラゾール腸溶錠
Omeprazole

概要

薬効分類 232 消化性潰瘍用剤

構造式

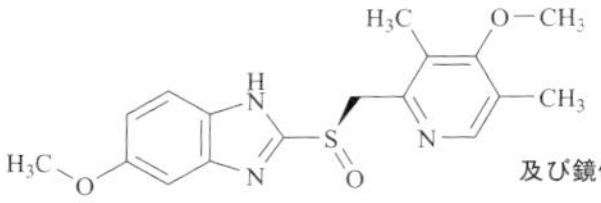

及び鏡像異性体

分子式 $C_{17}H_{19}N_3O_3S$

分子量 345.42

ステム ベンゾイミダゾール誘導体：-prazole

原薬の規制区分 該当しない

原薬の外観・性状 白色～帯黄白色の結晶性の粉末である．*N,N*-ジメチルホルムアミドに溶けやすく，エタノール(99.5)にやや溶けにくく，水にほとんど溶けない．本品の*N,N*-ジメチルホルムアミド溶液(1→25)は旋光性を示さない．光によって徐々に黄白色となる

原薬の吸湿性 吸湿性なし

原薬の融点・沸点・凝固点 融点：約150℃(分解)

原薬の酸塩基解離定数 $pKa_1 = 4.5$(ピリジン環)，$pKa_2 = 8.9$(ベンゾイミダゾール環)(吸光度法)

先発医薬品等

腸溶錠 オメプラール錠10・20(アストラゼネカ)
オメプラゾン錠10mg・20mg(田辺三菱)

注射用 オメプラール注用20(アストラゼネカ)

後発医薬品

腸溶錠 10mg・20mg

注射用 20mg

国際誕生年月 1987年4月

海外での発売状況 **腸溶錠** 米，英，仏，独など100カ国以上(承認)

製剤

規制区分 **腸溶錠** ㊙

製剤の性状 **腸溶錠** 白色のフィルムコーティング錠

有効期間又は使用期限 **10mg腸溶錠** 3年 **20mg腸溶錠** 4年

貯法・保存条件 室温保存

薬剤取扱い上の留意点 本剤は腸溶錠であり，服用にあたっては，噛んだり，砕いたりせずに，飲みくだすよう患者に指導すること

患者向け資料等 くすりのしおり

溶液及び溶解時のpH 該当しない

浸透圧比 該当しない

安定なpH域 該当しない

調製時の注意 該当しない

薬理作用

分類 プロトンポンプインヒビター

作用部位・作用機序 胃腺の壁細胞の細胞膜上に存在する受容体へ，各種酸分泌刺激物質が結合することにより，壁細胞内において一連の胃酸分泌反応が起きる．この反応の最終過程では，壁細胞内からH^+を放出し，代わりにK^+を取り込むプロトンポンプと呼ばれる酵素H^+，K^+-ATPaseが働いている．このプロトンポンプの働きを阻害することによって，胃酸分泌を抑制する．ヘリコバクター・ピロリは酸性条件では多くが定常期にあるが，オメプラゾールの作用で胃内pHが上昇することによりヘリコバクター・ピロリが増殖期に移行してアモキシシリン水和物に感受性となる．また，胃内でのクラリスロマイシンの非解離型(活性分子型)の増加及び非解離型となったことでの胃粘膜層への移行の増加によるクラリスロマイシン濃度上昇によって抗菌活性が増強されるものと考えられる．なお，メトロニダゾールの抗菌活性はpHに依存しない

同効薬 ランソプラゾール，ラベプラゾールナトリウム，エソメプラゾールナトリウム水和物

治療

効能・効果 **腸溶錠** ①胃潰瘍，十二指腸潰瘍，吻合部潰瘍，Zollinger-Ellison症候群 ②逆流性食道炎 ③非びらん性胃食道逆流症(10mgのみ) ④次におけるヘリコバクター・ピロリの除菌の補助：胃潰瘍，十二指腸潰瘍，胃MALTリンパ腫，特発性血小板減少性紫斑病，早期胃癌に対する内視鏡的治療後胃，ヘリコバクター・ピロリ感染胃炎

注射用 ①経口投与不可能な次の疾患：出血を伴う胃潰瘍，十二指腸潰瘍，急性ストレス潰瘍及び急性胃粘膜病変 ②経口投与不可能なZollinger-Ellison症候群

効能・効果に関連する使用上の注意 **腸溶錠** ①進行期胃MALTリンパ腫に対するヘリコバクター・ピロリ除菌治療の有効性は確立していない ②特発性血小板減少性紫斑病に対しては，ガイドライン等を参照し，ヘリコバクター・ピロリ除菌治療が適切と判断される症例にのみ除菌治療を行う ③早期胃癌に対する内視鏡的治療後胃以外には，ヘリコバクター・ピロリ除菌治療による胃癌の発症抑制に対する有効性は確立していない ④ヘリコバクター・ピロリ感染胃炎に用いる際には，ヘリコバクター・ピロリが陽性であること及び内視鏡検査によりヘリコバクター・ピロリ感染胃炎であることを確認する

用法・用量 **腸溶錠** 効能①：1日1回20mg．胃潰瘍，吻合部潰瘍では8週間まで，十二指腸潰瘍では6週間までとする 効能②：1日1回20mg，8週間まで．さらに再発・再燃を繰り返す逆流性食道炎の維持療法においては，1日1回10～20mg 効能③：1日1回10mg，4週間まで 効能④⑤：本剤1回20mg，アモキシシリン水和物1回750mg(力価)及びクラリスロマイシン1回200mg(力価)の3剤を同時に1日2回，7日間．なお，クラリスロマイシンは，必要に応じて適宜増量．ただし，1回400mg(力価)1日2回を上限とする．プロトンポンプインヒビター，アモキシシリン水和物及びクラリスロマイシンの3剤投与によるヘリコバクター・ピロリの除菌治療が不成功の場合は，これに代わる治療として，本剤1回20mg，アモキシシリン水和物1回750mg(力価)及びメトロニダゾール1回250mgの3剤を同時に1日2回，7日間

注射用 オメプラゾールとして1回20mgを生理食塩液又は5%ブドウ糖注射液に混合して1日2回点滴静注，又は生理食塩液又は5%ブドウ糖注射液20mLに溶解して1日2回緩徐に静注

用法・用量に関連する使用上の注意 **腸溶錠** 効能②：1日10mgの維持療法で再発が認められた場合は1日20mgで再治療を行う．治癒後の維持療法においても再発の既往歴，症状の程度等を考慮して用量を選択する．ただし，1日20mgの維持療法で再発が認められた場合，あるいは予期せぬ体重減少，吐血，嚥下障害等の症状が認められた場合は，改めて内視鏡検査等を行い，その結果に基づいて他の適切な治療法に切り替えることを考慮する 効能③：投与開始2週後を目安として効果を確認し，症状の改善傾向が認められない場合には，酸逆流以外の原因が考えられるため他の適切な治療への変更を考慮する **注射用** ①「経口投与不可能な，出血を伴う胃潰瘍，十二指腸潰瘍，急性ストレス潰瘍及び急性胃粘膜病変」に対して投与した場合，3日間までの成績で高い止血効果が認められているので，内服可能となった後は経口投与に切り替え，漫然と投与しない ②国内臨床試験において，7日間を超える使用経験はない

使用上の注意

禁忌 ①本剤の成分に対して過敏症の既往歴のある患者 ②アタザナビル硫酸塩，リルピビリン塩酸塩を投与中の患者

相互作用概要 主としてCYP2C19及び一部CYP3A4で代謝される

薬物動態

腸溶錠 **血中濃度** ①単独投与時：健康成人(6例)に10mg，20mgを空腹時単回経口投与時，投与後約2時間で最高血漿中濃度に達し，消失半減期はそれぞれ2.8時間及び1.6時間.（投与量，Cmax(ng/mL)，Tmax(hr)，$AUC_{0\text{-}10hr}$(ng・hr/mL)，$T_{1/2}$(hr)の順)：(1)10mg：184.1±31.5，2.3±0.6，480.7±160.2，2.8，(2)20mg：406.2±152.0 2.3±0.2，1160.4±646.3，1.6．健康成人(6例)に20mgを朝食前に1日1回7日間投与時，第7日目のCmax及び血中濃度曲線下面積(AUC)はいずれも第1日目の約1.4倍に増加．また，胃潰瘍患者(5例)及び十二指腸潰瘍患者(4例)に20mgを1日1回朝食後に14日間投与時，第7日目のAUCは第1日目に比べ有意な増加が認められたが，第7日目と第14日目の間ではCmax，AUCのいずれも増加は認められなかった ②オメプラゾール，アモキシシリン水和物及びクラリスロマイシン投与時：健康成人(11例)にオメプラゾール20mg，アモキシシリン水和物750mg(力価)及びクラリスロマイシン400mg(力価)を1日2回7日間反復経口投与後の血漿中オメプラゾール濃度は，投与約2.5時間後にCmax，約2時間の半減期で消失．オメプラゾールのCmax及びAUCは，単回投与時に比して反復投与により上昇したが，投与4日目と7日目ではほぼ同様で，4日目までには定常状態．Cmax(ng/mL)794±410，Tmax(hr)2.7±1.6，$AUC_{0\text{-}\infty}$(ng・hr/mL)2936±1752，$T_{1/2}$(hr)1.78±0.62 **吸収** ①生物学的同等性：20mg錠×1錠と10mg錠×2錠は生物学的に同等 **分布** ①蛋白結合率：96～98%(限外ろ過法) **代謝** 外国人データでは，健康成人に経口投与時，血漿中の主代謝物はオメプラゾールスルホン及びヒドロキシオメプラゾールで，これらの代謝物はいずれも胃酸分泌抑制作用をほとんど示さなかった．また，ヒト肝ミクロソームによる*in vitro*試験結果から，ヒドロキシ体及びスルホン体の生成にはそれぞれ主にCYP2C19及びCYP3A4が関与し，ヒドロキシ体への代謝クリアランスはスルホン体の4倍であると報告されている．CYP2C19には遺伝多型が存在し，遺伝学的にCYP2C19の機能を欠損する個体(PM)は日本人を含むモンゴル系人種で13～20%，コーカサス系人種で3～4%と報告されている．PMにおけるオメプラゾールの緩やかな代謝は，他のプロトンポンプ阻害剤と同様 **排泄** 外国人データでは，^{14}C標識オメプラゾールを投与時，投与放射能の約80%が尿中に，約20%が糞中に排泄 **特定の背景を有する患者** ①血液透析：慢性透析患者を対象に1日1回20mg経口投与し，血漿中濃度を検討した試験で，血液透析による除去はほとんど認められず，透析日及び非透析日で体内薬物動態に影響はみられなかった **薬物相互作用** ①ジアゼパム，ワルファリン，フェニトイン：外国人データでは，ジアゼパム，ワルファリン(R-ワルファリン)，フェニトインがCYP2C19により代謝されるため，本剤との併用によってジアゼパム及びフェニトインのクリアランスは，それぞれ27%及び15%低下，ワルファリンの血中濃度は12%上昇したとの報告がある ②その他の薬剤：オメプラゾールの血漿中濃度は，クラリスロマイシンとの併用により，Cmax及びAUCは約2倍に上昇．一方，アモキシシリン水和物との併用は，オメプラゾールの血漿中動態に影響しなかった

注射用 **血中濃度** オメプラゾールの代謝には遺伝的多型があるため，血漿からの消失の速やかな個体群(Extensive metabolizer：EM)と緩やかな個体群(Poor metabolizer：PM)とに区分して解析した．日本人健康成人男子に20mgを1日2回6日間反復静注時の血漿中濃度(実測値，推定曲線)及び薬物動態パラメータ(群，投与回，投与終了時の血漿中濃度(μg/mL)，消失半減期(hr)，AUC※)(μg・hr/mL))：(1)EM(7例)，初回，1.83±0.83，0.66±0.24，1.00±0.27，(2)EM(7例)，最終回，2.15±0.75，1.22±0.47，2.51±0.92，(3)PM(3例)，初回，2.00±0.38，2.52±0.52，4.87±2.08，(4)PM(3例)，最終回，1.65±0.35，3.50±1.01，5.88±2.74 ※)初回は$AUC_{0\text{-}\infty}$，最終回は$AUC_{0\text{-}12}$．オメプラゾールの消失半減期は，EMで約1時間，PMで約3時間．AUCは，EMに比してPMで約2～5倍大きかった．日本人健康成人男子に，10～80mg(承認外用量を含む)を静注後のAUCは，投与量に比例して増加．外国人データでは，健康高齢者(75～79歳)及び腎機能障害患者に，20mgを静注後の消失半減期は，それぞれ約1時間，0.6時間で若年健康成人との間に顕著な差はみられなかった．また，肝硬変患者におけるオメプラゾールの消失半減期は，約2.8時間に延長 **分布** ①蛋白結合：オメプラゾールの血漿蛋白との結合率は，0.2～20μmol/Lの濃度範囲で一定で，約96% **代謝** 腸溶錠参照 **排泄** 外国人データでは，^{14}C標識オメプラゾールナトリウム10mgを健康成人に静注時，96時間後までに尿中には投与量の78%，糞中には19%の放射能が排泄され，主排泄経路は尿中 **薬物相互作用** 外国人データでは，ジアゼパム，ワルファリン，フェニトインがCYP2C19により代謝されるため，EMにおいては，本剤との併用によってジアゼパム及びフェニトインのクリアランスは，それぞれ27%及び15%低下し，ワルファリンの血中濃度は12%上昇したとの報告がある

その他の管理的事項

投与期間制限 該当しない

保険給付上の注意 該当しない

資料

IF オメプラゾン錠10mg・20mg 2017年10月改訂(第23版)

オーラノフィン
オーラノフィン錠
Auranofin

概要

薬効分類 442 刺激療法剤

構造式

RO, H, O, S—Au←P(CH3)(CH3)(CH3), H, OR, H, RO, H, H, OR

R= —C(=O)CH3

分子式 $C_{20}H_{34}AuO_9PS$

分子量 678.48

ステム 不明

原薬の規制区分 毒(ただし，1個中3mg以下を含有する内用剤は劇)

原薬の外観・性状 白色の結晶性の粉末である．クロロホルムに極めて溶けやすく，メタノールに溶けやすく，エタノール(99.5)にやや溶けにくく，水にほとんど溶けない．結晶多形が認められる

原薬の吸湿性 乾燥減量：0.5%以下(1g，105℃，3時間)

原薬の融点・沸点・凝固点 融点：113～116℃

原薬の酸塩基解離定数 解離基を持たない

後発医薬品

錠 3mg

製剤

規制区分 錠 劇 処

製剤の性状 錠 白色～帯黄白色のフィルムコーティング錠

有効期間又は使用期限 3年

貯法・保存条件　室温保存
患者向け資料等　患者向医薬品ガイド，くすりのしおり
溶液及び溶解時のpH　該当しない
浸透圧比　該当しない
安定なpH域　該当しない
調製時の注意　該当しない

薬理作用

分類　RA寛解導入剤
作用部位・作用機序　関節リウマチ症状に対し遅効性の改善効果を発揮し，疾患進展阻止及び寛解誘導能がある．作用機序は未確定であるが，SH基との高い親和性により種々の酵素活性を阻害することにより治療効果を現すと考えられている

治療

効能・効果　関節リウマチ(過去の治療において非ステロイド性抗炎症剤により十分な効果の得られなかったもの)
用法・用量　1日6mgを朝夕食後2回に分服．1日6mgを超える用量は投与しない
禁忌・原則禁忌となる特定患者集団　妊婦又は妊娠している可能性のある婦人，小児

使用上の注意

禁忌　①金製剤による重篤な副作用の既往のある患者［重篤な副作用が発現するおそれがある］　②金製剤に対して過敏症の既往歴のある患者　③腎障害，肝障害，血液障害あるいは重篤な下痢，消化性潰瘍等のある患者［悪化するおそれがある］　④妊婦又は妊娠している可能性のある婦人　⑤小児
過量投与　外国において，本剤27mg/日を10日間服用したところ，中枢・末梢神経障害が発現し，本剤の投与中止とキレート剤の投与により回復した例がある．過量投与した場合には，催吐，胃洗浄等を行うとともにキレート剤を投与する等，適切な療法を行う．なお，注射金剤の過量投与の治療にキレート剤が使用されている

その他の管理的事項

投与期間制限　該当しない
保険給付上の注意　該当しない

資料

IF　オーラノフィン錠3mg「サワイ」 2015年6月改訂(第5版)

オルシプレナリン硫酸塩
Orciprenaline Sulfate

概要

薬効分類　225　気管支拡張剤
構造式

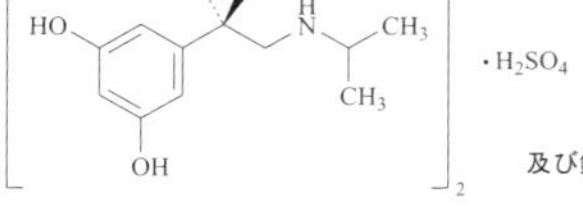

及び鏡像異性体

分子式　$(C_{11}H_{17}NO_3)_2 \cdot H_2SO_4$
分子量　520.59
原薬の規制区分　㊕(ただし，オルシプレナリンとして5%以下を含有する吸入剤を除く)
原薬の外観・性状　白色の結晶又は結晶性の粉末である．水に溶けやすく，エタノール(95)又は酢酸(100)に溶けにくく，ジエチルエーテルにほとんど溶けない．本品の水溶液(1→20)は旋光性を示さない．1.0gを水10mLに溶かした液のpHは4.0〜5.5である
原薬の融点・沸点・凝固点　融点：約220℃(分解)

オルメサルタン　メドキソミル
オルメサルタン　メドキソミル錠
Olmesartan Medoxomil

概要

薬効分類　214　血圧降下剤
構造式

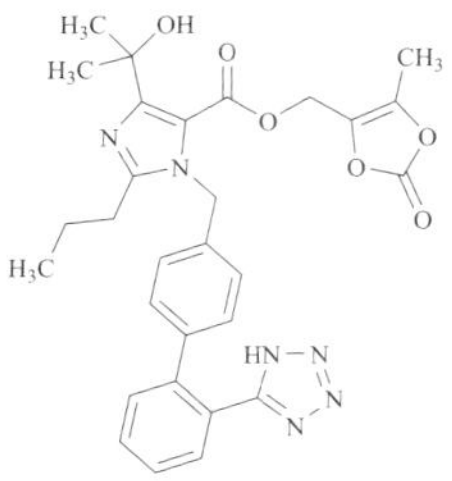

分子式　$C_{29}H_{30}N_6O_6$
分子量　558.59
ステム　アンジオテンシンⅡ受容体拮抗薬：-sartan
原薬の規制区分　該当しない
原薬の外観・性状　白色〜微黄白色の結晶性の粉末である．アセトニトリル又はエタノール(99.5)に溶けにくく，水にほとんど溶けない
原薬の吸湿性　25℃・5%RHから25℃・80%RHでは全く吸湿性を示さず，25℃・92%RHで僅かに(0.1/week)吸湿した
原薬の融点・沸点・凝固点　融点：177.6℃
原薬の酸塩基解離定数　pKa＝4.3(Britton Robinson緩衝液(20℃)，紫外可視吸光度測定法)
先発医薬品等
錠　オルメテックOD錠5mg・10mg・20mg・40mg(第一三共)
後発医薬品
錠　5mg・10mg・20mg・40mg・OD錠5mg・10mg・20mg・40mg
国際誕生年月　2002年4月
海外での発売状況　米，英，仏，独など78カ国

製剤

規制区分　**口腔内崩壊錠**　㊫
製剤の性状　**5mg口腔内崩壊錠**　淡黄白色の素錠　**10・20・40mg口腔内崩壊錠**　白色〜微黄白色の割線入り素錠　いずれもにおいはないか，又は僅かに特異なにおいがある
有効期間又は使用期限　3年
貯法・保存条件　室温保存．開封後は湿気を避けて保存すること
薬剤取扱い上の留意点　降圧作用に基づくめまい，ふらつきが現れることがあるので，高所作業，自動車の運転等危険を伴う機械を操作する際には注意させること．手術前24時間は投与しないことが望ましい．メトホルミン塩酸塩製剤又はカモスタットメシル酸塩製剤等と一包化し高温多湿条件下にて保存した場合，メトホルミン塩酸塩製剤又はカモスタットメシル酸塩製剤等が変色することがあるので，一包化は避けること
患者向け資料等　患者向医薬品ガイド，くすりのしおり
溶液及び溶解時のpH　該当しない
浸透圧比　該当しない
安定なpH域　該当しない
調製時の注意　該当しない

薬理作用

分類　アンジオテンシンⅡ受容体拮抗薬
作用部位・作用機序　アンジオテンシンⅡ(AⅡ)はアンジオテンシン変換酵素(ACE)によってアンジオテンシンⅠから生成される．AⅡはレニン-アンジオテンシン系の主な昇圧物

質であり，血管を収縮させる，アルドステロンの合成を刺激・遊離する，ナトリウムイオンを腎臓から再吸収させるなどの効果を有している．プロドラッグであるオルメサルタン メドキソミルは，経口投与後活性代謝物であるオルメサルタンに変換される．オルメサルタンは血圧の上昇に関与するAT_1（AⅡタイプ1）受容体に選択的に作用してAⅡの結合を競合的に阻害し，血管組織レベルにおいてAT_1受容体を介したAⅡの血管収縮反応を非克服性（insurmountable）に抑制することにより降圧作用を発現する

同効薬 カンデサルタン シレキセチル，ロサルタンカリウム，バルサルタン，テルミサルタン，イルベサルタン，アジルサルタン

治療

効能・効果 高血圧症

用法・用量 1日1回10～20mg（適宜増減）．なお，5～10mgから開始，1日最大投与量40mgまで

禁忌・原則禁忌となる特定患者集団 妊婦又は妊娠している可能性のある女性

使用上の注意

禁忌 ①本剤の成分に対し過敏症の既往歴のある患者 ②妊婦又は妊娠している可能性のある女性 ③アリスキレンフマル酸塩を投与中の糖尿病患者（ただし，他の降圧治療を行ってもなお血圧のコントロールが著しく不良の患者を除く）

薬物動態

単回投与 健康成人男性51例にOD錠40mg1錠（水なし又は水で服用）又はオルメサルタン メドキソミル錠40mg1錠（水で服用）を，クロスオーバー法で空腹時単回経口投与し，活性代謝物のオルメサルタンの薬物動態パラメータを比較した．Cmax及びAUC_{last}の幾何平均値の比の両側90%信頼区間はいずれも0.80～1.25の範囲内で，両製剤の生物学的同等性が確認された．OD錠5mg，OD錠10mg及びOD錠20mgは「含量が異なる経口固形製剤の生物学的同等性ガイドライン」に基づき，標準製剤をOD錠40mgとしたとき，溶出挙動は同等と判定され，生物学的に同等とみなされた **反復投与** 本態性高血圧症患者に10mg（20例）及び20mg（19例）を14日間，40mg（10例）を7日間反復経口投与時，最終日のオルメサルタンの薬物動態学的パラメータ（Cmax（ng/mL），Tmax（hr），$T_{1/2}$（hr），AUC（ng・hr/mL）の順）は，⑴10mg：294.3±78.7，2.2±0.8，6.5±0.9，2033.5±478.5，⑵20mg：516.9±150.6，2.5±1.1，6.3±0.8，3394.7±917.3，⑶40mg：1039.0±250.6，2.6±1，6.0±1.0，8162.0±2345.0．健康成人男性27例に10mg，20mg及び40mgを1日1回7日間反復経口投与時の血漿中オルメサルタン濃度を検討時，速やかに定常状態に達し，蓄積性はほとんど認められなかった **吸収** ①食事の影響：健康成人男性12例に20mgを空腹時，低脂肪食摂取30分後あるいは高脂肪食摂取30分後に単回経口投与時，それぞれのオルメサルタンのCmax及びAUCにはほとんど差はなく，食事の影響は認められなかった ②バイオアベイラビリティ：健康成人男性24例に20mgを空腹時単回経口投与又はオルメサルタン16.2mgを単回静注し，絶対バイオアベイラビリティを求めた結果，25.6%（外国人データ） **分布** ①血清蛋白結合率（限外濾過法）：オルメサルタンの血清蛋白結合率は99%と高く，主にアルブミンのワルファリンサイトに結合する（*in vitro*）が，ワルファリンとの併用試験でワルファリンの薬物動態に影響がなく血液凝固系に影響を及ぼさなかった（外国人データ） **代謝** 経口投与後，主に小腸上皮，肝臓又は血漿においてエステラーゼによる加水分解を受け，活性代謝物のオルメサルタンに代謝される．血漿中にはオルメサルタンのみが認められ，その他の代謝物は存在しない．ヒト肝ミクロソームを用い，チトクロームP450分子種7種類（1A1&2，2A6，2C19，2C8&9，2D6，2E1，3A4）の活性について，オルメサルタンによる阻害率を検討時，臨床用量で想定される血漿中濃度ではいずれの分子種もほとんど阻害しなかった．また，ヒト培養肝細胞にて，オルメサルタン メドキソミルによるチトクロームP450の誘導は認められなかった（*in vitro*） **排泄** 健康成人男性6例に^{14}C-オルメサルタン メドキソミル20mgを単回経口投与時，投与した総放射能の12.6%（240時間後まで）が尿中に，77.2%（312時間後まで）が糞中に排泄（外国人データ）．健康成人男性24例に5mg，10mg，20mg及び40mgを空腹時単回経口投与時，投与48時間までに尿中にオルメサルタンが11.6～14.6%排泄 **特定の背景を有する患者** ①腎機能障害患者：健康成人男性8例と，腎機能障害患者26例を重症度別に8～9例ずつ3群に分けた計34例に，10mgを1日1回7日間反復経口投与時の7日目の定常状態における血漿中オルメサルタンのAUCの幾何平均値は，腎機能正常者と比較して，軽度，中等度及び重度腎機能障害患者でそれぞれ1.6倍，1.8倍，2.8倍（外国人データ） ②肝機能障害患者：軽度及び中等度肝機能障害患者12例に10mgを空腹時単回経口投与時，肝機能正常者と比較して血漿中オルメサルタンのAUCの幾何平均値はそれぞれ1.1倍，1.7倍（外国人データ） ③高齢者：健康高齢者（65歳以上）6例に10mgを単回経口投与し，健康非高齢者とオルメサルタンのAUCの幾何平均値を比較時，ほとんど差は認められなかった．また，高齢高血圧症患者（75歳以上）17例に10mgを1日1回14日間反復経口投与時，非高齢患者に比較しAUCの幾何平均値が1.4倍高値を示したが，蓄積性はほとんど認められなかった（外国人データ）

その他の管理的事項

投与期間制限 該当しない

保険給付上の注意 該当しない

資料

IF オルメテックOD錠5mg・10mg・20mg・40mg 2020年2月改訂（第25版）

オロパタジン塩酸塩
オロパタジン塩酸塩錠
Olopatadine Hydrochloride

概要

薬効分類 131 眼科用剤，449 その他のアレルギー用薬

構造式

分子式 $C_{21}H_{23}NO_3$・HCl

分子量 373.87

ステム 三環系H_1受容体拮抗薬：-tadine

原薬の規制区分 該当しない

原薬の外観・性状 白色の結晶又は結晶性の粉末である．ギ酸に極めて溶けやすく，水にやや溶けにくく，エタノール（99.5）に極めて溶けにくい．0.01mol/L塩酸試液に溶ける．1.0gを水100mLに溶かした液のpHは2.3～3.3である

原薬の吸湿性 25℃，32.8～93%RHにおいて重量増加率を測定した結果，吸湿性は示さなかった

原薬の融点・沸点・凝固点 融点：約250℃（分解）

原薬の酸塩基解離定数 pKa'_1＝4.18（カルボキシル基），pKa'_2＝9.79（3級アミノ基）

先発医薬品等

顆 アレロック顆粒0.5%（協和キリン）

錠 アレロック錠2.5・5(協和キリン)
アレロックOD錠2.5・5(協和キリン)
点眼液 パタノール点眼液0.1%(ノバルティス＝協和キリン)

後発医薬品
顆 0.5%
錠 2.5mg・5mg・OD錠2.5mg・5mg
シロップ用 1%
内用フィルム 2.5mg・5mg

国際誕生年月 1996年12月(米における点眼剤承認年月日)
海外での発売状況 **錠** 中国，韓国 **点眼液** 米，英，仏など120カ国以上(承認)

製剤

製剤の性状 **顆** 淡黄赤色の顆粒で無臭である **錠** 淡黄赤色のフィルムコーティング錠 **口腔内崩壊錠** ごくうすい黄色の素錠 **点眼液** 無色～微黄色澄明の無菌水性点眼液
有効期間又は使用期限 3年
貯法・保存条件 **顆** **錠** **口腔内崩壊錠** 室温保存 **点眼液** 遮光・室温保存
薬剤取扱い上の留意点 **顆** **錠** 眠気を催すことがあるので，本剤投与中の患者には自動車の運転等危険を伴う機械の操作には従事させないよう十分注意すること **点眼液** 本剤に含まれているベンザルコニウム塩化物は，ソフトコンタクトレンズに吸着されることがあるので，点眼時はコンタクトレンズを外し，10分以上経過後装用すること
患者向け資料等 くすりのしおり
溶液及び溶解時のpH **点眼液** 約7.0
浸透圧比 **点眼液** 0.9～1.1(対生食)
調製時の注意 該当しない

薬理作用

分類 選択的ヒスタミンH_1受容体拮抗剤
作用部位・作用機序 **顆** **錠** **口腔内崩壊錠** 部位：肥満細胞，好中球，好酸球などのアレルギー性炎症性細胞，アレルギー性炎症性細胞から遊離されたケミカルメディエーター，ケモカインの標的細胞，アレルギー反応標的細胞のヒスタミンH_1受容体 機序：選択的ヒスタミンH_1受容体拮抗作用を主作用とし，更にアレルギー性炎症性細胞から遊離されるヒスタミン，アラキドン酸産物であるトロンボキサン及びロイコトリエン，リン脂質である血小板活性化因子(PAF)等の化学伝達物質の産生・遊離抑制作用，インターロイキン-6(IL-6)やインターロイキン-8(IL-8)等のサイトカイン分泌抑制作用，血管内皮細胞における細胞接着分子の発現抑制作用，好酸球浸潤抑制作用，神経伝達物質タキキニンの遊離抑制作用等の多彩な抗アレルギー作用が期待できる **点眼液** 部位：眼結膜 機序：選択的なヒスタミンH_1受容体拮抗作用を主作用とし，結膜上皮細胞からのインターロイキン-6，インターロイキン-8の遊離・産生抑制作用を有する．更に肥満細胞からの化学伝達物質(ヒスタミン，トリプターゼ，プロスタグランジンD_2，TNFα)の遊離・産生抑制作用を有する
同効薬 **顆** **錠** **口腔内崩壊錠** オキサトミド，エバスチン，アゼラスチン塩酸塩，エピナスチン塩酸塩，フェキソフェナジン塩酸塩，ケトチフェンフマル酸塩，セチリジン塩酸塩，ベポタスチンベシル酸塩，ロラタジン，レボセチリジンなど **点眼液** ケトチフェンフマル酸塩，塩酸レボカバスチン，クロモグリク酸ナトリウム，トラニラスト，ペミロラストカリウム，イブジラスト，アシタザノラスト水和物，エピナスチン塩酸塩など

治療

効能・効果 **顆** **錠** **口腔内崩壊錠** **内用フィルム** ①成人：アレルギー性鼻炎，蕁麻疹，皮膚疾患に伴うそう痒(湿疹・皮膚炎，痒疹，皮膚そう痒症，尋常性乾癬，多形滲出性紅斑) ②小児：アレルギー性鼻炎，蕁麻疹，皮膚疾患(湿疹・皮膚炎，皮膚そう痒症)に伴うそう痒
点眼液 アレルギー性結膜炎
用法・用量 **顆** **錠** **口腔内崩壊錠** **内用フィルム** ①成人：1回5mgを1日2回朝及び就寝前(適宜増減)②小児(7歳以上)：1回5mgを1日2回朝及び就寝前③**顆** 小児(2歳以上7歳未満)：1回2.5mgを1日2回朝及び就寝前．シロップ用は用時溶解して投与
点眼液 1回1～2滴，1日4回(朝，昼，夕方及び就寝前)点眼

使用上の注意

禁忌 本剤の成分に対し過敏症の既往歴のある患者

薬物動態

顆 **錠** **血中濃度** ①単回投与：(1)成人：健康成人男性に錠5mg及び10mgを絶食下単回経口投与時の薬物動態パラメータ(5mg(6例)，10mg(12例)の順)は，Cmax(ng/mL)107.66±22.01，191.78±42.99，Tmax(hr)1.00±0.32，0.92±0.47，$t_{1/2}$(hr)8.75±4.63(4例)，7.13±2.21(10例)，$AUC_{0-\infty}$(ng・hr/mL)326±63(4例)，638±136(10例) (2)小児：小児アレルギー患者(10～16歳，40～57kg)に錠5mgを単回経口投与時の薬物動態パラメータは，Cmax(ng/mL)81.57±9.91，Tmax(hr)1.33±0.52，AUC_{0-12}(ng・h/mL)228±20 ②反復投与：健康成人男性(8例)に錠1回10mgを1日2回6日間，7日目に1回の計13回反復経口投与時，4日目までに血漿中濃度は定常状態，Cmaxは単回経口投与時の1.14倍 **分布** ①体組織への分布：ラットに^{14}C-オロパタジン塩酸塩1mg/kgを経口投与時，大部分の組織で投与後30分に最も高い放射能濃度，消化管のほか，肝臓，腎臓及び膀胱の放射能濃度は，血漿中放射能濃度より高かった ②血液－脳関門通過性：ラットに^{14}C-オロパタジン塩酸塩1mg/kgを経口投与時，脳内放射能濃度は測定した組織中で最も低く，そのCmaxは血漿中放射能濃度のCmaxの約1/25 ③血液－胎盤関門通過性：妊娠ラットに^{14}C-オロパタジン塩酸塩1mg/kgを経口投与時，胎児血漿中及び組織内の放射能濃度は，母体血漿中放射能濃度の0.07～0.38倍 ④母乳中への移行性：授乳期のラットに^{14}C-オロパタジン塩酸塩1mg/kgを経口投与時，乳汁中放射能濃度の$AUC_{0-\infty}$は，血漿中放射能濃度の$AUC_{0-\infty}$の約1.5倍 ⑤蛋白結合率：ヒト血清蛋白結合率(%)(*in vitro*，限外ろ過法)：添加濃度(ng/mL)0.1，10，1000で54.7±1.7，55.2±0.8，54.7±5.5% **代謝** 健康成人(6例)に錠80mgを単回経口投与時の血漿中代謝物は，N-酸化体約7%，N-モノ脱メチル体約1%(未変化体とのAUC比)で，尿中代謝物は，各々約3%，約1%(48時間までの累積尿中排泄率) **排泄** ①成人：健康成人に錠5mg(6例)及び10mg(12例)を単回経口投与時の48時間までの未変化体の尿中排泄率は63.0～71.8%．また，健康成人(8例)に錠1回10mgを1日2回6日間，7日目に1回の計13回反復経口投与時の尿中排泄率は，単回経口投与後と同程度 ②小児：小児アレルギー患者(10～16歳，40～57kg，6例)に錠5mgを単回投与時の12時間までの未変化体の尿中排泄率は，投与量の61.8% **特定の背景を有する患者** ①腎機能低下患者(血液透析導入前)：クレアチニンクリアランスが2.3～34.4mL/minの腎機能低下患者及び健康成人に錠10mgを朝食後単回経口投与時の血漿中濃度推移は健康成人と比較してCmax2.3倍，AUC約8倍 ②高齢者：高齢者(70歳以上)及び健康成人に錠10mgを単回経口投与時の血漿中濃度推移は健康成人に比べ高く推移し，Cmaxは約1.3倍，AUCは約1.8倍．$t_{1/2}$は両者とも10～11時間と同様
点眼液 アレルギー患者(12例)に本剤を，両眼に1回2滴，6時間ごとに(1日4回点眼)4日間反復点眼時のオロパタジン(未変化体)の血漿中濃度推移及び薬物動態パラメータは次の通り．[定量限界値は0.05ng/mL．点眼日3日目，4日目，検定(3日目と4日目の比較，Paired t test)の順]Cmax(ng/mL)0.610±0.518，0.520±0.416，p=0.0814，Tmax(hr)1.21±0.62，1.23±0.62，検定せず，AUC_{0-6}(ng・hr/mL)2.07±1.46，1.90±1.16※)，p=0.1249，消失半減期(hr)算出できず，3.1±1.3，検出せず．※)11例

その他の管理的事項

投与期間制限 該当しない
保険給付上の注意 該当しない

IF　アレロック顆粒0.5%・錠2.5・5・OD錠2.5・5　2020年10月改訂(第1版)
パタノール点眼液0.1%　2019年7月改訂(第10版)

カイニン酸水和物
Kainic Acid Hydrate

概要

構造式

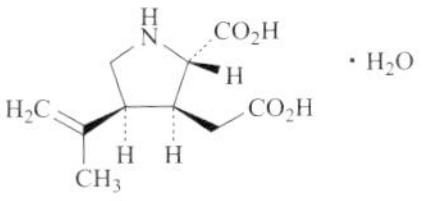

分子式 $C_{10}H_{15}NO_4 \cdot H_2O$
分子量 231.25
原薬の規制区分 劇(ただし，1個中カイニン酸5mg以下を含有するもの及び1包中カイニン酸20mg以下を含有するものを除く)
原薬の外観・性状 白色の結晶又は結晶性の粉末で，においはなく，酸味がある．水又は温湯にやや溶けにくく，エタノール(95)又は酢酸(100)に極めて溶けにくく，ジエチルエーテルにほとんど溶けない．希塩酸又は水酸化ナトリウム試液に溶ける．1.0gを水100mLに溶かした液のpHは2.8～3.5である
原薬の融点・沸点・凝固点 融点：約252℃(分解)

カイニン酸・サントニン散
Kainic Acid and Santonin Powder

概要

原薬の規制区分 劇(ただし，1個中カイニン酸5mg以下を含有するもの及び1包中カイニン酸20mg以下を含有するものを除く)

製剤

製剤の性状 白色である
貯法・保存条件 密閉容器，遮光保存

カオリン
Kaolin

概要

原薬の規制区分 該当しない
原薬の外観・性状 白色～類白色の砕きやすい塊又は粉末で，僅かに粘土ようのにおいがある．水，エタノール(99.5)又はジエチルエーテルにほとんど溶けない．希塩酸又は水酸化ナトリウム試液に溶けない．水で潤すとき，暗色を帯び，可塑性となる

製剤

貯法・保存条件 室温保存

ガチフロキサシン水和物
ガチフロキサシン点眼液
Gatifloxacin Hydrate

概要

薬効分類 131 眼科用剤
構造式

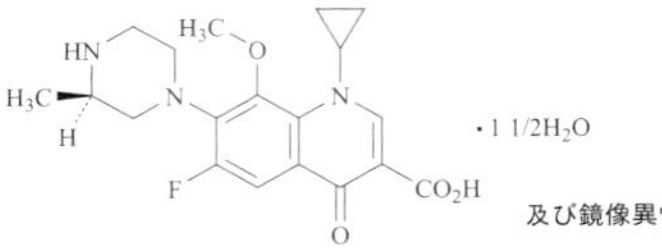

及び鏡像異性体

分子式 $C_{19}H_{22}FN_3O_4 \cdot 1\frac{1}{2}H_2O$
分子量 402.42
略語・慣用名 GFLX
ステム ナリジクス酸系抗菌剤：-oxacin
原薬の規制区分 該当しない
原薬の外観・性状 白色～微黄色の結晶又は結晶性の粉末である．メタノール又はエタノール(99.5)に溶けにくく，水に極めて溶けにくい．水酸化ナトリウム試液に溶ける．光によって徐々に微黄色となる．本品の希水酸化ナトリウム試液溶液(1→100)は旋光性を示さない
原薬の吸湿性 吸湿性は認められなかった(40℃，0～94%RH)
原薬の融点・沸点・凝固点 融点：約187℃(分解)
原薬の酸塩基解離定数 $pKa_1=6.0$，$pKa_2=9.2$(25℃，電位差滴定法)
先発医薬品等
点眼液 ガチフロ点眼液0.3%(千寿＝武田)
国際誕生年月 1999年6月
海外での発売状況 なし

製剤

規制区分 **点眼液** 処
製剤の性状 **点眼液** 微黄色澄明の液
有効期間又は使用期限 3年
貯法・保存条件 室温保存
薬剤取扱い上の留意点 点眼により，本剤成分による苦味を感じることがある
患者向け資料等 くすりのしおり
溶液及び溶解時のpH **点眼液** 5.6～6.3
浸透圧比 **点眼液** 0.9～1.1(対生食)

薬理作用

分類 キノロン系合成抗菌剤
作用部位・作用機序 部位：外眼部 機序：細菌のDNAジャイレース及びトポイソメレースⅣを阻害し，殺菌的に作用．一方，動物細胞由来のトポイソメレースⅡに対する阻害活性は，他のキノロン系抗菌剤に比べ弱く，細菌酵素に対する高い選択性を示した
同効薬 キノロン系抗菌薬(オフロキサシン，トスフロキサシン，ノルフロキサシン，モキシフロキサシン，レボフロキサシン，ロメフロキサシン)

治療

効能・効果 〈適応菌種〉ガチフロキサシンに感性のブドウ球菌属，レンサ球菌属，肺炎球菌，腸球菌属，モラクセラ(ブランハメラ)・カタラーリス，コリネバクテリウム属，シトロバクター属，クレブシエラ属，セラチア属，モルガネラ・モルガニー，インフルエンザ菌，シュードモナス属，緑膿菌，スフィンゴモナス・パウチモビリス，ステノトロホモナス(ザントモナス)・マルトフィリア，アシネトバクター属，アクネ菌〈適応症〉眼瞼炎，涙嚢炎，麦粒腫，結膜炎，瞼板腺炎，角膜炎(角膜潰瘍を含む)，眼科周術期の無菌化療法
用法・用量 ①眼瞼炎，涙嚢炎，麦粒腫，結膜炎，瞼板腺炎，

角膜炎(角膜潰瘍を含む)：1回1滴，1日3回点眼(適宜増減)　②眼科周術期の無菌化療法：1回1滴，手術前1日5回，手術後1日3回点眼

使用上の注意

禁忌　本剤の成分又はキノロン系抗菌剤に対し過敏症の既往歴のある患者

薬物動態

血中濃度　健康成人に0.3％又は0.5％点眼液(各6例)を片眼に1回2滴単回点眼後，1回2滴1日4回7日間点眼し，さらに1回2滴1日8回3日間点眼時の血清中ガチフロキサシン濃度は，いずれの時点においても定量下限値(5ng/mL)未満　**分布**　①単回点眼：有色ウサギの両眼に0.3％^{14}C-ガチフロキサシン点眼液を50μLずつ単回点眼投与時の眼組織及び血中放射能濃度は，角膜，結膜，強膜及び房水では投与後0.5時間，血漿及び血液では投与後1時間，網脈絡膜では投与後2時間，虹彩・毛様体では投与後8時間にそれぞれ最高濃度．最高濃度は，虹彩・毛様体，角膜，網脈絡膜，房水，強膜，結膜，血漿，血液の順に高く，角膜及びメラニン含有組織である虹彩・毛様体，網脈絡膜で高かった．投与後24時間の放射能濃度は，網脈絡膜，虹彩・毛様体及び強膜でそれぞれ最高濃度の56%，49％及び21％であったが，その他の組織では最高濃度の6％以下．投与後84日では，網脈絡膜，虹彩・毛様体及び強膜でそれぞれ最高濃度の15%，3％及び2％で，各組織の消失半減期はそれぞれ38日，21日及び17日　②反復点眼：有色ウサギの両眼に0.3％^{14}C-ガチフロキサシン点眼液を1回50μLずつ1日3回15日間反復点眼投与時，水晶体，強膜，虹彩・毛様体及び網脈絡膜以外の眼組織では，反復投与による放射能濃度の上昇は認められなかった．強膜では投与8日目と15日目で同程度の放射能濃度を示し，定常状態に達する傾向が確認された．虹彩・毛様体及び網脈絡膜の放射能濃度は，投与8日目より15日目の方が高かったものの，その上昇率は投与回数の増加に伴い緩徐になった．最終投与後の組織中放射能の消失は，網脈絡膜，強膜及び虹彩・毛様体で他の組織と比べて緩やかで，各組織の消失半減期はそれぞれ24日，21日及び17日

その他の管理的事項

投与期間制限　該当しない

保険給付上の注意　該当しない

資料

IF　ガチフロ点眼液0.3%　2020年1月改訂(第11版)

過テクネチウム酸ナトリウム(^{99m}Tc)注射液
Sodium Pertechnetate(^{99m}Tc) Injection

概要

薬効分類　430　放射性医薬品

分子式　$Na^{99m}TcO_4$(過テクネチウム酸ナトリウム(^{99m}Tc)として)

分子量　185.99(過テクネチウム酸ナトリウム(^{99m}Tc)として)

略語・慣用名　別名・慣用名：パーテクネテート，^{99m}Tc-Pertechnetate

ステム　該当しない

原薬の規制区分　該当しない

原薬の吸湿性　該当資料なし

原薬の酸塩基解離定数　該当資料なし

先発医薬品等

注　テクネシンチ注-10M・20M(メジフィジックス)
テクネゾール(富士フイルム富山化学)
ウルトラテクネカウ(富士フイルム富山化学)

国際誕生年月　該当資料なし

海外での発売状況　欧米各国ほか

製剤

規制区分　**注**　㊈

製剤の性状　**注**　無色澄明の液

有効期間又は使用期限　製造日時から30時間

貯法・保存条件　室温保存．放射線を安全に遮蔽できる貯蔵設備(貯蔵箱)に保存

薬剤取扱い上の留意点　放射性医薬品につき管理区域内でのみ使用すること．膀胱部の被曝を軽減させるため，撮像前後できるだけ患者に水分を摂取させ，排尿させること．脳シンチグラフィを行う場合，脳底部及び後頭蓋窩の腫瘍については，シンチグラム読影が困難な場合がある

溶液及び溶解時のpH　4.5～7.0

浸透圧比　約1(対生食)

薬理作用

作用部位・作用機序　同じ1価アニオンであるI-に類似する体内動態を示し，甲状腺，唾液腺，胃粘膜，赤血球，口腔粘膜や筋肉などに集積する．また本品は通常，血液脳関門blood brain barrier(B.B.B.)を通過しないため，脳イメージング像は，正常人では脳実質に放射能の集積がない，いわゆるcold areaとして描出され，脳腫瘍のようにB.B.B.に障害のある患者ではこれを通過して腫瘍組織に高濃度に集積するので，その部位がhot spotとして描出される

同効薬　テクネシンチ注

治療

効能・効果　①脳腫瘍及び脳血管障害の診断，甲状腺疾患の診断，唾液腺疾患の診断，異所性胃粘膜疾患の診断　②(ウルトラテクネカウのみ)医療機器「テクネガス発生装置」との組合せ使用による局所肺換気機能の検査

用法・用量　①脳シンチグラフィ：74～740MBqを静注．10～30分までに(やむを得ず内服の場合は1～2時間後に)被検部のシンチグラムを得る(適宜増減)　②甲状腺シンチグラフィ・甲状腺摂取率測定：74～370MBqを静注し，被検部のシンチグラムを得る．同時に甲状腺摂取率を測定する場合には，投与量のカウントと被検部のカウントの比から測定．7.4～74MBq静注で甲状腺摂取率のみの測定もできる(適宜増減)　③唾液腺シンチグラフィ・RIシアログラフィ：185～555MBqを静注し，被検部のシンチグラムを得る．必要に応じ唾液分泌刺激物による負荷を行い，負荷後のシンチグラムを得る．時間放射能曲線の作成でRIシアログラムを得ることもできる(適宜増減)　④異所性胃粘膜シンチグラフィ：185～370MBqを静注し，被検部のシンチグラムを得る(適宜増減)　⑤局所肺換気機能の検査(ウルトラテクネカウ)：259～370MBq/0.1mLを，「テクネガス発生装置」に仕込み，その用法及び用量に従って使用する(適宜増減)．^{99m}Tc-超微粒子を発生後，背部からガンマカメラを用いて観察しながら吸入させ，可能な場合は深吸気を行わせ，さらに息こらえを行わせる．18.5～37MBqを肺内に沈着させ，未沈着の^{99m}Tc-超微粒子を呼出後，肺シンチグラムを得る．ジェネレータの溶出法は添付文書参照

薬物動態

正常人では過テクネチウム酸イオン^{99m}TcO4-は甲状腺，唾液腺，胃粘膜，赤血球，口腔粘膜や筋肉等に集積．^{99m}TcO4-は血液脳関門blood brain barrier(B.B.B.)を通過しないため，脳イメージング像は正常人では脳実質に放射能の集積のないcold areaとして描出され，脳腫瘍のようなB.B.B.障害患者ではこれを通過して腫瘍組織に高濃度に集積しhot spotとして描出される．医療用具「テクネガス発生装置」との組合せ使用による^{99m}Tc-超微粒子吸入時，肺分布量は全身の91～95%，4時間後でも88～92%．肺からの放射能消失速度は，生物学的半減期135時間，有効半減期5.75時間で，肺では高い滞留性

その他の管理的事項

投与期間制限　該当しない

保険給付上の注意　該当しない

[資料]
IF　テクネゾール　2018年10月改訂(第7版)

果糖
果糖注射液
Fructose

[概要]
薬効分類　323　糖類剤
構造式

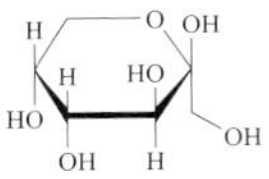

分子式　$C_6H_{12}O_6$
分子量　180.16
ステム　該当しない
原薬の規制区分　該当しない
原薬の外観・性状　無色～白色の結晶又は結晶性の粉末で，においはなく，味は甘い．水に極めて溶けやすく，エタノール(95)にやや溶けにくく，ジエチルエーテルにほとんど溶けない．4.0gを水20mLに溶かした液のpHは4.0～6.5である
原薬の吸湿性　吸湿性である(15℃，70%RHで，1時間放置すると質量は0.24%増す)
原薬の融点・沸点・凝固点　融点：102～104℃(分解)
原薬の酸塩基解離定数　該当資料なし
先発医薬品等
[注] 果糖注20%「フソー」(扶桑)
20%フルクトン注(大塚工場＝大塚製薬)
国際誕生年月　不明
海外での発売状況　発売されていない

[製剤]
規制区分　[注] [処]
製剤の性状　[注] 無色～微黄色澄明の水性注射液で，味は甘い
有効期間又は使用期限　3年
貯法・保存条件　室温保存
薬剤取扱い上の留意点　該当しない
溶液及び溶解時のpH　3.0～6.5(5%溶液に調製)
浸透圧比　[注] 3.8～4.3
調製時の注意　該当しない

[薬理作用]
分類　糖類剤
作用部位・作用機序　代謝経路：主として，肝に存在するfructokinaseによりfructose-1-phosphateとなって代謝される．この酵素の活性は飢餓又はインスリンに影響されないため，果糖は糖尿病状態においても正常の速度で血中から消失する．fructose-1-phosphateは更にaldolase Bによりdihydroxyacetone phosphateとD-glyceraldehydeにわかれ，pyruvateを経てTCA回路に導入される．遺伝性果糖不耐症はこの酵素の欠損によるものと考えられる
同効薬　マルトース製剤など

[治療]
効能・効果　注射剤の溶解希釈剤，糖尿病及び糖尿病状態時のエネルギー補給，薬物中毒，アルコール中毒，その他非経口的に水・エネルギー補給を必要とする場合
用法・用量　1回5%液500～1000mL，20%液20～500mL静注(適宜増減)．点滴静注する場合の速度は0.5g/kg/hr以下．注射剤の溶解希釈には適量を用いる

[使用上の注意]
禁忌　①遺伝性果糖不耐症の患者［果糖が正常に代謝されず，低血糖症等が発現し，さらに肝不全や腎不全が起こるおそれがある］　②低張性脱水症の患者［本症はナトリウムの欠乏により血清の浸透圧が低張になることによって起こる．このような患者に投与すると，水分量を増加させることになり，症状が悪化するおそれがある］

[その他の管理的事項]
投与期間制限　該当しない
保険給付上の注意　該当しない

[資料]
IF　果糖注20%「フソー」2014年12月作成(第1版)

カドララジン
カドララジン錠
Cadralazine

[概要]
薬効分類　214　血圧降下剤
構造式

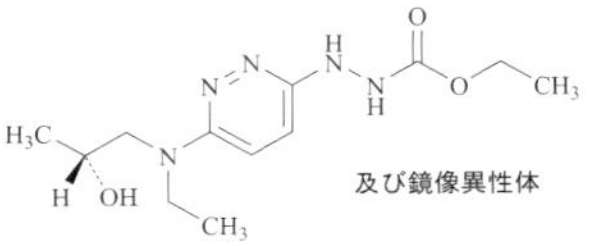

及び鏡像異性体

分子式　$C_{12}H_{21}N_5O_3$
分子量　283.33
原薬の規制区分　該当しない
原薬の外観・性状　微黄色～淡黄色の結晶性の粉末である．酢酸(100)に溶けやすく，メタノールにやや溶けやすく，エタノール(99.5)にやや溶けにくく，水に溶けにくい．0.05mol/L硫酸試液に溶ける．本品のメタノール溶液(1→40)は旋光性を示さない
原薬の融点・沸点・凝固点　融点：約165℃(分解)

カナマイシン一硫酸塩
Kanamycin Monosulfate

[概要]
薬効分類　612　主としてグラム陰性菌に作用するもの，616　主として抗酸菌に作用するもの
構造式

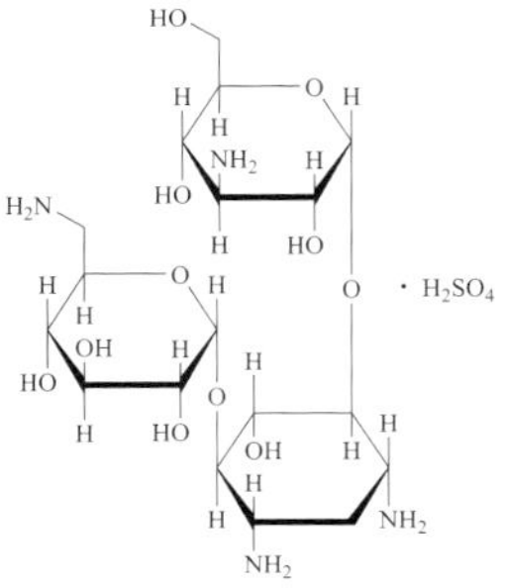

分子式　$C_{18}H_{36}N_4O_{11}$・H_2SO_4

分子量　582.58
略語・慣用名　KM
ステム　*Streptomyces*属の産生する抗生物質：-mycin
原薬の規制区分　該当しない
原薬の外観・性状　白色の結晶性の粉末である．水に溶けやすく，エタノール(99.5)にほとんど溶けない
原薬の吸湿性　該当資料なし
原薬の融点・沸点・凝固点　250℃以上で分解し，明確な融点を示さない
原薬の酸塩基解離定数　該当資料なし
先発医薬品等
カ カナマイシンカプセル250mg「明治」(MeijiSeika)
シ カナマイシンシロップ5%「明治」(MeijiSeika)
国際誕生年月　不明
海外での発売状況　インドネシア，タイ

製剤
規制区分　カ シ ㊎
製剤の性状　カ 淡黄色の硬カプセル剤　シ 粘稠な懸濁液で芳香があり，振り混ぜるとき白濁する
有効期間又は使用期限　カ 5年　シ 2年
貯法・保存条件　室温保存
薬剤取扱い上の留意点　シ ①使用の際はよく振盪する　②使用後は必ず密栓する
患者向け資料等　くすりのしおり
溶液及び溶解時のpH　シ 4.0～7.0
調製時の注意　該当資料なし

薬理作用
分類　アミノグリコシド系抗生物質
作用部位・作用機序　細菌の蛋白合成系に作用する．カナマイシンの作用は殺菌的で，その作用機序は，ストレプトマイシンと同様に，リボゾーム系の蛋白合成の阻害で，コードの読み違いであること，読み違いはカナマイシン分子中のDeoxystreptamine部分により，3-amino-3-deoxy-D-glucose部分は，Deoxystreptamine部分の作用を強めることが認められている
同効薬　該当資料なし

治療
効能・効果　〈適応菌種〉カナマイシンに感性の大腸菌，赤痢菌，腸炎ビブリオ　〈適応症〉感染性腸炎
効能・効果に関連する使用上の注意　感染性腸炎への使用にあたっては，「抗微生物薬適正使用の手引き」を参照し，抗菌薬投与の必要性を判断した上で，本剤の投与が適切と判断される場合に投与する
用法・用量　カナマイシンとして1日2～4g(力価)，小児50～100mg(力価)/kg，4回に分服(適宜増減)
用法・用量に関連する使用上の注意　使用にあたっては，耐性菌の発現等を防ぐため，原則として感受性を確認し，疾病の治療上必要な最小限の期間の投与にとどめる

使用上の注意
禁忌　本剤の成分ならびにアミノグリコシド系抗生物質又はバシトラシンに対し過敏症の既往歴のある患者

薬物動態
カ シ **吸収・排泄**　ほとんど吸収されず，患者に1回6g(1.5g×4回)の経口投与時の血中濃度は2μg/mL以下．糞便中には高濃度に排泄，24時間までに9.3～17.5mg/g

その他の管理的事項
投与期間制限　該当しない
保険給付上の注意　該当しない

資料
IF　カナマイシンカプセル250mg・シロップ5%「明治」 2018年4月改訂(第5版)

カナマイシン硫酸塩
Kanamycin Sulfate

概要
薬効分類　612 主としてグラム陰性菌に作用するもの，616 主として抗酸菌に作用するもの
構造式

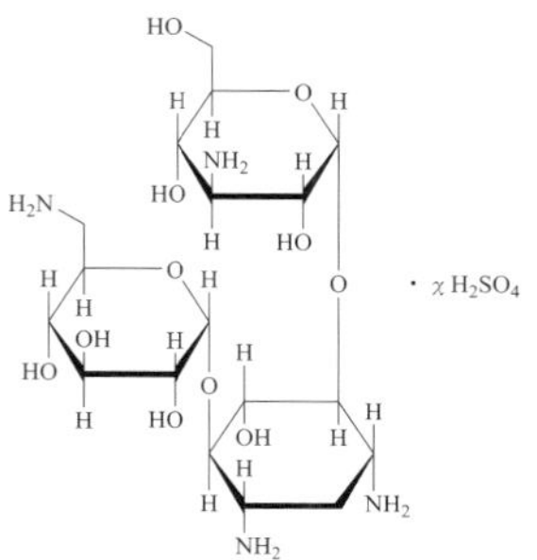

分子式　$C_{18}H_{36}N_4O_{11} \cdot xH_2SO_4$
分子量　484.50(カナマイシンとして)
略語・慣用名　KM
ステム　*Streptomyces*属の産生する抗生物質：-mycin
原薬の規制区分　該当しない
原薬の外観・性状　白色～黄白色の粉末である．水に極めて溶けやすく，エタノール(99.5)にほとんど溶けない．1.0gを水20mLに溶かした液のpHは6.0～7.5である
原薬の吸湿性　該当資料なし
原薬の融点・沸点・凝固点　融点：263～268℃(分解，塩基)
原薬の酸塩基解離定数　該当資料なし
先発医薬品等
注 硫酸カナマイシン注射液1000mg「明治」(MeijiSeika)
国際誕生年月　不明
海外での発売状況　米，インドネシア，タイ

製剤
規制区分　注 ㊎
製剤の性状　注 無色澄明の注射液
有効期間又は使用期限　3年
貯法・保存条件　室温保存
薬剤取扱い上の留意点　他剤との混注は，着色や力価の低下をきたすことがあるので避ける
患者向け資料等　くすりのしおり
溶液及び溶解時のpH　5.0～8.0
浸透圧比　約2(対生食)
調製時の注意　該当しない

薬理作用
分類　アミノグリコシド系抗生物質
作用部位・作用機序　細菌の蛋白合成系に作用する．カナマイシンの作用は殺菌的で，その作用機序は，ストレプトマイシンと同様に，リボゾーム系の蛋白合成の阻害で，コードの読み違いであること，読み違いはカナマイシン分子中のDeoxystreptamine部分により，3-amino-3-deoxy-D-glucose部分は，Deoxystreptamine部分の作用を強めることが認められている
同効薬　ストレプトマイシン硫酸塩

治療
効能・効果　〈適応菌種〉カナマイシンに感性のブドウ球菌属，肺炎球菌，淋菌，結核菌，大腸菌，クレブシエラ属，プロテウス属，モルガネラ・モルガニー，インフルエンザ菌，緑膿菌，百日咳菌　〈適応症〉表在性皮膚感染症，深在性皮膚感染症，リンパ管・リンパ節炎，外傷・熱傷及び手術創等の二次感染，乳腺炎，骨髄炎，扁桃炎，急性気管支炎，肺炎，慢性呼吸器病変の二次感染，膀胱炎，腎盂腎炎，淋菌感染症，子

宮付属器炎，中耳炎，百日咳，肺結核及びその他の結核症

効能・効果に関連する使用上の注意　扁桃炎，急性気管支炎，中耳炎への使用にあたっては，「抗微生物薬適正使用の手引き」を参照し，抗菌薬投与の必要性を判断した上で，本剤の投与が適切と判断される場合に投与する

用法・用量　①肺結核及びその他の結核症：1日2g(力価)を朝夕1回1g(力価)週2日，又は1日1g(力価)週3日筋注．また必要に応じて局所に投与．ただし，高齢者(60歳以上)1回0.5～0.75g(力価)，小児あるいは体重の著しく少ないものは適宜減量．なお，原則として他の抗結核薬と併用　②その他：1日1～2g(力価)，小児30～50mg(力価)/kg，1～2回に分けて筋注．また必要に応じて局所に投与(適宜増減)

用法・用量に関連する使用上の注意　①使用にあたっては，耐性菌の発現等を防ぐため，原則として感受性を確認し，疾病の治療上必要な最小限の期間の投与にとどめる　②腎障害のある患者には，投与量を減ずるか，投与間隔をあけて使用する

使用上の注意

禁忌　本剤の成分ならびにアミノグリコシド系抗生物質又はバシトラシンに対し過敏症の既往歴のある患者

過量投与　①徴候，症状：腎障害，聴覚障害，前庭障害，神経筋遮断症状，呼吸麻痺が現れることがある　②処置：血液透析，腹膜透析による薬剤の除去を行う．神経筋遮断症状，呼吸麻痺に対してはコリンエステラーゼ阻害剤，カルシウム製剤の投与又は機械的呼吸補助を行う

薬物動態

健康成人：①血中濃度(投与量0.5，1gの順)：4例に単回筋注時，Tmaxはそれぞれ1時間，Cmaxは28.0，43.1μg/mL，$T_{1/2}$(文献値から算出)は3.31，3.85時間　②排泄：5例に1g単回筋注時，尿中に6時間までに約77%排泄

その他の管理的事項

投与期間制限　該当しない

保険給付上の注意　該当しない

資料

IF　硫酸カナマイシン注射液1000mg「明治」 2018年4月改訂(第5版)

無水カフェイン
Anhydrous Caffeine

概要

薬効分類　211　強心剤

構造式

分子式　$C_8H_{10}N_4O_2$

分子量　194.19

原薬の規制区分　(劇)(ただし，1個中カフェインとして0.25g以下を含有するもの，カフェイン0.5%以下を含有する内用液剤であって1容器中カフェイン0.25g以下を含有するもの，カフェインとして2.5%以下を含有する散剤及び顆粒剤，1容器中カフェインとして55mg以下を含有する内用液剤を除く)

原薬の外観・性状　白色の結晶又は粉末で，においはなく，味は苦い．クロロホルムに溶けやすく，水，無水酢酸又は酢酸(100)にやや溶けにくく，エタノール(95)又はジエチルエーテルに溶けにくい．1.0gを水100mLに溶かした液のpHは5.5～6.5である

原薬の融点・沸点・凝固点　融点：235～238℃

先発医薬品等

注　レスピア静注・経口液60mg(ノーベル)

製剤

規制区分　末　(劇)

製剤の性状　末　白色の結晶又は粉末で，においはなく，味は苦い

貯法・保存条件　気密容器

薬理作用

分類　カフェイン系製剤

作用部位・作用機序　中枢作用としては，大脳皮質を中心とした興奮作用，末梢作用としては，心筋収縮力増強作用，血管拡張作用，平滑筋弛緩作用，利尿作用などを現す．細胞レベルでの作用機序としては，筋小胞体からのCa^{2+}遊離作用，ホスホジエステラーゼ阻害作用，アデノシンA_1受容体遮断作用などを示す

治療

効能・効果　末　ねむけ，倦怠感，血管拡張性及び脳圧亢進性頭痛(片頭痛，高血圧性頭痛，カフェイン禁断性頭痛等)

注　早産・低出生体重児における原発性無呼吸(未熟児無呼吸発作)

効能・効果に関連する使用上の注意　注　原発性無呼吸に対する治療薬であるので，投与前に二次性無呼吸の除外診断を行う．二次性無呼吸を呈する患児には，原疾患に応じ適切な処置を行う

用法・用量　末　1回0.1～0.3g，1日2～3回(適宜増減)

注　①初回投与：カフェインクエン酸塩として20mg/kg(本剤1mL/kg)を30分かけて静注　②維持投与：初回投与から24時間後以降に，カフェインクエン酸塩として5mg/kg(本剤0.25mL/kg)を1日1回，10分かけて静注，又は経口投与．10mg/kg(本剤0.5mL/kg)まで増量できる

用法・用量に関連する使用上の注意　注　早産・低出生体重児では，カフェインのクリアランスは，体重，生後日齢により影響することが報告されているので，臨床症状に応じて投与量を調節することが望ましい

使用上の注意

禁忌　注　①本剤の成分又はメチルキサンチン系化合物に対し過敏症の既往歴のある患児　②壊死性腸炎又はその疑いのある患児［壊死性腸炎が悪化又は発症するおそれがある］

過量投与　末　①徴候，症状：消化器症状(悪心，嘔吐等)，循環器症状(不整脈，血圧上昇等)，精神神経症状(痙攣，昏睡)，呼吸器症状(呼吸促進，呼吸麻痺等)等の増悪を起こすことがある　②処置：胃洗浄や吸着剤・下剤の投与により薬物を除去し，輸液等により排泄促進を行う．また，興奮状態には対症療法としてジアゼパム注，フェノバルビタール注等の中枢神経抑制薬投与を考慮し，呼吸管理を実施する

注　外国で血中カフェイン濃度が50mg/Lを超えると重篤な副作用が発現したという報告がある．①症状：高度の筋攣縮，高度の易刺激性，振戦，弓なり緊張，痙攣，頻呼吸，頻脈，循環不全，代謝異常等が発現しやすくなる．カフェイン過量投与の1例は頭蓋内出血を合併し，長期にわたる神経系の後遺症が報告されている．早産児でのカフェイン過量投与による死亡は報告されていない　②処置：過量投与時には，血中カフェイン濃度のモニタリング，対症療法等の処置を行う．カフェイン濃度は交換輸血後に低下することが示されている．痙攣が発現した場合には，抗痙攣薬(ジアゼパム又はペントバルビタールナトリウム，フェノバルビタール等)の使用を考慮する

薬物動態

注　**吸収**　原発性無呼吸の日本人早産児23例(在胎週数(週)31.4±1.7，出生時体重(kg)1.5±0.4(いずれも平均値±標準偏差))に20mg/kgを静注，24時間後から維持投与として5～10mg/kg/日を静脈内又は経口投与時の血中未変化体濃度は7.2～29.9mg/L，薬物動態パラメータ(平均値±標準偏差)は

Cmax(mg/L)12.41±2.26, $T_{1/2}$(hr)133.1±27.4, CL(L/hr)0.0062±0.0018, Vd(L)1.153±0.302(※母集団薬物動態解析により得られたモデル式よりベイズ推定により算出. Cmaxは20mg/kg単回投与時の推定値). 早産児に経口投与時の最高血中濃度到達時間は30分～2時間, 速やかに吸収. 早産児の経口投与時のバイオアベイラビリティは約100%と報告, 国内外の臨床試験成績を用い推定した経口投与時の結果も同様(バイオアベイラビリティ：90%[90%信頼区間：78～101%]) **分布** 早産・低出生体重児における報告は確認できていないものの, 成人ではカフェインは速やかに吸収後, 全身に分布し, 血漿蛋白質結合率は約35%. 早産児の脳脊髄液にも血中濃度とほぼ同様に分布 **代謝** カフェインの代謝は, 成人では肝薬物代謝酵素のCYP1A2, CYP2E1, CYP3A4等により行われるが, 主としてCYP1A2により代謝され, テオフィリン, テオブロミン, パラキサンチン等に代謝される. 早産児におけるこれらの肝薬物代謝酵素は未発達で, 20mg/kgを静注, 24時間後から維持投与として5～10mg/kg/日を静脈内又は経口投与時, これらの代謝物の血中濃度のほとんどは定量下限値(0.5mg/L)未満. しかしながら, カフェインの代謝は生後, 急速に発達し, 生後7～9カ月で成人とほぼ同様. これに伴い, 早産児における消失半減期(約100時間)は, 生後29週以降では成人の値(2.5～4.5時間)近くに短縮 **排泄** 早産児では主排泄経路は腎臓で, 大部分が未変化体として尿中に排泄

[資料]
添付文書 「純生」無水カフェイン 2012年4月改訂(第2版)

カフェイン水和物
Caffeine Hydrate

[概要]
薬効分類 211 強心剤
構造式

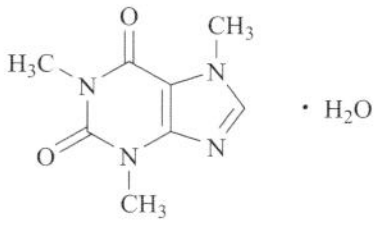

分子式 $C_8H_{10}N_4O_2 \cdot H_2O$
分子量 212.21
ステム 不明
原薬の規制区分 [劇](ただし, 1個中カフェインとして0.25g以下を含有するもの, カフェイン0.5%以下を含有する内用液剤であって1容器中カフェイン0.25g以下を含有するもの, カフェインとして2.5%以下を含有する散剤及び顆粒剤, 1容器中カフェインとして55mg以下を含有する内用液剤を除く)
原薬の外観・性状 白色の柔らかい結晶又は粉末で, においはなく, 味はやや苦い. クロロホルムに溶けやすく, 水, 酢酸(100)又は無水酢酸にやや溶けにくく, エタノール(95)に溶けにくく, ジエチルエーテルに極めて溶けにくい. 1.0gを水100mLに溶かした液のpHは5.5～6.5である. 乾燥空気中で風解する
原薬の吸湿性 該当資料なし
原薬の融点・沸点・凝固点 融点：235～238℃(乾燥後)
原薬の酸塩基解離定数 pKa＝0.8
先発医薬品等
[末] カフェイン「ケンエー」(健栄)
カフェイン水和物原末「マルイシ」(丸石＝ニプロ)
カフェイン水和物「ファイザー」原末(マイラン＝ファイザー)
カフェイン水和物「ヨシダ」(吉田製薬)
国際誕生年月 1820年
海外での発売状況 該当資料なし

[製剤]
規制区分 [末] [劇]
製剤の性状 [末] 白色の柔らかい結晶又は粉末で, においはなく, 味はやや苦い
有効期間又は使用期限 3年
貯法・保存条件 乾燥空気中で風解するので密栓して室温保存する
薬剤取扱い上の留意点 該当資料なし
患者向け資料等 くすりのしおり
溶液及び溶解時のpH 5.5～6.5(1→100)
調製時の注意 該当資料なし

[薬理作用]
分類 キサンチン系中枢興奮・強心・利尿剤
作用部位・作用機序 中枢神経系に対する作用：大脳皮質を中心として中枢神経系を興奮させ, 脳幹網様体の賦活系を刺激することにより知覚を鋭敏にし, 精神機能を亢進させる 脳血管に対する作用：脳細動脈に直接作用して脳血管を収縮し, その抵抗性を増加させ, 脳血流量を減少させる
同効薬 該当しない

[治療]
効能・効果 眠気, 倦怠感, 血管拡張性及び脳圧亢進性頭痛(片頭痛, 高血圧性頭痛, カフェイン禁断性頭痛等)
用法・用量 1回0.1～0.3g, 1日2～3回(適宜増減)

[使用上の注意]
過量投与 ①徴候, 症状：消化器症状(悪心, 嘔吐等), 循環器症状(不整脈, 血圧上昇等), 精神神経症状(痙攣, 昏睡), 呼吸器症状(呼吸促進, 呼吸麻痺等)等の増悪を起こすことがある ②処置：胃洗浄や吸着剤・下剤の投与により薬物を除去し, 輸液等により排泄促進を行う. また, 興奮状態には対症療法としてジアゼパム注, フェノバルビタール注等の中枢神経抑制薬投与を考慮し, 呼吸管理を実施する

[その他の管理的事項]
投与期間制限 該当しない
保険給付上の注意 該当しない

[資料]
IF カフェイン水和物原末「マルイシ」 2015年7月改訂(第2版)

カプセル
Capsules

[概要]
原薬の規制区分 該当しない

[製剤]
製剤の性状 カプセル基剤として,「ゼラチン」を用いて製し, 一端を閉じた交互に重ね合わせることができる一対の円筒体である

ヒプロメロースカプセル
Hypromellose Capsules

[概要]
原薬の規制区分 該当しない

製剤
製剤の性状　カプセル基剤として，「ヒプロメロース」を用いて製し，一端を閉じた交互に重ね合わせることができる一対の円筒体である

プルランカプセル
Pullulan Capsules

概要
原薬の規制区分　該当しない
製剤
製剤の性状　カプセル基剤として，「プルラン」を用いて製し，一端を閉じた交互に重ね合わせることができる一対の円筒体である

カプトプリル
Captopril

概要
薬効分類　214　血圧降下剤
構造式

HS　H　CH_3　O　N　CO_2H　H

分子式　$C_9H_{15}NO_3S$
分子量　217.29
ステム　アンジオテンシン変換酵素(ACE)阻害薬：-pril
原薬の規制区分　該当しない
原薬の外観・性状　白色の結晶又は結晶性の粉末である．メタノールに極めて溶けやすく，エタノール(99.5)に溶けやすく，水にやや溶けやすい
原薬の吸湿性　吸湿性なし(40℃，75%RH，6カ月放置で重量増加はみられない)
原薬の融点・沸点・凝固点　融点：105〜110℃
原薬の酸塩基解離定数　pKa＝3.64(0.01mol/L水溶液，電位差滴定法)
先発医薬品等
細 カプトリル細粒5%(アルフレッサファーマ)
錠 カプトリル錠12.5mg・25mg(アルフレッサファーマ)
徐放力 カプトリル-Rカプセル18.75mg(アルフレッサファーマ)
後発医薬品
細 5%
錠 12.5mg・25mg
国際誕生年月　1980年4月
海外での発売状況　米，英，仏，独など
製剤
規制区分　細　錠　徐放力　㊙
製剤の性状　細 白色の細粒(芳香・甘味)　錠 白色の素錠(割線入り)　徐放力 白色(赤褐色帯状のシール有)の硬カプセル剤
有効期間又は使用期限　細 3年　錠 4年　徐放力 3年3カ月
貯法・保存条件　細 錠 室温保存　徐放力 室温(30℃以下)保存．高温(40℃以上)で保存すると放出速度が早くなる
薬剤取扱い上の留意点　血圧低下に基づくめまい，ふらつきが現れることがあるので，本剤投与中の患者で高所作業，自動車の運転等危険を伴う作業に注意させること．手術前24時間は投与しないことが望ましい
患者向け資料等　患者向医薬品ガイド，くすりのしおり
溶液及び溶解時のpH　該当しない
浸透圧比　該当しない
安定なpH域　該当しない
調製時の注意　該当しない
薬理作用
分類　アンジオテンシン変換酵素(ACE)阻害薬
作用部位・作用機序　血漿中並びに組織に独立して存在するレニン・アンジオテンシン系で作用し，アンジオテンシン変換酵素を抑制してアンジオテンシンⅡの生成を抑えることにより，末梢血管を拡張して，総末梢血管抵抗を下げて降圧作用を現すとともに，アルドステロンの分泌を抑え，軽度のナトリウム排泄作用を現す
同効薬　アンジオテンシン変換酵素阻害剤：イミダプリル塩酸塩，エナラプリルマレイン酸塩，テモカプリル塩酸塩，アラセプリル，キナプリル塩酸塩，シラザプリル水和物，デラプリル塩酸塩，トランドラプリル，ベナゼプリル塩酸塩，ペリンドプリルエルブミン，リシノプリル水和物
治療
効能・効果　①本態性高血圧症，腎性高血圧症　②腎血管性高血圧症，悪性高血圧　＊徐放力 は効能①のみ
用法・用量　細　錠 1日37.5〜75mg，3回に分服(適宜増減)．重症例においても1日最大投与量は150mgまでとする
徐放力 1回18.75〜37.5mg，1日2回(適宜増減)．ただし，重症本態性高血圧症及び腎性高血圧症の患者では1回18.75mg，1日1〜2回から開始することが望ましい
用法・用量に関連する使用上の注意　重篤な腎障害のある患者では，血清クレアチニン値が3mg/dLを超える場合には，投与量を減らすか，又は投与間隔を延ばす等，慎重に投与する〔過度の血圧低下及び血液障害が起こるおそれがある〕
禁忌・原則禁忌となる特定患者集団　妊婦・妊娠している可能性のある婦人
使用上の注意
禁忌　①本剤の成分に対し過敏症の既往歴のある患者　②血管浮腫の既往歴のある患者(アンジオテンシン変換酵素阻害剤等の薬剤による血管浮腫，遺伝性血管浮腫，後天性血管浮腫，特発性血管浮腫等)［高度の呼吸困難を伴う血管浮腫を発現するおそれがある］　③デキストラン硫酸固定化セルロース，トリプトファン固定化ポリビニルアルコール又はポリエチレンテレフタレートを用いた吸着器によるアフェレーシスを施行中の患者　④アクリロニトリルメタリルスルホン酸ナトリウム膜(AN69)を用いた血液透析施行中の患者　⑤妊婦又は妊娠している可能性のある婦人　⑥アリスキレンフマル酸塩を投与中の糖尿病患者(ただし，他の降圧治療を行ってもなお血圧のコントロールが著しく不良の患者を除く)［非致死性脳卒中，腎機能障害，高カリウム血症及び低血圧のリスク増加が報告されている］
過量投与　①症例：33歳の女性に対し，本剤(推量500〜750mg)，アルプラゾラム10mgを投与．投与6時間後の本剤血漿中濃度は5952μg/L．患者は，薬剤投与5時間後に入院し，そのとき低血圧になっていた(収縮期血圧80mmHg)．それから輸液とドパミンを30分以内，10μg/kg/分で点滴静注したところ血圧上昇．さらに，入院後18.5時間目と24.5時間目に2回低血圧を発現したが，ドパミンで上昇．その後入院期間中の血圧は正常になり，初期の嗜眠や全身脱力感の消失後は，他の症状の発現はなかった　②処置　低血圧：生理食塩液の点滴静注による体液量増加が，血圧の回復のために採るべき処置である．本剤は，血液透析により成人の循環系から除去されるが，新生児又は小児に対しては，有効性のデータは不十分である．腹膜透析は本剤を除去するのに有効ではない

薬物動態

血中濃度 ①細　錠 (1)健康成人5例に1回50mg経口投与後，最高血中濃度は0.68±0.02時間後479±65ng/mL，半減期0.43±0.02時間 (2)腎機能正常な本態性高血圧症患者7例と慢性腎不全患者7例に1回(本態性高血圧症患者には50mg，慢性腎不全患者には25mg)経口投与後の血中濃度は，両群とも投与1時間後に最高値(本態性高血圧症患者で平均179.3ng/mL，慢性腎不全患者で平均80.7ng/mL)，その後本態性高血圧症患者群では6時間後に9.8ng/mL(最高値の5.5%)に減少するが，慢性腎不全患者群ではその後の減衰は遅延し，6時間後でも22.1ng/mL(最高値の27.3%)と高値 ②徐放カ (1)健康成人8例に1回25mg食後30分経口投与(交叉法)で，普通錠25mgに比べ4時間後以降の濃度は有意に高く，8時間後でも未変化体を確認．生物学的半減期2.13時間，平均体内滞留時間3.59時間と普通錠の2～3.5倍．薬物速度論的パラメータ(細，錠，徐放カの順)は，Cmax(ng/mL)1.13時間後121.0，1.25時間後73.7，半減期(hr)0.62，2.13，$AUC_{0-\infty}$(ng・hr/mL)250.5，238.5，MRT(mean residence time：hr)1.75，3.59 (2)本態性高血圧症患者(WHO病期分類I～II期)10例に1回18.75mg朝食後30分投与で，急性降圧効果は8～12時間持続，また血漿中濃度，血漿ACE阻害活性でも持効性が認められ，製剤の持効化に伴うBioavailabitilyの低下はなかった **薬物速度論的パラメータ** 健康成人5例，普通剤食間1回50mg投与：①吸収速度定数：Ka=5.0±0.3hr^{-1} ②消失速度定数：Ke=1.6±0.1hr^{-1} ③AUC：510±90ng・hr/mL **排泄** ①細　錠 健康成人5例に1回50mg投与時，主に尿中に排泄され，投与後24時間までの未変化体の尿中排泄率は約35%，総カプトプリル(未変化体+代謝物)としては約63% ②徐放カ 健康成人8例に1回25mg食後30分に投与(交叉法)後24時間までの尿中排泄率は未変化体25.7%，総カプトプリル42.5%で，錠とほぼ同等 **腎障害患者への適用(外国人)** 腎障害患者に^{14}C-カプトプリルを1回100mg投与し，血中半減期を求め，用法・用量について検討：①投与間隔による調節[Ccr(mL/min)と( )内投与間隔(hr)の関係]：Ccr(mL/min)＞75(8)，75～35(12～24)，34～20(24～48)，19～8(48～72)，7～5(72～108) ②投与量による調節[Ccr(mL/min)と( )内24時間間隔の投与量(mg)の関係]：30(100)，25(90)，20(80)，15(70)，10(55)，5(35)

その他の管理的事項

投与期間制限 該当しない

保険給付上の注意 該当しない

資料

IF　カプトリル細粒5%・錠12.5mg・25mg　2020年12月改訂(第2版)
カプトリル-Rカプセル18.75mg　2015年3月改訂(第10版)

ガベキサートメシル酸塩
Gabexate Mesilate

概要

薬効分類 399　他に分類されない代謝性医薬品

構造式

$H_2N-C(=NH)-NH-(CH_2)_5-C(=O)-O-C_6H_4-C(=O)-O-CH_2-CH_3 \cdot H_3C-SO_3H$

分子式 $C_{16}H_{23}N_3O_4 \cdot CH_4O_3S$

分子量 417.48

原薬の規制区分 ㊀劇

原薬の外観・性状 白色の結晶又は結晶性の粉末である．水に極めて溶けやすく，エタノール(95)に溶けやすい．1.0gを水10mLに溶かした液のpHは4.7～5.7である

原薬の吸湿性 インタビューフォーム参照

原薬の融点・沸点・凝固点 融点：90～93℃

原薬の酸塩基解離定数 該当資料なし

先発医薬品等

注射用 注射用エフオーワイ100・500(丸石)

後発医薬品

注射用 100mg・500mg

国際誕生年月 1977年6月

海外での発売状況 台湾，韓国，イタリア

製剤

規制区分 注射用 劇 処

製剤の性状 注射用 白色の塊，凍結乾燥品

有効期間又は使用期限 3年

貯法・保存条件 室温保存

患者向け資料等 くすりのしおり

溶液及び溶解時のpH 4.0～5.5(1g/10mL)

浸透圧比 1.1～1.3(0.1g/10mL(5w/v%ブドウ糖注射液))

調製時の注意 溶解後はなるべく速やかに使用すること．他の注射剤(抗生物質製剤，血液製剤等)と配合した場合に，混濁等の配合変化を起こすことがあるので注意する．また，アミノ酸輸液，アルカリ性の薬剤及び添加物として亜硫酸塩を含有する薬剤と配合した場合，分解等の配合変化を起こすことがあるので注意する

薬理作用

分類 非ペプタイド性蛋白分解酵素阻害剤

作用部位・作用機序 トリプシン，カリクレインを阻害するとともにOddi氏筋に対して弛緩作用を示し，蛋白分解酵素逸脱に伴う膵疾患の症状緩解にすぐれた効果を発揮する．また，血液凝固系に対しても阻害作用を有し，アンチトロンビンⅢの存在を必要とせずトロンビン及び活性型第X因子を阻害するとともに血小板凝集を抑制し，汎発性血管内血液凝固症に効果が認められている

同効薬 膵炎：カモスタットメシル酸塩，ナファモスタットメシル酸塩，ウリナスタチン　汎発性血管内血液凝固症：ナファモスタットメシル酸塩，乾燥濃縮人アンチトロンビンⅢ，ヘパリン製剤，ダナパロイドナトリウム，トロンボモデュリン アルファ(遺伝子組換え)

治療

効能・効果 ①蛋白分解酵素(トリプシン，カリクレイン，プラスミン等)逸脱を伴う次の諸疾患：急性膵炎，慢性再発性膵炎の急性増悪期，術後の急性膵炎 ②汎発性血管内血液凝固症．
＊500mg注 は効能②のみ

用法・用量 効能①：1回100mgを5%ブドウ糖注射液又はリンゲル液に溶かし，全量500mLとするか，もしくはあらかじめ注射用水5mLを用いて溶かし，この溶液を5%ブドウ糖注射液又はリンゲル液500mLに混和して，8mL/分以下で点滴静注．原則として，初期投与量は1日100～300mgとし，以後は症状の消退に応じ減量するが，症状によっては同日中に，さらに100～300mgを追加して，点滴静注できる(適宜増減) 効能②：1日20～39mg/kgの範囲内で24時間かけて静脈内に持続投与

用法・用量に関連する使用上の注意 汎発性血管内血液凝固症：本剤は高濃度で血管内壁を障害し，注射部位及び刺入した血管に沿って静脈炎や硬結，潰瘍・壊死を起こすことがあるので，末梢血管から投与する場合，100mgあたり50mL以上の輸液(0.2%以下)で点滴静注することが望ましい

使用上の注意

禁忌 本剤の成分に対し過敏症の既往歴のある患者

薬物動態

ヒト新鮮血に^{14}C-メシル酸ガベキサート添加時の半減期は約60秒．健康成人に10mg/kg静注時の血中濃度は指数的に減

少し，半減期は約55秒．健康成人男子に2mg/kg/時で持続静注時，血中濃度は投与開始後5～10分で定常状態，血中未変化体濃度は109ng/mL

その他の管理的事項

投与期間制限 該当しない

保険給付上の注意 該当しない

資料

IF 注射用エフオーワイ100・500 2018年12月作成(第1版)

カベルゴリン
Cabergoline

概要

薬効分類 116 抗パーキンソン剤

構造式

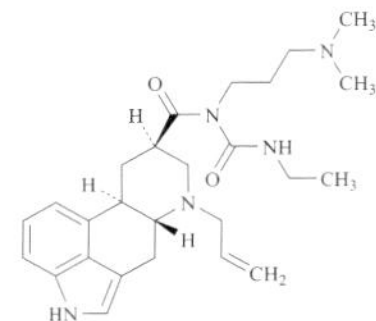

分子式 $C_{26}H_{37}N_5O_2$

分子量 451.60

原薬の規制区分 ㊐

原薬の外観・性状 白色の結晶性の粉末である．メタノールに極めて溶けやすく，エタノール(95)に溶けやすく，水に極めて溶けにくい．光によって徐々に黄色を帯びる．結晶多形が認められる

原薬の吸湿性 吸湿性は認められない

原薬の融点・沸点・凝固点 融点：約100℃(分解)

原薬の酸塩基解離定数 $pKa_1=8.9$，$pKa_2=6.9$

先発医薬品等

錠 カバサール錠0.25mg・1.0mg(ファイザー)

後発医薬品

錠 0.25mg・1mg

国際誕生年月 1992年3月

海外での発売状況 世界10カ国

製剤

規制区分 **錠** ㊐ ㊄

製剤の性状 **0.25mg錠** 白色素錠 **1.0mg錠** 白色割線入り素錠

有効期間又は使用期限 3年

貯法・保存条件 室温保存(開封後防湿，遮光保存)

患者向け資料等 患者向医薬品ガイド，くすりのしおり

薬理作用

分類 麦角アルカロイド誘導体

作用部位・作用機序 持続的なドパミンD_2受容体刺激作用を有し，中枢神経系に対しては黒質線条体のドパミンD_2受容体に作用し，抗パーキンソン作用．また内分泌系に対しては下垂体前葉のドパミンD_2受容体に作用してプロラクチン分泌を特異的に抑制し，抗プロラクチン作用

同効薬 ブロモクリプチンメシル酸塩，ペルゴリドメシル酸塩，タリペキソール塩酸塩，テルグリド，プラミペキソール塩酸塩水和物，ロピニロール塩酸塩

治療

効能・効果 ①パーキンソン病 ②乳汁漏出症，高プロラクチン血性排卵障害，高プロラクチン血性下垂体腺腫(外科的処置を必要としない場合に限る) ③産褥性乳汁分泌抑制

効能・効果に関連する使用上の注意 パーキンソン病治療において，非麦角製剤の治療効果が不十分又は忍容性に問題があると考えられる患者のみに投与する

用法・用量 効能①：1日量0.25mgから始め，2週目には1日量を0.5mgとし，以後経過を観察しながら，1週間ごとに1日量として0.5mgずつ増量し，維持量を定めるが，最高用量は1日3mgとする．いずれの投与量の場合も1日1回朝食後 効能②：1週1回(同一曜日)就寝前投与とし，1回量0.25mgから始め，以後臨床症状を観察しながら，少なくとも2週間以上の間隔で1回量を0.25mgずつ増量し，維持量(標準1回量0.25～0.75mg)を定める(適宜増減)．1回量の上限は1.0mg 効能③：1.0mgを胎児娩出後に1回のみ食後に投与

用法・用量に関連する使用上の注意 ①投与は，少量から開始し，消化器症状(悪心，嘔吐等)，血圧等の観察を十分に行い，慎重に維持量まで増量する ②パーキンソン病治療において，減量・中止が必要な場合は，漸減する(本剤の急激な減量又は中止により，悪性症候群(Syndrome malin)が現れることがある) ③産褥性乳汁分泌の抑制に投与する際には，胎児娩出後4時間以内の投与は避け，呼吸，脈拍，血圧等が安定した後，投与する．また，胎児娩出後2日以内に投与することが望ましい．投与後(特に投与当日)は観察を十分に行い，異常が認められた場合には，適切な処置を行う(類薬において血圧上昇，頭痛，中枢神経症状等が現れたとの報告がある)

使用上の注意

禁忌 ①麦角製剤に対し過敏症の既往歴のある患者 ②心エコー検査により，心臓弁尖肥厚，心臓弁可動制限及びこれらに伴う狭窄等の心臓弁膜の病変が確認された患者及びその既往のある患者［症状を悪化させるおそれがある］ ③妊娠中毒症の患者［産褥期に痙攣，脳血管障害，心臓発作，高血圧が発現するおそれがある］ ④産褥期高血圧の患者［産褥期に痙攣，脳血管障害，心臓発作，高血圧が発現するおそれがある］

相互作用概要 代謝にはCYP3A4が関与している

過量投与 ヒトで過量投与した経験はないが，ドパミン受容体の過剰刺激に伴う症状が発現すると予想される．すなわち，悪心，嘔吐，胃部不快感，幻覚，妄想，頭重感，めまい，起立性低血圧が起こることがある．必要に応じて血圧を維持するための支持療法，又は著しい幻覚等に対してはドパミン拮抗薬の投与等を行う

薬物動態

血中濃度 健康成人男性に2mg経口投与時の血中濃度パラメータはTmax1.9時間，Cmax78pg/mL，$T_{1/2}$(薬物投与24時間までの測定値から求めた半減期)43時間，$AUC_{0\text{-}168h}$4211pg・hr/mL．外国人データでは，肝機能障害患者に1mgを経口投与時，重度の障害患者では血中未変化体のAUC上昇．また，同量投与の腎機能障害患者での血中動態は，健康群との間に有意差は認められなかった(RIA法)．外国人健康成人男女に1mg経口投与時の血中濃度パラメータ(女性，男性の順．LC-MS/MS法．投与後24時間までの測定値から算出)：Cmax(pg/mL) 29.0，31.3，$AUC_{0\text{-}\infty}$(pg・hr/mL) 1177，1112，$AUC_{0\text{-}24h}$(pg・hr/mL) 450，438，$T_{1/2}$(時間) 34.9，30.1．性差は認められなかった **代謝** ヒトミクロソームを用いた*in vitro*試験の結果，本剤の酸化的代謝反応はCYP3A4によることが示された **排泄** 健康成人に2mgを経口投与後，尿中には投与量の約1.3%が未変化体として排泄．外国人データでは，健康成人に^{14}C-カベルゴリン1mg経口投与後，22%が尿に，57%が糞中排泄．また，1mg投与の腎機能障害患者での尿中排泄動態は，健康群との間に有意差は認められなかった

食事の影響 健康成人での最高血漿中濃度及び尿中排泄率は，食事により変化することはなかった **蛋白結合** 3～15ng/mLの濃度で，その59～66%がヒト血清蛋白と結合

その他の管理的事項

投与期間制限 該当しない

保険給付上の注意 該当しない

資料
IF　カバサール錠0.25mg・1.0mg　2019年9月改訂(第11版)

過マンガン酸カリウム
Potassium Permanganate

概要
薬効分類　261　外皮用殺菌消毒剤
分子式　$KMnO_4$
分子量　158.03
原薬の規制区分　該当しない
原薬の外観・性状　暗紫色の結晶で，金属性光沢がある．水にやや溶けやすい．本品の水溶液(1→1000)はやや甘味があり，収れん性である
先発医薬品等
外用末　過マンガン酸カリウム「ケンエー」(健栄)
過マンガン酸カリウム「ニッコー」(日興製薬)
製剤
製剤の性状　暗紫色の結晶で，金属性光沢がある
有効期間又は使用期限　3年
貯法・保存条件　室温保存．火気・衝撃注意，可燃物接触注意，第1類過マンガン酸塩類，危険等級Ⅰ
薬剤取扱い上の留意点　グリセリン，揮発油，炭末，タンニン，イオウ，アルコール，シロップ，エーテル，フェノール及びサリチル酸，その他の有機酸と反応して沈殿を生じる．過酸化水素によって分解される．燃えやすいもの及び火気からはなして保管する．はげしい衝撃や振動は与えない
薬理作用
分類　外用殺菌・収れん剤
治療
効能・効果　次の疾患及び状態における殺菌及び収れん：創傷，潰瘍，局所性多汗症及び臭汗症
用法・用量　0.01～0.1%液として用いる
資料
添付文書　過マンガン酸カリウム(日興)　2008年7月改訂(第2版)

カモスタットメシル酸塩
Camostat Mesilate

概要
薬効分類　399　他に分類されない代謝性医薬品
構造式

NH / H_2N / H / O / O / O / O / CH_3 / N / CH_3 / $\cdot H_3C-SO_3H$

分子式　$C_{20}H_{22}N_4O_5 \cdot CH_4O_3S$
分子量　494.52
ステム　酵素阻害薬：-stat
原薬の規制区分　該当しない
原薬の外観・性状　白色の結晶又は結晶性の粉末である．水にやや溶けにくく，エタノール(95)に溶けにくく，ジエチルエーテルにほとんど溶けない
原薬の吸湿性　該当資料なし
原薬の融点・沸点・凝固点　融点：194～198℃
原薬の酸塩基解離定数　本剤はメシル酸塩で，アルカリ側で不安定なため測定していない
先発医薬品等
錠　フオイパン錠100mg(小野)
後発医薬品
錠　100mg
国際誕生年月　1985年1月
海外での発売状況　韓国
製剤
規制区分　錠　㊣
製剤の性状　錠　白色～帯黄白色のフィルムコーティング錠
有効期間又は使用期限　3年
貯法・保存条件　室温保存
薬剤取扱い上の留意点　オルメサルタン　メドキソミル製剤などとの一包化は避ける(一包化して高温多湿条件下にて保存した場合，本剤が変色することがある)
患者向け資料等　くすりのしおり
調製時の注意　該当しない
薬理作用
分類　非ペプタイド性蛋白分解酵素阻害剤
作用部位・作用機序　経口投与で生体のキニン生成系，線溶系，凝固系及び補体系に作用し，その酵素活性を阻害し異常亢進を抑制することにより，慢性膵炎の炎症症状と疼痛の緩解並びにアミラーゼ値の改善に効果が認められている．また，術後食道内に逆流する消化液中のトリプシンを阻害することにより，術後逆流性食道炎の改善に効果が認められている
同効薬　ガベキサートメシル酸塩，ナファモスタットメシル酸塩，ウリナスタチン
治療
効能・効果　①慢性膵炎における急性症状の緩解　②術後逆流性食道炎
効能・効果に関連する使用上の注意　効能①：胃液吸引，絶食，絶飲等の食事制限を必要とする慢性膵炎の重症患者に投与しない　効能②：胃液の逆流による術後逆流性食道炎には，本剤の効果が期待できないので使用しない
用法・用量　効能①：1日600mg，3回に分服(適宜増減)　効能②：1日300mg，3回食後に分服
使用上の注意
禁忌　本剤の成分に対し過敏症の既往歴のある患者
薬物動態
単回投与　①健康成人：健康成人5例に200mgを空腹時に単回経口投与時，活性代謝物である4-(4-グアニジノベンゾイルオキシ)フェニル酢酸の血漿中濃度は投与後40分で最高に達し，その濃度は87.1ng/mL，血漿中半減期は約100分　②胃切除患者：胃全摘あるいは亜全摘患者4例に100mgを空腹時単回経口投与時の最高血漿中濃度は30ng/mLで，健康成人と同じ程度で推移　**分布**　ヒト血清に対する蛋白結合率は25.8～28.2%(*in vitro*)　**代謝**　まずカルボン酸エステルが加水分解されて活性代謝物4-(4-グアニジノベンゾイルオキシ)フェニル酢酸になり，更に4-グアニジノ安息香酸にまで加水分解される．本剤は主にカルボキシエステラーゼにより，活性代謝物4-(4-グアニジノベンゾイルオキシ)フェニル酢酸は主にアリルエステラーゼにより加水分解される(*in vitro*)．また，本剤及びその活性代謝物4-(4-グアニジノベンゾイルオキシ)フェニル酢酸は，ヒトのチトクロームP450の分子種(CYP1A2，CYP2C9，CYP2C19，CYP2D6及びCYP3A4)を阻害しなかった(*in vitro*)　**排泄**　健康成人5例に200mgを空腹時単回経口投与時，尿中代謝物はほとんどが4-グアニジノ安息香酸で，少量の4-(4-グアニジノベンゾイルオキシ)フェニル酢酸が認められた．投与後5～6時間で尿中への排泄率はそれぞれ20%，0.8%で，その後は尿中にほとんど排泄されていない

その他の管理的事項
投与期間制限　該当しない
保険給付上の注意　該当しない
資料
IF　フオイパン錠100mg　2019年12月改訂(第6版)

β－ガラクトシダーゼ(アスペルギルス)
β-Galactosidase(Aspergillus)

概要
薬効分類　233　健胃消化剤
分子量　約100000
略語・慣用名　別名：Lactase
原薬の規制区分　該当しない
原薬の外観・性状　白色～淡黄色の粉末である．水に僅かに混濁して溶け，エタノール(95)又はジエチルエーテルにほとんど溶けない
原薬の吸湿性　吸湿性である
原薬の酸塩基解離定数　該当資料なし
先発医薬品等
散 ガランターゼ散50%(ニプロES)
後発医薬品
散 50%
顆 50%
国際誕生年月　不明
海外での発売状況　韓国，台湾
製剤
製剤の性状　散 白色～淡黄色の散剤で，僅かに甘い．水に溶かすとき，僅かに混濁するが大部分溶ける
有効期間又は使用期限　散 3年
貯法・保存条件　吸湿しやすいので，開封後は防湿保存，室温保存
薬剤取扱い上の留意点　該当しない
患者向け資料等　くすりのしおり
溶液及び溶解時のpH　該当資料なし
浸透圧比　該当資料なし
安定なpH域　該当資料なし
薬理作用
分類　耐酸性乳糖分解酵素製剤
作用部位・作用機序　作用部位：胃内及び小腸内　作用機序：乳糖をグルコースとガラクトースに加水分解する
同効薬　チラクターゼ，各種止しゃ剤，整腸剤
治療
効能・効果　①乳児の乳糖不耐により生ずる消化不良の改善：(1)一次性乳糖不耐症　(2)二次性乳糖不耐症：単一症候性下痢症，急性消化不良症，感冒性下痢症，白色便性下痢症，慢性下痢症，未熟児・新生児の下痢　②経管栄養食，経口流動食等，摂取時の乳糖不耐により生ずる下痢等の改善
用法・用量　効能①：1回0.25～0.5g，哺乳時同時に服用　効能②：摂取乳糖量10gに対して1gを食事とともに投与する(適宜増減)
使用上の注意
禁忌　本剤の成分に対し過敏症の既往歴のある患者
薬物動態
動物における吸収　ウサギの反転結紮腸管に，0.05%溶液(9.2単位/mg)を粘膜側に添加し，粘膜側から漿膜側への通過は150分で1.26%
その他の管理的事項
投与期間制限　該当しない
保険給付上の注意　該当しない
資料
IF　ガランターゼ散50%　2017年10月改訂(第8版)

β－ガラクトシダーゼ(ペニシリウム)
β-Galactosidase(Penicillium)

概要
薬効分類　233　健胃消化剤
分子量　約130000
原薬の規制区分　該当しない
原薬の外観・性状　白色～微黄白色の結晶性の粉末又は粉末である．水に混濁して溶け，エタノール(95)にほとんど溶けない
原薬の吸湿性　吸湿性である
原薬の融点・沸点・凝固点　融点：166(融解)～225℃(発泡分解，炭化)
原薬の酸塩基解離定数　該当資料なし
先発医薬品等
細 ミルラクト細粒50%(高田)
海外での発売状況　発売されていない
製剤
製剤の性状　細 白色～微黄白色の細粒で，僅かに特異なにおいがあり，味は甘く冷感がある
有効期間又は使用期限　3年
貯法・保存条件　気密容器・室温保存(吸湿注意)
薬剤取扱い上の留意点　吸湿に注意する
患者向け資料等　くすりのしおり
溶液及び溶解時のpH　該当しない
浸透圧比　該当しない
安定なpH域　該当しない
薬理作用
分類　乳糖分解酵素剤
作用部位・作用機序　消化管内の乳糖に作用し，乳糖のβ-D-ガラクトシド結合を加水分解してブドウ糖とガラクトースを生成する
同効薬　β-ガラクトシダーゼ(アスペルギルス)
治療
効能・効果　①乳児の乳糖不耐により生じる消化不良の改善：(1)一次性乳糖不耐症　(2)二次性乳糖不耐症：単一症候性下痢症，急性消化不良症，感冒性下痢症，白色便性下痢症，慢性下痢症，未熟児・新生児の下痢　②経管栄養食，経口流動食等摂取時の乳糖不耐により生じる下痢等の改善
用法・用量　効能①：1回0.125～0.25g(50%細粒0.25～0.5g)，少量の水又はお湯(50℃以上にならないこと)で溶解し，哺乳時に投与　効能②：摂取乳糖量10gに対して0.5g(50%細粒1g)を食餌とともに投与(適宜増減)
用法・用量に関連する使用上の注意　50℃以上では酵素力価が低下するため，溶解温度に注意する
使用上の注意
禁忌　本剤の成分に対し過敏症の既往歴のある患者
薬物動態
生後5カ月以上の乳児乳糖不耐症患者3例に，牛乳とともに細粒0.5gを経口投与後の血漿中には，ラジオイムノアッセイでは検出されなかった
その他の管理的事項
投与期間制限　該当しない
保険給付上の注意　該当しない
資料
IF　ミルラクト細粒50%　2019年9月改訂(第5版)

カ

カリジノゲナーゼ
Kallidinogenase

概要

薬効分類　249　その他のホルモン剤(抗ホルモン剤を含む.)

分子量　約30000の糖蛋白質

略語・慣用名　別名：Kallikrein

ステム　酵素製剤：-ase

原薬の規制区分　該当しない

原薬の外観・性状　白色〜淡褐色の粉末で，においはないか，又は僅かに特異なにおいがある．水に溶けやすく，エタノール(95)又はジエチルエーテルにほとんど溶けない．本品の水溶液(1→300)のpHは5.5〜7.5である

原薬の吸湿性　該当資料なし

原薬の酸塩基解離定数　該当資料なし

先発医薬品等

錠　カルナクリン錠25・50(三和化学)

カ　カルナクリンカプセル25(三和化学)

後発医薬品

錠　25単位・50単位

カ　25単位

国際誕生年月　不明

海外での発売状況　韓国

製剤

製剤の性状　**錠25**　白色の腸溶性フィルムコーティング錠であり，におい及び味はない　**錠50**　だいだい色の腸溶性フィルムコーティング錠であり，におい及び味はない　**カ**　だいだい色/白色の硬カプセル剤で，におい及び味はない

有効期間又は使用期限　3年

貯法・保存条件　室温保存

患者向け資料等　くすりのしおり

溶液及び溶解時のpH　該当しない

浸透圧比　該当しない

安定なpH域　該当しない

薬理作用

分類　循環障害改善剤

作用部位・作用機序　キニン遊離による血管平滑筋の拡張作用とともに，プロスタグランジン産生を介した血管拡張作用及び血小板凝集抑制作用を有する

同効薬　なし

治療

効能・効果　①次の疾患における末梢循環障害の改善：高血圧症，メニエール症候群，閉塞性血栓血管炎(ビュルガー病)　②次の症状の改善：更年期障害，網脈絡膜の循環障害

用法・用量　1日30〜150単位(カリクレイン1日30〜60単位)，1日3回に分服(適宜増減)

使用上の注意

禁忌　脳出血直後等の新鮮出血時の患者［血管拡張作用により出血を助長するおそれがある］

その他の管理的事項

投与期間制限　該当しない

保険給付上の注意　該当しない

資料

IF　カルナクリン錠25・50・カプセル25　2015年4月改訂(第5版)

カリ石ケン
Potash Soap

概要

薬効分類　266　皮ふ軟化剤(腐しょく剤を含む.)

分子式　該当しない

原薬の規制区分　該当しない

原薬の外観・性状　黄褐色透明粘滑の軟塊で，特異なにおいがある．水又はエタノール(95)に溶けやすい

先発医薬品等

外用末　カリ石ケン「ニッコー」(日興製薬＝丸石＝健栄)

製剤

製剤の性状　**外用末**　黄褐色透明粘滑の軟塊で，特異なにおいがある

有効期間又は使用期限　3年

貯法・保存条件　室温保存

薬剤取扱い上の留意点　眼又は眼のまわりには使用しない

患者向け資料等　くすりのしおり

薬理作用

分類　清浄・皮膚軟化剤

作用部位・作用機序　適当なアルカリ性を呈し，皮膚の脂肪性物質を除去して清浄にし，皮膚のケラチンを軟化して，痂皮や鱗屑や慢性の湿疹に効果がある

治療

効能・用法　浣腸液，洗浄液の調剤に用いる

その他の管理的事項

投与期間制限　該当しない

保険給付上の注意　該当しない

資料

添付文書　カリ石ケン「ニッコー」　2015年3月改訂(第3版)

カルシトニン　サケ
Calcitonin Salmon

概要

構造式

Cys-Ser-Asn-Leu-Ser-Thr-Cys-Val-Leu-Gly-Lys-Leu-Ser-Gln-Glu-Leu-His-

Lys-Leu-Gln-Thr-Tyr-Pro-Arg-Thr-Asn-Thr-Gly-Ser-Gly-Thr-Pro-NH_2

(Cys1–Cys7 disulfide bridge)

分子式　$C_{145}H_{240}N_{44}O_{48}S_2$

分子量　3431.85

原薬の規制区分　劇

原薬の外観・性状　白色の粉末である．水に溶けやすい．希酢酸に溶ける．20mgを水2mLに溶かした液のpHは5.0〜7.0である

原薬の吸湿性　吸湿性である

治療

効能・効果†　骨粗鬆症における疼痛

カルテオロール塩酸塩
Carteolol Hydrochloride

概要

薬効分類 131 眼科用剤，212 不整脈用剤，214 血圧降下剤

構造式

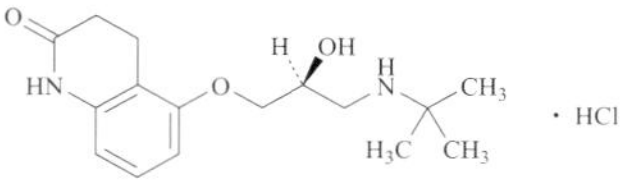

及び鏡像異性体

分子式 $C_{16}H_{24}N_2O_3$・HCl

分子量 328.83

ステム アドレナリンβ受容体拮抗薬：-olol

原薬の規制区分 [劇]（ただし，1錠中カルテオロールとして5mg以下を含有するもの，1カプセル中カルテオロールとして15mg以下を含有するもの，カルテオロールとして1%以下を含有する細粒剤及びカルテオロールとして2%以下を含有する点眼剤を除く）

原薬の外観・性状 白色の結晶又は結晶性の粉末である．水にやや溶けやすく，メタノールにやや溶けにくく，エタノール(95)又は酢酸(100)に極めて溶けにくく，ジエチルエーテルにほとんど溶けない．1.0gを水100mLに溶かした液のpHは5.0～6.0である．本品の水溶液(1→20)は旋光性を示さない

原薬の吸湿性 吸湿性はなく，臨界相対湿度(CRH)はほぼ100%

原薬の融点・沸点・凝固点 融点：約277℃(分解)

原薬の酸塩基解離定数 pKa＝9.74

先発医薬品等
 細 小児用ミケラン細粒0.2%・1%(大塚製薬)
 錠 ミケラン錠5mg(大塚製薬)
 徐放力 ミケランLAカプセル15mg(大塚製薬)
 点眼液 ミケラン点眼液1%・2%(大塚製薬)
 ミケランLA点眼液1%・2%(大塚製薬)

後発医薬品
 錠 5mg
 点眼液 1%・2%

国際誕生年月 1980年10月

海外での発売状況 細 錠 徐放力 韓国，フィリピン，台湾 点眼液 独など23カ国(承認) 持続性点眼液 仏を含む33カ国(承認)

製剤

規制区分 細 小児用細 錠 徐放力 [処]

製剤の性状 細 白色の細粒で，においはなく，味は僅かに苦い 小児用細 白色の細粒で，においはなく，味は甘い 錠 白色の素錠 徐放力 だいだい色(不透明)/白色(不透明)の硬カプセル剤 点眼液 持続性点眼液 無色澄明の液

有効期間又は使用期限 細 小児用細 錠 徐放力 5年 点眼液 持続性点眼液 3年

貯法・保存条件 細 小児用細 錠 徐放力 室温保存 点眼液 持続性点眼液 室温保存(開封後は遮光して保存)

薬剤取扱い上の留意点 小児用細 細 錠 徐放力 手術前24時間は投与しないことが望ましい 細 錠 徐放力 めまい・ふらつきが現れることがあるので，本剤投与中の患者(特に投与初期)には，自動車の運転等危険を伴う機械の操作に従事させないように注意すること 持続性点眼液 他の点眼剤との併用にあたっては，本剤投与前に少なくとも10分間の間隔をあけて，本剤を最後に点眼するよう指導すること

患者向け資料等 くすりのしおり

溶液及び溶解時のpH 点眼液 持続性点眼液 6.2～7.2

浸透圧比 点眼液 持続性点眼液 約1(対生食)

薬理作用

分類 β受容体遮断剤

作用部位・作用機序 強力なアドレナリン性β受容体遮断作用を示す．降圧作用の機序としては，心拍出量低下作用，レニン-アンジオテンシン系の抑制作用，血管内皮細胞からのEDRF，PGI_2，EDCFなどの血管弛緩・収縮因子の遊離を介する血管弛緩作用，交感神経末端からのノルアドレナリン遊離抑制作用などが挙げられる．点眼により房水産生を抑制し，眼圧を下降させるものと推察される

同効薬 細 錠 徐放力 ピンドロール，アテノロールなど 点眼液 チモロールマレイン酸塩，ベタキソロール塩酸塩など

治療

効能・効果 小児用細(0.2%) ファロー四徴症に伴うチアノーゼ発作
 細(1%) 心臓神経症，不整脈(洞性頻脈，頻脈型不整脈，上室性期外収縮，心室性期外収縮)，狭心症
 錠 本態性高血圧症(軽症～中等症)，心臓神経症，不整脈(洞性頻脈，頻脈型不整脈，上室性期外収縮，心室性期外収縮)，狭心症
 徐放力 本態性高血圧症(軽症～中等症)
 点眼液 緑内障，高眼圧症

用法・用量 小児用細(0.2%) 乳幼児1日量0.2～0.3mg/kg，朝・夕2回に分服(適宜増減)
 細(1%) 錠 カルテオロール塩酸塩として1日10～15mg(細粒では1～1.5g)よりはじめ，効果不十分な場合には30mg(細粒では3g)まで漸増し，1日2～3回に分服(適宜増減)
 徐放力 1日1回1カプセル(15mg)朝食後，効果が不十分な場合1日1回2カプセル(30mg)まで増量できる
 点眼液 1%液を1回1滴，1日2回点眼．なお，十分な効果が得られない場合，2%液を1回1滴，1日2回点眼
 持続性点眼液 1%液を1回1滴，1日1回点眼．なお，十分な効果が得られない場合，2%液を1回1滴，1日1回点眼

用法・用量に関連する使用上の注意 細 錠 徐放力 褐色細胞腫の患者では，本剤の単独投与により急激に血圧が上昇することがあるので，α遮断剤で初期治療を行った後に本剤を投与し，常にα遮断剤を併用する
 持続性点眼液 他の点眼剤を併用する場合には，本剤投与前に少なくとも10分間の間隔をあけて，本剤を最後に点眼する

禁忌・原則禁忌となる特定患者集団 細(1%) 錠 徐放力 妊婦・妊娠している可能性のある婦人

使用上の注意

禁忌 小児用細(0.2%) ①本剤の成分に対し過敏症の既往歴のある患者 ②気管支喘息，気管支痙攣のおそれのある患者［気管支筋収縮作用により，喘息症状の誘発，悪化を起こすおそれがある］ ③糖尿病性ケトアシドーシス，代謝性アシドーシスのある患者［アシドーシスによる心筋収縮力の抑制を増強するおそれがある］ ④高度の徐脈(著しい洞性徐脈)，房室ブロック(II，III度)，洞不全症候群，洞房ブロックのある患者［刺激伝導系に対し抑制的に作用し，症状を悪化させるおそれがある］ ⑤心原性ショックの患者［心拍出量抑制作用により，症状が悪化するおそれがある］ ⑥肺高血圧による右心不全のある患者［心拍出量抑制作用により，症状が悪化するおそれがある］ ⑦うっ血性心不全のある患者あるいは，そのおそれのある患者［心収縮力抑制作用により，症状が悪化するおそれがある］ ⑧低血圧症の患者［降圧作用により症状を悪化させるおそれがある］ ⑨未治療の褐色細胞腫の患者
 細(1%) 錠 徐放力 ①本剤の成分に対し過敏症の既往歴のある患者 ②気管支喘息，気管支痙攣のおそれのある患者［気管支筋収縮作用により，喘息症状の誘発，悪化を起こすおそれがある］ ③糖尿病性ケトアシドーシス，代謝性アシドーシスのある患者［アシドーシスによる心筋収縮力の抑制を増強するおそれがある］ ④高度の徐脈(著しい洞性徐脈)，房室ブロック(II，III度)，洞不全症候群，洞房ブロックのある患者［刺激伝導系に対し抑制的に作用し，症状を悪化させ

るおそれがある］ ⑤心原性ショックの患者［心拍出量抑制作用により，症状が悪化するおそれがある］ ⑥肺高血圧による右心不全のある患者［心拍出量抑制作用により，症状が悪化するおそれがある］ ⑦うっ血性心不全のある患者［心収縮力抑制作用により，症状が悪化するおそれがある］ ⑧低血圧症の患者［降圧作用により症状を悪化させるおそれがある］ ⑨未治療の褐色細胞腫の患者 ⑩妊婦又は妊娠している可能性のある婦人

点眼液 ①コントロール不十分な心不全，洞性徐脈，房室ブロック（II・III度），心原性ショックのある患者［β受容体遮断による刺激伝導系抑制作用・心拍出量抑制作用により，これらの症状が増悪するおそれがある］ ②気管支喘息，気管支痙攣又はそれらの既往歴のある患者，重篤な慢性閉塞性肺疾患のある患者［β受容体遮断による気管支平滑筋収縮作用により，これらの症状が増悪するおそれがある］ ③本剤の成分に対し過敏症の既往歴のある患者

過量投与 **小児用細（0.2%）** **細（1%）** **錠** **徐放カ** ①症状：過量投与により，徐脈，完全房室ブロック，心不全，低血圧，気管支痙攣等が現れることがある ②処置：過量投与の場合は，投与を中止し，必要に応じて胃洗浄等により薬剤の除去を行うとともに，次の適切な処置を行う：(1)徐脈，完全房室ブロック：アトロピン硫酸塩水和物，イソプレナリン等の投与や心臓ペーシングを適用する (2)心不全，低血圧：強心剤，昇圧剤，輸液等の投与や補助循環を適用する (3)気管支痙攣：β_2刺激剤又はアミノフィリン水和物を静注等の投与や補助呼吸を適用する これらの処置の間は常に観察下におく

薬物動態

細 **錠** **吸収（血中濃度）** 健康成人に10〜30mg経口投与時，速やかに吸収され，血中濃度は約1時間後に最高に達する．血中濃度の半減期は約5時間 **代謝・排泄** 健康成人に10〜30mg経口投与時，その約70%が未変化体として尿中に排泄され，一部はCYP2D6により水酸化され，8-ヒドロキシカルテオロールとして排泄される．なお，代謝産物に，本剤をしのぐ薬理作用・毒性は認められていない

徐放カ **吸収（血中濃度）** ①健康成人男子に1回1カプセル（カルテオロール塩酸塩として15mg）1日1回（朝食後），錠5mgを1回1錠1日3回（毎食後）9日間クロス・オーバー法にて連続経口投与し，血漿中カルテオロール濃度を測定した結果，カプセルは投与開始3日目には定常状態に達し，最低〜最高血漿中濃度範囲は10〜50ng/mLで血漿中半減期は7〜10時間 ②正常胃液酸度あるいは低胃液酸度の健康成人男子に空腹時及び食後1回経口投与し，薬物速度論的パラメータを検討したところ，胃液酸度及び食事の影響を受けにくいことが確認されている

点眼液 **血漿中濃度** ①原発開放隅角緑内障又は高眼圧症の患者（14例）に持続性点眼液2%（7例）又は普通点眼液2%（7例）を両眼に1滴単回点眼後の最高血漿中カルテオロール濃度（平均値±標準誤差）はそれぞれ1.727±0.651ng/mL（点眼2時間後）及び1.180±0.384ng/mL（点眼30分後）．原発開放隅角緑内障又は高眼圧症の患者（24例）に持続性点眼液2%（両眼に1日1回，12例）又は普通点眼液2%（両眼に1日2回，12例）を8週間点眼後の血漿中カルテオロール濃度（平均値±標準偏差）は，それぞれ1.669±0.726ng/mL及び3.198±1.500ng/mL（点眼2時間後） ②**持続性点眼液** 外国人のデータにおいて，原発開放隅角緑内障又は高眼圧症の患者（22例）に持続性点眼液2%（1日1回）又は普通点眼液2%（1日2回）をクロスオーバー法により9週間反復点眼後の最高血漿中カルテオロール濃度（平均値±標準偏差）はそれぞれ1.76±0.86ng/mL及び2.94±1.48ng/mL **尿中排泄** **点眼液** 2%点眼液を健康成人の両眼に1滴ずつ点眼したところ，点眼後24時間までに点眼量の約16%がカルテオロールとして尿中に排泄，このときのカルテオロール尿中排泄速度の半減期は約5時間 **薬物の肝酸化型代謝に関与するチトクロムP450分子種** 主としてCYP2D6

その他の管理的事項

投与期間制限 該当しない

保険給付上の注意 該当しない

資料

IF ミケラン細粒1%・錠5mg・LAカプセル15mg 2015年1月改訂（第9版）
小児用ミケラン細粒0.2% 2015年4月改訂（第8版）
ミケラン点眼液1%・2% 2017年4月改訂（第11版）
ミケランLA点眼液1%・2% 2017年4月改訂（第8版）

カ

カルバゾクロムスルホン酸ナトリウム水和物
Carbazochrome Sodium Sulfonate Hydrate

概要

薬効分類 332 止血剤

構造式

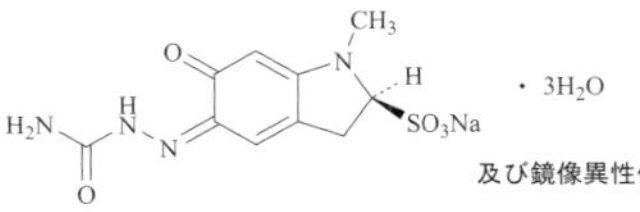

及び鏡像異性体

分子式 $C_{10}H_{11}N_4NaO_5S \cdot 3H_2O$

分子量 376.32

原薬の規制区分 該当しない

原薬の外観・性状 橙黄色の結晶又は結晶性の粉末である．水にやや溶けにくく，メタノール又はエタノール（95）に極めて溶けにくく，ジエチルエーテルにほとんど溶けない．本品の水溶液（1→100）は旋光性を示さない．0.8gを水50mLに加温して溶かし，冷却した液のpHは5.0〜6.0である

原薬の吸湿性 該当資料なし

原薬の融点・沸点・凝固点 融点：約210℃（分解）

原薬の酸塩基解離定数 $pKa_1=1.6$，$pKa_2=3.6$，$pKa_3=11.0$

先発医薬品等

散 アドナ散10%（ニプロES）
錠 アドナ錠10mg・30mg（ニプロES）
注 アドナ注10mg・注（静脈用）25mg・50mg・100mg（ニプロES）

後発医薬品

散 10%
細 10%
錠 10mg・30mg
注 0.5%

国際誕生年月 不明

海外での発売状況 **散** **錠** 発売されていない **注** インドネシアなど

製剤

規制区分 **注** ㊇

製剤の性状 **散** 橙黄色の微粒状の散剤 **10mg錠** 橙黄色の素錠 **30mg錠** 橙黄色〜橙黄褐色の素錠 **注** 橙黄色澄明の液

有効期間又は使用期限 **散** 5年（瓶） **錠** 4年（瓶），3年（PTP） **注** 2年

貯法・保存条件 室温保存

薬剤取扱い上の留意点 該当しない

患者向け資料等 **散** **錠** くすりのしおり

溶液及び溶解時のpH **注** 5.5〜6.2

浸透圧比 **注** 約2

安定なpH域 **注** 3〜10

調製時の注意 該当しない

薬理作用

分類 カルバゾクロム誘導体血管強化・止血剤

作用部位・作用機序　細血管に作用して，血管透過性亢進を抑制し，血管抵抗値を増強する．血液凝固・線溶系に影響を与えることなく出血時間を短縮し，止血作用を示す
同効薬　アドレノクロムモノアミノグアニジンメシル酸塩水和物

治療
効能・効果　①毛細血管抵抗性の減弱及び透過性の亢進によると考えられる出血傾向(たとえば紫斑病等)　②毛細血管抵抗性の減弱による皮膚あるいは粘膜及び内膜からの出血，眼底出血・腎出血・子宮出血　③毛細血管抵抗性の減弱による手術中・術後の異常出血
用法・用量　**散　細　錠**　カルバゾクロムスルホン酸ナトリウム水和物として1日30～90mgを3回に分服(適宜増減)
注　カルバゾクロムスルホン酸ナトリウム水和物として，アドナ注10mg，注射液10mg「日医工」，チチナ筋注用は1回10mg皮下又は筋注．それ以外の製品は1日25～100mg静注又は点滴静注(適宜増減)

薬物動態
散　錠　健康成人男子に150mg投与後，速やかに血中に移行，最高血中濃度は0.5～1時間後に25ng/mL，半減期約1.5時間．尿中排泄動態は血中濃度の推移とよく対応し，投与後0.5～1.5時間で最大，24時間までに排泄
注　健康成人男子に10mg筋注後，速やかに血中に移行，血中濃度半減期約40分，大部分が比較的速やかに尿中へ排泄．健康成人男子に50mg静注後，血中濃度半減期約40分，約75%が未変化体として比較的速やかに尿中排泄

その他の管理的事項
投与期間制限　該当しない
保険給付上の注意　該当しない

資料
IF　アドナ散10%・錠10mg・30mg　2017年10月改訂(第9版)
アドナ注10mg・アドナ注(静脈用)25mg・50mg・100mg　2019年4月改訂(第9版)

カルバマゼピン
Carbamazepine

概要
薬効分類　113　抗てんかん剤，117　精神神経用剤
構造式

N / O NH$_2$

分子式　$C_{15}H_{12}N_2O$
分子量　236.27
ステム　三環系抗うつ薬：-zepine
原薬の規制区分　該当しない
原薬の外観・性状　白色～微黄白色の粉末で，においはなく，味は初めないが，後に僅かに苦い．クロロホルムに溶けやすく，エタノール(95)又はアセトンにやや溶けにくく，水又はジエチルエーテルに極めて溶けにくい
原薬の吸湿性　該当資料なし
原薬の融点・沸点・凝固点　融点：189～193℃
原薬の酸塩基解離定数　pKa＝7
先発医薬品等
細　テグレトール細粒50%(サンファーマ＝田辺三菱)
錠　テグレトール錠100mg・200mg(サンファーマ＝田辺三菱)
後発医薬品
細　50%
錠　100mg・200mg
海外での発売状況　米，英，仏，独など

製剤
規制区分　**細　錠**　㊇
製剤の性状　**細**　白色の細粒　**錠**　白色の片面割線入りの素錠
有効期間又は使用期限　3年
貯法・保存条件　**細**　防湿・室温保存　**錠**　室温保存
薬剤取扱い上の留意点　眠気，注意力・集中力・反射運動能力等の低下が起こることがあるので，本剤投与中の患者には自動車の運転等危険を伴う機械の操作に従事させないよう注意すること
患者向け資料等　くすりのしおり

薬理作用
分類　三環系向精神作用性てんかん・躁状態治療剤
作用部位・作用機序　作用部位：中枢神経　作用機序：神経細胞の電位依存性ナトリウムチャンネルの活動を制限し，その過剰な興奮を抑制することにより抗てんかん作用を現すと考えられている
同効薬　フェニトイン，フェノバルビタールなど(てんかん)，炭酸リチウム(躁病)

治療
効能・効果　①精神運動発作，てんかん性格及びてんかんに伴う精神障害，てんかんの痙攣発作：強直間代発作(全般痙攣発作，大発作)　②躁病，躁うつ病の躁状態，統合失調症の興奮状態　③三叉神経痛
用法・用量　効能①：カルバマゼピンとして最初1日量200～400mg，1～2回に分服．至適効果が得られるまで(通常1日600mg)徐々に増量．症状により1日1200mgまで増量できる．小児は年齢，症状に応じて1日100～600mgを分服　効能②：カルバマゼピンとして最初1日量200～400mg，1～2回に分服．至適効果が得られるまで(通常1日600mg)徐々に増量．症状により1日1200mgまで増量できる　効能③：カルバマゼピンとして最初1日量200～400mgから開始し，1日600mgまでを分服するが，症状により1日800mgまで増量できる．小児には，年齢，症状に応じて適宜減量

使用上の注意
禁忌　①本剤又は三環系抗うつ剤に対して過敏症の既往歴のある患者　②重篤な血液障害のある患者［副作用として血液障害が報告されており，血液の異常をさらに悪化させるおそれがある］　③第2度以上の房室ブロック，高度の徐脈(50拍/分未満)のある患者［刺激伝導を抑制し，さらに高度の房室ブロックを起こすことがある］　④ボリコナゾール，タダラフィル(アドシルカ)，リルピビリン，マシテンタン，チカグレロル，グラゾプレビル，エルバスビル，ダクラタスビル・アスナプレビル・ベクラブビル，アスナプレビル，ドルテグラビル・リルピビリン，ソホスブビル・ベルパタスビル，ビクテグラビル・エムトリシタビン・テノホビル アラフェナミドを投与中の患者［これらの薬剤の血中濃度が減少するおそれがある］　⑤ポルフィリン症の患者［ポルフィリン合成が増加し，症状が悪化するおそれがある］
相互作用概要　主たる代謝酵素はCYP3A4であり，またCYP3A4をはじめとする代謝酵素を誘導するので，これらの活性に影響を与える又はこれらにより代謝される薬剤と併用する場合には，可能な限り薬物血中濃度の測定や臨床症状の観察を行い，用量に留意して慎重に投与する
過量投与　①徴候・症状：最初の徴候・症状は，通常服用1～3時間後に現れる．中枢神経障害(振戦，興奮，痙攣，意識障害，昏睡，脳波変化等)が最も顕著で，心血管系の障害(血圧変化，心電図変化等)は通常は軽度である．また，横紋筋融解症が現れることがある　②処置：⑴特異的な解毒薬は知られていない．通常，次のような処置が行われる：㋐催吐，胃内容物の吸引，胃洗浄，血液透析．必要に応じ活性炭投与　㋑気道

確保．必要に応じ気管内挿管，人工呼吸，酸素吸入 (ウ)低血圧に対しては両下肢挙上及び血漿増量剤投与．必要に応じ昇圧剤を投与 (エ)痙攣にはジアゼパムを静注(ただし，ジアゼパムによる呼吸抑制，低血圧，昏睡の悪化に注意) (2)適切な処置を行った後，呼吸，心機能，血圧，体温等を引き続き数日間モニターする

薬物動態

血中濃度 単独投与てんかん患者の血清内濃度と投与量の関係は，個人差は大きいが，投与初期は投与量に比べて高い血清内濃度，その後は低くなる．血清内濃度/投与量の比は投与開始10日までは上昇，その後低下，血清内濃度は服薬日数に依存して変動．これは薬物代謝酵素の自己誘導によると考えられる．小児(6～13歳)では，代謝速度が速いため成人(14～64歳)より低値を示すと考えられる **吸収，排泄(外国人)** 消化管からの吸収は比較的緩徐で，単回投与の最高血中濃度は4～24時間後．70～80%が血漿蛋白結合し，唾液中の未変化体濃度は血漿中の非蛋白結合型カルバマゼピン(20～30%)をよく反映．単回投与後の未変化体の血中半減期は約36時間，反復投与時には薬物代謝酵素の自己誘導が起こり16～24時間，他の酵素誘導を起こす抗てんかん剤との併用時には9～10時間に短縮．未変化体の尿中排泄率は単回，反復投与ともに2～3%とわずかで，主として薬理活性を有する10，11-epoxide等の代謝物として排泄

その他の管理的事項

投与期間制限 該当しない
保険給付上の注意 該当しない

資料

IF テグレトール細粒50%・錠100mg・200mg 2020年3月改訂(第16版)

カルビドパ水和物
Carbidopa Hydrate

概要

構造式

分子式 $C_{10}H_{14}N_2O_4 \cdot H_2O$
分子量 244.24
ステム ドパミン受容体作動薬：-dopa
原薬の規制区分 該当しない
原薬の外観・性状 白色～帯黄白色の粉末である．メタノールにやや溶けにくく，水に溶けにくく，エタノール(95)に極めて溶けにくく，ジエチルエーテルにほとんど溶けない
原薬の吸湿性 0.2～0.3%(100%RH)
原薬の融点・沸点・凝固点 融点：約197℃(分解)
原薬の酸塩基解離定数 $pKa_1(COO^-)=2.40$，$pKa_2(NH_3^+)=7.47$，$pKa_3(OH^-)=9.95$
先発医薬品等
錠 ネオドパストン配合錠L100・L250(第一三共)
　メネシット配合錠100・250(MSD)
内用液 デュオドーパ配合経腸用液(アッヴィ)
後発医薬品
錠

製剤

溶液及び溶解時のpH 4.5～6.0(飽和水溶液)

薬理作用

分類 末梢性レボドパ脱炭酸酵素阻害剤
作用部位・作用機序 レボドパ脱炭酸酵素の阻害剤で，それ自体は血液・脳関門を通過せず，脳内へ移行しないため，これをレボドパとともに投与すると，レボドパの脳以外での脱炭酸反応を防ぎ，脳への移行を高める．また脳内に取りこまれたレボドパのドパミンへの転換には影響を及ぼさないため，脳内ドパミン量を増加せしめる

資料

IF ネオドパストン配合錠L100・250 2019年2月改訂(第10版)

カルベジロール
カルベジロール錠
Carvedilol

概要

薬効分類 214 血圧降下剤
構造式

及び鏡像異性体

分子式 $C_{24}H_{26}N_2O_4$
分子量 406.47
ステム 血管拡張薬：-dil
原薬の規制区分 該当しない
原薬の外観・性状 白色～微黄白色の結晶又は結晶性の粉末である．酢酸(100)に溶けやすく，メタノールにやや溶けにくく，エタノール(99.5)に溶けにくく，水にほとんど溶けない．本品のメタノール溶液(1→100)は旋光性を示さない
原薬の吸湿性 吸湿性はない
原薬の融点・沸点・凝固点 融点：114～119℃
原薬の酸塩基解離定数 pKa＝7.8($-CH_2NHCH_2-$)(測定法：滴定法，測定温度25℃)
先発医薬品等
錠 アーチスト錠1.25mg・2.5mg・10mg・20mg(第一三共)
後発医薬品
錠 1.25mg・2.5mg・10mg・20mg
国際誕生年月 1990年4月
海外での発売状況 米，英，仏，独，豪を含む70カ国以上

製剤

規制区分 錠 ㊙
製剤の性状 1.25mg錠 黄色のフィルムコーティング錠(楕円形・割線入) 2.5mg錠 白色～微黄白色のフィルムコーティング錠(楕円形・割線入) 10mg錠 黄色のフィルムコーティング錠(割線入) 20mg錠 白色～微黄白色のフィルムコーティング錠(割線入)
有効期間又は使用期限 3年
貯法・保存条件 室温保存
薬剤取扱い上の留意点 めまい・ふらつきが現れることがあるので，投与中の患者(特に投与初期や増量時)には，自動車の運転等危険を伴う機械の作業をしないように注意させること．手術前48時間は投与しないことが望ましい
患者向け資料等 患者向医薬品ガイド，くすりのしおり
溶液及び溶解時のpH 該当しない
浸透圧比 該当しない
安定なpH域 該当しない
調製時の注意 該当しない

薬理作用

分類 α，β受容体遮断剤

作用部位・作用機序 作用部位：交感神経β_1，β_2受容体，α_1受容体 作用機序：α受容体遮断作用を主体とする末梢血管拡張作用とβ受容体遮断作用による心拍出量の低下により降圧作用を示す．また，β受容体遮断作用及び後負荷の軽減化によって，心筋酸素消費量を減少させ，心筋酸素の需要・供給の不均衡を是正するため，抗狭心症作用を示す．低用量においても心機能を改善し，心不全の悪化を予防する

同効薬 ビソプロロールフマル酸塩，アロチノロール塩酸塩，ラベタロール塩酸塩，プロプラノロール塩酸塩など

治療

効能・効果 ①(10mg・20mg錠)本態性高血圧症(軽症～中等症)，腎実質性高血圧症 ②(10mg・20mg錠)狭心症 ③(1.25mg・2.5mg・10mg錠)次の状態で，アンジオテンシン変換酵素阻害薬，利尿薬，ジギタリス製剤等の基礎治療を受けている患者：虚血性心疾患又は拡張型心筋症に基づく慢性心不全 ④(2.5mg・10mg・20mg錠)頻脈性心房細動

用法・用量 効能①：1日1回10～20mg(適宜増減) 効能②：1日1回20mg(適宜増減) 効能③：1回1.25mg，1日2回食後から開始．1回1.25mg，1日2回の用量に忍容性がある場合には，1週間以上の間隔で忍容性をみながら段階的に増量，忍容性がない場合は減量．用量の増減は必ず段階的に行い，1回投与量は1.25mg，2.5mg，5mg又は10mgのいずれかとし，いずれの用量においても，1日2回食後とする．維持量として1回2.5～10mgを1日2回食後．年齢，症状により，開始用量はさらに低用量としてもよい．患者の本剤に対する反応性により，維持量は適宜増減 効能④：1日1回5mgから開始，効果が不十分な場合には1日1回10mg，1日1回20mgへ段階的に増量(適宜増減)．最大投与量は20mgを1日1回まで

用法・用量に関連する使用上の注意 ①褐色細胞腫の患者では，単独投与により急激に血圧が上昇するおそれがあるので，α遮断薬で初期治療を行った後に本剤を投与し，常にα遮断薬を併用する ②慢性心不全を合併する本態性高血圧症，腎実質性高血圧症，狭心症，頻脈性心房細動の患者では，慢性心不全の用法・用量に従う ③慢性心不全の場合：(1)慢性心不全患者に投与する場合には，必ず1回1.25mg又はさらに低用量の，1日2回投与から開始し，忍容性及び治療上の有効性を基に個々の患者に応じて維持量を設定する (2)投与初期及び増量時は，心不全の悪化，浮腫，体重増加，めまい，低血圧，徐脈，血糖値の変動，及び腎機能の悪化が起こりやすいので，観察を十分に行い，忍容性を確認する (3)投与初期又は増量時における心不全や体液貯留の悪化(浮腫，体重増加等)を防ぐため，投与前に体液貯留の治療を十分に行う．心不全や体液貯留の悪化(浮腫，体重増加等)がみられ，利尿薬増量で改善がみられない場合には減量又は中止する．低血圧，めまい等の症状がみられ，アンジオテンシン変換酵素阻害薬や利尿薬の減量により改善しない場合には減量する．高度な徐脈をきたした場合には，減量する．また，これら症状が安定化するまで増量しない (4)中止する場合には，急に中止せず，原則として段階的に半量ずつ，2.5mg又は1.25mg，1日2回まで1～2週間かけて減量し中止する (5)2週間以上休薬した後，再開する場合には用法・用量に従って，低用量から開始し，段階的に増量する ④頻脈性心房細動を合併する本態性高血圧症，腎実質性高血圧症，狭心症の患者に投与する場合には，頻脈性心房細動の用法・用量は1日1回5mg投与から開始することに留意した上で，各疾患の指標となる血圧や心拍数，症状等に応じ，開始用量を設定する

禁忌・原則禁忌となる特定患者集団 妊婦・妊娠している可能性のある婦人

使用上の注意

警告 慢性心不全患者に使用する場合には，慢性心不全治療の経験が十分にある医師のもとで使用する

禁忌 ①気管支喘息，気管支痙攣のおそれのある患者［気管支筋を収縮させることがあるので喘息症状の誘発，悪化を起こすおそれがある］ ②糖尿病性ケトアシドーシス，代謝性アシドーシスのある患者［心筋収縮力の抑制が増強されるおそれがある］ ③高度の徐脈(著しい洞性徐脈)，房室ブロック(II，III度)，洞房ブロックのある患者［症状が悪化するおそれがある］ ④心原性ショックの患者［循環不全症が悪化するおそれがある］ ⑤強心薬又は血管拡張薬を静脈内投与する必要のある心不全患者［心収縮力抑制作用により，心不全が悪化するおそれがある］ ⑥非代償性の心不全患者［心収縮力抑制作用により，心不全が悪化するおそれがある］ ⑦肺高血圧による右心不全のある患者［心拍出量が抑制され症状が悪化するおそれがある］ ⑧未治療の褐色細胞腫の患者 ⑨妊婦又は妊娠している可能性のある婦人 ⑩本剤の成分に対し過敏症の既往歴のある患者

過量投与 ①症状：過量投与により，重症低血圧，徐脈，心不全，心原性ショック，心停止に至るおそれがある．また，呼吸器障害，気管支痙攣，嘔吐，意識障害，全身の痙攣発作をきたすおそれがある ②処置：過量投与の場合は，本剤を中止し，必要に応じて胃洗浄等により薬剤の除去を行うとともに，次のような処置を行う．なお，本剤は血液透析により除去されにくい：(1)過度の徐脈：アトロピン硫酸塩，イソプレナリン塩酸塩等の投与や心臓ペーシングを適用する (2)心不全，低血圧：強心薬，昇圧薬，輸液等の投与や補助循環を適用する (3)気管支痙攣：β_2刺激薬又はアミノフィリンを静注する (4)痙攣発作：ジアゼパムを徐々に静注する

薬物動態

吸収(参考：海外) 健康成人に12.5mg静注(1時間)，25mg及び50mgの経口投与を1～2週間間隔で行い血漿中未変化体濃度を測定した結果，絶対生物学的利用率は22～24% **血中濃度** ①血漿中濃度の推移：健康成人に単回経口投与時，血漿中濃度は投与量にほぼ比例して上昇．連続経口投与でも蓄積性は認められなかった．効果発現時間は，投与後約1時間と報告されている．単回経口投与時の薬物動態パラメータ(投与量5mg，10mg，20mgの順)はTmax(hr)0.6±0.1，0.8±0.3，0.9±0.1，Cmax(ng/mL)13.5±2.3，22.6±4.7，53.1±14.7，$T_{1/2}$(hr)1.95±0.39，3.6±1.82，7.72±2.23，AUC(ng・hr/mL)36.3±8.4，57.3±15.8，239.1±64.9 ②血清蛋白結合率：ヒト血清蛋白に対する*in vitro*での結合率(50～1000ng/mL，平衡透析法)は，個人差は少なく，濃度依存性もなく94.2～96.1% **患者での体内動態** ①本態性高血圧症患者：10mgを食後経口投与2時間後の血漿中濃度は25.1±8ng/mL．健康成人に10mgを食後経口投与2時間後の血漿中濃度(21.8±5.6ng/mL)と同程度であり，本態性高血圧症患者における血漿中濃度の推移は健康成人と類似 ②狭心症患者：10mgを食後経口投与2時間後の血漿中濃度は18.8±4.1ng/mL．健康成人に10mgを食後経口投与2時間後の血漿中濃度(21.8±5.6ng/mL)と同程度であり，狭心症患者における血漿中濃度の推移は健康成人と類似 ③慢性心不全患者：軽症～中等症の慢性心不全患者に1回2.5，5，10mg，1日2回連続食後経口投与し，約1週間後のCmaxはそれぞれ10.1±1.7，25±5，52.8±10.4ng/mLであり，投与量にほぼ比例して上昇した．また，1回10mg，1日2回連続食後経口投与し，約1週間後の薬物動態パラメータ(健康成人，軽症～中等症心不全患者の順)はTmax(hr)2.4±0.4，2.6±0.4，Cmax(ng/mL)22.9±4.5，52.8±10.4，$T_{1/2}$(hr)3.25±0.67，4.36±0.41，AUC(ng・hr/mL)81.3±9.6，297.1±64.9．健康成人に比べ慢性心不全ではCmaxが約2倍，AUCが約4倍に上昇する傾向

分布(参考：動物) ^{14}C-カルベジロールをラットに経口投与時，多くの組織で投与後1～3時間で最高濃度．投与後1時間では消化管，肝，肺，腎，副腎の順に高く，脳，生殖器では低値 **代謝(参考：海外)** ^{14}C-カルベジロール50mgを健康成人に経口投与時，主要代謝物はグルクロン酸抱合体(血漿中存在率22%(投与後1.5時間)，尿中存在率32.4%(投与後12時

間までの蓄積尿)）．薬物の肝酸化型代謝に関与するチトクロムP450分子種はCYP2D6，CYP2C9，CYP3A4，CYP1A2，CYP2E1　**排泄**　健康成人に20mg単回経口投与後48時間までの尿中未変化体排泄率は約0.2%，糞中未変化体排泄率は約22.7%　**肝機能障害患者及び腎機能障害患者での体内動態**　本剤は肝代謝胆汁排泄型であるため肝硬変患者では全身クリアランスが健康成人の64%に低下，Cmaxは4.4倍に上昇．血清クレアチニン値が6mg/dL以下の腎機能障害患者では，Cmaxの上昇はみられず，連続投与時も健康成人と同様，蓄積性は認められなかったが，血清クレアチニン値が6mg/dL以上の腎機能障害患者では，健康成人に比べCmaxが上昇する傾向　**透析患者での体内動態**　透析患者では健康成人に比べTmaxがやや遅延したが，Cmaxには差がなかった

その他の管理的事項

投与期間制限　該当しない

保険給付上の注意　該当しない

資料

IF　アーチスト錠1.25mg・2.5mg・10mg・20mg　2018年7月改訂(第16版)

L-カルボシステイン
L-カルボシステイン錠
L-Carbocisteine

概要

薬効分類　223　去たん剤

構造式

HO_2C–S–CH₂–CH(NH₂)–CO_2H (H, NH_2)

分子式　$C_5H_9NO_4S$

分子量　179.19

略語・慣用名　別名：S-CMC(S-carboxymethylcysteine)

ステム　ブロムヘキシン系以外の粘液溶解薬：-steine

原薬の規制区分　該当しない

原薬の外観・性状　白色の結晶性の粉末で，においはなく，僅かに酸味がある．水に極めて溶けにくく，エタノール(95)にほとんど溶けない．希塩酸又は水酸化ナトリウム試液に溶ける

原薬の吸湿性　各湿度(60～100%の9段階)に保存する時，97%RH以上で，経時的直線的に吸湿傾向を示したが，94%RH以下では，ほとんど吸湿性を示さなかった

原薬の融点・沸点・凝固点　融点：約186℃(分解)

原薬の酸塩基解離定数　pKa_1＝2.29，pKa_2＝3.68，pKa_3＝7.56

先発医薬品等

錠　ムコダイン錠250mg・500mg(杏林)

シ　ムコダインシロップ5%(杏林)

シロップ用　ムコダインDS50%(杏林)

後発医薬品

細　50%

錠　250mg・500mg

シ　5%

シロップ用　50%

国際誕生年月　不明

海外での発売状況　英，仏など

製剤

製剤の性状　錠　白色のフィルムコーティング錠　シ　褐色のシロップ剤で，味は甘く，特異な芳香がある　シロップ用　白色の微粒状のドライシロップ剤

有効期間又は使用期限　250mg錠　5年　500mg錠　シロップ用　3年　シ　2年

貯法・保存条件　錠　シロップ用　室温保存　シ　室温保存，開栓後は汚染防止のため，使用の都度必ず密栓し冷所に保存する

薬剤取扱い上の留意点　シロップ用　懸濁液剤として調剤しない．懸濁後に速やかに服用するように指導する

患者向け資料等　くすりのしおり

溶液及び溶解時のpH　シ　5.5～7.5

薬理作用

分類　システイン系気道粘液調整・粘膜正常化剤

作用部位・作用機序　作用部位：気道，鼻腔，副鼻腔及び中耳の上皮粘膜，粘液腺など　作用機序：粘液の構成成分のバランスを改善し，障害された粘膜上皮を正常化することにより粘液線毛輸送能を改善し，喀痰の喀出，慢性副鼻腔炎の鼻汁の排泄，滲出性中耳炎の中耳貯留液の排泄を促進する

同効薬　アンブロキソール，ブロムヘキシン，アセチルシステイン，エチルシステイン，メチルシステイン，フドステインなど

治療

効能・効果　①次の疾患の去痰：上気道炎(咽頭炎，喉頭炎)，急性気管支炎，気管支喘息，慢性気管支炎，気管支拡張症，肺結核　②慢性副鼻腔炎の排膿　③(シ　シロップ用　小児のみ)滲出性中耳炎の排液

用法・用量　L-カルボシステインとして1回500mg，1日3回(適宜増減)．シロップ用は用時懸濁する．幼・小児は5%シロップ，シロップ用を1日30mg/kg，3回に分服(適宜増減)

使用上の注意

禁忌　本剤の成分に対し過敏症の既往歴のある患者

薬物動態

血中濃度　健康成人に500mg単回経口投与時の薬物速度論的パラメータ(250mg錠，500mg錠，細粒(各12例)，5%シロップ(11例)，50%シロップ用(24例)の順)は，Tmax(h)2.2，2.3，1.8，1.5，1.8±0.4，Cmax(μg/mL)4.8，3.8，4.9，4.3，4.41±0.987，$t_{1/2}$(h)1.6，1.6，1.4，1.6，1.36±0.13，$AUC_{0\text{-}7}$(シロップ用は$AUC_{0\text{-}9}$)(μg・h/mL)16.5，13.6，15.9，14.7，16.4±3.34

その他の管理的事項

投与期間制限　該当しない

保険給付上の注意　該当しない

資料

IF　ムコダイン錠250mg・500mg・シロップ5%・DS50%　2017年6月改訂(第20版)

カルボプラチン
カルボプラチン注射液
Carboplatin

概要

薬効分類　429　その他の腫瘍用薬

構造式

(シクロブタン-1,1-ジカルボキシラト-O,O′)Pt(NH_3)₂

分子式　$C_6H_{12}N_2O_4Pt$

分子量　371.25

略語・慣用名 CBDCA，JM-8
ステム 白金錯体系抗悪性腫瘍薬：-platin
原薬の規制区分 毒
原薬の外観・性状 白色の結晶又は結晶性の粉末である．水にやや溶けにくく，エタノール(99.5)に極めて溶けにくい．0.10gを水10mLに溶かした液のpHは5.0～7.0である
原薬の吸湿性 温度40℃，75％RHで4週間保存したとき，吸湿性は認められなかった
原薬の融点・沸点・凝固点 融点：約200℃(分解)
原薬の酸塩基解離定数 中性物質でほとんど解離していないと考えられた
先発医薬品等
注 パラプラチン注射液50mg・150mg・450mg(BMS)
後発医薬品
注 50mg・150mg・450mg
国際誕生年月 1986年1月
海外での発売状況 米，英，仏，独など

製剤

規制区分 注 毒 処
製剤の性状 注 無色～微黄色澄明の液
有効期間又は使用期限 2年
貯法・保存条件 遮光・室温保存
薬剤取扱い上の留意点 輸液と混和した後，できるだけ速やかに使用すること．包装開封後もバイアル箱に入れて保存すること．冷蔵庫保存では，結晶が析出することがある(溶液のみ)．薬剤を調製する場所を指定し，それ以外の場所では作業をしないようにすること．本剤は細胞毒性を有するため，調製時には手袋を着用することが望ましい．皮膚に薬液が付着した場合は，直ちに多量の流水でよく洗い流すこと．薬剤が作業台又は床にこぼれたときは，布又は紙で拭き取り，所定の廃棄物容器に入れ焼却すること
患者向け資料等 患者向医薬品ガイド，くすりのしおり
溶液及び溶解時のpH 5.0～7.0
浸透圧比 約0.1(対生食)
調製時の注意 分割使用不可．イオウを含むアミノ酸(メチオニン及びシスチン)輸液中で分解が起こるため，これらのアミノ酸輸液との配合を避けること．アルミニウムと反応して沈殿物を形成し，活性が低下するので，使用にあたってはアルミニウムを含む医療器具を用いないこと

薬理作用

分類 白金錯化合物・抗悪性腫瘍剤
作用部位・作用機序 癌細胞内のDNA鎖と結合し，DNA合成及びそれに引き続く癌細胞の分裂を阻害するものと考えられている

治療

効能・効果 ①頭頸部癌，肺小細胞癌，睾丸腫瘍，卵巣癌，子宮頸癌，悪性リンパ腫，非小細胞肺癌 ②乳癌 ③次の悪性腫瘍に対する他の抗悪性腫瘍剤との併用療法：小児悪性固形腫瘍(神経芽腫・網膜芽腫・肝芽腫・中枢神経系胚細胞腫瘍，再発又は難治性のユーイング肉腫ファミリー腫瘍・腎芽腫)
用法・用量 効能①1日1回300～400mg/m^{2}を30分以上かけて点滴静注，少なくとも4週間休薬(適宜増減)．これを1クールとし，繰り返す 効能②トラスツズマブ(遺伝子組換え)及びタキサン系抗悪性腫瘍剤との併用で，1日1回300～400mg/m^2(体表面積)を投与し，少なくとも3週間休薬する．これを1クールとし，投与を繰り返す(適宜減量) ③小児悪性固形腫瘍(神経芽腫・網膜芽腫・肝芽腫・中枢神経系胚細胞腫瘍，再発又は難治性のユーイング肉腫ファミリー腫瘍・腎芽腫)に対する他の抗悪性腫瘍剤との併用療法：(1)神経芽腫・肝芽腫・中枢神経系胚細胞腫瘍，再発又は難治性のユーイング肉腫ファミリー腫瘍・腎芽腫に対する他の抗悪性腫瘍剤との併用療法：イホスファミドとエトポシドとの併用療法において，投与量及び投与方法は，カルボプラチンとして635mg/m^2(体表面積)を1日間点滴静注又は400mg/m^2(体表面積)を2日間点滴静注し，少なくとも3～4週間休薬．これを1クールとし，繰り返す(投与量及び投与日数は疾患，症状，併用する他の抗悪性腫瘍剤により適宜減量)．また，1歳未満もしくは体重10kg未満の小児に対して，投与量には十分配慮する (2)網膜芽腫に対する他の抗悪性腫瘍剤との併用療法：ビンクリスチン硫酸塩とエトポシドとの併用療法において，投与量及び投与方法は，カルボプラチンとして560mg/m^2(体表面積)を1日間点滴静注し，少なくとも3～4週間休薬．これを1クールとし，繰り返す．ただし，36カ月齢以下の患児にはカルボプラチンを18.6mg/kgとする(投与量及び投与日数は疾患，症状，併用する他の抗悪性腫瘍剤により適宜減量) ④投与時，投与量に応じて250mL以上のブドウ糖注射液又は生食に混和し，30分以上かけて点滴静注
用法・用量に関連する使用上の注意 ①乳癌患者に投与する場合，併用する他の抗悪性腫瘍剤の添付文書を熟読する ②小児悪性固形腫瘍に対する他の抗悪性腫瘍剤との併用療法において，腎機能が低下している患者では，骨髄抑制，聴器障害，腎障害の発現に特に注意し，用量ならびに投与間隔に留意する等，患者の状態を観察しながら慎重に投与する．なお，腎機能の指標としてGFR(Glomerular filtration rate：糸球体ろ過値)等を考慮して，投与量を選択することが望ましい ③小児悪性固形腫瘍に対する他の抗悪性腫瘍剤との併用療法においては，関連文献(「抗がん剤報告書：カルボプラチン(小児)」等)及び併用薬剤の添付文書を熟読する
禁忌・原則禁忌となる特定患者集団 妊婦・妊娠している可能性のある女性

使用上の注意

警告 ①本剤を含むがん化学療法は，緊急時に十分対応できる医療施設において，がん化学療法に十分な知識・経験をもつ医師のもとで，本療法が適切と判断される症例についてのみ実施する．適応患者の選択にあたっては，各併用薬剤の添付文書を参照して十分注意する．また，治療開始に先立ち，患者又はその家族に有効性及び危険性を十分説明し，同意を得てから投与する ②本剤を含む小児悪性固形腫瘍に対するがん化学療法は，小児のがん化学療法に十分な知識・経験をもつ医師のもとで実施する

禁忌 ①重篤な骨髄抑制のある患者［骨髄抑制は用量規制因子であり，感染症又は出血を伴い，重篤化する可能性がある］ ②本剤又は他の白金を含む薬に対し，重篤な過敏症の既往歴のある患者 ③妊婦又は妊娠している可能性のある女性
過量投与 高用量で投与した際に，失明を含む視覚障害が現れたとの報告がある

薬物動態

血中濃度 癌患者に75～450mg/m^{2}を1回点滴静注時の血中濃度の推移は3相性，半減期はα相0.16～0.32時間，β相1.29～1.69時間，γ相22～32時間，大部分が投与後速やかに，また時間の経過とともに緩慢に血中から消失(承認用量は300～400mg/m^2) **排泄** 癌患者での尿中排泄は比較的速く，投与後24時間で57～82％

その他の管理的事項

投与期間制限 該当しない
保険給付上の注意 該当しない

資料

IF パラプラチン注射液50mg・150mg・450mg 2018年1月改訂(第10版)

カルメロース
Carmellose

別名：カルボキシメチルセルロース

概要

原薬の規制区分　該当しない

原薬の外観・性状　白色の粉末である．エタノール(95)にほとんど溶けない．水を加えるとき，膨潤し懸濁液となる．水酸化ナトリウム試液を加えるとき，粘稠性のある液となる．1gに水100mLを加え，振り混ぜて得た懸濁液のpHは3.5～5.0である

原薬の吸湿性　吸湿性である

カルメロースカルシウム
Carmellose Calcium

別名：カルボキシメチルセルロースカルシウム

概要

原薬の規制区分　該当しない

原薬の外観・性状　白色～帯黄白色の粉末である．エタノール(95)又はジエチルエーテルにほとんど溶けない．水を加えるとき膨潤し懸濁液となる．1.0gに水100mLを加え，振り混ぜて得た懸濁液のpHは4.5～6.0である

原薬の吸湿性　吸湿性である

カルメロースナトリウム
Carmellose Sodium

別名：カルボキシメチルセルロースナトリウム

概要

薬効分類　235　下剤，浣腸剤

ステム　セルロース誘導体：-lose

原薬の規制区分　該当しない

原薬の外観・性状　白色～帯黄白色の粉末又は粒で，味はない．メタノール，エタノール(95)，酢酸(100)又はジエチルエーテルにほとんど溶けない．水又は温湯を加えるとき，粘稠性のある液となる．1.0gを少量ずつ温湯100mLにかき混ぜながら溶かし，冷却した液のpHは6.0～8.0である

原薬の吸湿性　吸湿性である．50％RH・24℃で48時間経過すると水分約18％を吸収する

先発医薬品等

末 カルメロースナトリウム原末「マルイシ」(丸石)

製剤

製剤の性状　末 白色～帯黄白色の粉末または粒で，味はない

有効期間又は使用期限　3年

貯法・保存条件　吸湿注意，室温保存

患者向け資料等　くすりのしおり

薬理作用

分類　緩下剤

作用部位・作用機序　腸管内で水分を吸収して膨張し，ゼラチン様の塊となって腸管壁を物理的に刺激する．この作用により大腸の蠕動運動を促進して排便を促す

治療

効能・効果　便秘症

用法・用量　カルメロースナトリウムとして1日1.5～6g，多量の水とともに3回に分服(適宜増減)

使用上の注意

禁忌　①急性腹症が疑われる患者［症状を悪化させるおそれがある］　②重症の硬結便のある患者［症状を悪化させるおそれがある］

資料

添付文書　カルメロースナトリウム原末「マルイシ」 2008年4月作成(第1版)

クロスカルメロースナトリウム
Croscarmellose Sodium

概要

原薬の規制区分　該当しない

原薬の外観・性状　白色～帯黄白色の粉末である．エタノール(99.5)又はジエチルエーテルにほとんど溶けない．水を加えるとき，膨潤し，懸濁液となる．1.0gに水100mLを加えて5分間かき混ぜるとき，上澄液のpHは5.0～7.0である

原薬の吸湿性　吸湿性である

カルモナムナトリウム
Carumonam Sodium

概要

薬効分類　612　主としてグラム陰性菌に作用するもの

構造式

CO_2Na, SO_3Na, H_2N, NH_2, N, O, S, H

分子式　$C_{12}H_{12}N_6Na_2O_{10}S_2$

分子量　510.37

原薬の規制区分　該当しない

原薬の外観・性状　白色～帯黄白色の結晶又は結晶性の粉末である．水に溶けやすく，ホルムアミドにやや溶けやすく，メタノールに極めて溶けにくく，エタノール(99.5)又は酢酸(100)にほとんど溶けない．1.0gを水10mLに溶かした液のpHは5.0～6.5である

カルモフール
Carmofur

概要
薬効分類　422　代謝拮抗剤
構造式

分子式　$C_{11}H_{16}FN_3O_3$
分子量　257.26
原薬の規制区分　㊙
原薬の外観・性状　白色の結晶性の粉末である．*N,N*-ジメチルホルムアミドに極めて溶けやすく，酢酸(100)に溶けやすく，ジエチルエーテルにやや溶けやすく，メタノール又はエタノール(99.5)にやや溶けにくく，水にほとんど溶けない
原薬の融点・沸点・凝固点　融点：約111℃(分解)

カンデサルタン　シレキセチル
カンデサルタン　シレキセチル錠
Candesartan Cilexetil

概要
薬効分類　214　血圧降下剤，217　血管拡張剤
構造式

及び鏡像異性体

分子式　$C_{33}H_{34}N_6O_6$
分子量　610.66
ステム　アンジオテンシンⅡ受容体拮抗薬：-sartan
原薬の規制区分　該当しない
原薬の外観・性状　白色の結晶又は結晶性の粉末である．酢酸(100)にやや溶けやすく，メタノールにやや溶けにくく，エタノール(99.5)に溶けにくく，水にほとんど溶けない．本品のメタノール溶液(1→100)は旋光性を示さない．結晶多形が認められる
原薬の吸湿性　25℃・93%RHの状態で7日間保存しても重量変化はなく，吸湿性は認められなかった
原薬の融点・沸点・凝固点　融点：約163℃(分解)
原薬の酸塩基解離定数　$pKa_1 = 2.1$(ベンズイミダゾール環の-N=基)，$pKa_2 = 4.6$(テトラゾール環の-NH-基)
先発医薬品等
錠　ブロプレス錠2・4・8・12(武田テバ薬品＝武田)
後発医薬品
錠　2mg・4mg・8mg・12mg・OD錠2mg・4mg・8mg・12mg
国際誕生年月　1997年4月
海外での発売状況　米，英など

製剤
規制区分　**錠**　㊕
製剤の性状　**2mg錠**　白色～帯黄白色の素錠　**4mg錠**　白色～帯黄白色の割線入りの素錠　**8mg錠**　ごくうすい橙色の割線入りの素錠　**12mg錠**　うすい橙色の割線入りの素錠
有効期間又は使用期限　3年
貯法・保存条件　室温保存
薬剤取扱い上の留意点　降圧作用に基づくめまい，ふらつきが現れることがあるので，高所作業，自動車の運転等危険を伴う機械を操作する際には注意させること．手術前24時間は投与しないことが望ましい
患者向け資料等　患者向医薬品ガイド，くすりのしおり
溶液及び溶解時のpH　該当しない
浸透圧比　該当しない
安定なpH域　該当しない
調製時の注意　該当しない

薬理作用
分類　アンジオテンシンⅡ受容体拮抗薬
作用部位・作用機序　生体内で吸収過程において速やかに加水分解され活性代謝物カンデサルタンとなり，主に血管平滑筋のアンジオテンシンⅡタイプ1(AT_1)受容体においてアンジオテンシンⅡと拮抗し，その強力な血管収縮作用を抑制することによって生じる末梢血管抵抗の低下による．更に，AT_1受容体を介した副腎でのアルドステロン遊離に対する抑制作用も降圧作用に一部関与していると考えられる
同効薬　ロサルタン，バルサルタン，テルミサルタン，オルメサルタン，イルベサルタン

治療
効能・効果　①高血圧症　②腎実質性高血圧症　③**2mg・4mg・8mg錠**〔「BMD」「KOG」は除く〕次の状態で，アンジオテンシン変換酵素阻害剤の投与が適切でない場合：慢性心不全(軽症～中等症)
効能・効果に関連する使用上の注意　慢性心不全：①アンジオテンシン変換酵素阻害剤投与による前治療が行われていない患者における本剤の有効性は確認されておらず，本剤は，アンジオテンシン変換酵素阻害剤から切り替えて投与することを原則とする　②アンジオテンシン変換酵素阻害剤の効果が不十分な患者における本剤の有効性及び安全性，ならびにアンジオテンシン変換酵素阻害剤と本剤を併用した場合の有効性及び安全性は確認されていない
用法・用量　効能①：成人1日1回4～8mg，必要に応じ12mgまで増量．小児1～6歳未満の小児には1日1回0.05～0.3mg/kg．6歳以上の小児には1日1回2～8mgを経口投与し，必要に応じ12mgまで増量．ただし，腎障害を伴う場合には，1日1回2mgから開始し，必要に応じ8mgまで増量　効能②：1日1回2mgから開始し，必要に応じ8mgまで増量　効能③：1日1回4mgから開始し，必要に応じ8mgまで増量できる．なお，原則として，アンジオテンシン変換酵素阻害剤以外による基礎治療は継続する
用法・用量に関連する使用上の注意　①高血圧症：小児に投与する場合は，成人の用量を超えない　②慢性心不全：投与開始時の収縮期血圧が120mmHg未満の患者，腎障害を伴う患者，利尿剤を併用している患者，心不全の重症度の高い患者には，2mg/日から開始する．2mg/日投与は，低血圧関連の副作用に対する忍容性を確認する目的であるので4週間を超えて行わない．投与により，一過性の急激な血圧低下を起こす場合があるので，初回投与時及び4mg/日，8mg/日への増量時には，血圧等の観察を十分に行い，異常が認められた場合には中止する等の適切な処置を行う
禁忌・原則禁忌となる特定患者集団　妊婦・妊娠している可能性のある女性

使用上の注意
禁忌　①本剤の成分に対し過敏症の既往歴のある患者　②妊婦又は妊娠している可能性のある女性　③アリスキレンフマル酸塩を投与中の糖尿病患者(ただし，他の降圧治療を行ってもなお血圧のコントロールが著しく不良の患者を除く)［非致死性脳卒中，腎機能障害，高カリウム血症及び低血圧のリ

スク増加が報告されている］

薬物動態

血中濃度　本態性高血圧症患者8例（38～68歳）に，1日1回4mgを朝食後に初回投与，さらに1日休薬後連日7日間反復投与時，いずれも血中には活性代謝物のカンデサルタン及び非活性代謝物M-IIが検出されるが，未変化体はほとんど検出されない．1日目（初回投与後）及び9日目（7日間反復投与後）のカンデサルタンの血中濃度は，投与4～6時間後にピークに達した後，徐々に低下．各薬物動態パラメータ（1日目，9日目の順．1日目のAUCのみ7例，その他は8例）は，カンデサルタンがCmax55.1±19.9，57.7±14.1ng/mL，Tmax5±1.1，4.5±1.3hr，$AUC_{0\text{-}30h}$428±91，509±151ng・hr/mL，$T_{1/2}\alpha$2.2±1.4，2±0.7hr，$T_{1/2}\beta$9.5±5.1，11.2±7.2hr．M-IIはCmax8.3±2.7，10.9±3.4ng/mL，Tmax8±1.9，6.8±1.5hr，$AUC_{0\text{-}30h}$136±48，197±64ng・hr/mL，$T_{1/2}\beta$8.9±2.6，13.7±6.1hr．高齢本態性高血圧症患者（65～70歳）6例に1日1回4mgを朝食後に初回投与，さらに1日休薬後連日7日間反復投与時でも，血中濃度は本態性高血圧症患者とほとんど差は認められない．腎障害（血清クレアチニン：0.6～3.6mg/dL）を伴う高血圧症患者18例及び肝障害（ICGR15：15～28％）を伴う高血圧症患者8例に1日1回4mg投与時でも，血中濃度は本態性高血圧症患者の場合とほとんど差は認められない（血中カンデサルタン濃度測定値を用いたPopulation Pharmacokinetics（PPK）解析）．健康成人男子のべ168例，本態性高血圧症及び高齢本態性高血圧症患者のべ30例，腎障害を伴う高血圧症患者18例，肝障害を伴う高血圧症患者8例，計224例から得られた2886時点の血中カンデサルタン濃度測定値を用いて，性，年齢，体重，肝機能指標（AST（GOT），ALT（GPT）），腎機能指標（血清クレアチニン，BUN），血中アルブミン値及び高血圧の有無とカンデサルタンのクリアランス，分布容積，相対的バイオアベイラビリティとの関連性の検討で，肝障害患者（AST（GOT）値＞40又はALT（GPT）値＞35）のクリアランスが45％低下することが推定されている　**尿中排泄率**　本態性高血圧症患者（38～68歳）8例，高齢本態性高血圧症患者（65～70歳）6例，腎障害を伴う高血圧症患者18例，肝障害を伴う高血圧症患者8例に1日1回4mgを朝食後初回投与，さらに1日休薬後連日7日間反復投与時，いずれも尿中には未変化体は検出されず，活性代謝物のカンデサルタン及び非活性代謝物M-IIが排泄．投与24時間までの尿中カンデサルタン及びM-IIの総排泄率は本態性高血圧症患者で11～12％，高齢本態性高血圧症患者では10～12％，肝障害を伴う高血圧症患者で約10～11％，ほとんど差は認めない．腎障害を伴う高血圧症患者の尿中排泄率は，血清クレアチニン3mg/dL以上の患者では1日目1.1％，9日目1.8％，血清クレアチニン1.5mg/dL未満の腎機能正常例では1日目6.8％，9日目9.3％．以上の反復投与時の血中濃度，尿中排泄率からみて，本態性高血圧症患者，高齢本態性高血圧症患者，肝障害を伴う高血圧症患者及び腎障害を伴う高血圧症患者ともに蓄積性は認められないと考えられる　**血中ジゴキシン濃度に及ぼす影響**　メチルジゴキシン使用中の慢性心不全患者（54～74歳）5例に本剤1日1回4mgを朝食後に初回投与し，さらに1日休薬後連日7日間反復投与時においても，血中ジゴキシン濃度は本剤非投与時に比較して増加は認められない．また，カンデサルタンの血中濃度は本態性高血圧症患者に本剤を単独投与した場合とほとんど差は認められない　**代謝**　カルボキシルエステラーゼにより活性代謝物カンデサルタンに代謝され，さらに一部がCYP2C9により非活性代謝物M-IIに代謝されるが，本態性高血圧症患者に投与時のM-IIの血中濃度及び尿中排泄率はカンデサルタンの血中濃度及び尿中排泄率に比べ低く，CYP2C9の遺伝的多型によるカンデサルタンの血中濃度への影響は少ないと考えられる．また，カンデサルタンはCYP1A1，1A2，2A6，2B6，2C8，2C9-Arg，2C19，2D6，2E1，3A4の代謝活性を阻害しない（*in vitro*）　**蛋白結合率**　[^{14}C]カンデサルタンをヒトの血清，4％ヒト血清アルブミン溶液に添加時の蛋白結合率は，ともに99％以上（*in vitro*）

その他の管理的事項

投与期間制限　該当しない

保険給付上の注意　該当しない

資料

IF　ブロプレス錠2・4・8・12　2019年6月改訂（第12版）

カ

カンデサルタン　シレキセチル・アムロジピンベシル酸塩錠
Candesartan Cilexetil and Amlodipine Besylate Tablets

概要

薬効分類　214　血圧降下剤

分子式　［カンデサルタン　シレキセチル］$C_{33}H_{34}N_6O_6$　［アムロジピンベシル酸塩］$C_{20}H_{25}ClN_2O_5 \cdot C_6H_6O_3S$

分子量　［カンデサルタン　シレキセチル］610.66　［アムロジピンベシル酸塩］567.05

ステム　［カンデサルタン　シレキセチル］アンジオテンシンII受容体拮抗薬：-sartan　［アムロジピンベシル酸塩］ニフェジピン系カルシウム拮抗薬：-dipine

原薬の規制区分　該当しない

原薬の外観・性状　［カンデサルタン　シレキセチル］白色の結晶又は結晶性の粉末である．酢酸（100）にやや溶けやすく，メタノールにやや溶けにくく，エタノール（99.5）に溶けにくく，水にほとんど溶けない．本品のメタノール溶液（1→100）は旋光性を示さない．結晶多形が認められる　［アムロジピンベシル酸塩］白色～帯黄白色の結晶性の粉末である．メタノールに溶けやすく，エタノール（99.5）にやや溶けにくく，水に溶けにくい．本品のメタノール溶液（1→100）は旋光性を示さない

原薬の吸湿性　［カンデサルタン　シレキセチル］25℃・93％RHの状態で7日間保存しても重量変化はなく，吸湿性は認められなかった　［アムロジピンベシル酸塩］該当資料なし

原薬の融点・沸点・凝固点　［カンデサルタン　シレキセチル］融点：約163℃（分解）　［アムロジピンベシル酸塩］融点：約198℃（分解）

原薬の酸塩基解離定数　［カンデサルタン　シレキセチル］pKa_1＝2.1（ベンズイミダゾール環の-N＝基），pKa_2＝4.6（テトラゾール環の-NH-基）　［アムロジピンベシル酸塩］pKa＝8.85

先発医薬品等

[錠] ユニシア配合錠LD・HD（武田テバ薬品＝武田）

後発医薬品

[錠]

国際誕生年月　［カンデサルタン　シレキセチル］1997年4月　［アムロジピンベシル酸塩］1989年3月

海外での発売状況　フィリピンなど

製剤

規制区分　[錠] [劇] [処]

製剤の性状　[LD錠] 淡黄色の素錠　[HD錠] 淡赤色の素錠

有効期間又は使用期限　3年

貯法・保存条件　室温保存

薬剤取扱い上の留意点　降圧作用に基づくめまい，ふらつきが現れることがあるので，高所作業，自動車の運転等危険を伴う機械を操作する際には注意させること．手術前24時間は投与しないことが望ましい

患者向け資料等　患者向医薬品ガイド，くすりのしおり

溶液及び溶解時のpH　該当しない

浸透圧比　該当しない

安定なpH域　該当しない

調製時の注意　該当しない

薬理作用

分類　アンジオテンシンⅡ受容体拮抗薬・カルシウム拮抗薬配合剤

作用部位・作用機序　各項目参照

同効薬　バルサルタン/アムロジピンベシル酸塩配合錠，オルメサルタン メドキソミル/アゼルニジピン配合錠，テルミサルタン/アムロジピンベシル酸塩配合錠，アジルサルタン/アムロジピンベシル酸塩配合錠，イルベサルタン/アムロジピンベシル酸塩配合錠

治療

効能・効果　高血圧症

効能・効果に関連する使用上の注意　①過度な血圧低下のおそれ等があり，本剤を高血圧治療の第一選択薬としない　②原則として，カンデサルタン シレキセチル8mg及びアムロジピンとして2.5mg～5mgを併用している場合，あるいはいずれか一方を使用し血圧コントロールが不十分な場合に，本剤への切り替えを検討する

用法・用量　1日1回1錠(カンデサルタン　シレキセチル/アムロジピンとして8mg/2.5mg又は8mg/5mg)．本剤は高血圧治療の第一選択薬として用いない

用法・用量に関連する使用上の注意　次のカンデサルタン　シレキセチルとアムロジピンベシル酸塩の用法・用量を踏まえ，患者毎に用量を決める：(1)カンデサルタン　シレキセチル：高血圧症：1日1回カンデサルタン　シレキセチルとして4～8mgを経口投与し，必要に応じ12mgまで増量する．ただし，腎障害を伴う場合には，1日1回2mgから開始し，必要に応じ8mgまで増量する　(2)アムロジピンベシル酸塩：高血圧症：アムロジピンとして2.5～5mgを1日1回経口投与する．なお，症状に応じ適宜増減するが，効果不十分な場合には1日1回10mgまで増量することができる

禁忌・原則禁忌となる特定患者集団　妊婦・妊娠している可能性のある女性

使用上の注意

禁忌　①本剤の成分あるいは他のジヒドロピリジン系薬剤に対する過敏症の既往歴のある患者　②妊婦又は妊娠している可能性のある女性　③アリスキレンフマル酸塩を投与中の糖尿病患者(ただし，他の降圧治療を行ってもなお血圧のコントロールが著しく不良の患者を除く)

相互作用概要　アムロジピンの代謝には主としてCYP3A4が関与していると考えられている

過量投与　①症状：本剤を過量に服用した場合，ショックを含む著しい血圧低下と反射性頻脈を起こすことがある．②処置：心・呼吸機能のモニターを行い，頻回に血圧を測定する．著しい血圧低下が認められた場合は，四肢の挙上，輸液の投与等，心血管系に対する処置を行う．症状が改善しない場合は，循環血液量及び排尿量に注意しながら昇圧剤の投与を考慮する．本剤の配合成分であるカンデサルタン及びアムロジピンは蛋白結合率が高いため，透析による除去は有効ではない．また，アムロジピンベシル酸塩服用直後に活性炭を投与した場合，アムロジピンのAUCは99%減少し，服用2時間後では49%減少したことから，過量投与時の吸収抑制処置として活性炭投与が有効であると報告されている

薬物動態

血中濃度　①単回投与：健康成人12例にカンデサルタン シレキセチル/アムロジピンとして8mg/5mg配合錠を単回投与時，血中には活性代謝物カンデサルタン，非活性代謝物M-Ⅱ及びアムロジピン未変化体が検出されるが，未変化体であるカンデサルタン シレキセチルは検出されない．カンデサルタン，M-II及びアムロジピンの薬物動態パラメータ(Cmax(ng/mL)，Tmax(h)，$AUC_{0-\infty}$(ng・h/mL)，$T_{1/2}$(h)の順)は，カンデサルタン投与群：78.9±29.6，4.8±0.8，1117.1±205.7，16.3±9.2，M-II投与群：10.3±3.3，8.3±3.1，346.3±103.1，19.2±7.5，アムロジピン投与群：3.5±0.7，4.9±0.3，120.3±28.5，37.3±6.3　②生物学的同等性：健康成人にカンデサルタン シレキセチル/アムロジピンとして8mg/5mg配合錠を投与し，各成分の併用投与と比較時，絶食下及び食後のいずれの投与条件下でも両成分とも生物学的に同等であることが確認されている　③血中カンデサルタン濃度測定値を用いたPopulation Pharmacokinetics(PPK)解析：カンデサルタン シレキセチルを投与した健康成人男子延べ168例，本態性高血圧症及び高齢本態性高血圧症患者延べ30例，腎障害を伴う高血圧症患者18例，肝障害を伴う高血圧症患者8例，計224例から得られた2，886時点の血中カンデサルタン濃度測定値を用い，性，年齢，体重，肝機能指標(AST，ALT)，腎機能指標(血清クレアチニン，BUN)，血中アルブミン値及び高血圧の有無とカンデサルタンのクリアランス，分布容積，相対的バイオアベイラビリティとの関連性を検討した結果，肝障害患者(AST値＞40又はALT値＞35)におけるクリアランスが45%低下することが推定されている　**吸収**　食事の影響：健康成人12例にカンデサルタン シレキセチル/アムロジピンとして8mg/5mg配合錠を食後投与時，活性代謝物カンデサルタンのCmaxは絶食下投与と比較して約2.1倍(絶食下：78.9ng/mL，食後：160.0ng/mL)に，AUCは約1.2倍(絶食下：1117.1ng・h/mL，食後：1286.7ng・h/mL)に上昇．アムロジピンのCmax及びAUCは変化を認めなかった　**代謝**　カンデサルタン シレキセチルはカルボキシルエステラーゼにより活性代謝物カンデサルタンに代謝され，さらに一部がCYP2C9により非活性代謝物M-Ⅱに代謝されるが，本態性高血圧症患者にカンデサルタン シレキセチルを投与時のM-Ⅱの血中濃度及び尿中排泄率はカンデサルタンの血中濃度及び尿中排泄率に比べ低く，CYP2C9の遺伝的多型によるカンデサルタンの血中濃度への影響は少ないと考えられる．また，カンデサルタンはCYP1A1，1A2，2A6，2B6，2C8，2C9-Arg，2C19，2D6，2E1，3A4の代謝活性を阻害しない(*in vitro*)．アムロジピンは主にCYP3A4により代謝され，尿中には未変化体のほかに9種の代謝物が認められている　**排泄**　健康成人12例にカンデサルタン シレキセチル/アムロジピンとして8mg/5mg配合錠を単回投与時，尿中には未変化体であるカンデサルタン シレキセチルは検出されず，活性代謝物であるカンデサルタン＋非活性代謝物M-Ⅱ及びアムロジピン未変化体が排出される．投与48時間までの累積尿中排泄率は尿中カンデサルタン＋非活性代謝物M-Ⅱ11.9%，アムロジピン未変化体4.8%

その他の管理的事項

投与期間制限　該当しない

保険給付上の注意　該当しない

資料

IF　ユニシア配合錠LD・HD　2017年7月改訂(第16版)

カンデサルタン　シレキセチル・ヒドロクロロチアジド錠
Candesartan Cilexetil and Hydrochlorothiazide Tablets

概要

薬効分類　214　血圧降下剤

分子式　［カンデサルタン　シレキセチル］$C_{33}H_{34}N_6O_6$　［ヒドロクロロチアジド］$C_7H_8ClN_3O_4S_2$

分子量　［カンデサルタン　シレキセチル］610.66　［ヒドロクロロチアジド］297.74

ステム　［カンデサルタン　シレキセチル］アンジオテンシンⅡ受容体拮抗薬：-sartan　［ヒドロクロロチアジド］チアジド系利尿薬：-tizide

原薬の規制区分　該当しない

原薬の外観・性状　［カンデサルタン　シレキセチル］白色の結晶又は結晶性の粉末である．酢酸(100)にやや溶けやすく，

メタノールにやや溶けにくく，エタノール(99.5)に溶けにくく，水にほとんど溶けない ［ヒドロクロロチアジド］白色の結晶又は結晶性の粉末で，においはなく，味は僅かに苦い．アセトンに溶けやすく，アセトニトリルにやや溶けにくく，水又はエタノール(95)に極めて溶けにくく，ジエチルエーテルにほとんど溶けない．水酸化ナトリウム試液に溶ける

原薬の吸湿性 ［カンデサルタン シレキセチル］25℃，93%RHの状態で7日間保存しても重量変化はなく，吸湿性は認められなかった ［ヒドロクロロチアジド］該当資料なし

原薬の融点・沸点・凝固点 ［カンデサルタン シレキセチル］融点：約163℃(分解) ［ヒドロクロロチアジド］融点：約267℃(分解)

原薬の酸塩基解離定数 ［カンデサルタン シレキセチル］$pKa_1=2.1$(ベンズイミダゾール環の-N＝基)，$pKa_2=4.6$(テトラゾール環の-NH-基) ［ヒドロクロロチアジド］pKa＝7.9，9.2

先発医薬品等

錠 エカード配合錠LD・HD(武田テバ薬品＝武田)

後発医薬品

錠

国際誕生年月 該当資料なし

海外での発売状況 (配合剤)米，英など

製剤

規制区分 **錠** ㊙

製剤の性状 **LD錠** ごくうすい黄色の素錠 **HD錠** ごくうすい紅色の素錠

有効期間又は使用期限 3年

貯法・保存条件 室温保存

薬剤取扱い上の留意点 降圧作用に基づくめまい，ふらつきが現れることがあるので，高所作業，自動車の運転等危険を伴う機械を操作する際には注意させること．手術前24時間は投与しないことが望ましい．夜間の休息が特に必要な患者には，夜間の排尿を避けるため，午前中に投与することが望ましい

患者向け資料等 患者向医薬品ガイド，くすりのしおり

溶液及び溶解時のpH 該当資料なし

浸透圧比 該当資料なし

安定なpH域 該当資料なし

調製時の注意 該当しない

薬理作用

分類 アンジオテンシンⅡ受容体拮抗薬・チアジド系利尿薬配合剤

作用部位・作用機序 各項目参照

同効薬 ロサルタンカリウム/ヒドロクロロチアジド配合錠，バルサルタン/ヒドロクロロチアジド配合錠，テルミサルタン/ヒドロクロロチアジド配合錠

治療

効能・効果 高血圧症

効能・効果に関連する使用上の注意 ①過度な血圧低下のおそれ等があり，本剤を高血圧治療の第一選択薬としない ②原則として，カンデサルタン シレキセチル4mgで効果不十分な場合にカンデサルタン シレキセチル/ヒドロクロロチアジド4mg/6.25mgの投与を，カンデサルタン シレキセチル8mg，又はカンデサルタン シレキセチル/ヒドロクロロチアジド4mg/6.25mgで効果不十分な場合にカンデサルタン シレキセチル/ヒドロクロロチアジド8mg/6.25mgの投与を検討する

用法・用量 1日1回1錠(カンデサルタン シレキセチル/ヒドロクロロチアジドとして4mg/6.25mg又は8mg/6.25mg)．高血圧治療の第一選択薬として用いない

禁忌・原則禁忌となる特定患者集団 妊婦又は妊娠している可能性のある女性

使用上の注意

禁忌 ①本剤の成分あるいは他のチアジド系薬剤又はその類似化合物(例えばクロルタリドン等のスルフォンアミド誘導体)に対する過敏症の既往歴のある患者 ②無尿の患者又は血液透析中の患者［ヒドロクロロチアジドの効果が期待できない］ ③急性腎不全の患者 ④体液中のナトリウム・カリウムが明らかに減少している患者［ヒドロクロロチアジドは低ナトリウム血症，低カリウム血症等の電解質失調を悪化させるおそれがある］ ⑤妊婦又は妊娠している可能性のある女性 ⑥アリスキレンフマル酸塩を投与中の糖尿病患者(ただし，他の降圧治療を行ってもなお血圧のコントロールが著しく不良の患者を除く) ⑦デスモプレシン酢酸塩水和物(男性における夜間多尿による夜間頻尿)を投与中の患者

カ

薬物動態

血中濃度 ①反復投与：本態性高血圧症患者に1日1回カンデサルタン シレキセチル/ヒドロクロロチアジドとして8mg/6.25mgを15日間反復投与時，血中には活性代謝物カンデサルタン，非活性代謝物M-Ⅱ及びヒドロクロロチアジドが検出されるが，未変化体であるカンデサルタン シレキセチルはほとんど検出されない．投与1日目及び15日目のカンデサルタン及びヒドロクロロチアジドの血中濃度の推移は，Cmax(ng/mL)，Tmax(h)，$AUC_{0\text{-}24h}$(ng・h/mL)，$T_{1/2}$(h)の順([ ]内は15日目)に，カンデサルタン：131.4±47.2[142.9±63.5]，4.0±1.2[3.8±0.7]，1186.9±425.8[1390.4±631.0]，5.6±0.9[6.9±1.5]，M-II：18.3±7.2[28.0±14.5]，6.6±2.8[5.1±2.1]，294.4±120.7[478.4±245.0]，17.6±7.3[15.7±4.2]，ヒドロクロロチアジド：62.3±16.4[61.0±14.6]，1.8±0.7[2.0±0.5]，338.6±96.1[377.4±119.7]，6.0±3.1[7.9±3.9](n=8) ②血中カンデサルタン濃度測定値を用いたPopulation Pharmacokinetics(PPK)解析：カンデサルタン シレキセチルを投与した健康成人男子延べ168例，本態性高血圧症及び高齢本態性高血圧症患者延べ30例，腎障害を伴う高血圧症患者18例，肝障害を伴う高血圧症患者8例，計224例から得られた2，886時点の血中カンデサルタン濃度測定値を用い，性，年齢，体重，肝機能指標(AST，ALT)，腎機能指標(血清クレアチニン，BUN)，血中アルブミン値及び高血圧の有無とカンデサルタンのクリアランス，分布容積，相対的バイオアベイラビリティとの関連性を検討した結果，肝障害患者(AST値＞40又はALT値＞35)におけるクリアランスが45%低下することが推定されている **吸収** 健康成人(12例)にカンデサルタン シレキセチル/ヒドロクロロチアジドとして8mg/6.25mgを食後投与時，絶食下投与と比較してCmaxは活性代謝物カンデサルタンでは上昇し，ヒドロクロロチアジドでは低下したが，AUCは活性代謝物カンデサルタンでは差はなく，ヒドロクロロチアジドでは17.6%の低下であり，臨床的に問題となるものではないと考えられる **分布** [^{14}C]カンデサルタンをヒトの血清，4%ヒト血清アルブミン溶液に添加時の蛋白結合率は，ともに99%以上(*in vitro*)．ヒドロクロロチアジドのヒト血清蛋白結合率は20.8～24.0%(*in vitro*) **代謝** カンデサルタン シレキセチルはカルボキシルエステラーゼにより活性代謝物カンデサルタンに代謝され，さらに一部がCYP2C9により非活性代謝物M-Ⅱに代謝されるが，本態性高血圧症患者にカンデサルタン シレキセチルを投与時のM-Ⅱの血中濃度及び尿中排泄率はカンデサルタンの血中濃度及び尿中排泄率に比べ低く，CYP2C9の遺伝的多型によるカンデサルタンの血中濃度への影響は少ないと考えられる．また，カンデサルタンはCYP1A1，1A2，2A6，2B6，2C8，2C9-Arg，2C19，2D6，2E1，3A4の代謝活性を阻害しない(*in vitro*) **排泄** 本態性高血圧症患者10例に1日1回カンデサルタン シレキセチル/ヒドロクロロチアジドとして8mg/6.25mgを15日間反復投与時，尿中には未変化体であるカンデサルタン シレキセチルは検出されず，活性代謝物カンデサルタン，非活性代謝物M-Ⅱ及びヒドロクロロチアジドが排泄される．投与24時間までの尿中カンデサルタン＋M-Ⅱ及びヒドロクロロチアジド未変化体の累積尿中排泄率はカンデサルタン＋M-Ⅱが投与1日目12.3%，15日目15.8%，ヒドロクロロチアジド未変化体が投与1日目71.1%，15日目

80.4%

その他の管理的事項

投与期間制限 該当しない

保険給付上の注意 該当しない

資料

IF エカード配合錠LD・HD 2017年6月改訂(第9版)

含糖ペプシン
Saccharated Pepsin

概要

薬効分類 233 健胃消化剤

原薬の規制区分 該当しない

原薬の外観・性状 白色の粉末で，特異なにおいがあり，味は僅かに甘い．水に僅かに混濁して溶け，エタノール(95)又はジエチルエーテルに溶けない

原薬の吸湿性 やや吸湿性である

d−カンフル
d-Camphor

別名：樟脳

概要

構造式

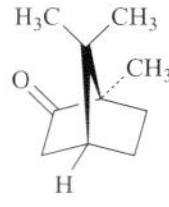

分子式 $C_{10}H_{16}O$

分子量 152.23

原薬の規制区分 該当しない

原薬の外観・性状 無色又は白色半透明の結晶，結晶性の粉末又は塊で，特異な芳香があり，味は僅かに苦く，清涼味がある．エタノール(95)，ジエチルエーテル又は二硫化炭素に溶けやすく，水に溶けにくい．室温で徐々に揮散する

原薬の融点・沸点・凝固点 融点：177〜182℃

製剤

貯法・保存条件 気密容器

治療

効能・効果[†] 次の疾患における局所刺激，血行の改善，消炎，鎮痛，鎮痒：筋肉痛，挫傷，打撲，捻挫，凍傷(第1度)，凍瘡，皮膚そう痒症

dl−カンフル
dl-Camphor

概要

薬効分類 264 鎮痛，鎮痒，収斂，消炎剤

構造式

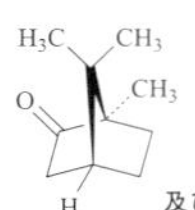

分子式 $C_{10}H_{16}O$

分子量 152.23

原薬の規制区分 該当しない

原薬の外観・性状 無色又は白色半透明の結晶，結晶性の粉末又は塊で，特異な芳香があり，味は僅かに苦く，清涼味がある．エタノール(95)，ジエチルエーテル又は二硫化炭素に溶けやすく，水に溶けにくい．室温で徐々に揮散する

原薬の融点・沸点・凝固点 融点：175〜180℃

製剤

製剤の性状 **外用末** 無色又は白色半透明の結晶，結晶性の粉末又は塊で，特異な芳香があり，味は僅かに苦く，清涼味がある **外用液** 澄明の液で，カンフルの香気がある

貯法・保存条件 気密容器

薬剤取扱い上の留意点 ①湿潤面への使用を避ける ②眼又は眼の周囲には使用しない(液剤，軟膏剤，リニメント剤として)

薬理作用

分類 鎮痛，鎮痒，消炎剤

作用部位・作用機序 健康な皮膚を刺激して軽い炎症を起こすことにより，反射的に局所の血管を拡張させる．したがって栄養状態の悪い皮膚，局所の疾患の治療を促進する．皮膚・粘膜から吸収される

治療

効能・効果 次の疾患における局所刺激，血行の改善，消炎，鎮痛，鎮痒：筋肉痛，挫傷，打撲，捻挫，凍傷(第1度)，凍瘡，皮膚そう痒症

用法・用量 **外用末** 1〜10%の軟膏，10%のアルコール溶液，10〜20%の植物油溶液又は2〜4.5%の石ケンカンフルリニメントとして患部に適量を塗布あるいは塗擦

精 **チンキ** 患部に適量を塗布あるいは塗擦

資料

添付文書 「純生」*dl*-カンフル 2012年4月作成(第1版)

肝油
Cod Liver Oil

概要

原薬の規制区分 該当しない

原薬の外観・性状 黄色〜橙色の油液で，僅かに魚臭を帯びた特異なにおいがあり，味は緩和である．クロロホルムと混和する．エタノール(95)に溶けにくく，水にほとんど溶けない．空気又は光によって分解する

カンレノ酸カリウム
Potassium Canrenoate

概要

薬効分類 213 利尿剤

構造式

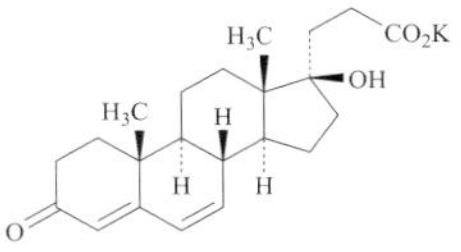

分子式 $C_{22}H_{29}KO_4$

分子量 396.56

原薬の規制区分 ㊍

原薬の外観・性状 微黄白色〜微黄褐色の結晶性の粉末である．水に溶けやすく，メタノールにやや溶けやすく，エタノール(95)にやや溶けにくく，クロロホルム又はジエチルエーテルにほとんど溶けない．1.0gを水20mLに溶かした液のpHは8.4〜9.4である

原薬の吸湿性 臨界相対湿度は30℃で70%RH近辺と推定されている

原薬の融点・沸点・凝固点 融点：280℃付近で分解する

原薬の酸塩基解離定数 pKa＝5.2(25℃，溶解度法)

先発医薬品等

注射用 ソルダクトン静注用100mg・200mg(ファイザー)

後発医薬品

注射用 100mg・200mg

国際誕生年月 1967年9月

海外での発売状況 仏など

製剤

規制区分 **注射用** ㊍ ㊈

製剤の性状 **注射用** 微黄色〜淡黄色の塊

有効期間又は使用期限 3年

貯法・保存条件 室温保存．光により徐々に着色することがあるので，外箱開封後遮光保存

溶液及び溶解時のpH 9〜10

浸透圧比 約0.2(100mg/注射用水10mL，200mg/注射用水20mL)(対生食)，約1.2(100mg/5%ブドウ糖注射液10mL，100mg/生食10mL，200mg/5%ブドウ糖注射液20mL，200mg/生食20mL)(対生食)

調製時の注意 用時調製する．調製後，長時間放置すると沈澱が析出することがあるので，溶解後は速やかに使用する．pH等の変化により配合変化が起こりやすいので，他の薬剤との配合に際しては注意すること

薬理作用

分類 抗アルドストロン剤

作用部位・作用機序 腎遠位尿細管のナトリウム-カリウム交換部位においてアルドステロンに拮抗することにより，ナトリウム及び水の排泄を促進し，体内のカリウムを保持する

同効薬 利尿薬(フロセミド，トリクロルメチアジド，スピロノラクトンなど)

治療

効能・効果 経口抗アルドステロン薬の服用困難な次の症状(高アルドステロン症によると考えられる)の改善：原発性アルドステロン症，心性浮腫(うっ血性心不全)，肝性浮腫，開心術及び開腹術時における水分・電解質代謝異常

効能・効果に関連する使用上の注意 適用対象は，経口抗アルドステロン薬の服用が困難で，高アルドステロン症によると考えられる症状であり，投与に際しては，特に適応，症状を考慮し，他の治療法によって十分に治療効果が期待できない場合にのみ本剤の投与を考慮する

用法・用量 1回100〜200mgを1日1〜2回，ブドウ糖注射液，生理食塩液又は注射用水10〜20mLに溶解して，ゆっくり静注(適宜増減)．1日投与量として600mgを超えない．投与期間は原則として2週間を超えない．注射液調製法は添付文書参照

用法・用量に関連する使用上の注意 経口抗アルドステロン薬の服用が可能になった場合及び所期の効果が認められない場合には速やかに中止する．なお，投与期間は，原則として2週間までとし，漫然と長期にわたって投与しないよう留意する

使用上の注意

禁忌 ①無尿又は腎不全の患者［腎機能をさらに悪化させるおそれがある．また，腎からのカリウム排泄が低下しているため，高カリウム血症を誘発又は増悪させるおそれがある］ ②腎機能の進行性悪化状態の患者［腎からのカリウム排泄が低下しているため，高カリウム血症を誘発又は増悪させるおそれがある］ ③高カリウム血症の患者［高カリウム血症を増悪させるおそれがある］ ④エプレレノン又はタクロリムスを投与中の患者 ⑤アジソン病の患者［アジソン病ではアルドステロン分泌低下により，カリウム排泄障害をきたしているので，高カリウム血症となるおそれがある］ ⑥本剤に対し過敏症の既往歴のある患者 ⑦てんかん等の痙攣性素因のある患者［動物試験で，痙攣誘発及び異常脳波が報告されている］

薬物動態

代謝 参考：健常成人(男子，外国人)に^{3}H-カンレノ酸カリウムを静注し，代謝物を検討したところ，主な血漿中代謝物はカンレノ酸及びカンレノン，尿中には他にカンレノ酸のグルクロン酸抱合体 **血漿中からの消失半減期** 健常成人(男子)に静注したところ主代謝物のカンレノ酸及びカンレノンの和の血漿中からの消失半減期は分布相0.84時間，排泄相9.22時間 **排泄** 参考：健常成人(男子，外国人)に^{3}H-カンレノ酸カリウムを静注したところ，5日以内に尿中に約47%，糞中に約14%

その他の管理的事項

投与期間制限 該当しない

保険給付上の注意 該当しない

資料

IF ソルダクトン静注用100mg・200mg 2018年8月改訂(第8版)

キシリトール
キシリトール注射液
Xylitol

別名：キシリット

概要

薬効分類 323 糖類剤

構造式

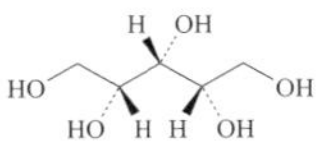

分子式 $C_5H_{12}O_5$

分子量 152.15

ステム 該当しない

原薬の規制区分 該当しない

原薬の外観・性状 白色の結晶又は粉末で，においはなく，味は甘い．水に極めて溶けやすく，エタノール(95)に溶けにくい．5.0gを新たに煮沸して冷却した水10mLに溶かした液のpHは5.0〜7.0である

原薬の吸湿性 吸湿性である

原薬の融点・沸点・凝固点 融点：93.0～95.0℃
原薬の酸塩基解離定数 該当資料なし
先発医薬品等
注 キシリトール注「ヒカリ」5%（光）
キシリトール注5%・10%・20%「フソー」（扶桑）
キシリトール注20%「NP」（ニプロ）
キシリトール注20%（大塚工場＝大塚製薬）
キシリトール注射液20%「トーワ」（東和薬品）
キリット注5%（大塚工場＝大塚製薬）
後発医薬品
キット 20%
国際誕生年月 不明
海外での発売状況 該当しない

製剤
規制区分 **注** ㊈
製剤の性状 **注** 無色澄明の注射液
有効期間又は使用期限 **注** 2年（300mLソフトバッグ入り），3年（500mLソフトバッグ入り，20mLプラスチックアンプル入り）
貯法・保存条件 室温保存
溶液及び溶解時のpH 4.5～7.5
浸透圧比 **5%注** 約1（対生食） **20%注** 約5（対生食）
調製時の注意 該当しない

薬理作用
分類 五炭糖アルコール
作用部位・作用機序 作用部位：全身 作用機序：インスリンの影響を受けず細胞内に入り，ブドウ糖や果糖等の六炭糖同様にエネルギー源となる
同効薬 果糖製剤，マルトース製剤

治療
効能・効果 糖尿病及び糖尿病状態時の水・エネルギー補給
用法・用量 1日2～50g，1～数回に分けて静注又は点滴静注（適宜増減）．1日量100gまで．点滴静注時の速度は0.3g/kg/hr以下

使用上の注意
禁忌 低張性脱水症の患者［本症はナトリウムの欠乏により血清の浸透圧が低張になることによって起こる．このような患者に本剤を投与すると，水分量を増加させることになり，症状が悪化するおそれがある］

薬物動態
参考：体内で酵素的に酸化され，D-xyluloseあるいはL-xyluloseとなる．D-xyluloseはリン酸化されD-xylulose 5-phosphateとして五炭糖リン酸回路に入る．また，D-xylulose 5-phosphateはfructose 6-phosphateあるいはglyceraldehyde 3-phosphateとして解糖系へ入る．一方，L-xyluloseは3-keto-L-gulonateとなり，ウロン酸回路に入る

その他の管理的事項
投与期間制限 該当しない
保険給付上の注意 該当しない

資料
IF キリット注5%・キシリトール注20% 2011年4月改訂（第6版）

キタサマイシン
Kitasamycin

概要
薬効分類 614 主としてグラム陽性菌，マイコプラズマに作用するもの
構造式

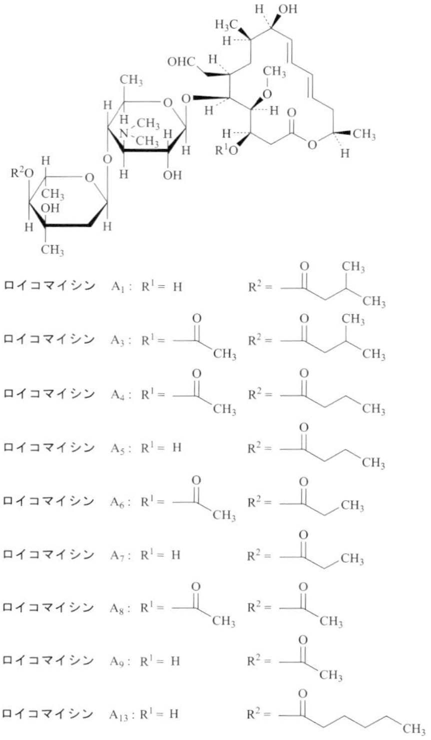

ロイコマイシン A_1：R^1 = H
ロイコマイシン A_3
ロイコマイシン A_4
ロイコマイシン A_5：R^1 = H
ロイコマイシン A_6
ロイコマイシン A_7：R^1 = H
ロイコマイシン A_8
ロイコマイシン A_9：R^1 = H
ロイコマイシン A_{13}：R^1 = H

原薬の規制区分 該当しない
原薬の外観・性状 白色～淡黄白色の粉末である．アセトニトリル，メタノール又はエタノール(95)に極めて溶けやすく，水にほとんど溶けない

キタサマイシン酢酸エステル
Kitasamycin Acetate

概要
薬効分類　239　その他の消化器官用薬
構造式

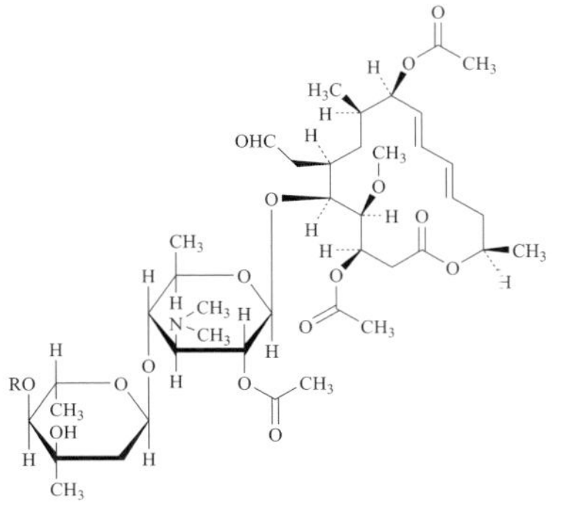

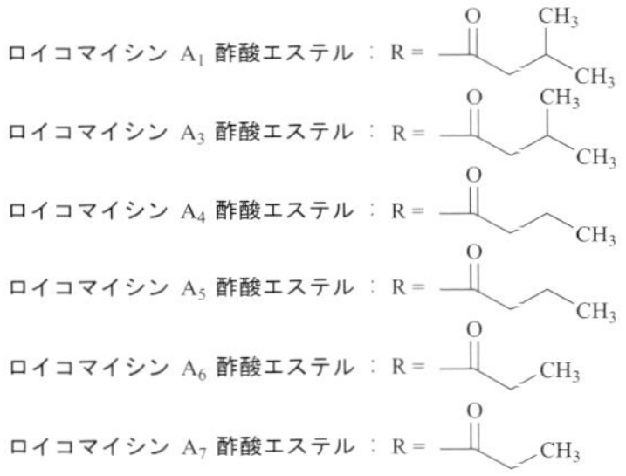

ロイコマイシン A_1 酢酸エステル：R =
ロイコマイシン A_3 酢酸エステル：R =
ロイコマイシン A_4 酢酸エステル：R =
ロイコマイシン A_5 酢酸エステル：R =
ロイコマイシン A_6 酢酸エステル：R =
ロイコマイシン A_7 酢酸エステル：R =

原薬の規制区分　㊜
原薬の外観・性状　白色～淡黄白色の粉末である．メタノール又はエタノール(95)に極めて溶けやすく，水にほとんど溶けない

キタサマイシン酒石酸塩
Kitasamycin Tartrate

概要
薬効分類　614　主としてグラム陽性菌，マイコプラズマに作用するもの
構造式

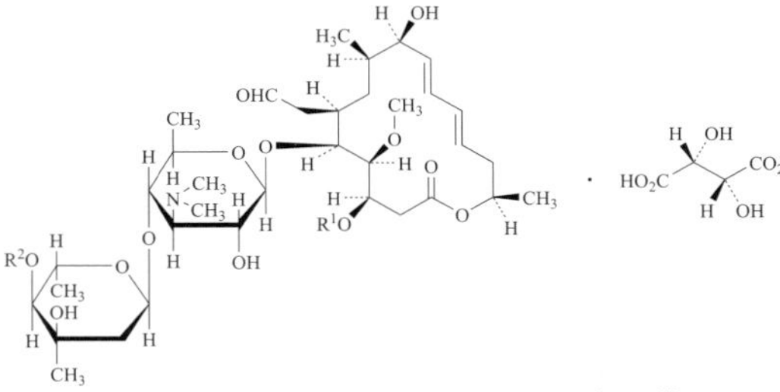

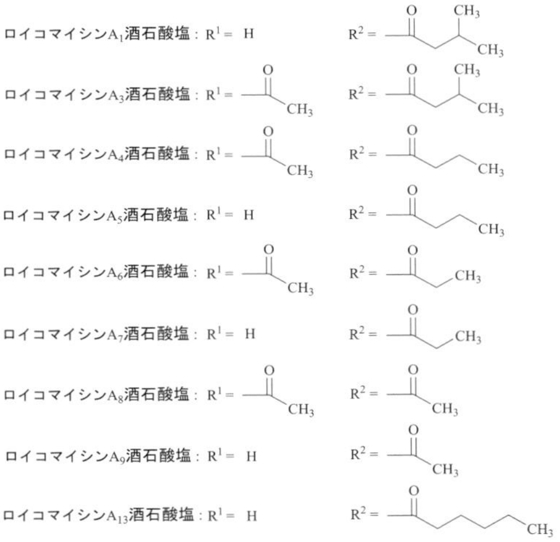

ロイコマイシンA_1酒石酸塩：R^1 = H　R^2 =
ロイコマイシンA_3酒石酸塩：R^1 =　R^2 =
ロイコマイシンA_4酒石酸塩：R^1 =　R^2 =
ロイコマイシンA_5酒石酸塩：R^1 = H　R^2 =
ロイコマイシンA_6酒石酸塩：R^1 =　R^2 =
ロイコマイシンA_7酒石酸塩：R^1 = H　R^2 =
ロイコマイシンA_8酒石酸塩：R^1 =　R^2 =
ロイコマイシンA_9酒石酸塩：R^1 = H　R^2 =
ロイコマイシンA_{13}酒石酸塩：R^1 = H　R^2 =

原薬の規制区分　該当しない
原薬の外観・性状　白色～淡黄白色の粉末である．水，メタノール又はエタノール(99.5)に極めて溶けやすい．3.0gを水100mLに溶かした液のpHは3.0～5.0である

キナプリル塩酸塩
キナプリル塩酸塩錠
Quinapril Hydrochloride

概要
薬効分類　214　血圧降下剤
構造式

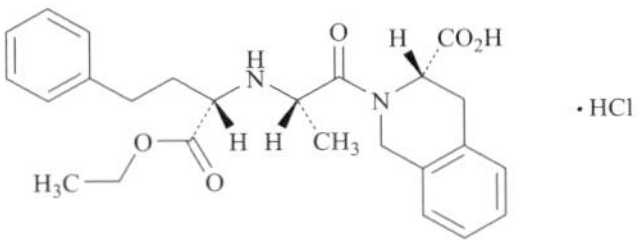

分子式　$C_{25}H_{30}N_2O_5 \cdot HCl$
分子量　474.98
ステム　アンジオテンシン変換酵素(ACE)阻害薬：-pril
原薬の規制区分　㊜(ただし，1錠中キナプリルとして20mg以下を含有するものを除く)

原薬の外観・性状　白色の粉末である．メタノールに極めて溶けやすく，水又はエタノール(99.5)に溶けやすく，酢酸(100)にやや溶けやすい．潮解性である

原薬の吸湿性　室温で各種相対湿度下に8日間保存して経時的に吸湿性を検討した結果，相対湿度33%では重量増加はほとんど認められなかったが，相対湿度の増加につれて吸湿率も増加し，75%RH以上では吸湿による湿潤，液化(潮解)及び着色が認められた

原薬の融点・沸点・凝固点　融点：100～137℃(100℃付近で融解が始まり，137℃付近で透明となった)

原薬の酸塩基解離定数　pKa_1＝2.9(カルボキシル基，滴定法)，pKa_2＝5.3(第二アミノ基，滴定法)

先発医薬品等

錠　コナン錠5mg・10mg・20mg(田辺三菱)

国際誕生年月　1989年3月

海外での発売状況　米，英，仏，独など

製剤

規制区分　**錠**　㊄

製剤の性状　**錠**　淡赤褐色のフィルムコーティング錠(割線入り)

有効期間又は使用期限　3年

貯法・保存条件　防湿・室温保存

薬剤取扱い上の留意点　降圧作用に基づくめまい，ふらつきが現れることがあるので，高所作業・自動車の運転等危険を伴う機械を操作する際には注意させること．手術前24時間は投与しないことが望ましい．インスリン又は経口血糖降下剤の投与中にアンジオテンシン変換酵素阻害剤を投与することにより，低血糖が起こりやすいとの報告がある

患者向け資料等　患者向医薬品ガイド，くすりのしおり

溶液及び溶解時のpH　該当しない

浸透圧比　該当しない

安定なpH域　該当しない

調製時の注意　該当しない

薬理作用

分類　アンジオテンシン変換酵素(ACE)阻害薬

作用部位・作用機序　経口投与後消化管より吸収され，活性代謝物であるキナプリラートに変換され，血中・血管壁等に存在するアンジオテンシン変換酵素(ACE)を強力かつ持続的に阻害する．そしてアンジオテンシンⅡ産生阻害による昇圧系の抑制と，ブラジキニン不活性化阻害による降圧系の増強を介して降圧作用を示す．なお，本剤の降圧作用は，血漿よりも大動脈などの組織ACE阻害作用とより相関することがわかっている

同効薬　カプトプリル，エナラプリルマレイン酸塩，イミダプリル塩酸塩，ベナゼプリル塩酸塩，アラセプリルなど

治療

効能・効果　高血圧症

用法・用量　1日1回キナプリルとして5～20mg(適宜増減)．ただし，重症高血圧症又は腎障害を伴う高血圧症の患者では5mgから開始することが望ましい

用法・用量に関連する使用上の注意　重篤な腎機能障害のある患者(クレアチニンクリアランスが30mL/分以下，又は血清クレアチニン値が3mg/dLを超える場合)では，本剤は腎排泄性であり，また腎機能を低下させることがあるので低用量(たとえば2.5mg)から開始するか，もしくは投与間隔を延ばす等，経過を十分に観察しながら慎重に投与する

禁忌・原則禁忌となる特定患者集団　妊婦・妊娠している可能性のある婦人

使用上の注意

禁忌　①本剤の成分に対し過敏症の既往歴のある患者　②血管浮腫の既往歴のある患者(アンジオテンシン変換酵素阻害剤等の薬剤による血管浮腫，遺伝性血管浮腫，後天性血管浮腫，特発性血管浮腫等)［高度の呼吸困難を伴う血管浮腫を発現することがある］　③デキストラン硫酸固定化セルロース，トリプトファン固定化ポリビニルアルコール又はポリエチレンテレフタレートを用いた吸着器によるアフェレーシスを施行中の患者［ショックを起こすことがある］　④アクリロニトリルメタリルスルホン酸ナトリウム膜(AN69)を用いた血液透析施行中の患者［アナフィラキシーを発現することがある］　⑤妊婦又は妊娠している可能性のある婦人　⑥アリスキレンフマル酸塩を投与中の糖尿病患者(ただし，他の降圧治療を行ってもなお血圧のコントロールが著しく不良の患者を除く)［非致死性脳卒中，腎機能障害，高カリウム血症及び低血圧のリスク増加が報告されている］

薬物動態

血中濃度　①健康成人に5～20mgを1回経口投与時の活性キナプリラートの血漿中濃度は投与後1.3～1.6時間で最高，以後2相性の消失を示し，消失半減期は18.8～22.5時間．健康成人(6人)，5～20mg単回投与時のパラメータ[5，10(2回の試験をプールして示した)，20mgの順]はTmax(hr)1.5±0.5，1.6±0.9，1.3±0.5，Cmax(ng/mL)113.2±41.5，241.5±55.7，530±98，$T_{1/2}$(hr)22.5±3.0，20.8±5.3，18.8±3.2，AUC(ng・hr/mL)527.8±102.7，1006.9±103.4，2064.0±373.0　②健康成人に1回10mgを経口反復投与時，投与1日目と7日目の血漿中濃度推移はほぼ等しく，薬物動態の変化及び蓄積性は認められなかった　③腎機能障害がある高血圧症患者では，障害の程度(血清クレアチニン値)に伴ってキナプリラートの最高血漿中濃度(Cmax)及び血漿中濃度時間曲線下面積(AUC)が増大し，AUCとクレアチニンクリアランスの逆数との間に有意な正相関　④参考(外国人)：非高齢者に比べ高齢者ではキナプリラートのCmaxに差はないが，最高血漿中濃度到達時間が遅延し，AUCが大きく，消失速度定数は小さかった．この違いは，高齢者ではキナプリラートへの加水分解速度及び消失速度が減少するためと考えられた　⑤参考(外国人)：肝障害者ではキナプリルからキナプリラートへの加水分解速度が減少し，キナプリラートの血漿中濃度が低下したが，キナプリラートの消失速度に変化はなかった　**代謝**　主代謝経路は，脱エチル化による活性代謝物キナプリラートを生成する経路．また，閉環反応による経路も認められた　**排泄**　健康成人に，5～20mgを1回経口投与時48時間までの尿中にはキナプリル，キナプリラートがそれぞれ投与量の3.8～6%，30.5～40.4%排泄　**蛋白結合率(参考：外国人)**　97～97.7%(キナプリル，*in vitro*)，96.6～97%(キナプリラート，*in vitro*)　**腹膜透析，血液透析(参考：外国人)**　キナプリル，キナプリラートの排泄にほとんど影響しない

その他の管理的事項

投与期間制限　該当しない

保険給付上の注意　該当しない

資料

IF　コナン錠5mg・10mg・20mg　2017年10月改訂(第11版)

キニジン硫酸塩水和物
Quinidine Sulfate Hydrate

概要

薬効分類　212　不整脈用剤

構造式

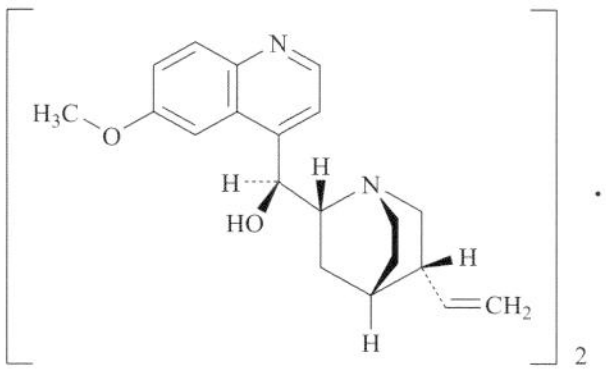

分子式　$(C_{20}H_{24}N_2O_2)_2 \cdot H_2SO_4 \cdot 2H_2O$

分子量　782.94

ステム　アルカロイド及び有機塩基：-ine

原薬の規制区分　該当しない

原薬の外観・性状　白色の結晶で，においはなく，味は極めて苦い．エタノール(95)又は熱湯に溶けやすく，水にやや溶けにくく，ジエチルエーテルにほとんど溶けない．また，本品の乾燥物はクロロホルムに溶けやすい．光によって徐々に暗色となる．1.0gを新たに煮沸して冷却した水100mLに溶かした液のpHは6.0〜7.0である

原薬の吸湿性　該当資料なし

原薬の酸塩基解離定数　該当資料なし

先発医薬品等

末　キニジン硫酸塩「ファイザー」原末(マイラン＝ファイザー)

錠　キニジン硫酸塩錠100mg「ファイザー」(マイラン＝ファイザー)

国際誕生年月　不明

海外での発売状況　該当資料なし

製剤

規制区分　末　錠　㊕

製剤の性状　末　白色の結晶で，においはなく，味は極めて苦い

錠　白色の素錠

貯法・保存条件　遮光・室温保存

患者向け資料等　くすりのしおり

溶液及び溶解時のpH　該当しない

浸透圧比　該当しない

安定なpH域　該当しない

調製時の注意　該当しない

薬理作用

分類　Naチャネル遮断薬

作用部位・作用機序　Na^+チャネルを遮断し，細胞内へのNa^+の流入を抑制することにより，心房筋，心室筋，プルキンエ線維における活動電位第0相の立上がりを抑制して，刺激伝導を遅延させる．また活動電位持続時間と有効不応期を延長し，心筋の自動性を低下させ，かつ刺激に対する閾値を上昇させることで，異所性自動能に基づく不整脈の発生を抑制する．迷走神経遮断作用があり，このため心拍数を増加させるが，この作用は上記の諸作用に比べて非常に弱い

同効薬　塩酸プロカインアミド，ジソピラミド，アジマリンなど

治療

効能・効果　①期外収縮(上室性，心室性)，発作性頻拍(上室性，心室性)，新鮮心房細動，発作性心房細動の予防，陳旧性心房細動，心房粗動　②電気ショック療法との併用及びその後の洞調律の維持　③急性心筋梗塞時における心室性不整脈の予防

用法・用量　経口的に投与するが，著明な副作用を有するので，原則として入院させて用いる．投与法は心房細動の除去を目的とする場合を標準とし，漸増法と大量投与法に大別できる．その他の不整脈には，原則として少量持続投与でよく，この場合には外来で投与してもよい：①試験投与：治療に先だち，1回量0.1〜0.2gを経口投与し，副作用が現れたときは中止する．副作用を調べる際には血圧測定と心電図記録を行う必要がある　②漸増法：成人における慢性心房細動には，たとえば1回量0.2gを最初1日3回(6〜8時間おき)に投与し，効果がない場合は，2日目ごとに1回量を0.4，0.6gのように増すか，投与回数を1〜2日目ごとに4，5，6回のように増す．不整脈除去効果が得られたら，そこで維持量投与に切り換え，あるいは中止する．6日間投与して効果がない場合，途中で副作用が現れた場合には中止する．昼間のみ与えるのが原則である　③大量投与：初めから大量を与え，投与期間の短縮をはかるもので，成人における慢性心房細動には，たとえば1回量0.4gを1日5回，3日間与え，効果がない場合には中止する．効果が得られた場合の維持投与は漸増法と同様である．わが国では漸増法でよいとする報告が多い　④維持量投与：1日量0.2〜0.6g，1〜3回に分服するが，個人差が大きい(適宜増減)．電気ショック療法との併用及びその後の洞調律の維持に対する用量もこれに準ずる

使用上の注意

禁忌　①刺激伝導障害(房室ブロック，洞房ブロック，脚ブロック等)のある患者［失神発作あるいは突然死を起こすおそれがある］　②重篤なうっ血性心不全のある患者［本疾患を悪化させるおそれがある］　③高カリウム血症のある患者［心疾患を悪化させるおそれがある］　④本剤に過敏症の既往歴のある患者　⑤アミオダロン塩酸塩(注射)，バルデナフィル塩酸塩水和物，トレミフェンクエン酸塩，キヌプリスチン・ダルホプリスチン，ボリコナゾール，サキナビルメシル酸塩，ネルフィナビルメシル酸塩，リトナビル，モキシフロキサシン塩酸塩，イトラコナゾール，フルコナゾール，ホスフルコナゾール，ミコナゾール，メフロキン塩酸塩を投与中の患者

過量投与　①症状：高度伝導障害・心停止・心室細動等の致死性の不整脈，低血圧が現れることがある　②処置：催吐又は胃洗浄を行い，症状に応じて適切な処置を行う

その他の管理的事項

投与期間制限　該当しない

保険給付上の注意　該当しない

資料

IF　キニジン硫酸塩原末・錠100mg「ファイザー」　2019年7月改訂(第8版)

キニーネエチル炭酸エステル
Quinine Ethyl Carbonate

概要

構造式

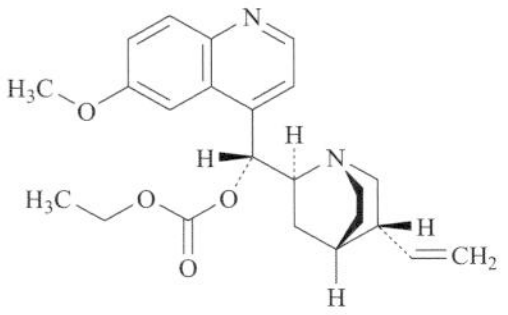

分子式　$C_{23}H_{28}N_2O_4$

分子量　396.48

原薬の規制区分　該当しない

原薬の外観・性状　白色の結晶で，においはなく，味は初めないが，徐々に苦くなる．メタノールに極めて溶けやすく，エタノール(95)又はエタノール(99.5)に溶けやすく，ジエチル

エーテルにやや溶けやすく，水にほとんど溶けない．希塩酸に溶ける

原薬の融点・沸点・凝固点　融点：91～95℃

キニーネ塩酸塩水和物
Quinine Hydrochloride Hydrate

概要

薬効分類　641　抗原虫剤

構造式

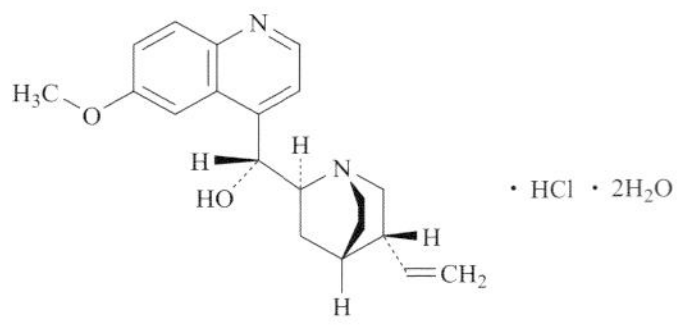

分子式　$C_{20}H_{24}N_2O_2$・HCl・$2H_2O$

分子量　396.91

原薬の規制区分　該当しない

原薬の外観・性状　白色の結晶で，においはなく，味は極めて苦い．エタノール(99.5)に極めて溶けやすく，酢酸(100)，無水酢酸又はエタノール(95)に溶けやすく，水にやや溶けやすく，ジエチルエーテルにほとんど溶けない．また，本品の乾燥物はクロロホルムに溶けやすい．光によって徐々に褐色になる．1.0gを新たに煮沸して冷却した水100mLに溶かした液のpHは6.0～7.0である

原薬の吸湿性　該当資料なし

原薬の酸塩基解離定数　該当資料なし

海外での発売状況　該当資料なし

製剤

規制区分　[末]　[処]

製剤の性状　[末] 白色の粉末で，においはなく，味は極めて苦い

有効期間又は使用期限　5年

貯法・保存条件　遮光した密閉容器に保存

薬剤取扱い上の留意点　特になし

溶液及び溶解時のpH　該当しない

浸透圧比　該当しない

安定なpH域　該当しない

調製時の注意　該当資料なし

薬理作用

分類　抗マラリア・キナアルカロイド

作用部位・作用機序　キニーネは原形質毒でジヒドロキニーネとともにキナアルカロイド中，抗マラリア作用が最も強く，ことに三日熱に対して効果が著しい．しかしその無性生殖体schizontを撲滅するが有性生殖体gameteには全く効果がなく，胞子体又は前赤芽球内発育期の組織型には致死作用がないので，予防効果はない．すなわちPlasmodiumが血液中に遊離して存在するときには最も作用しやすく，したがってPlasmodiumが血球を遊離してその幼胞を血液中に注ぐときをねらってキニーネを作用させるのが最も有効である

治療

効能・効果　マラリア

用法・用量　1回0.5g，1日3回

禁忌・原則禁忌となる特定患者集団　妊婦又は妊娠している可能性のある婦人

使用上の注意

禁忌　①アステミゾールを投与中の患者　②妊婦又は妊娠している可能性のある婦人　③キニーネに対し過敏症の既往歴のある患者

過量投与　①徴候，症状：成人で2～8gの投与による死亡例が知られている．中毒症状として副作用が用量依存的に生じる．他に昏睡，痙攣，房室伝導障害，不整脈，呼吸抑制が現れることがある　②処置：催吐又は胃洗浄を行い，症状に応じて適切な処置を行う．本剤は透析ではほとんど除去されず，強制利尿，尿の酸性化もほとんど効果はみられない

その他の管理的事項

投与期間制限　該当しない

保険給付上の注意　該当しない

資料

IF　塩酸キニーネ「ホエイ」 2013年1月改訂(第5版)

キニーネ硫酸塩水和物
Quinine Sulfate Hydrate

概要

構造式

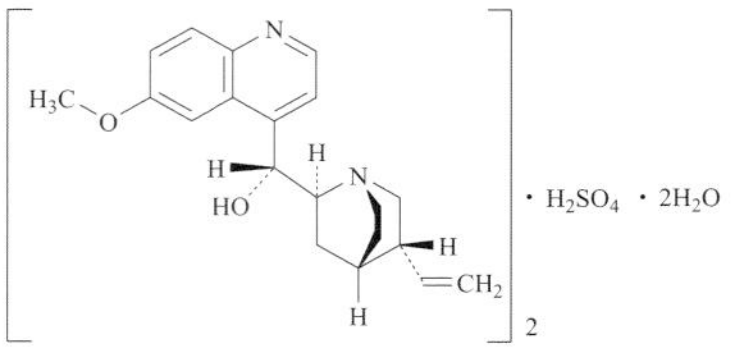

分子式　$(C_{20}H_{24}N_2O_2)_2$・H_2SO_4・$2H_2O$

分子量　782.94

原薬の規制区分　該当しない

原薬の外観・性状　白色の結晶又は結晶性の粉末で，においはなく，味は極めて苦い．酢酸(100)に溶けやすく，水，エタノール(95)，エタノール(99.5)又はクロロホルムに溶けにくく，ジエチルエーテルにほとんど溶けない．光によって徐々に褐色となる．2.0gに新たに煮沸して冷却した水20mLを加えて振り混ぜ，ろ過した液のpHは5.5～7.0である

乾燥組織培養不活化狂犬病ワクチン
Freeze-dried Inactivated Tissue Culture Rabies Vaccine

概要

薬効分類　631　ワクチン類

分子式　該当しない

略語・慣用名　慣用名・別名：狂犬病ワクチン

ステム　該当しない

原薬の規制区分　[劇]

原薬の外観・性状　溶剤を加えるとき，無色又は淡黄赤色の澄明な液となる

原薬の吸湿性　該当しない

原薬の酸塩基解離定数　該当資料なし

先発医薬品等

[注射用] 組織培養不活化狂犬病ワクチン(KMバイオロジクス＝MeijiSeika)
ラビピュール筋注用(GSK)

国際誕生年月　[ラビピュール] 1984年12月

海外での発売状況　発売されていない

製剤

規制区分　[注射用]　[生物] [劇] [処]

製剤の性状　[注射用] 白色又は微黄白色の乾燥製剤である．添

付の溶剤を加えると，無色又は淡黄赤色の澄明又は僅かに白濁した液剤となる
有効期間又は使用期限　**KMバイオロジクス** 検定合格日から3年　**ラビピュール** 製造日から4年
貯法・保存条件　**KMバイオロジクス** 遮光・10℃以下に凍結を避けて保存　**ラビピュール** 遮光・2～8℃に保存
薬剤取扱い上の留意点　溶剤が凍結すると容器が破損することがある
患者向け資料等　ワクチン接種を受ける人へのガイド
溶液及び溶解時のpH　**KMバイオロジクス** 6.8～7.4　**ラビピュール** 7.3～8.3
浸透圧比　**KMバイオロジクス** 1～2(対生食)　**ラビピュール** 1～3(対生食)
調製時の注意　溶解は接種直前に行う　**KMバイオロジクス** 保存剤を含有していないので，溶解後は直ちに使用し，残液を保存して再使用することは厳に避ける

薬理作用
分類　ウイルスワクチン類
作用部位・作用機序　作用部位：免疫系　作用機序：狂犬病動物に咬まれた後でも速やかに抗血清(中和抗体)を注射すれば発病阻止に有効であるので，狂犬病ワクチン接種により産生される液性免疫(中和抗体)が有効となる．どのような免疫機構がワクチン接種によって発現し，有効に働いているかは明らかになっていない

治療
効能・効果　**KMバイオロジクス** 狂犬病の感染予防及び発病阻止(健康保険等一部限定適用)
ラビピュール 狂犬病の予防及び発病阻止(健康保険等一部限定適用)
用法・用量　**KMバイオロジクス** 添付の溶剤(注射用水1mL)の全量で溶解後使用する：①曝露前免疫：1mLを1回量として4週間間隔で2回皮下注し，さらに6～12カ月後1mLを追加する　②曝露後免疫：1mLを1回量として，その第1回目を0日とし，以降3，7，14，30及び90日の計6回皮下注
ラビピュール 添付の溶剤(注射用水)の全量で溶解し，次のとおり使用する：①曝露前免疫：1mLを1回量として，適切な間隔をおいて3回筋注　②曝露後免疫：1mLを1回量として，適切な間隔をおいて4～6回筋注
用法・用量に関連する使用上の注意　①接種要否は世界保健機関(WHO)の推奨も参考に検討する　②咬傷等の曝露を受けた場合には，以前に曝露前免疫を完了した者であっても，必ず曝露後免疫を行う　③同時接種：医師が必要と認めた場合には，他のワクチンと同時に接種することができる(なお，本剤を他のワクチンと混合して接種してはならない)　④**ラビピュール** 曝露前免疫及び曝露後免疫の接種日の目安等は添付文書参照

使用上の注意
禁忌　［接種不適当者］　被接種者が次のいずれかに該当すると認められる場合には，接種を行ってはならない：①明らかな発熱を呈している者　②重篤な急性疾患にかかっていることが明らかな者　③本剤の成分によってアナフィラキシーを呈したことがあることが明らかな者　④前記に掲げる者のほか，予防接種を行うことが不適当な状態にある者．**ラビピュール** ただし，曝露後免疫を目的とした使用に限り，予防接種上の有益性を考慮して接種を行う

その他の管理的事項
投与期間制限　該当しない
保険給付上の注意　健保等一部限定適用

資料
IF　組織培養不活化狂犬病ワクチン　2020年7月改訂(第14版)
ラビピュール筋注用　2019年7月改訂(第2版)

金チオリンゴ酸ナトリウム
Sodium Aurothiomalate

概要
薬効分類　442　刺激療法剤
構造式

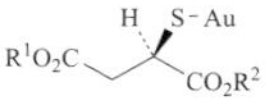
及び鏡像異性体

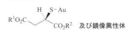

R^1, R^2=Na, H

分子式　$C_4H_3AuNa_2O_4S$と$C_4H_4AuNaO_4S$との混合物
分子量　$C_4H_3AuNa_2O_4S$：390.08と$C_4H_4AuNaO_4S$：368.09との混合物
原薬の規制区分　[劇]
原薬の外観・性状　白色～淡黄色の粉末又は粒である．水に極めて溶けやすく，エタノール(99.5)にほとんど溶けない．光によって緑色を帯びた淡黄色となる．1.0gを水10mLに溶かした液のpHは5.8～6.5である
原薬の吸湿性　吸湿性である
先発医薬品等
注 シオゾール注10mg・25mg(高田)

製剤
規制区分　**注** [劇] [処]
製剤の性状　**注** 無色～黄色の澄明の液
有効期間又は使用期限　3年
貯法・保存条件　遮光・室温保存．光によって変化し着色することがあるので注意．開封後は，なるべく短時間で使用するか，又は再度遮光紙で覆い，個装箱に入れた状態で保管する
薬剤取扱い上の留意点　光によって変化し着色することがあるので注意する．開封後は，なるべく短時間で使用するか，又は再度遮光紙で覆い，個装箱に入れた状態で保管する
患者向け資料等　くすりのしおり
溶液及び溶解時のpH　6.0～7.0
浸透圧比　**10mg注** 約1(対生食)　**25mg注** 約1.2(対生食)
調製時の注意　該当しない

薬理作用
分類　水溶性金製剤
作用部位・作用機序　ラットアジュバント関節炎に対する効果，免疫反応に対する影響，マクロファージや多核白血球の貪食能抑制作用，リソゾームに対する作用等が報告されているが，作用機序に関して確定的な報告はいまだ見当たらない
同効薬　オーラノフィン

治療
効能・効果　関節リウマチ
用法・用量　次の方法で，10mgから増量，毎週もしくは隔週に1回筋注するが，この間に効果発現をみた場合，適当な最低維持量の投与を継続　①徐々に増量する方式：第1～4週1回10mg，第5～8週1回25mg，第9～12週1回50mg，第13週以降1回50mg，場合によっては100mg(適宜増減)　②比較的急速に増量する方式：初期量1回10mg，2週間目1回25mg，3週間目以降1回50mg，場合によっては100mg(適宜増減)．参考：毎週1回10mg又は25mg，あるいは2週に1回25mgの継続投与でも同様に有効であり，副作用も軽く有用であるとの報告がある
禁忌・原則禁忌となる特定患者集団　妊婦又は妊娠している可能性のある婦人

使用上の注意
禁忌　①腎障害，肝障害，血液障害，心不全，潰瘍性大腸炎のある患者及び放射線療法後間もない患者［症状の悪化及び重篤な副作用が現れることがある］　②金製剤による重篤な副作用の既往のある患者［再投与により重篤な副作用を起こすおそれがある］　③キレート剤(ペニシラミン)を投与中の患者　④妊婦又は妊娠している可能性のある婦人及び授乳婦

過量投与　金製剤による中毒症状が現れた場合には，次の処置を考慮する：①ただちに中止する　②軽～中等度の皮膚粘膜症状にはステロイド外用剤の使用　③重症の場合ステロイド剤の全身投与（プレドニゾロン1日10～40mgを分割投与）　④肺合併症やその他の合併症には，ステロイド剤の大量投与（プレドニゾロン1日40～100mgを分割投与）を行うが，効果不十分の場合にはBAL等の投与も考える

薬物動態

血清中濃度　①健康成人4名（外国人）に10mg単回筋注時の薬物動態パラメータ（測定法：原子吸光分析）は$AUC_{0-\infty}$9.17±1.90μg・日/mL，半減期25.11日，CLtot7.0±0.6mL/kg・日，Vd0.26±0.05L/kg　②関節リウマチ患者に10mg（7名），25mg（16名）に単回投与では約1～3時間で最高値，その後徐々に減少　**分布**　①血液-脳関門通過性：通過し難い（外国人データ）　②血液-胎盤関門通過性：通過する．妊娠期間を通して毎月100mgの投与を受けた患者で，分娩3日前に最終投与後，出産時臍帯血清中濃度は2.3μg/mLで，そのときの母親の血清中濃度は3.9μg/mL（外国人データ）　③母乳中への移行：授乳中の29歳の患者に総量135mgの類似化合物（金チオグルコース）を投与時の母乳中濃度は8.64μg/mL　**代謝（参考）**　投与された金塩は速やかに金成分と有機成分に分離され，異なった代謝を受けると考えられる（ラット，ウサギ）　**排泄**　金維持療法中の関節リウマチ患者で，金製剤の最終投与後の尿中，糞中の合計金排泄率は，1週目に39%，追加投与が行われないと，2週目に16%，3週目に12%，4週目に10%．個人差が大きいが約70%は尿中に，30%は糞中に排泄（外国人）　**その他**　血漿蛋白結合率：95%がアルブミンと結合（外国人）

その他の管理的事項

投与期間制限　該当しない

保険給付上の注意　該当しない

資料

添付文書　シオゾール注10mg・25mg　2017年7月（第11版）

グアイフェネシン
Guaifenesin

概要

薬効分類　224　鎮咳去たん剤

構造式

及び鏡像異性体

分子式　$C_{10}H_{14}O_4$

分子量　198.22

略語・慣用名　グアヤコールグリセリンエーテル

ステム　不明

原薬の規制区分　該当しない

原薬の外観・性状　白色の結晶又は結晶性の粉末である．エタノール（95）に溶けやすく，水にやや溶けにくい．本品のエタノール（95）溶液（1→20）は旋光性を示さない．1.0gを水100mLに溶かした液のpHは5.0～7.0である

原薬の吸湿性　吸湿性は認められていない

原薬の融点・沸点・凝固点　融点：80～83℃

原薬の酸塩基解離定数　該当資料なし

先発医薬品等

注　フストジル注射液50mg（京都＝大日本住友）

国際誕生年月　不明

海外での発売状況　販売されていない

製剤

規制区分　注　(処)

製剤の性状　注　無色澄明の液

有効期間又は使用期限　3年

貯法・保存条件　室温保存

患者向け資料等　くすりのしおり

溶液及び溶解時のpH　6.0～8.0

浸透圧比　0.7（対生食）

調製時の注意　該当しない

薬理作用

分類　鎮咳去痰剤

作用部位・作用機序　粘稠性及び表面張力の減少により気道内粘液の排出を強め，去痰作用を示す．分泌物の粘稠性が減少し流動性が増すことにより，線毛運動が促進され，粘液の排出を容易にする

同効薬　デキストロメトルファン臭化水素酸塩，コデインリン酸塩など

治療

効能・効果　次の疾患に伴う咳嗽及び喀痰喀出困難：感冒，急性気管支炎，慢性気管支炎，肺結核，上気道炎（咽喉頭炎，鼻カタル）

用法・用量　1回50mg，1日1～2回皮下注又は筋注（適宜増減）

その他の管理的事項

投与期間制限　該当しない

保険給付上の注意　該当しない

資料

IF　フストジル注射液50mg　2016年9月改訂（第4版）

グアナベンズ酢酸塩
Guanabenz Acetate

概要

薬効分類　214　血圧降下剤

構造式

分子式　$C_8H_8Cl_2N_4 \cdot C_2H_4O_2$

分子量　291.13

原薬の規制区分　(劇)

原薬の外観・性状　白色の結晶又は結晶性の粉末である．酢酸（100）に溶けやすく，メタノール又はエタノール（95）にやや溶けやすく，水に溶けにくく，ジエチルエーテルにほとんど溶けない．光によって徐々に変化する

原薬の吸湿性　吸湿性なし

原薬の融点・沸点・凝固点　融点：約190℃（分解）

原薬の酸塩基解離定数　pKa＝8.01±0.03（UV法）（グアニジウムイオン），7.91±0.06（中和滴定法）（グアニジウムイオン），5.64±0.04（中和滴定法）（酢酸イオン）

先発医薬品等

錠　ワイテンス錠2mg（アルフレッサファーマ）

国際誕生年月　不明

海外での発売状況　米

製剤

規制区分　錠　(劇)(処)

製剤の性状　錠　白色の割線入りの素錠

有効期間又は使用期限　5年

貯法・保存条件　気密容器，遮光・室温保存

薬剤取扱い上の留意点　眠気，めまい，ふらつき等が現れるこ

とがあるので，高所作業，自動車の運転等危険を伴う作業には注意させること
患者向け資料等 くすりのしおり
溶液及び溶解時のpH 該当しない
浸透圧比 該当しない
調製時の注意 該当しない
薬理作用
分類 アミノグアニジン系α_2アドレナリン受容体刺激剤
作用部位・作用機序 ①選択的α_2アドレナリン受容体刺激作用を有する ②中枢部位に作用して遠心性交感神経活動を低下させるとともに交感神経終末における神経伝達を遮断することにより血圧を低下させる
同効薬 クロニジン塩酸塩，メチルドパ水和物
治療
効能・効果 本態性高血圧症
用法・用量 グアナベンズとして1回2mg1日2回，効果が不十分な場合は1回4mg1日2回に増量(適宜増減)
使用上の注意
禁忌 本剤の成分に対し過敏症の既往歴のある患者
過量投与 ①症状：副作用症状(低血圧，傾眠，嗜眠，過敏症，徐脈等)が強く現れる．また，縮瞳が現れることがある ②処置：胃洗浄及び経口活性炭，昇圧薬，輸液の投与が有効な場合がある
薬物動態
血中濃度 健常成人男子にグアナベンズを1回8mg経口投与時の血漿中濃度は2時間後に最高値2.14ng/mL，血漿中半減期約5.4時間 **代謝・排泄** 尿中累積排泄率は48時間後までにほぼプラトーで約41%．尿中代謝物は主として4-ヒドロキシグアナベンズ及びその抱合体であり，未変化体はわずか
その他の管理的事項
投与期間制限 該当しない
保険給付上の注意 該当しない
資料
IF ワイテンス錠2mg 2017年7月改訂(第15版)

グアネチジン硫酸塩
Guanethidine Sulfate

概要
構造式

分子式 $C_{10}H_{22}N_4 \cdot H_2SO_4$
分子量 296.39
原薬の規制区分 劇
原薬の外観・性状 白色の結晶又は結晶性の粉末で，においはないか，又は僅かに特異なにおいがあり，味は苦い．ギ酸に極めて溶けやすく，水に溶けやすく，エタノール(95)又はジエチルエーテルにほとんど溶けない．1.0gを水50mLに溶かした液のpHは4.7～5.7である
原薬の融点・沸点・凝固点 融点：251～256℃(減圧毛細管，分解)

グアヤコールスルホン酸カリウム
Potassium Guaiacolsulfonate

概要
構造式

分子式 $C_7H_7KO_5S$
分子量 242.29
原薬の規制区分 該当しない
原薬の外観・性状 白色の結晶又は結晶性の粉末で，においはないか，又は僅かに特異なにおいがあり，味は僅かに苦い．水又はギ酸に溶けやすく，メタノールにやや溶けにくく，エタノール(95)，無水酢酸又はジエチルエーテルにほとんど溶けない．1.0gを水20mLに溶かした液のpHは4.0～5.5である

クエチアピンフマル酸塩
クエチアピンフマル酸塩錠
クエチアピンフマル酸塩細粒
Quetiapine Fumarate

概要
薬効分類 117 精神神経用剤
構造式

分子式 $(C_{21}H_{25}N_3O_2S)_2 \cdot C_4H_4O_4$
分子量 883.09
ステム 三環系抗うつ薬：-apine
原薬の規制区分 劇
原薬の外観・性状 白色の粉末である．メタノールにやや溶けにくく，水又はエタノール(99.5)に溶けにくい
原薬の吸湿性 加湿条件下(25℃，90%RH，10日間)で吸湿性を示さない
原薬の融点・沸点・凝固点 融点：約174℃(分解)
原薬の酸塩基解離定数 $pKa_1 = 6.8$，$pKa_2 = 3.3$
先発医薬品等
細 セロクエル細粒50%(アステラス)
錠 セロクエル25mg・100mg・200mg錠(アステラス)
徐放錠 ビプレッソ徐放錠50mg・150mg(アステラス＝共和薬品)
後発医薬品
細 10%・50%
錠 12.5mg・25mg・50mg・100mg・200mg
国際誕生年月 1997年7月
海外での発売状況 細 錠 米，英を含む85カ国以上(承認) 徐放錠 米，英を含む90カ国以上
製剤
規制区分 細 錠 劇 処
製剤の性状 細 白色の細粒 25mg錠 うすい黄みの赤色のフィルムコーティング錠 100mg錠 うすい黄色のフィルムコ

ーティング錠 **200mg錠** 白色のフィルムコーティング錠 **50mg徐放錠** うすい黄みの赤色のフィルムコーティング錠 **150mg徐放錠** 白色のフィルムコーティング錠

有効期間又は使用期限 3年

貯法・保存条件 室温保存．**徐放錠** PTP品はアルミ袋により品質保持をはかっているので，アルミ袋開封後は湿気を避けて保存すること

薬剤取扱い上の留意点 本剤は主として中枢神経系に作用するため，眠気，注意力・集中力・反射運動能力等の低下が起こることがあるので，本剤投与中の患者には自動車の運転等危険を伴う機械の操作に従事させないように注意すること

患者向け資料等 患者向医薬品ガイド，くすりのしおり **徐放錠** 患者説明用資材

溶液及び溶解時のpH 該当しない

浸透圧比 該当しない

安定なpH域 該当しない

調製時の注意 該当しない

薬理作用

分類 ジベンゾチアゼピン系ドパミン・セロトニン受容体拮抗剤

作用部位・作用機序 薬理学的特徴はドパミンD_2受容体に比してセロトニン$5HT_{2A}$受容体に対する親和性が高いこと，及び種々の受容体に対して親和性があることであり，これらが臨床における作用に寄与しているものと考えられている：①受容体親和性，②ドパミン及びセロトニン受容体拮抗作用，③錐体外路系に対する作用，④血漿中プロラクチンに対する作用

同効薬 モサプラミン塩酸塩，ハロペリドール，リスペリドン，オランザピン，ブロムペリドール，クロルプロマジン塩酸塩など

治療

効能・効果 **細** **錠** 統合失調症

徐放錠 双極性障害におけるうつ症状の改善

用法・用量 **細** **錠** クエチアピンとして1回25mg，1日2又は3回から開始し，患者の状態に応じて徐々に増量．1日150〜600mgとし，2又は3回に分服（適宜増減）．ただし1日量として750mgを超えない

徐放錠 クエチアピンとして1回50mgより開始し，2日以上の間隔をあけて1回150mgへ増量．その後，さらに2日以上の間隔をあけて，推奨用量である1回300mgに増量．なお，いずれも1日1回就寝前とし，食後2時間以上あけて投与

用法・用量に関連する使用上の注意 **錠** ①肝機能障害患者には，少量（例えば1回25mg1日1回）から投与を開始し，1日増量幅を25〜50mgにするなど患者の状態を観察しながら慎重に投与する　②高齢者には，少量（例えば1回25mg1日1回）から投与を開始し，1日増量幅を25〜50mgにするなど患者の状態を観察しながら慎重に投与する **徐放錠** 肝機能障害のある患者及び高齢者では，2日以上の間隔をあけて患者の状態を観察しながら1日50mgずつ慎重に増量する

使用上の注意

警告 ①著しい血糖値の上昇から，糖尿病性ケトアシドーシス，糖尿病性昏睡等の重大な副作用が発現し，死亡にいたる場合があるので，投与中は，血糖値の測定等の観察を十分に行う　②投与にあたっては，あらかじめ前記副作用が発現する場合があることを，患者及びその家族に十分に説明し，口渇，多飲，多尿，頻尿等の異常に注意し，このような症状が現れた場合には，ただちに投与を中断し，医師の診察を受けるよう，指導する

禁忌 ①昏睡状態の患者［昏睡状態を悪化させるおそれがある］　②バルビツール酸誘導体等の中枢神経抑制剤の強い影響下にある患者［中枢神経抑制作用が増強される］　③アドレナリンを投与中の患者（アドレナリンをアナフィラキシーの救急治療に使用する場合を除く）　④本剤の成分に対し過敏症の既往歴のある患者　⑤糖尿病の患者，糖尿病の既往歴のある患者

相互作用概要 主にCYP3A4が関与する

過量投与 ①症状：主な症状は傾眠，鎮静，頻脈，低血圧等である．まれに昏睡，死亡に至る症例が報告されている．（徐放錠）また，過量投与で胃石を形成した症例が報告されている　②処置：低血圧の処置を行う場合，アドレナリン，ドパミンは，本剤のα-受容体遮断作用により低血圧を悪化させる可能性があるので投与しない

薬物動態

細 **錠** **血中濃度** ①反復投与（錠剤投与時）：(1)統合失調症患者にクエチアピンを1回用量25〜100mgの範囲で漸増して1日2回反復経口投与した．100mgの用量で7回反復投与した後の血漿中クエチアピン濃度推移及び薬物動態パラメータ（非高齢者12例，高齢者11例の順）は，Cmax（ng/mL）397±57，483±96，Tmax（hr）2.6±0.7，2.9±0.3，$AUC_{0\text{-}12h}$（μg・hr/mL）1.69±0.19，2.59±0.54，$t_{1/2}$（hr）3.5±0.2，3.6±0.3，CL/f（L/hr）67.1±7.1，50.9±6.7．非高齢者では，投与約2.6時間後に最高血漿中濃度（平均397ng/mL），血漿中からのクエチアピンの消失は速やかであり，半減期は3.5時間　(2)外国人統合失調症患者にクエチアピンを1回用量25〜250mgの範囲で漸増して1日3回反復経口投与した．1回用量を75mg，150mg及び250mgとしたときの定常状態における薬物動態パラメータ（75mg，150mg，250mgの順で各男・女の値）はCmax（ng/mL）277±54・294±41，625±121・572±63，778±108・879±72，Tmax[hr，中央値（範囲）]1（0.5-3）・1（0.5-3），1（0.5-4）・1.5（0.5-4），1.5（0.5-4）・1.5（1-3），$AUC_{0\text{-}8h}$（μg・hr/mL）1.07±0.19・1.20±0.17，2.30±0.33・2.41±0.34，3.38±0.46・4.08±0.53，$t_{1/2}$（hr）2.7±0.1[※1)]・3.4±0.3[※1)]，3.0±0.3[※1)]・4.4±0.8[※1)]，5.8±0.3[※2)]・6.6±0.8[※2)]，CL/f（L/hr）89±12・86±16，78±10・73±8，87±10・72±9で，血漿中クエチアピン濃度は用量に比例して増加し，男女差は認められなかった　※1)投与後3〜8時間の半減期　※2)終末相の半減期　②単回投与（細粒投与時）：健康成人男子にクエチアピン25mgを単回経口投与時の薬物動態パラメータは，Cmax（ng/mL）65.29±31.43，Tmax（hr）0.72±0.19，$AUC_{0\text{-}24h}$（ng・hr/mL）172.0±77.1，$t_{1/2}$（hr）2.88±0.59 **吸収** クエチアピンの経口吸収性は良好で，Cmax及びAUCに及ぼす食事の影響は認められなかった（錠剤投与時） **分布** ヒト血漿中におけるクエチアピンの蛋白結合率は83.0%（*in vitro*） **代謝** ①クエチアピンは複数の経路で広範囲に代謝され，クエチアピンの代謝に関与する主なP450酵素はCYP3A4（*in vitro*）　②ヒト血漿中の主要代謝物は有意な薬理活性を示さなかった　③*In vitro*試験で，未変化体及び代謝物はCYP1A2，CYP2C9，CYP2C19，CYP2D6及びCYP3A4活性に対して弱い阻害作用を示したが，ヒトでの血漿中濃度の約10倍以上の濃度でみられる作用で，薬物相互作用の惹起を示唆するものではないと考えられた **排泄** ①健康成人男子にクエチアピン20mgを単回経口投与時，尿中への未変化体の排泄率は投与量の1%未満（錠剤投与時）　②外国人統合失調症患者に^{14}C標識クエチアピンを経口投与時，尿及び糞中への放射能排泄率はそれぞれ投与量の72.8%及び20.2%．また，尿糞中放射能に占める未変化体の割合は1%未満（錠剤投与時） **特定の背景を有する患者** ①肝機能障害患者：肝機能障害患者（アルコール性肝硬変）にクエチアピン25mgを単回経口投与時，Cmax及びAUC_{inf}は健康成人よりも高く（約1.5倍），$t_{1/2}$は健康成人よりも長かった（約1.8倍）（外国人データ）（錠剤投与時）　②高齢者：高齢者における血漿中濃度は非高齢者よりも高く推移し，高齢者の$AUC_{0\text{-}12h}$（平均2.59μg・h/mL）は非高齢者（平均1.69μg・h/mL）の約1.5倍

薬物相互作用 ①フェニトイン（CYP3A誘導剤）：外国人におけるフェニトイン併用投与例で，本剤の経口クリアランスが約5倍に増加し，Cmax及びAUCはそれぞれ66%及び80%低下　②ケトコナゾール（CYP3Aの強い阻害剤）：外国人に

強いCYP3A4阻害剤であるケトコナゾール(経口剤：国内未発売)を併用投与時，クエチアピンのCmax及びAUCはそれぞれ単独投与の3.35倍及び6.22倍

徐放錠 **血中濃度** ①単回投与：非高齢健康成人男性に50mgを空腹時単回経口投与時のクエチアピンの薬物動態パラメータは，Cmax (ng / mL) 33.0 ± 17.7，Tmax (h) 7.0※1) (1.0-24.0)，AUC_{last}(μg・h/mL)0.424±0.283，$t_{1/2}$(h)6.8±1.7※2) ※1)中央値(範囲) ※2)$t_{1/2}$は22例 ②反復投与：非高齢大うつ病性障害患者に初回投与量として1日1回50mgから開始し，3日目に1日1回150mgに増量した．5日目に1日1回300mgまで増量し7日間空腹時反復経口投与時の，定常状態の血漿中クエチアピン及び代謝物ノルクエチアピンの薬物動態パラメータ[Cmax(ng/mL)，Tmax※1)(h)，AUC_{24h}(μg・h/mL)，$t_{1/2}$※2)(h)の順]は，クエチアピン300mg(9例)[314±151，6.0(4.0-12.0)，3.73±2.16，6.5±2.9]，ノルクエチアピン300mg(9例)[131±46.8，4.0(4.0-10.0)，2.06±0.609，26.6±17.3] ※1)中央値(範囲)(平均値±標準偏差) ※2)7例，投与後24時間までの採血点から算出 ③生物学的同等性試験：大うつ病性障害患者16例に，2群2期クロスオーバー法により，50mg錠3錠と150mg錠1錠を切り替えて反復経口投与時のクエチアピンの平均血漿中濃度プロファイルは類似していた．また，双極性障害の大うつ病エピソードと診断された患者に，2群2期クロスオーバー法で50mg錠と150mg錠を切り替えて投与した試験における有効性と安全性に大きな違いはなかった **吸収** 健康成人男性(24例)に50mgを経口投与時のCmax及びAUC_{last}の幾何平均比(90%信頼区間)は，空腹時投与と比較して高脂肪食では2.14(1.88～2.43)及び1.18(1.04～1.34)，低脂肪食では1.82(1.60～2.07)及び1.06(0.94～1.20) **分布** ヒト血漿中におけるクエチアピンの蛋白結合率は83.0%(*in vitro*) **代謝** ①クエチアピンは複数の経路で広範囲に代謝され，クエチアピンの代謝に関与する主なP450酵素はCYP3A4．代謝物ノルクエチアピンは主にCYP3A4により生成された(*in vitro*) ②*In vitro*試験で，クエチアピン及びノルクエチアピンを含む代謝物はCYP1A2，CYP2C9，CYP2C19，CYP2D6及びCYP3A4活性に対して弱い阻害作用を示したが，臨床用量のヒトでの血漿中濃度の約15倍以上の濃度でみられる作用であり，薬物相互作用の惹起を示唆するものではないと考えられた **排泄** **特定の背景を有する患者** **薬物相互作用** 普通錠参照

その他の管理的事項

投与期間制限 該当しない

保険給付上の注意 該当しない

資料

IF セロクエル細粒50%・25mg・100mg・200mg錠 2020年3月改訂(第29版)
ビプレッソ徐放錠50mg・150mg 2020年4月改訂(第8版)

無水クエン酸
Anhydrous Citric Acid

概要

構造式

HO CO₂H / HO₂C〜C〜CO₂H

分子式 $C_6H_8O_7$

分子量 192.12

原薬の規制区分 該当しない

原薬の外観・性状 無色の結晶又は白色の粒若しくは結晶性の粉末である．水に極めて溶けやすく，エタノール(99.5)に溶けやすい

クエン酸水和物
Citric Acid Hydrate

概要

薬効分類 714 矯味，矯臭，着色剤

構造式

HO CO₂H / HO₂C〜C〜CO₂H ・H₂O

分子式 $C_6H_8O_7 \cdot H_2O$

分子量 210.14

原薬の規制区分 該当しない

原薬の外観・性状 無色の結晶又は白色の粒若しくは結晶性の粉末である．水に極めて溶けやすく，エタノール(99.5)に溶けやすい．乾燥空気中で風解する

先発医薬品等

末 クエン酸「カナダ」(金田直)
クエン酸「ケンエー」(健栄)
クエン酸「コザカイ・M」(小堺＝吉田製薬)
クエン酸「司生堂」(司生堂)
クエン酸水和物原末「ニッコー」(日興製薬)
クエン酸水和物「ヨシダ」(吉田製薬)
クエン酸「日医工」(日医工＝岩城)
クエン酸(山善)

製剤

製剤の性状 末 無色の結晶又は白色の粒若しくは結晶性の粉末

貯法・保存条件 気密容器，室温保存

薬理作用

分類 緩衝・矯味剤

治療

効能・用法 ①緩衝・矯味・発泡の目的で調剤に用いる ②リモナーデ剤の調剤に用いる

資料

添付文書 クエン酸水和物「ヨシダ」 2015年1月改訂(第3版)

クエン酸ガリウム(^{67}Ga)注射液
Gallium(^{67}Ga) Citrate Injection

概要

薬効分類 430 放射性医薬品

分子式 $C_6H_8O_7{}^{67}Ga$

分子量 259.13

ステム 該当しない

原薬の規制区分 該当しない

原薬の酸塩基解離定数 該当資料なし

先発医薬品等

注 クエン酸ガリウム(^{67}Ga)注NMP(メジフィジックス)
クエン酸ガリウム-Ga67注射液(富士フイルム富山化学)

国際誕生年月 該当資料なし

海外での発売状況 欧米各国など

製剤

規制区分 注 ㊙

製剤の性状 注 無色澄明の液

有効期間又は使用期限 検定日から3日間

貯法・保存条件 室温保存．放射線を安全に遮蔽できる貯蔵設備(貯蔵箱)に保存

薬剤取扱い上の留意点 取扱い上の留意点：放射性医薬品につき管理区域内でのみ使用すること．使用に際しては放射線を安全に遮蔽して行うこと 薬剤交付時：①投与前：メシル酸

デフェロキサミン投与中に本剤を投与する場合，メシル酸デフェロキサミンの投与はあらかじめ中止しておくこと（本剤とメシル酸デフェロキサミンがキレートを形成し，急速に尿中に排泄されるため，シンチグラムが得られない場合がある）②撮像前及び撮像時：^{67}Gaは腸管内へ排泄されるため腹部の病巣への集積と鑑別が困難となる場合がある．そのため，腹部診断には前処置として撮影前に十分な浣腸を施行する．また，浣腸禁忌の場合には経日的に撮像し，集積の移動の有無から診断する

溶液及び溶解時のpH 6.0～8.0

浸透圧比 約1（対生食）

調製時の注意 該当しない

薬理作用

分類 放射線医薬品

作用部位・作用機序 ①腫瘍への集積機序クエン酸ガリウム（^{67}Ga）の腫瘍への集積機序に関しては未だ不明な点が多いが，静注されたクエン酸ガリウム（^{67}Ga）は血中のトランスフェリンと結合し，腫瘍細胞まで運ばれる過程まではほぼ一般に認められている．しかしその後の細胞内への取込み機序と細胞内での結合物質については諸説あり一致が得られていない．Larsonはこれまでの報告と自身の実験結果による仮説で，静注されたクエン酸ガリウム（^{67}Ga）は血中トランスフェリンと結合し，次いで細胞のトランスフェリンレセプタと結合し細胞内に取込まれるとしている ②炎症巣への集積機序炎症巣への集積機序に関しても十分解明されていないが，次のような考え方が報告されている．(1)炎症巣に生じる血流の増加と血管内皮細胞の透過性亢進による集積 (2)白血球，特に好中球と結合した^{67}Gaが炎症巣へ遊走する (3)^{67}Gaが細菌へ直接摂取され炎症巣へ集積する (4)^{67}Gaが炎症巣の細胞間質の酸性ムコ多糖に結合する

同効薬 該当しない

治療

効能・効果 ①悪性腫瘍の診断 ②次の炎症性疾患における炎症性病変の診断：腹部膿瘍，肺炎，塵肺，サルコイドーシス，結核，骨髄炎，びまん性汎細気管支炎，肺線維症，胆嚢炎，関節炎等

用法・用量 次の量を静注し，一定時間後，被検部をシンチレーションカメラ又はスキャナでシンチグラムをとる：①腫瘍シンチグラフィ：1.11～1.48MBq/kg，24～72時間後（適宜増減） ②炎症シンチグラフィ：1.11～1.85MBq/kg，48～72時間後（適宜増減）．必要に応じて6時間像をとることもできる

薬物動態

局所への集積機序は未だ不明な点が多いが，静注後，大部分は血清蛋白，特にtransferrinと結合して体内に分布するといわれている．外国の報告では静注後24時間以内に約12%が主に腎臓から排泄，以後は腸管への排泄が主，最初の1週間で約1/3が排泄．体内に残った約2/3は，肝臓6%，脾臓1%，腎臓2%，骨髄を含む骨24%，軟部組織34%に分布．さらに軟部組織で集積が高いのは涙腺，唾液腺，乳腺等の分泌腺

その他の管理的事項

投与期間制限 該当しない

保険給付上の注意 該当しない

資料

IF クエン酸ガリウム-Ga67注射液 2018年10月改訂（第10版）

クエン酸ナトリウム水和物
診断用クエン酸ナトリウム液
輸血用クエン酸ナトリウム注射液
Sodium Citrate Hydrate

概要

薬効分類 333 血液凝固阻止剤

構造式

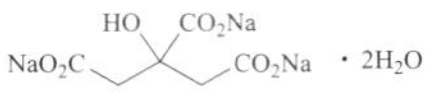

分子式 $C_6H_5Na_3O_7 \cdot 2H_2O$

分子量 294.10

ステム 該当しない

原薬の規制区分 該当しない

原薬の外観・性状 無色の結晶又は白色の結晶性の粉末で，においはなく，清涼な塩味がある．水に溶けやすく，エタノール（95）又はジエチルエーテルにほとんど溶けない．1.0gを水20mLに溶かした液のpHは7.5～8.5である

原薬の吸湿性 該当資料なし

原薬の酸塩基解離定数 該当資料なし

先発医薬品等

注 輸血用チトラミン「フソー」（扶桑）

外用末 クエン酸ナトリウム水和物（小堺）
クエン酸ナトリウム水和物原末「ニッコー」（日興製薬）

後発医薬品

注 4%

国際誕生年月 不明

海外での発売状況 発売されていない

製剤

規制区分 **注** ㊙

製剤の性状 **輸血用注** アンプル入りの無色澄明の水性注射液 **4%注** ポリエチレン製バッグ（FC：フレキシブルコンテナー）入りの無色澄明の液で，清涼な塩味がある **外用末** 無色の結晶又は白色の結晶性の粉末で，においはなく，清涼な塩味がある

有効期間又は使用期限 3年

貯法・保存条件 室温保存

患者向け資料等 **4%注** くすりのしおり

溶液及び溶解時のpH **輸血用注** 7.0～8.5 **4%注** 6.4～7.5

浸透圧比 **輸血用注** 2.9～3.2 **4%注** 1.2～1.4

薬理作用

分類 血液凝固阻止剤，緩衝・矯味剤

作用部位・作用機序 クエン酸塩が血液凝固の第IV因子であるカルシウムイオンを捕捉し，解離度の低いクエン酸カルシウムとするため血液凝固を阻止するものと説明されている

同効薬 ヘパリン製剤など

治療

効能・効果 **輸血用注** 採取した血液の凝固の防止
4%注 血液抗凝固
外用末 診断用クエン酸ナトリウム液の調剤に用いる．また，緩衝・矯味の目的で調剤に用いる

用法・用量 **輸血用注** ①間接輸血：あらかじめ滅菌した容器の内面を本剤で十分に潤した後，その液を捨て，さらに採血量の4～7%（血液100mLに対し4～7mL）相当量を注入しておき，これに所要血液を注入し，静かに混和して使用する ②血液注射：所要血液の4～7%相当量をあらかじめ注射器中に吸引しておき，採血後よく混和して注射する
4%注 血液100mLにつき10mLの割合で混和して用いる．使用量は必要に応じて適宜調節

その他の管理的事項

投与期間制限 該当しない

保険給付上の注意 該当しない

資料

IF 輸血用チトラミン「フソー」 2014年5月改訂(第4版)
チトラミン液「フソー」-4% 2014年4月改訂(第3版)

添付文書 クエン酸ナトリウム水和物原末「ニッコー」 2015年1月改訂(第2版)

クラブラン酸カリウム
Potassium Clavulanate

概要

構造式

分子式 $C_8H_8KNO_5$

分子量 237.25

略語・慣用名 CVA

原薬の規制区分 該当しない

原薬の外観・性状 白色～淡黄白色の結晶性の粉末である．水に極めて溶けやすく，メタノールにやや溶けやすく，エタノール(95)に溶けにくい

原薬の吸湿性 吸湿性である

原薬の融点・沸点・凝固点 融点：約167℃(分解)

原薬の酸塩基解離定数 pKa＝約2.4

先発医薬品等

錠 オーグメンチン配合錠125SS・250RS(GSK)

シロップ用 クラバモックス小児用配合ドライシロップ(GSK)

薬理作用

作用部位・作用機序 広範囲の菌種が細胞膜表面に産生する加水分解酵素β-ラクタマーゼと不可逆的に結合し，その活性を阻害する作用を有する

使用上の注意

禁忌 ①本剤の成分に対し過敏症の既往歴のある患者 ②伝染性単核症のある患者［発疹の発現頻度を高めるおそれがある］ ③本剤の成分による黄疸又は肝機能障害の既往歴のある患者［再発するおそれがある］

過量投与 ①症状・徴候：消化器症状(下痢，嘔吐等)，体液及び電解質バランスの変化がみられる可能性がある．また，アモキシシリン結晶尿が認められたとの報告がある ②処置：対症療法を行うこと．本剤は血液透析によって除去することができる

資料

IF オーグメンチン配合錠125SS・250RS 2019年6月改訂(第13版)

クラリスロマイシン
クラリスロマイシン錠
シロップ用クラリスロマイシン
Clarithromycin

概要

薬効分類 614 主としてグラム陽性菌，マイコプラズマに作用するもの

構造式

分子式 $C_{38}H_{69}NO_{13}$

分子量 747.95

略語・慣用名 CAM

ステム *Streptomyces*属の産生する抗生物質：-mycin

原薬の規制区分 該当しない

原薬の外観・性状 白色の結晶性の粉末で，味は苦い．アセトン又はクロロホルムにやや溶けやすく，メタノール，エタノール(95)又はジエチルエーテルに溶けにくく，水にほとんど溶けない

原薬の吸湿性 室温における各種相対湿度(20，46，66，81，84，90，100%)で1，2，3カ月保存した結果，重量増加はほとんどなく，吸湿性は認められなかった

原薬の融点・沸点・凝固点 融点：220～227℃

原薬の酸塩基解離定数 pKa＝8.48

先発医薬品等

錠 クラリシッド錠50mg小児用・錠200mg(マイランEPD＝ケミファ)
クラリス錠50小児用・錠200(大正製薬)

シロップ用 クラリシッド・ドライシロップ10%小児用(マイランEPD＝ケミファ)
クラリスドライシロップ10%小児用(大正製薬)

後発医薬品

錠 50mg・200mg

シロップ用 10%

国際誕生年月 1989年7月

海外での発売状況 米，英，仏，独など

製剤

規制区分 小児用錠 錠 シロップ用 ㊕

製剤の性状 小児用錠 錠 白色のフィルムコーティング錠
シロップ用 微赤白色の粉末(ストロベリー風味)

有効期間又は使用期限 3年

貯法・保存条件 小児用錠 錠 室温保存 シロップ用 室温保存．アルミピロー包装開封後は，防湿・遮光保存

薬剤取扱い上の留意点 健常人での薬物動態試験で天然ケイ酸アルミニウムと併用した場合，本剤の吸収が低下するとの報告がある シロップ用 酸性飲料(オレンジジュース，スポーツ飲料等)で服用することは避けることが望ましい．有効成分の苦味を防ぐための製剤設計が施してあるが，酸性飲料で服用した場合には，苦味が発現することがある

患者向け資料等 くすりのしおり

溶液及び溶解時のpH 該当しない

浸透圧比 該当しない
安定なpH域 該当しない
調製時の注意 **シロップ用** 用時調製の製剤であるので，調製後の保存を避け，やむを得ず保存する必要がある場合は冷蔵庫に保存し，できるかぎり速やかに使用する旨説明すること．また，使用時，十分に振り混ぜる旨説明すること

薬理作用

分類 マクロライド系抗生物質
作用部位・作用機序 細菌の70Sリボソームの50Sサブユニットと結合し，蛋白合成を阻害する．抗菌作用型式は静菌的であり，菌株によっては殺菌的作用を示す
同効薬 アジスロマイシン，スピラマイシン，エリスロマイシン，ロキシスロマイシン，ジョサマイシン，ロキタマイシン

治療

効能・効果 **200mg錠** ①一般感染症：〈適応菌種〉本剤に感性のブドウ球菌属，レンサ球菌属，肺炎球菌，モラクセラ（ブランハメラ）・カタラーリス，インフルエンザ菌，レジオネラ属，カンピロバクター属，ペプトストレプトコッカス属，クラミジア属，マイコプラズマ属 〈適応症〉表在性皮膚感染症，深在性皮膚感染症，リンパ管・リンパ節炎，慢性膿皮症，外傷・熱傷及び手術創等の二次感染，肛門周囲膿瘍，咽頭・喉頭炎，扁桃炎，急性気管支炎，肺炎，肺膿瘍，慢性呼吸器病変の二次感染，尿道炎，子宮頸管炎，感染性腸炎，中耳炎，副鼻腔炎，歯周組織炎，歯冠周囲炎，顎炎 ②非結核性抗酸菌症：〈適応菌種〉本剤に感性のマイコバクテリウム属 〈適応症〉マイコバクテリウム・アビウムコンプレックス（MAC）症を含む非結核性抗酸菌症 ③ヘリコバクター・ピロリ感染症：〈適応菌種〉本剤に感性のヘリコバクター・ピロリ 〈適応症〉胃潰瘍・十二指腸潰瘍，胃MALTリンパ腫，特発性血小板減少性紫斑病，早期胃癌に対する内視鏡的治療後胃におけるヘリコバクター・ピロリ感染症，ヘリコバクター・ピロリ感染胃炎

小児用（50mg錠・シロップ用） ①一般感染症：〈適応菌種〉本剤に感性のブドウ球菌属，レンサ球菌属，肺炎球菌，モラクセラ（ブランハメラ）・カタラーリス，インフルエンザ菌，レジオネラ属，百日咳菌，カンピロバクター属，クラミジア属，マイコプラズマ属 〈適応症〉表在性皮膚感染症，深在性皮膚感染症，リンパ管・リンパ節炎，慢性膿皮症，外傷・熱傷及び手術創等の二次感染，咽頭・喉頭炎，扁桃炎，急性気管支炎，肺炎，肺膿瘍，慢性呼吸器病変の二次感染，感染性腸炎，中耳炎，副鼻腔炎，猩紅熱，百日咳 ②後天性免疫不全症候群（エイズ）に伴う播種性マイコバクテリウム・アビウムコンプレックス（MAC）症：〈適応菌種〉本剤に感性のマイコバクテリウム・アビウムコンプレックス（MAC）〈適応症〉後天性免疫不全症候群（エイズ）に伴う播種性マイコバクテリウム・アビウムコンプレックス（MAC）症

効能・効果に関連する使用上の注意 **200mg錠** ①一般感染症（咽頭・喉頭炎，扁桃炎，急性気管支炎，感染性腸炎，中耳炎，副鼻腔炎）：「抗微生物薬適正使用の手引き」を参照し，抗菌薬投与の必要性を判断した上で，投与が適切と判断される場合に投与する ②ヘリコバクター・ピロリ感染症：(1)進行期胃MALTリンパ腫に対するヘリコバクター・ピロリ除菌治療の有効性は確立していない (2)特発性血小板減少性紫斑病に対しては，ガイドライン等を参照し，ヘリコバクター・ピロリ除菌治療が適切と判断される症例にのみ除菌治療を行う (3)早期胃癌に対する内視鏡的治療後胃以外には，ヘリコバクター・ピロリ除菌治療による胃癌の発症抑制に対する有効性は確立していない (4)ヘリコバクター・ピロリ感染胃炎に用いる際には，ヘリコバクター・ピロリが陽性であること及び内視鏡検査によりヘリコバクター・ピロリ感染胃炎であることを確認する

小児用（50mg錠・シロップ用） 一般感染症（咽頭・喉頭炎，扁桃炎，急性気管支炎，感染性腸炎，中耳炎，副鼻腔炎）：「抗微生物薬適正使用の手引き」を参照し，抗菌薬投与の必要性を判断した上で，投与が適切と判断される場合に投与する

用法・用量 ①一般感染症：クラリスロマイシンとして1日400mg（力価）を2回に分服，小児には1日10～15mg（力価）/kg（レジオネラ肺炎に対しては，1日15mg（力価）/kg）を2～3回に分服（適宜増減）．ドライシロップは用時懸濁する ②**200mg錠** 非結核性抗酸菌症：クラリスロマイシンとして1日800mg（力価）を2回に分服（適宜増減） ③**小児用（50mg錠・シロップ用）** 後天性免疫不全症候群（エイズ）に伴う播種性マイコバクテリウム・アビウムコンプレックス（MAC）症：クラリスロマイシンとして1日15mg（力価）/kgを2回に分服（適宜増減）．ドライシロップは用時懸濁する ④**200mg錠** ヘリコバクター・ピロリ感染症：本剤1回200mg（力価），アモキシシリン水和物として1回750mg（力価）及びプロトンポンプインヒビターの3剤を同時に1日2回，7日間．なお，本剤は，必要に応じて適宜増量．ただし，1回400mg（力価）1日2回を上限とする

用法・用量に関連する使用上の注意 **200mg錠** ①一般感染症：(1)免疫不全など合併症を有さない軽症ないし中等症のレジオネラ肺炎に対し，1日400mg分2投与することにより，通常2～5日で症状は改善に向う．症状が軽快しても投与は2～3週間継続することが望ましい．また，レジオネラ肺炎は再発の頻度が高い感染症であるため，特に免疫低下の状態にある患者などでは，治療終了後，更に2～3週間投与を継続し症状を観察する必要がある．なお，投与期間中に症状が悪化した場合には，速やかにレジオネラに有効な注射剤（キノロン系薬剤など）への変更が必要である (2)レジオネラ肺炎の治療において単独で使用することが望ましいが，患者の症状に応じて併用が必要な場合には次の報告を参考に併用する薬剤の特徴を考慮し選択する：(ア)中等症以上の患者にリファンピシンと併用し有効との報告がある (イ)*in vitro*抗菌力の検討において，本剤とレボフロキサシン又はシプロフロキサシンとの併用効果（相乗ないし相加作用）が認められたとの報告がある (3)クラミジア感染症に対する本剤の投与期間は原則として14日間とし，必要に応じて更に投与期間を延長する ②非結核性抗酸菌症：肺MAC症及び後天性免疫不全症候群（エイズ）に伴う播種性MAC症の治療に用いる場合，国内外の最新のガイドライン等を参考に併用療法を行う ③本剤の投与期間は，次を参照する：(1)肺MAC症：排菌陰性を確認した後，1年以上の投与継続と定期的な検査を行うことが望ましい．また，再発する可能性があるので治療終了後においても定期的な検査が必要である (2)後天性免疫不全症候群（エイズ）に伴う播種性MAC症：臨床的又は細菌学的な改善が認められた後も継続投与すべきである ④ヘリコバクター・ピロリ感染症：プロトンポンプインヒビターはランソプラゾールとして1回30mg，オメプラゾールとして1回20mg，ラベプラゾールナトリウムとして1回10mg，エソメプラゾールとして1回20mg又はボノプラザンとして1回20mgのいずれか1剤を選択する

小児用（50mg錠・シロップ用） ①一般感染症：(1)小児の1日投与量は成人の標準用量（1日400mg）を上限とする (2)免疫不全など合併症を有さない軽症ないし中等症のレジオネラ肺炎に対し，1日400mg分2投与することにより，通常2～5日で症状は改善に向う．症状が軽快しても投与は2～3週間継続することが望ましい．また，レジオネラ肺炎は再発の頻度が高い感染症であるため，特に免疫低下の状態にある患者などでは，治療終了後，更に2～3週間投与を継続し症状を観察する必要がある．なお，投与期間中に症状が悪化した場合には，速やかにレジオネラに有効な注射剤（キノロン系薬剤など）への変更が必要である (3)レジオネラ肺炎の治療において単独で使用することが望ましいが，患者の症状に応じて併用が必要な場合には次の報告を参考に併用する薬剤の特徴を考慮し選択する：(ア)中等症以上の患者にリファンピシンと併用し有効との報告がある (イ)*in vitro*抗菌力の検討において，本剤とレボフロキサシン又はシプロフロキサシンとの併用効果（相乗ないし相加作用）が認められたとの報告がある ②後天性免疫

不全症候群(エイズ)に伴う播種性MAC症：⑴国内外の最新のガイドライン等を参考に併用療法を行う　⑵臨床的又は細菌学的な改善が認められた後も継続投与すべきである

使用上の注意

禁忌　①本剤に対して過敏症の既往歴のある患者　②ピモジド，エルゴタミン酒石酸塩・無水カフェイン・イソプロピルアンチピリン，ジヒドロエルゴタミンメシル酸塩，スボレキサント，ロミタピドメシル酸塩，タダラフィル(アドシルカ)，チカグレロル，イブルチニブ，アスナプレビル，ダクラタスビル塩酸塩・アスナプレビル・ベクラブビル塩酸塩，イバブラジン塩酸塩，ベネトクラクス(用量漸増期)を投与中の患者　③肝臓又は腎臓に障害のある患者でコルヒチンを投与中の患者

相互作用概要　CYP3Aにより代謝される．また，CYP3A，P-糖蛋白質(P-gp)を阻害する

薬物動態

血中濃度　①単回投与：健康成人(各8例)に200mg，400mg，小児(6例)に5mg/kg空腹時単回経口投与時の平均血中濃度及び各パラメータ(成人200mg(Bioassay法)，400mg(Bioassay法)，小児(HPLC未変化体)，小児(HPLC代謝物)の順)は，Cmax(μg/mL)1.16，2.24，1.05，0.98，Tmax(hr)1.9，2.7，1.4，1.4，$T_{1/2}$(hr)4.04，4.36，1.8，3.2，AUC(μg・hr/mL)8.98，20.30，3.54，5.37．個体間のバラツキは少なかった．健康成人に200mg(力価)を空腹時に単回経口投与し，高速液体クロマトグラフ(HPLC)法で測定時，血清中には未変化体及び活性代謝物の14位水酸化体がほぼ同量存在し，その合算値はBioassayで測定した濃度とほぼ一致した　②反復投与(ヘリコバクター・ピロリ感染症)：健康成人にアモキシシリン水和物，プロトンポンプインヒビターと併用して400mg(力価)を1日2回7日間反復経口投与時の平均血中濃度及び各パラメータの値は次の通り：⑴成人(7例)にアモキシシリン水和物1000mg，ランソプラゾール30mgと併用時※1)(未変化体，代謝物の順．HPLC法)：Cmax(μg/mL)2.42，0.97，Tmax(hr)2.7，2.6，$T_{1/2}$(hr)4.4，8.5，AUC(μg・hr/mL)18.45，8.87　⑵成人(11例)にアモキシシリン水和物1000mg，オメプラゾール20mgと併用時※1)(未変化体，代謝物の順．HPLC法)：Cmax(μg/mL)3.46，1.00，Tmax(hr)2.5，2.6，$T_{1/2}$(hr)4.61，8.87，AUC(μg・hr/mL)27.84※2)，15.62※2)　⑶成人EM※3)(15例)，PM(4例)にアモキシシリン750mg，ラベプラゾールナトリウム20mgと併用時※1)(EM未変化体，EM代謝物，PM未変化体，PM代謝物の順．HPLC法)：Cmax(μg/mL)2.33，0.82，1.99，0.95，Tmax(hr)2.4，2.6，2.5，2.4，$T_{1/2}$(hr)6.43，9.71，4.49，7.51，$AUC_{0\text{-}12}$(μg・hr/mL)17.50，7.65，14.03，8.46　⑷成人(n=11)にアモキシシリン水和物750mg，ボノプラザン20mgと併用時※1)(LC/MS/MS未変化体，LC/MS/MS代謝物の順)：Cmax(μg/mL)2.92，0.88，Tmax(hr)2.0，2.0，$T_{1/2}$(hr)4.62，7.96，AUC(μg・hr/mL)18.26，7.49　※1)ヘリコバクター・ピロリ感染症に対する承認用法・用量では，クラリスロマイシンは1回200mg(必要に応じて上限400mgまで適宜増量することができる)，アモキシシリン水和物は1回750mg，プロトンポンプインヒビターのラベプラゾールナトリウムは1回10mgである　※2)$AUC_{0-\infty}$(μg・hr/mL)　※3)肝代謝酵素チトクロムP4502C19遺伝子型．EM：extensive metabolizer　PM：poor metabolizer　**吸収**　①バイオアベイラビリティ：健康成人に錠剤(250mg)を経口投与時(2回測定)とクラリスロマイシンラクトビオン酸塩を静注時の薬物速度論的パラメータを比較検討した結果，未変化体のバイオアベイラビリティは52，55%であったが，初回通過効果によって生成される活性代謝物(14位水酸化体)を含めたパラメータ解析結果から，クラリスロマイシンは経口投与後ほぼ完全に吸収されていることが示唆(海外データ)　②食事の影響：健康成人に200mg(力価)を単回経口投与時の血清中濃度には，食事の影響がほとんど認められなかった　**分布**　健康成人における唾液，また，患者における喀痰，気管支分泌物等への移行性を測定した結果，それぞれの組織への移行は良好で，血清中濃度と同等もしくはそれ以上の濃度を示した．また，皮膚，扁桃，上顎洞粘膜等の組織中濃度はほとんどの例で血清中濃度を大きく上まわった．なお，ヒト血清蛋白結合率は42〜50%(*in vitro*)　**代謝**　ヒトにおける主代謝物は14位水酸化体で，血清中には未変化体とほぼ同量存在．ヒト肝ミクロソームを用いた*in vitro*試験で，本剤は主としてCYP3Aで代謝されることが報告されている　**排泄**　健康成人に200mg(力価)を空腹時単回経口投与し，Bioassayで測定時，投与後24時間までに投与量の38.3%が尿中へ排泄．尿中には主に未変化体及び活性代謝物の14位水酸化体が認められた　**特定の背景を有する患者**　①腎機能障害者：腎機能正常者と種々な程度の腎機能障害者に200mg(力価)を空腹時単回経口投与し，クレアチニンクリアランス(Ccr)とその体内動態との関係を検討した結果，腎機能の低下に伴ってCmaxの上昇，$T_{1/2}$の延長及びAUCの増加が認められた(測定法：Bioassay)　②高齢者：重篤な基礎疾患のない66〜82歳(平均72.2歳)の女性3名に200mg(力価)を空腹時単回経口投与し，その体内動態を検討した結果，健康成人と比べるとTmax，$T_{1/2}$はほぼ同様であったが，Cmax，AUCは明らかに高かった(測定法：Bioassay)　**薬物相互作用**　①*in vitro*試験成績：CYP3A，P-gpに対する阻害作用を有する　②テオフィリン：健康成人男性にテオフィリンを400mg及び本剤を300mg併用した結果，併用5日目でテオフィリンの血清中濃度はCmaxで1.26倍，AUCで1.19倍上昇し，クリアランスは16.4%減少したが統計的に有意差は認められなかった．また，気管支喘息患児にテオフィリンを300〜600mg/dayで1日分2経口投与し，更に本剤600mg/dayを1日分2併用投与した結果，併用7日目においてテオフィリンの血清中濃度は有意な上昇を示した

その他の管理的事項

投与期間制限　該当しない

保険給付上の注意　該当しない

資料

IF　クラリス錠50小児用・錠200・ドライシロップ10%小児用　2020年9月改訂(第25版)

グリクラジド
Gliclazide

概要

薬効分類　396　糖尿病用剤

構造式

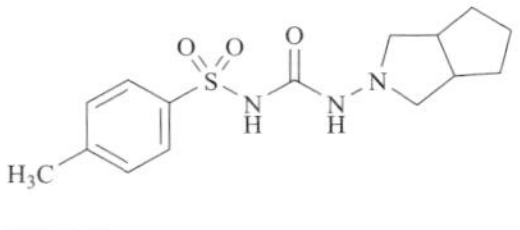

分子式　$C_{15}H_{21}N_3O_3S$

分子量　323.41

ステム　スルホンアミド系糖尿病用薬：gli-

原薬の規制区分　[劇]

原薬の外観・性状　白色の結晶性の粉末である．アセトニトリル又はメタノールにやや溶けにくく，エタノール(99.5)に溶けにくく，水にほとんど溶けない

原薬の吸湿性　吸湿性は認められない

原薬の融点・沸点・凝固点　融点：165〜169℃

原薬の酸塩基解離定数　pKa_1=1.8，pKa_2=5.8(吸光度法)

先発医薬品等

[錠]　グリミクロンHA錠20mg・40mg(大日本住友)

後発医薬品
錠 20mg・40mg
国際誕生年月 不明
海外での発売状況 英，仏など
製剤
規制区分 **錠** 劇 処
製剤の性状 **20mgHA錠** うすいだいだい色の割線入り素錠 **40mg錠** 白色の割線入り素錠
有効期間又は使用期限 3年
貯法・保存条件 室温保存
薬剤取扱い上の留意点 重篤かつ遷延性の低血糖を起こすことがあるので，高所作業，自動車の運転等に従事している患者に投与するときには注意すること
患者向け資料等 患者向医薬品ガイド，くすりのしおり
溶液及び溶解時のpH 該当資料なし
浸透圧比 該当資料なし
安定なpH域 該当資料なし
調製時の注意 該当しない
薬理作用
分類 スルホニル尿素系血糖降下剤
作用部位・作用機序 主として膵臓のランゲルハンス島におけるインスリン分泌を促進することにより，血糖降下作用を現す
同効薬 アセトヘキサミド，グリクロピラミド，グリベンクラミド，クロルプロパミド，トルブタミド，グリメピリドなど
治療
効能・効果 インスリン非依存型糖尿病（成人型糖尿病）（ただし，食事療法・運動療法のみで十分な効果が得られない場合に限る）
用法・用量 1日40mgから開始し，1日1～2回（朝又は朝夕）食前又は食後．維持量は通常1日40～120mgであるが，160mgを超えない
禁忌・原則禁忌となる特定患者集団 妊婦又は妊娠している可能性のある女性
使用上の注意

警告 重篤かつ遷延性の低血糖症を起こすことがある．用法・用量，使用上の注意に特に留意する

禁忌 ①重症ケトーシス，糖尿病性昏睡又は前昏睡，インスリン依存型糖尿病の患者［インスリンの適用である］ ②重篤な肝又は腎機能障害のある患者［低血糖を起こすおそれがある］ ③重症感染症，手術前後，重篤な外傷のある患者［インスリンの適用である］ ④下痢，嘔吐等の胃腸障害のある患者［低血糖を起こすおそれがある］ ⑤本剤の成分又はスルホンアミド系薬剤に対し過敏症の既往歴のある患者 ⑥妊婦又は妊娠している可能性のある女性
過量投与 ①症状：低血糖が起こる ②処置：(1)意識障害がない場合：投与により低血糖症状が認められた場合には通常はショ糖を投与し，α-グルコシダーゼ阻害剤（アカルボース，ボグリボース，ミグリトール）との併用により低血糖症状が認められた場合にはブドウ糖を投与する (2)意識障害がある場合：ブドウ糖液を静注する (3)その他：血糖上昇ホルモンとしてのグルカゴン投与も有効である
薬物動態
血中濃度 1回40mg投与時[健康成人（5例），糖尿病患者（8例）の順]のTmax(hr)4，2，Cmax(μg/mL)2.6，2.2±0.8，$T_{1/2}$(hr)8.6，12.3±3.1 **分布** ①血漿蛋白結合率：93.7%（糖尿病患者，60～120mg/日投与，限外ろ過法） **代謝** ①主な代謝産物：ヒドロキシメチル体（未変化体の約1/3の活性），カルボキシル体（活性なし） ②代謝経路：トリル基のメチルが酸化を受け，ヒドロキシメチル体，カルボキシル体が生成する経路と，アザビシクロオクチル環の異なった位置に水酸基が導入される経路がある．また，アザビシクロオクチル環の水酸化体の一部分はグルクロン酸抱合される **排泄** ①排泄経路：主として尿中 ②排泄率：投与後24時間までに投与量の45%，同じく96時間までに61%が尿中排泄．排泄物は，いずれも代謝物で未変化体は検出されなかった（健康成人，40mg1回投与）
その他の管理的事項
投与期間制限 該当しない
保険給付上の注意 該当しない
資料
IF グリミクロンHA錠20mg・錠40mg 2020年3月改訂（第22版）

グリシン
Glycine

概要
構造式

H_2N︵CO_2H

分子式 $C_2H_5NO_2$
分子量 75.07
原薬の規制区分 該当しない
原薬の外観・性状 白色の結晶又は結晶性の粉末で，味は甘い．水又はギ酸に溶けやすく，エタノール(95)にほとんど溶けない．結晶多形が認められる．1.0gを水20mLに溶かした液のpHは5.6～6.6である

グリセリン
Glycerin

別名：グリセロール

概要
薬効分類 235 下剤，浣腸剤，719 その他の調剤用薬
分子式 $C_3H_8O_3$
分子量 92.09
原薬の規制区分 該当しない
原薬の外観・性状 無色澄明の粘性の液で，味は甘い．水又はエタノール(99.5)と混和する
原薬の吸湿性 吸湿性である
原薬の融点・沸点・凝固点 融点：20℃，沸点：290℃
原薬の酸塩基解離定数 該当資料なし
先発医薬品等
浣腸 グリセリン浣腸「オヲタ」小児用30・60・120・150（帝國製薬＝日医工）
グリセリン浣腸「ヤマゼン」（山善）
グリセリン浣腸液50%「ケンエー」（健栄）
グリセリン浣腸液50%「東豊」（東豊）
グリセリン浣腸液50%「マイラン」（明治薬品＝ファイザー）
グリセリン浣腸液50%「ムネ」30mL・60mL・120mL・150mL（ムネ＝丸石）
外用液 グリセリン「JG」（日本ジェネリック）
グリセリン「NikP」（日医工＝岩城）
グリセリン恵美須（恵美須）
グリセリン「カナダ」（M）（金田直）
グリセリン「ケンエー」（健栄）
グリセリン「コザカイ・M」（小堺）

グリセリン　シオエ(シオエ＝日本新薬)
グリセリン「司生堂」(司生堂)
グリセリン「昭和」(M)(昭和製薬)
グリセリン「タイセイ」M(大成)
グリセリン「東海」(東海製薬)
グリセリン「東豊」(東豊＝中北)
グリセリン「ニッコー」(日興製薬＝ファイザー)
グリセリン〈ハチ〉(東洋製化＝小野)
グリセリン「マルイシ」(丸石＝ニプロ)
グリセリン「ヤクハン」(ヤクハン＝日医工＝日興製薬販売)
グリセリン(山善)
グリセリン「ヨシダ」(吉田製薬)

後発医薬品
浣腸 50%
国際誕生年月　不明
海外での発売状況　該当しない

製剤
製剤の性状　浣腸 プラスチック製容器に封入された浣腸剤で，その内容物は無色澄明で，においはなく，味は甘い　外用液 無色澄明の粘性の液で，味は甘い
有効期間又は使用期限　3年
貯法・保存条件　浣腸 室温保存　外用液 吸湿注意．室温保存
薬剤取扱い上の留意点　該当しない
患者向け資料等　くすりのしおり
調製時の注意　該当しない

薬理作用
分類　浣腸剤
作用部位・作用機序　グリセリンは組織から水を吸収し，腸壁を刺激して蠕動を促進することにより排便を促す

治療
効能・効果　浣腸 便秘，腸疾患時の排便
外用液 浣腸液の調剤に用いる．また，溶剤，軟膏基剤，湿潤・粘滑剤として調剤に用いる
用法・用量　浣腸 1回10～150mL直腸内に注入(適宜増減)

使用上の注意
禁忌　浣腸 ①腸管内出血，腹腔内炎症のある患者，腸管に穿孔又はそのおそれのある患者［腸管外漏出による腹膜炎の誘発，ぜん動運動亢進作用による症状の増悪，グリセリンの吸収による溶血，腎不全を起こすおそれがある］　②全身衰弱の強い患者［強制排便により衰弱状態を悪化させ，ショックを起こすおそれがある］　③下部消化管術直後の患者［ぜん動運動亢進作用により腸管縫合部の離解を招くおそれがある］　④吐気，嘔吐又は激しい腹痛等，急性腹症が疑われる患者［症状を悪化させるおそれがある］

その他の管理的事項
投与期間制限　該当しない
保険給付上の注意　該当しない

資料
IF　グリセリン浣腸液50%「ムネ」30mL・60mL・120mL・150mL　2015年6月作成(第1版)
グリセリン「マルイシ」　2015年7月改訂(第2版)

濃グリセリン
Concentrated Glycerin
別名：濃グリセロール

概要
構造式

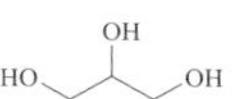

分子式　$C_3H_8O_3$
分子量　92.09
原薬の規制区分　該当しない
原薬の外観・性状　無色澄明の粘性の液で，味は甘い．水又はエタノール(99.5)と混和する
原薬の吸湿性　吸湿性である

グリセリンカリ液
Glycerin and Potash Solution

概要
薬効分類　266　皮ふ軟化剤(腐しょく剤を含む.)
略語・慣用名　別名：ベルツ水
原薬の規制区分　該当しない
原薬の外観・性状　無色澄明の液で，芳香がある．本品の水溶液(1→5)のpHは約12である
先発医薬品等
外用液 グリセリンカリ液「JG」(日本ジェネリック)
グリセリンカリ液「ケンエー」(健栄)
グリセリンカリ液「司生堂」(司生堂)
グリセリンカリ液「東豊」(東豊＝吉田製薬)
グリセリンカリ液「ニッコー」(日興製薬)
グリセリンカリ液(山善)

製剤
製剤の性状　液 無色澄明の液で，芳香がある
有効期間又は使用期限　3年
貯法・保存条件　室温保存，火気厳禁
薬剤取扱い上の留意点　連用により，皮膚が刺激に対して弱くなることがあるので，長期連用を避けること
患者向け資料等　くすりのしおり

薬理作用
分類　皮膚軟化剤
作用部位・作用機序　水酸化カリウムは皮膚の角質を軟化し，グリセリンは皮膚軟化及び乾燥防止作用により，皮膚の亀裂に対し効果がある．しかし，連用により少しの刺激にも侵されやすくなることがある

治療
効能・効果　手足のき裂性・落屑性皮膚炎
用法・用量　1日1～数回患部に塗布

その他の管理的事項
投与期間制限　該当しない
保険給付上の注意　該当しない

資料
添付文書　グリセリンカリ液「ニッコー」　2015年5月作成(第1版)

クリノフィブラート
Clinofibrate

概要
構造式

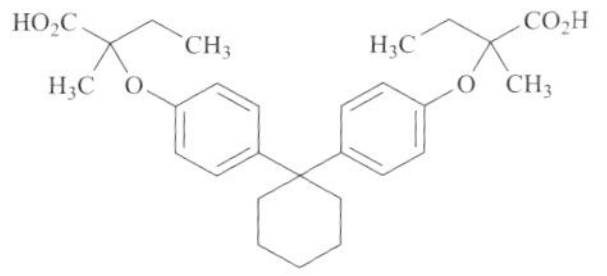

分子式　$C_{28}H_{36}O_6$
分子量　468.58
原薬の規制区分　該当しない
原薬の外観・性状　白色～帯黄白色の粉末で，におい及び味はない．メタノール，エタノール(99.5)，アセトン又はジエチルエーテルに溶けやすく，水にほとんど溶けない．本品のメタノール溶液(1→20)は旋光性を示さない
原薬の融点・沸点・凝固点　融点：約146℃(分解)

治療
効能・効果†　高脂質血症

グリベンクラミド
Glibenclamide

概要
薬効分類　396　糖尿病用剤
構造式

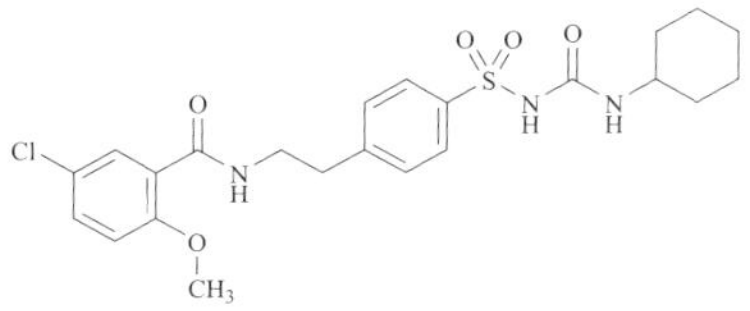

分子式　$C_{23}H_{28}ClN_3O_5S$
分子量　494.00
略語・慣用名　HB419
ステム　スルホンアミド系糖尿病用薬：gli-
原薬の規制区分　[劇]
原薬の外観・性状　白色～微帯黄白色の結晶又は結晶性の粉末である．*N,N*-ジメチルホルムアミドに溶けやすく，クロロホルムにやや溶けにくく，メタノール又はエタノール(95)に溶けにくく，水にほとんど溶けない
原薬の吸湿性　吸湿性はない
原薬の融点・沸点・凝固点　融点：169～174℃
原薬の酸塩基解離定数　pKa＝6.8±0.15
先発医薬品等
[錠]　オイグルコン錠1.25mg・2.5mg(太陽ファルマ)
　　ダオニール錠1.25mg・2.5mg(サノフィ)
後発医薬品
[錠]　1.25mg・2.5mg
国際誕生年月　1969年1月
海外での発売状況　イタリア，ベルギーなど9カ国(承認)

製剤
規制区分　[錠]　[劇] [処]
製剤の性状　[錠]　白色の素錠(割線入り)
有効期間又は使用期限　5年
貯法・保存条件　室温保存
薬剤取扱い上の留意点　重篤かつ遷延性の低血糖を起こすことがあるので，高所作業，自動車の運転等に従事している患者に投与するときには注意する．また，低血糖に関する注意について，患者及びその家族に十分徹底させる
患者向け資料等　患者向医薬品ガイド，くすりのしおり
溶液及び溶解時のpH　該当しない
浸透圧比　該当しない
安定なpH域　該当しない
調製時の注意　該当資料なし

薬理作用
分類　スルホニル尿素系血糖降下剤
作用部位・作用機序　主として膵β細胞を刺激して，内因性インスリンの分泌を促進し，血糖降下作用を発揮する．主にATP依存性K^+チャネルの遮断による
同効薬　グリメピリド，トルブタミドなど

治療
効能・効果　インスリン非依存型糖尿病(ただし，食事療法・運動療法のみで十分な効果が得られない場合に限る)
用法・用量　1日1.25～2.5mg，必要に応じ適宜増量して維持量を決定．ただし，1日最高投与量は10mg．原則として1回投与の場合は朝食前又は後，2回投与の場合は朝夕それぞれ食前又は後
禁忌・原則禁忌となる特定患者集団　妊婦又は妊娠している可能性のある婦人

使用上の注意

> **警告**　重篤かつ遷延性の低血糖症を起こすことがある．用法・用量，使用上の注意に特に留意する

禁忌　①重症ケトーシス，糖尿病性昏睡又は前昏睡，インスリン依存型糖尿病(若年型糖尿病，ブリットル型糖尿病等)の患者［インスリンの適用である］　②重篤な肝機能障害又は腎機能障害のある患者［低血糖を起こすおそれがある］　③重症感染症，手術前後，重篤な外傷のある患者［インスリンの適用である］　④下痢，嘔吐等の胃腸障害のある患者［低血糖を起こすおそれがある］　⑤妊婦又は妊娠している可能性のある婦人　⑥本剤の成分又はスルホンアミド系薬剤に対し過敏症の既往歴のある患者　⑦ボセンタン水和物を投与中の患者
相互作用概要　主にCYP2C9及びCYP3A4により代謝される
過量投与　①徴候，症状：低血糖が起こることがある　②処置法：(1)飲食が可能な場合：ブドウ糖(5～15g)又は10～30gの砂糖の入った吸収のよいジュース，キャンディ等を摂取させる　(2)意識障害がある場合：ブドウ糖液(50％20mL)を静注し，必要に応じて5％ブドウ糖液点滴により血糖値の維持を図る　(3)その他：血糖上昇ホルモンとしてのグルカゴン投与もよい

薬物動態
日本人の成績　血漿中濃度：腎・肝障害のない糖尿病患者12例に2.5mg朝食10分前に単回経口投与時の血漿中濃度パラメータは，Tmax1.5hr，Cmax82±27ng/mL，半減期2.7hr　**外国人の成績**　吸収・代謝・排泄：健康成人男子6例に5mg経口投与後，約45％が腸管から吸収され，48時間以内に68％が糞便中に，また23％が尿中に排泄．吸収された未変化体は全量が肝臓で代謝され，代謝物は主に糞便中に排泄　〈参考〉*in vivo*及び*in vitro*試験において，本剤は主に肝代謝酵素CYP2C9及びCYP3A4により代謝されることが示唆された

その他の管理的事項
投与期間制限　該当しない
保険給付上の注意　該当しない

資料
IF　オイグルコン錠1.25mg・2.5mg　2019年1月改訂(第10版)

吸水クリーム
Absorptive Cream

別名：吸水軟膏

概要

分子式　該当しない

原薬の規制区分　該当しない

原薬の外観・性状　白色で光沢があり，僅かに特異なにおいがある

先発医薬品等

クリーム　吸水クリーム「東豊」(東豊)
吸水クリーム「ニッコー」(日興製薬＝丸石＝健栄)
吸水軟膏(司生堂)

製剤

製剤の性状　白色で光沢があり，僅かに特異なにおいがある

貯法・保存条件　気密容器，室温保存

患者向け資料等　くすりのしおり

薬理作用

分類　軟膏基剤

作用部位・作用機序　①主薬の薬剤浸透性が良く，速やかな薬効を現す　②水分を蒸散させるため，皮膚冷却による消炎・止痒作用がある(冷却作用があることからコールドクリームとよばれる)　③病巣被覆保護作用は弱い　④適応は主に乾燥面の紅斑，丘疹，落屑などである　⑤水分保持が高度で，浸透性が良いため，湿潤面，潰瘍，びらんなどに適用すると，滲出物を再吸収し，症状の悪化を起こすことがある．

同効薬　親水クリーム

治療

効能・用法　①軟膏基剤として調剤に用いる　②皮膚保護剤として用いる

その他の管理的事項

投与期間制限　該当しない

保険給付上の注意　該当しない

資料

添付文書　吸水クリーム「ニッコー」 2014年12月作成(第1版)

親水クリーム
Hydrophilic Cream

別名：親水軟膏

概要

分子式　該当しない

原薬の規制区分　該当しない

原薬の外観・性状　白色で，僅かに特異なにおいがある

先発医薬品等

クリーム　親水クリーム(日本ジェネリック)
親水クリーム「コザカイ・M」(小堺)
親水クリーム「シオエ」(シオエ＝日本新薬)
親水クリーム「東豊」(東豊＝日医工)
親水クリーム「ニッコー」(日興製薬＝丸石＝健栄)
親水クリーム「ホエイ」(マイラン＝ファイザー＝ニプロ)
親水クリーム「ヨシダ」(吉田製薬)
親水軟膏(司生堂)

製剤

製剤の性状　白色で，僅かに特異なにおいがある

貯法・保存条件　気密容器，室温保存

患者向け資料等　くすりのしおり

薬理作用

分類　軟膏基剤

作用部位・作用機序　乳剤性基剤一般の特徴を有し，特に含有水分の蒸発により，皮膚を冷却し消炎及び止痒効果をもたらす．乾燥型の皮膚疾患に適用し，湿潤型のものでは皮膚分泌物との混和性及び皮膚浸透性が大きく，分泌物の再吸収により，ときに症状の悪化をきたすことがある．水で容易に洗い落とせる

同効薬　吸水クリーム

治療

効能・用法　①軟膏基剤として調剤に用いる　②皮膚保護剤として用いる

その他の管理的事項

投与期間制限　該当しない

保険給付上の注意　該当しない

資料

添付文書　親水クリーム「ニッコー」 2014年12月作成(第1版)

グリメピリド
グリメピリド錠
Glimepiride

概要

薬効分類　396　糖尿病用剤

構造式

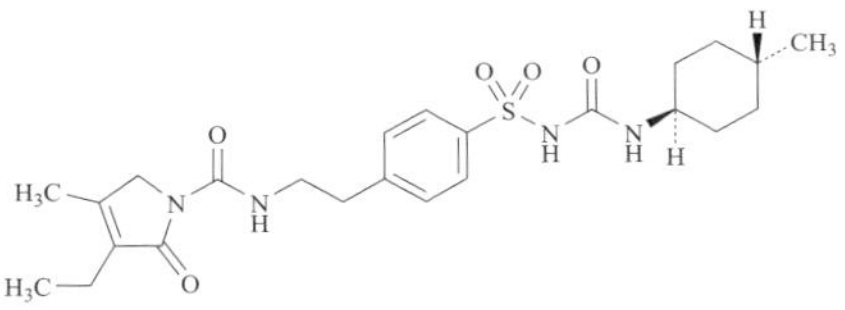

分子式　$C_{24}H_{34}N_4O_5S$

分子量　490.62

ステム　スルホンアミド系糖尿病用薬：gli-

原薬の規制区分　㊔

原薬の外観・性状　白色の結晶性の粉末である．ジクロロメタンに溶けにくく，メタノール又はエタノール(99.5)に極めて溶けにくく，水にほとんど溶けない

原薬の吸湿性　25℃で各相対湿度下7日間保存した結果，吸湿性は認められなかった

原薬の融点・沸点・凝固点　融点：約202℃(分解)

原薬の酸塩基解離定数　水・アセトニトリル混液(4：1)中での pKa＝6.2

先発医薬品等

錠　アマリール0.5mg・1mg・3mg錠(サノフィ)
アマリールOD錠0.5mg・1mg・3mg(サノフィ)

後発医薬品

錠　0.5mg・1mg・3mg・OD錠0.5mg・1mg・3mg

国際誕生年月　1995年6月

海外での発売状況　米，英，仏，独など

製剤

規制区分　**錠**　㊔ ㊙

製剤の性状　**0.5mg錠**　白色の裸錠　**1mg錠**　淡紅色の裸錠(割線入り)　**3mg錠**　微黄白色の裸錠(割線入り)　**0.5mg口腔内崩壊錠**　白色の裸錠(口腔内崩壊錠)　**1mg口腔内崩壊錠**　淡紅色の割線入り裸錠(口腔内崩壊錠)　**3mg口腔内崩壊錠**　微黄白色の割線入り裸錠(口腔内崩壊錠)

有効期間又は使用期限　3年

貯法・保存条件 室温保存
薬剤取扱い上の留意点 重篤かつ遷延性の低血糖を起こすことがあるので，高所作業，自動車の運転等に従事している患者に投与するときには注意すること．また，低血糖に関する注意について，患者及びその家族に十分徹底させること
患者向け資料等 患者向医薬品ガイド，くすりのしおり
溶液及び溶解時のpH 該当しない
浸透圧比 該当しない
安定なpH域 該当しない
調製時の注意 該当しない

薬理作用

分類 スルホニル尿素系血糖降下剤
作用部位・作用機序 主に膵β細胞の刺激による内因性インスリン分泌の促進(膵作用)により，血糖降下作用を発現するものと考えられる．また，*in vitro*試験において糖輸送担体の活性化等の関与が示されている
同効薬 グリベンクラミド，グリクラジド，アセトヘキサミド，グリクロピラミド，クロルプロパミド

治療

効能・効果 2型糖尿病(ただし，食事療法・運動療法のみで十分な効果が得られない場合に限る)
用法・用量 1日0.5～1mgより開始し，1日1～2回朝又は朝夕，食前又は食後．維持量は1日1～4mg(適宜増減)．1日最高投与量は6mgまで
用法・用量に関連する使用上の注意 **口腔内崩壊錠** 本剤は口腔内で崩壊するが，口腔の粘膜から吸収されることはないため，唾液又は水で飲み込む
禁忌・原則禁忌となる特定患者集団 妊婦又は妊娠している可能性のある婦人

使用上の注意

警告 重篤かつ遷延性の低血糖症を起こすことがある．用法・用量，使用上の注意に特に留意する

禁忌 ①重症ケトーシス，糖尿病性昏睡又は前昏睡，インスリン依存型糖尿病(若年型糖尿病，ブリットル型糖尿病等)の患者［インスリンの適用である］ ②重篤な肝又は腎機能障害のある患者［低血糖を起こすおそれがある］ ③重症感染症，手術前後，重篤な外傷のある患者［インスリンの適用である］ ④下痢，嘔吐等の胃腸障害のある患者［低血糖を起こすおそれがある］ ⑤妊婦又は妊娠している可能性のある婦人 ⑥本剤の成分又はスルホンアミド系薬剤に対し過敏症の既往歴のある患者
相互作用概要 主にCYP2C9により代謝される
過量投与 ①徴候，症状：低血糖が起こることがある ②処置：(1)飲食が可能な場合：ブドウ糖(5～15g)又は10～30gの砂糖の入った吸収のよいジュース，キャンディ等を摂取させる (2)意識障害がある場合：ブドウ糖液(50%20mL)を静注し，必要に応じて5%ブドウ糖液点滴により血糖値の維持を図る (3)その他：血糖上昇ホルモンとしてのグルカゴン投与もよい

薬物動態

血清中濃度 ①健康成人男子6例に1mgを朝食直前に単回経口投与時の薬物動態学的パラメータはTmax1.33時間，Cmax103.5±29.1ng/mL，半減期1.47時間 ②インスリン非依存型糖尿病患者9例に0.5又は1mgを1日1回7日間朝食前に連続投与で，初回及び最終回投与時の薬物動態学的パラメータに差は認められなかった ③2型糖尿病患者(小児及び成人)における薬物動態：国内の小児2型糖尿病患者及び成人2型糖尿病患者[解析対象集団136例(小児31例，成人105例)，血清中濃度517点]を対象に，0.5～6mg/日の用量で，一定用量を2週間以上投与した任意の時点で母集団薬物動態解析を行った．母集団モデルを用いて推定したパラメータは，小児(9～16歳)，成人(17歳以上)の順に，CL/F(L/h)[※1]1.79±0.77，1.64±0.59．Vss/F(L)[※2]6.84±0.09，6.83±0.11．$t_{1/2}$(h) 3.15±1.38，3.30±1.60 ※1)CL/F：見かけのクリアランス ※2)Vss/F：見かけの分布容積 小児及び成人患者の推定パラメータは同様の値．解析の結果，グリメピリドの消失プロファイルは1-コンパートメントモデルによくフィットした．共変量の検討を行った結果，最終モデルに反映される影響因子はなかった．最終モデルから得られた母集団のパラメータはCL/F 1.56L/h，Vss/F 6.84L **吸収・代謝・排泄** 健康成人男子6例に1mgを朝食直前に単回経口投与時，血清中には未変化体及び代謝物が，尿中には代謝物のみが検出．この代謝物は，シクロヘキシル環のメチル基の水酸化体及びカルボン酸体で，投与後24時間までに44.9%が尿中に排泄．(外国人データ)12例に1mgをクロスオーバー法で単回経口投与及び静注時，それぞれのAUCの比から得られたバイオアベイラビリティはほぼ100%で，消化管からの吸収は良好と考えられた．3例に^{14}C-グリメピリドを単回経口投与後168時間までに尿中に57.5%，糞中に35%が排泄 **代謝酵素** 主に肝代謝酵素CYP2C9の関与により，シクロヘキシル環メチル基の水酸化を受ける

その他の管理的事項

投与期間制限 該当しない
保険給付上の注意 該当しない

資料

IF アマリール0.5mg・1mg・3mg錠・OD錠0.5mg・1mg・3mg 2019年10月改訂(第23版)

クリンダマイシン塩酸塩
クリンダマイシン塩酸塩カプセル
Clindamycin Hydrochloride

概要

薬効分類 263 化膿性疾患用剤，611 主としてグラム陽性菌に作用するもの
構造式

H₃C, N, CH₃, H, N, H, Cl, CH₃, O, HO, O, H, OH, S, CH₃, OH · HCl

分子式 $C_{18}H_{33}ClN_2O_5S \cdot HCl$
分子量 461.44
略語・慣用名 CLDM
ステム *Streptomyces*属の産生する抗生物質：-mycin
原薬の規制区分 該当しない
原薬の外観・性状 白色～灰白色の結晶又は結晶性の粉末である．水又はメタノールに溶けやすく，エタノール(99.5)に溶けにくい
原薬の吸湿性 該当資料なし
原薬の融点・沸点・凝固点 融点：159～161℃
原薬の酸塩基解離定数 pKa＝7.72±0.04
先発医薬品等
カ ダラシンカプセル75mg・150mg(ファイザー)
国際誕生年月 1969年10月
海外での発売状況 米，英

製剤

規制区分 **カ** ㊈
製剤の性状 **カ** 橙色不透明/淡橙色不透明の硬カプセル
有効期間又は使用期限 4年

貯法・保存条件 室温保存
薬剤取扱い上の留意点 水又は牛乳で服用させ，特に就寝直前の服用等には注意すること
患者向け資料等 患者向医薬品ガイド，くすりのしおり
安定なpH域 酸性溶液中で比較的安定
調製時の注意 該当しない

薬理作用
分類 リンコマイシン系抗生物質
作用部位・作用機序 細菌のリボゾーム50S粒子（50S Subunit）に作用し，ペプチド転移酵素反応を阻止し蛋白合成を阻害する
同効薬 リンコマイシン系抗生物質製剤

治療
効能・効果 〈適応菌種〉クリンダマイシンに感性のブドウ球菌属，レンサ球菌属，肺炎球菌 〈適応症〉表在性皮膚感染症，深在性皮膚感染症，慢性膿皮症，咽頭・喉頭炎，扁桃炎，急性気管支炎，肺炎，慢性呼吸器病変の二次感染，涙嚢炎，麦粒腫，外耳炎，中耳炎，副鼻腔炎，顎骨周辺の蜂巣炎，顎炎，猩紅熱
効能・効果に関連する使用上の注意 咽頭・喉頭炎，扁桃炎，急性気管支炎，中耳炎，副鼻腔炎への使用にあたっては，「抗微生物薬適正使用の手引き」を参照し，抗菌薬投与の必要性を判断した上で，本剤の投与が適切と判断される場合に投与する
用法・用量 1回150mg（力価）6時間ごと，重症感染症には1回300mg（力価）8時間ごと．小児1日15mg（力価）/kg，重症感染症には1日20mg（力価）/kg，3～4回に分服（適宜増減）
用法・用量に関連する使用上の注意 使用にあたっては，耐性菌の発現等を防ぐため，原則として感受性を確認し，疾病の治療上必要な最小限の期間の投与にとどめる

使用上の注意
禁忌 本剤の成分又はリンコマイシン系抗生物質に対し過敏症の既往歴のある患者

薬物動態
血中濃度 健康成人の最高血中濃度は1回300mg経口投与で1時間後，600mgの点滴静注（4例）又は300mg，600mgの筋注（各6例）で約1時間後 **代謝** 生体内で速やかに加水分解されクリンダマイシンに，さらに肝で抗菌活性代謝産物N-デメチルクリンダマイシン，クリンダマイシンスルホキシドを生じる **排泄** 健康成人1回150mg経口投与後24時間までに平均17.7%尿中排泄．600mgを健康成人に筋注及び呼吸器疾患患者に点滴静注後6時間までに各9.2%，9.3%尿中排泄

その他の管理的事項
投与期間制限 該当しない
保険給付上の注意 該当しない

資料
IF ダラシンカプセル75mg・150mg 2018年11月改訂（第5版）

クリンダマイシンリン酸エステル
クリンダマイシンリン酸エステル注射液
Clindamycin Phosphate

概要
薬効分類 263 化膿性疾患用剤，611 主としてグラム陽性菌に作用するもの
構造式

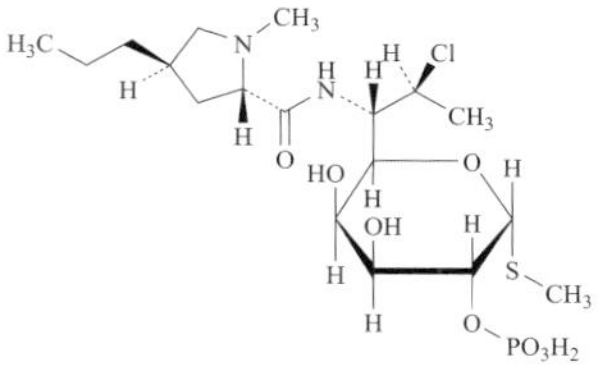

分子式 $C_{18}H_{34}ClN_2O_8PS$
分子量 504.96
略語・慣用名 CLDM
ステム *Streptomyces*属の産生する抗生物質：-mycin
原薬の規制区分 該当しない
原薬の外観・性状 白色～微黄白色の結晶性の粉末である．水に溶けやすく，メタノールにやや溶けにくく，エタノール（95）にほとんど溶けない．0.10gを水10mLに溶かした液のpHは3.5～4.5である
原薬の吸湿性 40℃，75%RHにて3カ月間保存する時，含湿度はほとんど変化を認めなかった
原薬の融点・沸点・凝固点 融点：189～191℃
原薬の酸塩基解離定数 pKa＝7.45
先発医薬品等
- **注** クリンダマイシン注射液300mg・600mg「タイヨー」（武田テバファーマ＝武田）
  クリンダマイシンリン酸エステル注300mg・600mg「F」（富士製薬）
  クリンダマイシンリン酸エステル注射液300mg・600mg「NP」（ニプロ）
  クリンダマイシンリン酸エステル注射液300mg・600mg「サワイ」（沢井）
  クリンダマイシンリン酸エステル注300mg・600mg「トーワ」（東和薬品）
  ダラシンS注射液300mg・600mg（ファイザー）
- **外用液** ダラシンTローション1%（佐藤製薬）
- **外用ゲル** ダラシンTゲル1%（佐藤製薬）

後発医薬品
- **キット** 300mg・600mg
- **外用ゲル** 1%

国際誕生年月 **注** 1972年10月 **外用液** **外用ゲル** 1968年11月
海外での発売状況 米，独を含む115カ国（承認）

製剤
規制区分 **注** **外用液** **外用ゲル** ㊇
製剤の性状 **注** 無色～淡黄色澄明の水性注射液 **外用液** 無色澄明の液で，特異なにおいを有する **外用ゲル** 無色澄明で，粘性のある半固形状の製剤
有効期間又は使用期限 **注** 2年 **外用液** 3年 **外用ゲル** 21カ月
貯法・保存条件 **注** 室温保存 **外用液** **外用ゲル** 室温保存
薬剤取扱い上の留意点 **外用液** **外用ゲル** 眼科用として使用しない **外用液** 火気を避けて保存する
患者向け資料等 **注** 患者向医薬品ガイド **外用液** **外用ゲル** くすりのしおり
溶液及び溶解時のpH **注** 6.0～7.0 **外用液** **外用ゲル** 4.6～5.6

浸透圧比 注 約3(対生食)
調製時の注意 該当しない

薬理作用

分類 リンコマイシン系抗生物質
作用部位・作用機序 細菌のリボゾーム50S Subunitに作用し，ペプチド転移酵素反応を阻止し蛋白合成を阻害する
同効薬 注 リンコマイシン塩酸塩水和物，クリンダマイシン塩酸塩 外用液 外用ゲル ナジフロキサシン

治療

効能・効果 注 キット 〈適応菌種〉クリンダマイシンに感性のブドウ球菌属，レンサ球菌属，肺炎球菌，ペプトストレプトコッカス属，バクテロイデス属，プレボテラ属，マイコプラズマ属 〈適応症〉敗血症，咽頭・喉頭炎，扁桃炎，急性気管支炎，肺炎，慢性呼吸器病変の二次感染，中耳炎，副鼻腔炎，顎骨周辺の蜂巣炎，顎炎

外用ゲル 外用液 〈適応菌種〉クリンダマイシンに感性のブドウ球菌属，アクネ菌 〈適応症〉ざ瘡(化膿性炎症を伴うもの)

効能・効果に関連する使用上の注意 注 キット 咽頭・喉頭炎，扁桃炎，急性気管支炎，中耳炎，副鼻腔炎への使用にあたっては，「抗微生物薬適正使用の手引き」を参照し，抗菌薬投与の必要性を判断した上で，本剤の投与が適切と判断される場合に投与する

用法・用量 注 キット ①点滴静注：クリンダマイシンとして1日600～1200mg(力価)を2～4回に，小児1日15～25mg(力価)/kgを3～4回に分注，難治性又は重症感染症には症状に応じて，1日2400mg(力価)まで増量し2～4回に，小児1日40mg(力価)/kgまで増量し3～4回に分注．点滴静注には300～600mg(力価)あたり100～250mLの5%ブドウ糖注射液，生理食塩液又はアミノ酸製剤等の補液に溶解し，30分～1時間かけて投与する ②筋注：クリンダマイシンとして1日600～1200mg(力価)を2～4回に分注(適宜増減)

外用ゲル 外用液 1日2回，洗顔後塗布

用法・用量に関連する使用上の注意 注 キット 使用にあたっては，耐性菌の発現等を防ぐため，原則として感受性を確認し，疾病の治療上必要な最小限の期間の投与にとどめる

外用ゲル 外用液 ①塗布する面積は治療上必要最小限にとどめる ②使用にあたっては，4週間で効果が認められない場合には中止する．また，炎症性皮疹が消失した場合には継続使用しない ③使用にあたっては，耐性菌の発現等を防ぐため，疾病の治療上必要な最小限の期間の使用にとどめる

使用上の注意

禁忌 本剤の成分又はリンコマイシン系抗生物質に対し過敏症の既往歴のある患者

薬物動態

血中濃度 注 健康成人の最高血中濃度は1回300mg経口投与で1時間後，600mgの点滴静注(4例)又は300mg，600mgの筋注(各6例)で約1時間後 **分布** 注 喀痰，唾液，肺，胸水，口蓋扁桃，上顎洞粘膜，中耳粘膜，乳汁中等へ高移行 **代謝** 生体内で速やかに加水分解されクリンダマイシンに，さらに肝で抗菌活性代謝産物N-デメチルクリンダマイシン，クリンダマイシンスルホキシドを生じる **排泄** 注 健康成人1回150mg経口投与後24時間までに平均17.7%尿中排泄．600mgを健康成人に筋注及び呼吸器疾患患者に点滴静注後6時間までに各9.2%，9.3%尿中排泄 **吸収・排泄** 外用ゲル 健康成人男子(6例)の背部皮膚にゲル剤2gを単回塗布時の血漿中濃度は，多くは定量限界(13.2pg/mL)以下．ゲル剤2gを12時間ごとに9回反復塗布時，塗布後12時間の血漿中濃度は3回塗布でほぼ一定．最終塗布後の最高血漿中濃度は平均163.3pg/mL．尿中排泄率は共に塗布量の0.01%以下

その他の管理的事項

投与期間制限 該当しない
保険給付上の注意 該当しない

資料

IF ダラシンS注射液300mg・600mg 2019年1月改訂(第10版)
ダラシンTローション1%・Tゲル1% 2012年12月作成(第1版)

グルカゴン(遺伝子組換え)
Glucagon(Genetical Recombination)

概要

薬効分類 249 その他のホルモン剤(抗ホルモン剤を含む.)，722 機能検査用試薬
構造式

His-Ser-Gln-Gly-Thr-Phe-Thr-Ser-Asp-Tyr-Ser-Lys-Tyr-Leu-Asp-Ser-Arg-Arg-Ala-Gln-Asp-Phe-Val-Gln-Trp-Leu-Met-Asn-Thr

分子式 $C_{153}H_{225}N_{43}O_{49}S$
分子量 3482.75
ステム 該当しない
原薬の規制区分 ㊕
原薬の外観・性状 白色の凍結乾燥した粉末である．水又はエタノール(99.5)にほとんど溶けない
原薬の吸湿性 吸湿性がある
原薬の酸塩基解離定数 該当資料なし
先発医薬品等
注射用 グルカゴンGノボ注射用1mg(ノボ＝EAファーマ)
後発医薬品
注射用 1U.S.P.単位
国際誕生年月 1989年9月
海外での発売状況 米，英，仏，独など

製剤

規制区分 注射用 ㊕ ㊇
製剤の性状 注射用 白色の粉末又は塊で，においはない
有効期間又は使用期限 3年
貯法・保存条件 凍結を避け，冷所(15℃以下)に遮光して保存
薬剤取扱い上の留意点 低血糖時の処置法，注射手技について指導すること
患者向け資料等 患者向医薬品ガイド，くすりのしおり
溶液及び溶解時のpH 2.5～3.5
浸透圧比 0.9～1.3(対生食)

薬理作用

分類 遺伝子組換えグルカゴン
作用部位・作用機序 ①消化管運動抑制作用：消化管の平滑筋に対する直接作用と考えられている ②血糖上昇作用：主として肝臓のグリコーゲン分解促進によって起こる
同効薬 消化管運動抑制作用：副交感神経遮断剤 血糖上昇作用：アドレナリン等 成長ホルモン分泌促進作用：インスリン，アルギニン，レボドパ

治療

効能・効果 ①消化管のX線及び内視鏡検査の前処置 ②低血糖時の救急処置 ③成長ホルモン分泌機能検査 ④肝型糖原病検査 ⑤胃の内視鏡的治療の前処置

用法・用量 ①消化管のX線及び内視鏡検査の前処置：1mgを1mLの注射用水に溶解し，0.5～1mg筋注又は静注(適宜増減)．ただし，作用持続時間は，筋注の場合約25分間，静注の場合15～20分間 ②低血糖時の救急処置：1mgを1mLの注射用水に溶解し，筋注又は静注 ③成長ホルモン分泌機能検査：1mgを1mLの注射用水に溶解し，0.03mg/kgを空腹時に皮下注．ただし，最大投与量1mgとする．判定基準：血中hGH値は，測定方法，患者の状態等の関連で異なるため，明確に規定し得ないが，通常，正常人では，投与後60～180分でピークに達し，10ng/mL以上を示す．血中hGH値が5ng/mL

以下の場合hGH分泌不全とする．なお，投与後60分以降は30分ごとに180分まで測定し，判定することが望ましい　④肝型糖原病検査：1mgを生理食塩液20mLに溶解し，1mgを3分かけて静注．小児には1mgを1mLの注射用水に溶解し，0.03mg/kgを筋注．ただし，最大投与量1mgとする．判定基準：正常反応は個々の施設で設定されるべきであるが，通常，正常小児では，筋注後30～60分で血糖はピークに達し，前値より25mg/dL以上上昇する．正常成人では，静注後15～30分でピークに達し，前値より30～60mg/dL上昇する．しかし，投与後の血糖のピーク値のみでは十分な判定ができないと考えられる場合は，投与後15～30分ごとに測定し，判定することが望ましい　⑤胃の内視鏡的治療の前処置：1mgを1mLの注射用水に溶解し，筋注又は静注．内視鏡的治療中に消化管運動が再開し，治療に困難を来した場合又はその可能性がある場合には，1mg追加投与．作用発現時間は，筋注の場合約5分，静注の場合1分以内であり，作用持続時間については，筋注の場合約25分間，静注の場合15～20分間

使用上の注意

禁忌　①褐色細胞腫及びその疑いのある患者［急激な昇圧発作を起こすことがある］　②本剤の成分に対し過敏症の既往歴のある患者

過量投与　高用量のグルカゴンは嘔吐，嘔気，血清カリウム低下を引き起こすことがある

薬物動態

1mgを健常成人に筋注(12例)，皮下注(10例)，静注(8例)時のパラメータ[AUC(pg・hr/mL)，Cmax(pg/mL)，Tmax(min)，$T_{1/2}$(min)の順](平均値±SE)は，筋肉内注射[3524±192，5029±410，9.2±1.4，16.3±1.7]，皮下注射[4710±301，6629±476，8.0±1.1，19.9±1.5]，静脈内注射[6394±937，－，－，3.1±0.2]．　作用発現時間(( )内作用持続時間)のおよその目安(静注，筋注の順)は，消化管運動抑制作用ではそれぞれ1分以内(15～20分)，約5分(約25分)，血糖上昇作用ではそれぞれ1分以内，通常10分以内

その他の管理的事項

投与期間制限　該当しない

保険給付上の注意　該当しない

資料

IF　グルカゴンGノボ注射用1mg　2016年10月改訂(第8版)

グルコン酸カルシウム水和物
Calcium Gluconate Hydrate

概要

薬効分類　321　カルシウム剤

構造式

$$\left[HO\text{-}CH_2\text{-}CH(OH)\text{-}CH(OH)\text{-}CH(OH)\text{-}CH(OH)\text{-}CO_2^- \right]_2 \ Ca^{2+} \cdot H_2O$$

分子式　$C_{12}H_{22}CaO_{14} \cdot H_2O$

分子量　448.39

ステム　不明

原薬の規制区分　該当しない

原薬の外観・性状　白色の結晶性の粉末又は粒である．水にやや溶けやすく，エタノール(99.5)にほとんど溶けない．1.0gを水20mLに加温して溶かした液のpHは6.0～8.0である

原薬の吸湿性　該当資料なし

原薬の融点・沸点・凝固点　融点(分解点)：約120℃(グルコン酸カルシウムの結晶水は105℃でも完全に揮発せず，120℃で分解を伴って失われる)

原薬の酸塩基解離定数　該当資料なし

先発医薬品等

末 カルチコール末(日医工)
　グルコン酸カルシウム水和物(山善)
注 カルチコール注射液8.5%5mL・8.5%10mL(日医工)

国際誕生年月　不明

海外での発売状況　末 米，英，豪など　注 米，仏など

製剤

規制区分　注 ㊈

製剤の性状　末 白色の結晶性の粉末又は粒　注 無色澄明の液

有効期間又は使用期限　3年

貯法・保存条件　室温保存

患者向け資料等　くすりのしおり

溶液及び溶解時のpH　注 6.0～8.2

浸透圧比　注 約0.9(対生食)

調製時の注意　注 クエン酸塩，炭酸塩，リン酸塩，硫酸塩，酒石酸塩等を含む製剤と配合した場合，沈澱を生じることがあるので，配合を避けること．セフトリアキソンナトリウムと配合した場合，沈澱を生じることがあるので，配合しないこと．なお，外国で，セフトリアキソンナトリウムとの配合により重篤な副作用が現れたとの報告がある．エタノールにより沈澱を生じるので，エタノールで消毒した注射器は用いないこと．本剤は過飽和の溶液となっており，結晶が析出しやすいので，結晶が析出した製品は用いないこと

薬理作用

分類　カルシウム剤

作用部位・作用機序　血清カルシウムの低下状態に対して，カルシウム値を上昇させることにより作用を発現する．テタニー等の神経系疾患ではカルシウムを補給することにより，筋細胞の神経筋興奮性の閾値を上昇させ，刺激に対する興奮をやわらげる

同効薬　末 乳酸カルシウム水和物，グリセロリン酸カルシウム，L-アスパラギン酸カルシウム，塩化カルシウム水和物，リン酸水素カルシウム水和物　注 塩化カルシウム

治療

効能・効果　①低カルシウム血症に起因する次の症候の改善：テタニー，テタニー関連症状　②小児脂肪便におけるカルシウム補給

用法・用量　末 1日1～5g，3回に分服(適宜増減)
注 0.4～2g(カルシウムとして1.83～9.17mEq)を8.5%液として，1日1回緩徐に(カルシウムとして0.68～1.36mEq/分)静注(適宜増減)．ただし，小児脂肪便に用いる場合は，経口投与不能時に限る

使用上の注意

禁忌　末 ①高カルシウム血症の患者　②腎結石のある患者［腎結石を助長するおそれがある］　③重篤な腎不全のある患者［組織への石灰沈着を助長するおそれがある］　④エストラムスチンリン酸エステルナトリウム水和物を投与中の患者
注 ①強心配糖体の投与を受けている患者　②高カルシウム血症の患者　③腎結石のある患者［腎結石を助長するおそれがある］　④重篤な腎不全のある患者［組織への石灰沈着を助長するおそれがある］

過量投与　①症状：高カルシウム血症となる可能性がある．食欲不振，悪心・嘔吐，便秘，筋力低下，多飲多尿，精神症状等が現れ，さらに重篤になると不整脈，意識障害が出現する　②処置：本剤やビタミンD製剤を中止し，生理食塩液等の補液，フロセミド，エルカトニン又はカルシトニン等の投与を行う

薬物動態

血中濃度　Tmax，Cmax，半減期はいずれもデータなし　**吸収率**　[内服：健康成人(外国人)，500mg1回投与]：27%　**血漿蛋白結合率**　(カルシウムとして，外国人)：約45%　**排泄経路及び排泄率**　①排泄経路：末 尿中，糞便中．注 主として尿中　②排泄率[外国人，10%注射液100mL(承認範囲外用

量）を輸液と混注]：点滴静注時，健康成人とアシドーシス患者ではカルシウムとして39～52%（平均45%），骨軟化症患者では8～12%（平均10%）が尿中排泄

その他の管理的事項

投与期間制限　該当しない

保険給付上の注意　該当しない

資料

IF　カルチコール末　2018年8月改訂（第4版）
カルチコール注射液8.5%5mL・10mL　2018年8月改訂（第3版）

グルタチオン
Glutathione

概要

薬効分類　131　眼科用剤，392　解毒剤

構造式

分子式　$C_{10}H_{17}N_3O_6S$

分子量　307.32

ステム　なし

原薬の規制区分　該当しない

原薬の外観・性状　白色の結晶性の粉末である．水に溶けやすく，エタノール（99.5）にほとんど溶けない

原薬の吸湿性　吸湿により，硫化水素様臭を発する

原薬の融点・沸点・凝固点　融点：約185℃（分解）

原薬の酸塩基解離定数　$pK_1 = 2.12$，$pK_2 = 3.53$，$pK_3 = 8.65$，$pK_4 = 9.12$

先発医薬品等
散　タチオン散20%（長生堂＝日本ジェネリック）
錠　タチオン錠50mg・100mg（長生堂＝日本ジェネリック）
注射用　タチオン注射用100mg・200mg（長生堂＝日本ジェネリック）
点眼用　タチオン点眼用2%（長生堂＝日本ジェネリック）

後発医薬品
錠　100mg
注射用　200mg

国際誕生年月　不明

海外での発売状況　該当資料なし

製剤

規制区分　**注射用**　㊕

製剤の性状　**散**　白色の散剤　**錠**　白色の糖衣錠　**注射用**　白色の多孔性の塊　**点眼用**　白色の凍結乾燥品

有効期間又は使用期限　**散**　5年　**錠**　**注射用**　**点眼用**　3年

貯法・保存条件　**散**　室温保存（開封後は密栓して保存）　**錠**　室温保存　**注射用**　室温保存（溶解後は直ちに使用する）　**点眼用**　室温保存（溶解後は冷所（1～15℃）保存）

薬剤取扱い上の留意点　**点眼用**　①点眼用にのみ使用する　②溶解後は出来るだけ速やかに使用する（4週間以内）　③光によって変化しやすいため，必ず添付の点眼袋（遮光袋）に入れて保管すること

患者向け資料等　くすりのしおり　**点眼用**　患者用指導箋

溶液及び溶解時のpH　**注射用**　5.0～7.0（1gを注射用水50mLに溶解時）　**点眼用**　4.5～6.5（溶解時）

浸透圧比　**100mg注射用**　1.0～1.2（1管/2mL注射用水）（対生食），**200mg注射用**　1.3～1.5（1管/3mL注射用水）（対生食）　**点眼用**　約1（溶解時）（対生食）

安定なpH域　酸性側では比較的安定であるが，アルカリ性側に傾くと極めて不安定になり急速に分解する

調製時の注意　**注射用**　用時に，溶解液を加え，静かに円を描くように回して溶解する（激しく振とうしない）

薬理作用

分類　還元型グルタチオン製剤

作用部位・作用機序　生物学的な活性は，作用機序の面からSH基の酸化還元反応が関与する反応と，酸化還元反応とは無関係に関与する反応とに大別され，後者は，助酵素的な役割を果たす反応，メルカプツール酸の生成及びその他の解毒機構への関与，SH酵素又はその他の細胞成分の保護あるいは活性化，細胞分裂・細胞の増殖等における何らかの役割を果たすとされている

同効薬　なし

治療

効能・効果　**散**　**錠**　薬物中毒，アセトン血性嘔吐症（自家中毒，周期性嘔吐症），金属中毒，妊娠悪阻，妊娠高血圧症候群
注射用　①薬物中毒，アセトン血性嘔吐症（自家中毒，周期性嘔吐症）　②慢性肝疾患における肝機能の改善　③急性湿疹，慢性湿疹，皮膚炎，蕁麻疹，リール黒皮症，肝斑，炎症後の色素沈着　④妊娠悪阻，晩期妊娠中毒　⑤角膜損傷の治癒促進　⑥放射線療法による白血球減少症，放射線宿酔，放射線による口腔粘膜の炎症
点眼用　初期老人性白内障，角膜潰瘍，角膜上皮剥離，角膜炎

用法・用量　**散**　**錠**　グルタチオンとして1回50～100mg，1日1～3回（適宜増減）
注射用　グルタチオンとして1日1回100～200mgを溶解液に溶かし，筋注又は静注（適宜増減）
点眼液　グルタチオンとして用時溶解後1回1～2滴，1日3～5回点眼

薬物動態

散　**錠**　**注射用**　①血中濃度：ラットに^{35}S-glutathione（GSH）を胃内又は空腸に直接投与で，小腸から速やかに吸収，門脈血中にはほとんどが未変化体．血中で速やかに血清蛋白と結合し，その約70～80%が蛋白と結合．ラットに^{35}S-GSH静注後，1及び5時間で血漿部分に分布，24時間では血漿及び血球部分にほぼ同様に分布，7日目では大部分は血球中．24時間での血漿中の90%が蛋白部分に存在　②代謝，排泄：ラットに^{35}S-GSHを経口投与時，24時間までの尿中排泄率18.3～38.8%，糞中排泄0.1～1.8%．経口投与1時間後の尿中未変化体及び代謝産物の比率は未変化体14.3%，Cystein33%，GSSG11.5%，その他の代謝物41.2%．ラットに^{35}S-GSH静注後，短時間に各臓器によく分布し，特に肝臓，腎臓，皮膚，脾臓等には高濃度に分布．心臓，骨格筋，脳では単位重量あたり分布は少ないが，経時的減少は緩やか．尿中へは7日後までに24±4.2%排泄
点眼用　吸収，分布，代謝，排泄（動物）：家兎眼へ^{35}S-GSH点眼時の移行は，無処置群，角膜損傷群，実験的白内障群では，角膜，前房，虹彩，強膜に多く，特に角膜損傷群で多い．水晶体前嚢には少ない．点眼15～30分で最高，以後漸減．この放射性物質は未変化体で，代謝産物でない．水晶体移行量は，実験的白内障及び角膜損傷群が，無処置群より高い

その他の管理的事項

投与期間制限　該当しない

保険給付上の注意　該当しない

資料

IF　タチオン散20%・錠50mg・100mg　2014年11月改訂（第5版）
タチオン注射用100mg・200mg　2017年4月改訂（第6版）
タチオン点眼用2%　2019年6月改訂（第4版）

L−グルタミン
L-Glutamine

概要

薬効分類　232　消化性潰瘍用剤
構造式

分子式　$C_5H_{10}N_2O_3$
分子量　146.14
ステム　不明
原薬の規制区分　該当しない
原薬の外観・性状　白色の結晶又は結晶性の粉末で，僅かに特異な味がある．ギ酸に溶けやすく，水にやや溶けやすく，エタノール(99.5)にほとんど溶けない．1.0gを水50mLに溶かした液のpHは4.5～6.0である
原薬の吸湿性　該当資料なし
原薬の酸塩基解離定数　該当資料なし
後発医薬品
　顆 99%
国際誕生年月　該当しない
海外での発売状況　該当しない

製剤

製剤の性状　顆 白色の顆粒剤
有効期間又は使用期限　3年
貯法・保存条件　室温保存
薬剤取扱い上の留意点　該当しない
患者向け資料等　くすりのしおり
溶液及び溶解時のpH　該当資料なし
浸透圧比　該当資料なし
安定なpH域　該当資料なし
調製時の注意　該当しない

薬理作用

分類　消化性潰瘍治療剤
作用部位・作用機序　ムコ多糖類の構成成分であるヘキソサミンの生合成を促進することによって，消化性潰瘍に関する防御因子を強化して胃粘膜の保護・修復促進を示すと考えられている
同効薬　ゲファルナート，テプレノン，プラウノトール，セトラキサート塩酸塩など

治療

効能・効果　次の疾患における自覚症状及び他覚所見の改善：胃潰瘍，十二指腸潰瘍
用法・用量　1日1～2g，3～4回に分服(適宜増減)

その他の管理的事項

投与期間制限　該当しない
保険給付上の注意　該当しない

資料

IF　L-グルタミン顆粒99%「NP」　2014年2月作成(第1版)

L−グルタミン酸
L-Glutamic Acid

概要

構造式

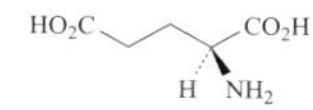

分子式　$C_5H_9NO_4$
分子量　147.13
原薬の規制区分　該当しない
原薬の外観・性状　白色の結晶又は結晶性の粉末で，僅かに特異な味と酸味がある．水に溶けにくく，エタノール(99.5)にほとんど溶けない．2mol/L塩酸試液に溶ける．結晶多形が認められる．0.7gを水100mLに加温して溶かし，冷却した液のpHは2.9～3.9である

クレゾール
クレゾール水
クレゾール石ケン液
Cresol

概要

薬効分類　261　外皮用殺菌消毒剤
分子式　C_7H_8O
分子量　108.14
ステム　不明
原薬の規制区分　該当しない
原薬の外観・性状　無色又は黄色～黄褐色澄明の液で，フェノールのようなにおいがある．エタノール(95)又はジエチルエーテルと混和する．水にやや溶けにくい．水酸化ナトリウム試液に溶ける．本品の飽和水溶液はブロモクレゾールパープル試液に対して中性である．光を強く屈折させる．光により，また，長く放置するとき，暗褐色となる
原薬の吸湿性　該当資料なし
先発医薬品等
　外用液 クレゾール石ケン液「カナダ」(M)(金田直)
　　クレゾール石ケン液「司生堂」(司生堂)
　　クレゾール石ケン液「タイセイ」(大成)

製剤

製剤の性状　外用液 黄褐色～赤褐色の粘稠性のある液で，クレゾール臭がある
貯法・保存条件　気密容器，遮光・室温保存
薬剤取扱い上の留意点　炎症又は易刺激性の部位に使用する場合には，通常部位に使用するよりも低濃度とすることが望ましい．長期間又は広範囲に使用しないこと．原液又は濃厚液が皮膚に付着した場合には刺激症状を起こすことがあるので，直ちに拭き取り石けん水と水でよく洗い流すこと．眼に入らないように注意すること．眼に入った場合には水でよく洗い流すこと
調製時の注意　本剤を必ず希釈し，濃度に注意して使用すること：①希釈する水にアルカリ土類金属塩，重金属塩，第二鉄塩，酸類が存在する場合，変化することがあるので注意すること　②本剤は常水で希釈すると次第に混濁して沈澱することがあるが，このような場合は上澄み液を使用すること

薬理作用

分類　外用殺菌消毒剤
作用部位・作用機序　使用濃度において抗酸菌を含む通常の細

菌には有効であるが，芽胞及び大部分のウイルスに対する殺菌効果はほとんど期待できない

治療

効能・効果 ①手指・皮膚の消毒，手術部位(手術野)の皮膚の消毒，医療用具の消毒，手術室・病室・家具・器具・物品等の消毒，排泄物の消毒 ②腟の洗浄

用法・用量 クレゾールとして，次の濃度に希釈して使用する．手指・皮膚の消毒0.5～1%．手術部位(手術野)の皮膚の消毒0.5～1%．医療用具の消毒0.5～1%．手術室・病室・家具・器具・物品等の消毒0.5～1%．排泄物の消毒1.5%．腟の洗浄0.1%

使用上の注意

禁忌 損傷皮膚［吸収され，中毒症状を起こすおそれがある］

資料

添付文書 クレゾール石ケン液「タイセイ」 2015年10月改訂(第4版)

クレボプリドリンゴ酸塩
Clebopride Malate

概要

薬効分類 232 消化性潰瘍用剤

構造式

及び鏡像異性体

分子式 $C_{20}H_{24}ClN_3O_2 \cdot C_4H_6O_5$

分子量 507.96

原薬の規制区分 劇(ただし，1個中クレボプリドとして0.68mg以下を含有する内用剤を除く)

原薬の外観・性状 白色の結晶性の粉末である．酢酸(100)に溶けやすく，メタノールにやや溶けやすく，水にやや溶けにくく，エタノール(99.5)に溶けにくい．本品のメタノール溶液(1→25)は旋光性を示さない

クレマスチンフマル酸塩
Clemastine Fumarate

概要

薬効分類 441 抗ヒスタミン剤

構造式

分子式 $C_{21}H_{26}ClNO \cdot C_4H_4O_4$

分子量 459.96

ステム 抗ヒスタミン薬：-astine

原薬の規制区分 劇(ただし，1個中クレマスチンとして1mg以下を含有するものを除く)

原薬の外観・性状 白色の結晶性の粉末で，においはない．メタノール又は酢酸(100)にやや溶けにくく，エタノール(95)に溶けにくく，ジエチルエーテルに極めて溶けにくく，水にほとんど溶けない

原薬の吸湿性 該当資料なし

原薬の融点・沸点・凝固点 融点：176～180℃(分解)

原薬の酸塩基解離定数 該当資料なし

先発医薬品等

散 タベジール散0.1%・1%(日新製薬)

錠 タベジール錠1mg(日新製薬)

シ タベジールシロップ0.01%(日新製薬)

後発医薬品

錠 1mg

シ 0.01%

シロップ用 0.1%

国際誕生年月 該当資料なし

海外での発売状況 該当資料なし

製剤

規制区分 **散** **シ** **シロップ用** 劇

製剤の性状 **0.1%散** ほとんど白色の微細な粒を含む粉末．僅かに甘味を有する **1%散** 白色の微細な粒を含む粉末．僅かに苦味を有する **錠** 白色の片面割線入りの素錠 **シ** 無色のやや粘稠な液体で，芳香と甘味及び苦味がある

有効期間又は使用期限 3年

貯法・保存条件 室温保存

薬剤取扱い上の留意点 眠気を催すことがあるので，本剤投与中の患者には，自動車の運転等危険を伴う機械の操作には従事させないよう十分注意すること

患者向け資料等 くすりのしおり

溶液及び溶解時のpH **シ** 約6.4

薬理作用

分類 抗ヒスタミン剤

作用部位・作用機序 持続的な抗ヒスタミン作用を有し，アレルギー症状を除去あるいは軽減する

同効薬 ジフェンヒドラミン，クロルフェニラミンマレイン酸塩，シプロヘプタジン塩酸塩など

治療

効能・効果 ①アレルギー性皮膚疾患(蕁麻疹，湿疹，皮膚炎，そう痒症)，アレルギー性鼻炎 ②(**シ** **シロップ用** のみ)感冒等上気道炎に伴うくしゃみ・鼻汁・咳嗽

用法・用量 1日量クレマスチンとして2mgを朝晩2回に分服(適宜増減)．幼小児1日標準量(クレマスチンとして)：1歳以上3歳未満0.4mg，3歳以上5歳未満0.5mg，5歳以上8歳未満0.7mg，8歳以上11歳未満1mg，11歳以上15歳未満1.3mg．1歳未満の乳児に使用する場合には，体重，症状等を考慮して適宜投与量を決める

使用上の注意

禁忌 ①本剤の成分に対し過敏症の既往歴のある患者 ②閉塞隅角緑内障の患者［抗コリン作用により眼圧が上昇し，症状を悪化させることがある］ ③前立腺肥大等下部尿路に閉塞性疾患のある患者［抗コリン作用により排尿障害が悪化するおそれがある］ ④狭窄性消化性潰瘍又は幽門十二指腸閉塞のある患者［抗コリン作用により消化管運動が抑制され，症状が悪化するおそれがある］

過量投与 ①徴候，症状：中枢神経抑制，興奮，口渇，瞳孔散大，潮紅，胃腸症状等 ②処置：一般的な薬物除去法(催吐，胃洗浄，活性炭投与等)により，除去する．また必要に応じて対症療法を行う

薬物動態

血中濃度 健常人に^{3}H-クレマスチン2mgを経口投与4時間後に最高血中濃度14.45ng/mL(外国人のデータ) **排泄** 投与後120時間までの尿中排泄率44.6%，糞便中排泄率18.9%(外国人のデータ)

その他の管理的事項

投与期間制限 該当しない

保険給付上の注意 該当しない

[資料]
IF　タベジール散0.1%・1%・錠1mg・シロップ0.01%　2019年7月改訂(第8版)

クロカプラミン塩酸塩水和物
Clocapramine Hydrochloride Hydrate

[概要]
薬効分類　117　精神神経用剤
構造式

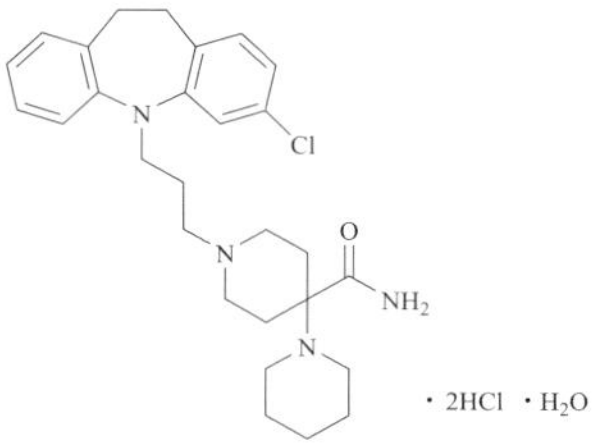

分子式　$C_{28}H_{37}ClN_4O \cdot 2HCl \cdot H_2O$
分子量　572.01
ステム　イミプラミン系の抗うつ剤(飽和三環系化合物)：-pramine
原薬の規制区分　該当しない
原薬の外観・性状　白色の結晶又は結晶性の粉末で，においはなく，味は苦い．酢酸(100)に溶けやすく，水又はメタノールにやや溶けにくく，エタノール(95)，クロロホルム又はイソプロピルアミンに溶けにくく，無水酢酸又はジエチルエーテルにほとんど溶けない．光によって徐々に着色する
原薬の吸湿性　該当資料なし
原薬の融点・沸点・凝固点　融点：約260℃(分解，乾燥後)
原薬の酸塩基解離定数　pKa_1=4.2，pKa_2=5.4(31℃，滴定法)
先発医薬品等
[顆] クロフェクトン顆粒10%(田辺三菱＝吉富薬品)
[錠] クロフェクトン錠10mg・25mg・50mg(全星＝田辺三菱＝吉富薬品)
国際誕生年月　1973年1月
海外での発売状況　発売されていない
[製剤]
規制区分　[顆] [錠] [処]
製剤の性状　[顆] 白色の顆粒剤　[錠] 白色のフィルムコーティング錠
有効期間又は使用期限　[顆] 5年　[錠] 3年
貯法・保存条件　遮光・室温保存
薬剤取扱い上の留意点　眠気，注意力・集中力・反射運動能力等の低下が起こることがあるので，投与中の患者には自動車の運転等危険を伴う機械の操作に従事させないように注意すること
患者向け資料等　くすりのしおり
溶液及び溶解時のpH　該当しない
浸透圧比　該当しない
安定なpH域　該当しない
調製時の注意　該当しない
[薬理作用]
分類　三環イミノジベンジル系抗精神病薬
作用部位・作用機序　作用部位：中枢神経系　作用機序：中枢神経系におけるドパミン作動性，ノルアドレナリン作動性神経等に対する抑制作用によると考えられている
同効薬　イミノジベンジル系：モサプラミン塩酸塩，カルピプラミン塩酸塩水和物　フェノチアジン系：クロルプロマジン塩酸塩，レボメプロマジン塩酸塩，レボメプロマジンマレイン酸塩　ブチロフェノン系：ブロムペリドール，ハロペリドール　ベンザミド系：スルピリド
[治療]
効能・効果　統合失調症
用法・用量　クロカプラミン塩酸塩水和物として1日30～150mg，3回に分服(適宜増減)
[使用上の注意]
禁忌　①昏睡状態，循環虚脱状態の患者［これらの状態を悪化させるおそれがある］　②バルビツール酸誘導体・麻酔剤等の中枢神経抑制剤の強い影響下にある患者［中枢神経抑制剤の作用を延長し増強させる］　③アドレナリンを投与中の患者(アドレナリンをアナフィラキシーの救急治療に使用する場合を除く)　④本剤の成分又はイミノジベンジル系化合物に対し過敏症の患者
過量投与　①症状：傾眠から昏睡までの中枢神経系の抑制，血圧低下と錐体外路症状である．その他，激越と情緒不安，痙攣，口渇，腸閉塞，心電図変化及び不整脈等が現れる可能性がある　②処置：本質的には対症療法かつ補助療法である．早期の胃洗浄は有効である
[薬物動態]
血漿中濃度　健康成人3人に50mg単回経口投与時のTmaxは2.7±1.2hr，Cmaxは12.9±3.3ng/mL，$T_{1/2}$は46±6hr，AUCは436±257ng・hr/mL　**排泄**　尿中には未変化体は検出されない
[その他の管理的事項]
投与期間制限　該当しない
保険給付上の注意　該当しない
[資料]
IF　クロフェクトン顆粒10%・錠10mg・25mg・50mg　2012年3月改訂(第8版)

クロキサシリンナトリウム水和物
Cloxacillin Sodium Hydrate

[概要]
構造式

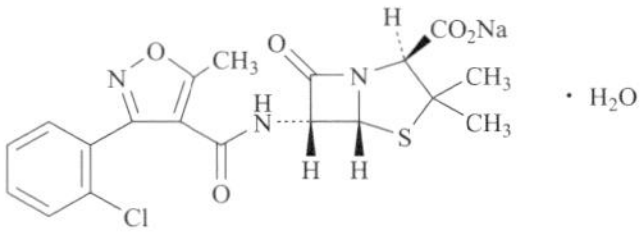

分子式　$C_{19}H_{17}ClN_3NaO_5S \cdot H_2O$
分子量　475.88
略語・慣用名　MCIPC，別名：メチルクロルフェニルイソキサゾリルペニシリンナトリウム
ステム　6-アミノペニシラン酸系抗生物質：-cillin
原薬の規制区分　該当しない
原薬の外観・性状　白色～淡黄白色の結晶又は結晶性の粉末である．水，*N,N*-ジメチルホルムアミド又はメタノールに溶けやすく，エタノール(95)にやや溶けにくい．1.0gを水10mLに溶かした液のpHは5.0～7.5である
原薬の吸湿性　該当資料なし
原薬の融点・沸点・凝固点　融点：170℃(分解)
原薬の酸塩基解離定数　該当資料なし
先発医薬品等
[注射用] 注射用ビクシリンS100・500・1000(MeijiSeika)
後発医薬品
[錠] 250mg

資料
IF　ビクシリンS配合錠　2019年4月改訂（第9版）

クロキサゾラム
Cloxazolam

概要
薬効分類　112　催眠鎮静剤，抗不安剤
構造式

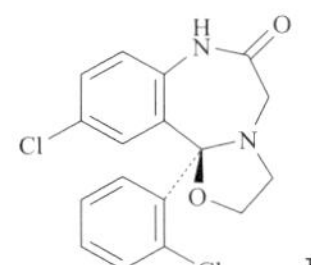

及び鏡像異性体

分子式　$C_{17}H_{14}Cl_2N_2O_2$
分子量　349.21
ステム　ジアゼパム誘導体：-azolam
原薬の規制区分　㊕
原薬の外観・性状　白色の結晶又は結晶性の粉末で，におい及び味はない．酢酸（100）に溶けやすく，ジクロロメタンにやや溶けにくく，エタノール（99.5）又はジエチルエーテルに溶けにくく，エタノール（95）に極めて溶けにくく，水にほとんど溶けない．希塩酸に溶ける．光によって徐々に着色する
原薬の吸湿性　吸湿性なし（40℃・96時間・湿度90％での吸湿度は0.1％）
原薬の融点・沸点・凝固点　融点：約200℃（分解）
原薬の酸塩基解離定数　pKa＝7.27（室温，オキサゾリジン環，吸光度法）
先発医薬品等
散　セパゾン散1％（アルフレッサファーマ）
錠　セパゾン錠1・2（アルフレッサファーマ）
国際誕生年月　1973年8月
海外での発売状況　アルゼンチン，ブラジル，ベルギー，ポルトガル

製剤
規制区分　**散**　**錠**　㊕㊇
製剤の性状　**散** 白色の微細な粒を含む粉末　**錠** 白色の素錠（割線入り）
有効期間又は使用期限　**散** 3年6カ月　**錠** 3年
貯法・保存条件　遮光・室温保存
薬剤取扱い上の留意点　眠気，注意力・集中力・反射運動能力等の低下が起こることがあるので，本剤投与中の患者には自動車の運転等危険を伴う機械の操作に従事させないよう注意すること．連用により薬物依存を生じることがあるので，漫然とした継続投与による長期使用を避けること．本剤の投与を継続する場合には，治療上の必要性を十分に検討すること．吸湿すると微黄色～淡黄色に変化するので，開封後は湿気を避け，乾燥した場所に保存する
患者向け資料等　患者向医薬品ガイド，くすりのしおり
溶液及び溶解時のpH　該当しない
浸透圧比　該当しない
安定なpH域　該当しない
調製時の注意　該当しない

薬理作用
分類　ベンゾジアゼピン系マイナートランキライザー
作用部位・作用機序　作用部位：脳内に広く存在するベンゾジアゼピン受容体のうち，情動と密接に関連する大脳辺縁系，大脳皮質，小脳などに分布するベンゾジアゼピン受容体に作用して不安，緊張などを解消させる　作用機序：GABA系を介してCl^-チャネルの開口頻度を増加させ，Cl^-の細胞内への流入を増加させて神経細胞を過分極の状態にさせることによって神経系に抑制的に作用する
同効薬　長期作用型ベンゾジアゼピン系抗不安薬（メキサゾラム，ジアゼパム，クロルジアゼポキシド，クロラゼプ酸二カリウム，メダゼパム，オキサゾラムなど）

治療
効能・効果　①神経症における不安・緊張・抑うつ・強迫・恐怖・睡眠障害　②心身症（消化器疾患，循環器疾患，更年期障害，自律神経失調症）における身体症候ならびに不安・緊張・抑うつ　③術前の不安除去
用法・用量　効能①②：クロキサゾラムとして1日3～12mg，3回に分服（適宜増減）　効能③：クロキサゾラムとして0.1～0.2mg/kg手術前（適宜増減）

使用上の注意
禁忌　①本剤の成分に対し過敏症の既往歴のある患者　②急性閉塞隅角緑内障の患者［抗コリン作用により眼圧が上昇し，症状を悪化させることがある］　③重症筋無力症の患者［筋弛緩作用により症状を悪化させるおそれがある］
過量投与　本剤の過量投与が明白又は疑われた場合の処置としてフルマゼニル（ベンゾジアゼピン受容体拮抗剤）を投与する場合には，使用前にフルマゼニルの使用上の注意（禁忌，慎重投与，相互作用等）を必ず読む

薬物動態
吸収・分布・代謝・排泄（参考：動物）　①^{14}C標識クロキサゾラム20mgをイヌに経口投与後の血中には，2～4時間で最高値　②動物実験（マウス，ラット）では，経口投与後速やかに腸管から吸収後，ベンゾジアゼピン型の代謝を受け，多くは胆汁中を経て糞中に，一部は尿中に排泄

その他の管理的事項
投与期間制限　30日
保険給付上の注意　該当しない

資料
IF　セパゾン散1％・錠1・2　2019年12月作成（第1版）

クロコナゾール塩酸塩
Croconazole Hydrochloride

概要
薬効分類　265　寄生性皮ふ疾患用剤
構造式

分子式　$C_{18}H_{15}ClN_2O \cdot HCl$
分子量　347.24
原薬の規制区分　㊞（ただし，クロコナゾールとして1％以下を含有する外用剤を除く）
原薬の外観・性状　白色～微黄白色の結晶又は結晶性の粉末である．水に極めて溶けやすく，酢酸（100），メタノール又はエタノール（95）に溶けやすく，ジエチルエーテルにほとんど溶けない
原薬の融点・沸点・凝固点　融点：148～153℃

クロスポビドン
Crospovidone

概要
原薬の規制区分　該当しない
原薬の外観・性状　白色～微黄色の粉末である．水，メタノール又はエタノール(99.5)にほとんど溶けない
原薬の吸湿性　吸湿性である

クロチアゼパム
クロチアゼパム錠
Clotiazepam

概要
薬効分類　117　精神神経用剤
構造式

H₃C, N, O, S, H₃C, N, Cl

分子式　$C_{16}H_{15}ClN_2OS$
分子量　318.82
ステム　ジアゼパム系抗不安薬・鎮静薬：-azepam
原薬の規制区分　(向Ⅲ)
原薬の外観・性状　白色～淡黄白色の結晶又は結晶性の粉末で，においはなく，味は僅かに苦い．クロロホルムに極めて溶けやすく，メタノール，エタノール(95)，アセトン，酢酸(100)又は酢酸エチルに溶けやすく，ジエチルエーテルにやや溶けやすく，水にほとんど溶けない．0.1mol/L塩酸試液に溶ける．光によって徐々に着色する
原薬の吸湿性　吸湿性は認められない
原薬の融点・沸点・凝固点　融点：106～109℃
原薬の酸塩基解離定数　pKa'＝4.11±0.05(紫外部吸光度測定法)
先発医薬品等
顆 リーゼ顆粒10％(田辺三菱＝吉富薬品)
錠 リーゼ錠5mg・10mg(田辺三菱＝吉富薬品)
後発医薬品
錠 5mg・10mg
国際誕生年月　1978年5月
海外での発売状況　仏，スペイン，イタリア，ベルギー，韓国，チリ

製剤
規制区分　**顆**　**錠**　(向Ⅲ)(処)
製剤の性状　**顆** 白色の顆粒剤　**錠** 白色のフィルムコーティング錠
有効期間又は使用期限　3年
貯法・保存条件　遮光・室温保存
薬剤取扱い上の留意点　眠気，注意力・集中力・反射運動能力等の低下が起こることがあるので，本剤投与中の患者には自動車の運転等危険を伴う機械の操作に従事させないよう注意すること．連用により薬物依存を生じることがあるので，漫然とした継続投与による長期使用を避けること．本剤の投与を継続する場合には，治療上の必要性を十分に検討すること
患者向け資料等　患者向医薬品ガイド，くすりのしおり
溶液及び溶解時のpH　該当しない
浸透圧比　該当しない
安定なpH域　該当しない
調製時の注意　該当しない

薬理作用
分類　チエノジアゼピン系心身安定剤
作用部位・作用機序　視床下部及び大脳辺縁系，特に扁桃核のベンゾジアゼピン受容体に作用し，不安・緊張などの情動異常を改善する
同効薬　オキサゾラム，ジアゼパム，エチゾラムなど

治療
効能・効果　①心身症(消化器疾患，循環器疾患)における身体症候ならびに不安・緊張・心気・抑うつ・睡眠障害　②次の疾患におけるめまい・肩こり・食欲不振：自律神経失調症　③麻酔前投薬
用法・用量　クロチアゼパムとして用量は患者の年齢，症状により決定するが，1日15～30mg，3回に分服．麻酔前投薬には就寝前又は手術前10～15mg

使用上の注意
禁忌　①急性閉塞隅角緑内障の患者［抗コリン作用により眼圧が上昇し，症状を悪化させることがある］　②重症筋無力症の患者［筋弛緩作用により，症状を悪化させるおそれがある］
過量投与　過量投与が明白又は疑われた場合の処置としてフルマゼニル(ベンゾジアゼピン受容体拮抗剤)を投与する場合には，使用前にフルマゼニルの使用上の注意(禁忌，慎重投与，相互作用等)を必ず読む．なお，投与した薬剤が特定されないままにフルマゼニルを投与された患者で，新たに本剤を投与する場合，本剤の鎮静・抗痙攣作用が変化，遅延するおそれがある

薬物動態
血漿中濃度　健康成人(男性34人)に5mg，10mg錠を単回経口投与時の薬物動態パラメータ[Tmax(hr)，Cmax(ng/mL)，$T_{1/2}$(hr)，AUC(ng・hr/mL)の順]は，5mg[0.78±0.31，153.2±40.2，6.29±2.27，546.1±152.0]，10mg[0.85±0.54，304.5±89.4，5.82±1.48，1206.4±368.4]　**代謝**　代謝経路：健康成人男性に10mgを経口投与時，尿中に代謝物として3種のエチル基の水酸化体及びそれらのグルクロナイドが排出され，代謝物は薬理活性を有するが，その中枢作用は未変化体に比べ弱い　**排泄**　代謝物の尿中排泄率合計は投与量の約33％に相当(0～60時間)．未変化体は約0.5％以下　**蛋白結合率(参考：外国人データ)**　ヒトにおける蛋白結合率は約99％

その他の管理的事項
投与期間制限　30日
保険給付上の注意　該当しない

資料
IF　リーゼ顆粒10％・錠5mg・10mg　2019年9月改訂(第10版)

クロトリマゾール
Clotrimazole

概要

薬効分類 252 生殖器官用剤(性病予防剤を含む.), 265 寄生性皮ふ疾患用剤, 629 その他の化学療法剤

構造式

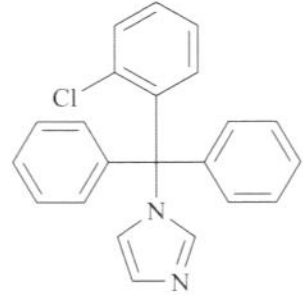

分子式 $C_{22}H_{17}ClN_2$

分子量 344.84

ステム ミコナゾール系抗真菌剤：-conazole

原薬の規制区分 該当しない

原薬の外観・性状 白色の結晶性の粉末で，におい及び味はない．ジクロロメタン又は酢酸(100)に溶けやすく，*N,N*-ジメチルホルムアミド，メタノール又はエタノール(95)にやや溶けやすく，ジエチルエーテルに溶けにくく，水にほとんど溶けない

原薬の吸湿性 著しく低い．42%，70%，88%RHにおける吸湿性は96時間後，0.2%以下の重量増加を示した

原薬の融点・沸点・凝固点 融点：142～145℃

原薬の酸塩基解離定数 該当資料なし

先発医薬品等

トローチ エンペシドトローチ10mg(バイエル)
腟用 エンペシド腟錠100mg(バイエル)
クリーム エンペシドクリーム1%(バイエル)
外用液 エンペシド外用液1%(バイエル)

後発医薬品

腟用 100mg
クリーム 1%
外用液 1%
外用ゲル 1%

国際誕生年月 **トローチ** 1983年6月 **腟用** **クリーム** 1972年4月 **外用液** 1972年9月

海外での発売状況 **腟用** 独を含む100カ国 **クリーム** **外用液** 英，独を含む101カ国

製剤

製剤の性状 **トローチ** 白色～微黄白色のトローチ剤 **腟用** 白色の発泡性の腟錠 **クリーム** 白色の均一なクリーム剤 **外用液** 無色～淡黄色澄明の粘稠な液剤

有効期間又は使用期限 **トローチ** 5年 **腟用** 3年 **クリーム** 3年6カ月 **外用液** 2年

貯法・保存条件 **トローチ** 気密容器，室温保存 **腟用** **クリーム** 室温保存 **外用液** 室温，遮光した気密容器に保存(本容器は遮断されているが，他の容器に移す場合には，遮光に注意する)

薬剤取扱い上の留意点 **外用液** 火気を避けて保存

患者向け資料等 くすりのしおり

溶液及び溶解時のpH 該当しない

浸透圧比 該当しない

安定なpH域 該当しない

調製時の注意 該当しない

薬理作用

分類 イミダゾール系抗真菌剤

作用部位・作用機序 ①直接的真菌細胞膜障害作用(高濃度域)：真菌細胞の膜リン脂質と特異的親和性をもって結合し，膜流動性を高めることによって膜透過性に変化を与える．この透過性の変化は，細胞構成成分の細胞外への遊出を著しく亢進させるため，細胞内環境の変化が起こり，必須の細胞構成成分(核酸等)の分解を促進させる．一方，菌体外から細胞内への必須代謝基質(アミノ酸，グルコース，リン酸塩等)の取り込みも強く阻害する．これらの作用により，高濃度域では殺真菌作用を示す ②エルゴステロール合成阻害作用(低濃度域)：真菌細胞膜の構造・機能の維持に重要な役割を果たすエルゴステロールの合成を阻害することにより，膜透過性を亢進させ膜障害を引き起こす．これはエルゴステロール合成経路のうち，24-メチレンジヒドロラノステロールの脱メチル化に必要な一種のヘムタンパクであるチトクロームP450の働きを阻害することによる．この作用により，低濃度域では，静真菌作用を示す

同効薬 アゾール系抗真菌剤

治療

効能・効果 **トローチ** HIV感染症患者における口腔カンジダ症(軽症，中等症)

クリーム **外用液** **外用ゲル** 次の皮膚真菌症の治療：①白癬：足部白癬(汗疱状白癬，趾間白癬)，頑癬，斑状小水疱性白癬 ②カンジダ症：指間びらん症，間擦疹，乳児寄生菌性紅斑，皮膚カンジダ症，爪囲炎 ③癜風

腟用 カンジダに起因する腟炎及び外陰腟炎

効能・効果に関連する使用上の注意 **トローチ** 食道カンジダ症に対する有効性は認められていない

用法・用量 **トローチ** 1回10mgを1日5回口腔内投与(起床から就寝までの間に，3～4時間ごとに使用)．口腔内で唾液により徐々に溶解しながら用いるもので，噛み砕いたり，呑み込んだり，強くしゃぶったりせずに，完全に溶解するまで口腔内に留めて使用する

クリーム **外用液** **外用ゲル** 1日2～3回患部に塗布

腟用 1日1回1個，腟深部に挿入．一般に6日間継続使用するが，必要に応じ使用期間を延長

用法・用量に関連する使用上の注意 **トローチ** 投与開始後7日を目安としてさらに継続投与が必要か判定し，中止又はより適切な他剤に切り替えるべきか検討を行う．さらに，投与期間は原則として14日間とする

使用上の注意

禁忌 本剤の成分に対し過敏症の既往歴のある患者

過量投与 **トローチ** ①徴候，症状：外国において過量投与(クロトリマゾール60～100mg/kg/日)により抑うつ，見当識障害，傾眠，視覚障害が現れたとの報告がある ②処置：中止し，対症療法を行う

薬物動態

トローチ 健康成人に10mgトローチを口腔内投与後速やかに治療に十分な唾液中濃度が得られ，投与3時間後でも2μg/mLを維持．血漿中には未変化体及び非活性代謝物(カルビノール体)が定常状態でそれぞれ4.1ng/mL及び19ng/mLと低濃度検出されたが，蓄積性は認められなかった

クリーム ①皮膚浸透性：健康成人の鼠径部皮膚200cm^2に^{14}C-クロトリマゾールの1%含有クリーム800mg塗布，6時間及び24時間密封包帯後の濃度(μg/cm^3)は角質層(上層)ともに>1000，表皮30～200，40～400，網状層0.5～30，0.5～40，皮下組織ともに<0.1(外国人) ②吸収：健康成人で前腕手掌側の無傷皮膚表面200cm^2に^{14}C-クロトリマゾールの1%含有クリーム800mgを塗布，6時間密封包帯後洗浄し，48時間までの血中濃度はいずれの時点でも測定限界(0.001μg/mL)以下(外国人)

腟用 吸収：健康成人，患者に1日1回100mgを7日間経腟投与し，投与中及び投与終了後7日目に血中濃度はいずれの時点においても測定限界(0.006μg/mL)以下

その他の管理的事項

投与期間制限 該当しない

保険給付上の注意 該当しない

資料

IF エンペシドトローチ10mg 2019年11月改訂(第9版)

エンペシド腟錠100mg　2018年8月改訂（第9版）
エンペシドクリーム1%・外用液1%　2019年4月改訂（第8版）

クロナゼパム
クロナゼパム錠
クロナゼパム細粒
Clonazepam

概要
薬効分類　113　抗てんかん剤
構造式

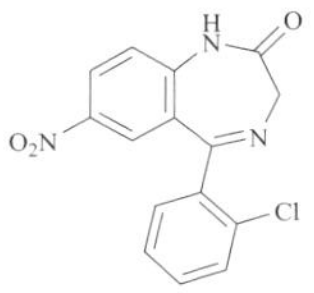

分子式　$C_{15}H_{10}ClN_3O_3$
分子量　315.71
略語・慣用名　CZP
ステム　ジアゼパム系抗不安薬・鎮静薬：-azepam
原薬の規制区分　向Ⅲ
原薬の外観・性状　白色〜淡黄色の結晶又は結晶性の粉末である．無水酢酸又はアセトンにやや溶けにくく，メタノール又はエタノール(95)に溶けにくく，ジエチルエーテルに極めて溶けにくく，水にほとんど溶けない．光によって徐々に着色する
原薬の吸湿性　25℃で，97%RH，77%RH，63.5%RHにおいて，36日間保存したが，吸湿性は認められなかった
原薬の融点・沸点・凝固点　融点：約240℃（分解）
原薬の酸塩基解離定数　pKa_1＝1.53，pKa_2＝10.35
先発医薬品等
　細　ランドセン細粒0.1%・0.5%（大日本住友）
　　リボトリール細粒0.1%・0.5%（太陽ファルマ）
　錠　ランドセン錠0.5mg・1mg・2mg（大日本住友）
　　リボトリール錠0.5mg・1mg・2mg（太陽ファルマ）
国際誕生年月　1973年6月
海外での発売状況　米など

製剤
規制区分　**細**　**錠**　向Ⅲ 処
製剤の性状　**0.1%細** 白色の細粒剤　**0.5%細** うすい橙色の細粒剤　**0.5mg錠** 白色の素錠　**1mg錠** 白色の素錠（割線入り）　**2mg錠** うすい橙色の素錠（割線入り）
有効期間又は使用期限　**細**　**0.5mg錠** 5年　**1・2mg錠** 4年
貯法・保存条件　気密容器，遮光・室温保存
薬剤取扱い上の留意点　眠気，注意力・集中力・反射運動能力等の低下が起こることがあるので，本剤投与中の患者には自動車の運転等危険を伴う機械の操作に従事させないよう注意すること．本剤は比較的若年齢から長期投与されるので，耐性の上昇に十分注意すること
患者向け資料等　患者向医薬品ガイド，くすりのしおり
溶液及び溶解時のpH　該当しない
浸透圧比　該当しない
安定なpH域　該当しない
調製時の注意　該当しない

薬理作用
分類　ベンゾジアゼピン系抗てんかん剤
作用部位・作用機序　抑制性のGABAニューロンのシナプス後膜に存在するベンゾジアゼピン受容体にアゴニストとして高い親和性で結合し，GABA親和性を増大させることにより，GABAニューロンの作用を特異的に増強すると考えられている
同効薬　ニトラゼパムなど抗てんかん剤

治療
効能・効果　①小型（運動）発作：ミオクロニー発作，失立（無動）発作，点頭てんかん（幼児けい縮発作，BNS痙攣等）　②精神運動発作　③自律神経発作
用法・用量　クロナゼパムとして初回量1日成人・小児0.5〜1mg，乳・幼児0.025mg/kg，1〜3回に分服．以後，症状に応じて至適効果が得られるまで徐々に増量し，維持量1日成人・小児2〜6mg，乳・幼児0.1mg/kg，1〜3回に分服（適宜増減）

使用上の注意
禁忌　①本剤の成分に対し過敏症の既往歴のある患者　②急性閉塞隅角緑内障の患者［抗コリン作用により眼圧が上昇し，症状を悪化させることがある］　③重症筋無力症の患者［重症筋無力症の症状を悪化させるおそれがある］
過量投与　①過量投与により，傾眠，錯乱，昏睡，反射性低下，呼吸抑制，血圧低下等が起こるおそれがある．このような場合には，呼吸，血圧，脈拍数を監視しながら，胃洗浄等の適切な処置を行う　②過量投与が明白又は疑われた場合の処置としてフルマゼニル（ベンゾジアゼピン受容体拮抗剤）を投与しない［本剤を投与されているてんかん患者にフルマゼニルを投与し，てんかん発作（痙攣）を誘発したとの報告がある］

薬物動態
血中濃度・代謝　健常成人男子6例に1mgを単回経口投与時未変化体の血中濃度は約2時間後に最高6.5ng/mL，半減期約27時間．尿中代謝物として，7-amino体，7-acetylamino体が検出．文献報告によると本剤の臨床用量における血中濃度は20〜70ng/mL　**排泄**　^{14}C-クロナゼパムを単回経口投与後4日までに尿中に40〜60%，糞中に10〜30%排泄（外国人）

その他の管理的事項
投与期間制限　90日
保険給付上の注意　該当しない

資料
IF　リボトリール細粒0.1%・0.5%・錠0.5mg・1mg・2mg　2018年10月改訂（第5版）

クロニジン塩酸塩
Clonidine Hydrochloride

概要
薬効分類　214　血圧降下剤
構造式

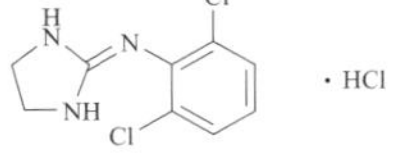

分子式　$C_9H_9Cl_2N_3 \cdot HCl$
分子量　266.55
ステム　降圧剤，クロニジン誘導体：-onidine
原薬の規制区分　劇（ただし，1錠又は1カプセル中クロニジンとして0.15mg以下を含有するもの及びクロニジンとして0.015%以下を含有する散剤を除く）
原薬の外観・性状　白色の結晶又は結晶性の粉末である．メタノールに溶けやすく，水又はエタノール(95)にやや溶けやすく，酢酸(100)に溶けにくく，無水酢酸又はジエチルエーテルにほとんど溶けない．1.0gを水20mLに溶かした液のpHは4.0〜5.5である

原薬の吸湿性　ほとんど吸湿性はない
原薬の融点・沸点・凝固点　融点：約310℃（分解）
原薬の酸塩基解離定数　pKa＝8.05（20℃，電位差滴定法）
先発医薬品等
錠 カタプレス錠75μg・150μg（日本ベーリンガー）
国際誕生年月　該当資料なし
海外での発売状況　米，英，仏，独を含む43カ国

製剤

規制区分　**錠** ㊄
製剤の性状　**錠** 白色の素錠（割線入り）
有効期間又は使用期限　3年
貯法・保存条件　気密容器
薬剤取扱い上の留意点　鎮静作用により反射運動等が減弱されることがあるので，高所作業，自動車の運転等危険を伴う作業に注意させること
患者向け資料等　くすりのしおり
溶液及び溶解時のpH　該当しない
浸透圧比　該当しない
安定なpH域　該当しない
調製時の注意　該当しない

薬理作用

分類　選択的α_2受容体刺激剤
作用部位・作用機序　作用部位：延髄の血管運動中枢　作用機序：脳幹部のα_2受容体に選択的に作用して，交感神経緊張を抑制することにより，末梢血管を拡張させ血圧を降下させる
同効薬　酢酸グアナベンズなど

治療

効能・効果　各種高血圧症（本態性高血圧症，腎性高血圧症）
用法・用量　1回0.075〜0.15mg，1日3回（適宜増減）．重症の高血圧症には1回0.3mg，1日3回

使用上の注意

禁忌　本剤の成分に対し過敏症の既往歴のある患者
過量投与　①症状：過量投与した場合，交感神経抑制によって一般的に認められる瞳孔収縮，嗜眠，徐脈，低血圧，低体温，昏睡，無呼吸等の症状が発現する．また，末梢のα_1受容体の刺激による血圧上昇が起こる可能性もある　②処置：注意深くモニタリングし，必要に応じて対症療法を行う

薬物動態

吸収・代謝・排泄（外国人）　高血圧症患者に0.3mgを経口投与時，90分で最高血中濃度約1.3ng/mL．血中濃度半減期は約10時間．一部は肝臓でイミダゾリン環の開裂，フェニル環の水酸化を受けるが，大部分は未変化体．健康成人に0.39mg，1.44mg経口投与24時間後までに，尿中に約45%，96時間後までに尿中に約65%，糞中に約22%が排泄　**分布（参考）**（ラット）0.1mg経口投与時，消化管から吸収後，全組織に均等に分布，吸収・排泄に関係のある臓器以外に特定の臓器に集中する傾向は認められなかった

その他の管理的事項

投与期間制限　該当しない
保険給付上の注意　該当しない

資料

IF　カタプレス錠75μg・150μg　2014年11月改訂（第7版）

クロピドグレル硫酸塩
クロピドグレル硫酸塩錠
Clopidogrel Sulfate

概要

薬効分類　339　その他の血液・体液用薬
構造式

分子式　$C_{16}H_{16}ClNO_2S \cdot H_2SO_4$
分子量　419.90
ステム　不明
原薬の規制区分　㊣（ただし，1錠中クロピドグレルとして75mg以下を含有するものを除く）
原薬の外観・性状　白色〜微黄白色の結晶性の粉末又は粉末である．水又はメタノールに溶けやすく，エタノール（99.5）にやや溶けやすい．光によって徐々に褐色となる．結晶多形が認められる
原薬の吸湿性　吸湿性はなかった（室温，9%RH〜96%RH）
原薬の融点・沸点・凝固点　融点：約177℃（分解）
原薬の酸塩基解離定数　pKa＝4.5〜4.6
先発医薬品等
錠 プラビックス錠25mg・75mg（サノフィ）
後発医薬品
錠 25mg・50mg・75mg
国際誕生年月　1997年11月
海外での発売状況　米，仏を含む130カ国以上（承認）

製剤

規制区分　**錠** ㊄
製剤の性状　**錠** 白色〜微黄白色のフィルムコーティング錠
有効期間又は使用期限　3年
貯法・保存条件　防湿・室温保存
薬剤取扱い上の留意点　本剤による血小板凝集抑制が問題となるような手術の場合には，14日以上前に投与を中止することが望ましい．患者には通常よりも出血しやすくなることを説明し，異常な出血が認められた場合には医師に連絡するよう注意を促すこと．また，他院（他科）を受診する際には，本剤を服用している旨を医師に必ず伝えるよう患者に注意を促すこと
患者向け資料等　患者向医薬品ガイド，くすりのしおり
溶液及び溶解時のpH　該当しない
浸透圧比　該当しない
安定なpH域　該当しない
調製時の注意　該当しない

薬理作用

分類　チエノピリジン系抗血小板薬
作用部位・作用機序　作用部位：血小板　作用機序：肝臓で活性代謝物に変換され，速やかに血小板膜上のADP受容体（$P2Y_{12}$）に選択的かつ不可逆的に結合し，PI3キナーゼの活性化を抑制することにより，GPⅡb/Ⅲaの活性化を阻害する．さらに，ADP受容体（$P2Y_{12}$）刺激によって起こる抑制性蛋白質Giによるアデニレートシクラーゼの活性抑制を阻害し，cAMPを増加させCa^{2+}流入を阻害する（血小板内のCa^{2+}濃度を抑える）ことにより，各種血小板凝集因子による凝集反応を抑制する
同効薬　チクロピジン塩酸塩，アスピリン，シロスタゾール，サルポグレラート塩酸塩，プラスグレル塩酸塩，チカグレロル

治療

効能・効果　①虚血性脳血管障害(心原性脳塞栓症を除く)後の再発抑制　②経皮的冠動脈形成術(PCI)が適用される次の虚血性心疾患：(1)急性冠症候群(不安定狭心症，非ST上昇心筋梗塞，ST上昇心筋梗塞)　(2)安定狭心症，陳旧性心筋梗塞　③末梢動脈疾患における血栓・塞栓形成の抑制

効能・効果に関連する使用上の注意　効能②：PCIが適用予定の虚血性心疾患患者への投与は可能である．冠動脈造影により，保存的治療あるいは冠動脈バイパス術が選択され，PCIを適用しない場合には，以後の投与は控える

用法・用量　効能①：クロピドグレルとして1日1回75mg．年齢，体重，症状により1日1回50mg　効能②：投与開始日にクロピドグレルとして1日1回300mg，その後，維持量として1日1回75mg　効能③：クロピドグレルとして1日1回75mg

用法・用量に関連する使用上の注意　空腹時の投与は避けることが望ましい(国内第I相臨床試験において絶食投与時に消化器症状がみられている)　効能①：出血を増強するおそれがあるので，特に出血傾向，その素因のある患者等については，50mg1日1回から投与する　効能②：(1)抗血小板薬二剤併用療法期間は，アスピリン(81～100mg/日)と併用する．抗血小板薬二剤併用療法期間終了後の投与方法については，国内外の最新のガイドライン等を参考にする　(2)ステント留置患者への投与時には該当医療機器の添付文書を必ず参照する　(3)PCI施行前にクロピドグレル75mgを少なくとも4日間投与されている場合，ローディングドーズ投与(投与開始日に300mgを投与すること)は必須ではない

使用上の注意

禁忌　①出血している患者(血友病，頭蓋内出血，消化管出血，尿路出血，喀血，硝子体出血等)［出血を助長するおそれがある］　②本剤の成分に対し過敏症の既往歴のある患者

相互作用概要　主にCYP2C19により活性代謝物に代謝される．また，本剤のグルクロン酸抱合体はCYP2C8を阻害する

過量投与　処置：特異的な解毒剤は知られていない

薬物動態

血中濃度　健康成人に75mgを食後単回経口投与時のSR26334(主代謝物)の血漿中濃度推移及び薬物動態パラメータは，tmax(hr)1.9±0.8，Cmax(μg/mL)2.29±0.46，$t_{1/2}$(hr)6.9±0.9，AUC_{0-48}(μg・hr/mL)8.46±1.36　**分布**　ラットに^{14}C-4-クロピドグレル硫酸塩(クロピドグレルとして5.0mg/kg)を単回経口投与時，放射能濃度は大部分の臓器において投与0.25～2時間後に最高値．放射能濃度は，消化管壁・肝臓の順に高く，また脳，脊髄及び骨格筋では低かった．また，反復投与による各臓器への蓄積性は認められていない　**代謝**　吸収後，肝臓で主に2つの経路，(1)エステラーゼにより非活性代謝物であるSR26334(主代謝物)を生成する経路と，(2)薬物代謝酵素チトクロームP450(CYP)による酸化型代謝物を生成する経路で代謝される　後者の経路を経由して，活性代謝物H4が生成される．血漿中においては，未変化体の濃度は極めて低くSR26334が主に存在．クロピドグレルの肝酸化型代謝に関与するチトクロームP450分子種は主にCYP2C19で，その他にCYP1A2，CYP2B6，CYP3A4等が関与する．また，SR26334はCYP2C9を阻害し，グルクロン酸抱合体はCYP2C8を阻害する(*in vitro*)　**排泄**　健康成人に^{14}C-4-クロピドグレル硫酸塩(クロピドグレルとして75mg)を単回経口投与時，投与5日後までの放射能の累積排泄率は投与放射能の約92%に達し，尿中には約41%，糞中には約51%が排泄(外国人データ)　**特定の背景を有する患者**　①腎機能障害患者：慢性腎不全患者をクレアチニンクリアランスにより重度(5～15mL/分)と中等度(30～60mL/分)の2グループに分け，75mg/日を8日間反復経口投与時，重度慢性腎不全患者において中等度慢性腎不全患者に比べSR26334のAUCは低かった(外国人データ)　②肝機能障害患者：肝硬変患者と健康成人に75mg/日を10日間反復経口投与時，未変化体のCmaxが肝硬変患者において健康成人に比較して大きく上昇し，肝機能の低下によるクロピドグレル硫酸塩の代謝への影響が示唆された．SR26334の薬物動態パラメータには差が認められなかった(外国人データ)　③CYP2C19遺伝子多型を有する患者：健康成人をCYP2C19の代謝能に応じて3群(各群9例)に分け，初日に300mg，その後75mg/日を6日間投与する試験を実施した．健康成人のCYP2C19遺伝子多型がクロピドグレル活性代謝物H4の薬物動態パラメータに及ぼす影響[CYP2C19遺伝子型※)EM，IM，PMの順]は，(1)Cmax(ng/mL)：投与量300mg(1日目)[29.8±9.88，19.6±4.73，11.4±4.25]，投与量75mg(7日目)[11.1±4.67，7.00±3.81，3.90±1.36]，(2)AUC_{0-24}(ng・h/mL)：投与量300mg(1日目)[39.9±16.8，25.7±6.06，15.9±4.73]，投与量75mg(7日目)[11.1±3.79，7.20±1.93，4.58±1.61]　※)EM：*CYP2C19※1/※1*　IM：*CYP2C19※1/※2*あるいは*CYP2C19※1/※3*　PM：*CYP2C19※2/※2*，*CYP2C19※2/※3*あるいは*CYP2C19※3/※3*．CYP2C19の2つの遺伝子多型(*CYP2C19※2*，*CYP2C19※3*)についていずれかをホモ接合体又はいずれもヘテロ接合体としてもつ患者群(PM群)では，活性代謝物H4のAUC_{0-24}及びCmaxが，野生型ホモ接合体群(EM群：*CYP2C19※1/※1*)と比較して低下．なお，日本人におけるPMの頻度は，18～22.5%との報告がある　**薬物相互作用**　①レパグリニド：健康成人に(1日1回3日間，1日目300mg，2～3日目75mg)を投与し，1日目と3日目にレパグリニド(0.25mg)を併用時，レパグリニドのCmax及び$AUC_{0-\infty}$は，レパグリニドを単独投与時と比較して1日目は2.5及び5.1倍，3日目は2.0及び3.9倍に増加．また，$t_{1/2}$は1.4及び1.2倍(外国人データ)　②セレキシパグ：健康成人男性22例にセレキシパグ0.2mgを1日2回10日間経口投与し，クロピドグレルを投与4日目に300mg(n=21)，投与5日目から10日目に75mg(n=20)を経口投与．単独投与と比較して，セレキシパグのCmax及びAUC_{0-12}は，投与4日目では1.3倍及び1.4倍に増加し，投与10日目は0.98倍及び1.1倍．同様に，セレキシパグの活性代謝物(MRE-269)のCmax及びAUC_{0-12}は，投与4日目では1.7倍及び2.2倍，投与10日目では1.9倍及び2.7倍に増加

その他の管理的事項

投与期間制限　該当しない

保険給付上の注意　該当しない

資料

IF　プラビックス錠25mg・75mg　2020年6月改訂(第22版)

クロフィブラート
クロフィブラートカプセル
Clofibrate

概要

薬効分類　218　高脂血症用剤

構造式

O, O, O, CH_3, H_3C, CH_3, Cl

分子式　$C_{12}H_{15}ClO_3$

分子量　242.70

原薬の規制区分　該当しない

原薬の外観・性状　無色～淡黄色の澄明な油状の液で，特異なにおいがあり，味は初め苦く後に甘い．メタノール，エタノール(95)，エタノール(99.5)，ジエチルエーテル又はヘキサンと混和し，水にほとんど溶けない．光によって徐々に分解する

原薬の吸湿性　該当資料なし
原薬の酸塩基解離定数　該当資料なし
先発医薬品等
　カ クロフィブラートカプセル250mg「ツルハラ」(鶴原)
国際誕生年月　不明
海外での発売状況　該当しない

製剤

規制区分　**カ** ㊕
製剤の性状　**カ** 赤色透明の球形の軟カプセル剤，内容物は無色～淡黄色の澄明な油状の液で，特異なにおいがあり，味ははじめ苦くのちに甘い
有効期間又は使用期限　5年
貯法・保存条件　密閉容器にて遮光保存
溶液及び溶解時のpH　該当しない
浸透圧比　該当しない
安定なpH域　該当しない
調製時の注意　該当資料なし

薬理作用

分類　高脂質血症改善剤
作用部位・作用機序　血漿中のコレステロール，トリグリセライドを低下させる．その作用機序は明確にされていないが，コレステロール生合成においてメバロン酸からイソペンテニルピロリン酸への過程を抑制すると考えられている
同効薬　ベザフィブラート，クリノフィブラート，フェノフィブラート

治療

効能・効果　高脂質血症
用法・用量　1日750～1500mg，2～3回に分服(適宜増減)
禁忌・原則禁忌となる特定患者集団　妊婦又は妊娠している可能性のある婦人・授乳婦

使用上の注意

禁忌　①胆石又はその既往歴のある患者［コレステロールの胆汁中への排泄を促進するので，胆石形成能が上昇するおそれがある］　②妊婦又は妊娠している可能性のある婦人・授乳婦

その他の管理的事項

投与期間制限　該当しない
保険給付上の注意　該当しない

資料

IF　クロフィブラートカプセル250mg「ツルハラ」　2019年1月改訂(第5版)

クロフェダノール塩酸塩
Clofedanol Hydrochloride

概要

薬効分類　222　鎮咳剤
構造式

及び鏡像異性体

分子式　$C_{17}H_{20}ClNO \cdot HCl$
分子量　326.26
略語・慣用名　慣用名：Chlophedanol
ステム　不明
原薬の規制区分　㊀(ただし，1錠中クロフェダノールとして12.5mg以下を含有するもの及びクロフェダノールとして4.2%以下を含有する顆粒剤を除く)
原薬の外観・性状　白色の結晶又は結晶性の粉末である．メタノール，エタノール(95)又は酢酸(100)に溶けやすく，水にやや溶けにくく，ジエチルエーテルにほとんど溶けない．本品のメタノール溶液(1→20)は旋光性を示さない
原薬の吸湿性　該当資料なし
原薬の融点・沸点・凝固点　融点：約190℃(分解，ただし乾燥後)
原薬の酸塩基解離定数　pKa＝9.07(アミノ基，滴定法)
先発医薬品等
　顆 コルドリン顆粒4.17%(日本新薬)
　錠 コルドリン錠12.5mg(日本新薬)
国際誕生年月　不明
海外での発売状況　該当資料なし

製剤

製剤の性状　**顆** 剤皮を施した白色～淡黄白色の顆粒剤　**錠** 白色のフィルムコーティング錠
有効期間又は使用期限　**顆** 5年　**錠** 3年
貯法・保存条件　気密容器，室温保存
患者向け資料等　くすりのしおり
溶液及び溶解時のpH　該当しない
浸透圧比　該当しない
安定なpH域　該当しない
調製時の注意　該当しない

薬理作用

分類　ジアリルアミノプロパノール誘導体中枢性鎮咳剤
作用部位・作用機序　作用部位は，四丘体下丘以下の脳幹部にある咳中枢そのものであり，末梢作用はないと推定される
同効薬　エフェドリン塩酸塩，デキストロメトルファン臭化水素酸塩水和物など

治療

効能・効果　次の疾患に伴う咳嗽：急性気管支炎，急性上気道炎
用法・用量　クロフェダノール塩酸塩として1回25mg，1日3回(適宜増減)

薬物動態

血漿中濃度　健康成人男性24例に本剤1錠(クロフェダノール塩酸塩12.5mg)を空腹時に経口投与時，血漿中未変化体濃度は投与後約2.5時間で最高値に達し，その後約19時間の半減期で消失した．Tmax(hr)12.52.46±0.55，Cmax(ng/mL)53.9±8.0，$t_{1/2}$(hr)18.9±4.8，$AUC_{0\text{-}72hr}$(ng・hr/mL)981±246　n=24　※承認された1回用量は2錠(クロフェダノール塩酸塩25.0mg)

その他の管理的事項

投与期間制限　該当しない
保険給付上の注意　該当しない

資料

IF　コルドリン顆粒4.17%・錠12.5mg　2015年10月改訂(第3版)

クロベタゾールプロピオン酸エステル
Clobetasol Propionate

概要

薬効分類 264 鎮痛，鎮痒，収斂，消炎剤

構造式

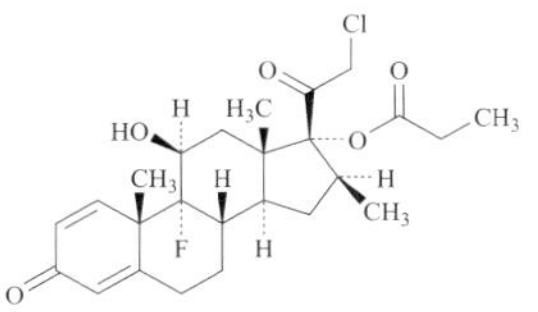

分子式 $C_{25}H_{32}ClFO_5$

分子量 466.97

ステム プレドニゾン/プレドニゾロン誘導体：-betasol

原薬の規制区分 ㊣

原薬の外観・性状 白色～微黄白色の結晶性の粉末である．メタノール又はエタノール(99.5)にやや溶けやすく，水にほとんど溶けない．光によって徐々に黄色となる

原薬の吸湿性 該当資料なし

原薬の融点・沸点・凝固点 融点：約196℃(分解)

原薬の酸塩基解離定数 該当資料なし

先発医薬品等

軟 デルモベート軟膏0.05%(GSK)

クリーム デルモベートクリーム0.05%(GSK)

外用液 コムクロシャンプー0.05%(マルホ)
デルモベートスカルプローション0.05%(GSK)

後発医薬品

軟 0.05%

クリーム 0.05%

外用液 0.05%

国際誕生年月 1973年2月

海外での発売状況 米，英など

製剤

規制区分 **軟** **クリーム** **外用液** ㊣

製剤の性状 **軟** 白色，半透明の均質な軟膏でにおいはない **クリーム** 白色の均質なクリームで弱い特異なにおいがある **外用液** 無色澄明の粘稠な液で，イソプロパノール臭がある

有効期間又は使用期限 3年

貯法・保存条件 室温保存

薬剤取扱い上の留意点 眼科用として使用しない．患者に治療以外の目的(化粧下，ひげそり後など)には使用しないよう注意する **外用液** 火気の近くでは使用しない

患者向け資料等 くすりのしおり

調製時の注意 該当しない

薬理作用

分類 合成副腎皮質ホルモン

作用部位・作用機序 作用部位：皮膚 作用機序：肉芽腫抑制作用，浮腫抑制作用，血管収縮作用などを通じて炎症を抑制する

同効薬 アムシノニド，プレドニゾロン吉草酸エステル酢酸エステル，ジフルコルトロン吉草酸エステル，デキサメタゾン吉草酸エステル，ベタメタゾン吉草酸エステル，ジフロラゾン酢酸エステル，ヒドロコルチゾン酢酸エステル，ジフルプレドナート，ベタメタゾンジプロピオン酸エステル，デキサメタゾン，トリアムシノロンアセトニド，フルメタゾンピバル酸エステル，フルオシノニド，フルオシノロンアセトニド，フルドロキシコルチド，吉草酸酢酸プレドニゾロン，アルクロメタゾンプロピオン酸エステル，デキサメタゾンプロピオン酸エステル，デプロドンプロピオン酸エステル，ベクロメタゾンプロピオン酸エステル，クロベタゾン酪酸エステル

治療

効能・効果 **軟** **クリーム** 湿疹・皮膚炎群(進行性指掌角皮症，ビダール苔癬，日光皮膚炎を含む)，痒疹群(蕁麻疹様苔癬，ストロフルス，固定蕁麻疹を含む)，掌蹠膿疱症，乾癬，虫さされ，薬疹・中毒疹，ジベルばら色粃糠疹，慢性円板状エリテマトーデス，扁平紅色苔癬，紅皮症，肥厚性瘢痕・ケロイド，肉芽腫症(サルコイドーシス，環状肉芽腫)，アミロイド苔癬，天疱瘡群，類天疱瘡(ジューリング疱疹状皮膚炎を含む)，悪性リンパ腫(菌状息肉症を含む)，円形脱毛症(悪性を含む)

外用液(コムクロ除く) 主として頭部の皮膚疾患(湿疹・皮膚炎群，乾癬)

外用液(コムクロ) 頭部の尋常性乾癬

用法・用量 **軟** **クリーム** **外用液(コムクロ除く)** 1日1～数回患部に塗布(適宜増減)

外用液(コムクロ) 1日1回，乾燥した頭部に患部を中心に適量を塗布，約15分後に水又は湯で泡立て，洗い流す

使用上の注意

禁忌 **軟** **クリーム** **外用液** ①細菌・真菌・スピロヘータ・ウイルス皮膚感染症及び動物性皮膚疾患(疥癬，けじらみ等)［感染を悪化させるおそれがある］ ②本剤の成分に対して過敏症の既往歴のある患者 ③鼓膜に穿孔のある湿疹性外耳道炎［穿孔部位の治癒が遅れるおそれがある．また，感染のおそれがある］ ④潰瘍(ベーチェット病は除く)，第2度深在性以上の熱傷・凍傷［皮膚の再生が抑制され，治癒が著しく遅れるおそれがある］

液〔シャンプー〕 ①本剤の成分に対し過敏症の既往歴のある患者 ②頭部に皮膚感染症のある患者［感染を悪化させるおそれがある］ ③頭部に潰瘍性病変のある患者［皮膚の再生が抑制され，治癒が遅れるおそれがある］

薬物動態

血中濃度 ラットに^{3}H-クロベタゾールプロピオン酸エステル0.15%含有軟膏，クリーム及び0.05%外用液を経皮投与時，いずれも血中濃度は投与後8時間まで上昇後，その後96時間まではほぼ一定もしくは非常にゆるやかに減少 **吸収** 切除目的の腋臭症患者の腋窩皮膚に^{3}H-クロベタゾールプロピオン酸エステル0.05%含有クリームを塗布(密封法(ODT))後，オートラジオグラフィー法で表皮への取り込みを経時的に観察時，塗布後30分で既に表皮に取り込まれ，塗布後5時間で定常状態，この状態は塗布後24時間まで持続．また外用剤除去24時間後も表皮内に貯留 **分布** ラットに^{3}H-クロベタゾールプロピオン酸エステル0.15%含有軟膏，クリーム及び0.05%外用液を経皮投与時，96時間後の体内残存量(塗布部を除く)はそれぞれ0.42%，0.96%及び2.85%で，特定の組織への親和性は示さないものの脾臓中濃度において若干高い傾向が認められた **排泄** ラットに^{3}H-クロベタゾールプロピオン酸エステル0.15%含有軟膏，クリーム及び0.05%外用液を経皮投与時の主排泄経路は糞中排泄で，投与後96時間までの糞中及び尿中排泄率の合計はそれぞれ1.22%，9.20%及び8.86%

その他の管理的事項

投与期間制限 該当しない

保険給付上の注意 該当しない

資料

IF デルモベート軟膏0.05%・クリーム0.05%・スカルプローション0.05% 2019年4月改訂(第8版)

クロペラスチン塩酸塩
Cloperastine Hydrochloride

概要
薬効分類 222 鎮咳剤
構造式

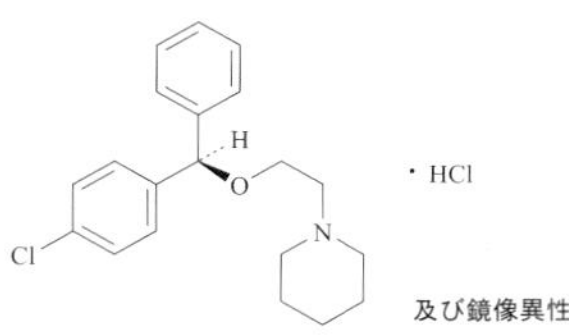

分子式 $C_{20}H_{24}ClNO$・HCl
分子量 366.32
ステム 抗ヒスタミン薬：-astine
原薬の規制区分 該当しない
原薬の外観・性状 白色の結晶又は結晶性の粉末である．水，メタノール，エタノール(95)又は酢酸(100)に極めて溶けやすく，無水酢酸にやや溶けやすい．本品の水溶液(1→10)は旋光性を示さない
原薬の吸湿性 吸湿性である
原薬の融点・沸点・凝固点 融点：149～153℃
原薬の酸塩基解離定数 pKa＝9.5(ピペリジン環，滴定法)
先発医薬品等
錠 フスタゾール糖衣錠10mg(ニプロES)
国際誕生年月 1965年5月
海外での発売状況 イタリア，ブラジル

製剤
規制区分 該当しない
製剤の性状 錠 紅色の糖衣錠
有効期間又は使用期限 5年
貯法・保存条件 室温保存
患者向け資料等 くすりのしおり
溶液及び溶解時のpH 該当しない
浸透圧比 該当しない
安定なpH域 該当しない
調製時の注意 該当しない

薬理作用
分類 中枢性鎮咳剤
作用部位・作用機序 作用部位：咳中枢 作用機序：求心路並びに遠心路には作用せず，咳中枢に直接作用するものと考えられている
同効薬 デキストロメトルファン臭化水素酸塩水和物など

治療
効能・効果 次の疾患に伴う咳嗽：感冒，急性気管支炎，慢性気管支炎，気管支拡張症，肺結核，肺癌
用法・用量 クロペラスチン塩酸塩として1日30～60mg，小児には2歳未満7.5mg，2～4歳未満7.5～15mg，4～7歳未満15～30mg，3回に分服(適宜増減)

薬物動態
動物における薬物動態(参考) ①フェンジゾ酸塩をラットに経口投与後の組織内濃度は2時間後に最高値，24時間後にはほとんど認められない．3日以内に尿中に25%，糞中に70%排泄 ②塩酸塩をラットに経口投与3日以内に，尿中に26%，糞中に64%排泄

その他の管理的事項
投与期間制限 該当しない
保険給付上の注意 該当しない

資料
IF フスタゾール糖衣錠10mg 2017年10月改訂(第6版)

クロペラスチンフェンジゾ酸塩
クロペラスチンフェンジゾ酸塩錠
Cloperastine Fendizoate

概要
薬効分類 222 鎮咳剤
構造式

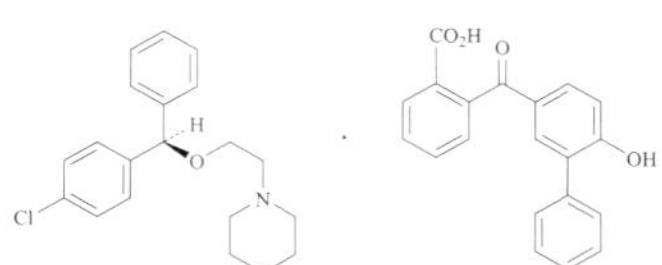

分子式 $C_{20}H_{24}ClNO$・$C_{20}H_{14}O_4$
分子量 648.19
ステム 抗ヒスタミン薬：-astine
原薬の規制区分 該当しない
原薬の外観・性状 白色の結晶又は結晶性の粉末である．イソプロピルアミンに溶けやすく，メタノール，エタノール(99.5)又は酢酸(100)に溶けにくく，水にほとんど溶けない．本品のイソプロピルアミン溶液(1→20)は旋光性を示さない
原薬の吸湿性 なし
原薬の融点・沸点・凝固点 融点：186～190℃
原薬の酸塩基解離定数 pKa＝8.4(ピペリジン環，滴定法)
先発医薬品等
散 フスタゾール散10%(ニプロES)
錠 フスタゾール錠小児用2.5mg(ニプロES)
国際誕生年月 1965年5月

製剤
規制区分 該当しない
製剤の性状 散 白色の散剤 錠小児用 白色・直方体・錠剤・甘味を有し，崩壊しやすい
有効期間又は使用期限 5年
貯法・保存条件 室温保存
患者向け資料等 くすりのしおり
溶液及び溶解時のpH 該当しない
浸透圧比 該当しない
安定なpH域 該当しない
調製時の注意 該当しない

薬理作用
分類 中枢性鎮咳剤
作用部位・作用機序 作用部位：咳中枢 作用機序：求心路並びに遠心路には作用せず，咳中枢に直接作用するものと考えられている
同効薬 デキストロメトルファン臭化水素酸塩水和物など

治療
効能・効果 次の疾患に伴う咳嗽：感冒，急性気管支炎，慢性気管支炎，気管支拡張症，肺結核，肺癌
用法・用量 散 クロペラスチン塩酸塩として，成人1日30～60mg(クロペラスチンフェンジゾ酸塩として53.1～106.2mg)，3回に分服．小児には1日2歳未満7.5mg，2歳以上4歳未満7.5～15mg，4歳以上7歳未満15～30mg，3回分服(適宜増減)
錠小児用 クロペラスチン塩酸塩として，1日2歳未満7.5mg，2歳以上4歳未満7.5～15mg，4歳以上7歳未満15～30mg，3回分服(適宜増減)

薬物動態
(参考：ラット経口投与)①組織内濃度は2時間後に最高値，24時間後にはほとんど認められない ②3日以内に尿中に25%，糞中に70%が排泄

その他の管理的事項
投与期間制限　該当しない
保険給付上の注意　該当しない
資料
IF　フスタゾール散10%・錠小児用2.5mg　2017年10月改訂(第6版)

クロミフェンクエン酸塩
クロミフェンクエン酸塩錠
Clomifene Citrate

概要
薬効分類　249　その他のホルモン剤(抗ホルモン剤を含む.)
構造式

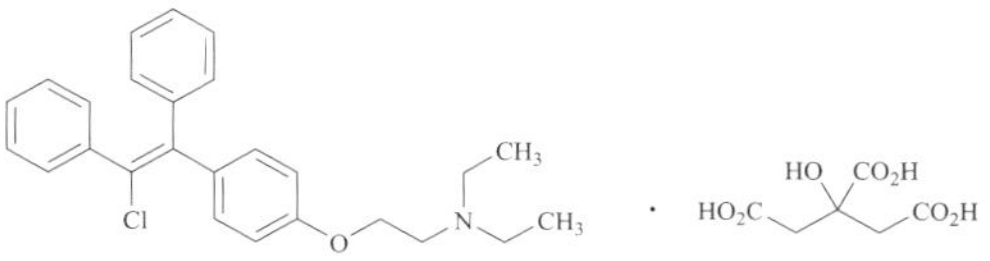

分子式　$C_{26}H_{28}ClNO \cdot C_6H_8O_7$
分子量　598.08
ステム　抗エストロゲン剤：-ifene
原薬の規制区分　㊜(ただし, 1錠中クロミフェンとして50mg以下を含有するものを除く)
原薬の外観・性状　白色〜微黄白色の粉末で, においはない. メタノール又は酢酸(100)に溶けやすく, エタノール(95)にやや溶けにくく, 水に溶けにくく, ジエチルエーテルにほとんど溶けない. 光によって徐々に着色する
原薬の吸湿性　該当資料なし
原薬の融点・沸点・凝固点　融点：約115℃
原薬の酸塩基解離定数　該当資料なし
先発医薬品等
錠 クロミッド錠50mg(富士製薬)
国際誕生年月　不明
海外での発売状況　米, 豪など
製剤
規制区分　錠 ㊈
製剤の性状　錠 円形の白色の錠剤で, においはほとんどなく, 味は僅かに苦い
有効期間又は使用期限　5年
貯法・保存条件　気密容器, 室温保存
薬剤取扱い上の留意点　霧視等の視覚症状が現れることがあるので, 服用中は自動車の運転等, 危険を伴う機械の操作に従事させないように注意すること
患者向け資料等　くすりのしおり
溶液及び溶解時のpH　該当資料なし
浸透圧比　該当資料なし
安定なpH域　該当資料なし
調製時の注意　該当しない
薬理作用
分類　排卵誘発剤
作用部位・作用機序　作用部位：間脳, 視床下部, 卵巣と推定されている　作用機序：内因性エストロゲンのレベルが保たれている無排卵症婦人に投与すると, 間脳に作用して内因性エストロゲンと競合的に受容体と結合し, GnRH(ゴナドトロピン放出ホルモン)を分泌させる. その結果, 下垂体からFSH(卵胞刺激ホルモン)とLH(黄体形成ホルモン)が分泌され, 卵巣を刺激して排卵が誘発される. すなわち, 本剤の持つ抗エストロゲン効果が排卵誘発剤としての主たる作用機序と考えられている
同効薬　シクロフェニル
治療
効能・効果　排卵障害に基づく不妊症の排卵誘発
用法・用量　無排卵症の患者に排卵誘発を試みる場合には, まずgestagen, estrogen testを必ず行い, 消退性出血の出現を確認し, 子宮性無月経を除外した後, 服用を開始. 第1クール1日50mg, 5日間で開始し, 第1クールで無効の場合は1日100mg, 5日間に増量. 用量・期間は1日100mg, 5日間を限度とする
使用上の注意
禁忌　①エストロゲン依存性悪性腫瘍(例えば, 乳癌, 子宮内膜癌)及びその疑いのある患者［腫瘍の悪化あるいは顕性化を促すことがある］　②卵巣腫瘍及び多嚢胞性卵巣症候群を原因としない卵巣の腫大のある患者［卵巣過剰刺激作用によりさらに卵巣を腫大させるおそれがある］　③肝障害又は肝疾患のある患者［肝障害を悪化させるおそれがある］　④妊婦
薬物動態
吸収　消化管から速やかに吸収. 腸肝循環が認められる. 血漿中からの消失半減期は5〜7日(外国人)　**代謝**　主に肝で代謝される. 主要代謝物はA環の炭素4位の水酸化体で, 未変化体より強い抗エストロゲン活性をもち, 長時間作用する(外国人)　**排泄**　^{14}C-標識クロミフェンクエン酸塩を6例に経口投与後5日間に平均51%排泄. 排泄は主に糞で投与後6週間までは糞中濃度が尿中濃度を超えていた. このことは未変化体及び代謝物が腸肝循環でゆっくりと排泄されたことを示している(外国人)
その他の管理的事項
投与期間制限　該当しない
保険給付上の注意　該当しない
資料
IF　クロミッド錠50mg　2018年4月改訂(第4版)

クロミプラミン塩酸塩
クロミプラミン塩酸塩錠
Clomipramine Hydrochloride

概要
薬効分類　117　精神神経用剤
構造式

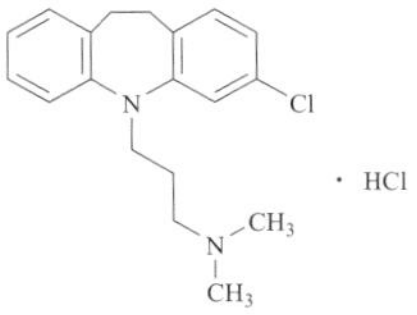

分子式　$C_{19}H_{23}ClN_2 \cdot HCl$
分子量　351.31
ステム　イミプラミン系の抗うつ剤(飽和三環系化合物)：-pramine
原薬の規制区分　㊜(ただし, 1錠中クロミプラミンとして25mg以下を含有するものを除く)
原薬の外観・性状　白色〜微黄色の結晶性の粉末で, においはない. 酢酸(100)に極めて溶けやすく, 水, メタノール又はクロロホルムに溶けやすく, エタノール(95)にやや溶けやすく, 無水酢酸にやや溶けにくく, アセトンに溶けにくく, 酢酸エチル又はジエチルエーテルにほとんど溶けない. 1.0gを水

10mLに溶かした液のpHは3.5〜5.0である
原薬の吸湿性 臨界相対湿度：約90%(37℃，24時間)
原薬の融点・沸点・凝固点 融点：192〜196℃
原薬の酸塩基解離定数 pKa＝7.8(25℃，80%メチルセロソルブ溶液)
先発医薬品等
[錠] アナフラニール錠10mg・25mg(アルフレッサファーマ)
[注] アナフラニール点滴静注液25mg(アルフレッサファーマ)
国際誕生年月 該当しない
海外での発売状況 [錠] 米，英 [注] 仏，独など

製剤

規制区分 [錠] [処] [注] [劇][処]
製剤の性状 [錠] 白色の糖衣錠 [注] 無色澄明の液
有効期間又は使用期限 [錠] 3年 [注] 5年
貯法・保存条件 [錠] 室温保存 [注] 遮光・室温保存
薬剤取扱い上の留意点 眠気，注意力・集中力・反射運動能力等の低下が起こることがあるので，本剤投与中の患者には，自動車の運転等危険を伴う機械の操作に従事させないよう注意すること．本剤投与中にコンタクトレンズを使用している場合，角膜上皮の障害が現れるおそれがある．家族等に自殺念慮や自殺企図，興奮，攻撃性，易刺激性等の行動の変化及び基礎疾患悪化が現れるリスク等について十分説明を行い，医師と緊密に連絡を取り合うよう指導すること
患者向け資料等 [錠] 患者向医薬品ガイド，くすりのしおり
溶液及び溶解時のpH [注] 4.1〜5.1
浸透圧比 [注] 約1(対0.9%生食)

薬理作用

分類 三環系抗うつ剤・遺尿症治療剤
作用部位・作用機序 作用機序は確立されていないが，脳内のセロトニン(5-HT)及びノルアドレナリン(NA)の神経終末への取り込み阻害による受容体刺激の増強が抗うつ効果と結びついていると考えられている
同効薬 [錠] イミプラミン塩酸塩，アミトリプチリン塩酸塩，マプロチリン塩酸塩など

治療

効能・効果 ①精神科領域におけるうつ病・うつ状態 ②[錠] 遺尿症 ③[錠] ナルコレプシーに伴う情動脱力発作
効能・効果に関連する使用上の注意 抗うつ剤の投与により，24歳以下の患者で，自殺念慮，自殺企図のリスクが増加するとの報告があるため，投与にあたっては，リスクとベネフィットを考慮する
用法・用量 [錠] 効能①：1日50〜100mg，1〜3回に分服(適宜増減)．1日最高量225mg 効能②：1日6歳以上の学童20〜50mg，6歳未満の幼児10〜25mg，1〜2回に分服(適宜増減) 効能③：1日10〜75mg，1〜3回に分服
[注] 生理食塩液又は5%ブドウ糖注射液250〜500mLに1アンプルを加え，2〜3時間で1日1回点滴静注．その後漸増し，1回3アンプルまで投与できる．一般に1週間以内に効果の発現をみるが，症状の改善がみられた後は徐々に経口投与に切り換える

使用上の注意

禁忌 ①閉塞隅角緑内障の患者［抗コリン作用により眼圧が上昇し，症状を悪化させることがある］ ②本剤の成分又は三環系抗うつ剤に対し過敏症の既往歴のある患者 ③心筋梗塞の回復初期の患者［症状を悪化させるおそれがある］ ④尿閉(前立腺疾患等)のある患者［抗コリン作用により症状が悪化することがある］ ⑤MAO阻害剤(セレギリン塩酸塩，ラサギリンメシル酸塩)を投与中あるいは投与中止後2週間以内の患者［発汗，不穏，全身痙攣，異常高熱，昏睡等が現れるおそれがある］ ⑥QT延長症候群のある患者［心室性不整脈を起こすおそれがある］
相互作用概要 代謝にはCYP2D6が関与している．また，CYP1A2，CYP3A4，CYP2C19も関与していると考えられている
過量投与 [錠] ①徴候・症状：最初の徴候・症状は通常服用30分〜2時間後に高度の抗コリン作用を主症状として出現する：(1)中枢神経系：眠気，昏迷，意識障害，運動失調，情動不安，激越，反射亢進，筋強剛，アテトーシス及び舞踏病アテトーシス様運動，痙攣，セロトニン症候群 (2)心血管系：不整脈，頻脈，伝導障害，心不全，非常にまれにQT延長，トルサード・ド・ポアン (3)その他：呼吸抑制，チアノーゼ，低血圧，ショック，嘔吐，散瞳，発汗，乏尿，無尿等 ②処置：特異的な解毒剤は知られていない．催吐もしくは胃洗浄を行い活性炭を投与する．なお，腹膜透析又は血液透析はほとんど無効である．必要に応じて，次の様な処置を行う．症状が重篤な場合には，ただちに入院させ，少なくとも48時間は心モニターを継続する．心電図に異常がみられた患者は，心電図が正常に復した後であっても再発の可能性があるため，少なくとも72時間は，心機能の観察を継続する：(1)呼吸抑制：挿管及び人工呼吸 (2)高度低血圧：患者を適切な姿勢に保ち，血漿増量剤，ドパミン，あるいはドブタミンを点滴静注 (3)不整脈：症状に応じた処置を行う．ペースメーカー挿入を必要とする場合もある．低カリウム血症及びアシドーシスがみられた場合はこれらを是正する (4)痙攣発作：ジアゼパム静注又は他の抗痙攣剤(フェノバルビタール等)投与(ただし，これらの薬剤による呼吸抑制，低血圧，昏睡の増悪に注意)

薬物動態

血中濃度 うつ病患者に平均125mg/日経口投与開始後1〜2週目で定常状態，血漿中濃度はクロミプラミン139ng/mL，活性代謝物デスメチルクロミプラミン266ng/mL．点滴静注では経口投与に比べ，デスメチルクロミプラミンへの代謝率が低い **代謝・排泄(外国人)** 健常人に1mg/kgを1回経口投与後1.5〜4時間で最高血中濃度，その後緩徐に減衰．生物学的半減期は約21時間(β相)．排泄は2/3が抱合体で尿中に，約1/3は糞便中に排泄．未変化体及び活性代謝物の尿中排泄は1%以下

その他の管理的事項

投与期間制限 該当しない
保険給付上の注意 該当しない

資料

IF アナフラニール錠10mg・25mg 2019年9月改訂(第11版)
アナフラニール点滴静注液25mg 2019年9月改訂(第10版)

クロム酸ナトリウム(^{51}Cr)注射液
Sodium Chromate(^{51}Cr) Injection

概要

原薬の規制区分 該当しない
原薬の外観・性状 無色〜淡黄色澄明の液で，においはないか，又は保存剤によるにおいがある

治療

効能・効果† ①循環血液量・循環赤血球量の測定 ②赤血球寿命の測定

クロモグリク酸ナトリウム
Sodium Cromoglicate

概要

薬効分類 131 眼科用剤，132 耳鼻科用剤，225 気管支拡張剤，449 その他のアレルギー用薬

構造式

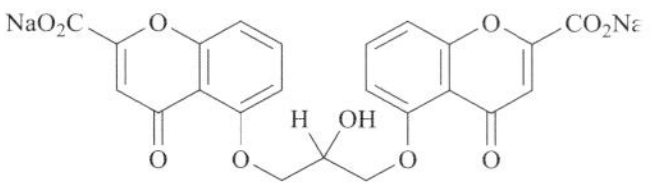

分子式 $C_{23}H_{14}Na_2O_{11}$

分子量 512.33

略語・慣用名 SCG，DSCG

原薬の規制区分 該当しない

原薬の外観・性状 白色の結晶性の粉末で，においはなく，味は初めはないが，後に僅かに苦い．水に溶けやすく，プロピレングリコールにやや溶けにくく，エタノール(95)に極めて溶けにくく，2-プロパノール又はジエチルエーテルにほとんど溶けない．光により徐々に黄色を帯びる

原薬の吸湿性 吸湿性である．25℃20%RH24時間で水分9%を含み，25℃91%RH24時間では水分約23%を含む

原薬の融点・沸点・凝固点 融点：約258℃(分解)

原薬の酸塩基解離定数 pKa＝約2.2

先発医薬品等

吸入 インタール吸入液1%(サノフィ)
インタールエアロゾル1mg(サノフィ)

後発医薬品

細 10%
吸入 1%
点眼液 2%
点鼻液 2%

国際誕生年月 1969年2月

海外での発売状況 **細** 米，英，独を含む11カ国以上 **吸入** 米，英，仏，独を含む40カ国以上 **点眼液** 仏，独を含む70カ国以上 **点鼻液** 独，豪を含む80カ国以上

製剤

製剤の性状 **細** 白色の細粒で，味は甘く，においはない **吸入液** 無色～微黄色澄明な無菌の液 **エアゾール** 定量噴霧式エアゾール剤 **点眼液** 無色～微黄色の澄明な無菌の液 **点鼻液** 無色～微黄色の澄明な液

有効期間又は使用期限 **細** **吸入液** **点眼液** **点鼻液** 3年 **エアゾール** 2年

貯法・保存条件 **細** **エアゾール** **点眼液** **点鼻液** 室温保存 **吸入液** 遮光・室温保存

薬剤取扱い上の留意点 **エアゾール** ①火の中に入れない ②使い切って(ガスを出し切った状態で)捨てる **点眼液** **点鼻液** 開封後1カ月経過した場合は，残液を使用しない **UD点眼液** アルミ袋開封後，未使用の薬品はアルミ袋に戻して，1カ月以内に使用する

患者向け資料等 くすりのしおり

溶液及び溶解時のpH **吸入液** **点眼液** **点鼻液** 4.0～7.0

浸透圧比 **点眼液** 0.25 **UD点眼液** 約1.1

調製時の注意 **吸入液** ①ブロムヘキシン塩酸塩及び*dl*-イソプレナリン塩酸塩との配合では白濁又は沈殿を生じるため，配合は避ける ②アセチルシステインとの配合では，時間の経過とともに沈殿を生じるため，配合後は速やかに吸入する

薬理作用

分類 Khellin誘導体アレルギー性疾患治療剤

作用部位・作用機序 抗原抗体反応に伴って起こるマスト細胞からの化学伝達物質(ヒスタミン等)の遊離を抑制する．また，クロモグリク酸ナトリウムはほとんど吸収されず，局所において次のような作用を有する：①肥満細胞の膜安定化(*in vitro*) ②知覚神経C-fiberの活性抑制(イヌ) ③IgE産生抑制作用(*in vitro*) ④好酸球の集積・活性化の抑制(*in vitro*) ⑤好中球の集積・活性化の抑制(*in vitro*) ⑥Tリンパ球の集積抑制(ヒト気管支粘膜生検) ⑦接着分子(ICAM-1，VCAM-1，ELAM-1)の発現抑制(ヒト気管支粘膜生検) ⑧マクロファージの活性化抑制(*in vitro*) ⑨血小板の活性化抑制(*in vitro*)

同効薬 トラニラスト，アンレキサノクス，イブジラスト，ペミロラストカリウムなど

治療

効能・効果 **細** 食物アレルギーに基づくアトピー性皮膚炎
吸入 気管支喘息
点眼液 アレルギー性結膜炎，春季カタル．〔インタールUD〕保険給付については保険給付上の注意参照
点鼻液 アレルギー性鼻炎

用法・用量 **細** クロモグリク酸ナトリウムとして1回2歳以上の小児100mg，2歳未満の幼児50mg，1日3～4回食前ないし食前及び就寝前(適宜増減)．ただし，1日40mg/kgを超えない
吸入〔エアゾール〕1回2噴霧(クロモグリク酸ナトリウムとして2mg)，1日4回朝，昼，夕及び就寝前吸入．症状の緩解が得られれば，その後の経過を観察しながら1日2～3回に減量
〔吸入液〕朝，昼及び就寝前，ないしは朝，昼，夕及び就寝前1回1アンプル(クロモグリク酸ナトリウムとして20mg)，1日3～4回，電動式ネブライザーを用いて吸入．症状の緩解が得られれば，その後の経過を観察しながら1日2～3アンプルに減量
点眼液 1回1～2滴，1日4回(朝，昼，夕及び就寝前)点眼
点鼻液 1日6回(起床時，日中約3時間ごとに4回，就寝前)，1回各鼻腔に1噴霧(2.6mg)ずつ噴霧吸入．症状の緩解が得られれば，その後の経過を観察しながら減量

使用上の注意

禁忌 本剤の成分に対し過敏症の既往歴のある患者

薬物動態

細 幼児においても小児の場合と同様に，消化管からの吸収は極めて少なく投与量の約1%程度で，その排泄は速やか ①2歳未満の幼児：4～22カ月の幼児8例に1g(クロモグリク酸ナトリウムとして100mg)を1回経口投与後の8時間までの尿中排泄率は投与量の0.34% ②小児：10歳以上の年長児7例及び10歳未満の年少児7例に本剤2g及び1g(クロモグリク酸ナトリウムとして200mg及び100mg)を1回経口投与した後の最高血漿中濃度はそれぞれ12ng/mL(平均到達時間2.5時間)，8ng/mL(平均到達時間1.7時間)．また，投与後24時間までの尿中排泄率は年長児群では投与量の0.27%，年少児群では投与量の0.38% ※承認された1回用量は，通常2歳未満0.5g，2歳以上1g

吸入 ①エアゾール：インタールエアロゾルが含有するクロロフルオロカーボン類(特定フロン)等の添加物を変更した製品．交叉法により，本剤とインタールエアロゾルを1回2噴霧(クロモグリク酸ナトリウムとして2mg)吸入投与で比較した成績は，健康成人35例に吸入投与時，最高血漿中濃度は各々0.33時間後に3.15ng/mL，0.20時間後に3.20ng/mL．また，健康成人11例に吸入投与時，吸入後24時間までの尿中排泄率は各々投与量の6.83%，5.61% ②吸入液(気管支喘息)：交叉法により，健康成人10例に吸入用カプセルを専用の吸入用器具(スピンヘラー)で1カプセル(クロモグリク酸ナトリウムとして20mg)及び吸入液を電動式ネブライザーで1アンプル(クロモグリク酸ナトリウムとして20mg/2mL)吸入投与時，吸入後24時間までの尿中排泄率は各々投与量の7.92%，4.83%．この相違は吸入方式の違いによるものと考えられた．また，健康人4例に吸入用カプセルを専用の吸入用器具(スピンヘラー)で1カプセル(クロモグリク酸ナトリウムとして20mg)吸入投与時，最高血漿中濃度は5分後に46ng/mL，吸収率は約14%(外国人データ)

点眼液 参考：ウサギの結膜嚢に投与すると，結膜及び角膜を

介して房水中に極く少量が移行するが，硝子体及び脳内への分布はみられなかった．投与されたクロモグリク酸ナトリウムの大部分は細涙管を介し鼻腔内及び咽喉を経て消化管へ移行し，その間に一部が吸収される．ウサギの結膜嚢へ2%^{14}C-クロモグリク酸ナトリウムを0.1mL投与した後の血漿中放射能濃度の推移によると，血漿中へは投与後30分以内に現れるが，その濃度は投与量に対して0.02%/mL以下であり，30分以後は検出されなかった

点鼻液 交叉法により，健康成人10例に専用の鼻用定量噴霧器(マイクロフレーター)で各鼻腔に4噴霧(クロモグリク酸ナトリウムとして10.4mg)ずつ及びインタール粉剤を専用の鼻用噴霧器(ネーザルインサフレーター)で1カプセル(クロモグリク酸ナトリウムとして20mg)噴霧吸入時，吸入後24時間までの尿中排泄率は各々吸入量の1.89%，3.34%．この相違は吸入方式の違いによるものと考えられた (注)マイクロフレーターとは薬液容器が定量噴霧器と一体になる以前に使用していた鼻用定量噴霧器である．点鼻液の承認された1回用量は，通常各鼻腔に1噴霧ずつ

その他の管理的事項

投与期間制限 該当しない

保険給付上の注意 **UD点眼液**「春季カタル，アレルギー性結膜炎」患者のうち，「ベンザルコニウム塩化物に過敏症の患者又はその疑いのある患者」に保険給付が限定される

資料

IF インタール細粒10% 2012年10月改訂(第5版)
インタール吸入液1% 2012年10月改訂(第10版)
インタールエアロゾル1mg 2012年10月改訂(第9版)
インタール点眼液2%・UD2% 2015年10月改訂(第8版)
インタール点鼻液2% 2012年10月改訂(第7版)

クロラゼプ酸二カリウム
クロラゼプ酸二カリウムカプセル
Clorazepate Dipotassium

概要

薬効分類 112 催眠鎮静剤，抗不安剤

構造式

分子式 $C_{16}H_{10}ClKN_2O_3 \cdot KOH$

分子量 408.92

原薬の規制区分 (劇)(ただし，1カプセル中クロラゼプ酸として7.5mg以下を含有するものを除く)，(向Ⅲ)

原薬の外観・性状 白色～淡黄色の結晶又は結晶性の粉末である．水に溶けやすく，エタノール(99.5)に極めて溶けにくい．酢酸(100)に溶ける．1gを水100mLに溶かした液のpHは11.5～12.5である．光によって徐々に黄色となる

原薬の吸湿性 吸湿性が認められる(臨界相対湿度：60%RH付近(25℃))

原薬の融点・沸点・凝固点 融点：230～300℃で徐々に分解し，一定の融点を示さない

原薬の酸塩基解離定数 pHの減少に伴い急速に溶解度が低くなり，沈殿を生ずるため，pKa値を決定することができなかった

先発医薬品等

カ メンドンカプセル7.5mg(マイランEPD)

国際誕生年月 1969年

海外での発売状況 米，仏

製剤

規制区分 **カ** (向Ⅲ) (処)

製剤の性状 **カ** 白色の不透明硬カプセル剤

有効期間又は使用期限 3年

貯法・保存条件 室温保存

薬剤取扱い上の留意点 眠気，注意力・集中力・反射運動能力等の低下が起こることがあるので，本剤投与中の患者には，自動車の運転など危険を伴う機械の操作に従事させないよう注意すること．連用により薬物依存を生じることがあるので，漫然とした継続投与による長期使用を避けること．本剤の投与を継続する場合には，治療上の必要性を十分に検討すること．開封後は吸湿に注意する

患者向け資料等 患者向医薬品ガイド，くすりのしおり

溶液及び溶解時のpH 該当しない

浸透圧比 該当しない

安定なpH域 該当しない

調製時の注意 該当しない

薬理作用

分類 ベンゾジアゼピン系抗不安剤

作用部位・作用機序 γ-アミノ酪酸(GABA)を介して中枢神経系の抑制を起こす

同効薬 クロルジアゼポキシド，ジアゼパム，プラゼパム，フルトプラゼパム，フルジアゼパム，メダゼパム，オキサゾラム，クロキサゾラム，メキサゾラム，アルプラゾラム，フルタゾラム，ブロマゼパム，ロラゼパム，ロフラゼプ酸エチル，クロチアゼパム，エチゾラム，ヒドロキシジン塩酸塩，タンドスピロンクエン酸塩など

治療

効能・効果 神経症における不安・緊張・焦燥・抑うつ

用法・用量 1日9～30mg，2～4回に分服(適宜増減)

使用上の注意

禁忌 ①急性閉塞隅角緑内障の患者［抗コリン作用により眼圧が上昇し，症状を悪化させることがある］ ②重症筋無力症のある患者［本剤の筋弛緩作用により症状が悪化するおそれがある］ ③リトナビルを投与中の患者

過量投与 ①症状：眼振，運動失調，昏睡等が現れる ②処置：ただちに催吐や胃洗浄を行う．患者の状態をよく観察しながら維持療法を行う．過量投与が明白又は疑われた場合の処置としてフルマゼニル(ベンゾジアゼピン受容体拮抗剤)を投与する場合には，使用前にフルマゼニルの使用上の注意(禁忌，慎重投与，相互作用等)を必ず読む

薬物動態

血漿中濃度 (健康成人，15mg1回経口投与，血漿中主代謝物ノルジアゼパム濃度)Tmax0.5～1hr，Cmax0.38μg/mL，$T_{1/2}$データなし．投与24時間後もピーク時の1/2の濃度を維持．健康成人(外国人)に15mgを14日間連続経口投与時，投与開始7日後には血漿中濃度は平衡状態に達し，7日後から15日後にわたり0.41～0.48μg/mLの濃度を保持 **血漿蛋白結合率** 98%(*in vitro*，ヒト血漿15μg/mL，限外ろ過法) **主な代謝産物及び代謝経路** ①主な代謝産物：ノルジアゼパム(活性あり) ②代謝経路：血漿中では，ほとんど主代謝物のノルジアゼパム．ノルジアゼパムは，さらにオキサゼパム及びパラヒドロキシノルジアゼパムあるいはその抱合体に代謝 **排泄経路及び排泄率** ①排泄経路：尿中及び糞便中 ②排泄率：投与後10日間までの尿中及び糞便中には，それぞれ62～67%，15～19%が排泄(健康成人(外国人)，^{14}C-クロラゼプ酸二カリウム15mg1回経口投与)

その他の管理的事項

投与期間制限 14日

保険給付上の注意 該当しない

資料
IF　メンドンカプセル7.5mg　2019年10月改訂（第7版）

クロラムフェニコール
Chloramphenicol

概要
薬効分類　131　眼科用剤，132　耳鼻科用剤，252　生殖器官用剤（性病予防剤を含む．），263　化膿性疾患用剤，615　主としてグラム陽性・陰性菌，リケッチア，クラミジアに作用するもの
構造式
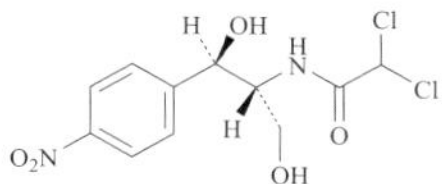
分子式　$C_{11}H_{12}Cl_2N_2O_5$
分子量　323.13
略語・慣用名　CP
ステム　不明
原薬の規制区分　該当しない
原薬の外観・性状　白色～黄白色の結晶又は結晶性の粉末である．メタノール又はエタノール（99.5）に溶けやすく，水に溶けにくい
原薬の吸湿性　該当資料なし
原薬の融点・沸点・凝固点　融点：150～155℃
原薬の酸塩基解離定数　pKa＝5.5
先発医薬品等
錠　クロロマイセチン錠50・250（アルフレッサファーマ）
膣用　クロマイ膣錠100mg（アルフレッサファーマ）
クロラムフェニコール膣錠100mg「F」（富士製薬）
耳科用液　クロロマイセチン耳科用液0.5%（アルフレッサファーマ）
点眼液　クロラムフェニコール点眼液0.5%「ニットー」（日東メディック）
軟　クロロマイセチン軟膏2%（アルフレッサファーマ）
外用液　クロロマイセチン局所用液5%（アルフレッサファーマ）
国際誕生年月　不明
海外での発売状況　耳科用液 英，オーストラリア

製剤
規制区分　錠　耳科用液　外用液　㊇
製剤の性状　錠 暗赤褐色の糖衣錠　膣用 楕円形の白色の素錠（発泡性）　耳科用液 無色～微黄色の粘稠なプロピレングリコール溶液で，においはない　軟 白色のクリーム状の軟膏　外用液 微黄色～淡黄色の粘稠なプロピレングリコール溶液
有効期間又は使用期限　錠 5年　膣用　耳科用液　軟　外用液 3年
貯法・保存条件　錠　耳科用液　外用液 室温保存　膣用 室温保存．吸湿性であるので，防湿保存　軟 凍結を避けて室温に保存
薬剤取扱い上の留意点　膣用 水にあうと吸湿し，崩壊するので，ぬれたピンセットなどで取扱わない　耳科用液　軟　外用液 眼科用に使用しない　外用液 注射用として使用しない
患者向け資料等　くすりのしおり
溶液及び溶解時のpH　耳科用液　外用液 4.0～8.5（水溶液（1→2））

薬理作用
分類　抗生物質
作用部位・作用機序　蛋白合成阻害で，静菌的に作用する．細菌の50Sリボソームサブユニットに可逆的に結合することにより一次的に作用する．30Sリボソームサブユニット上のコドン認識部位へのtRNAの結合を阻害しないものの，アミノアシル-tRNAのアミノ酸末端が50Sリボソームサブユニット上の受容体部位に結合するのを妨げると考えられる．その結果，ペプチド転移酵素とその基質アミノ酸との間の相互作用が起こらず，ペプチド結合の形成が阻害される．また，哺乳動物細胞のミトコンドリアのタンパク質合成も阻害する．おそらくミトコンドリアのリボソームは動物細胞の80S型細胞質リボソームよりも細菌リボソーム（両者とも70Sリボソーム型）のほうに似ているからと考えられる．ミトコンドリアリボソームのペプチド転移酵素は本剤の阻害作用を受けやすい
同効薬　錠 テトラサイクリン塩酸塩，エリスロマイシン，ストレプトマイシン硫酸塩など　耳科用液 オフロキサシン耳科用液，局所外用セフメノキシム塩酸塩，局所外用ホスホマイシンナトリウムなど　軟 テトラサイクリン塩酸塩軟膏，オキシテトラサイクリン塩酸塩・ポリミキシンB硫酸塩軟膏，デメチルクロルテトラサイクリン塩酸塩軟膏など　外用液 オフロキサシン耳科用液，局所外用セフメノキシム塩酸塩，局所外用ホスホマイシンナトリウムなど

治療
効能・効果　錠〈適応菌種〉本剤に感性のブドウ球菌属，レンサ球菌属，肺炎球菌，腸球菌属，淋菌，髄膜炎菌，大腸菌，サルモネラ属，チフス菌，パラチフス菌，クレブシエラ属，プロテウス属，モルガネラ・モルガニー，インフルエンザ菌，軟性下疳菌，百日咳菌，野兎病菌，ガス壊疽菌群，リケッチア属，トラコーマクラミジア（クラミジア・トラコマティス）〈適応症〉表在性皮膚感染症，深在性皮膚感染症，リンパ管・リンパ節炎，慢性膿皮症，外傷・熱傷及び手術創等の二次感染，乳腺炎，骨髄炎，咽頭・喉頭炎，扁桃炎，急性気管支炎，肺炎，肺膿瘍，膿胸，慢性呼吸器病変の二次感染，膀胱炎，腎盂腎炎，尿道炎，淋菌感染症，軟性下疳，性病性（鼠径）リンパ肉芽腫，腹膜炎，感染性腸炎，腸チフス，パラチフス，子宮内感染，子宮付属器炎，涙嚢炎，角膜炎，中耳炎，副鼻腔炎，歯周組織炎，歯冠周囲炎，猩紅熱，百日咳，野兎病，ガス壊疽，発疹チフス，発疹熱，つつが虫病
軟〈適応菌種〉本剤に感性のブドウ球菌属，レンサ球菌属（肺炎球菌を除く），腸球菌属，大腸菌，クレブシエラ属，プロテウス属，モルガネラ・モルガニー〈適応症〉表在性皮膚感染症，深在性皮膚感染症，慢性膿皮症，外傷・熱傷及び手術創等の二次感染，びらん・潰瘍の二次感染
外用液（局所用）〈適応菌種〉本剤に感性のブドウ球菌属，レンサ球菌属，肺炎球菌，腸球菌属，髄膜炎菌，大腸菌，クレブシエラ属，プロテウス属，モルガネラ・モルガニー，インフルエンザ菌〈適応症〉表在性皮膚感染症，深在性皮膚感染症，慢性膿皮症，外傷・熱傷及び手術創等の二次感染，びらん・潰瘍の二次感染，外耳炎，中耳炎，副鼻腔炎，抜歯創・口腔手術創の二次感染
点眼液〈適応菌種〉本剤に感性のブドウ球菌属，レンサ球菌属，肺炎球菌，淋菌，髄膜炎菌，モラクセラ・ラクナータ（モラー・アクセンフェルト菌），大腸菌，クレブシエラ属，セラチア属，インフルエンザ菌，ヘモフィルス・エジプチウス（コッホ・ウィークス菌），アルカリゲネス属，トラコーマクラミジア（クラミジア・トラコマティス）〈適応症〉眼瞼炎，涙嚢炎，麦粒腫，結膜炎，角膜炎（角膜潰瘍を含む）
耳科用液〈適応菌種〉本剤に感性のブドウ球菌属，レンサ球菌属，肺炎球菌，腸球菌属，髄膜炎菌，大腸菌，インフルエンザ菌〈適応症〉外耳炎，中耳炎
膣用〈適応菌種〉クロラムフェニコール感性菌〈適応症〉細菌性膣炎
効能・効果に関連する使用上の注意　錠 咽頭・喉頭炎，扁桃炎，急性気管支炎，感染性腸炎，中耳炎，副鼻腔炎への使用にあたっては，「抗微生物薬適正使用の手引き」を参照し，抗菌薬

投与の必要性を判断した上で，本剤の投与が適切と判断される場合に投与する
外用液(局所用) 中耳炎，副鼻腔炎への使用にあたっては，「抗微生物薬適正使用の手引き」を参照し，抗菌薬投与の必要性を判断した上で，本剤の投与が適切と判断される場合に投与する
耳科用液 中耳炎への使用にあたっては，「抗微生物薬適正使用の手引き」を参照し，抗菌薬投与の必要性を判断した上で，本剤の投与が適切と判断される場合に投与する

用法・用量 **錠** 1日1.5～2g(力価)，小児30～50mg(力価)/kgを3～4回に分服(適宜増減)
軟 1日1～数回，直接塗布又は無菌ガーゼに延ばして貼付．なお，深在性皮膚感染症に対しては他の薬剤で効果が期待できない場合に使用する
外用液(局所用) ①皮膚・外科：症状に応じて点滴，灌注あるいはガーゼ，綿球に浸して貼付，挿入．なお，深在性皮膚感染症に対しては他の薬剤で効果が期待できない場合に使用する　②点耳・点鼻：プロピレングリコールで0.5～1%の割合に溶解し，1日1～数回(適宜増減)　③歯科・口腔外科：綿線，ペーパーポイントに浸して用いたり，局所に直接注入又はドレナージガーゼに含ませて挿入
点眼液 1日1～数回点眼(適宜増減)
耳科用液 0.5%液を耳の罹患部に1日1～数回(適宜増減)
腟用 1日1回1個挿入

用法・用量に関連する使用上の注意 **錠** 使用にあたっては，原則として感受性を確認し，疾病の治療上必要な最小限の期間の投与にとどめる(耐性菌の発現等を防ぐ)
軟 **外用液(局所用)** **耳科用液** **腟用** 使用にあたっては，原則として感受性を確認し，疾病の治療上必要な最小限の期間の使用にとどめる(耐性菌の発現等を防ぐ)
点眼液 使用にあたっては，耐性菌の発現等を防ぐため，原則として感受性を確認し，疾病の治療上必要な最小限の期間の投与にとどめる

使用上の注意

禁忌 **錠** ①造血機能の低下している患者［クロラムフェニコール投与後に再生不良性貧血，顆粒球減少，血小板減少等の重篤で致命的な血液障害の発生が報告されている］　②低出生体重児，新生児［クロラムフェニコール過量投与によりGray syndromeが発症し，その予後が重篤である］　③本剤の成分に対し過敏症の既往歴のある患者　④骨髄抑制を起こす可能性のある薬剤を投与中の患者
軟 **外用液(局所用)** **耳科用液** **腟用** 本剤の成分に対し過敏症の既往歴のある患者
点眼液 クロラムフェニコールに対し過敏症の既往歴のある患者

相互作用概要 CYP2C19の阻害作用がある

薬物動態

錠 **血中濃度** 経口投与で消化管からよく吸収，短時間で有効血中濃度．健康成人15例に1回500mg経口投与時のTmax1.9±0.23hr，Cmax7.2±0.37μg/mL，$AUC_{0\text{-}12h}$36.3±2.36μg・hr/mL　**薬物代謝酵素** (錠)ヒト肝ミクロソームでの*in vitro*代謝阻害試験でチトクロムP450各分子種(CYP1A1&2，2A6，2B6，2C8&9，2C19，2D6，2E1，3A4)の基質となる薬物の代謝に対する，クロラムフェニコールの阻害率を検討した結果，CYP2C19(基質：S-メフェニトイン)のみ阻害作用がみられた　**血清蛋白結合率** 57%(セロファンバッグ透析法)
腟用 子宮及び腟壁摘出術を施行する34例に通常用量(1回1錠)を腟内投与した結果，33例には血清中へのクロラムフェニコールの移行は，ほとんど認められなかった

その他の管理的事項

投与期間制限 該当しない
保険給付上の注意 該当しない

資料

IF　クロロマイセチン錠50・250　2020年7月改訂(第2版)
クロマイ腟錠100mg　2019年3月作成(第1版)
クロロマイセチン耳科用液0.5%　2019年3月作成(第1版)
クロロマイセチン軟膏2%　2019年3月作成(第1版)
クロロマイセチン局所用液5%　2019年3月作成(第1版)

クロラムフェニコールコハク酸エステルナトリウム
Chloramphenicol Sodium Succinate

概要

薬効分類 615　主としてグラム陽性・陰性菌，リケッチア，クラミジアに作用するもの
構造式

分子式 $C_{15}H_{15}Cl_2N_2NaO_8$
分子量 445.18
略語・慣用名 CP-succinate
ステム 不明
原薬の規制区分 該当しない
原薬の外観・性状 白色～帯黄白色の結晶又は結晶性の粉末である．水に極めて溶けやすく，メタノール又はエタノール(99.5)に溶けやすい．1.4gを水5mLに溶かした液のpHは6.0～7.0である
原薬の吸湿性 吸湿性である
原薬の酸塩基解離定数 該当資料なし
先発医薬品等
注射用 クロロマイセチンサクシネート静注用1g(アルフレッサファーマ)
国際誕生年月 不明
海外での発売状況 米，英など

製剤

規制区分 **注射用** ㊕
製剤の性状 **注射用** 白色～黄白色の結晶又は塊
有効期間又は使用期限 3年
貯法・保存条件 室温保存
薬剤取扱い上の留意点 本剤の溶液は，元来透明で微黄色を呈するが，溶解後時間の経過したものでは明らかな黄色に変化することがある．しかしこの場合にも効力には影響なく，使用はさしつかえない．ただし絮状物の生じたものの使用は避けること
患者向け資料等 くすりのしおり
溶液及び溶解時のpH 6.0～7.0(200mg/mL)
浸透圧比 1.5～1.8(1g/10mL注射用水)(対生食)

薬理作用

分類 抗生物質
作用部位・作用機序 生体内でエステラーゼにより，クロラムフェニコールに変換，効力を発揮する．クロラムフェニコールの作用は蛋白合成阻害で，静菌的に作用する

治療

効能・効果 〈適応菌種〉クロラムフェニコールに感性のブドウ球菌属，レンサ球菌属，肺炎球菌，腸球菌属，淋菌，髄膜炎菌，大腸菌，サルモネラ属，チフス菌，パラチフス菌，クレブシエラ属，プロテウス属，モルガネラ・モルガニー，インフルエンザ菌，軟性下疳菌，百日咳菌，野兎病菌，ガス壊疽

菌群，リケッチア属，トラコーマクラミジア(クラミジア・トラコマティス)〈適応症〉敗血症，表在性皮膚感染症，深在性皮膚感染症，リンパ管・リンパ節炎，慢性膿皮症，外傷・熱傷及び手術創等の二次感染，乳腺炎，骨髄炎，咽頭・喉頭炎，扁桃炎，急性気管支炎，肺炎，肺膿瘍，膿胸，慢性呼吸器病変の二次感染，膀胱炎，腎盂腎炎，尿道炎，淋菌感染症，軟性下疳，性病性(鼠径)リンパ肉芽腫，腹膜炎，胆嚢炎，胆管炎，感染性腸炎，腸チフス，パラチフス，子宮内感染，子宮付属器炎，化膿性髄膜炎，涙嚢炎，角膜炎，中耳炎，副鼻腔炎，歯周組織炎，歯冠周囲炎，猩紅熱，百日咳，野兎病，ガス壊疽，発疹チフス，発疹熱，つつが虫病

効能・効果に関連する使用上の注意 咽頭・喉頭炎，扁桃炎，急性気管支炎，感染性腸炎，中耳炎，副鼻腔炎への使用にあたっては，「抗微生物薬適正使用の手引き」を参照し，抗菌薬投与の必要性を判断した上で，本剤の投与が適切と判断される場合に投与する

用法・用量 クロラムフェニコールとして1回0.5～1g(力価)，小児15～25mg(力価)/kg，1日2回静注(適宜増減)

用法・用量に関連する使用上の注意 使用にあたっては，原則として感受性を確認し，疾病の治療上必要な最小限の期間の投与にとどめる(耐性菌の発現等を防ぐ)

使用上の注意

禁忌 ①造血機能の低下している患者［クロラムフェニコール投与後に再生不良性貧血，顆粒球減少，血小板減少等の重篤で致命的な血液障害の発生が報告されている］ ②低出生体重児，新生児［クロラムフェニコール過量投与によりGray syndromeが発症し，その予後が重篤である］ ③本剤の成分に対し過敏症の既往歴のある患者 ④骨髄抑制を起こす可能性のある薬剤を投与中の患者

薬物動態

血中濃度 健康成人15例にクロラムフェニコールとして1g静注時のTmaxは0.7±0.07hr，Cmaxは14.9±0.66μg/mL，$AUC_{(0\text{-}12hr)}$は73.3±3.12μg・hr/mL

その他の管理的事項

投与期間制限 該当しない

保険給付上の注意 該当しない

資料

IF クロロマイセチンサクシネート静注用1g 2019年3月作成(第1版)

クロラムフェニコール・コリスチンメタンスルホン酸ナトリウム点眼液
Chloramphenicol and Colistin Sodium Methanesulfonate Ophthalmic Solution

概要

薬効分類 131 眼科用剤

分子式 ［クロラムフェニコール］$C_{11}H_{12}Cl_2N_2O_5$ ［コリスチンメタンスルホン酸ナトリウム(コリスチンA)］$C_{53}H_{100}N_{16}O_{13}$

分子量 ［クロラムフェニコール］323.13 ［コリスチンメタンスルホン酸ナトリウム(コリスチンA)］1169.46

略語・慣用名 ［クロラムフェニコール］CP ［コリスチンメタンスルホン酸ナトリウム］略号：CL

ステム ［クロラムフェニコール］不明 ［コリスチンメタンスルホン酸ナトリウム］不明

原薬の規制区分 該当しない

原薬の外観・性状 ［クロラムフェニコール］白色～黄白色の結晶又は結晶性の粉末である．メタノール又はエタノール(99.5)に溶けやすく，水に溶けにくい ［コリスチンメタンスルホン酸ナトリウム］白色～淡黄白色の粉末である．水に溶けやすく，エタノール(95)にほとんど溶けない

原薬の吸湿性 該当資料なし

原薬の融点・沸点・凝固点 ［クロラムフェニコール］融点：150～155℃

原薬の酸塩基解離定数 ［クロラムフェニコール］pKa＝5.5

先発医薬品等

点眼液 オフサロン点眼液(わかもと)
コリナコール点眼液(日本点眼薬)

国際誕生年月 不明

海外での発売状況 なし

製剤

規制区分 点眼液 ㊈

製剤の性状 点眼液 無色～微黄色澄明の水性点眼剤

有効期間又は使用期限 2年

貯法・保存条件 気密容器，遮光・2～8℃保存

薬剤取扱い上の留意点 点眼後口中に苦味を感じることがある

患者向け資料等 くすりのしおり

溶液及び溶解時のpH 6.0～8.0

浸透圧比 1.0～1.2(対生食)

調製時の注意 該当しない

薬理作用

分類 抗生物質配合剤

作用部位・作用機序 ［クロラムフェニコール］機序：蛋白合成阻害，静菌的に作用．広範囲の抗菌スペクトルを有し，グラム陽性・陰性菌，レプトスピラ，リケッチア，クラミジアに作用するが，特に赤痢菌，サルモネラ菌などのグラム陰性桿菌や発疹チフス・つつが虫などのリケッチアに対して強い作用を示す ［コリスチンメタンスルホン酸ナトリウム］機序：細菌細胞膜障害，殺菌的に作用．グラム陰性菌を特異的に阻止し，グラム陽性菌，真菌には作用しない

同効薬 ［クロラムフェニコール］クロラムフェニコール系抗生物質 ［コリスチンメタンスルホン酸ナトリウム］ポリペプチド系抗生物質

治療

効能・効果 〈適応菌種〉クロラムフェニコール/コリスチンに感性の緑膿菌を主とするグラム陰性桿菌 〈適応症〉眼瞼炎，結膜炎，角膜炎(角膜潰瘍を含む)，眼科周術期の無菌化療法

用法・用量 1回2～3滴，1日4～5回点眼

用法・用量に関連する使用上の注意 使用にあたっては，耐性菌の発現等を防ぐため，原則として感受性を確認し，疾病の治療上必要な最小限の期間の使用にとどめる

使用上の注意

禁忌 本剤又は本剤配合成分に対し過敏症の既往歴のある患者

その他の管理的事項

投与期間制限 該当しない

保険給付上の注意 該当しない

資料

IF オフサロン点眼液 2020年4月改訂(第10版)

クロラムフェニコールパルミチン酸エステル
Chloramphenicol Palmitate

概要

薬効分類 615 主としてグラム陽性・陰性菌，リケッチア，クラミジアに作用するもの

構造式

分子式 $C_{27}H_{42}Cl_2N_2O_6$

分子量 561.54

原薬の規制区分 該当しない

原薬の外観・性状 白色～灰白色の結晶性の粉末である．アセトンに溶けやすく，メタノール又はエタノール(99.5)にやや溶けにくく，水にほとんど溶けない

原薬の融点・沸点・凝固点 融点：91～96℃

クロルジアゼポキシド
クロルジアゼポキシド錠
クロルジアゼポキシド散
Chlordiazepoxide

概要

薬効分類 112 催眠鎮静剤，抗不安剤

構造式

分子式 $C_{16}H_{14}ClN_3O$

分子量 299.75

原薬の規制区分 ㊅向Ⅲ

原薬の外観・性状 白色～淡黄色の結晶又は結晶性の粉末である．酢酸(100)に溶けやすく，エタノール(95)にやや溶けにくく，ジエチルエーテルに極めて溶けにくく，水にほとんど溶けない．希塩酸に溶ける．光によって徐々に変化する

原薬の吸湿性 水分含有量は0.1％程度で，吸湿性はない

原薬の融点・沸点・凝固点 融点：約240℃(分解)

原薬の酸塩基解離定数 pKa：4.6(20℃)

先発医薬品等

散 クロルジアゼポキシド散1％「ツルハラ」(鶴原)
コントール散1％・10％(武田テバ薬品＝武田)
バランス散10％(丸石)

錠 クロルジアゼポキシド錠5mg・10mg「ツルハラ」(鶴原)
5mg・10mgコントール錠(武田テバ薬品＝武田)
バランス錠5mg・10mg(丸石)

国際誕生年月 該当資料なし

海外での発売状況 デンマーク

製剤

規制区分 **散** **錠** 向Ⅲ 処

製剤の性状 **1％散** 白色～微黄白色の細粒状散剤 **10％散** 白色～淡黄白色の細粒状散剤 **錠** 白色～帯黄白色の糖衣錠

有効期間又は使用期限 **1％散** 5年 **10％散** 5年6カ月 **5mg錠** 5年 **10mg錠** 4年

貯法・保存条件 **散** 遮光・室温保存(開封後も遮光保存) **錠** 室温保存

薬剤取扱い上の留意点 眠気，注意力・集中力・反射運動能力等の低下が起こることがあるので，本剤投与中の患者には自動車の運転等危険を伴う機械の操作に従事させないよう注意すること．連用により薬物依存を生じることがあるので，漫然とした継続投与による長期使用を避けること．本剤の投与を継続する場合には，治療上の必要性を十分に検討すること

患者向け資料等 患者向医薬品ガイド，くすりのしおり

薬理作用

分類 ベンゾジアゼピン誘導体

作用部位・作用機序 大脳辺縁系，とくに扁桃核，海馬に抑制作用を示し，不安・緊張等の情動異常を改善する．一方，脳幹網様体－新皮質系に対する直接作用が少なく，意識水準には直接影響を与えないことが認められている

同効薬 ジアゼパム，クロキサゾラム，メダゼパムなど

治療

効能・効果 ①神経症における不安・緊張・抑うつ ②うつ病における不安・緊張 ③心身症(胃・十二指腸潰瘍，高血圧症)における身体症候ならびに不安・緊張・抑うつ

用法・用量 クロルジアゼポキシドとして1日20～60mgを2～3回に，小児1日10～20mgを2～4回に分服(適宜増減)

使用上の注意

禁忌 ①急性閉塞隅角緑内障の患者［抗コリン作用により眼圧が上昇し，症状を悪化させることがある］ ②重症筋無力症のある患者［本剤の筋弛緩作用により症状が悪化するおそれがある］

過量投与 過量投与が明白又は疑われた場合の処置としてフルマゼニル(ベンゾジアゼピン受容体拮抗剤)を投与する場合には，使用前にフルマゼニルの使用上の注意(禁忌，慎重投与，相互作用等)を必ず読む

その他の管理的事項

投与期間制限 30日

保険給付上の注意 該当しない

資料

IF コントール散1％・10％・5mg・10mgコントール錠 2017年3月改訂(第5版)

クロルフェニラミンマレイン酸塩
クロルフェニラミンマレイン酸塩錠
クロルフェニラミンマレイン酸塩散
クロルフェニラミンマレイン酸塩注射液
Chlorpheniramine Maleate

概要

薬効分類 441 抗ヒスタミン剤

構造式

及び鏡像異性体

分子式 $C_{16}H_{19}ClN_2 \cdot C_4H_4O_4$

分子量 390.86

原薬の規制区分 該当しない

原薬の外観・性状 白色の微細な結晶である．酢酸(100)に極めて溶けやすく，水又はメタノールに溶けやすく，エタノール(99.5)にやや溶けやすい．希塩酸に溶ける．本品の水溶液(1→20)は旋光性を示さない．1.0gを新たに煮沸して冷却した水100mLに溶かした液のpHは4.0〜5.5である
原薬の吸湿性 該当資料なし
原薬の融点・沸点・凝固点 融点：130〜135℃
原薬の酸塩基解離定数 該当資料なし
先発医薬品等
散 アレルギン散1%(アルフレッサファーマ)
クロルフェニラミンマレイン酸塩散1%「日医工」(日医工)
ネオレスタミンコーワ散1%(興和)
ビスミラー散1%(扶桑)
マレイン酸クロルフェニラミン散1%「ホエイ」(マイラン＝ファイザー)
シ クロダミンシロップ0.05%(日医工)
注 2mg・5mgクロダミン注(日医工)
ネオレスタール注射液10mg(富士製薬)
ビスミラー注5mg(扶桑)
フェニラミン注5(コーアイセイ)
後発医薬品
シ 0.05%
国際誕生年月 不明
海外での発売状況 該当しない

製剤
規制区分 **注** ㊙
製剤の性状 **散** 白色の散剤 **シ** 赤色の芳香性シロップ剤 **注** 無色澄明の液
有効期間又は使用期限 **散** 5年 **シ** **注** 3年
貯法・保存条件 **散** **シ** 室温保存 **注** 遮光・室温保存
薬剤取扱い上の留意点 眠気を催すことがあるので，本剤投与中の患者には自動車の運転等危険を伴う機械の操作には従事させないよう十分注意すること
患者向け資料等 **散** **シ** くすりのしおり
溶液及び溶解時のpH **注** 4.5〜7.0
浸透圧比 **注** 約0.8(対生食)
調製時の注意 **注** ヘパリンナトリウム(カルシウム)，ダルテパリンナトリウムは，本剤と試験管内で混合すると反応し沈澱を生じることがあるので，混注は避けることが望ましい

薬理作用
分類 ヒスタミン(H_1)受容体拮抗薬
作用部位・作用機序 ヒスタミン(H_1)受容体と結合して抗ヒスタミン作用を発揮する．なお，*l*体はほとんど活性がなく*d*体の活性が高いといわれている
同効薬 シプロヘプタジン塩酸塩水和物，クレマスチンフマル酸塩など

治療
効能・効果 **散** **シ** 蕁麻疹，血管運動性浮腫，枯草熱，皮膚疾患に伴うそう痒(湿疹・皮膚炎，皮膚そう痒症，薬疹)，アレルギー性鼻炎，血管運動性鼻炎，感冒等上気道炎に伴うくしゃみ・鼻汁・咳嗽
注 蕁麻疹，枯草熱，皮膚疾患に伴うそう痒(湿疹・皮膚炎，皮膚そう痒症，薬疹，咬刺症)，アレルギー性鼻炎，血管運動性鼻炎
用法・用量 **散** **シ** *dl*-クロルフェニラミンマレイン酸塩として1回2〜6mg，1日2〜4回(適宜増減)
注 クロルフェニラミンマレイン酸塩として1回5〜10mg，1日1〜2回皮下・筋注又は静注(適宜増減)
禁忌・原則禁忌となる特定患者集団 低出生体重児・新生児

使用上の注意
禁忌 ①閉塞隅角緑内障の患者［抗コリン作用により眼圧が上昇し，症状を悪化させることがある］ ②前立腺肥大等下部尿路に閉塞性疾患のある患者［抗コリン作用による膀胱平滑筋の弛緩，膀胱括約筋の緊張により，症状を増悪させるおそれがある］ ③低出生体重児・新生児［中枢神経系興奮等，抗コリン作用に対する感受性が高く，痙攣など重篤な反応が現れるおそれがある］ ④本剤の成分又は類似化合物に対し過敏症の既往歴のある患者

薬物動態
dl(内服) **血漿中濃度** 健康成人(外国人)に5mgを静注時の血漿中未変化体濃度は，投与直後に最高値を示し，2相性に減少．消失相半減期は約22時間，AUCは480ng・hr/mL **尿・糞中排泄** 健康成人(外国人)に^{3}H-標識体4mg静注時の投与後48時間までの尿及び糞中排泄率は，それぞれ36%及び0.2% **代謝** 健康成人(外国人)における主要な代謝産物としてmonodesmethyl chlorpheniramine，didesmethyl chlorpheniramineが確認されており，その他に極性の高い代謝産物が認められている **血漿蛋白結合** ヒト血漿蛋白結合率は，0.28μg/mL及び1.24μg/mLの濃度でそれぞれ72%及び69%(*in vitro*)

その他の管理的事項
投与期間制限 該当しない
保険給付上の注意 該当しない

資料
IF ネオレスタミンコーワ散1% 2020年4月改訂(第5版)
クロルフェニラミンマレイン酸塩シロップ0.05%「NP」 2019年7月改訂(第2版)
ネオレスタール注射液10mg 2019年8月改訂(第16版)

d−クロルフェニラミンマレイン酸塩
d-Chlorpheniramine Maleate

概要
薬効分類 441 抗ヒスタミン剤
構造式

分子式 $C_{16}H_{19}ClN_2 \cdot C_4H_4O_4$
分子量 390.86
原薬の規制区分 該当しない
原薬の外観・性状 白色の結晶性の粉末である．水，メタノール又は酢酸(100)に極めて溶けやすく，*N,N*-ジメチルホルムアミド又はエタノール(99.5)に溶けやすい．希塩酸に溶ける．1.0gを新たに煮沸して冷却した水100mLに溶かした液のpHは4.0〜5.0である
原薬の吸湿性 該当資料なし
原薬の融点・沸点・凝固点 融点：111〜115℃
原薬の酸塩基解離定数 該当資料なし
先発医薬品等
散 ポララミン散1%(高田)
錠 ポララミン錠2mg(高田)
シ ポララミンシロップ0.04%(高田)
シロップ用 ポララミンドライシロップ0.2%(高田)
注 ポララミン注5mg(高田)
後発医薬品
錠 2mg
徐放錠 6mg
シ 0.04%
国際誕生年月 **散** **錠** **シ** **シロップ用** 1958年7月 **注** 1962

年2月
海外での発売状況 **散** **錠** **シ** **シロップ用** 仏，独など **注** 仏など
製剤
規制区分 **注** ㊇
製剤の性状 **散** 白色の粉末 **錠** 二分割線のある白色楕円形の裸錠 **シ** 橙色のほとんど澄明の液で，特異なにおいがあり，味は甘い **シロップ用** 淡黄赤色の細粒で，芳香があり，味は甘い **注** 無色透明の注射剤
有効期間又は使用期限 3年
貯法・保存条件 **散** **錠** 遮光した気密容器，室温保存 **シ** 室温保存 **シロップ用** 気密容器，室温保存 **注** 遮光・室温保存
薬剤取扱い上の留意点 眠気を催すことがあるので，本剤投与中の患者には，自動車の運転等危険を伴う機械の操作には従事させないよう十分注意すること
患者向け資料等 くすりのしおり
溶液及び溶解時のpH **シ** 5.5～6.8 **注** 4.0～6.0
浸透圧比 **シ** 9.9 **注** 約1(対生食)
調製時の注意 **注** ヘパリンナトリウム(カルシウム)，ダルテパリンナトリウムは，本剤と試験管内で混合すると反応し沈澱を生じることがあるので，混注は避けることが望ましい
薬理作用
分類 ヒスタミン(H_1)受容体拮抗薬
作用部位・作用機序 作用部位：主として奏効器官のH_1受容体 作用機序：主としてH_1受容体と結合することにより，遊離ヒスタミンと受容体との結合を競合的かつ可逆的に阻害するとされている
同効薬 ジフェンヒドラミンなどのエタノールアミン系，ヒベンズ酸プロメタジンなどのフェノチアジン系，ヒドロキシジン塩酸塩などのピペラジン系抗ヒスタミン剤
治療
効能・効果 **散** **錠** **シ** **シロップ用** 蕁麻疹，血管運動性浮腫，枯草熱，皮膚疾患に伴うそう痒(湿疹・皮膚炎，皮膚そう痒症，薬疹)，アレルギー性鼻炎，血管運動性鼻炎，感冒等上気道炎に伴うくしゃみ・鼻汁・咳嗽
徐放錠 感冒等上気道炎に伴うくしゃみ・鼻汁・咳嗽，アレルギー性鼻炎，血管運動性鼻炎，枯草熱，皮膚疾患に伴うそう痒(湿疹・皮膚炎，皮膚そう痒症)，蕁麻疹
注 蕁麻疹，枯草熱，皮膚疾患に伴うそう痒(湿疹・皮膚炎，皮膚そう痒症，薬疹，咬刺症)，アレルギー性鼻炎，血管運動性鼻炎
用法・用量 **散** **錠** **シ** **シロップ用** *d*-クロルフェニラミンマレイン酸塩として1回2mg，1日1～4回(適宜増減)
徐放錠 *d*-クロルフェニラミンマレイン酸塩として1回6mg，1日2回(適宜増減)
注 *d*-クロルフェニラミンマレイン酸塩として1回5mg，1日1回皮下・筋注又は静注(適宜増減)
禁忌・原則禁忌となる特定患者集団 低出生体重児・新生児
使用上の注意
禁忌 ①本剤の成分又は類似化合物に対し過敏症の既往歴のある患者 ②閉塞隅角緑内障の患者［抗コリン作用により眼圧が上昇し，症状を悪化させることがある］ ③前立腺肥大等下部尿路に閉塞性疾患のある患者［抗コリン作用により排尿困難，尿閉等が現れ，症状が増悪することがある］ ④低出生体重児・新生児
薬物動態
d(内服) 健康成人(4名)に4mg経口投与時の血漿中濃度推移及び薬物速度論的パラメータ(承認1回用量は2mg)はCmax 9±1.7ng/mL，$T_{1/2}$7.9±2.5hr，AUC73±15.9ng・hr/mL
その他の管理的事項
投与期間制限 該当しない
保険給付上の注意 該当しない
資料
IF ポララミン散1%・錠2mg・シロップ0.04%・ドライシロップ0.2% 2020年3月改訂(第10版)
ポララミン注5mg 2019年11月改訂(第11版)

クロルフェネシンカルバミン酸エステル
クロルフェネシンカルバミン酸エステル錠
Chlorphenesin Carbamate

概要
薬効分類 122 骨格筋弛緩剤
構造式

及び鏡像異性体

分子式 $C_{10}H_{12}ClNO_4$
分子量 245.66
原薬の規制区分 該当しない
原薬の外観・性状 白色の結晶又は結晶性の粉末である．メタノール，エタノール(95)又はピリジンに溶けやすく，水に溶けにくい．本品のエタノール(95)溶液(1→20)は旋光性を示さない
原薬の吸湿性 通常の保存状態では吸湿性は認められない
原薬の融点・沸点・凝固点 融点：88～91℃
原薬の酸塩基解離定数 該当資料なし
先発医薬品等
錠 リンラキサー錠125mg・250mg(大正製薬)
後発医薬品
錠 125mg・250mg
国際誕生年月 1966年
海外での発売状況 韓国
製剤
製剤の性状 **錠** 白色の素錠
有効期間又は使用期限 5年
貯法・保存条件 室温保存
薬剤取扱い上の留意点 眠気，注意力・集中力・反射運動能力等の低下が起こることがあるので，本剤投与中の患者には，自動車の運転等危険を伴う機械の操作に従事させないよう注意すること
患者向け資料等 くすりのしおり
薬理作用
分類 メフェネシン類縁化合物
作用部位・作用機序 脊髄における多シナプス経路の介在ニューロンの選択的抑制と筋紡錘活動抑制により筋弛緩作用を発現する
同効薬 アフロクアロン，エペリゾン塩酸塩，チザニジン塩酸塩，トルペリゾン塩酸塩
治療
効能・効果 運動器疾患に伴う有痛性痙縮：腰背痛症，変形性脊椎症，椎間板ヘルニア，脊椎分離・すべり症，脊椎骨粗鬆症，頸肩腕症候群
用法・用量 1回250mg，1日3回(適宜増減)
使用上の注意
禁忌 ①本剤及び類似化合物(メトカルバモール等)に対し，過敏症の既往歴のある患者 ②肝障害患者［Modern Drug Encyclopedia，13th Ed. 155(1975)に投与禁忌として記載されたことがあり，これに準拠した］

薬物動態
血中濃度　健常成人(6例)に250mg空腹時単回経口投与時，1時間後にCmax3.62μg/mL，半減期は3.7hr　**組織中濃度(参考：動物)**　ラットに^{14}C-クロルフェネシンカルバミン酸エステルを経口投与時，3時間後に胃，小腸，肝，脊髄，副腎，腎の順に高かった．長時間にわたる特定組織への残存は認められなかった　**代謝・排泄**　健常成人に250mgを空腹時単回経口投与時，24時間で尿中には約92%が排泄，約84%が未変化体のグルクロン酸抱合体

その他の管理的事項
投与期間制限　該当しない
保険給付上の注意　該当しない

資料
IF　リンラキサー錠125mg・250mg　2019年4月改訂(第6版)

クロルプロパミド
クロルプロパミド錠
Chlorpropamide

概要
薬効分類　396　糖尿病用剤
構造式

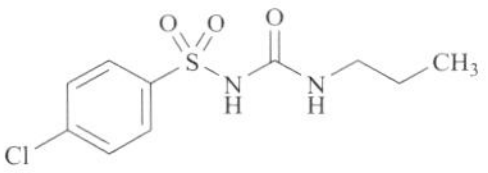

分子式　$C_{10}H_{13}ClN_2O_3S$
分子量　276.74
ステム　該当資料なし
原薬の規制区分　(劇)
原薬の外観・性状　白色の結晶又は結晶性の粉末である．メタノール又はアセトンに溶けやすく，エタノール(95)にやや溶けやすく，ジエチルエーテルに溶けにくく，水にほとんど溶けない
原薬の吸湿性　該当資料なし
原薬の融点・沸点・凝固点　融点：127～131℃
原薬の酸塩基解離定数　pKa＝4.75(吸光度法)
先発医薬品等
錠　クロルプロパミド錠250mg「KN」(小林化工)
国際誕生年月　該当資料なし
海外での発売状況　該当しない

製剤
規制区分　錠　(劇)(処)
製剤の性状　錠　白色の割線入り素錠
有効期間又は使用期限　3年
貯法・保存条件　密閉容器，室温保存
薬剤取扱い上の留意点　重篤かつ遷延性の低血糖を起こすことがあるので，高所作業，自動車の運転等に従事している患者に投与するときには注意すること．また，低血糖に関する注意について，患者及びその家族に十分徹底させること
患者向け資料等　患者向医薬品ガイド，くすりのしおり
溶液及び溶解時のpH　該当しない
浸透圧比　該当しない
安定なpH域　該当しない
調製時の注意　該当資料なし

薬理作用
分類　スルホニル尿素系血糖降下剤
作用部位・作用機序　インスリン分泌能の残存する膵ランゲルハンス島β細胞を刺激してインスリンの分泌を高める．インスリン分泌作用は，β細胞のATP依存性K^+チャネルを閉口して脱分極を起こすことによりCa^{2+}チャネルを開口し，Ca^{2+}を細胞内に流入させることによる
同効薬　トルブタミド，アセトヘキサミド，グリクロピラミド，グリクラジド，グリベンクラミド，グリメピリド

治療
効能・効果　インスリン非依存型糖尿病(ただし，食事療法・運動療法のみで十分な効果が得られない場合に限る)
用法・用量　1日1回100～125mg朝食前又は食後．必要に応じ適宜増量して維持量を決定．1日最高投与量は500mgとする
禁忌・原則禁忌となる特定患者集団　妊娠又は妊娠している可能性のある婦人

使用上の注意

> **警告**　重篤かつ遷延性の低血糖症を起こすことがある．用法・用量，使用上の注意に特に留意する

禁忌　①重症ケトーシス，糖尿病性昏睡又は前昏睡，インスリン依存型糖尿病の患者［インスリンの適用である］　②重篤な肝又は腎機能障害のある患者［代謝や排泄が低下し，低血糖を起こすおそれがある］　③重症感染症，手術前後，重篤な外傷のある患者［インスリンの適用である］　④下痢，嘔吐等の胃腸障害のある患者［食物の吸収不全により，低血糖を起こすおそれがある］　⑤妊婦又は妊娠している可能性のある婦人　⑥本剤の成分又はスルホンアミド系薬剤に対し過敏症の既往歴のある患者
過量投与　①徴候・症状：低血糖が起こることがある　②処置：(1)飲食が可能な場合(意識消失，神経障害のみられない軽度の低血糖)：ブドウ糖(5～15g)又は10～30gの砂糖の入った吸収のよいジュース，キャンディ等を摂取させ，積極的に治療する　(2)意識障害がある場合(昏睡，発作，神経障害を伴う重篤な低血糖)：低血糖性昏睡と診断されるか又は疑われる場合は，速やかにブドウ糖液(50%)の静注を行う．引き続き，100mg/dL以上の血糖値を維持するために希釈したブドウ糖液(10%)を静注する　(3)その他：血糖上昇ホルモンとしてのグルカゴン投与もよい．また，処置にあたっては，患者が臨床上明らかに回復しても低血糖が再発することがあるので，少なくとも24～48時間は定期的に観察する

その他の管理的事項
投与期間制限　該当しない
保険給付上の注意　該当しない

資料
IF　クロルプロパミド錠250mg「KN」　2018年12月改訂(第7版)

クロルプロマジン塩酸塩
クロルプロマジン塩酸塩錠
クロルプロマジン塩酸塩注射液
Chlorpromazine Hydrochloride

概要
薬効分類　117　精神神経用剤
構造式

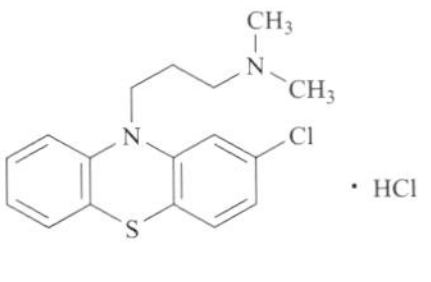

分子式　$C_{17}H_{19}ClN_2S\cdot HCl$

分子量 355.33
略語・慣用名 CPZ(クロルプロマジン)
ステム 不明
原薬の規制区分 劇(ただし，1錠中クロルプロマジンとして25mg以下を含有するもの及びクロルプロマジンとして0.2%以下を含有する内用液剤を除く)
原薬の外観・性状 白色～微黄色の結晶性の粉末で，においはないか，又は僅かに特異なにおいがある．水に極めて溶けやすく，エタノール(95)又は酢酸(100)に溶けやすく，無水酢酸にやや溶けにくく，ジエチルエーテルにほとんど溶けない．光によって徐々に着色する．1.0gを新たに煮沸して冷却した水20mLに溶かした液のpHは，10分以内に測定するとき，4.0～5.0である
原薬の吸湿性 該当資料なし
原薬の融点・沸点・凝固点 融点：196～200℃
原薬の酸塩基解離定数 pKa＝6.9±0.1(滴定法，25℃)
先発医薬品等
錠 クロルプロマジン塩酸塩錠25mg「ツルハラ」(鶴原)
コントミン糖衣錠12.5mg・25mg・50mg・100mg(田辺三菱＝吉富薬品)
注 コントミン筋注10mg・25mg・50mg(田辺三菱＝吉富薬品)
国際誕生年月 不明
海外での発売状況 米，英など(クロルプロマジンとして)

製剤

規制区分 **12.5・25mg錠** 処 **50・100mg錠** **注** 劇 処
製剤の性状 **12.5・100mg錠** 黄色の糖衣錠 **25mg錠** 白色の糖衣錠 **50mg錠** 淡黄色の糖衣錠 **注** 無色～微黄色澄明の注射液
有効期間又は使用期限 **12.5mg錠** **注** 3年 **25・50・100mg錠** 5年
貯法・保存条件 遮光・室温保存
薬剤取扱い上の留意点 眠気，注意力・集中力・反射運動能力等の低下が起こることがあるので，本剤投与中の患者には自動車の運転等危険を伴う機械の操作に従事させないように注意すること **注** 光により分解変色する．着色の認められるものは使用しないこと．本剤を多量ないし恒常的に取り扱う際には，ときに過敏症状を呈することがあるので，この場合はゴム手袋を使用するか，しばしば手や顔等を洗浄するなど露出皮膚面に対する一般的保護手段を講じること
患者向け資料等 患者向医薬品ガイド，くすりのしおり
溶液及び溶解時のpH **注** 4.0～6.5
浸透圧比 **注** 約0.9(対生食)
調製時の注意 該当しない

薬理作用

分類 フェノチアジン系精神神経安定剤
作用部位・作用機序 作用部位：中枢神経系，特に視床下部 作用機序：まだ完全に明らかにされていないが，中枢神経系におけるドパミン作動性，ノルアドレナリン作動性あるいはセロトニン作動性神経等に対する抑制作用によると考えられている
同効薬 フェノチアジン系薬剤(レボメプロマジン，プロペリシアジンなど)

治療

効能・効果 統合失調症，躁病，神経症における不安・緊張・抑うつ，悪心・嘔吐，吃逆，破傷風に伴う痙攣，麻酔前投薬，人工冬眠，催眠・鎮静・鎮痛剤の効力増強
用法・用量 **錠** クロルプロマジン塩酸塩として1日30～100mg，精神科領域には50～450mg分服(適宜増減)．(参考：ウインタミン)小児では，発達段階や症状の程度により，個人差が特に著しいが，多くの場合1回0.5～1mg/kg，1日3～4回を目途とし，症状の程度により加減する．生後6カ月未満の乳児への使用は避けることが望ましい
注 クロルプロマジン塩酸塩として1回10～50mgを緩徐に筋注(適宜増減)

使用上の注意

禁忌 ①昏睡状態，循環虚脱状態の患者［これらの状態を悪化させるおそれがある］ ②バルビツール酸誘導体・麻酔剤等の中枢神経抑制剤の強い影響下にある患者［中枢神経抑制剤の作用を延長し増強させる］ ③アドレナリンを投与中の患者(アドレナリンをアナフィラキシーの救急治療に使用する場合を除く) ④フェノチアジン系化合物及びその類似化合物に対し過敏症の患者
過量投与 ①症状：傾眠から昏睡までの中枢神経系の抑制，血圧低下と錐体外路症状である．その他，激越と情緒不安，痙攣，口渇，腸閉塞，心電図変化及び不整脈等が現れる可能性がある ②処置：本質的には対症療法かつ補助療法である．**錠** 早期の胃洗浄は有効である

薬物動態

血中濃度(参考；外国人) 健康成人(5名)にクロルプロマジン塩酸塩50mgを単回経口投与時の薬物動態パラメータは，Tmax(h)3.2±0.8，Cmax(ng/mL)10.7±5.6，$t_{1/2}\alpha$(h)2.5±1.6，$t_{1/2}\beta$(h)11.7±4.7，AUC(ng・hr/mL)96±48

その他の管理的事項

投与期間制限 該当しない
保険給付上の注意 該当しない

資料

IF コントミン糖衣錠12.5mg・25mg・50mg・100mg 2020年7月改訂(第12版)
コントミン筋注10mg・25mg・50mg 2020年7月改訂(第10版)

クロルヘキシジン塩酸塩
Chlorhexidine Hydrochloride

概要

構造式

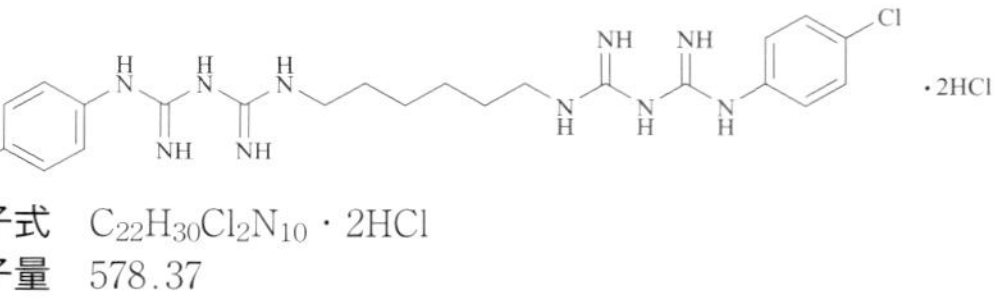

分子式 $C_{22}H_{30}Cl_2N_{10}$・2HCl
分子量 578.37
原薬の規制区分 該当しない
原薬の外観・性状 白色の結晶性の粉末で，においはなく，味は苦い．ギ酸にやや溶けやすく，メタノール又は温メタノールに溶けにくく，水，エタノール(95)又はジエチルエーテルにほとんど溶けない．光によって徐々に着色する

クロルヘキシジングルコン酸塩液
Chlorhexidine Gluconate Solution

概要

薬効分類 261 外皮用殺菌消毒剤
分子式 $C_{22}H_{30}Cl_2N_{10}$・$2C_6H_{12}O_7$
分子量 897.76
原薬の規制区分 該当しない
原薬の外観・性状 無色～微黄色の澄明な液で，においはなく，味は苦い．水又は酢酸(100)と混和する．1mLはエタノール(99.5)5mL以下又はアセトン3mL以下と混和するが，溶媒の

量を増加するとき白濁する．光によって徐々に着色する．5.0mLを水100mLに溶かした液のpHは5.5～7.0である

原薬の吸湿性 該当資料なし

原薬の酸塩基解離定数 pKa＝10.3，2.2

先発医薬品等

軟 ヘキザックハンドゲル0.2%（吉田製薬）

外用液 アセスクリン手指消毒液0.2%（日医工）
イワコールラブ消毒液0.2%（小堺＝岩城）
ウエルアップ手指消毒液0.2%（丸石）
ウエルアップハンドローション0.5%・1%（丸石＝吉田製薬）
消毒用グルコジンハンドリキッド0.2%（ヤクハン＝日医工）
グルコジン消毒用ハンドローション1%（ヤクハン＝日医工＝中北＝3M）
グルコン酸クロルヘキシジン液20W/V%（東洋製化＝ファイザー）
グルコン酸クロルヘキシジン液20%「ヤクハン」（ヤクハン＝日医工＝ニプロ＝中北）
クロヘキシン液20%（東洋製化＝小野）
クロルヘキシジングルコン酸塩AL外用液0.5%「アグリス」（アグリス）
クロルヘキシジングルコン酸塩AL外用液1.0%「アグリス」（アグリス）
クロルヘキシジングルコン酸塩エタノール消毒液1%「サラヤ」（サラヤ）
クロルヘキシジングルコン酸塩エタノール消毒液1%「東豊」（東豊＝吉田製薬）
クロルヘキシジングルコン酸塩スクラブ4%「日医工」（日医工）
5%ヒビテン液（大日本住友）
スクラビイン4%液（サラヤ）
スクラビインS4%液（サラヤ）
ステリクロンハンドローション0.5%（健栄）
ステリクロンBエタノール液1%（健栄）
ステリクロンWエタノール液1%（健栄）
ステリクロンスクラブ液4%（健栄）
ステリクロンスクラブフォーム4%（健栄）
ステリクロン液20（健栄）
マスキンOR・エタノール消毒液1%（丸石）
マスキンスクラブ4%（丸石）・20W/V%マスキン液（丸石）
ヒビスクラブ消毒液4%（大日本住友）
ヒビスコール液A・A0.5%・A1%（サラヤ）
ヒビソフト消毒液0.2%（エア・ウォーター・ゾル＝大日本住友）
ヒビテン・グルコネート液20%（大日本住友）
フェルマスクラブ4%（シオエ＝日本新薬）
ヘキザックローション（吉田製薬）
ヘキザックAL液1%（吉田製薬）
ヘキザックAL液1%青（吉田製薬）
ヘキザックスクラブ（吉田製薬）
ヘキザック消毒液20%（吉田製薬）
マイクロシールドスクラブ液4%（日本エア・リキード）
ラポテックラビング（日興製薬）

外用 クロルヘキシジングルコン酸塩エタノール液1%16mm綿棒セット「ハクゾウ」（ハクゾウ）
クロルヘキシジングルコン酸塩エタノール液0.5%綿棒12・1%綿棒8「LT」（リバテープ）・綿棒12「LT」（リバテープ）
ステリクロン0.5%AL綿球14・20（健栄）
ヘキザックAL1%綿棒16・OR綿棒12（吉田製薬）
ヘキザック水溶液1%綿棒12（吉田製薬）
ヘキザックAL1%消毒布4×8（吉田製薬）
ヘキザック水溶液1%消毒布4×8・20×30（吉田製薬）
ヘキザックAL0.5%綿棒12・1%綿棒12・1%OR綿棒16・1%OR液16mm綿棒セット（吉田製薬）

後発医薬品

外用液 0.02%・0.05%・0.1%・0.5%・5%

国際誕生年月 不明

海外での発売状況 英など各国

製剤

製剤の性状 **外用液** 赤色の液体

有効期間又は使用期限 3年

貯法・保存条件 密栓，室温，直射日光を避けて保存すること

薬剤取扱い上の留意点 注射器，カテーテル等の神経や粘膜面に接触する可能性のある器具を本剤で消毒した場合は，滅菌水でよく洗い流した後使用すること．本剤の付着したカテーテルを透析に用いると，透析液の成分により難溶性の塩を生成することがあるので，本剤で消毒したカテーテルは，滅菌水でよく洗い流した後使用すること．本剤のアルコール溶液で術野消毒後，処置の前に乾燥させておくこと．本剤は外用剤であるので，経口投与や注射をしないこと．誤飲した場合には，牛乳，生卵，ゼラチン等を用いて，胃洗浄を行うなど適切な処置を行う，誤って静注した場合には溶血反応を防ぐために，輸血等を行う．溶液の状態で長時間皮膚と接触させた場合に皮膚化学熱傷を起こしたとの報告があるので，注意すること．血清・膿汁等の有機性物質は殺菌作用を減弱させるので，これらが付着している場合は十分に洗い落としてから使用すること．石鹸類は本剤の殺菌作用を弱めるので，石鹸分を洗い落としてから使用すること．綿球・ガーゼ等は本剤を吸着するので，これらを希釈液に浸漬して用いる場合には，有効濃度以下にならないように注意すること．本剤は，常水や生理食塩液等に含まれる陰イオンにより難溶性の塩を生成することがあるので，希釈水溶液を調製する場合は，新鮮な蒸留水を使用することが望ましい．手洗い等に使用する本剤の希釈液は，少なくとも毎日新しい溶液と取換えること．本剤の希釈水溶液は安定であるが，高温に長時間保つことは避けること（高圧蒸気滅菌を行う場合は115℃30分，121℃20分，126℃15分で滅菌処理することができる）．本剤を取扱う容器類は常に清浄なものを使用すること．本剤の希釈水溶液は調製後直ちに使用すること．やむを得ず消毒用綿球等に長時間使用する希釈水溶液は微生物汚染を防止するために，希釈水溶液にアルコールを添加することが望ましい（エタノールの場合7vol%以上，イソプロパノールの場合4vol%以上になるように添加する）．器具類の保存に使用する場合は，腐食を防止するために，高濃度希釈液（目安として本液0.3%以上）を使用し，微生物汚染を防止するために，希釈水溶液にアルコールを添加することが望ましい．本液は毎週新しい溶液と取換えること．本剤に含有される界面活性剤は，希釈した場合でも長期保存の間に接着剤を侵すことがあるため，接着剤を使用したガラス器具等の長期保存には使用しないこと．本剤の付着した白布を次亜塩素酸ナトリウム等の塩素系漂白剤で漂白すると，褐色のシミができることがある．漂白には過炭酸ナトリウム等の酸素系漂白剤が適当である

溶液及び溶解時のpH 該当資料なし

浸透圧比 該当資料なし

安定なpH域 該当資料なし

調製時の注意 本剤と混合したとき，ポビドンヨード液，クレゾール石鹸液，次亜塩素酸ナトリウムは沈殿を生じ，使用できない．また，本剤の希釈水溶液をpH8以上のアルカリ性にすると沈殿を生じる

薬理作用

分類 ビグアナイド系殺菌消毒剤

作用部位・作用機序 作用機序は十分に解明されていないが，比較的低濃度では細菌の細胞膜に障害を与え，細胞質成分の不可逆的漏出や酵素阻害を起こし，比較的高濃度では細胞内

のタンパク質や核酸の沈着を起こすことが報告されている

同効薬 ポビドンヨード，ベンザルコニウム塩化物，消毒用エタノールなど

治療

効能・効果 **0.02%液** 結膜囊の洗浄・消毒，産婦人科・泌尿器科における外陰・外性器の皮膚消毒

0.05%液 ①グルコジンR水：皮膚の創傷部位の消毒 ②ステリクロンR液，ヘキザック水R：皮膚の創傷部位の消毒，手術室・病室・家具・器具・物品等の消毒 ③グルコジンW水，ステリクロンW液，ヘキザック水W，マスキン水：皮膚の創傷部位の消毒，手術室・病室・家具・器具・物品等の消毒，結膜囊の洗浄・消毒，産婦人科・泌尿器科における外陰・外性器の皮膚消毒

0.1%液 ①グルコジンR水，ステリクロンR，ヘキザック水R：手指・皮膚の消毒，手術部位(手術野)の皮膚の消毒，医療機器の消毒，皮膚の創傷部位の消毒，手術室・病室・家具・器具・物品等の消毒 ②グルコジンW水，ステリクロンW，ヘキザック水W，マスキン水：手指・皮膚の消毒，手術部位(手術野)の皮膚の消毒，医療機器の消毒，皮膚の創傷部位の消毒，手術室・病室・家具・器具・物品等の消毒，結膜囊の洗浄・消毒，産婦人科・泌尿器科における外陰・外性器の皮膚消毒

0.5%液 ①グルコジンR水，ステリクロンR，ヘキザック水R：手指・皮膚の消毒，手術部位(手術野)の皮膚の消毒，医療機器の消毒，皮膚の創傷部位の消毒，手術室・病室・家具・器具・物品等の消毒 ②グルコジンW水，ステリクロンW，ヘキザック水W，マスキン水：手指・皮膚の消毒，手術部位(手術野)の皮膚の消毒，皮膚の創傷部位の消毒，医療機器の消毒，手術室・病室・家具・器具・物品等の消毒，結膜囊の洗浄・消毒，産婦人科・泌尿器科における外陰・外性器の皮膚消毒

4%液 医療施設における医師，看護師等の医療従事者の手指消毒

5%液 手指・皮膚の消毒，手術部位(手術野)の皮膚の消毒，皮膚の創傷部位の消毒，医療機器の消毒，手術室・病室・家具・器具・物品等の消毒

20%液 手指・皮膚の消毒，手術部位(手術野)の皮膚の消毒，皮膚の創傷部位の消毒，医療機器の消毒，手術室・病室・家具・器具・物品等の消毒，結膜囊の洗浄・消毒，産婦人科・泌尿器科における外陰・外性器の皮膚消毒

0.1%液エタノール 医療機器の消毒，手指・皮膚の消毒，手術部位(手術野)の皮膚の消毒，手術室・病室・家具・器具・物品等の消毒

0.2%液エタノール **1%液エタノール** **ウエルアップ** **ステリクロンハンドローション** 手指の消毒

0.5%液エタノール 手術部位(手術野)の皮膚の消毒，医療機器の消毒

用法・用量 (そのまま，又は希釈して使用)①手指・皮膚の消毒：0.1〜0.5%水溶液(エタノール含有製剤はそのまま用いる) ②手術部位(手術野)の皮膚の消毒，医療機器の消毒：0.1〜0.5%水溶液又は0.5%エタノール溶液．なお，着色エタノール溶液(製品名のER・R：赤，B：青，V：淡青紫)は着色又は脱脂を必要とする部位に用いる ③皮膚の創傷部位の消毒，手術室・病室・家具・器具・物品等の消毒：0.05%水溶液 ④結膜囊の洗浄・消毒：0.05%以下の水溶液 ⑤産婦人科・泌尿器科における外陰・外性器の皮膚消毒：0.02%水溶液 ⑥医療施設における医師，看護師等の医療従事者の手指消毒(4%液)：術前・術後の使用は手指・前腕部を水でぬらし，約5mLで1分間洗浄後流水で洗い流し，さらに同量で2分間洗浄し同様に洗い流す．それ以外の使用は，約2.5mLで1分間洗浄後流水で洗い流す

使用上の注意

禁忌 **0.02%液** ①クロルヘキシジン製剤に対し過敏症の既往歴のある患者［過敏症の再発の可能性がある］ ②脳，脊髄，耳(内耳，中耳，外耳)［聴神経及び中枢神経に対して直接使用した場合は，難聴，神経障害をきたすことがある］ ③膣，膀胱，口腔等の粘膜面［クロルヘキシジン製剤の前記部位への使用により，ショック症状(初期症状：悪心・不快感・冷汗・めまい・胸内苦悶・呼吸困難・発赤等)の発現が報告されている］

0.05%液 **5%液** **20%液** ①クロルヘキシジン製剤に対し過敏症の既往歴のある者 ②脳，脊髄，耳(内耳，中耳，外耳)［聴神経及び中枢神経に対して直接使用した場合は，難聴，神経障害をきたすことがある］ ③膣，膀胱，口腔等の粘膜面［クロルヘキシジン製剤の前記部位への使用により，ショック症状(初期症状：悪心・不快感・冷汗・めまい・胸内苦悶・呼吸困難・発赤等)の発現が報告されている］ ④(0.05・5%液)眼

0.1%液 **0.5%液** ①クロルヘキシジン製剤に対し過敏症の既往歴のある患者［過敏症の再発の可能性がある］ ②脳，脊髄，耳(内耳，中耳，外耳)［聴神経及び中枢神経に対して直接使用した場合は，難聴，神経障害をきたすことがある］ ③膣，膀胱，口腔等の粘膜面［クロルヘキシジン製剤の前記部位への使用により，ショック症状(初期症状：悪心・不快感・冷汗・めまい・胸内苦悶・呼吸困難・発赤等)の発現が報告されている］ ④(0.1%エタノール液，グルコジンR水，ステリクロンR，ヘキザック水R)眼［(グルコジンR水，ステリクロンR，ヘキザック水R)本剤は界面活性剤が添加されているために，目に対し刺激作用等の悪影響を及ぼす可能性がある］

4%液 クロルヘキシジン製剤に対し過敏症の既往歴のある者

0.5%エタノール液 ①クロルヘキシジン製剤に対し過敏症の既往歴のある患者 ②脳，脊髄，耳(内耳，中耳，外耳)［聴神経及び中枢神経に対して直接使用した場合は，難聴，神経障害をきたすことがある］ ③膣，膀胱，口腔等の粘膜面［クロルヘキシジン製剤の前記部位への使用により，ショック症状(初期症状：悪心・不快感・冷汗・めまい・胸内苦悶・呼吸困難・発赤等)の発現が報告されている］ ④損傷皮膚及び粘膜［エタノールを含有するので，損傷皮膚及び粘膜への使用により，刺激作用を有する］ ⑤眼

薬物動態

吸収・排泄(イギリス) 健常男子(5例)の上腕皮膚面50cm^{2}に，5%又は4%の標識されたクロルヘキシジングルコン酸塩液(18μciの^{14}Cを含有)を塗布し3時間放置．塗布後6時間と24時間後の血中及び，10日間の尿中から検出されず，10日間の2名の糞便中から0.009%以下．健常人(15例)が4%液10mLで手指と腕の消毒を3週間(1日5回，週5日)行ったが，消毒30分後の血中から本剤及びその誘導体は検出されなかった

その他の管理的事項

投与期間制限 該当しない

保険給付上の注意 該当しない

資料

IF 5%ヒビテン液 2020年8月改訂(第5版)

クロルマジノン酢酸エステル
Chlormadinone Acetate

概要

薬効分類　247　卵胞ホルモン及び黄体ホルモン剤

構造式

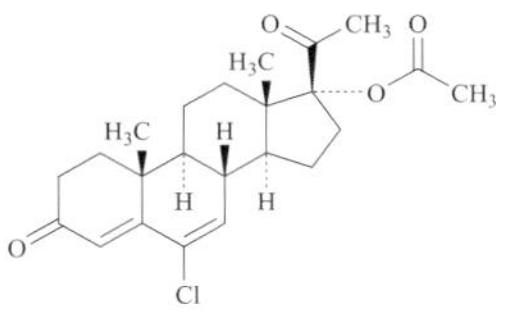

分子式　$C_{23}H_{29}ClO_4$

分子量　404.93

略語・慣用名　慣用名：CMA

ステム　ステロイド，プロゲステロン：gest(x)

原薬の規制区分　該当しない

原薬の外観・性状　白色～淡黄色の結晶又は結晶性の粉末で，においはない．クロロホルムに溶けやすく，アセトニトリルにやや溶けやすく，エタノール(95)又はジエチルエーテルに溶けにくく，水にほとんど溶けない

原薬の吸湿性　特に吸湿性を有する物質ではない

原薬の融点・沸点・凝固点　融点：211～215℃

原薬の酸塩基解離定数　該当資料なし

先発医薬品等

錠　プロスタール錠25(あすか製薬＝武田)
ルトラール錠2mg(富士製薬)

徐放錠　プロスタールL錠50mg(あすか製薬＝武田)

後発医薬品

錠　25mg

国際誕生年月　不明

海外での発売状況　該当しない

製剤

規制区分　錠　徐放錠　㊕

製剤の性状　錠　微黄色の素錠　徐放錠　微黄色の徐放性フィルムコーティング錠

有効期間又は使用期限　錠　5年　徐放錠　3年

貯法・保存条件　室温保存

薬剤取扱い上の留意点　該当しない

患者向け資料等　くすりのしおり

溶液及び溶解時のpH　該当しない

浸透圧比　該当しない

安定なpH域　該当しない

調製時の注意　該当しない

薬理作用

分類　アンチアンドロゲン剤

作用部位・作用機序　50mg/日の投与ではアンチアンドロゲン作用(直接的抗前立腺作用)により，前立腺の肥大抑制作用及び縮小作用を示す．また，100mg/日の投与では，アンチアンドロゲン作用と血中テストステロン低下作用の両作用により制癌効果を示す

同効薬　(前立腺肥大症)ゲストノロンカプロン酸エステル，アリルエストレノール　(前立腺癌)ゴセレリン酢酸塩，リュープロレリン酢酸塩，ビカルタミド，フルタミド

治療

効能・効果　2mg錠　無月経，月経周期異常(稀発月経，多発月経)，月経量異常(過少月経，過多月経)，月経困難症，機能性子宮出血，卵巣機能不全症，黄体機能不全による不妊症

25mg錠　①前立腺肥大症　②前立腺癌(ただし，転移のある前立腺癌症例に対しては，他療法による治療の困難な場合に使用する)

50mg錠　前立腺肥大症

効能・効果に関連する使用上の注意　25・50mg錠　前立腺肥大症：本剤による前立腺肥大症に対する治療は，根治療法ではないことに留意し，投与により期待する効果が得られない場合には，手術療法等他の適切な処置を考慮する

用法・用量　2mg錠　1日2～12mg，1～3回に分服

25mg錠　効能①：1回25mg，1日2回食後　効能②：1回50mg，1日2回食後(適宜増減)

50mg錠　1回50mg，1日1回食後

用法・用量に関連する使用上の注意　25・50mg錠　前立腺肥大症：投与期間は16週間を基準とし，期待する効果が得られない場合には，以後漫然と投与を継続しないこと

使用上の注意

禁忌　2mg錠　重篤な肝障害・肝疾患のある患者［肝障害・肝疾患を悪化させることがある］

25・50mg錠　重篤な肝障害・肝疾患のある患者

薬物動態

2mg錠　**排泄**　健康婦人に^{14}C-標識クロルマジノン酢酸エステル2mgを投与時，72時間以内に5.5%が尿中に排泄され，主代謝物は3位の水酸化物(外国人データ)

25・50mg錠　**血中濃度**　①25mg錠：健康成人男性に25mgを空腹時経口投与時，最高血中濃度到達時間(Tmax)は3.8時間，血中濃度半減期($T_{1/2}$)は6.9時間　②50mg錠：健康成人男性に1錠を空腹時経口投与時，最高血中濃度到達時間(Tmax)は5.1時間，血中濃度半減期($T_{1/2}$)は10.2時間で，通常のクロルマジノン酢酸エステル錠に比し徐放性の血中濃度推移を示した　**吸収**　食事の影響：⑴25mg錠：健康成人男性に25mgを摂食時に投与時の血中濃度は空腹時投与に比し最高血中濃度(Cmax)及び血中濃度－時間曲線下面積(AUC)で有意に高く，これは主として食事摂取により刺激された胆汁分泌によると考えられた　⑵50mg錠：健康成人男性に1錠を摂食時投与時の血中濃度は，空腹時投与に比し最高血中濃度(Cmax)及び血中濃度-時間曲線下面積(AUC)で1.5～1.8倍と有意に高く，これは主として食事摂取により刺激された胆汁分泌によると考えられた　**分布**　雄ラットにおける経口投与後の分布は肝臓に最も多く，次に腎臓，副腎，脂肪の順．血漿蛋白結合率は，約99%である(*in vitro*：平衡透析法)　**代謝**　多種の代謝物が生成され，2位及び3位のヒドロキシ体が多い．3β-hydroxy体は，未変化体であるクロルマジノン酢酸エステルの約0.7倍の活性を認めた　**排泄**　①25mg錠：前立腺癌患者6名に[^{3}H]-クロルマジノン酢酸エステルを100mg経口投与時，投与3日後まで尿中に11.2%，糞中に25.7%排泄　②50mg錠：健康成人男性8名に1錠を経口投与時，24時間までの尿中への未変化体(クロルマジノン酢酸エステル)の総排泄量は70.7±9.2μgで投与量の約0.14%

その他の管理的事項

投与期間制限　該当しない

保険給付上の注意　該当しない

資料

IF　プロスタール錠25・L錠50mg　2020年6月改訂(第9版)

クロロブタノール
Chlorobutanol

概要

構造式

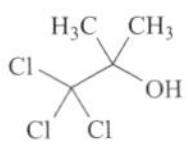

分子式　$C_4H_7Cl_3O$

分子量　177.46

原薬の規制区分　劇
原薬の外観・性状　無色又は白色の結晶で，カンフルようのにおいがある．メタノール，エタノール(95)又はジエチルエーテルに極めて溶けやすく，水に溶けにくい．空気中で徐々に揮散する
原薬の融点・沸点・凝固点　融点：約76℃以上

軽質無水ケイ酸
Light Anhydrous Silicic Acid

概要
原薬の規制区分　該当しない
原薬の外観・性状　白色～帯青白色の軽い微細な粉末で，におい及び味はなく，滑らかな触感がある．水，エタノール(95)又はジエチルエーテルにほとんど溶けない．フッ化水素酸，熱水酸化カリウム試液又は熱水酸化ナトリウム試液に溶け，希塩酸に溶けない

合成ケイ酸アルミニウム
Synthetic Aluminum Silicate

概要
薬効分類　234　制酸剤
原薬の規制区分　該当しない
原薬の外観・性状　白色の粉末で，におい及び味はない．水，エタノール(95)又はジエチルエーテルにほとんど溶けない．1gに水酸化ナトリウム溶液(1→5)20mLを加えて加熱するとき，僅かに不溶分を残して溶ける
原薬の吸湿性　該当資料なし
原薬の酸塩基解離定数　該当資料なし
先発医薬品等
末　合成ケイ酸アルミニウム原末「マルイシ」(丸石)
合成ケイ酸アルミニウム「三恵」(三恵)
合成ケイ酸アルミニウム「東海」(東海製薬)
合成ケイ酸アルミニウム「ニッコー」(日興製薬)
合成ケイ酸アルミ「ヨシダ」(吉田製薬)
国際誕生年月　不明
海外での発売状況　該当資料なし

製剤
製剤の性状　末　白色の粉末で，におい及び味はない．水，エタノール(95)又はジエチルエーテルにほとんど溶けない．1gに水酸化ナトリウム溶液(1→5)20mLを加えて加熱するとき，僅かに不溶分を残して溶ける
貯法・保存条件　室温保存
薬剤取扱い上の留意点　該当しない
患者向け資料等　くすりのしおり
溶液及び溶解時のpH　該当しない
浸透圧比　該当しない
安定なpH域　該当しない
調製時の注意　該当しない

薬理作用
分類　胃粘膜保護剤
作用部位・作用機序　粘膜被覆保護作用及び吸着作用を有し，制酸作用も若干認められる．これらの作用により抗潰瘍作用を現す
同効薬　乾燥水酸化アルミニウムゲル，酸化マグネシウムなど

治療
効能・効果　次の疾患における粘膜保護作用と症状の改善：胃・十二指腸潰瘍，胃炎(急・慢性胃炎，薬剤性胃炎を含む)
用法・用量　1日3～10g，3～4回に分服(適宜増減)

使用上の注意
禁忌　透析療法を受けている患者［長期投与によりアルミニウム脳症，アルミニウム骨症，貧血等が現れることがある］

その他の管理的事項
投与期間制限　該当しない
保険給付上の注意　該当しない

資料
IF　合成ケイ酸アルミニウム「ファイザー」原末　2015年6月改訂(第7版)

天然ケイ酸アルミニウム
Natural Aluminum Silicate

概要
薬効分類　234　制酸剤
分子式　$Al_2O_3 \cdot xSiO_2 \cdot yH_2O$(主成分)
原薬の規制区分　該当しない
原薬の外観・性状　白色又は僅かに着色した粉末で，におい及び味はない．水，エタノール(95)又はジエチルエーテルにほとんど溶けない．1gに水酸化ナトリウム溶液(1→5)20mLを加えて加熱するとき，一部分は分解して溶けるが，大部分は不溶である
原薬の吸湿性　該当資料なし
原薬の酸塩基解離定数　該当資料なし(不溶性のため)
先発医薬品等
末　アドソルビン原末(アルフレッサファーマ)
国際誕生年月　不明
海外での発売状況　発売されていない

製剤
製剤の性状　末　白色又は僅かに着色した粉末
有効期間又は使用期限　5年
貯法・保存条件　室温保存
薬剤取扱い上の留意点　該当しない
患者向け資料等　くすりのしおり
溶液及び溶解時のpH　該当しない
浸透圧比　該当しない
安定なpH域　該当しない
調製時の注意　該当しない

薬理作用
分類　消化管用吸着剤
作用部位・作用機序　吸着作用を有し，胃及び腸管内における異常有害物質，過剰の水分又は粘液などを吸着し，除去させる．この吸着作用は腸管内では結果的に収斂作用，止瀉作用を現す
同効薬　消化管用吸着剤としての作用を示すものはない

治療
効能・効果　下痢症
用法・用量　1日3～10g，3～4回に分服(適宜増減)

使用上の注意
禁忌　①腸閉塞のある患者［症状を悪化させるおそれがある］②透析療法を受けている患者［長期投与によりアルミニウム脳症，アルミニウム骨症が現れることがある］③出血性大腸炎の患者［腸管出血性大腸炎(O157等)や赤痢菌等の重篤な細菌性下痢のある患者では，症状の悪化，治療期間の延長をきたすおそれがある］

その他の管理的事項
投与期間制限 該当しない
保険給付上の注意 該当しない
資料
IF アドソルビン原末 2019年3月作成(第1版)

ケイ酸アルミン酸マグネシウム
Magnesium Aluminosilicate

概要
原薬の外観・性状 白色の粉末又は粒である．水又はエタノール(99.5)にほとんど溶けない．1gを希塩酸10mLと加熱するとき，大部分溶ける
製剤
貯法・保存条件 密閉容器

メタケイ酸アルミン酸マグネシウム
Magnesium Aluminometasilicate

概要
原薬の外観・性状 白色の粉末又は粒である．水又はエタノール(99.5)にほとんど溶けない．1gを希塩酸10mLと加熱するとき，大部分溶ける
製剤
貯法・保存条件 密閉容器

ケイ酸マグネシウム
Magnesium Silicate

概要
原薬の規制区分 該当しない
原薬の外観・性状 白色の微細な粉末で，におい及び味はない．水，エタノール(95)又はジエチルエーテルにほとんど溶けない

ケタミン塩酸塩
Ketamine Hydrochloride

概要
薬効分類 111 全身麻酔剤
構造式

Cl O NH CH₃ ・HCl 及び鏡像異性体

分子式 $C_{13}H_{16}ClNO \cdot HCl$
分子量 274.19
ステム 不明
原薬の規制区分 ㊙劇 ㊙麻
原薬の外観・性状 白色の結晶又は結晶性の粉末である．ギ酸に極めて溶けやすく，水又はメタノールに溶けやすく，エタノール(95)又は酢酸(100)にやや溶けにくく，無水酢酸又はジエチルエーテルにほとんど溶けない．本品の水溶液(1→10)は旋光性を示さない．1.0gを新たに煮沸して冷却した水10mLに溶かした液のpHは3.5～4.5である
原薬の吸湿性 非吸湿性である
原薬の融点・沸点・凝固点 融点：約258℃(分解)
原薬の酸塩基解離定数 pKa＝7.5
先発医薬品等
注 ケタラール静注用50mg・200mg・筋注用500mg(第一三共プロファーマ＝第一三共)
国際誕生年月 該当しない
海外での発売状況 米，英，独，豪など各国
製剤
規制区分 **静注用** **筋注用** ㊙劇 ㊙麻 ㊙処
製剤の性状 **静注用** **筋注用** 無色澄明の液
有効期間又は使用期限 **50mg静注用** 5年 **200mg静注用** **500mg筋注用** 4年
貯法・保存条件 室温保存
患者向け資料等 くすりのしおり
溶液及び溶解時のpH 3.5～5.5
浸透圧比 約1(対生食)
調製時の注意 バルビツール酸系薬剤のナトリウム塩及びジアゼパムと混合すると沈澱を生じ，pHが7.0以上のアルカリ側に傾くと白濁を生じる
薬理作用
分類 フェンシクリジン誘導体・全身麻酔剤
作用部位・作用機序 ケタミンは非競合性拮抗薬としてMg^{2+}結合部位と重なるフェンシクリジン結合部位に結合してNMDA受容体機能に拮抗する．大脳に密に存在するNMDA受容体の遮断が麻酔作用に，脊髄後角痛覚系の二次ニューロンNMDA型受容体の遮断が鎮痛作用に関与する
同効薬 なし
治療
効能・効果 手術，検査及び処置時の全身麻酔及び吸入麻酔の導入
用法・用量 **筋注用** 初回5～10mg/kg，必要に応じて初回量と同量又は半量を追加
静注用 初回1～2mg/kg緩徐(1分間以上)に静注，必要に応じて，初回量と同量又は半量を追加
用法・用量に関連する使用上の注意 **筋注用** ①麻酔方法：用法・用量は患者の感受性，全身状態，手術々式，麻酔方法等に応じてきめるが，一般に行われている方法を示すと次の通りである：手術の少なくとも6時間前から絶飲絶食とし，アトロピン硫酸塩水和物等の前投薬を行い，次いで本剤の1回量を緩徐に筋注．麻酔の維持には，本剤の追加投与を行うが，手術の種類によっては，吸入麻酔剤に切り替える．また必要によりスキサメトニウム塩化物水和物等の筋弛緩剤を併用する．なお，筋注で追加投与する場合，麻酔時間及び覚醒時間が延長する傾向があるので，術後管理に十分注意する ②作用発現及び持続：成人及び小児に5～10mg/kgを筋注した場合3～4分で手術可能な麻酔状態が得られ，作用は12～25分前後持続する
静注用 ①麻酔方法：用法・用量は患者の感受性，全身状態，手術々式，麻酔方法等に応じてきめるが，一般に行われている方法を示すと次の通りである：手術の少なくとも6時間前から絶飲絶食とし，アトロピン硫酸塩水和物等の前投薬を行い，次いで本剤の1回量を緩徐に静注する．麻酔の維持には，本剤の追加投与を行うが，手術の時間が長くなる場合には点滴静注法が用いられる．投与速度は最初30分間が0.1mg/kg/分，それ以後は0.05mg/kg/分を一応の基準として，必要に応じ若干これを増減し，手術終了の30分前に投与を中止する．

なお，手術の種類によっては，吸入麻酔剤に切り替える．また必要によりスキサメトニウム塩化物水和物等の筋弛緩剤を併用する　②作用発現及び持続：健康成人に通常用量を静注した場合，30秒～1分で手術可能な麻酔状態が得られ，作用は5～10分前後持続する

使用上の注意

禁忌　①本剤の成分に対し過敏症の既往歴のある患者　②脳血管障害，高血圧（収縮期圧160mmHg以上，拡張期圧100mmHg以上），脳圧亢進症及び重症の心代償不全の患者［一過性の血圧上昇作用，脳圧亢進作用がある］　③痙攣発作の既往歴のある患者［痙攣を誘発することがある］　④外来患者［麻酔前後の管理が行き届かない］

薬物動態

血中濃度　健康成人男性6例にトリチウム標識ケタミン1mg/kgを静注時，トリチウム活性は二相性を示し，第一相（組織からの再分布）は投薬後3～5分以内に0.4～0.7μg/mL，第二相（代謝物）は1～2時間に0.6～0.7μg/mL．未変化のケタミン血中濃度は静注後速やかに0.27～0.37μg/mLに達し，生物学的半減期は4時間（外国人データ）　**分布**　血漿蛋白結合率（*in vitro*）：成人血漿における血漿蛋白結合率は47%（外国人データ）　**代謝**　ケタミンの主代謝経路は，肝臓においてチトクロームP450によりノルケタミンとなる．また，ヒドロオキシノルケタミンやデヒドロノルケタミンなどに変化するが，薬理活性はほとんどない．ノルケタミンだけがケタミンの1/3～1/5の麻酔作用をもつ　**排泄**　健康成人男性6例にトリチウム標識ケタミン1mg/kgを静注時，5日後までに91%が尿中に，3%が糞便中に排泄（外国人データ）

その他の管理的事項

投与期間制限　該当しない

保険給付上の注意　該当しない

資料

IF　ケタラール静注用50mg・200mg・筋注用500mg　2020年2月改訂（第11版）

ケトコナゾール
ケトコナゾール液
ケトコナゾールローション
ケトコナゾールクリーム
Ketoconazole

概要

薬効分類　265　寄生性皮ふ疾患用剤

構造式

及び鏡像異性体

分子式　$C_{26}H_{28}Cl_2N_4O_4$

分子量　531.43

ステム　ミコナゾール系抗真菌剤：-conazole

原薬の規制区分　㋕(ただし，ケトコナゾールとして2%以下を含有する外用剤を除く)

原薬の外観・性状　白色～淡黄白色の粉末である．メタノールにやや溶けやすく，エタノール(99.5)にやや溶けにくく，水にほとんど溶けない．本品のメタノール溶液(1→20)は旋光性を示さない

原薬の吸湿性　ほとんど吸湿性を示さない

原薬の融点・沸点・凝固点　融点：148～152℃

原薬の酸塩基解離定数　pKa'_1＝3.03（ピペラジン部分），pKa'_2＝6.19（イミダゾール環）

先発医薬品等

クリーム　ニゾラールクリーム2%（ヤンセン）

外用液　ニゾラールローション2%（ヤンセン）

後発医薬品

クリーム　2%

外用液　2%

噴　2%

国際誕生年月　1980年12月

海外での発売状況　**クリーム**　欧米など111カ国

製剤

製剤の性状　**クリーム**　白色の均一なクリーム剤　**外用液**　白色のローション剤

有効期間又は使用期限　2年

貯法・保存条件　室温保存

患者向け資料等　くすりのしおり

溶液及び溶解時のpH　該当資料なし

浸透圧比　該当資料なし

安定なpH域　該当資料なし

薬理作用

分類　イミダゾール系抗真菌剤

作用部位・作用機序　作用部位：真菌の細胞膜の主要構成脂質であるエルゴステロールの生合成酵素（チトクロームP450）　作用機序：真菌細胞膜の主要構成成分であるエルゴステロールはその前駆体であるラノステロールの酸化的脱メチル反応によって合成される．真菌のチトクロームP450はこの反応を触媒する酵素である．このチトクロームP450の酵素結合部位を遮断することにより，エルゴステロールの欠乏が生じる結果，細胞膜の正常な機能が失われ，これが真菌発育阻止をもたらす

同効薬　テルビナフィン，ビホナゾール，ラノコナゾール，ブテナフィン，ネチコナゾールなど

治療

効能・効果　次の皮膚真菌症の治療：①白癬：足白癬，体部白癬，股部白癬　②皮膚カンジダ症：指間びらん症，間擦疹（乳児寄生菌性紅斑を含む）　③癜風　④脂漏性皮膚炎

用法・用量　効能①～③：1日1回患部に塗布　効能④：1日2回患部に塗布

使用上の注意

禁忌　本剤の成分に対し過敏症の既往歴のある患者

薬物動態

2%クリーム5gを健康成人背部に単純塗布時の血中濃度，尿中未変化体排泄は検出限界（1ng/mL）以下

その他の管理的事項

投与期間制限　該当しない

保険給付上の注意　該当しない

資料

IF　ニゾラールクリーム2%・ローション2%　2015年6月改訂（第8版）

ケトチフェンフマル酸塩
Ketotifen Fumarate

概要

薬効分類 131 眼科用剤，132 耳鼻科用剤，449 その他のアレルギー用薬

構造式

・HO_2C—CH=CH—CO_2H

分子式 $C_{19}H_{19}NOS \cdot C_4H_4O_4$

分子量 425.50

原薬の規制区分 毒(ただし，内用剤，点眼剤及び点鼻剤は劇(ただし，1個中ケトチフェンとして1mg以下を含有する内用剤，ケトチフェンとして0.1%以下を含有する内用剤，1mL中ケトチフェンとして0.5mg以下を含有する点眼剤及び1mL中ケトチフェンとして0.54975mg以下を含有する点鼻剤を除く))

原薬の外観・性状 白色～淡黄白色の結晶性の粉末である．メタノール又は酢酸(100)にやや溶けにくく，水，エタノール(99.5)又は無水酢酸に溶けにくい

原薬の吸湿性 40℃・75%RHで4カ月間又は50℃・75%RHで2カ月間ガラス瓶(開栓)に保存したときの吸湿量は0.1～0.2%であった

原薬の融点・沸点・凝固点 融点：約190℃(分解)

原薬の酸塩基解離定数 pKa＝6.05(水(1)：エタノール(95)(1)の混液，0.1モル塩酸で滴定)

先発医薬品等

- **カ** ザジテンカプセル1mg(サンファーマ＝田辺三菱)
- **シ** ザジテンシロップ0.02%(サンファーマ＝田辺三菱)
- **シロップ用** ザジテンドライシロップ0.1%(サンファーマ＝田辺三菱)
- **点眼液** ザジテン点眼液0.05%(ノバルティス)
- **点鼻液** ザジテン点鼻液0.05%(サンファーマ＝田辺三菱)

後発医薬品

- **カ** 1mg
- **シ** 0.02%
- **シロップ用** 0.1%
- **点眼液** 0.05%
- **点鼻液** 0.05%

国際誕生年月 **カ** 1978年1月 **シ** 1985年7月 **シロップ用** 1987年10月 **点眼液** 1977年10月 **点鼻液** 1991年7月

海外での発売状況 **カ** **シ** **シロップ用** **点眼液** 英など **点鼻液** 発売されていない

製剤

製剤の性状 **カ** 白色不透明の硬カプセル剤 **シ** 無色～微黄色澄明の液で，芳香があり，味は甘い **シロップ用** 白色の粉末を含む微細な粒子で，芳香があり味は甘い(ストロベリー様の芳香と味を有する) **点眼液** 無色～微黄色澄明の水性点眼液で，においはないか，又は僅かに特異なにおいがある **点鼻液** 無色～微黄色澄明の液で，においはないか，又は僅かに特異なにおいがある

有効期間又は使用期限 **カ** **シ** **シロップ用** **点鼻液** 3年 **点眼液** 3年3カ月

貯法・保存条件 **カ** **シ** **点眼液** **点鼻液** 室温保存 **シロップ用** 室温保存．開封後は防湿保存

薬剤取扱い上の留意点 **カ** **シ** **シロップ用** **点鼻液** 眠気を催すことがあるので，本剤投与中の患者には自動車の運転等危険を伴う機械の操作には従事させないよう十分注意すること **点鼻液** 本剤に添付された「鼻用定量噴霧器の使い方」にしたがって正しく噴霧吸入するよう患者を指導すること

患者向け資料等 **カ** **シ** **シロップ用** 患者向医薬品ガイド，くすりのしおり **点眼液** くすりのしおり **点鼻液** くすりのしおり，鼻用定量噴霧器の使い方

溶液及び溶解時のpH **シ** 4.5～5.5 **シロップ用** 4.0～5.0(水に溶解) **点眼液** 4.8～5.8 **点鼻液** 3.8～4.6

浸透圧比 **点眼液** 0.7～1.0(対生食)

調製時の注意 **シ** 他剤との配合は，できるだけ避けることが望ましいが，やむを得ずケフラール細粒と配合する場合には，配合後できるだけ速やかに服用すること

薬理作用

分類 抗ヒスタミン作用を有するアレルギー疾患治療剤

作用部位・作用機序 作用部位：アレルギーに関する炎症細胞及び組織 作用機序：ケミカルメディエーター遊離抑制に基づく抗アナフィラキシー作用及び抗ヒスタミン作用を有し，かつ，気道及び鼻粘膜等の組織の過敏性を減弱させる．更に，PAF(血小板活性化因子)による気道の反応性亢進を抑制し，好酸球に対する作用を有する

同効薬 **カ** **シ** **シロップ用** オキサトミド，メキタジンなど **点眼液** クロモグリク酸ナトリウム(DSCG)，ペミロラストカリウム，トラニラスト，イブジラスト，アシタザノラスト水和物，レボカバスチン塩酸塩，オロパタジン塩酸塩など **点鼻液** クロモグリク酸ナトリウムなど

治療

効能・効果 **カ** **シ** **シロップ用** 気管支喘息，アレルギー性鼻炎，湿疹・皮膚炎，蕁麻疹，皮膚そう痒症
点眼液 アレルギー性結膜炎
点鼻液 アレルギー性鼻炎

用法・用量 **カ** ケトチフェンとして1回1mg，1日2回朝食後及び就寝前(適宜増減)
シ **シロップ用** 小児：ケトチフェンとして1日0.06mg/kg，朝食後及び就寝前2回に分服(適宜増減)．年齢別1日標準量(ケトチフェンとして)：6カ月以上3歳未満0.8mg，3歳以上7歳未満1.2mg，7歳以上2.0mg．ただし，1歳未満の乳児に使用する場合には体重，症状等を考慮して投与量を決める
点眼液 1回1～2滴，1日4回(朝昼夕及び就寝前)点眼
点鼻液 1日4回(朝昼夕及び就寝前)，1回各鼻腔に1噴霧(ケトチフェンとして0.05mg)ずつ，専用の鼻用定量噴霧器を用いて噴霧吸入

使用上の注意

禁忌 **カ** **シ** **シロップ用** ①本剤の成分に対し過敏症の既往歴のある患者 ②てんかん又はその既往歴のある患者［痙攣閾値を低下させることがある］
点眼液 本剤の成分に対し過敏症の既往歴のある患者

過量投与 **カ** **シ** **シロップ用** ①徴候，症状：傾眠，見当識障害，チアノーゼ，呼吸困難，発熱，錯乱，痙攣，頻脈，徐脈，低血圧，眼振，可逆性昏睡等．特に小児では，興奮性亢進，痙攣 ②処置：一般的な薬物除去法(催吐，胃洗浄，活性炭投与等)により，本剤を除去する．また必要に応じて対症療法を行う

薬物動態

カ **シ** **シロップ用** **血中濃度** (健康成人にケトチフェンとして1回2mg経口投与)：①**カ**(5例)：Cmaxは2.8±0.2時間後に5.13±0.63ng/mL，$AUC_{0\text{-}24}$は54.62±8.36ng・hr/mL，β半減期は6.72±0.7hr ②**シ**(5例)：Cmaxは2.8±0.4時間後に5.62±0.52ng/mL，$AUC_{0\text{-}24}$は62.2±8.06ng・hr/mL，半減期は8.03±1.24hr．薬物動態はカプセルとほぼ同じ．小児患者では，健康成人に比べやや吸収が遅く，血中からの消失が速い ③**シロップ用**(10例)：Cmaxは3.4時間後に5.1ng/mL，$AUC_{0\text{-}24}$は55.7ng・hr/mL，β半減期は6.2hr．シロップとの比較で，生物学的同等性が認められた **分布** ケトチフェンの蛋白結合率は約75%(*in vitro*，ヒト血清，平衡透析

法） **代謝** （外国人）：血中及び尿中主代謝産物はグルクロン酸抱合体で，脱メチル化体及びN-酸化体はわずか **排泄** 健康成人に^{14}C-ケトチフェン投与時の排泄率は尿中71.1%，糞中26.4%（外国人，120時間値）．シロップ，ドライシロップを小児患者に投与時，健康成人に比べ尿中排泄は速やか

点眼液 眼組織内移行（参考：動物）：^{14}C-ケトチフェンフマル酸塩をウサギに1回点眼後15分で最高値．最も高い組織内濃度は角膜（上皮），次いで結膜，角膜（内皮及び実質），虹彩，強膜（前部），毛様体，外眼筋，前房水の順．他の眼組織中の平均滞留時間は3時間以下だが，結膜では5.7時間と長い．点眼による血中移行は低く，頻回投与時の定常状態の血中濃度は結膜中の1/70程度

点鼻液 **血中濃度** 健康成人の鼻腔内にケトチフェンとして0.02mg，0.1mg，0.2mg点鼻後8時間までの血漿中濃度はいずれも検出限界以下 **排泄** 点鼻後8時間までの尿中排泄量は1～2%で，鼻腔内投与により極くわずかに循環血へ取り込まれる

その他の管理的事項

投与期間制限 該当しない

保険給付上の注意 該当しない

資料

IF ザジテンカプセル1mg 2016年11月改訂（第4版）
ザジテンシロップ0.02%・ドライシロップ0.1% 2016年11月改訂（第5版）
ザジテン点眼液0.05% 2019年4月改訂（第8版）
ザジテン点鼻液0.05% 2016年11月改訂（第4版）

ケトプロフェン
Ketoprofen

概要

薬効分類 114 解熱鎮痛消炎剤，264 鎮痛，鎮痒，収斂，消炎剤

構造式

及び鏡像異性体

分子式 $C_{16}H_{14}O_3$

分子量 254.28

ステム 不明

原薬の規制区分 ㊀劇（ただし，3%以下を含有する外用剤を除く）

原薬の外観・性状 白色の結晶性の粉末である．メタノールに極めて溶けやすく，エタノール（95）又はアセトンに溶けやすく，水にほとんど溶けない．本品のエタノール（99.5）溶液（1→100）は旋光性を示さない．光によって微黄色になる

原薬の吸湿性 該当資料なし

原薬の融点・沸点・凝固点 融点：94～97℃

原薬の酸塩基解離定数 pKa＝約3.90（30℃）

先発医薬品等

注 カピステン筋注50mg（キッセイ）

クリーム セクタークリーム3%（久光）

外用液 セクターローション3%（久光）

外用ゲル セクターゲル3%（久光）

貼 ミルタックスパップ30mg（ニプロファーマ＝第一三共エスファ）
モーラステープ20mg・L40mg（久光＝祐徳）
モーラスパップ30mg・60mg・XR120mg（久光＝祐徳）・XR240mg（久光）

後発医薬品

注 50mg

坐 50mg・75mg

貼 テープ20mg・40mg・パップ30mg・60mg・120mg

国際誕生年月 不明

海外での発売状況 **注** 英，独など **貼** イタリアなど

製剤

規制区分 **注** ㊀劇 ㊀処 **坐** ㊀劇

製剤の性状 **注** 無色澄明の液 **坐** 白色～淡黄色の紡すい形の坐剤で，わずかに脂肪臭を有する **貼〔テープ〕** 膏体を淡褐色～褐色の基布に塗布し，膏体面をライナーで被覆した貼付剤である．本品からライナーを除き，直ちに観察するとき，膏体面は淡褐色～褐色半透明で特異な芳香がある **貼〔パップ30・60mg〕** 支持体上に膏体を成形し，その膏体表面をライナーで被覆したパップ剤である．本品からライナーを除き，白紙上に置き，直ちに観察するとき，膏体面は白色～淡黄白色で，特異な芳香がある **貼〔パップ120・240mg〕** 白色～淡黄色の膏体が支持体に展延されており，膏体面がライナーで被覆された貼付剤

有効期間又は使用期限 **注** **坐** **貼〔パップ30・60mg〕** 3年 **貼〔テープ〕** 2年 **貼〔パップ120・240mg〕** 18カ月

貯法・保存条件 **注** 遮光・室温保存 **坐** 冷暗所保存 **貼〔テープ〕** 遮光した気密容器，室温保存 **貼〔パップ30・60mg〕** 遮光した気密容器 **貼〔パップ120・240mg〕** 室温保存（遮光した気密容器に高温を避けて保存）

薬剤取扱い上の留意点 **注** 光により白濁するので，開封後，アンプルは内箱（遮光ケース）に入れた状態で保存すること．なお，白濁が認められた場合は使用しないこと **坐** 投与時：本剤はできるだけ排便後に投与すること **貼〔テープ〕** **貼〔パップ〕** 直射日光や高温をさけて保存すること．使用部位の皮膚刺激をまねくことがあるので，次の部位には使用しないこと：損傷皮膚及び粘膜，湿疹又は発疹の部位

患者向け資料等 患者向医薬品ガイド，くすりのしおり

溶液及び溶解時のpH **注** 5.5～7.5 **貼〔パップ30・60mg〕** 5～7

浸透圧比 **注** 0.6～0.8（対0.9%生食）

調製時の注意 **注** 他剤との混注は避けることが望ましい

薬理作用

分類 非ステロイド系鎮痛消炎剤

作用部位・作用機序 ケトプロフェンの抗炎症，鎮痛作用の主な機序として，プロスタグランジンの生合成抑制作用，血管透過性亢進抑制作用，白血球遊走阻止作用，蛋白熱変性抑制作用，細胞膜安定化作用及びブラジキニン遊離抑制作用などが考えられている

同効薬 外用貼付剤：インドメタシン貼付剤，フェルビナク貼付剤，フルルビプロフェン貼付剤など 外皮用薬：インドメタシン軟膏，フェルビナク軟膏，副腎エキス配合軟膏など インドメタシン外用液，フェルビナク外用液など 経口剤：ジクロフェナクナトリウムカプセル，ロキソプロフェンナトリウム錠など 坐剤：インドメタシン坐剤，ジクロフェナクナトリウム坐剤など

治療

効能・効果 **注** ①次の疾患ならびに状態における鎮痛・消炎：術後，外傷，各種癌，痛風発作，症候性神経痛 ②緊急に解熱を必要とする場合

クリーム **外用液** **外用ゲル** **貼〔パップ〕** 次の疾患ならびに症状の鎮痛・消炎：変形性関節症，肩関節周囲炎，腱・腱鞘炎，腱周囲炎，上腕骨上顆炎（テニス肘等），筋肉痛，外傷後の腫脹・疼痛

貼〔テープ〕 ①次の疾患並びに症状の鎮痛・消炎：腰痛症（筋・筋膜性腰痛症，変形性脊椎症，椎間板症，腰椎捻挫），

変形性関節症，肩関節周囲炎，腱・腱鞘炎，腱周囲炎，上腕骨上顆炎(テニス肘等)，筋肉痛，外傷後の腫脹・疼痛　②関節リウマチにおける関節局所の鎮痛

坐 ①次の疾患ならびに症状の鎮痛・消炎・解熱：関節リウマチ，変形性関節症，腰痛症，頸肩腕症候群，症候性神経痛　②外傷ならびに手術後の鎮痛・消炎

効能・効果に関連する使用上の注意　**クリーム**　**外用液**　**外用ゲル**　**貼〔パップ〕**　**貼〔テープ〕** ①使用により重篤な接触皮膚炎，光線過敏症が発現することがあり，中には重度の全身性発疹に進展する例が報告されているので，疾病の治療上の必要性を十分に検討の上，治療上の有益性が危険性を上回る場合にのみ使用する　②**貼〔パップ〕** 損傷皮膚には使用しない

用法・用量　**注** ①鎮痛・消炎の目的に用いる場合：1回50mgを臀筋注し，以後必要に応じて1日1～2回反復(適宜増減)　②解熱の目的に用いる場合：1回50mgを1日1～2回臀筋注(適宜増減)

クリーム　**外用液**　**外用ゲル** 1日数回患部に塗布又は塗擦

貼〔パップ〕 1日2回患部に貼付

貼〔テープ〕 1日1回患部に貼付

坐 1回50～75mg，1日1～2回直腸内に挿入(適宜増減)

禁忌・原則禁忌となる特定患者集団　**注**　**坐**　**貼〔テープ〕**　**貼〔パップ〕** 妊娠後期の女性

使用上の注意

禁忌　**注** ①消化性潰瘍のある患者［プロスタグランジン生合成抑制作用により，消化性潰瘍を悪化させることがある］②重篤な血液の異常のある患者［血液の異常を悪化させるおそれがある］　③重篤な肝障害のある患者［肝障害を悪化させるおそれがある］　④重篤な腎障害のある患者［プロスタグランジン生合成抑制作用による腎血流量の低下等により，腎障害を悪化させるおそれがある］　⑤重篤な心機能不全のある患者［腎のプロスタグランジン生合成抑制作用により浮腫，循環体液量の増加が起こり，心臓の仕事量が増加するため症状を悪化させることがある］　⑥本剤の成分に対し過敏症の既往歴のある患者　⑦アスピリン喘息(非ステロイド性消炎鎮痛剤等による喘息発作の誘発)又はその既往歴のある患者［アスピリン喘息発作を誘発することがある］　⑧シプロフロキサシンを投与中の患者　⑨妊娠後期の女性

クリーム　**外用液**　**外用ゲル**　**貼〔パップ〕**　**貼〔テープ〕** ①本剤又は本剤の成分に対して過敏症の既往歴のある患者　②アスピリン喘息(非ステロイド性消炎鎮痛剤等による喘息発作の誘発)又はその既往歴のある患者［喘息発作を誘発するおそれがある］　③チアプロフェン酸，スプロフェン，フェノフィブラートならびにオキシベンゾン及びオクトクリレンを含有する製品(サンスクリーン，香水等)に対して過敏症の既往歴のある患者［これらの成分に対して過敏症の既往歴のある患者では，本剤に対しても過敏症を示すおそれがある］④光線過敏症の既往歴のある患者［光線過敏症を誘発するおそれがある］　⑤妊娠後期の女性

坐 ①消化性潰瘍のある患者［プロスタグランジン生合成抑制作用により，消化性潰瘍を悪化させることがある］　②重篤な血液の異常のある患者［血液の異常を悪化させるおそれがある］　③重篤な肝障害のある患者［肝障害を悪化させるおそれがある］　④重篤な腎障害のある患者［プロスタグランジン生合成抑制作用による腎血流量の低下等により，腎障害を悪化させるおそれがある］　⑤重篤な心機能不全のある患者［腎のプロスタグランジン生合成抑制作用により浮腫，循環体液量の増加が起こり，心臓の仕事量が増加するため症状を悪化させることがある］　⑥本剤の成分に対し過敏症の既往歴のある患者　⑦アスピリン喘息(非ステロイド性消炎鎮痛剤等による喘息発作の誘発)又はその既往歴のある患者［アスピリン喘息発作を誘発することがある］　⑧シプロフロキサシンを投与中の患者　⑨妊娠後期の女性　⑩直腸炎，直腸出血又は痔疾のある患者［直腸粘膜の刺激作用により，症状を悪化させるおそれがある］

薬物動態

注 健康成人男子16名に50mgを殿部筋肉内に投与時，ほぼ30分前後に最高血中濃度(6.7μg/mL)を示し，その後漸減し，6時間後には0.2μg/mL．また，AUCは10.5μg・hr/mL

クリーム　**外用液**　**外用ゲル** 健常成人の背部に3%ゲル10gを1回塗布時の血中濃度は，経口剤100mg投与時に比べ，はるかに低濃度．尿中排泄量は，72時間でほぼ排泄終了．膝関節水症患者に塗布では，滑膜中濃度は血清中，滑液中よりはるかに高く，また，両膝関節水症患者で片側に塗布し両側を比較，塗布側の滑液中濃度は非塗布側より2倍程高かった

貼〔パップ30mg・60mg〕 **吸収**　健康成人(7例)に1枚を12時間単回貼付開始12時間後までの本剤の平均経皮吸収量は4mgで，貼付量に対する平均吸収率は13.3%．健康成人(6例)に1枚を1日2回，28日間連続貼付時，本剤の平均経皮吸収量は1日目に4.24mg/12時間，14日目以降4.01～4.62mg/12hr，また貼付量に対する平均吸収率は13.5～15.8%/12hr　**血中濃度**　健康成人(7例)に1枚を12時間単回貼付時，未変化体の平均血清中濃度は貼付開始12時間後に43.11ng/mL，24時間後には4.27ng/mLで，48時間後には0.15ng/mLと，血清中からほとんど消失．健康成人(6例)に1枚を1日2回，28日間連続貼付時，未変化体の1日内最高平均血清中濃度は7日目に51.32ng/mL，7日目以降はほぼ同等　**分布**　変形性膝関節症の治療，又は種々の整形外科的疾患で手術を必要とした患者の患部に1枚を単回貼付時，貼付開始8時間後の未変化体の平均組織内濃度は，皮膚16273ng/g，皮下脂肪4298ng/g，筋肉581ng/g及び滑膜345ng/gで，血清中濃度2.78ng/mLに比べてはるかに高濃度　**排泄**　健康成人(7例)に1枚を12時間単回貼付時，本剤の平均累積尿中排泄量は貼付開始24時間後までに1.3mg，48時間後までに1.42mgで，総排泄量のほとんどが48時間後までに排泄．健康成人(6例)に1枚を1日2回，28日間連続貼付時，7日目の平均尿中排泄量は2.95mg/日で，7日目以降はほぼ一定

貼〔テープ〕　**貼〔パップXR〕** (テープ)(健常成人男子．1枚中20mg含有)：①背部に1枚又は8枚(各6名)，24時間単回貼付時の推定薬物速度論的パラメータはCmax(ng/mL)135.85±18.02，919.04±60.36，Tmax(hr)12.67±1.61，13.33±2.23，$AUC_{0-\infty}$(ng・hr/mL)2447.83±198.67，18209.98±962.52．血清中濃度は最高に達した後，徐々に低下し，テープ除去後は速やかに減少．8枚貼付し，剥離後の$T_{1/2}$は4.52±0.65hrで，除去48時間後には検出限界以下．また，除去後12時間までに尿中総排泄量の98.32%が排泄され，96時間までの総排泄量は46.95mgで29.3%．なお，吸収された本剤は血中ではほとんどが未変化体で存在し，主に尿中からグルクロン酸抱合体及び未変化体として排泄　②6名に1枚を1日23時間，28日間反復貼付時，Cmaxは3日目以降ほぼ一定となり，122.02～156.34ng/mL．尿中排泄量も同様の挙動を示し，1日あたり6.75～8.05mgが尿中排泄．テープ除去後，血清中濃度は速やかに減少し，24時間後には検出限界以下　③(参考)動物における薬物動態：モルモットに単回貼付時，正常皮膚では約8時間で最高血中濃度に達し，24時間までに約20%が吸収されたのに対し，角質層を剥離した損傷皮膚では30分で約30%が吸収され1時間で最高血中濃度に達し，24時間までに約90%が吸収された

その他の管理的事項

投与期間制限　該当しない

保険給付上の注意　該当しない

資料

IF　カピステン筋注50mg　2020年7月改訂(第5版)
ケトプロフェン坐剤50mg・75mg「日新」　2014年12月改訂(第3版)
モーラステープ20mg・L40mg　2019年9月改訂(第16版)
モーラスパップ30mg・60mg　2014年7月改訂(第2版)
モーラスパップXR120mg・240mg　2018年4月改訂(第5

版）

ケノデオキシコール酸
Chenodeoxycholic Acid

概要
薬効分類 236 利胆剤
構造式

分子式 $C_{24}H_{40}O_4$
分子量 392.57
略語・慣用名 CDCA
ステム 不明
原薬の規制区分 ㊟（ただし，1個中125mg以下を含有する内用剤を除く）
原薬の外観・性状 白色の結晶，結晶性の粉末又は粉末である．メタノール又はエタノール（99.5）に溶けやすく，アセトンにやや溶けやすく，水にほとんど溶けない
原薬の吸湿性 ほとんど吸湿性を有しない
原薬の融点・沸点・凝固点 融点：164～169℃
原薬の酸塩基解離定数 pKa＝4.7
先発医薬品等
カ チノカプセル125（藤本）
国際誕生年月 不明
海外での発売状況 該当資料なし
製剤
製剤の性状 カ 緑色不透明の硬カプセル剤
有効期間又は使用期限 3年
貯法・保存条件 気密容器，室温保存
薬剤取扱い上の留意点 該当しない
患者向け資料等 くすりのしおり
溶液及び溶解時のpH 該当しない
浸透圧比 該当しない
安定なpH域 該当しない
調製時の注意 該当しない
薬理作用
分類 コレステロール胆石溶解剤
作用部位・作用機序 作用部位：胆のう内においてコレステロール胆石に対して作用する 作用機序：肝でのコレステロール合成の律速酵素であるHMG-CoA-reductase及び胆汁酸合成の律速酵素cholesterol-7α-hydroxylaseを抑制するとともにnegative feedback controlによるコール酸合成，ひいてはデオキシコール酸生成が減少し，ケノデオキシコール酸の腸肝循環増加と相まって，胆汁中胆汁酸の大部分がケノデオキシコール酸に置換される．このことにより，胆汁酸プールは増大し，外因性のコレステロールの吸収も阻害されることから，ケノデオキシコール酸の対コレステロール比が増大し，コレステロール過飽和の胆汁組成を変え，コレステロール溶存能を高めることにより胆石を溶解するものと推定されている
同効薬 ウルソデオキシコール酸
治療
効能・効果 外殻石灰化を認めないコレステロール系胆石の溶解
用法・用量 1日300～400mg，2～3回に分服（適宜増減）．1日最高600mg
禁忌・原則禁忌となる特定患者集団 妊婦又は妊娠している可能性のある婦人
使用上の注意
禁忌 ①重篤な胆道・膵障害のある患者［利胆作用があるため，原疾患を悪化させるおそれがある］ ②重篤な肝障害のある患者［肝での代謝物により，肝障害を悪化させるおそれがある］ ③肝・胆道系に閉塞性病変のある患者［利胆作用があるため，胆汁うっ滞を惹起するおそれがある］ ④妊婦又は妊娠している可能性のある婦人
薬物動態
血中濃度 健常人にCDCAとして400mgを投与後，1時間で最高血中濃度に達し，4時間ではほぼ前値に戻り，腸管から速やかに吸収され，ほとんどが肝臓に取り込まれるものと考えられる．また，食事による吸収率の低下は認められなかった
その他の管理的事項
投与期間制限 該当しない
保険給付上の注意 該当しない
資料
IF チノカプセル125 2017年6月改訂（第5版）

ゲファルナート
Gefarnate

概要
薬効分類 232 消化性潰瘍用剤
構造式

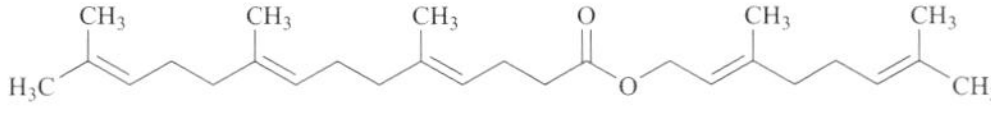

分子式 $C_{27}H_{44}O_2$
分子量 400.64
原薬の規制区分 該当しない
原薬の外観・性状 淡黄色～黄色の澄明な油状の液である．アセトニトリル，エタノール（99.5）又はシクロヘキサンと混和する．水にほとんど溶けない
原薬の吸湿性 吸湿性はない
原薬の酸塩基解離定数 該当資料なし
国際誕生年月 不明
海外での発売状況 該当しない
製剤
製剤の性状 カ 淡緑色（不透明）/白色（不透明）の硬カプセル剤 ソフトカ 帯黄橙色透明の球形の軟カプセル剤
有効期間又は使用期限 カ 4年 ソフトカ 5年
貯法・保存条件 気密容器，遮光保存
溶液及び溶解時のpH 該当しない
浸透圧比 該当しない
安定なpH域 該当しない
調製時の注意 該当資料なし
薬理作用
分類 組織修復性胃炎，胃・十二指腸潰瘍治療剤
作用部位・作用機序 Shay潰瘍を除く種々の実験的消化性潰瘍に対し治療あるいは予防効果を示す．この作用は胃粘膜血流量や酸素消費，嫌気的解糖を増加し，組織の再生・修復を促進するとともに消化性潰瘍患者に投与した場合，ヘキソサミンが有意に増加することから粘膜防御機構の強化も関与していると考えられている
同効薬 テプレノン，セトラキサート塩酸塩など

治療

効能・効果　①胃潰瘍，十二指腸潰瘍　②次の疾患の胃粘膜病変(びらん，出血，発赤，急性潰瘍)の改善：急性胃炎，慢性胃炎の急性増悪期

用法・用量　ゲファルナートとして1回50～100mg，1日2～3回

その他の管理的事項

投与期間制限　該当しない

保険給付上の注意　該当しない

資料

IF　ゲファルナートカプセル50mg・ソフトカプセル100mg「ツルハラ」 2012年11月改訂(第7版)

ゲフィチニブ
Gefitinib

概要

薬効分類　429　その他の腫瘍用薬

構造式

分子式　$C_{22}H_{24}ClFN_4O_3$

分子量　446.90

原薬の規制区分　㊕

原薬の外観・性状　白色の粉末である．エタノール(99.5)に溶けにくく，水にほとんど溶けない

原薬の吸湿性　吸湿性は認められなかった(25℃，90%RH，14日間)

原薬の融点・沸点・凝固点　融点：約195℃

原薬の酸塩基解離定数　pKa＝5.42及び7.24

先発医薬品等

錠 イレッサ錠250(アストラゼネカ)

後発医薬品

錠 250mg

国際誕生年月　2002年7月

海外での発売状況　欧米を含む90カ国以上

製剤

規制区分　錠　㊕ ㊡

製剤の性状　錠 褐色のフィルムコーティング錠

有効期間又は使用期限　3年

貯法・保存条件　室温保存

患者向け資料等　患者向医薬品ガイド，くすりのしおり

薬理作用

分類　抗悪性腫瘍剤(上皮成長因子受容体(EGFR)チロシンキナーゼ阻害剤)

作用部位・作用機序　EGFRチロシンキナーゼを選択的に阻害し，腫瘍細胞の増殖能を低下させる．また，DNA断片化及び組織形態学的観察に基づき，本剤がアポトーシスを誘導するとの報告がある．さらに，血管内皮増殖因子(VEGF)の産生抑制を介して腫瘍内の血管新生を阻害することも報告されている．さらに本剤は野生型EGFRよりも変異型EGFRに対してより低濃度で阻害作用を示し，アポトーシスを誘導することにより，悪性腫瘍の増殖抑制あるいは退縮を引き起こすことが報告されている

同効薬　エルロチニブ塩酸塩，アファチニブマレイン酸塩，オシメルチニブメシル酸塩，ダコミチニブ水和物

治療

効能・効果　*EGFR*遺伝子変異陽性の手術不能又は再発非小細胞肺癌

効能・効果に関連する使用上の注意　①*EGFR*遺伝子変異検査を実施する．*EGFR*遺伝子変異不明例の扱い等を含めて，投与する際は，日本肺癌学会の「肺癌診療ガイドライン」等の最新の情報を参考に行う　②術後補助療法における有効性及び安全性は未確立　③臨床成績の内容を熟知し，有効性及び安全性を十分に理解した上で適応患者の選択を行う

用法・用量　1日1回250mg

用法・用量に関連する使用上の注意　日本人高齢者において無酸症が多いことが報告されているので，食後投与が望ましい

使用上の注意

警告　①本剤による治療を開始するにあたり，患者に有効性・安全性，息切れ等の副作用の初期症状，非小細胞肺癌の治療法，致命的となる症例があること等について十分に説明し，同意を得た上で投与する　②投与により急性肺障害，間質性肺炎が現れることがあるので，胸部X線検査等を行う等，観察を十分に行い，異常が認められた場合には中止し，適切な処置を行う．また，急性肺障害や間質性肺炎が投与初期に発生し，致死的な転帰をたどる例が多いため，少なくとも投与開始後4週間は入院又はそれに準ずる管理の下で，間質性肺炎等の重篤な副作用発現に関する観察を十分に行う　③特発性肺線維症，間質性肺炎，じん肺症，放射線肺炎，薬剤性肺炎の合併は，投与中に発現した急性肺障害，間質性肺炎発症後の転帰において，死亡につながる重要な危険因子である．このため，治療を開始するにあたり，特発性肺線維症，間質性肺炎，じん肺症，放射線肺炎，薬剤性肺炎の合併の有無を確認し，これらの合併症を有する患者に使用する場合には特に注意する　④急性肺障害，間質性肺炎による致死的な転帰をたどる例は全身状態の良悪にかかわらず報告されているが，特に全身状態の悪い患者ほど，その発現率及び死亡率が上昇する傾向がある．投与に際しては患者の状態を慎重に観察する等，十分に注意する　⑤肺癌化学療法に十分な経験をもつ医師が使用するとともに，投与に際しては緊急時に十分に措置できる医療機関で行う

禁忌　本剤の成分に対し過敏症の既往歴のある患者

相互作用概要　*in vitro*試験において，CYP3A4で代謝されることが示唆されている．一方，*in vitro*試験においてCYP2D6を阻害することが示唆されている

薬物動態

血中濃度　①単回及び反復経口投与時の血中濃度：日本人固形癌患者(n=6)に225mgを単回経口投与時時，吸収は緩徐で，最高血漿中濃度到達時間は概ね4時間，患者間で変動(3～12時間)がみられた．終末相における消失半減期は約30時間．血漿中未変化体濃度推移及び単回及び反復投与時の薬物動態パラメータ(単回，反復投与時の順)はCmax(ng/mL) 188±120，384±194，Tmax(hr，中央値と範囲) 4.0(3.0～12.0)，5.0(3.0～7.0)，$AUC_{0-\infty}$(ng・hr/mL) 4968±2125，16660±10630，$T_{1/2}$(hr) 30.1±4.6，41.3±9.9　②反復経口投与におけるトラフ濃度：日本人固形癌患者(n=6)に225mgを1日1回14日間反復経口投与時，投与後7～10日目で定常状態．投与第3，7，10及び14日目の投与前の血漿中未変化体濃度(トラフ濃度)は3日目102±29.1，7日目165±73.2，10日目185±72.6，14日目201±93.9．反復投与により$AUC_{0\to\infty}$は約2～5倍増加．また，日本人及び欧米人非小細胞肺癌患者を対象とした国際共同臨床試験において日本人及び欧米人非小細胞肺癌患者に250mgを投与時の定常状態時のトラフ血漿中未変化体濃度は264±5.8(平均値±標準誤差)ng/mL　③日本人及び欧米人患者の薬物動態：第I相臨床試験において日本人及び欧米人固形癌患者に50～700mgの用量範囲で単回経口投与時，血漿中未変化体濃度推移及び薬物動態パラメータは類似．また，

日本人及び欧米人非小細胞肺癌患者を対象とした国際共同第II相臨床試験におけるポピュレーションファーマコキネティクス解析の結果，有意な人種差は認められなかった　**吸収**　①バイオアベイラビリティ：欧米人固形癌患者(n=17)における絶対バイオアベイラビリティは59%　②食事の影響：欧米人健康志願者(n=25)に食後投与時，AUC及びCmaxがそれぞれ37%及び32%増加したが，臨床上特に問題となる変化ではなかった　**分布**　欧米人固形癌患者(n=19)に持続静注時の定常状態における分布容積は1400L．ヒトにおける血漿蛋白結合率は約90%．また，血清アルブミン及びα_1-酸性糖蛋白へ結合する(*in vitro*)　**代謝**　ヒト血漿中には，ゲフィチニブのO-脱メチル体，O，N-脱アルキル体，酸化脱フッ素体及びその他5種の代謝物が認められた．血漿中の主代謝物はO-脱メチル体で，その濃度には大きな個体間変動がみられたが，未変化体と同程度の血漿中濃度を示した．O，N-脱アルキル体及び酸化脱フッ素体の血漿中濃度は未変化体の約3%以下．その他の代謝物はほとんど定量できなかった．未変化体からO-脱メチル体への代謝にはCYP2D6が関与し，遺伝学的にCYP2D6活性が欠損した健康被験者(Poor metabolizer，n=15)では血漿中にO-脱メチル体は検出されなかった．また，その他の代謝経路では主にCYP3A4が関与し，ヒト肝ミクロソームを用いた*in vitro*試験においてO-脱メチル体の生成量は僅か，CYP3A4阻害剤の共存下でO-脱メチル体を除く代謝物の生成量は明らかに減少した．以上のことから，肝臓が本薬の代謝クリアランスにおいて重要な役割を果たしているものと推察される　**排泄**　欧米人固形癌患者(n=19)に持続静注時の血漿クリアランスは約500mL/分．欧米人健康志願者(n=6)において未変化体及び代謝物の大部分は糞中に排泄され，尿中排泄は投与量の4%未満．胆管カニューレを施したラットの試験から^{14}C標識ゲフィチニブを経口投与時，吸収量の約80%に相当する放射能が胆汁中に排泄されることが示された　**特定の背景を有する患者**　肝機能障害患者：Child-Pugh分類による軽度，中等度及び重度の肝硬変による肝機能障害患者(非担癌患者)に250mgを単回経口投与時，中等度及び重度の肝機能障害患者では未変化体のAUCの平均は健康被験者の3.1倍を示した(外国人データ)　**薬物相互作用**　①リファンピシン：500mgを強力なCYP3A4の誘導剤であるリファンピシン600mg/日と併用投与時，本剤のAUCが17%に減少(外国人データ)　②イトラコナゾール：250mgを強力なCYP3A4の阻害剤であるイトラコナゾール200mg/日と併用投与時，本剤のAUCが78%増加(外国人データ)　③ラニチジン：ラニチジン450mgの2回投与及び炭酸水素ナトリウムの追加投与により胃内pHを5以上に約6〜7時間維持した条件下で，本剤250mgを単回経口投与時，本剤のAUCが47%減少(外国人データ)

その他の管理的事項

投与期間制限　該当しない

保険給付上の注意　該当しない

資料

IF　イレッサ錠250　2019年12月改訂(第20版)

ゲンタマイシン硫酸塩
ゲンタマイシン硫酸塩注射液
ゲンタマイシン硫酸塩点眼液
ゲンタマイシン硫酸塩軟膏
Gentamicin Sulfate

概要

薬効分類　131　眼科用剤，263　化膿性疾患用剤，613　主としてグラム陽性・陰性菌に作用するもの

構造式

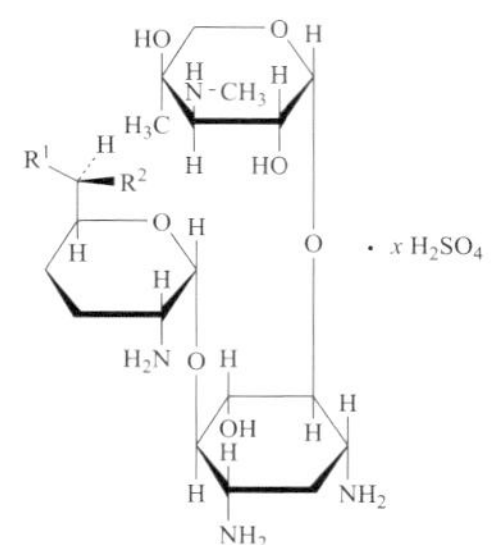

ゲンタマイシンC_1硫酸塩：R^1=CH_3　R^2=$NHCH_3$
ゲンタマイシンC_2硫酸塩：R^1=CH_3　R^2=NH_2
ゲンタマイシンC_{1a}硫酸塩：R^1=H　R^2=NH_2

分子式　ゲンタマイシンC_1硫酸塩：$C_{21}H_{43}N_5O_7 \cdot xH_2SO_4$
ゲンタマイシンC_2硫酸塩：$C_{20}H_{41}N_5O_7 \cdot xH_2SO_4$
ゲンタマイシンC_{1a}硫酸塩：$C_{19}H_{39}N_5O_7 \cdot xH_2SO_4$

分子量　477.60(ゲンタマイシンC_1として)

略語・慣用名　GM

ステム　*Micromonospora*が産生する抗生物質：-micin

原薬の規制区分　㊙(ただし，ゲンタマイシンとして0.1%以下を含有する外用剤を除く)

原薬の外観・性状　白色〜淡黄白色の粉末である．水に極めて溶けやすく，エタノール(99.5)にほとんど溶けない．0.20gを水5mLに溶かした液のpHは3.5〜5.5である

原薬の吸湿性　吸湿性である

原薬の酸塩基解離定数　該当資料なし

先発医薬品等

注　ゲンタシン注10・40・60(高田)
ゲンタマイシン硫酸塩注射液10mg・40mg・60mg「F」(富士製薬)
ゲンタマイシン硫酸塩注射液10mg・40mg・60mg「日医工」(日医工)

軟　ゲンタシン軟膏0.1%(高田)
ゲンタマイシン硫酸塩軟膏0.1%「F」(富士製薬)
ゲンタマイシン硫酸塩軟膏0.1%「イワキ」(岩城)
ゲンタマイシン硫酸塩軟膏0.1%「タイヨー」(武田テバファーマ=武田)

クリーム　ゲンタシンクリーム0.1%(高田)

後発医薬品

点眼液　0.3%

国際誕生年月　不明

海外での発売状況　該当資料なし

製剤

規制区分　**注**　**点眼液**　㊙ ㊕

製剤の性状　**注**　無色澄明の注射液　**点眼液**　微黄色澄明な無菌水性点眼剤　**軟**　白色〜微黄色の半透明のなめらかな半固体で，においはほとんどない　**クリーム**　白色のなめらかな半固体

有効期間又は使用期限　**注**　2年6カ月　**点眼液**　2年　**軟**　**クリーム**　3年

貯法・保存条件　室温保存
薬剤取扱い上の留意点　注 点滴静注の場合，急速に投与しないこと
患者向け資料等　注 患者向医薬品ガイド，くすりのしおり　点眼液 軟 クリーム くすりのしおり
溶液及び溶解時のpH　注 4.0～6.0　点眼液 5.5～7.5　クリーム 4.0～6.0
浸透圧比　注 約1(対生食)
調製時の注意　注 ヘパリンナトリウムと混合すると，本剤の活性低下を来すので，それぞれ別経路で投与すること

薬理作用

分類　アミノグリコシド系抗生物質
作用部位・作用機序　主な作用機序は細菌のリボゾームの30Sサブユニットに不可逆的に結合し，蛋白合成を阻害することにあると考えられている．効果は殺菌的である
同効薬　アミノグリコシド系抗生物質(ジベカシン硫酸塩，トブラマイシン，アミカシン硫酸塩，イセパマイシン硫酸塩等)

治療

効能・効果　注〈適応菌種〉ゲンタマイシンに感性のブドウ球菌属，大腸菌，クレブシエラ属，エンテロバクター属，セラチア属，プロテウス属，モルガネラ・モルガニー，プロビデンシア属，緑膿菌〈適応症〉敗血症，外傷・熱傷及び手術創等の二次感染，肺炎，膀胱炎，腎盂腎炎，腹膜炎，中耳炎
点眼液〈適応菌種〉ゲンタマイシンに感性のブドウ球菌属，レンサ球菌属，肺炎球菌，インフルエンザ菌，ヘモフィルス・エジプチウス(コッホ・ウィークス菌)，緑膿菌〈適応症〉眼瞼炎，涙嚢炎，麦粒腫，結膜炎，角膜炎
軟 クリーム〈適応菌種〉ゲンタマイシンに感性のブドウ球菌属，レンサ球菌属(肺炎球菌を除く)，大腸菌，クレブシエラ属，エンテロバクター属，プロテウス属，モルガネラ・モルガニー，プロビデンシア属，緑膿菌〈適応症〉表在性皮膚感染症，慢性膿皮症，びらん・潰瘍の二次感染
効能・効果に関連する使用上の注意　注 中耳炎への使用にあたっては，「抗微生物薬適正使用の手引き」を参照し，抗菌薬投与の必要性を判断した上で，本剤の投与が適切と判断される場合に投与する
用法・用量　注 1日3mg(力価)/kgを3回に分割して筋注又は点滴静注．増量する場合は，1日5mg(力価)/kgを限度とし，3～4回に分割投与．小児では，1回2.0～2.5mg(力価)/kgを1日2～3回筋注又は点滴静注(適宜減量)．点滴静注は30分～2時間かけて注入
点眼液 1回1～2滴，1日3～4回点眼
軟 クリーム 1日1～数回塗布するか，あるいはガーゼ等にのばしたものをはる
用法・用量に関連する使用上の注意　注 ①使用にあたっては，耐性菌の発現等を防ぐため，原則として感受性を確認し，疾病の治療上必要な最小限の期間の投与にとどめる　②腎障害のある患者には，投与量を減ずるか，投与間隔をあけて使用する　③成人に1日最大5mg(力価)/kgまで増量した場合，副作用の発現を防ぐため，臨床的改善が認められた場合は，速やかに減量する
点眼液 軟 クリーム 使用にあたっては，耐性菌の発現等を防ぐため，原則として感受性を確認し，疾病の治療上必要な最小限の期間の投与にとどめる

使用上の注意

禁忌　注 点眼液 本剤の成分，アミノグリコシド系抗生物質及びバシトラシンに対し過敏症の既往歴のある患者
軟 クリーム 本剤ならびに他のアミノグリコシド系抗生物質及びバシトラシンに対し過敏症の既往歴のある患者
過量投与　注 ①徴候，症状：腎障害，聴覚障害，前庭障害，神経筋遮断症状，呼吸麻痺が現れることがある　②処置：血液透析等による薬剤の除去を行う．神経筋遮断症状，呼吸麻痺に対してはコリンエステラーゼ阻害剤，カルシウム製剤の投与又は機械的呼吸補助を行う

薬物動態

注 血中濃度　①腎機能正常成人に60mgを筋注又は点滴静注30分，1時間及び2時間した時の血清中濃度及び薬物動態パラメータ．筋注(4例)，点滴静注30分(3例)，点滴静注1時間(5例)，点滴静注2時間(5例)の順に，Tmax(hr)(ただし，点滴静注ではいずれも終了時)0.54，0.5，1，2，Cmax(μg/mL)5.09，6.66，5.79，5.17，$t_{1/2}$(hr)2.49，3.27，3.14，4.33，AUC(μg・hr/mL)20.69，27.09，19.66，22.05．血中濃度は筋注6時間後に平均1.09μg/mL，点滴静注開始6～8時間後平均0.68～1.45μg/mLに低下　②健康成人又は腎機能障害患者に60mgを1時間点滴静注した時の血清中濃度及び薬物動態パラメータ．クレアチニン・クリアランスCcr(mL/min)健康成人(3例)，60<Ccr<80(3例)，30<Ccr<60(3例)，30>Ccr(1例)の順に，Cmax(μg/mL)5.1，4.7，4.5，5.8，$t_{1/2}$(hr)1.11，1.72，1.77，7.13，AUC(μg・hr/mL)10.75，13.45，12.96，53.54．腎機能低下に伴い$t_{1/2}$の延長，AUCの増大の傾向が認められた　③健康成人男性に，1.7mg(力価)/kg及び5mg(力価)/kgを30分点滴静注した時，血清中濃度は点滴終了時にピークを示し，その後二相性に低下．その消失パターンは用量間で類似(平行推移)していた[※承認された成人投与量は，1日3mg(力価)/kgを3分割(増量する場合は1日5mg(力価)/kgを限度とし3～4分割)]．また，薬物動態パラメータは，1.7mg(力価)/kg投与，5mg(力価)/kg投与の順に，Tmax[※1)](hr)0.5，0.5，Cmax[※2)](μg/mL)13.0(13%)，34.1(8%)，C8hr[※2)](μg/mL)0.577(21%)，1.80(23%)，$AUC_{0-\infty}$[※3)](μg・hr/mL)29.8(15%)，82.9(9%)，$t_{1/2}$(hr)α：0.252(41%)・β：2.11(4%)，α：0.301(34%)・β：2.23(7%)　幾何平均値及びCV%(8例)，ノンコンパートメントモデル解析．ただし，$t_{1/2}$はゲンタマイシンC1(LC-MS/MS)濃度に基づく2-コンパートメントモデル解析　※1)点滴終了時　※2)Cmax及びC8hrはゲンタマイシン濃度(EMIT)　※3)$AUC_{0-\infty}$はゲンタマイシン推定値(EMIT相当値，ゲンタマイシンC1(LC-MS/MS)に基づく解析結果に換算係数1.7819を乗じた値)　④乳児，幼児，小児に，2.0又は2.5mg(力価)/kgを30分又は1時間点滴静注した時の血清中濃度及び薬物動態パラメータ[Cmax(μg/mL)，$t_{1/2}$(hr)の順]は，(1)点滴時間30分，2.5mg(力価)/kg投与：乳児[7.63(4例)，1.84(2例)]，幼児[9.94(4例)，1.46(4例)]，小児[9.84(4例)，1.85(4例)]　(2)点滴時間60分，2.0mg(力価)/kg投与：乳児[5.28(3例)，1.98(3例)]，幼児[5.33(2例)，1.39(2例)]，小児[7.31(2例)，1.35(2例)]　(3)点滴時間60分，2.5mg(力価)/kg投与：幼児[7.56(3例)，1.68(2例)]，小児[8.58(2例)，1.31(1例)]　測定方法：イムノアッセイ法．いずれの年齢区分においても，Cmaxの平均値は5～10μg/mLに達し，投与終了6時間後には2μg/mL未満に低下した　**分布**　承認投与量は80～120mg/日を2～3回に分割：①体液・組織内移行：(1)脳脊髄液中濃度：頭部外傷患者に80mgを筋注した1時間後に最高1.15～1.5μg/mL　(2)胆汁中濃度：胆石の胆嚢摘出後患者に40mgを筋注した30分後に最高値7.2μg/mL又は投与した2時間後に最高値5～6.4μg/mL　(3)母乳中濃度：授乳婦に80mgを筋注時，ピーク時の血中濃度の約1/50の値(0.157μg/mL)　※承認された成人投与量は，1日3mg(力価)/kgを3分割(増量する場合は1日5mg(力価)/kgを限度とし3～4分割)　②血清蛋白結合：ヒト血清蛋白結合率は10μg/mLの濃度で3.4%(*in vitro*)　**代謝**　参考：ラット及びイヌの尿中に抗菌活性をもつ代謝産物は認められなかった　**排泄**　主排泄経路は尿中排泄．健康成人に1mg/kgを筋注及び点滴静注(1時間及び2時間)時，投与開始6時間後までに点滴静注(1時間)で83%，点滴静注(2時間)で85.7%，筋注で96.5%が尿中に排泄　**腎機能障害患者への投与法**　腎機能障害患者では，血中濃度の半減期が延長し，高い血中濃度が長時間持続して，第8脳神経障害又は腎障害が現れるおそれがあるので，腎機能障害度に応じて，次のような方法により投与量及び投与間隔を調節する．ただし，これらの方法を用いて調節しても高い血中濃度が長時間持続する

可能性があるため，投与期間中は血中濃度をモニタリングしながら慎重に投与する：①投与間隔を調節する方法：通常量を「血清クレアチニン値(mg/dL)×8」時間ごとに投与する　②1回投与量を調節する方法：初回は通常量を投与し，以降の維持量は通常量を血清クレアチニン値(mg/dL)で除した用量を8時間ごとに投与する　**血中濃度モニタリング**　アミノグリコシド系抗生物質による副作用発現の危険性は，最高血中濃度(筋注後15～60分又は点滴静注終了時)あるいは最低血中濃度(次回投与直前値)が異常に高い場合に大きくなるといわれている．本剤の場合は，最高血中濃度が12μg/mL以上，最低血中濃度が2μg/mL以上が繰り返されると，腎障害や第8脳神経障害発生の危険性が大きくなるといわれている．腎機能障害患者，低出生体重児，新生児，高齢者，長期間投与患者及び大量投与患者等では血中濃度が高くなりやすいので，特に最高血中濃度と最低血中濃度を測定し，投与量や投与間隔を調整することが望ましい．たとえば，異常に高い最高血中濃度が繰り返されている場合は投与量を減量し，異常に高い最低血中濃度が繰り返されている場合は投与間隔を延長する等，投与方法の調整を行う　**低出生体重児，新生児**　低出生体重児や新生児では腎の発達が未熟であるため，血中濃度の半減期が延長し，高い血中濃度が長時間持続するおそれがあるので，投与間隔を延長する等，慎重に投与する必要がある

点眼液　参考：点眼液を家兎眼に5分ごと5回点眼した30分後に前房内濃度(μg/mL)は0.6，2時間後にピーク値3.03，以後漸減，6時間後も0.59．各眼組織内濃度(μg/mL)は眼瞼で12.25，球結膜で38.52，外眼筋で47.12等，高濃度に移行

その他の管理的事項

投与期間制限　該当しない

保険給付上の注意　該当しない

資料

IF　ゲンタシン注10・40・60　2019年9月改訂(第9版)
ゲンタマイシン硫酸塩点眼液0.3%「ニットー」　2019年12月改訂(第6版)
ゲンタシン軟膏0.1%・クリーム0.1%　2019年9月改訂(第8版)

硬化油
Hydrogenated Oil

概要

原薬の規制区分　該当しない

原薬の外観・性状　白色の塊又は粉末で，特異なにおいがあり，味は緩和である．ジエチルエーテルに溶けやすく，エタノール(95)に極めて溶けにくく，水にほとんど溶けない．ただし，ヒマシ油に水素を添加して得たものはジエチルエーテルに溶けにくく，エタノール(95)に極めて溶けにくく，水にほとんど溶けない

製剤

貯法・保存条件　密閉容器

乾燥甲状腺
Dried Thyroid

概要

原薬の規制区分　劇(ただし，1個中乾燥甲状腺20mg以下を含有するものを除く)

原薬の外観・性状　淡黄色～灰褐色の粉末で，僅かに特異な肉臭がある

治療

効能・効果†　粘液水腫，クレチン病，甲状腺機能低下症(原発性及び下垂体性)，甲状腺腫，慢性甲状腺炎，甲状腺機能障害による習慣性流産及び不妊症

乾燥酵母
Dried Yeast

概要

薬効分類　233　健胃消化剤

原薬の規制区分　該当しない

原薬の外観・性状　淡黄白色～褐色の粉末で，特異なにおい及び味がある

先発医薬品等

末　乾燥酵母エビオス(アサヒグループ食品＝田辺三菱)
乾燥酵母「三恵」(三恵)
乾燥酵母「ファイザー」原末(マイラン＝ファイザー)

製剤

製剤の性状　末　ビールの醸造の際得られるビール酵母を精製，乾燥，粉砕，篩別した散剤．淡黄白色～褐色の粉末で，特異なにおい及び味がある

有効期間又は使用期限　5年

貯法・保存条件　気密容器．吸湿しやすいので開封後はふたを必ずしっかりしめる

患者向け資料等　くすりのしおり

治療

効能・効果　ビタミンB群，蛋白質の需要が増大し，食事からの摂取が不十分な際の補給

用法・用量　1日5～10g，3回に分服(適宜増減)

薬物動態

参考：①B_1の吸収利用はラット実験で含有B_1の93～100%，B_2も同程度　②蛋白効率はラットの発育試験で粉末全乳とほぼ同等

資料

添付文書　乾燥酵母エビオス　2017年7月改訂(第10版)

コカイン塩酸塩
Cocaine Hydrochloride

概要

薬効分類　812　コカアルカロイド系製剤

構造式

・HCl

分子式　$C_{17}H_{21}NO_4 \cdot HCl$

分子量　339.81

ステム　局所麻酔薬：-caine

原薬の規制区分　劇　麻

原薬の外観・性状　無色の結晶又は白色の結晶性の粉末である．

水に極めて溶けやすく，エタノール(95)又は酢酸(100)に溶けやすく，無水酢酸に溶けにくく，ジエチルエーテルにほとんど溶けない

原薬の吸湿性　吸湿性である

原薬の融点・沸点・凝固点　融点：約197℃(分解)

原薬の酸塩基解離定数　pKa＝8.61，5.59(15℃，コカインとして)

先発医薬品等

外用末 コカイン塩酸塩「タケダ」原末(武田)

国際誕生年月　不明

海外での発売状況　不明

製剤

規制区分　**外用末**　㊀ ㊁ ㊂

製剤の性状　**外用末** 無色の結晶又は白色の結晶性の粉末

貯法・保存条件　室温保存，開封後も遮光保存すること

薬剤取扱い上の留意点　精神依存を生じ，中枢興奮(陶酔感等)，幻覚(全身蟻走感等)，妄想等が現れるので観察を十分に行い，慎重に投与すること

薬理作用

分類　コカアルカロイド系局所麻酔剤

作用部位・作用機序　神経線維の膜電位依存性Na^+チャネル活性を抑制して活動電位の伝導を抑制し，局所麻酔作用を示す．この作用は*d*体にも*l*体(天然には*l*体が存在する)にもある．更に，*l*体のみがアドレナリン作動性神経終末でノルアドレナリンのuptake-1を阻害する．このため，アドレナリン作動性作用をもつとともに，直接型交感神経作用薬の作用を増強する．局所適用するとアドレナリン作用性作用により血管を収縮して吸収を遅くし，作用持続が長くなる性質を持つ

同効薬　プロカイン，メピバカインなどの局所麻酔薬

治療

効能・効果　表面麻酔

用法・用量　粘膜5～10%溶液，点眼0.5～4%溶液，外用1～5%軟膏として使用する(適宜増減)．必要に応じ，アドレナリンを添加して使用する

使用上の注意

禁忌　①表面麻酔用剤(口腔，咽頭，咽喉，気道，尿道等粘膜用剤)として用いる場合：(1)本剤に対し過敏症の既往歴のある患者　(2)次の患者に投与する場合には，血管収縮剤(アドレナリン，ノルアドレナリン)を添加しない：(ア)血管収縮剤に対し過敏症の既往歴のある患者　(イ)高血圧，動脈硬化，心不全，甲状腺機能亢進，糖尿病，血管痙攣等のある患者［症状を悪化するおそれがある］　②眼科用剤として用いる場合には次の点にも注意する：緑内障患者［抗コリン作用により症状が悪化するおそれがある］

その他の管理的事項

投与期間制限　14日

保険給付上の注意　該当しない

資料

IF　コカイン塩酸塩「タケダ」原末　2015年7月改訂(第3版)

コデインリン酸塩水和物
コデインリン酸塩錠
コデインリン酸塩散1%
コデインリン酸塩散10%
Codeine Phosphate Hydrate

概要

薬効分類　224　鎮咳去たん剤，811　あへんアルカロイド系麻薬

構造式

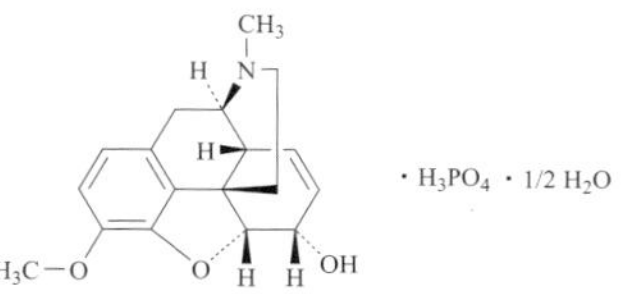

分子式　$C_{18}H_{21}NO_3 \cdot H_3PO_4 \cdot \frac{1}{2}H_2O$

分子量　406.37

略語・慣用名　別名：リン酸コデイン，コデインリン酸塩

原薬の規制区分　㊀(ただし，1個中コデインリン酸塩15mg以下を含有するもの並びに1日量中コデインリン酸塩50mg以下を含有するシロップ剤又はエリキシル剤を除く)，㊁

原薬の外観・性状　白色～帯黄白色の結晶又は結晶性の粉末である．水又は酢酸(100)に溶けやすく，メタノール又はエタノール(95)に溶けにくく，ジエチルエーテルにほとんど溶けない．1.0gを水10mLに溶かした液のpHは3.0～5.0である．光によって変化する

原薬の吸湿性　該当資料なし

原薬の融点・沸点・凝固点　融点：155～159℃(コデインとして)

原薬の酸塩基解離定数　pKa＝7.95，pKa＝8.2(20℃，コデインとして)，pKa＝6.05(15℃，コデインとして)

先発医薬品等

末 コデインリン酸塩水和物「第一三共」原末(第一三共プロファーマ＝第一三共)
コデインリン酸塩水和物「タケダ」原末(武田)

散 コデインリン酸塩散1%「シオエ」(シオエ＝日本新薬)
コデインリン酸塩散1%「第一三共」(第一三共)
コデインリン酸塩散1%「タケダ」(武田テバ薬品＝武田)
コデインリン酸塩散1%〈ハチ〉(東洋製化＝小野＝健栄＝丸石＝ニプロ)
コデインリン酸塩散1%「フソー」(扶桑)
コデインリン酸塩散1%「メタル」(中北＝山善＝吉田製薬＝日興製薬販売)
コデインリン酸塩散10%「第一三共」(第一三共プロファーマ＝第一三共)
コデインリン酸塩散10%「タケダ」(武田)
リン酸コデイン散1%「イワキ」(岩城)
リン酸コデイン散1%「日医工」(日医工)
リン酸コデイン散1%「ホエイ」(マイラン＝ファイザー)

錠 コデインリン酸塩錠5mg「シオエ」(シオエ＝日本新薬)
コデインリン酸塩錠20mg「第一三共」(第一三共プロファーマ＝第一三共)
コデインリン酸塩錠20mg「タケダ」(武田)
リン酸コデイン錠5mg「ファイザー」(ファイザー)

国際誕生年月　不明

海外での発売状況　米，英など(コデイン製剤)

製剤

規制区分　**末**　**10%散**　**20mg錠**　㊀ ㊁ ㊂　**1%散**　㊀

製剤の性状　**末** 白色～帯黄白色の結晶又は結晶性の粉末　**散** 白色～帯黄白色の結晶又は粉末　**5mg錠** 白色の素錠　**20mg錠** 白色～微黄白色の素錠

有効期間又は使用期限 **末** **10%散** 5年 **1%散** 5年6カ月 **5・20mg錠** 3年
貯法・保存条件 **末** **10%散** 室温保存．開封後も遮光保存 **5mg錠** 気密容器，室温保存 **1%散** **20mg錠** 室温保存
薬剤取扱い上の留意点 連用により薬物依存を生じることがあるので，観察を十分に行い，慎重に投与する．眠気，眩暈が起こることがあるので，本剤投与中の患者には自動車の運転等危険を伴う機械の操作に従事させないよう注意する
患者向け資料等 **末** **10%散** 患者向医薬品ガイド **1%散** **5mg錠** 患者向医薬品ガイド，くすりのしおり **20mg錠** くすりのしおり
溶液及び溶解時のpH 該当しない
浸透圧比 該当しない
安定なpH域 該当しない
調製時の注意 該当しない

薬理作用

分類 モルヒナン系化合物鎮咳剤
作用部位・作用機序 モルヒネと極めて類似の化学構造を有し，オピエート受容体に結合するが，その薬理作用はモルヒネよりも弱い
同効薬 ジヒドロコデインリン酸塩など

治療

効能・効果 各種呼吸器疾患における鎮咳・鎮静，疼痛時における鎮痛，激しい下痢症状の改善
用法・用量 コデインリン酸塩水和物として1回20mg，1日60mg(適宜増減)

使用上の注意

禁忌 ①重篤な呼吸抑制のある患者［呼吸抑制を増強する］ ②12歳未満の小児 ③扁桃摘除術後又はアデノイド切除術後の鎮痛目的で使用する18歳未満の患者［重篤な呼吸抑制のリスクが増加するおそれがある］ ④気管支喘息発作中の患者［気道分泌を妨げる］ ⑤重篤な肝機能障害のある患者 ⑥慢性肺疾患に続発する心不全の患者［呼吸抑制や循環不全を増強する］ ⑦痙攣状態(てんかん重積症，破傷風，ストリキニーネ中毒)にある患者［脊髄の刺激効果が現れる］ ⑧急性アルコール中毒の患者［呼吸抑制を増強する］ ⑨アヘンアルカロイドに対し過敏症の患者 ⑩出血性大腸炎の患者［腸管出血性大腸菌(O157等)や赤痢菌等の重篤な細菌性下痢のある患者では，症状の悪化，治療期間の延長をきたすおそれがある］
相互作用概要 主としてUGT2B7，UGT2B4及び一部CYP3A4，CYP2D6で代謝される
過量投与 ①徴候，症状：呼吸抑制，意識不明，痙攣，錯乱，血圧低下，重篤な脱力感，重篤なめまい，嗜眠，心拍数の減少，神経過敏，不安，縮瞳，皮膚冷感等を起こすことがある ②処置：過量投与時には次の治療を行うことが望ましい：(1)中止し，気道確保，補助呼吸及び呼吸調節により適切な呼吸管理を行う (2)麻薬拮抗剤投与を行い，患者に退薬症候又は麻薬拮抗剤の副作用が発現しないよう慎重に投与する．なお，麻薬拮抗剤の作用持続時間はコデインのそれより短いので，患者のモニタリングを行うか又は患者の反応に応じて，初回投与後は注入速度を調節しながら持続静注する (3)必要に応じて補液，昇圧剤等の投与又は他の補助療法を行う

その他の管理的事項

投与期間制限 **末** **10%散** **20mg錠** 30日
保険給付上の注意 該当しない

資料

IF コデインリン酸塩水和物「タケダ」原末・コデインリン酸塩散10%・錠20mg「タケダ」 2019年7月改訂(第10版)
コデインリン酸塩散1%「タケダ」 2020年4月改訂(第10版)
リン酸コデイン錠5mg「ファイザー」 2019年10月改訂(第9版)

ゴナドレリン酢酸塩
Gonadorelin Acetate

概要

薬効分類 249 その他のホルモン剤(抗ホルモン剤を含む．)，722 機能検査用試薬
構造式

(5-oxo-Pro)-His-Trp-Ser-Tyr-Gly-Leu-Arg-Pro-Gly-NH$_2$ ・ $[H_3C-CO_2H]_2$

分子式 $C_{55}H_{75}N_{17}O_{13} \cdot 2C_2H_4O_2$
分子量 1302.39
略語・慣用名 慣用名：LH-RH(luteinizing hormone-releasing hormone)，GnRH(gonadotropin releasing hormone)
ステム 下垂体ホルモン放出刺激ペプチド：-relin
原薬の規制区分 該当しない
原薬の外観・性状 白色～微黄色の粉末で，においはないか，又は僅かに酢酸臭がある．水，メタノール又は酢酸(100)に溶けやすく，エタノール(95)にやや溶けにくい．0.10gを水10mLに溶かした液のpHは4.8～5.8である
原薬の吸湿性 吸湿性である．25℃，79%RH，24時間放置で潮解する
原薬の融点・沸点・凝固点 鮮明な融点を示さない
原薬の酸塩基解離定数 pK_1(im)＝6.28，pK_2(OH)＝9.85
先発医薬品等
注 LH-RH注0.1mg「タナベ」(ニプロES)
ヒポクライン注射液1.2・2.4(ニプロES)
国際誕生年月 不明
海外での発売状況 仏，独など

製剤

規制区分 **注** ㊕
製剤の性状 **注** 無色澄明の液
有効期間又は使用期限 3年
貯法・保存条件 室温保存
溶液及び溶解時のpH **治療用注** 4.5～5.3 **検査用注** 4.0～5.0
浸透圧比 約1(対生食)
調製時の注意 該当しない

薬理作用

分類 LH-RH製剤
作用部位・作用機序 下垂体前葉を刺激してゴナドトロピン(LH，FSH)の分泌を促進する．この結果，性ホルモンの産生・分泌を促し性腺機能の低下を改善する
同効薬 なし

治療

効能・効果 **治療用** 次の疾患における視床下部性性腺機能低下症：①成長ホルモン分泌不全性低身長症(ゴナドトロピン分泌不全を伴う) ②視床下部器質性障害 ③ゴナドトロピン単独欠損症
検査用 下垂体LH分泌機能検査．正常反応は個々の施設で設定されるべきであるが，通常，正常人では投与後30分で血中LH値がピークに達しラジオイムノアッセイによる血中のそれは30mIU/mL以上になる．しかし投与後30分の血中LH値のみで十分な判定ができないと考えられる場合は，投与後経時的に測定し，判定することが望ましい．判定にあたっては，次の点を考慮することが望ましい：①皮下，筋注時の血中LH反応は静注時のそれより低いと考えられる ②排卵期の女性は投与前血中レベル及び投与後の血中LH反応が高く，小児では低い
用法・用量 **治療用** 1回10～20μgを2時間間隔で1日12回皮下投与．なお，12週間投与し，血中ゴナドトロピンあるいは性ホルモンの上昇がみられない場合は中止する

検査用 1回0.1mgを静注，皮下注又は筋注．静注では，生理食塩液，ブドウ糖注射液あるいは注射用水5～10mLに混ぜて徐々に注射する

使用上の注意

禁忌 **治療用** ①エストロゲン依存性悪性腫瘍(たとえば，乳癌，子宮内膜癌)及びその疑いのある患者［腫瘍の悪化あるいは顕性化を促すことがある］ ②アンドロゲン依存性悪性腫瘍(たとえば，前立腺癌)及びその疑いのある患者［腫瘍の悪化あるいは顕性化を促すことがある］

薬物動態

治療用(外国人) 健康成人男子(5例)に20μg皮下注15分後に最高血中濃度260pg/mL，半減期27.4分 **検査用** 健康成人4例(男女各2)及び間脳下垂体疾患患者6例(男女各3)に100μg静注時の血中第1半減期5.3分，第2半減期27.4分，健康群と患者群に有意差はない．静注後24時間までの尿中排泄1.6%(10例平均)

その他の管理的事項

投与期間制限 該当しない

保険給付上の注意 該当しない

資料

IF ヒポクライン注射液1.2・2.4 2017年10月改訂(第6版)
LH-RH注0.1mg「タナベ」 2019年4月改訂(第8版)

コポビドン
Copovidone

概要

構造式

H-[CH2-CH(N-pyrrolidone)]n-[CH2-CH(O-CO-CH3)]m-H

分子式 $(C_6H_9NO)_n(C_4H_6O_2)_m$

原薬の外観・性状 白色～帯黄白色の粉末で，においはないか，又は僅かに特異なにおいがある．メタノール又はエタノール(95)に極めて溶けやすく，水に溶けやすい．1.0gを水10mLに溶かした液のpHは3.0～7.0である

原薬の吸湿性 吸湿性である

コリスチンメタンスルホン酸ナトリウム
Colistin Sodium Methanesulfonate

概要

薬効分類 612 主としてグラム陰性菌に作用するもの

構造式

R^1-(CH(CH3))-…-C(=O)-Dbu-Thr-Dbu-Dbu-Dbu-D-Leu-Leu-Dbu-Dbu-Thr（環状, N^4）; 各DbuのN^4にR^2

コリスチンAメタンスルホン酸ナトリウム：
R^1=CH_3　R^2= —SO_3Na　Dbu= H_2N～CO_2H (H, NH_2)

コリスチンBメタンスルホン酸ナトリウム：
R^1=H　R^2= —SO_3Na　Dbu= H_2N～CO_2H (H, NH_2)

分子式 $C_{57\sim58}H_{103\sim105}N_{16}O_{28}S_5Na_5$

分子量 1749.82(コリスチンAメタンスルホン酸ナトリウム)，1735.79(コリスチンBメタンスルホン酸ナトリウム)

略語・慣用名 CL(コリスチン)，CMS，CMS-Na

ステム 不明

原薬の規制区分 該当しない

原薬の外観・性状 白色～淡黄白色の粉末である．水に溶けやすく，エタノール(95)にほとんど溶けない．0.1gを水10mLに溶かし，30分間放置したときのpHは6.5～8.5である

原薬の吸湿性 該当資料なし

原薬の融点・沸点・凝固点 融点：290～295℃(分解)

原薬の酸塩基解離定数 該当資料なし

先発医薬品等

散 コリマイシン散200万単位/g(サンファーマ)
顆 メタコリマイシン顆粒200万単位/g(サンファーマ)
カ メタコリマイシンカプセル300万単位(サンファーマ)
注射用 オルドレブ点滴静注用150mg(GSK)

国際誕生年月 不明

海外での発売状況 **注射用** 米，英，仏，独など

製剤

規制区分 **散** **顆** **カ** ㊙

製剤の性状 **散** 白色の散剤 **顆** 白色の顆粒剤，オレンジ風味で甘みを有する **カ** 赤色/白色不透明の硬カプセル **注射用** 白色～淡黄色の塊(凍結乾燥ケーキ)

有効期間又は使用期限 **散** **カ** 5年 **顆** 3年 **注射用** 4年

貯法・保存条件 室温保存

薬剤取扱い上の留意点 **注射用** 調製後の溶解液は速やかに使用すること．なお，やむを得ず保存を必要とする場合でも，冷蔵庫(2～8℃)に保存し24時間以内に使用すること．希釈した点滴静注用液は速やかに使用し，残液は廃棄すること

患者向け資料等 くすりのしおり

溶液及び溶解時のpH **注射用** 6.5～8.5(1w/v%水溶液)

調製時の注意 **注射用** 1バイアルに注射用水又は生食2mLを加え，泡立たないように穏やかに溶解し溶解液とする(溶解液の濃度は75mg(力価)/mLである)．この溶解液を生食等で希釈し，通常50mLの点滴静注用液とする．他の薬剤と配合しないこと

薬理作用

分類 塩基性ポリペプチド系抗生物質

作用部位・作用機序 コリスチンの抗菌活性の標的は細菌外膜であり，コリスチン(カチオン性ポリペプチド)が細菌外膜に結合すると，グラム陰性菌の外膜に存在するアニオン性のリポポリサッカライド(LPS)分子とコリスチンとの間の静電的相互作用により細菌外膜の安定性が低下する．さらに，コリスチン自体が，負の電荷を持つLPSにおいて通常分子を安定

化させているカルシウムイオン(Ca^{2+})及びマグネシウムイオン(Mg^{2+})に置き換わることで，細菌外膜に局所的な障害を起こす．このようなコリスチンの作用により細菌細胞表層の透過性が上昇し，細胞内物質が流出することで殺菌活性を発揮する

同効薬 ポリミキシンB硫酸塩，チゲサイクリン

治療

効能・効果 **散** **顆** **カ**〈適応菌種〉コリスチンに感性の大腸菌，赤痢菌 〈適応症〉感染性腸炎

注射用〈適応菌種〉コリスチンに感性の大腸菌，シトロバクター属，クレブシエラ属，エンテロバクター属，緑膿菌，アシネトバクター属．ただし，他の抗菌薬に耐性を示した菌株に限る 〈適応症〉各種感染症

効能・効果に関連する使用上の注意 **注射用** ①β-ラクタム系，フルオロキノロン系及びアミノ配糖体系の3系統の抗菌薬に耐性を示す感染症の場合にのみ使用する ②原則としてコリスチン及び前記3系統の抗菌薬に対する感受性を確認した上で使用する ③グラム陽性菌，ブルセラ属，バークホルデリア属，ナイセリア属，プロテウス属，セラチア属，プロビデンシア属及び嫌気性菌に対しては抗菌活性を示さないため，これらの菌種との重複感染が明らかである場合，これらの菌種に抗菌作用を有する抗菌薬と併用する

用法・用量 **散** **顆** **カ** 1回300万～600万単位1日3～4回，小児1日30万～40万単位/kgを3～4回に分服(適宜増減)．ただし，小児用量は成人量を上限とする

注射用 コリスチンとして1回1.25～2.5mg(力価)/kgを1日2回，30分以上かけて点滴静注

用法・用量に関連する使用上の注意 **散** **顆** **カ** 使用にあたっては，耐性菌の発現等を防ぐため，原則として感受性を確認し，疾病の治療上必要な最小限の期間の投与にとどめる

注射用 ①使用は，感染症の治療に十分な知識と経験を持つ医師又はその指導の下で行う ②使用にあたっては，耐性菌の発現等を防ぐため，感染部位，重症度，患者の症状等を考慮し，適切な時期に継続投与が必要か否か判定し，疾病の治療上必要な最小限の期間の投与にとどめる ③高齢者あるいは腎機能障害患者に投与する場合は，腎機能に十分注意し，患者の状態を観察しながら，次を目安として用法・用量の調節を考慮する．クレアチニンクリアランスごとに，(1)>80mL/min：1回1.25～2.5mg(力価)/kgを1日2回投与，(2)50～79mL/min：1回1.25～1.9mg(力価)/kgを1日2回投与，(3)30～49mL/min：1回1.25mg(力価)/kgを1日2回又は1回2.5mg(力価)/kgを1日1回投与，(4)10～29mL/min：1回1.5mg(力価)/kgを36時間ごとに投与

使用上の注意

> **警告** **注射用** 耐性菌の発現を防ぐため，「効能関連注意」「用法関連注意」を熟読の上，適正使用に努める

禁忌 ポリミキシンB又はコリスチンに対する過敏症の既往歴のある患者

過量投与 **注射用** ①徴候・症状：過量投与により神経筋接合部が遮断され，筋力低下，無呼吸，場合によっては呼吸停止が引き起こされる可能性がある．また，尿量減少，血清BUN及びクレアチニン濃度の上昇を特徴とする急性腎不全が引き起こされる可能性もある ②処置：過量投与が疑われた場合は中止する等，適切な対症療法を行う．本剤を除去する処置(マンニトールによる浸透圧利尿の誘発，腹膜透析，長時間血液透析等)の有用性は不明である

薬物動態

注射用 **血中濃度** ①日本人：健康成人に2.5mg(力価)/kgを0.5時間かけて単回静注及び12時間間隔で5回反復静注時の薬物動態パラメータ[Cmax(μg/mL)，$AUC_{0-\infty}$(μg・hr/mL)，$t_{1/2}$(hr)の順]は，血漿中コリスチンメタンスルホン酸では単回投与(14例)[18.0±3.7，20.8±5.9，0.7±0.3]，反復投与(13例)[17.2±2.5，16.1±4.6，0.5±0.2]，コリスチンでは単回投与(14例)[2.6±1.3，17.6±6.8，4.0±0.7]，反復投与(13例)[4.4±1.6，29.0±8.3，5.0±1.0]．また，血漿中コリスチン濃度は5回の反復静注で定常状態に到達した ②外国人：多剤耐性グラム陰性桿菌による敗血症の外国人の成人患者14例に4mg(力価)/kgを静注時の定常状態における血漿中コリスチンのCmax(平均値±標準偏差)は約2.9±1.2μg/mL，AUCは12.8±5.1μg・hr/mL，$t_{1/2}$は7.4±1.7時間 **代謝及び排泄** 静注後のコリスチンメタンスルホン酸の一部は生体内でコリスチンに変換され，抗菌活性を発揮．コリスチンメタンスルホン酸の約30%はコリスチンに変換される．また，コリスチンメタンスルホン酸の大部分は腎排泄されるが，コリスチンは再吸収後に腎以外の経路で排泄される．日本人健康成人に2.5mg(力価)/kgを0.5時間かけて単回静注時，投与24時間後までの尿中にコリスチンメタンスルホン酸が30.4%，コリスチンが7.9%回収 **分布** 多剤耐性アシネトバクター・バウマニによる髄膜炎の外国人小児患者1例に，5mg/kg/日を1日4回静注後の血清中コリスチンのCmaxは5μg/mL，AUCは約23μg・hr/mL，$t_{1/2}$は約2.8時間．投与1時間後の髄液中コリスチン濃度は1.25μg/mLで，髄液移行率(血清中濃度との比)は25%．また，外国人成人の人工呼吸器関連肺炎患者13例に174mgを8時間ごとに1日3回静注時の投与4.5日後の血漿中コリスチンのCmax(平均値±標準偏差)は約2.2±1.1μg/mL，AUC_{0-8}は約11.5±6.2μg・hr/mL，$t_{1/2}$は5.9±2.6時間．投与2時間後の気管支肺胞洗浄液からコリスチンは検出されなかった **母集団薬物動態** 多剤耐性グラム陰性桿菌による外国人重症感染症患者105例(透析患者12例，継続的な腎代替療法を受けている患者4例を含む)に約200～1093mg/日を8～24時間ごと静注時の定常状態における血漿中コリスチンメタンスルホン酸，コリスチン濃度はいずれも個人間変動が大きかった．定常状態における血漿中コリスチンのAUC_{0-24}は11.5～225μg・hr/mL，血漿中コリスチン濃度は2.36μg/mL(中央値)．腎代替療法を受けていない患者でのクレアチニンクリアランス(CLcr)は3～169mL/min/1.73m^{2}と変動が大きかったものの，血漿中のコリスチンメタンスルホン酸，コリスチンの$t_{1/2}$はCLcr低下に伴い延長 **腎機能障害患者における薬物動態** 多剤耐性グラム陰性桿菌による外国人重症感染症患者105例でCLcrが10mL/min/1.73m^{2}未満の患者20例に約200～1093mg/日を8～24時間ごと静注時のコリスチンメタンスルホン酸の$t_{1/2}$(中央値)は11時間，コリスチンの$t_{1/2}$(中央値)は13時間．CLcrが11～69mL/min/1.73m^{2}の患者62例でのコリスチンメタンスルホン酸の$t_{1/2}$(中央値)は5.6時間，コリスチンの$t_{1/2}$(中央値)は13時間．CLcrが70mL/min/1.73m^{2}超の患者19例でのコリスチンメタンスルホン酸の$t_{1/2}$(中央値)は4.6時間，コリスチンの$t_{1/2}$(中央値)は9.1時間 **その他** 重症患者でのコリスチン血漿蛋白結合率は66%

その他の管理的事項

投与期間制限 該当しない

保険給付上の注意 該当しない

資料

IF コリマイシン散200万単位/g 2020年1月改訂(第7版)
メタコリマイシン顆粒200万単位/g・カプセル300万単位 2020年1月改訂(第6版)
オルドレブ点滴静注用150mg 2019年3月改訂(第5版)

コリスチン硫酸塩
Colistin Sulfate

概要

構造式

R-CH(CH3)-(CH2)4-C(=O)-Dbu-Thr-Dbu-Dbu-Dbu-D-Leu-Leu-Dbu-Dbu-Thr (N^4) ・2 1/2H_2SO_4

コリスチンA硫酸塩： R=CH_3　Dbu=H_2N-CH2CH2-CH(NH_2)-CO_2H

コリスチンB硫酸塩： R=H　Dbu=H_2N-CH2CH2-CH(NH_2)-CO_2H

分子式　コリスチンA硫酸塩：$C_{53}H_{100}N_{16}O_{13}$・2½$H_2SO_4$
　コリスチンB硫酸塩：$C_{52}H_{98}N_{16}O_{13}$・2½H_2SO_4

分子量　1414.66（コリスチンA硫酸塩），1400.63（コリスチンB硫酸塩）

原薬の規制区分　㊙劇

原薬の外観・性状　白色～淡黄白色の粉末である．水に溶けやすく，エタノール（99.5）にほとんど溶けない．0.10gを水10mLに溶かした液のpHは4.0～6.0である

原薬の吸湿性　吸湿性である

コルチゾン酢酸エステル
Cortisone Acetate

概要

薬効分類　245　副腎ホルモン剤

構造式

分子式　$C_{23}H_{30}O_6$

分子量　402.48

ステム　プレドニゾロン誘導体以外の副腎皮質ステロイド類：cort

原薬の規制区分　該当しない

原薬の外観・性状　白色の結晶又は結晶性の粉末である．メタノールにやや溶けにくく，エタノール（99.5）に溶けにくく，水にほとんど溶けない．結晶多形が認められる

原薬の吸湿性　該当資料なし

原薬の融点・沸点・凝固点　融点：約240℃（分解）

原薬の酸塩基解離定数　該当資料なし

先発医薬品等

　錠　コートン錠25mg（日医工）

国際誕生年月　不明

海外での発売状況　米

製剤

規制区分　**錠**　㊙処

製剤の性状　**錠**　白色の素錠

有効期間又は使用期限　3年

貯法・保存条件　室温保存

患者向け資料等　患者向医薬品ガイド，くすりのしおり

溶液及び溶解時のpH　該当資料なし

浸透圧比　該当資料なし

安定なpH域　該当資料なし

調製時の注意　該当しない

薬理作用

分類　副腎皮質ホルモン

作用部位・作用機序　天然の糖質コルチコイドであり，筋肉などの末梢組織では，タンパク質の異化，脂肪酸分解促進，グルコース利用の抑制など，肝臓では糖新生，グリコーゲン，タンパク質合成促進など，多彩な作用を示すと考えられている．治療に利用されるのは抗炎症作用である

同効薬　フルドロコルチゾン酢酸エステル，ヒドロコルチゾンなど

治療

効能・効果　①内分泌疾患：慢性副腎皮質機能不全（原発性，続発性，下垂体性，医原性），急性副腎皮質機能不全（副腎クリーゼ），副腎性器症候群，亜急性甲状腺炎，甲状腺疾患に伴う悪性眼球突出症，ACTH単独欠損症，特発性低血糖症　②リウマチ性疾患：関節リウマチ，若年性関節リウマチ（スチル病を含む），リウマチ熱（リウマチ性心炎を含む）　③膠原病：エリテマトーデス（全身性及び慢性円板状）　④腎疾患：ネフローゼ及びネフローゼ症候群　⑤アレルギー性疾患：気管支喘息，薬剤その他の化学物質によるアレルギー・中毒（薬疹，中毒疹を含む），血清病　⑥血液疾患：紫斑病（血小板減少性及び血小板非減少性），再生不良性貧血，白血病（急性白血病，慢性骨髄性白血病の急性転化，慢性リンパ性白血病，皮膚白血病を含む），溶血性貧血（免疫性又は免疫性機序の疑われるもの），顆粒球減少症（本態性，続発性）　⑦消化器疾患：潰瘍性大腸炎，限局性腸炎，重症消耗性疾患の全身状態の改善（癌末期，スプルーを含む）　⑧肝疾患：慢性肝炎（活動型，急性再燃型，胆汁うっ滞型．ただし，一般的治療に反応せず肝機能の著しい異常が持続する難治性のものに限る），肝硬変（活動型，難治性腹水を伴うもの，胆汁うっ滞を伴うもの）　⑨肺疾患：サルコイドーシス（ただし，両側肺門リンパ節腫脹のみの場合を除く），びまん性間質性肺炎（肺線維症．放射線肺臓炎を含む）　⑩重症感染症：重症感染症（化学療法と併用する）　⑪結核性疾患：肺結核（粟粒結核，重症結核に限る．抗結核剤と併用する），結核性髄膜炎（抗結核剤と併用する）　⑫神経疾患：脳脊髄炎（脳炎，脊髄炎を含む．ただし，一次性脳炎の場合は頭蓋内圧亢進症状がみられ，かつ他剤で効果が不十分なときに短期間用いる），末梢神経炎（ギランバレー症候群を含む），顔面神経麻痺，小舞踏病　⑬悪性腫瘍：悪性リンパ腫（リンパ肉腫症，細網肉腫症，ホジキン病，皮膚細網症，菌状息肉症）及び類似疾患（近縁疾患）　⑭外科疾患：副腎摘除，副腎皮質機能不全患者に対する外科的侵襲　⑮皮膚科疾患：★湿疹・皮膚炎群（急性湿疹，亜急性湿疹，慢性湿疹，接触皮膚炎，貨幣状湿疹，自家感作性皮膚炎，アトピー皮膚炎，乳・幼・小児湿疹，ビダール苔癬，その他の神経皮膚炎，脂漏性皮膚炎，進行性指掌角皮症，その他の手指の皮膚炎，陰部あるいは肛門湿疹，耳介及び外耳道の湿疹・皮膚炎，鼻前庭及び鼻翼周辺の湿疹・皮膚炎等．ただし，重症例以外は極力投与しない），蕁麻疹（慢性例を除く．重症例に限る），★乾癬及び類症（尋常性乾癬（重症例），関節症性乾癬，乾癬性紅皮症，膿疱性乾癬，稽留性肢端皮膚炎，疱疹状膿痂疹，ライター症候群），紅斑症（★多形滲出性紅斑，結節性紅斑．ただし，多形滲出性紅斑の場合は重症例に限る），粘膜皮膚眼症候群〔開口部びらん性外皮症，スチブンス・ジョンソン病，皮膚口内炎，フックス症候群，ベーチェット病（眼症状のない場合），リップシュッツ急性陰門潰瘍〕，天疱瘡群（尋常性天疱瘡，落葉状天疱瘡，Senear-Usher症候群，増殖性天疱瘡），デューリング疱疹状皮膚炎（類天疱瘡，妊娠性疱疹を含む），★紅皮症（ヘブラ紅色粃糠疹を含む）　⑯眼科疾患：内眼・視神経・眼窩・眼筋の炎症性疾患の対症療法（ブドウ膜炎，網脈絡膜炎，網膜血管炎，視神経炎，眼窩炎性偽腫瘍，眼窩漏斗尖端部症

候群，眼筋麻痺），外眼部及び前眼部の炎症性疾患の対症療法で点眼が不適当又は不十分な場合（眼瞼炎，結膜炎，角膜炎，強膜炎，虹彩毛様体炎）⑰耳鼻咽喉科疾患：アレルギー性鼻炎，花粉症（枯草熱）
★印は外用剤を用いても効果が不十分な場合あるいは十分な効果を期待できないと推定される場合にのみ用いる

用法・用量 1日12.5〜150mg，1〜4回に分服（適宜増減）

使用上の注意

禁忌 ①本剤の成分に対し過敏症の既往歴のある患者 ②デスモプレシン酢酸塩水和物（男性における夜間多尿による夜間頻尿）を投与中の患者

その他の管理的事項

投与期間制限 該当しない

保険給付上の注意 該当しない

資料

IF コートン錠25mg 2019年10月改訂（第6版）

コルヒチン
Colchicine

概要

薬効分類 394 痛風治療剤

構造式

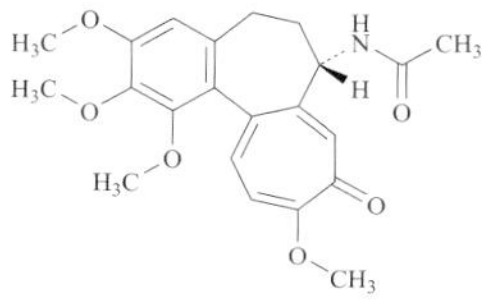

分子式 $C_{22}H_{25}NO_6$

分子量 399.44

原薬の規制区分 毒（ただし，製剤は劇）

原薬の外観・性状 帯黄白色の粉末である．メタノールに極めて溶けやすく，*N,N*-ジメチルホルムアミド，エタノール(95)又は無水酢酸に溶けやすく，水にやや溶けにくい．光によって着色する

原薬の吸湿性 該当資料なし

原薬の融点・沸点・凝固点 融点：176〜179℃

原薬の酸塩基解離定数 pKa＝12.35（20℃）（由来基は不明）

先発医薬品等

錠 コルヒチン錠0.5mg「タカタ」（高田）

国際誕生年月 不明

海外での発売状況 米，仏など

製剤

規制区分 錠 劇 処

製剤の性状 錠 青色の円形の素錠

有効期間又は使用期限 5年

貯法・保存条件 遮光・室温保存（光によって変化する）

患者向け資料等 患者向医薬品ガイド，くすりのしおり

溶液及び溶解時のpH 該当しない

浸透圧比 該当しない

安定なpH域 該当しない

調製時の注意 該当しない

薬理作用

分類 痛風治療剤

作用部位・作用機序 痛風発作時には局所に浸潤した白血球の尿酸貪食作用及び貪食好中球の脱顆粒が上昇している．コルヒチンは白血球，好中球の作用を阻止する．特に好中球の走化性因子（LTB4，IL-8）に対する反応性を著明に低下させることにより痛風の発作を抑制すると考えられる

同効薬 なし

治療

効能・効果 ①痛風発作の緩解及び予防 ②家族性地中海熱

用法・用量 効能①：1日3〜4mgを6〜8回に分服（適宜増減）．発病予防には1日0.5〜1mg，発作予感時には1回0.5mg 効能②：(1)成人：1日0.5mgを1回又は2回（適宜増減）．1日最大投与量は1.5mgまで (2)小児：1日0.01〜0.02mg/kgを1回又は2回（適宜増減）．1日最大投与量は0.03mg/kgまでとし，かつ成人の1日最大投与量を超えないこととする

用法・用量に関連する使用上の注意 ①痛風発作発現後，服用開始が早いほど効果的である ②長期間にわたる予防的投与は，血液障害，生殖器障害，肝・腎障害，脱毛等，重篤な副作用発現の可能性があり，有用性が少なくすすめられない ③投与量の増加に伴い，下痢等の胃腸障害の発現が増加するため，痛風発作の緩解には通常，成人にはコルヒチンとして1日1.8mgまでの投与にとどめることが望ましい

禁忌・原則禁忌となる特定患者集団 妊婦・妊娠している可能性のある女性

使用上の注意

禁忌 ①本剤の成分に対し過敏症の既往歴のある患者 ②肝臓又は腎臓に障害のある患者で，肝代謝酵素CYP3A4を強く阻害する薬剤又はP糖蛋白を阻害する薬剤を服用中の患者［本剤の血中濃度が上昇するおそれがある］③妊婦又は妊娠している可能性のある女性（家族性地中海熱の場合を除く）

相互作用概要 主としてCYP3A4によって代謝され，P糖蛋白の基質でもある

過量投与 ①徴候，症状：悪心・嘔吐，腹部痛，激烈な下痢，咽頭部・胃・皮膚の灼熱感，血管障害，ショック，血尿，乏尿，著明な筋脱力，中枢神経系の上行性麻痺，せん妄，痙攣，呼吸抑制による死亡 ②処置：副作用発現までには3〜6時間の潜伏期があるので，服用後，間がないとき（6時間以内）には胃洗浄，吸引を行う．活性炭の投与も有効である．水・電解質異常の補正には中心静脈圧をモニターしながら輸液，カリウムの投与を行い，凝固因子の欠乏に対しては，ビタミンK，新鮮凍結血漿等の投与，急性呼吸不全には気道を確保し，酸素吸入を行う．その他出血，感染，疼痛等には対症療法を行う．本剤は強制利尿や腹膜透析，血液透析では除去されない

薬物動態

血中濃度 ①健康成人：6例に1mgを単回経口投与時の薬物動態パラメータはCmax5.64±1.37ng/mL，Tmax1.01±0.56時間，$AUC_{0\text{-}48}$47.9±12.2ng・hr/mL（測定法：RIA，外国人データ）②高齢者：6例の健康成人男子と4例の高齢婦人に1mg単回経口投与時の血清中濃度はそれぞれ5.5±1.4ng/mL，12±4ng/mLと高齢者で高い濃度を示し，また高齢者でピーク到達時間の延長傾向がみられた（外国人データ）③腎障害患者：4例の腎機能正常患者及び4例の腎機能障害患者（血液透析患者3例及びクレアチニンクリアランス15mL/分患者1例）に1mg単回経口投与時の血漿中濃度半減期は各々4.4±1時間，18.8±1.2時間（外国人データ）④肝障害患者：8例の肝障害のある患者に1mg単回経口投与時のCmaxは3.6±1.04ng/mL，Tmax2.16±0.34時間（外国人データ） **分布** 分布容積（Vd/F）4.87L/kg：1mg単回経口投与（外国人データ） **代謝** 消化管から吸収後，一部は肝臓で脱アセチル化を受ける．大部分の未変化体と代謝物は腸肝循環する **排泄** ①部位：胆汁中及び尿中 ②総クリアランス（1mg単回経口投与，外国人）腎機能正常患者0.726L/hr/kg，腎機能障害患者0.168L/hr/kg **その他** ①生物学的利用率：37±12% ②作用持続時間：3〜4時間 ③胎盤通過性：胎盤を通過し，新生児の臍帯血からも検出された（外国人データ）④乳汁移行：1〜1.5mg/日を服用中の家族性地中海熱の患者（4例）における乳汁中濃度は1.9〜8.6ng/mL，血漿中濃度と同様に推移．乳児の平均母乳摂取量を150mL/kgと仮定すると，乳児1日摂取量は1.29μg/kg（成人の約10%）と推定 ⑤血液透析：

透析されない(外国人データ)

その他の管理的事項

投与期間制限 該当しない

保険給付上の注意 該当しない

資料

IF コルヒチン錠0.5mg「タカタ」 2018年1月改訂(第6版)

コレカルシフェロール
Cholecalciferol

別名：ビタミンD_3

概要

構造式

分子式 $C_{27}H_{44}O$

分子量 384.64

原薬の規制区分 該当しない

原薬の外観・性状 白色の結晶で，においはない．エタノール(95)，クロロホルム，ジエチルエーテル又はイソオクタンに溶けやすく，水にほとんど溶けない．空気又は光によって変化する

原薬の融点・沸点・凝固点 融点：84〜88℃

コレスチミド
コレスチミド錠
コレスチミド顆粒
Colestimide

概要

薬効分類 218 高脂血症用剤

分子式 $(C_7H_{11}N_2OCl)n$

分子量 (174.68)n

ステム 不明

原薬の規制区分 該当しない

原薬の外観・性状 白色〜微黄白色の粉末である．水又はエタノール(99.5)にほとんど溶けない

原薬の吸湿性 吸湿性である．20%RH以上で重量増加がみられ，相対湿度が高いほど大きい重量増加が認められた

原薬の融点・沸点・凝固点 融点測定法に従い測定した結果，明確な融点は示さず，約210℃から分解した

原薬の酸塩基解離定数 各種溶媒にほとんど溶けないため測定不能

先発医薬品等

顆 コレバインミニ83%(田辺三菱)

錠 コレバイン錠500mg(田辺三菱)

国際誕生年月 1999年3月

海外での発売状況 独，オーストリア

製剤

規制区分 顆 錠 ㊈

製剤の性状 顆 白色のフィルムコーティング粒 錠 白色のフィルムコーティング錠

有効期間又は使用期限 3年

貯法・保存条件 室温保存

患者向け資料等 くすりのしおり

調製時の注意 該当しない

薬理作用

分類 胆汁酸排泄促進剤

作用部位・作用機序 消化管で胆汁酸を吸着し，その排泄促進作用により胆汁酸の腸肝循環を阻害し，肝におけるコレステロールから胆汁酸への異化を亢進する．その結果，肝のコレステロールプールが減少するため，この代償作用として，肝LDL受容体の増加による血中LDLの取り込み亢進が生じ，血清総コレステロールが減少する．なお，外因性コレステロールの直接の吸着あるいは胆汁酸ミセル形成阻害によるコレステロール吸収阻害も血清総コレステロールの減少に寄与するものと考えられている

同効薬 プラバスタチンナトリウム，シンバスタチン，フルバスタチンナトリウム，アトルバスタチン，プロブコール，ベザフィブラート，コレスチラミン

治療

効能・効果 高コレステロール血症，家族性高コレステロール血症

用法・用量 1回1.5g，1日2回朝夕食前水とともに服用(適宜増減)．ただし，症状，服用状況を考慮して朝夕食後投与とすることもできる．最高用量は1日4g

用法・用量に関連する使用上の注意 朝夕食後投与の成績は一般臨床試験によるものであり，原則として朝夕食前投与とする

使用上の注意

禁忌 ①胆道の完全閉塞した患者［血清コレステロール低下作用は，主に腸管内で胆汁酸と結合してその糞中排泄量を増大させることにより発現するため効果が期待できない］ ②本剤の成分に対し過敏症の既往歴のある患者 ③腸閉塞の患者［本剤が腸管内で膨潤し，腸管穿孔を起こすおそれがある］

薬物動態

参考：^{14}C-コレスチミドをラット及びイヌに経口投与時，消化管内で代謝又は分解されず，また，吸収されずにすべて糞中に排泄

その他の管理的事項

投与期間制限 該当しない

保険給付上の注意 該当しない

資料

IF コレバインミニ83%・錠500mg 2013年11月改訂(第11版)

コレステロール
Cholesterol

概要

構造式

分子式 $C_{27}H_{46}O$

コレステロール

分子量　386.65
原薬の規制区分　該当しない
原薬の外観・性状　白色～微黄色の結晶又は粒で，においはないか，又は僅かににおいがあり，味はない．クロロホルム又はジエチルエーテルに溶けやすく，エタノール(99.5)又はアセトンにやや溶けにくく，水にほとんど溶けない．光によって徐々に黄色～淡黄褐色となる
原薬の融点・沸点・凝固点　融点：147～150℃

サイクロセリン
Cycloserine

概要

薬効分類　616　主として抗酸菌に作用するもの

構造式

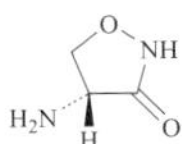

分子式　$C_3H_6N_2O_2$

分子量　102.09

略語・慣用名　CS

ステム　該当資料なし

原薬の規制区分　該当しない

原薬の外観・性状　白色〜淡黄白色の結晶又は結晶性の粉末である．水にやや溶けやすく，エタノール(95)にやや溶けにくい．1.0gを水20mLに溶かした液のpHは5.0〜7.4である

原薬の吸湿性　吸湿性であり，吸水により劣化する

原薬の酸塩基解離定数　pKa＝4.4及び7.4

先発医薬品等

カ サイクロセリンカプセル250mg「明治」(MeijiSeika)

国際誕生年月　該当資料なし

海外での発売状況　米，英

製剤

規制区分　カ　㊡

製剤の性状　カ 淡赤色/白色の硬カプセル剤

有効期間又は使用期限　4年

貯法・保存条件　室温保存(開封後は防湿保存)

薬剤取扱い上の留意点　開封後は，湿気を避けて保存すること

患者向け資料等　くすりのしおり

溶液及び溶解時のpH　該当しない

浸透圧比　該当しない

安定なpH域　該当しない

調製時の注意　該当しない

薬理作用

分類　抗結核性抗生物質

作用部位・作用機序　抗酸菌，特にヒト型結核菌に強く作用するが，他のグラム陽性菌・陰性菌に対する作用は弱い．ストレプトマイシン，バイオマイシン，パラアミノサリチル酸カルシウム，イソニアジドなどに耐性がある結核菌に対しても作用し，その作用機序は細胞壁合成阻害であることが確かめられている．試験管内抗菌力は*O*-カルバモイル-D-セリンにより相乗効果が認められ，D-アラニンにより拮抗される

同効薬　リファンピシン

治療

効能・効果　〈適応菌種〉本剤に感性の結核菌　〈適応症〉肺結核及びその他の結核症

用法・用量　1回250mg(力価)1日2回．適宜減量．原則として他の抗結核薬と併用する

用法・用量に関連する使用上の注意　使用にあたっては，耐性菌の発現等を防ぐため，原則として感受性を確認し，疾病の治療上必要な最小限の期間の投与にとどめる

使用上の注意

禁忌　てんかん等の精神障害のある患者［てんかん様発作等の精神障害をさらに悪化させるおそれがある］

薬物動態

血中濃度　ヒト(15例)に250mg経口投与2時間後の平均血漿中濃度16.9μg/mL(6〜26μg/mL)(外国データ)　**排泄**　ヒト(9例)に500mg※)1回経口投与後，24時間以内に平均41％(19〜92％)排泄(外国データ)　※)承認1回用量は250mg

その他の管理的事項

投与期間制限　該当しない

保険給付上の注意　該当しない

資料

IF　サイクロセリンカプセル250mg「明治」 2019年12月改訂(第5版)

酢酸
Acetic Acid

概要

薬効分類　266　皮ふ軟化剤(腐しょく剤を含む．)，714　矯味，矯臭，着色剤

分子式　$C_2H_4O_2$

分子量　60.05

原薬の規制区分　該当しない

原薬の外観・性状　無色澄明の液で，刺激性の特異なにおい及び酸味がある．水，エタノール(95)又はグリセリンと混和する

先発医薬品等

外用液 酢酸「カナダ」(金田直)
酢酸「ケンエー」(健栄)
酢酸「コザカイ・M」(小堺)
酢酸「司生堂」(司生堂)
酢酸「昭和」(M)(昭和製薬)
酢酸「タイセイ」(大成)
酢酸「東海」(東海製薬)
酢酸「日医工」(日医工)
酢酸「ニッコー」(日興製薬＝丸石)
酢酸(山善)
酢酸「ヨシダ」(吉田製薬＝中北)

製剤

製剤の性状　酢酸($C_2H_4O_2$：60.05)30.0〜32.0w/v%を含む

貯法・保存条件　気密容器

治療

効能・用法　①洗浄液，収れん液の調剤に用いる　②緩衝，矯味の目的で調剤に用いる

その他の管理的事項

投与期間制限　該当しない

保険給付上の注意　該当しない

資料

添付文書　酢酸「コザカイ・M」 2012年4月改訂(第4版)

氷酢酸
Glacial Acetic Acid

概要

薬効分類　266　皮ふ軟化剤(腐しょく剤を含む．)

構造式

H_3C-CO_2H

分子式　$C_2H_4O_2$

分子量　60.05

ステム　不明

原薬の規制区分　該当しない

原薬の外観・性状　無色澄明の揮発性の液又は無色若しくは白色の結晶塊で，刺激性の特異なにおいがある．水，エタノール(95)又はジエチルエーテルと混和する

原薬の吸湿性　該当資料なし
原薬の融点・沸点・凝固点　凝固点：14.5℃以上，沸点：約118℃
先発医薬品等
外用末　氷酢酸(小堺)
氷酢酸「NikP」(日医工)
氷酢酸恵美須(恵美須)
氷酢酸「カナダ」(金田直)
氷酢酸「ケンエー」(健栄)
氷酢酸「司生堂」(司生堂)
氷酢酸「タイセイ」(大成)
氷酢酸「東海」(東海製薬)
氷酢酸「東豊」(東豊＝中北＝吉田製薬)
氷酢酸「ニッコー」(日興製薬＝丸石)
氷酢酸(山善)

製剤
製剤の性状　酢酸($C_2H_4O_2$)99.0%以上を含む無色澄明の揮発性の液又は無色若しくは白色の結晶塊で，刺激性の特異なにおいがある．水，エタノール(95)またはジエチルエーテルと混和する
有効期間又は使用期限　3年
貯法・保存条件　室温保存．火気厳禁．第4類，第二石油類，水溶性，危険等級Ⅲ
薬剤取扱い上の留意点　火気厳禁
薬理作用
分類　調剤用薬
治療
効能・効果　①洗浄液，収れん液の調剤に用いる　②緩衝・嬌味の目的で調剤に用いる
用法・用量　①このまま治療薬として使用することは少ない　②薄めて適当な濃度にしたものは治療上及び食用上，種々の用途がある
資料
添付文書　氷酢酸「ニッコー」 2014年12月改訂(第2版)

酢酸ナトリウム水和物
Sodium Acetate Hydrate

概要
薬効分類　719　その他の調剤用薬
構造式

$H_3C-CO_2Na \cdot 3H_2O$

分子式　$C_2H_3NaO_2 \cdot 3H_2O$
分子量　136.08
原薬の規制区分　該当しない
原薬の外観・性状　無色の結晶又は白色の結晶性の粉末で，においはないか，又は僅かに酢酸臭があり，清涼な塩味があり，僅かに苦い．水に極めて溶けやすく，酢酸(100)に溶けやすく，エタノール(95)にやや溶けやすく，ジエチルエーテルにほとんど溶けない．温乾燥空気中で風解する

サッカリン
Saccharin

概要
構造式

(benzene ring fused with S(=O)(=O)–NH–C(=O) ring)

分子式　$C_7H_5NO_3S$
分子量　183.18
原薬の規制区分　該当しない
原薬の外観・性状　無色～白色の結晶又は白色の結晶性の粉末である．エタノール(95)にやや溶けにくく，水に溶けにくい．水酸化ナトリウム試液に溶ける
原薬の融点・沸点・凝固点　融点：226～230℃

サッカリンナトリウム水和物
Saccharin Sodium Hydrate

概要
薬効分類　714　矯味，矯臭，着色剤
構造式

(benzene ring fused with S(=O)(=O)–NNa–C(=O) ring) ・$2H_2O$

分子式　$C_7H_4NNaO_3S \cdot 2H_2O$
分子量　241.20
原薬の規制区分　該当しない
原薬の外観・性状　無色の結晶又は白色の結晶性の粉末である．水又はメタノールに溶けやすく，エタノール(95)にやや溶けにくい．空気中で徐々に風解して約半量の結晶水を失う
先発医薬品等
末　サッカリンナトリウム(小堺)
サッカリンナトリウム水和物(司生堂)
サッカリンナトリウム水和物(東洋製化＝小野)
サッカリンナトリウム水和物「ケンエー」(健栄)
製剤
製剤の性状　**末**　無色～白色の結晶又は白色の結晶性の粉末で，味は極めて甘い
貯法・保存条件　密閉容器，室温保存．空気中で徐々に風解して約半量の結晶水を失うので，なるべく涼しい所に密栓して保管すること
薬理作用
分類　矯味剤
治療
効能・用法　炭水化物を与えることが適当でない状態の患者に甘味料として用いる
その他の管理的事項
投与期間制限　該当しない
保険給付上の注意　該当しない
資料
添付文書　サッカリンナトリウム水和物「ケンエー」 2007年5月改訂(第2版)

サラシ粉
Chlorinated Lime

概要

原薬の規制区分　該当しない

原薬の外観・性状　白色の粉末で，塩素ようのにおいがある．水を加えるとき，一部が溶け，液は赤色リトマス紙を青変し，次に徐々にこれを脱色する

サラゾスルファピリジン
Salazosulfapyridine

別名：スルファサラジン

概要

薬効分類　621　サルファ剤

構造式

分子式　$C_{18}H_{14}N_4O_5S$

分子量　398.39

略語・慣用名　SASP，SSZ

ステム　抗感染症薬，スルホンアミド類：sulfa-

原薬の規制区分　該当しない

原薬の外観・性状　黄色～黄褐色の微細な粉末で，におい及び味はない．ピリジンにやや溶けにくく，エタノール(95)に溶けにくく，水，クロロホルム又はジエチルエーテルにほとんど溶けない．水酸化ナトリウム試液に溶ける

原薬の吸湿性　該当資料なし

原薬の融点・沸点・凝固点　融点：240～249℃(分解)

原薬の酸塩基解離定数　pKa_1＝2.4(COOH，吸光度法)，pKa_2＝8.3(SO_2NH，吸光度法)，pKa_3＝11.0(OH，吸光度法)

先発医薬品等

錠　サラゾピリン錠500mg(ファイザー)

腸溶錠　アザルフィジンEN錠250mg・500mg(あゆみ製薬)

坐　サラゾピリン坐剤500mg(ファイザー)

後発医薬品

錠　500mg

腸溶錠　250mg・500mg

国際誕生年月　1942年4月

海外での発売状況　米，英など

製剤

規制区分　錠　腸溶錠　坐　㊕

製剤の性状　錠　黄色～黄褐色のだ円形の素錠(割線入り)　腸溶錠　黄色～黄褐色のだ円形の腸溶性フィルムコーティング錠　坐　黄褐色～茶褐色の紡すい形の坐剤で，脂肪ようの手触りを持つ

有効期間又は使用期限　錠　坐　5年　腸溶錠　3年

貯法・保存条件　室温保存

薬剤取扱い上の留意点　本剤の成分により皮膚，爪及び尿・汗等の体液が黄色～黄赤色に着色することがある．また，ソフトコンタクトレンズが着色することがある　腸溶錠　腸溶性製剤であり，かんだり，砕いたりせずに服用するように指導すること　坐　①夏期の高温時には，坐剤が融けて型くずれすることがあるので直射日光のあたらない涼しい所(できれば冷蔵庫)に保存すること　②本剤をプラスチックコンテナより取り出した後は，速やかに使用するよう指導すること

患者向け資料等　くすりのしおり　腸溶錠　服薬指導箋

溶液及び溶解時のpH　該当しない

浸透圧比　該当しない

安定なpH域　該当しない

調製時の注意　該当しない

薬理作用

分類　スルファピリジン・5-アミノサリチル酸(5-ASA)酸性アゾ化合物

作用部位・作用機序　錠　坐　抗炎症作用：潰瘍性大腸炎はその病因がいまだに不明で，本剤の作用機序についても明快な結論は得られていない．経口投与されたサラゾスルファピリジンの約3分の1は小腸でそのままの形で吸収されるが，大部分は大腸に運ばれ，そこで腸内細菌の作用をうけて5-アミノサリチル酸とスルファピリジンに分解・吸収される．その治療活性部分は5-アミノサリチル酸であることが明らかにされている．5-アミノサリチル酸は組織学的に変化の認められる粘膜上皮下の結合組織に対して特異な親和力を示し，この5-アミノサリチル酸の抗炎症作用により効果を現すのであろうと推定されている．なお，未変化体は，白血球の内皮細胞への接着を抑制することにより抗炎症作用を発揮する　腸溶錠　本剤の作用機序は明確ではないが，炎症性サイトカインの産生抑制，樹状細胞の活性化抑制，アデノシンを介する抗炎症作用，破骨細胞の分化抑制作用，軟骨破壊に関与するMMP(matrix metalloproteinase)の産生抑制作用などが基礎実験で認められている．これらの様々な作用により，免疫異常の是正，炎症の鎮静化，軟骨破壊抑制等の抗リウマチ作用をもたらすと考えられる

同効薬　錠　坐　メサラジン，ベタメタゾン，ベタメタゾンリン酸エステルナトリウム，プレドニゾロン，プレドニゾロンリン酸エステルナトリウム　腸溶錠　ブシラミン，金チオリンゴ酸ナトリウム，メトトレキサート，レフルノミド，イグラチモドなど

治療

効能・効果　錠　潰瘍性大腸炎，限局性腸炎，非特異性大腸炎

腸溶錠　関節リウマチ

坐　潰瘍性大腸炎

用法・用量　錠　1日2～4g，4～6回に分服．症状により初め1日8g，3週間以後は次第に減量し1日1.5～2g．ステロイド療法長期継続例には，本剤2gを併用しながら，徐々にステロイドを減量する

腸溶錠　消炎鎮痛剤等で十分な効果が得られない場合に使用する．1日1g朝夕食後2回に分服

坐　1回0.5～1g，1日2回朝排便後と就寝前に肛門内挿入(適宜増減)

禁忌・原則禁忌となる特定患者集団　錠　腸溶錠　坐　新生児，低出生体重児

使用上の注意

禁忌　①サルファ剤又はサリチル酸製剤に対し過敏症の既往歴のある患者　②新生児，低出生体重児

過量投与　サラゾスルファピリジンの過量投与時の一般的な症状，処置は次の通り：①症状：悪心・嘔吐，胃腸障害，腹痛，精神神経系症状(傾眠，痙攣等)　②処置：症状に応じて，催吐，胃洗浄，瀉下，尿のアルカリ化，強制利尿(腎機能が正常な場合)，血液透析等を行う

薬物動態

錠　坐　参考：ラットにカルボキシル^{14}C-サラゾスルファピリジンを経口又は坐剤直腸内投与時の吸収・分布・代謝・排泄

血中濃度　経口投与後7時間で最大，以後漸減，坐剤投与2～3時間で最大，以後減少．最大血中濃度は坐剤では経口投与の約2倍．また，two compartment open modelでは，坐剤は経口投与の約2倍吸収　**分布**　投与経路を問わず，回腸，結腸，直腸に多く，次いで肝に比較的多い．腎にも少量，肺，脾，心筋，膵，脳その他の臓器にはほとんど認められなかった

代謝　主代謝産物はアセチルアミノサリチル酸と，アセチルスルファピリジン及びスルファピリジンのグルクロナイド
排泄　尿中へは10%前後，残余は糞中に排泄．胆汁排泄量はわずか．なお尿での主代謝産物は直腸内投与，経口投与にかかわらず5-アセチルアミノサリチル酸90%
腸溶錠 健常男子に0.5，1，2g空腹時に単回経口投与時，小腸から吸収され，血清中濃度は投与約6時間後に最高値(約9～17μg/mL)，半減期は約4時間．投与72時間後までの尿中累積排泄率は約3～8%．0.5gを食後投与時，空腹時と比べ血清中濃度時間曲線下面積$AUC_{0-\infty}$に差はなく，吸収量には食事による影響は認められなかった．8日間連続経口投与(1日1g，2回分割投与)時，血清中濃度は4日目から定常状態，最終投与72時間後には血清中からほぼ消失．ヒト血漿蛋白に対する結合率(*in vitro*)は99%以上

その他の管理的事項
投与期間制限　該当しない
保険給付上の注意　該当しない
資料
IF　サラゾピリン錠500mg　2020年5月改訂(第8版)
アザルフィジンEN錠250mg・500mg　2020年5月改訂(第12版)
サラゾピリン坐剤500mg　2020年5月改訂(第10版)

サリチル酸
サリチル酸精
Salicylic Acid

概要
薬効分類　265　寄生性皮ふ疾患用剤
構造式

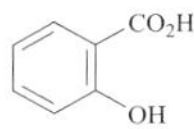

分子式　$C_7H_6O_3$
分子量　138.12
ステム　不明
原薬の規制区分　該当しない
原薬の外観・性状　白色の結晶又は結晶性の粉末で，僅かに酸味があり，刺激性である．エタノール(95)又はアセトンに溶けやすく，水に溶けにくい
原薬の吸湿性　該当資料なし
原薬の融点・沸点・凝固点　融点：158～161℃
先発医薬品等
外用末 サリチル酸「ケンエー」(健栄)
後発医薬品
軟 5%・10%
製剤
製剤の性状　**外用末** 白色の結晶または結晶性の粉末で，僅かに酸味があり，刺激性である
貯法・保存条件　密閉容器，室温保存
薬剤取扱い上の留意点　**外用末** 患部が化膿しているなど湿潤，び爛が著しい場合には，あらかじめ適切な処置を行った後使用すること．広範囲の病巣に使用した場合は，副作用が現れやすいので注意して使用すること．眼には使用しないこと
薬理作用
分類　寄生性・角化性皮膚疾患用剤
治療
効能・効果　**外用末(絆創膏)** 疣贅・鶏眼・胼胝腫の角質剥離
外用末(軟膏・液) **軟** 乾癬，白癬(頭部浅在性白癬，小水疱性斑状白癬，汗疱状白癬，頑癬)，癜風，紅色粃糠疹，紅色陰癬，角化症(尋常性魚鱗癬，先天性魚鱗癬，毛孔性苔癬，先天性手掌足蹠角化症(腫)，ダリエー病，遠山連圏状粃糠疹)，湿疹(角化を伴う)，口囲皮膚炎，掌蹠膿疱症，ヘブラ粃糠疹，アトピー性皮膚炎，ざ瘡，せつ，腋臭症，多汗症，その他角化性の皮膚疾患
用法・用量　**外用末** 症状に応じて次の濃度の軟膏剤，又は液剤とし，1日1～2回塗布又は散布．小児0.1～3%，成人2～10%．なお，疣贅，鶏眼，胼胝腫には，通常，50%の絆創膏を用い，2～5日目ごとに取り替える
軟 1日1～2回塗布
使用上の注意
禁忌　本剤に対し過敏症の既往歴のある患者
資料
添付文書　サリチル酸「ケンエー」　2008年6月改訂(第2版)

複方サリチル酸精
Compound Salicylic Acid Spirit

概要
原薬の規制区分　該当しない
原薬の外観・性状　無色～淡赤色澄明の液である
製剤
貯法・保存条件　気密容器

サリチル酸絆創膏
Salicylic Acid Adhesive Plaster

概要
薬効分類　266　皮ふ軟化剤(腐しょく剤を含む．)
原薬の規制区分　該当しない
原薬の融点・沸点・凝固点　融点：158～161℃，沸点：約211℃
原薬の酸塩基解離定数　pKa＝2.96
先発医薬品等
貼 スピール膏M(ニチバン)
国際誕生年月　該当しない
海外での発売状況　該当しない
製剤
製剤の性状　**貼** 膏体を布上に均等に展延し，膏面被覆物で覆った貼付剤で，膏面は類白色である
有効期間又は使用期限　3年
貯法・保存条件　遮光した密閉容器
溶液及び溶解時のpH　該当資料なし
浸透圧比　該当資料なし
安定なpH域　該当資料なし
調製時の注意　該当しない
薬理作用
分類　皮膚軟化剤
作用部位・作用機序　サリチル酸の皮膚軟化溶解作用により角質を剥離する
同効薬　なし
治療
効能・効果　疣贅，鶏眼，胼胝腫の角質剥離
用法・用量　患部大に切って貼付し，移動しないように固定する．2～5日目ごとに取り替える

使用上の注意
禁忌　本剤に対し過敏症の既往歴のある患者
その他の管理的事項
投与期間制限　該当しない
保険給付上の注意　該当しない
資料
IF　スピール膏M　2014年10月改訂(第4版)

サリチル・ミョウバン散
Salicylated Alum Powder

概要
原薬の規制区分　該当しない
原薬の外観・性状　白色の粉末である
製剤
貯法・保存条件　密閉容器

サリチル酸ナトリウム
Sodium Salicylate

概要
薬効分類　114　解熱鎮痛消炎剤
構造式

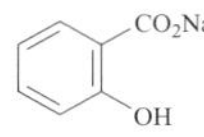

分子式　$C_7H_5NaO_3$
分子量　160.10
原薬の規制区分　該当しない
原薬の外観・性状　白色の結晶又は結晶性の粉末である．水に極めて溶けやすく，酢酸(100)に溶けやすく，エタノール(95)にやや溶けやすい．光によって徐々に着色する．2.0gを水20mLに溶かした液のpHは6.0～8.0である
原薬の吸湿性　該当資料なし
原薬の酸塩基解離定数　該当資料なし
後発医薬品
注 5%
国際誕生年月　不明
海外での発売状況　発売されていない
製剤
規制区分　注 ㊇
製剤の性状　注 無色～微黄色澄明の水性注射液
有効期間又は使用期限　3年
貯法・保存条件　室温保存
薬剤取扱い上の留意点　該当しない
患者向け資料等　くすりのしおり
溶液及び溶解時のpH　5.0～6.5
浸透圧比　約2(対生食)
調製時の注意　該当しない
薬理作用
分類　鎮痛剤
作用部位・作用機序　鎮痛作用：疼痛インパルスの発生を遮断する末梢作用と中枢(おそらく視床下部)作用の両者により，鎮痛効果を示す．末梢作用が主体で，おそらくプロスタグランジン類(PGs)合成の阻害に関与し，あるいは機械的・化学的刺激に対する疼痛受容体を過敏にする他の物質の合成又は作用の阻害にも関与していると考えられる　抗炎症作用：正確な作用機序は不明であるが，炎症組織においておそらくPGsの合成を阻害し，あるいは炎症反応の他のメディエータの合成又は作用を阻害して末梢作用を示すと考えられる　作用機序：シクロオキシゲナーゼを阻害して，アラキドン酸からのPGsやトロンボキサン前駆物質の合成を低下させることで，これらの作用を発揮すると考えられている
同効薬　アスピリン，アセトアミノフェンなど
治療
効能・効果　症候性神経痛
用法・用量　1回0.5～1g，1日1～数回静注(適宜増減)
禁忌・原則禁忌となる特定患者集団　妊婦又は妊娠している可能性のある婦人
使用上の注意
禁忌　①本剤又はサリチル酸系化合物(アスピリン等)に対し過敏症の既往歴のある患者　②妊婦又は妊娠している可能性のある婦人
その他の管理的事項
投与期間制限　該当しない
保険給付上の注意　該当しない
資料
IF　サリチル酸Na静注0.25g・0.5g「フソー」 2018年12月改訂(第6版)

サリチル酸メチル
Methyl Salicylate

概要
構造式

分子式　$C_8H_8O_3$
分子量　152.15
原薬の規制区分　該当しない
原薬の外観・性状　無色～微黄色の液で，強い特異なにおいがある．エタノール(95)又はジエチルエーテルと混和する．水に極めて溶けにくい
原薬の融点・沸点・凝固点　沸点：219～224℃
製剤
貯法・保存条件　気密容器．火気厳禁，第4類，第3石油類，危険等級Ⅲ
治療
効能・効果†　次における鎮痛・消炎：関節痛，筋肉痛，打撲，捻挫

複方サリチル酸メチル精
Compound Methyl Salicylate Spirit

概要
原薬の規制区分　該当しない
原薬の外観・性状　帯赤黄色の液で，特異なにおいがあり，味はやくようである
製剤
貯法・保存条件　気密容器

ザルトプロフェン
ザルトプロフェン錠
Zaltoprofen

概要
薬効分類 114 解熱鎮痛消炎剤
構造式

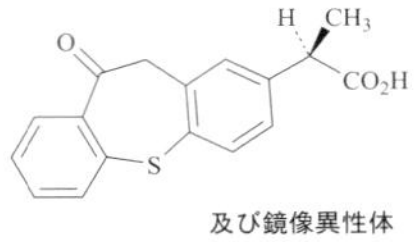

及び鏡像異性体

分子式 $C_{17}H_{14}O_3S$
分子量 298.36
ステム イブプロフェン系抗炎症薬：-profen
原薬の規制区分 劇
原薬の外観・性状 白色～淡黄色の結晶又は結晶性の粉末である．アセトンに溶けやすく，メタノール又はエタノール(99.5)にやや溶けやすく，水にほとんど溶けない．光によって徐々に分解する．本品のアセトン溶液(1→10)は旋光性を示さない
原薬の吸湿性 25℃，33～100%RHの条件下で2カ月間保存した結果，いずれの条件においても重量変化は−0.074～+0.004%であり，吸湿性はなかった
原薬の融点・沸点・凝固点 融点：135～139℃
原薬の酸塩基解離定数 pKa＝3.8(カルボキシル基，滴定法)
先発医薬品等
錠 ソレトン錠80(ケミファ)
ペオン錠80(ゼリア)
後発医薬品
錠 80mg
国際誕生年月 1993年7月
海外での発売状況 韓国

製剤
規制区分 錠 劇
製剤の性状 錠 白色のフィルムコーティング錠
有効期間又は使用期限 3年
貯法・保存条件 室温保存
薬剤取扱い上の留意点 該当資料なし
患者向け資料等 くすりのしおり
溶液及び溶解時のpH 該当しない
浸透圧比 該当しない
安定なpH域 該当しない
調製時の注意 該当しない

薬理作用
分類 三環系プロピオン酸系非ステロイド性鎮痛消炎剤
作用部位・作用機序 アラキドン酸代謝系におけるシクロオキシゲナーゼ阻害によるプロスタグランジン生合成抑制作用を主たる作用機序とし，その他，白血球遊走抑制作用及びライソゾーム酵素遊離抑制作用等の膜安定化作用が認められた．プロスタグランジン生合成抑制作用は，選択的に炎症反応に係る細胞からのプロスタグランジン生合成を強く抑制し(*in vitro*)，ラット胃組織のプロスタグランジン生合成抑制作用はインドメタシンより弱く，尿中プロスタグランジン排泄の抑制も軽度であった
同効薬 ロキソプロフェンナトリウム水和物，ジクロフェナクナトリウム，インドメタシンなど

治療
効能・効果 ①次の疾患ならびに症状の消炎・鎮痛：関節リウマチ，変形性関節症，腰痛症，肩関節周囲炎，頸肩腕症候群 ②手術後，外傷後ならびに抜歯後の消炎・鎮痛
用法・用量 1回80mg，1日3回．頓用には1回80～160mg

使用上の注意
禁忌 ①消化性潰瘍のある患者［消化性潰瘍を悪化させることがある］ ②重篤な血液の異常のある患者［血液の異常をさらに悪化させるおそれがある］ ③重篤な肝障害のある患者［肝障害をさらに悪化させるおそれがある］ ④重篤な腎障害のある患者［腎障害をさらに悪化させるおそれがある］ ⑤重篤な心機能不全のある患者［心機能不全をさらに悪化させるおそれがある］ ⑥本剤の成分に対し過敏症の既往歴のある患者 ⑦アスピリン喘息(非ステロイド性消炎鎮痛剤等により誘発される喘息発作)又はその既往歴のある患者［喘息発作を誘発させるおそれがある］

薬物動態
血漿中濃度 健常成人男子6名に80mg単回経口投与時，未変化体の血漿中濃度は速やかに上昇し，Tmax(hr)1.17±0.49，Cmax(μg/mL)5.00±1.65，$T_{1/2}\alpha$(hr)0.87±0.36，$T_{1/2}\beta$(hr)9.08±6.79，AUC(μg・hr/mL)12.77±1.56．また，吸収率は82%以上と推察．なお，血漿蛋白結合率(*in vitro*)は98%以上 **代謝・排泄** 健常成人男子6名に80mg単回経口投与時，投与後24時間以内に約82%が尿中排泄．大部分が未変化体の抱合体 **連続投与時の吸収・排泄** 健常成人男子6名に7日間反復投与(1日目1回100mg1日1回，2～6日目1回100mg1日3回，7日目1回100mg1日1回)した結果，蓄積性は認められていない(承認1回用量は80mg)

その他の管理的事項
投与期間制限 該当しない
保険給付上の注意 該当しない

資料
IF ソレトン錠80 2015年8月改訂(第6版)
ペオン錠80 2011年7月改訂(第8版)

サルブタモール硫酸塩
Salbutamol Sulfate

概要
薬効分類 225 気管支拡張剤
構造式

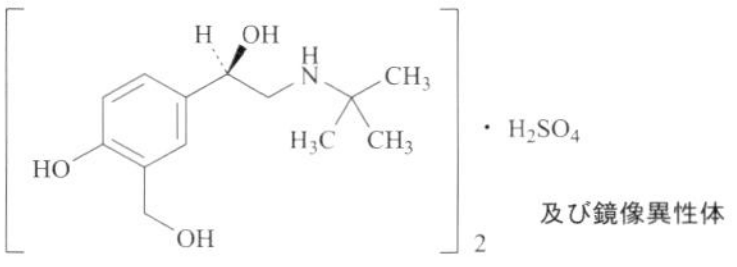

・H_2SO_4 及び鏡像異性体

分子式 $(C_{13}H_{21}NO_3)_2 \cdot H_2SO_4$
分子量 576.70
ステム 気管支拡張薬：sal-
原薬の規制区分 劇(ただし，1錠中サルブタモールとして4mg以下を含有するもの，サルブタモールとして1.6%以下を含有する吸入剤，サルブタモールとして0.24%以下を含有するシロップ剤を除く)
原薬の外観・性状 白色の粉末である．水に溶けやすく，エタノール(95)又は酢酸(100)に溶けにくく，ジエチルエーテルにほとんど溶けない．本品の水溶液(1→20)は旋光性を示さない
原薬の吸湿性 臨界相対湿度：90%RH
原薬の融点・沸点・凝固点 350℃以下で融解しない
原薬の酸塩基解離定数 該当資料なし
先発医薬品等
シ ベネトリンシロップ0.04%(GSK)
吸入 サルタノールインヘラー100μg(GSK)
ベネトリン吸入液0.5%(GSK)

後発医薬品
錠 2mg
国際誕生年月 1968年11月
海外での発売状況 米，英など

製剤

規制区分 **エアゾール** **吸入液** ㊎
製剤の性状 **錠** 白色の素錠 **シ** 無色〜淡黄色澄明，濃稠な液体で，ストロベリーの芳香を有し，味は甘い **エアゾール** 用時作動により一定量の薬液が噴霧される吸入エアゾール剤 **吸入液** 無色の液
有効期間又は使用期限 **錠** **シ** 3年 **エアゾール** **吸入液** 2年
貯法・保存条件 **錠** **シ** **吸入液** 遮光・室温保存 **エアゾール** 室温保存
薬剤取扱い上の留意点 **シ** 本剤を他の薬剤と配合する必要がある場合には，配合変化を起こすことがあるので注意すること **エアゾール** ①患者には使用説明書を渡し，使用方法を指導すること ②用時振盪 ③ボンベは絶対に濡らさないこと(噴射口がつまる原因となる) ④30℃以上の場所に保管しないこと **吸入液** 開封後は，異物混入や細菌汚染がないよう注意すること
患者向け資料等 **錠** **シ** くすりのしおり **エアゾール** **吸入液** 患者向医薬品ガイド，くすりのしおり
溶液及び溶解時のpH **シ** 3.0〜4.0 **吸入液** 2.3〜5.0
調製時の注意 該当しない

薬理作用

分類 フェニルエタノールアミン系選択的β_2受容体刺激剤
作用部位・作用機序 作用部位：肺・気道 作用機序：β受容体のサブタイプβ_1〜β_3のうち，気管支平滑筋に存在するβ_2受容体をより選択的に刺激することによって気管支拡張作用を発揮する．β_2受容体への結合によりアデニル酸シクラーゼ(adenylate cyclase)が活性化されて細胞内サイクリックAMP(cAMP)レベルが上昇，その結果気管支平滑筋が弛緩するとともに，マスト細胞等からのメディエーター遊離が抑制される
同効薬 イソプレナリン塩酸塩，ツコブテロール塩酸塩，プロカテロール塩酸塩，フェノテロール臭化水素酸塩など

治療

効能・効果 **錠** **吸入液** 次の疾患の気道閉塞性障害に基づく諸症状の緩解：気管支喘息，小児喘息，肺気腫，急・慢性気管支炎，肺結核，(錠)珪肺結核
エアゾール 次の疾患の気道閉塞性障害に基づく諸症状の緩解：気管支喘息，小児喘息，肺気腫，急・慢性気管支炎，肺結核
シ 次の疾患に基づく気管支痙攣の緩解：気管支喘息，気管支炎，喘息様気管支炎
効能・効果に関連する使用上の注意 **エアゾール** 喘息発作に対する対症療法剤であるので，本剤の使用は発作発現時に限る
用法・用量 **錠** **シ** サルブタモールとして1回4mg，1日3回，症状の激しい場合1回8mg，1日3回(適宜増減)．小児標準量1日0.3mg/kg(3〜4歳3.6〜6mg，1〜2歳2.4〜3.6mg，1歳未満1.2〜2.4mg)，3回に分服
エアゾール サルブタモールとして1回200μg(2吸入)，小児1回100μg(1吸入)を吸入する(適宜増減)
吸入液 サルブタモールとして1回1.5〜2.5mg，小児1回0.5〜1.5mgを深呼吸しながら吸入器を用いて吸入する(適宜増減)
用法・用量に関連する使用上の注意 **エアゾール** ①患者又は保護者に対し，過度の使用により，不整脈，心停止等の重篤な副作用が発現する危険性があることを理解させ，次の事項及びその他必要と考えられる注意を与える ②成人1回2吸入，小児1回1吸入の用法・用量を守り(通常3時間以上効果が持続するので，その間は次の吸入を行わない)，1日4回(原則として，成人8吸入，小児4吸入)までとする

使用上の注意

禁忌 本剤の成分に対して過敏症の既往歴のある患者
過量投与 **錠** **シ** ①徴候，症状：過量投与時にみられる最も一般的な症状は，一過性のβ作用を介する症状である．低カリウム血症が発現するおそれがあるので，血清カリウム値をモニターする．海外で吸入剤又は注射剤の高用量投与により，乳酸アシドーシスを含む代謝性アシドーシスが報告されているので，呼吸状態等，患者の状態を十分に観察する．また，主に小児において経口剤による過量投与時に悪心，嘔吐及び高血糖が報告されている ②処置：投与の中止を考慮し，心血管系症状(脈拍増加，心悸亢進等)がみられる患者では心臓選択性β遮断剤の投与等の適切な処置を検討する．ただしβ遮断剤の使用にあたっては，気管支攣縮の既往のある患者では十分に注意する **エアゾール** **吸入液** ①症状：過量投与時にみられる最も一般的な症状は，一過性のβ作用を介する症状である．低カリウム血症が発現するおそれがあるので，血清カリウム値をモニターする．また，海外で本剤の高用量投与により，乳酸アシドーシスを含む代謝性アシドーシスが報告されているので，呼吸状態等，患者の状態を十分に観察する ②処置：投与の中止を考慮し，心血管系症状(脈拍増加，心悸亢進等)がみられる患者では心臓選択性β遮断剤の投与等の適切な処置を検討する．ただしβ遮断剤の使用にあたっては，気管支攣縮の既往のある患者では十分に注意する．(吸入液)本剤の継続投与中にみられる過量投与の症状は，通常，中止により消失する

薬物動態

シ **吸収・分布(参考)** ラットに^{3}H標識サルブタモール25mg/kgを1回経口投与後，1〜2時間で血中及び各組織内濃度は最高値に達し，投与量あたりの臓器内百分率は肝臓で最も高く，次いで腎臓，肺，心臓，脾臓の順で脳にはほとんど移行しない **代謝・排泄(参考)** ラットに^{3}H標識サルブタモール25mg/kgを1回経口投与時，尿中には投与後48時間以内に投与量の約60%が排泄．同様に100mg/kgを1日2回5日間経口投与時，尿中には投与量の約60〜65%が排泄され，その約40%がグルクロン酸抱合体
エアゾール **血中濃度** 健康成人2例に^{3}H-サルブタモール100μgを1回吸入投与時，1例にのみ血中サルブタモールが検出され，投与1分後に最高値0.67μg/dLを示し，10分後には検出限界以下となった(外国人データ) **分布** *In vitro*での血漿蛋白結合率は6〜8% **排泄** 健康成人2例に^{3}H-サルブタモール100μgを1回吸入投与時，投与後17時間以内に投与量の60〜70%が尿中に排泄(外国人データ)
吸入液 **分布(参考)** ビーグル犬4匹に^{3}H標識サルブタモール1000μgを吸入投与時，投与量の64〜70%はグラスchamberと気管導入管に残り，10〜20%は肺葉内に分布し，0.4〜1.5%は気管及び気管支に保持される **代謝(参考)** ラットの経口投与実験では，肝臓でグルクロン酸抱合体となることが認められている

その他の管理的事項

投与期間制限 該当しない
保険給付上の注意 該当しない

資料

IF サルブタモール錠2mg「日医工」 2015年4月改訂(第8版)
ベネトリンシロップ0.04% 2019年4月改訂(第6版)
サルタノールインヘラー100μg 2020年6月改訂(第13版)
ベネトリン吸入液0.5% 2019年4月改訂(第6版)

サルポグレラート塩酸塩
サルポグレラート塩酸塩錠
サルポグレラート塩酸塩細粒
Sarpogrelate Hydrochloride

概要

薬効分類　339　その他の血液・体液用薬

構造式

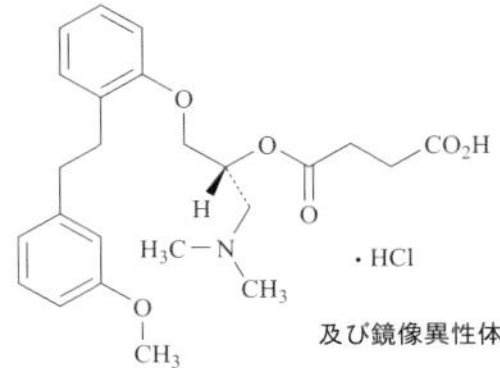

分子式　$C_{24}H_{31}NO_6$・HCl

分子量　465.97

ステム　血小板凝集阻害薬：-grel-

原薬の規制区分　劇(ただし，1個中サルポグレラートとして92.18mg以下を含有する内用剤を除く)

原薬の外観・性状　白色の結晶性の粉末である．水又はエタノール(99.5)に溶けにくい．0.01mol/L塩酸試液に溶ける．本品の水溶液(1→100)は旋光性を示さない．結晶多形が認められる

原薬の吸湿性　約43%RH，64%RH，79%RH及び93%RHの一定湿度に保った容器中に9カ月保存し，その間の重量変化と水分量をカールフィッシャー法で測定した結果，いずれの条件でも吸湿性は認められなかった

原薬の酸塩基解離定数　pKa_1＝3.74(カルボン酸)，pKa_2＝8.45(アミノ基)

先発医薬品等

細 アンプラーグ細粒10%(田辺三菱)

錠 アンプラーグ錠50mg・100mg(田辺三菱)

後発医薬品

錠 50mg・100mg

国際誕生年月　1993年7月

海外での発売状況　中国，韓国

製剤

製剤の性状　細 白色の細粒　錠 白色のフィルムコーティング錠

有効期間又は使用期限　3年

貯法・保存条件　室温保存

薬剤取扱い上の留意点　細 薬剤交付時：開封後，速やかに服用するよう指導すること．また，服用にあたっては直ちに飲み下すよう注意させること

患者向け資料等　くすりのしおり

溶液及び溶解時のpH　該当しない

浸透圧比　該当しない

安定なpH域　該当しない

調製時の注意　該当しない

薬理作用

分類　選択的5-HT_2拮抗薬

作用部位・作用機序　作用部位：血小板，血管平滑筋の5-HT_2(セロトニン)レセプター　作用機序：血小板及び血管平滑筋における5-HT_2レセプターに対する特異的な拮抗作用を示す．その結果，抗血小板作用及び血管収縮抑制作用を示す

同効薬　チクロピジン塩酸塩，シロスタゾール，リマプロストアルファデクス，イコサペント酸エチル，ベラプロストナトリウム

治療

効能・効果　慢性動脈閉塞症に伴う潰瘍，疼痛及び冷感等の虚血性諸症状の改善

用法・用量　サルポグレラート塩酸塩として1回100mg，1日3回食後(適宜増減)

禁忌・原則禁忌となる特定患者集団　妊婦又は妊娠している可能性のある婦人

使用上の注意

禁忌　①出血している患者(血友病，毛細血管脆弱症，消化管潰瘍，尿路出血，喀血，硝子体出血等)［出血をさらに増強する可能性がある］　②妊婦又は妊娠している可能性のある婦人

薬物動態

吸収　健常成人6例に100mg単回経口投与時の薬物動態パラメータはCmax0.54±0.1μg/mL，Tmax0.92±0.59hr，$T_{1/2}$ 0.69±0.14hr，$AUC_{0-\infty}$0.58±0.19μg・hr/mL．錠剤と細粒剤は生物学的に同等　**代謝・排泄**　健常成人に100mg単回経口投与後24時間までに尿中44.5%，糞中4.2%排泄し，未変化体は認められない　**代謝酵素**　脱エステル化された後，代謝物は複数のチトクロムP450分子種(CYP1A2，CYP2B6，CYP2C9，CYP2C19，CYP2D6，CYP3A4)で代謝

その他の管理的事項

投与期間制限　該当しない

保険給付上の注意　該当しない

資料

IF　アンプラーグ細粒10%・錠50mg・100mg　2012年3月改訂(第15版)

酸化亜鉛
Zinc Oxide

別名：亜鉛華

概要

分子式　ZnO

分子量　81.38

原薬の規制区分　該当しない

原薬の外観・性状　白色の無晶性の粉末で，におい及び味はない．水，エタノール(95)，酢酸(100)又はジエチルエーテルにほとんど溶けない．希塩酸又は水酸化ナトリウム試液に溶ける．空気中で徐々に二酸化炭素を吸収する

原薬の吸湿性　該当資料なし

原薬の酸塩基解離定数　該当資料なし

先発医薬品等

外用末 酸化亜鉛原末「マルイシ」(丸石)
酸化亜鉛「ケンエー」(健栄)
酸化亜鉛「コザカイ・M」(小堺＝中北)
酸化亜鉛「三恵」(三恵)
酸化亜鉛「司生堂」(司生堂)
酸化亜鉛「日医工」(日医工)
酸化亜鉛「ニッコー」(日興製薬)
酸化亜鉛(山善)
酸化亜鉛「ヨシダ」(吉田製薬)
酸化亜鉛「ファイザー」原末(マイラン＝ファイザー)

国際誕生年月　1895年

製剤

製剤の性状　外用末 粉末

有効期間又は使用期限　5年

貯法・保存条件　気密容器，室温保存

薬剤取扱い上の留意点　誤って吸入させないよう注意させること．目には使用しないこと

患者向け資料等　くすりのしおり

薬理作用

分類　外用局所収斂剤

作用部位・作用機序　作用部位：皮膚　作用機序：皮膚のタンパク質に結合又は吸着して不溶性の沈殿物や被膜を形成し，収れん，消炎，保護並びに緩和な防腐作用を現す．また，毛細血管の透過性を減少させ，血漿の浸出や白血球の遊出を抑制するので炎症を抑える（抗炎症作用）とともに，創面又は潰瘍面などを乾燥させる
同効薬　亜鉛華デンプン

治療

効能・効果　軽度の皮膚病変の収れん・消炎・保護・緩和な防腐
用法・用量　外用散剤（散布剤）として15～100%．軟膏剤・液剤（懸濁剤・リニメント剤・ローション剤等）として2～60%．前記濃度に調製し，いずれも症状に応じ1日1～数回適用

その他の管理的事項

投与期間制限　該当しない
保険給付上の注意　該当しない

資料

IF　酸化亜鉛「ファイザー」原末　2019年7月改訂（第6版）

酸化カルシウム
Calcium Oxide

概要

分子式　CaO
分子量　56.08
原薬の規制区分　該当しない
原薬の外観・性状　白色の堅い塊で，粉末を含み，においはない．熱湯に極めて溶けにくく，エタノール（95）にほとんど溶けない．1gは水2500mLにほとんど溶ける．空気中で徐々に湿気及び二酸化炭素を吸収する
原薬の吸湿性　空気中で徐々に湿気及び二酸化炭素を吸収する

酸化チタン
Titanium Oxide

概要

分子式　TiO_2
分子量　79.87
原薬の規制区分　該当しない
原薬の外観・性状　白色の粉末で，におい及び味はない．水，エタノール（99.5）又はジエチルエーテルにほとんど溶けない．熱硫酸又はフッ化水素酸に溶けるが，塩酸，硝酸又は希硫酸に溶けない．硫酸水素カリウム，水酸化カリウム又は炭酸カリウムを加え，加熱して融解するとき，可溶性塩に変わる．1gに水10mLを加え，振り混ぜた液は中性である

酸化マグネシウム
Magnesium Oxide

概要

薬効分類　234　制酸剤，235　下剤，浣腸剤
分子式　MgO
分子量　40.30
略語・慣用名　慣用名：カマ，カマグ
ステム　該当しない
原薬の規制区分　該当しない
原薬の外観・性状　白色の粉末又は粒で，においはない．水，エタノール（95）又はジエチルエーテルにほとんど溶けない．希塩酸に溶ける．空気中で湿気及び二酸化炭素を吸収する
原薬の吸湿性　空気中で湿気及び二酸化炭素を吸収する
原薬の融点・沸点・凝固点　融点：2800℃，沸点：3600℃
原薬の酸塩基解離定数　該当資料なし
先発医薬品等

末 酸化マグネシウム原末「マルイシ」（丸石）
酸化マグネシウム「JG」（日本ジェネリック）
酸化マグネシウム「NP」原末（ニプロ＝ファイザー）
酸化マグネシウム「コザカイ・M」（小堺＝日興製薬販売＝日医工）
酸化マグネシウム（山善）
重カマ「ヨシダ」（吉田製薬）
重質酸化マグネシウム「NikP」（日医工＝岩城）
重質酸化マグネシウム「ケンエー」（健栄）
重質酸化マグネシウム「三恵」（三恵）
重質酸化マグネシウム　シオエ（シオエ＝日本新薬）
重質酸化マグネシウム「東海」（東海製薬）
重質酸化マグネシウム「ニッコー」（日興製薬＝中北）
重質酸化マグネシウム〈ハチ〉（東洋製化＝小野）
重質酸化マグネシウム「ホエイ」（マイラン＝ファイザー）

後発医薬品

細 83%
錠 200mg・250mg・300mg・330mg・400mg・500mg

国際誕生年月　不明
海外での発売状況　該当資料なし

製剤

製剤の性状　末 白色の粉末又は粒で，においはない　細 白色の粒で，においはない　錠 白色・円形の素錠
有効期間又は使用期限　3年
貯法・保存条件　末 室温保存　細 錠 気密容器，室温保存
薬剤取扱い上の留意点　カルシウム製剤と同時服用は避ける．空気中で湿気及び二酸化炭素を吸収するので注意すること（細 錠 開封後はできるだけ速やかに使用すること．また，開封後は湿気を避けて保管すること）．カルシウム製剤と同時服用は避ける　錠 金属と擦れることにより黒色になることがある
患者向け資料等　末 細 患者向医薬品ガイド，くすりのしおり　錠 患者向医薬品ガイド，くすりのしおり，患者用説明文書
溶液及び溶解時のpH　該当しない
浸透圧比　該当しない
安定なpH域　該当しない
調製時の注意　該当しない

薬理作用

分類　制酸・緩下剤
作用部位・作用機序　胃内において制酸作用を呈し，その際二酸化炭素を発生しないため刺激が少ないとされる．酸化マグネシウム1gは，0.1mol/L塩酸の約500mLを中和できる．水に不溶性なため，炭酸水素ナトリウムに比較すると制酸性は遅効性であり，作用時間も長い．腸内において重炭酸塩となり，腸内の浸透圧を高めて腸内腔へ水分を引き寄せ，腸内容物を軟化させるとともに，腸管内容物が膨張し，腸管に拡張刺激を与え，排便を促し，緩下剤としての作用を発揮する．尿路シュウ酸カルシウム結石の発生予防に関しては，腸管内でマグネシウムはシュウ酸と結合することによりシュウ酸の吸収を阻害したり，また尿中ではマグネシウムはシュウ酸と可溶性の複合体を形成する．その結果，尿中のシュウ酸イオンは減少し，シュウ酸カルシウム結晶の形成を抑制するもの

サ

と考えられている

同効薬　プルゼニド，ピコスルファートナトリウムなど

治療

効能・効果　①次の疾患における制酸作用と症状の改善：胃・十二指腸潰瘍，胃炎(急・慢性胃炎，薬剤性胃炎を含む)，上部消化管機能異常(神経性食思不振，いわゆる胃下垂症，胃酸過多症を含む)　②便秘症　③尿路シュウ酸カルシウム結石の発生予防

用法・用量　効能①：酸化マグネシウムとして1日0.5～1gを数回に分服(適宜増減)　効能②：酸化マグネシウムとして1日2gを食前又は食後3回に分服，又は就寝前に1回服用(適宜増減)　効能③：酸化マグネシウムとして1日0.2～0.6gを多量の水とともに服用(適宜増減)

使用上の注意

過量投与　①徴候，症状：血清マグネシウム濃度が高値になるにつれ，深部腱反射の消失，呼吸抑制，意識障害，房室ブロックや伝導障害等の不整脈，心停止等が現れることがある　②処置：大量服用後の間もない場合には，催吐ならびに胃洗浄を行う．中毒症状が現れた場合には，心電図ならびに血清マグネシウム濃度の測定等により患者の状態を十分に観察し，症状に応じて適切な処置を行う(治療にはグルコン酸カルシウム静注が有効であるとの報告がある)．なお，マグネシウムを除去するために血液透析が有効である

その他の管理的事項

投与期間制限　該当しない

保険給付上の注意　該当しない

資料

IF　マグミット細粒83%　2015年10月改訂(第3版)
マグミット錠200mg・250mg・330mg・500mg　2020年8月改訂(第11版)

添付文書　酸化マグネシウム原末「マルイシ」 2015年10月改訂(第2版)

三酸化二ヒ素
Arsenic Trioxide

概要

薬効分類　429　その他の腫瘍用薬

分子式　As_2O_3

分子量　197.84

略語・慣用名　別名：亜ヒ酸

ステム　不明

原薬の規制区分　毒(ただし，ヒ素として0.06%以下を含有するものは劇(ただし，ヒ素として0.003%以下を含有するものを除く))

原薬の外観・性状　白色の粉末で，においはない．水，エタノール(95)又はジエチルエーテルにほとんど溶けない．水酸化ナトリウム試液に溶ける

原薬の吸湿性　該当資料なし

原薬の酸塩基解離定数　該当資料なし

先発医薬品等
注 トリセノックス注10mg(日本新薬)

国際誕生年月　2000年9月

海外での発売状況　米，英，仏，独など

製剤

規制区分　**注** 毒 処

製剤の性状　**注** 無色澄明の水性注射液である

有効期間又は使用期限　4年

貯法・保存条件　室温保存

薬剤取扱い上の留意点　取扱い上の注意：取扱い時にはゴム手袋，防護メガネ等の着用が望ましい．眼や皮膚に付着した場合は直ちに多量の水で十分に洗浄し，医師の診断を受けるなど，適切な処置を行うこと．使用後の残液及び薬液の触れた器具等は適用法令等に従って廃棄すること　患者等に留意すべき必須事項：投与に際して本剤が血管外に漏出した場合は，直ちに投与を中止し可能な限り局所から残薬を回収すること．他の薬剤又は輸液と混合しないこと

患者向け資料等　患者向医薬品ガイド，くすりのしおり

溶液及び溶解時のpH　7.5～8.5

調製時の注意　該当しない

薬理作用

分類　再発・難治性急性前骨髄球性白血病治療剤

作用部位・作用機序　作用機序は完全には解明されていないが，三酸化ヒ素については次の薬理作用が報告されており，本剤の作用機序の一部と推定される：①*In vitro*でヒトAPL由来細胞株(NB4)の形態学的変化，アポトーシスに特徴的なDNA断片化を引き起こす　②融合蛋白PML-RARαの分解を引き起こす

同効薬　トレチノイン，タミバロテン

治療

効能・効果　再発又は難治性の急性前骨髄球性白血病

効能・効果に関連する使用上の注意　染色体検査(t(15；17)転座)又は遺伝子検査(PML-RARα遺伝子)により急性前骨髄球性白血病と診断された患者に使用する．本剤により完全寛解を得た後に再発した急性前骨髄球性白血病に対して，本剤の有効性・安全性は確立していない

用法・用量　0.15mg/kgを5%ブドウ糖液あるいは生理食塩液に混合して100～250mLとし，1～2時間かけて投与する：①寛解導入療法：骨髄寛解が得られるまで1日1回静注．合計の投与回数は60回を超えない　②寛解後療法：寛解が得られた場合には，寛解導入終了後3～6週間後に開始．5週間の間に1日1回，計25回静注

用法・用量に関連する使用上の注意　①投与にあたっては5%ブドウ糖液あるいは生理食塩液に混合して使用し，他の薬剤又は輸液と混合しない　②投与時に，急性の血管収縮・拡張に伴う症状(低血圧，めまい，頭部ふらふら感，潮紅，頭痛等)が認められた場合には4時間まで投与時間を延長することができる　③寛解後療法の用法・用量を複数回繰り返し(25回を超える投与)実施した場合の有効性・安全性は確立していない(投与経験が極めて少ない)

禁忌・原則禁忌となる特定患者集団　妊婦又は妊娠している可能性のある婦人

使用上の注意

警告　①本剤による治療は危険性を伴うため，原則として，投与期間中は患者を入院環境で医師の管理下に置く．また，緊急医療体制の整備された医療機関において白血病〔特に急性前骨髄球性白血病(APL)〕の治療に十分な知識と経験をもつ医師のもとで治療を行う　②QT延長，完全房室ブロック等の不整脈を起こすことがある．QT延長は致命的となりうるtorsades de pointes(TdP)タイプの心室性不整脈を引き起こすことがあるので失神や頻脈等の不整脈が認められた場合には，休薬し，症状によっては中止も考慮に入れる．投与開始前には12誘導心電図を実施し，血清電解質(カリウム，カルシウム，マグネシウム)及びクレアチニンについて検査する．電解質異常が認められている場合には是正し，QT延長をきたす併用薬剤の投与を避ける．本剤投与中は12誘導心電図を最低週2回実施し，さらに心電図モニター等による監視も考慮する　③APL分化症候群(APL differentiation syndrome)と呼ばれるレチノイン酸症候群と類似した副作用が発現し，致死的な転帰をたどることがあるので，十分な経過観察を行う．このような症状が現れた場合には休薬し，副腎皮質ホルモン剤のパルス療法等の適切な処置を行う　④使用にあたっては，禁忌，原

則禁忌，慎重投与，重要な基本的注意を参照し，慎重に患者を選択する．なお，本剤使用時には，添付文書を熟読する

禁忌　①ヒ素に対して過敏症の既往歴のある患者　②妊婦又は妊娠している可能性のある婦人

過量投与　①徴候・症状：重篤な急性ヒ素中毒(例：痙攣，筋脱力感，錯乱状態等)　②処置：重篤な急性ヒ素中毒を示唆する症状が発現した場合は，投与を速やかに中止し，キレート治療等を検討する．参考：通常のキレート療法はジメルカプロール1回2.5mg/kgを最初の2日間は4時間ごとに1日6回，3日目には1日4回，以降10日間あるいは回復するまで毎日2回筋肉内注射する．その後，ペニシラミン250mgを経口で最高1日4回(<1000mg/day)まで投与してもよい

薬物動態

血漿中濃度　①日本人14名の再発又は難治性APL患者での治療研究において，0.15mg/kgを1日1回最大60日間反復投与(2時間の持続注入)した12名の患者でのヒ素の形態別(無機ヒ素及びメチル化ヒ素)血漿中濃度を分離定量時，初回投与後，無機ヒ素[ヒ素(三価)＋ヒ素(五価)]に投与終了直後にCmax(平均22.6ng/mL；米国での測定値に近似)に達し，その後二相性に消失したが，代謝物のメチル化ヒ素(メチルアルソン酸及びジメチルアルシン酸)は遅れて血中に出現し，24時間まで徐々に上昇．また，反復投与期間中の無機ヒ素のCmax値はほぼ一定で推移したが，メチル化ヒ素濃度は投与回数に伴って上昇．無機ヒ素の薬物動態パラメータは次の通り．[初日(11～12例)，4週後(6例)の順]Cmax(ng/mL)22.6±11.4，23.2±10.2，Tmax(hr)1.9±0.7，2.0±0.3，$t_{1/2}$(hr)15.4±9.2，24.2±12.5，AUC_{0-t}(ng・hr/mL)138.6±32.4，233.3±92.8，$AUC_{0-\infty}$(ng・hr/mL)211.8±55.1，474.8±192.6　②米国のPhaseI/II試験で12例の再発又は難治性APL患者に本剤0.06～0.2mg/kgを投与時の総ヒ素の薬物動態パラメータは，投与量0.15±0.04mg/kg，Cmax27.4±9ng/mL，Tmax3.2±1.9hr，$t_{1/2}$100±72hr，AUC_{0-24hr}450±119ng・hr/mL　**代謝**　三酸化ヒ素の代謝はヒ素(五価)⇔ヒ素(三価)→メチルアルソン酸→ジメチルアルシン酸．メチル化の主な部位は肝臓　**分布**　ヒ素は血流の多い組織に迅速に分布し，肝臓，腎臓，脾臓等で高濃度となる．爪や毛髪には他の組織に比べてより長期にわたって残存するが，顕著な蓄積を示す臓器は認められない　**排泄**　日本人の再発又は難治性APL患者に0.15mg/kgを1日1回反復投与し，ヒ素の形態別の尿中排泄率(% of dose)を測定．投与初日(0～24hr)の排泄率は，ヒ素(三価)とヒ素(五価)でそれぞれ約6%，メチルアルソン酸とジメチルアルシン酸で約3～5%であり，無機ヒ素及びメチル化ヒ素の総排泄率は約20%　**薬物相互作用**　他の薬剤との薬物相互作用については評価されていない．三酸化ヒ素を代謝する酵素はメチルトランスフェラーゼであり，チトクロムP450に属する酵素ではない．三酸化ヒ素は，15μg/mLの濃度でヒト肝ミクロソームの主なP450分子種を阻害しなかった

その他の管理的事項

投与期間制限　該当しない

保険給付上の注意　該当しない

資料

IF　トリセノックス注10mg　2020年4月改訂(第6版)

酸素
Oxygen

概要

薬効分類　799　他に分類されない治療を主目的としない医薬品

分子式　O_2

分子量　32.00

原薬の規制区分　該当しない

原薬の外観・性状　大気圧下において無色のガスで，においはない．1mLは温度20℃，気圧101.3kPaで水32mL又はエタノール(95)7mLに溶ける．1000mLは温度0℃，気圧101.3kPaで1.429gである

原薬の融点・沸点・凝固点　融点：－218℃，沸点：－183℃

先発医薬品等

外用　液化酸素(小池メディカル)
液化酸素(日本エア・リキード)
液体酸素(エアウォーター)
酸素(エアウォーター)
酸素(小池メディカル)
酸素(日本エア・リキード)

製剤

製剤の性状　定量するとき，酸素(O_2)99.5vol%以上を含む．無色のガスでにおいはない．支燃性である

貯法・保存条件　耐圧密封容器(高圧ガス容器)

薬剤取扱い上の留意点　貯蔵上の注意：①容器は粗暴な取扱いをせず，転倒，転落等による衝撃及びバルブの損傷を防止するために，安定した床に倒れないように置き，ロープ等で縛りつける，又は保管箱に入れる　②容器は直射日光の当たらない場所で，常に温度40℃以下に保つ　③容器を貯蔵する付近では，火気に気をつける：(1)容器置場の周囲2m以内に，火気及び引火性若しくは発火性の物を置かない　(2)容器置場には，適切な消火設備を設ける　(3)容器は，電気配線やアース線の近くに保管してはならない　④容器は，湿気水滴等による腐食を防止する措置を講じる：(1)容器置場は，錆・腐食を防止するため，水分を浸入させないようにして，腐食性物質を近くに置かない　(2)水分，異物等の混入による腐食等を防止するため，使用済み容器でも，容器のバルブは必ず閉めておく　⑤容器は「高圧ガス容器置場」であることを明示した所定の場所に，保管する：(1)容器は，充填容器と使用済み容器を区分して置く　(2)酸素，可燃性ガス及び毒性ガスの容器は，区分して置く　(3)容器置場には作業に必要な用具以外の物を置かない　(4)容器置場には関係者以外の立入りを禁止する　消費上の注意：①酸素を使用する場合は，可燃物及び火気に注意する：(1)酸素に油脂類等は厳禁であり，バルブ，圧力調整器，呼吸器の回路等本品と接触する部分に油脂類を付着させてはならない．又塵埃等の付着がないことも確かめる　(2)在宅酸素療法以外の本品の消費設備から5m以内に火気及び引火性，若しくは発火性のものを置かない　(3)酸素使用場所での喫煙，火気の使用を禁止し，換気をはかる　(4)酸素を使用中，電気メス，レーザーメス等は発火源となるため，ガーゼ，脱脂綿，チューブなどの可燃物が発火しないように注意する　(5)揮発性可燃物との同時使用を避ける　(6)バルブは静かに開閉する．急激に開けると発火の原因となる　②その他：(1)容器は常に温度40℃以下で使用し，直射日光を避け，火気・暖房の付近に置かない　(2)調整器及び圧力計等は，酸素用の物を使用する　(3)パッキン類は，所定のものを使用する　(4)使用後はバルブを閉じる．保護キャップを装着する容器では，キャップを付ける　(5)医療施設内の酸素の消費設備には，適切な消火設備を設ける　(6)設備の使用開始時及び使用終了時に異常の有無を点検するほか，1日に1回以上設備等の作動状況を点検するとともに定期的にガス濃度，圧力及び気密を点検する．もし，異常があるときは，設備の補修等の危険防止措置を講じる　(7)酸素を，圧縮空気やその他の医療用ガスの代わりに使用しない　ガス漏洩時の注意：①容器からガス漏れのある場合は，直ちにバルブを閉じてガスの使用を中止する　②容器安全弁(破裂板)が破裂してガスが噴出した場合は，火気に注意して部屋の換気を行う　火災時の注意：①酸素は火勢を強め，より激しく燃焼させるので患者の

状態を確認した上で速やかにガスの供給を断つ ②消火には，水，粉末消火剤等が有効である 移送時の注意：容器は，常に温度40℃以下に保ち，直射日光を避け固定して安全に運搬する

[薬理作用]

分類 医療用ガス

[治療]

効能・用法 [ガス] 酸素欠乏による諸症状の改善．窒素と混合し，合成空気として使用．医師の指示による
[液] 気化設備を用いて気化し，酸素として使用．酸素欠乏による諸症状の改善

[その他の管理的事項]

投与期間制限 該当しない

保険給付上の注意 該当しない

[資料]

添付文書 酸素(日本エア・リキード) 2020年1月改訂(第5版)

サントニン
Santonin

[概要]

構造式

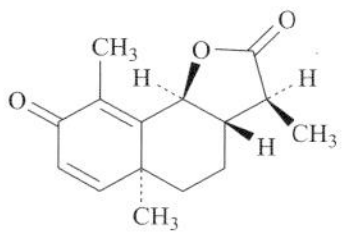

分子式 $C_{15}H_{18}O_3$

分子量 246.30

原薬の規制区分 [劇](ただし，1個中サントニンとして50mg以下を含有するもの及び1包中サントニンとして0.1g以下を含有するものを除く)

原薬の外観・性状 無色の結晶又は白色の結晶性の粉末である．クロロホルムに溶けやすく，エタノール(95)にやや溶けにくく，水にほとんど溶けない．光によって黄色になる

原薬の融点・沸点・凝固点 融点：172～175℃

[製剤]

貯法・保存条件 遮光した気密容器，室温保存

[治療]

効能・効果† 回虫の駆除

ジアスターゼ
Diastase

[概要]

薬効分類 233 健胃消化剤

略語・慣用名 アミラーゼ

原薬の規制区分 該当しない

原薬の外観・性状 淡黄色～淡褐色の粉末である

原薬の吸湿性 吸湿性である

原薬の酸塩基解離定数 該当資料なし

先発医薬品等

[末] ジアスターゼ原末「マルイシ」(丸石＝ニプロ)
ジアスターゼ「ケンエー」(健栄)
ジアスターゼ「コザカイ・M」(小堺)
ジアスターゼ「三恵」(三恵)
ジアスターゼ シオエ(シオエ＝日本新薬)
ジアスターゼ「日医工」(日医工)
ジアスターゼ「ニッコー」(日興製薬)
ジアスターゼ〈ハチ〉(東洋製化＝小野)
ジアスターゼ「ホエイ」(マイラン＝ファイザー)
ジアスターゼ(山善)
ジアスターゼ「ヨシダ」(吉田製薬)

国際誕生年月 該当しない

海外での発売状況 該当資料なし

[製剤]

製剤の性状 [末] 淡黄色～淡褐色の粉末である

有効期間又は使用期限 3年

貯法・保存条件 気密容器，30℃以下で保存

薬剤取扱い上の留意点 強酸又は強アルカリにより失活する

患者向け資料等 くすりのしおり

安定なpH域 4.0～7.0

[薬理作用]

分類 消化酵素製剤

作用部位・作用機序 作用部位：胃，小腸上部 作用機序：胃中において食物がまだじゅうぶんに胃液と混合し強酸性にならないうちに作用するものと思われる．そのため各種の制酸剤を配合することが行われているが，じゅうぶんな効果は期待できない．制酸剤その他配合薬品の影響については竹内その他の報告がある．しかしジアスターゼの効力を測定するとき配合制酸剤を中和するのに塩酸を用いると効力が低くなるので注意を要する．ジアスターゼに有機酸のカルシウム塩を添加すると，かなり強い酸度のでんぷん液に対しても効力を発揮するという．動物性アミラーゼと異なり塩素イオンによっては活性化されない．α-アミラーゼはカルシウムイオンによって保護される

同効薬 該当しない

[治療]

効能・効果 主として炭水化物の消化異常症状の改善

用法・用量 1回0.3～0.5g，1日3回食後(適宜増減)

[使用上の注意]

禁忌 本剤に対し過敏症の既往歴のある患者

[その他の管理的事項]

投与期間制限 該当しない

保険給付上の注意 該当しない

[資料]

IF ジアスターゼ「ホエイ」 2013年1月改訂(第4版)

ジアスターゼ・重曹散
Diastase and Sodium Bicarbonate Powder

[概要]

原薬の規制区分 該当しない

原薬の外観・性状 淡黄色で，特異な塩味がある

[製剤]

貯法・保存条件 密閉容器

複方ジアスターゼ・重曹散
Compound Diastase and Sodium Bicarbonate Powder

概要
原薬の規制区分　該当しない
原薬の外観・性状　僅かに褐色を帯びた淡黄色で，特異なにおいがあり，味は苦い
製剤
貯法・保存条件　密閉容器

ジアゼパム
ジアゼパム錠
Diazepam

概要
薬効分類　112　催眠鎮静剤，抗不安剤
構造式

分子式　$C_{16}H_{13}ClN_2O$
分子量　284.74
ステム　ジアゼパム系抗不安薬・鎮静薬：-azepam
原薬の規制区分　向Ⅲ
原薬の外観・性状　白色～淡黄色の結晶性の粉末で，においはなく，味は僅かに苦い．アセトンに溶けやすく，無水酢酸又はエタノール(95)にやや溶けやすく，ジエチルエーテルにやや溶けにくく，エタノール(99.5)に溶けにくく，水にほとんど溶けない
原薬の吸湿性　40℃，90%RHで2カ月間保存したとき，吸湿量は0.4%であった
原薬の融点・沸点・凝固点　融点：130～134℃
原薬の酸塩基解離定数　pKa＝3.3(20℃)
先発医薬品等
散 セルシン散1%(武田テバ薬品＝武田)
ホリゾン散1%(丸石)
錠 2mg・5mg・10mgセルシン錠(武田テバ薬品＝武田)
ホリゾン錠2mg・5mg(丸石)
シ セルシンシロップ0.1%(武田テバ薬品＝武田)
注 セルシン注射液5mg・10mg(武田テバ薬品＝武田)
ホリゾン注射液10mg(丸石)
坐 ダイアップ坐剤4・6・10(高田)
後発医薬品
散 1%
錠 2mg・5mg・10mg
注 5mg・10mg
国際誕生年月　該当しない
海外での発売状況　**散** **錠** **シ** **注** 米，英など
製剤
規制区分　**散** **錠** **シ** **注** **坐** 向Ⅲ 処
製剤の性状　**散** 白色の細粒を含む粉末である　**2・10mg錠** 白色～黄みの白色，片面割線入りの素錠　**5mg錠** 淡黄色～淡だいだい黄色，片面割線入りの素錠　**シ** 無色澄明のシロップ液で，果実ようの芳香を有し，味は甘く，後やや苦い　**注** 淡黄色～黄色澄明な僅かに粘性のある注射液　**坐** 白色～淡黄色のやや透明な紡すい形の坐剤
有効期間又は使用期限　**散** **錠** 5年6カ月　**シ** 1年6カ月　**注** 3年6カ月　**坐** 3年
貯法・保存条件　**散** **錠** **注** 室温保存　**シ** 室温保存．開封後も遮光保存すること　**坐** 遮光した気密容器，室温保存
薬剤取扱い上の留意点　**散** **錠** **シ** **注** 眠気，注意力・集中力・反射運動能力等の低下が起こることがあるので，本剤投与中の患者には自動車の運転等危険を伴う機械の操作に従事させないよう注意すること．連用により薬物依存を生じることがあるので，漫然とした継続投与による長期使用を避けること．本剤の投与を継続する場合には，治療上の必要性を十分に検討すること　**坐** 眠気，注意力・集中力・反射運動能力等の低下が起こることがあるので，投与後の患者の状態に十分注意すること
患者向け資料等　**散** **錠** **シ** **坐** 患者向医薬品ガイド，くすりのしおり　**注** 患者向医薬品ガイド
溶液及び溶解時のpH　**シ** 4.5～6.5　**注** 6.0～7.0
浸透圧比　**注** 約30(対生食)
調製時の注意　**注** 他の注射液と混合又は希釈して使用しないこと
薬理作用
分類　ベンゾジアゼピン系化合物
作用部位・作用機序　中枢における抑制性伝達物質GABAの受容体には，$GABA_A$受容体と$GABA_B$受容体があるが，$GABA_A$受容体は，GABA結合部位，ベンゾジアゼピン結合部位，バルビツール酸誘導体結合部位，などからなる複合体を形成し，中央にCl^-を通す陰イオンチャネル(Cl^-チャネル)が存在する．GABAがその結合部位に結合するとCl^-チャネルが開口し，それにより神経細胞は過分極し，神経機能の全般的な抑制がもたらされる．ベンゾジアゼピン系薬物がこの複合体の結合部位に結合すると，GABAによる過分極誘起作用すなわち神経機能抑制作用を促進する
同効薬　**散** **錠** **シ** クロルジアゼポキシド，クロキサゾラム，メタゼパムなど　**注** フルニトラゼパム，ミダゾラム　**坐** フェノバルビタールナトリウム坐剤
治療
効能・効果　**散** **錠** **シ** ①神経症における不安・緊張・抑うつ　②うつ病における不安・緊張　③心身症(消化器疾患，循環器疾患，自律神経失調症，更年期障害，腰痛症，頸肩腕症候群)における身体症候ならびに不安・緊張・抑うつ　④次の疾患における筋緊張の軽減：脳脊髄疾患に伴う筋痙攣・疼痛　⑤麻酔前投薬
注 ①神経症における不安・緊張・抑うつ　②次の疾患及び状態における不安・興奮・抑うつの軽減：麻酔前，麻酔導入時，麻酔中，術後，アルコール依存症の禁断(離脱)症状，分娩時　③次の状態における痙攣の抑制：てんかん様重積状態，有機リン中毒*)，カーバメート中毒*)
*)「タイヨー」，ホリゾンのみ
坐 小児に対して次の目的に用いる：熱性痙攣及びてんかんの痙攣発作の改善
用法・用量　**散** **錠** **シ** 1回2～5mg，1日2～4回(適宜増減)．外来患者は原則として1日15mg以内とする(適宜増減)．小児1日12～4歳2～10mg，3歳以下1～5mg，1～3回に分服(適宜増減)．筋痙攣患者は1回2～10mg，1日3～4回(適宜増減)．麻酔前投薬の場合は，1回5～10mgを就寝前又は手術前(適宜増減)
注 疾患の種類，症状の程度，年齢及び体重等を考慮して用いる．初回10mgをできるだけ緩徐に静注又は筋注．以後必要に応じて3～4時間ごとに注射．なお，静注には，なるべく太い静脈を選んで，できるだけ緩徐に(2分以上の時間をかけて)注射
坐 小児1回0.4～0.5mg/kg，1日1～2回，直腸内に挿入(適宜増減)．1日1mg/kgを超えないようにする
用法・用量に関連する使用上の注意　**注** ①次の患者には筋注

しない：低出生体重児，新生児，乳・幼児，小児　②痙攣の抑制のために投与するとき，特に追加投与を繰り返す際には，呼吸器・循環器系の抑制に注意する　③〔「タイヨー」，ホリゾン〕有機リン中毒，カーバメート中毒患者に投与する際は，特に次の事項に注意する：(1)有機リン中毒，カーバメート中毒における痙攣に対して投与する場合は，必ず呼吸状態の把握及び気道確保を行う　(2)本剤は直接的な解毒作用を有さないため，アトロピン及びプラリドキシムを投与した上で投与する

禁忌・原則禁忌となる特定患者集団　坐　低出生体重児・新生児

使用上の注意

禁忌　散　錠　シ　①急性閉塞隅角緑内障の患者［抗コリン作用により眼圧が上昇し，症状を悪化させることがある］　②重症筋無力症のある患者［筋弛緩作用により症状が悪化するおそれがある］　③リトナビル(HIVプロテアーゼ阻害剤)を投与中の患者

注　①急性閉塞隅角緑内障の患者［抗コリン作用により眼圧が上昇し，症状を悪化させることがある］　②重症筋無力症のある患者［筋弛緩作用により症状が悪化するおそれがある］　③ショック，昏睡，バイタルサインの悪い急性アルコール中毒の患者［ときに頻脈，徐脈，血圧低下，循環性ショックが現れることがある］　④リトナビル(HIVプロテアーゼ阻害剤)を投与中の患者

坐　①急性閉塞隅角緑内障の患者［抗コリン作用により眼圧が上昇し，症状を悪化させることがある］　②重症筋無力症のある患者［筋弛緩作用により症状が悪化するおそれがある］　③低出生体重児・新生児［安全性は確立していない］　④リトナビル(HIVプロテアーゼ阻害剤)を投与中の患者

過量投与　過量投与が明白又は疑われた場合の処置としてフルマゼニル(ベンゾジアゼピン受容体拮抗剤)を投与する場合には，使用前にフルマゼニルの使用上の注意(禁忌，慎重投与，相互作用等)を必ず読む

薬物動態

坐　①健康成人14例に10mg単回直腸内投与後1.2時間で平均最高血中濃度321ng/mL，平均消失半減期34.9時間　②小児6例(平均14.8カ月)に0.5mg/kg単回直腸内投与後1.5時間で平均最高血中濃度379ng/mL，平均消失半減期32.8時間

その他の管理的事項

投与期間制限　散　錠　シ　90日　坐　14日

保険給付上の注意　該当しない

資料

IF　セルシン散1%・2mg・5mg・10mg錠・シロップ0.1%　2017年3月改訂(第6版)
セルシン注射液5mg・10mg　2017年3月改訂(第7版)
ダイアップ坐剤4・6・10　2019年7月改訂(第7版)

シアナミド
Cyanamide

概要

薬効分類　393　習慣性中毒用剤

構造式

H_2N-CN

分子式　CH_2N_2

分子量　42.04

略語・慣用名　慣用名：Carbodiimide

ステム　不明

原薬の規制区分　㊀劇

原薬の外観・性状　白色の結晶又は結晶性の粉末である．水，メタノール，エタノール(99.5)又はアセトンに極めて溶けやすい．1.0gを水100mLに溶かした液のpHは5.0～6.5である

原薬の吸湿性　吸湿性である

原薬の融点・沸点・凝固点　融点：約46℃

原薬の酸塩基解離定数　該当資料なし

先発医薬品等

内用液　シアナマイド内用液1%「タナベ」(田辺三菱＝吉富薬品)

国際誕生年月　不明

海外での発売状況　発売されていない

製剤

規制区分　内用液　㊀劇　㊀処

製剤の性状　内用液　無色澄明・においはないか又は僅かに特異なにおいの液

有効期間又は使用期限　3年

貯法・保存条件　冷所保存

薬剤取扱い上の留意点　薬局での取り扱い：長時間加熱したり，煮沸してはならない　患者等に留意すべき必須事項：本剤服用中は，医師の指示によらないアルコール摂取を禁ずること．注意力・集中力・反射運動能力等の低下が起こることがあるので，本剤投与中の患者には自動車の運転等危険を伴う機械の操作に従事させないように注意すること

患者向け資料等　患者向医薬品ガイド，くすりのしおり

溶液及び溶解時のpH　5.5～7.0

調製時の注意　該当しない

薬理作用

分類　アルデヒド脱水素酵素阻害酒量抑制剤

作用部位・作用機序　肝臓中のアルデヒド脱水素酵素を阻害することにより，体内にアセトアルデヒドを蓄積させ，宿酔の不快な症状を起こすものと考えられているが，血中のアセトアルデヒドの濃度と症状とが相関しないとの指摘もあり，他の要因が関与している可能性もある

同効薬　ジスルフィラム

治療

効能・効果　慢性アルコール中毒及び過飲酒者に対する抗酒療法

用法・用量　断酒療法には1日50～200mg(1%溶液として5～20mL)を1～2回に分服．1週間投与後に通常実施する飲酒試験には，患者の平常の飲酒量の1/10以下の酒量を飲ませる．飲酒試験の結果発現する症状の程度により，用量を調整し，維持量を決める．節酒療法には，飲酒者のそれまでの飲酒量によっても異なるが，酒量を清酒で180mL前後，ビールで600mL前後程度に抑えるには，15～60mg(1%溶液として1.5～6mL)を1日1回投与．飲酒抑制効果の持続するものには隔日に投与してもよい

禁忌・原則禁忌となる特定患者集団　妊婦又は妊娠している可能性のある婦人

使用上の注意

禁忌　①重篤な心障害のある患者［投与により増加するアルコール代謝物アセトアルデヒドが悪影響を及ぼすおそれがある］　②重篤な肝障害のある患者［スリガラス様封入体の発現により悪影響を及ぼす］　③重篤な腎障害のある患者［腎障害を悪化させるおそれがある］　④重篤な呼吸器疾患のある患者［投与により増加するアルコール代謝物アセトアルデヒドが呼吸機能に抑制的に作用する］　⑤アルコールを含む医薬品(エリキシル剤，薬用酒等)を投与中の患者　⑥妊婦又は妊娠している可能性のある婦人

薬物動態

血中濃度(参考：外国人)　健康成人(4例)に0.3，1，1.5mg/kg経口投与時，吸収は速やかで，最高血中濃度は10.5～15.5分後，半減期は39.9～76.5分．薬物動態パラメータ(0.3，1，1.5mg/kg単回投与の順)はTmax(min)15.5±5.3，10.5±4.2，14.6±4.6，Cmax(ng/mL)197±134，902±362，1706±1040，$T_{1/2}$ (min) 39.9 ± 7.5，76.5 ± 13.3，61.5 ± 2.8，

$AUC_{0\text{-}\infty}$(ng・min/mL) 10279±5159, 48625±3290, 83254±26144, F(%) 53±24, 70±16, − **代謝** 胃で吸収されるが，十二指腸以下ではdicyandiamideに変化

その他の管理的事項

投与期間制限 該当しない

保険給付上の注意 該当しない

資料

IF シアナマイド内用液1%「タナベ」 2013年8月改訂(第5版)

シアノコバラミン
シアノコバラミン注射液
Cyanocobalamin

別名：ビタミンB_{12}

概要

薬効分類 131 眼科用剤，313 ビタミンB剤(ビタミンB_1剤を除く.)

構造式

分子式 $C_{63}H_{88}CoN_{14}O_{14}P$

分子量 1355.37

ステム 不明

原薬の規制区分 該当しない

原薬の外観・性状 暗赤色の結晶又は粉末である．水にやや溶けにくく，エタノール(99.5)に溶けにくい．0.10gを新たに煮沸して冷却した水20mLに溶かした液のpHは4.2～7.0である

原薬の吸湿性 吸湿性である．無水状態の結晶は吸湿性が強く，湿度50%の空気中に放置すると，約12%の水を吸収する

原薬の酸塩基解離定数 該当資料なし

先発医薬品等

注 シアノコバラミン注射液1mg「杏林」(キョーリンリメディオ＝杏林)
シアノコバラミン注射液1mg「ツルハラ」(鶴原)
シアノコバラミン注射液1mg「日医工」(日医工)
シアノコバラミン注1000μg「KN」(小林化工)
シアノコバラミン注1000μg「NP」(ニプロ)
シアノコバラミン注射液1,000μg「トーワ」(東和薬品)

点眼液 サンコバ点眼液0.02%(参天)

後発医薬品

点眼液 0.02%

国際誕生年月 不明

海外での発売状況 **点眼液** 台湾，中国など

製剤

規制区分 **注** ㊙

製剤の性状 **注** 淡赤色～赤色澄明の水性注射液 **点眼液** 紅色澄明の水性点眼液

有効期間又は使用期限 3年

貯法・保存条件 **注** 遮光・室温保存 **点眼液** 気密容器，室温保存

薬剤取扱い上の留意点 該当しない

患者向け資料等 **点眼液** くすりのしおり

溶液及び溶解時のpH **注** 4.0～5.5 **点眼液** 5.5～6.5

浸透圧比 **注** 約0.9(対生食) **点眼液** 0.9～1.1

調製時の注意 該当しない

薬理作用

分類 ビタミンB_{12}製剤

作用部位・作用機序 ①核酸合成とビタミンB_{12}：ビタミンB_{12}の抗貧血作用は核酸代謝に関連がある．これについては葉酸との協力作用が知られており，葉酸がビタミンB_{12}及びCの微量の存在で活性化し，プリン及びチミン等の合成に関与するのに対し，ビタミンB_{12}はチミジンのようなリボシドの合成に必要であるといわれている ②メチル基の転移における作用：ビタミンB_{12}はメチオニン，コリン等の分子中に他からメチル基が転移する場合に補酵素として重要な役割を演ずることが明らかにされている ③アミノ酸，蛋白代謝における作用：ビタミンB_{12}はアミノ酸代謝に関連しタンパク質の生合成にも何らかの意義を有することが認められている ④炭水化物，脂肪代謝における作用：ビタミンB_{12}の欠乏時には正常速度で脂質を合成したり，食餌中の脂肪を十分に利用することができず，またブドウ糖からのリボースの生成が減ずることが動物実験から知られており，更に炭水化物，脂肪代謝に深い関係を有することも認められている

同効薬 **注** ヒドロキソコバラミン酢酸塩，メコバラミン，コバマミド

治療

効能・効果 **注** ①ビタミンB_{12}欠乏症の予防及び治療 ②ビタミンB_{12}の需要が増大し，食事からの摂取が不十分な際の補給(消耗性疾患，甲状腺機能亢進症，妊産婦，授乳婦等) ③巨赤芽球性貧血 ④広節裂頭条虫症 ⑤悪性貧血に伴う神経障害 ⑥吸収不全症候群(スプルー等) ⑦次の疾患のうちビタミンB_{12}の欠乏又は代謝障害が関与すると推定される場合：栄養性及び妊娠性貧血，胃切除後の貧血，肝障害に伴う貧血，放射線による白血球減少症，神経痛，末梢神経炎，末梢神経麻痺．効能⑦に対して，効果がないのに月余にわたって漫然と使用すべきでない

点眼液 調節性眼精疲労における微動調節の改善

用法・用量 **注** 1回1mgまで，皮下注，筋注又は静注(適宜増減)

点眼液 1回1～2滴，1日3～5回点眼(適宜増減)

使用上の注意

禁忌 **注** 本剤の成分に対し過敏症の既往歴のある患者

薬物動態

点眼液 **眼内移行(参考：家兎)** 標識したシアノコバラミン液を家兎に2分ごとに15回，総量0.3mLを点眼時の眼内移行率(最終点眼直後，最終点眼1時間後の順)は，結膜1.286%，0.132%，角膜0.156%，0.115%，強膜(毛様体部)0.097%，0.033%，強膜後部0.212%，0.027%，前房水0.008%，0.015%，水晶体0.007%，0.008%，虹彩0.015%，0.022%，毛様体0.045%，0.036%，硝子体0.007%，0.013%，網脈絡膜0.013%，0.011%

その他の管理的事項

投与期間制限 該当しない

保険給付上の注意 該当しない

資料

IF シアノコバラミン注射液1mg「杏林」 2020年4月改訂(第2版)

サンコバ点眼液0.02%　2017年2月改訂(第6版)

ジエチルカルバマジンクエン酸塩
ジエチルカルバマジンクエン酸塩錠
Diethylcarbamazine Citrate

概要
薬効分類　642　駆虫剤
構造式

分子式　$C_{10}H_{21}N_3O \cdot C_6H_8O_7$
分子量　391.42
原薬の規制区分　該当しない
原薬の外観・性状　白色の結晶性の粉末で，においはなく，酸味及び苦味がある．水に極めて溶けやすく，エタノール(95)にやや溶けやすく，アセトン，クロロホルム又はジエチルエーテルにほとんど溶けない．本品の水溶液(1→20)は酸性である
原薬の吸湿性　吸湿性である
原薬の融点・沸点・凝固点　融点：135.5～138.5℃
原薬の酸塩基解離定数　該当資料なし
先発医薬品等
錠 スパトニン錠50mg(田辺三菱)
国際誕生年月　不明
海外での発売状況　発売されていない
製剤
規制区分　錠 ㉄
製剤の性状　錠 白色の素錠
有効期間又は使用期限　5年
貯法・保存条件　気密容器，室温保存
薬剤取扱い上の留意点　該当しない
患者向け資料等　くすりのしおり
溶液及び溶解時のpH　該当しない
浸透圧比　該当しない
安定なpH域　該当しない
調製時の注意　該当しない
薬理作用
分類　殺フィラリア剤
作用部位・作用機序　フィラリアの成虫及び仔虫(ミクロフィラリア)に対する殺フィラリア作用：フィラリア成虫の酸素消費を抑制するとともに，宿主に対する抗体産生能，貪食能の亢進作用によってミクロフィラリアに殺虫作用を呈すると考えられている
同効薬　なし
治療
効能・効果　フィラリアの駆除
用法・用量　投与開始3日間は1日1回100mg(小児50mg)，夕食後．次の3日間は1日300mg(小児150mg)，食後3回に分服．その後毎週1回，1日300mg(小児150mg)，8週間
薬物動態
血中濃度　ヒトに原末1回2mg/kg経口投与2～4時間後に最高．1回2mg/kg又は1回3mg/kgを1日3回連続経口投与時では1回投与に比べ漸増し約2～3日後に最高に達し安定
その他の管理的事項
投与期間制限　該当しない
保険給付上の注意　該当しない
資料
IF　スパトニン錠50mg　2008年9月改訂(第5版)

シクラシリン
Ciclacillin

概要
薬効分類　613　主としてグラム陽性・陰性菌に作用するもの
構造式

分子式　$C_{15}H_{23}N_3O_4S$
分子量　341.43
原薬の規制区分　該当しない
原薬の外観・性状　白色～淡黄白色の結晶性の粉末である．水にやや溶けにくく，メタノールに溶けにくく，アセトニトリル又はエタノール(99.5)にほとんど溶けない

ジクロキサシリンナトリウム水和物
Dicloxacillin Sodium Hydrate

概要
構造式

分子式　$C_{19}H_{16}Cl_2N_3NaO_5S \cdot H_2O$
分子量　510.32
原薬の規制区分　該当しない
原薬の外観・性状　白色～淡黄白色の結晶性の粉末である．水又はメタノールに溶けやすく，エタノール(95)にやや溶けやすい

シクロスポリン
Ciclosporin

概要

薬効分類 131 眼科用剤，399 他に分類されない代謝性医薬品

構造式

Ala－D-Ala－MeLeu－MeLeu－MeVal－N－(C=O)－Abu－MeGly－MeLeu－Val－MeLeu

Abu＝(2*S*)-2-アミノ酪酸
MeGly＝*N*-メチルグリシン
MeLeu＝*N*-メチルロイシン
MeVal＝*N*-メチルバリン

分子式 $C_{62}H_{111}N_{11}O_{12}$
分子量 1202.61
略語・慣用名 別名：サイクロスポリンA，CYA
ステム 該当しない
原薬の規制区分 劇
原薬の外観・性状 白色の粉末である．アセトニトリル，メタノール又はエタノール(95)に極めて溶けやすく，ジエチルエーテルに溶けやすく，水にほとんど溶けない
原薬の吸湿性 臨界相対湿度は該当資料なし
原薬の融点・沸点・凝固点 融点：約143℃(融点測定法)
原薬の酸塩基解離定数 該当しない
先発医薬品等
カ ネオーラル10mg・25mg・50mgカプセル(ノバルティス)
内用液 サンディミュン内用液10%(ノバルティス)
ネオーラル内用液10%(ノバルティス)
注 サンディミュン点滴静注用250mg(ノバルティス)
点眼液 パピロックミニ点眼液0.1%(参天)
後発医薬品
細 17%
カ 10mg・25mg・50mg
国際誕生年月 1982年12月
海外での発売状況 **内用液〔サンディミュン〕** 米など9カ国(承認) **カ** **内用液〔ネオーラル〕** 米，英など90カ国以上(承認) **注** 米，英など50カ国以上

製剤

規制区分 **細** **カ** **内用液** **注** **点眼液** 劇 処
製剤の性状 **細** 白色～微黄色の粒 **10mgカ** 淡黄色の光沢のある軟カプセルで特異なにおいがある **25mg・50mgカ** 帯黄白色の光沢のある軟カプセルで特異なにおいがある **内用液〔サンディミュン〕** 黄色の粘性の液で，特異なにおいがある **内用液〔ネオーラル〕** 微黄色～微黄褐色澄明の油状の液で，粘性があり特異なにおいがある **注** 淡黄色の粘性の液 **点眼液** 無色澄明の水性点眼液
有効期間又は使用期限 3年
貯法・保存条件 **細** **注** 室温保存 **カ** 室温保存．服薬直前までPTP包装のまま保存すること **内用液〔サンディミュン〕** 室温保存．低温(約5℃以下)で保存すると沈殿を生じることがある．沈殿を生じた場合は常温にて溶解後使用すること **内用液〔ネオーラル〕** 室温保存．約20℃以下で保存するとゼリー状になることがある．その場合には20℃以上の室温にて溶解後使用すること **点眼液** 気密容器，遮光・室温保存
薬剤取扱い上の留意点 **カ** 吸湿によりカプセルが軟化したり，含有するエタノールが揮発することがあるので，服用直前までPTP包装のまま保存すること **内用液〔ネオーラル〕** 約20℃以下で保存するとゼリー状になることがある．その場合には20℃以上の室温にて溶解後使用すること **点眼液** アルミピロー包装開封後は，遮光，室温保存し，6カ月以内に使用すること．添付の遮光用投薬袋に入れて2～8℃に保存した場合には，1年以内に使用すること．なお，アルミピロー包装を開封した製品から先に使用すること．液が白濁した場合は使用しないこと．本剤は品質保証上，アルミピロー包装に脱酸素剤を封入してあるので，誤飲に注意すること
患者向け資料等 **細** **カ** **内用液〔ネオーラル〕** 患者向医薬品ガイド，くすりのしおり **内用液〔サンディミュン〕** **注** **点眼液** くすりのしおり
溶液及び溶解時のpH **注** 4.5～7.0 **点眼液** 6.5～7.5
浸透圧比 **注** 約1(対生食) **点眼液** 1.0～1.1
調製時の注意 該当しない

薬理作用

分類 免疫抑制剤(カルシニューリンインヒビター)
作用部位・作用機序 作用部位：主としてT細胞(ヘルパーT細胞に選択的) 作用機序：主としてT細胞(ヘルパーT細胞)によるインターロイキン-2(IL-2)等のサイトカイン産生を阻害することにより，強力な免疫抑制作用を示す．この産生阻害は，シクロスポリンがシクロフィリンと複合体を形成し，T細胞活性化のシグナル伝達において重要な役割を果たしているカルシニューリンに結合し，カルシニューリンの活性化を阻害することによる．これによって脱リン酸化による転写因子NFATの細胞質成分の核内移行が阻止され，IL-2に代表されるサイトカインの産生が抑制される
同効薬 タクロリムス水和物

治療

効能・効果 **細** **カ** **内用液** ①次の臓器移植における拒絶反応の抑制：腎移植，肝移植，心移植，肺移植，膵移植，(サンディミュンを除く)小腸移植 ②骨髄移植における拒絶反応及び移植片対宿主病の抑制 ③ベーチェット病(眼症状のある場合)，(サンディミュンを除く)及びその他の非感染性ぶどう膜炎(既存治療で効果不十分で，視力低下の恐れのある活動性の中間部又は後部の非感染性ぶどう膜炎に限る) ④尋常性乾癬(皮疹が全身の30%以上に及ぶものあるいは難治性の場合)，膿疱性乾癬，乾癬性紅皮症，関節症性乾癬 ⑤再生不良性貧血(サンディミュンは重症)，赤芽球癆 ⑥ネフローゼ症候群(頻回再発型あるいはステロイドに抵抗性を示す場合) ⑦(サンディミュンを除く)全身型重症筋無力症(胸腺摘出後の治療において，ステロイド剤の投与が効果不十分，又は副作用により困難な場合) ⑧(サンディミュンを除く)アトピー性皮膚炎(既存治療で十分な効果が得られない患者) ⑨(ネオーラル内用液のみ)川崎病の急性期(重症であり，冠動脈障害の発生の危険がある場合)
注 ①次の臓器移植における拒絶反応の抑制：腎移植，肝移植，心移植，肺移植，膵移植，小腸移植 ②骨髄移植における拒絶反応及び移植片対宿主病の抑制
点眼液 春季カタル(抗アレルギー剤が効果不十分な場合)
効能・効果に関連する使用上の注意 **細** **カ** **内用液** ①ネフローゼ症候群患者に投与する場合には，副腎皮質ホルモン剤に反応はするものの頻回に再発を繰り返す患者，又は副腎皮質ホルモン剤治療に抵抗性を示す患者に限る ②再生不良性貧血：(1)(サンディミュンを除く)再生不良性貧血患者に投与する場合には，診療ガイドライン等の最新の情報を参考に，本剤の投与が適切と判断される患者に投与する．また，寛解例で本剤投与中止後に再燃したため再投与する場合の有効性及び安全性については，十分な評価が確立していないので，患者の状態をみながら治療上の有益性が優先すると判断される場合にのみ投与する (2)(サンディミュンのみ)再生不良性貧血に使用する場合において，16週間以上継続して投与する場合ならびに寛解例で中止後に再燃したため再投与する場合の有効性及び安全性については，十分な評価が確立していないので，患者の状態をみながら治療上の有益性が優先すると判断される場合にのみ投与する ③全身型重症筋無力症では，本剤を単独で投与した際の有効性については使用経験がなく

明らかでない ④アトピー性皮膚炎患者については，ステロイド外用剤やタクロリムス外用剤等の既存治療で十分な効果が得られず，強い炎症を伴う皮疹が体表面積の30%以上に及ぶ患者を対象にする ⑤(ネオーラル内用液のみ)川崎病の急性期：⑴静注用免疫グロブリン不応例又は静注用免疫グロブリン不応予測例に投与する ⑵発病後7日以内に投与を開始することが望ましい

点眼液 眼瞼結膜巨大乳頭の増殖が認められ抗アレルギー剤により十分な効果が得られないと判断した場合に使用する

用法・用量 **細** **カ** **内用液** ①臓器移植：⑴腎移植：シクロスポリンとして移植1日前から1日量9～12mg/kgを1日2回(サンディミュンは1回又は2回)に分服し，以後1日2mg/kgずつ減量．標準維持量1日4～6mg/kg(適宜増減) ⑵肝移植：シクロスポリンとして移植1日前から1日量14～16mg/kgを2回に分服し，以後徐々に減量，標準維持量5～10mg/kg(適宜増減) ⑶心移植，肺移植，膵移植：シクロスポリンとして移植1日前から1日量10～15mg/kg，1日2回に分服，以後徐々に減量，標準維持量1日2～6mg/kg(適宜増減) ⑷小腸移植：シクロスポリンとして1日量14～16mg/kgを1日2回に分服．以後徐々に減量し，維持量は1日量5～10mg/kgを標準とするが，症状により適宜増減．ただし，通常移植1日前からシクロスポリン注射剤で投与を開始し，内服可能となった後はできるだけ速やかに経口投与に切り換える ②骨髄移植：シクロスポリンとして移植1日前から1日量6～12mg/kgを1日2回(サンディミュンは1回又は2回)に分服し，3～6カ月間継続し，その後徐々に減量し中止 ③ベーチェット病，及びその他の非感染性ぶどう膜炎：シクロスポリンとして1日量5mg/kgを1日2回(サンディミュンは1回又は2回)に分服，以後1カ月ごとに1日1～2mg/kgずつ減量又は増量．標準維持量1日3～5mg/kg(適宜増減) ④尋常性乾癬：シクロスポリンとして1日量5mg/kgを2回に分服し，効果がみられた場合は1カ月ごとに1日1mg/kgずつ減量，標準維持量1日3mg/kg(適宜増減) ⑤再生不良性貧血：シクロスポリンとして1日量6mg/kgを1日2回に分服(適宜増減)．罹病期間が短い患者の方が良好な治療効果が得られる可能性があるので，目安として罹病期間が6カ月未満の患者を対象とすることが望ましい ⑥ネフローゼ症候群：シクロスポリンとして次の用量を1日2回に分服(適宜増減)：⑴頻回再発型：1日量1.5mg/kg，小児1日量2.5mg/kg ⑵ステロイド抵抗性：1日量3mg/kg，小児1日量5mg/kg ⑦全身型重症筋無力症：シクロスポリンとして1日量5mg/kgを1日2回に分服．効果がみられた場合は徐々に減量し，維持量は3mg/kgを標準とする(適宜増減) ⑧アトピー性皮膚炎：1日量3mg/kgを1日2回に分服(適宜増減)．1日量5mg/kgを超えない ⑨(ネオーラル内用液のみ)川崎病の急性期：シクロスポリンとして1日量5mg/kgを1日2回に分服，原則5日間

注 シクロスポリンとして移植1日前から腎移植，骨髄移植，心移植，肺移植，膵移植には1日量3～5mg/kgを，肝移植，小腸移植には1日量4～6mg/kgを，それぞれ生理食塩液又はブドウ糖注射液で100倍に希釈して点滴静注．内服可能となった後はできるだけ速やかに経口投与に切り換える

点眼液 1回1滴，1日3回点眼

用法・用量に関連する使用上の注意 **細** **カ** **内用液** ①(サンディミュン以外)サンディミュンを服用している患者に切り換えて投与する場合は，原則として1：1の比(mg/kg/日)で切り換えて投与するが，シクロスポリンの血中濃度(AUC，Cmax)が上昇して副作用を発現するおそれがあるので，切り換え前後で血中濃度の測定及び臨床検査(血清クレアチニン，血圧等)を頻回に行うとともに患者の状態を十分観察し，必要に応じて投与量を調節する．ただし，通常の開始用量(初めてサンディミュンを服用するときの投与量)より高い用量を服用している患者で，一時的に免疫抑制作用が不十分となっても病状が悪化して危険な状態に陥る可能性のない患者では，切り換え時の投与量は多くても通常の開始用量とし，血中濃度及び患者の状態に応じて投与量を調節する ②投与にあたっては血中トラフ値(trough level)を測定し，投与量を調節する：⑴臓器移植患者に投与する際には，過量投与による副作用の発現及び低用量投与による拒絶反応の発現等を防ぐため，血中濃度の測定を移植直後は頻回に行い，その後は1カ月に1回を目安に測定し，投与量を調節する ⑵ベーチェット病，及びその他の非感染性ぶどう膜炎，乾癬，再生不良性貧血，ネフローゼ症候群，全身型重症筋無力症，アトピー性皮膚炎患者に投与する際には，副作用の発現を防ぐため，1カ月に1回を目安に血中濃度を測定し，投与量を調節することが望ましい ③臓器移植において，3剤あるいは4剤の免疫抑制剤を組み合わせた多剤免疫抑制療法を行う場合には，本剤の初期投与量を低く設定することが可能な場合もあるが，移植患者の状態及び併用される他の免疫抑制剤の種類・投与量等を考慮して投与量を調節する ④再生不良性貧血患者に投与する際には8～16週間を目安とし，効果がみられない場合は他の適切な治療法を考慮する ⑤ネフローゼ症候群に対する効果は，通常，1～3カ月で現れるが，3カ月以上継続投与しても効果が現れない場合には中止することが望ましい．また，効果がみられた場合には，その効果が維持できる用量まで減量することが望ましい ⑥ネフローゼ症候群患者に投与する際，使用前に副腎皮質ホルモン剤が維持投与されている場合は，その維持量に本剤を上乗せする．症状により，副腎皮質ホルモン剤は適宜減量するが，増量を行う場合には本剤はいったん中止する ⑦アトピー性皮膚炎患者に投与する際には投与期間はできる限り短期間にとどめる．投与中は有効性及び安全性の評価を定期的に行う．8週間の投与でも改善がみられない場合には中止する．なお，1回の治療期間は12週間以内を目安とする ⑧急性期の川崎病患者に投与する際には，原則として投与3日目に血中濃度を測定し，投与量を調節することが望ましい．本剤を5日間を超えて投与する場合には，CRP，体温及び患者の状態に応じてその必要性を慎重に判断する．本剤を5日間投与しても効果が認められない場合は漫然と投与を継続せず，他の適切な治療を検討する

注 ①投与により，まれにショック等の重篤な過敏反応の発現がみられるので，使用に際しては少量注入後患者の状態をよく観察し，異常が認められた場合には速やかに中止し，適切な処置をとる ②過量投与による副作用の発現及び低用量投与による拒絶反応の発現等を防ぐため，血中トラフ値(trough level)の測定を頻回に行い，投与量を調節する ③臓器移植において，3剤あるいは4剤の免疫抑制剤を組み合わせた多剤免疫抑制療法を行う場合には，本剤の初期投与量を低く設定することが可能な場合もあるが，移植患者の状態及び併用される他の免疫抑制剤の種類・投与量等を考慮して投与量を調節する

使用上の注意

警告 **カ** **内用液** **注** ①臓器移植における本剤の投与は，免疫抑制療法及び移植患者の管理に精通している医師又はその指導のもとで行う ②**カ** **内用液** アトピー性皮膚炎における本剤の投与は，アトピー性皮膚炎の治療に精通している医師のもとで，患者又はその家族に有効性及び危険性を予め十分説明し，理解したことを確認した上で投与を開始する ③**カ** **内用液** 本剤はサンディミュン(内用液又はカプセル)と生物学的に同等ではなく，バイオアベイラビリティが向上しているので，サンディミュンから本剤に切り換える際には，シクロスポリンの血中濃度(AUC，Cmax)の上昇による副作用の発現に注意する．特に，高用量での切り換え時には，サンディミュンの投与量を上回らないようにする等，注意する．なお，サンディミュンから本剤への切り換えは，十分なサンディミュン使用経験を持つ専門医のもとで行う．一方，本剤からサンディミュンへの切り換えについては，シクロスポリンの血中濃度が低下することがあるので，原則として切り換えを行わない．特

に移植患者では，用量不足によって拒絶反応が発現するおそれがある

禁忌 **カ** **内用液** **注** ①本剤の成分に対し過敏症の既往歴のある患者 ②タクロリムス(外用剤を除く)，ピタバスタチン，ロスバスタチン，ボセンタン，アリスキレン，アスナプレビル，バニプレビル，グラゾプレビル，ペマフィブラートを投与中の患者 ③肝臓又は腎臓に障害のある患者で，コルヒチンを服用中の患者 ④生ワクチンを接種しない

点眼液 ①本剤の成分に対し過敏症の既往歴のある患者 ②眼感染症のある患者［免疫抑制により感染症が悪化するおそれがある］

相互作用概要 CYP3A4で代謝され，また，CYP3A4及びP糖蛋白の阻害作用を有するため，これらの酵素，輸送蛋白質に影響する医薬品・食品と併用する場合には，可能な限り薬物血中濃度を測定する等，用量に留意して慎重に投与する

過量投与 **カ** **内用液** **注** ①症状：悪心・嘔吐，傾眠，頭痛，頻脈，血圧上昇，腎機能低下等 ②処置：(**カ** **内用液** 服用後短時間であれば催吐，活性炭投与，胃洗浄が有効である)シクロスポリンの血中濃度と症状の程度に相関性がみられるので，血中濃度をモニターし，必要により対症療法を行う．シクロスポリンは透析によりほとんど除去されない

薬物動態

カ **内用液** **血中濃度** ①移植後腎機能の安定した18例の腎移植患者に，それまで服用していたサンディミュンと同量の本剤又はサンディミュンをクロスオーバー法で投与時(1日2回12時間毎)，全血中シクロスポリン濃度をRIA法により測定して比較した結果，単位投与量当たりの薬物動態パラメータ(本剤，サンディミュン，変化率の順)は，$AUC_{0\text{-}12h}$/Dose(ng・hr/mL/mg)は34.4±11.14，29.4±14.19，22.7±20.8%，Cmax/Dose(ng/mL/mg)は11.00±2.944，8.61±4.701，45.6±47.9%，Cmin/Dose(ng/mL/mg)は0.749±0.427，0.701±0.420，8.8±17.0%，Tmax(hr)1.1±0.21，1.6±1.57，−12.9±31.0% ②サンディミュンで維持療法中の腎移植患者で，サンディミュンに吸収不良を示す20例に，それまで服用していたサンディミュンと同量の本剤又はサンディミュンをクロスオーバー法で投与時(1日2回12時間毎)，全血中シクロスポリン濃度をRIA法により測定して比較した結果，単位投与量当たりの薬物動態パラメータ(吸収不良例：dose normalized $AUC_{1\text{-}5h}$が10ng・hr/mL/mg以下を参考基準値として症例検討会で判定)は，本剤，サンディミュン，変化率の順で，$AUC_{0\text{-}12h}$/Dose(ng・hr/mL/mg)は32.2±8.3，17.4±6.8，105.6±74.5%，Cmax/Dose(ng/mL/mg)は10.49±3.00，3.93±1.87，248.6±239.8%，Cmin/Dose(ng/mL/mg)は0.77±0.26，0.58±0.23，38.3±26.9%，Tmax(hr)1.4±0.5，2.4±1.1，−32.9±27.8% **吸収** 本剤はサンディミュンと比較して胆汁分泌量や食事による影響を受けにくいとの報告がある **代謝** 主としてチトクロームP450 3A4(CYP3A4)で代謝され，主要代謝物はモノヒドロキシ体，ジヒドロキシ体，N-脱メチル体(外国人データ) **排泄** 主として胆汁を介して排泄．腎機能が保たれている患者に^{3}H−シクロスポリンを経口投与時，尿中排泄率は6%で，未変化体としては投与量の0.1%(96時間値)(外国人データ)

注 **血中濃度** 重症腎不全患者4例に1回点滴静注し，高速液体クロマトグラフ(HPLC)法により測定した結果，全血中濃度は注入終了時に最高値に達し，その値は769～2，331ng/mL(3.5mg/kgを投与した3例の平均は1，801ng/mL)．平均全血中半減期は0.10(α相)，1.08(β相)，15.8(γ相)時間(外国人データ) **代謝** 主としてチトクロームP450 3A4(CYP3A4)で代謝され，主要代謝物はモノヒドロキシ体，ジヒドロキシ体，N-脱メチル体(外国人データ)

点眼液 **血中濃度** 健常成人の片眼に0.1%(本剤)もしくは0.5%シクロスポリン点眼液を1回1滴，1日3回点眼時(いずれも6例)の最終点眼1，18時間後，もしくは健常成人6例の片眼に0.5%シクロスポリン点眼液を1日3回，7日間点眼時の3，5日目の最終点眼1時間後及び7日目の最終点眼1，18時間後のいずれにおいても血中シクロスポリン濃度は定量限界(25ng/mL)以下．(参考；ラット)ラットの両眼に0.1%^{3}H-シクロスポリン点眼液を単回点眼時の全血中$AUC_{0\text{-}\infty}$と静注時$AUC_{0\text{-}\infty}$との比較より算出した点眼時の血中移行率は11.3% **動物における眼組織内移行** (参考；ウサギ)白色ウサギに0.05%^{3}H-シクロスポリン点眼液を単回点眼すると角膜，結膜等の外眼部組織に高度に分布し，房水，虹彩・毛様体，水晶体，硝子体等の内眼部組織への移行はわずかであった．白色ウサギに0.05%^{3}H-シクロスポリン点眼液を1日3回，7日間反復点眼すると10回までの点眼で眼組織中濃度はほぼ定常状態に達した **代謝** 本剤は主として代謝酵素チトクロムP450 3A(CYP3A)系で代謝される．従って，本酵素で代謝される他の薬物との併用により本剤の血中濃度が上昇する可能性がある **動物における排泄** (参考；ラット)ラットに0.1%^{3}H-シクロスポリン点眼液を単回点眼時，点眼後96時間までに尿中に3.1%及び糞中に92.1%が排泄．また，胆管にカニュレーションを施したラットに0.1%^{3}H-シクロスポリン点眼液を点眼したところ，点眼後72時間までに胆汁中に11.7%，尿中に3.3%及び消化管内容物を含めた糞中に74.9%が排泄

その他の管理的事項

投与期間制限 該当しない

保険給付上の注意 **細** **カ** **内用液〔サンディミュン〕** **内用液〔ネオーラル〕** 特定薬剤治療管理料：シクロスポリンは臓器移植における拒絶反応や副作用の発現を防ぐため，血中濃度を定期的に測定し計画的な治療管理が必要である 特定疾患治療研究事業の対象となる特定疾患：ベーチェット病(眼症状のある場合)，膿疱性乾癬，再生不良性貧血(重症)，(ネオーラルのみ)全身型重症筋無力症において医療費の公費負担が適用される **注** 特定薬剤治療管理料：シクロスポリンは臓器移植における拒絶反応や副作用の発現を防ぐため，血中濃度を定期的に測定し計画的な治療管理が必要である

資料

IF シクロスポリン細粒17%「ファイザー」 2020年3月改訂(第25版)
サンディミュン内用液10% 2020年2月改訂(第17版)
ネオーラル10mg・25mg・50mgカプセル・内用液10% 2020年2月改訂(第20版)
サンディミュン点滴静注用250mg 2020年2月改訂(第14版)
パピロックミニ点眼液0.1% 2018年7月改訂(第9版)

ジクロフェナクナトリウム
ジクロフェナクナトリウム坐剤
Diclofenac Sodium

概要

薬効分類 114 解熱鎮痛消炎剤，131 眼科用剤，264 鎮痛，鎮痒，収斂，消炎剤

構造式

CO_2Na NH Cl Cl

分子式 $C_{14}H_{10}Cl_2NNaO_2$

分子量 318.13

ステム イブフェナック系抗炎症薬：-ac

原薬の規制区分 劇(ただし，ジクロフェナク0.1%以下を含有する点眼剤，ジクロフェナク1%以下を含有する塗布剤及びジクロフェナク1.9%以下を含有する貼付剤を除く)

原薬の外観・性状 白色～微黄白色の結晶又は結晶性の粉末である．メタノール又はエタノール(95)に溶けやすく，水又は酢酸(100)にやや溶けにくく，ジエチルエーテルにほとんど溶けない

原薬の吸湿性 吸湿性である．臨界相対湿度：約52%(25℃)

原薬の融点・沸点・凝固点 融点：280℃(分解)

原薬の酸塩基解離定数 pKa＝4.0

先発医薬品等

錠 ボルタレン錠25mg(ノバルティス)
徐放カ ナボールSRカプセル37.5(久光)
ボルタレンSRカプセル37.5mg(同仁＝ノバルティス)
坐 ボルタレンサポ12.5mg・25mg・50mg(ノバルティス)
点眼液 ジクロード点眼液0.1%(わかもと)
外用液 ボルタレンローション1%(同仁＝ノバルティス)
外用ゲル ナボールゲル1%(久光)
ボルタレンゲル1%(同仁＝ノバルティス)
貼 ナボールテープ15mg・L30mg(久光)
ナボールパップ70mg・140mg(久光)
ボルタレンテープ15mg・30mg(同仁＝ノバルティス)

後発医薬品

錠 25mg
徐放カ 37.5mg
坐 12.5mg・25mg・50mg
外用キット 25mg・50mg
点眼液 0.1%
クリーム 1%
外用液 1%
外用ゲル 1%
貼 テープ15mg・30mg・パップ70mg・140mg・280mg

国際誕生年月 不明

海外での発売状況 **錠** **坐** 米，英，仏，独など **点眼液** 中国，韓国など **貼(パップ)** スイスなど

製剤

規制区分 **錠** **徐放カ** **坐** **注腸** 劇 処

製剤の性状 **錠** 淡黄赤色のフィルムコーティング錠 **徐放カ** 白色の硬カプセル剤 **坐** 白色～淡黄色の紡錘形の肛門坐剤 **注腸** 白色～微黄色の軟膏で，においはないか又は僅かに特異なにおいがある **点眼液** 無色～微黄色澄明の水溶液 **クリーム** 白色のクリーム剤で，僅かに特異な芳香がある **外用液** 無色澄明な液で，特異な芳香がある **外用ゲル** 無色～微黄色の澄明なゲル状の軟膏で，特異な芳香がある **貼(テープ)** 無色透明～淡黄色透明で，僅かに芳香のある膏体を支持体に均一に展延し，膏体表面をプラスチックフィルムで被覆した貼付剤 **貼(パップ)** 白色～淡褐色の膏体を支持体に展延し，膏体表面をライナーで被覆したパップ剤

有効期間又は使用期限 **錠** **徐放カ** **坐** **注腸** **点眼液** **クリーム** **外用液** **外用ゲル** 3年 **貼(テープ)** **貼(パップ)** 2年

貯法・保存条件 **錠** **徐放カ** 防湿，室温保存 **坐** 冷所保存 **注腸** **クリーム** **外用ゲル** 室温保存 **点眼液** 遮光，10℃以下保存 **外用液** 気密容器，室温保存 **貼(テープ)** 遮光した気密容器，室温保存 **貼(パップ)** 遮光・室温保存

薬剤取扱い上の留意点 **錠** **徐放カ** **坐** **注腸** 本剤投与中に眠気，めまい，霧視を訴える患者には自動車の運転等危険を伴う機械の操作に従事させないように十分注意すること **錠** **徐放カ** 食道に停留し崩壊すると，食道潰瘍を起こすおそれがあるので，多めの水で服用させ，特に就寝直前の服用等には注意すること **点眼液** 金属イオンの存在により沈殿が生じる場合があるので，注意すること．本剤は*in vitro*試験にてポリビニルアルコールを含有する製剤との配合で沈殿を生じる場合があるので，併用は避けることが望ましい **クリーム** 表皮が欠損している場合に使用すると一時的にしみる，ヒリヒリ感を起こすことがあるので使用に際し注意すること 使用方法：密封包帯法(ODT)での使用により，全身的投与(経口剤，坐剤)と同様の副作用が発現する可能性があるので，密封包帯法で使用しないこと **外用液** **外用ゲル** 火気を避けて保存すること．合成樹脂を軟化させたり，塗料を溶かしたり，金属を変色させるおそれがあるので注意すること

患者向け資料等 **錠** **徐放カ** **坐** **注腸** 患者向医薬品ガイド，くすりのしおり **点眼液** **クリーム** **外用液** **外用ゲル** **貼(テープ)** **貼(パップ)** くすりのしおり

溶液及び溶解時のpH **注腸** 7.0～8.0(水と混和後の上澄液のpH) **点眼液** 6.0～7.5 **クリーム** 8.0～8.8 **外用液** 6.0～7.0 **外用ゲル** 6.0～7.2

浸透圧比 **点眼液** 0.9～1.4(対生食)

調製時の注意 該当しない

薬理作用

分類 フェニル酢酸系非ステロイド性鎮痛・抗炎症剤

作用部位・作用機序 作用部位：炎症部位，末梢の痛覚受容器等 作用機序：酸性非ステロイド性抗炎症剤は，アラキドン酸代謝におけるシクロオキシゲナーゼ(COX)の活性を阻害することにより，炎症，疼痛等に関与するプロスタグランジンの合成を阻害することとされている．COXには非誘導の構成型酵素であるCOX-1と，誘導型酵素であるCOX-2があり，COX-2は種々のサイトカイン，増殖因子などで誘導される．ジクロフェナクはCOX-1，COX-2とも阻害する非選択性のCOX阻害剤である．非ステロイド性抗炎症剤は，COX-2で生成されたプロスタグランジンにより誘発された疼痛，炎症及び発熱に対して効果があり，作用機序としてはプロスタグランジンの疼痛閾値低下作用の抑制による鎮痛作用，血管透過性亢進増強作用の抑制による抗炎症作用，体温調節中枢の体温のセットポイント上昇作用の抑制による解熱作用が考えられている

同効薬 **錠** **徐放カ** **坐** **注腸** インドメタシン，メフェナム酸，ロキソプロフェンなど **点眼液** インドメタシン，プラノプロフェン，ブロムフェナクナトリウム **クリーム** インドメタシン **外用液** **外用ゲル** インドメタシン，ケトプロフェン，ロキソプロフェンなど **貼** ケトプロフェン，インドメタシン，フルルビプロフェン，フェルビナク

治療

効能・効果 **錠** ①次の疾患ならびに症状の鎮痛・消炎：関節リウマチ，変形性関節症，変形性脊椎症，腰痛症，腱鞘炎，頸肩腕症候群，神経痛，後陣痛，骨盤内炎症，月経困難症，膀胱炎，前眼部炎症，歯痛 ②手術後ならびに抜歯後の鎮痛・消炎 ③次の疾患の解熱・鎮痛：急性上気道炎(急性気管支炎を伴う急性上気道炎を含む)

徐放力 次の疾患ならびに症状の鎮痛・消炎：関節リウマチ（ダイスパスは関節リウマチ），変形性関節症，腰痛症，肩関節周囲炎，頸肩腕症候群

クリーム **外用液** **外用ゲル** **貼** 次の疾患ならびに症状の鎮痛・消炎：変形性関節症，肩関節周囲炎，腱・腱鞘炎，腱周囲炎，上腕骨上顆炎（テニス肘等），筋肉痛（筋・筋膜性腰痛症等），外傷後の腫脹・疼痛

点眼液 白内障手術時における次の症状の防止：術後の炎症症状，術中・術後合併症

坐 **外用キット** ①次の疾患ならびに症状の鎮痛・消炎：関節リウマチ，変形性関節症，腰痛症，後陣痛 ②手術後の鎮痛・消炎 ③他の解熱剤では効果が期待できないか，あるいは，他の解熱剤の投与が不可能な場合の急性上気道炎（急性気管支炎を伴う急性上気道炎を含む）の緊急解熱

用法・用量 **錠** 効能①②：1日75～100mg，原則として3回に分服．頓用には25～50mgとする．なお，空腹時の投与は避けさせることが望ましい 効能③：1回25～50mgを頓用（適宜増減），原則として1日2回まで，1日最大100mgを限度とする．なお，空腹時の投与は避けさせることが望ましい

徐放力 1回37.5mg，1日2回食後

クリーム **外用液** **外用ゲル** 1日数回患部に塗擦

貼 1日1回患部に貼付

点眼液 眼手術前4回（3時間前，2時間前，1時間前，30分前），眼手術後1日3回，1回1滴

坐 1回25～50mg（小児0.5～1mg/kg），1日1～2回直腸内に挿入．年齢，症状に応じ低用量投与が望ましい．低体温によるショックを起こすことがあるので，高齢者，小児に投与する場合には少量から開始する．1回目安量1歳以上3歳未満6.25mg，3歳以上6歳未満6.25～12.5mg，6歳以上9歳未満12.5mg，9歳以上12歳未満12.5mg～25mg

外用キット 1回25～50mg，1日1～2回直腸内に注入．年齢，症状に応じ低用量投与が望ましい．低体温によるショックを起こすことがあるので，高齢者に投与する場合には少量から開始する

用法・用量に関連する使用上の注意 **外用キット** 小児等には，剤形上用量調節が困難なため，投与しない

禁忌・原則禁忌となる特定患者集団 **錠** **徐放力** **坐** **注腸** 妊婦又は妊娠している可能性のある婦人

使用上の注意

> **警告** **坐** **外用キット** 幼小児・高齢者又は消耗性疾患の患者は，過度の体温下降・血圧低下によるショック症状が現れやすいので，これらの患者には特に慎重に投与する．（**外用キット**）また，幼小児においては，過度の体温下降・血圧低下によるショック症状が現れやすい上に，本剤形上用量調節が困難なため，投与しない

禁忌 **錠** **徐放力** ①消化性潰瘍のある患者［消化性潰瘍を悪化させる］ ②重篤な血液の異常のある患者［副作用として血液障害が報告されているため血液の異常を悪化させるおそれがある］ ③重篤な肝障害のある患者［副作用として肝障害が報告されているため肝障害を悪化させることがある］ ④重篤な腎障害のある患者［腎血流量低下作用があるため腎障害を悪化させることがある］ ⑤重篤な高血圧症のある患者［プロスタグランジン合成阻害作用に基づくNa・水分貯留傾向があるため血圧をさらに上昇させるおそれがある］ ⑥重篤な心機能不全のある患者［プロスタグランジン合成阻害作用に基づくNa・水分貯留傾向があるため心機能を悪化させるおそれがある］ ⑦本剤の成分に対し過敏症の既往歴のある患者 ⑧アスピリン喘息（非ステロイド性消炎鎮痛剤等により誘発される喘息発作）又はその既往歴のある患者［重症喘息発作を誘発する］ ⑨（**錠**のみ）インフルエンザの臨床経過中の脳炎・脳症の患者 ⑩妊婦又は妊娠している可能性のある婦人 ⑪トリアムテレンを投与中の患者

クリーム **外用液** **外用ゲル** **貼** ①本剤の成分に対し過敏症の既往歴のある患者 ②アスピリン喘息（非ステロイド性消炎鎮痛剤等により誘発される喘息発作）又はその既往歴のある患者［重症喘息発作を誘発するおそれがある］

坐 **外用キット** ①消化性潰瘍のある患者［消化性潰瘍を悪化させる］ ②重篤な血液の異常のある患者［副作用として血液障害が報告されているため血液の異常を悪化させるおそれがある］ ③重篤な肝障害のある患者［副作用として肝障害が報告されているため肝障害を悪化させることがある］ ④重篤な腎障害のある患者［腎血流量低下作用があるため腎障害を悪化させることがある］ ⑤重篤な高血圧症のある患者［プロスタグランジン合成阻害作用に基づくNa・水分貯留傾向があるため血圧をさらに上昇させるおそれがある］ ⑥重篤な心機能不全のある患者［プロスタグランジン合成阻害作用に基づくNa・水分貯留傾向があるため心機能を悪化させるおそれがある］ ⑦本剤の成分に対し過敏症の既往歴のある患者 ⑧直腸炎，直腸出血又は痔疾のある患者［粘膜刺激作用によりこれらの症状が悪化することがある］ ⑨アスピリン喘息（非ステロイド性消炎鎮痛剤等により誘発される喘息発作）又はその既往歴のある患者［重症喘息発作を誘発する］ ⑩インフルエンザの臨床経過中の脳炎・脳症の患者 ⑪妊婦又は妊娠している可能性のある婦人 ⑫トリアムテレンを投与中の患者

点眼液 本剤の成分に対して過敏症の既往歴のある患者

相互作用概要 主にCYP2C9で代謝される

過量投与 **錠** **徐放力** ①徴候，症状：過量投与に関する情報が少なく，典型的な臨床症状は確立していない ②処置：非ステロイド性消炎鎮痛剤による過量投与時には，通常次のような処置が行われる：(1)催吐，胃内容物の吸引，胃洗浄，活性炭及び必要に応じ塩類下剤の投与 (2)低血圧，腎不全，痙攣，胃腸障害，呼吸抑制等に対しては支持療法及び対症療法を行う．蛋白結合率が高いため，強制利尿，血液透析等は，ジクロフェナクの除去にはそれほど有用ではないと考えられる

坐 **外用キット** ①徴候，症状：過量投与に関する情報は少なく，典型的な臨床症状は確立していない ②処置：非ステロイド性消炎鎮痛剤による過量投与時には，通常次のような処置が行われる：低血圧，腎不全，痙攣，胃腸障害，呼吸抑制等に対しては支持療法及び対症療法を行う．蛋白結合率が高いため，強制利尿，血液透析等は，ジクロフェナクの除去にはそれほど有用ではないと考えられる

薬物動態

錠 **吸収・血中濃度** 健康人9名に25mg錠を朝食1時間後に単回経口投与時の薬物動態パラメータはTmax2.72±0.55hr，Cmax415±57μg/mL，$AUC_{0\text{-}24}$ 998±84ng/mL・hr，$T_{1/2}$ 1.2hr **代謝・排泄（外国人）** 健常人に経口投与時の尿中には未変化体の他5種類の水酸化体，その大部分はグルクロン酸抱合体．健常人に^{14}C-ジクロフェナクナトリウム50mgを経口投与又は静注後，12時間で尿中に約40%，96時間で尿中に約60%，糞中に約30%排泄

徐放力 **吸収・血中濃度** 健常人（3例）に徐放カプセル1日2回7日間連続投与時，1回目及び13回目（7日目）の薬物動態パラメータ（投与1回目，13回目の順．平均±SD）はCmax（ng/mL）436±116.4，416.5±44.2，Tmax（hr）7±1，6，$T_{1/2}$（hr）1.51±0.38，2.28±0.48，$AUC_{0\text{-}12}$（ng/mL・hr）1687±273.9，2148.9±386 **代謝・排泄** 健常人に徐放カプセル1日2回7日間連続投与時：①血漿中代謝物：代謝物のうち4'-OH体は連続投与により蓄積性が示唆されているが，投与6日後までに定常状態となる．5-OH体及び3'-OH体は連続投与でも検出されない ②尿中排泄：1回目投与12時間後までに4'-OH体14.2%，5-OH体5.8%，未変化体5.6%，3'-OH体1.1%，いずれも0～2時間での排泄はわずかで，6～8時間で最大排泄量．連続投与で尿中排泄は未変化体及び各代謝物とも1回目に比べ高値を示す

外用液 **外用ゲル** **貼** ①**外用ゲル** 健康成人男子の腰背部に軟膏2.5g，5g，7.5gを単回及び2.5g，7.5gを反復経皮適用時

の血漿中ジクロフェナク濃度はいずれも，経口剤25mg1回投与に比べ著しく低い濃度で，尿中排泄率もわずか．高齢者の薬物動態は非高齢者と同程度で加齢の影響は少なかった．また，変形性関節症患者における組織移行性の検討では，経皮適用部直下の皮下脂肪，筋肉，滑膜中に血漿中ジクロフェナク濃度より高濃度に検出　②**外用液　貼** 健康成人男子の背部に，外用液，貼付剤及び1％軟膏を貼付又は塗布時，各薬剤の角質中ジクロフェナク濃度は同等

坐 **吸収・血中濃度**　健常人(9例)に坐剤25mg，50mgを朝食1時間後単回直腸投与時の薬物動態パラメータ(25mg，50mgの順)はTmax(hr)0.81±0.28，1±0.14，Cmax(ng/mL)570±134，881±83，$AUC_{0\text{-}24}$(ng/mL・hr)864±172，2440±191，$T_{1/2}$(hr)1.3，1.3　**代謝・排泄**　健常人に経口投与時の尿中には未変化体の他5種類の水酸化体が認められており，その大部分はグルクロン酸抱合体(外国人データ)．健常人に^{14}C-ジクロフェナクナトリウム50mgを経口投与又は静注後12時間で約40％が尿中に96時間で約60％が尿中に，約30％が糞中に排泄(外国人データ)．小児における吸収及び排泄パターンは成人での場合と類似

外用キット 血漿中濃度：注腸軟膏25mg，50mgを健康成人24名に肛門から直腸内に単回投与時の薬物速度論的パラメータはTmax(hr)0.48±0.16，0.63±0.21，Cmax(ng/mL)606.4±226.2，1228.0±345.3，$T_{1/2}$(hr)1.86±1.09，1.28±0.36，$AUC_{0\text{-}24}$(ng・hr/mL)939.06±226.25，2094.84±586.57

点眼液 **ヒト眼前房水中移行**　白内障等，眼内手術患者に0.1％点眼液1回1滴点眼後，手術時の前房水中の濃度の実測値から薬動力学的解析を行い，ヒト眼前房水中移行のパラメータを求め，手術前4回(3，2，1，0.5時間前)点眼における前房水中移行モデル曲線を作成した結果，手術時で約0.13ng/μL　**家兎眼組織内移行(参考)**　家兎眼に0.1％^{14}C-ジクロフェナクナトリウム50μLを1回点眼し，経時的各眼組織内濃度測定で，外眼部組織では20分，前眼部組織では40～60分で最高値

その他の管理的事項

投与期間制限　該当しない

保険給付上の注意　該当しない

資料

IF　ボルタレン錠25mg　2016年7月改訂(第15版)

ボルタレンSRカプセル37.5mg　2016年7月改訂(第12版)

ボルタレンサポ12.5mg・25mg・50mg　2020年4月改訂(第13版)

ジクロフェナクナトリウム注腸軟膏25・50mg「日医工」2019年12月改訂(第13版)

ジクロード点眼液0.1％　2020年4月改訂(第12版)

ジクロフェナクナトリウムクリーム1％「テイコク」2020年6月改訂(第9版)

ボルタレンローション1％・ゲル1％　2015年3月改訂(第8版)

ボルタレンテープ15mg・30mg　2015年3月改訂(第8版)

ナボールパップ70mg・140mg　2014年5月改訂(第6版)

シクロペントラート塩酸塩
Cyclopentolate Hydrochloride

概要

薬効分類　131　眼科用剤

構造式

・HCl

及び鏡像異性体

分子式　$C_{17}H_{25}NO_3$・HCl

分子量　327.85

ステム　不明

原薬の規制区分　該当しない

原薬の外観・性状　白色の結晶性の粉末で，においはないか，又は特異なにおいがある．水に極めて溶けやすく，エタノール(95)，酢酸(100)又はクロロホルムに溶けやすく，無水酢酸にやや溶けにくく，ジエチルエーテルにほとんど溶けない．0.20gを水20mLに溶かした液のpHは4.5～5.5である

原薬の吸湿性　該当資料なし

原薬の融点・沸点・凝固点　融点：135～138℃

原薬の酸塩基解離定数　該当資料なし

先発医薬品等

点眼液 サイプレジン1％点眼液(参天)

国際誕生年月　不明

海外での発売状況　発売されていない

製剤

製剤の性状　**点眼液** 無色澄明の水性点眼液

有効期間又は使用期限　3年

貯法・保存条件　気密容器，室温保存

薬剤取扱い上の留意点　散瞳又は調節麻痺が起こるので，本剤投与中の患者には，散瞳又は調節麻痺が回復するまで自動車の運転等危険を伴う機械の操作に従事させないよう注意すること．また，サングラスを着用する等太陽光や強い光を直接見ないよう指導すること．本剤を再投与する場合には10～30分の間隔をおいて慎重に投与すること

患者向け資料等　くすりのしおり

溶液及び溶解時のpH　3.0～4.5

浸透圧比　0.9～1.1

調製時の注意　該当しない

薬理作用

分類　副交感神経遮断薬

作用部位・作用機序　作用部位：瞳孔括約筋，毛様体調節筋　作用機序：副交感神経においてアセチルコリンを拮抗的に阻害して瞳孔括約筋を弛緩させることにより散瞳させ，また毛様体筋の緊張を抑制し調節麻痺を示す

同効薬　トロピカミド，アトロピン硫酸塩水和物

治療

効能・効果　診断又は治療を目的とする散瞳と調節麻痺

用法・用量　1日1回1滴，又は1滴点眼5～10分後さらに1滴点眼

使用上の注意

禁忌　緑内障及び狭隅角や前房が浅い等の眼圧上昇の素因のある患者［急性閉塞隅角緑内障の発作を起こすおそれがある］

その他の管理的事項

投与期間制限　該当しない

保険給付上の注意　該当しない

資料

IF　サイプレジン1％点眼液　2017年2月改訂(第9版)

シクロホスファミド水和物
シクロホスファミド錠
Cyclophosphamide Hydrate

概要

薬効分類 421 アルキル化剤

構造式

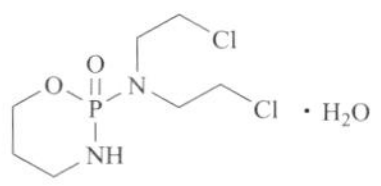

分子式 $C_7H_{15}Cl_2N_2O_2P \cdot H_2O$

分子量 279.10

略語・慣用名 CP，CPA，CPM，CTX

ステム シクロホスファミドグループのアルキル化剤：-fosfamide

原薬の規制区分 ㊕

原薬の外観・性状 白色の結晶又は結晶性の粉末で，においはない．酢酸(100)に極めて溶けやすく，エタノール(95)，無水酢酸又はクロロホルムに溶けやすく，水又はジエチルエーテルにやや溶けやすい

原薬の吸湿性 該当資料なし

原薬の融点・沸点・凝固点 融点：45～53℃

原薬の酸塩基解離定数 該当資料なし

先発医薬品等
末 経口用エンドキサン原末100mg(塩野義)
錠 エンドキサン錠50mg(塩野義)
注射用 注射用エンドキサン100mg・500mg(塩野義)

国際誕生年月 不明

海外での発売状況 **注射用** 米，豪

製剤

規制区分 **末** **錠** **注射用** ㊕ ㊄

製剤の性状 **末** 白色の結晶又は結晶性の粉末である **錠** 白色の円形の糖衣錠で，においはない **注射用** 白色の結晶又は結晶性の粉末である．水にやや溶けやすい

有効期間又は使用期限 3年

貯法・保存条件 **末** **注射用** 2～8℃(冷蔵庫)で保存 **錠** 気密容器，室温保存

薬剤取扱い上の留意点 **末** 調製時：①細胞毒性を有するため，調製時には手袋等を着用し，安全キャビネット内で実施することが望ましい．皮膚及び粘膜に薬液が付着した場合には，直ちに多量の流水でよく洗い流すこと ②バイアル入りの散剤である．調製する際は，バイアルを開栓せずに溶解すること ③バイアルに精製水等を注入する際及び溶解時は，できる限り泡立たないように注意すること ④溶解後，単シロップ等で経口液剤を調製すること 薬剤交付時：①経口液剤に調製後，速やかに交付すること ②時間とともに有効成分の含量が低下するおそれがあるので，経口液剤は冷蔵庫で保管するよう指導すること．また，調製後4週間以内に服用させること ③経口液剤が皮膚及び粘膜等についた場合は，流水でよく洗い流すよう指導すること **注射用** 溶解後速やかに使用すること

患者向け資料等 患者向医薬品ガイド，くすりのしおり，その他の患者用使用説明書

溶液及び溶解時のpH **注射用** 4.0～6.0(20mg(無水物換算)/mL生食)

浸透圧比 **注射用** 1.1～1.4(20mg(無水物換算)/mL生食)

調製時の注意 **注射用** 静脈内等へのワンショット投与の場合には，溶液が低張となるため注射用水を使用しないこと

薬理作用

分類 ナイトロジェンマスタード系抗悪性腫瘍剤

作用部位・作用機序 作用部位：悪性腫瘍細胞 作用機序：生体内で活性化された後，腫瘍細胞のDNA合成を阻害し，抗腫瘍作用を現すことが認められている

同効薬 イホスファミド，チオテパ，メルファランなど

治療

効能・効果 **末(経口用)** **錠** ①次の疾患の自覚的ならびに他覚的症状の緩解：(1)多発性骨髄腫，悪性リンパ腫(ホジキン病，リンパ肉腫，細網肉腫)，乳癌，急性白血病，真性多血症，肺癌，神経腫瘍(神経芽腫，網膜芽腫)，骨腫瘍 (2)次の疾患については，他の抗腫瘍剤と併用することが必要である：慢性リンパ性白血病，慢性骨髄性白血病，咽頭癌，胃癌，膵癌，肝癌，結腸癌，子宮頸癌，子宮体癌，卵巣癌，睾丸腫瘍，絨毛性疾患(絨毛癌，破壊胞状奇胎，胞状奇胎)，横紋筋肉腫，悪性黒色腫 ②治療抵抗性次のリウマチ性疾患：全身性エリテマトーデス，全身性血管炎(顕微鏡的多発血管炎，ヴェゲナ肉芽腫症，結節性多発動脈炎，Churg-Strauss症候群，大動脈炎症候群等)，多発性筋炎/皮膚筋炎，強皮症，混合性結合組織病，及び血管炎を伴う難治性リウマチ性疾患 ③ネフローゼ症候群(副腎皮質ホルモン剤による適切な治療を行っても十分な効果がみられない場合に限る)

注射用 ①次の疾患の自覚的ならびに他覚的症状の緩解：(1)多発性骨髄腫，悪性リンパ腫，肺癌，乳癌，急性白血病，真性多血症，子宮頸癌，子宮体癌，卵巣癌，神経腫瘍(神経芽腫，網膜芽腫)，骨腫瘍 (2)次の疾患については，他の抗腫瘍剤と併用することが必要である：慢性リンパ性白血病，慢性骨髄性白血病，咽頭癌，胃癌，膵癌，肝癌，結腸癌，睾丸腫瘍，絨毛性疾患(絨毛癌，破壊胞状奇胎，胞状奇胎)，横紋筋肉腫，悪性黒色腫 ②次の悪性腫瘍に対する他の抗悪性腫瘍剤との併用療法：乳癌(手術可能例における術前，あるいは術後化学療法) ③褐色細胞腫 ④次の疾患における造血幹細胞移植の前治療：急性白血病，慢性骨髄性白血病，骨髄異形成症候群，重症再生不良性貧血，悪性リンパ腫，遺伝性疾患(免疫不全，先天性代謝障害及び先天性血液疾患：Fanconi貧血，Wiskott-Aldrich症候群，Hunter病等) ⑤腫瘍特異的T細胞輸注療法の前処置 ⑥治療抵抗性の次のリウマチ性疾患：全身性エリテマトーデス，全身性血管炎(顕微鏡的多発血管炎，多発血管炎性肉芽腫症，結節性多発動脈炎，好酸球性多発血管炎性肉芽腫症，高安動脈炎等)，多発性筋炎/皮膚筋炎，強皮症，混合性結合組織病，及び血管炎を伴う難治性リウマチ性疾患

効能・効果に関連する使用上の注意 **末(経口用)** **錠** ネフローゼ症候群に対しては，診療ガイドライン等の最新の情報を参考に，本剤の投与が適切と判断される患者に投与する
注射用 遺伝性疾患に対する造血幹細胞移植の前治療に用いる場合には，それぞれの疾患に対する治療の現状と造血幹細胞移植を実施するリスク・ベネフィットを考慮した上で本剤を適応する

用法・用量 **末(経口用)** **錠** ①単独：無水物換算として1日100～200mg(適宜増減) ②他の抗腫瘍剤との併用：単独で使用する場合に準じ，適宜減量 ③治療抵抗性のリウマチ性疾患の場合：無水物換算として1日50～100mg(適宜増減) ④ネフローゼ症候群：(1)成人：無水物換算として1日50～100mgを8～12週間(適宜増減) (2)小児：無水物換算として1日2～3mg/kgを8～12週間(適宜増減)．通常1日100mgまで．原則として，総投与量は300mg/kgまで ※**末(経口用)** 溶解して使用する．
〔参考：経口液剤の調製法〕無水物換算として100mg(1瓶)あたり5mLの精製水等を，シリンジを用いてバイアル内に注入し，薬剤を溶解させる．シリンジを用いて薬液を回収し，投薬瓶に移した後，単シロップで10mLに調製する
注射用 ①自覚的ならびに他覚的症状の緩解：(1)単独：1日1回無水物換算として100mg，連日静注し，患者が耐えられる場合は1日200mgに増量．総量3000～8000mgを投与するが，効果が認められたときは，できる限り長期間持続する．白血球数が減少した場合は2～3日おきに投与し，正常の1/2以下に

シ

減少したときは一時休薬し，回復を待って再び継続投与．間欠的には300〜500mgを週1〜2回静注．必要に応じて筋肉内，胸腔内，腹腔内又は腫瘍内に注射又は注入．また病巣部を灌流する主幹動脈内に1日量200〜1000mgを急速に，あるいは持続的に点滴注入するか，体外循環を利用して1回1000〜2000mgを局所灌流により投与してもよい(適宜増減) (2)他の抗腫瘍剤との併用：単独で使用する場合に準じ，適宜減量．悪性リンパ腫に用いる場合，無水物換算として1日1回750mg/m^2(体表面積)を間欠的に静注(適宜増減) ②乳癌(手術可能例における術前，あるいは術後化学療法)に対する他の抗悪性腫瘍剤との併用療法：(1)ドキソルビシン塩酸塩との併用において，標準的な投与量及び投与方法は，無水物換算として1日1回600mg/m^2(体表面積)を静注後，20日間休薬．これを1クールとし，4クール繰り返す(適宜減量) (2)エピルビシン塩酸塩との併用において，標準的な投与量及び投与方法は，無水物換算として1日1回600mg/m^2(体表面積)を静注後，20日間休薬．これを1クールとし，4〜6クール繰り返す(適宜減量) (3)エピルビシン塩酸塩，フルオロウラシルとの併用において，標準的な投与量及び投与方法は，無水物換算として1日1回500mg/m^2(体表面積)を静注後，20日間休薬．これを1クールとし，4〜6クール繰り返す(適宜減量) ③褐色細胞腫：ビンクリスチン硫酸塩，ダカルバジンとの併用において，無水物換算として1日1回750mg/m^2(体表面積)を静注し，少なくとも20日間休薬する．これを1クールとして，投与を繰り返す(適宜減量) ④造血幹細胞移植の前治療：(1)急性白血病，慢性骨髄性白血病，骨髄異形成症候群：無水物換算として，1日1回60mg/kgを2〜3時間かけて点滴静注し，連日2日間投与 (2)重症再生不良性貧血：無水物換算として，1日1回50mg/kgを2〜3時間かけて点滴静注し，連日4日間投与 (3)悪性リンパ腫：無水物換算として，1日1回50mg/kgを2〜3時間かけて点滴静注し，連日4日間投与．患者の状態，併用する薬剤により適宜減量 (4)遺伝性疾患(免疫不全，先天性代謝障害及び先天性血液疾患：Fanconi貧血，Wiskott-Aldrich症候群，Hunter病等)：無水物換算として，1日1回50mg/kgを2〜3時間かけて点滴静注し，連日4日間又は1日1回60mg/kgを2〜3時間かけて点滴静注し，連日2日間投与するが，疾患及び患者の状態により適宜減量．また，Fanconi貧血に投与する場合には，細胞の脆弱性により，移植関連毒性の程度が高くなるとの報告があるので，総投与量40mg/kg(5〜10mg/kgを4日間)を超えない ⑤腫瘍特異的T細胞輸注療法の前処置：再生医療等製品の用法及び用量又は使用方法に基づき使用する ⑥治療抵抗性の次のリウマチ性疾患：(1)成人：無水物換算として1日1回500〜1000mg/m^2(体表面積)を静注．原則として投与間隔を4週間とする(適宜増減) (2)小児：無水物換算として1日1回500mg/m^2(体表面積)を静注．原則として投与間隔を4週間とする(適宜増減)

用法・用量に関連する使用上の注意 **末(経口用)** **錠** ①**末(経口用)**使用については，曝露を最小限とするため，慎重に液剤調製を行うとともに，錠剤での投与が困難な患者のみに使用する ②ネフローゼ症候群に対し投与する際は，本剤の投与スケジュールについて，国内のガイドライン等の最新の情報を参考にする

注射用 ①造血幹細胞移植の前治療に投与する場合には，次の点に注意する：(1)肥満患者には，投与量が過多にならないように，標準体重から換算した投与量を考慮する (2)投与終了後24時間は150mL/時以上の尿量を保つように，1日3L以上の輸液を行うとともにメスナを併用する．患者の年齢及び状態を考慮し，輸液の量を調節する ②褐色細胞腫患者において，本剤を含む化学療法実施後に高血圧クリーゼを含む血圧変動が報告されていることから，本剤を含む化学療法実施前にα遮断薬等を投与する ③悪性リンパ腫に用いる場合，投与量，投与スケジュール等については，関連学会のガイドライン等，最新の情報を参考に投与する ④注射液の調製法：100mg(無水物換算)あたり5mLの生理食塩液，注射用水等を加えて溶解する．静脈内等へのワンショット投与の場合には，溶液が低張となるため注射用水を使用しない．点滴静注の場合には，溶解後適当な補液で希釈する

使用上の注意

警告 **末(経口用)** **錠** ①本剤とペントスタチンを併用しない［外国においてシクロホスファミドとペントスタチンとの併用により，心毒性が発現し死亡した症例が報告されている］ ②本剤を含むがん化学療法は，緊急時に十分対応できる医療施設において，がん化学療法に十分な知識・経験を持つ医師のもとで，本療法が適切と判断される症例についてのみ実施する．適応患者の選択にあたっては，各併用薬剤の添付文書を参照して十分注意する．また，治療開始に先立ち，患者又はその家族に有効性及び危険性を十分説明し，同意を得てから投与する ③治療抵抗性のリウマチ性疾患に本剤を投与する場合には，緊急時に十分対応できる医療施設において，本剤についての十分な知識と治療抵抗性のリウマチ性疾患治療の経験を持つ医師のもとで行う ④ネフローゼ症候群に投与する場合には，緊急時に十分対応できる医療施設において，本剤についての十分な知識とネフローゼ症候群治療の経験を持つ医師のもとで行う

注射用 ①本剤とペントスタチンを併用しない［外国においてシクロホスファミドとペントスタチンとの併用により，心毒性が発現し死亡した症例が報告されている］ ②本剤を含むがん化学療法は，緊急時に十分対応できる医療施設において，がん化学療法に十分な知識・経験をもつ医師のもとで，本療法が適切と判断される症例についてのみ実施する．適応患者の選択にあたっては，各併用薬剤の添付文書を参照して十分注意する．また，治療開始に先立ち，患者又はその家族に有効性及び危険性を十分説明し，同意を得てから投与する ③造血幹細胞移植の前治療に投与する場合には，次の点に注意する：(1)造血幹細胞移植に十分な知識と経験をもつ医師のもとで行う (2)強い骨髄抑制により致命的な感染症等が発現するおそれがあるので，次記につき十分注意する：(ア)重症感染症を合併している患者には投与しない (イ)本剤投与後，患者の観察を十分に行い，感染症予防のための処置(抗感染症薬の投与等)を行う (3)禁忌，慎重投与，重要な基本的注意の項を参照し，慎重に投与する ④治療抵抗性のリウマチ性疾患に投与する場合には，緊急時に十分対応できる医療施設において，本剤についての十分な知識と治療抵抗性のリウマチ性疾患治療の経験を持つ医師のもとで行う

禁忌 ①ペントスタチンを投与中の患者 ②本剤の成分に対し重篤な過敏症の既往歴のある患者 ③重症感染症を合併している患者［**注射用** 特に造血幹細胞移植の前治療に投与する場合は，感染症が増悪し致命的となることがある］

相互作用概要 主にCYP2B6で代謝され，活性化される．また，CYP2C8，2C9，3A4，2A6も代謝に関与していることが報告されている

過量投与 **末(経口用)** ①徴候，症状：過量投与による主な副作用として，骨髄抑制，急性腎不全，出血性膀胱炎，排尿障害，心筋障害，心不全，肝中心静脈閉塞症，口内炎等が起こり得る ②処置：特有の解毒剤を有していないが，血液透析により除去されるとの報告がある．過量投与が疑われた場合は中止し，中毒症状の出現など患者の状態により血液透析を考慮するとともに，輸血，血液造血因子の投与等の対症療法を行う

薬物動態

血漿中濃度 **注射用**(外国人，蛍光法)①各種の悪性腫瘍患者8例に20mg/kg(活性代謝物測定のために承認外の高用量を投与)静注時の血漿中活性代謝物(4-ヒドロキシシクロホスファミド+アルドホスファミド)の薬物動態パラメータはCmax1.31±0.73ng/mL，$AUC_{0\text{-}12}$4.66±1.2ng・hr/mL ②造血幹細胞移植の前治療時におけるシクロホスファミドの薬

物動態パラメータ(半減期Day1(hr), 半減期Day2(hr), P値の順)(1)7.1, 5.5, $p<0.0005$ (2)4.7 = 1.3, 2.8 ± 0.4, $p<0.02$ (3)8.7 ± 4.6, 3.6 ± 0.9, p=0.00000 (4)6.77 ± 1.27, 4.51 ± 0.99, p=0.00001 **分布** **注射用**(外国人)分布容積：0.763 ± 0.161L/kg **代謝** ①主に肝代謝酵素CYP2B6で代謝され, 活性化される. また, CYP2C8, 2C9, 3A4, 2A6も本剤の代謝に関与していることが報告されている(*in vitro*) ②代謝物：4-ヒドロキシシクロホスファミド, アルドホスファミド, ホスファミドマスタード(以上活性代謝物), アクロレイン, 4-ケトシクロホスファミド, カルボキシホスファミド **排泄(外国人)** ①各種悪性腫瘍患者26例に^{14}C-標識シクロホスファミド6.8～80mg/kg(一部承認外の高用量を含む)を静注時, 尿中には約62%が2日以内に, 約68%が4日以内に排泄. また, 糞便中には約1.8%が, 呼気中には約0.9～1.4%が4日以内に排泄 ②大部分は不活性代謝物として尿中に排泄され, 活性代謝物の尿中排泄率は12時間で約1%, 未変化体の尿中排泄率は24時間で約10% **その他(外国人)** 血清蛋白結合率：未変化体12～24%

その他の管理的事項

投与期間制限 該当しない

保険給付上の注意 該当しない

資料

IF 経口用エンドキサン原末100mg・錠50mg 2015年12月改訂(第16版)
注射用エンドキサン100mg・500mg 2019年6月改訂(第11版)

ジゴキシン ジゴキシン錠 ジゴキシン注射液 Digoxin

概要

薬効分類 211 強心剤

構造式

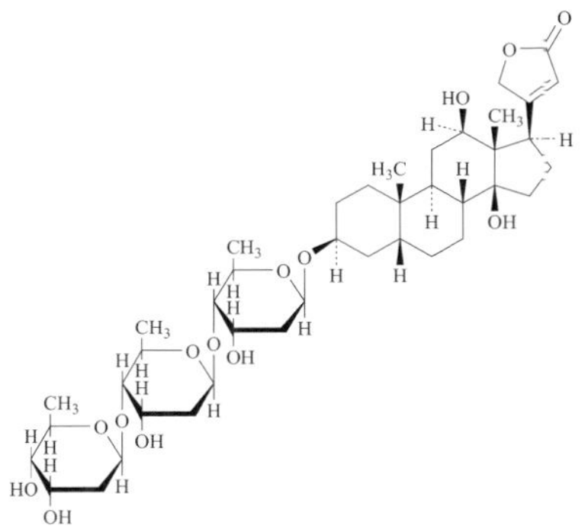

分子式 $C_{41}H_{64}O_{14}$

分子量 780.94

原薬の規制区分 毒(ただし, 製剤は劇)

原薬の外観・性状 無色～白色の結晶又は白色の結晶性の粉末である. ピリジンに溶けやすく, エタノール(95)に溶けにくく, 酢酸(100)に極めて溶けにくく, 水にほとんど溶けない

原薬の吸湿性 該当資料なし

原薬の融点・沸点・凝固点 融点：230～265℃(分解)

原薬の酸塩基解離定数 該当資料なし

先発医薬品等
散 ジゴシン散0.1%(太陽ファルマ)
錠 ジゴキシン錠0.0625「KYO」
ハーフジゴキシンKY錠0.125(京都＝トーアエイヨー＝アステラス)
ジゴキシンKY錠0.25(京都＝トーアエイヨー＝アステラス)
ジゴキシン錠0.125mg・0.25mg「AFP」(アルフレッサファーマ)
ジゴシン錠0.125mg・0.25mg(太陽ファルマ)
内用液 ジゴシンエリキシル0.05mg/mL(太陽ファルマ)
注 ジゴシン注0.25mg(太陽ファルマ)

国際誕生年月 不明

海外での発売状況 米, 英, 仏, 独など

製剤

規制区分 **散** **錠** **エリキシル** **注** 劇 処

製剤の性状 **散** 白色の散剤 **錠** 白色の素錠(割線入り) **エリキシル** うすい青緑色～青緑色澄明液 **注** 無色澄明液

有効期間又は使用期限 3年

貯法・保存条件 **散** **錠** **エリキシル** 遮光した気密容器, 室温保存 **注** 遮光した密封容器, 室温保存

薬剤取扱い上の留意点 特になし

患者向け資料等 くすりのしおり

溶液及び溶解時のpH **注** 6.5 ± 1.0

浸透圧比 **注** 非水溶媒含有につき測定不能

薬理作用

分類 ジギタリス配糖体

作用部位・作用機序 他のジギタリス配糖体と同様に, 心筋細胞膜のNa^+, K^+－ATPase阻害作用に基づく心筋収縮力増大作用が主体となる：①心臓に対する作用：Ca^{2+}利用効率低下状態にある心不全はジゴキシンによって正常レベルまで効率が高められた結果, 強心作用が発揮される ②迷走神経刺激作用, 頸動脈洞を介する迷走神経反射等のほかに抗交感神経作用により徐脈をもたらす(イヌ) ③刺激伝導速度の抑制, 不応期の延長(イヌ)等の作用によって抗不整脈作用を示すものと考えられる

同効薬 **散** **錠** **エリキシル** メチルジゴキシンなど **注** デスラノシド注射液

治療

効能・効果 ①次の疾患に基づくうっ血性心不全(肺水腫, 心臓喘息等を含む)：先天性心疾患, 弁膜疾患, 高血圧症, 虚血性心疾患(心筋梗塞, 狭心症等), 肺性心(肺血栓・塞栓症, 肺気腫, 肺線維症等によるもの), その他の心疾患(心膜炎, 心筋疾患等), 腎疾患, 甲状腺機能亢進症ならびに低下症等 ②心房細動・粗動による頻脈 ③発作性上室性頻拍 ④次の際における心不全及び各種頻脈の予防と治療：手術, 急性熱性疾患, 出産, ショック, 急性中毒

用法・用量 **散** **錠** **内用液** ①成人：(1)急速飽和療法(飽和量：1～4mg)：ジゴキシンとして初回0.5～1mg, 以後0.5mgを6～8時間ごとに服用し, 十分効果の現れるまで続ける (2)比較的急速飽和療法を行うことができる (3)緩徐飽和療法を行うことができる (4)維持療法：ジゴキシンとして1日0.25～0.5mg ②小児：(1)急速飽和療法：ジゴキシンとして2歳以下1日0.06～0.08mg/kgを3～4回に分服. 2歳以上1日0.04～0.06mg/kgを3～4回に分服 (2)維持療法：飽和量の1/5～1/3
注 ①成人：(1)急速飽和療法(飽和量：1～2mg)：ジゴキシンとして1回0.25～0.5mgを2～4時間ごとに静注し, 十分効果が現れるまで続ける (2)比較的急速飽和療法を行うことができる (3)緩徐飽和療法を行うことができる (4)維持療法：ジゴキシンとして1日0.25mg静注 ②小児：(1)急速飽和療法：ジゴキシンとして新生児, 未熟児1日0.03～0.05mg/kgを3～4回に分割, 静注又は筋注. 2歳以下1日0.04～0.06mg/kgを3～4回に分割, 静注又は筋注. 2歳以上1日0.02～0.04mg/kgを3～4回に分割, 静注又は筋注 (2)維持療法：飽和量の1/10～1/5静注又は筋注

シ

用法・用量に関連する使用上の注意　飽和療法は過量になりやすいので，緊急を要さない患者には治療開始初期から維持療法による投与も考慮する

使用上の注意

禁忌　①房室ブロック，洞房ブロックのある患者［刺激伝導系を抑制し，これらを悪化させることがある］　②ジギタリス中毒の患者［中毒症状が悪化する］　③閉塞性心筋疾患（特発性肥大性大動脈弁下狭窄等）のある患者［心筋収縮力を増強し，左室流出路の閉塞を悪化させることがある］　④本剤の成分又はジギタリス剤に対し過敏症の既往歴のある患者　⑤（エリキシル・注射液）ジスルフィラム，シアナミドを投与中の患者

相互作用概要　P糖蛋白質の基質である

過量投与　①徴候・症状：ジギタリス中毒が起こることがある　②処置法：(1)**散　錠　内用液** 薬物排泄：胃内のジゴキシンの吸収を防止するために活性炭が有効と報告されている　(2)心電図：ただちに心電図による監視を行い，前記のジギタリス中毒特有の不整脈の発現に注意する　(3)重篤な不整脈の治療法：徐脈性不整脈及びブロックにはアトロピン等が用いられる（徐脈性不整脈に通常用いられる交感神経刺激剤はジギタリス中毒には用いない），重篤な頻脈性不整脈が頻発するときは塩化カリウム，リドカイン，プロプラノール等が用いられる　(4)血清電解質：(ア)特に低カリウム血症に注意し，異常があれば補正する　(イ)高カリウム血症には，炭酸水素ナトリウム，グルコース・インスリン療法，ポリスチレンスルホン酸ナトリウム等が用いられる　(5)腎機能：ジゴキシンは腎排泄型であるので腎機能を正常に保つ．血液透析は一般に無効であるとされている

薬物動態

血中濃度　健康成人6名に0.5mg量の錠剤を経口投与時，平均2.30ng/mLの最高血中濃度が得られた．また，健康成人8名に0.25mg量の散剤を経口投与時，血中濃度は投与平均0.75時間後にピークに達し，平均1.89ng/mLの最高血中濃度が得られた　**代謝**　本剤は一部代謝される．主な代謝物は薬理活性のないdihydrodigoxinとdihydrodigoxigenin，薬理活性を持つdigoxigenin-bis-digitoxoside及びdigoxigenin-mono-digitoxoside．主な代謝酵素は肝薬物代謝酵素チトクロームP450（CYP）3Aが考えられている　**排泄**　大部分が未変化体で尿中排泄される．腎排泄を主経路とし，糸球体濾過とP糖蛋白質を介する尿細管分泌により尿中に排泄される

その他の管理的事項

投与期間制限　該当しない

保険給付上の注意　該当しない

資料

IF　ジゴシン散0.1%・錠0.125mg・0.25mg・エリキシル0.05mg/mL　2018年5月改訂（第14版）
ジゴシン注0.25mg　2018年5月改訂（第12版）

次硝酸ビスマス
Bismuth Subnitrate

概要

薬効分類　231　止しゃ剤，整腸剤

原薬の規制区分　該当しない

原薬の外観・性状　白色の粉末である．水，エタノール（95）又はジエチルエーテルにほとんど溶けない．塩酸又は硝酸に速やかに溶けるが，泡立たない．僅かに吸湿性があり，潤した青色リトマス紙に接触するとき，これを赤変する

原薬の吸湿性　僅かに吸湿性がある

先発医薬品等

末 次硝酸ビスマス「ケンエー」（健栄）
次硝酸ビスマス「三恵」（三恵）
次硝酸ビスマス　シオエ（シオエ＝日本新薬）
次硝酸ビスマス「東海」（東海製薬）
次硝酸ビスマス「日医工」（日医工ファーマ＝日医工）
次硝酸ビスマス「ニッコー」（日興製薬＝丸石＝ニプロ＝吉田製薬）
次硝酸ビスマス「メタル」（中北）

製剤

有効期間又は使用期限　5年

貯法・保存条件　密閉容器，室温保存

薬剤取扱い上の留意点　配合変化：炭酸塩，ヨウ化物，有機酸塩と配合すると分解する

患者向け資料等　くすりのしおり

薬理作用

分類　止しゃ剤

作用部位・作用機序　収れん並びに粘膜面，潰瘍面を被覆保護する作用を有し，また腸内異常発酵によって生じる硫化水素と結合するため，胃腸カタル，胃痛，潰瘍，下痢などに効果があるとされている。しかし粘膜面及び潰瘍面の被覆保護作用については疑問視されている．また内服により腸内に生じた硝酸イオンは，大腸菌により還元されて徐々に亜硝酸イオンとなり，血管拡張，血圧降下作用のあることがみとめられている

治療

効能・効果　下痢症

用法・用量　1日2g，2〜3回に分服（適宜増減）

使用上の注意

禁忌　①慢性消化管通過障害又は重篤な消化管潰瘍のある患者［ビスマスの吸収による副作用が起こるおそれがある］　②出血性大腸炎の患者［腸管出血性大腸菌（O157等）や赤痢菌等の重篤な細菌性下痢患者では，症状の悪化，治療期間の延長をきたすおそれがある］

その他の管理的事項

投与期間制限　該当しない

保険給付上の注意　該当しない

資料

添付文書　「純生」硝ビス　2006年2月改訂（第2版）

ジスチグミン臭化物
ジスチグミン臭化物錠
Distigmine Bromide

概要

薬効分類　123　自律神経剤，131　眼科用剤

構造式

CH_3　N^+　CH_3　O　N　O　O　N　CH_3　O　O　N^+　CH_3　$2Br^-$

分子式　$C_{22}H_{32}Br_2N_4O_4$

分子量　576.32

ステム　該当しない

原薬の規制区分　毒

原薬の外観・性状　白色の結晶性の粉末である．水に極めて溶けやすく，メタノール，エタノール（95）又は酢酸（100）に溶け

やすく，無水酢酸に溶けにくい．本品の水溶液(1→100)のpHは5.0～5.5である．光によって徐々に着色する

原薬の吸湿性　やや吸湿性である．臨界相対湿度：43％RH(30℃)

原薬の融点・沸点・凝固点　融点：約150℃(分解)

原薬の酸塩基解離定数　該当資料なし

先発医薬品等

錠 ウブレチド錠5mg(鳥居)

ジスチグミン臭化物錠5mg「テバ」(武田テバ薬品＝武田テバファーマ＝武田)

点眼液 ウブレチド点眼液0.5％・1％(鳥居)

国際誕生年月　不明

海外での発売状況　英，独など十数カ国

製剤

規制区分　**錠** 毒 処　**点眼液** 毒

製剤の性状　**錠** 白色の裸錠(割線入り)　**点眼液** 無色澄明の水溶性点眼液

有効期間又は使用期限　**錠** 5年　**点眼液** 3年

貯法・保存条件　**錠** 気密容器(アルミピロー開封後，瓶開封後は防湿保存すること)　**点眼液** 室温保存

薬剤取扱い上の留意点　該当しない

患者向け資料等　**錠** 患者向医薬品ガイド，くすりのしおり　**点眼液** くすりのしおり

溶液及び溶解時のpH　**点眼液** 5.0～6.5

調製時の注意　該当しない

薬理作用

分類　コリンエステラーゼ阻害薬

作用部位・作用機序　可逆的にアセチルコリンエステラーゼ又はコリンエステラーゼを阻害し，シナプス間隙のアセチルコリンの蓄積を起こすことにより，間接的にアセチルコリンの作用を増強，持続させ，コリン作動性作用すなわち副交感神経支配臓器でムスカリン様作用を，又，骨格筋の神経筋接合部でニコチン様作用を示す

同効薬　**錠** アンベノニウム塩化物，ネオスチグミン臭化物，ピリドスチグミン臭化物，ベタネコール塩化物，エドロホニウム塩化物　**点眼液** ピロカルピン塩酸塩，カルバコール

治療

効能・効果　**錠** ①手術後及び神経因性膀胱等の低緊張性膀胱による排尿困難　②重症筋無力症

点眼液〔0.5％〕緑内障　〔1％〕緑内障，調節性内斜視，重症筋無力症(眼筋型)

用法・用量　**錠** 効能①：1日5mg　効能②：1日5～20mg，1～4回に分服(適宜増減)

点眼液 1回1滴，1日1～2回点眼

用法・用量に関連する使用上の注意　**錠** ①効果が認められない場合には，漫然と投与せず他の治療法を検討する　②重症筋無力症の患者では，医師の厳重な監督下，通常成人1日5mgから投与を開始し，患者の状態を十分観察しながら症状により適宜増減する

使用上の注意

警告　**錠** 投与により意識障害を伴う重篤なコリン作動性クリーゼを発現し，致命的な転帰をたどる例が報告されているので，投与に際しては次の点に注意し，医師の厳重な監督下，患者の状態を十分観察する：①投与中にコリン作動性クリーゼの徴候(初期症状：悪心・嘔吐，腹痛，下痢，唾液分泌過多，気道分泌過多，発汗，徐脈，縮瞳，呼吸困難等，臨床検査：血清コリンエステラーゼ低下)が認められた場合には，ただちに中止する　②コリン作動性クリーゼが現れた場合は，アトロピン硫酸塩水和物0.5～1mg(患者の症状に合わせて適宜増量)を静脈内投与する．また，呼吸不全に至ることもあるので，その場合は気道を確保し，人工換気を考慮する　③投与に際しては，副作用の発現の可能性について患者又はそれに代わる適切な者に十分理解させ，次のコリン作動性クリーゼの初期症状が認められた場合には中止するとともにただちに医師に連絡し，指示を仰ぐよう注意を与える：悪心・嘔吐，腹痛，下痢，唾液分泌過多，気道分泌過多，発汗，徐脈，縮瞳，呼吸困難

禁忌　**錠** ①消化管又は尿路の器質的閉塞のある患者［消化管機能を亢進させ，症状を悪化させるおそれがある．また，尿の逆流を引き起こすおそれがある］　②迷走神経緊張症のある患者［迷走神経の緊張を増強させるおそれがある］　③脱分極性筋弛緩剤(スキサメトニウム)を投与中の患者　④本剤の成分に対し過敏症の既往歴のある患者

点眼液 ①前駆期緑内障の患者［眼圧上昇をきたすおそれがある］　②脱分極性筋弛緩剤(スキサメトニウム)を投与中の患者

過量投与　**錠** ①徴候・症状：過量投与により，意識障害を伴うコリン作動性クリーゼ(初期症状：悪心・嘔吐，腹痛，下痢，唾液分泌過多，気道分泌過多，発汗，徐脈，縮瞳，呼吸困難等，臨床検査：血清コリンエステラーゼ低下)が現れることがある　②処置：ただちに中止し，アトロピン硫酸塩水和物0.5～1mg(患者の症状に合わせて適宜増量)を静注する．また，呼吸不全に至ることもあるので，その場合は気道を確保し，人工換気を考慮する

薬物動態

錠 ヒト(外国人)における薬物動態　①血漿中濃度：健常成人に^{14}C-ジスチグミン臭化物5mgを単回経口投与後1.58時間で最高血漿中濃度4.4ng/mL，二相性に漸減．半減期はα相4.47±2.03時間，β相69.5±5.1時間　②排泄：健常成人に^{14}C-ジスチグミン臭化物5mgを単回経口投与216時間後までの累積排泄率は尿中6.5％，糞中88％．0.5mg単回静注後の累積排泄率は尿中85.3％，糞中3.9％．これらのことから，主な排泄部位は腎　**動物実験の結果(参考)**　食事の影響：イヌにジスチグミン臭化物(0.02％w/v水溶液)として1.0mg/kgを，絶食時(5例)又は給餌後(5例)に単回経口投与時のCmax(ng/mL)はそれぞれ166±75，17.6±8.4，Tmax(hr)はそれぞれ0.8±0.3，0.9±0.2，$T_{1/2}$(hr)はそれぞれ2.6±1.8，4.1±2.0，$AUC_{0\text{-}24}$(ng/mL・hr)はそれぞれ539±187，82.0±23.8で，絶食群は給餌群に比し，Cmaxが約9.4倍，$AUC_{0\text{-}24}$が約6.6倍高値であった　※2週間以上の休薬期間を置いたクロスオーバー比較試験

点眼液 動物における分布(参考)　^{3}H-ジスチグミン臭化物を白色家兎に点眼後約20分で眼内組織濃度は最高，以後0.3～0.45/hrの割合で指数関数的に減少

その他の管理的事項

投与期間制限　該当しない

保険給付上の注意　該当しない

資料

IF　ウブレチド錠5mg　2014年2月改訂(第8版)
ウブレチド点眼液0.5％・1％　2019年7月改訂(第4版)

L－シスチン
L-Cystine

概要

構造式

H₂N H / HO₂C–C–CH₂–S–S–CH₂–C–CO₂H / H NH₂

分子式　$C_6H_{12}N_2O_4S_2$

分子量　240.30

原薬の規制区分　該当しない
原薬の外観・性状　白色の結晶又は結晶性の粉末である．水又はエタノール(99.5)にほとんど溶けない．1mol/L塩酸試液に溶ける

保険給付上の注意　該当しない
資料
IF　ハイチオール散32%・錠40・80　2020年8月改訂(第5版)

L－システイン
L-Cysteine

概要
薬効分類　399　他に分類されない代謝性医薬品
構造式

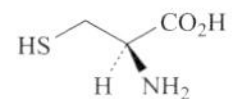

分子式　$C_3H_7NO_2S$
分子量　121.16
ステム　ブロムヘキシン系以外の粘液溶解薬：-steine
原薬の規制区分　該当しない
原薬の外観・性状　白色の結晶又は結晶性の粉末で，特異なにおいがあり，味はえぐい．水に溶けやすく，エタノール(99.5)にほとんど溶けない．1mol/L塩酸試液に溶ける．1.25gを水50mLに溶かした液のpHは4.7～5.7である
原薬の吸湿性　乾燥減量：0.50%以下(0.5g，減圧，硫酸，48時間)
原薬の融点・沸点・凝固点　融点：約240℃(分解)
原薬の酸塩基解離定数　pKa＝1.96(-COOH)，8.18($-NH_2$)，10.28(-SH)
後発医薬品
　散　32%
　錠　40mg・80mg
国際誕生年月　不明
海外での発売状況　発売されていない
製剤
製剤の性状　**散**　白色の散剤　**錠**　白色のフィルムコーティング錠
有効期間又は使用期限　**散**　3年　**錠**　4年
貯法・保存条件　室温保存
薬剤取扱い上の留意点　該当しない
患者向け資料等　くすりのしおり
溶液及び溶解時のpH　該当しない
浸透圧比　該当しない
安定なpH域　該当しない
調製時の注意　該当しない
薬理作用
分類　含硫アミノ酸
作用部位・作用機序　活性SHを有する生体内常在のアミノ酸で，SH供与体としての役割を果たし，SH酵素のactivator(賦活剤)として作用する
同効薬　グルタチオン，チオプロニン，グリチルリチン酸一アンモニウム・グリシン・DL-メチオニン配合剤
治療
効能・効果　①湿疹，蕁麻疹，薬疹，中毒疹，尋常性ざ瘡，多形滲出性紅斑　②放射線障害による白血球減少症
用法・用量　効能①：L-システインとして1回80mg，1日2～3回(適宜増減)　効能②：L-システインとして1回160mg，1日3回(適宜増減)
用法・用量に関連する使用上の注意　効能②：通常，放射線照射1時間前より投与を開始する
その他の管理的事項
投与期間制限　該当しない

L－システイン塩酸塩水和物
L-Cysteine Hydrochloride Hydrate

概要
構造式

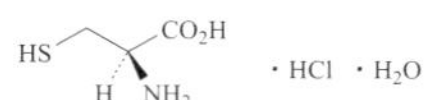

分子式　$C_3H_7NO_2S \cdot HCl \cdot H_2O$
分子量　175.63
原薬の規制区分　該当しない
原薬の外観・性状　白色の結晶又は結晶性の粉末で，特異なにおい及び強い酸味がある．水に極めて溶けやすく，エタノール(99.5)にやや溶けやすい．6mol/L塩酸試液に溶ける．1.0gを水100mLに溶かした液のpHは1.3～2.3である

シスプラチン
Cisplatin

概要
薬効分類　429　その他の腫瘍用薬
構造式

Cl　NH3
Pt
Cl　NH3

分子式　$Cl_2H_6N_2Pt$
分子量　300.05
略語・慣用名　CDDP，DDP，CPDD
ステム　白金錯体系抗悪性腫瘍薬：-platin
原薬の規制区分　毒
原薬の外観・性状　黄色の結晶性の粉末である．*N,N*-ジメチルホルムアミドにやや溶けにくく，水に溶けにくく，エタノール(99.5)にほとんど溶けない
原薬の吸湿性　25℃及び50℃で各相対湿度のデシケータ内に放置し，吸湿重量増加率を求めたところ，100%RHにおいてもほとんど吸湿は認められなかった
原薬の融点・沸点・凝固点　250℃付近から黒化
原薬の酸塩基解離定数　0.9%塩化ナトリウム溶液中では，中性物質でイオン性を示さず，酸解離定数は存在しない
先発医薬品等
　注　ランダ注10mg/20mL・25mg/50mL・50mg/100mL(日本化薬)
　注射用　動注用アイエーコール50mg・100mg(日本化薬)
後発医薬品
　注　10mg・25mg・50mg
国際誕生年月　1978年9月
海外での発売状況　米，英，独など
製剤
規制区分　**注**　**動注用**　毒　処
製剤の性状　**注**　無色～微黄色澄明の液でにおいはない　**動注用**　黄色の粉末
有効期間又は使用期限　3年

貯法・保存条件　**注** 遮光・室温保存　**動注用** 室温保存

薬剤取扱い上の留意点　**注** 本剤は細胞毒性を有するため，調製時には手袋を着用することが望ましい．皮膚に薬液が付着した場合には，直ちに多量の流水でよく洗い流すこと．生理食塩液又はブドウ糖－食塩液に混和後，できるだけ速やかに投与すること．本剤は光により分解するので直射日光を避けること．また，点滴時間が長時間に及ぶ場合には遮光して投与すること　**動注用** 生理食塩液に溶解した後，できるだけ速やかに使用すること

患者向け資料等　**注** 患者向医薬品ガイド，くすりのしおり　**動注用** くすりのしおり

溶液及び溶解時のpH　**注** 2.0～5.5　**動注用** 4.5～7.0(1mg/mL生食)

浸透圧比　**注** 約1(対生食)　**動注用** 約1(100mg/70mL生食)(対生食)

安定なpH域　**注** 6.89以下の酸性側

調製時の注意　**注** 調製時：①点滴静注する際，クロールイオン濃度が低い輸液を用いる場合には，活性が低下するので必ず生理食塩液と混和すること　②点滴静注する際，アミノ酸輸液，乳酸ナトリウムを含有する輸液を用いると分解が起こるので避けること　③アルミニウムと反応して沈殿物を形成し，活性が低下するので，使用にあたってアルミニウムを含む医療用器具を用いないこと　④錯化合物であるので，他の抗悪性腫瘍剤とは混注しないこと　**動注用** シスプラチン100mgあたり70mLの生理食塩液を加えて溶解する．本剤を速やかに溶解するため，調製時には湯浴(約50℃)で加温した生理食塩液を加えて強く振り混ぜる．また，溶解後は速やかに投与すること

薬理作用

分類　抗悪性腫瘍剤(白金錯体)

作用部位・作用機序　癌細胞内のDNAと結合し，DNA合成及びそれに引き続く癌細胞の分裂を阻害するものと考えられている．殺細胞作用は濃度依存性及び時間依存性である(*in vitro*)．殺細胞作用は細胞周期相に対して非特異的である(*in vitro*)．細胞周期内進行のG2期をブロックする(*in vitro*)

同効薬　カルボプラチン，ネダプラチン，オキサリプラチン

治療

効能・効果　**注** ①シスプラチン通常療法：睾丸腫瘍，膀胱癌，腎盂・尿管腫瘍，前立腺癌，卵巣癌，頭頸部癌，非小細胞肺癌，食道癌，子宮頸癌，神経芽細胞腫，胃癌，小細胞肺癌，骨肉腫，胚細胞腫瘍(精巣腫瘍，卵巣腫瘍，性腺外腫瘍)，悪性胸膜中皮腫，胆道癌．次の悪性腫瘍に対する他の抗悪性腫瘍剤との併用療法：悪性骨腫瘍，子宮体癌(術後化学療法，転移・再発時化学療法)，再発・難治性悪性リンパ腫，小児悪性固形腫瘍(横紋筋肉腫，神経芽腫，肝芽腫その他肝原発悪性腫瘍，髄芽腫等)　②M-VAC療法：尿路上皮癌　**動注用** 肝細胞癌

効能・効果に関連する使用上の注意　**注** 胆道癌での本剤の術後補助化学療法における有効性及び安全性は確立していない　**動注用** ①本剤と肝動脈塞栓療法との併用における有効性及び安全性は確立していない　②本剤の術後補助療法における有効性及び安全性は確立していない

用法・用量　**注** ①シスプラチン通常療法：(1)(ア)睾丸腫瘍，膀胱癌，腎盂・尿管腫瘍，前立腺癌には，A法を標準的用法・用量とし，患者の状態によりC法を選択する　(イ)卵巣癌には，B法を標準的用法・用量とし，患者の状態によりA法，C法を選択する　(ウ)頭頸部癌には，D法を標準的用法・用量とし，患者の状態によりB法を選択する　(エ)非小細胞肺癌には，E法を標準的用法・用量とし，患者の状態によりF法を選択する　(オ)食道癌には，B法を標準的用法・用量とし，患者の状態によりA法を選択する　(カ)子宮頸癌には，A法を標準的用法・用量とし，患者の状態によりE法を選択する　(キ)神経芽細胞腫，胃癌，小細胞肺癌には，E法を選択する　(ク)骨肉腫には，G法を選択する　(ケ)胚細胞腫瘍には，確立された標準的な他の抗悪性腫瘍剤との併用療法として，F法を選択する　(コ)悪性胸膜中皮腫には，ペメトレキセドとの併用療法として，H法を選択する　(サ)胆道癌には，ゲムシタビン塩酸塩との併用療法として，I法を選択する．　※A法：シスプラチンとして15～20mg/m^2(体表面積)を1日1回，5日間連続投与し，少なくとも2週間休薬する．これを1クールとし，投与を繰り返す．B法：シスプラチンとして50～70mg/m^2(体表面積)を1日1回投与し，少なくとも3週間休薬する．これを1クールとし，投与を繰り返す．C法：シスプラチンとして25～35mg/m^2(体表面積)を1日1回投与し，少なくとも1週間休薬する．これを1クールとし，投与を繰り返す．D法：シスプラチンとして10～20mg/m^2(体表面積)を1日1回，5日間連続投与し，少なくとも2週間休薬する．これを1クールとし，投与を繰り返す．E法：シスプラチンとして70～90mg/m^2(体表面積)を1日1回投与し，少なくとも3週間休薬する．これを1クールとし，投与を繰り返す．F法：シスプラチンとして20mg/m^2(体表面積)を1日1回，5日間連続投与し，少なくとも2週間休薬する．これを1クールとし，投与を繰り返す．G法：シスプラチンとして100mg/m^2(体表面積)を1日1回投与し，少なくとも3週間休薬する．これを1クールとし，投与を繰り返す．なお，A～G法の投与量は疾患，症状により適宜増減する．H法：シスプラチンとして75mg/m^2(体表面積)を1日1回投与し，少なくとも20日間休薬する．これを1クールとし，投与を繰り返す．なお，H法の投与量は症状により適宜減量する．I法：シスプラチンとして25mg/m^2(体表面積)を60分かけて点滴静注し，週1回投与を2週連続し，3週目は休薬する．これを1クールとして投与を繰り返す．なお，I法の投与量は患者の状態により適宜減量する　(2)以下の悪性腫瘍に対する他の抗悪性腫瘍剤との併用療法の場合：(ア)悪性骨腫瘍の場合：ドキソルビシン塩酸塩との併用において，シスプラチンの投与量及び投与方法は，シスプラチンとして100mg/m^2(体表面積)を1日1回投与し，少なくとも3週間休薬する．これを1クールとし，投与を繰り返す．本剤単剤では，G法を選択する．なお，投与量は症状により適宜減量する　(イ)子宮体癌の場合：ドキソルビシン塩酸塩との併用において，シスプラチンの投与量及び投与方法は，シスプラチンとして50mg/m^2(体表面積)を1日1回投与し，少なくとも3週間休薬する．これを1クールとし，投与を繰り返す．なお，投与量は症状により適宜減量する　(ウ)再発・難治性悪性リンパ腫の場合：他の抗悪性腫瘍剤との併用において，シスプラチンの投与量及び投与方法は，1日量100mg/m^2(体表面積)を1日間持続静注し，少なくとも20日間休薬し，これを1クールとして投与を繰り返す．又は1日量25mg/m^2(体表面積)を4日間連続持続静注し，少なくとも17日間休薬し，これを1クールとして投与を繰り返す．なお，投与量及び投与日数は症状，併用する他の抗悪性腫瘍剤により適宜減ずる　(エ)小児悪性固形腫瘍(横紋筋肉腫，神経芽腫，肝芽腫その他肝原発悪性腫瘍，髄芽腫等)に対する他の抗悪性腫瘍剤との併用療法の場合：他の抗悪性腫瘍剤との併用において，シスプラチンの投与量及び投与方法は，シスプラチンとして60～100mg/m^2(体表面積)を1日1回投与し，少なくとも3週間休薬する．これを1クールとし，投与を繰り返す．もしくは，他の抗悪性腫瘍剤との併用において，シスプラチンの投与量及び投与方法は，シスプラチンとして20mg/m^2(体表面積)を1日1回，5日間連続投与し，少なくとも2週間休薬する．これを1クールとし，投与を繰り返す．なお，投与量及び投与日数は疾患，症状，併用する他の抗悪性腫瘍剤により適宜減ずる　(3)本剤の投与時には腎毒性を軽減する為に次の処置を行う：(ア)成人の場合：(a)本剤投与前，1000～2000mLの適当な輸液を4時間以上かけて投与する　(b)本剤投与時，投与量に応じて500～1000mLの生理食塩液又はブドウ糖－食塩液に混和し，2時間以上かけて点滴静注する．なお，点滴時間が長時間に及ぶ場合には遮光して投与する　(c)本剤投与終了後，1000～2000mLの適当な輸液を4時間以上かけて投与する　(d)本剤投与中は，尿量確保に注意し，必要に応じてマンニトー

シ

ル及びフロセミド等の利尿剤を投与する (イ)小児の場合：(a)本剤投与前，300～900mL/m²(体表面積)の適当な輸液を2時間以上かけて投与する (b)本剤投与時，投与量に応じて300～900mL/m²(体表面積)の生理食塩液又はブドウ糖－食塩液に混和し，2時間以上かけて点滴静注する．なお，点滴時間が長時間に及ぶ場合には遮光して投与する (c)本剤投与終了後，600mL/m²(体表面積)以上の適当な輸液を3時間以上かけて投与する (d)本剤投与中は，尿量確保に注意し，必要に応じてマンニトール及びフロセミド等の利尿剤を投与する ②M-VAC療法：(1)メトトレキサート，ビンブラスチン硫酸塩及びドキソルビシン塩酸塩との併用において，通常，シスプラチンとして成人1回70mg/m²(体表面積)を静注する．標準的な投与量及び投与方法は，メトトレキサート30mg/m²を1日目に投与した後に，2日目にビンブラスチン硫酸塩3mg/m²，ドキソルビシン塩酸塩30mg(力価)/m²及びシスプラチン70mg/m²を静注する．15日目及び22日目にメトトレキサート30mg/m²及びビンブラスチン硫酸塩3mg/m²を静注する．これを1コースとし，4週毎に繰り返す (2)シスプラチンの投与時には腎毒性を軽減するために，シスプラチン通常療法の用法・用量に準じた処置を行う

動注用 ①シスプラチン100mgあたり70mLの生理食塩液を加えて溶解し，65mg/m²(体表面積)を肝動脈内に挿入されたカテーテルから，1日1回肝動脈内に20～40分間で投与し，4～6週間休薬．これを1クールとし，投与を繰り返す(適宜減量) ②投与時には腎毒性を軽減するために次の処置を行う：(1)投与前，1000～2000mLの適当な輸液を4時間以上かけて投与する (2)投与時から投与終了後，1500～3000mLの適当な輸液を6時間以上かけて投与する (3)投与中は，尿量確保に注意し，必要に応じてマンニトール及びフロセミド等の利尿剤を投与する

用法・用量に関連する使用上の注意 **注** ①シスプラチン通常療法：(1)本剤の投与時には腎毒性を軽減するために次の処置を行う：(ア)成人の場合：(a)本剤投与前，1000～2000mLの適当な輸液を4時間以上かけて投与する (b)本剤投与時，投与量に応じて500～1000mLの生理食塩液又はブドウ糖－食塩液に混和し，2時間以上かけて点滴静注する．なお，点滴時間が長時間に及ぶ場合には遮光して投与する (c)本剤投与終了後，1000～2000mLの適当な輸液を4時間以上かけて投与する (d)本剤投与中は，尿量確保に注意し，必要に応じてマンニトール及びフロセミド等の利尿剤を投与する ※なお，上記の処置よりも少量かつ短時間の補液法(ショートハイドレーション法)については，最新の「がん薬物療法時の腎障害診療ガイドライン」等を参考にし，ショートハイドレーション法が適用可能と考えられる患者にのみ実施する (イ)小児の場合：(a)本剤投与前，300～900mL/m²(体表面積)の適当な輸液を2時間以上かけて投与する (b)本剤投与時，投与量に応じて300～900mL/m²(体表面積)の生理食塩液又はブドウ糖－食塩液に混和し，2時間以上かけて点滴静注する．なお，点滴時間が長時間に及ぶ場合には遮光して投与する (c)本剤投与終了後，600mL/m²(体表面積)以上の適当な輸液を3時間以上かけて投与する (d)本剤投与中は，尿量確保に注意し，必要に応じてマンニトール及びフロセミド等の利尿剤を投与する (2)胚細胞腫瘍に対する確立された標準的な他の抗悪性腫瘍剤との併用療法(BEP療法(ブレオマイシン塩酸塩，エトポシド，シスプラチン併用療法))においては，併用薬剤の添付文書を熟読する (3)再発又は難治性の胚細胞腫瘍に対する確立された標準的な他の抗悪性腫瘍剤との併用療法(VeIP療法(ビンブラスチン硫酸塩，イホスファミド，シスプラチン併用療法))においては，併用薬剤の添付文書を熟読する (4)再発・難治性悪性リンパ腫に対する他の抗悪性腫瘍剤との併用療法においては，関連文献(「抗がん剤報告書：シスプラチン(悪性リンパ腫)」等)及び併用薬剤の添付文書を熟読する (5)小児悪性固形腫瘍に対する他の抗悪性腫瘍剤との併用療法においては，関連文献(「抗がん剤報告書：シスプラチン(小児悪性固形腫瘍)」等)及び併用薬剤の添付文書を熟読する (6)悪性胸膜中皮腫に対するペメトレキセドとの併用療法においては，ペメトレキセドの添付文書を熟読する ②M-VAC療法：シスプラチンの投与時には腎毒性を軽減するために，シスプラチン通常療法の用法関連注意に準じた処置を行う

動注用 ①本剤を速やかに溶解するため，調製時には湯浴(約50℃)で加温した生理食塩液を加えて強く振り混ぜる．また，溶解後は速やかに投与する ②本剤をシスプラチン100mgあたり70mL未満の生理食塩液に溶解した場合，結晶が析出するおそれがある

禁忌・原則禁忌となる特定患者集団 妊婦又は妊娠している可能性のある婦人

使用上の注意

警告 ①**注** (1)本剤を含むがん化学療法は，緊急時に十分対応できる医療施設において，がん化学療法に十分な経験をもつ医師のもとで，本療法が適切と判断される症例についてのみ実施する．適応患者の選択にあたっては，各併用薬剤の添付文書を参照して十分注意する．また，治療開始に先立ち，患者又はその家族に有効性及び危険性を十分説明し，同意を得てから投与する (2)本剤を含む小児悪性固形腫瘍に対するがん化学療法は，小児のがん化学療法に十分な知識・経験をもつ医師のもとで実施する ②**動注用** 緊急時に十分に措置できる医療施設において，がん化学療法及び肝動注化学療法に十分な経験をもつ医師のもとで，本剤の投与が適切と判断される症例についてのみ投与する

禁忌 ①重篤な腎障害のある患者［腎障害を増悪させることがある．また，腎からの排泄が遅れ，重篤な副作用が発現することがある］ ②本剤又は他の白金を含む薬剤に対し過敏症の既往歴のある患者 ③妊婦又は妊娠している可能性のある婦人

薬物動態

注 **血中濃度及び排泄** ①癌患者に点滴静注後の血中濃度推移は2相性の減衰曲線を示し，β相半減期は100時間前後と長く，投与後14日目の血中でも白金化合物を検出 ②癌患者での尿中排泄は非常に緩慢．24時間の尿中回収率は単回投与群で17～21%，5日間連日投与群で約27%

動注用 **血中濃度** 肝細胞癌患者に65mg/m²(体表面積)で肝動注時，投与終了後の血漿中total濃度(シスプラチン換算)は二相性の消失で，α相及びβ相の半減期は0.47及び85.03時間．血漿中free濃度(シスプラチン換算)は一相性で，0.51時間の半減期で速やかに消失．薬物動態パラメータ(total，freeの順，3例)は，$C_{0.5h}$(μg/mL) 4.19±0.02，1.30±0.33，$T_{1/2}α$(hr) 0.47±0.11，0.51±0.09※1)，$T_{1/2}β$(hr) 85.03±9.40，－，AUC_{0-t}(μg/hr/mL) 182.04±28.25※2)，1.56±0.26※3)　※1) $T_{1/2}$　※2)投与開始から終了後96時間までのAUC　※3)投与開始から投与終了後2時間までのAUC **尿中排泄(参考)** 癌患者に点滴静注時の尿中排泄は緩慢で，排泄率は，投与後24時間で15.6～51.3%，投与後5日目では排泄率の高い例で45～75%

その他の管理的事項

投与期間制限 該当しない

保険給付上の注意 該当しない

資料

IF ランダ注10mg/20mL・25mg/50mL・50mg/100mL　2018年4月改訂(第18版)
動注用アイエーコール50mg・100mg　2014年8月改訂(第8版)

ジスルフィラム
Disulfiram

概要

薬効分類　393　習慣性中毒用剤

構造式

分子式　$C_{10}H_{20}N_2S_4$

分子量　296.54

原薬の規制区分　劇

原薬の外観・性状　白色～帯黄白色の結晶又は結晶性の粉末である．アセトン又はトルエンに溶けやすく，メタノール又はエタノール(95)にやや溶けにくく，水にほとんど溶けない

原薬の吸湿性　該当資料なし

原薬の融点・沸点・凝固点　融点：70～73℃

原薬の酸塩基解離定数　該当資料なし

先発医薬品等

末　ノックビン原末(田辺三菱＝吉富薬品)

国際誕生年月　不明

海外での発売状況　米など

製剤

規制区分　末　劇　処

製剤の性状　末　白色～帯黄白色・結晶性の粉末

有効期間又は使用期限　2年

貯法・保存条件　室温(なるべく冷所)保存

薬剤取扱い上の留意点　本剤服用中は，医師の指示によらないアルコール摂取を禁じること．本剤服用中は，アルコールを含む食品(奈良漬等)の摂取や，アルコールを含む化粧品(アフターシェーブローション等)の使用を避けさせるよう十分に指導すること．眠気，注意力・集中力・反射運動能力等の低下が起こることがあるので，本剤投与中の患者には自動車の運転等危険を伴う機械の操作に従事させないように注意すること

患者向け資料等　患者向医薬品ガイド，くすりのしおり

溶液及び溶解時のpH　該当しない

浸透圧比　該当しない

安定なpH域　該当しない

調製時の注意　該当しない

薬理作用

分類　抗酒癖剤

作用部位・作用機序　作用部位：肝臓　作用機序：①肝臓中のアルデヒドデヒドロゲナーゼを阻害することにより，飲酒時の血中アセトアルデヒド濃度を上昇させる　②アルコール摂取後5～10分で顔面潮紅，熱感，頭痛，悪心・嘔吐などの急性症状を発現させる　③アルコールに対する感受性は少なくともジスルフィラム服用後6～14日間は持続する

同効薬　シアナミド

治療

効能・効果　慢性アルコール中毒に対する抗酒療法

用法・用量　1日0.1～0.5g，1～3回に分服　1週間投与後に通常実施する飲酒試験の場合の酒量は，患者の平常飲酒量の1/10以下．飲酒試験で発現する症状の程度により用量を調整し，維持量を決める．維持量0.1～0.2gで，毎日続けるか，あるいは1週ごとに1週間の休薬期間をおく

禁忌・原則禁忌となる特定患者集団　妊婦又は妊娠している可能性のある婦人

使用上の注意

禁忌　①重篤な心障害のある患者［原疾患が悪化するおそれがある］　②重篤な肝・腎障害のある患者［原疾患が悪化するおそれがある］　③重篤な呼吸器疾患のある患者［原疾患が悪化するおそれがある］　④アルコールを含む医薬品(エリキシル剤，薬用酒等)・食品(奈良漬等)・化粧品(アフターシェーブローション等)を使用又は摂取中の患者　⑤妊婦又は妊娠している可能性のある婦人

薬物動態

外国人データでは消化管から吸収，血中でジエチルジチオカルバメートに還元，肝臓でさらに，グルクロナイド，メチルエステル，ジエチルアミン，二硫化炭素，硫酸イオン等に代謝．代謝物は主として尿に排泄

その他の管理的事項

投与期間制限　該当しない

保険給付上の注意　該当しない

資料

IF　ノックビン原末　2009年3月改訂(第5版)

ジソピラミド
Disopyramide

概要

薬効分類　212　不整脈用剤

構造式

及び鏡像異性体

分子式　$C_{21}H_{29}N_3O$

分子量　339.47

原薬の規制区分　劇

原薬の外観・性状　白色の結晶又は結晶性の粉末である．メタノール又はエタノール(95)に極めて溶けやすく，無水酢酸，酢酸(100)又はジエチルエーテルに溶けやすく，水に溶けにくい

原薬の吸湿性　該当資料なし

原薬の融点・沸点・凝固点　融点：85℃～87℃及び95℃～98℃．本品は結晶多形を有し，二種の融点の結晶形がある

原薬の酸塩基解離定数　pKa＝8.36

先発医薬品等

徐放錠　リスモダンR錠150mg(サノフィ)

力　リスモダンカプセル50mg・100mg(サノフィ)

注　リスモダンP静注50mg(サノフィ)

後発医薬品

徐放錠　150mg

力　50mg・100mg

国際誕生年月　1967年4月

海外での発売状況　英，仏など

製剤

規制区分　力　劇　処

製剤の性状　50mg力　緑色/うす緑色の硬カプセル　100mg力　緑色/黄色の硬カプセル

有効期間又は使用期限　3年

貯法・保存条件　室温保存

薬剤取扱い上の留意点　めまい，低血糖等が現れることがあるので，高所作業，自動車の運転等危険を伴う機械を操作する際には注意させること

患者向け資料等　患者向医薬品ガイド，くすりのしおり

薬理作用

分類　不整脈治療剤

作用部位・作用機序 心筋への直接作用により，活動電位のphase 0立上がり速度を減少させるが，その作用はキニジン硫酸塩水和物より弱い．またプルキンエ線維においてphase 4の脱分極抑制を示す(ウサギ，イヌ)

同効薬 ジソピラミドリン酸塩，キニジン硫酸塩水和物，プロカインアミド塩酸塩，シベンゾリンコハク酸塩，ピルメノール塩酸塩水和物，アプリンジン塩酸塩，リドカイン塩酸塩，メキシレチン塩酸塩，フレカイニド酢酸塩，ピルシカイニド塩酸塩水和物，プロパフェノン塩酸塩

治療

効能・効果 **徐放錠** 次の状態で他の抗不整脈薬が使用できないか，又は無効の場合：頻脈性不整脈

力 次の状態で他の抗不整脈薬が使用できないか，又は無効の場合：期外収縮，発作性上室性頻脈，心房細動

注 緊急治療を要する次の不整脈：期外収縮(上室性，心室性)，発作性頻拍(上室性，心室性)，発作性心房細・粗動

用法・用量 **徐放錠** 1回150mgを1日2回(適宜増減)

力 1回100mgを1日3回(適宜増減)

注 1回50～100mg(1～2mg/kg)を必要に応じてブドウ糖注射液等に溶解し，5分以上かけて緩徐に静注(適宜増減)

使用上の注意

禁忌 **徐放錠** **力** ①高度の房室ブロック，高度の洞房ブロックのある患者［刺激伝導障害が悪化し，完全房室ブロック，心停止を起こすおそれがある］ ②うっ血性心不全のある患者［心収縮力低下により，心不全を悪化させるおそれがある．また，催不整脈作用により心室頻拍，心室細動を起こしやすい］ ③**徐放錠** 透析患者を含む重篤な腎機能障害のある患者［本剤は主に腎臓で排泄されるため，血中半減期が延長することがあるので，徐放性製剤の投与は適さない］ ④**徐放錠** 高度な肝機能障害のある患者［本剤は主に肝臓で代謝されるため，血中半減期が延長することがあるので，徐放性製剤の投与は適さない］ ⑤スパルフロキサシン，モキシフロキサシン塩酸塩，トレミフェンクエン酸塩，バルデナフィル塩酸塩水和物，アミオダロン塩酸塩(注射剤)，エリグルスタット酒石酸塩又はフィンゴリモド塩酸を投与中の患者 ⑥閉塞隅角緑内障の患者［抗コリン作用により眼圧が上昇し，症状を悪化させることがある］ ⑦尿貯留傾向のある患者［抗コリン作用により，尿閉を悪化させるおそれがある］ ⑧本剤の成分に対し過敏症の既往歴のある患者

注 ①高度の房室ブロック，高度の洞房ブロックのある患者［刺激伝導障害が悪化し，完全房室ブロック，心停止を起こすおそれがある］ ②うっ血性心不全のある患者［心収縮力低下により，心不全を悪化させるおそれがある．また，催不整脈作用により心室頻拍，心室細動を起こしやすい］ ③スパルフロキサシン，モキシフロキサシン塩酸塩，トレミフェンクエン酸塩，バルデナフィル塩酸塩水和物，アミオダロン塩酸塩(注射剤)，エリグルスタット酒石酸塩又はフィンゴリモド塩酸塩を投与中の患者 ④閉塞隅角緑内障の患者［抗コリン作用により眼圧が上昇し，症状を悪化させることがある］ ⑤尿貯留傾向のある患者［抗コリン作用により，尿閉を悪化させるおそれがある］ ⑥本剤の成分に対し過敏症の既往歴のある患者

相互作用概要 主としてCYP3A4で代謝される

過量投与 過量投与により，呼吸停止，失神，致死的不整脈が起こり死亡することがある．過度のQRS幅増大及びQT延長，心不全悪化，低血圧，刺激伝導系障害，徐脈，不全収縮等の過量投与の徴候がみられた場合には適切な対症療法を行う

薬物動態

血中濃度 ①健康成人男子12例に徐放錠をジソピラミドとして150mg単回経口投与時のTmax5.04±0.96時間，Cmax1.64±0.50μg/mL，$T_{1/2}$7.77±1.90時間．健康成人男子12例にカプセル100mg単回経口投与時のTmax3.25±1.06時間，Cmax1.48±0.39μg/mL，$T_{1/2}$6.05±1.63時間．健康成人男子5例に50mg単回静注時の$T_{1/2}\alpha$3.78±2.31分，$T_{1/2}\beta$4.35±1.15時間 ②有効血中濃度(不整脈減少率約50%)：**力** 1μg/mL付近．**注** 2～3μg/mL付近 **代謝** 肝ミクロソームCYP3A4により脱イソプロピル化され，主代謝物Mono-isopropyl disopyramide(MIP)を生じる **排泄** 健康成人男子12例に徐放錠150mg単回経口投与後48時間までに遊離型44.5%，主代謝物MIP19%で，合計63.5%が尿中排泄．12名にカプセル剤100mg単回経口投与後24時間までに遊離型47.5%，主代謝物MIP16.8%で，合計64.3%が尿中排泄．6名に50mgを静注時，投与量の約50%が約6時間，約90%が24時間で尿中排泄 **腎機能障害患者** **力** 入院患者(成人)19例をクレアチニンクリアランス(mL/分)により3群[I群50以上(74±22)7例，II群20～40(29±9)6例，III群10以下(6±3)6例]に分け，100mg経口投与時の血中半減期($T_{1/2}$)はI群8.2±0.9時間，II群14.1±7時間，III群15.3±5.5時間 **分布(参考)** ラットに1日1回7日間連続経口投与時の最終投与48時間後では，いずれの組織でも組織単位湿重量あたり0.022%以下，特定の組織に蓄積される傾向はなかった．ラットに^{14}C-リン酸塩ジソピラミド1mg/kg静注後の臓器への移行は速やか，投与直後の放射活性は肝臓が一番高く，以下小腸，腎臓，胃，肺，心臓，脳の順．脳は測定した組織で一番低濃度

その他の管理的事項

投与期間制限 該当しない

保険給付上の注意 該当しない

資料

IF リスモダンカプセル50mg・100mg 2019年7月改訂(第14版)

シタグリプチンリン酸塩水和物
シタグリプチンリン酸塩錠
Sitagliptin Phosphate Hydrate

概要

薬効分類 396 糖尿病用剤

構造式

・H_3PO_4・H_2O

分子式 $C_{16}H_{15}F_6N_5O \cdot H_3PO_4 \cdot H_2O$

分子量 523.32

ステム ジペプチジルペプチダーゼ(DPP)-4阻害薬：-gliptin

原薬の規制区分 該当しない

原薬の外観・性状 白色の粉末である．水にやや溶けやすく，メタノールにやや溶けにくく，アセトニトリル又はエタノール(99.5)に極めて溶けにくい

原薬の吸湿性 吸湿性はない

原薬の融点・沸点・凝固点 本剤リン酸塩一水和物の脱水による吸熱ピーク：ピーク温度138℃，融解開始温度134℃(示差走査熱量測定(DSC)) リン酸塩無水結晶形Form Iの融解/分解による吸熱ピーク：ピーク温度213℃，融解開始温度211℃

原薬の酸塩基解離定数 pKa＝7.7±0.1(本剤の一級アミン)

先発医薬品等

錠 グラクティブ錠12.5mg・25mg・50mg・100mg(小野)
ジャヌビア錠12.5mg・25mg・50mg・100mg(MSD)

国際誕生年月 2006年8月

海外での発売状況 欧米など134カ国

製剤

規制区分 **錠** ㊙

製剤の性状 **12.5mg錠** 円形，明るい灰色のフィルムコーティング錠 **25mg錠** 長円形(割線入り)，うすい赤黄色のフィルムコーティング錠 **50mg錠** 長円形(割線入り)，ごくうすい赤黄色のフィルムコーティング錠 **100mg錠** 円形，うすい赤黄色のフィルムコーティング錠

有効期間又は使用期限 3年

貯法・保存条件 室温保存

薬剤取扱い上の留意点 低血糖症状を起こすことがあるので，高所作業，自動車の運転等に従事している患者に投与するときには注意すること

患者向け資料等 患者向医薬品ガイド，くすりのしおり

調製時の注意 該当しない

薬理作用

分類 選択的DPP-4阻害剤

作用部位・作用機序 DPP-4酵素を阻害し，インクレチンのDPP-4による分解を抑制．活性型インクレチン濃度を上昇させることにより，血糖値依存的にインスリン分泌促進作用並びにグルカゴン濃度低下作用を増強．血糖コントロールを改善する

同効薬 ビルダグリプチン，アログリプチン安息香酸塩，リナグリプチン，テネリグリプチン臭化水素酸塩水和物，アナグリプチン，サキサグリプチン水和物，オマリグリプチン，トレラグリプチンコハク酸塩

治療

効能・効果 2型糖尿病

効能・効果に関連する使用上の注意 適用はあらかじめ糖尿病治療の基本である食事療法，運動療法を十分に行ったうえで効果が不十分な場合に限り考慮する

用法・用量 シタグリプチンとして1日1回50mg．なお，効果不十分な場合には，経過を十分に観察しながら1日1回100mgまで増量することができる

用法・用量に関連する使用上の注意 ①主に腎臓で排泄されるため，次記を目安に用量調節する：⑴腎機能障害：中等度(クレアチニンクリアランス(mL/min)30<CrCl<50，血清クレアチニン値(mg/dL)※)男性：1.5<Cr<2.5，女性：1.3<Cr<2.0)，通常投与量1日1回25mg，最大投与量1日1回50mg ⑵腎機能障害：重度，末期腎不全(クレアチニンクリアランス(mL/min)CrCl<30，血清クレアチニン値(mg/dL)※)男性：Cr>2.5，女性：Cr>2.0)，通常投与量1日1回12.5mg，最大投与量1日1回25mg ※)クレアチニンクリアランスに概ね相当する値 ②末期腎不全患者については，血液透析との時間関係は問わない

使用上の注意

禁忌 ①本剤の成分に対し過敏症の既往歴のある患者 ②重症ケトーシス，糖尿病性昏睡又は前昏睡，1型糖尿病の患者［輸液及びインスリンによる速やかな高血糖の是正が必須となるので本剤を投与すべきでない］ ③重症感染症，手術前後，重篤な外傷のある患者［インスリン注射による血糖管理が望まれるので本剤の投与は適さない］

相互作用概要 主に腎臓から未変化体として排泄され，その排泄には能動的な尿細管分泌の関与が推察される

過量投与 処置：血液透析によるシタグリプチンの除去は僅かである

薬物動態

血中濃度 ①単回投与：健康成人に12.5～100mgを空腹時単回経口投与時，速やかに吸収され，投与後2～5時間に最高血漿中濃度(Cmax)に達し，半減期($t_{1/2}$)は9.6～12.3時間．シタグリプチンの血漿中濃度－時間曲線下面積($AUC_{0-\infty}$)は用量にほぼ比例して増加．薬物動態パラメータ($AUC_{0-\infty}$(μM・hr)，Cmax(nM)，Tmax(hr．中央値(最小値，最大値))，$t_{1/2}$(hr)の順)は，12.5mg投与群(6例)0.96±0.15，60±7，4.0(4.0，6.0)，12.3±0.8，25mg投与群(6例)1.99±0.35，145±33，5.0(2.0，6.0)，11.6±1.8，50mg投与群(6例)3.73±0.63，319±83，2.0(1.0，6.0)，11.4±2.4，100mg投与群(6例)8.43±1.64，944±307，2.0(0.5，6.0)，9.6±0.9 ②反復投与：健康成人に25～400mgを1日1回10日間反復経口投与時，血漿中濃度は2日目で定常状態に達し，反復投与による蓄積はほとんど認められなかった．累積係数は1.03～1.19倍 **吸収** ①バイオアベイラビリティ：健康成人に100mgを投与時の経口バイオアベイラビリティは約87%(外国人データ) ②食事の影響：健康成人に50mgを食後単回経口投与時の薬物動態パラメータ($AUC_{0-\infty}$(μM・hr)，Cmax(nM)，Tmax(hr．中央値(最小値，最大値))，$t_{1/2}$(hr)の順)は，空腹時(12例)4.08±0.52，366±93，2.5(1.5，6.0)，12.2±1.7，食後(12例)3.99±0.64，500±154，2.0(0.5，6.0)，12.3±1.8で，，空腹時に比べCmaxは37%増加したが，$AUC_{0-\infty}$及びTmaxに差はなかった **分布** 血漿タンパク結合：*in vitro*血漿タンパク結合率は38% **代謝** 代謝：①代謝を受けにくく，主に未変化体として尿中に排泄される．健康成人(外国人)に^{14}C-シタグリプチンの経口投与後，放射能の約16%がシタグリプチンの代謝物として排泄．6種類の代謝物が検出されたが，微量で，シタグリプチンの血漿中ジペプチジルペプチダーゼ4(DPP-4)阻害活性に影響しないと考えられる ②シタグリプチンの消失において代謝の関与は少ない．*In vitro*試験では，シタグリプチンの代謝にCYP3A4が主に関与し，また，CYP2C8も関与することが示された．また，シタグリプチンはCYP3A4，2C8，2C9，2D6，1A2，2C19及び2B6を阻害せず，CYP3A4を誘導しなかった **排泄** ①健康成人に25～100mgを単回経口投与後，シタグリプチンの79～88%(推測値)は尿中に未変化体として排泄，腎クリアランスは397～464mL/min ②健康成人(外国人)に^{14}C-シタグリプチンを経口投与後，1週間以内に投与放射能の約13%が糞中に，87%が尿中に排泄．シタグリプチンの消失は主に腎排泄によるもので，能動的な尿細管分泌が関与する．シタグリプチンはP-糖タンパク質及び有機アニオントランスポーター(hOAT3)の基質である．*In vitro*試験で，P-糖タンパク質を介するシタグリプチンの輸送はシクロスポリンにより阻害され，hOAT3を介するシタグリプチンの取込みはプロベネシド，イブプロフェン，フロセミド，フェノフィブリック酸，キナプリル，インダパミド及びシメチジンで阻害された．また，シタグリプチンは500μMまでの濃度では，P-糖タンパク質を介するジゴキシンの輸送を阻害しなかったが，hOAT3を介するシメチジンの取込みには弱い阻害作用を示した(IC50：160μM) **特定の背景を有する患者** ①腎機能障害患者：50mg単回経口投与時の薬物動態パラメータ($AUC_{0-\infty}$(μM・hr)[平均の比]，Cmax(nM)[平均の比]，$t_{1/2}$(hr)，腎クリアランス(mL/min)[平均の比]の順)は，正常(82例)：4.40±0.832，391±123，13.1±2.23，339±87.3，軽度の腎機能障害(6例)：7.09±0.988[1.61]，527±79.1[1.35]，16.1±0.487，242±34.0[0.71]，中等度の腎機能障害(6例)：9.96±1.95[2.26]，560±137[1.43]，19.1±2.08，126±28.1[0.37]，重度の腎機能障害(6例)：16.6±4.82[3.77]，684±183[1.75]，22.5±2.71，60.2±19.2[0.18]，血液透析が必要な末期腎不全患者(6例)：19.8±6.06[4.50]，556±113[1.42]，28.4±8.18，該当なし[該当なし]．中等度，重度腎機能障害患者，血液透析が必要な末期腎不全患者の$AUC_{0-\infty}$は，正常腎機能を有する健康成人のそれぞれ約2.3倍，約3.8倍，約4.5倍で，腎機能障害の程度に応じて上昇．血液透析が必要な末期腎不全患者では，投与後4時間から3～4時間の血液透析により，透析液中に投与量の13.5%が除去(外国人データ)．なお，腎機能障害患者を対象とした反復投与による薬物動態試験は実施されていない ②肝機能障害患者：100mgを単回経口投与時，中等度肝機能障害患者(Child-Pughスコア7～9)では，シタグリプチンの平均$AUC_{0-\infty}$及び平均Cmaxは健康成人に比べてそれぞれ約21%及び13%増加(外国人データ)．重度肝機能障害患者(Child-Pughスコア9超)での臨床経験はない ③高齢者：健康高齢者(65～80歳)

シ

及び若年者(18～45歳)に50mgを単回経口投与時，高齢者は若年者に比べてシタグリプチンの$AUC_{0-\infty}$，Cmaxがそれぞれ31%，23%高かった．腎クリアランスが高齢者では若年者に比べて31%低下していた(外国人データ) **薬物相互作用** ①ボグリボースとの併用：健康成人に本剤50mg1日1回(朝食直前)及びボグリボース0.3mg1日3回(毎食直前)を3日間併用反復経口投与時，ボグリボースはシタグリプチンの薬物動態に影響を及ぼさなかった．一方，2型糖尿病患者に本剤100mg1日1回(朝食直前)及びボグリボース0.2mg1日3回(毎食直前)を3日間併用反復経口投与時，シタグリプチンのAUC_{0-24hr}及びCmaxはシタグリプチン単独投与と比べて低下した(それぞれ17%及び34%)が，シタグリプチンの用量調節は必要ないと考えられた ②ジゴキシンとの併用：健康成人に本剤100mgとジゴキシン0.25mgを10日間併用投与時，ジゴキシンのAUC_{0-24hr}及びCmaxはわずかに上昇(それぞれ11%及び18%)(外国人データ) ③シクロスポリンとの併用：健康成人に本剤100mgとシクロスポリン600mgを併用投与時，シタグリプチンの$AUC_{0-\infty}$及びCmaxはそれぞれ29%及び68%上昇(外国人データ) ④メトホルミンとの併用：2型糖尿病患者に本剤50mg1日2回とメトホルミン1000mg1日2回を併用投与時，シタグリプチン及びメトホルミンは互いの薬物動態に影響を及ぼさなかった(外国人データ)．このデータから，シタグリプチンは有機カチオントランスポーター(OCT)を阻害しないと考えられた ⑤その他の薬剤との併用：ロシグリタゾン，グリベンクラミド，シンバスタチン，ワルファリン及び経口避妊薬(ノルエチステロン／エチニルエストラジオール)との薬物相互作用試験データから，本剤200mg1日1回はCYP3A4，2C8及び2C9を阻害しないと考えられた(外国人データ)

その他の管理的事項

投与期間制限 該当しない

保険給付上の注意 該当しない

資料

IF ジャヌビア錠12.5mg・25mg・50mg・100mg 2020年3月改訂(第27版)

シタラビン
Cytarabine

概要

薬効分類 422 代謝拮抗剤

構造式

分子式 $C_9H_{13}N_3O_5$

分子量 243.22

略語・慣用名 慣用名：シトシンアラビノシド(Cytosine arabinoside) Ara-C，CA，AC

ステム アラビノフラノシル誘導体：-(ar)abine

原薬の規制区分 (劇)

原薬の外観・性状 白色の結晶又は結晶性の粉末である．水に溶けやすく，酢酸(100)にやや溶けやすく，エタノール(99.5)に極めて溶けにくい．0.1mol/L塩酸試液に溶ける．0.20gを水20mLに溶かした液のpHは6.5～8.0である

原薬の吸湿性 吸湿性なし

原薬の融点・沸点・凝固点 融点：約214℃(分解)

原薬の酸塩基解離定数 pKa＝3.9

先発医薬品等

注 キロサイド注20mg・40mg・60mg・100mg・200mg・N注400mg・1g(日本新薬)

後発医薬品

注 400mg・1g

国際誕生年月 1969年10月

海外での発売状況 米

製剤

規制区分 **注** **N注** (劇)(処)

製剤の性状 **注** **N注** 無色澄明の液

有効期間又は使用期限 3年

貯法・保存条件 室温保存

薬剤取扱い上の留意点 **注** **N注** 取扱い上の注意：細胞毒性を有するため，調製時には手袋を着用することが望ましい．皮膚に薬液が付着した場合には，直ちに多量の流水でよく洗い流すこと

患者向け資料等 患者向医薬品ガイド，くすりのしおり

溶液及び溶解時のpH **注** **N注** 8.0～9.3

浸透圧比 **注** **N注** 1.1～1.5

安定なpH域 **注** **N注** 8～9

調製時の注意 添付文書等参照

薬理作用

分類 代謝拮抗性抗悪性腫瘍剤

作用部位・作用機序 DNA合成過程におけるCDP reductaseレベルとDNA polymeraseレベルでの阻害によると考えられている．最近では，本剤がDNA合成能の低下したstationary phaseの白血病細胞に対しても，濃度依存的な殺細胞作用を示すことや，殺細胞作用以下の作用濃度で白血病細胞の分化を誘導することも報告されている

同効薬 エノシタビン

治療

効能・効果 **キロサイド** ①急性白血病(赤白血病，慢性骨髄性白血病の急性転化例を含む) ②消化器癌(胃癌，膵癌，肝癌，結腸癌等)，肺癌，乳癌，女性性器癌(子宮癌等)等．ただし他の抗腫瘍剤(フルオロウラシル，マイトマイシンC，シクロホスファミド水和物，メトトレキサート，ビンクリスチン硫酸塩，ビンブラスチン硫酸塩等)と併用する場合に限る ③膀胱腫瘍

キロサイドN 「テバ」 ①シタラビン大量療法：再発又は難治性の次の疾患：急性白血病(急性骨髄性白血病，急性リンパ性白血病)，悪性リンパ腫．ただし，急性リンパ性白血病及び悪性リンパ腫については他の抗腫瘍剤と併用する場合に限る ②腫瘍特異的T細胞輸注療法の前処置

用法・用量 **キロサイド** 効能①：(1)寛解導入：1日成人0.8～1.6mg/kg，小児0.6～2.3mg/kgを250～500mLの5%のブドウ糖液あるいは生理食塩液に混合して，点滴静注，又は20mLの20%ブドウ糖液あるいは生理食塩液に混合して，ワンショット静注(適宜増減)．2～3週間連続投与を行う (2)維持療法：寛解が得られた場合は，前記用量を1週1回そのまま皮下，筋注するか，あるいは前記用法に従い静注 (3)シタラビン少量療法：成人には1回10～20mgを1日2回か1回20mg/m^{2}を1日1回を10～14日間皮下又は静注 (4)髄腔内化学療法：成人には1回25～40mgを1週間に1～2回髄腔内に投与．小児には，次を参考に年齢・体格等に応じて投与量を調節．なお，併用する他の抗腫瘍剤及び患者の状態により投与間隔は適宜延長する．髄液に異常所見を認める場合は，正常化するまで投与を継続する．1歳：15～20mg，2歳20～30mg，3歳以上25～40mg．年齢，症状により適宜増減．併用する薬剤の組合せ，併用量等は医師の判断による 効能②：(1)静注：他の抗腫瘍剤(フルオロウラシル，マイトマイシンC，シクロホスファミド水和物，メトトレキサート，ビンクリスチン硫酸塩等)と併用する場合，1回0.2～0.8mg/kg，1週間に1～2回点滴静注，

又はワンショットで静注(適宜増減) (2)局所動注：1日0.2～0.4mg/kg，他の抗腫瘍剤(フルオロウラシル，マイトマイシンC，シクロホスファミド水和物，ビンクリスチン硫酸塩，ビンブラスチン硫酸塩等)と併用して持続注入ポンプで投与(適宜増減)．年齢，症状により適宜増減．併用する薬剤の組合せ，併用量等は医師の判断による　効能③：200～400mg単独膀胱内注入(適宜増減)．他の抗腫瘍剤(マイトマイシンC等)と併用し，膀胱内注入を行う場合は100～300mgを10～40mLの生理食塩液又は注射用水に混合して1日1回又は週2～3回膀胱内注入(適宜増減)．年齢，症状により適宜増減．併用する薬剤の組合せ，併用量等は医師の判断による

キロサイドN「テバ」 ①シタラビン大量療法：患者の年齢，末梢血及び骨髄の状態等により適宜減量：(1)急性骨髄性白血病：1回2g/m^{2}を5%ブドウ糖液あるいは生理食塩液に混合して300～500mLとし，12時間ごとに3時間かけて点滴で最大6日間連日静注．小児には，1回3g/m^{2}を12時間ごとに3時間かけて点滴で3日間連日静注 (2)急性リンパ性白血病：他の抗腫瘍剤と併用し，1回2g/m^{2}を5%ブドウ糖液あるいは生理食塩液に混合して300～500mLとし，12時間ごとに3時間かけて点滴で最大6日間連日静注．小児には，他の抗腫瘍剤と併用し，1回2g/m^{2}を12時間ごとに3時間かけて点滴で3日間連日静注 (3)悪性リンパ腫：他の抗腫瘍剤と併用し，1回2g/m^{2}を5%ブドウ糖液あるいは生理食塩液に混合して300～500mLとし，1日1～2回3時間かけて点滴で1～2日間(最大2回)連日静注．小児には，他の抗腫瘍剤と併用し，1回2g/m^{2}を12時間ごとに3時間かけて点滴で3日間連日静注　②腫瘍特異的T細胞輸注療法の前処置：再生医療等製品の用法及び用量又は使用方法に基づき使用する

用法・用量に関連する使用上の注意 **キロサイド** ①急性白血病の髄腔内化学療法に対して本剤を使用する際には，国内外の最新のガイドライン等を参考にする　②キロサイド注の膀胱内注入法：(1)カテーテルで十分に導尿し，膀胱内を空にする (2)キロサイド注を単独注入の場合はシタラビンとして200～400mgを，また，他の抗腫瘍剤との併用注入の場合は100～300mgを10～40mLの生理食塩液又は注射用蒸留水で5～20mg/mLになるよう混合する (3)この液を前記のカテーテルより膀胱内に注入し，1～2時間排尿を我慢させる

キロサイドN「テバ」 ①点滴時間は有効性及び安全性に関与しており，時間の短縮は血中濃度の上昇により中枢神経系毒性の増加につながるおそれがあり，時間の延長は患者の負担も大きく，薬剤の曝露時間増加により骨髄抑制の遷延に伴う感染症・敗血症の増加につながるおそれがある　②急性リンパ性白血病及び悪性リンパ腫に対する他の抗腫瘍剤との併用療法においては，併用薬剤の添付文書も参照する

使用上の注意

警告 **キロサイド** 緊急時に十分対応できる医療施設において，がん化学療法に十分な知識・経験を持つ医師のもとで，本剤の投与が適切と判断される症例についてのみ投与する．また，本剤による治療開始に先立ち，患者又はその家族に有効性及び危険性を十分に説明し，同意を得てから投与を開始する

キロサイドN シタラビン大量療法　①シタラビン大量療法(以下，本療法)は高度の危険性を伴うので，投与中及び投与後の一定期間は患者を入院環境で医師の管理下に置く．また，緊急医療体制の整備された医療機関においてがん化学療法に十分な知識と経験をもつ医師のもとで本療法が適切と判断される症例についてのみ実施する．他の抗腫瘍剤と併用する場合，適応患者の選択にあたっては，各併用薬剤の添付文書を参照して十分注意する　②本療法施行にあたっては，患者又はその家族に有効性及び危険性を十分に説明し，同意を得てから開始する　③本療法は強い骨髄機能抑制作用をもつ療法であり，本療法に関連したと考えられる死亡例が確認されている．本療法を施行したすべての患者に強い骨髄機能抑制が起こり，その結果致命的な感染症及び出血等を引き起こすことがあるので，本療法施行にあたっては，感染予防として無菌状態に近い状況下(無菌室，簡易無菌室等)で治療を行う等，十分注意する　④感染症あるいは出血傾向が発現又は増悪し，致命的となることがあるので，本療法施行時に骨髄が低形成あるいは前治療又は他の薬剤による骨髄機能抑制を起こしている患者では，治療上の有益性が危険性を上回ると判断されるとき以外は施行しない　⑤本療法により白血球(好中球)数が減少しているとき，38℃以上あるいはそれ未満でも悪寒・戦慄を伴う発熱をみた場合には感染症を疑い，血液培養により感染菌の同定を試みるとともに，ただちに十分な種類・量の広域抗菌剤を投与する　⑥本療法施行にあたっては，禁忌，慎重投与，重要な基本的注意を参照し，慎重に患者を選択する．なお，本療法施行時には，添付文書を熟読する

禁忌 ①本剤に対する重篤な過敏症の既往歴のある患者　②**キロサイドN** 重篤な感染症を合併している患者［感染症が増悪し致命的となることがある］

過量投与 **キロサイドN** 外国において，4.5g/m^{2}を1時間かけて静脈内注入し，12時間ごとに12回投与した結果，不可逆的な中枢神経系障害が現れたとの報告がある

薬物動態

キロサイド **血中濃度** 単回投与：^{3}H-シタラビン67～3000mg/m^{2}を癌患者に単回静注時，血漿中のシタラビン濃度は二相性を示し，第一相10～20分，第二相2～3時間の半減期で消失(外国人データ)　**吸収** ウサギ膀胱内注入時シタラビンは安定であり，膀胱粘膜からの吸収率は0.2%　**代謝** シタラビン(Ara-C)を癌患者に静注あるいは持続点滴静注時，90%以上が肝臓，血液中等でuracil arabinoside(Ara-U)に代謝される(外国人データ)　**排泄** 大部分が24時間以内に尿中に排泄される(外国人データ)

キロサイドN(外国人データ．承認1回用量は2g/m^2)　**血漿中濃度** ①単回静注：^{3}H-シタラビン3g/m^{2}を癌患者に単回静注時，血漿中濃度は2相性を示し，第1相10～20分，第2相2～3時間の半減期で消失　②持続点滴静注：3g/m^2/回を急性白血病患者4例に12時間ごとに3時間持続点滴静注時の血漿中濃度推移は3時間後に最高約100μmol/L，12時間後に約2μmol/Lまで減少　**代謝と排泄** キロサイド参照

その他の管理的事項

投与期間制限 該当しない

保険給付上の注意 該当しない

資料

IF キロサイド注20mg・40mg・60mg・100mg・200mg　2020年8月改訂(第5版)
キロサイドN注400mg・1g　2019年3月改訂(第5版)

シチコリン
Citicoline

概要

薬効分類　119　その他の中枢神経系用薬，219　その他の循環器官用薬，239　その他の消化器官用薬

構造式

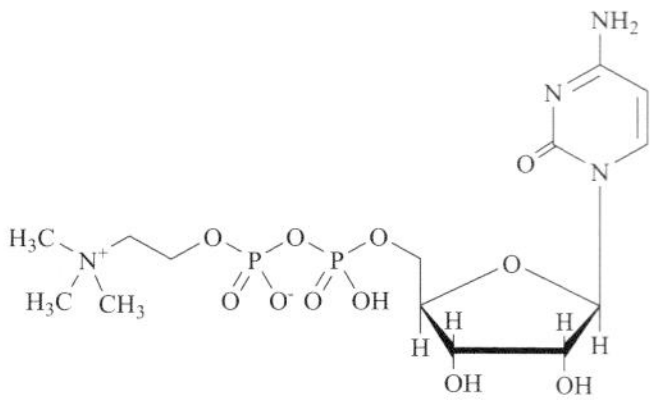

分子式　$C_{14}H_{26}N_4O_{11}P_2$

分子量　488.32

略語・慣用名　別名：CDP-choline

原薬の規制区分　該当しない

原薬の外観・性状　白色の結晶性の粉末である．水に極めて溶けやすく，エタノール(99.5)にほとんど溶けない．0.01mol/L塩酸試液に溶ける．1.0gを水100mLに溶かした液のpHは2.5～3.5である

原薬の吸湿性　40℃，40％RHで1カ月保存すると湿潤し，40℃・50％RHで1カ月保存すると潮解した

原薬の融点・沸点・凝固点　分解点：198℃

原薬の酸塩基解離定数　pKa＝4.4

先発医薬品等

注 ニコリン注射液100mg・250mg・500mg・H注射液0.5g・1g(武田テバ薬品＝武田)

後発医薬品

注 5%・12.5%・25%

キット 500mg

国際誕生年月　1966年12月

海外での発売状況　販売されていない

製剤

規制区分　**注** ㊇

製剤の性状　**注** 無色澄明の注射剤　**H注** 無色～僅微黄色澄明の注射剤

有効期間又は使用期限　**100mg注** 3年6カ月　**250mg注** 4年6カ月　**500mg注・H注** 4年

貯法・保存条件　室温保存

薬剤取扱い上の留意点　該当しない

溶液及び溶解時のpH　6.5～8.0

浸透圧比　**100・500mg注** 約0.7(対生食)　**250mg注** 約2(対生食)　**H注** 約3(対生食)

薬理作用

分類　シチジンヌクレオタイド類

作用部位・作用機序　①意識障害，脳卒中後の片麻痺に対する作用：(1)意識障害患者，脳を無酸素ないし低酸素状態にしたラット及び視床梗塞犬の脳波を改善　(2)大脳皮質刺激による皮質脳波覚醒反応及び誘発筋放電の閾値の上昇を抑制し，上行性網様賦活系及び錐体路系の働きを促進して意識水準及び運動機能を高める(ウサギ)　(3)実験的脳虚血下の脳卒中易発症ラット，脳虚血－再灌流ラット，低酸素下の虚血ラット及び実験的脳梗塞サルなどの病態モデルにおいて，急性卒中発作，神経症状(意識障害，運動障害)の発現を抑制し，死亡率を低下させる　(4)脳循環障害患者において脳血流の増加作用，脳血管抵抗の低下作用を示し，脳循環を改善する．特に脳幹部血流量を増加させる(イヌ)　(5)脳血管障害患者において，筋電図上，不全麻痺筋の低下した最大筋仕事量の増加及び荷重負荷時の疲労現象発現時間の延長をもたらし，中枢性運動機能障害を改善　(6)グルコースの脳内取り込み促進(脳虚血．再灌流ラット，ネコ脳灌流法)，乳酸の脳内蓄積の抑制(ネコ脳灌流法)，実験的脳梗塞家兎における脳ミトコンドリアの呼吸機能低下の改善，虚血により低下したグルコースからアセチルコリンの生合成促進及びドーパミン代謝回転の改善(ラット)，脳虚血時の脳内脂肪酸遊離の抑制(ラット)等，脳機能・代謝改善作用を示す　(7)脳虚血ラットにおいて神経細胞膜分画に取り込まれ，リン脂質生合成を促進し，リン脂質代謝を改善　②膵炎に対する作用：(1)実験的急性膵炎イヌ及びラットにおいて膵・肝組織の壊死を主とする変性を軽減し，生存時間を延長させる．本剤の単独投与に比較して，本剤を蛋白分解酵素阻害剤(ガベキサートメシル酸塩又はアプロチニン)と併用した場合にその作用は増強される　(2)実験的急性膵炎ラットの回復期に膵の膜脂質画分によく取り込まれることから，レシチン生合成促進作用を介して膵の生体膜修復に関与するものと推定される　(3)ヒト膵液及び急性膵炎患者血清中のフォスフォリパーゼA_2活性を阻害し，レシチンの分解を抑制(*in vitro*)

同効薬　メクロフェノキサート塩酸塩

治療

効能・効果　①頭部外傷に伴う意識障害，脳手術に伴う意識障害　②脳梗塞急性期意識障害　③脳卒中片麻痺患者の上肢機能回復促進．ただし，発作後1年以内で，リハビリテーション及び通常の内服薬物療法(脳代謝賦活剤，脳循環改善剤等の投与)を行っている症例のうち，下肢の麻痺が比較的軽度なもの　④次の疾患に対する蛋白分解酵素阻害剤との併用療法：(1)急性膵炎，(2)慢性再発性膵炎の急性増悪期，(3)術後の急性膵炎

用法・用量　効能①：1回100～500mgを1日1～2回点滴静注，静注又は筋注(適宜増減)　効能②：1日1回1000mg，2週間連日静注　効能③：1日1回1000mgを4週間連日静注．又は1日1回250mgを4週間連日静注し，改善傾向が認められる場合には，さらに4週間継続投与　効能④：蛋白分解酵素阻害剤と併用して，1日1回1000mg，2週間連日静注

使用上の注意

禁忌　本剤の成分に対し過敏症の既往歴のある患者

その他の管理的事項

投与期間制限　該当しない

保険給付上の注意　該当しない

資料

IF　ニコリン注射液100mg・250mg・500mg・H注射液0.5g・1g　2016年10月改訂(第4版)

ジドブジン
Zidovudine

概要

薬効分類　625　抗ウイルス剤

構造式

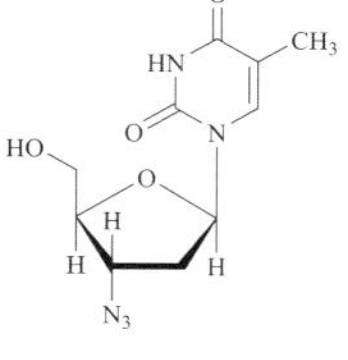

分子式　$C_{10}H_{13}N_5O_4$

分子量　267.24

略語・慣用名　別名：アジドチミジン　AZT，ZDV

ステム 抗腫瘍薬；抗ウイルス薬(zidovudine type)：-vudine
原薬の規制区分 ㊙
原薬の外観・性状 白色〜微黄白色の粉末である．メタノールに溶けやすく，エタノール(99.5)にやや溶けやすく，水にやや溶けにくい．光によって徐々に黄褐色となる．結晶多形が認められる
原薬の吸湿性 認められない
原薬の融点・沸点・凝固点 融点：約124℃
原薬の酸塩基解離定数 pKa＝9.68
先発医薬品等
カ レトロビルカプセル100mg(ヴィーブヘルスケア＝GSK)
国際誕生年月 1987年3月
海外での発売状況 米，英，仏，独など

製剤

規制区分 カ ㊙ ㊕
製剤の性状 カ 白色(不透明)/白色(不透明)の硬カプセル剤
有効期間又は使用期限 5年
貯法・保存条件 遮光した気密容器，室温保存
患者向け資料等 患者向医薬品ガイド，くすりのしおり
溶液及び溶解時のpH 該当しない
浸透圧比 該当しない
安定なpH域 該当しない
調製時の注意 該当しない

薬理作用

分類 HIV逆転写酵素阻害剤
作用部位・作用機序 HIV感染細胞内で，細胞性酵素によりリン酸化され，活性型の三リン酸化体(ジドブジン三リン酸：AZTTP)となる．AZTTPはHIV逆転写酵素を競合的に阻害し，またデオキシチミジン三リン酸(dTTP)の代わりにウイルスDNA中に取り込まれて，DNA鎖伸長を停止することによりウイルスの増殖を阻害する．AZTTPのHIV逆転写酵素に対する親和性は，正常細胞のDNAポリメラーゼに比べて約100倍強いので，選択性の高い抗ウイルス作用を示す
同効薬 ジダノシン，ラミブジン，サニルブジン(スタブジン)，アバカビル硫酸塩，テノホビル アラフェナミドフマル酸塩，テノホビル ジソプロキシルフマル酸塩，エムトリシタビン

治療

効能・効果 HIV感染症
効能・効果に関連する使用上の注意 ①無症候性ヒト免疫不全ウイルス(HIV)感染症に関する治療開始については，CD4リンパ球数及び血漿中HIV RNA量が指標とされている．よって，使用にあたっては，患者のCD4リンパ球数及び血漿中HIV RNA量を確認するとともに，最新のガイドラインを確認する ②本剤又は他の抗HIV薬による治療経験がなく，かつ，原疾患であるHIV感染症により好中球数750/mm^3未満又はヘモグロビン値が7.5g/dL未満に減少したと判断される患者に対しては，治療上の有益性が危険性を上回ると判断される場合にのみ，投与を考慮する ③HIVによる神経機能障害に対する有効性は確認されていない ④投与前CD4リンパ球数500/mm^3以上のHIV感染症患者については，有効性及び安全性は確認されていない
用法・用量 他の抗HIV薬と併用して，1日量500〜600mgを2〜6回に分服．症状により適宜減量
用法・用量に関連する使用上の注意 ①投与中特に著しい好中球減少(750/mm^3未満又は投与前値からの50%以上の減少)又は著しい貧血(ヘモグロビン値が7.5g/dL未満又は投与前値からの25%以上の減少)が認められた場合は，骨髄機能が回復するまで休薬する．これより軽度の貧血(ヘモグロビン値が7.5〜9.5g/dL)及び好中球減少(750〜1000/mm^3)の場合は，減量する．著しい貧血がみられた場合，休薬及び減量を行っても輸血の必要な場合がある．休薬又は減量後，骨髄機能が回復した場合には，血液学的所見及び患者の耐容性に応じて徐々に通常の投与量に増量する ②本剤と他の抗HIV薬との併用療法において，因果関係が特定されない重篤な副作用が発現し，治療の継続が困難であると判断された場合には，本剤もしくは併用している他の抗HIV薬の一部を減量又は休薬するのではなく，原則として本剤及び併用している他の抗HIV薬の投与をすべていったん中止する ③ジドブジンとして1日量が400mg(1回100mg，1日4回投与)による有効性及び安全性が認められたとの報告はあるが，1日量が400mg未満の用量による有効性は確認されていない ④HIVは感染初期から多種多様な変異株を生じ，薬剤耐性を発現しやすいことが知られているので，他の抗HIV薬と併用する ⑤血液透析又は腹膜透析で病状を維持している重度の腎疾患患者には1回100mgを6〜8時間毎に投与することが望ましい

使用上の注意

警告 投与により骨髄抑制が現れるので，頻回に血液学的検査を行う等，患者の状態を十分に観察する

禁忌 ①好中球数750/mm^3未満又はヘモグロビン値が7.5g/dL未満に減少した患者(ただし原疾患であるHIV感染症に起因し，本剤又は他の抗HIV薬による治療経験が無いものを除く) ②本剤の成分に対し過敏症の既往歴のある患者 ③イブプロフェン投与中の患者

薬物動態

血中濃度 ①反復経口投与：HIV感染症患者6例にジドブジン100mg1日4回とラミブジン150mg1日2回を25日間以上連続経口投与時のジドブジン，ラミブジンの薬物動態パラメータ(ジドブジン，ラミブジンの順)は，Cmax(μg/mL)0.549±0.261，1.547±0.302，Tmax(hr)0.8±0.3，1.3±0.6，$T_{1/2}$(hr)1.1±0.1，2.3±0.6，AUC_{0-6}(μg・hr/mL)0.858±0.266，5.089±1.692，AUC_{0-12}(μg・hr/mL，ラミブジンの値)6.165±2.312．ジドブジンは投与後0.8時間で最高血漿中濃度(Cmax)が平均0.55±0.26μg/mLに達し，半減期は平均1.1時間．成人HIV感染症患者に反復経口投与後のCmax及びAUCは，2mg/kgを8時間毎〜10mg/kgを4時間毎の投与量範囲で投与量に比例して増加し，0.5〜1.5時間で最高濃度に達し，半減期約1時間(0.78〜1.93時間)で消失(外国人データ)．HIV陽性患者に1回300mgを1日2回反復経口投与時の血漿中濃度は，投与1時間後に最高濃度2.59±0.52μmol/L，投与後12時間でほぼ消失．同時に測定した細胞内三リン酸化体(AZTTP)は，投与後2〜4時間で最高濃度を示し，投与後12時間では最高濃度のおよそ1/2の濃度(外国人データ) ②単回静脈内投与：静注時，投与量1〜5mg/kgの範囲で線形の薬物動態を示し，半減期は平均1.1時間(0.48〜2.86時間)．全身クリアランス(CL)は1900mL/min/70kg，みかけの分布容積(Vd)は1.6L/kg(外国人データ) ③薬物動態パラメータ(単回経口投与及び反復静脈内投与)：参考までに，総説にまとめられた薬物動態パラメータは，全身クリアランス(CL)1.3±0.3L/hr/kg，見かけの分布容積(Vd/F)3.0±0.6L/kg，定常状態での分布容積(Vdss)1.6±0.6L/kg，終末相における消失半減期($T_{1/2z}$)1.1±0.2時間，生物学的利用率(F)63±13%，Ka6.3±2.7hr^{-1}，100mg単回経口投与時のCmax2μmol/L，100mg単回経口投与時のCmin0.2μmol/L **吸収** ①食事の影響：(1)HIV感染症患者8例に高脂肪食(脂肪50%，蛋白質28%，炭水化物22%，総カロリー945kcal)摂取直後に100mg又は250mgを経口投与時，空腹時に比べCmaxが50%低下，最高血中濃度到達時間(Tmax)が約3倍有意に遅延(外国人データ) (2)HIV感染症患者11例に蛋白食(蛋白質25g)摂取直後に200mgを経口投与時，Cmaxが68%に低下，平均滞留時間(MRT)が1.2倍遅延したが，AUC，Tmax，終末相における半減期及び腎クリアランスに有意な変化は認められなかった(外国人データ) ②バイオアベイラビリティ：成人HIV感染症患者に250〜1250mgを4時間毎に経口投与時の生物学的利用率は平均65%(52〜75%)(外国人データ) **分布** ①髄液への移行：ヒトに投与時，髄液中への移行が認められ，2mg/kg経口投与1.8時間後におけるジドブジンの髄液中/血漿中濃度比は0.15で，2.5及び5.0mg/kg静注2〜4時間後の髄液中/血

漿中濃度比はそれぞれ0.20及び0.64(外国人データ) ②血漿蛋白結合率：*In vitro*における血漿蛋白結合率は34～38% ③結合蛋白：*In vitro*における結合蛋白はアルブミンと同定された **代謝** 吸収後，主にUDP-glucuronosyl transferaseによってグルクロン酸抱合をうけ，主代謝物3'-azido-3'-deoxy-5'-O-β-D-glucopyranuronosylthymidine(GZDV)に速やかに代謝される．また，副代謝経路として3'-amino-3'-deoxy-thymidine(AMT)及びそのグルクロン酸抱合体(GAMT)に代謝される経路も存在する．静注後のGZDVのAUCは未変化体のAUCの約3倍で，AMTのAUCは未変化体のAUCの1/5 **排泄** HIV感染症患者に経口投与後の未変化体及びGZDVの尿中排泄率はそれぞれ14.3%及び75.2%．腎クリアランスは400mL/min/70kgと算出され，糸球体濾過及び能動的尿細管分泌による排泄機構が示唆される(外国人データ) **特定の背景を有する患者** ①腎機能障害者：腎機能障害を有する成人HIV感染症患者(平均クレアチニンクリアランス(Ccr)18±2mL/min)に，200mgを単回経口投与時，腎機能正常患者での半減期が1.0時間に対し，腎機能障害患者では1.4時間で，AUCは正常患者の約2倍．また，GZDVの半減期は正常患者で0.9時間に対して8.0時間に延長，AUCは17倍(外国人データ) ②小児等：生後6カ月～12歳の小児HIV感染症患者に80～160mg/m^{2}を6時間毎に静注時，二相性に消失し，終末相の平均半減期及び全身クリアランスは1.5時間及び30.9mL/min/kg．これらは該当する成人での成績とほぼ同じであった(1.1時間，27.1mL/min/kg)(外国人データ) **薬物相互作用** *In vitro*試験：アスピリン，インドメタシン等のグルクロン酸抱合により代謝される薬剤が本剤のグルクロン酸抱合を阻害したとの報告がある

その他の管理的事項

投与期間制限 該当しない

保険給付上の注意 HIV感染者の障害者認定が実施された患者には医療費の公費負担制度が適用される

資料

IF レトロビルカプセル100mg 2019年1月改訂(第14版)

ジドロゲステロン
ジドロゲステロン錠
Dydrogesterone

概要

薬効分類 247 卵胞ホルモン及び黄体ホルモン剤

構造式

分子式 $C_{21}H_{28}O_2$

分子量 312.45

略語・慣用名 D.H.R.P.

ステム ステロイド類，プロゲステロン類：-gest

原薬の規制区分 該当しない

原薬の外観・性状 白色～淡黄白色の結晶又は結晶性の粉末で，においはない．クロロホルムに溶けやすく，アセトニトリルにやや溶けやすく，メタノール又はエタノール(95)にやや溶けにくく，ジエチルエーテルに溶けにくく，水にほとんど溶けない

原薬の吸湿性 該当資料なし

原薬の融点・沸点・凝固点 融点：167～171℃

原薬の酸塩基解離定数 該当資料なし

先発医薬品等

錠 デュファストン錠5mg(マイランEPD)

国際誕生年月 不明

海外での発売状況 仏，独など

製剤

規制区分 錠 ㊕

製剤の性状 錠 白色の素錠(割線入り)

有効期間又は使用期限 4年

貯法・保存条件 室温保存

薬剤取扱い上の留意点 該当しない

患者向け資料等 くすりのしおり

溶液及び溶解時のpH 該当しない

浸透圧比 該当しない

安定なpH域 該当しない

調製時の注意 該当しない

薬理作用

分類 経口レトロ・プロゲステロン製剤

作用部位・作用機序 ①エストロゲン，アンドロゲン等のホルモン作用は認められず，通常用法・用量内であれば排卵抑制作用や基礎体温上昇作用もなく，黄体ホルモン作用が認められる ②男性化作用は認められていない ③子宮内膜に対して，天然プロゲステロンとほとんど同様の分泌期像をつくることが認められている

同効薬 クロルマジノン酢酸エステル，メドロキシプロゲステロン酢酸エステル

治療

効能・効果 切迫流早産，習慣性流早産，無月経，月経周期異常(稀発月経，多発月経)，月経困難症，機能性子宮出血，黄体機能不全による不妊症，子宮内膜症

用法・用量 1日5～15mg，1～3回に分服．子宮内膜症には1日5～20mg

使用上の注意

禁忌 重篤な肝障害・肝疾患のある患者

薬物動態

血中濃度 健康成人5例に10mgを単回経口投与時，血漿中にジドロゲステロンはほとんど検出されず，20α-hydroxy-9β,10α-pregna-4,6-dien-3-one(DHD)及びDHD-glucuronideが主代謝物として存在．これらの血漿中濃度推移は投与後1時間で最高濃度DHD約85ng/mL，DHD-glucuronide約120ng/mLに達し，以後急速に減少し8時間後ではいずれも約10ng/mL **分布** 去勢ラットに^{3}H-ジドロゲステロンを経口投与時，24時間後では肝，腎，胃，肺，副腎の順に濃度が高く，他の臓器では差は認められていない **代謝** *In vitro*試験で，主な薬理活性代謝物質であるDHDを生成させる主要代謝経路は，アルド-ケト還元酵素AKR1Cによるものであることが示された．また，ジドロゲステロンの代謝に関与するチトクロームP-450分子種は主としてCYP3A4で，DHDはCYP3A4により複数の代謝物に代謝される **排泄** 子宮癌術後患者に10mgを経口投与時，尿中排泄率は1日後までに投与量の約20%で，以後尿中排泄は急速に減少し，6日後までの累積排泄率は21～29%で7日後には排泄は認められなかった

その他の管理的事項

投与期間制限 該当しない

保険給付上の注意 該当しない

資料

IF デュファストン錠5mg 2020年4月改訂(第12版)

シノキサシン シノキサシンカプセル
Cinoxacin

概要
薬効分類 624 合成抗菌剤
構造式

分子式 $C_{12}H_{10}N_2O_5$
分子量 262.22
原薬の規制区分 該当しない
原薬の外観・性状 白色～微黄色の結晶性の粉末で，においはないか，又は僅かに特異なにおいがあり，味は苦い．*N,N*-ジメチルホルムアミド又はアセトンに溶けにくく，エタノール(99.5)に極めて溶けにくく，水にほとんど溶けない．希水酸化ナトリウム試液に溶ける
原薬の融点・沸点・凝固点 融点：約265℃(分解)

ジノプロスト
Dinoprost

概要
薬効分類 249 その他のホルモン剤(抗ホルモン剤を含む．)
構造式

分子式 $C_{20}H_{34}O_5$
分子量 354.48
略語・慣用名 慣用名：$PGF_{2\alpha}$
ステム プロスタグランジン類：-prost
原薬の規制区分 ㊕
原薬の外観・性状 白色のろう状の塊又は粉末，若しくは無色～淡黄色澄明の粘稠性のある液で，においはない．*N,N*-ジメチルホルムアミドに極めて溶けやすく，メタノール，エタノール(99.5)又はジエチルエーテルに溶けやすく，水に極めて溶けにくい
原薬の吸湿性 該当資料なし
原薬の融点・沸点・凝固点 融点：25～35℃(常温でろう状又は粘性の液)
原薬の酸塩基解離定数 pKa＝4.79
先発医薬品等
注 プロスタルモン・F注射液1000・2000(丸石)
後発医薬品
注 1mg・2mg
国際誕生年月 1973年1月
海外での発売状況 発売されていない

製剤
規制区分 **注** ㊕ ㊚
製剤の性状 **注** 無色澄明な液
有効期間又は使用期限 3年
貯法・保存条件 遮光・室温保存
薬剤取扱い上の留意点 該当しない
患者向け資料等 患者向医薬品ガイド，くすりのしおり，患者用資材
溶液及び溶解時のpH 7.0～9.5
浸透圧比 0.9～1.1

薬理作用
分類 プロスタグランジン$F_{2\alpha}$製剤
作用部位・作用機序 $PGF_{2\alpha}$は生理的な子宮収縮作用を有し，妊娠各期において効果的な子宮収縮を起こすため，妊娠末期には点滴静注により陣痛誘発・分娩促進に，妊娠初期・中期には卵膜外注入により治療的流産に有用であることが認められている．また，$PGF_{2\alpha}$は消化管の縦走筋・輪状筋に作用し，蠕動運動亢進作用をもたらすことが認められ，臨床的にも排ガス時間の短縮，術後腸管麻痺の改善に効果が認められている
同効薬 陣痛誘発，陣痛促進：ジノプロストン，オキシトシン 治療的流産：ゲメプロスト，オキシトシン 腸管蠕動亢進：ネオスチグミンメチル硫酸塩，ネオスチグミン臭化物，パンテチン，パンテノール

治療
効能・効果 ①静脈内注射投与：(1)妊娠末期における陣痛誘発・陣痛促進・分娩促進 (2)次における腸管蠕動亢進：(ア)胃腸管の手術における術後腸管麻痺の回復遷延の場合 (イ)麻痺性イレウスにおいて他の保存的治療で効果が認められない場合 ②卵膜外投与：治療的流産
用法・用量 ①注射投与：(1)妊娠末期における陣痛誘発・陣痛促進・分娩促進には1～2mLを静脈内に点滴又は持続注入：(ア)点滴静注：1mLに5%ブドウ糖注射液又は糖液を加え500mLに希釈し，0.1μg/kg/分の割合で点滴静注．なお，希釈する輸液の量及び種類は患者の状態に応じて適切に選択する (イ)シリンジポンプによる静注(持続注入)：1mLに生理食塩液を加え50mLに希釈し，0.1μg/kg/分(0.05～0.15μg/kg/分)の割合で静注 (ウ)症状により適宜増減する (2)腸管蠕動亢進には (ア)1回1000～2000μg(1～2mL)を輸液500mLに希釈し，1～2時間(10～20μg/分の投与速度)で1日2回点滴静注 (イ)投与は手術侵襲の程度ならびに他の処置等を考慮して慎重に行う (ウ)3日間投与しても効果が認められないときはただちに中止し，他の療法に切り換える (エ)症状，体重により適宜増減する ②卵膜外投与：治療的流産には (1)妊娠12週以降：1mLに生理食塩液を加え4mLに希釈し，子宮壁と卵膜の間に数回に分け注入投与する：(ア)薬液注入カテーテルの固定：フォーリーカテーテルを用いる．カテーテルを子宮頸管を通じ挿入，カテーテルのバルーン部が子宮口を通過して，子宮下部まで到達した後，バルーン部に生理食塩液を充満，内子宮口を閉鎖し，カテーテルの脱出と腟への薬液漏出を防止する．次にカテーテルを大腿部内側へテープで固定する (イ)薬液の注入：(a)初回量：希釈液(250μg/mL)1mLを注入し，薬液がカテーテル内に残らないように引き続きカテーテルの内腔量を若干上回る生理食塩液を注入する(16号カテーテルでは約3.5mL) (b)2回目以降：2回目以降の注入投与は，原則として2時間ごとに希釈液3～4mL(750～1000μg)を反復投与するが，初回投与による子宮収縮，その他の反応が強すぎる場合には，次回の投与量を2mL(500μg)に減量又は4時間後に投与する (c)投与は原則として2時間間隔で行うが，効果及びその他の反応を観察しながら適宜投与量及び投与間隔を1～4時間の間で調節する (d)本投与法においては薬液注入の度に，カテーテルの内腔量を若干上回る生理食塩液を引き続き注入することに注意する (2)妊娠12週未満：胞状奇胎，合併症で全身麻酔が困難な症例，頸管拡張の困難な症例又はその場合の除去術の前処置に使用する．その際，注入は硫酸アトロピン，鎮痛剤の投与後，前麻酔効果の発現後に行うことが望ましい：(ア)チューブの挿入：F4～5号の合成樹脂製の細いチューブを用い，使用前にチューブ内腔に生理食塩液を満しておく．チューブを鉗子ではさみ，外子宮口から子宮腔内にゆっくりと約7cm位まで挿入する．直視下で薬液の注入を行う以外は，

チューブの排出を防ぐため，チューブを取り囲むようにガーゼを膣腔内に詰める．注射器をチューブに接続し，またチューブを大腿部内側にテープで固定する (イ)薬液の注入：(a)分割注入法：妊娠12週以降の場合に準じ，希釈液を用い分割注入する：㋐初回量は希釈液1mL(250μg/mL)を注入し，また薬液がチューブ内に残らないように引き続きチューブ内腔量を若干上回る生理食塩液を注入する ㋑2回目以降の注入は，原則として1時間ごとに希釈液3～4mL(750～1000μg)を反復投与するが，初回投与による子宮収縮，その他の反応が強すぎる場合には次回量を2mL(500μg)に減量又は投与間隔を遅らせる ㋒原則として総投与量3000μgとし，また1時間間隔で行うが，効果及びその他の反応を観察しながら適宜に投与量及び投与間隔を調節する ㋓本投与法では，薬剤注入の度にチューブの内腔量を若干上回る生理食塩液を引き続き注入することに注意する (b)1回注入法：㋐1000μg/mL注射剤を希釈しないで，1回2000～3000μg(2～3mL)をゆっくり注入(適宜増減) ㋑注入後チューブの内腔量を若干上回る生理食塩液を引き続き注入する．薬液注入終了後チューブを抜き取る

用法・用量に関連する使用上の注意 陣痛誘発，陣痛促進，分娩促進の目的で投与する際は，精密持続点滴装置を用いて投与する

使用上の注意

警 告 **静注(妊娠末期における陣痛誘発・陣痛促進・分娩促進)** 妊娠末期における陣痛誘発，陣痛促進，分娩促進の目的で使用するにあたって：過強陣痛や強直性子宮収縮により，胎児機能不全，子宮破裂，頸管裂傷，羊水塞栓等が起こることがあり，母体あるいは児が重篤な転帰に至った症例が報告されているので，投与にあたっては次の事項を遵守し慎重に行うこと ①分娩監視装置を用いて母体及び胎児の状態を連続モニタリングできる設備を有する医療施設において，分娩の管理についての十分な知識・経験及び本剤の安全性についての十分な知識を持つ医師のもとで使用する．使用に先立ち，患者に本剤を用いた陣痛誘発，陣痛促進，分娩促進の必要性及び危険性を十分説明し，同意を得てから使用を開始する ②母体及び胎児の状態を十分観察して，本剤の有益性及び危険性を考慮した上で，慎重に適応を判断する．特に子宮破裂，頸管裂傷等は多産婦で起こりやすいので，注意する ③投与中は，トイレ歩行時等，医師が必要と認めた場合に一時的に分娩監視装置を外すことを除き分娩監視装置を用いて連続的にモニタリングを行い，異常が認められた場合には，適切な処置を行う ④本剤の感受性は個人差が大きく，少量でも過強陣痛になる症例も報告されているので，ごく少量からの点滴より開始し，陣痛の状況により徐々に増減する．また，精密持続点滴装置を用いて投与する ⑤ジノプロストン(PGE_2(膣用剤))との同時併用は行わない．また，本剤投与前に子宮頸管熟化の目的でジノプロストン(PGE_2(膣用剤))を投与している場合は終了後1時間以上の間隔をあけ，十分な分娩監視を行い，慎重に投与する ⑥オキシトシン，ジノプロストン(PGE_2(経口剤))との同時併用は行わない．また，前後して投与する場合も，過強陣痛を起こすおそれがあるので，十分な分娩監視を行い，慎重に投与する．特にジノプロストン(PGE_2(経口剤))を前後して投与する場合は，前の薬剤の投与が終了した後1時間以上経過してから次の薬剤の投与を開始する．使用にあたっては，添付文書を熟読する

禁忌 **静注(妊娠末期における陣痛誘発・陣痛促進・分娩促進)** ①骨盤狭窄，児頭骨盤不均衡，骨盤位又は横位等の胎位異常のある患者［正常な経腟分娩が進行せず，母体及び胎児への障害を起こすおそれがある］ ②前置胎盤の患者［出血により，母体及び胎児への障害を起こすおそれがある］ ③常位胎盤早期剥離の患者(胎児生存時)［緊急な胎児娩出が要求されるため，外科的処置の方が確実性が高い］ ④重度胎児機能不全のある患者［子宮収縮により胎児の症状を悪化させるおそれがある］ ⑤過強陣痛の患者［子宮破裂，胎児機能不全，胎児死亡のおそれがある］ ⑥帝王切開又は子宮切開等の既往歴のある患者［子宮が脆弱になっていることがあり，過強陣痛が生じると子宮破裂の危険がある］ ⑦気管支喘息又はその既往歴のある患者［気管支を収縮させ気道抵抗を増加し，喘息発作を悪化又は誘発するおそれがある］ ⑧オキシトシン，ジノプロストン(PGE_2)を投与中の患者 ⑨プラステロン硫酸(レボスパ)を投与中又は投与後十分な時間が経過していない患者［過強陣痛を起こすおそれがある］ ⑩吸湿性頸管拡張材(ラミナリア等)を挿入中の患者又はメトロイリンテル挿入後1時間以上経過していない患者［過強陣痛を起こすおそれがある］ ⑪ジノプロストン(PGE_2)の投与終了後1時間以上経過していない患者［過強陣痛を起こすおそれがある］ ⑫本剤の成分に対し過敏症の既往歴のある患者

静注(腸管蠕動亢進)(腸管蠕動亢進の目的で使用するにあたって)：①本剤の成分に対し過敏症の既往歴のある患者 ②気管支喘息又はその既往歴のある患者［気管支を収縮させ気道抵抗を増加し，喘息発作を悪化又は誘発するおそれがある］ ③妊婦又は妊娠している可能性のある婦人

卵膜外投与(治療的流産)(治療的流産の目的で使用するにあたって)：①前置胎盤，子宮外妊娠等で，操作により出血の危険性のある患者［経腟分娩ができず，大量出血のおそれがある］ ②骨盤内感染による発熱のある患者［炎症，感染を増悪させるおそれがある］ ③気管支喘息又はその既往歴のある患者［気管支を収縮させ気道抵抗を増加し，喘息発作を悪化又は誘発するおそれがある］ ④本剤の成分に対し過敏症の既往歴のある患者

薬物動態

(参考)動物における吸収・分布・代謝・排泄(ラット)：^{3}H-$PGF_{2\alpha}$を静注後，^{3}Hは血中から速やかに肝・腎等，各臓器に移行，その後速やかに消失．60分後に尿中へ47%，糞中へ1.5%，24時間後で尿中へ55.7%，糞中へ35.4%排泄

その他の管理的事項

投与期間制限 該当しない

保険給付上の注意 該当しない

資料

IF プロスタルモン・F注射液1000・2000 2020年6月改訂(第3版)

ジヒドロエルゴタミンメシル酸塩
Dihydroergotamine Mesilate

概要

構造式

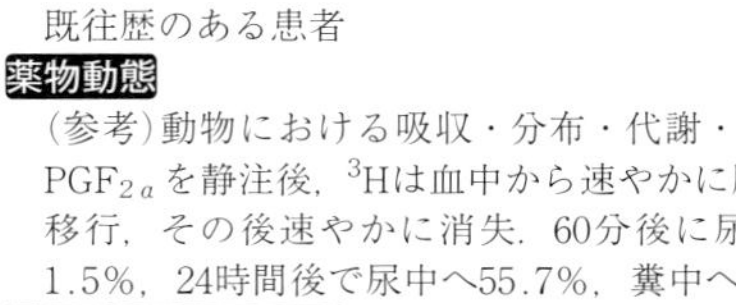

$\cdot H_3C-SO_3H$

分子式 $C_{33}H_{37}N_5O_5 \cdot CH_4O_3S$

分子量 679.78

原薬の規制区分 ㊜

原薬の外観・性状 白色～帯黄白色又は灰白色～帯赤白色の粉末である．酢酸(100)に溶けやすく，メタノール又はクロロホルムにやや溶けにくく，水又はエタノール(95)に溶けにくく，無水酢酸又はジエチルエーテルにほとんど溶けない．光によって徐々に着色する．0.05gを水50mLに溶かした液の

pHは4.4～5.4である

原薬の融点・沸点・凝固点　融点：約214℃（分解）

[治療]

効能・効果†　片頭痛（血管性頭痛），起立性低血圧

ジヒドロエルゴトキシンメシル酸塩
Dihydroergotoxine Mesilate

[概要]

構造式

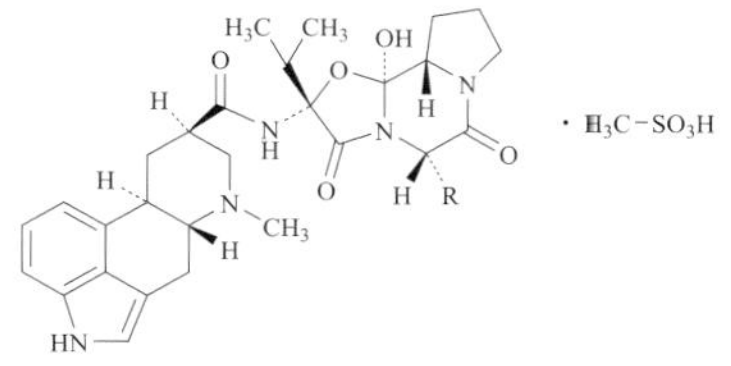

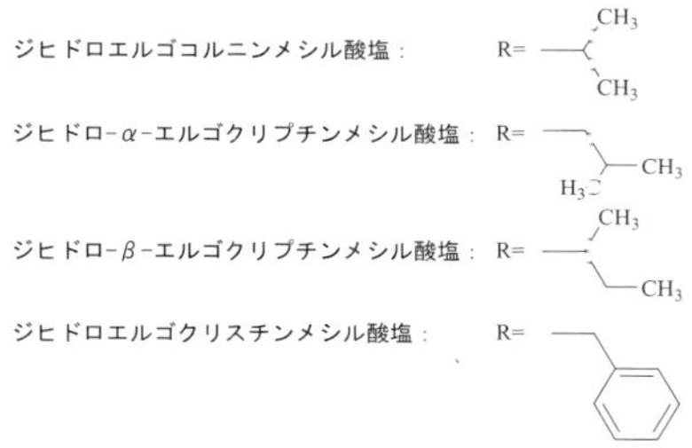

分子式　ジヒドロエルゴコルニンメシル酸塩：$C_{31}H_{41}N_5O_5 \cdot CH_4O_3S$
ジヒドロ-α及びβ-エルゴクリプチンメシル酸塩：$C_{32}H_{43}N_5O_5 \cdot CH_4O_3S$
ジヒドロエルゴクリスチンメシル酸塩：$C_{35}H_{41}N_5O_5 \cdot CH_4O_3S$

分子量　659.79（ジヒドロエルゴコルニンメシル酸塩），673.82（ジヒドロ-α-エルゴクリプチンメシル酸塩），673.82（ジヒドロ-β-エルゴクリプチンメシル酸塩），707.84（ジヒドロエルゴクリスチンメシル酸塩）

原薬の規制区分　[劇]

原薬の外観・性状　白色～淡黄色の粉末である．メタノールにやや溶けやすく，エタノール(95)にやや溶けにくく，水，アセトニトリル又はクロロホルムに溶けにくく，ジエチルエーテルにほとんど溶けない

[治療]

効能・効果†　①次に伴う随伴症状：頭部外傷後遺症　②高血圧症（本剤の降圧作用は緩やかであるので，高血圧症に用いるのは次の場合に限る）：(1)高年齢の患者に用いる場合　(2)利尿降圧剤投与により十分な降圧作用が得られない患者に併用する場合　③次に伴う末梢循環障害：ビュルガー病，閉塞性動脈硬化症，動脈塞栓・血栓症，レイノー病及びレイノー症候群，肢端紫藍症，凍瘡・凍傷，間欠性跛行

ジヒドロコデインリン酸塩
ジヒドロコデインリン酸塩散1%
ジヒドロコデインリン酸塩散10%
Dihydrocodeine Phosphate

[概要]

薬効分類　224　鎮咳去たん剤，811　あへんアルカロイド系麻薬

構造式

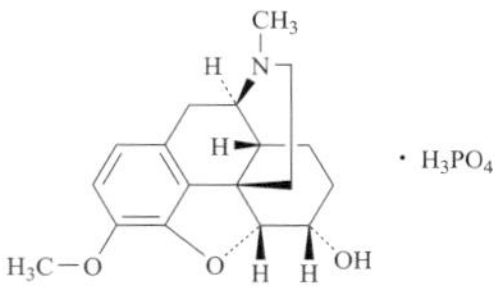

分子式　$C_{18}H_{23}NO_3 \cdot H_3PO_4$

分子量　399.38

略語・慣用名　別名：リン酸ヒドロコデイン

原薬の規制区分　[劇]（ただし，1個中コデインリン酸塩15mg以下を含有するもの並びに1日量中コデインリン酸塩50mg以下を含有するシロップ剤又はエリキシル剤を除く），[麻]

原薬の外観・性状　白色～帯黄白色の結晶性の粉末である．水又は酢酸(100)に溶けやすく，エタノール(95)に溶けにくく，ジエチルエーテルにほとんど溶けない．1.0gを水10mLに溶かした液のpHは3.0～5.0である．光によって変化する

原薬の吸湿性　該当資料なし

原薬の融点・沸点・凝固点　融点：112～113℃（ジヒドロコデインとして），186～190℃（ジヒドロコデイン二酒石酸塩として）

原薬の酸塩基解離定数　該当資料なし

先発医薬品等

[末] ジヒドロコデインリン酸塩「第一三共」原末（第一三共プロファーマ＝第一三共）
ジヒドロコデインリン酸塩「タケダ」原末（武田）

[散] ジヒドロコデインリン酸塩散1%「シオエ」（シオエ＝日本新薬）
ジヒドロコデインリン酸塩散1%「第一三共」（第一三共）
ジヒドロコデインリン酸塩散1%「タケダ」（武田テバ薬品＝武田）
ジヒドロコデインリン酸塩散1%〈ハチ〉（東洋製化＝健栄＝丸石＝ニプロ）
ジヒドロコデインリン酸塩散1%「メタル」（中北＝吉田製薬＝日興製薬販売）
ジヒドロコデインリン酸塩散10%「第一三共」（第一三共プロファーマ＝第一三共）
ジヒドロコデインリン酸塩散10%「タケダ」（武田）
リン酸ジヒドロコデイン散1%「日医工」（日医工）
リン酸ジヒドロコデイン散1%「フソー」（扶桑）
リン酸ジヒドロコデイン散1%「ホエイ」（マイラン＝ファイザー）

国際誕生年月　不明

海外での発売状況　米など

[製剤]

規制区分　[末] [10%散] [劇][麻][処]　[1%散] [劇]

製剤の性状　[末] 白色～帯黄白色の結晶性の粉末　[1・10%散] 白色～帯黄白色の結晶又は粉末

有効期間又は使用期限　[末] [10%散] 5年　[1%散] 5年6カ月

貯法・保存条件　[末] [10%散] 室温保存．開封後も遮光保存すること　[1%散] 室温保存

薬剤取扱い上の留意点　連用により薬物依存を生じることがあるので，観察を十分に行い，慎重に投与すること．眠気，眩暈が起こることがあるので，本剤投与中の患者には自動車の

運転等危険を伴う機械の操作に従事させないよう注意すること

患者向け資料等 **末** **10%散** 患者向医薬品ガイド **1%散** 患者向医薬品ガイド,くすりのしおり

調製時の注意 該当しない

薬理作用

分類 モルヒネ系鎮痛薬

作用部位・作用機序 コデインと同じくモルヒネ系鎮痛薬に属するので,薬理作用は質的にはモルヒネに準ずる.鎮痛,鎮咳作用はコデインより強く,臨床的には主として鎮咳薬として用いられ,麻薬性中枢性鎮咳薬に分類される

同効薬 コデインリン酸塩水和物など

治療

効能・効果 各種呼吸器疾患における鎮咳・鎮静,疼痛時における鎮痛,激しい下痢症状の改善

用法・用量 ジヒドロコデインリン酸塩として1回10mg,1日30mg(適宜増減)

使用上の注意

禁忌 ①重篤な呼吸抑制のある患者[呼吸抑制を増強する] ②12歳未満の小児 ③扁桃摘除術後又はアデノイド切除術後の鎮痛目的で使用する18歳未満の患者[重篤な呼吸抑制のリスクが増加するおそれがある] ④気管支喘息発作中の患者[気道分泌を妨げる] ⑤重篤な肝機能障害のある患者 ⑥慢性肺疾患に続発する心不全の患者[呼吸抑制や循環不全を増強する] ⑦痙攣状態(てんかん重積症,破傷風,ストリキニーネ中毒)にある患者[脊髄の刺激効果が現れる] ⑧急性アルコール中毒の患者[呼吸抑制を増強する] ⑨アヘンアルカロイドに対し過敏症の患者 ⑩出血性大腸炎の患者[腸管出血性大腸菌(O157等)や赤痢菌等の重篤な細菌性下痢のある患者では,症状の悪化,治療期間の延長をきたすおそれがある]

相互作用概要 主としてUGT2B7,UGT2B4及び一部CYP3A4,CYP2D6で代謝される

過量投与 ①症状:呼吸抑制,意識不明,痙攣,錯乱,血圧低下,重篤な脱力感,重篤なめまい,嗜眠,心拍数の減少,神経過敏,不安,縮瞳,皮膚冷感等を起こすことがある ②処置:過量投与時には次の治療を行うことが望ましい:(1)中止し,気道確保,補助呼吸及び呼吸調節により適切な呼吸管理を行う (2)麻薬拮抗剤投与を行い,患者に退薬症候又は麻薬拮抗剤の副作用が発現しないよう慎重に投与する.なお,麻薬拮抗剤の作用持続時間はジヒドロコデインのそれより短いので,患者のモニタリングを行うか又は患者の反応に応じて,初回投与後は注入速度を調節しながら持続静注する (3)必要に応じて,補液,昇圧剤等の投与又は他の補助療法を行う

その他の管理的事項

投与期間制限 **末** **10%散** 30日

保険給付上の注意 該当しない

資料

IF ジヒドロコデインリン酸塩「タケダ」原末・散10%「タケダ」 2019年7月改訂(第9版)
ジヒドロコデインリン酸塩散1%「タケダ」 2020年4月改訂(第10版)

ジピリダモール
Dipyridamole

概要

薬効分類 217 血管拡張剤

構造式

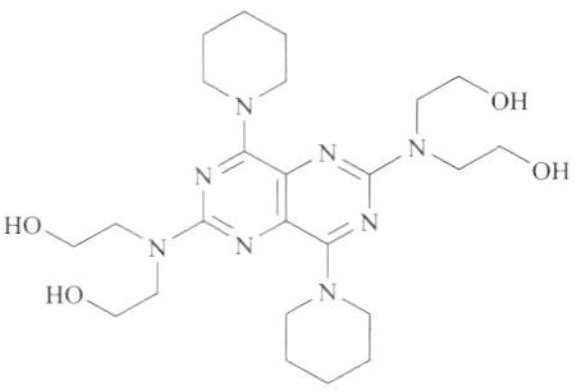

分子式 $C_{24}H_{40}N_8O_4$

分子量 504.63

原薬の規制区分 該当しない

原薬の外観・性状 黄色の結晶又は結晶性の粉末で,においはなく,味は僅かに苦い.クロロホルムに溶けやすく,メタノール又はエタノール(99.5)にやや溶けにくく,水又はジエチルエーテルにほとんど溶けない

原薬の吸湿性 示さない(25℃,80%RH,4週間)

原薬の融点・沸点・凝固点 融点:165~169℃

原薬の酸塩基解離定数 $pKa_1=6.30\pm0.05$,$pKa_2=0.8\pm0.1$(20℃)

先発医薬品等

錠 ペルサンチン錠12.5mg・25mg・100mg(日本ベーリンガー)

後発医薬品

散 12.5%

錠 12.5mg・25mg・100mg

注 0.5%

国際誕生年月 1984年4月

海外での発売状況 **錠** 米,英など18カ国 **注** 英,仏など19カ国

製剤

規制区分 **散** **12.5mg錠** **25mg錠** **100mg錠** **注** ㊄

製剤の性状 **散** 黄色の散剤 **12.5mg錠** 橙赤色~赤色の糖衣錠 **25mg錠** 橙赤色の糖衣錠 **100mg錠** 白色の糖衣錠 **注** 黄色澄明の液

有効期間又は使用期限 3年

貯法・保存条件 **散** 室温保存 **錠** 気密容器 **注** 特に定められていない

薬剤取扱い上の留意点 該当しない

患者向け資料等 くすりのしおり

溶液及び溶解時のpH **注** 2.5~3.0

浸透圧比 **注** 約0.5

安定なpH域 **注** 1.28~5.3

調製時の注意 **注** 該当資料なし

薬理作用

分類 Pyrimido-Pyrimidine誘導体

作用部位・作用機序 ①抗血小板作用:健康成人において血管壁からのプロスタサイクリン(PGI_2)の放出促進,作用増強及び血小板のトロンボキサンA_2(TXA_2)の合成抑制により,PGI_2とTXA_2のバランスを改善する.血液中アデノシンの赤血球,血管壁への再取り込み抑制作用により,血液中アデノシン濃度を上昇させ,血小板のアデニールサイクラーゼ活性を増強し,血小板内c-AMPの合成を促進する(ヒト,*in vitro*).血小板内c-AMPホスホジエステラーゼの活性を抑制し,血小板内のc-AMP濃度を高める(ヒト血小板).c-GMPホスホジエステラーゼ活性を抑制し,c-GMP濃度を高める(ヒト血小板).これらの作用により,血小板の活性化を抑制する ②尿蛋白減少作用:抗血小板作用(ウサギ),糸球体係蹄壁の

陰荷電減少抑制作用（ラット）等により，尿蛋白を減少する　③冠血管拡張作用：血液中のアデノシンの赤血球，血管壁への再取り込みを抑制し，血液中アデノシン濃度を上昇させることにより冠血管を拡張する（健康成人，モルモット）

同効薬　チクロピジン塩酸塩，ジラゼプ塩酸塩，シロスタゾール，トラピジルなど

治療

効能・効果　**散**　**12.5mg錠** 狭心症，心筋梗塞（急性期を除く），その他の虚血性心疾患，うっ血性心不全

25・100mg錠 ①狭心症，心筋梗塞（急性期を除く），その他の虚血性心疾患，うっ血性心不全　②ワルファリンとの併用による心臓弁置換術後の血栓・塞栓の抑制　③次の疾患における尿蛋白減少：ステロイドに抵抗性を示すネフローゼ症候群．＊100mg錠は効能②③のみ

注 狭心症，心筋梗塞，その他の虚血性心疾患，うっ血性心不全

用法・用量　**散**　**錠** 効能①：ジピリダモールとして1回25mg，1日3回（適宜増減）　効能②：ジピリダモールとして1日300～400mg，3～4回に分服（適宜増減）　効能③：ジピリダモールとして1日300mg，3回に分服（適宜増減）．投与開始後，4週間を目標とし，尿蛋白量の測定を行い，以後の投薬継続の可否を検討．尿蛋白量減少が認められない場合は中止する等，適切な処置をとる．尿蛋白量減少が認められ投薬継続が必要な場合は，以後定期的に尿蛋白量を測定しながら投薬

注 ジピリダモールとして1回10mg，1日1～3回徐々に静注（適宜増減）

使用上の注意

禁忌　本剤の成分に対し過敏症の既往歴のある患者

過量投与　**散**　**錠** ①症状：過量服用により熱感，顔面潮紅，発汗，不穏，脱力感，めまい，狭心様症状，血圧低下，頻脈が現れることがある　②処置：一般的な対症療法が望ましいが，過量服用の可能性がある場合は，必要に応じ胃洗浄を行う．激しい胸痛が発現した場合は，アミノフィリンの静注等の適切な処置を行う　**注** ①症状：過量投与により一過性の血圧低下，心停止，心臓死，致死性及び非致死性の心筋梗塞，胸痛/狭心症，心電図異常（ST低下，洞停止，心ブロック，徐脈，頻脈，細動等），失神発作，脳血管障害（一過性脳虚血症，脳卒中等），急性気管支痙攣が現れることがある　②処置：一般的な対症療法が望ましいが，激しい胸痛が発現した場合は，アミノフィリンの静注等の適切な処置を行う

薬物動態

①**錠** **吸収・代謝・排泄**　健康成人に50mg又は100mg経口投与後，速やかに吸収，最高血中濃度は50mgで1時間後約1μg/mL，100mgで0.5～2時間後約1.2μg/mL．連続経口投与時の血中濃度は1日75mgを6日間では常に1μg/mL以下，1日300mgを3日間では最高約1.7μg/mL．いずれも蓄積性は認められない．（外国人）健康成人に200mg経口投与後，主代謝物はモノグルクロン酸抱合体．24時間尿中には未変化体は認められず，1%以下のモノグルクロン酸抱合体　②**注** **代謝・排泄**　20mg静注時，急速に組織へ移行し，半減期24.6分．（外国人）主代謝産物はモノグルクロン酸抱合体．24時間尿中には未変化体は認められず，1～3%のモノグルクロン酸抱合体

その他の管理的事項

投与期間制限　該当しない

保険給付上の注意　該当しない

資料

IF　ジピリダモール散12.5%「JG」　2015年6月改訂（第9版）
ペルサンチン錠12.5mg　2014年12月改訂（第5版）
ペルサンチン錠25mg　2017年4月改訂（第6版）
ペルサンチン錠100mg　2014年12月改訂（第5版）
ペルサンチン静注10mg　2014年9月改訂（第7版）

ジフェニドール塩酸塩
Difenidol Hydrochloride

概要

薬効分類　133　鎮暈剤

構造式

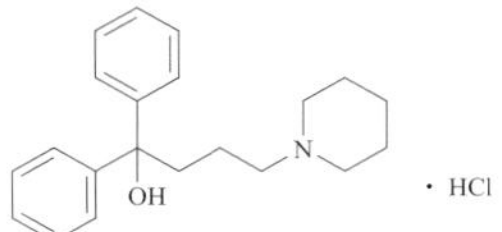

分子式　$C_{21}H_{27}NO \cdot HCl$

分子量　345.91

略語・慣用名　DPD

ステム　不明

原薬の規制区分　劇（ただし，1個中ジフェニドールとして25mg以下を含有する内用剤及びジフェニドールとして10%以下を含有する内用剤を除く）

原薬の外観・性状　白色の結晶又は結晶性の粉末で，においはない．メタノールに溶けやすく，エタノール(95)にやや溶けやすく，水又は酢酸(100)にやや溶けにくく，ジエチルエーテルにほとんど溶けない．1.0gを新たに煮沸して冷却した水100mLに溶かした液のpHは4.7～6.5である

原薬の吸湿性　臨界湿度は認められず吸湿性はない

原薬の融点・沸点・凝固点　融点：約217℃（分解）

原薬の酸塩基解離定数　pKa＝約9.5

先発医薬品等

顆 セファドール顆粒10%（日本新薬）

錠 セファドール錠25mg（日本新薬）

後発医薬品

錠 25mg

国際誕生年月　不明

海外での発売状況　米など

製剤

製剤の性状　**顆** 白色～類白色の剤皮を施した顆粒剤で，においはなく，味は初めはないが，後に苦い　**錠** 淡黄色の円形のフィルムコーティング錠

有効期間又は使用期限　**顆** 5年　**錠** 3年

貯法・保存条件　気密容器，室温保存

薬剤取扱い上の留意点　該当しない

患者向け資料等　くすりのしおり

溶液及び溶解時のpH　該当資料なし

浸透圧比　該当資料なし

安定なpH域　該当資料なし

調製時の注意　該当しない

薬理作用

分類　抗めまい剤

作用部位・作用機序　①循環改善作用：前庭系機能障害側の椎骨動脈の血管攣縮を緩解し，その血流を増加させることによって椎骨動脈血流の左右差を是正し，左右前庭系の興奮性の不均衡に由来するめまいを改善する　②前庭神経路の調整作用：めまいの原因となる末梢前庭からの異常なインパルスを前庭神経核及び視床下部のレベルで遮断し，平衡系のアンバランスを是正する

同効薬　*dl*-イソプレナリン塩酸塩，ベタヒスチンメシル酸塩など

治療

効能・効果　内耳障害に基づくめまい

用法・用量　ジフェニドール塩酸塩として1回25～50mg，1日3回（**錠** 適宜増減）

使用上の注意

禁忌　①重篤な腎機能障害のある患者［本剤の排泄が低下し，

蓄積が起こり副作用の発現のおそれがある〕 ②本剤に過敏症の既往歴のある患者

薬物動態

血漿中濃度 低胃酸の健康成人10例に1錠(ジフェニドール塩酸塩25mg)を絶食時に経口投与時，血漿中ジフェニドール濃度は投与後約1.6時間で最高値に達し，その後約6.5時間の半減期で消失．薬物動態値は，Dose(mg/body)25，Cmax(ng/mL)59.1±22.8，$AUC_{0\text{-}24hr}$(ng・hr/mL)321±139，Tmax(hr)1.60±0.39，$T_{1/2}$(hr)6.51±2.92

その他の管理的事項

投与期間制限 該当しない

保険給付上の注意 該当しない

資料

IF セファドール顆粒10%・錠25mg 2018年7月改訂(第4版)

発揮する

同効薬 ジフェンヒドラミンラウリル硫酸塩

治療

効能・効果 蕁麻疹，湿疹，小児ストロフルス，皮膚そう痒症，虫さされ

用法・用量 1日数回患部に塗布又は塗擦

薬物動態

健康人の皮膚に塗擦すると，体内に吸収され，2時間後から尿中に排泄が起こり，10時間後に排泄のピークがみられ，28時間後まで尿中排泄が続く

その他の管理的事項

投与期間制限 該当しない

保険給付上の注意 該当しない

資料

IF レスタミンコーワクリーム1% 2020年4月改訂(第6版)

ジフェンヒドラミン
Diphenhydramine

概要

薬効分類 264 鎮痛，鎮痒，収斂，消炎剤

構造式

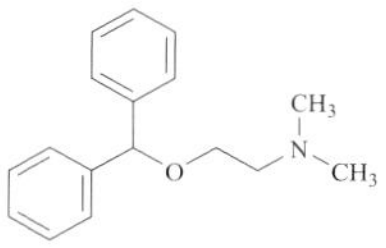

分子式 $C_{17}H_{21}NO$

分子量 255.35

ステム 不明

原薬の規制区分 該当しない

原薬の外観・性状 淡黄色～黄色澄明の液で，特異なにおいがあり，味は初め舌をやくようであり，後に僅かに舌を麻痺させる．無水酢酸，酢酸(100)，エタノール(95)又はジエチルエーテルと混和する．水に極めて溶けにくい．光によって徐々に変化する

原薬の吸湿性 該当資料なし

原薬の融点・沸点・凝固点 沸点：約162℃(減圧・0.67kPa)

原薬の酸塩基解離定数 該当資料なし

先発医薬品等

クリーム ジフェンヒドラミンクリーム1%「タイヨー」(武田テバファーマ＝武田＝岩城)
レスタミンコーワクリーム1%(興和)

国際誕生年月 不明

海外での発売状況 該当しない

製剤

製剤の性状 **クリーム** 白色のクリーム剤

有効期間又は使用期限 3年

貯法・保存条件 室温保存．開栓後は密栓し，直射日光を避けて保存すること．夏季には内容物が溶けて不均一になることもあるが，かきまぜて使用すれば効果に変わりがない

薬剤取扱い上の留意点 該当しない

患者向け資料等 くすりのしおり

溶液及び溶解時のpH 該当しない

浸透圧比 該当しない

安定なpH域 該当しない

調製時の注意 該当しない

薬理作用

分類 アミノアルキルエーテル系抗ヒスタミン剤

作用部位・作用機序 H_1受容体と結合して抗ヒスタミン作用を

ジフェンヒドラミン塩酸塩
Diphenhydramine Hydrochloride

概要

薬効分類 441 抗ヒスタミン剤

構造式

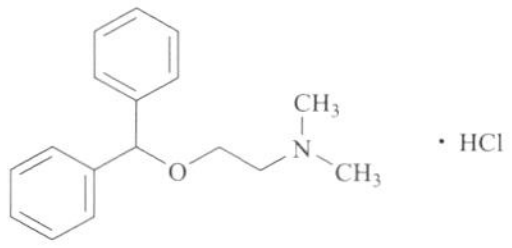

分子式 $C_{17}H_{21}NO \cdot HCl$

分子量 291.82

ステム 不明

原薬の規制区分 該当しない

原薬の外観・性状 白色の結晶又は結晶性の粉末で，においはなく，味は苦く，舌を麻痺させる．メタノール又は酢酸(100)に極めて溶けやすく，水又はエタノール(95)に溶けやすく，無水酢酸にやや溶けにくく，ジエチルエーテルにほとんど溶けない．光によって徐々に変化する．1.0gを水10mLに溶かした液のpHは4.0～5.0である

原薬の吸湿性 該当資料なし

原薬の融点・沸点・凝固点 融点：166～170℃

原薬の酸塩基解離定数 該当資料なし

先発医薬品等

錠 レスタミンコーワ錠10mg(興和)

注 ジフェンヒドラミン塩酸塩注10mg・30mg「日新」(日新製薬)

国際誕生年月 不明

海外での発売状況 該当しない

製剤

規制区分 **注** ㊒

製剤の性状 **錠** 白色の糖衣錠 **注** 無色澄明の水性注射液

有効期間又は使用期限 **錠** 5年 **注** 3年

貯法・保存条件 **錠** 遮光・室温保存 **注** 遮光保存

薬剤取扱い上の留意点 **錠** **注** 眠気を催すことがあるので，本剤投与中の患者には自動車の運転等危険を伴う機械の操作には従事させないよう十分注意すること

患者向け資料等 **錠** くすりのしおり

溶液及び溶解時のpH **注** 4.0～6.0

浸透圧比 **注** 約1(10mg)，約2(30mg)(対生食)

調製時の注意 該当しない

薬理作用
分類　ヒスタミン(H_1)受容体拮抗薬
作用部位・作用機序　ヒスタミン(H_1)受容体と結合して抗ヒスタミン作用を発揮する
同効薬　[錠] アリメマジン酒石酸塩，プロメタジン塩酸塩，プロメタジンメチレンジサリチル酸塩など　[注] クレマスチンフマル酸塩，*d*-クロルフェニラミンマレイン酸塩，シプロヘプタジン塩酸塩水和物，ホモクロルシクリジン塩酸塩など
治療
効能・効果　蕁麻疹，皮膚疾患に伴うそう痒(湿疹・皮膚炎)，春季カタルに伴うそう痒，枯草熱，急性鼻炎，アレルギー性鼻炎，血管運動性鼻炎
用法・用量　[錠] 1回30～50mg，1日2～3回(適宜増減)
[注] 1回10～30mg皮下注又は筋注(適宜増減)
使用上の注意
禁忌　①閉塞隅角緑内障の患者［抗コリン作用により眼圧が上昇し，症状を悪化させることがある］　②前立腺肥大等下部尿路に閉塞性疾患のある患者［抗コリン作用による膀胱平滑筋の弛緩，膀胱括約筋の緊張により，症状を悪化させるおそれがある］
その他の管理的事項
投与期間制限　該当しない
保険給付上の注意　該当しない
資料
IF　レスタミンコーワ錠10mg　2020年4月改訂(第6版)
ジフェンヒドラミン塩酸塩注10mg・30mg「日新」 2019年7月改訂(第4版)

ジフェンヒドラミン・バレリル尿素散
Diphenhydramine and Bromovalerylurea Powder

概要
原薬の規制区分　[劇](ただし，催眠剤以外の製剤であって1個中ブロモバレリル尿素0.5g以下を含有するものを除く)
製剤
製剤の性状　僅かに灰色を帯びた白色である
貯法・保存条件　密閉容器

ジフェンヒドラミン・フェノール・亜鉛華リニメント
Diphenhydramine, Phenol and Zinc Oxide Liniment

概要
原薬の規制区分　該当しない
製剤
製剤の性状　白色～類白色ののり状で僅かにフェノールのにおいがある
貯法・保存条件　気密容器，遮光保存

ジブカイン塩酸塩
Dibucaine Hydrochloride
別名：塩酸シンコカイン

概要
薬効分類　121　局所麻酔剤
構造式

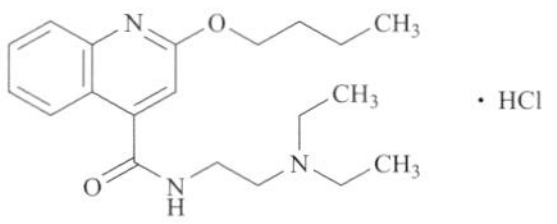

分子式　$C_{20}H_{29}N_3O_2 \cdot HCl$
分子量　379.92
原薬の規制区分　[劇](ただし，ジブカインとして1%以下を含有する外用剤及び坐剤を除く)
原薬の外観・性状　白色の結晶又は結晶性の粉末である．水，エタノール(95)又は酢酸(100)に極めて溶けやすく，無水酢酸に溶けやすく，ジエチルエーテルにほとんど溶けない．1.0gを水50mLに溶かした液のpHは5.0～6.0である
原薬の吸湿性　吸湿性である
原薬の融点・沸点・凝固点　融点：95～100℃

乾燥ジフテリアウマ抗毒素
Freeze-dried Diphtheria Antitoxin, Equine

概要
薬効分類　633　抗毒素類及び抗レプトスピラ血清類
原薬の規制区分　[劇]
原薬の外観・性状　溶剤を加えるとき，無色～淡黄褐色の澄明又は僅かに白濁した液となる
製剤
製剤の性状　溶剤を加えるとき，無色～淡黄褐色の澄明又は僅かに白濁した液となる

ジフテリアトキソイド
成人用沈降ジフテリアトキソイド
Diphtheria Toxoid

概要
薬効分類　632　毒素及びトキソイド類
略語・慣用名　慣用名・別名：ジフトキ
ステム　該当しない
原薬の規制区分　[劇]
原薬の外観・性状　無色～淡黄褐色澄明の液である
原薬の吸湿性　該当しない
原薬の融点・沸点・凝固点　該当しない
原薬の酸塩基解離定数　該当しない
先発医薬品等
[注] ジフトキ「ビケンF」(阪大微研＝田辺三菱)
国際誕生年月　不明
海外での発売状況　該当しない
製剤
規制区分　[注] [生物] [劇] [処]
製剤の性状　[注] 不溶性で，振り混ぜるとき均等に白濁する懸

濁性注射剤である
有効期間又は使用期限　検定合格日から3年
貯法・保存条件　遮光，10℃以下に凍結を避けて保存
薬剤取扱い上の留意点　接種前：①誤って凍結させたものは，品質が変化しているおそれがあるので，使用してはならない　②使用前には，必ず，異常な混濁，着色，異物の混入，その他の異常がないかを確認すること　接種時：①冷蔵庫から取り出し室温になってから，必ず振り混ぜ均等にして使用する．特に本剤は沈降しやすいので，吸引に際してはそのつどよく振り混ぜること　②本剤は添加物として保存剤を含有していないので，一度注射針をさし込むと容器内の無菌性が保持できなくなる．所要量を吸引後，残液がある場合でも速やかに残液は処分すること
患者向け資料等　ワクチン接種を受ける人へのガイド
溶液及び溶解時のpH　5.4～7.4
浸透圧比　1.0±0.3(対生食)
調製時の注意　該当しない

薬理作用

分類　トキソイド類
作用部位・作用機序　ジフテリアの予防には，本剤接種後，血中抗毒素量が一定量(発症防御レベル)以上産生される必要がある．ジフテリアに対する発症防御は，0.1IU(国際単位)/mLの抗毒素(抗体)が血中にあればよいとの報告がある．しかし，漸次抗体価は低下するため，防御効果を持続するためには追加免疫が必要となる
同効薬　該当しない

治療

効能・効果　ジフテリアの予防
用法・用量　10歳以上1回0.5mL以下皮下注
用法・用量に関連する使用上の注意　同時接種：医師が必要と認めた場合には，他のワクチンと同時に接種することができる(なお，本剤を他のワクチンと混合して接種してはならない)

使用上の注意

禁忌　［接種不適当者］　被接種者が次のいずれかに該当すると認められる場合には，接種を行ってはならない：①明らかな発熱を呈している者　②重篤な急性疾患にかかっていることが明らかな者　③本剤の成分によってアナフィラキシーを呈したことがあることが明らかな者　④前記に掲げる者のほか，予防接種を行うことが不適当な状態にある者

その他の管理的事項

投与期間制限　該当しない
保険給付上の注意　薬価基準適用外

資料

IF　ジフトキ「ビケンF」　2019年3月改訂(第7版)

沈降ジフテリア破傷風混合トキソイド
Adsorbed Diphtheria-Tetanus Combined Toxoid

概要

薬効分類　636　混合生物学的製剤
略語・慣用名　慣用名・別名：DT，二種混合，ジ破トキ
原薬の規制区分　[劇]
原薬の外観・性状　振り混ぜるとき，均等に白濁する
原薬の吸湿性　該当しない
原薬の融点・沸点・凝固点　該当しない
原薬の酸塩基解離定数　該当しない
先発医薬品等
[注] 沈降ジフテリア破傷風混合トキソイド「KMB」(KMバイオロジクス＝MeijiSeika)
沈降ジフテリア破傷風混合トキソイド「第一三共」(第一三共)
沈降ジフテリア破傷風混合トキソイド「タケダ」(武田)
DTビック(阪大微研＝田辺三菱)
国際誕生年月　不明
海外での発売状況　発売されていない

製剤

規制区分　[注]　[生物] [劇] [処]
製剤の性状　[注] 不溶性で，振り混ぜるとき均等に白濁する懸濁性注射剤である
有効期間又は使用期限　2年
貯法・保存条件　凍結を避け，10℃以下で保存．外箱開封後は遮光保存
薬剤取扱い上の留意点　冷蔵庫から取り出し室温になってから，必ず振り混ぜ均等にして使用する．特に本剤は沈降しやすいので，吸引に際してはそのつどよく振り混ぜること．本剤を他のワクチンと混合して接種しないこと．本剤は添加剤として保存剤を含有していないので，一度注射針をさし込むと容器内の無菌性が保持できなくる．所要量を吸引後，残液がある場合でもすみやかに残液は処分すること
患者向け資料等　ワクチン接種を受ける人へのガイド
溶液及び溶解時のpH　5.4～7.4
浸透圧比　1.0±0.3(対生食)
調製時の注意　該当しない

薬理作用

分類　ワクチン・トキソイド混合製剤
作用部位・作用機序　接種により，ジフテリアトキソイド及び破傷風トキソイドに対する血中抗体が産生され，それぞれの防御抗体として働くことで，各疾患の予防が期待される．ジフテリアに対する感染防御は0.01IU/mLの抗毒素が，また破傷風に対する感染防御は，0.01IU/mLの抗毒素がそれぞれ血中に存在すればよいとの報告がある

治療

効能・効果　ジフテリア及び破傷風の予防
用法・用量　①初回免疫：1回0.5mLずつを2回，3～8週間の間隔で皮下注．ただし，10歳以上の者には，第1回量を0.1mLとし，副反応の少ないときは第2回以後適宜増量　②追加免疫：第1回の追加免疫には，初回免疫後6カ月以上の間隔をおいて，(標準として初回免疫終了後12カ月から18カ月までの間に)0.5mLを1回皮下注．ただし，初回免疫のとき副反応の強かった者には適宜減量し，以後の追加免疫のときの接種量もこれに準ずる．また，10歳以上の者には，0.1mL以下を皮下注
用法・用量に関連する使用上の注意　①接種対象者・接種時期：定期接種の場合には，ジフテリア及び破傷風の第2期の予防接種については，11歳以上13歳未満の者(11歳に達した時から12歳に達するまでの期間を標準的な接種期間とする)に，0.1mLを1回皮下注　②同時接種：医師が必要と認めた場合には，他のワクチンと同時に接種することができる

使用上の注意

禁忌　［接種不適当者］　予防接種を受けることが適当でない者：①明らかな発熱を呈している者　②重篤な急性疾患にかかっていることが明らかな者　③本剤の成分によってアナフィラキシーを呈したことがあることが明らかな者　④前記に掲げる者のほか，予防接種を行うことが不適当な状態にある者

その他の管理的事項

投与期間制限　該当しない
保険給付上の注意　薬価基準適用外

資料

IF　DTビック　2020年7月改訂(第5版)

ジフルコルトロン吉草酸エステル
Diflucortolone Valerate

概要

薬効分類 264 鎮痛，鎮痒，収斂，消炎剤

構造式

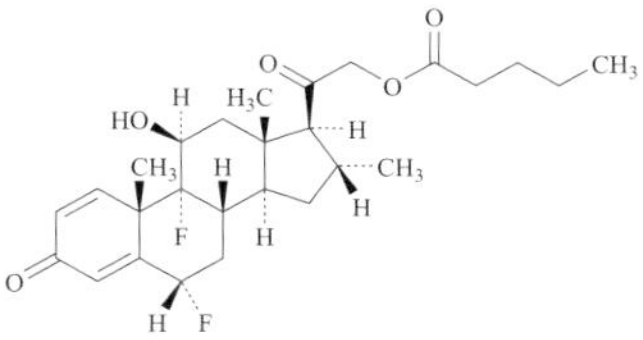

分子式 $C_{27}H_{36}F_2O_5$

分子量 478.57

略語・慣用名 DFV

ステム ステロイド医薬品：-olone

原薬の規制区分 毒(ただし，0.1%以下を含有する外用剤は劇)

原薬の外観・性状 白色の結晶又は結晶性の粉末である．メタノール又はエタノール(99.5)にやや溶けにくく，水にほとんど溶けない

原薬の吸湿性 25±1℃，60%RH，80%RH及び100%RHに保った気密容器中に30日間保存したが，いずれの保存条件下でも重量増加を認めず，吸湿性はなかった

原薬の融点・沸点・凝固点 融点：200～204℃

原薬の酸塩基解離定数 該当資料なし

先発医薬品等

軟 テクスメテン軟膏0.1%(佐藤製薬)
ネリゾナ軟膏0.1%(レオファーマ=LTL)

クリーム テクスメテンユニバーサルクリーム0.1%(佐藤製薬)
ネリゾナクリーム0.1%(レオファーマ=LTL)
ネリゾナユニバーサルクリーム0.1%(レオファーマ=LTL)

外用液 ネリゾナソリューション0.1%(レオファーマ=LTL)

国際誕生年月 1975年7月

海外での発売状況 仏，独など

製剤

規制区分 **軟** **クリーム** **ユニバーサルクリーム** **外用液** 劇

製剤の性状 **軟** 白色～帯黄白色の軟膏．油脂性基剤 **クリーム** 白色のクリーム．O/W型乳剤性基剤 **ユニバーサルクリーム** 白色～帯黄白色のクリーム状の軟膏．W/O型乳剤性基剤 **外用液** 無色澄明の液でエタノール臭がある．溶液性ローション剤

有効期間又は使用期限 **軟(チューブ製品)** **クリーム** **ユニバーサルクリーム** 5年 **軟(500g瓶)** **外用液** 3年

貯法・保存条件 遮光・室温保存

薬剤取扱い上の留意点 **外用液** 火気の近くでは使用しないよう指導すること

患者向け資料等 くすりのしおり

溶液及び溶解時のpH 該当しない

浸透圧比 該当しない

安定なpH域 該当しない

調製時の注意 該当しない

薬理作用

分類 グルココルチコイド系副腎皮質ホルモン剤

作用部位・作用機序 作用部位：皮膚 作用機序：血管収縮作用，浮腫抑制作用，滲出液抑制作用，肉芽増殖抑制作用等のグルココルチコイド系副腎皮質ホルモン作用による

同効薬 クロベタゾールプロピオン酸エステル，モメタゾンフランカルボン酸エステル，ベタメタゾン酪酸エステルプロピオン酸エステル，ジフルプレドナート，ベタメタゾン吉草酸エステル，プレドニゾロン吉草酸エステル酢酸エステル，アルクロメタゾンプロピオン酸エステル，ヒドロコルチゾン酪酸エステルなど

治療

効能・効果 湿疹・皮膚炎群(進行性指掌角皮症，ビダール苔癬，日光皮膚炎を含む)，乾癬，掌蹠膿疱症，痒疹群(蕁麻疹様苔癬，ストロフルス，固定蕁麻疹を含む)，紅皮症，慢性円板状エリテマトーデス，アミロイド苔癬，扁平紅色苔癬

用法・用量 1日1～3回患部に塗布

使用上の注意

禁忌 ①皮膚結核，梅毒性皮膚疾患，単純疱疹，水痘，帯状疱疹，種痘疹の患者［症状を悪化させることがある］ ②本剤の成分に対して過敏症の既往歴のある患者 ③鼓膜に穿孔のある湿疹性外耳道炎［鼓膜の自然修復を阻害するおそれがある］ ④潰瘍(ベーチェット病は除く)，第2度深在性以上の熱傷・凍傷の患者［上皮形成の阻害が起こる可能性がある］

薬物動態

吸収 ヒトに^{3}H-ジフルコルトロン吉草酸エステル0.1%軟膏・クリーム，ユニバーサルクリームを100mg/16cm^{2}塗布後，正常皮膚からは4時間以内に約0.2%，損傷皮膚からは約0.4%吸収 **排泄機構と排泄率(外国データ)** 健康男子に^{3}H-吉草酸ジフルコルトロン1mg静注後極めて急速に開裂，5分後には未開裂のエステルは血漿中にほとんど検出されず，24時間までに約56%が尿中排泄，7日までに尿・糞から98～93%回収，尿と糞便中排泄比は平均3：1．血漿中の主代謝物は，遊離体及びその11-ケト体

その他の管理的事項

投与期間制限 該当しない

保険給付上の注意 該当しない

資料

IF ネリゾナ軟膏0.1%・クリーム0.1%・ユニバーサルクリーム0.1%・ソリューション0.1% 2019年11月改訂(第14版)

シプロフロキサシン
Ciprofloxacin

概要

薬効分類 624 合成抗菌剤

構造式

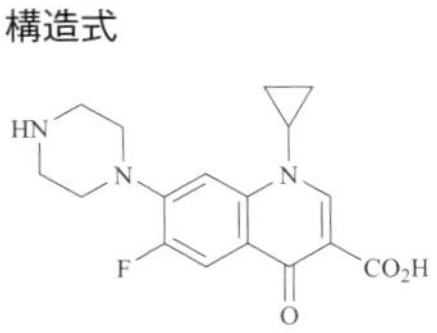

分子式 $C_{17}H_{18}FN_3O_3$

分子量 331.34

略語・慣用名 CPFX

ステム ナリジクス酸系抗菌薬：-oxacin

原薬の規制区分 該当しない

原薬の外観・性状 白色～淡黄白色の結晶性の粉末である．水又はエタノール(99.5)にほとんど溶けない．アンモニア試液に溶ける．光によって徐々に黄みを帯びる

原薬の吸湿性 25℃の条件下，60%RH及び80%RHの7日間保存の条件下では約0.5%，90%の10日間保存の条件下では約20%の水分増加が認められた

原薬の融点・沸点・凝固点 融点：約270℃(分解)

原薬の酸塩基解離定数 $pKa_1=6.5$(カルボン酸)，$pKa_2=8.9$(ピペラジン)

先発医薬品等
注 シプロキサン注200mg・400mg（バイエル）
後発医薬品
注 200mg・300mg・400mg
国際誕生年月 1987年1月
海外での発売状況 英，独など

製剤

規制区分 **注** ㊕
製剤の性状 **注** 無色〜微黄色澄明の注射剤
有効期間又は使用期限 3年
貯法・保存条件 室温保存（外袋より取り出した後は，直射日光を避けて保存すること）
薬剤取扱い上の留意点 製品の品質を保持するため，ソフトバッグの外袋は使用時まで開封しないこと．外袋の内側に内容液の漏出が認められる場合は，無菌性が損なわれている可能性があるので，使用しないこと．大気圧で自然に内容液が排出されるため，通気針は不要である
患者向け資料等 患者向医薬品ガイド，くすりのしおり
溶液及び溶解時のpH 3.9〜4.5
浸透圧比 0.99〜1.10
調製時の注意 原則として，生理食塩液，ブドウ糖注射液又は補液で希釈して使用する．特にアルカリ性の溶液と配合しないこと（本剤のpHは3.9〜4.5の範囲である）．本剤は保管中にシプロフロキサシン由来の結晶が析出することがあるが，室温で再溶解されたものについて品質上問題がないことを確認している

薬理作用

分類 ニューキノロン系抗菌薬
作用部位・作用機序 細菌のDNAジャイレースに作用し，DNA合成を阻害する．抗菌作用は殺菌的で溶菌作用が認められる．最小発育阻止濃度は最小殺菌濃度とほぼ一致し，細菌の対数増殖期だけでなく休止期にも作用する
同効薬 パズフロキサシン，レボフロキサシン

治療

効能・効果 ①成人：〈適応菌種〉本剤に感性のブドウ球菌属，腸球菌属，炭疽菌，大腸菌，クレブシエラ属，エンテロバクター属，緑膿菌，レジオネラ属 〈適応症〉敗血症，外傷・熱傷及び手術創等の二次感染，肺炎，腹膜炎，胆嚢炎，胆管炎，炭疽 ②小児：⑴一般感染症：〈適応菌種〉本剤に感性の炭疽菌，大腸菌，緑膿菌 〈適応症〉複雑性膀胱炎，腎盂腎炎，炭疽 ⑵嚢胞性線維症における緑膿菌による呼吸器感染に伴う症状の改善
効能・効果に関連する使用上の注意 ①本剤の適用は，原則として他の抗菌剤にアレルギーの既往を有する患者，重症あるいは他の抗菌剤を使用しても十分な臨床効果が得られない患者に限定する．ただし，炭疽及びレジオネラ属による感染症の適応の場合は，この限りではない ②経口剤（錠剤）と異なり，本剤の効能・効果は，敗血症，外傷・熱傷及び手術創等の二次感染，肺炎，腹膜炎，胆嚢炎，胆管炎，炭疽に限定されているので，それ以外の疾患には使用しない ③メチシリン耐性ブドウ球菌（MRSA）に対する有効性は証明されていないので，MRSAによる感染症が明らかである場合，速やかに抗MRSA作用の強い薬剤を投与する ④小児：関節障害が発現するおそれがあるので，リスクとベネフィットを考慮し，適用は原則として他の抗菌剤にアレルギーの既往を有する患者，重症あるいは他の抗菌剤を使用しても十分な臨床効果が得られない患者に限定する．ただし，炭疽については，この限りではない
用法・用量 ①成人：1回400mgを1日2回，1時間かけて点滴静注．患者の状態に応じて1日3回に増量できる ②小児：⑴(ア)一般感染症：複雑性膀胱炎，腎盂腎炎：1回6〜10mg/kgを1日3回，1時間かけて点滴静注．ただし，成人における1回量400mgを超えない (イ)炭疽：1回10mg/kgを1日2回，1時間かけて点滴静注．ただし，成人における1回量400mgを超えない ⑵嚢胞性線維症における緑膿菌による呼吸器感染に伴う症状の改善：1回10mg/kgを1日3回，1時間かけて点滴静注．ただし，成人における1回量400mgを超えない
用法・用量に関連する使用上の注意 ①使用にあたっては，耐性菌の発現等を防ぐため，原則として感受性を確認し，疾病の治療上必要な最小限の期間の投与にとどめる ②症状が緩解した場合には，速やかに経口抗菌剤の投与に切り替えることが望ましい ③通常，点滴静注局所の血管痛や静脈炎の危険を軽減するため，希釈して緩徐に注入する．すでに補液等が投与されている場合，側管に連結して投与することができる．ただし，薬剤によっては配合変化を生じることがあるので注意する．なお，著しい水分摂取制限がかかっている場合等，水分負荷がかけられない場合には希釈せずに投与することができるが，その際はできるだけ太い静脈から投与することが望ましい ④主として腎臓から排泄されるが，腎機能が低下していることが多い高齢者あるいは腎機能障害患者・血液透析患者では，腎機能に十分注意し，患者の状態を観察しながら慎重に投与する．参考：クレアチニンクリアランス（mL/min）31〜60では1回200mgを12時間ごとに，＜30では1回200mgを24時間ごとに投与．病状により必要と判断された場合には1回量として300mgを投与する．なお，クレアチニンクリアランス値（mL/min）＝｛体重（kg）×（140－年齢）｝/｛72×血清クレアチニン値（mg/dL）｝，女性の場合はこれに0.85を乗ずる ⑤血液透析中に除去されるシプロフロキサシンは10％程度と大きな影響は受けない．血液透析中の患者への投与に際しては，必要に応じて低用量（200mg）を24時間ごとに投与する等，患者の状態を観察しながら慎重に投与する ⑥炭疽の治療には，臨床症状が緩解した場合には，速やかに経口剤投与に切り替え，計60日間投与することを，米国疾病管理センター（CDC）が推奨している
禁忌・原則禁忌となる特定患者集団 妊婦又は妊娠している可能性のある婦人（ただし，炭疽に限り，治療上の有益性を考慮して投与すること），小児等（ただし，複雑性膀胱炎，腎盂腎炎，嚢胞性線維症，炭疽の患児を除く）

使用上の注意

禁忌 ①本剤の成分に対し過敏症の既往歴のある患者 ②ケトプロフェン（皮膚外用剤を除く）を投与中の患者 ③チザニジン塩酸塩を投与中の患者 ④ロミタピドメシル酸塩を投与中の患者 ⑤妊婦又は妊娠している可能性のある婦人（ただし，炭疽に限り，治療上の有益性を考慮して投与する） ⑥小児等（ただし，複雑性膀胱炎，腎盂腎炎，嚢胞性線維症，炭疽の患児を除く）
相互作用概要 CYP1A2を阻害する
過量投与 ①徴候と症状：腎毒性が現れたとの報告がある ②処置：腎機能をモニターするとともに，水分及び電解質の補充を行う．シプロフロキサシンは腹膜透析，血液透析では少量（10％程度）しか除去されない

薬物動態

注 **血中濃度** 健康成人に1回200，300mgを1時間単回点滴静注時の血中未変化体の薬物動態学的パラメータは次の通り（200mg（3例），300mg（6例）の順）：⑴半減期$t_{1/2}\alpha$（hr）：0.2±0.01，0.12±0.03，⑵$t_{1/2}\beta$（hr）：3.5±0.3，2.6±0.3，⑶最高血中濃度Cmax（μg/mL）：2.53±0.16，3.33±0.55，⑷体循環分布容積Vc（L）：29.1±2.1，23.3±7.4，⑸定常状態分布容積Vss（L）：117.3±16，111.8±21.8，⑹総クリアランスCLtot（L/hr）：30.3±3.2，41.5±9.3，⑺血中濃度時間曲線下面積$AUC_{0-\infty}$（μg・hr/mL）：6.66±0.73，7.49±1.39 **患者における血中濃度** ［注200mg・400mg］日本人患者に1回400mgを1日2回又は1日3回1時間点滴静注反復投与時の薬物動態学的パラメータ［$AUC\tau$，ss（μg・hr/mL），Cmax，ss（μg/mL）$t_{1/2}$，ss※）（hr）の順］は，1日2回投与群［25.8（23.4）［21］，8.07（22.5）［22］，2.44〜8.10［23］］，1日3回投与群［22.2（28.8）［8］，8.14（24.1）［8］，3.00〜4.54［8］］ 幾何平均（変動係数％）［例数］，※）範囲 **分布** 体液，組織内移行性は良好で，喀痰，

胆汁，死腔液，腹水に移行．外国人で肺組織，胆汁，女性性器組織(腟，卵巣，卵管，子宮)，副鼻腔粘膜，前立腺で血中濃度と同程度かそれ以上，腹膜及びその浸出液，腹水，皮膚，脂肪組織，扁桃で血中濃度と同程度の体液及び組織中濃度が認められている　**代謝**　健康成人に1回300mgを1時間点滴静注時，血中及び尿中代謝物として脱エチレン体(M1)，N-硫酸抱合体(M2)，オキソ体(M3)の3種が検出．血中濃度推移から求めた未変化体に対する存在比はそれぞれ1.8%，4.8%，7.3%と低かった　**排泄**　主として腎臓から排泄．健康成人に1回300mgを1時間点滴静注後24時間までの尿中排泄率は66.3%(未変化体：58.1%，代謝物M1：1%，M2：2.6%，M3：4.6%)　**経口投与との比較**　健康成人男子(20〜22歳)6名に200mgを90分点滴静注により，錠200mg及び300mg(100mg錠2錠又は3錠)を経口投与により，クロスオーバー法でそれぞれ単回投与．200mg点滴静注時の血中濃度は投与終了時に200mg経口投与時より1.5倍高いピーク値(Cmax)で，その後は比較的速やかに低下し，経口投与時と同様の推移で消失．また，200mg点滴静注時の$AUC_{0-\infty}$は，経口投与時の1.2倍．200mg点滴静注時の血中濃度と300mg経口投与時(承認通常用量の範囲外)との比較で，Cmaxは1.2倍，AUCは0.9倍．シプロフロキサシンは経口投与でも高いバイオアベイラビリティー(82.5%)を示すことから，可能な限り経口投与を行うことが望ましい※)．経口投与時及び点滴静注時の薬物動態学的パラメータは次の通り(300mg経口投与(承認通常用量の範囲外)，200mg経口投与，200mg点滴静注(90分)の順)：(1)Cmax(μg/mL)：1.71±0.17，1.41±0.09，2.06±0.07，(2)Tmax(hr)：0.98±0.16，0.98±0.13，1.5，(3)$t_{1/2}\alpha$(hr)：0.58±0.14，0.61±0.1，0.24±0.05，(4)$t_{1/2}\beta$(hr)：3.4±0.22，3.49±0.24，3.89±0.17，(5)CL(L/hr)：-，-，30.6±1.3，(6)AUC(μg・hr/mL)：7.31±0.5，5.42±0.21，6.6±0.27　※)注300mgのみ　**高齢者の血中濃度**　高齢者(70〜76歳)に1回200mg，1日1回1時間点滴静注(1例)，1回300mg1時間1日2回点滴静注(4例)時，健康成人と比較してAUCの増加，CLtotの低下が認められ，Cmaxの増加，Vssの低下が示唆．高齢者における1時間点滴静注時の薬物動態学的パラメータは次の通り(1回200mg点滴(71歳)，1回300mg点滴(70，71，75，76歳)の順)：(1)$t_{1/2}\alpha$(hr)：0.27，0.11，0.3，0.71，0.47，(2)$t_{1/2}\beta$(hr)：2.6，2.7，3.5，3.6，3.5，(3)Cmax(μg/mL)：3.51，3.53，5.71，3.13，5.16，(4)Vc(L)：24.9，24.8，24.3，73.5，36.6，(5)Vss(L)：69，97.2，77.6，108.8，75.4，(6)CLtot(L/hr)：28.8，29.8，22.6，24.4，19.5，(7)$AUC_{0-\infty}$(μg・hr/mL)：6.95，10.08，13.29，12.31，15.37

小児患者の血中濃度　参考(外国人)[注200mg・400mg]外国人小児患者を対象とした母集団薬物動態解析の結果，非嚢胞性線維症小児患者(体重30kg，クレアチニンクリアランス100mL/minを想定)におけるクリアランス及び分布容積の母集団平均値はそれぞれ0.60L/h/kg，2.16L/kgで，承認用法・用量を投与した際の薬物動態は，小児患者と成人患者とで明らかな差はないことが推定された　**腎機能障害患者での薬物動態**　参考(外国人)：24時間内因性クレアチニンクリアランス試験によるクレアチニンクリアランス値(Ccr，mL/min/1.73m^2)により腎機能正常例(Ccr＞90，10例)，軽度障害者(61＜Ccr＜90，11例)，中等度障害者(31＜Ccr＜60，11例)，重度障害者(Ccr＜30，10例)の4群に，1回400mg(重度障害者には300mg)を腎機能正常例・軽度障害者には8時間ごとに，中等度・重度障害者には12時間ごとに点滴静注で反復投与時，腎機能低下に伴い血中濃度の上昇，半減期の延長，尿中排泄率の低下が認められている．腎機能障害患者での点滴静注時の薬物動態学的パラメータは次の通り(腎機能正常例，軽度障害者，中等度障害者，重度障害者の順．( )内は幾何平均(変動係数%))：1日目のCmax(mg/L)：3.8(14)，4.59(20)※)，5.35(28)※)，4.28(21)※)，1日目のAUC(mg・hr/L)：10.2(19)，15.4(22)※)，21.5(26)※)，30.1(28)※)，5日目のAUC_{0-24}($AUC_{0-t, ss}$×投与回数/日)(mg・hr/L)：32.5(18)，50.4(22)※)，48.3(24)※)，66.3(29)※)，1日目の$t_{1/2}$(hr)：4.59(16)，5.23(32)，5.72(13)※)，8.33(30)※)，1日目のCL(L/hr/kg)：0.45(20)，0.33(19)※)，0.23(20)※)，0.13(26)※)，1日目の腎クリアランスCLr(L/hr/kg)：0.234(12)，0.138(80)，0.087(47)※)，0.018(86)※)　※)$p<0.05$(vs. Ccr＞90group)　**血液透析患者での薬物動態**　参考(外国人)：血液透析を受けている慢性腎障害患者7例に，400mgをクロスオーバー法で，血液透析終了直後及び血液透析開始2時間前にそれぞれ単回点滴静注(1時間)時の薬物動態学的パラメータは次の通り(血液透析後，血液透析2時間前の順．( )内は幾何平均(変動係数%))：(1)Cmax(mg/L)：7.01(44)，5.71(45)，(2)AUC_{0-24}(mg・hr/L)：39.4(41)，34.6(45)，(3)AUC(mg・hr/L)：44.7(56)，38.4(55)，(4)AUC_{norm}(体重あたりの投与量(mg/kg)で標準化したAUC，kg・hr/L)：8.84(50)，7.65(45)，(5)$t_{1/2}$(hr)：12.5(68)，11.4(62)，Vss(L)：129.2(22)，160.4(27)，(6)CL(L/hr)：8.95(56)，10.4(55)，(7)CLr(L/hr)：0.1(169)，0.11(158)，(8)血液透析によるクリアランス(dialysate clearance)CLd(L/hr)：1.18(85)，2.44(37)．パラメータに両投与時期間で大差は認められず，血液透析で除去されたシプロフロキサシンは10%程度と考えられた　※参考：①局所刺激性：ウサギの局所刺激性試験(筋注)で，軽度の組織障害性が観察されたが，サルの4週間反復点滴静注試験では，投与部位における局所刺激性は認められなかった　②関節毒性：幼若ラット及び幼若ビーグル犬の反復投与試験(経口)で，関節軟骨のびらん等が認められた．成熟動物(サル)の反復静注試験ではいずれの試験でも関節毒性は認められなかった　③眼毒性：サルの4，13，26週間反復静注試験で，いずれの試験でも眼毒性を示唆する所見は認められなかった．ネコの2週間静注試験で，ERG(網膜電位図)及びVEP(視覚誘発脳波)に関して異常は認められなかった　④腎毒性：ラット及びサルの反復静注試験で，それぞれ高用量群(ラット(4週間：80mg/kg/日，26週間：20，40mg/kg/日)，サル(4週間：30mg/kg/日，13週間：18mg/kg/日，26週間：20mg/kg/日，4週間/点滴静注：20mg/kg))で尿中排泄されたシプロフロキサシンの再結晶化に起因すると考えられる尿細管変化が認められた．ウサギの反復静注試験の30mg/kg/日群で，正常ウサギの尿細管拡張，腎障害ウサギの病理組織学的所見が悪化，無毒性量は10mg/kg/日　⑤光毒性：マウスに静注後UVAを照射したが，光毒性は100mg/kg/日でも認められなかった　⑥ヒスタミン遊離能：ラット腹腔肥満細胞及びヒト皮膚肥満細胞の*in vitro*試験で，200μg/mL以上の高濃度ではヒスタミンが遊離

その他の管理的事項

投与期間制限　該当しない

保険給付上の注意　該当しない

資料

IF　シプロキサン注200mg・400mg　2019年9月改訂(第35版)

シプロフロキサシン塩酸塩水和物
Ciprofloxacin Hydrochloride Hydrate

概要

薬効分類　624　合成抗菌剤

構造式

HN, N, F, O, CO_2H　・HCl・$x$$H_2O$

分子式　$C_{17}H_{18}FN_3O_3$・HCl・xH_2O
分子量　367.80(無水物)
略語・慣用名　CPFX
ステム　ナリジクス酸系抗菌薬：-oxacin
原薬の規制区分　該当しない
原薬の外観・性状　白色～微黄色の結晶性の粉末である．水にやや溶けにくく，メタノールに溶けにくく，エタノール(99.5)に極めて溶けにくい．光によって徐々に僅かに褐色を帯びた淡黄色となる
原薬の融点・沸点・凝固点　280℃付近で黄褐色に着色したが，300℃までに明確な融点又は分解点は示さない
原薬の酸塩基解離定数　pKa_1＝6.5(カルボン酸)，pKa_2＝8.9(ピペラジン)
先発医薬品等
錠 シプロキサン錠100mg・200mg(バイエル)
後発医薬品
錠 100mg・200mg
国際誕生年月　1987年1月
海外での発売状況　米，英，独など

製剤

規制区分　**錠** ㊇
製剤の性状　**錠** 白色～淡黄色のフィルムコーティング錠
有効期間又は使用期限　4年
貯法・保存条件　遮光した気密容器，室温保存
薬剤取扱い上の留意点　粉砕して使用しないこと(刺激性の苦みがある)
患者向け資料等　患者向医薬品ガイド，くすりのしおり
溶液及び溶解時のpH　該当しない
浸透圧比　該当しない
安定なpH域　該当しない
調製時の注意　該当しない

薬理作用

分類　ニューキノロン系抗菌薬
作用部位・作用機序　細菌のDNAジャイレースに作用し，DNA合成を阻害する．抗菌作用は殺菌的で溶菌作用が認められる．最小発育阻止濃度は最小殺菌濃度とほぼ一致し，細菌の対数増殖期だけでなく休止期にも作用する
同効薬　ノルフロキサシン，オフロキサシン，トスフロキサシン，ロメフロキサシン，レボフロキサシン，プルリフロキサシン，モキシフロキサシン，ガレノキサシン，シタフロキサシン

治療

効能・効果　〈適応菌種〉シプロフロキサシンに感性のブドウ球菌属，レンサ球菌属，肺炎球菌，腸球菌属，淋菌，炭疽菌，大腸菌，赤痢菌，シトロバクター属，クレブシエラ属，エンテロバクター属，セラチア属，プロテウス属，モルガネラ・モルガニー，プロビデンシア属，インフルエンザ菌，緑膿菌，アシネトバクター属，レジオネラ属，ペプトストレプトコッカス属　〈適応症〉表在性皮膚感染症，深在性皮膚感染症，リンパ管・リンパ節炎，慢性膿皮症，外傷・熱傷及び手術創等の二次感染，乳腺炎，肛門周囲膿瘍，咽頭・喉頭炎，扁桃炎，急性気管支炎，肺炎，慢性呼吸器病変の二次感染，膀胱炎，腎盂腎炎，前立腺炎(急性症，慢性症)，精巣上体炎(副睾丸炎)，尿道炎，胆嚢炎，胆管炎，感染性腸炎，バルトリン腺炎，子宮内感染，子宮付属器炎，涙嚢炎，麦粒腫，瞼板腺炎，中耳炎，副鼻腔炎，炭疽
効能・効果に関連する使用上の注意　咽頭・喉頭炎，扁桃炎，急性気管支炎，感染性腸炎，副鼻腔炎への使用にあたっては，「抗微生物薬適正使用の手引き」を参照し，抗菌薬投与の必要性を判断した上で，投与が適切と判断される場合に投与する
用法・用量　1回100～200mg，1日2～3回(適宜増減)．炭疽に対しては，1回400mg，1日2回
用法・用量に関連する使用上の注意　①使用にあたっては，耐性菌の発現等を防ぐため，原則として感受性を確認し，疾病の治療上必要な最小限の期間の投与にとどめる　②小児の炭疽に対しては，米国疾病管理センター(CDC)が，シプロフロキサシンとして，1回15mg/kg体重(ただし，成人用量を超えない)を1日2回経口投与することを推奨している　③炭疽の発症及び進展抑制には，米国疾病管理センター(CDC)が，60日間の投与を推奨している
禁忌・原則禁忌となる特定患者集団　妊婦又は妊娠している可能性のある婦人，小児等

使用上の注意

禁忌　①本剤の成分に対し過敏症の既往歴のある患者　②ケトプロフェン(皮膚外用剤を除く)を投与中の患者　③チザニジン塩酸塩を投与中の患者　④ロミタピドメシル酸塩を投与中の患者　⑤妊婦又は妊娠している可能性のある婦人　⑥小児等［ただし，妊婦又は妊娠している可能性のある婦人及び小児等に対しては，炭疽に限り，治療上の有益性を考慮して投与する］
相互作用概要　CYP1A2を阻害する
過量投与　①徴候と症状：腎毒性が現れたとの報告がある　②処置：腎機能をモニターするとともに，本剤の吸収を減少させるためにマグネシウム，カルシウム等を含む制酸剤を投与し，水分及び電解質の補充を行う．シプロフロキサシンは腹膜透析，血液透析では少量(10%程度)しか除去されない

薬物動態

錠 **血中濃度**　健康成人に1回100mg(8例)，200mg(21例)，400mg(5例)経口投与時，血中濃度は次の通り：⑴Cmax(μg/mL)：約1時間後に最高値0.56±0.06，1.21±0.08又は約1時間半後に2.23±0.33，⑵$T_{1/2}$(hr)：3.02±0.26，3.68±0.27，5.71±0.96，⑶いずれも24時間後にほとんど消失　**分布**　健康成人又は患者に経口投与時，胆汁，前立腺で高く(血中濃度の2～10倍)，扁桃，鼻粘膜，上顎洞粘膜，副鼻腔粘膜，喀痰，皮膚，創部浸出液，乳腺組織，女性性器(膣，卵巣，卵管，子宮)，唾液，涙液へ良好に移行(血中濃度の1/3～1倍)が認められる　**代謝**　健康成人に経口投与後，生体内でほとんど代謝を受けず尿中排泄量の約80%が未変化体，その他3種の代謝物が認められる　**排泄**　健康成人に1回100又は200mg経口投与時の尿中濃度は0～2時間で最高，平均141又は256μg/mL，24時間までの尿中排泄率約40～50%．また同様に1日3回5日間連続経口投与1日後に最高糞中濃度，平均249又は554μg/mL．投与終了6日後にいずれも検出限界以下　**腎機能障害時の血中濃度**　間欠的腹膜透析中の腎機能障害患者等3例に200mg単回経口投与時，クレアチニンクリアランスの低下とともに$T_{1/2}$が延長，投与24時間までの尿中排泄率も低下(各々32.6，13.9，0.04%)　**参考**　①関節毒性：幼若ラット及び幼若ビーグル犬の反復投与試験(経口)で，関節軟骨のびらん等が認められた．成熟動物(サル)の反復静注試験ではいずれの試験でも関節毒性は認められなかった　②眼毒性：サルの4，13，26週間反復静注試験で，いずれの試験でも眼毒性を示唆する所見は認められなかった．ネコの2週間静注試験で，ERG(網膜電位図)及びVEP(視覚誘発脳波)に関して異常は認められなかった　③腎毒性：ラット及びサルの反復静注試験で，それぞれ高用量群(ラット(4週間；80mg/kg/日，26週間；20，40mg/kg/日)，サル(4週間；30mg/kg/日，13週間；18mg/kg/日，26週間；20mg/kg/日，4週間/点滴静注；20mg/kg))で尿中排泄されたシプロフロキサシンの再結晶化に起因すると考えられる尿細管変化が認められた．また，ウサギを用いた反復静注試験で，30mg/kg/日群で正常ウサギに尿細管拡張が，腎障害ウサギに病理組織学的所見の悪化がみられ，無毒性量は10mg/kg/日　④光毒性：マウスに静注後UVAを照射したが，光毒性は100mg/kg/日でも認められなかった　⑤ヒスタミン遊離能：ラット腹腔肥満細胞及びヒト皮膚肥満細胞*in vitro*試験で，200μg/mL以上の高濃度ではヒスタミンが遊離

その他の管理的事項

投与期間制限　該当しない

保険給付上の注意　該当しない

資料

IF　シプロキサン錠100mg・200mg　2019年9月改訂(第38版)

シプロヘプタジン塩酸塩水和物
Cyproheptadine Hydrochloride Hydrate

概要

薬効分類　441　抗ヒスタミン剤

構造式

・HCl・$1\frac{1}{2}H_2O$

分子式　$C_{21}H_{21}N \cdot HCl \cdot 1½H_2O$

分子量　350.88

ステム　不明

原薬の規制区分　㊣(ただし1錠中シプロヘプタジンとして4.0mg以下を含有するもの，シプロヘプタジンとして0.04%以下を含有するシロップ剤を除く)

原薬の外観・性状　白色〜微黄色の結晶性の粉末で，においはなく，味は僅かに苦い。メタノール又は酢酸(100)に溶けやすく，クロロホルムにやや溶けやすく，エタノール(95)にやや溶けにくく，水に溶けにくく，ジエチルエーテルにほとんど溶けない

原薬の吸湿性　該当資料なし

原薬の融点・沸点・凝固点　融点：252〜257℃(途中212〜217℃において黄色〜黄褐色に変化)

原薬の酸塩基解離定数　該当資料なし

先発医薬品等

散　ペリアクチン散1%(日医工)

錠　ペリアクチン錠4mg(日医工)

シ　ペリアクチンシロップ0.04%(日医工)

後発医薬品

シ　0.04%

国際誕生年月　不明

海外での発売状況　米

製剤

規制区分　散　㊣

製剤の性状　散　白色の粉末でにおいはない　錠　片面に割線を有する白色の素錠　シ　無色〜微黄色澄明の液(シロップ剤)で，果実様のにおいを有し，強い甘味がある

有効期間又は使用期限　3年

貯法・保存条件　散　錠　室温保存　シ　密栓，遮光・室温保存

薬剤取扱い上の留意点　眠気を催すことがあるので，自動車の運転等危険を伴う機械の操作に従事させないように十分注意すること

患者向け資料等　くすりのしおり

溶液及び溶解時のpH　シ　3.5〜4.5

調製時の注意　該当しない

薬理作用

分類　抗ヒスタミン剤(H_1受容体拮抗薬)，抗セロトニン剤

作用部位・作用機序　作用部位：ヒスタミンH_1受容体，セロトニン受容体　作用機序：アレルギー反応の際のヒスタミン及びセロトニンの遊離を抑制又は化学的に不活化するものではなく，受容体部位においてヒスタミン及びセロトニンと競合的，可逆的に拮抗する

同効薬　*d*-マレイン酸クロルフェニラミンなど

治療

効能・効果　皮膚疾患に伴うそう痒(湿疹・皮膚炎，皮膚そう痒症，薬疹)，蕁麻疹，血管運動性浮腫，枯草熱，アレルギー性鼻炎，血管運動性鼻炎，感冒等上気道炎に伴うくしゃみ・鼻汁・咳嗽

用法・用量　①1回4mg，1日1〜3回(適宜増減)　②参考：小児の1回投与量例(Augsberger式による)．次の1回量を1日1〜3回：(1)2〜3歳：3mL　(2)4〜6歳：4mL　(3)7〜9歳：5mL　(4)10〜12歳：6.5mL

禁忌・原則禁忌となる特定患者集団　新生児・低出生体重児，老齢の衰弱した患者

使用上の注意

禁忌　①閉塞隅角緑内障の患者［抗コリン作用により眼圧が上昇し，症状を悪化させることがある］　②狭窄性胃潰瘍のある患者［抗コリン作用により胃内容の停滞が起こり，その結果胃酸分泌亢進が起き，症状を悪化させるおそれがある］　③幽門十二指腸閉塞のある患者［抗コリン作用により胃内容の停滞，幽門十二指腸部の膨満が起こり，症状を悪化させるおそれがある］　④前立腺肥大等下部尿路に閉塞性疾患のある患者［抗コリン作用により尿閉を悪化させるおそれがある］　⑤気管支喘息の急性発作時の患者［抗コリン作用により，喀痰の粘稠化・去痰困難を起こすことがあり，喘息を悪化させるおそれがある］　⑥新生児・低出生体重児　⑦老齢の衰弱した患者　⑧本剤の成分に対し過敏症の既往歴のある患者

過量投与　中枢神経症状，アトロピン様症状，消化器症状が現れるおそれがある．特に乳・幼児では中枢神経症状が現れるおそれがあるので注意する．なお処置として中枢興奮剤は使用しない

薬物動態

外国人データでは健康成人2名に^{14}C-シプロヘプタジン塩酸塩5mgを経口投与時の血漿中濃度は9時間後に最高に達し，その濃度はシプロヘプタジン換算量として50ng/mL及び36ng/mL．投与後6日間までの排泄量は尿中に67%及び77%，糞中に33%及び23%．尿中排泄された代謝物の58〜65%がグルクロン酸抱合体，9〜11%が硫酸抱合体，5〜6%が未抱合体．ただし承認された1回用量は4mg

その他の管理的事項

投与期間制限　該当しない

保険給付上の注意　該当しない

資料

IF　ペリアクチン散1%・錠4mg・シロップ0.04%　2019年8月改訂(第6版)

ジフロラゾン酢酸エステル
Diflorasone Diacetate

概要

薬効分類　264　鎮痛，鎮痒，収斂，消炎剤

構造式

分子式　$C_{26}H_{32}F_2O_7$
分子量　494.52
略語・慣用名　DDA
原薬の規制区分　該当しない
原薬の外観・性状　白色～微黄色の結晶又は結晶性の粉末である．アセトニトリルにやや溶けやすく，エタノール(99.5)に溶けにくく，水にほとんど溶けない
原薬の吸湿性　該当資料なし
原薬の融点・沸点・凝固点　融点：約222℃（分解）
原薬の酸塩基解離定数　該当資料なし（水にほとんど溶けない）
先発医薬品等
軟　ダイアコート軟膏0.05%（帝國製薬）
クリーム　ダイアコートクリーム0.05%（帝國製薬）
後発医薬品
軟　0.05%
クリーム　0.05%
国際誕生年月　1976年12月
海外での発売状況　米，独など

製剤

製剤の性状　**軟**　白色の軟膏剤で，においはない．油脂性（疎水性）基剤　**クリーム**　白色のクリーム状で，においはない．水中油（o/w）型の乳剤性（親水性）基剤
有効期間又は使用期限　3年
貯法・保存条件　室温保存
薬剤取扱い上の留意点　該当資料なし
患者向け資料等　くすりのしおり
溶液及び溶解時のpH　該当しない
浸透圧比　該当しない
安定なpH域　該当しない
調製時の注意　該当しない

薬理作用

分類　外用合成副腎皮質ホルモン剤
作用部位・作用機序　作用部位：皮膚　作用機序：アラキドン酸代謝の抑制，炎症・免疫担当細胞の抑制（ライソゾーム膜の安定化，白血球遊走の抑制，細胞増殖の抑制など）などの作用が総合的に作用して抗炎症効果を発揮するものと考えられる
同効薬　各種外用合成副腎皮質ホルモン剤（ベタメタゾン吉草酸エステル，クロベタゾールプロピオン酸エステル，フルオシノニド，ベタメタゾンジプロピオン酸エステル，ヒドロコルチゾン酪酸エステル，ジフルコルトロン吉草酸エステル，酪酸プロピオン酸ヒドロコルチゾンなど）

治療

効能・効果　湿疹・皮膚炎群（ビダール苔癬，進行性指掌角皮症，脂漏性皮膚炎を含む），乾癬，痒疹群（ストロフルス，蕁麻疹様苔癬，固定蕁麻疹を含む），掌蹠膿疱症，紅皮症，薬疹・中毒疹，虫さされ，紅斑症（多形滲出性紅斑，ダリエ遠心性環状紅斑，遠心性丘疹性紅斑），慢性円板状エリテマトーデス，扁平紅色苔癬，毛孔性紅色粃糠疹，特発性色素性紫斑（マヨッキー紫斑，シャンバーク病，紫斑性色素性苔癬様皮膚炎を含む），肥厚性瘢痕・ケロイド，肉芽腫症（サルコイドーシス，環状肉芽腫），悪性リンパ腫（菌状息肉症を含む），皮膚アミロイドーシス（アミロイド苔癬，斑状型アミロイド苔癬を含む），天疱瘡群，類天疱瘡（ジューリング疱疹状皮膚炎を含む），円形脱毛症
用法・用量　1日1～数回患部に塗布

使用上の注意

禁忌　①細菌・真菌・スピロヘータ・ウイルス皮膚感染症及び動物性皮膚疾患（疥癬，けじらみ等）の患者［免疫機能を抑制し，症状を悪化させるおそれがある］　②本剤の成分に対し過敏症の既往歴のある患者　③鼓膜に穿孔のある湿疹性外耳道炎の患者［穿孔の治癒障害を起こすおそれがある］　④潰瘍（ベーチェット病は除く），第2度深在性以上の熱傷・凍傷のある患者［創傷修復を抑制し，症状を悪化させるおそれがある］

薬物動態

参考　^{3}H-ジフロラゾン酢酸エステル軟膏・クリームのラット及びウサギの経皮投与後の体内動態では，速やかに吸収され高い皮膚内濃度を示し，皮膚移行後，速やかに代謝を受け，diflorasone 17-acetate，diflorasone 21-acetate，diflorasoneとなる．そしてほぼ全身に分布するが，主に肝臓，腎臓，副腎，消化管内容物に分布し，また，塗布部位の皮膚内に長時間にわたり残留が認められ，ラットでは主として糞中に，ウサギでは主に尿中に排泄

その他の管理的事項

投与期間制限　該当しない
保険給付上の注意　該当しない

資料

IF　ダイアコート軟膏0.05%・クリーム0.05%　2019年8月改訂（第6版）

ジベカシン硫酸塩
ジベカシン硫酸塩点眼液
Dibekacin Sulfate

概要

薬効分類　131　眼科用剤，613　主としてグラム陽性・陰性菌に作用するもの
構造式

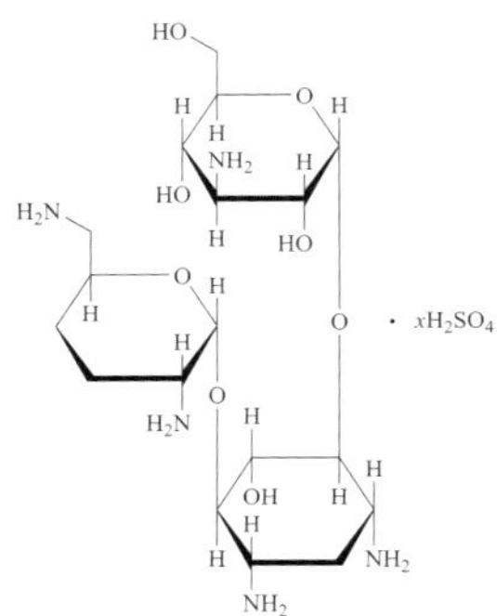

分子式　$C_{18}H_{37}N_5O_8 \cdot xH_2SO_4$
分子量　451.52（ジベカシンとして）
略語・慣用名　DKB
原薬の規制区分　劇
原薬の外観・性状　白色～黄白色の粉末である．水に極めて溶けやすく，エタノール(99.5)にほとんど溶けない．1.0gを水20mLに溶かした液のpHは6.0～8.0である
原薬の吸湿性　臨界湿度：52～61%RH
原薬の融点・沸点・凝固点　融点：240～241℃（分解）
原薬の酸塩基解離定数　該当資料なし
先発医薬品等
注　パニマイシン注射液50mg・100mg（MeijiSeika）
注射用　注射用パニマイシン100mg（MeijiSeika）
点眼液　パニマイシン点眼液0.3%（MeijiSeika）
国際誕生年月　不明
海外での発売状況　インドネシア

製剤

規制区分　**注**　**注射用**　**点眼液**　劇　処
製剤の性状　**注**　無色澄明の注射液　**注射用**　白色～黄白色の塊又は粉末（凍結乾燥品）　**点眼液**　無色澄明の水性点眼液でにおいはなく，僅かに塩味のある無菌製剤

有効期間又は使用期限　3年
貯法・保存条件　室温保存
薬剤取扱い上の留意点　該当しない
患者向け資料等　くすりのしおり
溶液及び溶解時のpH　**注**　5.5〜7.5　**注射用**　6.0〜8.0(50mg/mL溶液)　**点眼液**　6.5〜7.5
浸透圧比　**注**　約1(対生食)　**注射用**　約0.5(50mg/mL溶液)(対生食)　**点眼液**　1.0(対生食)
調製時の注意　**注**　**注射用**　点滴静注に用いる場合は，溶解後は速やかに使用すること．カルベニシリン，スルベニシリン，チカルシリン，ピペラシリンと混合すると，両剤の反応によりアミドを形成し，本剤の活性低下を来すので，それぞれ別経路で投与すること

薬理作用

分類　アミノグリコシド系抗生物質
作用部位・作用機序　細菌の蛋白合成を阻害することにより抗菌作用を示し，その作用は殺菌的である．多くの抗生物質に抵抗性の緑膿菌に強い殺菌作用を示す
同効薬　**注**　**注射用**　アミカシン硫酸塩，トブラマイシン，ゲンタマイシン硫酸塩　**点眼液**　ゲンタマイシン硫酸塩，クロラムフェニコール

治療

効能・効果　**注**　**注射用**　〈適応菌種〉ジベカシンに感性の黄色ブドウ球菌，大腸菌，肺炎桿菌，プロテウス属，モルガネラ・モルガニー，プロビデンシア・レットゲリ，緑膿菌　〈適応症〉敗血症，深在性皮膚感染症，慢性膿皮症，外傷・熱傷及び手術創等の二次感染，扁桃炎，急性気管支炎，肺炎，慢性呼吸器病変の二次感染，膀胱炎，腎盂腎炎，腹膜炎，中耳炎
点眼液〈適応菌種〉ジベカシンに感性のブドウ球菌属，レンサ球菌属，肺炎球菌，モラクセラ・ラクナータ(モラー・アクセンフェルト菌)，ヘモフィルス・エジプチウス(コッホ・ウィークス菌)，緑膿菌，アシネトバクター属　〈適応症〉眼瞼炎，涙嚢炎，麦粒腫，結膜炎，瞼板腺炎，角膜炎
効能・効果に関連する使用上の注意　**注**　**注射用**　扁桃炎，急性気管支炎，中耳炎への使用にあたっては，「抗微生物薬適正使用の手引き」を参照し，抗菌薬投与の必要性を判断した上で，本剤の投与が適切と判断される場合に投与する
用法・用量　**注**　**注射用**　①筋注：ジベカシンとして1日100mg(力価)，小児1〜2mg/kg(力価)，1〜2回に分注(適宜増減)　②点滴静注：ジベカシンとして1日100mg(力価)，2回に分け100〜300mLの補液中に溶解し，30分〜1時間かけて点滴静注(適宜増減)
点眼液　ジベカシンとして1回2滴，1日4回点眼(適宜増減)
用法・用量に関連する使用上の注意　**注**　**注射用**　①使用にあたっては，耐性菌の発現等を防ぐため，原則として感受性を確認し，疾病の治療上必要な最小限の期間の投与にとどめる　②腎障害のある患者には，投与量を減ずるか，投与間隔をあけて使用する
点眼液　使用にあたっては，耐性菌の発現等を防ぐため，原則として感受性を確認し，疾病の治療上必要な最小限の期間の投与にとどめる

使用上の注意

禁忌　本剤の成分ならびにアミノグリコシド系抗生物質又はバシトラシンに対し過敏症の既往歴のある患者
過量投与　**注**　**注射用**　①徴候，症状：腎障害，聴覚障害，前庭障害，神経筋遮断症状，呼吸麻痺が現れることがある　②処置：血液透析，腹膜透析による薬剤の除去を行う．神経筋遮断症状，呼吸麻痺に対してはコリンエステラーゼ阻害剤，カルシウム製剤の投与又は機械的呼吸補助を行う

薬物動態

注　**注射用**　**血中濃度**　①腎機能正常者：腎機能正常成人男子(4例)で，100mgを筋注あるいは50mgを1時間かけて点滴静注時の血清中濃度を検討したところ，筋注は0.5時間後に最高血清中濃度6.8μg/mL，半減期1.88時間，点滴静注は終了時に最高血清中濃度4.4μg/mL，半減期1.96時間　②腎機能障害者：クレアチニンクリアランス(Ccr)＞60mL/minの軽度障害(7例)までと30〜60mL/minの中等度障害(7例)ならびに＜30mL/minの高度障害(1例)に50mgを1時間で点滴静注時，軽度障害者の血中濃度ピーク値及び生物学的半減期は健康成人と差がなかった．しかし，中等度障害者では血中濃度ピークは健康成人の値とほぼ同じであったが，$T_{1/2}$は延長傾向，高度障害者ではさらに$T_{1/2}$の延長が認められた　**体液，組織内濃度**　筋注では，胆汁，嚢水腫術後のリンパ液への移行はかなり高濃度，前房水内，喀痰へは低濃度．羊水中へはごく微量　**排泄**　健康成人の投与8時間までの累積尿中排泄率は100mgを筋注又は静注で約70〜80%．しかし，腎機能障害者では，尿中排泄は低値にとどまっていた　**腎機能障害患者への投与法**　腎機能障害患者では，血中濃度の半減期が延長し，高い血中濃度が長時間持続し，第8脳神経障害又は腎障害が現れるおそれがあるので，腎機能障害度に応じ，次のような方法で投与量及び投与間隔を調節すべきである：①腎機能正常者と等しい初回量を用い，維持量を半減して使用間隔を延長する方法：(1)30＞Ccr＞10：初回量50mg(維持量1/2)，12〜24時間ごと，(2)10＞Ccr：初回量50mg(維持量1/2)，24〜48時間ごと　②腎機能正常者と等しい使用間隔で，初回量も維持量も減量する方法：Ccrを用いて求めた初回量及び維持量を投与(添付文書参照)　**血中濃度モニタリング**　血中濃度は，年齢，体重，腎機能等に影響を受けるが，特に腎機能の影響が大きく，腎機能障害者では半減期が延長し，血中濃度が高く持続する傾向がみられる．12μg/mL以上の血中濃度が繰り返されると聴力障害や腎障害の危険性が大きくなるといわれているので血中濃度を測定して異常な高値を示す場合には，投与量や投与間隔を調整することが望ましい．たとえば，異常に高い最高血中濃度が繰り返されている場合は投与量を減量し，異常に高い最低血中濃度が繰り返されている場合は投与間隔を延長する等，調整を行う

その他の管理的事項

投与期間制限　該当しない
保険給付上の注意　該当しない

資料

IF　パニマイシン注射液50mg・100mg・注射用パニマイシン100mg　2020年9月改訂(第6版)
パニマイシン点眼液0.3%　2011年10月改訂(第4版)

シベレスタットナトリウム水和物
注射用シベレスタットナトリウム
Sivelestat Sodium Hydrate

概要

薬効分類　399　他に分類されない代謝性医薬品
構造式

分子式　$C_{20}H_{21}N_2NaO_7S \cdot 4H_2O$
分子量　528.51
ステム　酵素阻害薬：-stat，エラスターゼ阻害薬：-elestat
原薬の規制区分　該当しない
原薬の外観・性状　白色の結晶性の粉末である．メタノールに溶けやすく，エタノール(99.5)に溶けにくく，水にほとんど溶けない．水酸化ナトリウム試液に溶ける

原薬の吸湿性　25℃で各湿度条件での吸湿性を検討した結果，33～93％RHの範囲の相対湿度において質量変化はほとんど認められなかったが，12％RHでは質量が減少し，結晶水の脱離が示唆された

原薬の融点・沸点・凝固点　融点：約190℃（分解，ただし60℃で2時間減圧乾燥後）

原薬の酸塩基解離定数　pKa＝5.3（カルボン酸部分），8.2（スルフォニルアミド部分）

先発医薬品等

注射用 注射用エラスポール100（丸石）

後発医薬品

注射用 100mg

国際誕生年月　2002年4月

海外での発売状況　韓国

製剤

規制区分　**注射用** [処]

製剤の性状　**注射用** 白色の塊又は粉末，凍結乾燥品

有効期間又は使用期限　3年

貯法・保存条件　遮光・室温保存

薬剤取扱い上の留意点　調製時：カルシウムを含む輸液を用いるときは，本剤の濃度を1mg/mL以下として使用すること（本剤の濃度が2mg/mL以上では沈殿が生じることがある）．また，輸液で希釈することによりpHが6.0以下となる場合には，沈殿が生じることがあるので注意すること．アミノ酸輸液を用いると分解が生じることがあるので，アミノ酸輸液との混注は避けること．なお，本剤との配合試験の結果，配合不可の輸液は，強力モリアミンS，アミゼットB，アミパレン，アミノレバン，モリプロンFであった．また，生理食塩液，ブドウ糖注射液5％は配合可能であった

患者向け資料等　くすりのしおり

溶液及び溶解時のpH　7.5～8.5（1バイアル/10mL注射用水）

浸透圧比　約0.6（1バイアル/10mL注射用水）

調製時の注意　調製時の注意点：①カルシウムを含む輸液を用いるときは，本剤の濃度を1mg/mL以下として使用すること（本剤の濃度が2mg/mL以上では沈殿が生じることがある）　②輸液で希釈することによりpHが6.0以下となる場合には，沈殿が生じることがあるので注意すること　③アミノ酸輸液を用いると分解が生じることがあるので，アミノ酸輸液との混注は避けること．なお，本剤との配合試験の結果，配合不可の輸液は，モリアミンS，アミゼットB，アミパレン，アミノレバン，モリプロンFであった．また，生理食塩液，ブドウ糖注射液5％は配合可能であった

薬理作用

分類　好中球エラスターゼ阻害剤

作用部位・作用機序　好中球エラスターゼは蛋白分解酵素の一つであり，肺に集積した好中球から遊離される．好中球エラスターゼは肺結合組織を分解し，肺血管透過性を亢進させ，急性肺障害を誘発させる．また，好中球遊走因子の産生を促進し，炎症反応を増幅させ，全身性炎症反応症候群に伴う急性肺障害における重要な障害因子として注目されている．本剤は，好中球エラスターゼの選択的な阻害剤である

同効薬　なし

治療

効能・効果　全身性炎症反応症候群に伴う急性肺障害の改善

効能・効果に関連する使用上の注意　①次の⑴及び⑵の両基準を満たす患者に投与する：⑴全身性炎症反応症候群に関しては，次の項目のうち，2つ以上を満たすものとする：㋐体温＞38℃又は＜36℃　㋑心拍数＞90回/分　㋒呼吸数＞20回/分又は$PaCO_2$＜32mmHg　㋓白血球数＞12000/μL，＜4000/μL又は桿状球＞10％　⑵急性肺障害に関しては，次の全項目を満たすものとする：㋐肺機能低下（機械的人工呼吸管理下で$PaO_2/FIO_2$300mmHg以下）が認められる　㋑胸部X線所見で両側性に浸潤陰影が認められる　㋒肺動脈楔入圧が測定された場合には，肺動脈楔入圧＜18mmHg，測定されない場合には，左房圧上昇の臨床所見を認めない　②4臓器以上の多臓器障害を合併する患者，熱傷，外傷に伴う急性肺障害患者には投与しないことが望ましい〔4臓器以上の多臓器障害を合併する患者，熱傷，外傷に伴う急性肺障害患者を除外せずに，ARDS Networkの基準に準拠して実施された外国臨床試験において，本剤投与群ではプラセボ群と比較し，Ventilator Free Days（VFD：28日間での人工呼吸器から離脱した状態での生存日数）及び28日死亡率で差は認められず，180日死亡率ではプラセボ群と比較して統計学的に有意に高かったとの報告がある〕　③高度な慢性呼吸器疾患を合併する患者については，有効性及び安全性は確立していない

用法・用量　生理食塩液に溶解後，1日量（4.8mg/kg）を250～500mLの輸液で希釈し，24時間（1時間あたり0.2mg/kg）かけて持続静注．投与期間は14日以内

用法・用量に関連する使用上の注意　①投与は肺障害発症後72時間以内に開始することが望ましい　②症状に応じてより短期間で投与を終了することも考慮する．なお，投与5日後の改善度が低い場合には，その後の改善度（14日後）も低いことが示されている　③調製時：アミノ酸輸液との混注は避ける．また，カルシウムを含む輸液を用いる場合（本剤の濃度が2mg/mL以上）や輸液で希釈することによりpHが6以下となる場合は沈澱が生じることがあるので注意する

使用上の注意

禁忌　本剤の成分に対し過敏症の既往歴のある患者

薬物動態

血中濃度　健常成人男子に1時間あたり0.5mg/kgで2時間静注時，2時間後の血中濃度は11.678μg/mL，AUCは61.113μg・hr/mL，血中半減期は2～6hrで131.4min，6～10hrで199.9min（承認用量は1時間あたり0.2mg/kg）　**代謝**　エステラーゼにより加水分解され，さらにグルクロン酸抱合及び硫酸抱合を受ける．肝臓が主代謝臓器で，主にカルボキシエステラーゼで加水分解されると推定された．代謝にはチトクロムP450代謝酵素の関与はないと推察される　**排泄**　主排泄経路は尿中で，健常成人男子に1時間あたり0.5mg/kgで2時間静注時，投与24時間後までに81％が，投与48時間後までに84.5％が尿中に排泄

その他の管理的事項

投与期間制限　該当しない

保険給付上の注意　該当しない

資料

IF　注射用エラスポール100　2018年12月作成（第1版）

シベンゾリンコハク酸塩
シベンゾリンコハク酸塩錠
Cibenzoline Succinate

概要

薬効分類　212　不整脈用剤

構造式

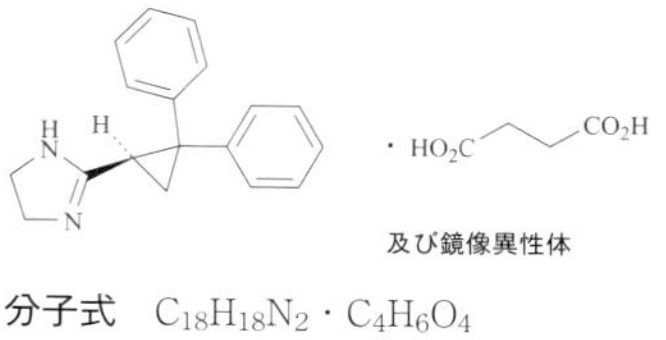

及び鏡像異性体

分子式　$C_{18}H_{18}N_2 \cdot C_4H_6O_4$

分子量　380.44

ステム　不明

原薬の規制区分　[劇]

原薬の外観・性状　白色の結晶性の粉末である．メタノール又は酢酸(100)に溶けやすく，水又はエタノール(99.5)にやや溶けにくい．本品のメタノール溶液(1→10)は旋光性を示さない．0.20gを水10mLに溶かした液のpHは4.0～6.0である
原薬の吸湿性　25℃，93%RH以下，4日間保存において吸湿性を示さなかった
原薬の融点・沸点・凝固点　融点：163～167℃
原薬の酸塩基解離定数　pKa_1＝約4.2(コハク酸部位の-COOH)，pKa_2＝約5.5(コハク酸部位の-COOH)，pKa_3＝約10.6(イミダゾリン環)
先発医薬品等
錠　シベノール錠50mg・100mg(トーアエイヨー＝アステラス)
注　シベノール静注70mg(トーアエイヨー＝アステラス)
後発医薬品
錠　50mg・100mg
国際誕生年月　1983年10月
海外での発売状況　**錠**　仏など

製剤
規制区分　**錠**　**注**　㊙劇 ㊙処
製剤の性状　**錠**　白色のフィルムコーティング錠　**注**　無色澄明の液
有効期間又は使用期限　5年
貯法・保存条件　室温保存
薬剤取扱い上の留意点　**錠**　めまい，ふらつき，低血糖が現れることがあるので，本剤投与中の患者には，自動車の運転等危険を伴う機械の操作に従事させないように注意すること　**注**　調製時：ヘパリンと配合した場合，沈殿を生じるため配合しないこと
患者向け資料等　くすりのしおり
溶液及び溶解時のpH　**注**　5.0～6.0
浸透圧比　**注**　約1(対生食)
調製時の注意　該当しない

薬理作用
分類　Vaughan Williams分類Ⅰa群抗不整脈剤
作用部位・作用機序　作用部位：心筋　作用機序：主として心筋活動電位の最大脱分極速度に対する抑制作用により抗不整脈効果を発揮する
同効薬　ジソピラミドリン酸塩，プロパフェノン塩酸塩，ピルシカイニド塩酸塩水和物，アプリンジン塩酸塩

治療
効能・効果　**錠**　次の状態で他の抗不整脈薬が使用できないか，又は無効の場合：頻脈性不整脈
注　頻脈性不整脈
用法・用量　**錠**　1日300mgからはじめ，効果が不十分な場合は450mgまで増量し，3回に分服(適宜増減)
注　1回1.4mg/kg，適宜減量．必要に応じて生理食塩液又はブドウ糖液で希釈，血圧及び心電図監視下2～5分間かけて静注
用法・用量に関連する使用上の注意　**錠**　①次の通り腎機能障害患者では血中濃度が持続するので，血清クレアチニン値(Scr)を指標とした障害の程度に応じ投与量を減じる等，用法・用量の調整をする．なお，透析を必要とする腎不全患者には投与しない(本剤は透析ではほとんど除去されない)：(1)軽度～中等度障害例(Scr：1.3～2.9mg/dL)：消失半減期が腎機能正常例に比べ約1.5倍に延長する　(2)高度障害例(Scr：3mg/dL以上)：消失半減期が腎機能正常例に比べ約3倍に延長する　②高齢者では，肝・腎機能が低下していることが多く，また，体重が少ない傾向がある等，副作用が発現しやすいので，少量(例えば1日150mg)から開始する等，十分に注意し，慎重に観察しながら投与する

使用上の注意
禁忌　①高度の房室ブロック，高度の洞房ブロックのある患者［心停止を起こすおそれがある］　②うっ血性心不全のある患者［心機能抑制作用及び催不整脈作用により，心不全を悪化させるおそれがある．また，循環不全により肝・腎障害が現れるおそれがある］　③透析中の患者［急激な血中濃度上昇により意識障害を伴う低血糖等の重篤な副作用を起こしやすい(本剤は透析ではほとんど除去されない)］　④閉塞隅角緑内障の患者［抗コリン作用により眼圧が上昇し，症状を悪化させることがある］　⑤尿貯留傾向のある患者［抗コリン作用により，尿閉を悪化させるおそれがある］　⑥本剤の成分に対し過敏症の既往歴のある患者　⑦バルデナフィル塩酸塩水和物，モキシフロキサシン塩酸塩，トレミフェンクエン酸塩，フィンゴリモド塩酸塩又はエリグルスタット酒石酸塩を投与中の患者
相互作用概要　主にCYP2D6及びCYP3A4で代謝される
過量投与　**錠**　①徴候，症状：主として心電図の変化，特にQRS幅の著しい延長と心原性ショック等の心抑制症状の併発がみられる．また，腎不全があり，本剤の血中濃度が非常に高い場合は低血糖を起こしやすく，また，まれに筋無力症(呼吸筋を含む)を起こすおそれがある　②処置：心電図，呼吸，血圧の監視及び一般的維持療法を行う．透析ではほとんど除去されないので，中毒時の治療法としては透析は有効ではない：(1)催吐，胃洗浄　(2)過量投与の治療法としては，乳酸ナトリウムを必要に応じカリウムとともに持続注入する　(3)心抑制症状に対しては必要に応じてドパミン，ドブタミン，イソプレナリン等の投与を行う　(4)ブロックがあればペースメーカーを装着する．また，薬剤で効果がみられない心電図異常に対してはペースメーカーを装着するか電気ショックを行う等，必要に応じた処置を行う　(5)低血糖がみられている場合は，ブドウ糖の投与を行う
注　①徴候，症状：主として心電図の変化，特にQRS幅の著しい延長と心原性ショック等の心抑制症状の併発がみられる．また，腎不全があり，本剤の血中濃度が非常に高い場合は低血糖を起こしやすい　②処置：心電図，呼吸，血圧の監視及び一般的維持療法を行う．本剤は透析ではほとんど除去されないので，中毒時の治療法としては，透析は有効ではない：(1)過量投与の治療法としては，乳酸ナトリウムを必要に応じカリウムとともに持続注入する　(2)心抑制症状に対しては必要に応じてドパミン，ドブタミン，イソプレナリン等の投与を行う　(3)ブロックがあればペースメーカーを装着する．また，薬剤で効果がみられない心電図異常に対してはペースメーカーを装着するか電気ショックを行う等，必要に応じた処置を行う　(4)低血糖がみられている場合は，ブドウ糖の投与を行う

薬物動態
血中濃度　①**錠**　(1)健常成人男子(6例)に100，150，200mgを単回経口投与時，(ア)Tmax(hr)：1.5±0.5，1.5±0.5，1.3±0.5　(イ)Cmax(ng/mL)：201±39，311±43，478±120　(ウ)$T_{1/2}$(hr)：5.28±0.6，5.51±0.74，5.63±0.44．血漿中濃度は投与量の増加に比例して増大，消失半減期は投与量によって変化を受けない　(2)150mgを1日3回ずつ反復経口投与時，2日目には定常状態，その血漿中濃度は単回投与時の1.2～1.5倍　(3)高齢者及び腎機能障害患者では，消失半減期は健常成人に比べ延長　②**注**　(1)不整脈患者(12例)に1.4mg/kg静注時，血漿中濃度はみかけ上3相性で消失，$T_{1/2}$7±2.4hr，$AUC_{0-\infty}$1467±726ng・hr/mL，ClT742±266mL/分　(2)基礎疾患として急性心筋梗塞を有する不整脈患者と有さない不整脈患者に1.4mg/kg静注時，その体内動態を比較すると，血漿中濃度は両群ともほぼ同様の推移で，急性心筋梗塞の有無に影響されない．高齢患者では，若年患者に比べ，消失半減期延長，AUC増大，全身クリアランスは減少　**代謝及び排泄**　①**錠**　健常成人に100～200mg単回経口投与後48時間までに未変化体として55～62%が尿中排泄　②**注**　健常成人に1.4mg/kg静注時，尿中への未変化体の平均排泄率は65.1%　③外国で健常成人に^{14}C標識シベンゾリンコハク酸塩153mg単回経口投与時，尿中排泄率は24時間で75.4%，6日後85.7%，糞便

中には6日後13.2%．ヒトでの代謝物は最初の24時間尿中にデヒドロ体とp-ヒドロキシ体がそれぞれ2.8%及び3.4%(抱合体を含む)排泄．^{14}C標識シベンゾリンをヒト肝ミクロソーム又はヒトCYP発現系ミクロソームと反応させ，代謝反応に関与するP450分子種の検討で，p-ヒドロキシ体及びデヒドロ体の生成にはそれぞれCYP2D6及びCYP3A4(一部CYP2D6)が主に関与することが示唆された．参考：乳汁中移行：保育中のラットに^{14}C標識シベンゾリンコハク酸塩10mg/kgを経口投与後の乳汁中濃度は血漿中濃度と同程度かそれより低濃度

その他の管理的事項

投与期間制限　該当しない

保険給付上の注意　本剤を投与している頻脈性不整脈の患者に対して，薬物血中濃度を測定して計画的な治療管理を行った場合，「特定薬剤治療管理料」が認められている

資料

IF　シベノール錠50mg・100mg　2019年7月改訂(第19版)
シベノール静注70mg　2019年7月改訂(第17版)

シメチジン
Cimetidine

概要

薬効分類　232　消化性潰瘍用剤

構造式

分子式　$C_{10}H_{16}N_6S$

分子量　252.34

ステム　シメチジン系のヒスタミンH_2受容体拮抗薬：-tidine

原薬の規制区分　該当しない

原薬の外観・性状　白色の結晶性の粉末で，においはなく，味は苦い．メタノール又は酢酸(100)に溶けやすく，エタノール(95)にやや溶けにくく，水に溶けにくく，ジエチルエーテルにほとんど溶けない．希塩酸に溶ける．光によって徐々に着色する．0.5gに新たに煮沸し冷却した水50mLを加え，5分間振り混ぜた後，ろ過した液のpHは9.0～10.5である

原薬の吸湿性　30℃，91%RHで48時間保存するとき，吸湿性を認めない

原薬の融点・沸点・凝固点　融点：140～144℃

原薬の酸塩基解離定数　pKa＝7.05

先発医薬品等

細 カイロック細粒40%(藤本)
タガメット細粒20%(大日本住友)
錠 タガメット錠200mg・400mg(大日本住友)
注 タガメット注射液200mg(大日本住友)

後発医薬品

細 20%
錠 200mg・400mg
注 10%

国際誕生年月　不明

海外での発売状況　細　錠 米，英など

製剤

規制区分　注 ㊈

製剤の性状　細 白色～微黄白色の細粒　錠 白色～微黄白色のフィルムコート錠　注 無色～微黄色澄明の液

有効期間又は使用期限　細　錠 42カ月　注 3年

貯法・保存条件　細 遮光・室温保存　錠 室温保存．25℃，相対湿度(RH)75%，室内散光下(400Lux)の保存条件下において，わずかに着色することが認められたため，アルミ袋開封後の保存に注意すること　注 室温保存

薬剤取扱い上の留意点　特になし

患者向け資料等　くすりのしおり

溶液及び溶解時のpH　注 4.5～6.0

浸透圧比　注 1.7～2.1(対生食)

調製時の注意　該当しない

薬理作用

分類　H_2受容体拮抗剤

作用部位・作用機序　胃粘膜壁細胞のヒスタミンH_2受容体を遮断し持続的に胃酸分泌を抑制する　①抗潰瘍効果：シメチジンの攻撃因子に対する作用(胃酸分泌抑制作用並びにこれに伴うペプシン分泌量減少)及び防御因子に対する作用が，総合的に発揮されて抗潰瘍効果を示すと思われるが，基本的には酸分泌抑制作用が大きく寄与していると考えられる　②胃粘膜出血阻止効果：胃酸とペプシンによる血管の直接侵襲の防止並びにpH上昇による血液凝固能の正常化が止血効果に寄与していると考えられる

同効薬　ラニチジン塩酸塩，ファモチジン，ロキサチジン酢酸エステル塩酸塩，ニザチジン，ラフチジン

治療

効能・効果　細　錠 ①胃潰瘍，十二指腸潰瘍　②吻合部潰瘍，Zollinger-Ellison症候群，逆流性食道炎，上部消化管出血(消化性潰瘍，急性ストレス潰瘍，出血性胃炎による)　③次の疾患の胃粘膜病変(びらん，出血，発赤，浮腫)の改善：急性胃炎，慢性胃炎の急性増悪期

注 ①上部消化管出血(消化性潰瘍，急性ストレス潰瘍，出血性胃炎による)　②侵襲ストレス(手術後に集中管理を必要とする大手術，集中治療を必要とする脳血管障害・頭部外傷・多臓器不全・重症熱傷等)による上部消化管出血の抑制　③麻酔前投薬

用法・用量　細　錠 効能①：1日800mg，朝食後及び就寝前2回分服(適宜増減)．また1日量を毎食後及び就寝前4回分服もしくは就寝前1回投与もできる　効能②：1日800mg，朝食後及び就寝前2回分服(適宜増減)．また，1日量を毎食後及び就寝前4回分服もできる．ただし，上部消化管出血の場合には通常注射剤で治療を開始し，内服可能になった後は内服に切り換える　効能③：1日400mg，朝食後及び就寝前2回分服(適宜増減)．また1日量を就寝前1回投与もできる

注 効能①②：シメチジンとして1回200mgを生理食塩液又はブドウ糖注射液で20mLに希釈し，1日4回6時間ごとに緩徐に静注，又は輸液に混合して点滴静注(適宜増減)．一般的に効能①では1週間以内に効果の発現をみるが，内服可能となった後は内服に切り換える．効能②では術後集中管理又は集中治療を必要とする期間(手術侵襲ストレスは3日間程度，その他の侵襲ストレスは7日間程度)の投与　効能③：シメチジンとして1回200mgを麻酔導入1時間前に筋注

用法・用量に関連する使用上の注意　細　錠 ①腎障害のある患者では，血中濃度が持続するので，投与量を減ずるか投与間隔をあけて使用する．投与量(1回200mg)は，クレアチニンクリアランス(mL/min)0～4の場合1日1回(24時間間隔)，5～29の場合1日2回(12時間間隔)，30～49の場合1日3回(8時間間隔)，50以上の場合1日4回(6時間間隔)　②本剤は血液透析により除去されるため，血液透析を受けている患者に投与する場合は，透析後に投与する．なお，腹膜透析においては，本剤の除去率はわずか(投与量の約5%以下)である

注 ①腎障害のある患者では，血中濃度が持続するので，投与量を減ずるか投与間隔をあけて使用する．投与量は，クレアチニンクリアランス(mL/min)が0～4の場合：1回200mg1日1回(24時間間隔)，5～29の場合：1回200mg1日2回(12時間間隔)，30～49の場合：1回200mg1日3回(8時間間隔)，50以上の場合：1回200mg1日4回(6時間間隔)　②本剤は血液透析により除去されるため，血液透析を受けている患者に投与する場

合は，透析後に投与する．なお，腹膜透析においては，本剤の除去率はわずか(投与量の約5%以下)である

使用上の注意

禁忌 シメチジンに対し過敏症の既往歴のある患者

相互作用概要 特にCYP3A4とCYP2D6に対して強い阻害効果を有することが報告されている

過量投与 ①症状・徴候：外国において，シメチジン20gから40gを投与後に意識喪失等の重篤な中枢神経症状が発現した症例，及び40g以上のシメチジンを単回経口服用した成人での死亡症例の報告がある．日本では1回50錠(10g)，外国では100錠(20g)までの過量投与の報告があるが，特に重大な影響はみられなかった ②処置：シメチジンは血液透析により除去される

薬物動態

血中濃度 健康成人に経口投与時，投与後約2時間で最高血中濃度．血中からの半減期は約2時間．また，連続経口投与しても血中濃度のパターンに変化はみられず，蓄積する傾向は認められなかった **吸収** 健康成人に経口投与時，消化管から良好に吸収された **分布** 乳汁中移行：患者に1回400mg経口投与した試験で乳汁中への移行が認められた(外国人データ) **排泄** 健康成人に経口投与時，大部分が24時間以内に尿中に排泄 **特定の背景を有する患者** ①腎機能障害患者：腎機能障害患者に200mg経口投与時，血清クレアチニン値正常者と比較して，血漿からの消失半減期の延長と血中濃度の上昇がみられた(外国人データ) ②透析患者：血液透析により除去されたが，腹膜透析による除去率は僅か(外国人に静注したデータ)

その他の管理的事項

投与期間制限 該当しない

保険給付上の注意 該当しない

資料

IF タガメット細粒20%・錠200mg・400mg 2020年5月改訂(第6版)
タガメット注射液200mg 2020年5月改訂(第8版)

ジメモルファンリン酸塩
Dimemorfan Phosphate

概要

薬効分類 222 鎮咳剤

構造式

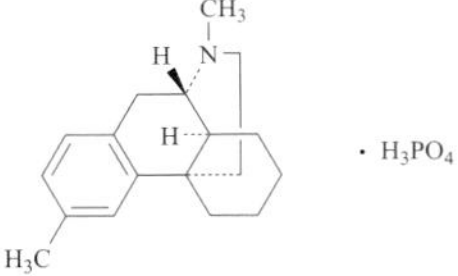

分子式 $C_{18}H_{25}N \cdot H_3PO_4$

分子量 353.39

ステム モルフィナン系麻薬拮抗作用薬：-orphan

原薬の規制区分 劇(ただし，1錠又は1包中ジメモルファンとして10mg以下を含有するもの，1カプセル中ジメモルファンとして5mg以下を含有するもの及びジメモルファンとして0.25%以下を含有するシロップ剤を除く)

原薬の外観・性状 白色～微黄白色の結晶又は結晶性の粉末である．酢酸(100)に溶けやすく，水又はメタノールにやや溶けにくく，エタノール(95)に溶けにくく，ジエチルエーテルにほとんど溶けない．1.0gを水100mLに溶かした液のpHは4.0～5.0である

原薬の吸湿性 吸湿率：0.04%(74%RH，常温7日間)，0.04%(86%RH，常温7日間)，0.12%(93%RH，常温7日間)，2.4%(100%RH，常温7日間)

原薬の融点・沸点・凝固点 融点：約265℃(分解)

原薬の酸塩基解離定数 pKa＝7.15(第三アミノ基，滴定法による半中和点法)

先発医薬品等

散 アストミン散10%(オーファンパシフィック)
錠 アストミン錠10mg(オーファンパシフィック)
シ アストミンシロップ0.25%(オーファンパシフィック)

後発医薬品

散 10%
シ 0.25%
シロップ用 2.5%

国際誕生年月 1974年5月

海外での発売状況 散 錠 シ シロップ用 台湾，スペインなど

製剤

規制区分 散 シロップ用 劇

製剤の性状 散 白色の散剤 錠 白色の糖衣錠 シ だいだい色澄明の粘稠な液体で，芳香と甘味を有する シロップ用 白色の微粒又は粉末で，においはないか又は僅かに特異なにおいがあり，味は甘い

有効期間又は使用期限 3年

貯法・保存条件 散 錠 気密容器，室温保存 シ シロップ用 気密容器，遮光・室温保存

薬剤取扱い上の留意点 シ 調製時：①ブロチンコデインシロップとの配合を避ける(配合すると沈殿を析出する) ②エリスロマイシンのドライシロップ又はジョサマイシンシロップと配合すると苦くなるが，抗生物質の力価低下などの本質的な変化は認められない シロップ用 溶解後はできるだけ速やかに使用すること

患者向け資料等 散 錠 シ くすりのしおり

溶液及び溶解時のpH シ 3.0～4.5

調製時の注意 該当しない

薬理作用

分類 非麻薬性鎮咳剤(d型morphinan誘導体)

作用部位・作用機序 延髄の咳中枢に作用して感受性閾値を高めて，その働きを抑制する

同効薬 コデイン，デキストロメトルファン，ペントキシベリンクエン酸塩，クロペラスチンフェンジゾ酸塩

治療

効能・効果 次の疾患に伴う鎮咳：①上気道炎，肺炎，急性気管支炎 ②散 錠 肺結核，珪肺及び珪肺結核，肺癌，慢性気管支炎

用法・用量 ジメモルファンリン酸塩として1回10～20mg(14～8歳10mg)，1日3回(適宜増減)．シ シロップ用 1日7～14歳30～35mg，4～6歳20～27.5mg，2～3歳12.5～20mg，2歳未満7.5～11.25mg，3回に分服(適宜増減)．ドライシロップは用時溶解する

薬物動態

血中濃度 健常成人男子の90mg経口投与で，速やかに吸収，1～2時間で最高血中濃度0.007～0.008μg/mL **代謝・排泄** 健常成人男子に12時間絶食後，30mg経口投与で，24時間尿中への排泄率は約60%．尿中に検出同定し得た代謝物は3種でいずれも酸化的脱アルキル化反応による生成物で，未変化体は2%以下．なお，いずれの代謝物もほとんど鎮咳作用を有しない

その他の管理的事項

投与期間制限 該当しない

保険給付上の注意 該当しない

資料

IF アストミン散10%・錠10mg 2015年10月改訂(第12版)
アストミンシロップ0.25% 2015年10月改訂(第10版)
ジメモルファンリン酸塩DS小児用2.5%「タカタ」 2019

年6月改訂(第8版)

ジメルカプロール
ジメルカプロール注射液
Dimercaprol

概要

薬効分類 392 解毒剤

構造式

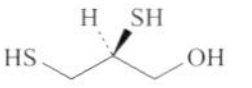

及び鏡像異性体

分子式 $C_3H_8OS_2$

分子量 124.23

略語・慣用名 BAL

ステム 解毒剤, -SH基：-mer-, アルコール類：-ol

原薬の規制区分 該当しない

原薬の外観・性状 無色～微黄色の液で, メルカプタンようの不快なにおいがある. メタノール又はエタノール(99.5)と混和する. ラッカセイ油にやや溶けやすく, 水にやや溶けにくい. 旋光性を示さない

原薬の吸湿性 該当資料なし

原薬の酸塩基解離定数 該当資料なし

先発医薬品等

[注] バル筋注100mg「AFP」(アルフレッサファーマ)

国際誕生年月 不明

海外での発売状況 米, 英など

製剤

規制区分 [注] [処]

製剤の性状 [注] 無色～淡黄色澄明の油性注射剤で, 不快なにおいがある

有効期間又は使用期限 4年

貯法・保存条件 冷所保存(保存中に結晶が析出した場合は, 室温で溶解して使用すること)

薬剤取扱い上の留意点 鉄, カドミウム又はセレンの中毒の際には投与しないこと. 保存中に結晶が析出した場合は, 室温で溶解して使用すること

患者向け資料等 くすりのしおり

溶液及び溶解時のpH 該当資料なし

浸透圧比 該当資料なし

安定なpH域 該当資料なし

調製時の注意 該当しない

薬理作用

分類 重金属解毒剤

作用部位・作用機序 諸種のチオール化合物は, 金属と安定に結合するが, ジメルカプロールも金属イオンに対する親和性が強く, 体内の諸酵素のSH基と金属イオンの結合を阻害する. また, すでに結合が起こっている場合には, 金属と結合して体外への排泄を促進し, 阻害されていた酵素の活性を賦活する効果を現す. 酵素を再賦活化できる程度は時間経過に伴って低下するので, 本剤による治療は中毒の初期に処置すれば効果的である

同効薬 エデト酸カルシウム二ナトリウム水和物, チオプロニン, チオ硫酸ナトリウム水和物など

治療

効能・効果 ヒ素・水銀・鉛・銅・金・ビスマス・クロム・アンチモンの中毒

用法・用量 1回2.5mg/kg, 第1日目は6時間間隔で4回, 第2日目以降6日間は1日1回筋注(適宜増減). 重症緊急を要する中毒症状には1回2.5mg/kg, 最初の2日間は4時間ごとに1日6回, 3日目には1日4回, 以降10日間あるいは回復するまで1日2回筋注(適宜増減)

使用上の注意

過量投与 悪心・嘔吐, 頭痛, 口唇・口腔・咽頭・眼の灼熱感, 流涙・流涎, 筋肉痛, 胸部の圧迫感, 振戦, 血圧上昇等が現れることがある. また, ときに昏睡又は痙攣が現れることがある. この場合, アドレナリン, エフェドリン, 抗ヒスタミン薬等の投与が症状を緩解するとの報告がある

薬物動態

血中濃度 ヒトに筋注0.5～2時間で最高血中濃度, 4時間後にはその約半分に減じ, 6～24時間で完全に代謝されて排泄

分布(参考：動物実験) ラットに^{35}S-ジメルカプロール32mg筋注1時間後の組織内濃度は, 腎臓, 肝臓, 小腸で血液より高濃度 **代謝** 注射により, 尿中のグルクロン酸が増加するが, これは体内で一部がグルクロン酸抱合体に代謝排泄のため

排泄(参考：動物実験) ラットに^{35}S-ジメルカプロール63mg/kgを皮下, 筋肉内, 腹腔内に注射では, 投与方法による各分画への影響は少なく, 大部分が尿中へ中性イオウとして排泄

その他の管理的事項

投与期間制限 該当しない

保険給付上の注意 該当しない

資料

IF バル筋注100mg「AFP」 2019年3月作成(第1版)

ジメンヒドリナート
ジメンヒドリナート錠
Dimenhydrinate

概要

薬効分類 133 鎮暈剤

構造式

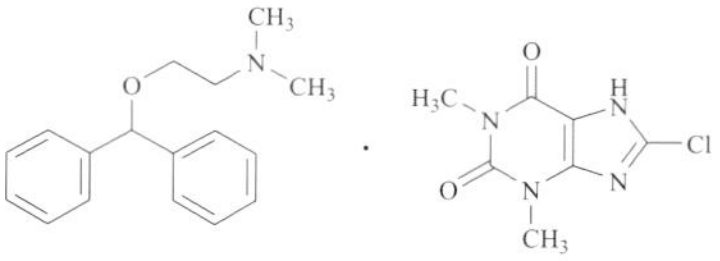

分子式 $C_{17}H_{21}NO \cdot C_7H_7ClN_4O_2$

分子量 469.96

原薬の規制区分 [劇](ただし, 1個中ジメンヒドリナート0.1g以下を含有するもの及び一容器中ジメンヒドリナート50mg以下を含有する内用液剤を除く)

原薬の外観・性状 白色の結晶性の粉末で, においはなく, 味は苦い. クロロホルムに極めて溶けやすく, エタノール(95)に溶けやすく, 水又はジエチルエーテルに溶けにくい

原薬の吸湿性 該当資料なし

原薬の融点・沸点・凝固点 融点：102～107℃

原薬の酸塩基解離定数 該当資料なし

先発医薬品等

[錠] ドラマミン錠50mg(陽進堂)

国際誕生年月 不明

海外での発売状況 該当しない

製剤

製剤の性状 [錠] 白色の片面割線入り素錠

有効期間又は使用期限 5年

貯法・保存条件 密閉容器, 室温保存

薬剤取扱い上の留意点 眠気を催すことがあるので, 本剤投与中の患者には, 自動車の運転等危険を伴う機械の操作には従

事させないよう注意すること
患者向け資料等 くすりのしおり
溶液及び溶解時のpH 該当しない
浸透圧比 該当しない
安定なpH域 該当しない
調製時の注意 該当しない

薬理作用
分類 鎮暈・鎮吐剤
作用部位・作用機序 経口投与でマウス，ウサギ，ヒトの迷路機能亢進を抑制するほか，鎮吐作用にもすぐれ，イヌ，ネコ，ヒトのアポモルヒネ嘔吐を著明に抑制する
同効薬 イソプロテレノール塩酸塩，ジフェニドール塩酸塩，ベタヒスチンメシル酸塩など

治療
効能・効果 ①次の疾患又は状態に伴う悪心・嘔吐・めまい：動揺病，メニエル症候群，放射線宿酔 ②手術後の悪心・嘔吐
用法・用量 1回50mgを1日3～4回，予防には30分～1時間前に1回50～100mg，ただし，原則として1日200mgを超えない（適宜増減）

使用上の注意
禁忌 ①モノアミン酸化酵素阻害剤を使用中の患者［併用により本剤の抗コリン作用が持続・増強されることがある］ ②ジフェニルメタン系薬剤（ジメンヒドリナート，塩酸メクリジン等）に対し過敏症の患者

その他の管理的事項
投与期間制限 該当しない
保険給付上の注意 該当しない

資料
IF ドラマミン錠50mg 2009年9月作成（第1版）

次没食子酸ビスマス
Bismuth Subgallate

概要
薬効分類 231 止しゃ剤，整腸剤，262 創傷保護剤，264 鎮痛，鎮痒，収斂，消炎剤
原薬の規制区分 該当しない
原薬の外観・性状 黄色の粉末で，におい及び味はない．水，エタノール（95）又はジエチルエーテルにほとんど溶けない．希塩酸，希硝酸又は希硫酸に温時溶け，また水酸化ナトリウム試液に溶けて黄色澄明の液となり，その色は速やかに赤色に変わる．光によって変化する
先発医薬品等
[外用末] 次没食子酸ビスマス原末「マルイシ」（丸石）
次没食子酸ビスマス「ケンエー」（健栄）
次没食子酸ビスマス「ニッコー」（日興製薬）

製剤
製剤の性状 [外用末] 黄色の粉末で，におい及び味はない．水，エタノール（95）又はジエチルエーテルにほとんど溶けない．希塩酸，希硝酸又は希硫酸に温時溶け，また水酸化ナトリウム試液に溶けて黄色澄明の液となり，その色は速やかに赤色に変わる．光によって変化する
有効期間又は使用期限 3年
貯法・保存条件 遮光・室温保存
薬剤取扱い上の留意点 使用時：散布剤として使用する場合，誤って吸入しないよう注意させること 配合変化：アルカリ性イオウ化合物及び鉄塩とは配合禁忌である
患者向け資料等 くすりのしおり

薬理作用
分類 止瀉剤，収斂・保護剤
作用部位・作用機序 ①大腸内の異常発酵により生じたH_2Sガスと結合し，H_2Sガスの刺激による腸運動を抑制して止瀉作用を現す ②組織たん白と結合し難溶性の被膜をつくり，収れん・保護作用を現す

治療
効能・効果 [経口] 下痢症
[外用] 次の疾患ならびに状態における乾燥・収れん・保護：極めて小範囲の皮膚のびらん及び潰瘍，痔疾
用法・用量 [経口] 1日1.5～4g，3～4回に分服（適宜増減）
[外用] そのまま散布，又は5～10%の散布剤，軟膏，パスタとして使用

使用上の注意
禁忌 [経口] ①出血性大腸炎の患者［腸管出血性大腸菌（O157等）や赤痢菌等の重篤な細菌性下痢患者では，症状の悪化，治療期間の延長をきたすおそれがある］ ②慢性消化管通過障害又は重篤な消化管潰瘍のある患者［ビスマスの吸収による副作用が起こるおそれがある］

その他の管理的事項
投与期間制限 該当しない
保険給付上の注意 該当しない

資料
添付文書 次没食子酸ビスマス原末「マルイシ」 2008年10月作成（第1版）

ジモルホラミン
ジモルホラミン注射液
Dimorpholamine

概要
薬効分類 221 呼吸促進剤
構造式

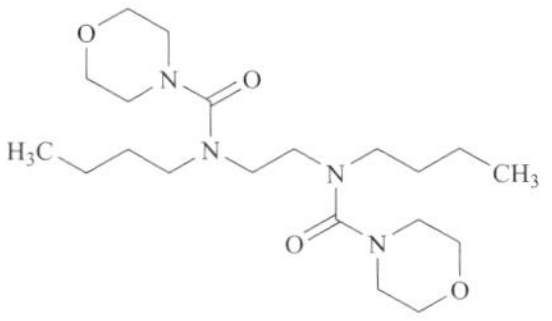

分子式 $C_{20}H_{38}N_4O_4$
分子量 398.54
ステム 不明
原薬の規制区分 [劇]（ただし，1個中50mgを含有するものを除く）
原薬の外観・性状 白色～淡黄色の結晶性の粉末，塊又は粘性の液である．エタノール（99.5）又は無水酢酸に極めて溶けやすく，水にやや溶けやすい．1.0gを水10mLに溶かした液のpHは6.0～7.0である
原薬の吸湿性 吸湿性である
原薬の融点・沸点・凝固点 $bp_{0.4}$：229℃，mp：41～42℃
原薬の酸塩基解離定数 該当資料なし
先発医薬品等
[注] テラプチク皮下・筋注30mg（エーザイ）
テラプチク静注45mg（エーザイ）
国際誕生年月 該当しない
海外での発売状況 該当資料なし

製剤
規制区分 [静注] [処] [皮下・筋注] [劇][処]

製剤の性状　**静注**　**皮下・筋注** 無色澄明な注射剤
有効期間又は使用期限　3年
貯法・保存条件　室温保存
薬剤取扱い上の留意点　該当しない
溶液及び溶解時のpH　**静注** 3.5～5.5　**皮下・筋注** 3.0～5.0
浸透圧比　**静注** 約1(対生食)　**皮下・筋注** 約2(対生食)
調製時の注意　該当しない

薬理作用

分類　呼吸・循環賦活剤
作用部位・作用機序　延髄の呼吸中枢及び血管運動中枢に直接作用し，呼吸興奮，血圧上昇作用を発現する
同効薬　レバロルファン酒石酸塩

治療

効能・効果　次の場合の呼吸障害及び循環機能低下：新生児仮死，ショック，催眠剤中毒，溺水，肺炎，熱性疾患，麻酔剤使用時
用法・用量　**皮下・筋注** 1回30～60mg，新生児には1回7.5～22.5mgを皮下又は筋注(適宜増減)．必要に応じて反復投与するが，1日200mgまで
静注 1回30～45mgを静注，新生児1回7.5～15mgを臍帯静注(適宜増減)．必要に応じて反復投与するが，1日250mgまで

その他の管理的事項

投与期間制限　該当しない
保険給付上の注意　該当しない

資料

IF　テラプチク静注45mg・皮下・筋注30mg　2015年8月改訂(第6版)

臭化カリウム
Potassium Bromide

概要

薬効分類　112　催眠鎮静剤，抗不安剤，113　抗てんかん剤
分子式　KBr
分子量　119.00
原薬の規制区分　該当しない
原薬の外観・性状　無色又は白色の結晶，粒又は結晶性の粉末で，においはない．水又はグリセリンに溶けやすく，熱エタノール(95)にやや溶けやすく，エタノール(95)に溶けにくい
先発医薬品等
末 臭化カリウム(山善)

製剤

規制区分　**末**　㊄
製剤の性状　**末** 無色又は白色の結晶，粒又は結晶性の粉末で，においはない
貯法・保存条件　気密容器，室温保存
薬剤取扱い上の留意点　眠気，注意力・集中力・反射運動能力等の低下が起こることがあるので，本剤投与中の患者には自動車の運転等，危険を伴う機械の操作に従事させないように注意する
配合変化　1週間以内に浸潤：サリチル酸ナトリウムテオブロミン，次硝酸ビスマス，ジギタリス製剤，スルピリン，タンニン酸，タンニン酸アルブミン等　条件により浸潤：安息香酸ナトリウム，安息香酸ナトリウムカフェイン，アンチピリン，ホウ砂，抱水クロラール，リン酸アルカリ等　変色：硫酸銅，レゾルシン，塩化第二鉄液等　沈殿生成：タンニン酸等

薬理作用

分類　鎮静剤・抗てんかん剤
作用部位・作用機序　少量ではその作用は著明でなく，健康なヒトでは1回0.5g程度では認めるべき作用はない．しかし，生体内で臭素イオンを遊離し，大脳皮質の知覚並びに運動領域の興奮を抑制し，知覚過敏が消失し，弱い安静・倦怠感を促し，就眠を容易にする．4～8gの大量になると，この効果が強くなるが，クロラールと異なり直接的な催眠薬ではなく，その鎮静作用で就眠を容易にするだけである．カンフル，コカイン等の大脳刺激興奮薬に拮抗作用を持つ．しかし，ストリキニーネけいれんのような脊髄性興奮又は動物の反射機能には作用は弱い．このように本剤は特徴ある持続性の大脳皮質の中枢神経抑制薬である．大量に服用させると胃粘膜を刺激し，圧感，温感等を感じる

治療

効能・効果　不安緊張状態の鎮静，小児の難治性てんかん
用法・用量　1回0.5～1g，1日3回(適宜増減)

使用上の注意

禁忌　①本剤又は臭素化合物に対して過敏症の既応歴のある患者　②腎機能障害のある患者［血中濃度の上昇を招き中毒を起こすおそれがある］　③脱水症，全身衰弱のある患者［体液量の少ない患者では血中濃度が上昇し，中毒を起こすおそれがある］　④器質的脳障害，うつ病の患者［臭素中毒が潜在していることがあり，また，本剤に対する感受性が亢進している場合があるので中毒を起こすおそれがある］　⑤緑内障の患者［臭化カリウムの薬物体内動態及び血圧に対する作用は塩化ナトリウムに類似し，かつ体液中濃度は総ハロゲン量として平衡しているので，眼圧を上昇させて症状をさらに悪化させるおそれがある］　⑥低塩性食事を摂取している患者［臭化カリウムの薬物動態は塩化ナトリウムに類似し，かつ体液中濃度は総ハロゲン量として平衡しているので，吸収が促進され，血圧上昇，中毒を起こすおそれがある］

その他の管理的事項

投与期間制限　該当しない
保険給付上の注意　該当しない

資料

添付文書　臭化カリウム「ヤマゼン」　2009年6月改訂(第5版)

臭化ナトリウム
Sodium Bromide

概要

薬効分類　112　催眠鎮静剤，抗不安剤，113　抗てんかん剤
分子式　NaBr
分子量　102.89
原薬の規制区分　該当しない
原薬の外観・性状　無色又は白色の結晶又は結晶性の粉末で，においはない．水に溶けやすく，エタノール(95)にやや溶けやすい．吸湿性であるが，潮解しない
原薬の吸湿性　吸湿性であるが，潮解しない
先発医薬品等
末 臭化ナトリウム(山善)

製剤

規制区分　**末**　㊄
製剤の性状　**末** 無色又は白色の結晶又は結晶性の粉末で，においはない
貯法・保存条件　気密容器，室温保存
薬剤取扱い上の留意点　眠気，注意力・集中力・反射運動能力等の低下が起こることがあるので，本剤投与中の患者には自動車の運転等，危険を伴う機械の操作に従事させないように注意する
配合変化　1週間以内に浸潤：サリチル酸ナトリウムテオブロミン，次硝酸ビスマス，ジギタリス製剤，スルピリン，タ

ンニン酸，タンニン酸アルブミン等　条件により浸潤：安息香酸ナトリウム，安息香酸ナトリウムカフェイン，アンチピリン，ホウ砂，抱水クロラール，リン酸アルカリ等　変色：硫酸銅，レゾルシン　沈殿生成：タンニン酸等
吸湿性であるので，使用後は速やかに閉栓するなど取扱いに注意すること

薬理作用

分類　催眠鎮静薬・抗てんかん薬

作用部位・作用機序　臭化カリウムと同様に生体内で臭素イオンとして作用し，大脳皮質の知覚及び運動中枢の興奮を抑制する．したがって催眠作用，中枢性の鎮静・抗けいれん作用を持つ薬剤として多用され，特に神経性心悸亢進，てんかんなどの治療に用いられる．カリウム塩に比べ心臓に対して悪影響が少なく，注射液としても用いられる

治療

効能・効果　不安緊張状態の鎮静，小児の難治性てんかん

用法・用量　1回0.5～1g，1日3回(適宜増減)．小児には1日量1～6カ月0.2g，7～12カ月0.4g，2歳0.5g，4歳0.6g，6歳0.8g，8歳1.0g

使用上の注意

禁忌　①本薬又は臭素化合物に対して過敏症の既応歴のある患者　②腎機能障害のある患者［血中濃度の上昇を招き中毒を起こすおそれがある］　③脱水症，全身衰弱のある患者［体液量の少ない患者では血中濃度が上昇し，中毒を起こすおそれがある］　④器質的脳障害，うつ病の患者［臭素中毒が潜在していることがあり，また，本薬に対する感受性が亢進している場合があるので中毒を起こすおそれがある］　⑤緑内障の患者［臭化ナトリウムの薬物体内動態及び血圧に対する作用は塩化ナトリウムに類似し，かつ体液中濃度は総ハロゲン量として平衡しているので，眼圧を上昇させて症状をさらに悪化させるおそれがある］　⑥低塩性食事を摂取している患者［臭化ナトリウムの体内動態は塩化ナトリウムに類似し，かつ体液中濃度は総ハロゲン量として平衡しているので，吸収が促進され，血圧上昇，中毒を起こすおそれがある］

その他の管理的事項

投与期間制限　該当しない

保険給付上の注意　該当しない

資料

添付文書　臭化ナトリウム「ヤマゼン」　2009年6月改訂(第4版)

酒石酸
Tartaric Acid

概要

薬効分類　714　矯味，矯臭，着色剤

構造式

H　OH
HO2C　CO2H
H　OH

分子式　$C_4H_6O_6$

分子量　150.09

原薬の規制区分　該当しない

原薬の外観・性状　無色の結晶又は白色の結晶性の粉末で，においはなく，強い酸味がある．水に極めて溶けやすく，エタノール(95)に溶けやすく，ジエチルエーテルに溶けにくい．水溶液(1→10)は右旋性である

先発医薬品等

末　酒石酸(山善)
酒石酸「カナダ」(金田直)
酒石酸「ケンエー」(健栄)
酒石酸「コザカイ・M」(小堺＝吉田製薬)
酒石酸「司生堂」(司生堂)
酒石酸「ニッコー」(日興製薬)

製剤

製剤の性状　末 無色の結晶又は白色の結晶性の粉末で，においはなく，強い酸味がある．水に極めて溶けやすく，エタノール(95)に溶けやすく，ジエチルエーテルに溶けにくい

有効期間又は使用期限　3年

貯法・保存条件　室温保存

薬理作用

分類　矯味剤

治療

効能・用法　①緩衝・矯味・発泡の目的で調剤に用いる　②リモナーデ剤の調剤に用いる

その他の管理的事項

投与期間制限　該当しない

保険給付上の注意　該当しない

資料

添付文書　酒石酸「ニッコー」　2015年1月作成(第1版)

硝酸銀
硝酸銀点眼液
Silver Nitrate

概要

薬効分類　131　眼科用剤

分子式　$AgNO_3$

分子量　169.87

ステム　不明

原薬の規制区分　(劇)(ただし，硝酸銀1％以下を含有する外用剤及び1個中硝酸銀7mg以下を含有し，かつ，1容器中硝酸銀0.25g以下を含有する外用剤を除く)

原薬の外観・性状　光沢のある無色又は白色の結晶である．水に極めて溶けやすく，エタノール(95)にやや溶けやすく，ジエチルエーテルにほとんど溶けない．光によって徐々に灰色～灰黒色になる

原薬の吸湿性　該当資料なし

原薬の酸塩基解離定数　該当資料なし

先発医薬品等

末 硝酸銀「ファイザー」原末(マイラン＝ファイザー)

国際誕生年月　不明

海外での発売状況　該当資料なし

製剤

規制区分　末 (劇)

製剤の性状　末 光沢のある無色又は白色の結晶である

有効期間又は使用期限　3年

貯法・保存条件　遮光した気密容器に保存

薬剤取扱い上の留意点　調製時：分解しやすいので調製液は使いすてとすること

溶液及び溶解時のpH　該当資料なし

浸透圧比　該当資料なし

安定なpH域　該当資料なし

調製時の注意　該当資料なし

薬理作用

分類　眼科用殺菌剤

作用部位・作用機序　硝酸銀の濃厚溶液は強い表在性の腐食作用を示し，希薄液は収れん作用を現す．本剤はまた強い殺菌作用を有し，1：4000液はチフス菌を2時間以内に殺し，1：

10000液は高抵抗性炭疽芽胞を48時間で殺す。また1：30000液でも防腐作用を有する．AG^{+}はCL^{-}により容易に沈殿を生じ作用を消失する．有機銀化合物と異なり，適用部位で組織たん白を凝固沈殿させるので，その作用は表在性である．ヒトに対しては，眼及び皮膚への重度の刺激性を示し，高濃度では眼に薬傷を起す．慢性的な影響としては銀皮症，運動失調，視力低下，腎障害などが見られる．実験動物に投与した場合，急性毒性は非常に強く，神経系の影響が認められている．変異原性は認められるが，発がん性は明らかではなく，生殖・発生毒性の報告はない

同効薬　なし

[治療]

効能・効果　新生児膿漏眼の予防

用法・用量　クレーデ法により点眼する．新生児に1～2%点眼液を点眼後，生理食塩液で洗浄する

[その他の管理的事項]

投与期間制限　該当しない

保険給付上の注意　該当しない

[資料]

IF　硝酸銀「ファイザー」原末　2019年7月改訂(第8版)

硝酸イソソルビド
硝酸イソソルビド錠
Isosorbide Dinitrate

[概要]

薬効分類　217　血管拡張剤

構造式

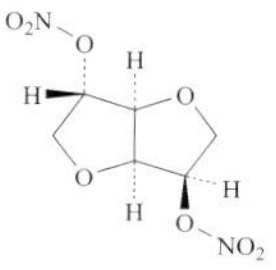

分子式　$C_6H_8N_2O_8$

分子量　236.14

略語・慣用名　別名：イソソルビド硝酸エステル　ISDN

ステム　不明

原薬の規制区分　該当しない

原薬の外観・性状　白色の結晶又は結晶性の粉末で，においはないか，又は僅かに硝酸ようのにおいがある．*N,N*-ジメチルホルムアミド又はアセトンに極めて溶けやすく，クロロホルム又はトルエンに溶けやすく，メタノール，エタノール(95)又はジエチルエーテルにやや溶けやすく，水にほとんど溶けない．急速に熱するか又は衝撃を与えると爆発する

原薬の吸湿性　該当資料なし

原薬の融点・沸点・凝固点　融点：約70℃

原薬の酸塩基解離定数　解離しない

先発医薬品等

[錠] ニトロール錠5mg(エーザイ)

[徐放錠] フランドル錠20mg(トーアエイヨー＝アステラス)

[徐放カ] ニトロールRカプセル20mg(エーザイ)

[注] ニトロール注5mg・点滴静注50mg・100mgバッグ(エーザイ)

[キット] ニトロール注5mgシリンジ(エーザイ)
ニトロール持続静注25mgシリンジ(エーザイ)

[噴] ニトロールスプレー1.25mg(エーザイ)

[貼] フランドルテープ40mg(トーアエイヨー＝アステラス)

後発医薬品

[徐放錠] 20mg

[徐放カ] 20mg

[注] 0.05%・0.1%

[貼] 40mg

国際誕生年月　不明

海外での発売状況　[錠] 英など　[徐放錠] [徐放カ] 米，英，仏，独など　[注] 英，仏，独など　[噴] 仏，独など

[製剤]

規制区分　[錠] [徐放錠] [徐放カ] [注] [噴] [貼] [処]

製剤の性状　[錠] 白色の素錠　[徐放錠] 白色にうすい灰色ないし淡黄色の不定形のはん点がある徐放錠(はん点は効果を持続性にするための特殊加工によるものである)．僅かに特異なにおいがある　[徐放カ] 白色/白色の硬カプセル　[注] 無色澄明な注射剤　[噴] 無色澄明の液体でエタノール臭がある　[貼] 白色半透明の粘着テープ剤(膏面被覆材は透明)で，粘着剤に基づく僅かな特異臭がある

有効期間又は使用期限　[錠] [徐放錠] [徐放カ] [注] [貼] 3年　[噴] 3.5年

貯法・保存条件　[錠] 室温保存(バラ包装は，開栓後気密性を保ち，防湿保存すること)　[徐放錠] 室温保存　[徐放カ] 室温保存(PTP包装はアルミ袋開封後，バラ包装は開栓後防湿保存すること)　[注] 室温保存(外箱開封後は遮光保存すること)　[噴] [貼] 室温保存

薬剤取扱い上の留意点　[錠] [徐放カ] [噴] [貼] 本剤の投与開始時には，他の硝酸・亜硝酸エステル系薬剤と同様に血管拡張作用による頭痛等の副作用が起こりやすく，これらの副作用のために注意力・集中力・反射運動能力等の低下が起こることがあるので，このような場合には，自動車の運転等の危険を伴う機械の操作に従事させないように注意すること　[錠] 温度，湿度の高いところに長期間保存すると錠剤表面に結晶が析出することがある．無包装開放状態で含量の低下が認められているので，自動分包機内での保存は避けること．また，長期の分包処方は避けること．分包後は，なるべく涼しいところで保管するよう注意すること　[徐放錠] [徐放カ] かみくだいて服用すると，一過性の血中濃度の上昇に伴って頭痛が発生しやすくなるので，本剤はかまずに服用すること　[噴] ①保管上の注意：保護キャップをした状態で保管すること．温度45℃以上の場所に置かないこと　②医師・薬剤師へのお願い：患者に添付の患者用説明書の内容を説明の上，その文書を必ず渡すこと　③次の事項について患者への指導を行うこと：火気に近づけて使用しないこと．目に向けて使用しないこと　[貼] 貼付部位：皮膚の損傷又は湿疹・皮膚炎等がみられる部位には貼付しないこと．貼付部位に，発汗，湿潤，汚染等がみられるときは清潔なタオル等でよくふき取ってから本剤を貼付すること．特に夏期は，一般的に密封療法では皮膚症状が誘発されることが知られているので，十分に注意して投与すること．皮膚刺激を避けるため，毎回貼付部位を変えること．自動体外式除細動器(AED)の妨げにならないように貼付部位を考慮するなど，患者，その家族等に指導することが望ましい

患者向け資料等　[錠] [徐放錠] [徐放カ] [注] くすりのしおり　[噴] [貼] くすりのしおり，患者用説明書

溶液及び溶解時のpH　[注] 4.0～6.0

浸透圧比　[注] 約1(対生食)

安定なpH域　[注] 弱酸性～中性

調製時の注意　該当しない

[薬理作用]

分類　虚血性心疾患治療剤

作用部位・作用機序　作用部位：静脈，冠血管及び末梢動脈　作用機序：NOが可溶性グアニル酸シクラーゼを活性化し，cGMPを上昇させ，血管の弛緩を起こすとされている

同効薬　一硝酸イソソルビド，ニトログリセリン

[治療]

効能・効果　[錠] 狭心症，心筋梗塞，その他の虚血性心疾患

徐放錠　徐放カ　貼 狭心症，心筋梗塞（急性期を除く），その他の虚血性心疾患
注　キット ①急性心不全（慢性心不全の急性増悪期を含む）②不安定狭心症　③冠動脈造影時の冠攣縮寛解　（※効能③は「タカタ」，ニトロール注5mg・注5mgシリンジのみ）
噴 狭心症発作の寛解

効能・効果に関連する使用上の注意　徐放錠　徐放カ　貼 狭心症の発作寛解を目的とした治療には不適であるので，この目的のためには速効性の硝酸・亜硝酸エステル系薬剤を使用する

用法・用量　錠 1回5～10mg，1日3～4回経口又は舌下投与（適宜増減）．狭心発作時には1回5～10mgを舌下投与（適宜増減）
徐放錠　徐放カ 1回20mg，1日2回かまずに経口投与（適宜増減）
注　キット（5mgシリンジ） ①急性心不全：（アンプル・バイアル・5mgシリンジ製剤：そのまま，又は0.05～0.001％溶液*）とし，）硝酸イソソルビドとして1時間あたり1.5～8mgを点滴静注（適宜増減）．増量は1時間あたり10mgまでとする　②不安定狭心症：（アンプル・バイアル・5mgシリンジ製剤：そのまま，又は0.05～0.001％溶液*）とし，）硝酸イソソルビドとして1時間あたり2～5mgを点滴静注（適宜増減）　③冠動脈造影時の冠攣縮寛解：そのまま，硝酸イソソルビドとして5mgをカテーテルを通し，バルサルバ洞内に1分以内に注入（適宜増減）．投与量の上限は10mgまでとする　*）①②の希釈には生理食塩液，5％ブドウ糖注射液等を用いる
キット（25mgシリンジ） ①急性心不全：硝酸イソソルビドとして1時間あたり1.5～8mg持続静注（適宜増減）．増量は1時間あたり10mgまでとする　②不安定狭心症：硝酸イソソルビドとして1時間あたり2～5mgを持続静注（適宜増減）
噴 口腔内に1回1噴霧．なお，効果不十分の場合には1回1噴霧に限り追加．使用法は添付文書参照
貼 1回1枚を胸部，上腹部又は背部のいずれかに貼付，24時間又は48時間ごとにはり替える（適宜増減）

用法・用量に関連する使用上の注意　注　キット（5mgシリンジ） 冠動脈造影時に冠攣縮を誘発した場合は，迅速に攣縮寛解のための処置を行う．また，まれに完全閉塞寛解時にreperfusion injuryによると考えられる心室細動等の危険な不整脈や血圧低下を起こすことがあるので電気的除細動等の適切な処置を行う

使用上の注意

禁忌　錠　徐放錠　徐放カ　噴　貼 ①重篤な低血圧又は心原性ショックのある患者［血管拡張作用によりさらに血圧を低下させ，症状を悪化させるおそれがある］　②閉塞隅角緑内障の患者［眼圧を上昇させるおそれがある］　③頭部外傷又は脳出血のある患者［頭蓋内圧を上昇させるおそれがある］　④高度な貧血のある患者［血圧低下により貧血症状（めまい，立ちくらみ等）を悪化させるおそれがある］　⑤硝酸・亜硝酸エステル系薬剤に対し過敏症の既往歴のある患者　⑥ホスホジエステラーゼ5阻害作用を有する薬剤（シルデナフィルクエン酸塩，バルデナフィル塩酸塩水和物，タダラフィル）又はグアニル酸シクラーゼ刺激作用を有する薬剤（リオシグアト）を投与中の患者［併用により降圧作用が増強され，過度に血圧を低下させることがある］
注　キット ①重篤な低血圧又は心原性ショックのある患者［血管拡張作用によりさらに血圧を低下させ，症状を悪化させるおそれがある］　②Eisenmenger症候群又は原発性肺高血圧症の患者［血圧低下によりショックを起こすことがある］　③右室梗塞の患者［血圧低下によりショックを起こすことがある］　④脱水症状のある患者［血圧低下によりショックを起こすことがある］　⑤神経循環無力症の患者［本剤の効果がなく，投与により血圧低下等が現れることがある］　⑥閉塞隅角緑内障の患者［眼圧を上昇させるおそれがある］　⑦硝酸・亜硝酸エステル系薬剤に対し過敏症の既往歴のある患者　⑧頭部外傷又は脳出血のある患者［頭蓋内圧を上昇させるおそれがある］　⑨ホスホジエステラーゼ5阻害作用を有する薬剤（シルデナフィルクエン酸塩，バルデナフィル塩酸塩水和物，タダラフィル）又はグアニル酸シクラーゼ刺激作用を有する薬剤（リオシグアト）を投与中の患者［併用により降圧作用が増強され，過度に血圧を低下させることがある］

過量投与　噴 ①徴候，症状：急激な血圧低下による意識喪失等を起こすことがある　②処置：下肢の挙上あるいは昇圧剤の投与等，適切な処置を行う

薬物動態

錠 血中濃度　健康成人男子5名に1錠5mgを経口投与時，投与後25.6±4.9分に最高血漿中濃度（Cmax=5.8±0.7ng/mL）．その後血漿中濃度は2相性を示し，消失半減期は18.2±1.4分（α 相），93.5±20分（β 相）．投与6時間後の血漿中濃度は0.07ng/mL．AUC（$_{0\to\infty}$）は7.5±1.3ng・hr/mL．健康成人男子12名に1錠5mgを舌下投与時，投与後18.2±3.2分に最高血漿中濃度（Cmax=35.7±6.4ng/mL）．その後血漿中濃度は2相性を示し，消失半減期は7.5分（α 相），55.2分（β 相）．AUC（$_{0\to\infty}$）は21±2.7ng・hr/mL　尿中排泄　1錠5mgを5名の健康成人に経口投与時，投与後48時間までの尿中排泄量は遊離型2-一硝酸イソソルビド及び遊離型5-一硝酸イソソルビドとして0.23％及び4.02％，それらのグルクロン酸抱合体として0.47％及び10.03％
徐放錠　徐放カ 健康成人男子（6名）に20mg経口投与時，血漿中濃度は投与後3時間にピーク3.2±1.5ng/mL，以後漸次減少，12時間後においても普通錠5mg経口投与2時間後の血漿中濃度に相当する値0.9±0.1ng/mLを示した．健康成人男子に1錠を経口投与時，未変化体は尿中にわずかに認められたにすぎず，代謝物isosorbide-5-mononitrate及びisosorbide-2-mononitrateが投与後72時間までの尿に約10％排泄，その大部分はグルクロン酸抱合体
注　キット ①健康成人男子2例に5mg/時で持続静注時，血漿中濃度は緩やかに上昇し，注入開始後1.5時間でほぼ定常状態．注入停止とともに半減期6.3±1分（分布相），109.1±35.7分（排泄相）の2相性で速やかに低下．AUCは2694±54ng・min/mL，Cl（クリアランス）は144±28.2L/hr　②心不全患者4例5mg単回静注（承認外用法）時の血漿中濃度は2相性を示し，半減期3.9±1.2分（分布相），78±24分（排泄相）．AUCは2328±478ng・min/mL，Cl（クリアランス）は134±22.2L/hr　③狭心症患者7例に5mgをバルサルバ洞内に投与5分後の血漿中濃度は246±122ng/mL，半減期は1.5分（分布相），27分（排泄相），AUCは5305±2352ng・min/mL
噴 血中濃度　健康成人男子12名で2.5mg口腔内噴霧と錠5mgの舌下投与とをクロスオーバー法で比較．スプレーを2回口腔内噴霧（2.5mg）時，未変化体は投与後7.7±0.9min（Tmax）に最高血漿中濃度（Cmax）は36.5±4.2ng/mL．以後，α 相7.5min，β 相55.2minの消失半減期で速やかに消失．投与1時間後の血漿中濃度は4.6ng/mL．活性代謝物であるisosorbide-2-mononitrate（2-ISMN）及びisosorbide-5-mononitrate（5-ISMN）のTmaxは35.3min及び61.5min，Cmaxは7.9ng/mL及び32.3ng/mL．AUCは1300.8±127.2ng・min/mL．錠5mgの舌下投与時，未変化体は投与後18.2±3.2min（Tmax）に最高血漿中濃度（Cmax）35.7±6.4ng/mL．以後速やかに消失．AUCは1260.4±159.4ng・min/mL．以上の結果からスプレーは錠の舌下投与に比べ，口腔粘膜からの吸収が速やかで血漿中濃度の上昇がより速かった　尿中排泄　健康成人男子12名に2回口腔内噴霧（2.5mg）時，投与後24時間までの尿中排泄率は，未変化体はほとんど認められず0.01％で，大部分が2-ISMNと5-ISMNのグルクロン酸抱合体．2-ISMN及び5-ISMNの総排泄率は0.86％及び13.16％．また，錠5mg舌下投与での未変化体の排泄率は0.01％，2-ISMN及び5-ISMNの総排泄率は0.6％及び9.87％
貼 健康成人男子（16例）の胸部に1枚40mgを貼付，血漿中濃度は，貼付6時間後に2.29±0.23ng/mL，12時間後に2.6±0.2ng/mLに達した後，24時間後でも2.28±0.19ng/mL，48

時間後でも1.65±0.12ng/mLと安定した濃度を維持

その他の管理的事項

投与期間制限 該当しない

保険給付上の注意 該当しない

資料

IF ニトロール錠5mg 2015年10月改訂(第11版)
フランドル錠20mg 2014年7月改訂(第9版)
ニトロールRカプセル20mg 2015年10月改訂(第10版)
ニトロール注5mg・シリンジ 2016年6月改訂(第11版)
ニトロール持続静注25mgシリンジ・点滴静注50mg・100mgバッグ 2015年10月改訂(第10版)
ニトロールスプレー1.25mg 2015年10月改訂(第10版)
フランドルテープ40mg 2014年7月改訂(第11版)

ジョサマイシン
ジョサマイシン錠
Josamycin

概要

薬効分類 614 主としてグラム陽性菌，マイコプラズマに作用するもの

構造式

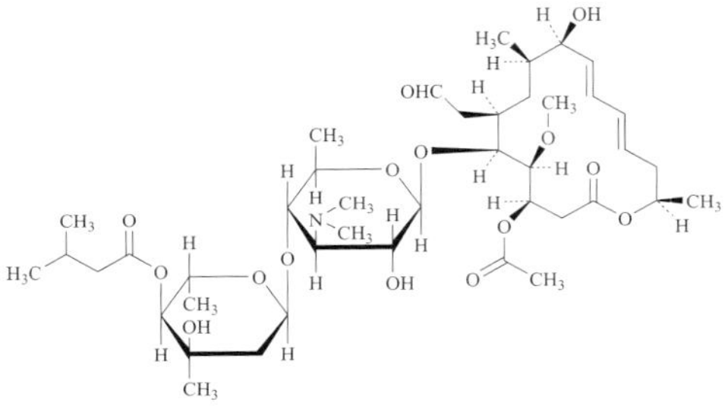

分子式 $C_{42}H_{69}NO_{15}$

分子量 827.99

略語・慣用名 JM

ステム *Streptomyces*属の産生する抗生物質：-mycin

原薬の規制区分 該当しない

原薬の外観・性状 白色～帯黄白色の粉末である．メタノール又はエタノール(99.5)に極めて溶けやすく，水に極めて溶けにくい

原薬の吸湿性 吸湿性はない

原薬の融点・沸点・凝固点 融点：130～133℃

原薬の酸塩基解離定数 pka'＝7.1(メタノール40％水溶液中で塩酸で滴定)

先発医薬品等
錠 ジョサマイシン錠50mg・200mg(LTL)

国際誕生年月 1970年3月

海外での発売状況 仏など

製剤

規制区分 錠 ㊄

製剤の性状 錠 だいだい色の楕円状糖衣錠

有効期間又は使用期限 3年

貯法・保存条件 室温保存

患者向け資料等 くすりのしおり

溶液及び溶解時のpH 該当しない

浸透圧比 該当しない

安定なpH域 該当しない

調製時の注意 該当しない

薬理作用

分類 マクロライド系抗生物質

作用部位・作用機序 他のマクロライド系抗生物質と同様，細菌のリボゾームに作用し，たん白合成を阻害する．作用は静菌的である．本剤に対する耐性菌は他のマクロライド系抗生剤にも交差耐性を示し，その生化学的な耐性機序は作用の標的である細菌リボゾームのリボゾーマルRNAの変化であることが確かめられている

同効薬 マクロライド系抗生物質(エリスロマイシン，ステアリン酸エリスロマイシン，アセチルスピラマイシン，ミデカマイシン酢酸エステル，ミデカマイシン，クラリスロマイシン，ロキタマイシン)

治療

効能・効果 〈適応菌種〉本剤に感性のブドウ球菌属，レンサ球菌属，肺炎球菌，赤痢菌，マイコプラズマ属 〈適応症〉表在性皮膚感染症，深在性皮膚感染症，リンパ管・リンパ節炎，慢性膿皮症，外傷・熱傷及び手術創等の二次感染，乳腺炎，咽頭・喉頭炎，扁桃炎，急性気管支炎，肺炎，慢性呼吸器病変の二次感染，膀胱炎，精巣上体炎(副睾丸炎)，感染性腸炎，涙嚢炎，麦粒腫，中耳炎，副鼻腔炎，化膿性唾液腺炎，歯周組織炎，歯冠周囲炎，上顎洞炎，顎炎，猩紅熱

効能・効果に関連する使用上の注意 咽頭・喉頭炎，扁桃炎，急性気管支炎，感染性腸炎，中耳炎，副鼻腔炎：「抗微生物薬適正使用の手引き」を参照し，抗菌薬投与の必要性を判断した上で，本剤の投与が適切と判断される場合に投与する

用法・用量 1日800～1200mg(力価)，小児30mg(力価)/kg，3～4回に分服(適宜増減)

使用上の注意

禁忌 ①本剤の成分に対し過敏症の既往歴のある患者 ②エルゴタミン酒石酸塩・無水カフェイン・イソプロピルアンチピリン又はジヒドロエルゴタミンメシル酸塩を投与中の患者

薬物動態

血中濃度 健康成人男性5名に1gを1回経口投与時，吸収は極めて良好で，平均血清中濃度は1時間値が最高で2.86μg/mLを示し，以後漸減したが，6時間後でも0.77μg/mLが検出された **分布** 1gを経口単回投与時の患者の気管痰内濃度測定の結果，投与後2時間で18μg/mL，6時間後9μg/mLと血中濃度の8～9倍の濃度に達していた **排泄** 経口投与後の尿中排泄率は，健康成人の成績，各種臨床施設での成績では，微生物学的測定法で24時間以内にいずれも10％以下 **特定の背景を有する患者** ①妊婦：内服により妊婦の臍帯血中にも母体血の数分の1の濃度で検出されているが，新生児，胎児の末梢血への移行は検出されていない ②授乳婦：内服により乳汁中にはかなり良く移行し，血中濃度とほぼ平行した動態を示す

その他の管理的事項

投与期間制限 該当しない

保険給付上の注意 該当しない

資料

IF ジョサマイシン錠50mg・200mg 2018年10月改訂(第17版)

ジョサマイシンプロピオン酸エステル
Josamycin Propionate

概要

薬効分類 614 主としてグラム陽性菌，マイコプラズマに作用するもの

構造式

分子式 $C_{45}H_{73}NO_{16}$

分子量 884.06

略語・慣用名 JM

ステム *Streptomyces*属の産生する抗生物質：-mycin

原薬の規制区分 該当しない

原薬の外観・性状 白色～淡黄白色の結晶性の粉末である．アセトニトリルに極めて溶けやすく，メタノール又はエタノール(99.5)に溶けやすく，水にほとんど溶けない

原薬の吸湿性 75%RH及び83%RH，温度37℃及び45℃の条件下，試料の層5mm以下にて開放保存した結果，9カ月後も含湿度は僅かに増加したのみで，吸湿性は極めて低い

原薬の融点・沸点・凝固点 融点：127～132℃

原薬の酸塩基解離定数 pKa'＝6.6(50%エタノール水)

先発医薬品等

シ ジョサマイシロップ3%(LTL)

シロップ用 ジョサマイドライシロップ10%(LTL)

国際誕生年月 1970年3月

海外での発売状況 シ 仏，スペイン，オーストリア シロップ用 仏，オーストリアなど

製剤

規制区分 シ シロップ用 ㊻

製剤の性状 シ 芳香及び甘味を有する白色の粘稠性のある懸濁液 シロップ用 淡紅色で芳香及び甘味を有する粒状製剤

有効期間又は使用期限 シ 1.5年 シロップ用 2年

貯法・保存条件 シ 気密容器，遮光・室温保存 シロップ用 気密容器，室温保存(開封後は遮光して保存)

薬剤取扱い上の留意点 シ 服用時：軽く振盪してから服用するよう指示すること シロップ用 調製時：シロップ調製後は冷所に保存し，できるだけ速やかに使用すること 服用時：軽く振盪してから服用するよう指示すること

患者向け資料等 くすりのしおり

溶液及び溶解時のpH シ 6.0～8.0 シロップ用 7.7(8.0gに精製水15.0mLを加え，よく振り混ぜて懸濁液とした液)

薬理作用

分類 マクロライド系抗生物質

作用部位・作用機序 他のマクロライド系抗生物質と同様に細菌の70Sリボゾームの50S亜粒子に作用し，mRNA上をリボゾームが転座する点を抑えて蛋白合成を阻害する．静菌作用にくらべ殺菌作用が弱く静菌的に働くものと考えられている

同効薬 マクロライド系抗生物質(エリスロマイシン，エリスロマイシンステアリン酸塩，スピラマイシン酢酸エステル，ミデカマイシン酢酸エステル，ミデカマイシン，クラリスロマイシン，ロキタマイシン，アジスロマイシン)

治療

効能・効果 〈適応菌種〉ジョサマイシンに感性のブドウ球菌属，レンサ球菌属，肺炎球菌，インフルエンザ菌，マイコプラズマ属 〈適応症〉表在性皮膚感染症，深在性皮膚感染症，慢性膿皮症，咽頭・喉頭炎，扁桃炎，急性気管支炎，肺炎，慢性呼吸器病変の二次感染，涙嚢炎，外耳炎，中耳炎，副鼻腔炎，歯周組織炎，歯冠周囲炎，上顎洞炎，顎炎，猩紅熱

効能・効果に関連する使用上の注意 咽頭・喉頭炎，扁桃炎，急性気管支炎，中耳炎，副鼻腔炎：「抗微生物薬適正使用の手引き」を参照し，抗菌薬投与の必要性を判断した上で，本剤の投与が適切と判断される場合に投与する

用法・用量 幼小児には，1日ジョサマイシンとして30mg(力価)/kg，3～4回に分服(適宜増減)．ドライシロップはシロップ剤として服用する

使用上の注意

禁忌 ①本剤の成分に対し過敏症の既往歴のある患者 ②エルゴタミン酒石酸塩・無水カフェイン・イソプロピルアンチピリン又はジヒドロエルゴタミンメシル酸塩を投与中の患者

薬物動態

シ **吸収** 食事の影響：健康成人男性3名にクロスオーバー法で1gを空腹時あるいは食後単回経口投与し血漿中濃度の推移を検討した結果，平均血漿中濃度の最高値はいずれも投与2時間後で空腹時が1.26μg/mL，食後投与が2.46μg/mL **分布** ラットの実験で臓器内へよく移行する **排泄** 健康成人男性3名にクロスオーバー法で1gを空腹時あるいは食後経口投与した試験で，投与後5時間までの自然排泄尿中への抗菌活性物質の排泄率は空腹時が平均1.63%，食後投与が平均3.09%．なお，経口投与後のヒトの尿中には，原物質のままの存在はほとんどなく，ジョサマイシン又はその代謝物であることが確認されている

シロップ用 **血中濃度** 健康成人男性6名に1gを単回経口投与時，血中濃度を抗菌活性(*St.*hemolyticus Cook株，重層法)で測定した成績では，服用1～2時間後に血漿中濃度は最高に達し，その平均は1.18μg/mL．また，臨床的には健康小児4名に20mg/kg単回経口投与後の血中濃度は，1時間で2.6～8.0μg/mL，2時間で4.1～7.2μg/mL，6時間で0.66～4.4μg/mLとの報告がある **排泄** 小児に20mg/kg1回投与後24時間までの尿中への排泄率は，微生物学的測定法で6.6～12.5%．なお，経口投与後のヒトの尿中より分離された物質は，すべてジョサマイシン又はその代謝物であることが確認されている

その他の管理的事項

投与期間制限 該当しない

保険給付上の注意 該当しない

資料

IF ジョサマイシロップ3% 2018年10月改訂(第16版)
ジョサマイドライシロップ10% 2018年10月改訂(第18版)

シラザプリル水和物
シラザプリル錠
Cilazapril Hydrate

概要

薬効分類 214 血圧降下剤

構造式

$\cdot H_2O$

分子式　$C_{22}H_{31}N_3O_5 \cdot H_2O$
分子量　435.51
原薬の規制区分　[劇](ただし，1錠中シラザプリル1mg以下を含有するものを除く)
原薬の外観・性状　白色～帯黄白色の結晶又は結晶性の粉末である．メタノールに極めて溶けやすく，エタノール(99.5)又は酢酸(100)に溶けやすく，水に溶けにくい．光によって徐々に黄色となる
原薬の吸湿性　該当資料なし
原薬の融点・沸点・凝固点　融点：約101℃(分解)
原薬の酸塩基解離定数　該当資料なし
後発医薬品
[錠] 0.25mg・0.5mg・1mg
国際誕生年月　1990年2月
海外での発売状況　該当資料なし

製剤

規制区分　[錠] [処]
製剤の性状　0.25mg錠 白色のフィルムコーティング錠
0.5・1mg錠 白色の割線入りのフィルムコーティング錠
有効期間又は使用期限　3年
貯法・保存条件　室温保存(開封後は湿気に注意)
薬剤取扱い上の留意点　降圧作用に基づくめまい，ふらつきが現れることがあるので，高所作業，自動車の運転等危険を伴う機械を操作する際には注意させること．手術前24時間は投与しないことが望ましい
患者向け資料等　患者向医薬品ガイド，くすりのしおり
溶液及び溶解時のpH　該当しない
浸透圧比　該当しない
安定なpH域　該当しない
調製時の注意　該当しない

薬理作用

分類　アンジオテンシン変換酵素(ACE)阻害薬
作用部位・作用機序　経口投与後体内活性代謝物シラザプリラートとなりこれがアンジオテンシン変換酵素を阻害する．生理活性のないアンジオテンシンⅠから強い血圧上昇作用を有するアンジオテンシンⅡへの変化が阻害されるので血圧が下がる．また，キニナーゼⅡ阻害によりブラジキニンの分解を抑制する．従って血管拡張物質のブラジキニンの増加をもたらすこととなり，これも本薬の降圧作用に関与していると考えられている
同効薬　アラセプリル，イミダプリル塩酸塩，エナラプリルマレイン酸塩，カプトプリル，キナプリル塩酸塩，テモカプリル塩酸塩，デラプリル塩酸塩，ペリンドプリルエルブミン，ベナゼプリル塩酸塩，リシノプリル水和物，トランドラプリルなど

治療

効能・効果　高血圧症
用法・用量　無水物として，1日1回0.5mgから開始し漸次増量するが，最大2mgまで(適宜増減)．ただし，重症又は腎障害を伴う患者には1日1回0.25mgから開始する
用法・用量に関連する使用上の注意　重篤な腎機能障害のある患者では，本剤の活性代謝物の血中濃度が上昇し，過度の血圧低下，腎機能の悪化を起こすことがあるので，血清クレアチニン値が3mg/dL以上の場合には，投与量を減らすか，又は投与間隔を延ばす等，慎重に投与する
禁忌・原則禁忌となる特定患者集団　妊婦又は妊娠している可能性のある婦人

使用上の注意

禁忌　①本剤の成分に対し過敏症の既往歴のある患者　②血管浮腫の既往歴のある患者(アンジオテンシン変換酵素阻害剤等の薬剤による血管浮腫，遺伝性血管浮腫，後天性血管浮腫，特発性血管浮腫等)［高度の呼吸困難を伴う血管浮腫を発現することがある］　③デキストラン硫酸固定化セルロース，トリプトファン固定化ポリビニルアルコール又はポリエチレンテレフタレートを用いた吸着器によるアフェレーシスを施行中の患者［ショックを起こすことがある］　④アクリロニトリルメタリルスルホン酸ナトリウム膜(AN69)を用いた血液透析施行中の患者［アナフィラキシーを発現することがある］　⑤腹水を伴う肝硬変のある患者［活性代謝物の血中濃度が上昇し，重篤な低血圧を起こすことがある］　⑥妊婦又は妊娠している可能性のある婦人　⑦アリスキレンを投与中の糖尿病患者(ただし，他の降圧治療を行ってもなお血圧のコントロールが著しく不良の患者を除く)［非致死性脳卒中，腎機能障害，高カリウム血症及び低血圧のリスク増加が報告されている］

薬物動態

血中濃度　健康成人男子(6例)に0.5，1.25mgを単回経口投与時，速やかに吸収され活性代謝物シラザプリラートに変換，約2時間でそれぞれ最高血中濃度4.2，16.5ng/mLに達し，その後2相性($T_{1/2}$2.6と2時間及び52.6と66時間)に減少．なお，高血圧症患者(腎機能正常5例，腎機能障害7例)に1.25mgを1日1回5～8日間反復経口投与時，クレアチニン・クリアランスとシラザプリラートの血中濃度-時間曲線下面積(AUC)が負の相関を示し，腎機能障害患者では，腎機能正常患者に比べて血中シラザプリラート濃度が上昇．健康成人各6例に0.5mg，1.25mgを経口投与時の血中濃度パラメータは未変化体のTmax1.4，0.9hr，Cmax26.4，66.8ng/mL，$T_{1/2}$1.5，1.3hr，$AUC_{0\text{-}24h}$84，162.7ng・hr/mL，シラザプリラート(活性代謝物)のTmax2.1，2hr，Cmax4.2，16.5ng/mL，$T_{1/2}$(initial phase，terminal phaseの順)2.6，52.6hr，2，66hr，$AUC_{0\text{-}24h}$26.3，72.2ng・hr/mL．外国人データで，腎機能正常高齢者(65～83歳)と健康成人(18～31歳)各12例に1mgを単回経口投与時，未変化体の最高血中濃度は11.5ng/mL，8.3ng/mL，総クリアランスは12.8L/hr，16L/hr，腎機能の正常な高齢者は健康成人に比べ最高血中濃度は40％上昇し，総クリアランスは20％減少　**尿中排泄**　健康成人男子6例に0.5mg，1.25mgを単回経口投与時，投与後24時間までに約20％以上が未変化体として，39～67％がシラザプリラートとして尿中に排泄，投与後48時間までに約20％が未変化体として，70～80％がシラザプリラートとして尿中に排泄

その他の管理的事項

投与期間制限　該当しない
保険給付上の注意　該当しない

資料

IF　シラザプリル錠0.25mg・0.5mg・1mg「トーワ」 2020年4月改訂(第15版)

シラスタチンナトリウム
Cilastatin Sodium

概要

構造式

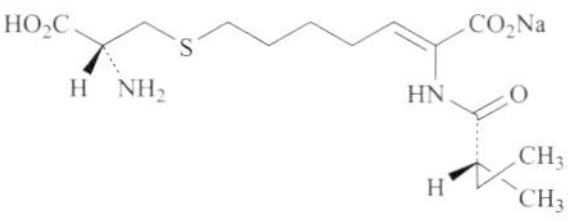

分子式　$C_{16}H_{25}N_2NaO_5S$
分子量　380.43
原薬の規制区分　該当しない
原薬の外観・性状　白色～微帯黄白色の粉末である．水に極めて溶けやすく，メタノールに溶けやすく，エタノール(99.5)に溶けにくい．1.0gを水100mLに溶かした液のpHは6.5～7.5である

原薬の吸湿性　吸湿性である

製剤

製剤の性状　イミペネム・シラスタチンナトリウム参照

ジラゼプ塩酸塩水和物
Dilazep Hydrochloride Hydrate

概要

薬効分類　217　血管拡張剤

構造式

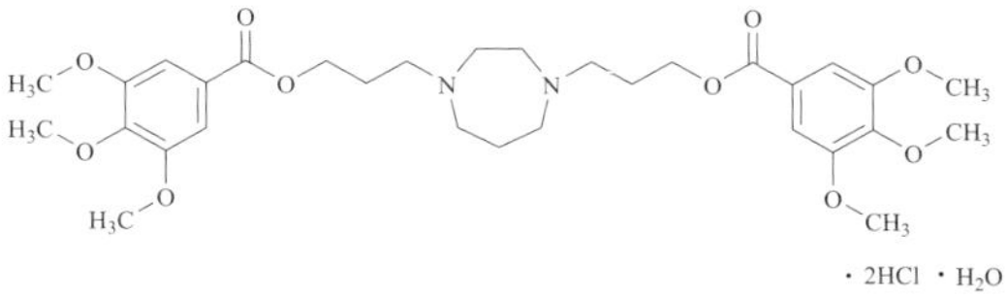

分子式　$C_{31}H_{44}N_2O_{10}$・2HCl・H_2O

分子量　695.63

ステム　血管拡張薬：-dil

原薬の規制区分　㋖(ただし，ジラゼプとして100mg以下を含有する内用剤，ジラゼプとして10%以下を含有する内用剤を除く)

原薬の外観・性状　白色の結晶性の粉末で，においはない．酢酸(100)又はクロロホルムに溶けやすく，水にやや溶けやすく，エタノール(95)又は無水酢酸に溶けにくく，ジエチルエーテルにほとんど溶けない．1.0gを水100mLに溶かした液のpHは3.0～4.0である

原薬の吸湿性　該当資料なし

原薬の融点・沸点・凝固点　融点：200～204℃

原薬の酸塩基解離定数　該当資料なし

先発医薬品等

錠　コメリアンコーワ錠50・100(興和)

後発医薬品

錠　50mg・100mg

国際誕生年月　不明

海外での発売状況　該当しない

製剤

規制区分　錠　㊗

製剤の性状　50mg錠 白色のフィルムコーティング錠　100mg錠 白色の割線を有するフィルムコーティング錠

有効期間又は使用期限　4年

貯法・保存条件　室温保存

薬剤取扱い上の留意点　調剤時：使用に際しては乳鉢等ですりつぶさないこと

患者向け資料等　くすりのしおり

溶液及び溶解時のpH　該当しない

浸透圧比　該当しない

安定なpH域　該当しない

調製時の注意　該当しない

薬理作用

分類　心・腎疾患治療剤(トリメトキシ安息香酸誘導体)

作用部位・作用機序　アデノシンの作用を増強することによる血管拡張作用，血小板のホスホリパーゼ活性を阻害することによる抗血小板作用．そのほか，代謝改善作用，赤血球機能改善作用

同効薬　ジピリダモール，ニコランジル，ニフェジピン，トリメタジジン塩酸塩など

治療

効能・効果　①狭心症，その他の虚血性心疾患(心筋梗塞を除く)　②次の疾患における尿蛋白減少：腎機能障害軽度～中等度のIgA腎症

用法・用量　効能①：ジラゼプ塩酸塩水和物として1回50mg　効能②：ジラゼプ塩酸塩水和物として1回100mg，1日3回(適宜増減)

薬物動態

脳血管障害患者に100mg経口投与30分～1時間後に最高(172±65ng/mL)，以後，比較的緩やかに減少．生物学的半減期約4時間(再評価時効能削除)．腎疾患患者に300mg/日を7日間連日投与でも，初回投与時とほとんど変わらなかった

その他の管理的事項

投与期間制限　該当しない

保険給付上の注意　該当しない

資料

IF　コメリアンコーワ錠50・100　2020年4月改訂(第11版)

シ

ジルチアゼム塩酸塩
ジルチアゼム塩酸塩徐放カプセル
Diltiazem Hydrochloride

概要

薬効分類　217　血管拡張剤

構造式

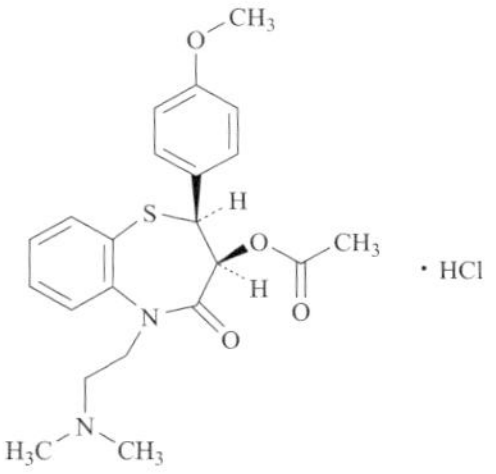

分子式　$C_{22}H_{26}N_2O_4S$・HCl

分子量　450.98

ステム　カルシウムチャネル遮断剤，ジルチアゼム誘導体：-tiazem

原薬の規制区分　㋖(ただし，1錠中ジルチアゼムとして60mg以下を含有するもの及び1カプセル中ジルチアゼムとして200mg以下を含有するものを除く)

原薬の外観・性状　白色の結晶又は結晶性の粉末で，においはない．ギ酸に極めて溶けやすく，水，メタノール又はクロロホルムに溶けやすく，アセトニトリルにやや溶けにくく，無水酢酸又はエタノール(99.5)に溶けにくく，ジエチルエーテルにほとんど溶けない．1.0gを水100mLに溶かした液のpHは4.3～5.3である

原薬の吸湿性　25℃，90%RH及び40℃，90%RHではほとんど吸湿しない．したがって，臨界相対湿度は25℃，40℃においては相対湿度90%以上である

原薬の融点・沸点・凝固点　融点：210～215℃(分解)

原薬の酸塩基解離定数　pKa＝7.7

先発医薬品等

錠　ヘルベッサー錠30・60(田辺三菱)

徐放カ　ヘルベッサーRカプセル100mg・200mg(田辺三菱)

注射用　ヘルベッサー注射用10・50・250(田辺三菱)

後発医薬品

錠　30mg・60mg

徐放カ　100mg・200mg

注射用　10mg・50mg・250mg

国際誕生年月 1973年8月
海外での発売状況 欧米各国

製剤

規制区分 **錠** **徐放カ** ㊕ **注射用** ㊜㊕
製剤の性状 **錠** 白色の素錠(徐放性) **100mg徐放カ** 白色/白色の硬カプセル剤 **200mg徐放カ** 赤色/白色の硬カプセル剤 **注射用** 白色の塊又は多孔性の固体
有効期間又は使用期限 3年
貯法・保存条件 **錠** **注射用** 室温保存 **徐放カ** 室温保存(開封後は防湿保存のこと)
薬剤取扱い上の留意点 **錠** かまずに服用すること．降圧作用に基づくめまい等が現れることがあるので，高所作業，自動車の運転等危険を伴う機械を操作する際には注意させること **徐放カ** カプセルを開けず，また，かみ砕かずに服用させること．降圧作用に基づくめまい等が現れることがあるので，高所作業，自動車の運転等危険を伴う機械を操作する際には注意させること
患者向け資料等 くすりのしおり
溶液及び溶解時のpH **10mg注射用** 5.5 **50mg注射用** 5.1 **250mg注射用** 4.9
浸透圧比 **10mg注射用** 0.30 **50mg注射用** 0.44 **250mg注射用** 1.9(対生食)
調製時の注意 **注射用** 他剤との配合によりpHが8を超える場合には，ジルチアゼムが析出することがあるので注意すること

薬理作用

分類 ベンゾチアゼピン誘導体Ca拮抗剤
作用部位・作用機序 冠血管及び末梢血管等の血管平滑筋細胞へのCa^{2+}流入を抑制することにより，血管を拡張し，心筋虚血改善作用及び降圧作用を示す
同効薬 ニフェジピン，ニカルジピン塩酸塩，アムロジピンベシル酸塩など

治療

効能・効果 **錠** **徐放カ** ①狭心症，異型狭心症 ②本態性高血圧症(軽症～中等症)
10・50mg注射用 ①頻脈性不整脈(上室性) ②手術時の異常高血圧の救急処置 ③高血圧性緊急症 ④不安定狭心症
250mg注射用 ①高血圧性緊急症 ②不安定狭心症
用法・用量 **錠** **徐放カ** 効能①：錠1回30mgを1日3回，カプセル1日1回100mg(適宜増減)．効果不十分な場合には，錠では1回60mgを1日3回まで，カプセルでは1日1回200mgまで増量することができる 効能②：錠1回30～60mg1日3回，カプセル1日1回100～200mg(適宜増減)
注射用 5mL以上の生理食塩液又はブドウ糖注射液に用時溶解：①頻脈性不整脈：1回10mgを約3分間で緩徐に静注(適宜増減) ②手術時の異常高血圧：1回10mgを約1分間で緩徐に静注(適宜増減)．又は5～15μg/kg/分で点滴静注．目標値まで血圧を下げ，以後血圧をモニターしながら点滴速度を調節する ③高血圧性緊急症：5～15μg/kg/分で点滴静注．目標値まで血圧を下げ，以後血圧をモニターしながら点滴速度を調節する ④不安定狭心症：1～5μg/kg/分で点滴静注．低用量から開始し，病態に応じ増減．最高量は5μg/kg/分まで
禁忌・原則禁忌となる特定患者集団 妊婦又は妊娠している可能性のある婦人

使用上の注意

禁忌 **錠** **徐放カ** ①重篤なうっ血性心不全の患者［心不全症状を悪化させるおそれがある］ ②2度以上の房室ブロック，洞不全症候群(持続性の洞性徐脈(50拍/分未満)，洞停止，洞房ブロック等)のある患者［本剤の心刺激生成抑制作用，心伝導抑制作用が過度に現れるおそれがある］ ③本剤の成分に対し過敏症の既往歴のある患者 ④妊婦又は妊娠している可能性のある婦人 ⑤アスナプレビルを含有する製剤，イバブラジン塩酸塩，ロミタピドメシル酸塩を投与中の患者
注射用 ①重篤な低血圧あるいは心原性ショックのある患者［症状を悪化させるおそれがある］ ②2度以上の房室ブロック，洞不全症候群〔持続性の洞性徐脈(50拍/分未満)，洞停止，洞房ブロック等〕のある患者［心刺激生成抑制作用，心伝導抑制作用が過度に現れるおそれがある］ ③重篤なうっ血性心不全の患者［心不全症状を悪化させるおそれがある］ ④重篤な心筋症のある患者［心不全症状を悪化させるおそれがある］ ⑤本剤の成分に対し過敏症の既往歴のある患者 ⑥妊婦又は妊娠している可能性のある婦人 ⑦アスナプレビルを含有する製剤，イバブラジン塩酸塩，ロミタピドメシル酸塩を投与中の患者
相互作用概要 主としてCYP3A4で代謝される
過量投与 **錠** **徐放カ** ①症状：過量投与により，徐脈，完全房室ブロック，心不全，低血圧等が現れることがある．しかし，このような症状は副作用としても報告されている ②処置：過量投与の場合は，中止し，必要に応じて胃洗浄等により薬剤の除去を行うとともに，次記等の適切な処置を行う：⑴徐脈，完全房室ブロック：アトロピン硫酸塩水和物，イソプレナリン等の投与や心臓ペーシングを適用する ⑵心不全，低血圧：強心剤，昇圧剤，輸液等の投与や補助循環を適用する
注射用 ①症状：過量投与により，徐脈，完全房室ブロック，心不全，低血圧等が現れることがある．しかし，このような症状は副作用としても報告されている ②処置：過量投与の場合は，中止し，次記の適切な処置を行う：⑴徐脈，完全房室ブロック：アトロピン硫酸塩水和物，イソプレナリン等の投与や心臓ペーシングを適用する ⑵心不全，低血圧：強心剤，昇圧剤，輸液等の投与や補助循環を適用する

薬物動態

血漿中濃度 **錠** 健康成人男子(8例)に60mg投与3～5時間後に最高約50ng/mL，半減期は約4.5時間．連続投与では2日目以降定常状態に達し，長期連用(1日90mg，分3)患者に投与後2～4時間で約40ng/mL **徐放カ** 健康成人男子(16例)に100mg単回投与約14時間後に最高約30ng/mL，半減期約7時間 **注射用** 心疾患患者(8例)に10mg/分で1回静注時の半減期(消失相)約1.9時間．非開心術中の患者(5例)に5，10，15μg/kg/分で点滴静注では投与開始後5～6時間で定常状態
代謝 健康成人男子に経口投与時の主な代謝経路は酸化的脱アミノ化，酸化的脱メチル化，脱アセチル化，抱合化

その他の管理的事項

投与期間制限 該当しない
保険給付上の注意 該当しない

資料

IF ヘルベッサー錠30・60 2016年2月改訂(第11版)
ヘルベッサーRカプセル100mg・200mg 2016年2月改訂(第10版)
ヘルベッサー注射用10・50・250 2016年2月改訂(第11版)

シルニジピン
シルニジピン錠
Cilnidipine

概要

薬効分類 214 血圧降下剤
構造式

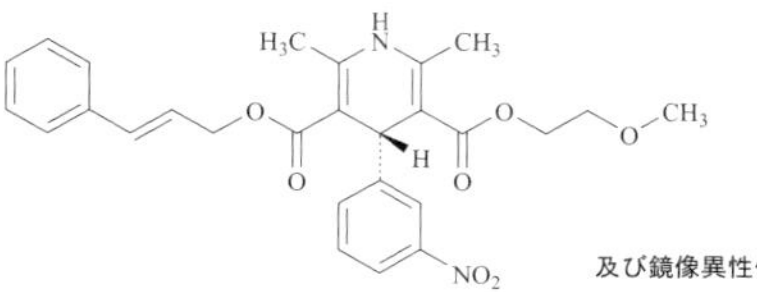

及び鏡像異性体

分子式　$C_{27}H_{28}N_2O_7$
分子量　492.52
ステム　ニフェジピン系カルシウムチャネル拮抗薬：-dipine
原薬の規制区分　該当しない
原薬の外観・性状　淡黄色の結晶性の粉末である．アセトニトリルに溶けやすく，メタノール又はエタノール(99.5)にやや溶けにくく，水にほとんど溶けない．本品のアセトニトリル溶液(1→100)は旋光性を示さない．光によって徐々に帯赤黄色となり，分解する
原薬の吸湿性　25℃，75%RH及び25℃，95%RH7日間で吸湿を認めなかった
原薬の融点・沸点・凝固点　融点：107～112℃
原薬の酸塩基解離定数　ほとんど解離しない(電位差滴定法)
先発医薬品等
　錠　アテレック錠5・10・20(EAファーマ＝持田)
後発医薬品
　錠　5mg・10mg・20mg
国際誕生年月　1995年9月
海外での発売状況　韓国，ベトナム

製剤
規制区分　錠　㊛
製剤の性状　5mg錠　白色のフィルムコーティング錠　10・20mg錠　白色の楕円形の割線のあるフィルムコーティング錠
有効期間又は使用期限　3年
貯法・保存条件　遮光・室温保存
薬剤取扱い上の留意点　降圧作用に基づくめまい等が現れることがあるので高所作業，自動車の運転等危険を伴う機械を操作する際には注意させること
患者向け資料等　くすりのしおり
溶液及び溶解時のpH　該当しない
浸透圧比　該当しない
安定なpH域　該当しない
調製時の注意　該当しない

薬理作用
分類　カルシウム拮抗薬
作用部位・作用機序　L型Caチャネルだけでなく，N型Caチャネルもブロックする Dual actionタイプのCa拮抗剤であり，降圧作用のみならず，交感神経興奮が引き起こすノルアドレナリン(NA)の過剰放出を抑制することにより，心拍数増加やストレス性昇圧の抑制及び腎細動脈の拡張作用を発現するものと考えられている
同効薬　ニカルジピン塩酸塩，バルニジピン塩酸塩，ベニジピン塩酸塩，マニジピン塩酸塩，ニトレンジピン，ニソルジピン，ニルバジピン，アムロジピンベシル酸塩，ニフェジピン，フェロジピン，エホニジピン塩酸塩，アラニジピン

治療
効能・効果　高血圧症
用法・用量　1日1回5～10mg朝食後(適宜増減)．効果不十分の場合には，1日1回20mgまで増量することができる．ただし，重症高血圧症には1日1回10～20mg朝食後
禁忌・原則禁忌となる特定患者集団　妊婦又は妊娠している可能性のある婦人

使用上の注意
禁忌　妊婦又は妊娠している可能性のある女性
相互作用概要　主としてCYP3A4で代謝される

薬物動態
　血中濃度　①単回投与：健康成人男子6名に5mg，10mg，20mgを単回経口投与時のCmaxはそれぞれ4.7ng/mL，5.4ng/mL，15.7ng/mL，AUC_{0-24}はそれぞれ23.7ng・hr/mL，27.5ng・hr/mL，60.1ng・hr/mLで，用量依存的に増加　②反復投与：健康成人男子6名に10mgを1日1回反復経口投与した時の薬物動態学的パラメータは投与第1日目，4日目，7日目の順にCmax(ng/mL)9.5±1.6，13.5±5.0，16.5±7.9，Tmax(hr)2.8±1.0，3.7±0.8，3±1.3，$T_{1/2}(\alpha)$(hr)1.0±0.2，-，1.1±0.6，$T_{1/2}(\beta)$(hr)5.2±2.0，-，8.1±2.7，$AUC_{0-\infty}$(ng・hr/mL)51.4±12.7，101.8±29.0，95.5±34.5で，投与第4日目以降は定常状態に達し，蓄積性は認められなかった　**分布**　*In vitro*でのヒト血清蛋白結合率は99.3%　**代謝**　健康成人男子における血漿中及び尿中で認められた代謝物から，主代謝経路はメトキシエチル基の脱メチル化，それに続くシンナミルエステル基の加水分解及びジヒドロピリジン環の酸化と考えられている．なお，代謝過程におけるメトキシエチル基の脱メチル化反応には主としてCYP3A4が関与し，また，一部CYP2C19が関与しているものと考えられている(*in vitro*)．なお，メトキシエチル基の脱メチル化体のカルシウム拮抗作用は未変化体の1/100の活性(ウサギ)　**排泄**　健康成人男子に10mgを1日2回7日間反復経口投与時，尿中に未変化体は検出されず，代謝物として総投与量の5.2%が排泄　**特定の背景を有する患者**　腎機能障害患者：高血圧患者に10mgを単回経口投与時の血漿中濃度推移は，腎機能正常患者と腎機能低下患者(血清クレアチニン値：1.5～3.1mg/dL)との間に差を認めなかった．腎機能低下患者に10mgを1日1回7日間反復経口投与時も，血漿中濃度推移には反復投与による影響は認められなかった

その他の管理的事項
投与期間制限　該当しない
保険給付上の注意　該当しない

資料
IF　アテレック錠5・10・20　2016年9月改訂(第7版)

シロスタゾール
シロスタゾール錠
Cilostazol

概要
薬効分類　339　その他の血液・体液用薬
構造式

分子式　$C_{20}H_{27}N_5O_2$
分子量　369.46
ステム　該当しない
原薬の規制区分　該当しない
原薬の外観・性状　白色～微黄白色の結晶又は結晶性の粉末である．メタノール，エタノール(99.5)又はアセトニトリルに溶けにくく，水にほとんど溶けない
原薬の吸湿性　臨界相対湿度はほぼ100%と推定される
原薬の融点・沸点・凝固点　融点：158～162℃
原薬の酸塩基解離定数　通常のpHの範囲では解離する官能基を持たない
先発医薬品等
　散　プレタール散20%(大塚製薬)
　錠　プレタールOD錠50mg・100mg(大塚製薬)
後発医薬品
　錠　50mg・100mg・OD錠50mg・100mg
　内用ゼリー　50mg・100mg
国際誕生年月　1988年1月
海外での発売状況　散　錠　世界10カ国以上

製剤

製剤の性状　**散**　白色の散剤で，においはないか，又は僅かに芳香がある　**錠**　白色の素錠　**内用ゼリー**　白色～微黄白色のゼリー剤で，芳香があり，味は甘い

有効期間又は使用期限　3年

貯法・保存条件　室温保存

薬剤取扱い上の留意点　**口腔内崩壊錠**　自動分包機を使用する場合には欠けることがあるため，カセットのセット位置等に配慮すること．無包装状態で高湿度により影響を受けることが認められたため，無包装又は分包の場合には特に注意すること　**内用ゼリー**　誤用を避けるため，他の容器に移しかえて保存しないこと．高温になる所には保管しないこと．携帯するときは，折り曲げないように注意すること

患者向け資料等　患者向医薬品ガイド，くすりのしおり

溶液及び溶解時のpH　**内用ゼリー**　6.0～7.0

調製時の注意　該当しない

薬理作用

分類　抗血小板剤

作用部位・作用機序　ウサギ血小板のセロトニン放出を抑制するが，セロトニン，アデノシンの血小板への取り込みには影響を与えない．また，トロンボキサンA_2による血小板凝集を抑制する．血小板及び血管平滑筋のPDE3（cGMP-inhibited phosphodiesterase）活性を選択的に阻害することにより，抗血小板作用及び血管拡張作用を発揮する．ヒト血小板での血小板凝集抑制作用は培養ヒト血管内皮細胞又は，プロスタグランジンE_1の存在下で増強する．イヌ血小板での血小板凝集抑制作用はプロスタグランジンI_2あるいはアデノシンの存在下で増強する

治療

効能・効果　①慢性動脈閉塞症に基づく潰瘍，疼痛及び冷感等の虚血性諸症状の改善　②脳梗塞（心原性脳塞栓を除く）発症後の再発抑制

効能・効果に関連する使用上の注意　無症候性脳梗塞における本剤の脳梗塞発作の抑制効果は検討されていない

用法・用量　1回100mg，1日2回（適宜増減）

禁忌・原則禁忌となる特定患者集団　妊婦又は妊娠している可能性のある女性

使用上の注意

> **警告**　本剤の投与により脈拍数が増加し，狭心症が発現することがあるので，狭心症の症状（胸痛等）に対する問診を注意深く行う．脳梗塞再発抑制効果を検討する試験において，長期にわたりPRP（pressure rate product）を有意に上昇させる作用が認められた．また，本剤投与群に狭心症を発現した症例がみられた

禁忌　①出血している患者（血友病，毛細血管脆弱症，頭蓋内出血，消化管出血，尿路出血，喀血，硝子体出血等）［出血を助長するおそれがある］　②うっ血性心不全の患者［症状を悪化させるおそれがある］　③本剤の成分に対し過敏症の既往歴のある患者　④妊婦又は妊娠している可能性のある女性

相互作用概要　主としてCYP3A4及び一部CYP2C19で代謝される

薬物動態

血中濃度　健康成人男性にOD錠100mgを空腹時単回経口投与時の血漿中濃度推移及び薬物動態パラメータ（tmax（hr），Cmax（ng/mL），$t_{1/2}$（hr），AUC_{60h}（ng・hr/mL）の順）は，(ｱ)水なし試験（20例）：3.65±1.53，587.33±174.93，10.13±4.73，7134±2039，(ｲ)水あり試験（18例）：3.50±1.04，515.45±152.73，13.46±6.90，8344±2843　※水なしと水ありは別の被験者　**吸収**　食事の影響：健康成人男性に50mgを空腹時及び食後単回経口投与時，食後投与の方が空腹時投与の場合よりCmaxで2.3倍，AUC_{inf}で1.4倍高かった　**分布**　ヒト血漿蛋白結合率は，シロスタゾールでは95%以上（*in vitro*，平衡透析法，0.1～6μg/mL），活性代謝物OPC-13015及びOPC-13213はそれぞれ97.4%及び53.7%（*in vitro*，限外ろ過法，1μg/mL）　**代謝**　健康成人男性に100mgを空腹時経口投与時，血漿中に活性代謝物としてシロスタゾールが脱水素化されたOPC-13015及び水酸化されたOPC-13213が検出．シロスタゾールは肝ミクロゾーム中のチトクロームP450のアイソザイムのうち主としてCYP3A4，次いでCYP2D6，CYP2C19により代謝される（*in vitro*）　**排泄**　健康成人男性に50mgを経口投与時，投与後72時間までに投与量の約30%が代謝物として尿中に排泄　**特定の背景を有する患者**　①腎機能障害患者：重度の腎機能障害被験者（クレアチニンクリアランス5～25mL/min）に1日100mgを8日間連続経口投与時，健康成人に比べシロスタゾールのCmaxは29%，AUCは39%減少したが，活性代謝物のOPC-13213のCmaxは173%，AUCは209%増加．軽度（クレアチニンクリアランス50～89mL/min）及び中等度（クレアチニンクリアランス26～49mL/min）の被験者において差は認められなかった（外国人データ）　②肝機能障害患者：軽度（Child-Pugh分類A）及び中等度（Child-Pugh分類B）の肝機能障害被験者に100mgを単回経口投与時，血漿中濃度は健康成人と差は認められなかった（シロスタゾールのCmaxは7%減少し，AUCは8%増加）（外国人データ）

薬物相互作用　①ワルファリン：本剤100mgとワルファリン25mgを併用投与時，シロスタゾールはR-，S-ワルファリンの代謝に影響を及ぼさなかった（外国人データ）　②エリスロマイシン：エリスロマイシン500mg（1日3回）を7日間前投与後，本剤100mgとエリスロマイシン500mg（1日3回）を併用投与時，本剤100mg単独投与に比べてシロスタゾールのCmaxは47%，AUCは87%増加（外国人データ）　③ケトコナゾール：本剤100mgとケトコナゾール400mg（経口剤：国内未発売）を併用投与時，シロスタゾール100mg単独投与に比べてシロスタゾールのCmaxは94%，AUCは129%増加（外国人データ）　④ジルチアゼム塩酸塩：本剤100mgとジルチアゼム塩酸塩180mgを併用投与時，シロスタゾール100mg単独投与に比べてシロスタゾールのCmaxは34%，AUCは44%増加（外国人データ）　⑤グレープフルーツジュース：本剤100mgとグレープフルーツジュース240mLを併用投与時，シロスタゾール100mg単独投与に比べてシロスタゾールのCmaxは46%，AUCは14%増加（外国人データ）　⑥オメプラゾール：オメプラゾール40mgを1日1回7日間前投与後，本剤100mgとオメプラゾール40mgを併用投与時，シロスタゾール100mg単独投与に比べてシロスタゾールのCmaxは18%，AUCは26%増加（外国人データ）

その他の管理的事項

投与期間制限　該当しないが，投薬量は予見することができる必要期間に従ったものとすること

保険給付上の注意　該当しない

資料

IF　プレタール散20%・OD錠50mg・100mg　2019年10月改訂（第21版）
シロスレット内服ゼリー50mg・100mg　2018年7月改訂（第2版）

シロドシン
シロドシン錠
シロドシン口腔内崩壊錠
Silodosin

概要

薬効分類 259 その他の泌尿生殖器官及び肛門用薬

構造式

分子式 $C_{25}H_{32}F_3N_3O_4$

分子量 495.53

ステム 不明

原薬の規制区分 劇

原薬の外観・性状 白色～微黄白色の粉末である．メタノール又はエタノール(99.5)に溶けやすく，水に極めて溶けにくい．光によって徐々に黄白色となる．結晶多形が認められる

原薬の吸湿性 25℃，93%RHにおいて吸湿性は認められない

原薬の融点・沸点・凝固点 融点：105～109℃

原薬の酸塩基解離定数 pKa_1＝8.53(ニチルアミノプロピル基の二級アミン由来)，pKa_2＝4.03(インドリン環の三級アミン由来)

先発医薬品等

錠 ユリーフ錠2mg・4mg(キッセイ＝第一三共)
ユリーフOD錠2mg・4mg(キッセイ＝第一三共)

後発医薬品

錠 2mg・4mg・OD錠2mg・4mg

国際誕生年月 2006年1月

海外での発売状況 米，仏，独など40カ国

製剤

規制区分 **錠** 劇 処

製剤の性状 **2mg錠** 白色～微黄白色のフィルムコート錠 **4mg錠** 白色～微黄白色の割線入りフィルムコート錠 **2mg口腔内崩壊錠** 淡黄赤色の素錠 **4mg口腔内崩壊錠** 淡黄赤色の割線入り素錠

有効期間又は使用期限 3年

貯法・保存条件 気密容器，遮光・室温保存(**口腔内崩壊錠** 開封後は防湿保存)

薬剤取扱い上の留意点 起立性低血圧が現れることがあるので，体位変換による血圧変化に注意すること．めまいなどが現れることがあるので，高所作業，自動車の運転など危険を伴う作業に従事する場合には注意させること **口腔内崩壊錠** 製剤の特性上，吸湿により錠剤表面がざらつくことがある．錠剤表面に使用色素による茶色，赤色及び黄色の斑点がみられることがある

患者向け資料等 患者向医薬品ガイド，くすりのしおり

溶液及び溶解時のpH 該当しない

浸透圧比 該当しない

安定なpH域 該当しない

調製時の注意 該当しない

薬理作用

分類 選択的α_{1A}遮断剤

作用部位・作用機序 下部尿路組織である前立腺，尿道及び膀胱三角部のα_{1A}受容体サブタイプに選択的に結合して交感神経系の伝達を遮断することにより，下部尿路組織平滑筋の緊張を緩和し，尿道内圧の上昇を抑制して前立腺肥大症に伴う排尿障害を改善する

同効薬 タムスロシン塩酸塩，ナフトピジルなど

治療

効能・効果 前立腺肥大症に伴う排尿障害

効能・効果に関連する使用上の注意 本剤による治療は原因療法ではなく，対症療法であることに留意し，本剤投与により期待する効果が得られない場合は，手術療法など，他の適切な処置を考慮する

用法・用量 1回4mg，1日2回朝夕食後(適宜減量)

使用上の注意

禁忌 本剤の成分に対し過敏症の既往歴のある患者

相互作用概要 主としてCYP3A4により代謝される

薬物動態

血中濃度 ①生物学的同等性試験(錠，カプセル)：健康成人男性に4mg(錠又はカプセル)を空腹時単回経口投与時の血漿中シロドシン濃度及び薬物動態パラメータ(Cmax(ng/mL)，$AUC_{0\text{-}48}$※)(ng・hr/mL)，Tmax(hr)，$t_{1/2}$(hr)の順)は，4mg錠29.309±13.856，122.91±39.34，0.89±0.66，5.772±3.417，4mgカプセル28.919±14.685，125.44±40.05，1.30±0.89，5.850±3.963．4mg錠及び4mgカプセルは生物学的に同等 ②単回投与：健康成人男性(各群6例)に0.5mgから12mg(カプセル)を単回経口投与時，血漿中シロドシン濃度は投与量の増加に伴って上昇，Cmax及び$AUC_{0\text{-}\infty}$は線形性を示した ③生物学的同等性試験(錠，OD錠)：4mgOD錠(水なし又は水で服用)と4mg錠(標準製剤，水で服用)をクロスオーバー法によりそれぞれを1錠(4mg)健康成人男性に絶食単回経口投与し，血漿中シロドシン濃度を測定して得られた薬物動態パラメータ($AUC_{0\text{-}48hr}$，Cmax)について，90%信頼区間法にて統計解析を行った結果，log(0.8)～log(1.25)の範囲内であり，両剤の生物学的同等性が確認された ④反復投与：健康成人男性5例に4mg(カプセル)を1日2回7日間反復経口投与時(1日目及び7日目は1日1回投与)，血漿中シロドシン濃度は投与3日後には定常状態に達し，初回投与からの累積率は1.1倍 ⑤前立腺肥大症に伴う排尿障害患者での薬物動態：前立腺肥大症に伴う排尿障害患者を対象とした長期投与試験(カプセル)における探索的な母集団薬物動態解析(258例)の結果，定常状態時の投与2時間後及び12時間後の推定血漿中シロドシン濃度(平均値±SD)はそれぞれ24.8±8.0ng/mL及び7.4±3.3ng/mL．血漿中シロドシン濃度に対する変動要因について検討した結果，シロドシンのクリアランスは体重，年齢，CRP，ALT及び血清クレアチニンによって，分布容積は体重，年齢，CRP及びALTによって影響を受けることが示唆された．これら影響因子のうち，ALTについて，シロドシンの血漿中濃度に対する影響が大きいことが推察され，ALTの上昇(23→83IU/L)によりシロドシンのクリアランス及び分布容積はそれぞれ約47%及び約27%低下する可能性が示唆された **吸収** ①食事の影響：健康成人男性11例に4mg(カプセル)を食後30分及び空腹時単回経口投与時，食後投与及び空腹時投与でそれぞれCmaxは23.0及び28.0ng/mL，$AUC_{0\text{-}48hr}$は128.8及び135.9ng・hr/mL，Tmaxは2.1及び1.4時間，$t_{1/2}$は6.0及び4.7時間 ②生物学的利用率：4mg(カプセル)を単回経口投与時の生物学的利用率は32.2% **分布** 健康成人男性11例に2mg(溶液)を4時間点滴静注時のクリアランス及び分布容積はそれぞれ167.0±33.8mL/min及び49.5±17.3L．ヒト血漿タンパクに対する結合率は95.6%(100ng/mL添加時)で，主な結合タンパクはα_1-酸性糖タンパク(*in vitro*) **代謝** 主としてCYP3A4，UDP-グルクロン酸転移酵素，アルコール脱水素酵素及びアルデヒド脱水素酵素により代謝され，血漿中の主な代謝物はシロドシンのグルクロン酸抱合体及び酸化代謝物．健康男性(外国人)6例に「^{14}C」標識シロドシン8mg(溶液)を単回経口投与時，血漿中の総放射能$AUC_{0\text{-}12hr}$に対して，血漿中のシロドシン，シロドシンのグルクロン酸抱合体及び酸化代謝物の$AUC_{0\text{-}12hr}$はそれぞれ24.0，21.9及び34.9%．その他の代謝物の割合はいずれも5%以下 **排泄** 健康男性(外国人)6例に「^{14}C」標識シロドシン8mg(溶液)を単回経口投与時，投与後240時間までに

投与放射能の33.5%が尿中に，54.9%が糞中に排泄　**特定の背景を有する患者**　①腎機能障害患者：腎機能低下者(クレアチニンクリアランス27～49mL/min)6例及び腎機能正常者(クレアチニンクリアランス125～176mL/min)7例に4mg(カプセル)を単回経口投与時，腎機能低下者では腎機能正常者に比べて，シロドシンの血漿中総薬物濃度が上昇(Cmax3.1倍，$AUC_{0-\infty}$3.2倍)．この血漿中総薬物濃度の上昇は血清中α_1-酸性糖タンパクとのタンパク結合による可能性があり，血漿中総薬物濃度と血清中α_1-酸性糖タンパク濃度の間には高い相関が認められた．なお，シロドシンの薬効及び副作用発現に直接関与すると考えられる血漿中非結合形シロドシン濃度の上昇は総薬物濃度より小さかった(Cmax1.5倍，$AUC_{0-\infty}$2.0倍)　②高齢者：高齢男性(65～75歳)12例に4mg(カプセル)を食後単回経口投与時，非高齢男性(21～31歳)9例との薬物動態に明らかな違いはみられなかった．また，投与後48時間までの尿中累積排泄率は高齢男性，非高齢男性でそれぞれシロドシンが2.3及び2.4%，シロドシンのグルクロン酸抱合体が1.6及び1.8%，酸化代謝物が4.5及び4.9%　**薬物相互作用**　ケトコナゾール(経口剤：国内未発売)併用：健康男性(外国人)16例にケトコナゾール200mgを1日1回4日間経口投与し，2日目に本剤4mg(カプセル)を単回経口投与時，併用時のシロドシンのCmax及び$AUC_{0-\infty}$は，シロドシン単独投与時に比べてそれぞれ3.7及び2.9倍に増加

その他の管理的事項

投与期間制限　該当しない

保険給付上の注意　該当しない

資料

IF　ユリーフ錠2mg・4mg・OD錠2mg・4mg　2016年8月改訂(第9版)

シンバスタチン
シンバスタチン錠
Simvastatin

概要

薬効分類　218　高脂血症用剤

構造式

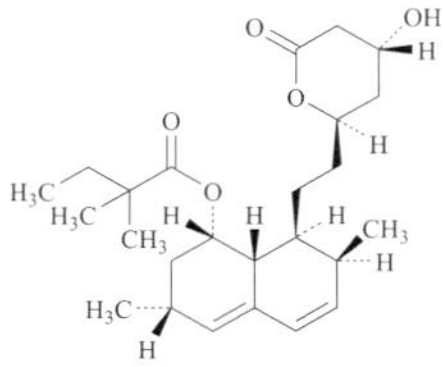

分子式　$C_{25}H_{38}O_5$

分子量　418.57

ステム　HMG-CoA還元酵素阻害薬：-(v)astatin

原薬の規制区分　該当しない

原薬の外観・性状　白色の結晶性の粉末である．アセトニトリル，メタノール又はエタノール(99.5)に溶けやすく，水にほとんど溶けない

原薬の吸湿性　示さない

原薬の融点・沸点・凝固点　融点：135～138℃(分解)

原薬の酸塩基解離定数　水・メタノール混液(1：1)の溶液における酸塩基滴定の結果，pH2から10までの領域で緩衝化現象は認められず，本品は解離基を有さない中性化合物である

先発医薬品等

錠　リポバス錠5・10・20(MSD)

後発医薬品

錠　5mg・10mg・20mg

国際誕生年月　1988年4月

海外での発売状況　米，英，仏，独など

製剤

規制区分　**錠**　㊃

製剤の性状　**5mg錠**　白色の裸錠(片面割線入り)　**10・20mg錠**　白色の裸錠

有効期間又は使用期限　3年

貯法・保存条件　気密容器，室温保存(開封後は防湿保存すること)

薬剤取扱い上の留意点　該当しない

患者向け資料等　患者向医薬品ガイド，くすりのしおり

溶液及び溶解時のpH　該当しない

浸透圧比　該当しない

安定なpH域　該当しない

調製時の注意　該当しない

薬理作用

分類　HMG-CoA還元酵素阻害剤

作用部位・作用機序　吸収後，コレステロール合成の主要臓器である肝臓に選択的に分布し，活性型のオープンアシド体に加水分解される．オープンアシド体はコレステロール生合成系の律速酵素であるHMG-CoA還元酵素を特異的かつ拮抗的に阻害し，肝臓のLDL受容体活性を増強させることによって，血清コレステロールを速やかにかつ強力に低下させる．また，VLDLの生成を減少させる結果，VLDLの代謝産物であるLDLが減少し，血清コレステロールが低下することも考えられている

同効薬　HMG-CoA還元酵素阻害薬(プラバスタチンナトリウム，フルバスタチンナトリウム，アトルバスタチンカルシウム，ピタバスタチンカルシウム，ロスバスタチンカルシウム水和物)

治療

効能・効果　高脂血症，家族性高コレステロール血症

効能・効果に関連する使用上の注意　適用の前に十分な検査を実施し，高脂血症，家族性高コレステロール血症であることを確認した上で適用を考慮する．本剤は高コレステロール血症が主な異常である高脂血症によく反応する

用法・用量　1日1回5mg(適宜増減)．LDL-コレステロール値の低下が不十分な場合1日20mgまで増量できる

用法・用量に関連する使用上の注意　服用時間：コレステロールの生合成は夜間に亢進することが報告されており，臨床試験においても，朝食後に比べ，夕食後投与がより効果的であることが確認されている．したがって，適用にあたっては，1日1回夕食後投与とすることが望ましい

禁忌・原則禁忌となる特定患者集団　妊婦又は妊娠している可能性のある女性及び授乳婦

使用上の注意

禁忌　①本剤の成分に対し過敏症の既往歴のある患者　②重篤な肝障害のある患者［主に肝臓において代謝され，作用するので肝障害を悪化させるおそれがある］　③妊婦又は妊娠している可能性のある女性及び授乳婦　④イトラコナゾール，ミコナゾール，ポサコナゾール，アタザナビル，サキナビルメシル酸塩，テラプレビル，コビシスタットを含有する製剤，オムビタスビル・パリタプレビル・リトナビルを投与中の患者

相互作用概要　主にCYP3A4により代謝される．本剤の活性代謝物であるオープンアシド体はOATP1B1の基質である

薬物動態

血中濃度　①単回投与：健康成人男性に2.5，5，10及び20mgを1回経口投与時，HMG-CoA還元酵素阻害活性より求めた血漿中薬物濃度は投与量に依存して増加し，投与後1.4～3.7時間で最高値　②連続投与時の蓄積性：健康成人に20mg1日1回又は10mg1日2回を7日間連続経口投与時，投与7日目の薬

物動態パラメータは投与1日目と比較して有意な変動はみられず，蓄積性は認められなかった **吸収** 健康成人男性に2.5，5，10及び20mgを1回経口投与時，速やかに吸収された **代謝** 健康成人男性に2.5，5，10及び20mgを1回経口投与時，血漿中にはシンバスタチンとともに，活性代謝物としてオープンアシド体が確認された **排泄** 主排泄経路は胆汁排泄であると考えられ，健康成人男性に2.5，5，10及び20mgを1回経口投与時，投与後24時間までの総阻害物質の尿中排泄率は投与量の0.34～0.42%

その他の管理的事項
投与期間制限 該当しない
保険給付上の注意 該当しない
資料
IF リポバス錠5・10・20 2020年3月改訂(第28版)

常水
Water

概要
分子式 H_2O
分子量 18.02
原薬の規制区分 該当しない

精製水
精製水(容器入り)
Purified Water

概要
薬効分類 713 溶解剤
原薬の規制区分 該当しない
原薬の外観・性状 無色澄明の液で，においはない
治療
効能・用法 ①溶解剤として，製剤，試薬，試液の調製に用いる ②医療機器の洗浄に用いる 〔その他の用途〕溶解剤としてコンタクトレンズの洗浄剤，保存剤の調整に用いる(コンタクトレンズの装着液としては用いない)

滅菌精製水(容器入り)
Sterile Purified Water in Containers
別名：滅菌精製水

概要
原薬の規制区分 該当しない
原薬の外観・性状 無色澄明の液で，においはない

注射用水
注射用水(容器入り)
Water for Injection

概要
薬効分類 713 溶解剤
分子式 H_2O
略語・慣用名 注射用蒸留水
ステム 該当しない
原薬の規制区分 該当しない
原薬の外観・性状 無色澄明の液で，においはない
原薬の吸湿性 該当しない
原薬の融点・沸点・凝固点 沸点：100℃ 凝固点：0℃
原薬の酸塩基解離定数 該当しない
先発医薬品等
注 大塚蒸留水(大塚工場＝大塚製薬)
注射用蒸留水(共和クリティケア)
注射用蒸留水「CMX」(ケミックス＝日医工)
注射用水(日新製薬＝共和クリティケア＝ファイザー＝日本ジェネリック)
注射用水(ニプロ)
注射用水(光＝共和クリティケア)
注射用水「フソー」(扶桑＝アルフレッサファーマ)
注射用水PL「フソー」(扶桑)
注射用水バッグ「フソー」(扶桑)
国際誕生年月 不明
製剤
規制区分 ㊈
製剤の性状 無色澄明の液で，におい及び味はない
有効期間又は使用期限 20・100mL 3年 500・1000mL 5年
貯法・保存条件 室温保存
薬剤取扱い上の留意点 調製時：注射剤の溶解・希釈液として使用する場合は，注射用水が適切であることを確認すること 投与前：①投与に際しては，感染に対する配慮をすること(患者の皮膚や器具消毒) ②開封後直ちに使用し，残液は決して使用しないこと
患者向け資料等 20mL くすりのしおり
溶液及び溶解時のpH 中性
調製時の注意 該当しない
薬理作用
分類 該当しない
作用部位・作用機序 該当しない
同効薬 該当しない
治療
効能・効果 ①注射剤の溶解希釈剤 ②注射剤の製剤(②は製品によりもたないものもある)
用法・用量 適当量をとり，注射剤の溶解，希釈に用いる．また，注射剤の製剤に用いる
その他の管理的事項
投与期間制限 該当しない
保険給付上の注意 該当しない
資料
IF 大塚蒸留水 2014年9月改訂(第6版)

乾燥水酸化アルミニウムゲル 乾燥水酸化アルミニウムゲル細粒 Dried Aluminum Hydroxide Gel

概要
薬効分類 234 制酸剤
分子式 該当しない
ステム 不明
原薬の規制区分 該当しない
原薬の外観・性状 白色の無晶性の粉末で，におい及び味はない．水，エタノール(95)又はジエチルエーテルにほとんど溶けない．希塩酸又は水酸化ナトリウム試液に大部分溶ける
原薬の吸湿性 該当資料なし
原薬の酸塩基解離定数 該当資料なし
先発医薬品等
[末] 乾燥水酸化アルミニウムゲル原末「マルイシ」(丸石＝ニプロ)
乾燥水酸化アルミニウムゲル「ニッコー」(日興製薬)
[細] 乾燥水酸化アルミニウムゲル細粒「ケンエー」(健栄)
国際誕生年月 不明
海外での発売状況 該当資料なし
製剤
製剤の性状 [末] 白色の無晶性の粉末で，におい及び味はない
有効期間又は使用期限 3年
貯法・保存条件 気密容器，室温保存
薬剤取扱い上の留意点 該当しない
患者向け資料等 くすりのしおり
溶液及び溶解時のpH 該当しない
浸透圧比 該当しない
安定なpH域 該当しない
調製時の注意 本剤中のアルミニウムはリン酸と難溶性塩を形成する
薬理作用
分類 制酸剤
作用部位・作用機序 ①制酸作用：胃酸を中和することにより制酸作用を示すが，炭酸水素ナトリウムのように炭酸ガスを発生せず，二次的な胃酸分泌は少ない ②胃粘膜保護作用：胃内でゲル状となり，胃粘膜に対し被覆保護・吸着作用をあらわす．また，粘液分泌も引き起こし，粘膜抵抗性を高める ③収斂作用：胃内の塩酸と反応して$AlCl_3$となり収斂作用を示す．Al^{3+}の収斂作用はCa^{2+}やMg^{2+}より強い
治療
効能・効果 ①次の疾患における制酸作用と症状の改善：胃・十二指腸潰瘍，胃炎(急・慢性胃炎，薬剤性胃炎を含む)，上部消化管機能異常(神経性食思不振，いわゆる胃下垂症，胃酸過多症を含む) ②尿中リン排泄増加に伴う尿路結石の発生予防
用法・用量 1日1～3g，数回に分服(適宜増減)
使用上の注意
禁忌 透析療法を受けている患者［長期投与によりアルミニウム脳症，アルミニウム骨症，貧血等が現れることがある］
その他の管理的事項
投与期間制限 該当しない
保険給付上の注意 該当しない
資料
IF 乾燥水酸化アルミニウムゲル原末「マルイシ」 2013年2月作成(第1版)

水酸化カリウム Potassium Hydroxide

概要
分子式 KOH
分子量 56.11
原薬の規制区分 [劇](ただし，水酸化カリウム5%以下を含有するものを除く)
原薬の外観・性状 白色の小球状，薄片状，棒状又はその他の塊で，堅く，もろく，断面は結晶性である．水又はエタノール(95)に溶けやすく，ジエチルエーテルにほとんど溶けない．空気中で速やかに二酸化炭素を吸収する．湿気によって潮解する
原薬の吸湿性 湿気によって潮解する
製剤
規制区分 [劇]
製剤の性状 白色の小球状，薄片状，棒状又はその他の塊で，堅く，もろく，断面は結晶性である．水又はエタノール(95)に溶けやすく，ジエチルエーテルにほとんど溶けない．空気中で速やかに二酸化炭素を吸収する．湿気によって潮解する
貯法・保存条件 気密容器
薬理作用
分類 調剤用薬
その他の管理的事項
投与期間制限 該当しない
保険給付上の注意 該当しない
資料
添付文書 水酸化カリウム「コザカイ・M」 2012年4月改訂(第2版)

水酸化カルシウム Calcium Hydroxide

概要
薬効分類 264 鎮痛，鎮痒，収斂，消炎剤
分子式 $Ca(OH)_2$
分子量 74.09
原薬の規制区分 該当しない
原薬の外観・性状 白色の粉末で，味は僅かに苦い．水に溶けにくく，熱湯に極めて溶けにくく，エタノール(95)又はジエチルエーテルにほとんど溶けない．希酢酸，希塩酸又は希硝酸に溶ける．空気中で二酸化炭素を吸収する
後発医薬品
[外用液]
製剤
製剤の性状 [液] 無色澄明の液で，強アルカリ性である．空気中の二酸化炭素により白濁する
貯法・保存条件 気密容器
薬理作用
分類 鎮痛，鎮痒，収斂，消炎剤
治療
効能・効果 第一度熱傷，湿疹・皮膚炎，尋常性ざ瘡
用法・用量 ①第一度熱傷：原液のまま，又は植物油と等量に混和し塗布 ②湿疹・皮膚炎：ローション剤と適宜混和し塗布 ③尋常性ざ瘡：クンメルフェルド液として塗布
その他の管理的事項
投与期間制限 該当しない
保険給付上の注意 該当しない

資料
添付文書 石灰水（司生堂）

水酸化ナトリウム
Sodium Hydroxide

概要
分子式 NaOH
分子量 40.00
原薬の規制区分 劇（ただし，水酸化ナトリウム5%以下を含有するものを除く）
原薬の外観・性状 白色の小球状，薄片状，棒状又はその他の塊で，堅く，もろく，断面は結晶性である．水又はエタノール(95)に溶けやすく，ジエチルエーテルにほとんど溶けない．空気中で速やかに二酸化炭素を吸収する．湿気によって潮解する
原薬の吸湿性 湿気によって潮解する
製剤
貯法・保存条件 気密容器

スキサメトニウム塩化物水和物
スキサメトニウム塩化物注射液
注射用スキサメトニウム塩化物
Suxamethonium Chloride Hydrate

概要
薬効分類 122 骨格筋弛緩剤
構造式

$$(H_3C)_3N^+CH_2CH_2OC(=O)CH_2CH_2C(=O)OCH_2CH_2N^+(CH_3)_3 \quad 2Cl^- \cdot 2H_2O$$

分子式 $C_{14}H_{30}Cl_2N_2O_4 \cdot 2H_2O$
分子量 397.34
略語・慣用名 S.C.C.
ステム 第四級アンモニウム化合物：-ium，-onium
原薬の規制区分 毒
原薬の外観・性状 白色の結晶性の粉末である．水，メタノール又は酢酸(100)に溶けやすく，エタノール(95)に溶けにくく，無水酢酸に極めて溶けにくく，ジエチルエーテルにほとんど溶けない．0.1gを水10mLに溶かした液のpHは4.0～5.0である
原薬の吸湿性 あり．臨界相対湿度は約80%RHである
原薬の融点・沸点・凝固点 融点 159～164℃（未乾燥）
原薬の酸塩基解離定数 該当資料なし
先発医薬品等
注 スキサメトニウム注40・100「マルイシ」（丸石）
注射用 レラキシン注用200mg（杏林）
国際誕生年月 不明
海外での発売状況 米，英など
製剤
規制区分 **注** **注射用** 毒 処
製剤の性状 **注** 無色澄明のアンプル入り注射液 **注射用** 白色の結晶性の粉末又は塊
有効期間又は使用期限 **注** 12カ月 **注射用** 5年
貯法・保存条件 **注** 凍結を避け，5℃以下で保存 **注射用** 室温保存
薬剤取扱い上の留意点 **注** 静脈麻酔剤と混合すると沈殿を生じることがあるので，混合注射を避けること **注射用** 本剤を溶解したものは凍結を避け，5℃以下に保存すること．調製後はできるだけ速やかに使用すること（1週間以内）．本剤を溶解したものは，他の注射剤との識別を容易にするため添付の赤いテープを容器に貼付するなど注意すること．バルビツール酸系薬剤と混合すると沈殿を生じるので，同じ注射筒を使用しないこと
溶液及び溶解時のpH **注** 3.0～5.0 **注射用** 4.0～5.0（添付溶解液10mLに溶解）
浸透圧比 **注** 約1 **注射用** 1.2～1.7（添付溶解液10mLに溶解）（対生食）
調製時の注意 **注** 静脈麻酔剤と混合すると沈殿を生じることがあるので，混合注射を避けること．生食又は5%ブドウ糖液で希釈した0.1～0.2%溶液は調製後できるだけ速やかに使用すること（1週間以内）．また，希釈した溶液を保存する場合は，本剤が添加してある旨，容器に明記するなど誤用のないように注意すること
薬理作用
分類 筋弛緩剤（アセチルコリン近縁化合物）
作用部位・作用機序 作用部位：神経終板 作用機序：筋弛緩作用 ①直接神経の終板に働き，持続的脱分極を起こすことにより筋弛緩作用を発揮する．又，しばしば一過性の筋線維性攣縮を経過して筋弛緩に入ることがあるが，この筋線維性攣縮の終わったとき，筋弛緩が最高に達する ②神経終板の脱分極が短く，脱分極が最高に達した後に最大の神経筋遮断が起こる．このために，本剤の神経筋遮断作用は脱分極後に起こる終板の脱感受性作用によるとも考えられている
同効薬 ベクロニウム臭化物，ロクロニウム臭化物
治療
効能・効果 麻酔時の筋弛緩，気管内挿管時・骨折脱臼の整復時・喉頭痙攣の筋弛緩，精神神経科における電撃療法の際の筋弛緩，腹部腫瘤診断時
用法・用量 ①間欠的投与法：1回10～60mg静注．この用量で筋弛緩が得られないときは，筋弛緩が得られるまで適宜増量 ②持続点滴法：持続性効果を求める場合は，0.1～0.2%となるように生理食塩液又は5%ブドウ糖液に溶かし，持続注入．2.5mg/分ぐらいの速さで注入 ③乳幼児及び小児に対する投与法として，静注の場合1mg/kgを，静注が不可能な場合は2～3mg/kgを筋注
使用上の注意

> **警告** 本剤による呼吸停止について：①使用にあたっては，必ずガス麻酔器又は人工呼吸器を準備する．使用時は呼吸停止を起こすことが非常に多いので，人工呼吸や挿管に熟練した医師によってのみ使用する ②本剤によって起こる呼吸停止は，注入後極めて速やかなので，人工呼吸の時期を失しないように，事前に設備その他の準備・点検を十分に行う

禁忌 ①本剤の成分に対し過敏症の既往歴のある患者 ②急性期後の重症の熱傷，急性期後の広範性挫滅性外傷，四肢麻痺のある患者［血中カリウムの増加作用により，心停止を起こすおそれがある］
薬物動態
血漿コリンエステラーゼにより速やかに分解，コリンとサクシニルモノコリンになり，次いでサクシニルモノコリンはコリンとコハク酸に分解．呼吸・循環系，肝・腎機能等の障害がない外科，整形外科，形成外科患者に100mg静注後，5分までに39.4%，60分までに71%排出．未変化体の尿中排泄率は平均2.2%
その他の管理的事項
投与期間制限 該当しない

ス

保険給付上の注意　該当しない

資料

IF　スキサメトニウム注40・100「マルイシ」　2019年7月改訂（第3版）
　レラキシン注用200mg　2020年7月改訂（第11版）

スクラルファート水和物
Sucralfate Hydrate

概要

薬効分類　232　消化性潰瘍用剤
構造式

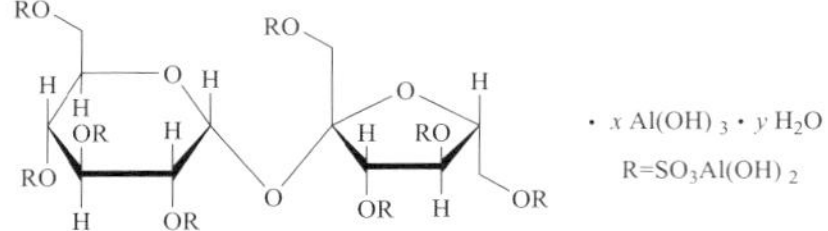

分子式　$C_{12}H_{30}Al_8O_{51}S_8 \cdot xAl(OH)_3 \cdot yH_2O$
略語・慣用名　別名：ショ糖硫酸エステルアルミニウム塩
原薬の規制区分　該当しない
原薬の外観・性状　白色の粉末で，におい及び味はない．水，熱湯，エタノール(95)又はジエチルエーテルにほとんど溶けない．希塩酸又は硫酸・水酸化ナトリウム試液に溶ける
原薬の吸湿性　40℃RH70%14日で5.9%，40℃RH80%14日で5.8%であった
原薬の融点・沸点・凝固点　測定不能
原薬の酸塩基解離定数　水に不溶なため測定不能
先発医薬品等
　細　アルサルミン細粒90%（富士化学＝日医工）
　内用液　アルサルミン内用液10%（富士化学＝日医工）
後発医薬品
　細　90%
　顆　90%
　内用液　10%
国際誕生年月　1968年2月
海外での発売状況　米，仏

製剤

製剤の性状　細　白色の細粒剤　内用液　白色懸濁液で特有の芳香があり，味は甘い
有効期間又は使用期限　細　5年　内用液　3年
貯法・保存条件　室温保存
薬剤取扱い上の留意点　該当しない
患者向け資料等　くすりのしおり
溶液及び溶解時のpH　内用液　3.5～4.5
調製時の注意　内用液　服用前によく振り混ぜるよう指導すること

薬理作用

分類　胃炎・消化性潰瘍治療剤
作用部位・作用機序　基質蛋白保護作用（胃粘膜保護作用），胃液ペプシン活性抑制作用，制酸作用，再生粘膜の発育促進及び血管増生，抗潰瘍及び潰瘍治癒効果，胃炎モデルへの効果
同効薬　アルジオキサ，ゲファルナート，テプレノンなど

治療

効能・効果　①胃潰瘍，十二指腸潰瘍　②次の疾患の胃粘膜病変（びらん，出血，発赤，浮腫）の改善：急性胃炎，慢性胃炎の急性増悪期
用法・用量　細　顆　1回1～1.2g，内用液　10mL，1日3回（適宜増減）

使用上の注意

禁忌　透析療法を受けている患者［長期投与によりアルミニウム脳症，アルミニウム骨症，貧血等が現れることがある］

その他の管理的事項

投与期間制限　該当しない
保険給付上の注意　該当しない

資料

IF　アルサルミン細粒90%・内用液10%　2019年9月改訂（第6版）

スコポラミン臭化水素酸塩水和物
Scopolamine Hydrobromide Hydrate

概要

薬効分類　124　鎮けい剤
構造式

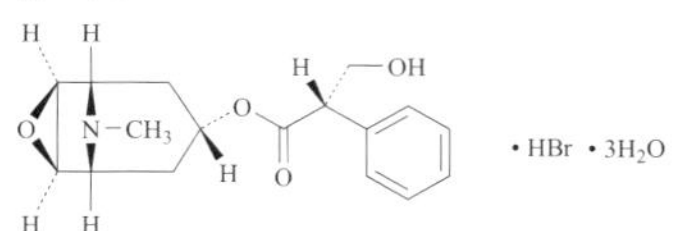

分子式　$C_{17}H_{21}NO_4 \cdot HBr \cdot 3H_2O$
分子量　438.31
ステム　不明
原薬の規制区分　毒（ただし，製剤は劇（ただし，膏剤，坐剤及び注射剤以外の製剤であって1個中スコポラミン臭化水素酸塩0.25mg以下を含有するもの及び1容器中スコポラミン臭化水素酸塩0.25mg以下を含有する内用液剤を除く））
原薬の外観・性状　無色若しくは白色の結晶又は白色の粒，若しくは粉末で，においはない．水に溶けやすく，エタノール(95)又は酢酸(100)にやや溶けにくく，ジエチルエーテルにほとんど溶けない
原薬の吸湿性　吸湿性はない
原薬の融点・沸点・凝固点　融点：195～199℃（乾燥後，あらかじめ浴液を180℃に加熱しておく）
原薬の酸塩基解離定数　該当資料なし
先発医薬品等
　注　ハイスコ皮下注0.5mg（杏林）
国際誕生年月　不明
海外での発売状況　発売されていない

製剤

規制区分　注　劇　処
製剤の性状　注　無色澄明の注射液
有効期間又は使用期限　3年
貯法・保存条件　遮光，凍結を避け8℃以下で保存
薬剤取扱い上の留意点　眼の調節障害，眠気，めまい等を起こすことがあるので，本剤投与中の患者には自動車の運転等危険を伴う機械の操作に注意させること
溶液及び溶解時のpH　5.5～6.5
浸透圧比　約0.0（対生食）
調製時の注意　該当しない

薬理作用

分類　抗コリン剤
作用部位・作用機序　抗コリン薬（スコポラミン臭化水素酸塩水和物，アトロピン硫酸塩水和物）は，副交感神経を遮断し，口腔内・気道内分泌の抑制，有害な副交感神経反射（主に徐脈）の予防の目的で麻酔導入30分前に使用されるが，次の相異がある．スコポラミン臭化水素酸塩水和物は，鎮静効果を期待するとき（ただし，高齢者では興奮，不穏状態を起こすことがあるので注意），頻脈を避けたいとき（例えば僧帽弁狭窄

症），発熱時，モルヒネ併用時等にアトロピン硫酸塩水和物の代わりに使用される
同効薬　アトロピン硫酸塩水和物，ブチルスコポラミン臭化物など

治療

効能・効果　麻酔の前投薬，特発性及び脳炎後パーキンソニズム
用法・用量　1回0.25～0.5mg皮下注（適宜増減）

使用上の注意

禁忌　①閉塞隅角緑内障の患者［抗コリン作用により眼圧が上昇し，症状を悪化させることがある］　②前立腺肥大による排尿障害のある患者［排尿障害を助長するおそれがある］　③重篤な心疾患のある患者［心臓の運動を促進するため，症状を悪化させるおそれがある］　④麻痺性イレウスのある患者［腸管の弛緩を助長するおそれがある］　⑤本剤に対し過敏症の既往歴のある患者　⑥喘息の患者［気管支分泌量が減少し，粘着性が増し，分泌物の排出が困難になるおそれがある］　⑦肝炎の患者［肝臓で代謝されるため，肝機能障害のある患者では代謝されにくくなり，副作用が起こりやすくなるおそれがある］
過量投与　呼吸中枢を抑制する：①治療法：呼吸管理（酸素吸入・人工呼吸等）を行い，興奮症状が強い場合はジアゼパムやフェノバルビタールを投与する．フェノチアジン類は抗ムスカリン作用により中毒症状を悪化させるため使用してはならない　②解毒剤：コリンエステラーゼ阻害剤（ネオスチグミン等）

その他の管理的事項

投与期間制限　該当しない
保険給付上の注意　該当しない

資料

IF　ハイスコ皮下注0.5mg　2019年9月改訂（第12版）

ステアリルアルコール
Stearyl Alcohol

概要

分子式　$C_{18}H_{38}O$
分子量　270.49
原薬の規制区分　該当しない
原薬の外観・性状　白色のろう様物質で，僅かに特異なにおいがあり，味はない．エタノール（95），エタノール（99.5）又はジエチルエーテルに溶けやすく，水にほとんど溶けない
原薬の融点・沸点・凝固点　融点：56～62℃

ステアリン酸
Stearic Acid

概要

分子式　ステアリン酸：$C_{18}H_{36}O_2$
パルチミン酸：$C_{16}H_{32}O_2$
分子量　284.48（ステアリン酸），256.42（パルミチン酸）
原薬の規制区分　該当しない
原薬の外観・性状　白色のろう状の塊，結晶性の塊又は粉末で，僅かに脂肪のにおいがある．エタノール（99.5）にやや溶けやすく，水にほとんど溶けない
原薬の融点・沸点・凝固点　融点：56～72℃

ステアリン酸カルシウム
Calcium Stearate

概要

分子式　ステアリン酸：$C_{18}H_{36}O_2$
パルチミン酸：$C_{16}H_{32}O_2$
カルシウム：Ca
分子量　284.48（ステアリン酸），256.42（パルミチン酸），40.08（カルシウム）
原薬の規制区分　該当しない
原薬の外観・性状　白色の軽くてかさ高い粉末で，なめらかな触感があり，皮膚につきやすく，においはないか，又は僅かに特異なにおいがある．水，エタノール（95）又はジエチルエーテルにほとんど溶けない

ス

ステアリン酸ポリオキシル40
Polyoxyl 40 Stearate

概要

原薬の規制区分　該当しない
原薬の外観・性状　白色～淡黄色のろう様の塊又は粉末で，においはないか，又は僅かに脂肪様のにおいがある．水，エタノール（95）又はジエチルエーテルにやや溶けやすい
原薬の融点・沸点・凝固点　凝固点：39.0～44.0℃

ステアリン酸マグネシウム
Magnesium Stearate

概要

原薬の規制区分　該当しない
原薬の外観・性状　白色の軽くてかさ高い粉末で，なめらかな感触があり，皮膚につきやすく，においはないか，又は僅かに特異なにおいがある．水又はエタノール（99.5）にほとんど溶けない

ストレプトマイシン硫酸塩
注射用ストレプトマイシン硫酸塩
Streptomycin Sulfate

概要

薬効分類 616 主として抗酸菌に作用するもの

構造式

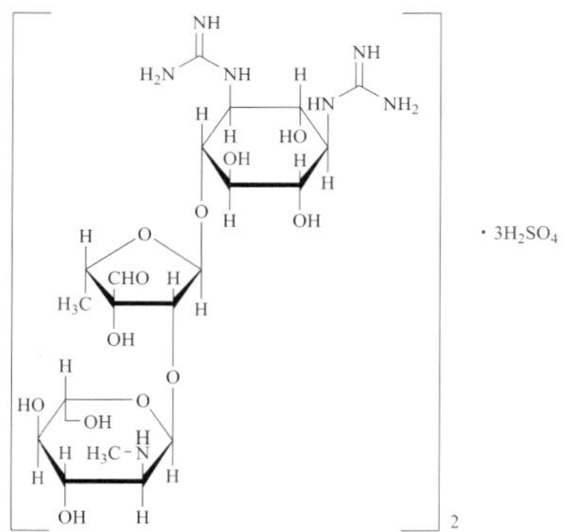

分子式 $(C_{21}H_{39}N_7O_{12})_2 \cdot 3H_2SO_4$

分子量 1457.38

略語・慣用名 SM

ステム *Streptomyces*属の産生する抗生物質：-mycin

原薬の規制区分 該当しない

原薬の外観・性状 白色〜淡黄白色の粉末である．水に溶けやすく，エタノール(95)に極めて溶けにくい．2.0gを水10mLに溶かした液のpHは4.5〜7.0である

原薬の吸湿性 該当資料なし

先発医薬品等

注射用 硫酸ストレプトマイシン注射用1g「明治」(MeijiSeika)

国際誕生年月 不明

海外での発売状況 米，仏など

製剤

規制区分 **注射用** 処

製剤の性状 **注射用** 白色又は淡黄白色の塊又は粉末

有効期間又は使用期限 5年

貯法・保存条件 室温保存

薬剤取扱い上の留意点 用時溶解し，溶解後は速やかに使用すること．本剤の水溶液は無色澄明〜微黄色澄明である．溶解後，水溶液は僅かに着色することがある

患者向け資料等 患者向医薬品ガイド，くすりのしおり

溶液及び溶解時のpH 4.5〜7.0(2.0g/10mL水)

浸透圧比 約2(1g/3mL注射用水)，約3(1g/3mL生食)(対生食)

薬理作用

分類 アミノグリコシド系抗生物質

作用部位・作用機序 細菌のリボソームの30Sサブユニットに結合し，タンパク合成の開始反応を阻害する．また，低濃度では誤読miscodingを起こさせ，一部に間違ったアミノ酸配列を持つタンパクを合成する．そのほか，アミノグリコシド系抗生物質には細胞膜に対する傷害作用やDNA合成開始反応の阻害作用もあることが報告されており，これらの作用により殺菌効果が得られるといわれている．アミノグリコシド系薬剤は細菌のリボソームに作用するが，動物細胞のリボソームに対しては作用が弱いので化学療法薬としての選択毒性を発揮することができる

同効薬 カナマイシン硫酸塩，エンビオマイシン硫酸塩など

治療

効能・効果 〈適応菌種〉ストレプトマイシンに感性のマイコバクテリウム属，ペスト菌，野兎病菌，ワイル病レプトスピラ 〈適応症〉感染性心内膜炎(ベンジルペニシリン又はアンピシリンと併用の場合に限る)，ペスト，野兎病，肺結核及びその他の結核症，マイコバクテリウム・アビウムコンプレックス(MAC)症を含む非結核性抗酸菌症，ワイル病

用法・用量 ①肺結核及びその他の結核症：1日1g(力価)筋注．週2〜3日，あるいは初めの1〜3カ月は毎日，その後週2日投与．また，必要に応じて局所に投与．ただし，高齢者(60歳以上)には1回0.5〜0.75g(力価)とし，小児あるいは体重の著しく少ないものにあっては，適宜減量．なお，原則として他の抗結核薬と併用 ②MAC症を含む非結核性抗酸菌症：1日0.75〜1g(力価)，週2回又は週3回筋注(適宜減量) ③その他：1日1〜2g(力価)，1〜2回に分けて筋注(適宜増減)．注射液の調製法：溶解には，1バイアルに注射用水又は生理食塩液3〜5mLを加える．用時溶解し，溶解後は速やかに使用する

用法・用量に関連する使用上の注意 ①使用にあたっては，耐性菌の発現等を防ぐため，原則として感受性を確認し，疾病の治療上必要な最小限の期間の投与にとどめる ②MAC症を含む非結核性抗酸菌症に使用する際には，投与開始時期，投与期間，併用薬等について国内外の各種ガイドライン等，最新の情報を参考にし，投与する ③腎障害のある患者には，投与量を減ずるか，投与間隔をあけて使用する

使用上の注意

禁忌 本剤の成分ならびにアミノグリコシド系抗生物質又はバシトラシンに対し過敏症の既往歴のある患者

過量投与 ①徴候，症状：腎障害，聴覚障害，前庭障害，神経筋遮断症状，呼吸麻痺が現れることがある ②処置：血液透析，腹膜透析による薬剤の除去を行う．神経筋遮断症状，呼吸麻痺に対してはコリンエステラーゼ阻害剤，カルシウム製剤の投与又は機械的呼吸補助を行う

薬物動態

血中濃度 成人に0.5g，1gを筋注時の最高血中濃度は，それぞれ25〜30μg/mL，約40μg/mLで5時間後に約1/2に低下 **排泄** 腎機能正常成人では尿中排泄は4時間までが最も速やかで，大部分が12時間までに排泄され，24時間までに50〜75%が排泄

その他の管理的事項

投与期間制限 該当しない

保険給付上の注意 該当しない

資料

IF 硫酸ストレプトマイシン注射用1g「明治」 2019年7月改訂(第8版)

スピラマイシン酢酸エステル
Spiramycin Acetate

概要
薬効分類　614　主としてグラム陽性菌，マイコプラズマに作用するもの
構造式

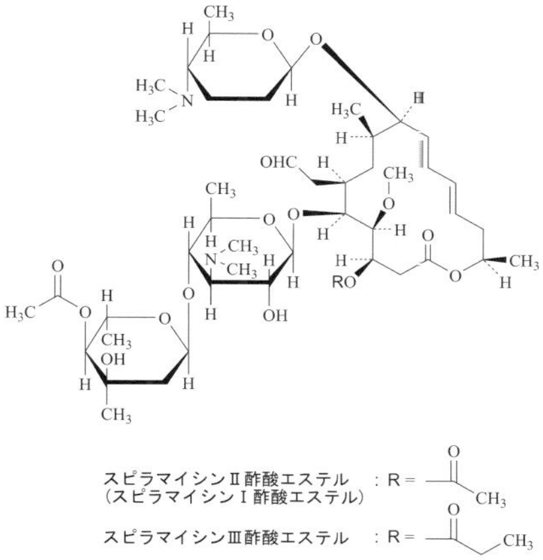

スピラマイシンⅡ酢酸エステル（スピラマイシンⅠ酢酸エステル）：R＝ $COCH_3$
スピラマイシンⅢ酢酸エステル：R＝ $COCH_2CH_3$

略語・慣用名　AC-SPM
ステム　*Streptomyces*属の産生する抗生物質：-mycin
原薬の規制区分　該当しない
原薬の外観・性状　白色～淡黄白色の粉末である．アセトニトリル又はメタノールに極めて溶けやすく，エタノール（99.5）に溶けやすく，水にほとんど溶けない
原薬の吸湿性　25℃，14日，75%RHにおいて吸湿量は2.6%であった
原薬の融点・沸点・凝固点　融点：117～119℃
原薬の酸塩基解離定数　pKa'＝6.9
先発医薬品等
錠　アセチルスピラマイシン錠100・200（アスペン）
国際誕生年月　該当資料なし
海外での発売状況　中国

製剤
規制区分　錠　㊫
製剤の性状　錠　黄橙色のフィルムコーティング錠
有効期間又は使用期限　3年
貯法・保存条件　密閉容器，室温保存
薬剤取扱い上の留意点　該当しない
患者向け資料等　くすりのしおり
溶液及び溶解時のpH　該当資料なし
浸透圧比　該当資料なし
安定なpH域　該当資料なし
調製時の注意　該当資料なし

薬理作用
分類　マクロライド系抗生物質
作用部位・作用機序　作用部位：感染症部位　作用機序：細菌の蛋白合成を阻害する．作用は静菌的である
同効薬　マクロライド系抗生物質

治療
効能・効果　〈適応菌種〉スピラマイシンに感性のブドウ球菌属，レンサ球菌属，肺炎球菌，梅毒トレポネーマ　〈適応症〉表在性皮膚感染症，深在性皮膚感染症，リンパ管・リンパ節炎，慢性膿皮症，外傷・熱傷及び手術創等の二次感染，乳腺炎，骨髄炎，咽頭・喉頭炎，扁桃炎，急性気管支炎，肺炎，肺膿瘍，慢性呼吸器病変の二次感染，梅毒，子宮付属器炎，涙嚢炎，麦粒腫，中耳炎，猩紅熱
効能・効果に関連する使用上の注意　咽頭・喉頭炎，扁桃炎，急性気管支炎，中耳炎への使用にあたっては，「抗微生物薬適正使用の手引き」を参照し，抗菌薬投与の必要性を判断した上で，本剤の投与が適切と判断される場合に投与する
用法・用量　1回200mg（力価），1日4～6回（適宜増減）
用法・用量に関連する使用上の注意　使用にあたっては，耐性菌の発現等を防ぐため，原則として感受性を確認し，疾病の治療上必要な最小限の期間の投与にとどめる

使用上の注意
禁忌　本剤の成分に対し過敏症の既往歴のある患者

薬物動態
吸収　健常成人（20名）400mg（100mg錠又は200mg錠）経口投与時の最高血中濃度は2時間後で，36時間後は完全に消失　**分布**　①体組織への分布：ラットに500mg/kg経口投与3時間後の体組織への分布は，肝臓＞脾臓＞肺＞腎臓の順　②通過性・移行性：⑴血液-胎盤関門通過性：臍帯血中には母体血中濃度の約1/2，胎盤組織中には母体血中濃度の約1/2～1/3　⑵その他の組織への移行性：胆汁中，膿汁中，肝，肺，胸水，母乳中へ移行し，血中濃度より高値を示した．なお，髄液中への移行は認められなかった　**代謝**　尿中代謝物として脱アセチル化体であるスピラマイシンとそのミカロースが外れたネオスピラマイシン　**排泄**　健常成人3名に500mg経口投与後7時間までに約4%が尿中に排泄

その他の管理的事項
投与期間制限　該当しない
保険給付上の注意　該当しない

資料
IF　アセチルスピラマイシン錠100・200　2018年7月改訂（第12版）

スピロノラクトン
スピロノラクトン錠
Spironolactone

概要
薬効分類　213　利尿剤
構造式

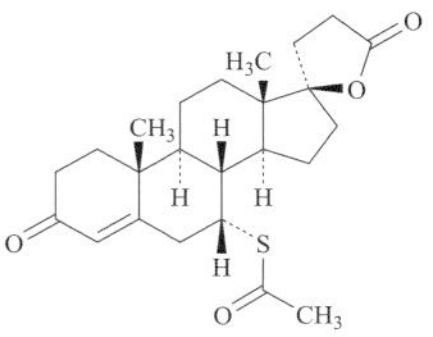

分子式　$C_{24}H_{32}O_4S$
分子量　416.57
原薬の規制区分　該当しない
原薬の外観・性状　白色～淡黄褐色の微細な粉末である．クロロホルムに溶けやすく，エタノール（95）にやや溶けやすく，メタノールに溶けにくく，水にほとんど溶けない．結晶多形が認められる
原薬の吸湿性　40℃，60%RH，1カ月の放置で吸湿しないことが確認されている
原薬の融点・沸点・凝固点　融点：198～207℃（125℃の浴液中に挿入し，140～185℃の間は1分間に約10℃，その前後は1分間に約3℃上昇するように加熱を続ける）
原薬の酸塩基解離定数　該当資料なし
先発医薬品等
細　アルダクトンA細粒10%（ファイザー）
錠　アルダクトンA錠25mg・50mg（ファイザー）

後発医薬品
　錠 25mg・50mg
国際誕生年月　1959年12月
海外での発売状況　米，英，仏など
製剤
規制区分　**細**　**錠**　㊇
製剤の性状　**細** 白色の細粒で特異なにおい及び味がある　**25mg錠** 白色の素錠　**50mg錠** 白色の割線入り素錠
有効期間又は使用期限　5年
貯法・保存条件　**細** 遮光・室温保存　**錠** 室温保存
薬剤取扱い上の留意点　降圧作用に基づくめまい等が現れることがあるので，高所作業，自動車の運転等危険を伴う機械を操作する際には注意させること
患者向け資料等　くすりのしおり
薬理作用
分類　抗アルドステロン性利尿降圧剤
作用部位・作用機序　主として遠位尿細管のアルドステロン依存性ナトリウム－カリウム交換部位にはたらき，アルドステロン拮抗作用により，ナトリウム及び水の排泄を促進し，カリウムの排泄を抑制する
同効薬　カンレノ酸カリウム
治療
効能・効果　①高血圧症（本態性，腎性等）　②心性浮腫（うっ血性心不全），腎性浮腫，肝性浮腫，特発性浮腫，悪性腫瘍に伴う浮腫及び腹水，栄養失調性浮腫　③原発性アルドステロン症の診断及び症状の改善
用法・用量　スピロノラクトンとして1日50～100mgを分服（適宜増減）．ただし，原発性アルドステロン症の診断及び症状の改善のほかは他剤と併用することが多い
使用上の注意
禁忌　①無尿又は急性腎不全の患者［腎機能をさらに悪化させるおそれがある．また，腎からのカリウム排泄が低下しているため高カリウム血症を誘発又は増悪させるおそれがある］　②高カリウム血症の患者［高カリウム血症を増悪させるおそれがある］　③アジソン病の患者［アジソン病ではアルドステロン分泌低下により，カリウム排泄障害をきたしているので，高カリウム血症となるおそれがある］　④タクロリムス，エプレレノン又はミトタンを投与中の患者　⑤本剤に対し過敏症の既往歴のある患者
過量投与　①症状：過量投与により悪心，嘔吐，傾眠状態，精神錯乱，斑状丘疹，紅斑，下痢，電解質失調，脱水を起こす可能性がある　②処置：中止し，食事を含むカリウムの摂取を制限する
薬物動態
　血漿中濃度　健常成人（男子）100mg（25mg錠4錠）単回経口投与時の血漿中濃度の推移は，tmax2.8時間，Cmax461ng/mL，消失半減期はα相1.8時間，β相11.6時間．血漿中消失は2相性（承認用量は1日50～100mg分服）　**代謝・排泄（参考）**　健常成人（男子）（外国人）に[20-^{3}H]スピロノラクトン200mg単回経口投与後5日間の排泄放射活性は尿中31.6%，糞中22.7%．主な尿中代謝物は，カンレノン，6β-ヒドロキシ-7α-メチルスルフィニル体及びカンレノ酸のグルクロン酸抱合体
その他の管理的事項
投与期間制限　該当しない
保険給付上の注意　該当しない
資料
IF　アルダクトンA細粒10%・錠25mg・50mg　2018年11月改訂（第8版）

スペクチノマイシン塩酸塩水和物 注射用スペクチノマイシン塩酸塩
Spectinomycin Hydrochloride Hydrate

概要
薬効分類　612　主としてグラム陰性菌に作用するもの
構造式

・2HCl・5H_2O

分子式　$C_{14}H_{24}N_2O_7$・2HCl・5H_2O
分子量　495.35
略語・慣用名　SPCM
ステム　*Streptomyces*属の産生する抗生物質：-mycin
原薬の規制区分　該当しない
原薬の外観・性状　白色～淡黄白色の結晶性の粉末である．水に溶けやすく，エタノール（95）にほとんど溶けない．0.10gを水10mLに溶かした液のpHは4.0～5.6である
原薬の吸湿性　含湿度：16.0～20.0%（水分定量法）
原薬の融点・沸点・凝固点　融点：193℃（分解点）
原薬の酸塩基解離定数　pKa＝6.95，8.70（H_2O）
先発医薬品等
　注射用 トロビシン筋注用2g（ファイザー）
国際誕生年月　1970年1月
海外での発売状況　米，仏など含む31カ国
製剤
規制区分　**注射用**　㊇
製剤の性状　**注射用** 白色～淡黄白色の結晶性粉末（バイアル）と懸濁用液（アンプル）よりなり，用時懸濁して用いる注射剤である
有効期間又は使用期限　5年
貯法・保存条件　密封容器，室温保存
薬剤取扱い上の留意点　調製した懸濁液は24時間以内に使用すること
溶液及び溶解時のpH　4.0～7.0
浸透圧比　約5（対生食）
薬理作用
分類　アミノサイクリトール系抗生物質
作用部位・作用機序　細菌細胞内で蛋白合成を阻害する．すなわち細菌の30Sリボゾームサブユニットに作用し，蛋白合成の開始過程及びペプチド鎖延長過程に作用する
同効薬　ペニシリン系抗生物質，セファロスポリン系抗生物質など
治療
効能・効果　〈適応菌種〉スペクチノマイシンに感性の淋菌　〈適応症〉淋菌感染症
用法・用量　スペクチノマイシンとして1回2g（力価）臀筋注，効果の不十分な場合1回4g（力価）追加（適宜増減）．4g（力価）投与には左右の臀筋の2カ所に分けてもよい
用法・用量に関連する使用上の注意　①使用にあたっては，耐性菌の発現等を防ぐため，原則として感受性を確認し，疾病の治療上必要な最小限の期間の投与にとどめる　②1回投与後3～5日間は経過を観察し，効果判定をする．なお，追加投与の必要のある場合は，用法・用量に準ずる
使用上の注意
禁忌　本剤の成分に対し過敏症の既往歴のある患者
薬物動態
　血中濃度　（μg/mL）健康成人に2g筋注後の血中濃度は，30分後で平均77.8，1時間でピーク91.4，2時間で71.8，4時間で

45.9, 6時間でも20.1と高い(5名平均) **代謝** 人尿(薄層クロマトグラフィ)には，生体内で代謝されることなく排泄 **排泄** 健康成人に2g筋注後の尿中濃度(μg/mL)は，投与後30分で1455.6, 1時間でピーク7086, 2時間で5434, 4時間で2748, 6時間でも1222と非常に高い尿中濃度. 6時間までの尿中回収率45.5%(5名平均)

その他の管理的事項

投与期間制限 該当しない

保険給付上の注意 該当しない

資料

IF トロビシン筋注用2g 2019年7月改訂(第6版)

スリンダク
Sulindac

概要

薬効分類 114 解熱鎮痛消炎剤

構造式

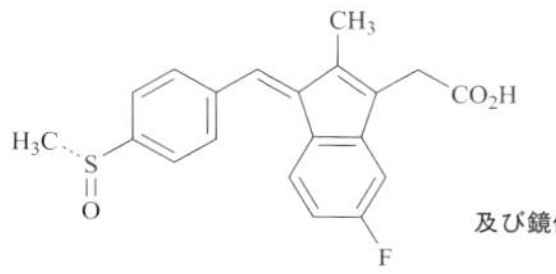

及び鏡像異性体

分子式 $C_{20}H_{17}FO_3S$

分子量 356.41

ステム 不明

原薬の規制区分 劇(ただし，1個中スリンダク100mg以下を含有する内用剤を除く)

原薬の外観・性状 黄色の結晶性の粉末である. メタノール又はエタノール(99.5)にやや溶けにくく，水にほとんど溶けない. 本品のメタノール溶液(1→100)に旋光性を示さない

原薬の吸湿性 吸湿性はない

原薬の融点・沸点・凝固点 融点：約184℃(分解)

原薬の酸塩基解離定数 pKa＝4.5(25℃，水・メタノール溶液中，スリンダクを0.1N水酸化カリウム液で滴定)

先発医薬品等

錠 クリノリル錠50・100(日医工＝杏林)

国際誕生年月 不明

海外での発売状況 米など

製剤

製剤の性状 錠 黄色の六角形の裸錠

有効期間又は使用期限 3年

貯法・保存条件 気密容器，室温保存

薬剤取扱い上の留意点 他の消炎鎮痛剤との併用は避けることが望ましい

患者向け資料等 くすりのしおり

溶液及び溶解時のpH 該当しない

浸透圧比 該当しない

安定なpH域 該当しない

調製時の注意 該当しない

薬理作用

分類 酸性非ステロイド性抗炎症剤

作用部位・作用機序 主として末梢におけるプロスタグランジン(PG)生合成抑制作用に基づくものと考えられている

同効薬 インドメタシン，ジクロフェナクナトリウム，イブプロフェン，ロキソプロフェンナトリウム，ピロキシカムなど

治療

効能・効果 次の疾患ならびに症状の消炎・鎮痛：関節リウマチ，変形性関節症，腰痛症，肩関節周囲炎，頸肩腕症候群，腱・腱鞘炎

用法・用量 1日300mg，2回朝夕食直後に分服(適宜増減)

禁忌・原則禁忌となる特定患者集団 妊婦又は妊娠している可能性のある婦人

使用上の注意

禁忌 ①消化性潰瘍又は胃腸出血のある患者［プロスタグランジン合成阻害作用に基づくとされる胃粘膜防御能の低下，又は消化器への直接刺激作用により，これらの症状が悪化するおそれがある］ ②重篤な血液の異常のある患者［血液の異常が悪化するおそれがある］ ③重篤な肝障害のある患者［肝障害のため，本剤及び活性代謝物(スルフィド体)の血中濃度上昇，AUCが増加するおそれがある．また，肝障害が悪化するおそれがある］ ④重篤な腎障害のある患者［プロスタグランジン合成阻害作用により，腎血流量低下及び水，ナトリウムの貯留が起こるため，腎障害が悪化するおそれがある］ ⑤重篤な心機能不全のある患者［プロスタグランジン合成阻害作用により，水，ナトリウムの貯留が起こるため，心機能不全が悪化するおそれがある］ ⑥本剤の成分に対し過敏症の既往歴のある患者 ⑦アスピリン喘息(非ステロイド性消炎鎮痛剤等による喘息発作の誘発)又はその既往歴のある患者［重症喘息発作を誘発することがある］ ⑧妊婦又は妊娠している可能性のある婦人

薬物動態

吸収 健常人に100～400mgを食後30分に経口投与後の血漿中濃度は未変化体及びスルフィド体では投与後約4時間で最高値．半減期は2相性で，未変化体の第1相(投与後4～12時間)3時間及び第2相(投与後12～48時間)11～15時間，スルフィド体では第1相3～4時間及び第2相15～18時間．反復投与時の血漿中濃度はほぼ5日目でプラトー **代謝・排泄** 健常人に100～400mg単回経口投与後，尿中にはほとんどが未変化体とスルホン体ならびにそれらの抱合体．投与後48時間までにいずれの投与量でも35～39%が尿中排泄されるが，その大部分はスルホン体で，そのほとんどは抱合体．(外国人)健常成人に^{14}C-標識スリンダクを経口投与時の血漿中に未変化体及びその代謝物のスルホン体ならびにスルフィド体，尿中から主に未変化体とスルホン体及びそれらのグルクロン酸抱合体．(注：承認用法・用量は1日量300mgを1日2回朝夕に分服)

その他の管理的事項

投与期間制限 該当しない

保険給付上の注意 該当しない

資料

IF クリノリル錠50・100 2016年9月改訂(第10版)

スルタミシリントシル酸塩水和物
スルタミシリントシル酸塩錠
Sultamicillin Tosilate Hydrate

概要

薬効分類 613 主としてグラム陽性・陰性菌に作用するもの

構造式

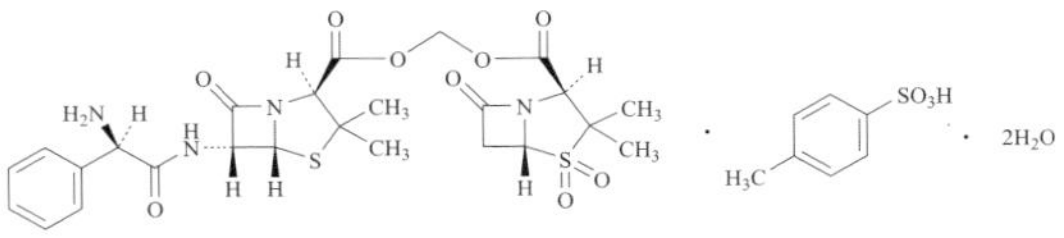

分子式 $C_{25}H_{30}N_4O_9S_2 \cdot C_7H_8O_3S \cdot 2H_2O$

分子量 802.89

略語・慣用名 SBTPC

ステム 6-アミノペニシラン酸系抗生物質：-cillin

原薬の規制区分　該当しない
原薬の外観・性状　白色～帯黄白色の結晶性の粉末である．アセトニトリル，メタノール又はエタノール(99.5)に溶けやすく，水に極めて溶けにくい
原薬の吸湿性　25℃7日間の吸湿平衡測定法により調べた結果，92％RHの高湿度条件下で7日間保存しても，吸湿増量は2.19％にすぎず，本品の吸湿性は低かった
原薬の融点・沸点・凝固点　約140℃付近から徐々に黄色がかり，150～160℃にかけて，赤褐色に変色，融解して分解する．分解は徐々に進行するため終末点は不明瞭である
原薬の酸塩基解離定数　pKa＝7.3(中和滴定法による)
先発医薬品等
細　ユナシン細粒小児用10％(ファイザー)
錠　ユナシン錠375mg(ファイザー)
国際誕生年月　1983年11月

製剤

規制区分　細　錠　㊙
製剤の性状　細　淡いだいだい色の細粒　錠　白色のフィルムコーティング錠
有効期間又は使用期限　3年
貯法・保存条件　室温保存(開封後は防湿保存し，なるべく速やかに使用すること)
薬剤取扱い上の留意点　細　服用時：主薬の苦味を防ぐためコーティングをほどこしてあるので，細粒をつぶしたり溶かしたりすることなく，酸性飲料を避け，水又は牛乳で速やかに服用すること　錠　服用時：食道に停留し，崩壊すると，まれに食道潰瘍を起こすおそれがあるので多めの水で服用させ，特に就寝直前の服用等には注意すること
患者向け資料等　くすりのしおり
溶液及び溶解時のpH　該当しない
浸透圧比　該当しない
安定なpH域　該当しない
調製時の注意　該当しない

薬理作用

分類　半合成経口β-ラクタム抗生剤
作用部位・作用機序　ブドウ球菌属，レンサ球菌属，腸球菌，肺炎球菌などのグラム陽性菌から大腸菌，プロテウス・ミラビリス，インフルエンザ菌などのグラム陰性菌まで広い抗菌スペクトルを有し，殺菌的に作用する．生体内で遊離したスルバクタムはβ-ラクタマーゼのⅠc，Ⅱ，Ⅲ及びⅣ型を強く，Ⅰa及びⅤ型を軽度に不可逆的に不活化する．従って，スルタミシリンではβ-ラクタマーゼによるアンピシリンの加水分解が阻害され，アンピシリン本来の広く，強い抗菌力が発揮される
同効薬　クラブラン酸カリウム・アモキシシリン，スルバクタムナトリウム・アンピシリンナトリウム

治療

効能・効果　細〈適応菌種〉スルバクタム/アンピシリンに感性のブドウ球菌属，レンサ球菌属，肺炎球菌，腸球菌属，大腸菌，プロテウス・ミラビリス，インフルエンザ菌〈適応症〉表在性皮膚感染症，深在性皮膚感染症，リンパ管・リンパ節炎，慢性膿皮症，咽頭・喉頭炎，扁桃炎，急性気管支炎，肺炎，肺膿瘍，慢性呼吸器病変の二次感染，膀胱炎，腎盂腎炎，中耳炎，副鼻腔炎
錠〈適応菌種〉スルバクタム/アンピシリンに感性のブドウ球菌属，レンサ球菌属，肺炎球菌，腸球菌属，淋菌，大腸菌，プロテウス・ミラビリス，インフルエンザ菌〈適応症〉表在性皮膚感染症，深在性皮膚感染症，リンパ管・リンパ節炎，慢性膿皮症，咽頭・喉頭炎，扁桃炎，急性気管支炎，肺炎，肺膿瘍，慢性呼吸器病変の二次感染，膀胱炎，腎盂腎炎，淋菌感染症，子宮内感染，涙嚢炎，角膜炎(角膜潰瘍を含む)，中耳炎，副鼻腔炎
効能・効果に関連する使用上の注意　咽頭・喉頭炎，扁桃炎，急性気管支炎，中耳炎，副鼻腔炎への使用にあたっては，「抗微生物薬適正使用の手引き」を参照し，抗菌薬投与の必要性を判断した上で，本剤の投与が適切と判断される場合に投与する
用法・用量　細　スルタミシリンとして小児1日15～30mg(力価)/kgを3回に分服(適宜増減)
錠　スルタミシリンとして1回375mg(力価)，1日2～3回(適宜増減)
用法・用量に関連する使用上の注意　使用にあたっては，耐性菌の発現等を防ぐため，β-ラクタマーゼ産生菌，かつアンピシリン耐性菌を確認し，疾病の治療上必要な最小限の期間の投与にとどめる

使用上の注意

禁忌　①本剤の成分に対し過敏症の既往歴のある患者　②伝染性単核症の患者［アンピシリンの投与により発疹が高頻度に発現したとの報告がある］
過量投与　β-ラクタム系抗生物質製剤の脳脊髄液中濃度が高くなると，痙攣等を含む神経系の副作用を引き起こすことが考えられるので，腎障害患者に過量投与された場合は血液透析を用いて体内から除去する

薬物動態

血中濃度　①細　小児患者11例に10mg/kgを空腹時又は食後にクロスオーバー法により経口投与時の血清中濃度のピークはいずれもアンピシリン(ABPC)及びスルバクタム(SBT)とも投与1時間後．ピーク時の血清中濃度は空腹時投与でABPC4.75，SBT3.95，食後投与ではABPC2.95，SBT2.55で，空腹時投与の方が食後投与に比べABPC，SBT濃度とも高い．血清中濃度半減期は空腹時投与でABPC0.81時間，SBT0.83時間，食後投与ではABPC1.35時間，SBT1.43時間　②錠　経口投与後速やかに吸収され，腸管のエステラーゼにより加水分解されてABPCとSBTとになり，それぞれ高い血中濃度．健常成人10名に375mgを1日2回15日間連続経口投与時，1回目投与時の最高血中濃度はABPC5.3，SBT3.5，半減期はそれぞれ0.89時間，1.03時間，両者とも約8時間後には消失．15日間にわたりほぼ同様の血中濃度の推移で，蓄積性は認められなかった　**尿中排泄**　①細　小児患者6例に10mg/kgを単回経口投与時の尿中濃度(μg/mL)はABPC，SBTとも投与後0～2時間が最高で，それぞれ1239，839．投与後6時間までの累積尿中排泄率はABPC50.4％，SBT51.8％　②錠　健常成人10名に375mgを1日2回15日間連続経口投与時，1回目投与時の尿中濃度(μg/mL)はABPC，SBTとも0～2時間が最高，ABPC1163，SBT661，8時間までの総排泄率はABPC68.9％，SBT60.1％．8日目，15日目でもほぼ同じ　**腎機能障害患者**　参考：腎機能障害患者(成人)に750mg錠を単回投与時のSBTとABPCの$T_{1/2}$は腎機能低下の程度に比例して遷延(注：日本での1回承認用量は375mg)．腎機能低下が及ぼす影響はSBT，ABPCともに同様．各Ccr(mL/min)ごとの$T_{1/2}$(hr)，24時間までの尿中回収率(％)は，それぞれABPC/SBTの順で，80-144では1.3/0.9，66/55，25-69では2.6/2.3，40/30，6-12では8.5/8.1，25/19，<5では3.3/2.4(血液透析中)，尿中回収率は未検討．なお血液透析中の患者ではABPC，SBTともに透析膜透過性を有するので体内蓄積は少なく，特に投与量変更は必要ないと考えられる　**体液・組織内移行**　錠　成人患者に投与時の創液中，腹水中，虫垂壁内，口蓋扁桃組織内，女性性器組織等へのABPC及びSBTの移行は良好．喀痰中，胆汁中へも移行　**代謝**　錠　健常成人に投与時の尿中代謝物は，大部分がABPC，SBT，他に抗菌活性代謝物は検出されなかった

その他の管理的事項

投与期間制限　該当しない
保険給付上の注意　該当しない

資料

IF　ユナシン細粒小児用10％　2019年5月改訂(第10版)
ユナシン錠375mg　2019年5月改訂(第11版)

スルチアム
Sultiame

概要

薬効分類　113　抗てんかん剤

構造式

分子式　$C_{10}H_{14}N_2O_4S_2$

分子量　290.36

略語・慣用名　ST

ステム　不明

原薬の規制区分　該当しない

原薬の外観・性状　白色の結晶又は結晶性の粉末で，においはなく，味は僅かに苦い．*N,N*-ジメチルホルムアミドに極めて溶けやすく，*n*-ブチルアミンに溶けやすく，メタノール又はエタノール(95)に溶けにくく，水に極めて溶けにくく，ジエチルエーテルにほとんど溶けない．水酸化ナトリウム試液に溶ける

原薬の吸湿性　該当資料なし

原薬の融点・沸点・凝固点　融点：185～188℃

原薬の酸塩基解離定数　pKa＝9.7(スルホンアミド基，滴定法)

先発医薬品等

錠 オスポロット錠50mg・200mg(共和薬品)

国際誕生年月　不明

海外での発売状況　該当資料なし

製剤

規制区分　錠　㊇

製剤の性状　錠 光沢のある白色のフィルムコーティング錠

有効期間又は使用期限　3年

貯法・保存条件　室温保存

薬剤取扱い上の留意点　眠気，注意力・集中力・反射運動能力等の低下が起こることがあるので，本剤投与中の患者には自動車の運転等危険を伴う機械の操作に従事させないよう注意すること

患者向け資料等　くすりのしおり

溶液及び溶解時のpH　該当資料なし

浸透圧比　該当資料なし

安定なpH域　該当資料なし

調製時の注意　該当しない

薬理作用

分類　抗てんかん剤

作用部位・作用機序　作用部位：中枢神経系　作用機序：脳組織内で炭酸脱水酵素を阻害し，神経細胞の過興奮性を抑制する

同効薬　プリミドン，フェニトイン，トリメタジオン，クロナゼパム，クロバザム，カルバマゼピン，バルプロ酸ナトリウム，ゾニサミド，ガバペンチン

治療

効能・効果　精神運動発作

用法・用量　1日200～600mg，食後2～3回に分服(適宜増減)

使用上の注意

禁忌　①本剤の成分に対し過敏症の既往歴のある患者　②腎障害のある患者［腎不全を起こすおそれがある］

過量投与　①徴候と症状：過量投与に関する情報は少ないが，臨床症状として嘔吐，頭痛，めまい，一過性の痴呆症状等の報告がある．また，強いアシドーシスを伴う高カリウム血症による急性心停止で死亡に至った報告もある　②処置：胃洗浄，下剤・活性炭投与を行い，一般的な支持・対症療法を行う．本剤はアルカリ可溶であることから，中毒の際は炭酸水素ナトリウム等の投与が一層回復を早めるとの報告がある

薬物動態

血中濃度　健康成人に1回5mg/kg経口投与後2～4時間で最高血中濃度3～8μg/mL　**排泄(参考)**　ラットに10mg/kg経口投与48時間以内に尿中に80～90%，糞便中に10～20%排泄

その他の管理的事項

投与期間制限　該当しない

保険給付上の注意　該当しない

資料

IF　オスポロット錠50mg・200mg　2018年6月改訂(第4版)

スルバクタムナトリウム
Sulbactam Sodium

概要

構造式

分子式　$C_8H_{10}NNaO_5S$

分子量　255.22

原薬の規制区分　該当しない

原薬の外観・性状　白色～帯黄白色の結晶性の粉末である．水に溶けやすく，メタノールにやや溶けにくく，エタノール(99.5)に極めて溶けにくく，アセトニトリルにほとんど溶けない．1.0gを水20mLに溶かした液のpHは5.2～7.2である

製剤

製剤の性状　アンピシリン・スルバクタムナトリウム参照

スルピリド
スルピリド錠
スルピリドカプセル
Sulpiride

概要

薬効分類　117　精神神経用剤，232　消化性潰瘍用剤

構造式

分子式　$C_{15}H_{23}N_3O_4S$

分子量　341.43

ステム　スルピリド誘導体：-pride

原薬の規制区分　㊕(ただし，1錠，1カプセル又は1包中スルピリドとして50mg以下を含有するものを除く)

原薬の外観・性状　白色の結晶性の粉末である．酢酸(100)又は希酢酸に溶けやすく，メタノールにやや溶けにくく，エタノール(99.5)に溶けにくく，水にほとんど溶けない．0.05mol/L硫酸試液に溶ける．本品のメタノール溶液(1→100)は，旋光性を示さない

原薬の吸湿性 37℃，91%RHでも吸湿性を示さない
原薬の融点・沸点・凝固点 融点：約178℃（分解）
原薬の酸塩基解離定数 $pKa'_1=9.0$，$pKa'_2=10.19$
先発医薬品等
細 ドグマチール細粒10%・50%（日医工）
錠 ドグマチール錠50mg・100mg・200mg（日医工）
カ ドグマチールカプセル50mg（日医工）
注 ドグマチール筋注50mg・100mg（日医工）
後発医薬品
細 10%・50%
錠 50mg・100mg・200mg
カ 50mg
国際誕生年月 1973年1月
海外での発売状況 英，仏など

製剤
規制区分 細 100mg・200mg錠 注 劇 処 50mg錠 カ 処
製剤の性状 細 白色の細粒 錠 白色〜帯黄白色のフィルムコーティング錠 カ 白色/白色の硬カプセル剤 注 無色澄明の液
有効期間又は使用期限 細 錠 注 4年 カ 5年
貯法・保存条件 細 錠 注 室温保存 カ 防湿・室温保存
薬剤取扱い上の留意点 眠気，めまい等が現れることがあるので，本剤投与中の患者には自動車の運転等危険を伴う機械の操作に従事させないように注意すること 注 注意：低温保存の場合，凍結によりスルピリドの結晶が析出することがあるが，温湯で温めると容易に溶ける
患者向け資料等 細 錠 カ 患者向医薬品ガイド，くすりのしおり 注 患者向医薬品ガイド
溶液及び溶解時のpH 注 3.0〜6.0
浸透圧比 注 約1（対生食）
調製時の注意 該当しない

薬理作用
分類 ベンザミド系製剤
作用部位・作用機序 作用部位：〔胃・十二指腸潰瘍〕視床下部交感神経中枢 〔統合失調症，うつ病・うつ状態〕脳内ドパミン受容体 作用機序：〔胃・十二指腸潰瘍〕視床下部交感神経中枢に作用し交感神経の興奮により起こる血管攣縮を抑制し，胃粘膜血流の停滞を改善する．また潰瘍の防御因子として重要な胃粘膜成分を増加させる．さらに，末梢D_2受容体遮断による消化管運動促進作用を示す 〔統合失調症，うつ病・うつ状態〕フェノチアジン系薬物と同様にドパミンD_2受容体遮断作用を示し，抗精神病作用（統合失調症の陽性症状改善）と抗うつ作用を現す
同効薬 〔胃・十二指腸潰瘍〕ゲファルナート 〔統合失調症〕ネモナプリド，ハロペリドール 〔うつ病・うつ状態〕マプロチリン塩酸塩

治療
効能・効果 細 錠 カ ①胃・十二指腸潰瘍 ②統合失調症 ③うつ病・うつ状態 （※100mg錠・200mg錠は効能②③のみ）
注 ①胃・十二指腸潰瘍 ②統合失調症 （※100mg注は効能②のみ）
用法・用量 細 錠 カ 効能①：スルピリドとして1日150mg，3回に分服（適宜増減） 効能②：スルピリドとして1日300〜600mgを分服（適宜増減），1日1200mgまで増量できる 効能③：スルピリドとして1日150〜300mgを分服（適宜増減），1日600mgまで増量できる
注 効能①：スルピリドとして1回50mgを1日2回筋注（適宜増減） 効能②：スルピリドとして1回100〜200mg筋注（適宜増減），1日600mgまで増量できる

使用上の注意
禁忌 ①本剤の成分に対し過敏症の既往歴のある患者 ②プロラクチン分泌性の下垂体腫瘍（プロラクチノーマ）の患者［抗ドパミン作用によりプロラクチン分泌が促進し，病態を悪化させるおそれがある］ ③褐色細胞腫の疑いのある患者［急激な昇圧発作を起こすおそれがある］
過量投与 症状：パーキンソン症候群等の錐体外路症状が現れる．また，昏睡が現れることもある

薬物動態
血中濃度 単回投与：健康成人男子（n＝12）に細粒50%を200mg（スルピリドとして100mg）単回経口投与時，血清中濃度は投与約2時間後にピーク（0.35μg/mL）に達し，半減期3.0時間で消失 **分布** 乳汁中移行：産褥期の初産婦（n＝20）に50mgを1日2回7日間反復経口投与時，投与2時間後の乳汁中スルピリド濃度は0.97μg/mL **排泄** 健康成人男子（n＝9）に細粒50%を200mg（スルピリドとして100mg）単回経口投与時，投与24時間後までに投与量の約26%が未変化体のまま尿中に排泄

その他の管理的事項
投与期間制限 該当しない
保険給付上の注意 該当しない

資料
IF ドグマチール細粒10%・50%・錠50mg・100mg・200mg・カプセル50mg 2020年10月改訂（第15版）
ドグマチール筋注50mg・100mg 2020年10月改訂（第11版）

スルピリン水和物 スルピリン注射液 Sulpyrine Hydrate

概要
薬効分類 114 解熱鎮痛消炎剤
構造式

分子式 $C_{13}H_{16}N_3NaO_4S \cdot H_2O$
分子量 351.35
ステム 不明
原薬の規制区分 劇（ただし，1個中0.5g以下を含有するもの，2%以下を含有するものであって，1容器中0.7g以下を含有するものを除く）
原薬の外観・性状 白色〜淡黄色の結晶又は結晶性の粉末で，においはなく，味は苦い．水に極めて溶けやすく，エタノール（95）に溶けにくく，ジエチルエーテルにほとんど溶けない．光によって着色する
原薬の吸湿性 該当資料なし
原薬の酸塩基解離定数 該当資料なし
先発医薬品等
注 スルピリン注250mg「NP」（ニプロ）
スルピリン注射液250mg・500mg「日医工」（日医工）
国際誕生年月 該当しない
海外での発売状況 該当しない

製剤
規制区分 注 処
製剤の性状 注 無色〜微黄色澄明の水性注射液
有効期間又は使用期限 3年
貯法・保存条件 遮光・室温保存
薬剤取扱い上の留意点 該当しない

溶液及び溶解時のpH 注 5.0～8.5
浸透圧比 注 約6(対生食)
調製時の注意 注 低出生体重児，新生児，乳児，幼児，小児，高齢者，衰弱者においては，5w/v%ブドウ糖液又は注射用水で適宜希釈すること

薬理作用

分類 ピラゾロン系化合物
作用部位・作用機序 アスピリンと同じく，酸性非ステロイド性抗炎症薬としての作用を現す．即ち，プロスタグランジン生合成の律速酵素であるシクロオキシゲナーゼ(COX)を阻害し，プロスタグランジンの産生を抑制することにより，抗炎症作用，解熱作用，鎮痛作用を現す
同効薬 イソプロピルアンチピリンなど

治療

効能・効果 注 他の解熱剤では効果が期待できないか，あるいは他の解熱剤の投与が不可能な場合の緊急解熱
用法・用量 注 1回0.25g，症状により最大0.5gを皮下注又は筋注．症状の改善が認められないとき1日2回を限度とする．経口投与，直腸内投与が可能になった場合には速やかに経口投与又は直腸内投与に切り換える．長期連用は避けるべきである
用法・用量に関連する使用上の注意 注 ①低出生体重児，新生児，乳児，幼児，小児，高齢者，衰弱者に投与する場合には，5W/V%ブドウ糖液又は注射用蒸留水で適宜希釈し注射する ②本剤の皮下・筋肉内投与後，神経麻痺又は硬結等をきたすことがあるので，次のことに注意する．なお，低出生体重児，新生児，乳児，幼児，小児，高齢者，衰弱者においては，特に注意する：(1)注射部位については，神経走行部位(特に橈骨神経，尺骨神経，坐骨神経等)を避けて慎重に投与する (2)繰り返し注射する場合には，同一注射部位を避ける．なお，低出生体重児，新生児，乳児，幼児，小児においては連用しないことが望ましい (3)注射針刺入時，激痛を訴えたり，血液の逆流をみた場合は，ただちに針を抜き，部位を変えて注射する

使用上の注意

> **警告** 注 ショック等の重篤な副作用が発現することがあるので，効能・効果，使用上の注意に特に留意する

禁忌 ①本剤の成分又はピラゾロン系化合物に対し過敏症の既往歴のある患者 ②先天性G-6PD欠乏症の患者［海外で溶血性貧血が発現したとの報告がある］ ③消化性潰瘍のある患者［PG合成抑制により胃の血流量が減少し，消化性潰瘍が悪化することがある］ ④重篤な血液の異常のある患者［血液障害(再生不良性貧血，無顆粒球症等)が現れるおそれがある］ ⑤重篤な肝障害のある患者［症状が悪化するおそれがある］ ⑥重篤な腎障害のある患者［症状が悪化するおそれがある］ ⑦重篤な心機能不全のある患者［重篤な副作用(ショック等)が発現した場合，極めて危険な状態に至るおそれがある］ ⑧アスピリン喘息(非ステロイド性消炎鎮痛薬等による喘息発作の誘発)又はその既往歴のある患者［発作を誘発させることがある］

薬物動態

注 **血中濃度，代謝** 参考(海外データ)①血漿中濃度の推移：健康成人にスルピリン水和物1.0gを臀筋内投与時，血漿中に未変化体は検出されず，代謝物である4-methylaminoantipyrine(4-MAA)，4-aminoantipyrine(4-AA)，4-acetylaminoantipyrine(4-AcAA)が検出された．これらの最高血漿中濃度は，4-MAAで投与1時間後に12.0±2.3μg/mL，4-AAで投与4時間後に1.9±0.7μg/mL，また，4-AcAAで投与8時間後に1.1±0.7μg/mL ②薬物の肝代謝に関与するチトクロムP450分子種：CYP2B

その他の管理的事項

投与期間制限 該当しない
保険給付上の注意 該当しない

資料

IF スルピリン注250mg「NP」 2016年6月改訂(第2版)

スルファジアジン銀
Sulfadiazine Silver

概要

薬効分類 263 化膿性疾患用剤
構造式

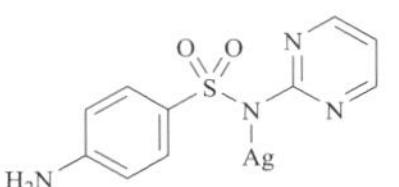

分子式 $C_{10}H_9AgN_4O_2S$
分子量 357.14
略語・慣用名 AgSD
ステム 抗感染症薬，スルホンアミド類：sulfa-
原薬の規制区分 ㊙(ただし，1%以下を含有する外用剤を除く)
原薬の外観・性状 白色～微黄色の結晶性の粉末で，においはない．水，エタノール(95)又はジエチルエーテルにほとんど溶けない．アンモニア試液に溶ける．光によって徐々に着色する
原薬の吸湿性 吸湿性はない
原薬の融点・沸点・凝固点 融点：約275℃(分解)
原薬の酸塩基解離定数 該当資料なし
先発医薬品等
クリーム ゲーベンクリーム1%(田辺三菱)
国際誕生年月 1973年11月
海外での発売状況 米など

製剤

製剤の性状 クリーム 白色のクリーム状軟膏で特異なにおいがある
有効期間又は使用期限 4年
貯法・保存条件 遮光・室温保存
薬剤取扱い上の留意点 開封後はなるべく速やかに使用すること(スルファジアジン銀は光により着色する)．本剤を使用する場合はできる限り温水浴，シャワー等の併用により，創面の清浄化，壊死組織の除去を行うこと．他剤と混合して使用しないこと．塩化物を含む消毒液(塩化ベンザルコニウム等)が本剤に混入し，その後曝光すると変色するおそれがあるので，軟膏ベラはよく清拭して用いること
患者向け資料等 くすりのしおり
溶液及び溶解時のpH 約6
調製時の注意 該当しない

薬理作用

分類 外用感染治療剤
作用部位・作用機序 Sulfonamideの誘導体であるが，*p*-aminobenzoicacidによって競合的阻害を受けず，いわゆるサルファ剤とは異なる作用機序を有し，銀が細胞膜，細胞壁に作用して抗菌作用を発現すると考えられている．なお，体内で吸収されて薬理作用を発現するものではなく，創傷面で菌との接触により抗菌力を発揮する
同効薬 ゲンタマイシン硫酸塩，スルファジアジン，フラジオマイシン硫酸塩，フラジオマイシン硫酸塩・バシトラシン配合剤

治療

効能・効果 〈適応菌種〉本剤に感性のブドウ球菌属，レンサ球菌属，クレブシエラ属，エンテロバクター属，緑膿菌，カンジダ属 〈適応症〉外傷・熱傷及び手術創等の二次感染，びら

ん・潰瘍の二次感染

効能・効果に関連する使用上の注意 軽症熱傷には使用しない［疼痛がみられることがある］

用法・用量 1日1回，滅菌手袋等を用いて，創面を覆うに必要かつ十分な厚さ(約2～3mm)に直接塗布．又は，ガーゼ等に同様の厚さに延ばし，貼付し，包帯をする．第2日目以後は，前日塗布したクリームを清拭又は温水浴等で洗い落したのち，新たに塗布

禁忌・原則禁忌となる特定患者集団 新生児，低出生体重児

使用上の注意

禁忌 ①本剤の成分又はサルファ剤に対し過敏症の既往歴のある患者 ②新生児［高ビリルビン血症を起こすおそれがある］ ③低出生体重児［高ビリルビン血症を起こすおそれがある］ ④軽症熱傷

薬物動態

血中濃度 熱傷患者に1%クリームを14日間反復塗布(平均400g/日)時，銀の血中濃度は，使用開始後徐々に上昇し，90.8ng/mLに達した．一方，中止により次第に減少し，中止後14日目には，54.8ng/mL．また，スルファジアジン及びその代謝物(N4-acetylsulfadiazine)の血中濃度は使用開始後速やかに上昇して4.7μg/mLに達し，中止後は迅速に血中から消失 **排泄** 熱傷患者に1%クリームを14日間反復塗布(平均400g/日)時，銀の尿中排泄は投与開始後徐々に上昇し，14日目に108.2μg/日に達した．一方，中止と同時に減少しはじめ，3日後には46.3μg/日．また，スルファジアジン及びその代謝物(N4-acetylsulfadiazine)の尿中排泄量は使用開始と同時に速やかに上昇し，110.5mg/日に達し，中止後速やかに減少

その他の管理的事項

投与期間制限 該当しない

保険給付上の注意 該当しない

資料

IF ゲーベンクリーム1% 2013年7月改訂(第8版)

スルファメチゾール
Sulfamethizole

概要

構造式

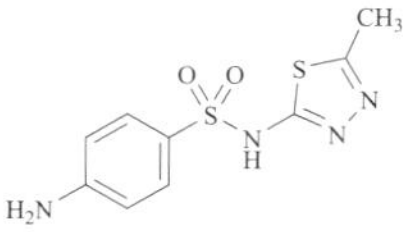

分子式 $C_9H_{10}N_4O_2S_2$

分子量 270.33

原薬の規制区分 該当しない

原薬の外観・性状 白色～帯黄白色の結晶又は結晶性の粉末で，においはない．エタノール(95)又は酢酸(100)に溶けにくく，水又はジエチルエーテルにほとんど溶けない．希塩酸又は水酸化ナトリウム試液に溶ける．光によって徐々に着色する

原薬の融点・沸点・凝固点 融点：208～211℃

スルファメトキサゾール
Sulfamethoxazole

概要

構造式

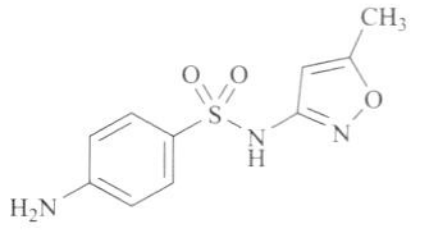

分子式 $C_{10}H_{11}N_3O_3S$

分子量 253.28

原薬の規制区分 該当しない

原薬の外観・性状 白色の結晶又は結晶性の粉末で，においはなく，味は僅かに苦い．*N,N*-ジメチルホルムアミドに極めて溶けやすく，エタノール(95)にやや溶けにくく，ジエチルエーテルに溶けにくく，水に極めて溶けにくい．水酸化ナトリウム試液に溶ける．光によって徐々に着色する

原薬の融点・沸点・凝固点 融点：169～172℃

スルファモノメトキシン水和物
Sulfamonomethoxine Hydrate

概要

薬効分類 621 サルファ剤

構造式

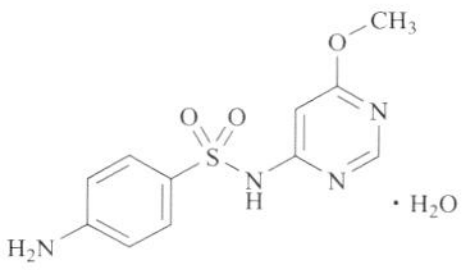

分子式 $C_{11}H_{12}N_4O_3S \cdot H_2O$

分子量 298.32

原薬の規制区分 該当しない

原薬の外観・性状 白色～微黄色の結晶，粒又は粉末で，においはない．アセトンにやや溶けやすく，エタノール(95)に溶けにくく，ジエチルエーテルに極めて溶けにくく，水にほとんど溶けない．希塩酸又は水酸化ナトリウム試液に溶ける．光によって徐々に着色する

原薬の融点・沸点・凝固点 融点：204～206℃

スルフイソキサゾール
Sulfisoxazole

別名：スルファフラゾール

概要

薬効分類 131 眼科用剤

構造式

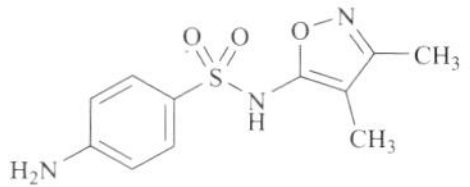

分子式 $C_{11}H_{13}N_3O_3S$

分子量 267.30

原薬の規制区分 該当しない
原薬の外観・性状 白色の結晶又は結晶性の粉末で，においはなく，味は僅かに苦い．ピリジン又はn-ブチルアミンに溶けやすく，メタノールにやや溶けやすく，エタノール(95)にやや溶けにくく，酢酸(100)に溶けにくく，水又はジエチルエーテルに極めて溶けにくい．希塩酸，水酸化ナトリウム試液又はアンモニア試液に溶ける．光によって徐々に着色する
原薬の融点・沸点・凝固点 融点：192～196℃(分解)

スルベニシリンナトリウム
Sulbenicillin Sodium

概要
薬効分類 131 眼科用剤
構造式

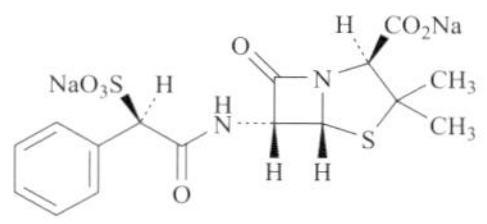

分子式 $C_{16}H_{16}N_2Na_2O_7S_2$
分子量 458.42
原薬の規制区分 該当しない
原薬の外観・性状 白色～淡黄白色の粉末である．水に極めて溶けやすく，メタノールに溶けやすく，エタノール(99.5)に溶けにくい．0.20gを水10mLに溶かした液のpHは4.5～7.0である
原薬の吸湿性 吸湿性である

スルホブロモフタレインナトリウム
スルホブロモフタレインナトリウム注射液
Sulfobromophthalein Sodium

概要
構造式

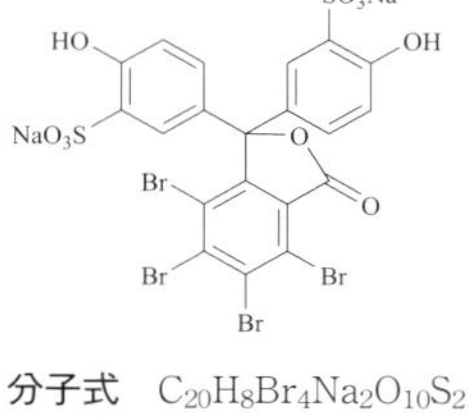

分子式 $C_{20}H_8Br_4Na_2O_{10}S_2$
分子量 838.00
原薬の規制区分 該当しない
原薬の外観・性状 白色の結晶性の粉末で，においはない．水にやや溶けやすく，エタノール(95)又はジエチルエーテルにほとんど溶けない．1.0gを水20mLに溶かした液のpHは4.0～5.5である
原薬の吸湿性 吸湿性である
製剤
製剤の性状 無色～微黄色澄明の液である
溶液及び溶解時のpH 5.0～6.0

ヒト下垂体性性腺刺激ホルモン
Human Menopausal Gonadotrophin

概要
薬効分類 241 脳下垂体ホルモン剤
分子式 該当資料なし
略語・慣用名 hMG
ステム 不明
原薬の規制区分 該当しない
原薬の外観・性状 白色～微黄色の粉末である．水にやや溶けやすい
原薬の吸湿性 該当資料なし
原薬の酸塩基解離定数 該当資料なし
後発医薬品
注射用 75単位・150単位
国際誕生年月 不明
海外での発売状況 該当しない
製剤
規制区分 注射用 生物 処
製剤の性状 注射用 白色の塊又は無晶形の粉末の凍結乾燥製剤
有効期間又は使用期限 3年
貯法・保存条件 冷所保存
薬剤取扱い上の留意点 該当しない
溶液及び溶解時のpH 6.0～7.0
浸透圧比 約1(対生食)
薬理作用
分類 性腺刺激ホルモン製剤
作用部位・作用機序 hMGは主にFSH作用により卵胞を発育させ，LHとの協力作用により卵胞の成熟，エストロゲン産生を促進する．引き続きLH作用の強いhCGを投与することにより排卵を誘発させる
同効薬 精製下垂体性性腺刺激ホルモン，遺伝子組換え卵胞刺激ホルモン
治療
効能・効果 HMG「F」 HMG「あすか」 HMG「フェリング」 間脳性(視床下部性)無月経，下垂体性無月経の排卵誘発
ゴナピュール フォリルモンP 間脳性(視床下部性)無月経，下垂体性無月経の排卵誘発(多嚢胞性卵巣症候群の場合を含む)〔女性不妊症のうち視床下部-下垂体系の不全に起因するもので，無月経，稀発月経又は他の周期不順を伴うもの，すなわち尿中ゴナドトロピン分泌が正常かそれより低い症例で他の内分泌器官(副腎，甲状腺等)に異常のないものに用いられる〕
用法・用量 1日卵胞刺激ホルモンとして75～150単位を連続筋注(ゴナピュール，フォリルモンPは連続皮下又は筋注)し，頸管粘液量が約300mm^{3}以上，羊歯状形成(結晶化)が第3度の所見を指標として(4～20日，通常5～10日間)，ヒト絨毛性性腺刺激ホルモンに切り換える．用法・用量は症例によって異なるので，使用に際しては厳密な経過観察が必要である
禁忌・原則禁忌となる特定患者集団 妊婦又は妊娠している可能性のある女性
使用上の注意

> **警告** 本剤の投与に引き続き，ヒト絨毛性性腺刺激ホルモン製剤を投与した場合又は併用した場合，血栓症，脳梗塞等を伴う重篤な卵巣過剰刺激症候群が現れることがある

禁忌 ①エストロゲン依存性悪性腫瘍(例えば，乳癌，子宮内膜癌)及びその疑いのある患者［腫瘍の悪化あるいは顕性化を促すことがある］ ②卵巣腫瘍の患者及び多嚢胞性卵巣症候群を原因としない卵巣腫大のある患者［卵胞刺激作用によりその症状を悪化させることがある］ ③妊婦又は妊娠している可能性のある女性

その他の管理的事項
投与期間制限　該当しない
保険給付上の注意　該当しない
資料
IF　HMG筋注用75単位・150単位「あすか」 2020年2月改訂(第12版)

ヒト絨毛性性腺刺激ホルモン
注射用ヒト絨毛性性腺刺激ホルモン
Human Chorionic Gonadotrophin

別名：胎盤性性腺刺激ホルモン

概要
薬効分類　241　脳下垂体ホルモン剤
分子式　該当資料なし
略語・慣用名　hCG
ステム　不明
原薬の規制区分　該当しない
原薬の外観・性状　白色～淡黄褐色の粉末で，水に溶けやすい
原薬の吸湿性　該当資料なし
原薬の酸塩基解離定数　該当資料なし
先発医薬品等
注射用　HCGモチダ筋注用3千単位・5千単位・1万単位(持田)
ゴナトロピン筋注用1000単位・3000単位・注用5000単位(あすか製薬＝武田)
注射用HCG3,000単位・5,000単位・10,000単位「F」(富士製薬)
国際誕生年月　不明
海外での発売状況　該当しない
製剤
規制区分　**注射用**　[生物] [処]
製剤の性状　**注射用**　白色～淡黄褐色の粉末又は塊の凍結乾燥製剤
有効期間又は使用期限　3年
貯法・保存条件　遮光・冷所保存
薬剤取扱い上の留意点　該当資料なし
溶液及び溶解時のpH　5.3～7.3
浸透圧比　約0.7(対生食)
薬理作用
分類　ゴナドトロピン製剤
作用部位・作用機序　胎盤を構成する絨毛細胞から分泌される糖タンパク質で，特に妊娠初期の妊婦の尿から得られる．女性に対しては黄体形成作用(LH作用)と弱い卵胞刺激作用(FSH作用)を示し，男性に対しては間質細胞刺激作用(ICSH作用)を示す
同効薬　該当なし
治療
効能・効果　①無排卵症(無月経，無排卵周期症，不妊症)，機能性子宮出血，黄体機能不全症，停留睾丸，造精機能不全による男子不妊症，下垂体性男子性腺機能不全症(類宦官症)，思春期遅発症，睾丸・卵巣の機能検査，妊娠初期の切迫流産，妊娠初期にくり返される習慣性流産　②(ゴナトロピン注用5000単位のみ)低ゴナドトロピン性男子性腺機能低下症における精子形成の誘導
用法・用量　効能①：無排卵症には1日3000～5000単位を筋注．機能性子宮出血及び黄体機能不全症には1日1000～3000単位を筋注．妊娠初期の切迫流産及び妊娠初期に繰り返される習慣性流産には1日1000～5000単位を筋注．停留睾丸には1回300～1000単位，1週1～3回を4～10週まで，又は1回3000～5000単位を3日間連続筋注．造精機能不全による男子不妊症，下垂体性男子性腺機能不全症(類宦官症)，思春期遅発症には，1日500～5000単位を週2～3回筋注．睾丸機能検査には10000単位1回又は3000～5000単位を3～5日間筋注し，1～2時間後の血中テストステロン値を投与前値と比較する．卵巣機能検査には1000～5000単位を単独又はFSH製剤と併用投与して卵巣の反応性をみる．黄体機能検査には3000～5000単位を高温期に3～5回，隔日に投与し，尿中ステロイド排泄量の変化をみる　効能②：低ゴナドトロピン性男子性腺機能低下症における精子形成の誘導には，(1)二次性徴の発現及び血中テストステロン値を正常範囲内にするため，1000単位を1週3回皮下注射し，血中テストステロン値が正常範囲内に達しない又は正常範囲上限を超えた場合には，1000～5000単位を1週2～3回の範囲内で調整する　(2)さらに，精子形成の誘導のため，1000～5000単位を1週2～3回皮下注射するとともに，遺伝子組換えFSH製剤を併用投与する
本剤の用法・用量は症例，適応によって異なるので，使用に際しては厳密な経過観察が必要である
使用上の注意

> **警告**　ヒト下垂体性性腺刺激ホルモン製剤に引き続き，本剤を投与した場合又は併用した場合，血栓症，脳梗塞等を伴う重篤な卵巣過剰刺激症候群が現れることがある

禁忌　①アンドロゲン依存性悪性腫瘍(たとえば，前立腺癌)及びその疑いのある患者［アンドロゲン産生を促進するため，病態の悪化あるいは顕性化を促すことがある］　②性腺刺激ホルモン製剤に対し過敏症の既往歴のある患者　③性早熟症の患者［アンドロゲン産生を促進するため，性早熟を早め骨端の早期閉鎖をきたすことがある］
薬物動態
血中濃度　ヒトに筋注時，血中濃度は6時間後に最高となり，その後30～32時間の半減期で血中から消失(外国人データ)
分布　マウスに^{125}I標識hCGを静注時，単位重量当たりでは卵巣に高く取り込まれ，2時間後に最高．この他に肝，腎，子宮，膣及び筋肉にも認められた
その他の管理的事項
投与期間制限　該当しない
保険給付上の注意　該当しない
資料
IF　ゴナトロピン筋注用1000・3000単位・注用5000単位　2020年2月改訂(第13版)

生理食塩液
Isotonic Sodium Chloride Solution

別名：0.9%塩化ナトリウム注射液

概要
薬効分類　331　血液代用剤
分子式　塩化ナトリウム：NaCl
分子量　58.44(塩化ナトリウム)
略語・慣用名　慣用名：生食，生理食塩液，0.9%食塩水など
ステム　該当しない
原薬の規制区分　該当しない
原薬の外観・性状　無色澄明の液で，弱い塩味がある．pH4.5～8.0
原薬の吸湿性　該当資料なし
原薬の酸塩基解離定数　該当資料なし
先発医薬品等
注　大塚生食注(大塚工場＝大塚製薬)
カーミパック生理食塩液(川澄)

カーミパック生理食塩液L(川澄)
生食液NS(日新製薬＝共和クリティケア＝ファイザー＝日本ジェネリック)
生食液「小林」(共和クリティケア)
生食注「トーワ」(東和薬品)
生食注20mL・500mL「CMX」(ケミックス＝日医工)
生食注20mL「Hp」(原沢)
生食液バッグ100mL「CMX」(ケミックス)
生理食塩液「フソー」(扶桑＝アルフレッサファーマ)
生理食塩液PL「フソー」(扶桑)
生理食塩液バッグ「フソー」(扶桑)
生理食塩液「AY」(エイワイファーマ＝陽進堂)
生理食塩液「NP」(ニプロ)
生理食塩液「ヒカリ」(光＝共和クリティケア)
生理食塩液「マイラン」(マイラン＝ファイザー＝沢井)
テルモ生食(テルモ)

キット 大塚生食注TN(大塚工場＝大塚製薬)

後発医薬品

キット

国際誕生年月 不明

海外での発売状況 該当しない

製剤

規制区分 **注** ㊋

製剤の性状 **注** 無色澄明の注射液

有効期間又は使用期限 3年

貯法・保存条件 室温保存

薬剤取扱い上の留意点 投与に際しては，感染に対する配慮をすること(患者の皮膚や器具消毒)．寒冷期には体温程度に温めて使用すること．ソフトバッグ製品は，原則として連結管を用いたタンデム方式による投与はできない

患者向け資料等 くすりのしおり

溶液及び溶解時のpH **注** 4.5～8.0

調製時の注意 該当しない

薬理作用

分類 等張液

治療

効能・効果 **注** **シリンジ** ①〔注射〕細胞外液欠乏時，ナトリウム欠乏時，クロル欠乏時，注射剤の溶解希釈剤　②〔外用〕皮膚・創傷面・粘膜の洗浄・湿布，含嗽・噴霧吸入剤として気管支粘膜洗浄・喀痰排出促進　③〔その他〕医療用器具の洗浄

キット(シリンジを除く) 注射剤の溶解希釈剤

用法・用量 **注** **シリンジ** ①〔注射〕(1)20～1000mLを皮下，静注，点滴静注(適宜増減)　(2)適量をとり注射用医薬品の希釈，溶解に用いる　②〔外用〕(1)皮膚，創傷面，粘膜の洗浄，湿布に用いる　(2)含嗽，噴霧吸入に用いる　③〔その他〕医療用器具の洗浄に用いる

キット(シリンジを除く) 注射用医薬品の溶解・希釈に用いる

その他の管理的事項

投与期間制限 該当しない

保険給付上の注意 該当しない

資料

IF 大塚生食注　2020年8月改訂(第9版)

石油ベンジン
Petroleum Benzin

概要

薬効分類 713　溶解剤

原薬の規制区分 該当しない

原薬の外観・性状 無色澄明の揮発性の液で，蛍光がなく，特異なにおいがある．エタノール(99.5)又はジエチルエーテルと混和する．水にほとんど溶けない．極めて引火しやすい

先発医薬品等

外用液 石油ベンジン(司生堂)
石油ベンジン(金田直＝健栄)

製剤

製剤の性状 石油から得た低沸点の炭化水素類の混合物である．無色澄明の揮発性の液で，蛍光がなく，特異なにおいがある

貯法・保存条件 気密容器．火気を避けて30℃以下で保存．火気厳禁，第四類，第一石油類，危険等級Ⅱ

薬剤取扱い上の留意点 引火性，可燃性．本剤の蒸気は引火しやすいので，火気の近くでは取扱わないこと．揮発性であるので，使用後は密栓すること．取扱い中は必要に応じ，保護手袋，マスクを着用し，排気に注意すること．

薬理作用

分類 溶解剤

治療

効能・用法 軟膏剤，硬膏剤，リニメント剤の基剤として調剤に用いる

使用上の注意

禁忌 損傷皮膚及び粘膜［損傷皮膚及び粘膜への使用により］

資料

添付文書 石油ベンジン　2000年3月作成(第1版)

セタノール
Cetanol

概要

分子式 $C_{16}H_{34}O$

分子量 242.44

原薬の規制区分 該当しない

原薬の外観・性状 白色の薄片状，粒状又は塊状のろう様物質で，僅かに特異なにおいがあり，味はない．ピリジンに極めて溶けやすく，エタノール(95)，エタノール(99.5)又はジエチルエーテルに溶けやすく，無水酢酸に極めて溶けにくく，水にほとんど溶けない

原薬の融点・沸点・凝固点 融点：47～53℃

セチリジン塩酸塩
セチリジン塩酸塩錠
Cetirizine Hydrochloride

概要

薬効分類 449　その他のアレルギー用薬

構造式

Cl　N　N　O　CO_2H　H　・2HCl

及び鏡像異性体

分子式 $C_{21}H_{25}ClN_2O_3 \cdot 2HCl$

分子量 461.81

ステム ジフェニルメチルピペラジン誘導体：-izine(-yzine)

原薬の規制区分 ㊕(ただし，1錠中セチリジンとして8.43mg以下を含有するもの及び1容器中セチリジンとして1.06g以下を含有するものを除く)

原薬の外観・性状 白色の結晶性の粉末である．水に極めて溶けやすく，エタノール(99.5)に溶けにくい．0.1mol/L塩酸試液に溶ける．水溶液(1→10)は旋光性を示さない

原薬の吸湿性 25℃，RH50%及び75%，42日間で調べた結果，吸湿性を示さなかった．25℃，RH94%での吸湿性は24時間で0.8%まで経時的に増大し，その後は一定となり0.5～0.8%の値で推移した

原薬の融点・沸点・凝固点 融点：204～210℃(分解)

原薬の酸塩基解離定数 pKa_1=2.85，pKa_2=8.33

先発医薬品等

錠 ジルテック錠5・10(UCB＝GSK＝第一三共)

シロップ用 ジルテックドライシロップ1.25%(UCB＝GSK＝第一三共)

後発医薬品

錠 5mg・10mg・OD錠5mg・10mg

シロップ用 1.25%

国際誕生年月 1986年11月

海外での発売状況 米，英，仏，独を含む100カ国以上

製剤

製剤の性状 **錠** 白色のフィルムコート錠 **シロップ用** 白色～微灰白色のドライシロップ剤．芳香がある．甘く，僅かに苦い

有効期間又は使用期限 3年

貯法・保存条件 室温保存

薬剤取扱い上の留意点 眠気を催すことがあるので，本剤投与中の患者には自動車の運転等危険を伴う機械の操作には従事させないよう十分注意すること

患者向け資料等 くすりのしおり

溶液及び溶解時のpH 5.0～7.0(セチリジン塩酸塩12.5mgに対する量(粉末1g)を正確に量り，水10mLを正確に加えて溶かした液)

薬理作用

分類 選択的ヒスタミンH_1受容体拮抗剤

作用部位・作用機序 作用部位：①鼻及び皮膚組織に存在するヒスタミンH_1受容体 ②好酸球，肥満細胞，好中球などの細胞 作用機序：アレルギー反応の即時相と遅発相の両相に作用する．即時相では，選択的かつ強い抗ヒスタミン作用と肥満細胞からのロイコトリエン遊離抑制作用によりアレルギーの諸症状を速やかに改善する．遅発相では，好酸球の遊走と活性化を抑制することによりアレルギー性炎症の持続と進展を抑制すると考えられている

同効薬 レボセチリジン塩酸塩，エバスチン，アゼラスチン塩酸塩，エピナスチン塩酸塩，オロパタジン塩酸塩，フェキソフェナジン塩酸塩，オキサトミド，ケトチフェンフマル酸塩，ベポタスチンベシル酸塩，ロラタジンなどのヒスタミンH_1受容体拮抗剤

治療

効能・効果 ①成人：アレルギー性鼻炎，蕁麻疹，湿疹・皮膚炎，痒疹，皮膚そう痒症 ②小児：アレルギー性鼻炎，蕁麻疹，皮膚疾患(湿疹・皮膚炎，皮膚そう痒症)に伴うそう痒

用法・用量 ①成人：セチリジン塩酸塩として1日1回10mg就寝前(シロップ用は用時溶解)(適宜増減)．1日最高量20mgまで ②小児：(1)(シロップ用のみ)2歳以上7歳未満：セチリジン塩酸塩として1回2.5mg1日2回，朝食後及び就寝前(用時溶解) (2)7歳以上15歳未満：セチリジン塩酸塩として1回5mg1日2回，朝食後及び就寝前(シロップ用は用時溶解)

用法・用量に関連する使用上の注意 ①腎障害患者では，血中濃度半減期の延長が認められ，血中濃度が増大するため，クレアチニンクリアランスに応じて，投与量の調節が必要．成人患者の腎機能に対応する用法・用量の目安(外国人データ)は，クレアチニンクリアランスごとに，(1)＞80mL/min：10mgを1日1回，(2)50～79mL/min：10mgを1日1回，(3)30～49mL/min：5mgを1日1回，(4)10～29mL/min：5mgを2日に1回．なお，クレアチニンクリアランスが10mL/min未満の患者への投与は禁忌．腎障害を有する小児患者では，各患者の腎クリアランスと体重を考慮して，個別に用量を調整する ②重度の肝機能障害患者では，低用量(例えば通常用量の半量)から投与を開始するなど慎重に投与する ③高齢者では，低用量(例えば5mg)から投与を開始するなど慎重に投与する

使用上の注意

禁忌 ①本剤の成分又はピペラジン誘導体(レボセチリジン，ヒドロキシジンを含む)に対し過敏症の既往歴のある患者 ②重度の腎障害(クレアチニンクリアランス10mL/min未満)のある患者

過量投与 ①症状：錯乱，散瞳，落ち着きのなさ，鎮静，傾眠，昏迷，尿閉が現れることがある ②処置：本剤の特異的な解毒剤はなく，また透析で除去されない

薬物動態

血中濃度 ①成人(健康成人)：錠10mgを単回経口投与時，速やかに吸収され，投与約1.4時間後に最高血漿中濃度(Cmax)214.5ng/mLに達し，血漿中濃度消失半減期は約7時間．また，20mgを単回経口投与時，投与量の増加に伴ってCmaxの上昇，AUCの増大が認められた．1日1回20mgを7日間連続経口投与時，蓄積性は認められなかった．単回投与時の薬物動態パラメータ(10mg，20mgの順)は，Tmax(hr)1.44±0.50，1.50±0.38，Cmax(ng/mL) 214.5±35.3，438.1±111.8，$T_{1/2}$(hr)6.73±2.30，6.79±1.85，AUC(ng・nr/L)2.0±0.3，3.9±0.9．また，ドライシロップ0.8gを単回経口投与時，速やかに吸収され，投与約0.82時間後に最高血漿中濃度(Cmax)413.6ng/mLに達し，血漿中濃度消失半減期は約8時間 ②小児：日本人通年性アレルギー性鼻炎患児又は皮膚疾患患児を対象とした臨床試験5試験，570例から得られた血清中濃度値994点を用い，母集団薬物動態解析(非線形混合効果モデル法，NONMEM)を行った結果，体重が共変量として認められ，2～6歳の小児(本年齢層における体重の中央値：18.0kg)の全身クリアランス(CL/F)は1.64L/hr，分布容積(V/F)は11.9L，7～14歳の小児(同：31.0kg)のCL/Fは2.11L/hr，V/Fは17.7Lと推定．また，2.5mg1日2回投与時の定常状態時最低血清中濃度(Css min)及び最高血清中濃度(Css max)は，それぞれ58±25ng/mL及び214±50ng/mL(平均±標準偏差*)，以下同様)と推定され，5mg1日2回投与時のCss min及びCss maxは，それぞれ100±40ng/mL及び308±74ng/mLと推定 *)1000例の血清中濃度推移をシミュレーションしたときの推定値 **分布** 血漿蛋白結合率：^{14}C標識-セチリジン0.1，1及び10μg/mL濃度の*in vitro*におけるヒト血漿蛋白との結合率は平均92%(90.7～92.5%)(平衡透析法) **代謝** 健康成人に1日1回20mgを7日間連続経口投与時，血漿中に酸化的脱アルキル体がわずかに認められた **排泄** 健康成人に10mg又は20mgを単回経口投与時，24時間後までに投与量の約50%が未変化体として尿中に排泄．また，健康成人に1日1回20mgを7日間連続経口投与時，未変化体の1日投与量に対する尿中排泄率は，1日目は24時間後までに約58%，7日目は約70% **特定の背景を有する患者** ①腎機能障害患者：腎機能障害患者(クレアチニンクリアランス：7～60mL/min)に10mgを単回経口投与時の薬物動態パラメータ(クレアチニンクリアランス＞90，31～60，7～30(各5例)の順)は，Cmax(ng/mL)0.9±0.2hr後313±45，1.1±0.2hr後356±64，2.2±1.1hr後357±172，半減期(hr)7.4±3.0，19.2±3.3，20.9±4.4，AUC(mg・hr/L)2.7±0.4，6.9±1.8，10.7±2.4で，腎機能正常者に比べ血清中濃度は持続し，血清中濃度消失半減期の延長が認められた(外国人データ)．また，血液透析患者(クレアチニンクリアランス：＜7mL/min，n=5)に10mgを透析開始3時間前に経口投与時，血清中濃度消失半減期は平均19.3時間で延長が認められた(外国人データ) ②肝機能障害患者での体内動態：原発性胆汁性肝硬変患者に10mgを単回

経口投与時の薬物動態パラメータ（肝機能正常成人14例，原発性胆汁性肝硬変患者6例の順）は，Cmax（ng/mL）1.0±0.5hr後384±103，1.0±0.4hr後498±118，半減期（hr）7.4±1.6，13.8±1.8，AUC（mg・hr/L）3.3±0.9，6.4±1.6で，肝機能正常成人に比べ，血清中濃度消失半減期の延長，Cmaxの上昇，AUCの増大が認められた（外国人データ） ③高齢者：高齢者（年齢：平均77歳，クレアチニンクリアランス：平均53mL/min）に10mgを単回経口投与時の薬物動態パラメータ（成人14例（平均53歳，クレアチニンクリアランス平均87mL/min），高齢者16例（平均77歳，クレアチニンクリアランス平均53mL/min）の順）は，Cmax（ng/mL）1.0±0.5hr後384±103，0.9±0.3hr後460＝59，半減期（hr）7.4±1.6，11.8±5.4，AUC（mg・hr/L）3.3±0.9，5.6±1.8で，成人（年齢：平均53歳，クレアチニンクリアランス：平均87mL/min）に比べ，血清中濃度消失半減期の延長とCmaxの上昇が認められ，これらの薬物動態パラメータの変化は，腎機能の低下によるものと考えられた（外国人データ）

その他の管理的事項

投与期間制限 該当しない

保険給付上の注意 該当しない

資料

IF ジルテック錠5・10・ドライシロップ1.25％ 2019年4月改訂（第12版）

セトチアミン塩酸塩水和物
Cetotiamine Hydrochloride Hydrate

概要

薬効分類 312 ビタミンB_1剤

構造式

分子式 $C_{18}H_{26}N_4O_6S \cdot HCl \cdot H_2O$

分子量 480.96

略語・慣用名 別名：ジセチアミン塩酸塩水和物

ステム 不明

原薬の規制区分 該当しない

原薬の外観・性状 白色の結晶又は結晶性の粉末で，においはないか，又は僅かに特異なにおいがある．水又は，エタノール（99.5）に溶けやすい．0.01mol/L塩酸試液に溶ける

原薬の吸湿性 吸湿性はない

原薬の融点・沸点・凝固点 融点：約132℃（分解）

原薬の酸塩基解離定数 pKa＝5.70（0.05mol/L NaOH溶液，pH滴定，24℃）

先発医薬品等

錠 ジセタミン錠25（高田）

国際誕生年月 不明

海外での発売状況 該当資料なし

製剤

製剤の性状 錠 白色の糖衣錠

有効期間又は使用期限 3年

貯法・保存条件 室温保存

患者向け資料等 くすりのしおり

溶液及び溶解時のpH 該当しない

浸透圧比 該当しない

安定なpH域 該当しない

薬理作用

分類 ビタミンB_1誘導体

作用部位・作用機序 腸管から吸収され，標的組織に移行して，組織内で速やかにチアミン（ビタミンB_1）に転化する．代謝物のビタミンB_1はリン酸化され，チアミンピロリン酸となって初めて生理作用を発揮する：①糖代謝酵素の補酵素作用：糖質，タンパク質，脂質代謝で，また，トリカルボン酸回路（TCAサイクル）の関門として重要な位置を占めるピルビン酸の脱炭酸反応や，TCAサイクル内のα-ケトグルタル酸の脱炭酸反応にチアミンが関与している．更に，トランスケトラーゼの補酵素として五炭糖リン酸回路での糖代謝や核酸代謝にも関与している．チアミンが糖代謝酵素の補酵素となる作用は確立されている ②神経機能に関する作用：詳細は不明である．一つの仮説として，チアミンが神経の膜に存在するナトリウムチャネルを構成するタンパク質と結合しており，活動電位の発現に重要な役割を演じているという考え方がある

同効薬 チアミン塩化物塩酸塩，フルスルチアミンなどのビタミンB_1誘導体

治療

効能・効果 ①ビタミンB_1欠乏症の予防及び治療．ビタミンB_1の需要が増大し，食事からの摂取が不十分な際の補給（消耗性疾患，甲状腺機能亢進症，妊産婦，授乳婦，激しい肉体労働時等），ウェルニッケ脳症，脚気衝心 ②次の疾患のうち，ビタミンB_1の欠乏又は代謝障害が関与すると推定される場合：神経痛，筋肉痛・関節痛，末梢神経炎・末梢神経麻痺，心筋代謝障害，便秘等の胃腸運動機能障害．なお，効果がないのに月余にわたって漫然と投与すべきでない

用法・用量 チアミン塩化物塩酸塩として1日5～100mg（適宜増減）

薬物動態

吸収 ①血中濃度：健康成人男子10例に1錠（チアミン塩化物塩酸塩として25mg）を経口投与時，血中総ビタミンB_1濃度は2時間後に最高値30μg/dL，8時間後には14.5μg/dLまで低下（測定法：蛍光法） ②吸収率：消化管障害のない成人2例に^{35}S-標識ジセチアミンをチアミン塩化物塩酸塩として25mg投与時の吸収率は4日間で約80％と推定 **分布（参考）** イヌに^{35}S-標識ジセチアミンを1mg投与5時間後に肝に6～7％，次いで腎に高濃度に分布 **代謝（参考）** 生体内に広く存在する加水分解酵素により塩酸チアミンに転化し，側鎖のカルボキシエトキシ基はエタノールと炭酸ガスになる（*in vitro*） **排泄** 消化管障害のない成人2例に^{35}S-標識ジセチアミンをチアミン塩化物塩酸塩として25mg投与時の尿中排泄量は，初めの1，2時間内に18～21％，24時間で約40％，1週間で51％が排泄．便中へは4日間で20％が排泄

その他の管理的事項

投与期間制限 該当しない

保険給付上の注意 該当しない

資料

IF ジセタミン錠25 2018年10月改訂（第2版）

セ

セトラキサート塩酸塩
Cetraxate Hydrochloride

概要

薬効分類 232 消化性潰瘍用剤

構造式

分子式 $C_{17}H_{23}NO_4$・HCl

分子量 341.83

略語・慣用名 AMCHA-CEP

ステム 該当しない

原薬の規制区分 該当しない

原薬の外観・性状 白色の結晶又は結晶性の粉末である．メタノールにやや溶けやすく，水又はエタノール(95)にやや溶けにくく，ジエチルエーテルにほとんど溶けない

原薬の吸湿性 吸湿性はない

原薬の融点・沸点・凝固点 融点：約236℃(分解)

原薬の酸塩基解離定数 pKa_1＝4.5(帰属：-COOH)(滴定法，吸光度)，pKa_2＝10.5(帰属：$-NH_2$)(滴定法)

先発医薬品等

細 ノイエル細粒40%(アルフレッサファーマ)

カ ノイエルカプセル200mg(アルフレッサファーマ)

国際誕生年月 1979年3月

海外での発売状況 該当資料なし

製剤

製剤の性状 **細** 白色～微黄色のコーティング細粒 **カ** 青色不透明/白色不透明のカプセル

有効期間又は使用期限 5年

貯法・保存条件 **細** 室温保存，吸湿注意 **カ** 室温保存

薬剤取扱い上の留意点 **カ** 温度，湿度，光の影響により，カプセルの退色が認められることがあるため，開封後はこれらの影響を避けて保存することが望ましい

患者向け資料等 くすりのしおり

溶液及び溶解時のpH 2.8～3.3(水，1→100)

浸透圧比 該当しない

安定なpH域 該当しない

調製時の注意 該当しない

薬理作用

分類 粘膜防御性胃炎・胃潰瘍治療剤(アミノ酸エステル誘導体)

作用部位・作用機序 作用部位：胃粘膜，腸管粘膜組織 作用機序：胃粘膜微小循環の改善を主作用とし，胃粘膜内プロスタグランジンE_2，I_2生合成増加作用，胃粘膜粘液の保持及び合成促進作用等のいわゆるcytoprotective(細胞保護)作用とともに，粘膜内でのペプシノーゲンの活性化抑制・生成抑制，抗カリクレイン作用による胃液分泌の抑制等の攻撃系因子抑制作用を併せもち，防御・攻撃因子の両面に作用することにより胃粘膜病変を治癒させる

同効薬 レバミピド，アルジオキサ，ソファルコン，テプレノン，ベネキサート塩酸塩ベータデクス，イルソグラジンマレイン酸塩，トロキシピド，スルピリドなど

治療

効能・効果 ①次の疾患の胃粘膜病変(びらん，出血，発赤，浮腫)の改善：急性胃炎，慢性胃炎の急性増悪期 ②胃潰瘍

用法・用量 セトラキサート塩酸塩として1回200mg，1日3～4回食後及び就寝前(適宜増減)

薬物動態

血中濃度 健康成人に200mgを単回経口投与1時間後には，未変化体は定量限界以下．主代謝物トラネキサム酸は3.05±0.25時間後Cmax1.75±0.13μg/mL．半減期は1.73±0.09時間 **分布(参考)** ラットに^{14}C-塩酸セトラキサートの経口投与で，胃壁と副腎を除くすべての臓器に投与後8時間で最高濃度，全血液中濃度推移と同傾向．胃壁＞腎＞肝＞副腎・肺＞全血・膵・脾・心＞筋＞睾丸・脂肪・脳の順に高く，胃壁への取り込みは投与後，短時間で顕著 **代謝(尿中代謝物)** ^{13}C-塩酸セトラキサートを健康成人に投与時の尿中に未変化体，tranexamic acid(TA)，trans-4-hydroxymethyl-cyclohexanecarboxylic acid，trans-hexahydroterephthalic acid，N-acetyltranexamic acid．総尿中排泄率0～24時間で約40%．このうちTA 98%，未変化体は極めて少なく，0.02～0.04% **排泄** 健康成人に200mg単回投与後，6～8時間まで微量ながら未変化のまま尿中に排泄が続き，排泄総量13～47μg(平均27.4μg)，投与量の0.007～0.024%(平均0.014%)で，8時間以後の尿中排泄はほとんど認められない

その他の管理的事項

投与期間制限 該当しない

保険給付上の注意 該当しない

資料

IF ノイエル細粒40%・カプセル200mg 2019年3月作成(第1版)

セファクロル
セファクロルカプセル
セファクロル複合顆粒
セファクロル細粒
Cefaclor

概要

薬効分類 613 主としてグラム陽性・陰性菌に作用するもの

構造式

分子式 $C_{15}H_{14}ClN_3O_4S$

分子量 367.81

略語・慣用名 CCL

ステム セファロスポラン酸系抗生物質：cef-

原薬の規制区分 該当しない

原薬の外観・性状 白色～黄白色の結晶性の粉末である．水又はメタノールに溶けにくく，*N,N*-ジメチルホルムアミド又はエタノール(99.5)にほとんど溶けない

原薬の吸湿性 僅かに吸湿性を示す

原薬の融点・沸点・凝固点 融点：約199℃(分解)

原薬の酸塩基解離定数 pKa_1＝1.56(カルボキシル基)，pKa_2＝7.22(アミノ基)

先発医薬品等

細 ケフラール細粒小児用100mg(共和薬品)

セファクロル細粒小児用10%「JG」(長生堂＝日本ジェネリック)

セファクロル細粒小児用10%「サワイ」(沢井)

セファクロル細粒10%・20%「日医工」(日医工)

徐放顆 L-ケフラール顆粒(共和薬品)

カ ケフラールカプセル250mg(共和薬品)

セファクロルカプセル250mg「JG」(長生堂＝日本ジェネリック)

セファクロルカプセル250mg「SN」(シオノ＝あゆみ製

薬）
セファクロルカプセル250mg「TCK」（辰巳）
セファクロルカプセル250mg「サワイ」（沢井）
セファクロルカプセル250mg「トーワ」（東和薬品）
セファクロルカプセル250mg「日医工」（日医工）
トキクロルカプセル250mg（コーアイセイ）

国際誕生年月 不明
海外での発売状況 該当資料なし

製剤
規制区分 **細** **徐放顆** **力** ㊕
製剤の性状 **細** うすい黄色の細粒で，僅かにオレンジ様のにおいがある **徐放顆** 僅かに特異なにおいのある淡黄白色～淡黄褐色の顆粒の混合物 **力** 青色/白色の硬カプセル
有効期間又は使用期限 2年
貯法・保存条件 **細** 遮光・気密容器・室温保存（経時的に退色することがある） **徐放顆** **力** 遮光・気密容器・室温保存
薬剤取扱い上の留意点 **細** 調製方法：牛乳，ジュース等に懸濁したまま放置しないように注意する **徐放顆** 調剤時：原則としてSP包装のまま調剤すること．SP包装を開封して調剤すると2種類の顆粒が偏析を起こし，混合比率が変化することがあるので注意する 服用時：かまずに服用するように注意する．制酸剤を配合したり，同時に服用すると，本剤の腸溶性が損なわれるおそれがあるので避けることが望ましい．やむを得ず併用するときは十分に服用間隔をあけること
患者向け資料等 くすりのしおり
溶液及び溶解時のpH 3.0～5.0（4mg/mL水溶液）
浸透圧比 該当しない
安定なpH域 該当しない
調製時の注意 **徐放顆** 配合が好ましくない薬剤としてアルカリ性薬剤がある

薬理作用
分類 セフェム系抗生物質
作用部位・作用機序 細菌の細胞壁合成を阻害することにより抗菌作用を発揮し，作用は殺菌的である．セファレキシン（CEX）より低濃度・短時間で殺菌に至らしめる
同効薬 セフカペン ピボキシル塩酸塩水和物，セフジニル，セフジトレン ピボキシル，セフテラム ピボキシルなどセフェム系抗生物質（経口）

治療
効能・効果 **細** **力**〈適応菌種〉本剤に感性のブドウ球菌属，レンサ球菌属，肺炎球菌，大腸菌，クレブシエラ属，プロテウス・ミラビリス，インフルエンザ菌 〈適応症〉表在性皮膚感染症，深在性皮膚感染症，リンパ管・リンパ節炎，慢性膿皮症，外傷・熱傷及び手術創等の二次感染，乳腺炎，咽頭・喉頭炎，扁桃炎，急性気管支炎，肺炎，慢性呼吸器病変の二次感染，膀胱炎，腎盂腎炎，麦粒腫，中耳炎，歯周組織炎，歯冠周囲炎，顎炎，猩紅熱
徐放顆〈適応菌種〉本剤に感性のブドウ球菌属，レンサ球菌属（肺炎球菌を除く），大腸菌，クレブシエラ属，インフルエンザ菌 〈適応症〉深在性皮膚感染症，リンパ管・リンパ節炎，慢性膿皮症，咽頭・喉頭炎，扁桃炎，急性気管支炎，慢性呼吸器病変の二次感染，中耳炎
効能・効果に関連する使用上の注意 咽頭・喉頭炎，扁桃炎，急性気管支炎，中耳炎への使用にあたっては，「抗微生物薬適正使用の手引き」を参照し，抗菌薬投与の必要性を判断した上で，投与が適切と判断される場合に投与する
用法・用量 **細** セファクロルとして幼小児には1日20～40mg（力価）/kgを3回に分服（適宜増減）
徐放顆 **力** セファクロルとして成人及び体重20kg以上の小児1日750mg（力価），重症の場合や分離菌の感受性が比較的低い症例1日1500mg（力価），カプセル3回に，徐放顆粒は朝夕食後2回に分服（適宜増減）
用法・用量に関連する使用上の注意 使用にあたっては，耐性菌の発現等を防ぐため，原則として感受性を確認し，疾病の治療上必要な最小限の期間の投与にとどめる

使用上の注意
禁忌 本剤の成分に対し過敏症の既往歴のある患者

薬物動態
（持続性顆粒は溶出pHの異なる2種の粒を配合することで，血中濃度を速く高めるとともに長く維持することができる製剤） **血漿中濃度（bioassay測定法）** ①健康成人：⑴**力** 250mg，500mg（各14名）を空腹時単回経口投与時の薬物動態パラメータは，それぞれCmax（μg/mL）9.4，15.3，Tmax（min）43，55，AUC_{0-6}（μg・hr/mL）8.9，18.7，$T_{1/2}$（min）27，31 ⑵**徐放顆** 12名に375mgを食後単回経口投与時の薬物動態パラメータは，Cmax2.3μg/mL，Tmax3.8hr，AUC_{0-10} 10.7μg・hr/mL ⑶**細** 小児患者6～13歳（11名）に10mg/kg空腹時単回経口投与時の薬物動態パラメータは，Cmax8.8μg/mL，Tmax0.5hr，AUC_{0-6}11.7μg・hr/mL ②腎機能障害患者：⑴**力** 500mg空腹時単回経口投与時，腎機能障害患者では健康成人に比べ，半減期が延長．Cmaxも高値を示した（外国人データ）．薬物動態パラメータ[Ccr（mL/min/1.73m^2）＞107の健康成人5名，Ccr=37.7の腎機能障害患者2名，Ccr=16の腎機能障害患者2名，Ccr=0の無尿患者4名の順]は，Cmax（μg/mL）12.4±1.3，20.5，18，19.7±3.3，Tmax（hr）0.5～1，2，4，0.5～4，$T_{1/2}$（hr）0.8±0.1，1.5，2.1，無尿患者の透析時2.1±0.1，非透析時2.8±0.8 ⑵**徐放顆** 375mgを食後単回経口投与時，障害の程度に応じてCmaxが高値を示し，血中からの消失は遅延．薬物動態パラメータ[Ccr（mL/min）=6.8の高度障害者6名（52歳），Ccr=29.2の中等度障害者4名（79歳），Ccr=74.8の正常者3名（64歳）の順]は，Cmax（μg/mL）10.7，7.9，4.1，Tmax（hr）5.2，2.8，1.7，AUC_{0-12}（μg・hr/mL）61（0～8hr），36.2，11.4，半減期（hr）3（0～6hr），2.1，0.5 **分布** ①**力** 扁桃・上顎洞粘膜，肺組織，口腔組織（歯肉，嚢胞壁，顎骨），乳汁中に移行 ②**徐放顆** 経口投与後，喀痰中に移行（参考）乳汁中に移行（普通剤でのデータ） **代謝（参考）** ラット，マウス，ウサギ，イヌに経口投与後，大部分が未変化体のまま尿中に排泄され，主要代謝物は尿中に認められなかった **排泄** **細** **力** 健康成人に250mg，500mg（各14名）空腹時単回経口投与後6時間以内の尿中回収率はいずれも70％以上．小児患者10名（6～10歳）に10mg/kg空腹時単回投与後6時間以内の尿中回収率は約66％．**徐放顆** 主として腎排泄，健康成人12名に375mg食後単回投与後12時間の尿中回収率は約56％ **その他** 限外ろ過法で測定された血漿蛋白結合率23.1％

その他の管理的事項
投与期間制限 該当しない
保険給付上の注意 該当しない

資料
IF ケフラール細粒小児用100mg・カプセル250mg 2019年4月改訂（第26版）
L-ケフラール顆粒 2019年4月改訂（第19版）

セファゾリンナトリウム
Cefazolin Sodium

概要
構造式

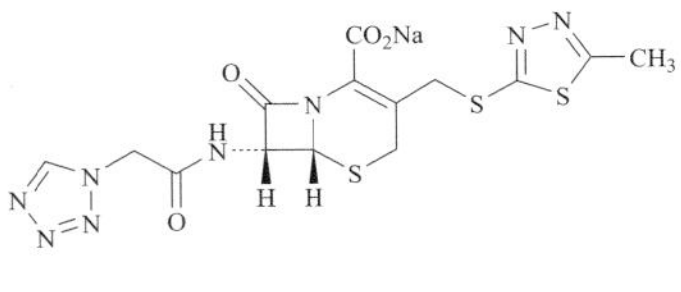

分子式　$C_{14}H_{13}N_8NaO_4S_3$
分子量　476.49
原薬の規制区分　該当しない
原薬の外観・性状　白色～淡黄白色の結晶又は結晶性の粉末である．水又はホルムアミドに溶けやすく，メタノールに溶けにくく，エタノール(95)にほとんど溶けない．1.0gを水10mLに溶かした液のpHは4.8～6.3である

セファゾリンナトリウム水和物
注射用セファゾリンナトリウム
Cefazolin Sodium Hydrate

概要
薬効分類　613　主としてグラム陽性・陰性菌に作用するもの
構造式

分子式　$C_{14}H_{13}N_8NaO_4S_3 \cdot 5H_2O$
分子量　566.57
略語・慣用名　CEZ
ステム　セファロスポラン酸系抗生物質：cef-
原薬の規制区分　該当しない
原薬の外観・性状　白色～微帯黄白色の結晶である．水に溶けやすく，メタノールにやや溶けにくく，エタノール(95)に溶けにくく，ジエチルエーテルにほとんど溶けない．1.0gを水10mLに溶かした液のpHは4.8～6.3である
原薬の吸湿性　11%RHでは，水分量は7日間で14.44%から5.13%へ減少し，7日間でほぼ平衡に達する．33%RHでは，水分量はほとんど変化しない．75%RH以上では，1日間で14.44%から16.40%(75%RH)，16.51%(94%RH)に増加し五水和物としての理論水分量(15.9%)を超える水分量を示す(23℃，10日間保存)
原薬の融点・沸点・凝固点　融点：明確な融点を示さない
原薬の酸塩基解離定数　pKa＝2.13(セファロスポリン母核に結合したカルボン酸)
先発医薬品等
　注射用　セファメジンα注射用0.25g・0.5g・1g・2g・筋注用0.25g・0.5g(LTL)
　キット　セファメジンα点滴用キット1g・2g(LTL)
後発医薬品
　注射用　250mg・500mg・1g・2g
　キット　1g
国際誕生年月　1971年4月
海外での発売状況　米，仏など
製剤
規制区分　**注射用**　**キット**　㊇
製剤の性状　**注射用**　白色～微帯黄白色の結晶を充てんした製剤
有効期間又は使用期限　2年
貯法・保存条件　室温保存
患者向け資料等　くすりのしおり
溶液及び溶解時のpH　4.8～6.3(1g/10mL注射用水，1g/10mL生食，1g/10mLブドウ糖注射液(5w/v%))，4.6～6.3(1g/100mL生食，2g/100mL生食，2g/100mLブドウ糖注射液(5w/v%))，5.0～6.3(0.25g/2mLリドカイン注射液(0.5w/v%)，0.5g/2mLリドカイン注射液(0.5w/v%)，1g/3mLリドカイン注射液(0.5w/v%))
浸透圧比　約1(1g/10mL注射用水，1g/100mL生食，2g/100mL生食，2g/100mLブドウ糖注射液(5w/v%)，0.25g/2mLリドカイン注射液(0.5w/v%))，約2(1g/10mL生食，1g/10mLブドウ糖注射液(5w/v%)，0.5g/2mLリドカイン注射液(0.5w/v%))，約3(1g/3mLリドカイン注射液(0.5w/v%))
調製時の注意　ガベキサートメシル酸塩，ナファモスタットメシル酸塩，シメチジン，ファモチジン，アミノ糖系抗生物質と混合すると混濁することがある　**筋注用**　温度による溶解度の差により，ときに白濁することがあるが，この場合は温湯であたため澄明な溶液としてから使用すること．また，溶解後は室温又は冷蔵庫保存で48時間以内に使用する　**注射用**　温度による溶解度の差により，澄明に溶解しない場合があるが，この場合は，液量を増やすか温湯であたため，澄明な溶液としてから使用すること．また，溶解後は室温又は冷蔵庫保存で48時間以内に使用すること
薬理作用
分類　セファロスポリン系抗生物質
作用部位・作用機序　作用部位：細菌の細胞壁　作用機序：細菌の細胞壁を構成するペプチドグリカン生合成の最終過程であるペプタイド転移酵素(transpeptidase)反応とD-アラニンカルボキシペプチダーゼ(D-Ala carboxypeptidase)反応を阻害する．効果は殺菌的である
同効薬　セファロチン
治療
効能・効果　〈適応菌種〉セファゾリンに感性のブドウ球菌属，レンサ球菌属，肺炎球菌，大腸菌，肺炎桿菌，プロテウス・ミラビリス，プロビデンシア属　〈適応症〉敗血症，感染性心内膜炎，表在性皮膚感染症，深在性皮膚感染症，リンパ管・リンパ節炎，慢性膿皮症，外傷・熱傷及び手術創等の二次感染，びらん・潰瘍の二次感染，乳腺炎，骨髄炎，関節炎，咽頭・喉頭炎，扁桃炎，急性気管支炎，肺炎，肺膿瘍，膿胸，慢性呼吸器病変の二次感染，膀胱炎，腎盂腎炎，腹膜炎，胆嚢炎，胆管炎，バルトリン腺炎，子宮内感染，子宮付属器炎，子宮旁結合織炎，眼内炎(全眼球炎を含む)，中耳炎，副鼻腔炎，化膿性唾液腺炎
効能・効果に関連する使用上の注意　咽頭・喉頭炎，扁桃炎，急性気管支炎，中耳炎，副鼻腔炎への使用にあたっては，「抗微生物薬適正使用の手引き」を参照し，抗菌薬投与の必要性を判断した上で，投与が適切と判断される場合に投与する
用法・用量　**注射用**　1日1g(力価)，小児20～40mg(力価)/kg，2回に分けて緩徐に静注又は筋注．症状及び感染菌の感受性から効果不十分と判断される場合には1日1.5～3g(力価)，小児50mg(力価)/kg，3回に分注．症状が特に重篤な場合には，1日5g(力価)，小児100mg(力価)/kgまでを分注できる．輸液に混合して点滴静注することもできる．静注には注射用水，生理食塩液又はブドウ糖注射液に溶解して用いる．点滴静注の場合は，溶液が等張とならないので注射用水は使用しない．筋注には0.5%塩酸リドカイン注射液約2～3mLに溶解して用いる
　筋注用　1日1g(力価)，小児20～40mg(力価)/kg，2回に分けて筋注．症状及び感染菌の感受性から効果不十分と判断される場合には1日1.5～3g(力価)，小児50mg(力価)/kg，3回に分注．症状が特に重篤な場合には，1日5g(力価)，小児100mg(力価)/kgまでを分注できる．0.5%リドカイン注射液約2mLに溶解して用いる．なお，温度による溶解度の差によりときに白濁することがあるが，この場合は温湯で温め澄明な溶液としてから使用．また溶解後は室温又は冷蔵庫保存で48時間以内に使用
　キット　1日1g(力価)，小児20～40mg(力価)/kg，2回に分けて点滴静注．症状及び感染菌の感受性から効果不十分と判断される場合には1日1.5～3g(力価)，小児50mg(力価)/kg，3回に分注．症状が特に重篤な場合には，1日5g(力価)，小児

100mg(力価)/kgまでを分注できる．コネクターを介して添付の生理食塩液に溶解する

用法・用量に関連する使用上の注意　①使用にあたっては，耐性菌の発現等を防ぐため，原則として感受性を確認し，疾病の治療上必要な最小限の期間の投与にとどめる　②高度の腎障害のある患者では，血中濃度が持続するので，腎障害の程度に応じて投与量を減量し，投与の間隔をあけて使用する

使用上の注意

禁忌　①本剤の成分に対し過敏症の既往歴のある患者　②**筋注用** リドカイン等のアニリド系局所麻酔剤に対し，過敏症の既往歴のある患者［添付の溶解液はリドカインを含有している］

薬物動態

本剤での臨床試験は実施していないが，本剤を溶解したものはセファメジン注射用，筋注用と同一のものであるので，セファメジン注射用，筋注用での成績を示す　**血中濃度(μg/mL)**　①成人：健常成人に0.5g筋注1時間後に血清中濃度はピーク値38，半減期2.3時間．1gを30分で点滴静注時，血漿中濃度は点滴終了直後にピーク値131，半減期2.46時間．2gを30分及び1時間で点滴静注終了直後に血清中濃度はピーク値228，172．1g静注時の血清中濃度は5分後143.8，6時間後6.8，半減期1.67時間　②腎機能障害者では腎障害の程度に応じて半減期が延長し，血清中濃度が持続：(1)500mg静注時：腎機能正常者，腎機能中等度障害者(GFR=28～75mL/min)，腎機能高度障害者(GFR=7.3～20mL/min)各3例の半減期はそれぞれ1.6，2.7，14.9時間．9時間までの尿中回収量はそれぞれ420.8，166.7，50.2mg　(2)1g筋注時(外国人)：Ccr(mL/min)値が20～80(10例)，10～20(9例)，2～9(5例)の血清中濃度(mL/min)はそれぞれ30分後65.4，59.7，56.9，1時間後69.4，73.8，71.1，2時間後64.8，80，73.2，4時間後49.7，77.5，75，6時間後36.5，70.5，70.4，8時間後20.2，48.4，62.4，24時間後6.6，29.4，44.2，半減期はそれぞれ5時間，16時間49分，26時間33分　③低出生体重児，新生児及び小児：25mg/kg静注時の半減期は，低出生体重児，新生児2.3～5.1時間，乳児，幼児，学童1.3～2.2時間．濃度推移は添付文書参照　**組織内移行**　患者喀痰中，胸水中，胆汁中等への体液中移行，扁桃組織，胆嚢組織，子宮組織，骨組織等への組織内移行は良好　**乳汁中移行**　授乳婦20名に2g静注時の母乳中濃度は2時間目1.3±0.9，3時間目1.5±0.2，4時間目1.2±1μg/mL　**代謝**　尿中には抗菌代謝物質は認められていない　**排泄**　主として腎臓から排泄され，健常成人に点滴静注，静注あるいは筋注時の尿中排泄率はそれぞれ88.7%(1g30分点滴：投与後8時間まで)，86.3%(2g30分点滴：投与後6.5時間まで)，88.2%(2g1時間点滴：投与後7時間まで)，91.3%(1g静注：投与後8時間まで)，88.9%(0.5g筋注：投与後6時間まで)と良好

その他の管理的事項

投与期間制限　該当しない

保険給付上の注意　該当しない

資料

IF　セファメジンα注射用0.25g・0.5g・1g・2g・筋注用0.25g・0.5g・点滴用キット1g・2g　2019年4月改訂(第17版)

セファトリジンプロピレングリコール
シロップ用セファトリジンプロピレングリコール
Cefatrizine Propylene Glycolate

概要

構造式

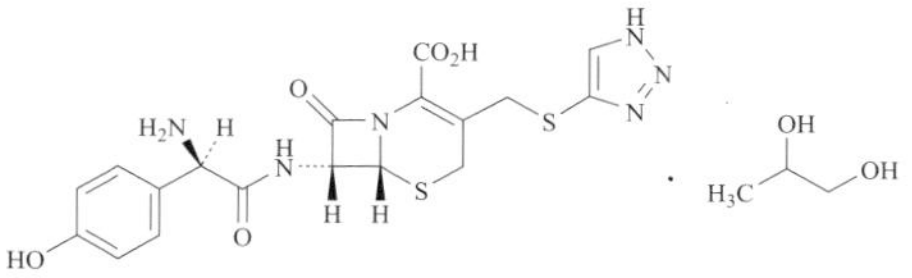

分子式　$C_{18}H_{18}N_6O_5S_2 \cdot C_3H_8O_2$

分子量　538.60

原薬の規制区分　該当しない

原薬の外観・性状　白色～帯黄白色の粉末である．水にやや溶けにくく，メタノール又はエタノール(95)にほとんど溶けない

セファドロキシル
セファドロキシルカプセル
シロップ用セファドロキシル
Cefadroxil

概要

構造式

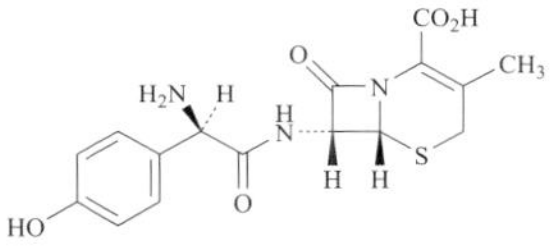

分子式　$C_{16}H_{17}N_3O_5S$

分子量　363.39

原薬の規制区分　該当しない

原薬の外観・性状　白色～淡黄白色の粉末である．水にやや溶けにくく，メタノールに溶けにくく，エタノール(95)に極めて溶けにくい．1.0gを水200mLに溶かした液のpHは4.0～6.0である

セファレキシン
セファレキシンカプセル
セファレキシン複合顆粒
シロップ用セファレキシン
Cefalexin

概要

薬効分類　613　主としてグラム陽性・陰性菌に作用するもの

構造式

分子式　$C_{16}H_{17}N_3O_4S$

分子量　347.39

略語・慣用名　CEX

ステム　セファロスポラン酸系抗生物質：cef-

原薬の規制区分　該当しない

原薬の外観・性状　白色～淡黄白色の結晶又は結晶性の粉末である．水にやや溶けにくく，メタノールに溶けにくく，エタノール(95)又は*N,N*-ジメチルホルムアミドにほとんど溶けない

原薬の吸湿性　吸湿性である

原薬の融点・沸点・凝固点　融点：約170℃(分解)

原薬の酸塩基解離定数　pKa_1＝3.65(カルボキシル基)，pKa_2＝7.14(アミノ基)(酸塩基滴定法)

先発医薬品等

徐放顆 L-ケフレックス小児用顆粒(共和薬品)
L-ケフレックス顆粒(共和薬品)
セファレキシン顆粒500mg「JG」(長生堂＝日本ジェネリック)
セファレキシン複合顆粒500mg「トーワ」(東和薬品＝ジェイドルフ)

錠 セファレキシン錠250「日医工」(日医工)
ラリキシン錠250mg(富士フイルム富山化学)

カ ケフレックスカプセル250mg(共和薬品)
セファレキシンカプセル250mg「トーワ」(東和薬品)

シロップ用 ケフレックスシロップ用細粒100・200(共和薬品)
セファレキシンドライシロップ小児用50%「日医工」(日医工)
ラリキシンドライシロップ小児用10%・20%(富士フイルム富山化学)

国際誕生年月　不明

海外での発売状況　該当しない

製剤

規制区分　**徐放顆**　**カ**　**シロップ用**　㊕

製剤の性状　**徐放顆** ごくうすいだいだい色の顆粒で，僅かに特異なにおいがある　**徐放顆(小児用)** うすいだいだい色の顆粒で，僅かにオレンジ様のにおいがある　**カ** 白色/帯灰緑色の硬カプセル剤　**100mgシロップ用** だいだい色の細粒で，特異なにおいがある　**200mgシロップ用** 赤みのだいだい色の細粒で，特異なにおいがある

有効期間又は使用期限　2年

貯法・保存条件　**徐放顆** 室温保存　**カ** 気密容器，室温保存　**シロップ用** 気密容器，遮光・室温保存(露光により退色することがある．退色の認められたものは使用しない)

薬剤取扱い上の留意点　**徐放顆** 調剤時：原則としてSP包装のまま調剤すること．SP包装を開封して調剤すると2種類の顆粒が偏析を起こし，混合比率が変化することがあるので注意する　調製方法：牛乳，ジュース等に懸濁したまま放置しないように注意する　服用時：①かまずに服用するように注意する　②制酸剤を配合したり，同時に服用すると，本剤の腸溶性が損なわれるおそれがあるので避けることが望ましい．やむを得ず併用するときは十分に服用間隔をあける

患者向け資料等　くすりのしおり

溶液及び溶解時のpH　3.5～5.5(5mg/mL溶液)

浸透圧比　該当しない

安定なpH域　該当しない

調製時の注意　**徐放顆** 原則としてSP包装のまま調剤すること．やむを得ず配合する場合，アルカリ性，吸湿性製剤との配合は避ける

薬理作用

分類　セフェム系抗生物質

作用部位・作用機序　作用部位：細菌の細胞壁　作用機序：細菌の細胞壁合成を阻害することにより抗菌作用を発揮し，その作用は殺菌的である

同効薬　セファクロル，セファトリジンなどセフェム系抗生物質(経口)

治療

効能・効果　**徐放顆**〈適応菌種〉本剤に感性のブドウ球菌属，レンサ球菌属，肺炎球菌，大腸菌，クレブシエラ属，プロテウス・ミラビリス　〈適応症〉表在性皮膚感染症，深在性皮膚感染症，リンパ管・リンパ節炎，慢性膿皮症，外傷・熱傷及び手術創等の二次感染，乳腺炎，咽頭・喉頭炎，扁桃炎(扁桃周囲炎を含む)，急性気管支炎，肺炎，慢性呼吸器病変の二次感染，膀胱炎，腎盂腎炎，前立腺炎(急性症，慢性症)，バルトリン腺炎，涙嚢炎，麦粒腫，外耳炎，中耳炎，副鼻腔炎，歯周組織炎，歯冠周囲炎，顎炎，抜歯創・口腔手術創の二次感染

徐放顆(小児用)〈適応菌種〉本剤に感性のブドウ球菌属，レンサ球菌属，肺炎球菌，大腸菌，クレブシエラ属　〈適応症〉表在性皮膚感染症，深在性皮膚感染症，リンパ管・リンパ節炎，慢性膿皮症，外傷・熱傷及び手術創等の二次感染，咽頭・喉頭炎，扁桃炎，急性気管支炎，肺炎，慢性呼吸器病変の二次感染，膀胱炎，腎盂腎炎，涙嚢炎，麦粒腫，外耳炎，歯周組織炎，顎炎，抜歯創・口腔手術創の二次感染，猩紅熱

錠　カ〈適応菌種〉本剤に感性のブドウ球菌属，レンサ球菌属，肺炎球菌，腸球菌属，淋菌，大腸菌，クレブシエラ属，エンテロバクター属，プロテウス属，モルガネラ・モルガニー，プロビデンシア属，インフルエンザ菌　〈適応症〉表在性皮膚感染症，深在性皮膚感染症，リンパ管・リンパ節炎，慢性膿皮症，外傷・熱傷及び手術創等の二次感染，乳腺炎，骨髄炎，筋炎，咽頭・喉頭炎，扁桃炎，急性気管支炎，肺炎，慢性呼吸器病変の二次感染，膀胱炎，腎盂腎炎，前立腺炎(急性症，慢性症)，精巣上体炎(副睾丸炎)，淋菌感染症，子宮頸管炎，バルトリン腺炎，子宮内感染，涙嚢炎，麦粒腫，角膜炎(角膜潰瘍を含む)，外耳炎，中耳炎，副鼻腔炎，化膿性唾液腺炎，歯周組織炎，歯冠周囲炎，上顎洞炎，顎炎，抜歯創・口腔手術創の二次感染

シロップ用〈適応菌種〉本剤に感性のブドウ球菌属，レンサ球菌属，肺炎球菌，腸球菌属，大腸菌，クレブシエラ属，インフルエンザ菌　〈適応症〉表在性皮膚感染症，深在性皮膚感染症，リンパ管・リンパ節炎，慢性膿皮症，外傷・熱傷及び手術創等の二次感染，咽頭・喉頭炎，扁桃炎，急性気管支炎，肺炎，慢性呼吸器病変の二次感染，膀胱炎，腎盂腎炎，涙嚢炎，麦粒腫，外耳炎，中耳炎，副鼻腔炎，歯周組織炎，顎炎，抜歯創・口腔手術創の二次感染，猩紅熱

効能・効果に関連する使用上の注意　咽頭・喉頭炎，扁桃炎，急性気管支炎，中耳炎※)，副鼻腔炎※)への使用にあたっては，「抗微生物薬適正使用の手引き」を参照し，抗菌薬投与の必要性を判断した上で，投与が適切と判断される場合に投与する
※)**徐放顆(小児用)** は除く

用法・用量　**徐放顆** セファレキシンとして成人及び体重20kg以上の小児1日1g(力価)，重症の場合や分離菌の感受性が比

較的低い症例2g(力価)，朝夕食後2回に分服(適宜増減)

徐放顆(小児用) セファレキシンとして幼小児1日25～50mg(力価)/kg，重症の場合や分離菌の感受性が比較的低い症例50～100mg(力価)/kg，朝夕食後2回に分服(適宜増減)

錠 力 セファレキシンとして成人及び体重20kg以上の小児1回250mg(力価)，重症の場合や分離菌の感受性が比較的低い症例500mg(力価)，6時間ごと(適宜増減)

シロップ用 セファレキシンとして幼小児1日25～50mg(力価)/kg，重症の場合や分離菌の感受性が比較的低い症例50～100mg(力価)/kg，6時間ごとに分服(適宜増減)

用法・用量に関連する使用上の注意 使用にあたっては，耐性菌の発現等を防ぐため，原則として感受性を確認し，疾病の治療上必要な最小限の期間の投与にとどめる

使用上の注意

禁忌 本剤の成分に対し過敏症の既往歴のある患者

薬物動態

血中濃度 ①**力** (1)健康成人：250mg(7例)，500mg(8例)を食後単回経口投与時の血中濃度及び薬物動態パラメータは，Cmax(μg/mL)5.5±0.8，10.3±2.9，Tmax(hr)2.9±0.4，2.9±0.6，$AUC_{0\text{-}6}$(μg・hr/mL)14.94±3.69，29.11±8.53，$T_{1/2}$(hr)1.24±0.74，1.05±0.34(bioassay測定法) (2)腎機能障害患者：腎機能障害患者に500mgを単回経口投与時GFR(glomerular filtration rate：糸球体ろ過値)の低下に伴い，Cmax，Tmaxが高値を示す傾向(外国人)．薬物動態パラメータ[GFR(mL/min)＜10(9例)，10～20(4例)，20～50(4例)，＞50(1例)，腎機能正常者(13例)の順]はCmax(μg/mL)25.9，32.6，21.9，19，12.7，Tmax(hr)2.7，4，1.6，1，1．また，GFRが30mL/min以下では半減期が著明に延長(外国人) ②**シロップ用** 5～10歳の小児患者(5例)に，24～27mg/kgを空腹時単回経口投与時，最高血中濃度は1時間後に19～36μg/mL，以後漸減 ③**徐放顆** 健康成人に，500mg(5例)，1g(10例)を食後単回経口投与時のCmax(μg/mL)は5.3±2.9，11.7±2.9，$AUC_{0\text{-}10}$(μg・hr/mL)は29.8±15.6，65.7±13.0(bioassay測定法)．血中濃度は多少のばらつきがあるが二峰性を示す傾向がみられた ④**徐放顆(小児用)** 7～11歳の小児患者(5例)に，25mg/kgを食後単回経口投与時のCmax(μg/mL)は13.3±2.4，$AUC_{0\text{-}10}$(μg・hr/mL)は55.7±7.5．血中濃度は二峰性を示す傾向(bioassay測定法) **代謝** 健康成人にカプセル経口投与後，生体内で代謝されず，未変化のまま尿中に排泄 **排泄** ①**力** 健康成人に250mg，500mg(各8例)を食後経口投与6時間までの平均尿中回収率は約90% ②**シロップ用** 5～10歳の小児患者(5例)に24～27mg/kgを空腹時単回経口投与6時間までの尿中排泄率は，48～71.1% ③**徐放顆** 健康成人に500mg(5例)及び1g(10例)を食後単回経口投与12時間までの平均尿中回収率は，56.3±8.0%，91.8±2.0% ④**徐放顆(小児用)** 7～14歳の小児患者(6例)に25mg/kgを食後単回経口投与12時間までの平均尿中排泄率は57.1% **その他** 血清蛋白結合率：限外ろ過法で測定された血清蛋白結合率は約15%(外国人)

その他の管理的事項

投与期間制限 該当しない

保険給付上の注意 該当しない

資料

IF L-ケフレックス顆粒・小児用顆粒 2019年4月改訂(第13版)

ケフレックスカプセル250mg・シロップ用細粒100・200 2019年4月改訂(第16版)

セファロチンナトリウム
注射用セファロチンナトリウム
Cefalotin Sodium

概要

薬効分類 613 主としてグラム陽性・陰性菌に作用するもの

構造式

分子式 $C_{16}H_{15}N_2NaO_6S_2$

分子量 418.42

略語・慣用名 CET

ステム セファロスポラン酸系抗生物質：cef-

原薬の規制区分 該当しない

原薬の外観・性状 白色～淡黄白色の結晶又は結晶性の粉末である．水に溶けやすく，メタノールに溶けにくく，エタノール(95)に極めて溶けにくく，アセトニトリルにほとんど溶けない．1.0gを水10mLに溶かした液のpHは4.5～7.0である

原薬の吸湿性 該当資料なし

原薬の酸塩基解離定数 該当資料なし

後発医薬品

注射用 1g・2g

国際誕生年月 不明

海外での発売状況 該当資料なし

製剤

規制区分 **注射用** ㊕

製剤の性状 **注射用** 白色～淡黄白色の結晶又は結晶性粉末

有効期間又は使用期限 2年

貯法・保存条件 室温保存

薬剤取扱い上の留意点 時間の経過とともに淡黄色から褐色に変化することがあるので，溶解後はなるべく速やかに使用する

溶液及び溶解時のpH 4.5～7.0(100mg/mL溶液)

浸透圧比 約2(対生食)

調製時の注意 点滴静注を行う場合，注射用水を用いると溶液が等張とならないため用いないこと

薬理作用

分類 セファロスポリン系抗生物質

作用部位・作用機序 グラム陽性菌・陰性菌に対し強い抗菌活性を示す．作用機序は細菌細胞壁合成阻害であり，作用は殺菌的．ペニシリナーゼによって不活化を受けずベンジルペニシリン耐性のブドウ球菌にも感性菌と同様に作用するが，グラム陰性桿菌の産生するセファロスポリナーゼにより容易に活性化される

同効薬 なし

治療

効能・効果 〈適応菌種〉セファロチンに感性のブドウ球菌属，レンサ球菌属，肺炎球菌，淋菌，大腸菌 〈適応症〉敗血症，表在性皮膚感染症，深在性皮膚感染症，リンパ管・リンパ節炎，外傷・熱傷及び手術創等の二次感染，骨髄炎，咽頭・喉頭炎，扁桃炎(扁桃周囲炎を含む)，急性気管支炎，肺炎，肺膿瘍，膿胸，膀胱炎，腎盂腎炎，精巣上体炎(副睾丸炎)，淋菌感染症，腹膜炎，子宮内感染，子宮付属器炎，子宮旁結合織炎，中耳炎，猩紅熱

効能・効果に関連する使用上の注意 咽頭・喉頭炎，扁桃炎(扁桃周囲炎を含む)，急性気管支炎，中耳炎への使用にあたっては，「抗微生物薬適正使用の手引き」を参照し，抗菌薬投与の必要性を判断した上で，本剤の投与が適切と判断される場合に投与する

用法・用量　1日1～6g(力価)，4～6回に分割し，静注又は筋注(適宜増減)．なお，筋注の際は，疼痛ならびに硬結を避けるため，大腿筋又は臀筋の深部に注射．間欠投与が必要な場合は，0.5～1g(力価)を10mLの生理食塩液に溶かし，3～4分間で徐々に静注するか，補液中の患者では管の途中から注入．1日投与量全部を1日の全補液に溶解して点滴静注してもよい．幼小児1日20～80mg(力価)/kg分注(適宜増減)．注射液の調製法は添付文書参照

用法・用量に関連する使用上の注意　使用にあたっては，耐性菌の発現等を防ぐため，原則として感受性を確認し，疾病の治療上必要な最小限の期間の投与にとどめる

使用上の注意

禁忌　本剤の成分に対し過敏症の既往歴のある患者

その他の管理的事項

投与期間制限　該当しない

保険給付上の注意　該当しない

資料

IF　コアキシン注射用1g・2g　2019年6月改訂(第5版)

セフィキシム水和物
セフィキシムカプセル
セフィキシム細粒
Cefixime Hydrate

概要

薬効分類　613　主としてグラム陽性・陰性菌に作用するもの

構造式

$\cdot 3H_2O$

分子式　$C_{16}H_{15}N_5O_7S_2 \cdot 3H_2O$

分子量　507.50

略語・慣用名　CFIX

ステム　セファロスポラン酸系抗生物質：cef-

原薬の規制区分　該当しない

原薬の外観・性状　白色～淡黄色の結晶性の粉末である．メタノール又はジメチルスルホキシドに溶けやすく，エタノール(99.5)にやや溶けにくく，水にほとんど溶けない

原薬の吸湿性　25℃，93%RHにおいて，ほとんど吸湿性を認めない

原薬の融点・沸点・凝固点　融点：約240℃(分解)

原薬の酸塩基解離定数　pKa_1＝2.10(セファロ母核のカルボキシル基，滴定法)，pKa_2＝2.69(2-アミノチアゾール環のアミノ基，滴定法)，pKa_3＝3.73(7位の側鎖のカルボキシル基，滴定法)

先発医薬品等

細 セフスパン細粒50mg(長生堂＝日本ジェネリック)

カ セフスパンカプセル50mg・100mg(長生堂＝日本ジェネリック)

後発医薬品

細 10%

国際誕生年月　1987年6月

海外での発売状況　該当資料なし

製剤

規制区分　**細**　**カ**　㊄

製剤の性状　**細** 淡いだいだい色の細粒で芳香がある．味は甘い　**カ** 淡いだいだい色不透明の硬カプセル剤

有効期間又は使用期限　2年

貯法・保存条件　室温保存，気密容器

薬剤取扱い上の留意点　**細** 交付時：牛乳，ジュース等に懸濁したまま放置しないよう注意すること

患者向け資料等　くすりのしおり

溶液及び溶解時のpH　2.6～4.1(飽和溶液)

浸透圧比　該当しない

安定なpH域　4～7(水溶液の安定pH域)

調製時の注意　該当しない

薬理作用

分類　セフェム系抗生物質

作用部位・作用機序　細菌の細胞壁合成阻害であり，ペプチドグリカン架橋酵素であるペニシリン結合蛋白(PBP)と強く結びつき，架橋反応を阻害する．その作用は殺菌的であり，また食細胞，血清補体等の生体防御因子と協力的に作用する

同効薬　セフポドキシム プロキセチル，セフジニル，セフテラム ピボキシルなど

治療

効能・効果　〈適応菌種〉本剤に感性のレンサ球菌属，肺炎球菌，淋菌，モラクセラ(ブランハメラ)・カタラーリス，大腸菌，クレブシエラ属，セラチア属，プロテウス属，モルガネラ・モルガニー，プロビデンシア属，インフルエンザ菌　〈適応症〉急性気管支炎，肺炎，慢性呼吸器病変の二次感染，膀胱炎，腎盂腎炎，尿道炎，胆囊炎，胆管炎，中耳炎，副鼻腔炎，猩紅熱

効能・効果に関連する使用上の注意　急性気管支炎，中耳炎，副鼻腔炎への使用にあたっては，「抗微生物薬適正使用の手引き」を参照し，抗菌薬投与の必要性を判断した上で，本剤の投与が適切と判断される場合に投与する

用法・用量　**細** セフィキシムとして小児1回1.5～3mg(力価)/kg，1日2回(適宜増減)．重症又は効果不十分と思われる場合1回6mg(力価)/kg，1日2回

カ セフィキシムとして成人及び体重30kg以上の小児1回50～100mg(力価)，1日2回(適宜増減)，重症又は効果不十分と思われる場合1回200mg(力価)，1日2回

用法・用量に関連する使用上の注意　①使用にあたっては，耐性菌の発現等を防ぐため，原則として感受性を確認し，疾病の治療上必要な最小限の期間の投与にとどめる　②高度の腎障害のある患者では血中濃度が持続するので，腎障害の程度に応じて投与量を減量し，投与の間隔をあけて使用する

使用上の注意

禁忌　本剤の成分に対し過敏症の既往歴のある患者

薬物動態

血清中濃度　(単回経口投与)①健常成人に50，100，200mg空腹時投与で，約4時間後に最高血清中濃度0.69，1.13，1.95μg/mL，半減期2.3～2.5時間．腎機能正常小児患者に1.5，3，6mg/kg投与で，約3～4時間後に最高血清中濃度1.14，2.01，3.97μg/mL，半減期3.2～3.7時間　②中等度腎機能障害群(30<Ccr<60mL/min，3例)と高度腎機能障害群(10<Ccr<30mL/min，4例)とで，100mg投与時，ピーク値は中等度障害群では6時間後で2.04μg/mL，高度障害群では8時間後で2.27μg/mLであり，12時間後の血清中濃度もそれぞれ0.71μg/mL，1.83μg/mLと高度障害群ほど遷延，半減期はそれぞれ4.15時間及び11.05時間　**組織内移行**　患者喀痰中，扁桃組織，上顎洞粘膜組織，中耳分泌物，胆汁，胆嚢組織等への移行は良好　**代謝**　ヒトの血清，尿中には抗菌活性代謝物質は認められていない　**排泄**　主として腎から排泄，健常成人(空腹時)に50，100，200mg経口投与時の尿中排泄率(0～12時間)は約20～25%，最高尿中濃度はそれぞれ42.9，62.2，82.7μg/mL(4～6時間)．腎機能正常小児患者に1.5，3，6mg/kg経口投与時の尿中排泄率(0～12時間)は約13～20%

その他の管理的事項

投与期間制限　該当しない

保険給付上の注意 該当しない

資料

IF セフスパン細粒50mg・カプセル50mg・100mg 2020年4月改訂(第7版)

セフェピム塩酸塩水和物
注射用セフェピム塩酸塩
Cefepime Dihydrochloride Hydrate

概要

薬効分類 613 主としてグラム陽性・陰性菌に作用するもの

構造式

・2HCl ・H_2O

分子式 $C_{19}H_{24}N_6O_5S_2$・2HCl H_2O

分子量 571.50

略語・慣用名 CFPM

ステム セファロスポラン酸系抗生物質：cef-

原薬の規制区分 該当しない

原薬の外観・性状 白色～帯黄白色の結晶又は結晶性の粉末である．水又はメタノールに溶けやすく，エタノール(95)に溶けにくく，ジエチルエーテルにほとんど溶けない．0.1gを水10mLに溶かした液のpHは1.6～2.1である

原薬の吸湿性 25℃，64%RH以下で7日間保存したとき，吸湿性は認められず，75%RH以上の条件下で吸湿性が認められた

原薬の融点・沸点・凝固点 融点：明確な融点の測定は不可能(日局一般試験法，融点測定法)，分解点：約210℃(示差走査熱量分析)

原薬の酸塩基解離定数 pKa_1＝1.11(カルボキシル基に対応)，pKa_2＝3.00(アミノチアゾール基に対応)

先発医薬品等

注射用 注射用マキシピーム0.5g・1g(BMS)

後発医薬品

注射用 500mg・1g

国際誕生年月 1993年6月

海外での発売状況 米，英，仏，独を含む87カ国

製剤

規制区分 **注射用** ㊈

製剤の性状 **注射用** 白色～微黄色の粉末

有効期間又は使用期限 3年

貯法・保存条件 遮光・室温保存

薬剤取扱い上の留意点 該当資料なし

患者向け資料等 くすりのしおり

溶液及び溶解時のpH 4.0～6.0(100mg/mL注射用水)

浸透圧比 約1(1g/100mL生食，1g/100mL5%ブドウ糖注射液)，約2(1g/20mL注射用水，1g/20mL生食)，約3(1g/20mL5%ブドウ糖注射液)

安定なpH域 4.0～6.0

調製時の注意 ガベキサートメシル酸塩製剤と配合すると，配合直後に沈澱が起こることがあるので，配合を避けること．点滴静注を行う場合，注射用水を用いると溶液が等張とならないので使用しないこと

薬理作用

分類 セフェム系抗生物質

作用部位・作用機序 *E.coli*のPBP 1Bs，2及び3，*S.marcescens*のPBP1B，1C及び3，*P.aeruginosa*のPBP 1A，1B及び3α，*S.aureus*のPBP1及び2などに対して強い親和性を示し，細菌細胞壁の合成阻害による殺菌作用を示す

同効薬 セフェム系抗生物質(セフォゾプラン，セフピロム他)

治療

効能・効果 ①一般感染症：〈適応菌種〉セフェピムに感性のブドウ球菌属，レンサ球菌属，肺炎球菌，モラクセラ(ブランハメラ)・カタラーリス，大腸菌，シトロバクター属，クレブシエラ属，エンテロバクター属，セラチア属，プロテウス属，モルガネラ・モルガニー，プロビデンシア属，インフルエンザ菌，シュードモナス属，緑膿菌，バークホルデリア・セパシア，ステノトロホモナス(ザントモナス)・マルトフィリア，アシネトバクター属，ペプトストレプトコッカス属，バクテロイデス属，プレボテラ属(プレボテラ・ビビアを除く)〈適応症〉敗血症，深在性皮膚感染症，外傷・熱傷及び手術創等の二次感染，肛門周囲膿瘍，扁桃炎(扁桃周囲膿瘍を含む)，肺炎，肺膿瘍，慢性呼吸器病変の二次感染，複雑性膀胱炎，腎盂腎炎，前立腺炎(急性症，慢性症)，腹膜炎，腹腔内膿瘍，胆嚢炎，胆管炎，子宮内感染，子宮旁結合織炎，中耳炎，副鼻腔炎 ②発熱性好中球減少症

効能・効果に関連する使用上の注意 ①一般感染症：扁桃炎(扁桃周囲膿腫を含む)，中耳炎，副鼻腔炎への使用にあたっては，「抗微生物薬適正使用の手引き」を参照し，抗菌薬投与の必要性を判断した上で，本剤の投与が適切と判断される場合に投与する ②発熱性好中球減少症：⑴次の2条件を満たす症例に投与する：㋐1回の検温で38℃以上の発熱，又は1時間以上持続する37.5℃以上の発熱 ㋑好中球数が500/mm^3未満の場合，又は1000/mm^3未満で500/mm^3未満に減少することが予測される場合 ⑵発熱性好中球減少症の患者への使用は，国内外のガイドラインを参照し，本疾患の治療に十分な経験をもつ医師のもとで，本剤の使用が適切と判断される症例についてのみ実施する ⑶発熱性好中球減少症に対し，投与する場合には，投与前に血液培養を実施する．起炎菌が判明した際には，投与継続の必要性を検討する ⑷発熱性好中球減少症の患者への使用にあたっては，投与の開始時期の指標である好中球数が緊急時等で確認できない場合には，白血球数の半数を好中球数として推定する

用法・用量 使用に際しては，開始後3日を目安としてさらに継続投与が必要か判定し，中止又はより適切な他剤に切り替えるべきか検討を行う．さらに，投与期間は原則として14日以内とする．静注には注射用水，生理食塩液又はブドウ糖注射液に溶解し，緩徐に注射．点滴静注は糖液，電解質液又はアミノ酸製剤等の補液に加えて30分～1時間かけて点滴静注．①一般感染症：症状により1日1～2g(力価)を2回に分け，静注又は点滴静注．難治性又は重症感染症には症状に応じて1日量を4g(力価)まで増量し分割投与 ②発熱性好中球減少症：1日4g(力価)を2回に分け，静注又は点滴静注

用法・用量に関連する使用上の注意 ①使用にあたっては，耐性菌の発現等を防ぐため，原則として感受性を確認し，疾病の治療上必要な最小限の期間の投与にとどめる ②腎障害患者：腎障害のある患者には，投与量を減ずるか，投与間隔をあける等，慎重に投与する

使用上の注意

禁忌 本剤の成分に対し過敏症の既往歴のある患者

過量投与 過量投与により，意識障害，痙攣等の精神神経症状を起こすことがある．特に腎機能障害患者ではこのような症状が現れやすい．なお，血液透析により体内から除去されるが，腹膜透析は有効ではない

薬物動態

血清中濃度 健常成人男子に0.25g，0.5g，1g静注(各6例)時の半減期はそれぞれ1.6，1.59，1.66時間，また，0.5g，1g，2gを30分間点滴静注(各5例)時の半減期はそれぞれ1.75，1.76，1.94時間．血中濃度は用量依存性 **分布** 上顎洞粘膜，口蓋扁桃，耳漏，中耳粘膜，喀痰，胆汁，腹水，皮膚，骨盤

セ

内性器，前立腺への良好な移行，乳汁中への移行がわずかに認められている　**代謝**　ヒトの尿中には抗菌活性を有する代謝物は認められていない　**排泄**　主として腎臓から排泄され，未変化体のまま大部分が尿中排泄．健常成人男子に0.5g，1g及び2gを1回30分間点滴静注時，投与後24時間までの尿中排泄率はそれぞれ投与量の80%，83%及び89%　**腎機能障害時の血清中濃度及び尿中排泄**　腎機能低下に伴い，尿中への排泄が遅延し，血清中濃度が上昇，半減期が延長．薬物速度論的パラメータ（$T_{1/2}\beta$（hr），AUC（μg・hr/mL），CLT（mL/min）の順）はCcr＞50mL/min：1.82±0.06，102.8+16.5，82.4+12.3，Ccr=30～50mL/min：5.5±0.8，229.3±30.6，36.9±4.7，Ccr=10～30mL/min：10.01±1.58，465±82.3，18.5±4.2，Ccr＜10mL/min：15.63±5.56，852.5±269.8，11.2±5.6．腎機能障害患者の静脈内投与法の一例（一般感染症の場合の1回投与量（力価），発熱性好中球減少症，難治性又は重症感染症※）の場合の1回投与量（力価），投与間隔の順）は，Ccr＞50mL/min：1g，2g，12時間ごと，Ccr=30～50mL/min：0.5g，1g，12時間ごと，Ccr=10～30mL/min：0.5g，0.5g，12時間ごと，Ccr＜10mL/min：0.5g，0.5g，24時間ごと，血液透析（血液透析により血中濃度が低下するので，投与は透析後に行うことが望ましい）：0.5g，0.5g，24時間ごと
※）1日量4g（力価）投与が必要な場合

その他の管理的事項

投与期間制限　該当しない
保険給付上の注意　該当しない

資料

IF　注射用マキシピーム0.5g・1g　2016年6月改訂（第6版）

セフォジジムナトリウム
Cefodizime Sodium

概要

構造式

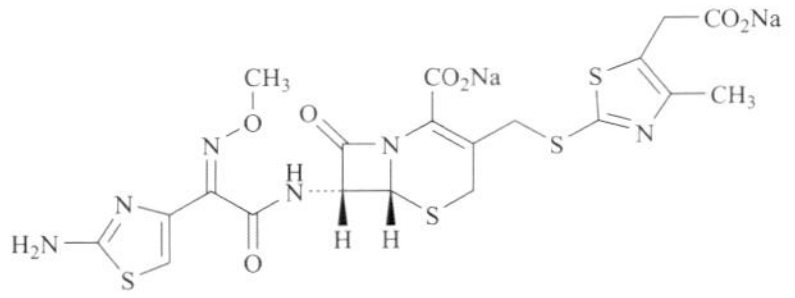

分子式　$C_{20}H_{18}N_6Na_2O_7S_4$
分子量　628.63
原薬の規制区分　該当しない
原薬の外観・性状　白色～淡黄白色の結晶性の粉末である．水に極めて溶けやすく，アセトニトリル又はエタノール（99.5）にほとんど溶けない．1.0gを水10mLに溶かした液のpHは5.5～7.5である

治療

効能・効果†　〈適応菌種〉セフォジジムに感性のレンサ球菌属，肺炎球菌，淋菌，モラクセラ（ブランハメラ）・カタラーリス，大腸菌，シトロバクター属，クレブシエラ属，エンテロバクター属，セラチア属，プロテウス属，モルガネラ・モルガニー，プロビデンシア属，インフルエンザ菌，ペプトストレプトコッカス属，バクテロイデス属，プレボテラ属（プレボテラ・ビビアを除く）〈適応症〉敗血症，咽頭・喉頭炎，扁桃炎（扁桃周囲炎，扁桃周囲膿瘍を含む），急性気管支炎，肺炎，肺膿瘍，慢性呼吸器病変の二次感染，膀胱炎，腎盂腎炎，尿道炎，腹膜炎，腹腔内膿瘍，胆嚢炎，胆管炎，肝膿瘍，バルトリン腺炎，子宮内感染，子宮付属器炎，子宮旁結合織炎，化膿性髄膜炎，中耳炎，副鼻腔炎

セフォゾプラン塩酸塩
注射用セフォゾプラン塩酸塩
Cefozopran Hydrochloride

概要

薬効分類　613　主としてグラム陽性・陰性菌に作用するもの
構造式

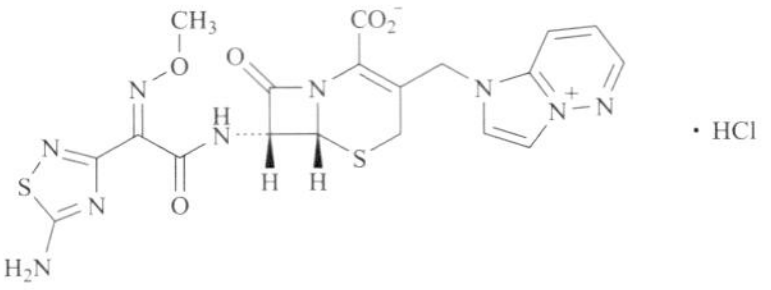

分子式　$C_{19}H_{17}N_9O_5S_2$・HCl
分子量　551.99
略語・慣用名　CZOP
ステム　セファロスポラン酸系抗生物質：cef-
原薬の規制区分　該当しない
原薬の外観・性状　白色～微黄色の結晶又は結晶性の粉末である．ジメチルスルホキシド又はホルムアミドに溶けやすく，水，メタノール又はエタノール（95）に溶けにくく，アセトニトリル又はジエチルエーテルにほとんど溶けない
原薬の吸湿性　吸湿性である
原薬の融点・沸点・凝固点　温度の上昇とともに褐変し，180℃付近で発泡し，200℃付近で炭化するため，明確な融点及び分解点を示さない
原薬の酸塩基解離定数　pKa_1＝0.0（アミノチアジアゾール側鎖のアミノ基），pKa_2＝2.5（セフェム環のカルボキシル基）
先発医薬品等
　注射用　ファーストシン静注用0.5g・1g（武田テバ薬品＝武田）
　キット　ファーストシン静注用1gバッグS・バッグG（武田テバ薬品＝武田）
国際誕生年月　1995年6月
海外での発売状況　発売されていない

製剤

規制区分　**注射用**　㊄
製剤の性状　**注射用**　白色～淡黄色の粉末又は塊の製剤
有効期間又は使用期限　2年
貯法・保存条件　室温保存．開封後も遮光保存
薬剤取扱い上の留意点　溶解後は速やかに使用すること．なお，やむを得ず保存を必要とする場合でも12時間以内に使用すること
溶液及び溶解時のpH　7.5～9.0
浸透圧比　約1（1gバッグS/100mL生食），約2（0.5g/10mL注射用水，1g/20mL注射用水，1gバッグG/100mL5%ブドウ糖注射液）（対生食）
調製時の注意　点滴静注を行う場合，注射用水を用いると溶液が低張となるため用いないこと．ブロムヘキシン塩酸塩製剤と配合すると配合直後に混濁が起こることがあり，ジフェンヒドラミン塩酸塩・臭化カルシウム製剤と配合すると1時間以内に混濁が起こることがあるので，これらの製剤との配合は避けること．フルオロウラシル製剤と配合すると2時間以内に，クリニタミン注と配合すると6時間以内に残存力価が90%以下になることがあるので，配合後は速やかに使用すること．なお，本剤と他剤とを配合使用したとき，一般にpHが8以上では力価の低下が促進されることがあるので，使用に際しては注意すること

薬理作用

分類　セフェム系抗生物質
作用部位・作用機序　細菌細胞壁（ペプチドグリカン）の合成阻害．グラム陽性菌及び陰性菌に対して強い抗菌力を示すのは，

β-ラクタマーゼに対して安定であり，黄色ブドウ球菌ではペニシリン結合タンパク質1及び2に，大腸菌及び緑膿菌ではペニシリン結合タンパク質3に対する親和性が高いため細胞壁ペプチドグリカン架橋形成阻害作用が強いことによると考えられる

同効薬 セフェピム塩酸塩水和物，セフピロム硫酸塩など

治療

効能・効果 〈適応菌種〉セフォゾプランに感性のブドウ球菌属，レンサ球菌属，肺炎球菌，腸球菌属，モラクセラ(ブランハメラ)・カタラーリス，大腸菌，シトロバクター属，クレブシエラ属，エンテロバクター属，セラチア属，プロテウス属，モルガネラ・モルガニー，プロビデンシア属，インフルエンザ菌，シュードモナス属，緑膿菌，バークホルデリア・セパシア，ステノトロホモナス(ザントモナス)・マルトフィリア，アシネトバクター属，ペプトストレプトコッカス属，バクテロイデス属，プレボテラ属 〈適応症〉敗血症，外傷・熱傷及び手術創等の二次感染，咽頭・喉頭炎，扁桃炎(扁桃周囲膿瘍を含む)，肺炎，肺膿瘍，膿胸，慢性呼吸器病変の二次感染，複雑性膀胱炎，腎盂腎炎，前立腺炎(急性症，慢性症)，腹膜炎，腹腔内膿瘍，胆嚢炎，胆管炎，肝膿瘍，子宮内感染，子宮付属器炎，子宮旁結合織炎，化膿性髄膜炎，眼窩感染，角膜炎(角膜潰瘍を含む)，眼内炎(全眼球炎を含む)，中耳炎，副鼻腔炎，化膿性唾液腺炎

効能・効果に関連する使用上の注意 咽頭・喉頭炎，扁桃炎(扁桃周囲膿瘍を含む)，中耳炎，副鼻腔炎への使用にあたっては，「抗微生物薬適正使用の手引き」を参照し，抗菌薬投与の必要性を判断した上で，本剤の投与が適切と判断される場合に投与する

用法・用量 使用に際しては，投与開始後3日を目安としてさらに継続投与が必要か判定し，中止又はより適切な他剤に切り替えるべきか検討を行う．さらに，投与期間は，原則として14日以内とする：①成人：1日1～2g(力価)を2回に分けて静注又は点滴静注(適宜増減)．難治性又は重症感染症には1日4g(力価)まで増量し，2～4回に分けて投与 ②小児：1日40～80mg(力価)/kgを3～4回に分けて静注又は点滴静注．難治性又は重症感染症には1日160mg(力価)/kgまで増量し，3～4回に分けて投与．化膿性髄膜炎には1日200mg(力価)/kgまで増量できる．ただし，成人1日最大用量4g(力価)を超えない ③新生児(低出生体重児を含む)：1回20mg(力価)/kgを0日齢(生後24時間未満)は1日1～2回，1(生後24時間以降)～7日齢は1日2～3回，8日齢以降は1日3～4回静注又は点滴静注．なお，重症又は難治性感染症には1回40mg(力価)/kgまで増量できる ④投与法：(1)静注は，注射用水，生理食塩液又はブドウ糖注射液に溶解して，緩徐に静注 (2)点滴静注は，糖液，電解質液又はアミノ酸製剤等の輸液に加えて，30分～2時間かけて点滴静注 (3)バッグは，生理食塩液側又は5%ブドウ糖注射液側をそれぞれ手で圧し，隔壁を開通させ，本剤を溶解後，30分～2時間かけて点滴静注 ⑤注射液の調製法：(1)バイアル：静注に際しては静注用0.5gは通常10mLに，静注用1gは通常20mLに希釈して投与する．点滴静注を行う場合，注射用水を用いると溶液が低張となるため用いない (2)バッグ：添付文書参照

用法・用量に関連する使用上の注意 ①高度の腎障害(たとえばクレアチニンクリアランス値：30mL/分以下等)のある患者には，投与量・投与間隔の適切な調節をする等，慎重に投与する ②使用にあたっては，耐性菌の発現等を防ぐため，原則として感受性を確認し，疾病の治療上必要な最小限の期間の投与にとどめる

使用上の注意

禁忌 ①本剤の成分に対し過敏症の既往歴のある患者 ②〔5%ブドウ糖注射液添付のバッグG〕低張性脱水症の患者［電解質を含まない糖液を投与すると脱水が増悪することがある］

薬物動態

血中濃度 ①成人(腎機能正常)：1g(3例)，2g(6例)静注時の最高血中濃度(μg/mL)は87.1，161.2，$T_{1/2}$(時間)は1.56，1.83．0.5g，1g(各3例)，2g(6例)1時間点滴静注時の最高血中濃度(μg/mL)は29.1，68.3，118.2，$T_{1/2}$(時間)は1.85，1.59，1.96．用量依存性 ②小児(腎機能正常)：10mg/kg(5例)，20mg/kg(22例)，40mg/kg(8例)静注時の最高血中濃度(μg/mL)は21.3，50.5，72.8，$T_{1/2}$(時間)は2.32，1.78，1.55．10mg/kg(6例)，20mg/kg(7例)，40mg/kg(7例)30分点滴静注時の最高血中濃度(μg/mL)は31.5，68.5，125.8，$T_{1/2}$(時間)は1.74，2.32，1.41．用量依存性 ③1日齢以降の低出生体重児を含む新生児(腎機能正常)：10mg/kg(2例)，20mg/kg(26例)，40mg/kg(5例)静注時の最高血中濃度(μg/mL)は26.4，46.9，83，$T_{1/2}$(時間)は2.01，3.26，2.67．用量依存性．なお，1回20mg/kgでの静注と30分点滴静注との血中薬物動態を比較した結果，血中濃度推移，血中濃度半減期ともにほとんど差は認められていない **排泄** 主として腎排泄され，成人(腎機能正常者)に1回0.5，1，2g静注又は点滴静注後6時間までの尿中排泄率は72～85%．1gを静注後の尿中濃度(mg/mL)は0～2時間で約4.2，2～4時間で約1.8，4～6時間で約0.75．小児(腎機能正常者)に1回10，20，40mg/kg静注後6時間までの尿中排泄率69～85%，1日齢以降の低出生体重児を含む新生児(腎機能正常者)に1回10，20，40mg/kg静注後6時間までの尿中排泄率28～62% **体液・組織内移行** 肺組織，喀痰，胆汁，胆嚢組織，腹腔内滲出液，腹壁腹膜，創部滲出液，膿汁，前立腺，女性性器組織，扁桃，耳漏，鼻汁等の耳鼻咽喉組織，涙液及び髄液等へ移行．乳汁中へもわずかに移行 **代謝** 血中及び尿中には抗菌活性代謝物質は認められない．健康成人の2g単回静注後の尿についてのカラムクロマトグラフィによる着色物質の検索では，尿着色(赤色)物質は極微量で，単離同定には至らなかったが，本剤に由来する微量の代謝物(分解物)と考えられる．なお，ラット及びイヌに1000mg/kg/日，サルに300mg/kg/日を反復静注時の尿を薄層クロマトグラフィで分析したところ，ラット尿中には濃青色成分が，イヌ尿中には赤色成分が，サルには両成分が認められている **腎機能障害時の血中濃度，尿中排泄** 腎機能の低下に伴い，血中濃度が上昇，血中濃度半減期が延長及び尿中排泄率が低下．$T_{1/2}$(時間)は，$Ccr>70$mL/分(3例)：2.2，$50<Ccr<70$(4例)：4.87，$30<Ccr<50$(4例)：4.86，$Ccr<30$(3例)：18.87，透析患者(非透析時，2例)：41.05．腎機能障害者に投与する場合には，投与量，投与間隔の適切な調節が必要

その他の管理的事項

投与期間制限 該当しない

保険給付上の注意 該当しない

資料

IF ファーストシン静注用0.5g・1g・1gバッグS・1gバッグG 2019年10月改訂(第10版)

セフォタキシムナトリウム
Cefotaxime Sodium

概要

薬効分類　613　主としてグラム陽性・陰性菌に作用するもの

構造式

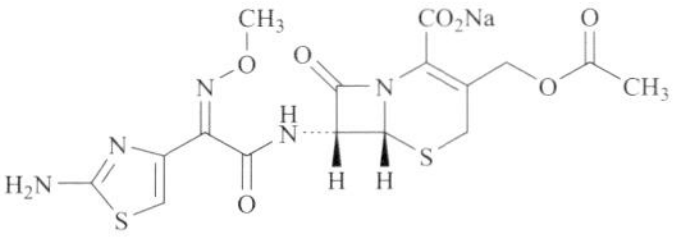

分子式　$C_{16}H_{16}N_5NaO_7S_2$

分子量　477.45

略語・慣用名　CTX

ステム　セファロスポラン酸系抗生物質：cef-

原薬の規制区分　該当しない

原薬の外観・性状　白色～淡黄白色の結晶性の粉末である．水に溶けやすく，メタノールにやや溶けにくく，エタノール(95)に極めて溶けにくい．1.0gを水10mLに溶かした液のpHは4.5～6.5である

原薬の吸湿性　臨界相対湿度80%以上(23℃及び25℃)．吸湿量は20～25℃，46～68%RHにおいて4～7時間後，約5%でほぼ一定となる

原薬の融点・沸点・凝固点　融点(分解点)：明らかな融点及び分解点は300℃まで認められない

原薬の酸塩基解離定数　pka＝約3.4(4位のカルボキシル基)，pka＝約2.4，11.5(セファロスポリン骨格7位の置換基)

先発医薬品等

[注射用]　クラフォラン注射用0.5g・1g(サノフィ)
セフォタックス注射用0.5g・1g(日医工サノフィ＝日医工)

国際誕生年月　1979年12月

海外での発売状況　米，仏を含む約80カ国

製剤

規制区分　[注射用]　[処]

製剤の性状　[注射用]　白色～淡黄白色の結晶性の粉末

有効期間又は使用期限　2年

貯法・保存条件　室温保存(光により外観が徐々に着色するので，開封後の保存には注意すること)

薬剤取扱い上の留意点　溶解後は速やかに使用すること

患者向け資料等　くすりのしおり

溶液及び溶解時のpH　4.5～6.5

浸透圧比　2.5～3.5(対生食)

安定なpH域　4～7(25℃)

調製時の注意　点滴静注の際には注射用水を使用しないこと(溶液が低張となるため浮腫等が現れることがある)

薬理作用

分類　セフェム系抗生物質

作用部位・作用機序　Penicillin Binding Protein(PBPs)に強い親和性を示し，細菌細胞壁ペプチドグリカン架橋形成を強く阻害することにより，殺菌的に作用する

同効薬　セフェム系抗生物質

治療

効能・効果　〈適応菌種〉セフォタキシムに感性のレンサ球菌属，肺炎球菌，大腸菌，シトロバクター属，クレブシエラ属，エンテロバクター属，セラチア属，プロテウス属，モルガネラ・モルガニー，プロビデンシア属，インフルエンザ菌，ペプトストレプトコッカス属，バクテロイデス属　〈適応症〉敗血症，感染性心内膜炎，外傷・熱傷及び手術創等の二次感染，急性気管支炎，肺炎，肺膿瘍，膿胸，慢性呼吸器病変の二次感染，膀胱炎，腎盂腎炎，腹膜炎，胆嚢炎，胆管炎，バルトリン腺炎，子宮内感染，子宮付属器炎，子宮旁結合織炎，化膿性髄膜炎

効能・効果に関連する使用上の注意　急性気管支炎への使用にあたっては，「抗微生物薬適正使用の手引き」を参照し，抗菌薬投与の必要性を判断した上で，本剤の投与が適切と判断される場合に投与する

用法・用量　セフォタキシムとして，1日1～2g(力価)，2回に分けて静注又は筋注．小児1日50～100mg(力価)/kg，3～4回に分割静注．難治性又は重症感染症には症状に応じて，1日4g(力価)まで増量し，2～4回に分割投与．小児150mg(力価)/kgまで増量し，3～4回に分割投与．なお，小児の化膿性髄膜炎では300mg(力価)/kgまで増量できる．静注には注射用水，生理食塩液又はブドウ糖注射液に溶解し，緩徐に注射．また，補液に加えて点滴静注することもできる．筋注には0.5%リドカイン注射液に溶解して投与する

用法・用量に関連する使用上の注意　使用にあたっては，耐性菌の発現等を防ぐため，原則として感受性を確認し，疾病の治療上必要な最小限の期間の投与にとどめる

使用上の注意

禁忌　①本剤の成分に対し過敏症の既往歴のある患者　②リドカイン等のアニリド系局所麻酔剤に対し過敏症の既往歴のある患者(筋注用の溶解液としてリドカイン等のアニリド系局所麻酔剤を用いる場合)

薬物動態

血中濃度　①腎機能正常者：健康成人男子3名に0.5，1，2g静注，1，2g2時間点滴静注時の平均血中濃度はいずれも用量依存性　②腎機能障害者：腎機能低下患者10名に1g静注時，腎機能の低下に伴い，血清中濃度が上昇，半減期が延長，尿中排泄率が低下．したがって，腎機能障害者に投与する場合には，投与量，投与間隔の適切な調節が必要．血清中半減期(時間)はBioassay，HPLCの順．Ccr(mL/min/1.48m^2)が77では0.9，0.8，44では1.9，1.34，25では2.26，1.43，4では4.3，2.4，透析中では約3，約1.5　**分布**　①喀痰：呼吸器感染症患者各1例に0.5，1，2gを60分かけて点滴静注時の喀痰中移行率は血中濃度の0.7～1.3%(血中及び喀痰中濃度の最高値の比)の範囲にあり，最高喀痰中濃度は0.4μg/mL　②胆汁：1gを静注(8例)及び60分点滴静注(7例)時の最高胆汁中濃度はそれぞれ2.2～20，2～23.4μg/mL　③髄液：化膿性髄膜炎の小児に50mg/kg静注時髄液中濃度2.55～13.2μg/mL　④子宮組織：子宮動脈血へは1g静注(28例)0.33時間後最高濃度93μg/mL．卵巣，卵管，内膜，筋層，漿膜，頸部，腟部各組織への移行は1g静注(19～30例)0.24～0.73時間後最高値2.74～4.4μg/g　**代謝**　体内で3位のアセトキシメチル基が脱アセチル化され，desacetyl cefotaximeとなる．この代謝物も大腸菌，肺炎桿菌，エンテロバクター属，セラチア属等に十分な抗菌活性(*in vitro*)　**排泄**　主として腎から排泄され，成人(腎機能正常者)に1回0.5，1，2g静注後又は1，2g点滴静注後6時間までの尿中排泄率は45～86%，52～75%．1g静注後の尿中濃度は0～2時間で約2300μg/mL，2～4時間で約440μg/mL，4～6時間で約70μg/mL

その他の管理的事項

投与期間制限　該当しない

保険給付上の注意　該当しない

資料

IF　セフォタックス注射用0.5g・1g　2019年4月改訂(第9版)

セフォチアム塩酸塩
注射用セフォチアム塩酸塩
Cefotiam Hydrochloride

概要

薬効分類 613 主としてグラム陽性・陰性菌に作用するもの

構造式

分子式 $C_{18}H_{23}N_9O_4S_3 \cdot 2HCl$

分子量 598.55

略語・慣用名 CTM

ステム セファロスポラン酸系抗生物質：cef-

原薬の規制区分 該当しない

原薬の外観・性状 白色～淡黄色の結晶又は結晶性の粉末である．水，メタノール又はホルムアミドに溶けやすく，エタノール(95)に溶けにくく，アセトニトリルにほとんど溶けない．1.0gを水10mLに溶かした液のpHは1.2～1.7である

原薬の吸湿性 本品約500mgを用いて，25℃，9～79％RHで保存したところ，20～30％RHの条件下では含水量約9％まで，60～75％RHでは約13～14％までほぼ1日で吸湿し，6日経過後においても吸湿量に変化は認められなかった．さらに高湿度条件下では含水量が急増し，結晶表面が湿潤する傾向を示した

原薬の融点・沸点・凝固点 80℃～90℃で融解しはじめ，完全に液化しないまま約97℃で発泡して分解する

原薬の酸塩基解離定数 $pKa_1=2.6$，$pKa_2=4.6$，$pKa_3=7.0$（アルカリ滴定法）

先発医薬品等

注射用 パンスポリン静注用0.25g・0.5g・1g・筋注用0.25g（武田テバ薬品＝武田）

キット パンスポリン静注用1gバッグS・バッグG（武田テバ薬品＝武田）

後発医薬品

注射用 250mg・500mg・1g

キット 1g

国際誕生年月 1980年10月

海外での発売状況 韓国

製剤

規制区分 **静注用** **筋注用** ㊈

製剤の性状 **注射用** 白色～淡黄色の粉末の製剤

有効期間又は使用期限 **静注用** **筋注用** 3年 **キット** 2年6カ月

貯法・保存条件 室温保存

薬剤取扱い上の留意点 溶解後は速やかに使用すること．なお，やむを得ず保存を必要とする場合でも8時間以内に使用すること

溶液及び溶解時のpH **静注用** 5.7～7.2（1g/10mL注射用水）
筋注用 5.7～7.2（3mL筋注用溶解液溶解後）

浸透圧比 **静注用** 約1（0.5g/20mL注射用水，1g/20mL注射用水，1g/100mL生食，1g/100mL5％ブドウ糖注射液）（対生食）
筋注用 約2（対生食）

調製時の注意 本剤の注射液調製時にショックを伴う接触蕁麻疹が現れることがあるので調製時に手の腫脹・そう痒・発赤，全身の発疹・そう痒，腹痛，悪心，嘔吐等の症状が現れた場合には以後本剤との接触を避けること．緩衝剤として無水炭酸ナトリウムを含有し，溶解時に炭酸ガスを発生するため，減圧バイアルにしてある

薬理作用

分類 セフェム系抗生物質

作用部位・作用機序 細菌の細胞壁の合成を阻害する．グラム陰性菌に対し強い抗菌力を示すのは細胞外膜透過性に優れ，β-lactamaseに比較的安定であり，かつペニシリン結合蛋白画分1B及び3に対する親和性が高いため細胞壁peptidoglycan架橋形成阻害作用が強いことによると考えられる

同効薬 セフェム系注射用抗生剤

治療

効能・効果 〈適応菌種〉セフォチアムに感性のブドウ球菌属，レンサ球菌属，肺炎球菌，大腸菌，シトロバクター属，クレブシエラ属，エンテロバクター属，プロテウス属，モルガネラ・モルガニー，プロビデンシア・レットゲリ，インフルエンザ菌 〈適応症〉敗血症，深在性皮膚感染症，慢性膿皮症，外傷・熱傷及び手術創等の二次感染，骨髄炎，関節炎，扁桃炎（扁桃周囲炎，扁桃周囲膿瘍を含む），急性気管支炎，肺炎，肺膿瘍，膿胸，慢性呼吸器病変の二次感染，膀胱炎，腎盂腎炎，前立腺炎（急性症，慢性症），腹膜炎，胆嚢炎，胆管炎，バルトリン腺炎，子宮内感染，子宮付属器炎，子宮旁結合織炎，化膿性髄膜炎，中耳炎，副鼻腔炎

効能・効果に関連する使用上の注意 扁桃炎（扁桃周囲炎，扁桃周囲膿瘍を含む），急性気管支炎，中耳炎，副鼻腔炎への使用にあたっては，「抗微生物薬適正使用の手引き」を参照し，抗菌薬投与の必要性を判断した上で，投与が適切と判断される場合に投与する

用法・用量 **静注用** 1日0.5～2g（力価）を2～4回に，小児1日40～80mg（力価）/kgを3～4回に分けて静注（適宜増減）．敗血症には1日4g（力価）まで，小児の敗血症，化膿性髄膜炎等の重症・難治性感染症には1日160mg（力価）/kgまで増量できる．静注には，注射用水，生理食塩液，ブドウ糖注射液に溶解して用いる．1回0.25～2g（力価）を糖液，電解質液，アミノ酸製剤等の補液に加えて，30分～2時間で点滴静注できる．小児には前記量を考慮し，補液に加えて，30分～1時間で点滴静注もできる．キットは連結容器（コネクター）を介して添付の生理食塩液又は5％ブドウ糖注射液に溶解し，点滴静注する．〔以下，バッグ製品〕それぞれ添付の生理食塩液又は5％ブドウ糖注射液側を手で圧し，隔壁を開通させ，溶解後，30分～2時間で点滴静注．点滴静注の場合は注射用水を用いると溶液が等張とならないため用いない（注射液の調製法は添付文書参照）

筋注用 1日0.5～2g（力価），2～4回に分けて筋注（適宜増減）．筋注に際しては，添付溶解液3mLに溶解し注射する（注射液の調製法は添付文書参照）

用法・用量に関連する使用上の注意 ①高度の腎障害のある患者には，投与量・投与間隔の適切な調節をする等，慎重に投与する ②使用にあたっては，耐性菌の発現等を防ぐため，原則として感受性を確認し，疾病の治療上必要な最小限の期間の投与にとどめる ③注射液調製時の注意：調製時にショックを伴う接触蕁麻疹が現れることがあるので調製時に手の腫脹・そう痒・発赤，全身の発疹・そう痒，腹痛，悪心，嘔吐等の症状が現れた場合には，以後接触を避ける

使用上の注意

禁忌 ①本剤の成分に対し過敏症の既往歴のある患者 ②〔5％ブドウ糖注射液100mLのバッグG〕低張性脱水症の患者［電解質を含まない糖液を投与すると脱水が増悪することがある］ ③**筋注用** 低出生体重児，新生児，乳児，幼児，小児 ④**筋注用** メピバカイン塩酸塩又はアニリド系局所麻酔剤に対し過敏症の既往歴のある患者

薬物動態

血中濃度 成人（腎機能正常）に1回0.25g（3例），0.5g（2例），1g（3例）静注30分後10.4，20.2，40μg/mL，$T_{1/2}$約0.7～0.8時間．小児（腎機能正常）に1回10mg/kg，20mg/kg，40mg/kg

(各3例)静注15分後18, 41, 134μg/mL, $T_{1/2}$約0.9〜1.2時間. 成人(腎機能正常)に1回1g(6例), 2g(2例)を1時間で点滴静注終了直後65.3, 102.1μg/mL, 1回1g(2例), 2g(1例)を2時間で点滴静注終了直後30.5, 58μg/mL, $T_{1/2}$約1.1時間. 小児(腎機能正常)に1回10mg/kg, 20mg/kg(各3例), 40mg/kg(4例)を1時間で点滴静注終了直後14, 41, 140μg/mL, $T_{1/2}$約1〜1.2時間. 成人(腎機能正常)に1回0.25g, 0.5g(各3例)筋注30分後最高値10, 21μg/mL, $T_{1/2}$約0.8時間 **排泄** 主として腎から排泄, 成人(腎機能正常)に1回0.5g, 1g, 2g静注あるいは点滴静注後, 1回0.25g, 0.5g筋注後, 6時間までの尿中排泄率はいずれも約60〜75%. 0.5g静注後の尿中濃度は0〜2時間約2000μg/mL, 2〜4時間約350μg/mL, 4〜6時間約66μg/mL. 0.5g筋注後の尿中濃度は0〜2時間約940μg/mL, 2〜4時間約470μg/mL, 4〜6時間約87μg/mL. 小児(腎機能正常)に1回10, 20, 40mg/kg静注あるいは点滴静注後6時間までの尿中排泄率は, 成人とほぼ同様 **体液・組織内移行** 胆石症患者に1回1g又は2g静注時の胆汁中濃度(μg/mL)は2時間後最高値157.6, 720.5, 6時間後までの胆汁中回収率は約1%. 扁桃, 喀痰, 肺, 胸水, 胆嚢壁, 腹水, 骨髄血, 髄液, 膀胱壁, 前立腺, 腎, 骨, 骨盤死腔滲出液, 婦人性器, 臍帯血, 羊水, 耳漏, 副鼻腔粘膜等へ移行. 乳汁中移行は痕跡程度 **代謝** 尿中には抗菌活性代謝物質は認められていない **腎機能障害時の血中濃度, 尿中排泄** 腎機能低下に伴い, 血中濃度上昇, 半減期延長及び尿中排泄率低下. 腎機能障害者に投与する場合には, 投与量, 投与間隔の適切な調節が必要

その他の管理的事項

投与期間制限 該当しない

保険給付上の注意 該当しない

資料

IF パンスポリン静注用0.25g・0.5g・1g・1gバッグS・1gバッグG・筋注用0.25g 2019年10月改訂(第9版)

セフォチアム　ヘキセチル塩酸塩
Cefotiam Hexetil Hydrochloride

概要

構造式

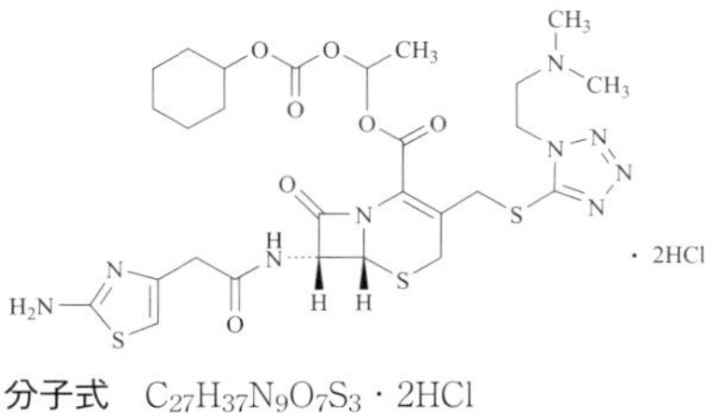

分子式 $C_{27}H_{37}N_9O_7S_3 \cdot 2HCl$

分子量 768.76

原薬の規制区分 該当しない

原薬の外観・性状 白色〜淡黄色の粉末である. 水, メタノール又はエタノール(95)に極めて溶けやすく, ジメチルスルホキシドに溶けやすく, アセトニトリルに溶けにくい. 0.1mol/L塩酸試液に溶ける

原薬の吸湿性 吸湿性である

治療

効能・効果† 〈適応菌種〉セフォチアムに感性のブドウ球菌属, レンサ球菌属, 肺炎球菌, 淋菌, モラクセラ(ブランハメラ)・カタラーリス, 大腸菌, シトロバクター属, クレブシエラ属, プロテウス・ミラビリス, インフルエンザ菌 〈適応症〉表在性皮膚感染症, 深在性皮膚感染症, リンパ管・リンパ節炎, 慢性膿皮症, 外傷・熱傷及び手術創等の二次感染, 乳腺炎, 肛門周囲膿瘍, 咽頭・喉頭炎, 扁桃炎, 急性気管支炎, 肺炎, 慢性呼吸器病変の二次感染, 膀胱炎, 腎盂腎炎, 尿道炎, 涙嚢炎, 麦粒腫, 瞼板腺炎, 角膜炎(角膜潰瘍を含む), 中耳炎, 副鼻腔炎

セフォテタン
Cefotetan

概要

構造式

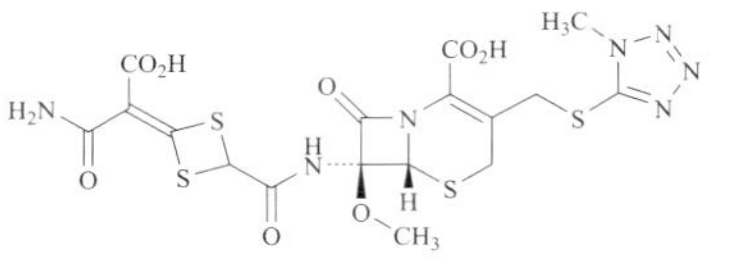

分子式 $C_{17}H_{17}N_7O_8S_4$

分子量 575.62

原薬の規制区分 該当しない

原薬の外観・性状 白色〜淡黄白色の粉末である. メタノールにやや溶けにくく, 水又はエタノール(99.5)に溶けにくい

セフォペラゾンナトリウム
注射用セフォペラゾンナトリウム
Cefoperazone Sodium

概要

構造式

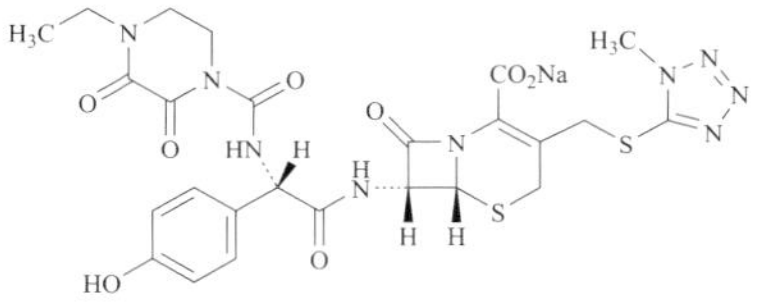

分子式 $C_{25}H_{26}N_9NaO_8S_2$

分子量 667.65

原薬の規制区分 該当しない

原薬の外観・性状 白色〜帯黄白色の結晶性の粉末である. 水に極めて溶けやすく, メタノールにやや溶けやすく, エタノール(99.5)に溶けにくい. 1.0gを水4mLに溶かした液のpHは4.5〜6.5である

治療

効能・効果† 〈適応菌種〉セフォペラゾンに感性のレンサ球菌属, 肺炎球菌, 大腸菌, シトロバクター属, クレブシエラ属, エンテロバクター属, セラチア属, プロテウス属, モルガネラ・モルガニー, プロビデンシア・レットゲリ, インフルエンザ菌, 緑膿菌, バクテロイデス属, プレボテラ属 〈適応症〉敗血症, 深在性皮膚感染症, リンパ管・リンパ節炎, 外傷・熱傷及び手術創等の二次感染, 乳腺炎, 急性気管支炎, 肺炎, 肺膿瘍, 膿胸, 慢性呼吸器病変の二次感染, 膀胱炎, 腎盂腎炎, 前立腺炎(急性症, 慢性症), 腹膜炎, 胆嚢炎, 胆管炎, 肝膿瘍, バルトリン腺炎, 子宮内感染, 子宮付属器炎, 子宮旁結合織炎, 化膿性髄膜炎

注射用セフォペラゾンナトリウム・スルバクタムナトリウム
Cefoperazone Sodium and Sulbactam Sodium for Injection

概要

薬効分類　613　主としてグラム陽性・陰性菌に作用するもの

分子式　［セフォペラゾンナトリウム］$C_{25}H_{26}N_9NaO_8S_2$　［スルバクタムナトリウム］$C_8H_{10}NNaO_5S$

分子量　［セフォペラゾンナトリウム］667.65　［スルバクタムナトリウム］255.22

略語・慣用名　［セフォペラゾンナトリウム］CPZ　［スルバクタムナトリウム］略号：SBT

原薬の規制区分　該当しない

原薬の外観・性状　［セフォペラゾンナトリウム］白色～帯黄白色の結晶性の粉末である．水に極めて溶けやすく，メタノールにやや溶けやすく，エタノール(99.5)に溶けにくい　［スルバクタムナトリウム］白色～帯黄白色の結晶性の粉末である．水に溶けやすく，メタノールにやや溶けにくく，エタノール(99.5)に極めて溶けにくく，アセトニトリルにほとんど溶けない

原薬の吸湿性　［セフォペラゾンナトリウム］25℃，53％RH及び75％RHで5日間保存するとき，1日目に含湿度はそれぞれ約8％，約13％の値を示し，本品は吸湿性であることが認められたが，その後の含湿度にほとんど変化を認めていない　［スルバクタムナトリウム］25℃，75％RH以下の保存ではほとんど吸湿増量を認めなかったが，92％RHでは8日間で101.6％の吸湿増量がみられた

原薬の融点・沸点・凝固点　［セフォペラゾンナトリウム］融点：182～187℃(分解)　［スルバクタムナトリウム］融点：240℃付近から変色しはじめ260～270℃で体積減少を伴いながら褐色から暗褐色に変化し分解．分解は徐々に進行するため終末点は不明

原薬の酸塩基解離定数　［セフォペラゾンナトリウム］pKa＝約2.3　［スルバクタムナトリウム］pKa＝約2.6

先発医薬品等
　注射用 スルペラゾン静注用0.5g・1g(ファイザー)
　キット スルペラゾンキット静注用1g(ファイザー)

後発医薬品
　注射用 500mg・1g
　キット 1g

国際誕生年月　1986年4月

海外での発売状況　**注射用** 香港，中国など

製剤

規制区分　**注射用** ㊙

製剤の性状　**注射用** 白色～帯黄白色の塊又は粉末で，においはなく，味は僅かに苦く，水又は生理食塩液に溶けやすい

有効期間又は使用期限　**注射用** 3年　**キット** 2年

貯法・保存条件　室温保存

薬剤取扱い上の留意点　溶解後は速やかに使用すること．なお，やむを得ず溶液保存を必要とする場合でも，室温保存で6時間以内に，冷蔵庫保存では48時間以内に使用すること

患者向け資料等　くすりのしおり

溶液及び溶解時のpH　4.5～6.5(1g/10mL蒸留水)

浸透圧比　約1(1g/20mL注射用水，1g/100mL生食，1g/100mL5％ブドウ糖注射液)，約2(1g/10mL注射用水)，約3(1g/10mL生食，1g/10mL5％ブドウ糖注射液)

調製時の注意　点滴静脈内注射の場合，注射用水を用いると溶液が等張にならないため用いないこと

薬理作用

分類　β-ラクタマーゼ阻害剤配合抗生物質

作用部位・作用機序　スルバクタムがβ-ラクタマーゼのⅠc，Ⅱ，Ⅲ及びⅣ型を強く，Ⅰa及びⅤ型を軽度に不可逆的に不活性化するため，セフォペラゾンがこれらの酵素により加水分解されることを防ぎ，セフォペラゾン耐性菌にも抗菌力を示す．セフォペラゾンは細菌増殖期の細胞壁合成系のうちペプチドグリカン架橋形成を強く阻害し，殺菌的に作用する

同効薬　注射用セフェム系抗生物質

治療

効能・効果　〈適応菌種〉本剤に感性のブドウ球菌属，大腸菌，シトロバクター属，クレブシエラ属，エンテロバクター属，セラチア属，プロテウス属，プロビデンシア・レットゲリ，モルガネラ・モルガニー，インフルエンザ菌，緑膿菌，アシネトバクター属，バクテロイデス属，プレボテラ属　〈適応症〉敗血症，感染性心内膜炎，外傷・熱傷及び手術創等の二次感染，咽頭・喉頭炎，扁桃炎，急性気管支炎，肺炎，肺膿瘍，膿胸，慢性呼吸器病変の二次感染，膀胱炎，腎盂腎炎，腹膜炎，腹腔内膿瘍，胆嚢炎，胆管炎，肝膿瘍，バルトリン腺炎，子宮内感染，子宮付属器炎，子宮旁結合織炎

効能・効果に関連する使用上の注意　咽頭・喉頭炎，扁桃炎，急性気管支炎への使用にあたっては，「抗微生物薬適正使用の手引き」を参照し，抗菌薬投与の必要性を判断した上で，投与が適切と判断される場合に投与する

用法・用量　混合物として1日1～2g(力価)，2回に分けて静注．小児には1日40～80mg(力価)/kg，2～4回に分けて静注．難治性又は重症感染症には，症状に応じて1日量4g(力価)まで増量し2回に分割投与，小児では1日量160mg(力価)/kgまで増量し2～4回に分割投与．静注には注射用水，生理食塩液又はブドウ糖注射液に溶解し，緩徐に投与．点滴静注には補液に溶解して用いる(注射用水を用いると溶液が等張にならないため用いない．キットは用時添付の溶解液に溶解し，静脈内に点滴注入)

用法・用量に関連する使用上の注意　使用にあたっては，耐性菌の発現等を防ぐため，β-ラクタマーゼ産生菌，かつセフォペラゾン耐性菌を確認し，疾病の治療上必要な最小限の期間の投与にとどめる

使用上の注意

禁忌　本剤の成分に対し過敏症の既往歴のある患者

過量投与　β-ラクタム系抗生物質製剤の脳脊髄液中濃度が高くなると，痙攣等を含む神経系の副作用を引き起こすことが考えられるので，腎障害患者に過量投与された場合は血液透析等を用いて体内から除去する

薬物動態

血中濃度　成人患者5例に1g，健常成人4例に2gを1時間かけて点滴静注時のセフォペラゾン(CPZ)，スルバクタム(SBT)の平均血中濃度の推移は1時間後にそれぞれ最高血中濃度で，CPZ濃度は1g投与で約62μg/mL，2g投与で約105μg/mL，SBT濃度は1g投与で約20μg/mL，2g投与で約55で6時間後にはほぼ消失．健常成人5例に2gを5分で静注時の最高血中濃度はCPZ約250μg/mL，SBT約100μg/mL，30～40分で半減し8時間後ほぼ消失．2gを1日2回，3日間連続投与ではほぼ同じ血中濃度推移で，蓄積は認められなかった　**尿中排泄**　成人患者5例に1g点滴静注時の平均尿中濃度(μg/mL)は，静注後2～3時間でSBT1704.5，CPZ559.7，以後漸減．12時間後までの尿中回収率はSBT72％，CPZ25.3％　**組織内移行**　①胆汁内濃度：成人患者6例に1g静注後，25分から2時間25分までの総胆管胆汁内濃度は，SBT2.5～20.8μg/mL，CPZ170.8～2087.5μg/mL　②その他：喀痰，腹腔内滲出液，虫垂，前立腺，羊水，臍帯血，子宮組織，骨盤死腔液，髄液等への移行は良好　**代謝**　SBT，CPZはほとんど代謝されることなく，大部分は未変化体として排泄されるがCPZの多くは糞中に，SBTは尿中に排泄

その他の管理的事項

投与期間制限　該当しない

保険給付上の注意　該当しない

資料

IF　スルペラゾン静注用0.5g・1g・キット静注用1g　2018年12月改訂(第11版)

セ

セフカペン　ピボキシル塩酸塩水和物
セフカペン　ピボキシル塩酸塩錠
セフカペン　ピボキシル塩酸塩細粒
Cefcapene Pivoxil Hydrochloride Hydrate

概要

薬効分類　613　主としてグラム陽性・陰性菌に作用するもの

構造式

・HCl・H_2O

分子式　$C_{23}H_{29}N_5O_8S_2$・HCl・H_2O

分子量　622.11

略語・慣用名　CFPN-PI

ステム　セファロスポラン酸系抗生物質：cef-

原薬の規制区分　該当しない

原薬の外観・性状　白色～微黄白色の結晶性の粉末又は塊で，僅かに特異なにおいがある．*N,N*-ジメチルホルムアミド又はメタノールに溶けやすく，エタノール(99.5)にやや溶けやすく，水に溶けにくく，ジエチルエーテルにほとんど溶けない

原薬の吸湿性　吸湿性をほとんど示さず，高湿度下で保存しても潮解等の顕著な吸湿変化を示さない

原薬の融点・沸点・凝固点　融点：約135℃(分解)

原薬の酸塩基解離定数　pKa＝約3.7(チアゾール環)(滴定終点測定法(電位差滴定法)，紫外可視吸光度測定法)

先発医薬品等

細 フロモックス小児用細粒100mg(塩野義)

錠 フロモックス錠75mg・100mg(塩野義)

後発医薬品

細 10%・100mg

錠 75mg・100mg

国際誕生年月　1997年4月

海外での発売状況　該当資料なし

製剤

規制区分　**細**　**錠**　㊕

製剤の性状　**細** 赤白色の細粒で，芳香がある　**75mg錠** 白色の円形のフィルムコーティング錠で，においはないか，又は僅かに特異なにおいがある　**100mg錠** うすい赤色の円形のフィルムコーティング錠で，においはないか，又は僅かに特異なにおいがある

有効期間又は使用期限　3年

貯法・保存条件　**細** 遮光・気密容器・室温保存(瓶入り：乾燥剤付きの瓶包装としている．使用の都度密栓する)　**錠** 気密容器・室温保存(瓶入り：乾燥剤付きの瓶包装としている．使用の都度密栓すること　PTP包装：防湿性の高いPTPとアルミ袋により品質保持を図っている．アルミ袋開封後はPTP包装のまま保存する)

薬剤取扱い上の留意点　**細** 主薬の苦みを防ぐ製剤になっているので，細粒をつぶしたり，溶かしたりすることなく，水等で速やかに服用すること．服用にあたって，やむを得ず本剤を牛乳，ジュース，水等に懸濁する必要がある場合には速やかに服用すること(時間の経過とともに力価が低下する)

患者向け資料等　くすりのしおり，**細** 小さなお子さんへの飲ませ方

溶液及び溶解時のpH　該当しない

浸透圧比　該当しない

安定なpH域　該当しない

調製時の注意　該当資料なし

薬理作用

分類　セフェム系抗生物質

作用部位・作用機序　細菌の細胞壁合成を阻害することにより抗菌作用を発揮し，作用は殺菌的である

同効薬　セフジニル，セフジトレン ピボキシルなど

治療

効能・効果　①**細** 小児〈適応菌種〉セフカペンに感性のブドウ球菌属，レンサ球菌属，肺炎球菌，モラクセラ(ブランハメラ)・カタラーリス，大腸菌，シトロバクター属，クレブシエラ属，エンテロバクター属，セラチア属，プロテウス属，モルガネラ・モルガニー，プロビデンシア属，インフルエンザ菌，ペプトストレプトコッカス属，バクテロイデス属，プレボテラ属(プレボテラ・ビビアを除く)，アクネ菌〈適応症〉表在性皮膚感染症，深在性皮膚感染症，リンパ管・リンパ節炎，慢性膿皮症，咽頭・喉頭炎，扁桃炎(扁桃周囲炎，扁桃周囲膿瘍を含む)，急性気管支炎，肺炎，膀胱炎，腎盂腎炎，中耳炎，副鼻腔炎，猩紅熱　②成人(細粒は嚥下困難等により錠剤の使用が困難な場合)〈適応菌種〉セフカペンに感性のブドウ球菌属，レンサ球菌属，肺炎球菌，淋菌，モラクセラ(ブランハメラ)・カタラーリス，大腸菌，シトロバクター属，クレブシエラ属，エンテロバクター属，セラチア属，プロテウス属，モルガネラ・モルガニー，プロビデンシア属，インフルエンザ菌，ペプトストレプトコッカス属，バクテロイデス属，プレボテラ属(プレボテラ・ビビアを除く)，アクネ菌〈適応症〉表在性皮膚感染症，深在性皮膚感染症，リンパ管・リンパ節炎，慢性膿皮症，外傷・熱傷及び手術創等の二次感染，乳腺炎，肛門周囲膿瘍，咽頭・喉頭炎，扁桃炎(扁桃周囲炎，扁桃周囲膿瘍を含む)，急性気管支炎，肺炎，慢性呼吸器病変の二次感染，膀胱炎，腎盂腎炎，尿道炎，子宮頸管炎，胆嚢炎，胆管炎，バルトリン腺炎，子宮内感染，子宮付属器炎，涙嚢炎，麦粒腫，瞼板腺炎，外耳炎，中耳炎，副鼻腔炎，歯周組織炎，歯冠周囲炎，顎炎

効能・効果に関連する使用上の注意　咽頭・喉頭炎，扁桃炎(扁桃周囲炎，扁桃周囲膿瘍を含む)，急性気管支炎，中耳炎，副鼻腔炎への使用にあたっては，「抗微生物薬適正使用の手引き」を参照し，抗菌薬投与の必要性を判断した上で，本剤の投与が適切と判断される場合に投与する

用法・用量　①**細** 小児：1回3mg(力価)/kg，1日3回食後(適宜増減)　②成人(細粒は嚥下困難等により錠剤の使用が困難な場合)：1回100mg(力価)，1日3回食後(適宜増減)．難治性又は効果不十分と思われる症例には1回150mg(力価)，1日3回食後

用法・用量に関連する使用上の注意　①使用にあたっては，耐性菌の発現等を防ぐため，原則として感受性を確認し，疾病の治療上必要な最小限の期間の投与にとどめる　②**細** 小児用製剤であるが，嚥下困難等により錠剤の使用が困難な場合には成人に使用することができる．その場合は，セフカペン ピボキシル塩酸塩錠の添付文書を参照する

使用上の注意

禁忌　本剤の成分に対し過敏症の既往歴のある患者

薬物動態

血中濃度　bioassay法：①**細** 1～7歳の小児患者(5例)に3mg/kgを食後単回経口投与時のセフカペンの血清中濃度及び薬物動態パラメータは，Cmax(μg/mL)1.03±0.48，Tmax(hr)2.4±1.5，$T_{1/2}$(hr)1.27±0.65，$AUC_{0-\infty}$(μg・hr/mL)3.99±2.77　②**錠** (1)健康成人：100mg，150mgを食後単回経口投与時のセフカペンの血清中，血漿中濃度及び薬物動態パラメータ(100mg，150mg投与の順．各6例)は，Cmax(μg/mL)1.3±0.5時間後1.28±0.33，2.2±0.5時間後1.82±0.10．$T_{1/2}$(hr)1.01±0.11，1.09±0.21．AUC_{0-12}(μg・hr/mL)3.86±0.52，5.79±0.66で用量依存性．ただし，異なる被験者群による．また，150mgはAUC_{0-10}．吸収は，空腹時に比べ食後投与の方が良好　(2)腎機能障害患者(150mg食後単回経口投

与）：成人患者の半減期は，クレアチニンクリアランス（Ccr）が40mL/分以上の症例では健康成人の値と大きな差はないが，40mL/分以下及び腎不全患者では腎機能の低下に従い延長，Cmaxも高値，AUCも増大する傾向．各Ccr（mL/min）値患者ごとの薬物動態パラメータ（Cmax（μg/mL），$AUC_{0\text{-}24}$（μg・hr/mL），$T_{1/2}$（hr）の順）はCcr=63.1で1.73（4時間後），9.47，1.86，Ccr=57.5で1.54（6時間後），10.70，2.42，Ccr=47.7で1.23（6時間後），8.41，2.58　Ccr=44.4で1.27（4時間後），6.05，1.00，Ccr=44.2で2.98（4時間後），14.68，1.99，Ccr=39で2.46（4時間後），22.75，3.67，Ccr=37で2.27（3時間後），17.67，3.71，Ccr＜5で2.68（6時間後），30.83，7.82，Ccr＜5で3.56（6時間後），56.33，14.77　⑶高齢者（73～78歳の患者，100mg食後単回経口投与）：Ccrの程度により半減期は延長．各Ccr（mL/min）値の患者ごとの薬物動態パラメータ（Cmax（μg/mL），$AUC_{0\text{-}\infty}$（μg・hr/mL），$T_{1/2}$（hr）の順）はCcr=76.1で1.35（3時間後），5.09，1.19，Ccr=20で1.96（2時間後），7.95，1.78，Ccr=52.3で1.58（3時間後），5.59，0.97，Ccr=32.4で1.67（3時間後），6.52，5.21，Ccr=20で2.60（3時間後），17.17，3.67　**分布**　成人：喀痰，肺組織，胸水，扁桃組織，中耳分泌液，上顎洞粘膜・貯留液，皮膚組織，胆汁・胆嚢組織，女性性器組織，抜歯創貯留液，口腔内嚢胞壁等への移行は良好．なお，乳汁中への移行は認められなかった　**代謝**　吸収時に腸管壁のエステラーゼにより，抗菌活性体セフカペンとピバリン酸及びホルムアルデヒドに加水分解．活性体はほとんど代謝されることなく主として腎から排泄．ピバリン酸はカルニチン抱合を受け，ほぼ100%がピバロイルカルニチンとして速やかに尿中に排泄．ホルムアルデヒドは大部分が二酸化炭素として呼気中に排泄　**排泄**　活性体は主として糸球体ろ過及び尿細管分泌により腎から尿中に排泄．小児4例に3mg/kgを食後単回経口投与時の尿中回収率は0～8時間で約20～30%．健康成人150mg（6例）の朝食後30分単回投与時の尿中回収率は0～24時間で約40%　**その他**　血清蛋白結合率：健康成人での血清蛋白結合率は，血清中濃度1～4μg/mLの範囲で約45%とほぼ一定

その他の管理的事項

投与期間制限　該当しない

保険給付上の注意　該当しない

資料

IF　フロモックス小児用細粒100mg・錠75mg・100mg　2019年10月改訂（第13版）

セフジトレン　ピボキシル
セフジトレン　ピボキシル錠
セフジトレン　ピボキシル細粒
Cefditoren Pivoxil

概要

薬効分類　613　主としてグラム陽性・陰性菌に作用するもの

構造式

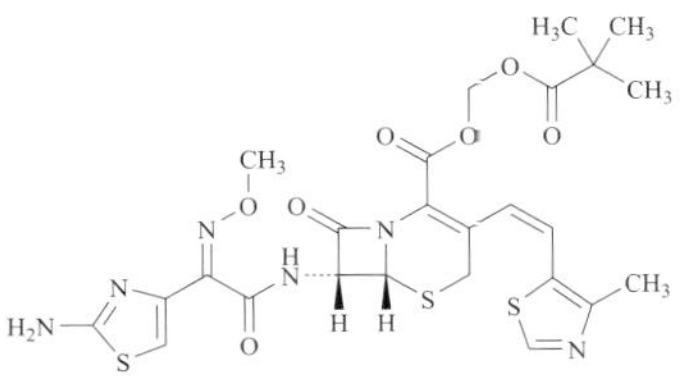

分子式　$C_{25}H_{28}N_6O_7S_3$

分子量　620.72

略語・慣用名　CDTR-PI（セフジトレン ピボキシル），CDTR（セフジトレン）

ステム　セファロスポラン酸系抗生物質：cef-

原薬の規制区分　該当しない

原薬の外観・性状　淡黄白色～淡黄色の結晶性の粉末である．メタノールにやや溶けにくく，アセトニトリル又はエタノール（95）に溶けにくく，ジエチルエーテルに極めて溶けにくく，水にほとんど溶けない．希塩酸に溶ける

原薬の吸湿性　12～93%RH，25±2℃の条件に10日間放置し，重量増加率を求めたところ，いずれの湿度条件でも放置1日目で恒量に達し，重量増加率は-0.1～0.95%で，セフジトレン ピボキシルは吸湿性がほとんど認められなかった

原薬の融点・沸点・凝固点　融点：196～201℃（分解）

原薬の酸塩基解離定数　pKa＝約3.1

先発医薬品等

細　セフジトレンピボキシル細粒小児用10%「トーワ」（東和薬品）
セフジトレンピボキシル細粒10%小児用「日医工」（日医工ファーマ＝日医工）
セフジトレンピボキシル小児用細粒10%「CH」（長生堂＝日本ジェネリック）
セフジトレンピボキシル小児用細粒10%「EMEC」（メディサ＝エルメッド＝日医工）
セフジトレンピボキシル小児用細粒10%「OK」（大蔵＝MeijiSeika）
セフジトレンピボキシル小児用細粒10%「サワイ」（沢井）
メイアクトMS小児用細粒10%（MeijiSeika）

錠　セフジトレンピボキシル錠100mg「CH」（長生堂＝日本ジェネリック）
セフジトレンピボキシル錠100mg「OK」（大蔵＝MeijiSeika）
セフジトレンピボキシル錠100mg「サワイ」（沢井）
セフジトレンピボキシル錠100mg「トーワ」（東和薬品）
セフジトレンピボキシル錠100mg「日医工」（日医工ファーマ＝日医工）
メイアクトMS錠100mg（MeijiSeika）

国際誕生年月　1994年4月

海外での発売状況　韓国，中国など

製剤

規制区分　細　錠　㊕

製剤の性状　細　橙色の細粒．甘味及び僅かな苦味．芳香がある　錠　白色のフィルムコート錠

有効期間又は使用期限　3年

貯法・保存条件　細　遮光・室温保存（防湿のため，ボトル入製剤は調剤後必ず密栓．ボトル入製剤を分包した場合は遮光，防湿保存．また，分包製剤は防湿保存し，服用時に開封するよう指示すること）　錠　室温保存（開封後は防湿保存）

薬剤取扱い上の留意点　細　防湿のため，ボトル入製剤は調剤後必ず密栓．ボトル入製剤を分包した場合は遮光，防湿保存．また，分包製剤は防湿保存し，服用時に開封するよう指示すること　錠　開封後は防湿保存

患者向け資料等　くすりのしおり

溶液及び溶解時のpH　該当しない

浸透圧比　該当しない

安定なpH域　2～3付近

調製時の注意　該当資料なし

薬理作用

分類　セフェム系抗生物質

作用部位・作用機序　吸収時に腸管壁で代謝を受けてセフジトレンとなり，抗菌力を示す．セフジトレンの作用機序は細菌細胞壁の合成阻害である．各種細菌のペニシリン結合蛋白（PBP）への親和性が高く，殺菌的に作用する

同効薬　セフィキシム（CFIX），セフテラム ピボキシル（CFTM-PI），セフジニル（CFDN），セフポドキシム プロキ

セチル(CPDX-PR)，セフカペン ピボキシル(CFPN-PI)

治療

効能・効果 **細** ①小児：〈適応菌種〉セフジトレンに感性のブドウ球菌属，レンサ球菌属，肺炎球菌，モラクセラ(ブランハメラ)・カタラーリス，大腸菌，シトロバクター属，クレブシエラ属，エンテロバクター属，セラチア属，プロテウス属，モルガネラ・モルガニー，プロビデンシア属，インフルエンザ菌，百日咳菌，ペプトストレプトコッカス属，バクテロイデス属，プレボテラ属，アクネ菌 〈適応症〉表在性皮膚感染症，深在性皮膚感染症，リンパ管・リンパ節炎，慢性膿皮症，外傷・熱傷及び手術創等の二次感染，肛門周囲膿瘍，咽頭・喉頭炎，扁桃炎(扁桃周囲炎，扁桃周囲膿瘍を含む)，急性気管支炎，肺炎，肺膿瘍，慢性呼吸器病変の二次感染，膀胱炎，腎盂腎炎，中耳炎，副鼻腔炎，歯周組織炎，顎炎，猩紅熱，百日咳 ②成人(嚥下困難等により錠剤の使用が困難な場合)：〈適応菌種〉セフジトレンに感性のブドウ球菌属，レンサ球菌属，肺炎球菌，モラクセラ(ブランハメラ)・カタラーリス，大腸菌，シトロバクター属，クレブシエラ属，エンテロバクター属，セラチア属，プロテウス属，モルガネラ・モルガニー，プロビデンシア属，インフルエンザ菌，ペプトストレプトコッカス属，バクテロイデス属，プレボテラ属，アクネ菌 〈適応症〉表在性皮膚感染症，深在性皮膚感染症，リンパ管・リンパ節炎，慢性膿皮症，外傷・熱傷及び手術創等の二次感染，乳腺炎，肛門周囲膿瘍，咽頭・喉頭炎，扁桃炎(扁桃周囲炎，扁桃周囲膿瘍を含む)，急性気管支炎，肺炎，肺膿瘍，慢性呼吸器病変の二次感染，膀胱炎，腎盂腎炎，胆嚢炎，胆管炎，バルトリン腺炎，子宮内感染，子宮付属器炎，眼瞼膿瘍，涙嚢炎，麦粒腫，瞼板腺炎，中耳炎，副鼻腔炎，歯周組織炎，歯冠周囲炎，顎炎

錠〈適応菌種〉セフジトレンに感性のブドウ球菌属，レンサ球菌属，肺炎球菌，モラクセラ(ブランハメラ)・カタラーリス，大腸菌，シトロバクター属，クレブシエラ属，エンテロバクター属，セラチア属，プロテウス属，モルガネラ・モルガニー，プロビデンシア属，インフルエンザ菌，ペプトストレプトコッカス属，バクテロイデス属，プレボテラ属，アクネ菌 〈適応症〉表在性皮膚感染症，深在性皮膚感染症，リンパ管・リンパ節炎，慢性膿皮症，外傷・熱傷及び手術創等の二次感染，乳腺炎，肛門周囲膿瘍，咽頭・喉頭炎，扁桃炎(扁桃周囲炎，扁桃周囲膿瘍を含む)，急性気管支炎，肺炎，肺膿瘍，慢性呼吸器病変の二次感染，膀胱炎，腎盂腎炎，胆嚢炎，胆管炎，バルトリン腺炎，子宮内感染，子宮付属器炎，眼瞼膿瘍，涙嚢炎，麦粒腫，瞼板腺炎，中耳炎，副鼻腔炎，歯周組織炎，歯冠周囲炎，顎炎

効能・効果に関連する使用上の注意 咽頭・喉頭炎，扁桃炎(扁桃周囲炎，扁桃周囲膿瘍を含む)，急性気管支炎，中耳炎，副鼻腔炎への使用にあたっては，「抗微生物薬適正使用の手引き」を参照し，抗菌薬投与の必要性を判断した上で，本剤の投与が適切と判断される場合に投与する

用法・用量 **細** ①小児：(1)肺炎，中耳炎，副鼻腔炎：1回3mg(力価)/kgを1日3回食後．なお，必要に応じて1回6mg(力価)/kgまで投与できるが，成人での上限用量の1回200mg(力価)1日3回(1日600mg(力価))を超えない (2)前記以外の疾患：1回3mg(力価)/kgを1日3回食後(適宜増減)．成人での上限用量の1回200mg(力価)1日3回(1日600mg(力価))を超えない ②成人(嚥下困難等により錠剤の使用が困難な場合)：1回100mg(力価)を1日3回食後(適宜増減)．重症又は効果不十分と思われる場合は，1回200mg(力価)を1日3回食後

錠 1回100mg(力価)，1日3回食後(適宜増減)．重症又は効果不十分と思われる場合1回200mg(力価)，1日3回食後

用法・用量に関連する使用上の注意 ①使用にあたっては，耐性菌の発現等を防ぐため，原則として感受性を確認し，疾病の治療上必要な最小限の期間の投与にとどめる ②高度の腎障害のある患者には，投与間隔をあけて使用する ③**細** 小児用製剤であるが，嚥下困難等により錠剤の使用が困難な場合，成人に使用することができる．その場合，セフジトレンピボキシル錠の添付文書を参照する

使用上の注意

禁忌 本剤の成分に対し過敏症の既往歴のある患者

薬物動態

細粒剤と旧細粒剤，錠剤と旧錠剤，及び旧細粒剤と顆粒剤の生物学的同等性が確認されている **吸収・分布** ①血中濃度：(1)**細** 腎機能正常小児患者に1回3mg/kg(19例)，6mg/kg(18例)を食後経口投与時のCmaxは1.45，2.85，用量依存性．$T_{1/2}$は2.25，1.68．$AUC_{0-\infty}$は7.16，11.9 (2)**錠** 健康成人5名に1回100mg，200mgを食後経口投与時のCmax(μg/mL)は1.4時間後1.66，2時間後3.44，用量依存性．$T_{1/2}$(hr)は0.8，1.06．$AUC_{0-\infty}$(μg・hr/mL)は3.67，10.02．空腹時より食後投与の方が吸収は良好 ②**錠** 体液・組織内濃度：患者の喀痰，扁桃組織，上顎洞粘膜，皮膚組織，乳腺組織，胆嚢組織，子宮腟部，子宮頸部，瞼板腺組織，抜歯創内等へ移行．乳汁中移行は認められなかった ③蛋白結合：限外ろ過法で測定したヒト血清蛋白との結合率は25μg/mLで91.5%(*in vitro*) **代謝・排泄** ①吸収時に代謝を受け，抗菌活性をもつセフジトレンとピバリン酸になる．ピバリン酸はカルニチン抱合されピバロイルカルニチンとして尿中排泄．セフジトレンはほとんど代謝されることなく，主に尿，及び胆汁中に排泄 ②**細** 腎機能正常小児患者に1回3mg/kg又は6mg/kgを食後経口投与で，セフジトレンとしての尿中排泄率(0〜8時間)は約20%，17% ③**錠** 健康成人に1回100mg，200mgを食後経口投与時のセフジトレンとしての尿中排泄率(0〜24時間)約20%．連続投与(200mg×3回/日，8日間)で蓄積性は認められなかった **腎機能障害時の血清中濃度及び尿中排泄** 成人200mg錠食後経口投与：腎機能障害患者及び人工透析導入患者(いずれも成人)におけるセフジトレンの血清中濃度・薬物動態パラメータ(軽度(3例．51＜Ccr(mL/min)＜70)，中等度(4例．30＜Ccr＜50)，高度(2例．Ccr＜30)，透析患者(1例．非透析日)の順)はCmax(μg/mL)2時間後2.32，4時間後2.17，8時間後3.7，6時間後4.6．$T_{1/2}$(hr)は1.13，2.06，5.68，5.37．$AUC_{0-\infty}$(μg・hr/mL)は10.2，16.4，53.5，50.2．また，尿中排泄率は腎機能障害の程度が大きくなるにつれて低下し，排泄が遅延

その他の管理的事項

投与期間制限 該当しない

保険給付上の注意 該当しない

資料

IF メイアクトMS小児用細粒10%・錠100mg 2020年9月改訂(第12版)

セフジニル
セフジニルカプセル
セフジニル細粒
Cefdinir

概要

薬効分類 613 主としてグラム陽性・陰性菌に作用するもの

構造式

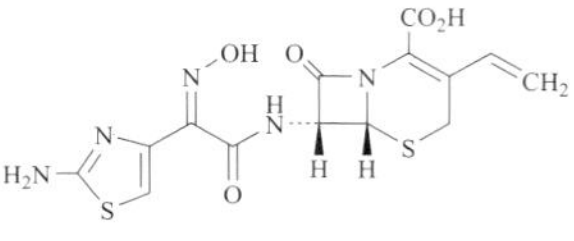

分子式 $C_{14}H_{13}N_5O_5S_2$

分子量 395.41

略語・慣用名 CFDN
ステム セファロスポラン酸系抗生物質：cef-
原薬の規制区分 該当しない
原薬の外観・性状 白色～淡黄色の結晶性の粉末である．水，エタノール(95)又はジエチルエーテルにほとんど溶けない．pH7.0の0.1mol/Lリン酸塩緩衝液に溶ける
原薬の吸湿性 25℃，75%RHにおいてほとんど吸湿性は認められない
原薬の融点・沸点・凝固点 融点：不明瞭．150℃付近から黄色味を帯び，その後徐々に褐色味を増し，220℃付近で黒色となり分解する
原薬の酸塩基解離定数 pKa_1＝1.9(カルボキシル基)，pKa_2＝3.3(アミノ基)，pKa_3＝9.9(ヒドロキシイミノ基)
先発医薬品等
細 セフゾン細粒小児用10%(LTL)
錠 セフジニル錠50mg・100mg「サワイ」(沢井)
カ セフジニルカプセル50mg・100mg「JG」(長生堂＝日本ジェネリック)
セフジニルカプセル50mg・100mg「TYK」(武田テバ薬品＝武田テバファーマ＝武田)
セフジニルカプセル50mg・100mg「YD」(陽進堂)
セフジニルカプセル50mg・100mg「トーワ」(東和薬品)
セフジニルカプセル50mg・100mg「日医工」(日医工)
セフジニルカプセル50mg・100mg「ファイザー」(マイラン＝ファイザー)
セフゾンカプセル50mg・100mg(LTL)
後発医薬品
細 10%
国際誕生年月 1991年10月
海外での発売状況 発売していない

製剤

規制区分 細 カ 処
製剤の性状 細 淡赤白色の細粒．芳香がある．味は甘い カ 淡赤色の硬カプセル剤
有効期間又は使用期限 細 3年 カ 2年
貯法・保存条件 細 室温保存，遮光した気密容器 カ 室温保存
薬剤取扱い上の留意点 粉ミルク，経腸栄養剤など鉄添加製品との併用により，便が赤色調を呈することがある．尿が赤色調を呈することがある 細 遮光し，湿気を避けて保存(光による退色及び湿気による固化のおそれがある)
患者向け資料等 くすりのしおり
溶液及び溶解時のpH 2.5～4.5(飽和水溶液)
浸透圧比 該当しない
安定なpH域 該当しない
調製時の注意 該当しない

薬理作用

分類 セフェム系抗生物質
作用部位・作用機序 細菌の細胞壁合成阻害であり，ペプチドグリカン架橋酵素であるペニシリン結合蛋白(PBP)と強く結びつき，架橋反応を阻害する．その作用点は菌種により異なるが，PBPの1(1a，1bs)，2及び3に親和性が高い．その作用は殺菌的であり，また食細胞，血清補体等生体防御因子と協力的に作用する
同効薬 セファクロル，セフポドキシムプロキセチル，セフィキシム，セフテラムピボキシル

治療

効能・効果 細〈適応菌種〉本剤に感性のブドウ球菌属，レンサ球菌属，肺炎球菌，モラクセラ(ブランハメラ)・カタラーリス，大腸菌，クレブシエラ属，プロテウス・ミラビリス，インフルエンザ菌 〈適応症〉表在性皮膚感染症，深在性皮膚感染症，リンパ管・リンパ節炎，慢性膿皮症，咽頭・喉頭炎，扁桃炎，急性気管支炎，肺炎，膀胱炎，腎盂腎炎，中耳炎，副鼻腔炎，猩紅熱
錠 カ〈適応菌種〉本剤に感性のブドウ球菌属，レンサ球菌属，肺炎球菌，淋菌，モラクセラ(ブランハメラ)・カタラーリス，大腸菌，クレブシエラ属，プロテウス・ミラビリス，プロビデンシア属，インフルエンザ菌，ペプトストレプトコッカス属，アクネ菌 〈適応症〉表在性皮膚感染症，深在性皮膚感染症，リンパ管・リンパ節炎，慢性膿皮症，外傷・熱傷及び手術創等の二次感染，乳腺炎，肛門周囲膿瘍，咽頭・喉頭炎，扁桃炎，急性気管支炎，肺炎，膀胱炎，腎盂腎炎，尿道炎，バルトリン腺炎，子宮内感染，子宮付属器炎，麦粒腫，瞼板腺炎，外耳炎，中耳炎，副鼻腔炎，歯周組織炎，歯冠周囲炎，顎炎
効能・効果に関連する使用上の注意 咽頭・喉頭炎，扁桃炎，急性気管支炎，中耳炎，副鼻腔炎への使用にあたっては，「抗微生物薬適正使用の手引き」を参照し，抗菌薬投与の必要性を判断した上で，投与が適切と判断される場合に投与する
用法・用量 細 セフジニルとして小児1日9～18mg(力価)/kgを3回に分服(適宜増減)
錠 カ セフジニルとして1回100mg(力価)，1日3回(適宜増減)
用法・用量に関連する使用上の注意 ①使用にあたっては，耐性菌の発現等を防ぐため，原則として感受性を確認し，疾病の治療上必要な最小限の期間の投与にとどめる ②高度の腎障害のある患者では血中濃度が持続するので，腎障害の程度に応じて投与量を減量し，投与の間隔をあけて使用する．〔錠 カ 血液透析患者では1日100mg1回投与が望ましい〕 ③鉄剤との併用は避けることが望ましい．やむを得ず併用する場合には，本剤の投与後3時間以上間隔をあけて投与する

使用上の注意

禁忌 本剤の成分に対し過敏症の既往歴のある患者

薬物動態

血漿中濃度(単回経口投与) ①細 小児：(1)3mg/kg(71例)及び6mg/kg(36例)を空腹時投与の最高値は約2.5時間後0.92，1.31μg/mL，消失半減期1.8～1.9時間 (2)3mg/kgを食後投与時(28例)の最高値は3.6時間後に0.63μg/mLで，食後投与では吸収がやや低下 ②カ (1)健常成人6例に50，100，200mgを空腹時投与の最高値は約4時間後0.64，1.11，1.74μg/mL，消失半減期1.6～1.8時間 (2)健常成人6例に100mgを空腹時及び食後に投与時の最高値は約4時間後1.25，0.79μg/mLで，食後投与では吸収がやや低下 (3)成人腎機能障害患者に100mgを単回経口投与時，消失半減期が腎機能の低下に伴い延長．腎機能障害患者ごとのパラメータ[Ccr(mL/min)＞100(3例)，51～70(1例)，31～50(3例)，＜30(2例)の順]は$T_{1/2}$(hr)1.66，2.41，2.92，4.06，AUC(μg・hr/mL)2.76，10.74，7.48，16.94 (4)血液透析患者6例に100mgを食後に単回経口投与時，消失半減期は健常人の約11倍に増加．同じ患者に100mgを食後単回経口投与時，ほぼ最高血漿中濃度に達した時間より4時間透析を施行時，透析中の半減期は非透析日の約1/6に短縮，透析による除去率は61%．各パラメータ(非透析日，透析日の順)はCmax(μg/mL)2.36，2.03，Tmax(hr)9.00，データなし，$T_{1/2}$(hr)16.95，2.76(透析中の半減期)，$AUC_{0-\infty}$(μg・hr/mL)69.05，30.18 **組織内移行** カ 患者喀痰中，扁桃組織，上顎洞粘膜組織，中耳分泌物，皮膚組織，口腔組織等へ移行．乳汁中移行は認められていない **代謝** カ ヒトの血漿，尿，糞便中には抗菌活性代謝物質は認められていない **排泄** 主として腎から排泄：①空腹時経口投与：細 小児に3及び6mg/kg投与時の尿中排泄率(0～8時間)は約17～21%，最高尿中濃度は2～4時間で102，189μg/mL．カ 健常成人6例に50，100，200mg投与時の尿中排泄率(0～24時間)は約26～33%，最高尿中濃度は4～6時間で44.3，81.5，132μg/mL ②カ 成人腎機能障害患者に100mgを単回経口投与時，腎機能低下に伴い排泄が遅延

その他の管理的事項

投与期間制限 該当しない
保険給付上の注意 該当しない

資料
IF　セフゾン細粒小児用10%　2019年4月改訂(第16版)
　　セフゾンカプセル50mg・100mg　2020年4月改訂(第19版)

セフスロジンナトリウム
Cefsulodin Sodium

概要
薬効分類　613　主としてグラム陽性・陰性菌に作用するもの
構造式

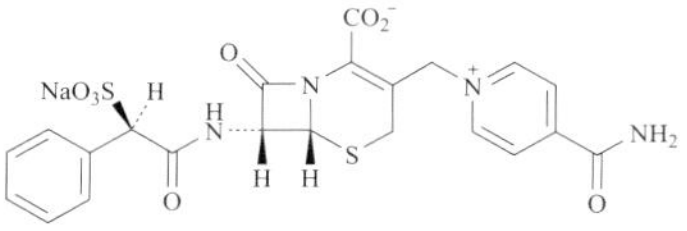

分子式　$C_{22}H_{19}N_4NaO_8S_2$
分子量　554.53
原薬の規制区分　該当しない
原薬の外観・性状　白色～淡黄色の結晶又は結晶性の粉末である．水又はホルムアミドに溶けやすく，メタノールに溶けにくく，エタノール(95)に極めて溶けにくい．1.0gを水10mLに溶かした液のpHは3.3～4.8である
原薬の吸湿性　吸湿性である

セフタジジム水和物
注射用セフタジジム
Ceftazidime Hydrate

概要
薬効分類　613　主としてグラム陽性・陰性菌に作用するもの
構造式

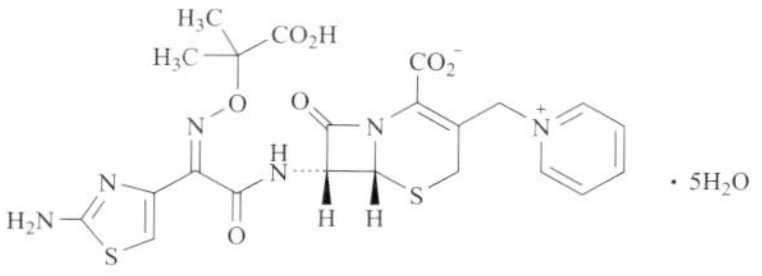

分子式　$C_{22}H_{22}N_6O_7S_2 \cdot 5H_2O$
分子量　636.65
略語・慣用名　CAZ
ステム　セファロスポラン酸系抗生物質：cef-
原薬の規制区分　該当しない
原薬の外観・性状　白色～淡黄白色の結晶性の粉末である．水に溶けにくく，アセトニトリル又はエタノール(95)に極めて溶けにくい．0.5gを水100mLに溶かした液のpHは3.0～4.0である
原薬の吸湿性　ほとんど認められない
原薬の融点・沸点・凝固点　130℃付近で微黄色，190℃付近で黒褐色となり，明確な融点及び分解点は認められなかった
原薬の酸塩基解離定数　pKa＝約2.4(2位カルボキシル基)，約4.1(7位側鎖カルボキシル基)
先発医薬品等
　注射用　モダシン静注用0.5g・1g(GSK)
後発医薬品
　注射用　500mg・1g
国際誕生年月　1983年10月
海外での発売状況　米，英，仏，独，豪を含む160カ国以上

製剤
規制区分　**注射用**　㊙
製剤の性状　**注射用**　白色～淡黄白色の粉末で，用時溶解して用いる注射剤
有効期間又は使用期限　2年
貯法・保存条件　遮光・室温保存
薬剤取扱い上の留意点　調製後は速やかに使用すること．なお，やむを得ず保存を必要とする場合でも室温保存で6時間，冷蔵庫保存で72時間以内に使用すること
患者向け資料等　くすりのしおり
溶液及び溶解時のpH　5.8～7.8(100mg/mL注射用水)
浸透圧比　約0.7(0.5g/10mL注射用水)，約2(1g/20mL生食，1g/20mL5%ブドウ糖注射液)
調製時の注意　バンコマイシン塩酸塩，ガベキサートメシル酸塩，ブロムヘキシン塩酸塩，ベタメタゾンリン酸エステルナトリウム，カンレノ酸カリウム，ジピリダモールと配合すると白濁・沈殿を生じることがあるため，混注しないこと．フルオロウラシル，テガフール，アミノフィリン水和物と配合すると時間の経過とともに本剤の力価が低下することがあるため，速やかに使用すること．本剤の安定性が低下するため，炭酸水素ナトリウム注射液を溶解や希釈に用いないこと

薬理作用
分類　セファロスポリン系抗生物質
作用部位・作用機序　作用部位：細菌の細胞壁　作用機序：ペニシリン結合蛋白分画1A，1B，3に対し，高い親和性を示し，細菌の細胞壁合成(細胞壁ペプチドグリカン架橋形成)を阻害する
同効薬　注射用セフェム系抗生物質

治療
効能・効果　〈適応菌種〉本剤に感性のブドウ球菌属，レンサ球菌属，肺炎球菌，大腸菌，シトロバクター属，クレブシエラ属，エンテロバクター属，セラチア属，プロテウス属，モルガネラ・モルガニー，プロビデンシア属，インフルエンザ菌，シュードモナス属，緑膿菌，バークホルデリア・セパシア，ステノトロホモナス(ザントモナス)・マルトフィリア，アシネトバクター属，ペプトストレプトコッカス属，バクテロイデス属，プレボテラ属(プレボテラ・ビビアを除く)〈適応症〉敗血症，感染性心内膜炎，外傷・熱傷及び手術創等の二次感染，咽頭・喉頭炎，扁桃炎(扁桃周囲炎，扁桃周囲膿瘍を含む)，急性気管支炎，肺炎，肺膿瘍，膿胸，慢性呼吸器病変の二次感染，膀胱炎，腎盂腎炎，前立腺炎(急性症，慢性症)，腹膜炎，胆嚢炎，胆管炎，肝膿瘍，バルトリン腺炎，子宮内感染，子宮付属器炎，子宮旁結合織炎，化膿性髄膜炎，中耳炎，副鼻腔炎
効能・効果に関連する使用上の注意　咽頭・喉頭炎，扁桃炎(扁桃周囲炎，扁桃周囲膿瘍を含む)，急性気管支炎，中耳炎，副鼻腔炎への使用にあたっては，「抗微生物薬適正使用の手引き」を参照し，抗菌薬投与の必要性を判断した上で，投与が適切と判断される場合に投与する
用法・用量　1日1～2g(力価)，2回に分割静注．小児1日40～100mg(力価)/kg，2～4回に分割静注．1回未熟児・新生児の生後0～3日齢20mg(力価)/kgを1日2～3回，生後4日齢以降20mg(力価)/kgを1日3～4回静注．難治性又は重症感染症には症状に応じて1日4g(力価)，小児150mg(力価)/kg，未熟児・新生児150mg(力価)/kgまで増量し，2～4回に分注．静注には注射用水，生理食塩液，ブドウ糖注射液に溶解し，緩徐に行う．糖液，電解質液，アミノ酸製剤等の補液に加えて30分～2時間かけて点滴静注することもできる．点滴静注を行う場合，注射用水は溶液が等張とならないため用いない．注射液の調製法は添付文書参照
用法・用量に関連する使用上の注意　①使用にあたっては，耐性菌の発現等を防ぐため，原則として感受性を確認し，疾病の治療上必要な最小限の期間の投与にとどめる　②腎機能障

害患者では，血中濃度半減期の延長及び尿中排泄率の低下が認められ，血中濃度が増大するので，腎機能障害の程度に応じて投与量，投与間隔の調節が必要である．次に投与法の一例を示す(外国人のデータ)．クレアチニンクリアランス(mL/min)〔( )内は血清クレアチニン値(mg/dL)〕別の1回投与量及び投与間隔：50～31(1.7～2.3)で1g(力価)を12時間間隔，30～16(2.3～4)で1g(力価)を24時間間隔，15～6(4～5.6)で0.5g(力価)を24時間間隔，5未満(5.6より上)で0.5g(力価)を48時間間隔

使用上の注意

禁忌　本剤の成分に対し過敏症の既往歴のある患者

過量投与　過量投与による大脳刺激により，痙攣，意識障害等の精神・神経症状を起こすことがある．なお，本剤の血中濃度は透析により下げることができる

薬物動態

血中濃度　健康成人及び小児(腎機能正常)に静注又は点滴静注時の血中濃度は用量依存性　①健康成人及び小児(腎機能正常)：健康成人に0.5g(14例)，1g(29例)静注時の$T_{1/2}$(hr)は1.60，1.60，Cmax(μg/mL)85.8，190，AUC(hr・μg/mL)68.8，174，Kel(/hr)1.42，1.01．健康成人に0.5g/0.5hr(5例)，1g/hr(7例)，2g/hr(3例)点滴静注時の$T_{1/2}$(hr)は1.91，1.64，1.40，Cmax(μg/mL)42.9，69.3，150，AUC(hr・μg/mL)64.2，144，336，Kel(/hr)は0.94，0.79，0.66．腎機能正常小児に10mg/kg(27例)，20mg/kg(37例)，40mg/kg(7例)静注時の$T_{1/2}$(hr)は1.19，1.36，1.19，Cmax(μg/mL)140，171，159，AUC(hr・μg/mL)80.4，131，213，Kel(/hr)は1.69，1.26，0.73．腎機能正常小児に10mg/kg/hr(13例)，20mg/kg/hr(22例)，40mg/kg/hr(3例)点滴静注時の$T_{1/2}$(hr)1.42，1.58，1.09，Cmax(μg/mL)43.4，68.0，116，AUC(hr・μg/mL)84.8，137，210，Kel(/hr)1.01，2.45，0.83　②未熟児及び新生児患者：未熟児患者に10mg/kgを0～3日，4～7日，8～30日静注時の$T_{1/2}$(hr)3.21，3.08，2.79，Cmax(μg/mL)42.9，51.2，39.2，AUC(hr・μg/mL)184，167，138，20mg/kgを0～3日，4～7日，8～30日静注時の$T_{1/2}$(hr)4.10，3.72，2.75，Cmax(μg/mL)72.1，115.1，80.4，AUC(hr・μg/mL)346，265，229．未熟児患者に20mg/kgを0～3日，4～7日，8～30日点滴静注時の$T_{1/2}$(hr)4.20，3.20，2.75．新生児患者に10mg/kgを0～3日，4～7日，8～30日静注時の$T_{1/2}$(hr)3.17，2.52，2.22，Cmax(μg/mL)34.9，42.2，36.7，AUC(hr・μg/mL)148，120，119，20mg/kgを0～3日，4～7日，8～30日静注時の$T_{1/2}$(hr)3.32，2.70，2.65，Cmax(μg/mL)は68.1，109.6，120.0，AUC(hr・μg/mL)は256，222，226．新生児患者に20mg/kgを0～3日，4～7日，8～30日30分間点滴静注時の$T_{1/2}$(hr)は2.96，2.98，2.25，20mg/kgを0～3日，4～7日，8～30日60分間点滴静注時の$T_{1/2}$(hr)3.99，2.49，1.71　**体液・組織内移行**　胆石症患者に1g静注時の胆汁中濃度は，投与後約2.5時間で平均47.6μg/mL，胆嚢壁内濃度は約3時間で平均17.3μg/g．扁桃組織，喀痰，腹水，腹腔内滲出液，髄液，骨盤死腔液，乳癌術後滲出液，前立腺，子宮，卵巣・卵管，羊水，臍帯血，中耳粘膜組織・中耳分泌物，上顎洞粘膜組織等への移行は良好．乳汁中へもわずかに移行　**代謝・排泄**　主として腎から排泄され，未変化体のまま大部分が尿中へ排泄．健康成人に1回0.5g，1g静注，又は0.5g，1g，2g点滴静注後の排泄率は6時間までに74～86%．1g静注後の尿中濃度は約4110μg/mL(0～2時間)，約1270μg/mL(2～4時間)　**その他の薬物速度論的パラメータ**　血清蛋白結合率：約20%(ヒト)

その他の管理的事項

投与期間制限　該当しない

保険給付上の注意　該当しない

資料

IF　モダシン静注用0.5g・1g　2019年5月改訂(第8版)

セフチゾキシムナトリウム
Ceftizoxime Sodium

概要

薬効分類　613　主としてグラム陽性・陰性菌に作用するもの

構造式

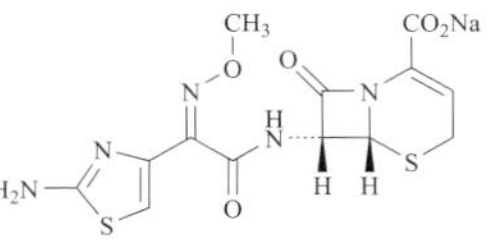

分子式　$C_{13}H_{12}N_5NaO_5S_2$

分子量　405.38

略語・慣用名　CZX

ステム　セファロスポラン酸系抗生物質：cef-

原薬の規制区分　該当しない

原薬の外観・性状　白色～淡黄色の結晶又は結晶性の粉末である．水に極めて溶けやすく，メタノールに溶けにくく，エタノール(95)にほとんど溶けない．1.0gを水10mLに溶かした液のpHは6.0～8.0である

原薬の吸湿性　臨界湿度：約90%(25℃)

原薬の融点・沸点・凝固点　融点：約260℃(分解)

原薬の酸塩基解離定数　pKa_1＝約2.95(2-アミノチアゾール環のアミノ基)，pKa_2＝約2.78(セファロスポリン母核のカルボキシル基)

先発医薬品等

坐 エポセリン坐剤125・250(長生堂＝日本ジェネリック)

国際誕生年月　1981年12月

海外での発売状況　該当資料なし

製剤

規制区分　坐　処

製剤の性状　坐 白色～帯黄白色の紡錘形坐剤

有効期間又は使用期限　2年

貯法・保存条件　室温保存(15℃以下で保存することが望ましい．アルミ袋開封後は，光及び湿気により黄変することがあるため，冷暗所で保存することが望ましい)

薬剤取扱い上の留意点　できるだけ排便後に用いること．15℃以下で保存することが望ましい．アルミ袋開封後は，光及び湿気により黄変することがあるため，冷暗所で保存することが望ましい

患者向け資料等　くすりのしおり

溶液及び溶解時のpH　6.0～8.0(1.0gを水10mLに溶かした液)

浸透圧比　該当しない

安定なpH域　該当しない

調製時の注意　該当しない

薬理作用

分類　セフェム系抗生物質

作用部位・作用機序　作用部位：細菌の細胞壁　作用機序：細菌細胞壁の合成阻害であり，ペニシリン結合蛋白(PBP)の1bに最も強い親和性を有し，次いで1a，3である．また，グラム陰性菌の外膜透過性は良好である

同効薬　セファゾリンナトリウム，セフォタキシムナトリウム，セフォチアム塩酸塩，セフォペラゾンナトリウム，セフメタゾールナトリウム

治療

効能・効果　〈適応菌種〉セフチゾキシムに感性のレンサ球菌属，肺炎球菌，大腸菌，シトロバクター属，クレブシエラ属，エンテロバクター属，セラチア属，プロテウス属，モルガネラ・モルガニー，プロビデンシア属，インフルエンザ菌，ペプトストレプトコッカス属，バクテロイデス属，プレボテラ・メラニノジェニカ　〈適応症〉急性気管支炎，肺炎，慢性呼吸器病変の二次感染，膀胱炎，腎盂腎炎

セ

効能・効果に関連する使用上の注意　急性気管支炎への使用にあたっては，「抗微生物薬適正使用の手引き」を参照し，抗菌薬投与の必要性を判断した上で，本剤の投与が適切と判断される場合に投与する

用法・用量　小児1日20～70mg（力価）/kg，3～4回に分けて肛門内に挿入（適宜増減）

用法・用量に関連する使用上の注意　①使用にあたっては，耐性菌の発現等を防ぐため，原則として感受性を確認し，疾病の治療上必要な最小限の期間の投与にとどめる　②高度の腎障害のある患者では，血中濃度が持続するので，腎障害の程度に応じて投与量を減量し，投与の間隔をあけて使用する

使用上の注意

禁忌　本剤の成分に対し過敏症の既往歴のある患者

薬物動態

血清中濃度（μg/mL）　患児に125mg（平均11.1mg/kg，7例），250mg（平均15.8mg/kg，9例）直腸内投与後のピーク値は15分後6.01，30分後8.59．半減期1.21時間，1.33時間　**組織内移行**　患児に250mg（平均10.4mg/kg）を直腸内投与時の扁桃組織内濃度2.73μg/g（投与30分後）　**尿中排泄**　患児に125mg（平均5.2mg/kg），250mg（平均9.2mg/kg）直腸内投与時の尿中回収率（投与後6時間まで）31.4%，32.2%．投与後2時間までの尿中濃度270.8μg/mL，622.7μg/mL

その他の管理的事項

投与期間制限　該当しない

保険給付上の注意　該当しない

資料

IF　エポセリン坐剤125・250　2019年4月改訂（第10版）

セフチブテン水和物
Ceftibuten Hydrate

概要

構造式

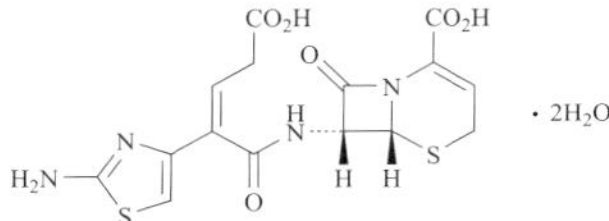

分子式　$C_{15}H_{14}N_4O_6S_2 \cdot 2H_2O$

分子量　446.46

原薬の規制区分　該当しない

原薬の外観・性状　白色～淡黄白色の結晶性の粉末である．*N,N*-ジメチルホルムアミド又はジメチルスルホキシドに溶けやすく，水，エタノール（95）又はジエチルエーテルにほとんど溶けない

原薬の吸湿性　僅かに吸湿性を示す

原薬の融点・沸点・凝固点　融点：約235℃（分解）

治療

効能・効果† 〈適応菌種〉本剤に感性の淋菌，大腸菌，クレブシエラ属，エンテロバクター属，セラチア属，プロテウス属，モルガネラ・モルガニー，プロビデンシア・レットゲリ，インフルエンザ菌　〈適応症〉急性気管支炎，慢性呼吸器病変の二次感染，膀胱炎，腎盂腎炎，前立腺炎（急性に限る），尿道炎

セフテラム　ピボキシル
セフテラム　ピボキシル錠
セフテラム　ピボキシル細粒
Cefteram Pivoxil

概要

薬効分類　613　主としてグラム陽性・陰性菌に作用するもの

構造式

分子式　$C_{22}H_{27}N_9O_7S_2$

分子量　593.64

略語・慣用名　CFTM-PI

ステム　セファロスポラン酸系抗生物質：cef-

原薬の規制区分　該当しない

原薬の外観・性状　白色～微黄白色の粉末である．アセトニトリルに極めて溶けやすく，メタノール，エタノール（95）又はクロロホルムに溶けやすく，水にほとんど溶けない

原薬の吸湿性　92.5%RH，25℃，2日間で吸湿度2.4%

原薬の融点・沸点・凝固点　融点：約110℃付近で半融状態となり，その後徐々に着色し，発泡分解するが，明瞭な変化点は認められない

原薬の酸塩基解離定数　pKa＝約3.0

先発医薬品等

細　セフテラムピボキシル細粒小児用10%「日医工」（日医工）
　トミロン細粒小児用20%（富士フイルム富山化学）

錠　トミロン錠50・100（富士フイルム富山化学＝昭和薬化）

国際誕生年月　1987年6月

海外での発売状況　韓国，中国

製剤

規制区分　細　錠　㈴

製剤の性状　細　淡橙色の細粒で，味は甘い．芳香がある　錠　淡橙色のフィルムコーティング錠

有効期間又は使用期限　3年

貯法・保存条件　細　湿気を避けて室温保存．吸湿しやすいため，バラ包装品は調剤時にその都度密栓する（主成分の分解により特異臭がすることがある）．また，分包品はアルミピロー開封後なるべく速やかに使用すること．長期保存する場合は湿気を避けて保存　錠　湿気を避けて室温保存．また，光により徐々に退色することがあるので，アルミピロー包装開封後の保存には注意すること

薬剤取扱い上の留意点　該当しない

患者向け資料等　くすりのしおり

薬理作用

分類　セフェム系抗生物質

作用部位・作用機序　ペニシリン結合タンパク（PBPs）の3，1A，1Bsに強く結合して細菌細胞壁の合成を阻害する結果，殺菌的に作用する

同効薬　セフェム系抗生物質

治療

効能・効果　①小児（細粒のみ）：〈適応菌種〉セフテラムに感性のレンサ球菌属，肺炎球菌，大腸菌，クレブシエラ属，プロテウス属，モルガネラ・モルガニー，プロビデンシア属，インフルエンザ菌　〈適応症〉咽頭・喉頭炎，扁桃炎（扁桃周囲炎，扁桃周囲膿瘍を含む），急性気管支炎，肺炎，膀胱炎，腎盂腎炎，中耳炎，副鼻腔炎，猩紅熱　②成人（錠又は細粒（嚥

下困難等により錠剤の使用が困難な場合))：〈適応菌種〉セフテラムに感性のレンサ球菌属，肺炎球菌，淋菌，大腸菌，シトロバクター属，クレブシエラ属，エンテロバクター属，セラチア属，プロテウス属，モルガネラ・モルガニー，プロビデンシア属，インフルエンザ菌，ペプトストレプトコッカス属　〈適応症〉咽頭・喉頭炎，扁桃炎(扁桃周囲炎，扁桃周囲膿瘍を含む)，急性気管支炎，肺炎，慢性呼吸器病変の二次感染，膀胱炎，腎盂腎炎，尿道炎，バルトリン腺炎，子宮内感染，子宮付属器炎，中耳炎，副鼻腔炎，歯周組織炎，歯冠周囲炎，顎炎

効能・効果に関連する使用上の注意　咽頭・喉頭炎，扁桃炎(扁桃周囲炎，扁桃周囲膿瘍を含む)，急性気管支炎，中耳炎，副鼻腔炎への使用にあたっては，「抗微生物薬適正使用の手引き」を参照し，抗菌薬投与の必要性を判断した上で，本剤の投与が適切と判断される場合に投与する

用法・用量　①小児(細粒のみ)：セフテラム　ピボキシルとして小児1日9～18mg(力価)/kg，3回に分服(適宜増減)　②成人(錠又は細粒(嚥下困難等により錠剤の使用が困難な場合))：(1)咽頭・喉頭炎，扁桃炎(扁桃周囲炎，扁桃周囲膿瘍を含む)，急性気管支炎，膀胱炎，腎盂腎炎，バルトリン腺炎，子宮内感染，子宮付属器炎　セフテラム　ピボキシルとして1日150～300mg(力価)，食後3回に分服(適宜増減)　(2)肺炎，慢性呼吸器病変の二次感染，尿道炎，中耳炎，副鼻腔炎，歯周組織炎，歯冠周囲炎，顎炎：セフテラム　ピボキシルとして1日300～600mg(力価)，食後3回に分服(適宜増減)

用法・用量に関連する使用上の注意　①高度の腎障害のある患者には，投与量・投与間隔の適切な調節をする等，慎重に投与する　②使用にあたっては，耐性菌の発現等を防ぐため，原則として感受性を確認し，疾病の治療上必要な最小限の期間の投与にとどめる　③**細** 本剤は小児用製剤であるが，嚥下困難等により錠剤の服用が困難な場合には成人に使用することができる．なお，その場合にはセフテラム　ピボキシル錠(成人)のデータを参照する

使用上の注意

禁忌　本剤の成分に対し過敏症の既往歴のある患者

薬物動態

細 細粒剤と錠剤の生物学的同等性が確認されている　**血中濃度(μg/mL)**　**細**(10%)小児(3例)に3mg/kg又は6mg/kgを食後経口投与時，抗菌活性体であるセフテラムの平均最高血中濃度は3～4時間後それぞれ1.3及び2.2．半減期1.2～1.3時間．健康成人12例に100mgを食後経口投与時のCmaxは1.57μg/mL，AUCは5.11μg・hr/mL　**錠** 健康成人(6例)に200mg食後経口投与で，抗菌活性体であるセフテラムとして高い血中濃度が得られ，そのピークは3時間後2.9，半減期0.9時間　**組織内移行(錠，成人)**　喀痰，耳漏，扁桃，上顎洞粘膜，鼻茸，篩骨洞粘膜，尿道分泌物，抜歯創等へ良好に移行．子宮各組織移行も認められるが，乳汁中移行はほとんど認められない　**代謝・排泄**　吸収時に腸管粘膜でエステラーゼにより代謝され，抗菌活性を有するセフテラムとピバリン酸になる．ピバリン酸はカルニチン抱合を受け，尿中にピバロイルカルニチンとして排泄され，セフテラムは活性体のまま一部胆汁中排泄，主に尿中排泄．**細**(10%)小児に3mg/kg又は6mg/kgを食後経口投与時，平均最高尿中濃度は2～4時間後それぞれ83μg/mL及び156μg/mL．投与後8時間までの平均尿中回収率16～20%．**錠** 健康成人に200mg食後経口投与で，8時間までの尿中排泄率32.8%　**腎機能障害者の血中濃度(錠，成人)**腎機能障害者に100mg食後連続投与時，腎機能の低下に伴い半減期が延長，クレアチニンクリアランス値(Ccr：mL/min)別半減期(hr)は，100以上(正常者)0.83，40～70(軽度)1.46，20～30(中等度)4.36

その他の管理的事項

投与期間制限　該当しない

保険給付上の注意　該当しない

資料

IF　トミロン細粒小児用10%・錠50・100　2019年4月改訂(第17版)

セフトリアキソンナトリウム水和物
Ceftriaxone Sodium Hydrate

概要

薬効分類　613　主としてグラム陽性・陰性菌に作用するもの

構造式

分子式　$C_{18}H_{16}N_8Na_2O_7S_3 \cdot 3\frac{1}{2}H_2O$

分子量　661.60

略語・慣用名　CTRX

ステム　セファロスポラン酸系抗生物質：cef-

原薬の規制区分　該当しない

原薬の外観・性状　白色～淡黄白色の結晶性の粉末である．水又はジメチルスルホキシドに溶けやすく，メタノールにやや溶けにくく，エタノール(99.5)に極めて溶けにくく，アセトニトリルにほとんど溶けない．0.6gを水5mLに溶かした液のpHは6.0～8.0である

原薬の吸湿性　25℃，一定相対湿度に7日間保存したところ10～50%RHにおいて3.5水塩結晶として安定であった

原薬の融点・沸点・凝固点　159℃付近から黄変しはじめ，徐々に褐変し，270℃で黒色化するが，300℃まで明らかな融点ないし分解点を示さない

原薬の酸塩基解離定数　pka＝1.72(カルボキシル基)，pka＝3.15(アミノチアゾール基)，pka＝4.34(トリアジノン基)

先発医薬品等

注射用 ロセフィン静注用0.5g・1g(太陽ファルマ)

キット ロセフィン点滴静注用1gバッグ(太陽ファルマ)

後発医薬品

注射用 500mg・1g

キット 1g

国際誕生年月　1982年5月

海外での発売状況　約110カ国

製剤

規制区分　**注射用**　**キット**　㊄

製剤の性状　**注射用**　**キット** 白色～淡黄白色の結晶性の粉末

有効期間又は使用期限　**注射用** 3年　**キット** 2年

貯法・保存条件　遮光・室温保存，光，熱によって徐々に着色することがあるので，保存には注意

薬剤取扱い上の留意点　溶解後は速やかに使用すること．特にグルタチオン製剤，高濃度アミノ酸類の補液に溶解して使用の場合は留意のこと

患者向け資料等　くすりのしおり

溶液及び溶解時のpH　**注射用** 6.0～8.0(1g/10mL注射用水)　**キット** 6.3～6.9(1g/100mL)

浸透圧比　**注射用** 約1.3(対生食)　**キット** 1.1～1.2(対生食)

調製時の注意　トブラマイシン，ベカナマイシン硫酸塩，ジベカシン硫酸塩との配合により混濁等の変化が認められるので，配合しないこと．カルシウムを含有する注射剤又は輸液との配合により混濁等の変化が認められたとの報告があるので，配合しないこと　**注射用** 点滴静注を行う場合には，注射用

水を用いないこと(溶液が等張にならないため)

薬理作用

分類　セフェム系抗生物質

作用部位・作用機序　作用機序は細胞壁合成阻害である．大腸菌ではペニシリン結合タンパク質の3に最も親和性が高く，次いで1a，1b，2の順であり，細菌細胞壁ペプチドグリカン架橋形成を阻害して殺菌的に作用する

同効薬　セフェム系抗生物質

治療

効能・効果　〈適応菌種〉セフトリアキソンに感性のブドウ球菌属，レンサ球菌属，肺炎球菌，淋菌，大腸菌，シトロバクター属，クレブシエラ属，エンテロバクター属，セラチア属，プロテウス属，モルガネラ・モルガニー，プロビデンシア属，インフルエンザ菌，ペプトストレプトコッカス属，バクテロイデス属，プレボテラ属(プレボテラ・ビビアを除く)　〈適応症〉敗血症，咽頭・喉頭炎，扁桃炎，急性気管支炎，肺炎，肺膿瘍，膿胸，慢性呼吸器病変の二次感染，膀胱炎，腎盂腎炎，精巣上体炎(副睾丸炎)，尿道炎，子宮頸管炎，骨盤内炎症性疾患，直腸炎，腹膜炎，腹腔内膿瘍，胆嚢炎，胆管炎，バルトリン腺炎，子宮内感染，子宮付属器炎，子宮旁結合織炎，化膿性髄膜炎，角膜炎(角膜潰瘍を含む)，中耳炎，副鼻腔炎，顎骨周辺の蜂巣炎，顎炎

効能・効果に関連する使用上の注意　咽頭・喉頭炎，扁桃炎，急性気管支炎，中耳炎，副鼻腔炎への使用にあたっては，「抗微生物薬適正使用の手引き」を参照し，抗菌薬投与の必要性を判断した上で，投与が適切と判断される場合に投与する

用法・用量　①成人：1日1～2g(力価)，1～2回に分け静注又は点滴静注．難治性又は重症感染症には症状に応じて1日量4g(力価)まで増量し，2回に分注．なお，淋菌感染症については，次の通り投与する：⑴咽頭・喉頭炎，尿道炎，子宮頸管炎，直腸炎：1回1g(力価)静注又は点滴静注　⑵精巣上体炎(副睾丸炎)，骨盤内炎症性疾患：1日1回1g(力価)静注又は点滴静注　②小児：1日20～60mg(力価)/kgを1回又は2回に分けて，静注又は点滴静注．難治性又は重症感染症には症状に応じて，1日量120mg(力価)/kgまで増量し，2回に分注　③未熟児・新生児：生後0～3日齢には1日1回20mg(力価)/kg，生後4日齢以降には1回20mg(力価)/kgを1日2回，静注又は点滴静注．難治性又は重症感染症には症状に応じて，1回量40mg(力価)/kgまで増量し，1日2回．ただし，生後2週間以内の未熟児・新生児には1日50mg(力価)/kgまでとする　④静注に際し，注射用水，生理食塩液又はブドウ糖注射液に溶解し，緩徐に投与．点滴静注には補液に溶解して用い，注射用水を使用しない(溶液が等張にならない)．点滴静注は30分以上かけて投与する　⑤バッグ品の投与に際しては，用時，添付の溶解液にて溶解し，静脈内に点滴する(溶解操作方法は添付文書参照)．なお，溶解後は速やかに使用する

用法・用量に関連する使用上の注意　使用にあたっては，耐性菌の発現等を防ぐため，原則として感受性を確認し，疾病の治療上必要な最小限の期間の投与にとどめる

使用上の注意

禁忌　①本剤の成分に対し過敏症の既往歴のある患者　②高ビリルビン血症の未熟児，新生児

過量投与　本剤は，腹膜透析や血液透析では除去されないので，過量投与した患者に対しては注意深く観察し対症療法を行う

薬物動態

血中濃度　健康成人男子に0.5g(19例)，1g(18例)静注，1g(5例)1時間点滴静注時の血中半減期は各7.5，8.1，7.1時間．腎機能正常小児に10(16例)，20(23例)，40(4例)，50(7例)mg/kg静注時の血中半減期は各4.9，5.9，6，4.7時間．高齢患者4例及び腎機能障害(クレアチニン・クリアランス16.4，19.8mL/min)のある高齢患者2例に1g静注時の血中半減期は各13.5，21.3時間に延長．出生28日以内の新生児に10(37例)，又は20(68例)mg/kgを単回静注時の血中半減期は約10.9時間　**蛋白結合率**　蛋白結合率は血中濃度依存的で，血中濃度が0.5～300μg/mLのとき，蛋白結合率は96.3～83.3%　**組織内移行**　病巣でも有効濃度が長時間持続．1g静注約24時間後の平均値は胆管胆汁中131μg/mL，腹腔内滲出液中11.8μg/mL，子宮・卵巣中3.4～8.8μg/g，骨盤死腔滲出液中20μg/mL．扁桃，喀痰，胆嚢組織，虫垂壁，羊水，乳突洞粘膜，上顎洞粘膜，口腔組織，精巣上体へも移行，わずかに乳汁へも移行．小児化膿性髄膜炎患者での髄液中濃度(μg/mL)は約50mg/kg静注あるいは点滴静注で平均7.7(投与0～6時間後)，平均6.8(投与6～12時間後)　**代謝**　尿中には抗菌活性代謝物は認められていない　**排泄**　未変化体で尿中，胆汁中に排泄．腎機能正常男子42例に0.5，1gを静注あるいは点滴静注後24時間の尿中排泄率は約50%．小児33例に10～40mg/kgを静注あるいは点滴静注後24時間の尿中排泄率は約60%

その他の管理的事項

投与期間制限　該当しない

保険給付上の注意　該当しない

資料

IF　ロセフィン静注用0.5g・1g・点滴静注用1gバッグ　2018年8月改訂(第24版)

セフピラミドナトリウム
Cefpiramide Sodium

概要

薬効分類　613　主としてグラム陽性・陰性菌に作用するもの

構造式

分子式　$C_{25}H_{23}N_8NaO_7S_2$

分子量　634.62

原薬の規制区分　該当しない

原薬の外観・性状　白色～帯黄白色の粉末である．ジメチルスルホキシドに極めて溶けやすく，水に溶けやすく，メタノールにやや溶けにくく，エタノール(95)に溶けにくい．2.0gを水20mLに溶かした液のpHは5.5～8.0である

セフピロム硫酸塩
Cefpirome Sulfate

概要

構造式

分子式　$C_{22}H_{22}N_6O_5S_2 \cdot H_2SO_4$

分子量　612.66

原薬の外観・性状　白色～微黄白色の結晶性の粉末で，僅かに特異なにおいがある．水にやや溶けやすく，エタノール(95)又はジエチルエーテルにほとんど溶けない．0.1gを水10mL

に溶かした液のpHは1.6～2.6である

原薬の吸湿性　吸湿性である

治療

効能・効果†〈適応菌種〉セフピロムに感性のブドウ球菌属，レンサ球菌属，肺炎球菌，エンテロコッカス・フェカーリス，モラクセラ(ブランハメラ)・カタラーリス，大腸菌，シトロバクター属，クレブシエラ属，エンテロバクター属，セラチア属，プロテウス属，モルガネラ・モルガニー，プロビデンシア属，インフルエンザ菌，緑膿菌，バークホルデリア・セパシア，アシネトバクター属，ペプトストレプトコッカス属，バクテロイデス属〈適応症〉敗血症，感染性心内膜炎，深在性皮膚感染症，リンパ管・リンパ節炎，外傷・熱傷及び手術創等の二次感染，肛門周囲膿瘍，咽頭・喉頭炎，扁桃炎(扁桃周囲炎，扁桃周囲膿瘍を含む)，急性気管支炎，肺炎，肺膿瘍，膿胸，慢性呼吸器病変の二次感染，膀胱炎，腎盂腎炎，前立腺炎(急性症，慢性症)，腹膜炎，腹腔内膿瘍，胆嚢炎，胆管炎，肝膿瘍，バルトリン腺炎，子宮内感染，子宮付属器炎，子宮旁結合織炎，化膿性髄膜炎

セフブペラゾンナトリウム
Cefbuperazone Sodium

概要

薬効分類　613　主としてグラム陽性・陰性菌に作用するもの

構造式

分子式　$C_{22}H_{28}N_9NaO_9S_2$

分子量　649.63

原薬の規制区分　該当しない

原薬の外観・性状　白色～淡黄白色の粉末又は塊である．水に極めて溶けやすく，メタノール又はピリジンに溶けやすく，エタノール(95)にやや溶けにくく，アセトニトリルに極めて溶けにくい．1.0gを水4mLに溶かした液のpHは4.0～6.0である

セフポドキシム　プロキセチル
セフポドキシム　プロキセチル錠
シロップ用セフポドキシム　プロキセチル
Cefpodoxime Proxetil

概要

薬効分類　613　主としてグラム陽性・陰性菌に作用するもの

構造式

及びC*位エピマー

分子式　$C_{21}H_{27}N_5O_9S_2$

分子量　557.60

略語・慣用名　CPDX-PR

ステム　セファロスポラン酸系抗生物質：cef-

原薬の規制区分　該当しない

原薬の外観・性状　白色～淡褐白色の粉末である．アセトニトリル，メタノール又はクロロホルムに極めて溶けやすく，エタノール(99.5)に溶けやすく，水に極めて溶けにくい

原薬の吸湿性　吸湿性なし(25℃及び40℃，11～94%RH，デシケータ中，96時間放置で質量はほとんど変化しなかった)

原薬の融点・沸点・凝固点　融点：明瞭な融点を示さない

原薬の酸塩基解離定数　pKa＝3.20±0.13((チアゾール環)アミノ基，吸光度法)

先発医薬品等

錠 バナン錠100mg(第一三共＝GSK)

シロップ用 バナンドライシロップ5%(第一三共＝GSK)

後発医薬品

錠 100mg

シロップ用 5%

国際誕生年月　1989年9月

海外での発売状況　米，仏，独など

製剤

規制区分　錠　シロップ用　㊀

製剤の性状　錠 白色～微黄白色のフィルムコート錠　シロップ用 赤みのだいだい色～だいだい色の粉末を含む微細な粒子

有効期間又は使用期限　3年

貯法・保存条件　錠 室温保存　シロップ用 室温保存(吸湿しやすいので，開封後は必ず湿気を避けて保存)

薬剤取扱い上の留意点　シロップ用 懸濁液に調製後は冷所に保存し，2週間以内に使用すること

患者向け資料等　くすりのしおり

溶液及び溶解時のpH　シロップ用 4～6(1→4懸濁液)

浸透圧比　該当しない

安定なpH域　該当しない

調製時の注意　シロップ用 使用時十分に振り混ぜること

薬理作用

分類　セフェム系抗生物質

作用部位・作用機序　抗菌活性体であるセフポドキシムは，細菌細胞壁の合成阻害により殺菌作用を示す．その作用点は菌種により異なるがペニシリン結合蛋白(PBPs)の1，3に親和性が高い

同効薬　経口セフェム系抗生物質

治療

効能・効果　錠〈適応菌種〉セフポドキシムに感性のブドウ球菌属，レンサ球菌属，肺炎球菌，淋菌，モラクセラ(ブランハ

メラ)・カタラーリス，大腸菌，シトロバクター属，クレブシエラ属，エンテロバクター属，プロテウス属，プロビデンシア属，インフルエンザ菌，ペプトストレプトコッカス属 〈適応症〉表在性皮膚感染症，深在性皮膚感染症，リンパ管・リンパ節炎，慢性膿皮症，乳腺炎，肛門周囲膿瘍，咽頭・喉頭炎，扁桃炎(扁桃周囲炎，扁桃周囲膿瘍を含む)，急性気管支炎，肺炎，慢性呼吸器病変の二次感染，膀胱炎，腎盂腎炎，尿道炎，バルトリン腺炎，中耳炎，副鼻腔炎，歯周組織炎，歯冠周囲炎，顎炎

シロップ用 〈適応菌種〉セフポドキシムに感性のブドウ球菌属，レンサ球菌属，肺炎球菌，モラクセラ(ブランハメラ)・カタラーリス，大腸菌，シトロバクター属，クレブシエラ属，エンテロバクター属，プロテウス属，プロビデンシア属，インフルエンザ菌 〈適応症〉表在性皮膚感染症，深在性皮膚感染症，リンパ管・リンパ節炎，慢性膿皮症，咽頭・喉頭炎，扁桃炎(扁桃周囲炎，扁桃周囲膿瘍を含む)，急性気管支炎，肺炎，膀胱炎，腎盂腎炎，中耳炎，副鼻腔炎，猩紅熱

効能・効果に関連する使用上の注意 咽頭・喉頭炎，扁桃炎(扁桃周囲炎，扁桃周囲膿瘍を含む)，急性気管支炎，中耳炎，副鼻腔炎への使用にあたっては，「抗微生物薬適正使用の手引き」を参照し，抗菌薬投与の必要性を判断した上で，本剤の投与が適切と判断される場合に投与する

用法・用量 **錠** セフポドキシムプロキセチルとして1回100mg(力価)，1日2回食後(適宜増減)．重症又は効果不十分と思われる症例には1回200mg(力価)，1日2回食後

シロップ用 セフポドキシムプロキセチルとして幼小児に1回3mg(力価)/kgを1日2～3回，用時懸濁して経口投与(適宜増減)．重症又は効果不十分と思われる症例には1回4.5mg(力価)/kgを1日3回

用法・用量に関連する使用上の注意 ①高度の腎障害のある患者には，投与量・投与間隔の適切な調節をする等，慎重に投与する ②使用にあたっては，原則として感受性を確認し，疾病の治療上必要な最小限の期間の投与にとどめる(耐性菌の発現等を防ぐ)

使用上の注意

禁忌 本剤の成分に対し過敏症の既往歴のある患者

薬物動態

錠 **血清中濃度** 健康成人に1錠(100mg)及び2錠(200mg)を食後単回経口投与時のセフポドキシム(抗菌活性体)の最高血清中濃度は投与後3～4時間でそれぞれ1.5～1.8μg/mL，3～3.6μg/mLの濃度を示し，dose responseが認められている．血清中濃度の半減期は投与量に依存せず一定で，約2時間．空腹時より食後投与の方が吸収は良好 **薬物速度論的パラメータ** ①吸収速度定数：Ka=0.75±0.09hr^{-1}(健康成人6名に200mg食後1回投与) ②消失速度定数：Ke=0.37±0.02hr^{-1}(健康成人6名に200mg食後1回投与) ③血清蛋白結合率(限外ろ過法)：ヒトに，200mg経口投与0.5時間～12時間後の血清蛋白結合率は約30% ④AUC：8.7±0.3μg・hr/mL(健康成人6名に100mg食後1回投与)，15.2±1.8μg・hr/mL(健康成人6名に200mg食後1回投与) **分布** 喀痰，扁桃組織，皮膚組織，口腔組織等への移行が認められている **代謝・排泄** 吸収時に腸管壁エステラーゼにより加水分解され，腎を介して尿中に排泄．セフポドキシムとして循環血に移行し，食後投与後12時間までの尿中回収率は約40～50%．また，連続投与(2錠×2回/日，14日間)による蓄積性は認められていない **腎機能障害時の血清中濃度及び尿中排泄** 軽度腎機能障害患者(A群：7例)及び中等度腎機能障害患者(B群：2例)に，200mgを食後30分に経口投与時，腎機能の低下に伴い，Cmax増加，Tmax延長，$AUC_{(0\text{-}12)}$増加．尿中濃度はA群では4～6時間でピークを示し，12時間までの尿中回収率は33.8±3.8%，またB群では8～12時間でピークを示し，12時間までの尿中回収率は17.5%，腎機能の低下に伴い尿中への排泄遅延が認められた．A群：クレアチニンクリアランス54±5mL/min，Cmax3.92±0.28μg/mL，Tmax3.7±0.3hr，$T_{1/2}$3.6±0.4hr，$AUC_{(0\text{-}12)}$28.34±2.16μg・hr/mL．B群：クレアチニンクリアランス36mL/min，Cmax4.81μg/mL，Tmax7hr，$T_{1/2}$3.4hr，$AUC_{(0\text{-}12)}$34.03μg・hr/mL

シロップ用 **血清中濃度** 15歳未満の小児に3mg/kgを食後単回経口投与時のセフポドキシム(抗菌活性体)の最高血清中濃度は投与後3～4時間で得られ，2μg/mL前後を示し，dose responseが認められている **薬物速度論的パラメータ** ①吸収速度定数：Ka=0.89±0.04hr^{-1}(健康成人16名に100mg) ②消失速度定数：Ke=0.36±0.01hr^{-1}(健康成人16名に100mg) ③血清蛋白結合率(限外ろ過法)：ヒトに，200mg経口投与0.5時間～12時間後の血清蛋白結合率は約30% ④AUC：9.35±0.5μg・hr/mL(21名に3mg/kg食後1回投与) **代謝・排泄** 本剤は吸収時に腸管壁エステラーゼにより加水分解され，セフポドキシムとして循環血に移行し，腎を介して尿中排泄．ヒト小児における食後投与8時間までの尿中排泄率は約40% **腎機能障害時の血清中濃度及び尿中排泄** 錠参照

その他の管理的事項

投与期間制限 該当しない

保険給付上の注意 該当しない

資料

IF バナン錠100mg 2019年6月改訂(第10版)
バナンドライシロップ5% 2019年6月改訂(第8版)

セフミノクスナトリウム水和物
Cefminox Sodium Hydrate

概要

薬効分類 613 主としてグラム陽性・陰性菌に作用するもの

構造式

分子式 $C_{16}H_{20}N_7NaO_7S_3 \cdot 7H_2O$

分子量 667.66

略語・慣用名 CMNX

ステム セファロスポラン酸系抗生物質：cef-

原薬の規制区分 該当しない

原薬の外観・性状 白色～微黄白色の結晶性の粉末である．水に溶けやすく，メタノールにやや溶けにくく，エタノール(95)にほとんど溶けない．0.70gを水10mLに溶かした液のpHは4.5～6.0である

原薬の吸湿性 臨界相対湿度：約91%RH

原薬の融点・沸点・凝固点 融点：83℃～87℃(発泡分解)(発泡分解を伴うため正確な融点を測定することは困難である)

原薬の酸塩基解離定数 pKa＝2.3，8.3(6.67mg/mLの0.1mol/L塩酸溶液10mLを1mol/L水酸化ナトリウム溶液で滴定)

先発医薬品等

注射用 メイセリン静注用1g(MeijiSeika)

国際誕生年月 1987年6月

海外での発売状況 中国，韓国，タイ，スペイン

製剤

規制区分 **注射用** 処

製剤の性状 **注射用** 白色～微黄白色の結晶性の粉末

有効期間又は使用期限 3年

貯法・保存条件 室温保存

薬剤取扱い上の留意点 溶解後は速やかに使用すること．なお，

保存する必要がある場合は，室温保存では12時間，冷蔵庫保存では24時間以内に使用すること

患者向け資料等　くすりのしおり

溶液及び溶解時のpH　4.5～6.0(50mg/mL溶液)

浸透圧比　約0.6(50mg/mL溶液)(対生食)

調製時の注意　点滴静注の場合，糖液又は電解質溶液に溶解すること．注射用水のみに溶解しないこと(溶液が等張にならないため)．アミノフィリン水和物，ピリドキサールリン酸エステル水和物と配合すると，力価低下又は着色が起きるので配合しないこと．また，フルスルチアミン，チオクト酸，ヒドロコルチゾンコハク酸エステルナトリウム及びコバマミドと配合すると，経時的に着色するので，配合後は速やかに使用すること

薬理作用

分類　セファマイシン系抗生物質

作用部位・作用機序　β-ラクタム抗生物質の通常の作用点であるペニシリン結合蛋白に強い親和性を示し，細胞壁の合成を阻害するとともに，ペプチドグリカンに結合してペプチドグリカンとリポ蛋白との結合を阻害することにより溶菌を促進し，短時間で強い殺菌力を示す

同効薬　セフメタゾールナトリウム，セフブペラゾンナトリウムなど

治療

効能・効果　〈適応菌種〉セフミノクスに感性のレンサ球菌属，肺炎球菌，大腸菌，肺炎桿菌，プロテウス属，モルガネラ・モルガニー，プロビデンシア属，インフルエンザ菌，バクテロイデス属，プレボテラ属(プレボテラ・ビビアを除く)〈適応症〉敗血症，扁桃炎(扁桃周囲膿瘍を含む)，急性気管支炎，肺炎，肺膿瘍，慢性呼吸器病変の二次感染，膀胱炎，腎盂腎炎，腹膜炎，胆嚢炎，胆管炎，子宮内感染，子宮付属器炎，子宮旁結合織炎

効能・効果に関連する使用上の注意　扁桃炎(扁桃周囲膿瘍を含む)，急性気管支炎への使用にあたっては，「抗微生物薬適正使用の手引き」を参照し，抗菌薬投与の必要性を判断した上で，本剤の投与が適切と判断される場合に投与する

用法・用量　1日2g(力価)を2回に分け，小児1回20mg(力価)/kg1日3～4回，静注又は点滴静注(適宜増減)．敗血症，難治性又は重症感染症には1日6g(力価)まで増量し，3～4回に分注．静注には1g(力価)/20mLの注射用水，糖液又は電解質溶液に溶解し，緩徐に投与．点滴静注には1g(力価)/100～500mLの糖液又は電解質溶液に溶解して1～2時間かけて行う

用法・用量に関連する使用上の注意　①使用にあたっては，耐性菌の発現等を防ぐため，原則として感受性を確認し，疾病の治療上必要な最小限の期間の投与にとどめる　②高度の腎障害のある患者には，投与量を減ずるか，投与間隔をあけて使用する

使用上の注意

禁忌　本剤の成分に対し過敏症の既往歴のある患者

薬物動態

血清中濃度　①健康成人(腎機能正常男子各3例)：0.5g，1g静注時のCmax(μg/mL)はともに15分後53.3，106.4，$T_{1/2}$(hr)は2.40，2.46．1g，2gを1時間点滴静注時のCmax(μg/mL)は点滴終了時に98.4，181.4，$T_{1/2}$(hr)は2.48，2.17で，用量依存性を示した　②小児：(1)静注：小児に10mg/kg，20mg/kg，40mg/kg(各3例)静注5分後の血清中濃度(μg/mL)は109.4，218.1，357.1で，用量依存性を示した．$T_{1/2}$(hr)は1.74，1.62，1.84　(2)点滴静注：腎機能正常小児患者に20mg/kg(2例)，40mg/kg(4例)1時間点滴静注時のCmax(μg/mL)は点滴終了時に86.5，187.1(各1例)で用量依存性を示した．$T_{1/2}$(hr)は1.12，0.91　③腎機能障害患者(成人)：0.5g又はCcr(mL/min)＜10の場合1g静注時の$T_{1/2}\beta$(hr)は，健康成人(3例)で2.40，Ccr48(1例)で4.84，Ccr33(1例)で8.40，Ccr30(1例)で9.27，Ccr＜10(4例)で24.41と障害の程度に応じて血清中濃度の減衰が遅れ，半減期が延長　**分布**　①体液・組織内濃度(μg/mL，(3)はμg/g)：(1)慢性気管支炎患者に1g点滴静注時の喀痰中濃度0.38～0.48　(2)腹膜炎患者に1g静注時の腹水中濃度13.4～139.5，小児に20mg/kg静注時17.9～63.2　(3)子宮全摘除術施行患者に1g静注時の子宮内膜，卵巣，卵管中濃度33.7～45.8　(4)胆道疾患患者に1g静注時の胆汁中濃度は4.6～36.0　②蛋白結合：限外ろ過法により測定したヒト血漿蛋白との結合率は，5～100μg/mLの濃度範囲で一定で約61％(*in vitro*)　**代謝**　ヒトでは抗菌性のある代謝物は認められていない　**排泄**　①健康成人：主として腎から排泄され，成人(腎機能正常者)に1g静注もしくは点滴静注時(各3例)の尿中排泄率は，6時間までに約80％，12時間までに約90％　②腎機能障害患者：腎機能障害成人患者の尿中排泄率は，高度障害者(Ccr＜10)で24時間までに約10％，中等度障害者(Ccr=48)で6時間までに約50％，12時間までに約63％

その他の管理的事項

投与期間制限　該当しない

保険給付上の注意　該当しない

資料

IF　メイセリン静注用1g　2019年5月改訂(第6版)

セフメタゾールナトリウム
注射用セフメタゾールナトリウム
Cefmetazole Sodium

概要

薬効分類　613　主としてグラム陽性・陰性菌に作用するもの

構造式

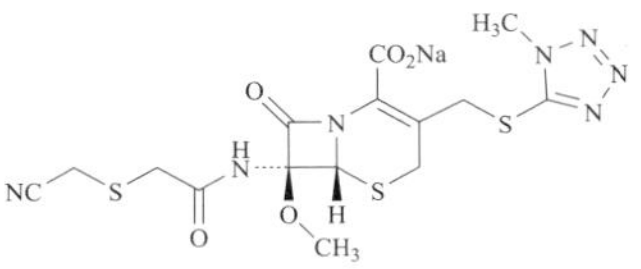

分子式　$C_{15}H_{16}N_7NaO_5S_3$

分子量　493.52

略語・慣用名　CMZ

ステム　セファロスポラン酸系抗生物質：cef-

原薬の規制区分　該当しない

原薬の外観・性状　白色～淡黄白色の粉末又は塊である．水に極めて溶けやすく，メタノールに溶けやすく，エタノール(95)に溶けにくく，テトラヒドロフランに極めて溶けにくい．1.0gを水10mLに溶かした液のpHは4.2～6.2である

原薬の吸湿性　吸湿性である

原薬の融点・沸点・凝固点　融点：約125℃(分解)

原薬の酸塩基解離定数　pKa＝2.34(紫外可視吸光度測定法，測定波長272nm，25℃)

先発医薬品等

注射用　セフメタゾールNa静注用0.5g・1g「NP」(ニプロ)
セフメタゾールNa静注用0.5g・1g「テバ」(武田テバファーマ＝武田)
セフメタゾールナトリウム静注用0.5g・1g「日医工」(日医工ファーマ＝日医工)
セフメタゾン静注用0.25g・0.5g・1g・2g・筋注用0.5g(アルフレッサファーマ)

後発医薬品

注射用　250mg・2g

キット　1g・2g

国際誕生年月　1979年8月

海外での発売状況　中国，イタリア

製剤

規制区分　**静注用**　**筋注用**　㉄

製剤の性状　**注射用** 白色〜淡黄色の粉末又は塊

有効期間又は使用期限　2年

貯法・保存条件　室温保存(光によって徐々に着色することがあるので，開封後の保存には注意する)

薬剤取扱い上の留意点　溶解後はなるべく速やかに使用し，保存する必要がある場合，室温保存では24時間以内に使用すること

患者向け資料等　くすりのしおり

溶液及び溶解時のpH　**静注用** 4.2〜6.2(1.0g/10mL注射用水)　**筋注用** 4.2〜6.2(0.5g/2mL添付溶解液)

浸透圧比　**静注用** 約1(1.0g/10mL注射用水)　**筋注用** 約2(0.5g/2mL添付溶解液)

安定なpH域　3〜7

調製時の注意　**静注用** 点滴静注を行う場合，注射用水を使用しないこと(溶液が等張にならないため)

薬理作用

分類　セファマイシン系抗生物質

作用部位・作用機序　グラム陽性菌，グラム陰性菌及び嫌気性菌に対し幅広い抗菌スペクトルを有し，増殖期の細菌細胞壁合成を阻害することにより，殺菌的に作用する．ペニシリン系薬剤，セファロスポリン系薬剤に比し，β-lactamaseに極めて安定で，基質特異性の拡大したClass A β-lactamase (ESBLs)産生菌にも抗菌力を示す

同効薬　セフォチアム塩酸塩，セフミノクスナトリウム水和物など

治療

効能・効果　〈適応菌種〉セフメタゾールに感性の黄色ブドウ球菌，大腸菌，肺炎桿菌，プロテウス属，モルガネラ・モルガニー，プロビデンシア属，ペプトストレプトコッカス属，バクテロイデス属，プレボテラ属(プレボテラ・ビビアを除く)〈適応症〉敗血症，急性気管支炎，肺炎，肺膿瘍，膿胸，慢性呼吸器病変の二次感染，膀胱炎，腎盂腎炎，腹膜炎，胆嚢炎，胆管炎，バルトリン腺炎，子宮内感染，子宮付属器炎，子宮旁結合織炎，顎骨周辺の蜂巣炎，顎炎

効能・効果に関連する使用上の注意　急性気管支炎への使用にあたっては，「抗微生物薬適正使用の手引き」を参照し，抗菌薬投与の必要性を判断した上で，投与が適切と判断される場合に投与する

用法・用量　**静注用** 1日1〜2g(力価)を2回に分け，小児25〜100mg/kg(力価)を2〜4回に分け，静注又は点滴静注．なお，難治性又は重症感染症には症状に応じて，1日4g(力価)，小児150mg/kg(力価)まで増量し，2〜4回に分注．静注に際し1g(力価)あたり，注射用水，生理食塩液又はブドウ糖注射液10mLに溶解し，緩徐に投与．なお，補液に加えて点滴静注もできる．点滴静注を行う場合，注射用水を使用しない(溶液が等張にならないため)．また，キットは，用時添付の生理食塩液に溶解し緩徐に投与する(キットの溶解操作方法は添付文書参照)

筋注用 1日1〜2g(力価)，2回に分けて筋注(適宜増減)．投与の際には0.5g(力価)あたり，添付のリドカイン注射液(0.5%)2mLに溶解する

用法・用量に関連する使用上の注意　①高度の腎障害のある患者には，投与量・投与間隔の適切な調節をする等，慎重に投与する　②使用にあたっては，原則として感受性を確認し，疾病の治療上必要な最小限の期間の投与にとどめる(耐性菌の発現等を防ぐ)

使用上の注意

禁忌　①本剤の成分に対し過敏症の既往歴のある患者　②**筋注用** リドカイン等のアニリド系局所麻酔剤に対し過敏症の既往歴のある患者［添付の溶解液はリドカインを含有している］

薬物動態

血中濃度　①静注：健康成人19例に1g静注時，投与10分後に平均188，6時間後1.9μg/mL，半減期は1時間前後．血中濃度に用量依存性が認められる　②点滴静注：健康成人14例に1gを1時間点滴静注した場合は終了時に平均最高値76.2，6時間後2.7μg/mL，半減期1.2時間前後．血中濃度に用量依存性が認められる　③筋注：健康成人17例に1回500mg筋注時の最高血中濃度は個人により変動はあるが，30分後平均32.5，6時間後平均2.8μg/mL．半減期1.4時間前後　**血清蛋白結合率**　100μg/mL：84.8%，25μg/mL：83.6%(*in vitro*，遠心限外ろ過法)　**分布**　喀痰，腹水，腹腔滲出液，胆嚢壁，胆汁，子宮・卵巣・卵管，骨盤死腔液，顎骨，上顎洞粘膜，歯肉等に高い移行．羊水，臍帯血，腎(皮質・髄質)への移行も認められるが，母乳中移行はほとんど認められない　**代謝・排泄**　尿中への排泄は良好で，体内で代謝を受けず，抗菌活性がある未変化体のまま尿中に排泄．6時間までの尿中回収率は静注85〜92%，筋注77〜88%と高率　**腎障害時の血中濃度及び尿中排泄(静注)**　腎機能の低下に伴い尿中排泄が減少，血中濃度が上昇，半減期が延長　**腎障害患者への適用**　①腎障害患者に1g点滴静注し，one-compartment open modelに従って薬動力学的解析を行った結果，腎機能と本剤の血清クリアランス及び腎クリアランスとの間に有意な相関関係が認められた(Ccr(mL/min)の範囲，Ccr(mL/min)，Scl(mL/min)，Rcl(mL/min)の順)：⑴健康成人群：Ccr＞90，115.8±7.4，160.8±2.9，110.6±14.9　⑵腎障害患者群：㋐60〜90，76.1±2.8，69.4±7，41.9±3.8㋑30〜60，43.8±4.9，40.9±8.6，29.9±5.1㋒10〜30，17.1±2.3，26.9±7，12.1±3.7㋓＜10，4.4±1.9，11.2±3.9，3.9±2.8　②臨床成績についてみると，1回投与量1g，1日2回，毎12時間投与法が最も多く，かつ有効率が高い．同投与法を基準とした場合の腎障害患者への投与量，投与間隔の例は次の通り：⑴投与間隔による調節(1000mg投与時．Ccr，投与間隔の順)：㋐Ccr＞60：12時間㋑60〜30：24時間㋒30〜10：48時間㋓＜10：120時間　⑵用量による調節(12時間間隔投与時．Ccr，用量の順)：㋐＞60：1000mg㋑60〜30：500mg㋒30〜10：250mg㋓＜10：100mg

その他の管理的事項

投与期間制限　該当しない

保険給付上の注意　該当しない

資料

IF　セフメタゾン静注用0.25g・0.5g・1g・2g・筋注用0.5g 2019年3月改訂(第2版)

セフメノキシム塩酸塩
Cefmenoxime Hydrochloride

概要

薬効分類　131　眼科用剤，132　耳鼻科用剤，613　主としてグラム陽性・陰性菌に作用するもの

構造式

[構造式: ·HCl]

分子式　$(C_{16}H_{17}N_9O_5S_3)_2 \cdot HCl$

分子量　1059.58

略語・慣用名　CMX

ステム　セファロスポラン酸系抗生物質：cef-

ゼラチン
Gelatin

概要
薬効分類　332　止血剤，799　他に分類されない治療を主目的としない医薬品
分子式　該当資料なし
原薬の規制区分　該当しない
原薬の外観・性状　無色又は白色～淡黄褐色の薄板，細片，粒又は粉末である．熱湯に溶けやすく，エタノール(95)にほとんど溶けない．ゲル化グレードは水に溶けないが，水を加えるとき，徐々に膨潤，軟化し，5～10倍量の水を吸収する．酸処理して得たゲル化グレードの等電点はpH7.0～9.0，また，アルカリ処理して得たゲル化グレードの等電点はpH4.5～5.0である．非ゲル化グレードは水に溶けやすい．pH：3.8～7.6
原薬の吸湿性　吸湿性である
原薬の酸塩基解離定数　該当しない
先発医薬品等
貼 スポンゼル(LTL)
ゼルフィルム(ファイザー)
眼科用ゼルフィルム(ファイザー)
ゼルフォーム(ファイザー)
国際誕生年月　該当資料なし
海外での発売状況　該当資料なし

製剤
製剤の性状　**貼(スポンジ)** 白色，多孔性の無菌製剤
有効期間又は使用期限　**貼(スポンジ)** 3年(No.12)，5年(No.100)
貯法・保存条件　室温保存．乾燥した場所に汚染を避けて保管
薬剤取扱い上の留意点　本剤はアルミ袋，紙袋，中袋(無地紙袋)の三重包装であり，アルミ袋の内側，紙袋の外側は滅菌されていない．紙袋を取り出した際は，他の滅菌器具等と混在させないこと．紙袋から中袋(無地紙袋)を取り出す際は無菌的に操作すること
溶液及び溶解時のpH　7.0～9.0(酸処理して得た等電点)，4.5～5.0(アルカリ処理して得た等電点)

薬理作用
分類　滅菌吸収性ゼラチンスポンジ
作用部位・作用機序　作用部位：貼付した部位　作用機序：メッシュ内に血液を取り込み，組織に付着し強固な血餅を作ることによって血液凝固が始まる

治療
効能・効果　**スポンジ** 各種外科領域における止血，褥瘡潰瘍
フィルム 脳神経外科，胸部外科及び眼科手術後の癒着防止
用法・用量　**スポンジ** 適当量を乾燥状態のまま，又は生理食塩液かトロンビン溶液に浸し，皮膚あるいは臓器の傷創面に貼付し，滲出する血液を吸収させ固着する．本剤は組織に吸収されるので体内に包埋しても差し支えない
フィルム 適当量を生理食塩液に浸して柔軟化させ，適所に被覆するか又は挿入する．本剤は組織に吸収されるので体内に包埋しても差し支えない

使用上の注意
禁忌　①本剤の成分に対し過敏症の既往歴のある患者　②**スポンジ** 血管内［塞栓を起こすおそれがある］

その他の管理的事項
投与期間制限　該当しない
保険給付上の注意　該当しない

資料
IF　ゼルフォーム　2012年12月改訂(第2版)

精製ゼラチン
Purified Gelatin

概要
原薬の規制区分　該当しない
原薬の外観・性状　無色又は白色～淡黄褐色の薄板，細片，粒又は粉末である．熱湯に溶けやすく，エタノール(95)にほとんど溶けない．ゲル化グレードは水に溶けないが，水を加えるとき，徐々に膨潤，軟化し，5～10倍量の水を吸収する．非ゲル化グレードは水に溶けやすい．1.00gを，新たに煮沸して約55℃とした水に溶かし，100mLとした液のpHは55℃で測定するとき3.8～9.0である

精製セラック
Purified Shellac

概要
原薬の規制区分　該当しない
原薬の外観・性状　淡黄褐色～褐色のりん片状細片で，堅くてもろく，艶があり，においはないか，又は僅かに特異なにおいがある．エタノール(95)又はエタノール(99.5)に溶けやすく，水又はジエチルエーテルにほとんど溶けない．水酸化ナトリウム試液に溶ける

白色セラック
White Shellac

概要
原薬の規制区分　該当しない
原薬の外観・性状　黄白色～淡黄色の粒で，堅くてもろく，においはないか，又は僅かに特異なにおいがある．エタノール(95)にやや溶けにくく，水にほとんど溶けない．水酸化ナトリウム試液に溶ける

L－セリン
L-Serine

概要
構造式

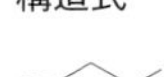

分子式　$C_3H_7NO_3$
分子量　105.09
原薬の規制区分　該当しない
原薬の外観・性状　白色の結晶又は結晶性の粉末で，味は僅かに甘い．水又はギ酸に溶けやすく，エタノール(99.5)にほとんど溶けない．2mol/L塩酸試液に溶ける．1.0gを水10mLに溶かした液のpHは5.2～6.2である

セルモロイキン（遺伝子組換え）
Celmoleukin(Genetical Recombination)

概要

構造式

APTSSSTKKT QLQLEHLLLD LQMILNGINN YKNPKLTRML TFKFYMPKKA

TELKHLQCLE EELKPLEEVL NLAQSKNFHL RPRDLISNIN VIVLELKGSE

TTFMCEYADE TATIVEFLNR WITFCQSIIS TLT

分子式 $C_{693}H_{1118}N_{178}O_{203}S_7$

分子量 15415.82

原薬の規制区分 ㊣

原薬の外観・性状 無色澄明の液である．pH：4.5～5.5

治療

効能・効果† 血管肉腫

結晶セルロース
Microcrystalline Cellulose

概要

原薬の規制区分 該当しない

原薬の外観・性状 白色の結晶性の粉末で，流動性がある．水，エタノール(95)又はジエチルエーテルにほとんど溶けない．水酸化ナトリウム試液を加えて加熱するとき，膨潤する．5.0gに水40mLを加え，20分間振り混ぜた後，遠心分離して得た上澄液のpHは5.0～7.5である

粉末セルロース
Powdered Cellulose

概要

原薬の規制区分 該当しない

原薬の外観・性状 白色の粉末である．水，エタノール(95)又はジエチルエーテルにほとんど溶けない．10gに水90mLを加え，時々振り混ぜながら，1時間放置するとき，上澄液のpHは5.0～7.5である

セレコキシブ
Celecoxib

概要

薬効分類 114 解熱鎮痛消炎剤

構造式

分子式 $C_{17}H_{14}F_3N_3O_2S$

分子量 381.37

ステム 選択的COX阻害剤：-coxib

原薬の規制区分 ㊣

原薬の外観・性状 白色の粉末又は結晶性の粉末である．メタノールに溶けやすく，エタノール(99.5)にやや溶けやすく，水にほとんど溶けない．結晶多形が認められる

原薬の吸湿性 吸湿性は認められない

原薬の融点・沸点・凝固点 融点：161～164℃

原薬の酸塩基解離定数 pKa＝11.1

先発医薬品等

錠 セレコックス錠100mg・200mg（アステラス）

後発医薬品

錠 100mg・200mg

国際誕生年月 1998年12月

海外での発売状況 欧米，アジア諸国を含む100カ国以上

製剤

規制区分 錠 ㊣ ㊈

製剤の性状 100mg錠 白色の割線入りの円形の素錠 200mg錠 白色の割線入りのだ円形の素錠

有効期間又は使用期限 3年

貯法・保存条件 室温保存

薬剤取扱い上の留意点 浮動性めまい，回転性めまい，傾眠等が起こることがあるので，自動車の運転等危険を伴う作業に従事する場合には注意させること

患者向け資料等 患者向医薬品ガイド，くすりのしおり

溶液及び溶解時のpH 該当しない

浸透圧比 該当しない

安定なpH域 該当しない

調製時の注意 該当しない

薬理作用

分類 コキシブ系非ステロイド性消炎・鎮痛剤

作用部位・作用機序 アラキドン酸をプロスタグランジンG/Hに変換するシクロオキシゲナーゼ(COX)の2つのアイソザイムであるCOX-1及びCOX-2のうち，COX-2を選択的に阻害し，抗炎症・鎮痛作用を示すと考えられる

同効薬 ロキソプロフェンナトリウム，ジクロフェナクナトリウム，ザルトプロフェン，エトドラク，メロキシカム，ロルノキシカムなどの非ステロイド性消炎・鎮痛剤

治療

効能・効果 ①次の疾患ならびに症状の消炎・鎮痛：関節リウマチ，変形性関節症，腰痛症，肩関節周囲炎，頸肩腕症候群，腱・腱鞘炎 ②手術後，外傷後ならびに抜歯後の消炎・鎮痛

用法・用量 ①関節リウマチ：1回100～200mg，1日2回朝夕食後 ②変形性関節症，腰痛症，肩関節周囲炎，頸肩腕症候群，腱・腱鞘炎：1回100mg，1日2回朝夕食後 ③手術後，外傷後ならびに抜歯後の消炎・鎮痛：初回のみ400mg，2回目以降は1回200mg，1日2回．なお，投与間隔は6時間以上あける．頓用の場合，初回のみ400mg，必要に応じて以降は200mgを6時間以上あけて投与（1日2回まで）

用法・用量に関連する使用上の注意 ①使用する場合は，有効最小量を可能な限り短期間投与することに留め，長期にわたり漫然と投与しない ②慢性疾患（関節リウマチ，変形性関節症等）に対する使用において，投与開始後2～4週間を経過しても治療効果に改善が認められない場合は，他の治療法の選択について考慮する ③急性疾患（手術後，外傷後ならびに抜歯後の消炎・鎮痛）に対する使用において，初回投与量が2回目以降と異なることに留意する．また，患者に対し服用方法について十分説明する ④本剤の1年を超える長期投与時の安全性は確立されておらず，外国において，本剤の長期投与により，心筋梗塞，脳卒中等の重篤で場合によっては致命的な心血管系血栓塞栓性事象の発現を増加させるとの報告がある

禁忌・原則禁忌となる特定患者集団 妊娠末期の婦人

使用上の注意

警告 外国において，シクロオキシゲナーゼ(COX)-2選択的阻害剤等の投与により，心筋梗塞，脳卒中等の重篤で場合によっては致命的な心血管系血栓塞栓性事象のリスクを増大させる可能性があり，これらのリスクは使用期間とともに増大する可能性があると報告されている

禁忌 ①本剤の成分又はスルホンアミドに対し過敏症の既往歴のある患者 ②アスピリン喘息(非ステロイド性消炎・鎮痛剤等による喘息発作の誘発)又はその既往歴のある患者［重症喘息発作を誘発するおそれがある］ ③消化性潰瘍のある患者［消化性潰瘍を悪化させるおそれがある］ ④重篤な肝障害のある患者［肝障害を悪化させるおそれがある］ ⑤重篤な腎障害のある患者［腎障害を悪化させるおそれがある］ ⑥重篤な心機能不全のある患者［プロスタグランジン合成阻害作用に基づくナトリウム・水分貯留傾向があるため心機能を悪化させるおそれがある］ ⑦冠動脈バイパス再建術の周術期患者［外国において，類薬で心筋梗塞及び脳卒中の発現が増加するとの報告がある］ ⑧妊娠末期の婦人

相互作用概要 主としてCYP2C9で代謝される．また，CYP2D6の基質ではないが，CYP2D6の阻害作用を有する

薬物動態

健康成人 ①男女36例に50～400mgを空腹下単回投与時の薬物動態パラメータ(50mg(36例)，100mg(34例)，200mg(34例)，400mg(34例)の順)は，Tmax(h)2±1.3，2±1.4，2±0.9，2±0.9，Cmax(ng/mL)287±100.4，553±212.2，815±303.0，1296±457.7，$t_{1/2}$(h)5±2.4，7±3.2，8±3.5，9±4.1，AUC_{inf}(ng・h/mL)1631±540.2，3429±1149.8，5832±1674.5，10789±3793.4で，血漿中濃度は投与約2時間後に最高血漿中濃度(Cmax)後，約5～9時間の半減期($t_{1/2}$)で消失，Cmax及び血漿中濃度-時間曲線下面積(AUC)は高用量で用量比より低い比率で上昇(承認用法・用量は関節リウマチ：100～200mgを1日2回，変形性関節症，腰痛症，肩関節周囲炎，頸肩腕症候群，腱・腱鞘炎：100mgを1日2回) ②男性30例に200mgを空腹下もしくは食後単回投与時，食後投与時のCmaxは1.5倍に上昇したが，AUCは影響を受けなかった．男性35例に100mgを1日2回，食後7日間反復投与時，定常状態(7日目)のCmaxは約607ng/mL，$AUC_{0\text{-}12h}$は約2652ng・h/mLで，蓄積性は観察されなかった **特殊集団(外国人データ)** ①高齢者：健康高齢男女(66～83歳)24例及び非高齢男女(19～48歳)24例に200mgを1日2回，8日間反復投与時，定常状態における空腹下投与時の高齢男女のCmax及び$AUC_{0\text{-}12h}$(Cmax：1808ng/mL，$AUC_{0\text{-}12h}$：11852ng・h/mL)は非高齢男女(Cmax：973ng/mL，$AUC_{0\text{-}12h}$：5871ng・h/mL)と比較して高値．また，高齢女性のCmax及び$AUC_{0\text{-}12h}$(Cmax：2362ng/mL，$AUC_{0\text{-}12h}$：15466ng・h/mL)は高齢男性(Cmax：1254ng/mL，$AUC_{0\text{-}12h}$：8238ng・h/mL)より高値 ②肝障害患者：肝障害患者及び健康成人に100mgを1日2回，食後5日間反復投与時，軽度肝障害患者(Child-Pugh Class A：12例)の$AUC_{0\text{-}12h}$は健康成人(12例)に比べ約1.3倍，中等度肝障害患者(Child-Pugh Class B：11例)では健康成人(11例)に比べて約2.7倍に上昇 ③腎障害患者：慢性腎障害患者(糸球体濾過率35～60mL/分)22例に200mgを1日2回，食後7日間反復投与時の$AUC_{0\text{-}72h}$は健康成人における値と大差なかった **患者** 関節リウマチ患者及び変形性膝関節症患者609例に25～300mgを1日2回，食後反復投与時の血漿中濃度値1160点を用いた母集団薬物動態解析の結果，定常状態における経口クリアランス(CL/F)及びみかけの分布容積(Vd/F)の母集団平均(個体間変動)はそれぞれ21.2L/h(約42%)及び335L(約77%)と推定．また，年齢及び体重はCL/Fの，血清アルブミン濃度はVd/Fの変動要因であると推察された(承認用法・用量は関節リウマチ：100～200mgを1日2回，変形性関節症：100mgを1日2回) **蛋白結合** *In vitro*及び*ex vivo*による検討の結果，血漿蛋白結合率は約97%で，主としてアルブミンに，ついでα_1-酸性糖蛋白質に結合することが示された **代謝・排泄** ①代謝：*In vitro*及び*in vivo*試験の結果から，本剤は主として薬物代謝酵素CYP2C9を介して代謝されることが明らかとなっている．CYP2C9には遺伝多型が存在し，Ile359→Leu359のアミノ酸置換により薬剤によっては代謝速度が低下する場合がある．日本人218例を対象としたCYP2C9の研究では，Ile359→Leu359のホモ接合体(CYP2C9※3/※3)は存在しなかったが，Leu359のヘテロ接合体(CYP2C9※1/※3)は218例中9例(4.1%)存在したとの報告がある．CYP2C9の遺伝多型(CYP2C9※3)の影響として，本剤を単回又は反復投与時，CYP2C9のヘテロ接合体(Ile359→Leu359，CYP2C9※1/※3)を有する健康成人15例のAUCは野生型(CYP2C9※1/※1)の健康成人137例に比べ約1.6倍と高値．健康成人に100mgを単回投与時，CYP2C9※1/※1(4例)と比較し，CYP2C9※3/※3(3例)のAUCは約3倍高値を示し(外国人データ)，健康成人に200mgを1日1回7日間反復投与時，CYP2C9※1/※1(7例)と比較し，CYP2C9※3/※3(3例)のCmaxは約4倍，AUCは約7倍高値を示すことが報告されている(外国人データ) ②排泄(外国人データ)：健康成人男性に本剤を投与時の未変化体の尿及び糞中排泄率は低く(～3%)，本剤のクリアランスは主として代謝クリアランスによると推察．健康成人男性に^{14}C-セレコキシブ300mgを空腹下単回投与時の血漿，尿及び糞中にCOX-1及びCOX-2阻害活性を示さない代謝物が3種類同定され，血漿中には主として未変化体が存在．また，放射能の尿及び糞中排泄率はそれぞれ用量の約27%及び約58%(承認用法・用量は関節リウマチ：100～200mgを1日2回，変形性関節症，腰痛症，肩関節周囲炎，頸肩腕症候群，腱・腱鞘炎：100mgを1日2回) **相互作用(外国人データ)** ①リチウム：健康成人24例に本剤200mgとリチウム450mgを1日2回，食後7日間併用時，定常状態におけるリチウムのCmax及びAUCは併用によりいずれも約1.2倍に上昇 ②フルコナゾール：健康成人17例にフルコナゾール200mgを1日1回，食後7日間投与後に，本剤200mgを空腹下単回併用投与時，本剤のCmax及びAUCは併用によりそれぞれ約1.7倍及び約2.3倍に上昇 ③フルバスタチン：健康成人15例に本剤200mgとフルバスタチン20mgを1日2回，食後7日間併用時，本剤のCmax及びAUCは併用によりいずれも約1.3倍に上昇．また，健康成人13例に本剤200mgとフルバスタチン20mgを1日2回，食後7日間併用時，フルバスタチンのCmaxは併用により約1.2倍に上昇したが，AUCは影響を受けなかった ④ワルファリン：健康成人12例にワルファリンを事前投与後に，本剤200mgを1日2回とワルファリン1～5mgを1日1回，7日間併用時，本剤はワルファリンの血漿中濃度及びプロトロンビン時間に影響を及ぼさなかった．しかしながら，海外で特に高齢者において，本剤とワルファリンを併用している患者に，プロトロンビン時間の延長を伴う重篤で場合によっては致命的な出血が報告されている ⑤パロキセチン：健康成人18例にパロキセチン20mgを1日1回，食後7日間投与後に，本剤200mgを空腹下単回併用投与時，本剤のCmaxは併用により約0.7倍に低下したが，AUCは影響を受けなかった．また，健康成人18例に本剤200mgを1日2回，食後7日間投与後に，パロキセチン20mgを空腹下単回併用投与時，パロキセチンのCmax及びAUCは併用によりそれぞれ約1.5倍及び約1.8倍に上昇 ⑥デキストロメトルファン：健康成人14例に本剤200mgとデキストロメトルファン30mgを1日2回，食後7日間併用時，デキストロメトルファンのCmax及びAUCは併用によりそれぞれ約2.4倍及び約2.6倍に上昇 ⑦制酸剤：健康成人24例に本剤200mgと制酸剤(アルミニウム・マグネシウム含有製剤)を空腹下単回併用投与時，本剤のCmaxは併用により約0.6倍に低下したが，AUCは影響を受けなかった

その他の管理的事項

投与期間制限 該当しない

保険給付上の注意 該当しない

資料

IF セレコックス錠100mg・200mg 2019年7月改訂(第13版)

ゾニサミド
ゾニサミド錠
Zonisamide

概要

薬効分類 113 抗てんかん剤，116 抗パーキンソン剤

構造式

分子式 $C_8H_8N_2O_3S$

分子量 212.23

略語・慣用名 ZNS

ステム 不明

原薬の規制区分 (劇)

原薬の外観・性状 白色～微黄色の結晶又は結晶性の粉末である．アセトン又はテトラヒドロフランに溶けやすく，メタノールにやや溶けにくく，エタノール(99.5)に溶けにくく，水に極めて溶けにくい

原薬の吸湿性 吸湿性は認められていない(40℃，93.6%RH，30日間)

原薬の融点・沸点・凝固点 融点：164～168℃

原薬の酸塩基解離定数 pKa＝9.66(25℃)

先発医薬品等
散 エクセグラン散20%(大日本住友)
錠 エクセグラン錠100mg(大日本住友)
トレリーフOD錠25mg・50mg(大日本住友)

後発医薬品
散 20%
錠 100mg

国際誕生年月 1989年3月

海外での発売状況 〔エクセグラン〕米，英，独など32カ国 〔トレリーフ〕販売されていない

製剤

規制区分 **散** **錠** **口腔内崩壊錠** (劇)(処)

製剤の性状 **散** 白色の散剤．においはなく，味は初めないが，後にわずかに苦い **錠**〔エクセグラン〕白色のフィルムコート錠 〔トレリーフ〕淡黄色のフィルムコート錠 **口腔内崩壊錠**〔OD25mg錠〕白色～帯黄白色の素錠 〔OD50mg錠〕微黄白色～淡黄白色の割線入り素錠

有効期間又は使用期限 3年

貯法・保存条件 室温保存

薬剤取扱い上の留意点 眠気，注意力・集中力・反射運動能力等の低下が起こることがあるので，本剤投与中の患者には自動車の運転など危険を伴う機械の操作に従事させないよう注意すること．発汗減少が現れることがあり，特に夏季に体温の上昇することがあるので，本剤投与中は体温上昇に留意し，このような場合には高温環境下をできるだけ避け，適切な処置を行うこと．投与中又は投与中止後に，自殺企図が現れることがあるので，患者の状態及び病態の変化を注意深く観察すること

患者向け資料等 患者向医薬品ガイド，くすりのしおり

溶液及び溶解時のpH 該当しない

浸透圧比 該当しない

安定なpH域 該当しない

調製時の注意 該当しない

薬理作用

分類 ベンズイソキサゾール系抗てんかん・パーキンソン病治療剤(レボドパ賦活剤)

作用部位・作用機序 〔抗てんかん薬〕部位：脳内神経伝達部位 機序：まだ完全に解明されてはいないが，発作活動の伝播過程の遮断，てんかん原性焦点の抑制等が示唆 〔パーキンソン病治療薬〕まだ完全に解明されていないが，片側6-OHDA処置ラットを用いた脳微小透析法による実験において，レボドパ(ベンセラジド塩酸塩含有)併用下における破壊側線条体細胞外液中ドパミンレベルに対し有意な上昇作用．また，ラット及びサル線条体ミトコンドリア・シナプトソーム膜標本中のMAO活性を阻害し，阻害作用は比較的MAO-B型に選択性．さらに，T型Caチャネル及びNaチャネル(ともにヒト遺伝子組換え蛋白質)に対し，それぞれのチャネルにおける電流の阻害作用

同効薬 〔抗てんかん薬〕フェニトイン，バルプロ酸，カルバマゼピン，フェノバルビタール，クロナゼパムなど 〔パーキンソン病治療薬〕セレギリン塩酸塩，アマンタジン塩酸塩

治療

効能・効果 **散** **100mg錠** 部分てんかん及び全般てんかんの次の発作型：①部分発作：単純部分発作〔焦点発作(ジャクソン型を含む)，自律神経発作，精神運動発作〕，複雑部分発作〔精神運動発作，焦点発作〕，二次性全般化強直間代痙攣〔強直間代発作(大発作)〕 ②全般発作：強直間代発作〔強直間代発作(全般痙攣発作，大発作)〕，強直発作〔全般痙攣発作〕，非定型欠神発作〔異型小発作〕③混合発作〔混合発作〕
25mg・50mg口腔内崩壊錠 ①パーキンソン病(レボドパ含有製剤に他の抗パーキンソン病薬を使用しても十分に効果が得られなかった場合) ②(25mgのみ)レビー小体型認知症に伴うパーキンソニズム(レボドパ含有製剤を使用してもパーキンソニズムが残存する場合)

用法・用量 **散** **100mg錠** ゾニサミドとして最初1日100～200mg，1～3回に分服．以後1～2週ごとに増量し1日200～400mgまで漸増，1～3回に分服．最高1日600mgまで．小児には最初1日2～4mg/kg，1～3回に分服．以後1～2週ごとに増量し1日4～8mg/kgまで漸増，1～3回に分服．最高1日12mg/kgまで
25mg・50mg口腔内崩壊錠 レボドパ含有製剤と併用．効能①：1日1回25mg．なお，パーキンソン病における症状の日内変動(wearing-off現象)の改善には1日1回50mg 効能②：1日1回25mg

用法・用量に関連する使用上の注意 **25mg・50mg口腔内崩壊錠** ①パーキンソン病に対する本剤の1日50mg投与において，1日25mg投与時を上回るon時の運動機能の改善効果は確認されていない ②口腔内で崩壊するが，口腔粘膜からの吸収により効果発現を期待する製剤ではないため，唾液又は水で飲み込む

禁忌・原則禁忌となる特定患者集団 〔パーキンソン病治療薬〕妊婦又は妊娠している可能性のある婦人

使用上の注意

禁忌 ①本剤の成分に対し過敏症の既往歴のある患者 ②**トレリーフOD** 妊婦又は妊娠している可能性のある婦人

相互作用概要 主としてCYP3Aで代謝される

過量投与 ①症状：昏睡状態，ミオクローヌス，眼振等の症状が現れる ②処置：特異的解毒剤は知られていないので，胃洗浄，輸液，酸素吸入など適切な処置を行う

薬物動態

散 **100mg錠** **血漿中濃度** 健康成人3例に200mg1回経口投与時のTmaxは5.3±1.3hr，Cmaxは2.9±0.3μg/mL，$T_{1/2}$は62.9±1.4hr **血清蛋白結合率** 48.6%(*in vitro*，ヒト血清，限外ろ過法) **主代謝産物及び代謝経路** 主として肝臓で代謝され，イソキサゾール環開裂体を生成後，グルクロン酸抱合等を受ける **排泄経路及び排泄率** ①排泄経路：主として尿中 ②排泄率：投与後2週間の尿中排泄率は未変化体28.9～47.8%，主代謝物(イソキサゾール環開裂体のグルクロン酸抱合体)12.4～18.7%．これらは投与量の47.6～60.2%(健康成人，200mg1回又は2回，400mg2回投与) **有効血中濃度** てんかんの重症度や症例により違いはあるが，一般に20μg/mL前後が目安 **代謝酵素** チトクロムP450分子種：主とし

てCYP3A　**腎機能障害患者における薬物動態**　(外国人，300mg1回投与)[クレアチニンクリアランス(mL/min)＞60，20～60，＜20の順]：Cmaxはそれぞれ3.3時間後3.64，4.3時間後3.73，2.9時間後4.08μg/mL．半減期はそれぞれ58，58，63時間．CL(腎クリアランス)はそれぞれ3.42，2.5，2.23mL/min．Ae[尿中排泄率：投与後8日間までの尿中排泄用量に対する百分率]はそれぞれ16.8，11.9，13.3%．腎クリアランス及び尿中排泄率で正常腎機能患者との間に差が認められた

口腔内崩壊錠　**血中濃度**　①単回投与：(1)普通錠：健康成人12例に25mgを空腹時に1回投与時，Tmax(h)※1)(中央値(最小値-最大値))4.0(1-10)，Cmax(μg/mL)※2)0.118±0.018，$t_{1/2}$(h)※2)94.0±26.3，$AUC_{0\text{-}t}$(μg・h/mL)※2)6.68±1.57　(2)水で服用の結果(健康成人23例　空腹時25mgを1回投与)[Tmax(h)※1)，Cmax(μg/mL)※2)，$t_{1/2}$(h)※2)，$AUC_{0\text{-}96}$(μg・h/mL)※2)]：OD錠[8.0，0.100，96.6，7.16]，普通錠[4.0，0.099，99.1，7.00]．水なしで服用の結果(健康成人23例，空腹時25mgを1回投与)[Tmax(h)※1)　Cmax(μg/mL)※2)，$t_{1/2}$(h)※2)，$AUC_{0\text{-}96}$(μg・h/mL)※2)]：OD錠[6.0，0.101，119.1，6.83]，普通錠[4.0，0.100，102.4，6.77]　※1)中央値　※2)平均値　②パーキンソン病患者に1日1回25mg又は50mgを反復投与時の定常状態でのトラフ濃度は，それぞれ1.14±0.48μg/mL(108例の平均値±標準偏差)，2.57±0.86μg/mL(105例の平均値±標準偏差)．また，パーキンソニズムを伴うレビー小体型認知症患者に1日1回25mg又は50mgを反復投与時の定常状態でのトラフ濃度は，それぞれ1.43±0.34μg/mL(39例の平均値±標準偏差)，3.43±1.34μg/mL(37例の平均値±標準偏差)(トレリーフ錠のデータ)　③健康成人12例において，空腹時及び食後に25mg単回投与時の薬物動態パラメータを比較した結果，バイオアベイラビリティに対する食事の影響はほとんど認められなかった(トレリーフ錠のデータ)　**血清蛋白結合率**　48.6%(*in vitro*，ヒト血清，限外ろ過法)　**主な代謝産物及び代謝経路**　主として肝臓で代謝され，イソキサゾール環開裂体を生成後，グルクロン酸抱合等を受ける　**排泄経路及び排泄率**　①排泄経路：主として尿中　②排泄率：投与後2週間における尿中排泄率は，未変化体として28.9～47.8%，主代謝物(イソキサゾール環開裂体のグルクロン酸抱合体)として12.4～18.7%．これらは投与量の47.6～60.2%[健康成人，200mg1回又は2回及び400mg2回(承認外用量)投与]　**代謝酵素**　チトクロムP-450分子種：主としてCYP3A6　**腎機能障害患者における薬物動態**　外国人腎機能障害患者に300mg1回(承認外用量)投与時の薬物動態(Tmax(h)，Cmax(μg/mL)，$t_{1/2}$(h)　CL※1)(mL/min)，Ae※2)(%)の順)は，クレアチニンクリアランス(mL/min)＞60で3.3，3.64，58，3.42，16.8，クレアチニンクリアランス(mL/min)20～60で4.3，3.73，58，2.50，11.9，クレアチニンクリアランス(mL/min)＜20で2.9，4.08，63，2.23，13.3となり，腎クリアランス及び尿中排泄率で正常腎機能患者との間に差が認められた　※1)腎クリアランス　※2)尿中排泄率(投与後8日間までに尿中に排泄されたゾニサミドの用量に対する百分率)

その他の管理的事項

投与期間制限　該当しない

保険給付上の注意　該当しない

資料

IF　エクセグラン錠100mg・散20%　2018年10月改訂(第31版)
　トレリーフOD錠25mg・50mg　2019年7月改訂(第17版)

ゾピクロン
ゾピクロン錠
Zopiclone

概要

薬効分類　112　催眠鎮静剤，抗不安剤

構造式

及び鏡像異性体

分子式　$C_{17}H_{17}ClN_6O_3$

分子量　388.81

原薬の規制区分　㊚

原薬の外観・性状　白色～微黄色の結晶性の粉末である．エタノール(99.5)に溶けにくく，水にほとんど溶けない．0.1mol/L塩酸試液に溶ける．光によって徐々に微褐色となる．本品の0.1mol/L塩酸試液溶液(1→40)は旋光性を示さない．結晶多形が認められる

原薬の吸湿性　吸湿性は認められなかった

原薬の融点・沸点・凝固点　融点：175～178℃

原薬の酸塩基解離定数　pKa＝約6.8(ジオキサン・水混合溶液中で0.1mol/L塩酸試液で滴定)

先発医薬品等

錠　アモバン錠7.5・10(サノフィ＝日医工)

後発医薬品

錠　7.5mg・10mg

国際誕生年月　1984年12月

海外での発売状況　英，仏，独など

製剤

規制区分　錠　向Ⅲ　習　処

製剤の性状　錠　白色フィルムコーティング錠(割線入り)

有効期間又は使用期限　3年

貯法・保存条件　遮光・室温保存

薬剤取扱い上の留意点　本剤の影響が翌朝以後に及び，眠気，注意力・集中力・反射運動能力等の低下が起こることがあるので，自動車の運転等危険を伴う機械の操作に従事させないよう注意すること

患者向け資料等　患者向医薬品ガイド，くすりのしおり

薬理作用

分類　シクロピロロン系誘導体睡眠障害改善剤

作用部位・作用機序　部位：中枢神経　機序：ベンゾジアゼピンレセプターに結合し，GABAレセプターに影響をおよぼすことでGABA系の抑制機構を増強するものと考えられている

同効薬　非ベンゾジアゼピン系化合物(ゾルピデムなど)，ベンゾジアゼピン系化合物(ジアゼパム，ニトラゼパムなど)，チエノジアゼピン系化合物(クロチアゼパム，エチゾラム，ブロチゾラムなど)

治療

効能・効果　①不眠症　②麻酔前投薬

用法・用量　効能①：1回7.5～10mg就寝前．年齢・症状により適宜増減するが，10mgを超えない　効能②：1回7.5～10mg就寝前又は手術前．年齢・症状・疾患により適宜増減するが，10mgを超えない

用法・用量に関連する使用上の注意　①投与する場合，反応に個人差があるため少量(高齢者では1回3.75mg)から開始する．また，肝障害のある患者では3.75mgから開始することが望ましい．やむを得ず増量する場合は観察を十分に行いながら慎重に投与する．ただし，10mgを超えないこととし，症状の改善に伴って減量に努める　②不眠症には，就寝の直前に服

用させる．また，服用して就寝した後，睡眠途中において一時的に起床して仕事等をする可能性があるときは服用させない

使用上の注意

> **警告**　服用後に，もうろう状態，睡眠随伴症状（夢遊症状等）が現れることがある．また，入眠までの，あるいは中途覚醒時の出来事を記憶していないことがあるので注意する

禁忌　①本剤の成分又はエスゾピクロンに対し過敏症の既往歴のある患者　②重症筋無力症の患者［筋弛緩作用により症状を悪化させるおそれがある］　③急性閉塞隅角緑内障の患者［抗コリン作用により眼圧が上昇し，症状を悪化させることがある］

相互作用概要　主にCYP3A4，一部CYP2C8で代謝される

過量投与　①症状：過量投与により傾眠，錯乱，嗜眠を生じ，更には失調，筋緊張低下，血圧低下，メトヘモグロビン血症，呼吸機能低下，昏睡等に至ることがある．他の中枢神経抑制剤やアルコールと併用時の過量投与は致死的となることがある．また，合併症や衰弱状態などの危険因子がある場合は，症状は重篤化する可能性があり，ごくまれに致死的な経過をたどることがある　②処置：呼吸，脈拍，血圧の監視を行うとともに，催吐，胃洗浄，吸着剤・下剤の投与，輸液，気道の確保等の適切な処置を行う．また，本剤の過量投与が明白又は疑われた場合の処置としてフルマゼニル（ベンゾジアゼピン受容体拮抗剤）を投与する場合には，使用前にフルマゼニルの使用上の注意（禁忌，慎重投与，相互作用等）を必ず読む．なお，血液透析による除去は有効ではない

薬物動態

①血漿中濃度：健康成人6例に7.5mg又は10mg錠単回投与時の薬物動態パラメータ（7.5mg，10mgの順）は，tmax（hr）1.17，0.75，Cmax（ng/mL）67.76，80.87，$T_{1/2}$（hr）3.66，3.94　②代謝：生体内で代謝され2種類の主代謝物（N-desmethyl体及びN-oxide体）が生成．*In vitro*試験でCYP3A4が両代謝物の生成に，またCYP2C8がN-desmethyl体の生成に関与

その他の管理的事項

投与期間制限　**錠**　30日

保険給付上の注意　該当しない

資料

IF　アモバン錠7.5・10　2017年3月改訂（第10版）

ソルビタンセスキオレイン酸エステル
Sorbitan Sesquioleate

概要

原薬の規制区分　該当しない

原薬の外観・性状　微黄色～淡黄褐色粘性の油状の液で，僅かに特異なにおいがあり，味はやや苦い．ジエチルエーテルに溶けやすく，エタノール（95）に溶けにくく，メタノールに極めて溶けにくい．水に微細な油滴状となって分散する

ゾルピデム酒石酸塩
ゾルピデム酒石酸塩錠
Zolpidem Tartrate

概要

薬効分類　112　催眠鎮静剤，抗不安剤

構造式

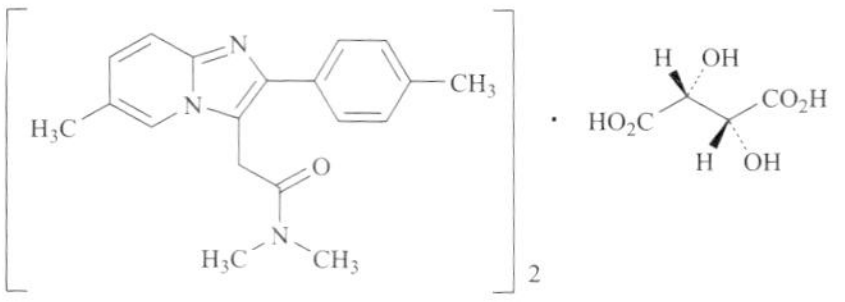

分子式　$(C_{19}H_{21}N_3O)_2 \cdot C_4H_6O_6$

分子量　764.87

ステム　ゾルピデム誘導体，催眠鎮静剤：-pidem

原薬の規制区分　向Ⅲ　習

原薬の外観・性状　白色の結晶性の粉末である．酢酸（100）に溶けやすく，*N,N*-ジメチルホルムアミド又はメタノールにやや溶けやすく，水にやや溶けにくく，エタノール（99.5）又は無水酢酸に溶けにくい．0.1mol/L塩酸試液に溶ける．光によって徐々に黄色となる

原薬の吸湿性　各相対湿度に応じて水分量の増加を認め，臨界湿度は約90％であった

原薬の融点・沸点・凝固点　融点：約190℃（分解）

原薬の酸塩基解離定数　$pKa_1=2.84$（カルボキシル基），$pKa_2=3.96$（カルボキシル基），$pKa_3=6.35$（イミダゾール基）

先発医薬品等

錠　マイスリー錠5mg・10mg（アステラス）

後発医薬品

錠　5mg・10mg・OD錠5mg・10mg

内用液　5mg・10mg

内用フィルム　5mg・10mg

国際誕生年月　1987年6月

海外での発売状況　米，英，仏を含む1000カ国以上

製剤

規制区分　**錠**　向Ⅲ　習　処

製剤の性状　**錠**　淡いだいだい色のフィルムコーティング錠（片面割線入）

有効期間又は使用期限　3年

貯法・保存条件　**錠**　室温保存，ただし錠剤分割後は遮光保存

薬剤取扱い上の留意点　本剤の影響が翌朝以後に及び，眠気，注意力・集中力・反射運動能力などの低下が起こることがあるので，自動車の運転など危険を伴う機械の操作に従事させないよう注意すること．就寝の直前に服用させること．また，服用して就寝した後，患者が起床して活動を開始するまでに十分な睡眠時間がとれなかった場合，又は睡眠途中において一時的に起床して仕事等を行った場合などにおいて健忘が現れたとの報告があるので，薬効が消失する前に活動を開始する可能性があるときは服用させないこと

患者向け資料等　患者向医薬品ガイド，くすりのしおり

溶液及び溶解時のpH　4.7～4.8（飽和水溶液）

浸透圧比　該当しない

安定なpH域　該当しない

調製時の注意　該当しない

薬理作用

分類　非ベンゾジアゼピン系睡眠薬

作用部位・作用機序　作用部位：中枢ベンゾジアゼピン受容体のサブタイプであるω_1（BZD_1）受容体　作用機序：ω_1（BZD_1）受容体に対して選択的な親和性を示し，$GABA_A$系の抑制機構を増強し，催眠鎮静作用を示すと考えられる

同効薬　ゾピクロン，トリアゾラム，ニトラゼパムなど

治療

効能・効果　不眠症（統合失調症及び躁うつ病に伴う不眠症は除く）

効能・効果に関連する使用上の注意　投与は，不眠症の原疾患を確定してから行う．なお，統合失調症あるいは躁うつ病に伴う不眠症には有効性は期待できない

用法・用量　1回5～10mg就寝直前（適宜増減）．1日10mgを超えない．なお，高齢者には1回5mgから開始

用法・用量に関連する使用上の注意　①本剤に対する反応には個人差があり，また，もうろう状態，睡眠随伴症状（夢遊症状等）は用量依存的に現れるので，投与する場合には少量（1回5mg）から投与を開始する．やむを得ず増量する場合は観察を十分に行いながら慎重に投与する．ただし，10mgを超えないこととし，症状の改善に伴って減量に努める　②投与する場合，就寝の直前に服用させる．また，服用して就寝した後，患者が起床して活動を開始するまでに十分な睡眠時間がとれなかった場合，又は睡眠途中において一時的に起床して仕事等を行った場合等において健忘が現れたとの報告があるので，薬効が消失する前に活動を開始する可能性があるときは服用させない

使用上の注意

> **警告**　服用後に，もうろう状態，睡眠随伴症状（夢遊症状等）が現れることがある．また，入眠までの，あるいは中途覚醒時の出来事を記憶していないことがあるので注意する

禁忌　①本剤の成分に対し過敏症の既往歴のある患者　②重篤な肝障害のある患者［代謝機能の低下により血中濃度が上昇し，作用が強く現れるおそれがある］　③重症筋無力症の患者［筋弛緩作用により症状を悪化させるおそれがある］　④急性閉塞隅角緑内障の患者［眼圧が上昇し，症状を悪化させるおそれがある］

相互作用概要　主としてCYP3A4及び一部CYP2C9，CYP1A2で代謝される

過量投与　①症状：単独の過量投与では，傾眠から昏睡までの意識障害が報告されているが，さらに中枢神経抑制症状，血圧低下，呼吸抑制，無呼吸等の重度な症状が現れるおそれがある　②処置：呼吸，脈拍，血圧の監視を行うとともに，催吐，胃洗浄，吸着剤・下剤の投与，輸液，気道の確保等の適切な処置を行う．また，本剤の過量投与が明白又は疑われた場合の処置としてフルマゼニル（ベンゾジアゼピン受容体拮抗剤）を投与する場合には，使用前にフルマゼニルの使用上の注意（禁忌，慎重投与，相互作用等）を必ず読む．なお，本剤は血液透析では除去されない

薬物動態

血漿中濃度　①健康成人（6例）：錠2.5～10mgを空腹時単回経口投与時，ゾルピデムは速やかに吸収され，投与後0.7～0.9時間に最高血漿中濃度（Cmax）到達後，消失半減期（$T_{1/2}$）1.78～2.3時間で速やかに減少．Cmax及び血漿中濃度-時間曲線下面積（AUC）は投与量に比例して増加．錠10mgを1日1回7日間朝食後経口投与時の血漿中濃度推移は1日目と7日目でほぼ同じ．単回経口投与時の薬物速度論的パラメータ（2.5，5，7.5，10mgの順）はTmax（hr）0.7±0.3，0.8±0.3，0.9±0.6，0.8±0.3，Cmax（ng/mL）32.6±9.6，76.2±29.7，102±42，120±73，$T_{1/2}$（hr）1.78±0.48，2.06±1.18，1.86±0.47，2.30±1.48，$AUC_{0-\infty}$（ng・hr/mL）96±58，259±218，330±163，491±474　②高齢患者：7例（67～80歳，平均75歳）に錠5mgを就寝直前に経口投与時，高齢患者の方が健康成人に比べCmaxで2.1倍，最高血漿中濃度到達時間（Tmax）で1.8倍，AUCで5.1倍，$T_{1/2}$で2.2倍大きかった　③肝機能障害患者（外国人データ）：肝硬変患者8例に錠20mgを経口投与時，同年齢の健康成人に比べCmaxは2倍，AUCは5.3倍大きかった．肝硬変患者での薬物速度論的パラメータ（肝硬変患者，健康成人の順）はTmax（hr）0.69±0.54，0.72±0.42，Cmax（ng/mL）499±215，250±57，$T_{1/2}$（hr）9.91±7.57（7例），2.15±0.25，$AUC_{0-\infty}$（ng・hr/mL）4203±3773，788±279（注；承認1日用量は最大10mg）　④腎機能障害患者（外国人データ）：慢性腎障害患者16例（Ccr：0～47mL/min）に10mgを20分間持続静注時，健康成人に比べβ相での分布容量（Vdβ）のみ有意に大きかった．透析を受けている慢性腎障害患者9例に錠10mgを1日1回13～18日間経口投与時の血漿中濃度は単回投与時とほぼ同じで，血中での蓄積は認められなかった．透析患者における薬物速度論的パラメータ［単回投与11例（反復投与9例と同一症例を含む），反復投与9例の順］はTmax（hr）1.7±1.0，0.8±0.6，Cmax（ng/mL）172±96，203±96，$T_{1/2}$（hr）2.4±1.3，2.5±1.2，$AUC_{0-\infty}$（ng・hr/mL）796±527，930±651（注；承認用法は経口投与）　**代謝**　大部分は肝で代謝され，その主なものは芳香環のメチル基が酸化されてカルボン酸となった薬理活性のない代謝物．また，肝薬物代謝酵素CYP3A4のほかCYP2C9，CYP1A2等，複数の分子種により代謝　**排泄**　（健康成人6例）錠2.5～10mgを空腹時に単回経口投与したところ，投与後24時間までの尿中に排泄された未変化体は，いずれの投与量においても0.5%以下とごくわずかであった．錠10mgを1日1回7日間朝食後に経口投与したところ，投与初日，4及び7日目投与後24時間の尿中未変化体排泄率は単回投与時と同様の0.5%以下であった　**乳汁中への移行**　（外国人データ）授乳中の婦人5例に錠20mgを経口投与時，未変化体の乳汁中排泄率は0.004～0.019%．投与後3時間目の乳汁中/血漿中濃度比は0.11～0.18（注；承認1日用量は最大10mg）

その他の管理的事項

投与期間制限　**錠**　30日

保険給付上の注意　該当しない

資料

IF　マイスリー錠5mg・10mg　2019年7月改訂（第31版）

D-ソルビトール
D-ソルビトール液
D-Sorbitol

概要

薬効分類　251　泌尿器官用剤，799　他に分類されない治療を主目的としない医薬品

構造式

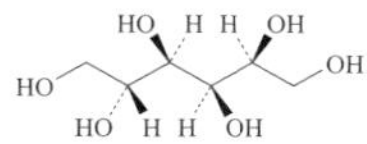

分子式　$C_6H_{14}O_6$

分子量　182.17

ステム　不明

原薬の規制区分　該当しない

原薬の外観・性状　白色の粒，粉末又は結晶性の塊で，においはなく，味は甘く，冷感がある．水に極めて溶けやすく，エタノール（95）にやや溶けにくく，ジエチルエーテルにほとんど溶けない

原薬の吸湿性　吸湿性である

原薬の酸塩基解離定数　該当資料なし

先発医薬品等

末　D-ソルビトール原末「マルイシ」（丸石）

内用液　D-ソルビトール内用液65%「マルイシ」（丸石）
D-ソルビトール経口液75%「コーワ」（興和）

外用液　ウロマチックS泌尿器科用灌流液3%（バクスター）

国際誕生年月　不明

海外での発売状況 該当しない

製剤

規制区分 **末** **内用液** ㊈

製剤の性状 **末** 白色の粒，粉末又は結晶性の塊で，においはなく，味は甘く，冷感がある **内用液** 無色澄明，無臭，味は甘い．結晶性の塊を析出することがある．水，エタノール(95)，グリセリン又はプロピレングリコールと混和する **外用液** 無色澄明な液で，においはなく，味は甘い

有効期間又は使用期限 **末** 3年 **内用液** 5年 **外用液** 2年

貯法・保存条件 **末** 吸湿注意．室温保存 **内用液** **外用液** 室温保存

患者向け資料等 **末** **内用液** くすりのしおり

溶液及び溶解時のpH **外用液** 4.5～6.5

浸透圧比 **外用液** 約0.5(対生食)

薬理作用

分類 糖アルコール(X線造影促進・栄養補給剤・泌尿器科用灌流液)

作用部位・作用機序 消化管のX線造影時の便秘の防止：浸透圧性緩下作用 経口的栄養補給：吸収されたソルビトールのエネルギー源として肝グリコーゲンへの変換，抗ケトン作用(一部，腸内細菌により利用・分解され，産生された有機酸が吸収され，エネルギー源となる) **外用液** 経尿道的切除術に際し，尿道・膀胱の開存性を維持し内視鏡視野を確保するとともに，切除された組織片あるいは血液の除去を目的として使用される 消化管のX線造影の迅速化：腸管蠕動運動亢進作用

同効薬 **内用液** ブドウ糖(経口的栄養補給)

治療

効能・効果 **末** **内用液** 消化管のX線造影の迅速化，消化管のX線造影時の便秘の防止，経口的栄養補給

外用液 前立腺及び膀胱疾患の経尿道的手術時，その他泌尿器科手術時ならびに術後の洗浄

用法・用量 **末** **内用液** ①消化管のX線造影の迅速化及び消化管のX線造影時の便秘の防止：X線造影剤に添加して服用．添加量はX線造影剤中の硫酸バリウム100gに対して10～20gとする ②経口的栄養補給：必要量を粉末あるいは水溶液として服用

外用液 目的に応じて1～15L．手術等，必要に応じて適宜増減

使用上の注意

禁忌 **外用液** ①無尿症の患者 ②遺伝性果糖不耐症の患者[D-ソルビトールが体内で代謝されて生成した果糖が正常に代謝されず，低血糖，肝不全，腎不全等が誘発されるおそれがある]

薬物動態

内用液 外国人データ：健常人6名，糖尿病軽症患者8名に一夜絶食後それぞれソルビトール35g投与時の血中濃度は2～3mg/dL以下で測定困難

外用液 経尿道的切除術中に体内に吸収されることが知られている．前立腺肥大症患者8例で，血清Na濃度法で平均160mL，イヌリンスペース法で平均1305mLの灌流液吸収を示唆

その他の管理的事項

投与期間制限 該当しない

保険給付上の注意 該当しない

資料

IF D-ソルビトール経口液75%「コーワ」 2020年4月改訂(第4版)

添付文書 D-ソルビトール原末「マルイシ」 2018年6月改訂(第3版)
ウロマチックS泌尿器科用灌流液3% 2019年10月改訂(第4版)

ダウノルビシン塩酸塩
Daunorubicin Hydrochloride

概要

薬効分類　423　抗腫瘍性抗生物質製剤

構造式

分子式　$C_{27}H_{29}NO_{10}$・HCl

分子量　563.98

略語・慣用名　DNR，DM

ステム　アントラサイクリン系抗悪性腫瘍剤：-rubicin

原薬の規制区分　毒(ただし，1バイアル中ダウノルビシンとして20mg以下を含有するものは劇)

原薬の外観・性状　赤色の粉末である．水又はメタノールにやや溶けやすく，エタノール(99.5)に溶けにくい．0.15gを水30mLに溶かした液のpHは4.5～6.0である

原薬の吸湿性　吸湿性である

原薬の融点・沸点・凝固点　融点：181～186℃(分解)

原薬の酸塩基解離定数　pKa＝10.3

先発医薬品等

注射用　ダウノマイシン静注用20mg(MeijiSeika)

国際誕生年月　不明

海外での発売状況　米，英，仏，独など

製剤

規制区分　**注射用**　劇 処

製剤の性状　**注射用**　赤色の塊又は粉末(凍結乾燥品)

有効期間又は使用期限　2年

貯法・保存条件　室温保存

薬剤取扱い上の留意点　本剤の尿中排泄により尿が赤色になることがある

患者向け資料等　くすりのしおり

溶液及び溶解時のpH　5.0～6.5(5mg/mL溶液)

浸透圧比　約1(20mg/10mL生食)

薬理作用

分類　アントラサイクリン系抗悪性腫瘍抗生物質

作用部位・作用機序　細胞の核酸合成過程に作用し直接DNAと結合しその結合部位はpurine及びpyrimidine環上にあると考えられ，DNA合成とDNA依存RNA合成反応を阻害

同効薬　ドキソルビシン塩酸塩，アクラルビシン塩酸塩，エピルビシン塩酸塩，イダルビシン塩酸塩，ピラルビシン塩酸塩，アムルビシン塩酸塩

治療

効能・効果　急性白血病(慢性骨髄性白血病の急性転化を含む)

用法・用量　1日0.4～1mg(力価)/kg，小児1日1mg(力価)/kg，連日あるいは隔日に3～5回静注又は点滴静注し，約1週間の観察期間をおき，投与を反復．使用に際しては，20mg(力価)に10mLの生理食塩液を加え軽く振りまぜ完全に溶かしてから静注する

使用上の注意

禁忌　①心機能異常又はその既往歴のある患者［心筋障害が現れることがある］　②本剤の成分に対し重篤な過敏症の既往歴のある患者

薬物動態

血中濃度　白血病成人患者10例に40mgを生理食塩液40mLに溶解し3分間で静注時の未変化体の薬物動態パラメータ．投与5分後の血中濃度(ng/mL)は血漿中，赤血球中の順に228±204，237±111，$T_{1/2}\alpha$(hr)：0.0351±0.0157，0.0738±0.0714，$T_{1/2}\beta$(hr)：1.83±2.01，2.86±2.86，$T_{1/2}\gamma$(hr)：15.8±8.4，97.3±210.8　**代謝**　ヒトでの主要代謝物はダウノルビシノール　**排泄**　白血病成人患者10例に40mgを投与時，24時間までの尿中総排泄率は，11.8±5.1%，そのうち未変化体は6.33±2.93%，ダウノルビシノールは5.3±2.48%

その他の管理的事項

投与期間制限　該当しない

保険給付上の注意　該当しない

資料

IF　ダウノマイシン静注用20mg　2020年2月改訂(第6版)

タ

タウリン
Taurine

別名：アミノエチルスルホン酸

概要

薬効分類　119　その他の中枢神経系用薬，211　強心剤，391　肝臓疾患用剤

構造式

分子式　$C_2H_7NO_3S$

分子量　125.15

ステム　不明

原薬の規制区分　該当しない

原薬の外観・性状　無色又は白色の結晶，若しくは白色の結晶性の粉末である．水にやや溶けやすく，エタノール(99.5)にほとんど溶けない．1.0gを新たに煮沸して冷却した水20mLに溶かした液のpHは4.1～5.6である

原薬の吸湿性　該当資料なし

原薬の融点・沸点・凝固点　融点：311～312℃

原薬の酸塩基解離定数　pK'_1＝1.5，pK'_2＝8.74

先発医薬品等

散　タウリン散98%「大正」(大正製薬)

国際誕生年月　不明

製剤

製剤の性状　**散**　白色の粉末で，におい及び味はない

有効期間又は使用期限　5年

貯法・保存条件　密閉容器，室温保存

薬剤取扱い上の留意点　特になし

患者向け資料等　くすりのしおり

溶液及び溶解時のpH　4.1～5.6(1.0gを新たに煮沸して冷却した水20mLに溶かした液)

薬理作用

分類　アミノエチルスルホン酸製剤

作用部位・作用機序　肝臓に対し，胆汁酸の抱合体形成に関与して胆汁酸分泌を亢進させる．更に，肝細胞保護作用，肝細胞賦活作用(肝細胞の再生促進，肝ATPの増加)を有しており，これらの作用により，肝機能異常を改善．また，心臓に対し，心筋におけるCa^{2+}動態を調節することで心筋の収縮力を調節するとともに，心筋保護・心筋代謝改善作用を合わせ持ち，心機能の低下を包括的に改善させる．MELASモデル培養細胞をタウリン存在下で培養した結果，酸素消費量及びミトコンドリアの膜電位で改善が認められたことから，脳軟膜における小動脈の血管内皮細胞及び血管平滑筋細胞等におけるミトコンドリアの機能異常がタウリンにより改善すると考えられる

治療

効能・効果 ①高ビリルビン血症(閉塞性黄疸を除く)における肝機能の改善 ②うっ血性心不全 ③ミトコンドリア脳筋症・乳酸アシドーシス・脳卒中様発作(MELAS)症候群における脳卒中様発作の抑制

効能・効果に関連する使用上の注意 MELAS症候群における脳卒中様発作の抑制においては，臨床試験に組み入れられた患者のミトコンドリア遺伝子の変異型について，臨床成績の項の内容を熟知し，本剤の有効性及び安全性を十分に理解した上で，適応患者の選択を行う

用法・用量 効能①②1回1g，1日3回食後．なお，うっ血性心不全に用いる場合，強心利尿剤で十分な効果が認められないときに，それと併用する 効能③：次の1回量(体重15kg未満1g，15kg～25kg未満2g，25kg～40kg未満3g，40kg以上4g)を1日3回食後

薬物動態

吸収 健常人に2gを空腹時経口投与で，約1時間後に最高血中濃度84μg/mL，7時間後には通常の生体内濃度にまで減少．血中濃度半減期は約2時間(承認1回用量は1.02g) **分布(参考)** 動物による成績：ラットに経口投与後3時間で約20%が肝臓に取り込まれ，腎臓には30分後に約7%が分布し以後急速に低下．一方，心臓，骨格筋では経日的に徐々に増加するが，脳・脊髄系にはほとんど取り込まれなかった **代謝・排泄(参考：外国人)** 経口投与後，一部イセチオン酸等へ代謝分解を受け，また一部は胆汁酸抱合体として胆汁中に排泄されるが，大部分はそのまま尿中に排泄され，糞中は2%以下

その他の管理的事項

投与期間制限 該当しない

保険給付上の注意 該当しない

資料

IF タウリン散98%「大正」 2019年4月改訂(第7版)

タカルシトール水和物
タカルシトールローション
タカルシトール軟膏
Tacalcitol Hydrate

概要

薬効分類 269 その他の外皮用薬

構造式

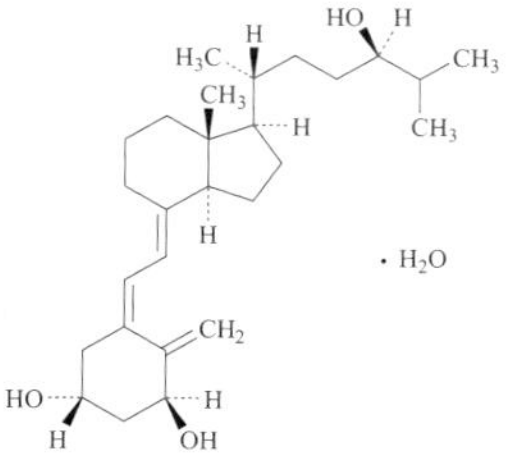

· H_2O

分子式 $C_{27}H_{44}O_3 \cdot H_2O$

分子量 434.65

ステム ビタミンD類縁体・誘導体：calci

原薬の規制区分 毒(ただし，タカルシトールとして0.002%以下を含有する外用剤は劇)

原薬の外観・性状 白色の結晶又は結晶性の粉末である．メタノール又はエタノール(99.5)に極めて溶けやすく，水にほとんど溶けない．光によって分解する

原薬の吸湿性 33～93%RHでほとんど吸湿性はない

原薬の融点・沸点・凝固点 融点：約100℃

原薬の酸塩基解離定数 該当資料なし

先発医薬品等

軟 ボンアルファ軟膏2μg/g(帝人ファーマ＝佐藤製薬)
ボンアルファハイ軟膏20μg/g(帝人ファーマ＝佐藤製薬)

クリーム ボンアルファクリーム2μg/g(帝人ファーマ＝佐藤製薬)

外用液 ボンアルファローション2μg/g(帝人ファーマ＝佐藤製薬)
ボンアルファハイローション20μg/g(帝人ファーマ＝佐藤製薬)

後発医薬品

軟 0.0002%

クリーム 0.0002%

国際誕生年月 1993年10月

海外での発売状況 **軟(2～4μg/g)** **クリーム(2～4μg/g)** 英，独，伊など15カ国 **軟(2μg/g)** 韓国 **外用液(4μg/g)** 独，伊など9カ国

製剤

規制区分 **軟** **クリーム** **外用液** 劇 処

製剤の性状 **軟** 白色～微黄色の均一な軟膏で，においはない **クリーム** 白色の乳剤性軟膏 **外用液** 白色の乳剤性ローション

有効期間又は使用期限 3年

貯法・保存条件 気密容器，遮光・室温保存

薬剤取扱い上の留意点 眼科用として角膜，結膜に使用しないこと **20μg** 本剤に触れた手で表皮の欠損個所に触れないよう注意すること

患者向け資料等 くすりのしおり

溶液及び溶解時のpH **外用液** 7.0～8.0

薬理作用

分類 ビタミンD及び活性型ビタミンD_3類

作用部位・作用機序 作用部位：表皮 作用機序：表皮細胞に対する増殖抑制作用，表皮細胞に対する分化誘導作用，表皮細胞の1,25-$(OH)_2D_3$に特異的なたん白受容体(レセプター)に対する親和性

同効薬 アルファカルシドール，カルシトリオール，カルシポトリオール，マキサカルシトールなど

治療

効能・効果 **2μg軟** **クリーム** **2μg外用液** 乾癬，魚鱗癬，掌蹠膿疱症，掌蹠角化症，毛孔性紅色粃糠疹
20μg軟 **20μg外用液** 尋常性乾癬

用法・用量 **2μg軟** **クリーム** **2μg外用液** 1日2回患部に塗布
20μg軟 **20μg外用液** 1日1回患部に塗布

用法・用量に関連する使用上の注意 **20μg軟** **20μg外用液** 1日の使用量は本剤として10gまでとする．ただし，他のタカルシトール水和物外用剤と併用する場合には，1日の投与量はタカルシトールとして200μgまでとする

使用上の注意

禁忌 本剤の成分に対して過敏症の既往歴のある患者

過量投与 **20μg軟** **20μg外用液** 1日10g(タカルシトールとして200μg/日)を超えて塗布することにより高カルシウム血症が現れる可能性がある ①徴候と症状：高カルシウム血症の主な症状は倦怠感，脱力感，食欲不振，嘔気，嘔吐，腹部膨満感，腹痛，頭痛，めまい，筋肉痛，筋力低下等である ②処置：ただちに中止する．血清カルシウム，尿中カルシウム等の生化学的検査を行い，必要に応じて輸液等の処置を行う

その他の管理的事項

投与期間制限 該当しない

保険給付上の注意 該当しない

資料

IF ボンアルファ軟膏2μg/g・クリーム2μg/g・ローション2μg/g 2018年10月改訂(第9版)
ボンアルファハイ軟膏20μg/g・ハイローション20μg/g

2018年3月改訂(第12版)

タクロリムス水和物
タクロリムスカプセル
Tacrolimus Hydrate

概要

薬効分類 131 眼科用剤，269 その他の外皮用薬，399 他に分類されない代謝性医薬品

構造式

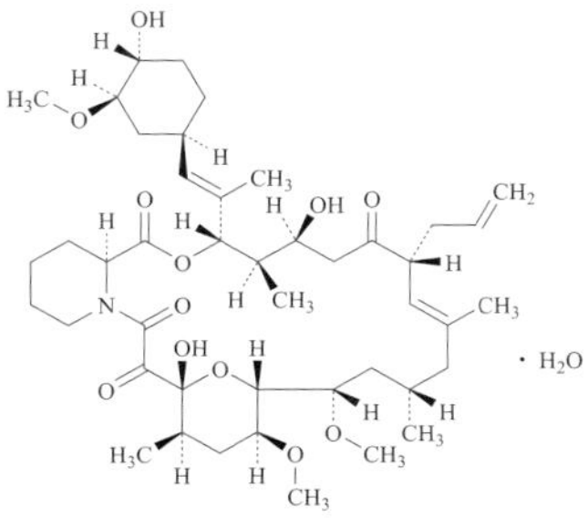

$\cdot H_2O$

分子式 $C_{44}H_{69}NO_{12} \cdot H_2O$

分子量 822.03

略語・慣用名 慣用名：FK506

ステム 免疫抑制剤：-imus

原薬の規制区分 ㊙

原薬の外観・性状 白色の結晶又は結晶性の粉末である．メタノール又はエタノール(99.5)に極めて溶けやすく，N,N-ジメチルホルムアミド又はエタノール(95)に溶けやすく，水にほとんど溶けない

原薬の吸湿性 認めない

原薬の融点・沸点・凝固点 融点：130～133℃

原薬の酸塩基解離定数 酸塩基解離基を有しない

先発医薬品等

顆 プログラフ顆粒0.2mg・1mg(アステラス)

カ プログラフカプセル0.5mg・1mg・5mg(アステラス)

徐放カ グラセプターカプセル0.5mg・1mg・5mg(アステラス)

注 プログラフ注射液2mg・5mg(アステラス)

点眼液 タリムス点眼液0.1％(千寿＝武田)

軟 プロトピック軟膏0.03％小児用(マルホ)
プロトピック軟膏0.1％(マルホ)

後発医薬品

錠 0.5mg・1mg・1.5mg・2mg・3mg・5mg

カ 0.5mg・1mg・5mg

軟 0.1％

国際誕生年月 1993年4月

海外での発売状況 顆 カ 注 米，英，仏，独を含む110カ国(承認)，103カ国(発売) 徐放カ 欧州，カナダ，アルゼンチンなど95カ国(承認)，73カ国(発売) 点眼液 中国 軟 米，英，独など75カ国以上(承認，発売)

製剤

規制区分 顆 カ 徐放カ 注 軟 点眼液 ㊙ ㊄

製剤の性状 顆 白色の顆粒剤 0.5mgカ 淡黄色の硬カプセル剤 1mgカ 白色の硬カプセル剤 5mgカ 灰赤色の硬カプセル剤 0.5mg徐放カ 淡黄色/だいだい色の硬カプセル剤 1mg徐放カ 白色/だいだい色の硬カプセル剤 5mg徐放カ 灰赤色/だいだい色の硬カプセル剤 注 無色澄明の粘稠性のある液 軟 白色～微黄色の軟膏 点眼液 白色の水性懸濁点眼剤

有効期間又は使用期限 顆 カ 徐放カ 点眼液 3年 注 軟 2年

貯法・保存条件 顆 軟 点眼液 室温保存 カ 徐放カ 室温保存(開封後は防湿保存) 注 室温保存，箱開封後遮光保存

薬剤取扱い上の留意点 カ 徐放カ 本品は高防湿性の内袋により品質保持をはかっている 軟 ①使用後，一過性に皮膚刺激感(灼熱感，ほてり感，疼痛，そう痒感等)が高頻度に認められるが，通常，皮疹の改善とともに発現しなくなるので，皮膚刺激感があることについて患者に十分説明すること ②皮膚以外の部位(粘膜等)及び外陰部には使用しないこと．また，眼の周囲に使用する場合には眼に入らないように注意すること．万一，眼に入った場合には刺激感を認めることがあるので直ちに水で洗い流すこと．また，洗い流した後にも刺激感が持続する場合は，医療機関を受診し治療を受けるよう指導すること 点眼液 本剤は，振り混ぜても粒子が分散しにくくなる場合があるので，上向きに保管すること

患者向け資料等 顆 カ 徐放カ 軟 患者向医薬品ガイド，くすりのしおり 点眼液 くすりのしおり

溶液及び溶解時のpH 注 4.5～7.5 点眼液 4.3～5.5

浸透圧比 注 1.3～1.7(対生食) 点眼液 0.9～1.1(対生食)

調製時の注意 注 アルカリ性で分解されやすいので，特に溶解時強アルカリ性を呈する薬剤(アシクロビル，ガンシクロビル等)とは混注しないこと 点眼液 用時よく振り混ぜたのち点眼する

薬理作用

分類 免疫抑制剤(マクロライド化合物)

作用部位・作用機序 主としてT細胞による分化・増殖因子の産生を阻害することにより発揮されるが，この産生阻害はメッセンジャーRNAへの転写レベルで抑制されることに基づくと考えられている．タクロリムスは細胞内でタクロリムス結合蛋白(FKBP)と結合して作用を発揮すると考えられているが，この蛋白はシクロスポリン結合蛋白であるシクロフィリンとは全く異なることが明らかとなっている

同効薬 顆 カ (移植領域，重症筋無力症)シクロスポリン (関節リウマチ)メトトレキサート，ミゾリビン，レフルノミド (ループス腎炎)ミゾリビン (潰瘍性大腸炎)アザチオプリン 徐放カ 注 点眼液 シクロスポリン 軟 ベタメタゾン吉草酸エステル，アルクロメタゾンプロピオン酸エステルなど

治療

効能・効果 顆 錠・カ(0.5～3mg) ①次の臓器移植における拒絶反応の抑制：腎移植，肝移植，心移植，肺移植，膵移植，小腸移植 ②骨髄移植における拒絶反応及び移植片対宿主病の抑制 ③重症筋無力症 ④(顆粒除く)関節リウマチ(既存治療で効果不十分な場合に限る) ⑤〔グラセプターを除く〕ループス腎炎(ステロイド剤の投与が効果不十分，又は副作用により困難な場合) ⑥(顆粒除く)難治性(ステロイド抵抗性，ステロイド依存性)の活動期潰瘍性大腸炎(中等症～重症に限る) ⑦〔プログラフカプセルのみ〕多発性筋炎・皮膚筋炎に合併する間質性肺炎

錠・カ(5mg) ①次の臓器移植における拒絶反応の抑制：腎移植，肝移植，心移植，肺移植，膵移植，小腸移植 ②骨髄移植における拒絶反応及び移植片対宿主病の抑制 ③難治性(ステロイド抵抗性，ステロイド依存性)の活動期潰瘍性大腸炎(中等症～重症に限る)

徐放カ ①次の臓器移植における拒絶反応の抑制：腎移植，肝移植，心移植，肺移植，膵移植，小腸移植 ②骨髄移植における拒絶反応及び移植片対宿主病の抑制

注 ①次の臓器移植における拒絶反応の抑制：腎移植，肝移植，心移植，肺移植，膵移植，小腸移植
②骨髄移植における拒絶反応及び移植片対宿主病の抑制

点眼液 春季カタル(抗アレルギー剤が効果不十分な場合)

軟 アトピー性皮膚炎

効能・効果に関連する使用上の注意 **顆** **錠・カ(0.5〜3mg)** ①骨髄移植時の使用に際し，HLA適合同胞間移植では本剤を第一選択薬とはしない ②重症筋無力症では，本剤を単独で使用した場合及びステロイド剤未治療例に使用した場合の有効性及び安全性は確立していない(本剤の単独使用の経験は少なく，ステロイド剤未治療例における使用経験はない) ③関節リウマチでは，過去の治療において，非ステロイド性抗炎症剤及び他の抗リウマチ薬等による適切な治療を行っても，疾患に起因する明らかな症状が残る場合に投与する ④ループス腎炎では，急性期で疾患活動性の高い時期に使用した際の本剤の有効性及び安全性は確立されていない ⑤潰瘍性大腸炎では，治療指針等を参考に，難治性(ステロイド抵抗性，ステロイド依存性)であることを確認する ⑥潰瘍性大腸炎では，本剤による維持療法の有効性及び安全性は確立していない

錠・カ(5mg) ①骨髄移植時の使用に際し，HLA適合同胞間移植では本剤を第一選択薬とはしない ②潰瘍性大腸炎では，治療指針等を参考に，難治性(ステロイド抵抗性，ステロイド依存性)であることを確認する ③潰瘍性大腸炎では，本剤による維持療法の有効性及び安全性は確立していない

徐放カ ①腎移植及び肝移植以外の新規臓器移植患者に対する有効性及び安全性は確立されていない ②骨髄移植時の使用に際し，HLA適合同胞間移植では本剤を第一選択薬とはしない

注 骨髄移植時の使用に際し，HLA適合同胞間移植では本剤を第一選択薬とはしない

点眼液 眼瞼結膜巨大乳頭の増殖が認められ，抗アレルギー剤により十分な効果が得られないと判断した場合に使用する

軟 ステロイド外用剤等の既存療法では効果が不十分又は副作用によりこれらの投与ができない等，本剤による治療がより適切と考えられる場合に使用する

用法・用量 **顆** **錠** **カ** ①臓器移植における拒絶反応の抑制：タクロリムスとして(1)腎移植：移植2日前から1回0.15mg/kg，1日2回，術後初期には1回0.15mg/kg，1日2回，以後，徐々に減量，維持量1回0.06mg/kg，1日2回(適宜増減) (2)肝移植：初期1回0.15mg/kg，1日2回，以後，徐々に減量，維持量1日量0.1mg/kg(適宜増減) (3)心移植：初期1回0.03〜0.15mg/kgを1日2回．拒絶反応発現後に投与を開始する場合には，1回0.075〜0.15mg/kgを1日2回．症状に応じて適宜増減し，安定した状態が得られた後には，徐々に減量して有効最少量で維持 (4)肺移植：初期1回0.05〜0.15mg/kgを1日2回．以後，症状に応じて適宜増減し，安定した状態が得られた後には，徐々に減量して有効最少量で維持 (5)膵移植：初期1回0.15mg/kgを1日2回経口投与．以後，徐々に減量して有効最少量で維持 (6)小腸移植：初期1回0.15mg/kgを1日2回経口投与．以後，徐々に減量して有効最少量で維持 ②骨髄移植における拒絶反応及び移植片対宿主病の抑制：タクロリムスとして移植1日前から1回0.06mg/kg，1日2回，移植初期には1回0.06mg/kg，1日2回，以後，徐々に減量．移植片対宿主病発現後に投与を開始する場合は，1回0.15mg/kg，1日2回(適宜増減)．経口投与時の吸収は一定しておらず，患者により個人差があるので，血中濃度の高い場合の副作用ならびに血中濃度が低い場合の拒絶反応及び移植片対宿主病の発現を防ぐため，患者の状況に応じて血中濃度を測定し，トラフレベル(trough level)の血中濃度を参考にして投与量を調節する．特に移植直後あるいは投与開始直後は頻回に血中濃度測定を行うことが望ましい．なお，血中トラフ濃度が20ng/mLを超える期間が長い場合，副作用が発現しやすくなるので注意する ③重症筋無力症：タクロリムスとして3mgを1日1回夕食後 ④関節リウマチ：タクロリムスとして3mgを1日1回夕食後．なお，高齢者には1.5mgを1日1回夕食後から開始し，症状により1日1回3mgまで増量できる ⑤ループス腎炎：タクロリムスとして3mgを1日1回夕食後 ⑥潰瘍性大腸炎：初期にはタクロリムスとして1回0.025mg/kgを1日2回朝食後及び夕食後．以後2週間，目標血中トラフ濃度を10〜15ng/mLとし，血中トラフ濃度をモニタリングしながら投与量を調節．投与開始後2週以降は，目標血中トラフ濃度を5〜10ng/mLとし投与量を調節 ⑦間質性肺炎：初期にはタクロリムスとして1回0.0375mg/kgを1日2回朝食後及び夕食後．以後，目標血中トラフ濃度を5〜10ng/mLとし，血中トラフ濃度をモニタリングしながら投与量を調節

徐放カ ①タクロリムスとして(1)腎移植：移植2日前より0.15〜0.20mg/kgを1日1回朝経口投与．以後，適宜増減 (2)肝移植：術後初期には0.10〜0.15mg/kgを1日1回朝経口投与．以後，適宜増減 ②プログラフ経口製剤から切り換える場合(腎移植，肝移植，心移植，肺移植，膵移植，小腸移植，骨髄移植)：同一1日用量を1日1回朝経口投与．なお，経口投与時の吸収は一定しておらず，患者により個人差があるので，血中濃度の高い場合の副作用並びに血中濃度が低い場合の拒絶反応及び移植片対宿主病の発現を防ぐため，患者の状況に応じて血中濃度を測定し，トラフレベル(trough level)の血中濃度を参考にして投与量を調節する．特に移植直後あるいは投与開始直後は頻回に血中濃度測定を行う．なお，血中トラフ濃度が20ng/mLを超える期間が長い場合，副作用が発現しやすくなるので注意する

注 効能①：(1)腎移植：1回0.1mg/kgを生理食塩液又はブドウ糖注射液で希釈して24時間かけて点滴静注．内服可能となった後はできるだけ速やかに経口投与に切り換える (2)肝移植：1回0.1mg/kgを生理食塩液又はブドウ糖注射液で希釈して24時間かけて点滴静注．内服可能となった後はできるだけ速やかに経口投与に切り換える (3)心移植：1回0.05mg/kgを生理食塩液又はブドウ糖注射液で希釈して24時間かけて点滴静注．内服可能となった後はできるだけ速やかに経口投与に切り換える (4)肺移植：1回0.05mg/kgを生理食塩液又はブドウ糖注射液で希釈して24時間かけて点滴静注．内服可能となった後はできるだけ速やかに経口投与に切り換える (5)膵移植：1回0.10mg/kgを生理食塩液又はブドウ糖注射液で希釈して24時間かけて点滴静注．内服可能となった後はできるだけ速やかに経口投与に切り換える (6)小腸移植：1回0.10mg/kgを生理食塩液又はブドウ糖注射液で希釈して24時間かけて点滴静注．内服可能となった後はできるだけ速やかに経口投与に切り換える 効能②：移植1日前から1回0.03mg/kgを生理食塩液又はブドウ糖注射液で希釈して24時間かけて点滴静注．移植片対宿主病発現後に投与を開始する場合は，1回0.1mg/kgを生理食塩液又はブドウ糖注射液で希釈して24時間かけて点滴静注．内服可能となった後はできるだけ速やかに経口投与に切り換える．血中濃度は患者により個人差があるので，血中濃度の高い場合の副作用ならびに血中濃度が低い場合の拒絶反応及び移植片対宿主病の発現を防ぐため，患者の状況に応じて血中濃度を測定し，投与量を調節する．特に移植直後あるいは投与開始直後は頻回に血中濃度測定を行うことが望ましい

点眼液 用時よく振り混ぜたのち，1回1滴，1日2回点眼

0.03%軟 小児には1日1〜2回患部に塗布．1回あたりの塗布量は5gまで．年齢により適宜減量

0.1%軟 1日1〜2回患部に塗布．1回あたりの塗布量は5gまで

用法・用量に関連する使用上の注意 **顆** **錠** **カ** ①血液中のタクロリムスの多くは赤血球画分に分布するため，投与量を調節する際には全血中濃度を測定する ②顆粒とカプセルを使用するにあたっては，次の点に留意する：(1)顆粒とカプセルの生物学的同等性は検証されていない(顆粒のカプセルに対するCmax比及びAUC比の平均値はそれぞれ1.18及び1.08) (2)顆粒の使用は，原則として，カプセルの服用ができない場合，あるいは治療上0.5mgカプセル含量以下の投与量調節が必要な場合とする (3)カプセルと顆粒の切り換え及び併用に際しては，血中濃度を測定することにより製剤による

吸収の変動がないことを確認する．なお，切り換えあるいは併用に伴う吸収の変動がみられた場合には，必要に応じて投与量を調節する　③高い血中濃度が持続する場合に腎障害が認められているので，血中濃度(およそ投与12時間後)をできるだけ20ng/mL以下に維持する．なお，骨髄移植ではクレアチニン値が投与前の25%以上上昇した場合には，本剤の25%以上の減量又は休薬等の適切な処置を考慮する　④他の免疫抑制剤との併用により，過度の免疫抑制の可能性があるため注意する．特に，臓器移植において3剤あるいは4剤の免疫抑制剤を組み合わせた多剤免疫抑制療法を行う場合には，本剤の初期投与量を低く設定することが可能な場合もあるが，移植患者の状態及び併用される他の免疫抑制剤の種類・投与量等を考慮して調節する　⑤肝移植，腎移植及び骨髄移植では，市販後の調査において，承認された用量に比べ低用量を投与した成績が得られているので，投与量設定の際に考慮する　⑥骨髄移植では血中濃度が低い場合に移植片対宿主病が認められているので，移植片対宿主病好発時期には血中濃度をできるだけ10～20ng/mLとする　⑦重症筋無力症では，副作用の発現を防ぐため，投与開始3カ月間は1カ月に1回，以後は定期的におよそ投与12時間後の血中濃度を測定し，投与量を調節することが望ましい．また，本剤により十分な効果が得られた場合には，その効果が維持できる用量まで減量することが望ましい　⑧関節リウマチでは，高齢者には，投与開始4週間後まで1日1.5mg投与として安全性を確認した上で，効果不十分例には，1日3mgに増量することが望ましい．また，増量する場合には，副作用の発現を防ぐため，およそ投与12時間後の血中濃度を測定し，投与量を調節することが望ましい　⑨ループス腎炎では，副作用の発現を防ぐため，投与開始3カ月間は1カ月に1回，以後は定期的におよそ投与12時間後の血中濃度を測定し，投与量を調節することが望ましい．また，本剤を2カ月以上継続投与しても，尿蛋白等の腎炎臨床所見及び免疫学的所見で効果が現れない場合には，中止するか，他の治療法に変更することが望ましい．一方，本剤により十分な効果が得られた場合には，その効果が維持できる用量まで減量することが望ましい　⑩肝障害あるいは腎障害のある患者では，副作用の発現を防ぐため，定期的に血中濃度を測定し，投与量を調節することが望ましい　⑪潰瘍性大腸炎では，治療初期は頻回に血中トラフ濃度を測定し投与量を調節するため，入院又はそれに準じた管理の下で投与することが望ましい　⑫潰瘍性大腸炎では，1日あたりの投与量の上限を0.3mg/kgとし，特に次の点に注意して用量を調節する：⑴初回投与から2週間まで：㋐初回投与後12時間及び24時間の血中トラフ濃度に基づき，1回目の用量調節を実施する　㋑1回目の用量調節後少なくとも2日以上経過後に測定された2点の血中トラフ濃度に基づき，2回目の用量調節を実施する　㋒2回目の用量調節から1.5日以上経過後に測定された1点の血中トラフ濃度に基づき，2週時(3回目)の用量調節を実施する　⑵2週以降：投与開始後2週時(3回目)の用量調節から1週間程度後に血中トラフ濃度を測定し，用量調節を実施する．また，投与開始4週以降は4週間に1回を目安とし，定期的に血中トラフ濃度を測定することが望ましい　⑶用量調節にあたっては服薬時の食事条件(食後投与/空腹時投与)が同じ血中トラフ濃度を用いる　⑬潰瘍性大腸炎への投与にあたってはカプセル剤のみを用い，0.5mg刻みの投与量を決定する　⑭潰瘍性大腸炎では，2週間投与しても臨床症状の改善が認められない場合は中止する　⑮潰瘍性大腸炎では，通常，3カ月までの投与とする　⑯多発性筋炎・皮膚筋炎に合併する間質性肺炎では，1日あたりの投与量の上限を0.3mg/kgとし，血中トラフ濃度に基づき投与量を調節する　⑰多発性筋炎・皮膚筋炎に合併する間質性肺炎への投与にあたってはカプセル剤のみを用い，0.5mg刻みの投与量を決定する　⑱本剤を多発性筋炎・皮膚筋炎に合併する間質性肺炎に投与する場合，投与開始時は原則としてステロイド剤を併用する．また，症状が安定した後にはステロイド剤の漸減を考慮する

徐放カ　①血液中のタクロリムスの多くは赤血球画分に分布するため，投与量を調節する際には全血中濃度を測定する　②術後初期の患者に投与する場合は，プログラフ経口製剤と比較して血中濃度が低く推移することがあるので，術後数日間は連日血中濃度を測定し，投与量を調節する　③プログラフ経口製剤との切り換えに際しては，血中濃度の推移を確認し，必要に応じて投与量を調節する．なお，プログラフ経口製剤からの切り換えは状態が安定した患者に行うことが望ましい　④高い血中濃度が持続する場合に腎障害が認められているので，血中濃度(およそ投与24時間後)をできるだけ20ng/mL以下に維持する．なお，骨髄移植ではクレアチニン値が投与前の25%以上上昇した場合には，本剤の25%以上の減量又は休薬等の適切な処置を考慮する　⑤他の免疫抑制剤との併用により，過度の免疫抑制の可能性があるため注意する　⑥骨髄移植では血中濃度が低い場合に移植片対宿主病が認められているので，移植片対宿主病好発時期には血中濃度をできるだけ10～20ng/mLとする　⑦肝障害あるいは腎障害のある患者では，副作用の発現を防ぐため，定期的に血中濃度を測定し，投与量を調節することが望ましい

注　①血液中のタクロリムスの多くは赤血球画分に分布するため，投与量を調節する際には全血中濃度を測定する　②高い血中濃度が持続する場合に腎障害が認められているので，血中濃度をできるだけ20ng/mL以下に維持する．なお，骨髄移植ではクレアチニン値が投与前の25%以上上昇した場合には，本剤の25%以上の減量又は休薬等の適切な処置を考慮する　③他の免疫抑制剤との併用により，過度の免疫抑制の可能性があるため注意する．特に，臓器移植において3剤あるいは4剤の免疫抑制剤を組み合わせた多剤免疫抑制療法を行う場合には，本剤の初期投与量を低く設定することが可能な場合もあるが，移植患者の状態及び併用される他の免疫抑制剤の種類・投与量等を考慮して調節する　④肝移植，腎移植及び骨髄移植では，市販後の調査において，承認された用量に比べ低用量を投与した成績が得られているので，投与量設定の際に考慮する　⑤骨髄移植では血中濃度が低い場合に移植片対宿主病が認められているので，移植片対宿主病好発時期には血中濃度をできるだけ10～20ng/mLとする　⑥肝障害あるいは腎障害のある患者では，副作用の発現を防ぐため，定期的に血中濃度を測定し，投与量を調節することが望ましい

0.03%軟　①1回あたりの最大塗布量については，次を目安にする．13歳以上(50kg以上)5g，12～6歳(20kg以上50kg未満)2～4g，5～2歳(20kg未満)1g　②皮疹の増悪期には角質層のバリア機能が低下し，血中濃度が高くなる可能性があるので，本剤の使用にもかかわらず2週間以内に皮疹の改善が認められない場合には中止する．また，皮疹の悪化をみる場合にも中止する　③症状改善により本剤塗布の必要がなくなった場合は，速やかに塗布を中止し，漫然と長期にわたって使用しない　④密封法及び重層法での臨床使用経験はないので，密封法及び重層法は行わない　⑤1日2回塗布する場合はおよそ12時間間隔で塗布する

0.1%軟　①皮疹の増悪期には角質層のバリア機能が低下し，血中濃度が高くなる可能性があるので，本剤の使用にもかかわらず2週間以内に皮疹の改善が認められない場合には中止する．また，皮疹の悪化をみる場合にも中止する　②症状改善により本剤塗布の必要がなくなった場合は，速やかに中止し，漫然と長期にわたって使用しない　③密封法及び重層法での臨床使用経験はないので，密封法及び重層法は行わない　④1日2回塗布する場合はおよそ12時間間隔で塗布する

禁忌・原則禁忌となる特定患者集団　**0.1%軟** 小児等　**0.03%軟** 低出生体重児，新生児，乳児又は2歳未満の幼児

使用上の注意

警告　**顆**　**カ**　**徐放カ**　**注** ①投与において，重篤な副作用(腎不全，心不全，感染症，全身痙攣，意識障害，脳梗塞，

タ

血栓性微小血管障害，汎血球減少症等）により，致死的な経過をたどることがあるので，緊急時に十分に措置できる医療施設及び本剤についての十分な知識と経験を有する医師が使用する　②臓器移植における投与は，免疫抑制療法及び移植患者の管理に精通している医師又はその指導のもとで行う　③**0.5・1mg力** 関節リウマチ患者に投与する場合には，関節リウマチ治療に精通している医師のみが使用するとともに，患者に対して本剤の危険性や本剤の投与が長期にわたること等を予め十分説明し，患者が理解したことを確認した上で投与する．また，何らかの異常が認められた場合には，服用を中止するとともに，ただちに医師に連絡し，指示を仰ぐよう注意を与える　④**0.5・1mg力** ループス腎炎における投与は，ループス腎炎の治療に十分精通している医師のもとで行う　⑤**0.5・1mg力** 多発性筋炎・皮膚筋炎に合併する間質性肺炎における本剤の投与は，その治療法に十分精通している医師のもとで行う　⑥**顆　力** 顆粒とカプセルの生物学的同等性は検証されていないので，切り換え及び併用に際しては，血中濃度を測定することにより製剤による吸収の変動がないことを確認する　⑦**徐放力** 本剤と同一成分を含むプログラフ経口製剤との切り換えに際しては，血中濃度を測定することにより製剤による血中濃度の変動がないことを確認する

軟 ①（0.03％軟）本剤の使用は，小児のアトピー性皮膚炎の治療法に精通している医師のもとで行う．（0.1％軟）本剤の使用は，アトピー性皮膚炎の治療法に精通している医師のもとで行う　②マウス塗布がん原性試験において，高い血中濃度の持続に基づくリンパ腫の増加が認められている．また，本剤使用例において関連性は明らかではないが，リンパ腫，皮膚癌の発現が報告されている．使用にあたっては，これらの情報を患者（（0.03％軟）患者又は代諾者）に対して説明し，理解したことを確認した上で使用する　③潰瘍，明らかに局面を形成しているびらんに使用する場合には，血中濃度が高くなり，腎障害等の副作用が発現する可能性があるので，あらかじめ処置を行い，潰瘍，明らかに局面を形成しているびらんの改善を確認した後，使用を開始する

禁忌 **顆　力　徐放力　注** ①本剤の成分（**注** ポリオキシエチレン硬化ヒマシ油を含む）に対し過敏症の既往歴のある患者　②シクロスポリン又はボセンタン投与中の患者　③カリウム保持性利尿剤投与中の患者　④生ワクチンを接種しない
点眼液 ①本剤の成分に対し過敏症の既往歴のある患者　②眼感染症のある患者［免疫抑制により感染症が悪化する可能性がある］
軟 ①潰瘍，明らかに局面を形成している糜爛への使用　②高度の腎障害，高度の高カリウム血症のある患者［腎障害，高カリウム血症が増悪する可能性がある］　③魚鱗癬様紅皮症を呈する疾患（Netherton症候群等）の患者［経皮吸収が高く，本剤の血中濃度が高くなり，腎障害等の副作用が発現する可能性がある］　④**0.1％軟** 小児等　⑤**0.03％軟** 低出生体重児，新生児，乳児又は2歳未満の幼児［使用経験がなく，安全性は確立していない］　⑥本剤の成分に対し過敏症の既往歴のある患者　⑦PUVA療法等の紫外線療法を実施中の患者

相互作用概要　主としてCYP3A4で代謝される

過量投与　**顆　力　注** ①症状：BUN上昇，クレアチニン上昇，悪心，手振戦，肝酵素上昇等が報告されている　②処置：**顆　力** 特異的な解毒薬はない．透析によって除去されない

薬物動態

顆　力 **血中濃度**　①腎移植：⑴承認時までの臨床試験で，成人腎移植患者9例にプログラフカプセル0.16mg/kgを経口投与時の薬物動態パラメータは，Tmax4.2±2.9h，Cmax44±45ng/mL，$AUC_{0\text{-}12h}$274±198ng・h/mL，トラフ値（12時間後血中濃度）16±12ng/mL，F（生体内利用率）20±17.8％　⑵市販後の調査で，小児腎移植患者5例（平均年齢9歳）にプログラフ（平均投与量0.218mg/kg）投与時の薬物動態パラメータ（朝食1時間前，朝食直後の順）は，Tmax（h）1.6±0.5，2.8±0.8，Cmax（ng/mL）51±24，28±11，$AUC_{0\text{-}12h}$（ng・h/mL）247±85，205±78，F（生体内利用率（％））11.9±3.7，10.0±3.9　②肝移植：小児肝移植患者（平均年齢5.3歳）では，成人に比べ体重換算で2.7～4.4倍の経口投与量で同程度の血清中濃度が得られた（外国人，プログラフカプセル投与時データ）③小腸移植：小児小腸移植患者（平均年齢2.9歳）では，成人に比べ体重換算で1.3～2.5倍の経口投与量で同程度の血漿中濃度が得られた（外国人，プログラフカプセル投与時データ）④重症筋無力症：承認時までの臨床試験で，成人重症筋無力症患者90例にプログラフカプセル3mgを経口投与時の投与8～16時間後の平均血中濃度は4.19ng/mL（0.65ng/mL～22.44ng/mL）．なお，平均血中濃度が10ng/mL以上を示した患者は2例．市販後の調査で，プログラフ（カプセル・顆粒）3mgを経口投与時の重症筋無力症患者539例の使用実態下における平均血中濃度は4.73ng/mL（検出限界以下～14.2ng/mL）．なお，平均血中濃度が10ng/mL以上を示した患者は17例　⑤**0.5・1mg力** 関節リウマチ：成人関節リウマチ患者12例にプログラフカプセル3mgを経口投与時の薬物動態パラメータは，Tmax1.3±0.58h，Cmax19.64±6.32ng/mL，$AUC_{0\text{-}\infty}$192.88±86.42ng・h/mL，$t_{1/2}$34.89±8.69h，F（生体内利用率）25.1±14.4％（外国人データ）．また，国内成人関節リウマチ患者にプログラフカプセル1.5及び3mgを経口投与時の血中濃度は用量の増加に伴い増加．なお，国内成人関節リウマチ患者での臨床試験において血中濃度を測定した326例中，本剤投与8～16時間後の平均血中濃度が10ng/mL以上を示した患者は8例．クレアチニン上昇等の副作用は血中濃度が高い場合に多く認められる傾向にあった　⑥**0.5・1mg力** ループス腎炎：成人ループス腎炎患者25例にプログラフカプセル3mgを経口投与時の投与8～16時間後の平均血中濃度は4.35ng/mL（1.70～7.30ng/mL）　⑦**力** 潰瘍性大腸炎：成人潰瘍性大腸炎患者8例にプログラフカプセル0.05mg/kgを経口投与時の薬物動態パラメータは，Tmax2.4±1.4h，Cmax22±13ng/mL，$AUC_{0\text{-}12h}$136±105ng・h/mL　⑧**0.5・1mg力** 多発性筋炎・皮膚筋炎に合併する間質性肺炎：成人多発性筋炎・皮膚筋炎に合併する間質性肺炎患者25例にプログラフカプセルを1日2回経口投与時の平均血中トラフ濃度は6.55ng/mL（2.52～11.40ng/mL）．平均投与量は0.0721mg/kg/日（0.030～0.156mg/kg/日）．なお，平均血中トラフ濃度が10ng/mL以上を示した患者は3例　**吸収**　①健康成人で食事による本剤薬物動態パラメータへの影響を検討時，食直後及び食後1.5時間に経口投与した場合は空腹時に比べ有意にCmax及びAUCの低下がみられ，Tmaxは延長（外国人データ）　②成人潰瘍性大腸炎患者におけるトラフ濃度を用いた母集団薬物動態解析から，本剤を食後投与時の経口吸収性は，平均的に絶食下服薬時の62％と推定　**分布**　①血漿蛋白結合率は98.8％以上　②肝移植後の授乳婦6例に本剤の乳汁中移行を検討時，平均血漿中濃度の約半分が移行（外国人データ）③ラットに^{14}C標識タクロリムス0.32mg/kgを静注時，5分後には放射能はほとんどの組織に移行し，特に副腎，肺，心臓，甲状腺に高かった．移行した放射能は血中濃度の低下とともに消失．なお，大脳，小脳へは低濃度の移行が認められ，放射能の消失は遅かった　**代謝**　①主として薬物代謝酵素CYP3A4で代謝される　②肝移植患者での血中，尿中及び胆汁中代謝物は主として脱メチル体及び水酸化体（外国人データ）　**排泄**　代謝物の大部分は胆汁中に排泄され，未変化体の尿中排泄率は1％以下（外国人データ）．なお，本剤の血中濃度は腎機能あるいは透析による影響を受けない　**薬物相互作用**　主として薬物代謝酵素CYP3A4で代謝されるため，CYP3A4で代謝される他の薬物との併用により本剤の血中濃度が上昇する可能性がある．また，CYP3A4を誘導する薬物との併用により本剤の血中濃度が低下する可能性がある．一方，本剤がCYP3A4での代謝を阻害することにより，

CYP3A4で代謝される他の薬物の血中濃度を上昇させる可能性がある．また，本剤の血漿蛋白結合率は98.8%以上と高いので，血漿蛋白との親和性が強い薬剤との相互作用の可能性がある

徐放力 **血中濃度** ①健康成人：健康成人16例に1.5mg，4mg及び10mgを経口投与時，AUCの平均値は各々75.10，205.91，516.26ng・h/mLで，投与量に比例して増加．消失半減期は36.5時間．本剤及びプログラフカプセルを健康成人24例に反復経口投与時，本剤のAUCはプログラフカプセルの93%（外国人データ） ②新規移植患者：⑴腎移植：外国人新規腎移植患者に本剤もしくはプログラフカプセルを投与時，術直後の本剤の血中濃度はプログラフカプセルより低い傾向にあった ⑵肝移植：外国人新規肝移植患者に本剤もしくはプログラフカプセルを投与時，術直後の本剤の血中濃度はプログラフカプセルより低い傾向にあった ③切り換え試験：安定期腎，肝及び心移植患者に，プログラフカプセルから本剤に切り換えた後のトラフ濃度はプログラフとほぼ同程度かやや低下する傾向にあった（外国人データを含む） ④小児移植患者：安定期小児肝移植患者（18例）に，プログラフカプセルから本剤に切り換えた後のAUCはプログラフカプセルと同等（外国人データ）．小児肝移植患者（平均年齢5.3歳）では，本剤と同一成分を含むプログラフカプセルを投与時，成人に比べ体重換算で2.7〜4.4倍の経口投与量で同程度の血清中濃度が得られた（外国人，プログラフのデータ）．小児小腸移植患者（平均年齢2.9歳）で，本剤と同一成分を含むプログラフカプセルを投与した場合，成人に比べ体重換算で1.3〜2.5倍の経口投与量で同程度の血漿中濃度が得られた（外国人，プログラフのデータ） **吸収** 健康成人で食事による本剤薬物動態パラメータへの影響を検討時，朝食直後及び食後1.5時間に経口投与した場合は空腹時に比べ有意にCmax及びAUCの低下がみられ，Tmaxは延長（外国人データ） **分布・代謝・排泄・薬物相互作用** 顆粒・カプセル参照

注 **血中濃度** ①承認時までの臨床試験で，成人腎移植患者9例に0.075mg/kgを4時間持続静注時の薬物動態パラメータは，$t_{1/2}$7.9±5.2h，$AUC_{0-\infty}$746±214ng・h/mL，Cl0.12±0.05L/h・kg，Vdss1.010±0.382L/kg，C_{4g}78±19ng/mL．また，プログラフカプセルが術前に投与されていた成人腎移植患者14例に，術後に注射液（平均0.096mg/kg（範囲0.041〜0.104mg/kg））を24時間持続静注時の血中濃度は，注入開始4時間後で30ng/mL，24時間後で38ng/mL ②市販後の調査で，小児腎移植患者8例（平均年齢9歳）に注射液（平均投与量0.079mg/kg）を24時間持続静注時の薬物動態パラメータは，AUC_{0-24h}772±337ng・h/mL，Cl0.098±0.0367L/h・kg **分布・代謝・排泄・薬物相互作用** 顆粒・カプセル参照

点眼液 **血中濃度** ①健康成人男子7例の片眼に1滴単回点眼時，全例でタクロリムスが検出され，Cmaxは0.086〜0.23ng/mL，tmaxは1または3時間．単回点眼時の全血中濃度（ng/mL）（被験者No. 1，2，3，4，5，7，8の順）：⑴点眼後0h：全例nd（定量限界（0.051ng/mL）未満） ⑵0.5h：被験者No. 1〜5，7はnd，被験者No. 8で0.057 ⑶1h：0.11，0.051，0.066，0.086，nd，0.17，0.18 ⑷3h：0.23，0.094，0.15，0.084，0.13，0.15，0.22 ⑸6h：0.076，nd，0.080，nd，0.065，0.078，0.097 ⑹9h：0.071，nd，0.073，nd，nd，nd，0.053 ⑺12h：0.075，nd，0.051，nd，nd，nd，nd ⑻24h：全例nd ②健康成人男子7例の両眼に1回4滴，4時間間隔で1日4回，10日間反復点眼時，全血中濃度から算出した薬物動態パラメータ（第1日，第7日，第10日の順）は，Cmax（ng/mL）0.41±0.22，1.04±0.54，1.15±0.67，tmax※1)（h）13±5，9±4，11±6，AUC※2)（ng・h/mL）6.20±3.57，20.47±10.21，22.49±12.68，$t_{1/2}$（h）−，−，35.2±14.9で，AUCおよびCmaxが第7日と第10日で大差ないことより第7日までに定常状態に達していたと考えられた ※1）各時期の第1日点眼後の時間．第1回点眼後13，9，11時間に，それぞれ第4回点眼後1時間，第3回点眼後1時間，第3回点眼後3時間に相当 ※2）第1日，第7日および第10日のAUCはそれぞれAUC_{0-23h}，AUC_{1-23h}，AUC_{1-24h} ③春季カタル患者に1回1滴，1日2回，4週間点眼時の血中濃度（ng/mL（最小値〜最大値）．nd：定量限界（0.50ng/mL）未満）（1週後（2例），2週後（56例），4週後（53例）の順）は，0.315±0.445（nd〜0.63），0.219±0.367（nd〜1.34），0.297±0.446（nd〜1.36） ④春季カタル患者に1回1滴，1日2回，約12週間（70〜97日間）点眼時の血中濃度（ng/mL（最小値〜最大値）．nd：定量限界（0.50ng/mL）未満）（4週後（50例），12週後（51例），投与終了時（51例）の順）は，0.286±0.485（nd〜1.69），0.305±0.525（nd〜1.83），0.305±0.525（nd〜1.83）（製造販売後臨床試験） **参考** ①血中濃度（成人腎移植患者）：9例にカプセル0.16mg/kgを経口投与時の薬物動態パラメータは，tmax4.2±2.9h，Cmax44±45ng/mL，AUC_{0-12h}274±198ng・h/mL，トラフ値（12時間後血中濃度）16±12ng/mL，F（生体内利用率）20±17.8% ②血中濃度（小児肝移植患者（平均年齢5.3歳））：成人に比べ体重換算で2.7〜4.4倍の経口投与量で同程度の血中濃度が得られた（外国人でのカプセル剤投与時のデータ） ③血中濃度（成人腎移植患者）：9例にカプセルおよび顆粒を同用量投与時の薬物動態パラメータ（症例番号1，2，3，4，6，7，8，9，10の順．投与量（mg/kg/回）は各々0.03，0.02，0.06，0.02，0.02，0.03，0.02，0.02，0.04）は次の通り：⑴カプセル：Cmax（ng/mL）10，10，27，14，9.9，13，6.2，4.1，20，AUC_{0-12h}（ng・h/mL）42.7，70.2，165.4，105.6，61.5，92.0，36.7，32.6，230.8 ⑵顆粒：Cmax（ng/mL）18，9.3，23，7.2，14，13，6.8，3.8，42，AUC_{0-12h}（ng・h/mL）94.4，68.6，113.3，41.8，69.2，103.8，27.6，34.1，320.0 ⑶比（顆粒/カプセル）：Cmax1.80，0.93，0.85，0.51，1.41，1.00，1.10，0.93，2.10，平均値1.18±0.50，AUC_{0-12h}2.21，0.98，0.69，0.40，1.13，1.13，0.75，1.05，1.39，平均値1.08±0.51 注）血中トラフ濃度が20ng/mLを超える期間が長い場合，副作用が発現しやすくなる ④血中濃度（ウサギ）：ウサギの片眼に単回点眼時の全血中AUC_{0-24h}と静注時のAUC_{0-24h}との比較より算出した点眼時の血中移行率は11.1% ⑤眼組織内移行（ウサギ）：ウサギの片眼に0.1%，0.3%または1.0%点眼剤を1滴単回点眼時，眼組織内タクロリムス濃度は投与量の増加とともに上昇傾向，結膜および角膜に高度に分布．ウサギの片眼に0.3%点眼剤を1回1滴，3時間間隔で1日4回，14日間反復点眼時の眼組織内濃度は水晶体以外の組織では7日目までにほぼ定常状態．水晶体については別に実施した6カ月間反復点眼試験で3カ月目までにほぼ定常状態

軟 **血中濃度** ①単回塗布：成人アトピー性皮膚炎患者各3例にそれぞれ1.25g，5g，10g単回塗布し，72時間後まで経時的に血中濃度を測定時，いずれも塗布後6時間までに最高血中濃度に達し，その平均値はそれぞれ0.4，1.0及び7.5ng/mL ②反復塗布：成人アトピー性皮膚炎患者5例に1回5gを1日2回，7日間反復塗布時，2日後に中止した1例を除き，血中濃度は塗布開始3日後の0.93〜4.4ng/mLを最高に，その後は低下．また，成人アトピー性皮膚炎患者3例に1回10gを1日2回，7日間反復塗布時，1例で塗布開始翌日に20ng/mLの血中濃度を検出したが，以後漸減し，塗布開始7日後には3.9ng/mL．他の2例ではいずれも塗布開始3日後の0.97〜4.7ng/mLを最高に，その後は低下 **分布** ラットの角質層を除去した損傷皮膚に0.5%^{14}C-タクロリムス軟膏320mg/kgを密封法で単回塗布時の組織中放射能は投与30分後で，肺及び副腎，褐色脂肪，心臓，甲状腺，腎臓，肝臓及び脾臓，血漿，膀胱及び眼球，大脳及び睾丸の順で高く認められた．ヒト血漿蛋白との結合率は，1.0及び10ng/mLの濃度において，それぞれ>98.5%及び99.0±0.2%（平均値±標準偏差）（*in vitro*，平衡透析法） **代謝** 主として薬物代謝酵素CYP3A4で代謝される（*in vitro*）．外国人肝移植患者での血中，尿中代謝物は主として脱メチル体であったが，胆汁中代謝物は主として水酸化体（外国人データ） **排泄** ラットの健常皮膚及び角質層を除去した損傷皮膚に0.5%^{14}C-タクロリムス軟膏320mg/kgを密封法

タ

で単回塗布時の168時間までの尿及び糞中への放射能排泄率は，健常皮膚で各々0.4%，4.2%，損傷皮膚で各々2.4%，53.6%．また，ラット健常皮膚への単純塗布法では各々0.5%，5.1%

その他の管理的事項

投与期間制限　該当しない

保険給付上の注意　**顆　力**　本剤を投与している臓器移植後，全身型重症筋無力症，関節リウマチ，ループス腎炎又は潰瘍性大腸炎の患者に対して，薬物血中濃度を測定して計画的な治療管理を行った場合，「特定薬剤治療管理料」の算定が認められている　**徐放力　注**　本剤を投与している臓器移植後の患者に対して，薬物血中濃度を測定して計画的な治療管理を行った場合，「特定薬剤治療管理料」の算定が認められている

資料

IF　プログラフ顆粒0.2mg・1mg・プログラフカプセル0.5mg・1mg・5mg　2020年4月改訂(第42版)
グラセプターカプセル0.5mg・1mg・5mg　2020年1月改訂(第19版)
プログラフ注射液2mg・5mg　2020年1月改訂(第37版)
タリムス点眼液0.1%　2018年9月改訂(第9版)
プロトピック軟膏0.1%　2018年7月改訂(第19版)
プロトピック軟膏0.03%小児用　2018年7月改訂(第17版)

タゾバクタム
Tazobactam

概要

構造式

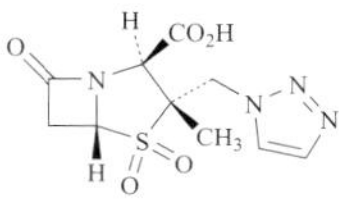

分子式　$C_{10}H_{12}N_4O_5S$

分子量　300.29

原薬の規制区分　該当しない

原薬の外観・性状　白色～微黄白色の結晶性の粉末である．ジメチルスルホキシド又は*N*,*N*-ジメチルホルムアミドに溶けやすく，水，メタノール又はエタノール(99.5)に溶けにくい．炭酸水素ナトリウム溶液(3→100)に溶ける

注射用タゾバクタム・ピペラシリン
Tazobactam and Piperacillin for Injection

概要

薬効分類　613　主としてグラム陽性・陰性菌に作用するもの

分子式　［タゾバクタム］$C_{10}H_{12}N_4O_5S$　［ピペラシリン水和物］$C_{23}H_{27}N_5O_7S \cdot H_2O$

分子量　［タゾバクタム］300.29　［ピペラシリン水和物］535.57

略語・慣用名　TAZ/PIPC

ステム　［タゾバクタム］β-ラクタマーゼ阻害剤：-bactam　［ピペラシリン水和物］6-アミノペニシラン酸誘導体：-cillin

原薬の規制区分　該当しない

原薬の外観・性状　［タゾバクタム］白色～微黄白色の結晶性の粉末である．ジメチルスルホキシド又は*N*,*N*-ジメチルホルムアミドに溶けやすく，水，メタノール又はエタノール(99.5)に溶けにくい．炭酸水素ナトリウム溶液(3→100)に溶ける　［ピペラシリン水和物］白色の結晶性の粉末である．メタノールに溶けやすく，エタノール(99.5)又はジメチルスルホキシドにやや溶けやすく，水に極めて溶けにくい．4.0g(力価)に対応する量を水40mLに溶かした液のpHは5.1～6.3である

原薬の吸湿性　タゾバクタム，ピペラシリン水和物とも25℃，22～93%RHで吸湿性を示さない

原薬の融点・沸点・凝固点　［タゾバクタム］融点：184℃付近(分解)　［ピペラシリン水和物］融点：150～160℃(分解)

原薬の酸塩基解離定数　［タゾバクタム］pKa＝2.60　［ピペラシリン水和物］pKa＝約2.2

先発医薬品等

注射用　ゾシン静注用2.25・4.5(大鵬薬品)

キット　ゾシン配合点滴静注用バッグ4.5(大鵬薬品)

後発医薬品

注射用　2.25g・4.5g

キット　2.25g・4.5g

国際誕生年月　1992年7月

海外での発売状況　米，英，仏，独など118カ国(承認)

製剤

規制区分　**注射用**　㊕

製剤の性状　**注射用**　用時溶解して用いる凍結乾燥注射剤で，白色～微黄白色の塊又は粉末である

有効期間又は使用期限　**静注用**　3年　**キット**　2年

貯法・保存条件　室温保存

患者向け資料等　くすりのしおり

溶液及び溶解時のpH　5.7～6.0(4.5g/20mL注射用水，4.5g/20mL生食，4.5g/20mL5%ブドウ糖注射液)，5.0～5.6(4.5g/100mL生食)，5.1～5.7(4.5g/100mL5%ブドウ糖注射液)

浸透圧比　約2(4.5g/100mL生食，4.5g/100mL5%ブドウ糖注射液)，約3(4.5g/20mL注射用水)，約4(4.5g/20mL生食，4.5g/20mL5%ブドウ糖注射液)

調製時の注意　点滴静注にあたっては，注射用水を使用しないこと(溶液が等張にならないため)．アミノグリコシド系抗生物質(トブラマイシン等)の混注により，アミノグリコシド系抗生物質の活性低下をきたすので，本剤と併用する場合にはそれぞれ別経路で投与すること．本剤の注射液調製時にショックを伴う接触蕁麻疹等の過敏症状を起こすことがあるので，本剤を調製する際には手袋を使用するなど，直接の接触を極力避けること

薬理作用

分類　β-ラクタマーゼ阻害剤配合抗生物質

作用部位・作用機序　ピペラシリンはグラム陽性菌・グラム陰性菌に対し，細菌細胞壁の合成を阻害して溶菌させる．ピペラシリンは最小発育阻止濃度(MIC)又はそれに近い濃度で殺菌的に作用するが，細菌が産生するβ-ラクタマーゼによって分解され作用が低下する．これに対しタゾバクタムはβ-ラクタマーゼと結合して複合体を形成し，β-ラクタマーゼの活性を阻害するため，ピペラシリンは分解を受けずに殺菌作用を発揮

同効薬　注射用ペニシリン系抗生物質，β-ラクタマーゼ阻害剤との配合薬及び注射用セフェム系抗生物質

治療

効能・効果　①一般感染症：〈適応菌種〉本剤に感性のブドウ球菌属，レンサ球菌属，肺炎球菌，腸球菌属，モラクセラ(ブランハメラ)・カタラーリス，大腸菌，シトロバクター属，クレブシエラ属，エンテロバクター属，セラチア属，プロテウス属，プロビデンシア属，インフルエンザ菌，緑膿菌，アシネトバクター属，ペプトストレプトコッカス属，クロストリジウム属(クロストリジウム・ディフィシルを除く)，バクテロイデス属，プレボテラ属　〈適応症〉敗血症，深在性皮膚感染症，びらん・潰瘍の二次感染，肺炎，腎盂腎炎，複雑性膀胱

炎，腹膜炎，腹腔内膿瘍，胆嚢炎，胆管炎　②発熱性好中球減少症

効能・効果に関連する使用上の注意　①本剤の投与に際しては，原則として感受性を確認し，β-lactamaseの関与が考えられ，本剤に感性の起炎菌による中等症以上の感染症である場合に投与する　②発熱性好中球減少症：(1)次の2条件を満たす患者に投与する：(ア)1回の検温で38℃以上の発熱，又は1時間以上持続する37.5℃以上の発熱　(イ)好中球数が500/mm^{3}未満の場合，又は1000/mm^{3}未満で500/mm^{3}未満に減少することが予測される場合　(2)発熱性好中球減少症の患者への使用は，国内外のガイドライン等を参照し，本疾患の治療に十分な経験を持つ医師のもとで，本剤の使用が適切と判断される患者についてのみ実施する　(3)発熱性好中球減少症の患者への使用にあたっては，本剤投与前に血液培養等の検査を実施する．起炎菌が判明した際には，本剤投与継続の必要性を検討する　(4)発熱性好中球減少症の患者への使用にあたっては，本剤投与の開始時期の指標である好中球数が緊急時等で確認できない場合には，白血球数の半数を好中球数として推定する

用法・用量　①一般感染症：(1)敗血症，肺炎，腹膜炎，腹腔内膿瘍，胆嚢炎及び胆管炎：(ア)成人：タゾバクタム・ピペラシリンとして，1回4.5g(力価)，1日3回点滴静注．肺炎の場合，症状，病態に応じて1日4回に増量できる(バイアル製剤は必要に応じて，緩徐に静注も可)　(イ)小児：1回112.5mg(力価)/kg，1日3回点滴静注(バイアル製剤は必要に応じて，緩徐に静注も可)．なお，症状，病態に応じて1回投与量を適宜減量できる．ただし，1回投与量の上限は成人における1回4.5g(力価)を超えない　(2)深在性皮膚感染症，びらん・潰瘍の二次感染：成人にはタゾバクタム・ピペラシリンとして，1回4.5g(力価)を1日3回点滴静注(バイアル製剤は必要に応じて，緩徐に静注も可)　(3)腎盂腎炎及び複雑性膀胱炎：(ア)成人：タゾバクタム・ピペラシリンとして，1回4.5g(力価)，1日2回点滴静注．症状，病態に応じて1日3回に増量できる(バイアル製剤は必要に応じて，緩徐に静注も可)　(イ)小児：1回112.5mg(力価)/kg，1日2回点滴静注(バイアル製剤は必要に応じて，緩徐に静注も可)．なお，症状，病態に応じて1回投与量を適宜減量できる．また，症状，病態に応じて1日3回に増量できる．ただし，1回投与量の上限は成人における1回4.5g(力価)を超えない　②発熱性好中球減少症：(ア)成人：タゾバクタム・ピペラシリンとして，1回4.5g(力価)を1日4回点滴静注(バイアル製剤は必要に応じて，緩徐に静注も可)　(イ)小児：1回90mg(力価)/kgを1日4回点滴静注(バイアル製剤は必要に応じて，緩徐に静注も可)．ただし，1回投与量の上限は成人における1回4.5g(力価)を超えない

用法・用量に関連する使用上の注意　①肺炎患者の1日4回投与にあたっては，重症・難治の市中肺炎及び院内肺炎のうち1日4回投与が必要な患者を選択し使用する　②投与期間は，成人の腎盂腎炎及び複雑性膀胱炎の場合は5日間，深在性皮膚感染症，びらん・潰瘍の二次感染，市中肺炎，腹膜炎，腹腔内膿瘍，胆嚢炎，胆管炎，発熱性好中球減少症及び小児の腎盂腎炎及び複雑性膀胱炎の場合は14日間，敗血症及び院内肺炎の場合は21日間を目安とする．なお，耐性菌の発現等を防ぐため，疾患の治療上必要な最小限の期間の投与にとどめる　③**注射用**　通常，点滴静注するのが望ましいが，著しい水分摂取制限がかかっている場合等，点滴静注が困難な場合には，必要に応じて緩徐に静脈内投与できる　④腎機能障害患者では，血漿半減期の遅延及びAUCの増加が認められ，血中濃度が増大するので，腎機能障害の程度に応じて投与量，投与間隔の調節が必要である

使用上の注意

禁忌　①本剤の成分又はペニシリン系抗生物質に対し過敏症の既往歴のある患者　②伝染性単核球症の患者［ペニシリン系抗生物質の投与で発疹が出現しやすいという報告がある］

過量投与　過量投与により，痙攣等の神経症状，高ナトリウム血症を起こすことがある．特に腎機能障害患者ではこのような症状が現れやすい．なお，本剤の血中濃度は，血液透析により下げることができる

薬物動態

血漿中濃度　①健康成人に2.25g，4.5g，6.75gを30分点滴静注時，タゾバクタム(TAZ)，ピペラシリン(PIPC)の血漿中濃度は用量の増加に伴い上昇．薬物動態パラメータ(2.25g(7例)，4.5g(8例)，6.75g(7例)投与の順)はTAZの$AUC_{0-\infty}$(μg・hr/mL)17.5±2.0，47.4±9.5，83.4±12.1，Cmax(μg/mL)16.1±0.7，36.3±6.5，58.2±9.2，$t_{1/2}$(hr)0.698±0.091，0.814±0.106，0.876±0.118，Vss(L)12.9±1.1，12.0±1.4，11.4±2.0，CLT(mL/min)241±34，182±34，153±22，PIPCの$AUC_{0-\infty}$(μg・hr/mL)125±19，366±68，557±108，Cmax(μg/mL)122±9，286±43，380±43，$t_{1/2}$(hr)0.820±0.110，0.868±0.080，0.893±0.124，Vss(L)13.9±1.2，12.0±1.6，12.8±2.1，CLT(mL/min)272±44，188±36，186±37(承認用量は1日9g(分2)～18g(分4))．なお，4.5g，30分点滴静注反復投与時の薬物動態は変化せず，蓄積性はみられなかった　②小児細菌感染症患者に112.5mg/kgを，30分間かけて1日2回又は3回反復点滴静注時の血漿中濃度の推移は，国内の臨床第I相試験で健康成人に4.5g，30分点滴静注時の平均血漿中薬物濃度推移と類似していた．なお，年齢区分別薬物動態パラメータは次の通り($AUC_{0-\infty}$(μg・hr/mL)，Cmax(μg/mL)，$t_{1/2}$(hr)，CLT(L/hr/kg)，Vd(L/kg))の順)：(1)小児発熱性好中球減少症患者※1)(90mg/kg)：年齢区分1～13歳[n=9](6±4歳[体重18.8±7.7kg])：(a)TAZ：34.3±20.2，21.8±16.2，0.8±0.4，0.39±0.23，0.53±0.52 (b)PIPC：265.3±136.4，175.3±113.6，0.8±0.3，0.39±0.23，0.49±0.48　(2)小児細菌感染症患者※2)(112.5mg/kg)：(ア)年齢区分＜9カ月[n=7](7.3±0.5カ月[体重8.0±1.0kg])：(a)TAZ：57.9±10.1，27.2±0.8，1.3±0.2，0.22±0.04，0.40±0.01(b)PIPC：480.1±87.9，227.5±6.7，1.3±0.2，0.21±0.04，0.38±0.01(イ)年齢区分9カ月～＜2歳[n=19](14.6±4.0カ月[体重9.5±1.3kg])：(a)TAZ：48.0±10.8，26.8±0.9，1.1±0.2，0.27±0.04，0.39±0.01(b)PIPC：388.3±94.5，222.9±7.5，1.0±0.2，0.27±0.04，0.38±0.00(ウ)年齢区分2～＜6歳[n=31](3.3±1.2歳[体重14.7±2.8kg])：(a)TAZ：40.9±5.1，27.2±0.7，0.9±0.1，0.31±0.04，0.38±0.00(b)PIPC：330.3±39.9，224.2±6.0，0.8±0.1，0.31±0.04，0.36±0.00(エ)年齢区分6～＜12歳[n=6](8.7±1.5歳[体重31.5±12.3kg])：(a)TAZ：44.1±16.7，26.9±3.1，1.0±0.3，0.29±0.07，0.36±0.00(b)PIPC：365.1±141.1，222.2±26.5，1.0±0.3，0.28±0.07，0.35±0.00(オ)年齢区分＞12歳[n=2](12，14歳[体重46.2kg，48kg])：(a)TAZ：41.1±1.1，23.3±1.7，1.0±0.0，0.26±0.00，0.36±0.00(b)PIPC：340.2±14.6，191.3±16.5，1.0±0.1，0.25±0.02，0.35±0.00．TAZ，PIPCともに2歳未満の患者の$AUC_{0-\infty}$は他の年齢区分より高かった．Cmax，半減期($t_{1/2}$)は各年齢区分で類似していた．小児発熱性好中球減少症患者に本剤90mg/kgを，30分以上かけて1日4回反復点滴静注した時の血漿中濃度は，小児細菌感染症患者と顕著な違いは認められなかった．また，小児発熱性好中球減少症患者と小児細菌感染症患者の$t_{1/2}$，全身クリアランス(CLT)及び分布容積(Vd)には顕著な違いは認められなかった　※1)30分以上かけて1日4回，反復点滴静注した．モデル解析により算出した値を示した　※2)30分かけて1日2回又は3回，反復点滴静注した．母集団薬物動態解析(測定データ数：129点，CL及びVdに影響を与える共変量：体重)から患者ごとに推定された値を示した　**組織内移行**　TAZとPIPCの配合比が1：4製剤において喀痰，肺，腎，女性性器，腹腔内滲出液，胆汁等への移行が認められている　**代謝**　ヒト血漿，尿中にはTAZの非活性代謝物である2-アミノ-3-メチル-3-スルフィノ-4-(1H-1,2,3-トリアゾール-1-イル)酪酸(M-1)及びPIPCの活性代謝物であるPIPCの脱エチル体(DEt-PIPC)　**排泄**　健康成人に4.5gを30分点滴静注時，12時間までの尿中排泄率は

タ

TAZ 71.2%，PIPC 52.9%．小児患者投与後6時間までの尿中排泄率はTAZ43.3～56.9%，PIPC39.9～56.4%．なお，*in vitro*試験で，タゾバクタム及びピペラシリンは，有機アニオントランスポーター(OAT1，OAT3)を阻害した **腎機能障害患者での薬物動態** 腎機能障害患者で，腎機能低下に依存した本剤の$t_{1/2}$の遅延及び$AUC_{0-\infty}$の増加が認められており，腎機能障害のある患者に投与する場合にはその障害の程度により投与量の減量又は投与間隔をあけて投与する必要がある．3.375g，30分点滴静注時，5日目の薬物動態パラメータ[外国人，Ccr(mL/min)が>90(1日投与間隔4時間ごと，6例)，41～60(同4時間ごと，6例)，21～40(同6時間ごと，1例)，<20(同8時間ごと，3例)の順]はTAZのAUC_{0-t}(μg・hr/mL)24.9，65.9，56.1，107，$t_{1/2}$(hr)0.71，2.15，1.89，6.00，PIPCのAUC_{0-t}(μg・hr/mL)196，437，301，592，$t_{1/2}$(hr)0.95，1.71，0.99，2.89

その他の管理的事項

投与期間制限 該当しない

保険給付上の注意 該当しない

資料

IF ゾシン静注用2.25・4.5・配合点滴静注用バッグ4.5 2019年4月改訂(第21版)

ダナゾール
Danazol

概要

薬効分類 249 その他のホルモン剤(抗ホルモン剤を含む．)

構造式

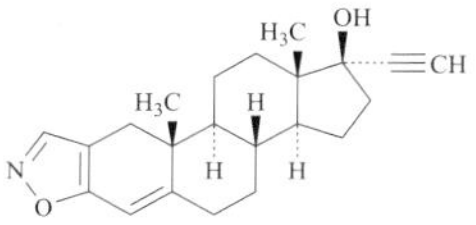

分子式 $C_{22}H_{27}NO_2$

分子量 337.46

ステム 不明

原薬の規制区分 該当しない

原薬の外観・性状 白色～微黄色の結晶性の粉末である．アセトンにやや溶けやすく，エタノール(99.5)にやや溶けにくく，水にほとんど溶けない

原薬の吸湿性 通常の条件下では吸湿性はない

原薬の融点・沸点・凝固点 融点：約225℃(分解)

原薬の酸塩基解離定数 該当資料なし

先発医薬品等

錠 ボンゾール錠100mg・200mg(田辺三菱)

国際誕生年月 1974年6月

海外での発売状況 欧州，北米など約50カ国

製剤

規制区分 **錠** ㊇

製剤の性状 **錠** 白色のフィルムコーティング錠でにおいはない

有効期間又は使用期限 3年

貯法・保存条件 室温保存

薬剤取扱い上の留意点 該当しない

患者向け資料等 患者向医薬品ガイド，くすりのしおり

溶液及び溶解時のpH 該当しない

浸透圧比 該当しない

安定なpH域 該当しない

調製時の注意 該当しない

薬理作用

分類 GnRHアゴニスト(GnRHa)

作用部位・作用機序 子宮内膜症に対し，下垂体に作用してゴナドトロピン分泌を抑制するとともに，卵巣，子宮内膜症組織に直接作用して，異所性子宮内膜組織を萎縮・壊死させる．乳腺症に対しても子宮内膜症と同様，中枢への作用とエストロゲン産生臓器である卵巣への直接作用，更に血中SHBG(性ホルモン結合グロブリン)との結合による遊離テストステロンの増加等により，乳腺細胞の増殖を抑制

同効薬 ブセレリン酢酸塩，リュープロレリン酢酸塩，酢酸ナファレリン，ゴセレリン酢酸塩，ジエノゲスト

治療

効能・効果 ①子宮内膜症 ②100mg錠 乳腺症

用法・用量 効能①：1日200～400mg，2回に分服．月経周期第2～5日から約4カ月間連続投与．症状により増量 効能②：1日200mg，2回に分服，月経周期第2～5日から4～6週間連続投与

用法・用量に関連する使用上の注意 女性胎児の男性化を起こすことがあるので，次の点に留意する：①投与開始は妊娠していないことを確認し，必ず月経周期第2～5日から行う ②治療期間中はホルモン剤以外の方法で避妊させる

禁忌・原則禁忌となる特定患者集団 妊婦又は妊娠している可能性のある女性，授乳婦

使用上の注意

警告 血栓症を引き起こすおそれがあるので，観察を十分に行いながら慎重に投与する．異常が認められた場合にはただちに中止し，適切な処置を行う

禁忌 ①血栓症の既往歴のある患者［血栓症を起こすおそれがある］ ②アンチトロンビンⅢ，プロテインC，プロテインS等の凝固制御因子の欠損又は減少のある患者［血栓症を起こすおそれがある］ ③重篤な肝障害，肝疾患のある患者 ④重篤な心疾患のある患者［浮腫等の症状が強く現れるおそれがある］ ⑤重篤な腎疾患のある患者 ⑥ポルフィリン症の患者［症状を悪化させるおそれがある］ ⑦アンドロゲン依存性腫瘍のある患者［症状を悪化させるおそれがある］ ⑧診断のつかない異常性器出血のある患者［このような患者では悪性腫瘍の疑いがある］ ⑨妊婦又は妊娠している可能性のある女性 ⑩授乳婦

相互作用概要 CYP3A4に対する阻害作用を有する

薬物動態

血中濃度 (カプセル剤)①単回投与：健康成人女性6例に1回100mgあるいは200mg経口投与時，血漿中濃度はそれぞれ投与後2.5±0.5及び2.7±0.8時間で最高に達し，その後緩やかに減少 ②反復投与：健康成人女性9例に1回100mgあるいは200mgを1日2回14日間経口投与時，投与量と血漿中濃度には相関がみられ，7～14日でほぼ定常状態(外国人データ) **吸収** 吸収部位は消化管 **分布** 雌性ラットに^{14}C-ダナゾール10mg/kgを単回経口投与時，大脳，下垂体，肝臓，腎臓，副腎及び子宮等ほとんどの組織で1.5時間後に最高濃度，肝臓及び副腎で高濃度．以後，血中濃度に対応して減少 **代謝** 主な代謝は肝臓 **排泄** 雌性ラットに^{14}C-ダナゾール10mg/kgを単回経口投与時，投与後48時間の尿，糞及び呼気中の排泄率はそれぞれ投与量の17.8%，81.3%及び0.6%

その他の管理的事項

投与期間制限 該当しない

保険給付上の注意 該当しない

資料

IF ボンゾール錠100mg・200mg 2012年10月改訂(第9版)

タムスロシン塩酸塩
タムスロシン塩酸塩徐放錠
Tamsulosin Hydrochloride

概要

薬効分類 259 その他の泌尿生殖器官及び肛門用薬

構造式

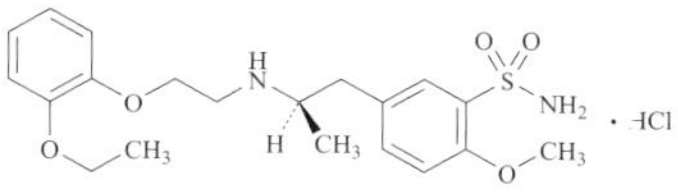

分子式 $C_{20}H_{28}N_2O_5S \cdot HCl$

分子量 444.97

ステム プラゾシン系降圧薬：-azosin関連

原薬の規制区分 劇(ただし，1個中タムスロシンとして0.184mg以下を含有する内用剤を除く)

原薬の外観・性状 白色の結晶である．ギ酸に溶けやすく，水にやや溶けにくく，酢酸(100)に溶けにくく，エタノール(99.5)に極めて溶けにくい

原薬の吸湿性 示さなかった(25℃で84%RH及び93%RHの条件下に保存し，その重量を測定した結果，7日後の重量変化率はそれぞれ0.05%及び0.04%)

原薬の融点・沸点・凝固点 融点：約230℃(分解)

原薬の酸塩基解離定数 $pKa_1 = 8.37$，$pKa_2 = 10.23$

先発医薬品等

錠 ハルナールD錠0.1mg・0.2mg(アステラス)

後発医薬品

錠 OD錠0.1mg・0.2mg

徐放力 0.1mg・0.2mg

国際誕生年月 1993年7月

海外での発売状況 米，英，仏，独など90カ国以上

製剤

規制区分 口腔内崩壊錠 処

製剤の性状 口腔内崩壊錠 白色の口腔内崩壊錠

有効期間又は使用期限 3年

貯法・保存条件 気密容器，室温保存．本品は高防湿性の内袋により品質保持をはかっている．開封後は防湿保存

薬剤取扱い上の留意点 めまい等が現れることがあるので，高所作業，自動車の運転等危険を伴う作業に従事する場合には注意させること．本品は高防湿性の内袋により品質保持をはかっている．防湿効果のない分包材質で調剤した場合は，患者への薬剤交付時に，取扱いに十分注意するよう伝えること

患者向け資料等 くすりのしおり

溶液及び溶解時のpH 該当しない

浸透圧比 該当しない

安定なpH域 該当しない

調製時の注意 該当しない

薬理作用

分類 スルファモイルフェネチルアミン誘導体α_1受容体遮断薬

作用部位・作用機序 作用部位：前立腺・尿道平滑筋 作用機序：尿道及び前立腺部のα_1受容体を遮断することにより，尿道内圧曲線の前立腺部圧を低下させ，前立腺肥大症に伴う排尿障害を改善

同効薬 フェントラミン，フェノキシベンザミン，ドキサゾシン，テラゾシン，プラゾシン，ブナゾシン，ウラピジル，ナフトピジル

治療

効能・効果 前立腺肥大症に伴う排尿障害

効能・効果に関連する使用上の注意 ①本剤による治療は原因療法ではなく，対症療法であることに留意し，投与により期待する効果が得られない場合は，手術療法等，他の適切な処置を考慮する ②前立腺肥大症の診断・診療については，国内外のガイドライン等の最新の情報を参考にする

用法・用量 1日1回0.2mg食後(適宜増減)

用法・用量に関連する使用上の注意 高齢者で腎機能が低下している場合は0.1mgから投与を開始し，経過を十分に観察した後に0.2mgに増量する．0.2mgで期待する効果が得られない場合にはそれ以上の増量は行わず，他の適切な処置を行う

使用上の注意

禁忌 本剤の成分に対し過敏症の既往歴のある患者

薬物動態

血中濃度 ①単回投与：健康成人にカプセルを0.1～0.6mg経口投与時，血漿中未変化体濃度は投与後7～8時間にピークを示し，半減期は9.0～11.6時間．Cmax及びAUCは投与量にほぼ比例して上昇．カプセルを7日間連続経口投与時，半減期はやや延長したが，血漿中未変化体濃度推移は4日目で定常状態 ②生物学的同等性試験：健康成人にD錠0.2mgあるいは0.2mgカプセルをそれぞれクロスオーバー法で単回経口投与時の血漿中濃度パラメータ(D錠，カプセルの順)は，Cmax(ng/mL)4.34±1.32，4.71±1.81，AUC_t(ng・hr/mL)63.5±22.9，62±20.8，半減期(hr)11.7±2.96，10.27±3.27，Tmax(hr)7±2.04，7.83±2.42．D錠とカプセルは生物学的に同等 **排泄** 健康成人にカプセルを0.1～0.6mgを経口投与時，投与後30時間までの未変化体の尿中排泄率は12～14%とほぼ一定．また，連続経口投与時も尿中排泄率に大きな変動は認められなかった **特定の背景を有する患者** 腎機能障害患者：腎機能障害患者11名に0.2mgカプセルを経口投与時，血圧低下はみられなかったが，腎機能重度障害者の2名で血漿中薬物濃度の上昇がみられた．この血漿中薬物濃度の上昇は，血漿中α_1-AGP(α_1酸性糖蛋白)との蛋白結合による可能性があり，血漿中薬物濃度とα_1-AGP濃度の間には高い相関が認められた．なお，本剤の薬効あるいは副作用発現に直接関与すると考えられる非結合型薬物濃度は，血漿中α_1-AGP濃度にかかわらず腎機能正常者のそれとほぼ同様

その他の管理的事項

投与期間制限 該当しない

保険給付上の注意 該当しない

資料

IF ハルナールD錠0.1mg・0.2mg 2020年3月改訂(第12版)

タモキシフェンクエン酸塩
Tamoxifen Citrate

概要

薬効分類 429 その他の腫瘍用薬

構造式

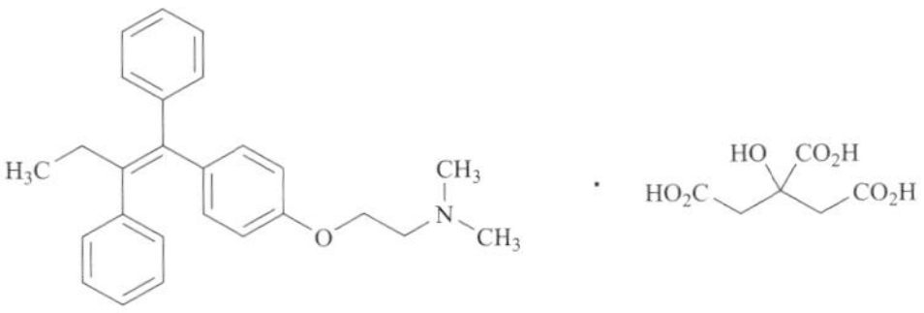

分子式 $C_{26}H_{29}NO \cdot C_6H_8O_7$

分子量 563.64

原薬の規制区分 劇(ただし，1錠中タモキシフェンとして20mg以下を含有するものを除く)

原薬の外観・性状 白色の結晶性の粉末である．酢酸(100)に溶けやすく，メタノールにやや溶けにくく，水又はエタノール(99.5)に溶けにくい

原薬の吸湿性 吸湿性なし

原薬の融点・沸点・凝固点 融点：約142℃（分解）
原薬の酸塩基解離定数 pKa＝8.27±0.30
先発医薬品等
錠 ノルバデックス錠10mg・20mg（アストラゼネカ）
後発医薬品
錠 10mg・20mg
国際誕生年月 1963年
海外での発売状況 世界各国

製剤

規制区分 錠 ㊙
製剤の性状 錠 白色のフィルムコート錠
有効期間又は使用期限 5年
貯法・保存条件 遮光・室温保存
患者向け資料等 患者向医薬品ガイド，くすりのしおり
溶液及び溶解時のpH 該当しない
浸透圧比 該当しない
安定なpH域 該当しない
調製時の注意 該当しない

薬理作用

分類 非ステロイド性抗エストロゲン剤
作用部位・作用機序 乳癌組織等のエストロゲンレセプターに対しエストロゲンと競合的に結合し，抗エストロゲン作用を示すことによって抗乳癌作用を発揮するものと考えられる．なお，男性ホルモン作用はない
同効薬 トレミフェンクエン酸塩など

治療

効能・効果 乳癌
用法・用量 タモキシフェンとして1日20mg，1～2回に分服．20mg錠は1日1回．症状により適宜増量できるが，1日最高量40mgまで
禁忌・原則禁忌となる特定患者集団 妊婦又は妊娠している可能性のある婦人

使用上の注意

禁忌 ①妊婦又は妊娠している可能性のある婦人 ②本剤の成分に対し過敏症の既往歴のある患者
相互作用概要 主としてCYP3A4及びCYP2D6により代謝される

薬物動態

吸収 乳癌患者に20mgを経口投与後，速やかに吸収，6～7.5時間後に最高血中濃度22.2～26.3ng/mL，血中半減期20.6～33.8時間．連続経口投与（1回10mg1日2回）による血中濃度は，投与後6週間目まで上昇，その後ほぼ一定 **代謝** 健常者，乳癌患者の主要代謝物はN-デスメチルタモキシフェンで，未変化体と同様の薬理作用（イギリス）．乳癌患者に連日投与後，この代謝物の血中濃度は8週間目で未変化体の約1.4倍．未変化体からN-デスメチルタモキシフェンへの脱メチル化には主にCYP3A4が関与し，それに続く活性代謝物エンドキシフェン（4-OH-N-デスメチルタモキシフェン）への水酸化には主にCYP2D6が関与すると考えられている **排泄** 患者に^{14}C-タモキシフェン20mg単回経口投与後，13日間で約65％排泄（尿中に約1/5，糞中に約4/5）．極めて緩徐な排泄は腸肝循環によると推測（イギリス）

その他の管理的事項

投与期間制限 該当しない
保険給付上の注意 該当しない

資料

IF ノルバデックス錠10mg・20mg 2020年7月改訂

タランピシリン塩酸塩
Talampicillin Hydrochloride

概要

薬効分類 613 主としてグラム陽性・陰性菌に作用するもの
構造式

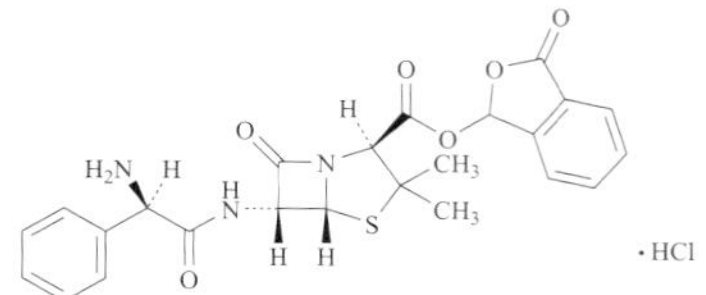

分子式 $C_{24}H_{23}N_3O_6S \cdot HCl$
分子量 517.98
原薬の規制区分 該当しない
原薬の外観・性状 白色～淡黄白色の粉末である．メタノールに極めて溶けやすく，水又はエタノール（99.5）に溶けやすい

タルク
Talc

概要

薬効分類 711 賦形剤
分子式 $Mg_3Si_4O_{10}(OH)_2$
分子量 379.27（純粋なタルク）
原薬の規制区分 該当しない
原薬の外観・性状 白色～灰白色の微細な結晶性の粉末である．なめらかな触感があり，皮膚につきやすい．水又はエタノール（99.5）にほとんど溶けない
先発医薬品等
外用末 タルク（金田直）
タルク（小堺＝日興製薬販売）
タルク（司生堂）
タルク原末「マルイシ」（丸石）
タルク「ケンエー」（健栄）

製剤

貯法・保存条件 密閉容器

薬理作用

分類 賦形剤

治療

効能・用法 丸剤，錠剤の賦形剤，滑沢剤として調剤に用いる．また，散布剤として用いる

資料

添付文書 タルク原末「マルイシ」 2018年6月改訂（第3版）

タルチレリン水和物
タルチレリン錠
タルチレリン口腔内崩壊錠
Taltirelin Hydrate

概要
薬効分類 119 その他の中枢神経系用薬
構造式

（構造式）・$4H_2O$

分子式 $C_{17}H_{23}N_7O_5 \cdot 4H_2O$
分子量 477.47
ステム 甲状腺刺激ホルモン放出ホルモン誘導体：-tirelin
原薬の規制区分 該当しない
原薬の外観・性状 白色の結晶又は結晶性の粉末である．水，エタノール(99.5)又は酢酸(100)に溶けやすく，メタノールにやや溶けやすい．1mol/L塩酸試液に溶ける．結晶多形が認められる
原薬の吸湿性 25℃，11%RH～90%RHの保存条件で，3～33日間保存して検討したが，いずれの条件においてもほとんど吸湿性を示さなかった．11%RHの条件下に保存するとき，理論量(15.09%)の約12%の結晶水が飛散した
原薬の融点・沸点・凝固点 融点：65℃付近で湿った状態となり，70℃付近で液化
原薬の酸塩基解離定数 pKa≒6.27(滴定法)
先発医薬品等
錠 セレジスト錠5mg(田辺三菱)
セレジストOD錠5mg(田辺三菱)
後発医薬品
錠 5mg・OD錠5mg
国際誕生年月 2000年7月
海外での発売状況 発売されていない
製剤
規制区分 **錠** **口腔内崩壊錠** ㊈
製剤の性状 **錠** **口腔内崩壊錠** 白色の割線入り素錠
有効期間又は使用期限 **錠** 3年6カ月 **口腔内崩壊錠** 3年
貯法・保存条件 室温保存．開封後は防湿保存
薬剤取扱い上の留意点 **口腔内崩壊錠** 自動分包機には適さない(通常の錠剤に比べてやわらかい)
患者向け資料等 くすりのしおり
溶液及び溶解時のpH 該当しない
浸透圧比 該当しない
安定なpH域 該当しない
調製時の注意 該当しない
薬理作用
分類 TRH(甲状腺刺激ホルモン放出ホルモン)誘導体
作用部位・作用機序 中枢神経系に広く分布するTRH受容体に結合後，アセチルコリン，ドパミン，ノルアドレナリン及びセロトニン神経系を活性化させるとともに，その脊髄反射増強作用，神経栄養因子様作用及び局所グルコース代謝促進作用も関与して，運動失調の改善あるいは運動失調からの回復を促進するものと考えられる
同効薬 プロチレリン酒石酸塩水和物
治療
効能・効果 脊髄小脳変性症における運動失調の改善
効能・効果に関連する使用上の注意 運動失調を呈する類似疾患が他にも知られていることから，病歴の聴取及び全身の理学的所見に基づいた確定診断の上，投与を行う
用法・用量 1回5mg，1日2回朝夕食後(適宜増減)
薬物動態
血中濃度 ①単回投与：健康成人男子6例に錠0.5～40mgを単回経口投与時の血漿中タルチレリン濃度は投与約3時間後で最高濃度(0.15～10.81ng/mL)，消失半減期はおよそ2時間．Cmax及びAUCは用量に比例して増加し，Tmax及び$t_{1/2}$は投与量にかかわらずほぼ一定値 ②反復投与：健康成人男子6例に錠2.5mg1日2回あるいは5mg1日1回2週間反復経口投与でも蓄積性は認められず，投与初日と14日目の血漿中濃度推移に差はみられなかった ③生物学的同等性：健康成人男子に普通錠5mgとOD錠5mgを単回経口投与時の薬物速度論的パラメータは，Tmax(中央値[最小-最大])(hr)3.0[1.0-5.0]，3.0[2.0-6.0]，Cmax(ng/mL)2.1±1.0，2.0±0.9，AUC_{0-12}(ng・hr/mL)10.4±3.8，10.7±4.6，$t_{1/2}$(hr)2.0±0.5，2.0±0.3 **吸収** 健康成人男子に錠5mgを空腹時及び食後に単回投与時の血漿中タルチレリン濃度のCmaxは食後で空腹時のおよそ77%，AUCは食後で空腹時のおよそ75%と低下がみられた **分布** 健康成人男子に錠5mgを単回経口投与時，投与3及び6時間後の血漿蛋白へのタルチレリンの結合は認められなかった **代謝** 健康成人に錠5mgを単回経口投与時，血漿及び尿中に代謝物としてプロリンアミドから脱アミノしたアシド体が認められた **排泄** 健康成人に錠5mgを単回経口投与時，投与24時間後までの未変化体と代謝物アシド体の尿中排泄量はともに投与量の1～2%
その他の管理的事項
投与期間制限 該当しない
保険給付上の注意 脊髄小脳変性症は特定疾患に指定されており，社会保険各法の規定に基づく医療費の自己負担分の一部，または全額が公費負担される
資料
IF セレジスト錠5mg・OD錠5mg 2013年9月改訂(第5版)

炭酸カリウム
Potassium Carbonate

概要
分子式 K_2CO_3
分子量 138.21
原薬の規制区分 該当しない
原薬の外観・性状 白色の粒又は粉末で，においはない．水に極めて溶けやすく，エタノール(95)にほとんど溶けない．本品の水溶液(1→10)はアルカリ性である
原薬の吸湿性 吸湿性である

沈降炭酸カルシウム
沈降炭酸カルシウム錠
沈降炭酸カルシウム細粒
Precipitated Calcium Carbonate

概要
薬効分類 219 その他の循環器官用薬，234 制酸剤
分子式 $CaCO_3$
分子量 100.09
ステム 不明

原薬の規制区分　該当しない
原薬の外観・性状　白色の微細な結晶性の粉末で，におい及び味はない．水にほとんど溶けないが，二酸化炭素が存在すると溶解性を増す．エタノール(95)又はジエチルエーテルにほとんど溶けない．希酢酸，希塩酸又は希硝酸に泡立って溶ける
原薬の吸湿性　該当資料なし
原薬の融点・沸点・凝固点　融点：約825℃
原薬の酸塩基解離定数　該当資料なし
先発医薬品等
末 沈降炭酸カルシウム恵美須(恵美須)
沈降炭酸カルシウム「カナダ」(金田直)
沈降炭酸カルシウム「ケンエー」(健栄)
沈降炭酸カルシウム「コザカイ・M」(小堺＝ファイザー＝日興製薬販売)
沈降炭酸カルシウム「司生堂」(司生堂)
沈降炭酸カルシウム「日医工」(日医工)
沈降炭酸カルシウム(山善)
沈降炭酸カルシウム「ヨシダ」(吉田製薬)
細 カルタン細粒83%(マイラン＝ファイザー＝扶桑)
錠 カルタン錠250・500(マイラン＝ファイザー＝扶桑)
カルタンOD錠250mg・500mg(マイラン＝ファイザー＝扶桑)
後発医薬品
錠 250mg・500mg
国際誕生年月　不明
海外での発売状況　該当しない

製剤

製剤の性状　**末** 白色の微細な結晶性の粉末で，におい及び味はない　**細** 白色の細粒　**錠**　**口腔内崩壊錠** 白色の素錠
有効期間又は使用期限　**末** 4年　**細**　**錠**　**口腔内崩壊錠** 3年
貯法・保存条件　**末**　**錠** 気密容器，室温保存　**細**　**口腔内崩壊錠** 室温保存
薬剤取扱い上の留意点　特になし
患者向け資料等　くすりのしおり
溶液及び溶解時のpH　該当資料なし
浸透圧比　該当資料なし
安定なpH域　該当資料なし
調製時の注意　該当資料なし

薬理作用

分類　制酸剤，リン結合剤
作用部位・作用機序　制酸剤：胃内において，胃液中の遊離の塩酸を中和，若しくは緩衝する作用を有し，本剤の化学反応によって，胃内のpHを上昇させることにより制酸作用を発揮　リン結合剤：炭酸カルシウムは，消化管内で食物由来のリン酸イオンと結合して難溶性のリン酸カルシウムを形成し，腸管からのリンの吸収を抑制することにより，血中リン濃度を低減させる．*in vitro*試験において沈降炭酸カルシウム500mgは，317.8mgのリン酸イオンを結合する．リン吸収阻害作用はアルミニウムで強く，次いでカルシウム，マグネシウムの順に弱くなるが，アルミニウムは血中に蓄積され重大な副作用を現すことから腎不全患者の長期投与には禁忌とされている．なお，本剤の薬理効果は，胃液の酸度，食事内容(特にマグネシウム等の無機イオン)等により影響を受けることが知られている
同効薬　制酸剤：アミノ酢酸，合成ケイ酸アルミニウム，天然ケイ酸アルミニウム，ケイ酸アルミン酸マグネシウムビスマス，合成ヒドロタルサイト，乾燥水酸化アルミニウムゲル，メタケイ酸アルミン酸マグネシウム，ケイ酸マグネシウム，水酸化マグネシウム，炭酸水素ナトリウム，炭酸マグネシウム，水酸化アルミニウムゲル・水酸化マグネシウムなど　リン結合剤：アルミニウム製剤，カルシウム製剤，マグネシウム製剤，セベラマー塩酸塩，炭酸ランタン水和物

治療

効能・効果　**制酸用** 次の疾患における制酸作用と症状の改善：胃・十二指腸潰瘍，胃炎(急・慢性胃炎，薬剤性胃炎を含む)，上部消化管機能異常(神経性食思不振，いわゆる胃下垂症，胃酸過多症を含む)
高リン血症用 次の患者における高リン血症の改善：保存期及び透析中の慢性腎不全患者
効能・効果に関連する使用上の注意　**高リン血症用** 血中リンの排泄を促進する薬剤ではないので，食事療法等によるリン摂取制限を考慮する
用法・用量　**制酸用** 1日1～3g，3～4回に分服(適宜増減)
高リン血症用 1日3g，食直後3回に分服(適宜増減)
用法・用量に関連する使用上の注意　**高リン血症用** 2週間で効果が認められない場合には，投与を中止し，リン摂取の制限等，他の適切な治療法に切り替える

使用上の注意

禁忌　**制酸用** 甲状腺機能低下症又は副甲状腺機能亢進症の患者［血中カルシウム濃度の上昇により病態に悪影響を及ぼすおそれがある］
高リン血症用 ①甲状腺機能低下症の患者［カルシウムの利用が亢進し，症状を増悪するおそれがある］ ②炭酸カルシウムに対し過敏症の既往歴のある患者

その他の管理的事項

投与期間制限　該当しない
保険給付上の注意　該当しない

資料

IF　沈降炭酸カルシウム「ケンエー」 2020年5月改訂(第2版)
カルタン細粒83%・カルタン錠250・500　2013年1月改訂(第8版)
カルタンOD錠250mg・500mg　2018年3月改訂(第4版)

炭酸水素ナトリウム
炭酸水素ナトリウム注射液
Sodium Bicarbonate

別名：重曹
重炭酸ナトリウム

概要

薬効分類　234　制酸剤，392　解毒剤
分子式　$NaHCO_3$
分子量　84.01
ステム　該当しない
原薬の規制区分　該当しない
原薬の外観・性状　白色の結晶又は結晶性の粉末で，においはなく，特異な塩味がある．水にやや溶けやすく，エタノール(95)又はジエチルエーテルにほとんど溶けない．湿った空気中で徐々に分解する．1.0gを水20mLに溶かした液のpHは7.9～8.4である
原薬の吸湿性　湿った空気中で徐々に分解する．臨界相対湿度(CRH)：98%(37℃)
原薬の融点・沸点・凝固点　加熱すると約50℃で二酸化炭素を失い始め，100℃ではsesquicarbonate($Na_2CO_3 \cdot NaHCO_3 \cdot 2H_2O$)となり，270～300℃で約2時間加熱すると炭酸ナトリウムとなる
原薬の酸塩基解離定数　炭酸の第1電離定数は4.57×10^{-7}，第2電離定数は5.6×10^{-11}
先発医薬品等
末 炭酸水素ナトリウム(小堺＝吉田製薬)
炭酸水素ナトリウム(扶桑)

炭酸水素ナトリウム(山善)
炭酸水素ナトリウム「NikP」(日医工＝岩城)
炭酸水素ナトリウム恵美須(恵美須)
炭酸水素ナトリウム「カナダ」(金田直)
炭酸水素ナトリウム「ケンエー」(健栄)
炭酸水素ナトリウム「三恵」(三恵)
炭酸水素ナトリウム　シオエ(シオエ＝日本新薬)
炭酸水素ナトリウム「司生堂」(司生堂)
炭酸水素ナトリウム「昭和」(M)(昭和製薬)
炭酸水素ナトリウム「東海」(東海製薬)
炭酸水素ナトリウム「ニッコー」(日興製薬＝丸石＝中北＝ニプロ)
炭酸水素ナトリウム〈ハチ〉(東洋製化＝小野)
炭酸水素ナトリウム「ファイザー」原末(マイラン＝ファイザー)
炭酸水素ナトリウム「ヨシダ」(吉田製薬)

注 重ソー注7%「CMX」(ケミックス)
重ソー静注7%「NS」(日新製薬＝共和クリティケア＝日本ジェネリック)・8.4%「NS」(日新製薬＝日本ジェネリック)
重ソー注7%PL「Hp」(原沢)
重ソー注7%「トーワ」(東和薬品)
炭酸水素Na静注1.26%バッグ・7%PL・8.4%PL「フソー」(扶桑)
炭酸水素ナトリウム静注7%「NF」(ニプロ)
炭酸水素ナトリウム静注7%PL「イセイ」(コーアイセイ)
メイロン静注7%・8.4%(大塚工場＝大塚製薬)

後発医薬品
錠 500mg

国際誕生年月 不明

海外での発売状況 該当しない

製剤

規制区分 **注** ㊇

製剤の性状 **末** 白色の結晶又は結晶性の粉末で，においはなく，特異な塩味がある **錠** 白色又はほとんど白色の素錠 **注** 無色澄明の注射液

有効期間又は使用期限 **末** 5年 **錠** 3年 **注** 2年

貯法・保存条件 **末** **錠** 気密容器，室温保存 **注** 室温保存

薬剤取扱い上の留意点 **注** 調製時：①本剤はアルカリ性であり，他の注射剤と混合する場合は，配合変化を起こしやすいので注意すること ②カルシウムイオンと沈殿を生じるので，カルシウム塩を含む製剤と配合しないこと 投与前：寒冷期に結晶が析出することがあるが，この場合には温めて結晶を溶解して使用すること

患者向け資料等 くすりのしおり

溶液及び溶解時のpH **注** 7.0～8.5

浸透圧比 **注** 約5(対生食)

調製時の注意 **末** 低温の水を加えたときは分解せずに溶解するが，水溶液を長く放置するか，激しく振り混ぜると二酸化炭素を放出し，65℃以上に加温すると急速に分解して炭酸ナトリウムとなる

薬理作用

分類 制酸剤，アルカリ化剤

作用部位・作用機序 **末** **錠** 作用部位：胃・十二指腸，粘膜(口腔，上気道)，体液，胃・尿路系 作用機序：速効性，全身性の制酸作用を示すが，これは胃液のアルカリ化によるペプシンの失活及び発生したCO_2より胃粘膜を刺激して二次的に胃液分泌を促すことによる($NaHCO_3 + HCl \rightarrow NaCl + H_2O + CO_2$)．炭酸水素ナトリウムは消化管から吸収されやすいため，過剰に用いるとアルカローシスを生じる．また，粘液をアルカリ化することにより局所性の粘液溶解作用を示す．更に尿のpHをアルカリ性にし，尿酸の排泄を促進し，尿路結石を予防する **注** 作用部位：全身 作用機序：①直接HCO_3^-を補給し，アルカリ化剤として作用する．生体内の代謝異常又は諸疾患に起因する体液中の酸性物質の発生又は停滞によって起こるアシドーシスに用いて体液を正常なpHに戻す．また，尿pHの上昇により，ある種の薬剤(例：サリチル酸塩，フェノバルビタール，メチルアルコール)の尿細管再吸収を抑制し，結果的に薬物の尿中排泄を促進する．急性蕁麻疹の原因の一つにアシドーシスがあるといわれており，アシドーシスの是正が症状の改善をもたらす ②動揺病，メニエール症候群等に伴う悪心，嘔吐及びめまいは，一種の内耳障害に起因すると考えられており，本剤は耳石に作用して加速刺激感受性を低下させたり，内耳血管を拡張して効果をもたらす．また，CO_2による血管拡張作用，虚血に対する抵抗性の増加，虚血による局所アシドーシスの改善，高浸透圧作用や，中枢・末梢血管の血流促進作用と自律神経への作用もあるといわれている

同効薬 **末** **錠** アミノ酢酸，合成・天然ケイ酸アルミニウム，乾燥水酸化アルミニウムゲル，ヒドロタルシト，酸化マグネシウム，炭酸マグネシウム，沈降炭酸マグネシウム

治療

効能・効果 **末(経口)** **錠** ①次の疾患における制酸作用と症状の改善：胃・十二指腸潰瘍，胃炎(急・慢性胃炎，薬剤性胃炎を含む)，上部消化管機能異常(神経性食思不振，いわゆる胃下垂症，胃酸過多症を含む) ②アシドーシスの改善 ③尿酸排泄の促進と痛風発作の予防
注 ①薬物中毒の際の排泄促進(ただし，pHの上昇により尿中排泄の促進される薬物に限る) ②アシドーシス ③次の疾患又は状態に伴う悪心・嘔吐及びめまい：動揺病，メニエール症候群，その他の内耳障害 ④急性蕁麻疹
末(含嗽・吸入) 上気道炎の補助療法(粘液溶解)

用法・用量 **末(経口)** **錠** 1日3～5g，数回に分服(適宜増減)
注 1回12～60mEq(1～5g)静注，アシドーシスには一般に通常用量を次式により算出し静注(適宜増減)
必要量(mEq)＝不足塩基量(Base Deficit mEq/L)×0.2×体重(kg)
末(含嗽・吸入) 1回量1～2%液100mL，1日数回(適宜増減)

使用上の注意

禁忌 **末(経口・含嗽・吸入)** **錠** ナトリウム摂取制限を受けている患者(高ナトリウム血症，浮腫，妊娠高血圧症候群等)[ナトリウムの貯留増加により症状が悪化するおそれがある]

薬物動態

吸収及び排泄 胃内で発生した炭酸ガスはそのままおくびとして口腔から排泄されるか，又は消化管から吸収されて肺胞内におけるガス交換により体外に排泄

その他の管理的事項

投与期間制限 該当しない

保険給付上の注意 該当しない

資料

IF 炭酸水素ナトリウム(扶桑薬品工業) 2018年3月改訂(第5版)
重曹錠500mg「マイラン」 2018年3月改訂(第6版)
メイロン静注7% 2011年4月改訂(第6版)
メイロン静注8.4% 2011年4月改訂(第5版)

乾燥炭酸ナトリウム
Dried Sodium Carbonate

概要

分子式 Na_2CO_3

分子量 105.99

原薬の規制区分 該当しない

原薬の外観・性状 白色の結晶又は結晶性の粉末である．水に

溶けやすく，エタノール(95)又はジエチルエーテルにほとんど溶けない．本品の水溶液(1→10)はアルカリ性である
原薬の吸湿性　吸湿性である

炭酸ナトリウム水和物
Sodium Carbonate Hydrate

概要
分子式　$Na_2CO_3 \cdot 10H_2O$
分子量　286.14
原薬の規制区分　該当しない
原薬の外観・性状　無色又は白色の結晶である．水に溶けやすく，エタノール(95)又はジエチルエーテルにほとんど溶けない．本品の水溶液(1→10)はアルカリ性である．空気中で風解する．34℃でその結晶水に溶け，100℃以上で結晶水を失う

炭酸マグネシウム
Magnesium Carbonate

概要
薬効分類　234　制酸剤，235　下剤，浣腸剤
原薬の規制区分　該当しない
原薬の外観・性状　白色のもろい塊又は粉末で，においはない．水，エタノール(95)，1-プロパノール又はジエチルエーテルにほとんど溶けない．希塩酸に泡立って溶ける．本品の飽和水溶液はアルカリ性である
先発医薬品等
末　重質炭酸マグネシウム「日医工」(日医工)
炭酸マグネシウム「ケンエー」(健栄)
炭酸マグネシウム「ニッコー」(日興製薬)
炭酸マグネシウム(山善)
製剤
製剤の性状　末　白色のもろい塊で，においはない
有効期間又は使用期限　3年
貯法・保存条件　密閉容器，室温保存
患者向け資料等　くすりのしおり
薬理作用
分類　制酸剤
治療
効能・効果　①次の疾患における制酸作用と症状の改善：胃・十二指腸潰瘍，胃炎(急・慢性胃炎，薬剤性胃炎を含む)，上部消化管機能異常(神経性食思不振，いわゆる胃下垂症，胃酸過多症を含む)　②便秘症
用法・用量　効能①：炭酸マグネシウムとして1日2g，数回に分服(適宜増減)　効能②：炭酸マグネシウムとして1日3～8g，頓用又は数回に分服(適宜増減)
その他の管理的事項
投与期間制限　該当しない
保険給付上の注意　該当しない
資料
添付文書　重質炭酸マグネシウム「日医工」 2012年6月改訂(第5版)

炭酸リチウム
Lithium Carbonate

概要
薬効分類　117　精神神経用剤
分子式　Li_2CO_3
分子量　73.89
原薬の規制区分　㊙劇
原薬の外観・性状　白色の結晶性の粉末で，においはない．水にやや溶けにくく，熱湯に溶けにくく，エタノール(95)又はジエチルエーテルにほとんど溶けない．希酢酸に溶ける．1.0gを水100mLに溶かした液のpHは10.9～11.5である
原薬の吸湿性　吸湿性はほとんどない(室温，90%RH，3カ月での平衡吸湿率約0.3%)
原薬の融点・沸点・凝固点　融点：618℃(分解)
原薬の酸塩基解離定数　$pKa_1 = 6.2$，$pKa_2 = 9.7$
先発医薬品等
錠　リーマス錠100・200(大正製薬)
後発医薬品
錠　100mg・200mg
国際誕生年月　不明
海外での発売状況　米，英など世界各国
製剤
規制区分　錠　㊀劇 ㊀処
製剤の性状　錠　白色～淡黄白色のフィルムコート錠
有効期間又は使用期限　3年
貯法・保存条件　密閉容器・室温保存
薬剤取扱い上の留意点　めまい，眠気等が現れることがあるので，本剤投与中の患者には自動車の運転等危険を伴う機械類の操作に従事させないよう注意すること
患者向け資料等　患者向医薬品ガイド，くすりのしおり
溶液及び溶解時のpH　10.9～11.5(水溶液(1→100))
浸透圧比　該当しない
安定なpH域　該当しない
調製時の注意　該当しない
薬理作用
分類　躁病・躁状態治療剤
作用部位・作用機序　まだ完全に解明されていない．中枢神経におけるNA作動系，DA作動系，5HT作動系において，きわだった作用機序になるものはない．細胞膜及び細胞内情報伝達において，イノシトールリン脂質作動系及びアデニル酸シクラーゼ-cAMP作動系に対する作用が報告されている．多くの作用が複合的に関連して作用するものと推測されている
同効薬　クロルプロマジン，ハロペリドール，カルバマゼピン，バルプロ酸など
治療
効能・効果　躁病及び躁うつ病の躁状態
用法・用量　1日400～600mgから開始，2～3回に分服．以後3日～1週間ごとに1日1200mgまでの治療量に漸増．改善がみられたならば症状を観察しながら，維持量1日200～800mg，1～3回分服に漸減(適宜増減)
用法・用量に関連する使用上の注意　過量投与による中毒を起こすことがあるので，投与初期又は用量を増量したときには維持量が決まるまでは1週間に1回をめどに，維持量の投与中には2～3カ月に1回をめどに，血清リチウム濃度の測定結果に基づきトラフ値を評価しながら使用する．なお，血清リチウム濃度を上昇させる要因(食事及び水分摂取量不足，脱水を起こしやすい状態，非ステロイド性消炎鎮痛剤等の血中濃度上昇を起こす可能性がある薬剤の併用等)や中毒の初期症状が認められる場合には，血清リチウム濃度を測定する：①血清リチウム濃度が1.5mEq/Lを超えたときは臨床症状の観察を十分に行い，必要に応じて減量又は休薬等の処置を行う　②血清リチウム濃度が2mEq/Lを超えたときは過量投与によ

る中毒を起こすことがあるので，減量又は休薬する

禁忌・原則禁忌となる特定患者集団　妊婦又は妊娠している可能性のある婦人

使用上の注意

禁忌　①てんかん等の脳波異常のある患者［脳波異常を増悪させることがある］　②重篤な心疾患のある患者［心疾患を増悪し，重篤な心機能障害を引き起こすおそれがある］　③リチウムの体内貯留を起こしやすい状態にある患者［リチウムの毒性を増強するおそれがある］：(1)腎障害のある患者　(2)衰弱又は脱水状態にある患者　(3)発熱，発汗又は下痢を伴う疾患のある患者　(4)食塩制限患者　④妊婦又は妊娠している可能性のある婦人

薬物動態

吸収　健康成人5例に200mg単回経口投与時，Cmax0.22mEq/L，Tmax2.6hr，$T_{1/2}$18hr，AUC2.26mEq・hr/L　**分布**　(参考：Wistar系ラット)100mg/kgを単回投与時，甲状腺，下垂体，腎臓へ速やかに移行，血中よりも高い濃度を示すが，大脳，筋肉への分布は緩徐，血中濃度と同等もしくはそれ以下．また，5，12，19日間100mg/kgを反復投与時，血中より高濃度で維持された臓器は，甲状腺，骨，脳で，蓄積傾向はみられなかった　**排泄**　健康成人に単回経口投与時，200mgでは24時間以内に約60%が，400mgでは128時間までに94.6%が尿中に排泄

その他の管理的事項

投与期間制限　該当しない

保険給付上の注意　該当しない

資料

IF　リーマス錠100・200　2019年4月改訂(第7版)

単シロップ
Simple Syrup

概要

薬効分類　714　矯味，矯臭，着色剤

分子式　$C_{12}H_{22}O_{11}$(白糖)

分子量　342.30(白糖)

ステム　不明

原薬の規制区分　該当しない

原薬の外観・性状　無色～微黄色の澄明な濃稠の液で，においはなく，味は甘い

先発医薬品等

内用液　単シロップ(三恵)
単シロップ(シオエ＝日本新薬)
単シロップ(司生堂)
単シロップ(東海製薬)
単シロップ(中北＝吉田製薬)
単シロップ(丸石)
単シロップ(山善)
単シロップ(日本ジェネリック)
単シロップ「ケンエー」(健栄)
単シロップ(東洋製化＝小野)
単シロップ「日医工」(日医工)
単シロップ(日興製薬＝ファイザー)

製剤

製剤の性状　**液**「白糖」の水溶液である．無色～微黄色の澄明な濃稠の液で，においはなく，味に甘い

貯法・保存条件　室温保存

薬理作用

分類　矯味剤

治療

効能・用法　甘味剤として種々の合剤の味付けに用いる．また各種の芳香シロップ剤，薬用シロップ剤，エリキシル剤の原料，錠剤のコーティングに用いる

資料

添付文書　単シロップ(東洋製化)　2012年4月改訂(第7版)

ダントロレンナトリウム水和物
Dantrolene Sodium Hydrate

概要

薬効分類　122　骨格筋弛緩剤

構造式

O_2N ・ $3\ 1/2\ H_2O$ NNa

分子式　$C_{14}H_9N_4NaO_5 \cdot 3\frac{1}{2}H_2O$

分子量　399.29

ステム　不明

原薬の規制区分　該当しない

原薬の外観・性状　帯黄橙色～濃橙色の結晶性の粉末である．プロピレングリコールにやや溶けやすく，メタノールにやや溶けにくく，エタノール(95)に溶けにくく，水又は酢酸(100)に極めて溶けにくく，アセトン，テトラヒドロフラン又はジエチルエーテルにほとんど溶けない

原薬の吸湿性　無水物は吸湿性が強く，63%RHでは3 1/2モルの水分を吸湿する

原薬の融点・沸点・凝固点　明確な融点を示さない．200℃までは変化が認められず，200℃以上になると試料全体が徐々に黒かっ色化し，以後黒色化の度合を増し，融解しながら分解する

原薬の酸塩基解離定数　pKa＝6.6(みかけの解離恒数(pKa))

先発医薬品等

カ　ダントリウムカプセル25mg(オーファンパシフィック)

注射用　ダントリウム静注用20mg(オーファンパシフィック)

国際誕生年月　1974年1月

海外での発売状況　米，英など

製剤

規制区分　**カ**　**注射用**　㊕

製剤の性状　**カ**　だいだい色/うすいかっ色の硬カプセル剤　**注射用**　用時溶解型注射用製剤．淡黄色及びだいだい色の多孔性の固体又は粉末

有効期間又は使用期限　3年

貯法・保存条件　**カ**　室温保存　**注射用**　遮光・室温保存

薬剤取扱い上の留意点　**カ**　眠気，注意力・集中力・反射運動能力等の低下が起こることがあるので，本剤投与中の患者には自動車の運転等危険を伴う機械の操作に従事させないよう注意すること　**注射用**　溶解後の溶液を保存する場合は，直射日光を避け，5℃から30℃の温度条件にて保存し，6時間以内に使用すること

患者向け資料等　**錠**　患者向医薬品ガイド，くすりのしおり

溶液及び溶解時のpH　**注射用**　9.0～10.5(20mg/60mL注射用水)

浸透圧比　**注射用**　約1(対生食)

調製時の注意　**注射用**　溶解に際しては，注射用水以外を使用しないこと

薬理作用

分類　末梢性筋弛緩剤

タ

作用部位・作用機序　骨格筋の興奮－収縮連関に直接作用する．筋小胞体からカルシウムイオンが遊離する機構を抑え，トロポニンに結合するカルシウムイオンを減少させることが示唆され，特にT-システムから筋小胞体に信号が伝達される場が主作用部位と推定されている．この他，筋小胞体カルシウムイオン遊離機構の抑制，筋細胞膜でのカルシウムイオン流入抑制及びミトコンドリアのカルシウムイオン取組みを促進するともいわれている．悪性高熱症のヒト骨格筋において，これらの作用機序により悪性高熱症の諸症状を抑制するものと示唆されている

同効薬　トルペリゾン塩酸塩，バクロフェン，アフロクアロン，チザニジン塩酸塩

治療

効能・効果　**カ** ①次の疾患に伴う痙性麻痺：脳血管障害後遺症，脳性麻痺，外傷後遺症(頭部外傷，脊髄損傷)，頸部脊椎症，後縦靱帯骨化症，脊髄小脳変性症，痙性脊髄麻痺，脊髄炎，脊髄症，筋萎縮性側索硬化症，多発性硬化症，スモン(SMON)，潜水病　②全身こむら返り病　③悪性症候群
注射用 ①麻酔時における悪性高熱症　②悪性症候群

用法・用量　**カ** 効能①②：1日1回25mgから始め，1週ごとに25mgずつ増量し(1日2～3回に分服)維持量を決定する．ただし，1日最高量は150mgとし3回に分服　効能③：注射剤の静注後，継続投与が必要で経口投与が可能な場合，1回25mg又は50mgを1日3回(適宜増減)
注射用 1バイアルに注射用水60mLを加え溶解する　効能①：初回量1mg/kgを静注，症状の改善が認められない場合には1mg/kgずつ追加(適宜増減)．なお，投与総量は7mg/kgまで　効能②：初回量40mg静注，症状の改善が認められない場合20mgずつ追加(適宜増減)．1日総投与量200mgまで，通常7日以内の投与とする

使用上の注意

禁忌　**カ** ①閉塞性肺疾患あるいは心疾患により，著しい心肺機能低下のみられる患者［筋弛緩作用により，症状が悪化するおそれがある］　②筋無力症状のある患者［筋弛緩作用により，症状が悪化するおそれがある］　③肝疾患のある患者［本剤による肝障害が疑われる症例が報告されている］　④本剤の成分に対し過敏症の既往歴のある患者

薬物動態

(健常人)**血漿中濃度**　4名に25mg及び50mg単回経口投与時の血漿中濃度は，4時間後に最高値0.27μg/mL，0.6μg/mL，半減期6時間，7時間．血漿中濃度曲線下面積(AUC)は，3.26μg・hr/mL及び7.08μg・hr/mL，各時間における血漿中濃度及びAUCはともに投与量に比例．6名に25mg静注時の血漿中未変化体濃度は投与15分値で約0.77μg/mLに達したのち漸減傾向，半減期は6.08時間，AUCは7.09μg・hr/mL．主代謝物5-ヒドロキシ体濃度は，投与後いずれの時間でも未変化体に比べ低値　**代謝，排泄**　①**カ** 未変化体尿中排泄量は，25mg及び50mg経口投与後，24時間までにそれぞれ1.0%，1.4%．主代謝物は，ヒダントイン環の5位の酸化体とニトロの還元及びアセチル化体であり，それぞれの尿中排泄率は12.8%，14.0%及び2.6%，2.8%　②**注射用** 25mgを静注時の尿中排泄量は未変化体が0.2%と少なく，主代謝物5-ヒドロキシダントロレンは13.1%．^{14}C-ダントロレンナトリウム25mg静注後，尿中に51.6%(0～72時間)，糞中に32.9%(0～120時間)排泄

その他の管理的事項

投与期間制限　該当しない
保険給付上の注意　該当しない

資料

IF　ダントリウムカプセル25mg　2016年4月改訂(第24版)
　ダントリウム静注用20mg　2018年7月改訂(第23版)

タンニン酸
Tannic Acid

概要

薬効分類　264　鎮痛，鎮痒，収斂，消炎剤
原薬の規制区分　該当しない
原薬の外観・性状　黄白色～淡褐色の無晶形の粉末，光沢のある小葉片又は海綿状の塊で，においはないか，又は僅かに特異なにおいがあり，味は極めて渋い．水又はエタノール(95)に極めて溶けやすく，ジエチルエーテルにほとんど溶けない

タンニン酸アルブミン
Albumin Tannate

別名：タンナルビン

概要

薬効分類　231　止しゃ剤，整腸剤
分子式　該当しない
ステム　該当しない
原薬の規制区分　該当しない
原薬の外観・性状　淡褐色の粉末で，においはないか，又は僅かに特異なにおいがある．水又はエタノール(95)にほとんど溶けない．水酸化ナトリウム試液を加えるとき，混濁して溶ける
原薬の吸湿性　該当資料なし
原薬の酸塩基解離定数　該当資料なし
先発医薬品等
末 タンニン酸アルブミン原末「マルイシ」(丸石＝ニプロ)
タンニン酸アルブミン「NikP」(日医工＝岩城)
タンニン酸アルブミン「ケンエー」(健栄)
タンニン酸アルブミン「三恵」(三恵)
タンニン酸アルブミン　シオエ(シオエ＝日本新薬)
タンニン酸アルブミン「ニッコー」(日興製薬＝吉田製薬)
タンニン酸アルブミン〈ハチ〉(東洋製化＝小野)
タンニン酸アルブミン「ファイザー」原末(マイラン＝ファイザー)
タンニン酸アルブミン「メタル」(中北)
タンニン酸アルブミン(山善)
国際誕生年月　1895年

製剤

製剤の性状　**末** タンニン酸とたん白質との化合物であり，そのたん白質は乳性カゼインである
有効期間又は使用期限　5年
貯法・保存条件　気密容器，遮光・室温保存
薬剤取扱い上の留意点　アルカリにより分解する．抱水クロラールやヨウ化物と混合すると浸潤する
患者向け資料等　くすりのしおり

薬理作用

分類　整腸剤
作用部位・作用機序　作用部位：腸管　作用機序：経口投与した場合，水に溶解せず，口腔，胃では分解を受けず収れん作用を現さないが，腸管内で膵液により徐々に分解してタンニン酸を遊離し，全腸管に緩和な収れん作用を現すことにより，止瀉作用を示す
同効薬　ベルベリン塩化物水和物，次硝酸ビスマス

治療

効能・効果　下痢症
用法・用量　1日3～4g，3～4回に分服(適宜増減)

使用上の注意

禁忌　①出血性大腸炎の患者［腸管出血性大腸菌（O157等）や赤痢菌等の重篤な細菌性下痢患者では，症状の悪化，治療期間の延長をきたすおそれがある］　②牛乳アレルギーのある患者［ショック又はアナフィラキシー様症状を起こすことがある］　③本剤に対し過敏症の既往歴のある患者

その他の管理的事項

投与期間制限　該当しない

保険給付上の注意　該当しない

資料

IF　タンニン酸アルブミン「ファイザー」原末　2019年7月改訂（第6版）

タンニン酸ジフェンヒドラミン
Diphenhydramine Tannate

概要

薬効分類　441　抗ヒスタミン剤

原薬の規制区分　該当しない

原薬の外観・性状　灰白色～淡褐色の粉末で，においはないか，又は僅かに特異なにおいがあり，味はない．エタノール（95）に溶けにくく，水又はジエチルエーテルにほとんど溶けない

タンニン酸ベルベリン
Berberine Tannate

概要

薬効分類　231　止しゃ剤，整腸剤

原薬の規制区分　該当しない

原薬の外観・性状　黄色～淡黄褐色の粉末で，においはないか，又は僅かに特異なにおいがあり，味はない．水，アセトニトリル，メタノール又はエタノール（95）にほとんど溶けない

チアプリド塩酸塩
チアプリド塩酸塩錠
Tiapride Hydrochloride

概要

薬効分類　117　精神神経用剤

構造式

（構造式：H_3C-SO_2-ベンズアミド-$NH-CH_2CH_2-N(C_2H_5)_2$，OCH_3 · HCl）

分子式　$C_{15}H_{24}N_2O_4S \cdot HCl$

分子量　364.89

ステム　スルピリド誘導体：-pride

原薬の規制区分　該当しない

原薬の外観・性状　白色～微黄白色の結晶又は結晶性の粉末である．水に極めて溶けやすく，酢酸（100）に溶けやすく，メタノールにやや溶けやすく，エタノール（99.5）に溶けにくく，無水酢酸に極めて溶けにくい．0.1mol/L塩酸試液に溶ける

原薬の融点・沸点・凝固点　融点：約200℃（分解）

原薬の酸塩基解離定数　pKa'＝9.0（滴定法及び吸光度法）

先発医薬品等

細　グラマリール細粒10%（日医工）

錠　グラマリール錠25mg・50mg（日医工）

後発医薬品

細　10%

錠　25mg・50mg

国際誕生年月　1974年6月

海外での発売状況　仏，独など

製剤

規制区分　**細**　**錠**　㊕

製剤の性状　**細**　白色～微帯黄白色の細粒　**錠**　白色～微帯黄白色のフィルムコーティング錠

有効期間又は使用期限　4年

貯法・保存条件　室温保存

薬剤取扱い上の留意点　眠気，めまい・ふらつき等があらわれることがあるので，本剤投与中の患者には自動車の運転等危険を伴う機械の操作に従事させないように注意すること

患者向け資料等　くすりのしおり

溶液及び溶解時のpH　約4.7（水溶液（1→10））

浸透圧比　該当しない

安定なpH域　該当しない

調製時の注意　該当しない

薬理作用

分類　ベンザミド誘導体

作用部位・作用機序　作用部位：脳内ドパミン受容体　作用機序：ドパミン受容体，とりわけD_2受容体に強い選択的遮断作用を示す

治療

効能・効果　①脳梗塞後遺症に伴う攻撃的行為，精神興奮，徘徊，せん妄の改善　②特発性ジスキネジア及びパーキンソニズムに伴うジスキネジア

用法・用量　チアプリドとして1日75～150mgを3回に分服（適宜増減）．パーキンソニズムに伴うジスキネジアの患者では，1日1回25mgから開始することが望ましい

用法・用量に関連する使用上の注意　脳梗塞後遺症の場合：投与期間は，臨床効果及び副作用の程度を考慮しながら慎重に決定するが，投与6週で効果が認められない場合には中止する

使用上の注意

禁忌　プロラクチン分泌性の下垂体腫瘍（プロラクチノーマ）の患者［抗ドパミン作用によりプロラクチン分泌が促進し，病態を悪化させるおそれがある］

過量投与　①徴候，症状：パーキンソン症候群等の錐体外路症状，昏睡等が現れることがある　②処置：主として対症療法及び維持療法を行う．なお，本剤は血液透析ではわずかしか除去されないため，血液透析は有効ではない

薬物動態

血中濃度　①健康成人：6例に錠100mgを1回経口投与時，速やかにほぼ完全に吸収され，血清中濃度は投与2時間後にピーク（720ng/mL）に達した後，消失半減期3.91時間で減少　②老年患者（60～79歳，平均67歳）：6例に100mg錠を経口投与時，健康成人に比べ消失半減期が約1.5倍遅延したが，吸収は健康成人と同様に速やかで良好．Tmax（hr）1.8±0.2，Cmax0.876±0.127μg/mL，$T_{1/2}$5.75±0.59hr，AUCは5.89±0.85μg・hr/mL．1日3回ずつの連続経口投与でも血清中濃度は投与1週間以内に定常状態に達し，蓄積傾向は認められなかった　③腎機能障害患者：100mg錠を経口投与時，Ccrの低下に伴って消失半減期は遅延し，中等度以上の腎機能障害患者（Ccr60mL/min以下）では健康成人に比べて半減期は2倍以上．腎機能障害の程度と$T_{1/2}$（hr）の関係は，高度（Ccr0～10，平均Ccr2.9，5例）21.6，やや高度（Ccr11～30，平均

Ccr16.0, 1例)8.63, 中等度(Ccr31～60, 平均Ccr55.3, 3例)7.54, 軽度(Ccr61～90, 平均Ccr69.6, 4例)4.24, (参考)正常(6例)4.13　**代謝及び排泄**　健康成人に錠100mgを1回経口投与で, ほとんど代謝されず, 投与24時間後までに71.7%が未変化体, 9.3%がN-脱エチル体として尿中に排泄. 参考：乳汁中移行：授汁中のラットに^{14}C-標識チアプリドを経口投与で, 乳汁中濃度は2時間後に最高値, その濃度は全血中濃度の1.2倍. その後, 全血中濃度の減少に伴って乳汁中濃度も減少

その他の管理的事項

投与期間制限　該当しない

保険給付上の注意　該当しない

資料

IF　グラマリール細粒10%・グラマリール錠25mg・50mg　2020年1月改訂(第15版)

チアマゾール
チアマゾール錠
Thiamazole

概要

薬効分類　243　甲状腺, 副甲状腺ホルモン剤

構造式

CH_3–N, SH (imidazole ring structure)

分子式　$C_4H_6N_2S$

分子量　114.17

略語・慣用名　MMI

ステム　不明

原薬の規制区分　該当しない

原薬の外観・性状　白色～微黄白色の結晶又は結晶性の粉末で, 僅かに特異なにおいがあり, 味は苦い. 水又はエタノール(95)に溶けやすく, ジエチルエーテルに溶けにくい. 1.0gを水50mLに溶かした液のpHは5.0～7.0である

原薬の吸湿性　該当資料なし

原薬の融点・沸点・凝固点　融点：144～147℃

原薬の酸塩基解離定数　pKa＝約11.7

先発医薬品等

錠　メルカゾール錠2.5mg・5mg(あすか製薬＝武田)

注　メルカゾール注10mg(あすか製薬＝武田)

国際誕生年月　不明

海外での発売状況　**錠**　あり

製剤

規制区分　**錠**　**注**　㊎

製剤の性状　**錠**　淡黄色のフィルムコーティング錠　**注**　無色澄明の液

有効期間又は使用期限　**錠**　**注**　3年

貯法・保存条件　**錠**　密閉容器, 遮光・室温保存　**注**　遮光・室温保存

患者向け資料等　**錠**　患者向医薬品ガイド, くすりのしおり

溶液及び溶解時のpH　**注**　4.5～8.0

浸透圧比　**注**　約1(対生食)

薬理作用

分類　チオウレイン系抗甲状腺剤

作用部位・作用機序　甲状腺ホルモンの生産過程を阻害. ヨウ化物は腸から吸収され, 次いで甲状腺に取り込まれ, 酸化されてヨウ素となり, チロシンをヨウ素化し, モノ及びジヨードチロシンを経て, チロキシン及びトリヨードチロニンとなるが, ペルオキシターゼによるヨウ化物の酸化のみならず, モノ及びジヨードチロシンからチロキシン及びトリヨードチロニンに至る共役縮合反応のいずれをも競合的に阻害することによって, 甲状腺ホルモンの生産を阻止

同効薬　プロピルチオウラシル

治療

効能・効果　甲状腺機能亢進症

用法・用量　**錠**　①初期量1日30mgを3～4回に分服, 重症の場合1日40～60mg, 機能亢進症状がほぼ消失したなら1～4週間ごとに漸減し, 維持量1日5～10mgを1～2回に分服(適宜増減)　②小児初期量1日14～10歳20～30mg, 9～5歳10～20mg, 2～4回に分服, 機能亢進症状がほぼ消失したなら1～4週間ごとに漸減し, 維持量1日5～10mgを1～2回に分服(適宜増減)　③妊婦初期量1日15～30mg, 3～4回に分服, 機能亢進症状がほぼ消失したなら1～4週間ごとに漸減し, 維持量1日5～10mgを1～2回に分服(適宜増減). 正常妊娠時の甲状腺機能検査値を低下しないよう, 2週間ごとに検査し, 必要最低限量を投与する

注　主として救急の場合に, 1回30～60mg皮下, 筋注又は静注(適宜増減)

使用上の注意

> **警告**　①重篤な無顆粒球症が主に投与開始後2カ月以内に発現し, 死亡に至った症例も報告されている. 少なくとも投与開始後2カ月間は, 原則として2週に1回, それ以降も定期的に白血球分画を含めた血液検査を実施し, 顆粒球の減少傾向等の異常が認められた場合には, ただちに中止し, 適切な処置を行う. また, 一度投与を中止して投与を再開する場合にも同様に注意する　②投与に先立ち, 無顆粒球症等の副作用が発現する場合があること及びこの検査が必要であることを患者に説明するとともに, 次について患者を指導する：(1)無顆粒球症の症状(咽頭痛, 発熱等)が現れた場合には, 速やかに主治医に連絡する　(2)少なくとも投与開始後2カ月間は原則として2週に1回, 定期的な血液検査を行う必要があるので, 通院する

禁忌　本剤に対し過敏症の既往歴のある患者

過量投与　甲状腺腫, 甲状腺機能低下が現れることがある

薬物動態

血漿中濃度・尿中排泄　**錠**　甲状腺機能正常者(外国人)11例に60mg単回経口投与1時間後に平均最高血漿中濃度920ng/mL, 24時間後にほぼ消失. 24時間の尿中排泄率11.6%　**血清中濃度**　**注**　健康成人5例, 及び甲状腺機能亢進患者15例に10mg単回静注(承認外用量)時の血清中濃度推移及び各パラメータはそれぞれAUC2450±836, 2922±915ng・hr/mL, Vd2.1±0.6, 1.9±1.1L/kg, $T_{1/2}\alpha$ 2.7±1, 3.1±1.4hr, $T_{1/2}\beta$ 20.7±9.6, 18.5±12.9hr, Cl各1.2±0.3mL/kg/min. 両群間に有意差は認められない　**吸収・分布・代謝・排泄(参考)**　ラットに^{14}C-チアマゾール20mg/kgを経口, 腹腔内, 静注で, 経口, 腹腔内投与で吸収は同傾向を示し特定組織への親和性は認められず, 血漿蛋白結合率5%. 尿中排泄率は各投与経路で同傾向, 24時間後で80%, うち14～21%が未変化で排泄. 主要代謝産物はグルクロナイド抱合体で, 尿中36～48%, 胆汁中4%

その他の管理的事項

投与期間制限　該当しない

保険給付上の注意　該当しない

資料

IF　メルカゾール錠5mg　2020年8月改訂(第12版)
メルカゾール注10mg　2015年10月改訂(第10版)

チアミラールナトリウム
注射用チアミラールナトリウム
Thiamylal Sodium

概要

薬効分類 111 全身麻酔剤

構造式

及び鏡像異性体

分子式 $C_{12}H_{17}N_2NaO_2S$

分子量 276.33

ステム 不明

原薬の規制区分 ㊕ ㊂

原薬の外観・性状 淡黄色の結晶又は粉末である．水に極めて溶けやすく，エタノール(95)に溶けやすい．1.0gを水10mLに溶かした液のpHは10.0～11.0である．光によって徐々に分解する．本品のエタノール(95)溶液(1→10)は旋光性を示さない

原薬の吸湿性 吸湿性が強く，約60％RH(30℃)で1時間後には7～7.5％吸湿する

原薬の酸塩基解離定数 pKa_1＝7.38，pKa_2＝12.27(28±1℃)

先発医薬品等

注射用 イソゾール注射用0.5g(日医工)

チトゾール注用0.3g・0.5g(杏林)

国際誕生年月 不明

海外での発売状況 該当資料なし

製剤

規制区分 **注射用** ㊕ ㊂ ㊈

製剤の性状 **注射用** 淡黄色の結晶，粉末又は塊，吸湿性，光によって徐々に分解する

有効期間又は使用期限 5年

貯法・保存条件 室温保存

薬剤取扱い上の留意点 ①皮下には決して投与しないこと ②高アルカリ性であるため，皮下への漏出により壊死を起こすことがあるので皮下に漏出させないよう注意すること ③皮下に漏れた場合はプロカイン注射液などの局所麻酔剤による浸潤，温湿布などの適切な処置を行うこと ④長時間の手術に使用する場合には，単独投与を避け，他の麻酔剤を併用することが望ましい ⑤喉頭筋及び副交感神経が過敏状態になることがあるので，前処置として，アトロピン・スコポラミンなどのベラドンナ系薬剤を投与することが望ましい ⑥本剤は鎮痛作用を有しないので，必要ならば鎮痛剤を併用すること

溶液及び溶解時のpH 10.5～11.5(溶解後)

浸透圧比 約0.6～0.9(溶解後)(対生食)

薬理作用

分類 バルビツール酸系化合物

作用部位・作用機序 作用部位：中枢神経 作用機序：バルビツール酸誘導体としての共通の作用機序により鎮静，催眠作用を現す．すなわち，$GABA_A$受容体のサブユニットに存在するバルビツール酸誘導体結合部位に結合することにより，抑制性伝達物質GABAの受容体親和性を高め，Cl^-チャネル開口作用を増強して神経機能抑制作用を促進する

同効薬 注射用チオペンタールナトリウムなど

治療

効能・効果 全身麻酔，全身麻酔の導入，局所麻酔剤・吸入麻酔剤との併用，精神神経科における電撃療法の際の麻酔，局所麻酔剤中毒・破傷風・子癇等に伴う痙攣

用法・用量 **静注** ①溶液濃度：2.5％水溶液(5％溶液は静脈炎を起こすことがある) ②投与量・投与法：調製液を静注．用量や静注速度は年齢・体重とは関係が少なく個人差があるため一定ではないが，大体の基準は次の通り：(1)全身麻酔の導入：最初に2～4mL(2.5％溶液で50～100mg)を注入して患者の全身状態，抑制状態等を観察し，その感受性から追加量を決定する．次に患者が応答しなくなるまで追加注入し，応答がなくなったときの注入量を就眠量とする．さらに就眠量の半量ないし同量を追加注入したのち，他の麻酔法に移行する．なお，気管内に挿管する場合は筋弛緩剤を併用 (2)短時間麻酔：(ア)患者とコンタクトを保ちながら最初に2～3mL(2.5％溶液で50～75mg)を10～15秒位の速度で注入後30秒間，麻酔の程度，患者の全身状態を観察．さらに必要ならば2～3mLを同速度で注入し，患者の応答のなくなったときの注入量を就眠量とする．なお手術に先立ち，さらに2～3mLを同速度で分割注入すれば10～15分程度の麻酔が得られる (イ)短時間で手術が終了しない場合は注射針を静脈中に刺したまま呼吸，脈拍，血圧，角膜反射，瞳孔対光反射等に注意しながら手術の要求する麻酔深度を保つように1～4mL(2.5％溶液で25～100mg)を分割注入(1回の最大使用量は1gまでとする) (3)精神神経科における電撃療法の際の麻酔：12mL(2.5％溶液で300mg)をおよそ25～35秒で注入し，必要な麻酔深度に達したことを確かめた後，ただちに電撃療法を行う (4)併用使用：本剤は局所麻酔剤あるいは，吸入麻酔剤と併用することができる．2～4mL(2.5％溶液で50～100mg)を間欠的に静注．点滴投与を行う場合は，静脈内点滴麻酔法に準ずる (5)痙攣時における使用：患者の全身状態を観察しながら，2～8mL(2.5％溶液で50～200mg)を痙攣が止まるまで徐々に注入

直腸内注入(イソゾールのみ) ①溶液濃度：10％水溶液 ②投与量：20～40mg/kg(10％溶液で0.2～0.4mL/kg)を基準とする ③注入法：溶液を注射器に入れ，注射器の先に導尿用カテーテルをつけ肛門から直腸に挿入し，注腸する．注入後15分で麻酔に入り，約1時間持続

筋注(イソゾールのみ) ①溶液濃度：2.0～2.5％水溶液，特に7歳以下の小児に対しては2％溶液を使用する(2.5％以上の濃度は組織の壊死を起こす危険がある) ②筋注部位：大腿筋肉，上腕部筋肉等，筋肉の多い部位を選んで注射する ③投与量：20mg/kg(2％溶液で1mL/kg)を基準とする ④投与法：一度に全量を注入してはならず，全量を2～3等分して，5分ごとに必要に応じて追加投与．注入後5～15分で麻酔に入り約40～50分程度持続する

※溶液の調製は添付文書参照

使用上の注意

禁忌 ①ショック又は大出血による循環不全，重症心不全の患者［血管運動中枢抑制作用により，過度の血圧降下を起こすおそれがある］ ②急性間欠性ポルフィリン症の患者［酵素誘導によりポルフィリン合成を促進し，症状を悪化させるおそれがある］ ③アジソン病の患者［催眠作用が持続又は増強するおそれがある．また本疾患は高カリウム血症を伴うがカリウム値が上昇するおそれがある］ ④重症気管支喘息の患者［気管支痙攣を誘発するおそれがある］ ⑤バルビツール酸系薬物に対する過敏症の患者

その他の管理的事項

投与期間制限 該当しない

保険給付上の注意 該当しない

資料

IF チトゾール注用0.3g・0.5g 2020年4月改訂(第11版)

チアミン塩化物塩酸塩
チアミン塩化物塩酸塩散
チアミン塩化物塩酸塩注射液
Thiamine Chloride Hydrochloride

別名：ビタミンB_1塩酸塩

概要

薬効分類　312　ビタミンB_1剤

構造式

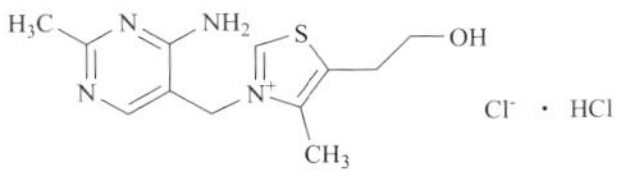

分子式　$C_{12}H_{17}ClN_4OS \cdot HCl$

分子量　337.27

ステム　該当しない

原薬の規制区分　該当しない

原薬の外観・性状　白色の結晶又は結晶性の粉末で，においはないか，又は僅かに特異なにおいがある．水に溶けやすく，メタノールにやや溶けにくく，エタノール(95)に溶けにくい．結晶多形が認められる．1.0gを水100mLに溶かした液のpHは2.7～3.4である

原薬の吸湿性　やや吸湿性である

原薬の融点・沸点・凝固点　融点：約245℃(分解)

原薬の酸塩基解離定数　pKa＝4.85

先発医薬品等

[散] チアミン塩化物塩酸塩散0.1%「日新」(日新製薬＝東豊)

[注] チアミン塩化物塩酸塩注5mg・10mg・20mg・50mg「フソー」(扶桑＝アルフレッサファーマ)

チアミン塩化物塩酸塩注10mg「NP」(ニプロ)

チアミン塩化物塩酸塩注射液10mg・50mg「ツルハラ」(鶴原)

チアミン塩化物塩酸塩注射液10mg・20mg「トーワ」(東和薬品)

チアミン塩化物塩酸塩注射液10mg「日医工」(日医工)

チアミン塩化物塩酸塩注10mg「日新」(日新製薬＝東豊)

チアミン塩化物塩酸塩注射液10mg・20mg「ファイザー」(マイラン＝ファイザー)

ビタミンB_1注10mg「イセイ」(コーアイセイ)

メタボリンG注射液10mg・20mg・50mg(武田テバ薬品＝武田)

国際誕生年月　不明

海外での発売状況　[注] 発売されていない

製剤

規制区分　[注] [処]

製剤の性状　[散] 白色～帯黄色の散剤　[注] 無色澄明の水性注射液

有効期間又は使用期限　3年

貯法・保存条件　[散] 遮光保存　[注] 遮光・室温保存

薬剤取扱い上の留意点　[散] 炭酸水素ナトリウム等アルカリ性薬剤との配合を避けること

患者向け資料等　くすりのしおり

溶液及び溶解時のpH　[注] 2.5～4.5

浸透圧比　[5mg・10mg注] 約1(対生食)　[20mg・50mg注] 約2(対生食)

調製時の注意　[注] pH2.5～4.5では安定であるが，中性～アルカリ性ではpHが高まるに従い不安定となり常温でも分解がおこる．pH4～6で亜硫酸が存在すると，分解する

薬理作用

分類　ビタミンB製剤

作用部位・作用機序　チアミンはATP存在下にthiamine diphosphateに変換し，生理作用を現す．糖質，タンパク質，脂質代謝で，また，TCAサイクルの関門として重要な位置を占めるピルビン酸の脱炭酸反応やTCAサイクル内のα-ケトグルタル酸の脱炭酸反応に関与している．また，トランスケトラーゼの補酵素として五炭糖リン酸回路での糖代謝や核酸代謝にも関与している

同効薬　コカルボキシラーゼ，チアミン硝化物，ビタミンB_1誘導体(オクトチアミン，チアミンジスルフィド，ビスベンチアミン，フルスルチアミン及び塩酸塩，プロスルチアミン，ベンフォチアミンなど)

治療

効能・効果　①ビタミンB_1欠乏症の予防及び治療　②ビタミンB_1の需要が増大し食事からの摂取が不十分な際の補給(消耗性疾患，甲状腺機能亢進症，妊産婦，授乳婦，激しい肉体労働時等)　③ウェルニッケ脳炎　④脚気衝心　⑤次の疾患のうちビタミンB_1の欠乏又は代謝障害が関与すると推定される場合：神経痛，筋肉痛・関節痛，末梢神経炎・末梢神経麻痺，心筋代謝障害．なお，効能⑤に対しては，効果がないのに月余にわたって漫然と使用すべきでない

用法・用量　[散] チアミン塩化物塩酸塩として1回1～10mg，1日1～3回(適宜増減)

[注] チアミン塩化物塩酸塩として1日1～50mg，皮下・筋注又は静注(適宜増減)(塩酸チアミン注50mg「フソー」は静注のみ)

使用上の注意

禁忌　[注] 本剤の成分に対し過敏症の既往歴のある患者

その他の管理的事項

投与期間制限　該当しない

保険給付上の注意　該当しない

資料

IF　チアミン塩化物塩酸塩散0.1%「日新」 2015年6月改訂(第2版)

塩酸チアミン注5mg・10mg・20mg・50mg「フソー」 2015年10月改訂(第6版)

チアミン硝化物
Thiamine Nitrate

別名：ビタミンB_1硝酸塩

概要

構造式

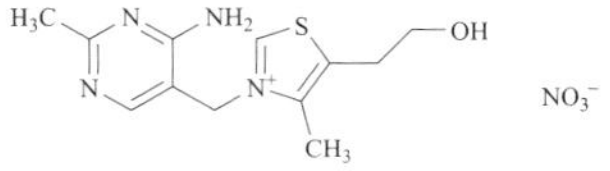

分子式　$C_{12}H_{17}N_5O_4S$

分子量　327.36

原薬の規制区分　該当しない

原薬の外観・性状　白色の結晶又は結晶性の粉末で，においはないか，又は僅かに特異なにおいがある．水にやや溶けにくく，エタノール(95)に極めて溶けにくく，ジエチルエーテルにほとんど溶けない．1.0gを水100mLに溶かした液のpHは6.5～8.0である

チアラミド塩酸塩
チアラミド塩酸塩錠
Tiaramide Hydrochloride

概要

薬効分類　114　解熱鎮痛消炎剤

構造式

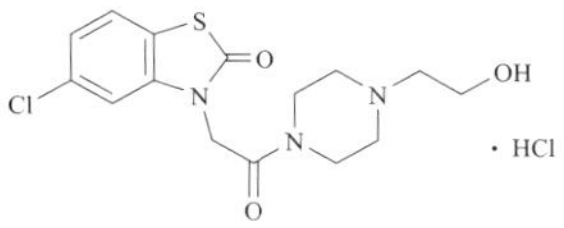

分子式　$C_{15}H_{18}ClN_3O_3S \cdot HCl$

分子量　392.30

ステム　不明

原薬の規制区分　該当しない

原薬の外観・性状　白色の結晶性の粉末で，においはない．水に溶けやすく，エタノール(95)又は酢酸(100)に溶けにくく，無水酢酸又はジエチルエーテルにほとんど溶けない．1.0gを水20mLに溶かした液のpHは3.0～4.5である

原薬の吸湿性　吸湿性は示さなかった(37℃，82.3～100%RHに2日間保存)

原薬の融点・沸点・凝固点　融点：約265℃(分解)

原薬の酸塩基解離定数　pKa'＝約6.1(ピペラジン環)

先発医薬品等

錠 ソランタール錠50mg・100mg(LTL)

国際誕生年月　1974年5月

海外での発売状況　発売されていない

製剤

製剤の性状　錠 白色のフィルムコーティング錠

有効期間又は使用期限　5年

貯法・保存条件　室温保存

薬剤取扱い上の留意点　該当しない

患者向け資料等　くすりのしおり

溶液及び溶解時のpH　3.0～4.5(1.0gを水20mLに溶かした液)

薬理作用

分類　非ステロイド・非ピリン系塩基性鎮痛・抗炎症剤

作用部位・作用機序　作用部位：主に末梢化学伝達物質受容体　作用機序：炎症部位で起炎因子のヒスタミン，セロトニンと強く拮抗し，急性炎症を特異的に抑制

同効薬　エピリゾール，エモルファゾン

治療

効能・効果　①各科領域の手術後ならびに外傷後の鎮痛・消炎　②次の疾患の鎮痛・消炎：関節炎，腰痛症，頸肩腕症候群，骨盤内炎症，軟産道損傷，乳房うっ積，帯状疱疹，多形滲出性紅斑，膀胱炎，副睾丸炎，前眼部炎症，智歯周囲炎　③抜歯後の鎮痛・消炎　④次の疾患の鎮痛：急性上気道炎

用法・用量　効能①～③：チアラミドとして1回100mg，1日3回(適宜増減)　効能④：チアラミドとして1回100mgを頓用(適宜増減)，原則として1日2回まで，1日最大300mgを限度とする

使用上の注意

禁忌　①消化性潰瘍のある患者［症状を悪化させるおそれがある］　②重篤な血液の異常のある患者［薬剤性の血液障害が現れた場合，重篤な転帰をとるおそれがある］　③重篤な肝障害のある患者［重篤な肝障害患者は薬物代謝機能が著しく低下している．また，薬剤性肝障害が現れた場合，重篤な転帰をとるおそれがある］　④重篤な腎障害のある患者［重篤な腎障害患者は薬物排泄機能が著しく低下している．また，薬剤性腎障害が現れた場合，重篤な転帰をとるおそれがある］　⑤本剤の成分に対し過敏症の既往歴のある患者　⑥アスピリン喘息(非ステロイド性消炎鎮痛剤等による喘息発作の誘発)又はその既往歴のある患者［発作を誘発するおそれがある］

過量投与　①症状：意識喪失，痙攣発作，振戦が起こることが報告されている　②処置：中止し，必要に応じ適切な対症療法を行う

薬物動態

①健康成人男子に錠300mg投与時，消化管からの吸収は良好で，1時間以内に最高血中濃度．排泄は速やかで，主としてO-グルクロン酸抱合体として約24時間で90%以上が主に尿中排泄　②授乳婦に200mgを経口投与時の乳汁中濃度は，投与1時間後に最高値(0.64μg/mL)，以後速やかに消失

その他の管理的事項

投与期間制限　該当しない

保険給付上の注意　該当しない

資料

IF　ソランタール錠50mg・100mg　2019年3月改訂(第14版)

チ

チアントール
Thianthol

概要

原薬の規制区分　該当しない

原薬の外観・性状　帯黄色の粘性の液で，不快でない弱いにおいがある．ジエチルエーテルに溶けやすく，エタノール(95)に溶けにくく，水にほとんど溶けない．冷時，結晶を析出することがあるが，加温すると溶ける

複方チアントール・サリチル酸液
Compound Thianthol and Salicylic Acid Solution

概要

原薬の規制区分　該当しない

原薬の外観・性状　淡黄色の液で，特異なにおいがある

製剤

貯法・保存条件　気密容器，遮光・25℃以下保存

チオペンタールナトリウム
注射用チオペンタールナトリウム
Thiopental Sodium

概要

薬効分類　111　全身麻酔剤

構造式

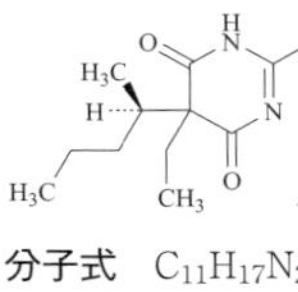

及び鏡像異性体

分子式　$C_{11}H_{17}N_2NaO_2S$

分子量　264.32

原薬の規制区分　劇 習

原薬の外観・性状　淡黄色の粉末で，僅かに特異なにおいがある．水に極めて溶けやすく，エタノール(95)に溶けやすく，ジエチルエーテルにほとんど溶けない．本品の水溶液(1→10)はアルカリ性である．本品の水溶液は放置するとき，徐々に分解する

原薬の吸湿性　吸湿性である

原薬の酸塩基解離定数　$pKa_1=7.40$，$pKa_2=12.31$

先発医薬品等

注射用　ラボナール注射用0.3g・0.5g(ニプロES)

国際誕生年月　不明

海外での発売状況　英

製剤

規制区分　注射用　[劇] [習] [処]

製剤の性状　注射用　淡黄色の粉末又は塊で，僅かに特異なにおいがある．水に極めて溶けやすい．無水ジエチルエーテルにほとんど溶けない．吸湿性

有効期間又は使用期限　36カ月

貯法・保存条件　密封容器，遮光・室温保存

薬剤取扱い上の留意点　該当しない

溶液及び溶解時のpH　10.2〜11.2(2.5%水溶液)

浸透圧比　約0.7(2.0%水溶液)，約0.8(2.5%水溶液)，約3(10%水溶液)

薬理作用

分類　バルビツール酸誘導体

作用部位・作用機序　大脳半球，視床下部，延髄など，全中枢神経軸に広範に抑制作用を示すが，なかでも特に大脳皮質の介在neuron及び脳幹網様体賦活系に対する作用が最も重視されている．神経線維の伝導と，神経節の伝導を抑制する．Synapseにおける伝導抑制作用は，おそらく後Synapse膜の安定化作用(刺激閾値上昇作用)とRefractory period の延長によると考えられる

同効薬　プロポフォール，チアミラールナトリウム，ケタミン塩酸塩

治療

効能・効果　全身麻酔，全身麻酔の導入，局所麻酔剤・吸入麻酔剤との併用，精神神経科における電撃療法の際の麻酔，局所麻酔剤中毒・破傷風・子癇等に伴う痙攣，精神神経科における診断(麻酔インタビュー)

用法・用量　静注　①溶液濃度：2.5%水溶液(5%溶液は静脈炎を起こすことがある)　②投与量・投与法：調製液を静脈から注入．用量や静注速度は年齢・体重とは関係が少なく個人差があるため一定ではないが，大体の基準は次の通り：⑴全身麻酔の導入：最初に2〜4mL(2.5%溶液で50〜100mg)を注入して患者の全身状態，抑制状態等を観察し，その感受性から追加量を決定する．次に患者が応答しなくなるまで追加注入し，応答がなくなったときの注入量を就眠量とする．さらに就眠量の半量ないし同量を追加注入したのち，他の麻酔法に移行する．なお，気管内に挿管する場合は筋弛緩剤を併用する　⑵短時間麻酔：㋐患者とコンタクトを保ちながら最初に2〜3mL(2.5%溶液で50〜75mg)を10〜15秒位の速度で注入後30秒間麻酔の程度，患者の全身状態を観察する．さらに必要ならば2〜3mLを同速度で注入し，患者の応答のなくなったときの注入量を就眠量とする．手術に先立ち，さらに2〜3mLを同速度で分割注入すれば，10〜15分程度の麻酔が得られる　㋑短時間で手術が終了しない場合は注射針を静脈中に刺したまま呼吸，脈拍，血圧，角膜反射，瞳孔対光反射等に注意しながら手術の要求する麻酔深度を保つように1〜4mL(2.5%溶液で25〜100mg)を分割注入(1回の最大使用量は1gまで)　⑶精神神経科における電撃療法の際の麻酔：12mL(2.5%溶液で300mg)を約25〜35秒で注入し，必要な麻酔深度に達したことを確認後，ただちに電撃療法を行う　⑷併用使用：局所麻酔剤あるいは吸入麻酔剤と併用できる．2〜4mL(2.5%溶液で50〜100mg)を間欠的に静注．点滴投与を行う場合は静脈内点滴麻酔法に準ずる　⑸痙攣時：患者の全身状態を観察しながら通常2〜8mL(2.5%溶液で50〜200mg)を痙攣が止まるまで徐々に注入　⑹精神神経科における診断(麻酔インタビュー)：1分間に約1mLの速度で3〜4mL注入し入眠させる．その後2〜10分で呼びかければ覚醒し，質問に答えるようになればインタビューを実施．その後は1分間約1mLの速度で追加注入

直腸内注入　①溶液濃度：10%水溶液　②投与量：20〜40mg/kg(10%溶液で0.2〜0.4mL/kg)を基準　③注入法：溶液を注射器に入れ，注射器の先に導尿用カテーテルをつけ肛門から直腸に挿入し，注腸．注入後15分で麻酔に入り，約1時間持続

筋注　①溶液濃度：2〜2.5%水溶液，特に7歳以下の小児には2%溶液を使用(2.5%以上の濃度は組織の壊死を起こす危険がある)　②筋注部位：大腿筋肉，上腕部筋肉等，筋肉の多い部位を選んで注射する　③投与量：20mg/kg(2%溶液で1mL/kg)を基準　④投与法：一度に全量を注入してはならず，全量を2〜3等分して，5分ごとに必要に応じて追加投与する．注入後5〜15分で麻酔に入り，約40〜50分程度持続．筋注は，乳幼小児で静脈が確保できない等の場合の使用経験が報告されている．しかし動物実験で筋注部位の壊死ならびに局所障害が認められているので，筋注は，患者の受ける恩恵がその危険性よりも重要視される場合にのみ適用する

用法・用量に関連する使用上の注意　①用時調製を原則とし，完全に澄明でないもの，沈澱を生じたもの，ならびに溶液として常温で2〜3時間以上経過したものは使用しない　②ブドウ糖注射液で溶液を調製すると沈澱を生じることがあるので注意する(注射液調製法は添付文書参照)

使用上の注意

禁忌　①ショック又は大出血による循環不全，重症心不全のある患者［血管運動中枢抑制により過度の血圧低下を起こすおそれがある］　②急性間欠性ポルフィリン症の患者［酵素誘導によりポルフィリン合成を促進し，症状を悪化させるおそれがある］　③アジソン病の患者［催眠作用が持続又は増強するおそれがある．血圧低下を生じやすい．また本疾患は高カリウム血症を伴うがカリウム値が上昇するおそれがある］　④重症気管支喘息の患者［気管支痙攣を誘発するおそれがある］　⑤バルビツール酸系薬物に対する過敏症の患者

薬物動態

健康成人6例(男3，女3)にチオペンタール3.5mg/kg静注時の血漿中濃度の減少は3相性，それぞれの半減期2.8分，48.7分，5.7時間．肝臓で代謝され，尿中への未変化体の排泄は1%以下(外国人データ)

その他の管理的事項

投与期間制限　該当しない

保険給付上の注意　該当しない

資料

IF　ラボナール注射用0.3g・0.5g　2017年10月改訂(第7版)

チオリダジン塩酸塩
Thioridazine Hydrochloride

概要

構造式

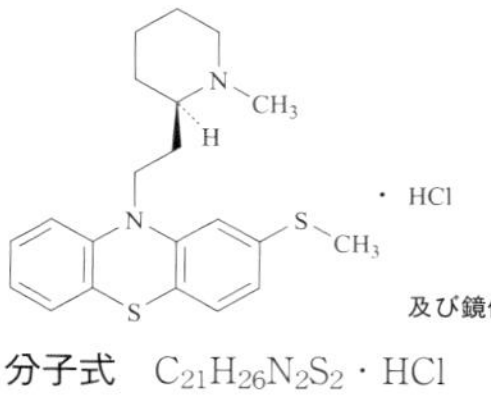

及び鏡像異性体

分子式　$C_{21}H_{26}N_2S_2 \cdot HCl$

分子量　407.04
原薬の規制区分　劇(ただし，1錠中チオリダジンとして25mg以下を含有するものを除く)
原薬の外観・性状　白色～微黄色の結晶性の粉末で，においはなく，味は苦い．水，メタノール，エタノール(95)又は酢酸(100)に溶けやすく，無水酢酸にやや溶けにくく，ジエチルエーテルにほとんど溶けない．1.0gを水100mLに溶かした液のpHは4.2～5.2である．光によって徐々に着色する
原薬の融点・沸点・凝固点　融点：159～164℃

チオ硫酸ナトリウム水和物
チオ硫酸ナトリウム注射液
Sodium Thiosulfate Hydrate

概要
薬効分類　392　解毒剤
分子式　$Na_2S_2O_3 \cdot 5H_2O$
分子量　248.18
略語・慣用名　慣用名：ハイポ
ステム　不明
原薬の規制区分　該当しない
原薬の外観・性状　無色の結晶又は結晶性の粉末で，においはない．水に極めて溶けやすく，エタノール(99.5)にほとんど溶けない．乾燥空気中では風解し，湿った空気中で潮解する．1.0gを水10mLに溶かした液のpHは6.0～8.0である
原薬の吸湿性　乾燥空気中では風解し，湿った空気中で潮解する
原薬の酸塩基解離定数　該当資料なし
先発医薬品等
　注　デトキソール静注液2g(日医工)
国際誕生年月　不明
海外での発売状況　なし

製剤
規制区分　注　処
製剤の性状　注　無色澄明の水性注射剤
有効期間又は使用期限　3年
貯法・保存条件　室温保存
薬剤取扱い上の留意点　投与にあたっては注射の速度をできるだけ遅くすること．ヒドロキソコバラミンとの化学的配合変化が認められるので，同じ静脈ラインでの同時投与は避けること
患者向け資料等　くすりのしおり
溶液及び溶解時のpH　7.5～8.5
浸透圧比　約3(対生食)
安定なpH域　8.0～9.5
調製時の注意　pHの低下又は酸化により，イオウを析出して混濁することがあるため酸及び酸性の注射液，酸化剤，重金属塩との混合は避けること．

薬理作用
分類　解毒剤
作用部位・作用機序　体内に沈着したヒ素と結合し，これを不溶性の塩として沈澱させ，その排泄を容易にする．シアン化合物中毒に対しては有効で，解毒機構は，ミトコンドリアにある酵素ロダナーゼによりシアンと反応し，毒性が弱く尿中に排泄しやすいチオシアン酸塩を生成させることによる
同効薬　なし

治療
効能・効果　シアン及びシアン化合物による中毒，ヒ素剤による中毒
用法・用量　1日1～2g静注．シアン及びシアン化合物中毒には1回12.5～25g静注(適宜増減)

その他の管理的事項
投与期間制限　該当しない
保険給付上の注意　該当しない

資料
IF　デトキソール静注液2g　2020年8月改訂(第3版)

チクロピジン塩酸塩
チクロピジン塩酸塩錠
Ticlopidine Hydrochloride

概要
薬効分類　339　その他の血液・体液用薬
構造式

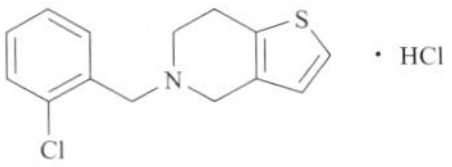

分子式　$C_{14}H_{14}ClNS \cdot HCl$
分子量　300.25
原薬の規制区分　劇(ただし，1個中チクロピジンとして100mg以下を含有する内用剤を除く)
原薬の外観・性状　白色～微黄白色の結晶性の粉末である．酢酸(100)に溶けやすく，水又はメタノールにやや溶けやすく，エタノール(95)にやや溶けにくく，ジエチルエーテルにほとんど溶けない
原薬の吸湿性　吸湿性なし
原薬の融点・沸点・凝固点　融点：約205℃(分解)
原薬の酸塩基解離定数　pKa＝6.93±0.02(溶解度法，室温)
先発医薬品等
　細　パナルジン細粒10%(サノフィ)
　錠　パナルジン錠100mg(サノフィ)
後発医薬品
　細　10%
　錠　100mg
国際誕生年月　1978年5月
海外での発売状況　仏，独など

製剤
規制区分　細(100g包装)　劇　処　細(1g分包)　錠　処
製剤の性状　細　白色～微黄白色・コーティング細粒　錠　白色～淡黄白色・フィルムコーティング錠
有効期間又は使用期限　3年
貯法・保存条件　室温保存
薬剤取扱い上の留意点　細　服用にあたっては速やかに飲み下すよう注意させること(長く口中に含むと舌に苦味が残ることがある)
患者向け資料等　患者向医薬品ガイド，くすりのしおり
溶液及び溶解時のpH　3.5～4.5(水溶液(1→50))
浸透圧比　該当しない
安定なpH域　該当しない
調製時の注意　該当しない

薬理作用
分類　経口抗血小板薬
作用部位・作用機序　作用部位：血小板，赤血球　作用機序：血小板のアデニレートシクラーゼ活性を増強して血小板内cAMP産生を高め，血小板凝集能・放出能を抑制．本剤の抗血小板作用は非可逆的で，その作用が消失するには8～10日間(血小板の寿命)かかると考えられている

同効薬 クロピドグレル硫酸塩，アスピリン，ジピリダモール，アルガトロバン，アルプロスタジル，シロスタゾール，サルポグレラート塩酸塩，リマプロストアルファデクス，ベラプロストナトリウム

治療

効能・効果 ①血管手術及び血液体外循環に伴う血栓・塞栓の治療ならびに血流障害の改善 ②慢性動脈閉塞症に伴う潰瘍，疼痛及び冷感等の阻血性諸症状の改善 ③虚血性脳血管障害(一過性脳虚血発作(TIA)，脳梗塞)に伴う血栓・塞栓の治療 ④クモ膜下出血術後の脳血管攣縮に伴う血流障害の改善

用法・用量 効能①：チクロピジン塩酸塩として1日200〜300mg，食後2〜3回に分服(適宜増減) 効能②：チクロピジン塩酸塩として1日300〜600mg，食後2〜3回に分服(適宜増減) 効能③：チクロピジン塩酸塩として1日200〜300mg，食後2〜3回に分服(適宜増減)．1日200mgの場合は1日1回投与することもできる 効能④：チクロピジン塩酸塩として1日300mg，食後3回に分服(適宜増減)

用法・用量に関連する使用上の注意 ①投与開始後2カ月間は，原則として1回2週間分を処方する(本剤による重大な副作用を回避するため，患者を来院させ，定期的な血液検査を実施する必要がある) ②手術の場合には，出血を増強するおそれがあるので，10〜14日前に中止する．ただし，血小板機能の抑制作用が求められる場合を除く

使用上の注意

警告 血栓性血小板減少性紫斑病(TTP)，無顆粒球症，重篤な肝障害等の重大な副作用が主に投与開始後2カ月以内に発現し，死亡に至る例も報告されている：①投与開始後2カ月間は，特に前記副作用の初期症状の発現に十分留意し，原則として2週に1回，血球算定(白血球分画を含む)，肝機能検査を行い，前記副作用の発現が認められた場合には，ただちに中止し，適切な処置を行う．投与中は，定期的に血液検査を行い，前記副作用の発現に注意する ②投与中，患者の状態から血栓性血小板減少性紫斑病，顆粒球減少，肝障害の発現等が疑われた場合には，中止し，必要に応じて血液像もしくは肝機能検査を実施し，適切な処置を行う ③投与にあたっては，あらかじめ前記副作用が発生する場合があることを患者に説明するとともに，次について患者を指導する：(1)開始後2カ月間は定期的に血液検査を行う必要があるので，原則として2週に1回，来院する (2)副作用を示唆する症状が現れた場合には，ただちに医師等に連絡し，指示に従う ④投与開始後2カ月間は，原則として1回2週間分を処方する

禁忌 ①出血している患者(血友病，毛細血管脆弱症，消化管潰瘍，尿路出血，喀血，硝子体出血等)［止血が困難になることが予想される］ ②重篤な肝障害のある患者［肝障害がさらに悪化するおそれがある］ ③白血球減少症の患者［副作用として白血球減少症が報告されているので，より重篤な症状になるおそれがある］ ④チクロピジン塩酸塩による白血球減少症の既往歴のある患者［再投与により白血球減少症を起こすおそれがある］ ⑤チクロピジン塩酸塩に対し過敏症の既往歴のある患者

薬物動態

血中濃度 健康成人16例に500mg単回経口投与時の血清中濃度(細粒，錠の順)は，Tmax(hr)2.06±0.13，2.03±0.14，Cmax(μg/mL)1.95±0.18，1.99±0.19，$T_{1/2}$(hr)1.58±0.03，1.61±0.04 **分布(参考；動物実験)** ラットに^{14}C-チクロピジン塩酸塩を経口投与時，大部分の臓器濃度は投与後1時間に最高値，消化管・肝・腎の順に高く，血中濃度とほぼ同傾向の推移．連続投与による臓器蓄積性は認められない **排泄** 健康成人に250mg単回経口投与時の主要代謝物のo-クロル馬尿酸は，2〜4時間に最も多く排泄，尿中排泄率は24時間まで4.1mol%，未変化体は極めて少なく0.01〜0.02%

その他の管理的事項

投与期間制限 該当しない

保険給付上の注意 該当しない

資料

IF パナルジン細粒10%・錠100mg 2018年8月改訂(第12版)

チザニジン塩酸塩
Tizanidine Hydrochloride

概要

薬効分類 124 鎮けい剤

構造式

(構造式：Cl, N, S, N, HN, N, HN, ・HCl)

分子式 $C_9H_8ClN_5S \cdot HCl$

分子量 290.17

原薬の規制区分 劇(ただし1錠中チザニジンとして1mg以下を含有する錠剤及びチザニジンとして0.2%以下を含有する顆粒剤を除く)

原薬の外観・性状 白色〜淡黄白色の結晶性の粉末である．水にやや溶けやすく，エタノール(99.5)に溶けにくく，無水酢酸又は酢酸(100)にほとんど溶けない

原薬の吸湿性 加湿，加温試験の結果，吸湿性は示さない

原薬の融点・沸点・凝固点 融点：約290℃(分解)

原薬の酸塩基解離定数 pKa＝7.26±0.05

先発医薬品等

顆 テルネリン顆粒0.2%(サンファーマ＝田辺三菱)

錠 テルネリン錠1mg(サンファーマ＝田辺三菱)

後発医薬品

顆 0.2%

錠 1mg

国際誕生年月 **顆** 1994年1月 **錠** 1983年12月

海外での発売状況 独など

製剤

規制区分 **顆** **錠** 処

製剤の性状 **顆** 白色の顆粒剤でにおいはない **錠** 白色〜微黄白色の片面割線入り錠剤

有効期間又は使用期限 3年

貯法・保存条件 室温保存

薬剤取扱い上の留意点 反射運動能力の低下，眠気，めまい及び低血圧等が現れることがあるので，本剤投与中の患者には自動車の運転等危険を伴う機械の操作には従事させないよう十分注意すること **顆** アルカリ性薬剤，吸湿性の薬剤と配合しないこと(アルカリ性薬剤(アミノフィリン等)との配合により外観が黄色に変化することがある．また，吸湿性の薬剤との配合により固化することがある) **錠** アルカリ性薬剤と配合しないこと(アルカリ性薬剤(アミノフィリン等)との配合により外観が黄色に変化することがある)

患者向け資料等 くすりのしおり

溶液及び溶解時のpH 該当しない

浸透圧比 該当しない

安定なpH域 該当しない

調製時の注意 **顆** 吸湿性の強い薬剤との配合により固化傾向があるので注意すること

薬理作用

分類 イミダゾリン系筋緊張緩和剤

作用部位・作用機序 作用部位：脊髄及び脊髄上位中枢 作用

機序：脊髄反射電位を抑制して筋緊張緩和作用を現す
同効薬　バクロフェン，エペリゾン塩酸塩，トルペリゾン塩酸塩，アフロクアロン，カルバミン酸クロルフェネシンなどの中枢性筋弛緩薬

治療

効能・効果　①次の疾患による筋緊張状態の改善：頸肩腕症候群，腰痛症　②次の疾患による痙性麻痺：脳血管障害，痙性脊髄麻痺，頸部脊椎症，脳性(小児)麻痺，外傷後遺症(脊髄損傷，頭部外傷)，脊髄小脳変性症，多発性硬化症，筋萎縮性側索硬化症

用法・用量　効能①：チザニジンとして1日3mg，食後3回に分服(適宜増減)　効能②：チザニジンとして1日3mgから始め，効果をみながら1日6～9mgまで漸増し，食後3回に分服(適宜増減)

使用上の注意

禁忌　①本剤の成分に対し過敏症の既往歴のある患者　②フルボキサミン又はシプロフロキサシンを投与中の患者　③重篤な肝障害のある患者［本剤は主として肝で代謝される．また，肝機能の悪化が報告されている］

相互作用概要　主としてCYP1A2で代謝される

過量投与　①徴候，症状：悪心，嘔吐，血圧低下，徐脈，QT延長，めまい，縮瞳，呼吸窮迫，不穏，傾眠，昏睡等　②処置：活性炭投与あるいは，強制利尿等により薬物除去を行う．また必要により対症療法を行う

薬物動態

血中濃度　健常人24例に1回2mgを錠又は顆粒として経口投与時の薬物動態パラメータ(顆　錠 の順)はTmax(hr)0.75，1，Cmax(ng/mL)1.75，1.83，$AUC_{0\text{-}10}$(ng・hr/mL)4.84，4.77，$T_{1/2}$(hr)1.51，1.58．両剤形の生物学的同等性が確認された　**代謝(外国人)**　吸収後速やかに代謝され，主代謝経路はイミダゾリン環の酸化又は芳香環の酸化とそれに続くグルクロン酸抱合体又は硫酸抱合体の形成　**排泄(外国人)**　健常人に^{14}C-チザニジン5mg1回経口投与後の総排泄率は尿中53%，糞中23.2%(120時間値)．尿，糞中への未変化体排泄はわずか　**腎不全患者における薬物動態(外国人)**　腎不全患者(クレアチニンクリアランス25mL/分以下)及び健常人(クレアチニンクリアランス90mL/分以上)に4mgを1回経口投与後の薬物動態比較で，腎不全患者ではAUCは約7倍，最高血中濃度は約2倍であり，血中濃度の上昇が観察された

その他の管理的事項

投与期間制限　該当しない
保険給付上の注意　該当しない

資料

IF　テルネリン顆粒0.2%・錠1mg　2017年2月改訂(第5版)

窒素
Nitrogen

概要

薬効分類　799　他に分類されない治療を主目的としない医薬品
分子式　N_2
分子量　28.01
ステム　該当しない
原薬の規制区分　該当しない
原薬の外観・性状　室温，大気圧下において無色のガスで，においはない．1mLは温度20℃，気圧101.3kPaで水65mL又はエタノール(95)9mLに溶ける．1000mLは温度0℃，気圧101.3kPaで1.251gである
原薬の融点・沸点・凝固点　融点：－210℃，沸点：－196℃

先発医薬品等
外用　液化窒素(エアウォーター)
液化窒素(日本エア・リキード)
窒素(エアウォーター)
窒素(日本エア・リキード)

製剤

製剤の性状　定量するとき，窒素(N_2)99.5vol%以上を含む．無色のガスで，においはない．不活性であり，空気中では燃えない

貯法・保存条件　耐圧密封容器，40℃以下保存

薬剤取扱い上の留意点　貯蔵上の注意：①容器は粗暴な取扱いをせず，転倒転落等による衝撃及びバルブの損傷を防止する措置を講ずる　②容器は，直射日光を受けない場所で，常に温度40℃以下に保つ　③容器は湿気水滴等による腐食を防止する措置を講じる：(1)容器置場は，錆・腐食を防止するため，水分を浸入させないようにして，腐食物質を近くに置かない　(2)水分，異物等の混入による腐食等を防止するため，使用済みの容器でも，容器のバルブは必ず閉めておく　④容器置場は必ず換気を図る　⑤容器は「高圧ガス容器置場」であることを明示した所定の場所に，保管する：(1)充填容器と使用済み容器は明確に区分する　(2)容器置場には作業に必要な用具以外の物を置かない　(3)容器置場には関係者以外の立ち入りを禁止する　消費上の注意：①酸欠の危険性があるので，換気に十分注意する　②容器は常に温度40℃以下で使用し，直射日光を避け，火気・暖房の付近に置かない　③容器は転倒や転がり防止の措置を講ずる　④ガスは容器から直接使用しないで，必ず圧力調整器をへて使用する　⑤容器と配管等の取付部は，使用に先立ち漏洩検知液等で必ず点検する　⑥使用後は直ちにバルブを閉じる　⑦窒素を，圧縮空気やその他の医療用ガスの代わりに使用しない　ガス漏洩時の注意：①容器からガス漏れのある場合は，直ちにバルブを閉じてガスの使用を中止する　②容器安全弁(破裂板)からガスが噴出する場合は，容器から離れ換気を良くし，販売店に連絡する　移送時の注意：容器は常に温度40℃以下に保ち，直射日光を避け，転倒転落させないよう，固定して安全に運搬する

薬理作用

分類　医療用ガス
作用部位・作用機序　生理学的には毒性が無く不活性なガスである．窒素過多の空気を吸入した場合に酸素欠乏による窒息の症状が現れる

治療

効能・用法　ガス ①酸素と混合し合成空気として使用する．医師の指示による　②注射剤等の製造に際し，酸化防止のための不活性ガスとして使用する．注射剤等の製造方法による　液 気化設備を用いて気化し，窒素として使用する

その他の管理的事項

投与期間制限　該当しない
保険給付上の注意　薬価基準適用外

資料

添付文書　窒素(エア・ウォーター)　2012年12月改訂(第3版)

チ

チニダゾール
Tinidazole

概要
薬効分類 252 生殖器官用剤(性病予防剤を含む.), 641 抗原虫剤
構造式

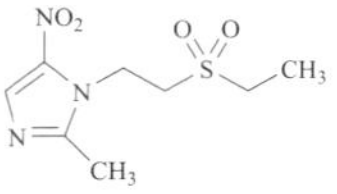

分子式 $C_8H_{13}N_3O_4S$
分子量 247.27
ステム メトロニダゾール系の抗原虫剤：-nidazole
原薬の規制区分 該当しない
原薬の外観・性状 淡黄色の結晶性の粉末である. 無水酢酸又はアセトンにやや溶けやすく, メタノールにやや溶けにくく, エタノール(99.5)に溶けにくく, 水に極めて溶けにくい
原薬の吸湿性 該当資料なし
原薬の融点・沸点・凝固点 融点：125～129℃
原薬の酸塩基解離定数 該当資料なし
先発医薬品等
錠 チニダゾール錠200mg・500mg「F」(富士製薬)
後発医薬品
腟用 200mg
国際誕生年月 不明
海外での発売状況 該当しない

製剤
規制区分 **錠** ㊄
製剤の性状 **錠** 黄色のフィルムコーティング錠 **腟用** 両面がくぼんでいる白色の円形素錠
有効期間又は使用期限 3年
貯法・保存条件 **錠** 室温保存 **腟用** 遮光・室温保存
薬剤取扱い上の留意点 **腟用** 腟内にのみ使用するよう指導すること
患者向け資料等 くすりのしおり
溶液及び溶解時のpH 該当しない
浸透圧比 該当しない
安定なpH域 該当しない
調製時の注意 該当しない

薬理作用
分類 ニトロイミダゾール系抗トリコモナス剤
作用部位・作用機序 ①*Trichomonas vaginalis*に対し殺虫的に作用 ② *Bacteroides*, *Peptococcus*, *Peptostreptococcus*, *Clostridium*などの嫌気性菌に対して抗菌力を示す ③Amebiasis(アメーバ赤痢), Giardiasis(ランブリア症)に対しても有効であることが報告されている
同効薬 メトロニダゾール

治療
効能・効果 **錠** トリコモナス症(腟トリコモナスによる感染症)
腟用 トリコモナス腟炎
用法・用量 **錠** 1クールとして1回200mgを1日2回7日間, 又は2000mgを1回
腟用 1クールとして1日1回200mg, 7日間腟内に挿入
※いずれも投薬終了後, 腟トリコモナスを検出した場合は, 投薬終了時から少なくとも1週間ぐらいの間隔を置いて再投与する
禁忌・原則禁忌となる特定患者集団 **錠** 妊婦(3カ月以内)又は妊娠している可能性のある患者

使用上の注意
禁忌 **錠** ①本剤の成分に対し過敏症の既往歴のある患者 ②血液疾患のある患者［血液疾患を悪化させるおそれがある］ ③脳, 脊髄に器質的疾患のある患者［類似化合物の長期投与により, 脳波等に異常を認めたとの報告がある］ ④妊婦(3カ月以内)又は妊娠している可能性のある患者
腟用 チニダゾールに対し過敏症の既往歴のある患者

その他の管理的事項
投与期間制限 該当しない
保険給付上の注意 該当しない

資料
IF チニダゾール錠200mg・500mg「F」 2020年5月改訂(第13版)
チニダゾール腟錠200mg「F」 2014年2月改訂(第8版)

チペピジンヒベンズ酸塩
チペピジンヒベンズ酸塩錠
Tipepidine Hibenzate

概要
薬効分類 224 鎮咳去たん剤
構造式

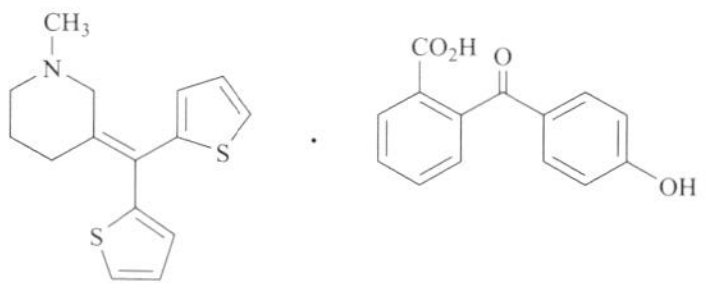

分子式 $C_{15}H_{17}NS_2 \cdot C_{14}H_{10}O_4$
分子量 517.66
ステム 不明
原薬の規制区分 該当しない
原薬の外観・性状 白色～淡黄色の結晶性の粉末で, におい及び味はない. 酢酸(100)に溶けやすく, メタノール又はエタノール(95)に溶けにくく, 水に極めて溶けにくく, ジエチルエーテルにほとんど溶けない
原薬の吸湿性 該当資料なし
原薬の融点・沸点・凝固点 融点：189～193℃
原薬の酸塩基解離定数 pKa＝9.2(第三アミノ基, 吸光度法)
先発医薬品等
散 アスベリン散10%(ニプロES)
錠 アスベリン錠10・20(ニプロES)
シ アスベリンシロップ0.5%・シロップ「調剤用」2%(ニプロES)
シロップ用 アスベリンドライシロップ2%(ニプロES)
国際誕生年月 不明
海外での発売状況 発売されていない

製剤
製剤の性状 **散** だいだい色の微粒状の散剤 **錠** うすいだいだいの素錠 **シ** 白色～淡黄灰白色の懸濁液 **シロップ用** だいだい色の微粒状の散剤
有効期間又は使用期限 **散** 4年6カ月 **錠** **シ** 4年 **シロップ用** 5年
貯法・保存条件 室温保存 **錠** 開封後は遮光保存 **シ** 開栓後は汚染防止のため, 清潔に取扱うこと(遮光した気密容器) **シロップ用** 開封後は防湿保存(気密容器). 水剤に調製後は汚染防止のため, 清潔に取扱うこと
薬剤取扱い上の留意点 **シ** ①懸濁液であるため, 調剤時軽く振盪(瓶の正立－倒立をゆっくり, 数回繰り返すなど)し, 均一化させて使用するが, その際, 強く振盪すると発泡による秤取困難を起こすことがあるので注意すること ②他剤と配合すると懸濁性が損なわれ, 沈殿が生じる可能性があるため,

配合後の秤取に際しては，軽く振盪し，均一化させて使用すること　③患者に投薬する時は，「均一となるように振盪し，沈殿が生じていないことを確認してから服用」するように指示すること

患者向け資料等　くすりのしおり

溶液及び溶解時のpH　シ 4.3～5.5

調製時の注意　シ ①懸濁液であるため，調剤時軽く振盪(瓶の正立－倒立をゆっくり，数回繰り返すなど)し，均一化させて使用するが，その際，強く振盪すると発泡による秤取困難を起こすことがあるので注意すること　②シロップ「調剤用」は，通常，4倍に希釈し使用する

薬理作用

分類　ピリジリデン化合物

作用部位・作用機序　延髄の咳中枢を抑制し，咳の感受性を低下させることにより鎮咳作用を示すとともに，気管支腺分泌を亢進し，気道粘膜線毛上皮運動を亢進することにより去痰作用を示す

同効薬　コデインリン酸塩水和物，ジヒドロコデインリン酸塩，ジメモルファンリン酸塩，デキストロメトルファン臭化水素酸塩水和物

治療

効能・効果　次の疾患に伴う咳嗽及び喀痰喀出困難：感冒，上気道炎(咽喉頭炎，鼻カタル)，急性気管支炎，慢性気管支炎，肺炎，肺結核，気管支拡張症

用法・用量　チペピジンクエン酸塩として1日60～120mg，5～3歳15～40mg，2～1歳10～25mg，1歳未満5～20mg，3回に分服(適宜増減)

使用上の注意

禁忌　本剤の成分に対し過敏症の既往歴のある患者

過量投与　①症状：過量投与により，眠気，眩暈，興奮，せん妄，見当識障害，意識障害，精神錯乱等が現れることがある　②処置：興奮が激しい場合は，必要に応じてアモバルビタールナトリウムかペントバルビタールナトリウムを静注する．その他の場合は，必要に応じて前記の内服薬(アモバルビタール，ペントバルビタールカルシウム)を投与するか，10%フェノバルビタールの筋注ないし皮下注又はジアゼパムを筋注する

薬物動態

健康成人男子に44.28mg経口投与時の血漿中濃度は約1.3時間後に最高約37ng/mL．血漿中半減期約1.8時間

その他の管理的事項

投与期間制限　該当しない

保険給付上の注意　該当しない

資料

IF　アスベリン散10%・錠10・20・シロップ0.5%・「調剤用」2%・ドライシロップ2%　2017年10月改訂(第9版)

チメピジウム臭化物水和物
Timepidium Bromide Hydrate

概要

薬効分類　124　鎮けい剤

構造式

$Br^- \cdot H_2O$　及び鏡像異性体

分子式　$C_{17}H_{22}BrNOS_2 \cdot H_2O$

分子量　418.41

ステム　第四級アンモニウム塩：-ium

原薬の規制区分　㊕(ただし，1個中チメピジウム臭化物として30mg以下を含有する内用剤及びチメピジウム臭化物として6%以下を含有する内用剤を除く)

原薬の外観・性状　白色の結晶又は結晶性の粉末である．メタノール又は酢酸(100)に極めて溶けやすく，エタノール(99.5)に溶けやすく，水又は無水酢酸にやや溶けにくく，ジエチルエーテルにほとんど溶けない．1.0gを新たに煮沸して冷却した水100mLに溶かした液のpHは5.3～6.3である．本品のメタノール溶液(1→20)は旋光性を示さない

原薬の吸湿性　該当資料なし

原薬の融点・沸点・凝固点　融点：約197℃(分解：105℃，3時間減圧乾燥後)

原薬の酸塩基解離定数　pKa＝11.25(Amberlite IRA-400 OH型樹脂に本品の水溶液を通し，臭素塩をOH体とし，0.1mol/L-HClで滴定曲線を求めて得た)

先発医薬品等

カ セスデンカプセル30mg(ニプロES)

注 セスデン注7.5mg(ニプロES)

後発医薬品

錠 30mg

国際誕生年月　1975年12月

海外での発売状況　注 インドネシア

製剤

規制区分　注 ㊕ ㊈

製剤の性状　カ だいだい色/白色の硬カプセル剤　注 無色澄明の液

有効期間又は使用期限　3年

貯法・保存条件　カ 室温保存　注 密封容器，室温保存

薬剤取扱い上の留意点　視調節障害，眠気，めまいを起こすことがあるので，本剤投与中の患者には自動車の運転等危険を伴う機械の操作に従事させないように注意すること　注 0℃近くに保管した場合，主成分の結晶が析出することがあるが，この場合室温程度に温めて結晶が完全に溶解した後使用する

患者向け資料等　くすりのしおり

溶液及び溶解時のpH　注 5.0～6.0

浸透圧比　注 約1(対生食)

調製時の注意　該当しない

薬理作用

分類　第4級アンモニウム塩

作用部位・作用機序　①主として副交感神経終末のアセチルコリン受容体に対してアトロピンと同様に競合的拮抗作用を示す　②消化管平滑筋に対して高い選択性を示す

同効薬　アトロピン，ブチルスコポラミン臭化物など

治療

効能・効果　①次の疾患における痙攣ならびに運動障害に伴う疼痛の緩解：胃炎，胃・十二指腸潰瘍，腸炎，胆嚢・胆道疾患，尿路結石　②膵炎に起因する疼痛の緩解　③消化管検査時の前処置：内視鏡検査，X線検査　④尿路系検査処置時　※錠 カ は効能①②のみ

用法・用量　錠 カ チメピジウム臭化物水和物として1回30mg，1日3回(適宜増減)

注 チメピジウム臭化物水和物として1回7.5mg皮下，筋注又は静注(適宜増減)

使用上の注意

禁忌　①閉塞隅角緑内障の患者［抗コリン作用により眼圧が上昇し，症状を悪化させることがある］　②前立腺肥大による排尿障害のある患者［抗コリン作用による膀胱平滑筋の弛緩，膀胱括約筋の緊張により排尿困難を悪化させるおそれがある］　③重篤な心疾患のある患者［抗コリン作用により心拍数が増加し，心臓に過負荷をかけることがあるため，症状を悪化させるおそれがある］　④麻痺性イレウスの患者［抗コリン作用により消化管運動を抑制し，症状を悪化させるおそ

れがある〕 ⑤本剤の成分に対し過敏症の既往歴のある患者

その他の管理的事項

投与期間制限 該当しない

保険給付上の注意 該当しない

資料

IF セスデンカプセル30mg 2020年1月改訂(第9版)
セスデン注7.5mg 2020年1月改訂(第8版)

チモール
Thymol

概要

薬効分類 731 防腐剤

構造式

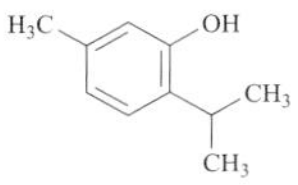

分子式 $C_{10}H_{14}O$

分子量 150.22

原薬の規制区分 該当しない

原薬の外観・性状 無色の結晶又は白色の結晶性の塊で，芳香性のにおいがあり，舌をやくような味がある．酢酸(100)に極めて溶けやすく，エタノール(95)又はジエチルエーテルに溶けやすく，水に溶けにくい．水に入れると沈み，加温すると融解して水面に浮く

原薬の吸湿性 該当資料なし

原薬の融点・沸点・凝固点 融点：49～51℃

原薬の酸塩基解離定数 該当資料なし

先発医薬品等

末 チモール「ファイザー」原末(マイラン＝ファイザー)

国際誕生年月 不明

製剤

製剤の性状 無色の結晶又は白色の結晶性の塊で，芳香性のにおいがあり，舌をやくような味がある

有効期間又は使用期限 5年

貯法・保存条件 気密容器，遮光・室温保存

薬理作用

分類 保存剤

作用部位・作用機序 他の有機物が共存しなければフェノールやクレゾールより殺菌力が強い．健康な皮膚，粘膜を腐食せず，僅かに刺激により剥離を起こす程度である．しかし，創傷粘膜に対してはかなりの刺激性を有し，また大量のタンパク質やペニシリンの共存により活性が著しく低下し，水には難溶性であるため，創傷粘膜の防腐消毒には適さない．局所的刺激作用が障害にならないような皮膚に使用価値がある．内服しても著しく胃腸を刺激することがないから内用剤としても用いられる．鉤虫，回虫，蟯虫，条虫に対して駆虫の効果があるが，かなり大量に服用するため副作用が強く，ときには致命的中毒症の危険が伴うほどであるため，最近ではほとんど駆虫薬としては使用されなくなっている

同効薬 該当しない

治療

効能・用法 保存剤として調剤に用いる

その他の管理的事項

投与期間制限 該当しない

保険給付上の注意 該当しない

資料

IF チモール「ファイザー」原末 2019年7月改訂(第5版)

チモロールマレイン酸塩
Timolol Maleate

概要

薬効分類 131 眼科用剤

構造式

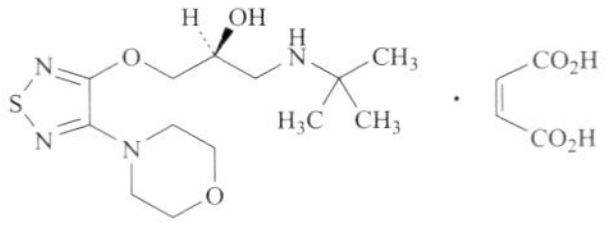

分子式 $C_{13}H_{24}N_4O_3S \cdot C_4H_4O_4$

分子量 432.49

ステム アドレナリンβ受容体拮抗薬：-olol

原薬の規制区分 ㊕(ただし，チモロールとして0.5%以下を含有する点眼剤を除く)

原薬の外観・性状 白色～微黄白色の結晶性の粉末である．酢酸(100)に溶けやすく，水又はエタノール(99.5)にやや溶けやすい．0.1mol/L塩酸試液に溶ける．1.0gを水20mLに溶かした液のpHは3.8～4.3である

原薬の吸湿性 80%RHの条件下で若干の水分の増加がみられたが，力価等には変化なし

原薬の融点・沸点・凝固点 融点：約197℃(分解)

原薬の酸塩基解離定数 pKa(-NH2[2]-)＝約9.2

先発医薬品等

点眼液 チモプトール点眼液0.25%・0.5%(参天)
チモプトールXE点眼液0.25%・0.5%(参天)
リズモンTG点眼液0.25%・0.5%(わかもと＝キッセイ)

後発医薬品

点眼液 0.25%・0.5%

国際誕生年月 1978年8月

海外での発売状況 米，英，仏など80カ国以上

製剤

製剤の性状 **点眼液** 無色澄明の僅かに粘稠性のある無菌水性点眼剤 **持続性点眼液**〔チモプトールXE〕無色～僅かに白色を帯びた，僅かに粘性のある無菌水性点眼剤 〔リズモンTG〕粘性のある無色～微黄色澄明の無菌製剤

有効期間又は使用期限 **点眼液** 3年 **持続性点眼液**〔チモプトールXE〕2年 〔リズモンTG〕3年6カ月

貯法・保存条件 **点眼液** **持続性点眼液**〔チモプトールXE〕気密容器，遮光・室温保存 **持続性点眼液**〔リズモンTG〕遮光，10℃以下保存

薬剤取扱い上の留意点 必ず遮光袋に入れて保存するよう指導すること **持続性点眼液**〔リズモンTG〕本剤は熱応答ゲル製のため，室温中に放置するとゲル化することがあるので，本剤がゲル化した場合は，冷蔵庫等で冷却してから点眼すること

患者向け資料等 くすりのしおり

溶液及び溶解時のpH **点眼液** **持続性点眼液**〔チモプトールXE〕6.5～7.5 **持続性点眼液**〔リズモンTG〕7.2～8.0

浸透圧比 **点眼液** 約1 **持続性点眼液**〔チモプトールXE〕0.9～1.1 **持続性点眼液**〔リズモンTG〕1.3～1.6(対生食)

調製時の注意 **持続性点眼液**〔リズモンTG〕他剤と混合又は同時点眼した場合，眼表面温度でのゲル化が起こらなくなるので，併用は避けることが望ましい

薬理作用

分類 β受容体遮断剤

作用部位・作用機序 作用部位：眼部交感神経系のβ受容体
作用機序：眼圧下降作用機序の詳細は明らかではないが，サル，健康成人でのフルオロフォトメトリー試験及び緑内障患者でのトノグラフィー試験において，チモロールマレイン酸塩の眼圧下降作用は主に房水産生の抑制によることが示唆さ

れている
同効薬 カルテオロール塩酸塩，ベタキソロール塩酸塩など
治療
効能・効果 緑内障，高眼圧症
用法・用量 普通点眼液 0.25%液1回1滴，1日2回点眼．なお，十分な効果が得られない場合0.5%液1回1滴，1日2回点眼
持続性点眼液 0.25%液1回1滴，1日1回点眼．なお，十分な効果が得られない場合0.5%液1回1滴，1日1回点眼
用法・用量に関連する使用上の注意 持続性点眼液 他の点眼剤を併用する場合には，本剤投与前に少なくとも10分間の間隔をあけて投与する
使用上の注意
禁忌 ①気管支喘息，又はその既往歴のある患者，気管支痙攣，重篤な慢性閉塞性肺疾患のある患者［β受容体遮断による気管支平滑筋収縮作用により，喘息発作の誘発・増悪がみられるおそれがある］ ②コントロール不十分な心不全，洞性徐脈，房室ブロック(II，III度)，心原性ショックのある患者［β受容体遮断による陰性変時・変力作用により，これらの症状を増悪させるおそれがある］ ③本剤の成分に対し過敏症の既往歴のある患者
相互作用概要 主としてCYP2D6によって代謝される
薬物動態
血漿中濃度(外国人データ) 健常成人に0.5%普通点眼液を1滴点眼し，クロスオーバー法により点眼後，涙嚢部圧迫処置の有無(20例)及び閉瞼処置の有無(16例)による1時間後の平均血漿中濃度を比較検討した結果，平均血漿中濃度は涙嚢部圧迫処置群，無処置群では，各々0.41ng/mL，1.28ng/mLで，閉瞼処置群，無処置群では，各々0.46ng/mL，1.34ng/mLを示し，これらの処置による血漿中移行抑制が有意に認められた．健常成人(6例)に0.5%持続性点眼液(1日1回点眼)又は0.5%普通点眼液(1日朝夕2回点眼)をクロスオーバー法により8日間点眼後の最高血漿中濃度の平均は，持続性点眼剤では0.28ng/mL，普通点眼液では朝0.46ng/mL，夕0.35ng/mL
吸収・分布(参考) 白色ウサギに^{14}C-チモロールマレイン酸塩を点眼時，角膜から速やかに吸収され，角膜，虹彩，毛様体，前房水等に高度に分布するが，水晶体，視神経，血漿等への分布は少ない．有色ウサギでは，メラニン色素を含まない組織での分布は白色ウサギと同等であるが，メラニン色素を含む虹彩，毛様体，網脈絡膜には高度に分布
その他の管理的事項
投与期間制限 該当しない
保険給付上の注意 該当しない
資料
IF チモプトール点眼液0.25%・0.5% 2018年11月改訂(第15版)
チモプトールXE点眼液0.25%・0.5% 2018年11月改訂(第17版)
リズモンTG点眼液0.25%・0.5% 2018年12月改訂(第7版)

L-チロシン
L-Tyrosine

概要
構造式

HO–C6H4–CH2–C(H)(NH2)–CO2H

分子式 $C_9H_{11}NO_3$
分子量 181.19
原薬の規制区分 該当しない
原薬の外観・性状 白色の結晶又は結晶性の粉末である．ギ酸に溶けやすく，水又はエタノール(99.5)にほとんど溶けない．希塩酸又はアンモニア試液に溶ける

チンク油
Zinc Oxide Oil

概要
薬効分類 264 鎮痛，鎮痒，収斂，消炎剤
分子式 ZnO(酸化亜鉛)
分子量 81.38(酸化亜鉛)
ステム 該当しない
原薬の規制区分 該当しない
原薬の外観・性状 白色～類白色の泥状物で，長く静置するとき，成分の一部を分離する
原薬の吸湿性 該当資料なし
原薬の融点・沸点・凝固点 融点：約1800℃
原薬の酸塩基解離定数 該当資料なし
先発医薬品等
外用液 チンク油「JG」(日本ジェネリック)
チンク油「司生堂」(司生堂)
チンク油「東海」(東海製薬)
チンク油「東豊」(東豊＝日医工)
チンク油「日医工」(日医工)
チンク油「ニッコー」(日興製薬＝丸石＝健栄)
チンク油「ホエイ」(マイラン＝ニプロ)
国際誕生年月 不明
海外での発売状況 該当しない
製剤
製剤の性状 軟 白色～類白色の泥状物で，長く静置するとき，成分の一部を分離する
有効期間又は使用期限 5年
貯法・保存条件 気密容器，室温保存
薬剤取扱い上の留意点 特になし
患者向け資料等 くすりのしおり
溶液及び溶解時のpH 該当しない
浸透圧比 該当しない
安定なpH域 該当しない
調製時の注意 該当しない
薬理作用
分類 局所収れん剤
作用部位・作用機序 作用部位：皮膚 作用機序：有効成分である酸化亜鉛の有する収れん，消炎，皮膚の保護，緩和な防腐及び滲出液吸収性をもち，皮膚密着性を有する．これらの作用により，炎症を消退させ，肉芽形成・表皮形成を促進させて皮膚疾患を改善する
同効薬 亜鉛華
治療
効能・効果 次の皮膚疾患の収れん・消炎・保護・緩和な防腐：小範囲の擦傷，小範囲の第一度熱傷，小範囲の湿疹・皮膚炎
用法・用量 1日1～数回，患部に直接塗布
使用上の注意
禁忌 重度又は広範囲の熱傷［酸化亜鉛が創傷部位に付着し，組織修復を遅延させることがある］
その他の管理的事項
投与期間制限 該当しない
保険給付上の注意 該当しない
資料
IF チンク油「ホエイ」 2016年6月改訂(第4版)

ツロブテロール
ツロブテロール経皮吸収型テープ
Tulobuterol

概要
薬効分類 225 気管支拡張剤
構造式

及び鏡像異性体

分子式 $C_{12}H_{18}ClNO$
分子量 227.73
ステム フェネチルアミン系気管支拡張剤：-terol
原薬の規制区分 劇（ただし，1枚中ツロブテロールとして2.0mg以下を含有するものを除く）
原薬の外観・性状 白色の結晶又は結晶性の粉末である．メタノールに極めて溶けやすく，エタノール(99.5)又は酢酸(100)に溶けやすく，水にほとんど溶けない．0.1 mol/L塩酸試液に溶ける．40℃で徐々に昇華する．本品のメタノール溶液(1→20)は旋光性を示さない
原薬の吸湿性 25℃，0～96%RHで吸湿しない
原薬の融点・沸点・凝固点 融点：90～93℃
原薬の酸塩基解離定数 pKa＝9.74
先発医薬品等
貼 ホクナリンテープ0.5mg・1mg・2mg（マイランEPD）
後発医薬品
貼 0.5mg・1mg・2mg
国際誕生年月 1994年1月
海外での発売状況 韓国，中国

製剤
規制区分 **貼** 処
製剤の性状 **貼** 白色の四隅が丸い四角形の粘着テープ剤で，膏体面は白色のライナーで覆われている
有効期間又は使用期限 2年
貯法・保存条件 室温保存
薬剤取扱い上の留意点 患者には本剤を内袋のまま渡し，本剤を使用するときに内袋から取り出すように指示すること．皮膚刺激を避けるため，毎回貼付部位を変えることが望ましい．本剤をはがす可能性がある小児には，手の届かない部位に貼付することが望ましい
患者向け資料等 くすりのしおり，患者用注意書
調製時の注意 該当しない

薬理作用
分類 フェネチルアミン系交感神経アドレナリンβ_2受容体刺激薬
作用部位・作用機序 作用部位：交感神経アドレナリンβ_2受容体 作用機序：気管支平滑筋のβ_2受容体に作用し，β_2受容体と密接に関係のある酵素adenyl cyclaseを賦活化する．それにより細胞内のATPがcyclic AMPに変化し，気管支拡張作用を示す
同効薬 イソプロテレノール塩酸塩，クレンブテロール塩酸塩，サルブタモール硫酸塩，サルメテロールキシナホ酸塩，テルブタリン硫酸塩，トリメトキノール塩酸塩，フェノテロール臭化水素酸塩，プロカテロール塩酸塩，ホルモテロールフマル酸塩

治療
効能・効果 次の疾患の気道閉塞性障害に基づく呼吸困難等，諸症状の緩解：気管支喘息，急性気管支炎，慢性気管支炎，肺気腫
効能・効果に関連する使用上の注意 （気管支喘息）気管支喘息治療における長期管理の基本は，吸入ステロイド剤等の抗炎症剤の使用であり，吸入ステロイド剤等により症状の改善が得られない場合，あるいは患者の重症度から吸入ステロイド剤等との併用による治療が適切と判断された場合にのみ，本剤と吸入ステロイド剤等を併用して使用する
用法・用量 1日1回2mg，小児には0.5～3歳未満0.5mg，3～9歳未満1mg，9歳以上2mgを胸部，背部又は上腕部のいずれかに貼付

使用上の注意
禁忌 本剤の成分に対し過敏症の既往歴のある患者

薬物動態
血中濃度 ①成人：(1)単回経皮投与時：健康成人5例に本剤2mgを24時間単回経皮投与時の薬物動態パラメータはCmax1.35±0.08ng/mL，Tmax11.8±2.0hr，$AUC_{0-\infty}$27.79±1.58ng・hr/mL，$T_{1/2}$5.9±0.6hr (2)単回経皮投与時の投与部位：健康成人6例にテープ3mgを24時間単回経皮投与時の薬物動態パラメータは胸部，背部，上腕部の順に，Cmax(ng/mL)2.43±0.28，2.30±0.18，2.13±0.20，Tmax(hr)13.3±2.2，11.3±0.7，11.3±0.7，$AUC_{0-\infty}$(ng・hr/mL)53.37±6.76，49.64±3.63，48.69±5.44，$T_{1/2}$(hr)9.2±1.7，9.4±1.3，9.5±1.5 (3)反復経皮投与時：健康成人6例にテープ4mgを1日1回，計5回反復経皮投与時の血清中未変化体濃度は，投与直前値は3回目2.31ng／mL，最終回2.37ng/mLとほぼ同じ値で，Cmaxは3回目投与時3.97±0.38ng/mLと最終回投与時4.10±0.44ng/mLで同様な値を示した ②小児：気管支喘息小児患者6例に本剤を年齢4～9歳（体重18.0～26.5kg）には1mg，年齢9～13歳（体重33.0～41.7kg）には2mgを24時間単回経皮投与時の薬物動態パラメータはCmax1.33±0.21ng/mL，Tmax14.0±2.0hr，AUC_{0-28}27.06±4.24ng・hr/mL **分布** ①組織内分布：成熟及び幼若ラットに^{14}C-ツロブテロールテープ10mg/kgを24時間経皮投与時，肝臓，腎臓，消化管等の大部分の組織で血液よりも高い放射能分布が認められた．また，標的部位と考えられる気管及び肺への移行が確認された．各組織からの消失は血液中濃度推移と同様．さらに，組織内濃度推移は成熟及び幼若でほぼ同様 ②血清蛋白結合率：ヒト血清での血清蛋白結合率は28.1%（*in vitro*） **代謝** 健康成人にテープ4mgを24時間単回経皮投与時，尿中にはツロブテロール，3-hydroxy体，4-hydroxy体及び5-hydroxy体とそれらの抱合体及び4-hydroxy-5-methoxy体の抱合体が主に排泄．この中でツロブテロールの排泄率が最も大きかった **排泄** 健康成人に2mgを24時間単回経皮投与時の尿中排泄率は使用後3日間まででツロブテロールが5.39%

その他の管理的事項
投与期間制限 該当しない
保険給付上の注意 該当しない

資料
IF ホクナリンテープ0.5mg・1mg・2mg 2017年4月改訂（第15版）

ツロブテロール塩酸塩
Tulobuterol Hydrochloride

概要
薬効分類 225 気管支拡張剤
構造式

・HCl
及び鏡像異性体

分子式 $C_{12}H_{18}ClNO \cdot HCl$

分子量 264.19
ステム フェネチルアミン系気管支拡張剤：-terol
原薬の規制区分 ㊋(ただし，1錠中ツロブテロールとして1mg以下を含有するもの，ツロブテロールとして0.1%以下を含有するシロップ剤，1噴霧中ツロブテロールとして0.8mg以下を含有する吸入剤を除く)
原薬の外観・性状 白色の結晶又は結晶性の粉末である．メタノールに極めて溶けやすく，水，エタノール(95)又は酢酸(100)に溶けやすく，無水酢酸にやや溶けにくい．本品の水溶液(1→20)は旋光性を示さない
原薬の吸湿性 30℃における臨界相対湿度(CRH)：82%
原薬の融点・沸点・凝固点 融点：約153℃
原薬の酸塩基解離定数 pKa＝9.80(20℃)
先発医薬品等
錠 ベラチン錠1mg(ニプロES)
ホクナリン錠1mg(マイランEPD)
シロップ用 ベラチンドライシロップ小児用0.1%(ニプロES)
ホクナリンドライシロップ0.1%小児用(マイランEPD)
後発医薬品
錠 1mg
シロップ用 0.1%
国際誕生年月 1981年5月
海外での発売状況 アブガニスタン，パキスタン

製剤

製剤の性状 **錠** 白色素錠(割線入り)．味は僅かに苦く，においはない **シロップ用** 白色顆粒状シロップ．味は甘く，においはない
有効期間又は使用期限 5年
貯法・保存条件 室温保存
薬剤取扱い上の留意点 該当しない
患者向け資料等 くすりのしおり
溶液及び溶解時のpH **シロップ用** 5.5～6.5(水溶液(1→10))
浸透圧比 該当資料なし
安定なpH域 該当資料なし
調製時の注意 該当資料なし

薬理作用

分類 フェネチルアミン系交感神経アドレナリンβ_2受容体刺激薬
作用部位・作用機序 作用部位：交感神経アドレナリンβ_2受容体 作用機序：気管支平滑筋のβ_2受容体に作用し，β_2受容体と密接に関係のある酵素adenyl cyclaseを賦活化する．それにより細胞内のATPがcyclic AMPに変化し，気管支拡張作用を示す
同効薬 プロカテロール塩酸塩水和物，フェノテロール臭化水素酸塩，ホルモテロールフマル酸塩，クレンブテロール塩酸塩，テルブタリン硫酸塩，サルブタモール硫酸塩，トリメトキノール塩酸塩，サルメテロールキシナホ酸塩など

治療

効能・効果 次の疾患の気道閉塞性障害に基づく呼吸困難等，諸症状の緩解：気管支喘息，急性気管支炎，慢性気管支炎，喘息性気管支炎，肺気腫，珪肺症，塵肺症
効能・効果に関連する使用上の注意 (気管支喘息)気管支喘息治療における長期管理の基本は，吸入ステロイド剤等の抗炎症剤の使用であり，吸入ステロイド剤等により症状の改善が得られない場合，あるいは患者の重症度から吸入ステロイド剤等との併用による治療が適切と判断された場合にのみ，本剤と吸入ステロイド剤等を併用して使用する
用法・用量 ツロブテロール塩酸塩として1回1mg，1日2回(適宜増減)，小児にはドライシロップを1日0.04mg/kg(標準投与量0.5～3歳未満0.25～0.5mg，3～9歳未満0.5～1mg，9～15歳1～2mg)を2回に分服(適宜増減)

使用上の注意

禁忌 本剤の成分に対し過敏症の既往歴のある患者

薬物動態

血中濃度 ①成人：健康成人10例に2mg錠を単回経口投与時の薬物動態パラメータはCmax6ng/mL，Tmax3hr，$AUC_{0-\infty}$ 30.5ng・hr/mL，$T_{1/2}$3.19hr ②小児：小児患者(6歳5カ月～11歳10カ月)5例にドライシロップ剤20mg/kg(ツロブテロール塩酸塩0.02mg/kg)を空腹時単回経口投与時の薬物動態パラメータはCmax4.46ng/mL，Tmax1hr，$T_{1/2}$3.56hr **分布** ①組織内分布：^{14}C-ツロブテロール塩酸塩10mg/kgを経口投与時，組織内分布は，肝臓，消化管，腎臓で高濃度，肺にも若干の移行が認められた．また，気管では長時間にわたり一定量が持続 ②血清蛋白結合率：ヒト血清での血清蛋白結合率は28.1%(*in vitro*) **代謝** 健康成人3例に1mg錠を単回経口投与時の尿中代謝物について検討した結果，未変化体，3-hydroxy体，4-hydroxy体，4-hydroxy-5methoxy体，5-hydroxy体及びそれらの抱合体が認められた **排泄** 健康成人男子に1mg(1例)，2mg(3例)，4mg(3例)を経口投与後の尿中未変化体の割合は48時間までにそれぞれ2.74%，4.14%，5.18%

その他の管理的事項

投与期間制限 該当しない
保険給付上の注意 該当しない

資料

IF ホクナリン錠1mg・ドライシロップ0.1%小児用 2017年2月改訂(第6版)

テイコプラニン
Teicoplanin

概要

薬効分類　611　主としてグラム陽性菌に作用するもの

構造式

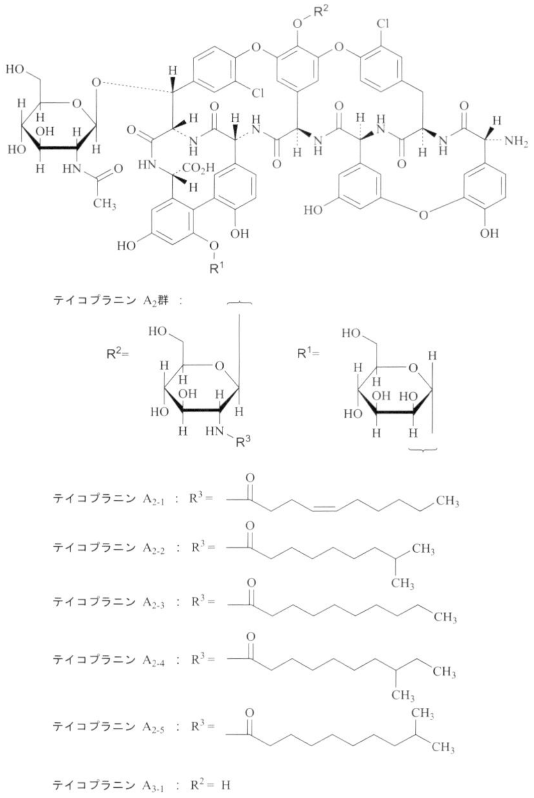

テイコプラニン A_2群：

テイコプラニン $A_{2\text{-}1}$：R^3＝

テイコプラニン $A_{2\text{-}2}$：R^3＝

テイコプラニン $A_{2\text{-}3}$：R^3＝

テイコプラニン $A_{2\text{-}4}$：R^3＝

テイコプラニン $A_{2\text{-}5}$：R^3＝

テイコプラニン $A_{3\text{-}1}$：R^2＝H

分子式　$C_{72\sim89}H_{68\sim99}Cl_2N_{8\sim9}O_{28\sim33}$

分子量　1877.64（テイコプラニンA_{2-1}），1879.66（テイコプラニンA_{2-2}），1879.66（テイコプラニンA_{2-3}），1893.68（テイコプラニンA_{2-4}），1893.68（テイコプラニンA_{2-5}），1564.25（テイコプラニンA_{3-1}）

略語・慣用名　TEIC

ステム　*Actinoplanes*属が産生する抗生物質：-planin

原薬の規制区分　㊕

原薬の外観・性状　白色～淡黄白色の粉末である．水に溶けやすく，*N*,*N*-ジメチルホルムアミドにやや溶けにくく，アセトニトリル，メタノール，エタノール(95)，アセトン，酢酸(100)又はジエチルエーテルにほとんど溶けない．0.5gを水10mLに溶かした液のpHは6.3～7.7である

原薬の吸湿性　20℃で32％RH，52％RH，76％RHに10日間放置するとき，水分量はそれぞれ11.6％，15.6％，19.3％であった

原薬の融点・沸点・凝固点　310℃まで融解の現象は認められなかった

原薬の酸塩基解離定数　pKa_1＝3.1（末端カルボキシル基），pKa_2＝7.1（末端アミノ基）

先発医薬品等

注射用　注射用タゴシッド200mg（サノフィ）

後発医薬品

注射用　200mg・400mg

国際誕生年月　1986年11月

海外での発売状況　英，仏，独など60カ国以上

製剤

規制区分　**注射用**　㊕ ㊒

製剤の性状　**注射用**　白色～淡黄色の容易に崩れる塊又は粉末

有効期間又は使用期限　3年

貯法・保存条件　室温保存

薬剤取扱い上の留意点　調製時：乾燥ポリエチレングリコール処理人免疫グロブリン，ポリエチレングリコール処理人免疫グロブリン，ガベキサートメシル酸塩，アムホテリシンB，ミノサイクリン塩酸塩と配合すると白濁・沈殿を生じることが確認されているので，これらの薬剤とは混注しないこと．セフォチアムと混合すると，本剤の活性低下を来すことが確認されているので，併用する場合には別々に投与すること

患者向け資料等　くすりのしおり

溶液及び溶解時のpH　7.2～7.8

浸透圧比　約1（対生食）

調製時の注意　注射液の調製にあたっては，1バイアル(200mg)に注射用水又は生理食塩液約5mLを加えてなるべく泡立たないように穏やかに溶解し溶液とする．この溶解液を100mL以上の生理食塩液等に加えて希釈する．なお，新生児，乳児，幼児及び小児においては，注射用水又は生理食塩液5mLを加えた溶解液から投与量相当分を採取し，生理食塩液等にて適宜希釈して調製する

薬理作用

分類　グリコペプチド系抗生物質

作用部位・作用機序　作用部位：細菌の細胞壁　作用機序：テイコプラニンに対し感受性を示す細菌の増殖を阻害する．細菌の細胞壁を構成するペプチドグリカン前駆体（ムレインモノマー）のD-アラニル-D-アラニン部位に結合し，細胞壁の合成を阻害し，その結果，細菌の増殖を阻害することにある

同効薬　バンコマイシン塩酸塩

治療

効能・効果　〈適応菌種〉本剤に感性のメチシリン耐性黄色ブドウ球菌（MRSA）〈適応症〉敗血症，深在性皮膚感染症，慢性膿皮症，外傷・熱傷及び手術創等の二次感染，肺炎，膿胸，慢性呼吸器病変の二次感染

用法・用量　初日400mg（力価）又は800mg（力価）を2回に分け，以後1日1回200mg（力価）又は400mg（力価）を30分以上かけて点滴静注（適宜増減）．敗血症には，初日800mg（力価）を2回に分け，以後1日1回400mg（力価）を30分以上かけて点滴静注（適宜増減）．乳児，幼児又は小児には10mg（力価）/kgを12時間間隔で3回，以後6～10mg（力価）/kg〔敗血症等の重症感染症では10mg（力価）/kg〕を24時間ごとに30分以上かけて点滴静注（適宜増減）．新生児（低出生体重児を含む）には初回のみ16mg（力価）/kgを，以後8mg（力価）/kgを24時間ごとに30分以上かけて点滴静注（適宜増減）

用法・用量に関連する使用上の注意　①使用にあたっては，耐性菌の発現を防ぐため，原則として感受性を確認し，疾病の治療上必要な最小限の期間の投与にとどめる　②腎障害のある患者には，投与量を減ずるか，投与間隔をあけて使用する　③投与期間中は血中濃度をモニタリングすることが望ましい．トラフレベルの血中濃度は5～10μg/mLを保つことが投与の目安となるが，敗血症等の重症感染症においては確実な臨床効果を得るために10μg/mL以上を保つ

使用上の注意

禁忌　本剤の成分に対し過敏症の既往歴のある患者

薬物動態

血中濃度　①健康成人男子：2，4及び8mg/kg（各5例）を30分かけて点滴静注時の最高血漿中濃度はそれぞれ17，34.4及び71.8μg/mL，投与後初期に比較的速やかに減少後，終末半減期46～56時間と極めて穏やかに消失　②小児等：⑴小児（41日齢～10歳）に10mg/kgを12時間間隔で3回，以後10mg/kgを24時間ごとに点滴静注時の血中濃度は，トラフ値（7例；3日目，4日目，7日目の順）は12.5，12.2，13.1μg/mL，点滴終了後2

時間値(8例；3日目)は35.2μg/mL (2)新生児(4日齢〜93日齢；93日齢の低出生体重児を含む)に初回16mg/kg，以後8mg/kgを24時間ごとに点滴静注時の血中濃度はトラフ値(9例；3日目，4日目，7日目の順)は15.2，14.7，17.8μg/mL，点滴終了後2時間値(9例；3日目)は32.9μg/mL ③腎機能障害患者(外国人データ)：3mg/kg投与後初期の血漿中濃度に健康成人と差はみられないが，クレアチニン・クリアランスの低下に相関して消失半減期が延長するとの報告がある．したがって腎機能障害患者においては投与間隔あるいは投与量の調節が必要．3mg/kg静注時の薬物動態パラメータ[クレアチニン・クリアランスCcr(mL/min)，分布容積VDSS(L/kg)，全身クリアランスCL(mL/min)の順] (1)健康成人(Iグループ)：103±2.4，0.84±0.17，18.1±3.4 (2)腎機能障害患者：(ｱ)IIグループ：45.7±11.5，0.94±0.22，10.3±2.1(ｲ)IIIグループ：16.8±3.2，0.99±0.18，10.2±2.3(ｳ)IVグループ：6.9±2.3，1.01±0.33，6.3±1.6 (3)CAPD患者(Vグループ)：<2，1±0.22，5.6±2 **分布** ①ヒト(外国人)に静注又は点滴静注時，心臓組織，皮下脂肪，水疱液，骨組織，滑液，肺組織及び気管支分泌物への移行は良好で1〜2μg/mL(又はg)以上 ②参考：ラットに^{14}C-標識体を静注時の組織内濃度は，肺，肝，腎，脾，副腎で高く，大脳，生殖腺，眼への分布は低かった．消失は緩慢で120時間後でも肝，腎，副腎で比較的高い値．また，7日間連続静注時では，最終投与720時間後でも副腎では他の臓器に比べて高値 **代謝・排泄** 健康成人男子に2，4及び8mg/kgを30分かけて点滴静注開始後96時間までの尿中排泄率は46〜54%．8mg/kg投与後3日間の糞中排泄は平均1%未満 **血清蛋白結合率(外国人データ)** ヒト血清蛋白質への結合率は約90% **アルブミンとの結合(*in vitro*)** ヒト血清アルブミン-ビリルビン結合に対する検討で，ビリルビン遊離作用は認められなかった

その他の管理的事項

投与期間制限 該当しない

保険給付上の注意 本剤を投与している患者に対して，薬物血中濃度を測定して計画的な治療管理を行った場合，「特定薬剤治療管理料」が認められている

資料

IF 注射用タゴシッド200mg 2012年10月改訂(第13版)

テオフィリン
Theophylline

概要

薬効分類 225 気管支拡張剤

構造式

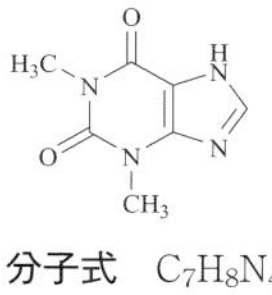

分子式 $C_7H_8N_4O_2$

分子量 180.16

ステム N-メチルキサンチン誘導体：-fylline

原薬の規制区分 劇(ただし，1個中テオフィリン0.1g以下を含有するもの，1容器中テオフィリン100mg以下を含有する経口液剤を除く)

原薬の外観・性状 白色の結晶又は結晶性の粉末である．*N,N*-ジメチルホルムアミドにやや溶けやすく，水又はエタノール(99.5)に溶けにくい．0.1mol/L塩酸試液に溶ける

原薬の吸湿性 臨界相対湿度：約80%

原薬の融点・沸点・凝固点 融点：271〜275℃

原薬の酸塩基解離定数 pKa=8.77，pKb=13.5，11.5

先発医薬品等

徐放顆 テオドール顆粒20%(田辺三菱)

徐放錠 テオドール錠50mg・100mg・200mg(田辺三菱)
ユニコン錠100・200・400(日医工)
ユニフィルLA錠100mg・200mg・400mg(大塚製薬)

後発医薬品

徐放錠 50mg・100mg・200mg・400mg

徐放カ 50mg

シロップ用 20%

国際誕生年月 1962年7月

海外での発売状況 欧米を含め世界各国

製剤

規制区分 顆 200mg・400mg錠 200mg力 劇 処 50mg・100mg錠 50mg・100mg力 処

製剤の性状 顆 白色・無臭・甘味で僅かに苦味が残る徐放性顆粒 50mg錠〔テオドール〕白色・徐放性錠剤 100mg・200mg錠〔テオドール〕白色・表面が不定形の斑点状を呈する割線入りの徐放性錠剤 錠〔ユニフィル〕白色，無臭，微苦味の徐放錠 カ キャップとボディが白色の硬カプセル

有効期間又は使用期限 顆 錠〔テオドール〕3年3カ月 錠〔ユニフィルLA〕力 3年

貯法・保存条件 室温保存

薬剤取扱い上の留意点 100mg・200mg錠〔テオドール〕表面の斑点は，効果を持続するための特殊製剤技術によるもので，変質によるものではない 錠〔ユニフィルLA〕糞便中に，まれに本剤由来の白色物質がみられることがある． カ 本剤由来のエチルセルロースの透過性膜は，テオフィリン溶出後，未消化のまま排泄されるため，白色粒子が糞便中に見られることがある

患者向け資料等 患者向医薬品ガイド，くすりのしおり

調製時の注意 顆 発熱時には一時減量あるいは中止する等，投与量の調整が必要となることがあるので，他の薬剤と配合しないことが望ましい

薬理作用

分類 キサンチン系気管支拡張剤

作用部位・作用機序 気管支拡張，肺血管拡張，呼吸中枢刺激，気道の粘液線毛輸送能の促進，横隔膜の収縮力増強，肥満細胞からの化学伝達物質(気管支収縮因子)の遊離抑制等の作用により，気管支喘息，慢性気管支炎，肺気腫等の閉塞性肺疾患の諸症状を改善する．また，喘息患者の気管支生検において活性化好酸球数，総好酸球数の減少及びCD4陽性細胞数の減少等の抗炎症作用を示す．*In vitro*においては，ヒト炎症細胞からの活性酸素及びサイトカインの産生に対する抑制作用，ヒト好酸球の接着因子発現の抑制作用，IL-5のヒト好酸球寿命延長に対する抑制作用等が報告されている 作用機序：phosphodiesteraseの作用を阻害して細胞内cyclic 3', 5'-AMP 濃度を高めることによるとされている．このほかにも，アデノシン受容体に対する拮抗作用，細胞内カルシウムイオンの分布調節作用，内因性カテコールアミンの遊離促進作用及びプロスタグランジンに対する拮抗作用等が報告されており，いまだ作用機序については不明な点が多い

同効薬 アミノフィリン，コリンテオフィリン，ジプロフィリンなど

治療

効能・効果 徐放顆 シロップ用 ①気管支喘息 ②喘息性(様)気管支炎

徐放錠 徐放力 ①気管支喘息 ②(ユニコン，ユニフィルLA，「トーワ」を除く)喘息性(様)気管支炎 ③(テオドール錠50mg，錠50mg「サワイ」，錠50mg「日医工」，錠50mg「TYK」，錠50mg「ツルハラ」カプセル50mg「サンド」を除く)慢性気管支炎，肺気腫

効能・効果に関連する使用上の注意 徐放顆 シロップ用 徐放錠 徐放力(徐放錠，徐放カプセルは小児の用法・用量を有

する製剤*)のみ)効能②：発熱を伴うことが多く，他の治療薬による治療の優先を考慮する(テオフィリン投与中に発現した痙攣の報告は，発熱した乳幼児に多い) ＊)200mg製剤，400mg製剤，ユニコン，ユニフィルLAは小児に対する用法・用量を有していない

用法・用量 **徐放顆** **シロップ用** テオフィリンとして1回200mg，小児には顆粒100～200mg，シロップ用4～8mg/kg，1日2回朝及び就寝前．なお，開始用量は年齢，症状，合併症等を考慮のうえ決定し，臨床症状等を確認しながら適宜増減．シロップ用は，用時，水に懸濁して投与するが，顆粒のまま投与することもできる(テオドール顆粒：また，気管支喘息については1回400mgを1日1回就寝前に投与することもできる(適宜増減))

徐放錠 **徐放カ** ①ユニコン，ユニフィルLAを除く：テオフィリンとして1回200mg，小児*)には100～200mg，1日2回朝及び就寝前．なお，開始用量は年齢，症状，合併症等を考慮のうえ決定し，臨床症状等を確認しながら適宜増減．(「サワイ」，チルミン，「アメル」，テオドール錠，「ツルハラ」，「日医工」，「サンド」：また，気管支喘息については1回400mgを1日1回就寝前に投与することもできる(適宜増減)) ②ユニコン，ユニフィルLA：テオフィリンとして1日1回400mg夕食後(適宜増減)

＊)200mg製剤，400mg製剤，ユニコン，ユニフィルLAは小児に対する用法・用量を有していない

用法・用量に関連する使用上の注意 **徐放錠** **徐放カ** 投与中は，臨床症状等の観察や血中濃度のモニタリングを行う等，慎重に投与する．なお，小児の気管支喘息に投与する場合の投与量，投与方法等については，学会のガイドライン等，最新の情報を参考に投与する

＜日本小児アレルギー学会：小児気管支喘息治療・管理ガイドライン2012＞①テオフィリン1回量の目安(通常の用法は，1日2回とされている)：(1)年齢6カ月未満のテオフィリン1回投与量の目安：原則として投与しない (2)年齢6カ月～1歳未満のテオフィリン1回量の目安：3mg/kg (3)年齢1歳～2歳未満のテオフィリン1回量の目安：4～5mg/kg (4)年齢2歳～15歳のテオフィリン1回量の目安：4～5mg/kg ②注意すべき投与対象等：2歳以上の重症持続型の患児を除き，他剤で効果不十分な場合などに，患児の状態(発熱，痙攣等)等を十分に観察する等，適用を慎重に検討し投与する．なお，2歳未満の熱性痙攣やてんかん等の痙攣性疾患のある児には原則として推奨されない

※200mg製剤，400mg製剤，ユニコン，ユニフィルLAは小児に対する用法・用量を有していない

使用上の注意

禁忌 本剤又は他のキサンチン系薬剤に対し重篤な副作用の既往歴のある患者

相互作用概要 主としてCYP1A2で代謝される

過量投与 ①症状：テオフィリン血中濃度が高値になると，血中濃度の上昇に伴い，消化器症状(特に悪心，嘔吐)や精神神経症状(頭痛，不眠，不安，興奮，痙攣，せん妄，意識障害，昏睡等)，心・血管症状(頻脈，心室頻拍，心房細動，血圧低下等)，低カリウム血症その他の電解質異常，呼吸促進，横紋筋融解症等の中毒症状が発現しやすくなる．なお，軽微な症状から順次発現することなしに重篤な症状が発現することがある ②処置：過量投与時の処置には，テオフィリンの除去，出現している中毒症状に対する対症療法がある．消化管内に残存するテオフィリンの除去として催吐，胃洗浄，下剤の投与，活性炭の経口投与等があり，血中テオフィリンの除去として輸液による排泄促進，活性炭の経口投与，活性炭を吸着剤とした血液灌流，血液透析等がある．なお，テオフィリン血中濃度が低下しても，組織に分布したテオフィリンにより血中濃度が再度上昇することがある：(1)痙攣，不整脈の発現がない場合：(ア)服用後短時間しか経過していないと思われる場合，嘔吐を起こさせることが有効である．服用後1時間以内の患者では特に有効である (イ)下剤を投与する．ただし，体液，電解質の異常に注意する (ウ)活性炭を反復投与し，テオフィリン血中濃度をモニターする (エ)痙攣の発現が予測されるようなら，フェノバルビタール等の投与を考慮する．ただし，フェノバルビタールは呼吸抑制作用を示すことがあるので，使用に際しては注意する (2)痙攣の発現がある場合：(ア)気道を確保する (イ)酸素を供給する (ウ)痙攣治療のためにジアゼパム静注等を行う．痙攣がおさまらない場合には全身麻酔薬投与を考慮する (エ)バイタルサインをモニターする．血圧の維持及び十分な水分補給を行う (3)痙攣後に昏睡が残った場合：(ア)気道を確保し，酸素吸入を行う (イ)大口径の胃洗浄チューブを通じて下剤及び活性炭の投与を行う (ウ)テオフィリン血中濃度が低下するまでICU管理を継続し，十分な水分補給を続ける．活性炭を反復経口投与しても血中濃度が下がらない場合には，活性炭による血液灌流，血液透析も考慮する (4)不整脈の発現がある場合：(ア)不整脈治療としてペーシング，直流除細動，抗不整脈薬の投与等，適切な処置を行う (イ)バイタルサインをモニターする．血圧の維持及び十分な水分補給を行う．また，電解質異常がある場合はその補正を行う

薬物動態

吸収 ①単回経口投与時の薬物動態パラメータ：健常成人6例に100mg錠×2投与時のCmax3.0±0.5μg/mL，Tmax7.2±1.6hr，$AUC_{0-\infty}$53.9±10.8μg・hr/mL．健常成人18例に50mg錠×6投与時のCmax4.1±0.6μg/mL，Tmax5.7±0.9hr，AUC_{0-34}74.7±18.5μg・hr/mL．気管支喘息患児8例に20%ドライシロップ(テオフィリン8mg/kg)投与時のCmax7.8±1.7μg/mL，Tmax4.9±1.6hr，AUC_{0-12}64.9±13.5μg・hr/mL ②連続経口投与：健常成人6例に100mg錠×2を12時間ごとに9回連続投与時，6回目投与後ほぼ定常状態．健常高齢者及び健常非高齢者(各16例)に100mg錠×2を12時間ごとに9回連続投与時の薬物動態パラメータ(健常高齢者及び健常非高齢者の順)はCmax(μg/mL)8.7±2.2，10.3±2.3，Tmax(hr)3.9±1.4，4.8±1.7，AUC_{96-108}(μg・hr/mL)93.1±25.5，111.6±24.7(シロップ，ドライシロップは添付文書参照) **代謝** 健常成人に100mg錠×2を経口投与時，主として肝臓で代謝され，尿中代謝物は1，3-dimethyluric acid，1-methyluric acid及び3-methylxanthine．本剤の代謝にはP450の分子種のうちCYP1A2が主な分子種として，3A4や2E1がマイナーな分子種として関与すると示唆される **排泄** 100mg錠×2を投与後48時間に健常成人の尿中に未変化体約8%，代謝物約80%排泄 **参考** ラットに^{14}C-テオフィリンを経口投与時，テオフィリン及びその代謝物が特異的に分布，蓄積する臓器は認められなかった

その他の管理的事項

投与期間制限 該当しない

保険給付上の注意 該当しない

資料

IF テオドール顆粒20%・錠50mg・100mg・200mg 2009年2月改訂(第9版)
ユニフィルLA錠100mg・200mg・400mg 2020年6月改訂(第14版)
スロービッド顆粒20%・カプセル50mg・100mg・200mg 2017年9月改訂(第5版)

テガフール
Tegafur

概要

薬効分類 422 代謝拮抗剤

構造式

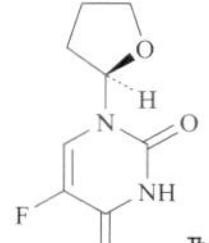

分子式 $C_8H_9FN_2O_3$

分子量 200.17

ステム ウリジン系抗悪性腫瘍薬：-uridine

原薬の規制区分 ㊕

原薬の外観・性状 白色の結晶性の粉末である．メタノールにやや溶けやすく，水又はエタノール(95)にやや溶けにくい．希水酸化ナトリウム試液に溶ける．本品のメタノール溶液(1→50)は旋光性を示さない．結晶多形が認められる．0.5gを水50mLに溶かした液のpHは4.2～5.2である

原薬の吸湿性 91%RH(40℃，3カ月)で保存するとき，吸湿性を示さない

原薬の融点・沸点・凝固点 融点：166～171℃

原薬の酸塩基解離定数 pKa＝7.65±0.05(0.1mol/L NaOHによる滴定)

先発医薬品等

腸溶顆 フトラフール腸溶顆粒50%(大鵬薬品)

カ フトラフールカプセル200mg(大鵬薬品)

注 フトラフール注400mg(大鵬薬品)

注射用 注射用フトラフール400(大鵬薬品)

坐 フトラフール坐剤750mg(大鵬薬品)

国際誕生年月 不明

海外での発売状況 **カ** 台湾，インドネシア

製剤

規制区分 **腸溶顆** **カ** **注** **注射用** **坐** ㊕ ㊎

製剤の性状 **腸溶顆** 白色～黄白色の腸溶性の顆粒剤で，におい及び味はない **カ** 白色で苦味を有する無臭の粉末を含む，キャップ部白色，ボディー部白色の不透明硬カプセル剤 **注** 無色澄明の液 **注射用** 用時溶解して用いる注射剤で，白色の固体でにおいはない **坐** 白色で，ほとんどにおいはなく，ぬるぬるした手触りの紡すい形固体を乳白色プラスチック容器に含む，肛門坐剤

有効期間又は使用期限 **腸溶顆** 4年 **カ** **坐** 5年 **注** 2年 **注射用** 3年

貯法・保存条件 **腸溶顆** **カ** **注射用** 室温保存 **注** 冷暗所保存 **坐** 冷所保存

薬剤取扱い上の留意点 **腸溶顆** **坐** 刺激性等はないが，内容物を取扱う場合は手袋等を着用することが望ましい． 服用時(腸溶顆)：腸溶剤であり，かんだり，砕いたりせずに服用するように注意すること **カ** 刺激性等はないが，内容物を取扱う場合は手袋等を着用することが望ましい **注** カルシウムイオン又はマグネシウムイオンを含有する製剤との配合は避けること．硫酸塩，塩酸塩等の酸性の塩の製剤との配合は避けること **注射用** 硫酸塩，塩酸塩等の酸性の塩の製剤との配合は避けること **坐** 使用時 できるだけ排便後や就寝前に使用すること

患者向け資料等 **腸溶顆** **カ** **坐** 患者向医薬品ガイド，くすりのしおり

溶液及び溶解時のpH **注** 9.5～10.5(規格値) **注射用** 8.0～10.0(規格値)

浸透圧比 **注** 約3(対生食) **注射用** 約1(対生食)

安定なpH域 **注** 温度80±0.5℃における，水溶液中テガフールの分解速度定数(k)のpH依存性について検討した結果，テガフールはアルカリ性側で急激に安定化の傾向を示した．なお，分解産物としては，フルオロウラシルを認めた

薬理作用

分類 代謝拮抗剤(フルオロウラシルプロドラッグ)

作用部位・作用機序 作用部位：腫瘍内 作用機序：抗腫瘍効果はテガフール(FT)から徐々に変換されるフルオロウラシル(5-FU)に基づいている．フルオロウラシルの作用機序は活性代謝物であるFdUMPがdUMPと拮抗し，thymidylate synthaseを抑制することによるDNAの合成阻害と，FUTPがRNAに取込まれることによるRNAの機能障害に起因するものと考えられている

同効薬 フルオロウラシル，ドキシフルリジン，テガフール・ウラシル配合剤，カペシタビン，テガフール・ギメラシル・オテラシルカリウム配合剤

治療

効能・効果 **顆** **カ** 消化器癌(胃癌，結腸・直腸癌)，乳癌の自覚的・他覚的症状の寛解

注 **注射用** 頭頸部癌，消化器癌(胃癌，結腸・直腸癌)の自覚的・他覚的症状の寛解

坐 頭頸部癌，消化器癌(胃癌，結腸・直腸癌)，乳癌，膀胱癌の自覚的・他覚的症状の寛解

用法・用量 **顆** **カ** テガフールとして1日800～1200mg，2～4回に分服(適宜増減)．他の抗悪性腫瘍剤又は放射線との併用の場合は単独で使用する場合に準じ，適宜減量

注 **注射用** テガフールとして1日20mg/kg，5%ブドウ糖液，生理食塩液，5%キシリトール液(300～500mL)と混合し，点滴静注，又はそのまま静注．注射用製剤は用時，注射用水，生理食塩液又は5%糖液10mLに溶解し，前記に準じて使用する

坐 テガフールとして1日750mg～2g，1～2回に分割し肛門内に挿入．ただし，1回量500mg～1g

禁忌・原則禁忌となる特定患者集団 妊婦又は妊娠している可能性のある婦人

使用上の注意

警告 ①劇症肝炎等の重篤な肝障害が起こることがあるので，定期的(特に投与開始から2カ月間は1カ月に1回以上)に肝機能検査を行う等，観察を十分に行い，肝障害の早期発見に努める．肝障害の前兆又は自覚症状と考えられる食欲不振を伴う倦怠感等の発現に十分に注意し，黄疸(眼球黄染)が現れた場合にはただちに中止し，適切な処置を行う ②テガフール・ギメラシル・オテラシルカリウム配合剤との併用により，重篤な血液障害等の副作用が発現するおそれがあるので，併用を行わない

禁忌 ①本剤の成分に対し重篤な過敏症の既往歴のある患者 ②テガフール・ギメラシル・オテラシルカリウム配合剤投与中の患者及び中止後7日以内の患者 ③妊婦又は妊娠している可能性のある婦人

薬物動態

癌患者に経口用剤と坐剤は1g，注射剤800mg投与時の血中テガフール(FT)及びフルオロウラシル(5-FU)濃度(μg/mL)を測定した．胃溶剤では2，4，6，8，10，24時間後にFTはそれぞれ17.1±8.6，20±5.5，22±5，17.7±3.3，15.6±5.4，9.3±4.7，5-FUはそれぞれ，0.096±0.064，0.069±0.018，0.069±0.016，0.068±0.014，0.047±0.027，検出限界以下．腸溶剤では2，4，6，8，10，24時間後にFTはそれぞれ20.3±11.8，24±11.1，23.1±4.8，17.9±2.7，18.8±9.3，12.7±7，5-FUはそれぞれ0.052±0.034，0.071±0.016，0.06±0.012，0.048±0.027，0.044±0.025，検出限界以下．静注では30分，1，2，3，5，12，24時間後にFTはそれぞれ43.4±4.4，44.3±4.2，35.3±2.6，33.1±2.7，21.5±1.6，11.3±1.3，5.2±1.7，5-FUはそれぞれ0.095±0.01，0.084±0.011，0.071±0.009，0.068±0.009，0.063±0.011，0.04±0.003，

0.025±0.002．坐剤ではFTは30分，1，2，4，8時間後にそれぞれ11.1，12.7，15.1，13.6，12.3，5-FUは30分，1，2，4，8，12，24時間後にそれぞれ0.024，0.041，0.045，0.046，0.04，0.031，0.025．胃溶剤及び注射では徐々に活性化され，直腸投与でも比較的速やかに吸収され，活性物質5-FUの血中濃度が長時間持続する特性を有する．また，腸溶剤を胃切除患者に投与後，早期吸収傾向が認められた．さらに直腸投与での5-FUの組織内濃度は特に腫瘍組織で高濃度に認められた．また，FTから5-FUへの代謝に関与するヒト肝チトクロムP450分子種としてCYP2A6が主であるとの報告がある（*in vitro*）

その他の管理的事項

投与期間制限 該当しない

保険給付上の注意 該当しない

資料

IF フトラフール腸溶顆粒50% 2020年1月改訂（第9版）
フトラフールカプセル200mg 2020年1月改訂（第7版）
フトラフール注400mg・注射用フトラフール400 2020年1月改訂（第7版）
フトラフール坐剤750mg 2020年1月改訂（第7版）

デキサメタゾン
Dexamethasone

別名：デキサメサゾン

概要

薬効分類 131 眼科用剤，239 その他の消化器官用薬，245 副腎ホルモン剤，264 鎮痛，鎮痒，収斂，消炎剤

構造式

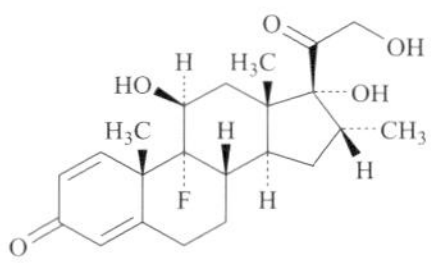

分子式 $C_{22}H_{29}FO_5$

分子量 392.46

略語・慣用名 DX

ステム プレドニン及びプレドニゾロン誘導体：-methasone

原薬の規制区分 該当しない

原薬の外観・性状 白色～微黄色の結晶又は結晶性の粉末である．メタノール，エタノール(95)又はアセトンにやや溶けにくく，アセトニトリルに溶けにくく，水にほとんど溶けない．結晶多形が認められる

原薬の吸湿性 該当資料なし

原薬の融点・沸点・凝固点 融点：約245℃（分解）

原薬の酸塩基解離定数 該当資料なし

先発医薬品等
錠 デカドロン錠0.5mg・4mg（日医工）
レナデックス錠4mg（セルジーン）
内用液 デカドロンエリキシル0.01%（日医工）
軟 アフタゾロン口腔用軟膏0.1%（あゆみ製薬）

後発医薬品
内用液 0.01%
眼軟膏 0.05%・0.1%
軟 0.1%
クリーム 0.05%・0.1%
外用液 0.1%

国際誕生年月 1958年8月

海外での発売状況 **錠** 米，欧州など **軟** **クリーム** **外用液** 米 **眼軟膏** 発売していない **口腔用軟膏** 該当資料なし

製剤

規制区分 **錠** **エリキシル** ㊙

製剤の性状 **0.5mg錠** 白色，割線入りの五角形の素錠 **4mg錠**〔デカドロン〕淡赤色，割線入りの五角形の素錠〔レナデックス〕片面割線入りの白色～灰白色の素錠 **エリキシル** 赤色澄明の液で，ペパーミント及びチェリー様のにおいを有し，強い甘味がある **軟** 白色ワセリンを主体とする油性基剤を使用した白色半透明の軟膏 **クリーム** 白色の水中油型（乳性）のクリーム剤 **外用液** 高級脂肪族アルコール，脂肪酸トリグリセライド等を基剤成分とする白色の乳剤性ローション **眼軟膏** 白色～微黄色の眼軟膏 **口腔用軟膏** 白色の軟膏でにおいはない

有効期間又は使用期限 **錠** **軟** **クリーム** **外用液** **眼軟膏** **口腔用軟膏** 3年 **エリキシル** 5年

貯法・保存条件 **錠** **軟** **クリーム** **外用液** **口腔用軟膏** 室温保存 **エリキシル** 開封後密栓，室温保存 **眼軟膏** 気密容器，室温保存

薬剤取扱い上の留意点 **口腔用軟膏** ①使用後しばらく飲食を避けること ②眼科用として使用しないこと

患者向け資料等 **錠** **エリキシル** 患者向医薬品ガイド，くすりのしおり **軟** **クリーム** **外用液** **眼軟膏** **口腔用軟膏** くすりのしおり

溶液及び溶解時のpH **エリキシル** 3.0～3.4 **軟**（参考）約6.0～6.3 **クリーム**（参考）約4.1 **外用液**（参考）約3.8～4.1

浸透圧比 該当資料なし

安定なpH域 該当資料なし

調製時の注意 該当資料なし

薬理作用

分類 副腎皮質ホルモン

作用部位・作用機序 天然の糖質コルチコイドと同じ機序により，起炎物質の生合成抑制と炎症細胞の遊走抑制により抗炎症作用を現す．主なメカニズムは，末梢白血球の数，分布，機能に対する作用，炎症性サイトカイン・ケモカインの抑制，炎症の脂質メディエーターの減少，血管内皮細胞表面の接着因子の発現抑制があげられる

同効薬 **錠** **エリキシル** ベタメタゾン，トリアムシノロン，プレドニゾロンなど **軟** **クリーム** **外用液** プレドニゾロン吉草酸エステル酢酸エステル（0.3%），トリアムシノロンアセトニド（0.1%）ヒドロコルチゾン酪酸エステル（0.1%），クロベタゾン酪酸エステル（0.05%），アルクロメタゾンプロピオン酸エステル（0.1%） **眼軟膏** デキサメタゾンメタスルホ安息香酸エステルナトリウム，ベタメタゾンリン酸エステルナトリウム，フルオロメトロン **口腔用軟膏** トリアムシノロンアセトニド，ベクロメタゾンプロピオン酸エステルなど

治療

効能・効果 **錠（デカドロン）** **内用液** ①内分泌疾患：慢性副腎皮質機能不全（原発性，続発性，下垂体性，医原性），急性副腎皮質機能不全（副腎クリーゼ），副腎性器症候群，亜急性甲状腺炎，甲状腺中毒症（甲状腺（中毒性）クリーゼ），甲状腺疾患に伴う悪性眼球突出症，ACTH単独欠損症，特発性低血糖症，下垂体抑制試験 ②リウマチ性疾患：関節リウマチ，若年性関節リウマチ（スチル病を含む），リウマチ熱（リウマチ性心炎を含む），リウマチ性多発筋痛，強直性脊椎炎（リウマチ性脊椎炎） ③膠原病：エリテマトーデス（全身性及び慢性円板状），全身性血管炎（大動脈炎症候群，結節性動脈周囲炎，多発性動脈炎，ヴェゲナ肉芽腫症を含む），多発性筋炎（皮膚筋炎），強皮症 ④腎疾患：ネフローゼ及びネフローゼ症候群 ⑤心疾患：うっ血性心不全 ⑥アレルギー性疾患：気管支喘息，喘息性気管支炎（小児喘息性気管支炎を含む），薬剤その他の化学物質によるアレルギー・中毒（薬疹，中毒疹を含む），血清病 ⑦血液疾患：紫斑病（血小板減少性及び血小板非減少性），再生不良性貧血，白血病（急性白血病，慢性骨髄性白血病の急性転化，慢性リンパ性白血病）（皮膚白血病を含む），

溶血性貧血(免疫性又は免疫性機序の疑われるもの)，顆粒球減少症(本態性，続発性)　⑧消化器疾患：潰瘍性大腸炎，限局性腸炎，重症消耗性疾患の全身状態の改善(癌末期，スプルーを含む)　⑨肝疾患：劇症肝炎(臨床的に重症とみなされるものを含む)，胆汁うっ滞型急性肝炎，慢性肝炎(活動型，急性再燃型，胆汁うっ滞型)(但し，一般的治療に反応せず肝機能の著しい異常が持続する難治性のものに限る)，肝硬変(活動型，難治性腹水を伴うもの，胆汁うっ滞を伴うもの)　⑩肺疾患：サルコイドーシス(但し，両側肺門リンパ節腫脹のみの場合を除く)，びまん性間質性肺炎(肺線維症)(放射線肺臓炎を含む)　⑪重症感染症：重症感染症(化学療法と併用する)　⑫結核性疾患：肺結核(粟粒結核，重症結核に限る)(抗結核剤と併用する)，結核性髄膜炎(抗結核剤と併用する)，結核性胸膜炎(抗結核剤と併用する)，結核性腹膜炎(抗結核剤と併用する)，結核性心のう炎(抗結核剤と併用する)　⑬神経疾患：脳脊髄炎(脳炎，脊髄炎を含む)(但し，一次性脳炎の場合は頭蓋内圧亢進症状がみられ，かつ他剤で効果が不十分なときに短期間用いる)，末梢神経炎(ギランバレー症候群を含む)，筋強直症，重症筋無力症，多発性硬化症(視束脊髄炎を含む)，小舞踏病，顔面神経麻痺，脊髄蜘網膜炎　⑭悪性腫瘍：悪性リンパ腫(リンパ肉腫症，細網肉腫症，ホジキン病，皮膚細網症，菌状息肉症)及び類似疾患(近縁疾患)，好酸性肉芽腫，乳癌の再発転移　⑮(デカドロン錠)抗悪性腫瘍剤(シスプラチン等)投与に伴う消化器症状(悪心・嘔吐)　⑯外科疾患：副腎摘除，副腎皮質機能不全患者に対する外科的侵襲，侵襲後肺水腫，臓器・組織移植，蛇毒・昆虫毒(重症の虫さされを含む)，原因不明の発熱　⑰産婦人科疾患：卵管整形術後の癒着防止　⑱泌尿器科疾患：前立腺癌(他の療法が無効な場合)，陰茎硬結　⑲皮膚科疾患：★湿疹・皮膚炎群(急性湿疹，亜急性湿疹，慢性湿疹，接触皮膚炎，貨幣状湿疹，自家感作性皮膚炎，アトピー皮膚炎，乳・幼・小児湿疹，ビダール苔癬，その他の神経皮膚炎，脂漏性皮膚炎，進行性指掌角皮症，その他の手指の皮膚炎，陰部あるいは肛門湿疹，耳介及び外耳道の湿疹・皮膚炎，鼻前庭及び鼻翼周辺の湿疹・皮膚炎等)(但し，重症例以外は極力投与しない)，★痒疹群(小児ストロフルス，蕁麻疹様苔癬，固定蕁麻疹を含む)(但し，重症例に限る．また，固定蕁麻疹は局注が望ましい)，蕁麻疹(慢性例を除く)(重症例に限る)，★乾癬及び類症(尋常性乾癬(重症例)，関節症性乾癬，乾癬性紅皮症，膿疱性乾癬，稽留性肢端皮膚炎，疱疹状膿痂疹，ライター症候群)，★掌蹠膿疱症(重症例に限る)，★扁平苔癬(重症例に限る)，成年性浮腫性硬化症，紅斑症(★多形滲出性紅斑，結節性紅斑)(但し，多形滲出性紅斑の場合は重症例に限る)，アナフィラクトイド紫斑(単純型，シェーンライン型，ヘノッホ型)(重症例に限る)，ウェーバークリスチャン病，粘膜皮膚眼症候群(開口部びらん性外皮症，スチブンス・ジョンソン病，皮膚口内炎，フックス症候群，ベーチェット病(眼症状のない場合)，リップシュッツ急性陰門潰瘍)，レイノー病，★円形脱毛症(悪性型に限る)，天疱瘡群(尋常性天疱瘡，落葉状天疱瘡，Senear-Usher症候群，増殖性天疱瘡)，デューリング疱疹状皮膚炎(類天疱瘡，妊娠性疱疹を含む)，先天性表皮水疱症，帯状疱疹(重症例に限る)，★紅皮症(ヘブラ紅色粃糠疹を含む)，顔面播種状粟粒性狼瘡(重症例に限る)，アレルギー性血管炎及びその類症(急性痘瘡様苔癬状粃糠疹を含む)，潰瘍性慢性膿皮症，新生児スクレレーマ　⑳眼科疾患：内眼・視神経・眼窩・眼筋の炎症性疾患の対症療法(ブドウ膜炎，網脈絡膜炎，網膜血管炎，視神経炎，眼窩炎性偽腫瘍，眼窩漏斗尖端部症候群，眼筋麻痺)，外眼部及び前眼部の炎症性疾患の対症療法で点眼が不適当又は不十分な場合(眼瞼炎，結膜炎，角膜炎，強膜炎，虹彩毛様体炎)，眼科領域の術後炎症　㉑耳鼻咽喉科疾患：急性・慢性中耳炎，滲出性中耳炎・耳管狭窄症，メニエル病及びメニエル症候群，急性感音性難聴，血管運動(神経)性鼻炎，アレルギー性鼻炎，花粉症(枯草熱)，進行性壊疽性鼻炎，喉頭炎・喉頭浮腫，耳鼻咽喉科領域の手術後の後療法，嗅覚障害，急性・慢性(反復性)唾液腺炎　㉒歯科・口腔外科疾患：難治性口内炎及び舌炎(局所療法で治癒しないもの)★印は外用剤を用いても効果が不十分な場合あるいは十分な効果を期待できないと推定される場合にのみ用いる

錠(レナデックス) 多発性骨髄腫

眼軟膏 外眼部及び前眼部の炎症性疾患の対症療法(眼瞼炎，結膜炎，角膜炎，強膜炎，上強膜炎，前眼部ブドウ膜炎，術後炎症)

軟 **クリーム** **外用液** 湿疹・皮膚炎群(進行性指掌角皮症，女子顔面黒皮症，ビダール苔癬，放射線皮膚炎，日光皮膚炎を含む)，皮膚そう痒症，虫さされ，乾癬

歯科口腔用 びらん又は潰瘍を伴う難治性口内炎及び舌炎

用法・用量 **錠(デカドロン)** **内用液** 1日0.5～8mg，1～4回に分服(適宜増減)．効能⑮抗悪性腫瘍剤(シスプラチン等)投与に伴う消化器症状(悪心・嘔吐)の場合：1日4～20mg，1～2回に分服．ただし，1日最大20mgまで．**内用液** 小児1日0.15～4mg，1～4回に分服(適宜増減)

錠(レナデックス) 1日1回40mg，4日間．なお，投与量及び投与日数は，患者の状態及び併用する他の抗悪性腫瘍剤により適宜減ずる

眼軟膏 1日1～3回塗布(適宜増減)

軟 **クリーム** **外用液** 1日2～3回患部に塗布(適宜増減)

口腔用軟膏 1日1～数回塗布(適宜増減)

用法・用量に関連する使用上の注意 **錠(レナデックス)** 単独又は他の抗悪性腫瘍剤との併用で使用する場合の投与量，投与スケジュール等については，学会のガイドライン等，最新の情報を参考に投与する

使用上の注意

警告 **錠(レナデックス)** 本剤を含むがん化学療法は，緊急時に十分対応できる医療施設において，がん化学療法の治療に対して十分な知識・経験をもつ医師のもとで，本療法が適切と判断される患者についてのみ実施する．また，治療開始に先立ち，患者又はその家族等に有効性及び危険性を十分説明し，同意を得てから投与を開始する

禁忌 **錠** **内用液** ①本剤の成分に対し過敏症の既往歴のある患者　②次の薬剤を使用中の患者：デスモプレシン酢酸塩水和物(男性における夜間多尿による夜間頻尿)，リルピビリン塩酸塩，リルピビリン塩酸塩・テノホビル　アラナフェナミドフマル酸塩・エムトリシタビン，リルピビリン塩酸塩・テノホビル　ジソプロキシルフマル酸塩・エムトリシタビン，リルピビリン塩酸塩・ドルテグラビルナトリウム，ダクラタスビル塩酸塩，アスナプレビル，ダクラタスビル塩酸塩・アスナプレビル・ベクラブビル塩酸塩，(**内用液** のみ)ジスルフィラム又はシアナミド

眼軟膏 本剤の成分に対し過敏症の既往歴のある患者

軟 **クリーム** **外用液** ①細菌・真菌・スピロヘータ・ウイルス皮膚感染症の患者［感染症を悪化させることがある］　②本剤の成分に対して過敏症の既往歴のある患者　③鼓膜に穿孔のある湿疹性外耳道炎の患者［鼓膜の再生を遅らせ，内耳に重篤な感染性疾患を起こすおそれがある］　④潰瘍(ベーチェット病は除く)，第2度深在性以上の熱傷・凍傷の患者［肉芽組織を抑制し，創傷治癒を妨げることがある］

口腔用軟膏 本剤に対し過敏症の既往歴のある患者

相互作用概要 主にCYP3A4により代謝される．また，CYP3A4の誘導作用を有する

薬物動態

4mg錠 **血中濃度** 再発又は難治性の日本人多発性骨髄腫患者(6例)に40mgを単回経口投与時の薬物動態パラメータはCmax(ng/mL)521±168，AUC$_\infty$(ng・hr/mL)3977±2010，tmax(hr)2.49(1.00，4.00)，$t_{1/2}$(hr)4.45±1.71．血漿中濃度は投与約2.5時間後に最高値に達し，$t_{1/2}$は約4～5時間

眼軟膏 眼内移行(参考；家兎)：0.1%^{3}H-標識水性懸濁液25μL点眼時．角膜及び結膜では5分後，房水では45分後に最

テ

高値，その濃度は0.213μg/mL．その他の組織では虹彩，強膜等の前眼部及び外眼部への移行量が多く，硝子体，網脈絡膜等の眼球後部組織への移行はわずか

その他の管理的事項

投与期間制限　該当しない

保険給付上の注意　該当しない

資料

IF　デカドロン錠0.5mg・4mg・エリキシル0.01%　2020年8月改訂(第13版)

レナデックス錠4mg　2019年10月改訂(第7版)

デキサメタゾン軟膏0.1%「イワキ」・クリーム0.1%「イワキ」・ローション0.1%「イワキ」　2020年12月作成(第1版)

サンテゾーン0.05%眼軟膏　2017年5月改訂(第5版)

アフタゾロン口腔用軟膏0.1%　2020年4月改訂(第10版)

デキストラン40
デキストラン40注射液
Dextran 40

概要

薬効分類　331　血液代用剤

分子量　約40000(平均分子量)

原薬の規制区分　該当しない

原薬の外観・性状　白色の無晶性の粉末で，におい及び味はない．エタノール(95)又はジエチルエーテルにほとんど溶けない．水に徐々に溶解する．1.0gを水10mLに溶かした液のpHは5.0〜7.0である

原薬の吸湿性　吸湿性である

デキストラン70
Dextran 70

概要

薬効分類　799　他に分類されない治療を主目的としない医薬品

分子量　約70000(平均分子量)

原薬の規制区分　該当しない

原薬の外観・性状　白色の無晶性の粉末で，におい及び味はない．エタノール(95)又はジエチルエーテルにほとんど溶けない．水に徐々に溶解する．3.0gを水50mLに溶かした液のpHは5.0〜7.0である

原薬の吸湿性　吸湿性である

デキストラン硫酸エステルナトリウム　イオウ5
Dextran Sulfate Sodium Sulfur 5

概要

原薬の規制区分　該当しない

原薬の外観・性状　白色〜淡黄白色の粉末で，においはなく，塩味がある．水に溶けやすく，エタノール(95)又はジエチルエーテルにほとんど溶けない．1.0gを水20mLに溶かした液のpHは5.5〜7.5である

原薬の吸湿性　吸湿性である

デキストラン硫酸エステルナトリウム　イオウ18
Dextran Sulfate Sodium Sulfur 18

概要

薬効分類　218　高脂血症用剤

分子式　該当しない

ステム　不明

原薬の規制区分　該当しない

原薬の外観・性状　白色〜淡黄白色の粉末で，においはなく，塩味がある．水に溶けやすく，エタノール(95)又はジエチルエーテルにほとんど溶けない．1.0gを水20mLに溶かした液のpHは5.5〜7.5である

原薬の吸湿性　吸湿性である

原薬の酸塩基解離定数　該当しない(本物質は多糖であり，均一な物質ではないため，解離定数の決定は不可能である)

先発医薬品等

錠　MDSコーワ錠150・300(興和)

国際誕生年月　不明

海外での発売状況　該当しない

製剤

製剤の性状　**錠**　白色・腸溶性のフィルムコーティング錠

有効期間又は使用期限　4年

貯法・保存条件　室温保存．特に開封後は防湿保存すること

薬剤取扱い上の留意点　使用にあたり乳鉢等ですりつぶさないこと

患者向け資料等　くすりのしおり

溶液及び溶解時のpH　5.5〜7.5(1.0→20)

浸透圧比　該当しない

安定なpH域　該当しない

調製時の注意　該当しない

薬理作用

分類　多糖類硫酸エステル

作用部位・作用機序　血清LPL(リポ蛋白リパーゼ)及びHTGL(肝性トリグリセリドリパーゼ)を活性化する

同効薬　フィブラート系薬剤，ニコチン酸誘導体，オメガ-3脂肪酸エチル

治療

効能・効果　高トリグリセリド血症

用法・用量　1日450〜900mg，3〜4回(〔錠300〕1日900mg，3回)に分服(適宜増減)

使用上の注意

禁忌　本剤の成分に対し過敏症の既往歴のある患者

その他の管理的事項

投与期間制限　該当しない

保険給付上の注意　該当しない

資料

IF　MDSコーワ錠150・300　2020年4月改訂(第6版)

デキストリン
Dextrin

概要

原薬の規制区分　該当しない

原薬の外観・性状　白色〜淡黄色の無晶性の粉末又は粒で，僅

かに特異なにおいがあり，やや甘味があり，舌上においても刺激がない．熱湯に溶けやすく，水にやや溶けやすく，エタノール(95)又はジエチルエーテルにほとんど溶けない

デキストロメトルファン臭化水素酸塩水和物
Dextromethorphan Hydrobromide Hydrate

概要

薬効分類 222 鎮咳剤

構造式

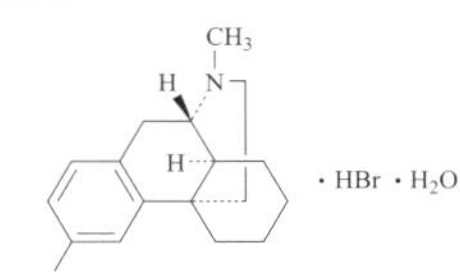

分子式 $C_{18}H_{25}NO \cdot HBr \cdot H_2O$

分子量 370.32

ステム モルフィナン系麻薬拮抗作用薬：-orphan

原薬の規制区分 劇(ただし，注射剤以外の製剤であって1個中右旋性デキストロメトルファンとして25mg以下を含有するもの，1日量中右旋性デキストロメトルファンとして50mg以下を含有するシロップ剤及びデキストロメトルファン又はその化合物0.2%以下を含有する外用剤を除く)

原薬の外観・性状 白色の結晶又は結晶性の粉末である．メタノールに極めて溶けやすく，エタノール(95)又は酢酸(100)に溶けやすく，水にやや溶けにくい．1.0gを水100mLに溶かした液のpHは5.2～6.5である

原薬の吸湿性 該当資料なし

原薬の融点・沸点・凝固点 融点：約126℃

原薬の酸塩基解離定数 pKa＝7.97

先発医薬品等

散 メジコン散10%(シオノギファーマ＝塩野義)

錠 メジコン錠15mg(シオノギファーマ＝塩野義)

後発医薬品

散 10%

細 10%

錠 15mg

注 0.5%

国際誕生年月 不明

製剤

規制区分 散 劇

製剤の性状 散 白色の粉末 錠 セラックコーティングを施した白色円形の錠剤

有効期間又は使用期限 5年

貯法・保存条件 室温保存

薬剤取扱い上の留意点 眠気を催すことがあるので，本剤投与中の患者には自動車の運転等危険を伴う機械の操作に従事させないように注意すること 散 調剤時：水剤として配合する場合には，ヨウ化カリウム，ヨウ化ナトリウム等は難溶性のヨウ化水素酸塩を生じ，また，炭酸水素ナトリウム，アンモニア・ウイキョウ精等は遊離の塩基を析出することがあるので，これらとの配合は避けること

患者向け資料等 くすりのしおり

溶液及び溶解時のpH 5.2～6.5(1.0g→水100mL，20±5℃)

浸透圧比 該当しない

安定なpH域 該当しない

調製時の注意 該当しない

薬理作用

分類 モルフィン誘導体非麻薬性鎮咳剤

作用部位・作用機序 作用部位：延髄にある咳中枢 作用機序：咳嗽中枢に直接作用し，咳反射を抑制することにより鎮咳作用を示す

同効薬 ノスカピン，ジメモルファンリン酸塩，コデインリン酸塩水和物など鎮咳剤ほか

治療

効能・効果 ①次の疾患に伴う咳嗽：感冒，急性気管支炎，慢性気管支炎，気管支拡張症，肺炎，肺結核，上気道炎(咽喉頭炎，鼻カタル) ②気管支造影術及び気管支鏡検査時の咳嗽

用法・用量 散 細 錠 デキストロメトルファン臭化水素酸塩水和物として1回15～30mg，1日1～4回(適宜増減)

注 デキストロメトルファン臭化水素酸塩水和物として1日1回10mg皮下注又は筋注(適宜増減)

使用上の注意

禁忌 ①本剤の成分に対し過敏症の既往歴のある患者 ②MAO阻害剤投与中の患者

相互作用概要 主にCYP2D6で代謝される

過量投与 散 細 錠 ①徴候，症状：嘔気，嘔吐，尿閉，運動失調，錯乱，興奮，神経過敏，幻覚，呼吸抑制，嗜眠等を起こすことがある ②処置：一般的な薬物除去法(胃洗浄，活性炭投与等)により本剤を除去する．また，必要に応じて呼吸管理や対症療法を行う．ナロキソンの投与により改善したとの報告がある 注 ①徴候，症状：嘔気，嘔吐，尿閉，運動失調，錯乱，興奮，神経過敏，幻覚，呼吸抑制，嗜眠等を起こすことがある ②処置：ただちに投与を中止し，必要に応じて呼吸管理や対症療法を行う．ナロキソンの投与により改善したとの報告がある

薬物動態

散 錠 外国人データ：**血中濃度** 健康成人10例に60mg(承認外用量．承認用量は1回15～30mg)単回投与時の薬物動態パラメータ(デキストロメトルファン，デキストルファンの順)はCmax(ng/mL)5.2±1.8～5.8±1.7，774.2±54.3～879.1±59.7，Tmax(hr)2.1±0.3～2.6±0.4，1.6±0.1～1.7±0.1，$AUC_{0-\infty}$(ng・hr/mL)35.1±13.9～42.0±13.2，3590.2±209.9～3984.8±200.8，$T_{1/2}$(hr)3.2±0.3～3.6±0.3，2.7±0.4～4.0±0.6，CL(mL/hr/kg)52004±16300～94492±39500，226.8±18.2～238.6±14.7(HPLC法) **代謝** デキストロメトルファンは肝臓で大部分が代謝され，O-脱メチル体(デキストルファン)，N-脱メチル体，N,O-脱メチル体となる．これらの代謝物はいずれも未変化体と同等の鎮咳作用を示す．肝代謝に関するチトクロムP450分子種は，O-脱メチル化ではチトクロムP450 2D6，N-脱メチル化ではチトクロムP450 3A4 **排泄** ヒトに^{14}C-標識デキストロメトルファン投与後24時間以内に尿中に42.71%及び糞中に0.12%回収 **その他** 初回通過効果デキストロメトルファン有(割合は不明)

その他の管理的事項

投与期間制限 該当しない

保険給付上の注意 該当しない

資料

IF メジコン散10%・メジコン錠15mg 2019年12月改訂(第14版)

テストステロンエナント酸エステル
テストステロンエナント酸エステル注射液
Testosterone Enanthate

概要

薬効分類 246 男性ホルモン剤

構造式

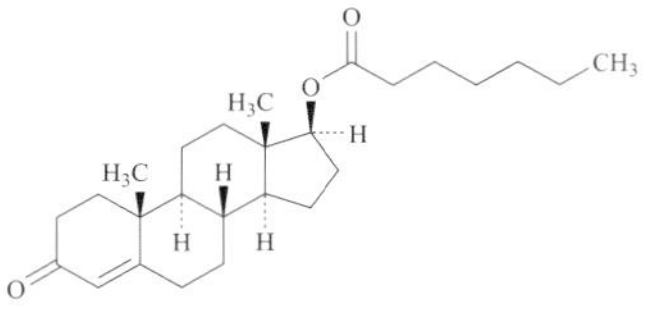

分子式 $C_{26}H_{40}O_3$

分子量 400.59

ステム 男性ホルモン(アンドロゲン)/タンパク質同化作用を示す化合物：-testosterone/-sterone/-ster-あるいは(-)andr-

原薬の規制区分 該当しない

原薬の外観・性状 白色～微黄色の結晶若しくは結晶性の粉末又は微黄褐色の粘稠な液で，においはないか，又は僅かに特異なにおいがある．エタノール(99.5)に溶けやすく，水にほとんど溶けない

原薬の吸湿性 該当資料なし

原薬の融点・沸点・凝固点 融点：約36℃

原薬の酸塩基解離定数 該当資料なし

先発医薬品等

注 エナルモンデポー筋注125mg・250mg(あすか製薬＝武田)

テスチノンデポー筋注用125mg・250mg(持田)

テストステロンエナント酸エステル筋注250mg「F」(富士製薬)

国際誕生年月 不明

海外での発売状況 該当しない

製剤

規制区分 **注** ㊝

製剤の性状 **注** 無色～微黄色の澄明な油性注射液

有効期間又は使用期限 5年

貯法・保存条件 遮光・室温保存

薬剤取扱い上の留意点 該当資料なし

溶液及び溶解時のpH 該当資料なし

浸透圧比 該当資料なし

安定なpH域 該当資料なし

調製時の注意 該当資料なし

薬理作用

分類 持続性男性ホルモン剤(テストステロン有機酸エステル)

作用部位・作用機序 男性ホルモンは雄性動物の性器系を発育させるとともに，第二次性徴の発現に関与し，次の作用を示す：①去勢雄性動物の前立腺，精嚢等の副性器の萎縮を防止し，あるいは回復させる ②精巣の精細管に作用して精子形成を促進する ③脳下垂体性ゴナドトロピンの分泌を抑制する ④去勢ニワトリの鶏冠を肥大発育させる ⑤赤血球の生成を促進する

同効薬 メチルテストステロン，テストステロンプロピオン酸エステル

治療

効能・効果 男子性腺機能不全(類宦官症)，造精機能障害による男子不妊症，再生不良性貧血，骨髄線維症，腎性貧血

用法・用量 ①男子性腺機能不全：1回100mg，7～10日間ごとに，又は1回250mg，2～4週間ごとに筋注(適宜増減) ②造精機能障害による男子不妊症：1回50～250mg，2～4週間ごとに無精子状態になるまで筋注(適宜増減) ③再生不良性貧血，骨髄線維症，腎性貧血：1回100～250mgを1～2週間ごとに筋注(適宜増減)

禁忌・原則禁忌となる特定患者集団 妊婦又は妊娠している可能性のある女性

使用上の注意

禁忌 ①アンドロゲン依存性悪性腫瘍(たとえば前立腺癌)及びその疑いのある患者［腫瘍の悪化あるいは顕性化を促すことがある］ ②妊婦又は妊娠している可能性のある女性

薬物動態

血中濃度 健常男子に100mgを筋注時，血中濃度は7日目に最大に達し，21日目には検出されなかった **代謝** 体内で徐々に加水分解を受けてテストステロンを生成し，効果を現す．テストステロンは肝で代謝され，男性ホルモン作用の弱い5α-アンドロステロン，不活性な5β-アンドロステロン(エチオコラノロン)などになり，主としてグルクロニド及び硫酸エステルとして尿中に排泄 **排泄** 投与7日後までに約57%，21日後までに約91%，25日後までに約92%が，尿中・糞便中へと排泄

その他の管理的事項

投与期間制限 該当しない

保険給付上の注意 該当しない

資料

IF エナルモンデポー筋注125mg・250mg 2020年9月改訂(第8版)

テストステロンプロピオン酸エステル
テストステロンプロピオン酸エステル注射液
Testosterone Propionate

概要

構造式

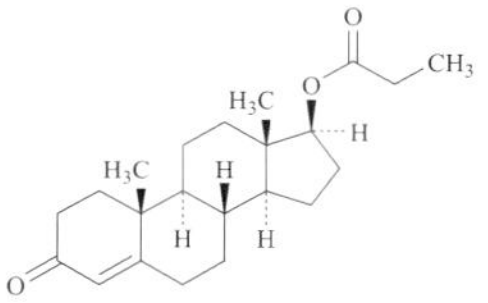

分子式 $C_{22}H_{32}O_3$

分子量 344.49

原薬の規制区分 該当しない

原薬の外観・性状 白色～微黄色の結晶又は結晶性の粉末である．メタノール又はエタノール(95)に溶けやすく，水にほとんど溶けない

治療

効能・効果† 男子性腺機能不全(類宦官症)，造精機能障害による男子不妊症

デスラノシド
デスラノシド注射液
Deslanoside

概要

薬効分類　211　強心剤

構造式

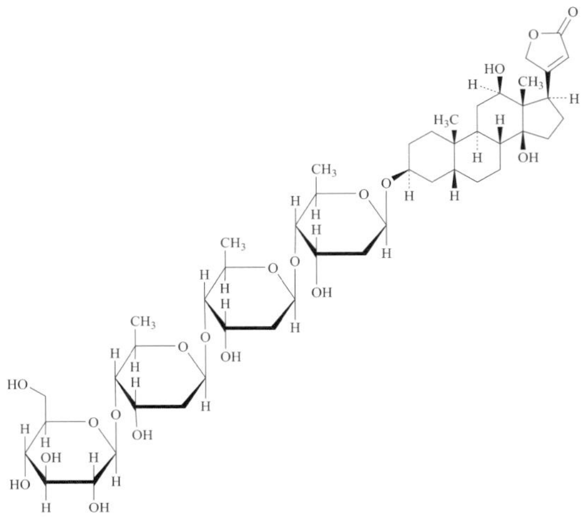

分子式　$C_{47}H_{74}O_{19}$

分子量　943.08

ステム　不明

原薬の規制区分　毒(ただし，製剤は劇)

原薬の外観・性状　無色～白色の結晶又は結晶性の粉末で，においはない．無水ピリジンに溶けやすく，メタノールにやや溶けにくく，エタノール(95)に溶けにくく，水又はジエチルエーテルにほとんど溶けない

原薬の吸湿性　湿度約70%以上の空気中で吸湿性である

原薬の酸塩基解離定数　該当資料なし

先発医薬品等

注　ジギラノゲン注0.4mg(共和クリティケア)

国際誕生年月　不明

海外での発売状況　該当しない

製剤

規制区分　**注**　劇 処

製剤の性状　**注**　無色澄明の液

有効期間又は使用期限　3年

貯法・保存条件　遮光・室温保存

薬剤取扱い上の留意点　特になし

溶液及び溶解時のpH　5.0～7.0

浸透圧比　エタノール，グリセリンを含有のため測定していない

調製時の注意　該当しない

薬理作用

分類　強心配糖体

作用部位・作用機序　作用部位：心筋　作用機序：心筋収縮力増強作用については，ジギタリスが筋小胞体よりCa^{2+}の遊離を起こし，Ca^{2+}の心筋内取り込みを増加し，アクトミオシンATPase活性を促進してATPからのエネルギー供給を増し，アクトミオシンの収縮が増強されると考えられている

同効薬　ジギトキシン，ジゴキシン，メチルジゴキシンなど

治療

効能・効果　①次の疾患に基づくうっ血性心不全(肺水腫，心臓喘息等を含む)：先天性心疾患，弁膜疾患，高血圧症，虚血性心疾患(心筋梗塞，狭心症等)，肺性心(肺血栓・塞栓症，肺気腫，肺線維症等によるもの)，その他の心疾患(心膜炎，心筋疾患等)，腎疾患，甲状腺機能亢進症ならびに低下症等　②心房細動・粗動による頻脈　③発作性上室性頻拍　④次の際における心不全及び各種頻脈の予防と治療：手術，急性熱性疾患，出産，ショック，急性中毒

用法・用量　①成人：(1)急速飽和療法(飽和量：0.8～1.6mg)：初回0.4～0.6mg，以後0.2～0.4mg，2～4時間ごとに静注又は筋注し，十分効果の現れるまで続ける　(2)比較的急速飽和療法：1日0.4～0.6mg，静注又は筋注し，十分効果の現れるまで2～4日間続ける　(3)維持療法：1日0.2～0.3mg，静注又は筋注　②小児：(1)急速飽和療法：1日新生児・未熟児0.03～0.05mg/kg，2歳以下0.04～0.06mg/kg，2歳以上0.02～0.04mg/kg，3～4回に分割，静注又は筋注．一般に2日で飽和し以後維持量とする　(2)維持療法：飽和量の1/4を静注又は筋注

ただし，いずれの場合でも筋注は疼痛を伴う

用法・用量に関連する使用上の注意　飽和療法は過量になりやすいので，緊急を要さない患者には治療開始初期から維持療法による投与も考慮する

使用上の注意

禁忌　①房室ブロック，洞房ブロックのある患者［刺激伝導系を抑制し，房室伝導の遅延をもたらすため，これらを悪化させる］　②ジギタリス中毒の患者［中毒症状が悪化する］　③閉塞性心筋疾患(特発性肥大性大動脈弁下狭窄等)のある患者［心筋収縮力を増強するため，左室流出路の閉塞を増悪し，症状を悪化させる］　④ジスルフィラム，シアナミドを投与中の患者　⑤本剤の成分又はジギタリス剤に対し過敏症の既往歴のある患者

過量投与　①徴候・症状：ジギタリス中毒が起こることがある　②治療：(1)過量投与の管理では，併用薬剤による過量投与，相互作用の可能性，体内薬物動態等を考慮する　(2)連続心電図モニターを行う．本剤による調律異常が疑われた場合には中止する　(3)気道を確保し，換気と灌流を維持する．バイタルサイン，血液ガス，カリウムと本剤濃度をモニターする　(4)活性炭の投与で薬物の吸収を減らすことができる　(5)徐脈や心ブロックにはアトロピンやペースメーカーを用いる　③過量投与時の強制利尿，腹膜透析，活性炭による血液吸着の有効性は確立されていない

薬物動態

血中濃度　健康成人2例に12時間間隔で2回又は3回静注時の血中濃度の経時的変化は2相の指数曲線をなし，第1相(分布相)の半減期は24～28分，第2相(排泄相)の半減期は42～43時間　**代謝(参考)**　モルモット，ウサギ，イヌに^{3}H-デスラノシドを静注時の24時間尿中排泄率は43～50%，そのうち未変化体の割合は75～86%．代謝物には少量のジゴキシンが認められた　**排泄**　健康成人4例に0.4mgを静注時の24時間尿中排泄率は28%　**その他(参考)**　血漿蛋白結合率：20%(モルモット，ウサギ，イヌ，平衡透析法)

その他の管理的事項

投与期間制限　該当しない

保険給付上の注意　該当しない

資料

IF　ジギラノゲン注0.4mg　2015年4月改訂(第6版)

テセロイキン(遺伝子組換え)
注射用テセロイキン(遺伝子組換え)
Teceleukin(Genetical Recombination)

概要
薬効分類 639 その他の生物学的製剤
構造式

MAPTSSSTKK TQLQLEHLLL DLQMILNGIN NYKNPKLTRM LTFKFYMPKK

ATELKHLQCL EEELKPLEEV LNLAQSKNFH LRPRDLISNI NVIVLELKGS

ETTFMCEYAD ETATIVEFLN RWITFCQSII STLT

分子式 $C_{698}H_{1127}N_{179}O_{204}S_8$
分子量 15547.01
略語・慣用名 rIL-2
ステム インターロイキン型物質：-kin
原薬の規制区分 ㊧
原薬の外観・性状 無色澄明の液である．pH：2.7～3.5
原薬の吸湿性 該当資料なし
原薬の酸塩基解離定数 該当資料なし
先発医薬品等
注射用 イムネース注35(塩野義＝共和薬品)
国際誕生年月 1992年3月
海外での発売状況 使用されていない

製剤
規制区分 **注射用** ㊧ ㊇
製剤の性状 **注射用** 白色の軽質の塊又は粉末である
有効期間又は使用期限 2年
貯法・保存条件 遮光・凍結を避け10℃以下で保存
薬剤取扱い上の留意点 調製時：用時調製し，溶解後は速やかに使用すること．なお，やむを得ず保存を必要とする場合でも12時間以内に使用すること
患者向け資料等 くすりのしおり
溶液及び溶解時のpH 7.0～7.7
浸透圧比 約1(対生食)

薬理作用
分類 ヒト・インターロイキン-2製剤
作用部位・作用機序 末梢血リンパ球に作用し，腫瘍細胞に対する障害活性を増強あるいは誘導することにより抗腫瘍効果を発揮する．主としてT細胞やNK細胞に結合し，活性化することにより，細胞障害能の高いキラー細胞を誘導して腫瘍を障害する．更にB細胞やマクロファージにも結合し，免疫を賦活する
同効薬 セルモロイキン(遺伝子組換え)

治療
効能・効果 ①血管肉腫 ②腎癌
用法・用量 35万単位/mL注射用水に溶解後，1回量を生理食塩液又は5％ブドウ糖注射液等200～500mLに溶解 効能①：1日70万単位を1～2回に分けて連日点滴静注(適宜増減)．最大投与量1日140万単位 効能②：1日70万単位を1～2回に分けて連日点滴静注(適宜増減)．最大投与量1日210万単位．増量により，肝機能検査値異常，体液貯留が発現しやすくなるため注意する

使用上の注意
禁忌 ①本剤の成分に対し過敏症の既往歴のある患者 ②ワクチン等の生物学的製剤に対し過敏症の既往歴のある患者
過量投与 ①徴候，症状：通常投与量の10倍以上の投与により，重篤な低血圧，腎不全，呼吸不全，肺うっ血，精神状態の変化，心筋虚血，心筋炎・壊死，消化管出血，腸管穿孔・閉塞等が認められている ②処置：副作用は可逆的で，一般に中止すれば消退する．症状が持続する場合には，支持的治療を行う．生命にかかわる重篤な副作用が，副腎皮質ホルモン剤の静脈内投与により，緩和されたとの報告がある

薬物動態
[血清中濃度，排泄はbioassay及びenzyme immunoassayによる測定] **血清中濃度** 成人悪性腫瘍患者4例に，70万単位を2時間かけて定速静注，終了時が最高値で53.6±13単位/mL．終了後の推移は2相性で，α相0.23±0.15hr，β相1.46±0.79hr．$AUC_{0-\infty}$は129±32単位・hr/mL **分布(参考)** ①ラットに^{125}I-標識テセロイキン35万単位/mL/kgを静注5分後の主要臓器中放射活性は，腎臓が最も高く，血清，脾臓，肺，心臓，肝臓の順で，脳では定量限界以下 ②妊娠ラットに静注時，胎児の血清，肝臓，腎臓，脳の濃度は定量限界以下 ③授乳中のラットに35万単位/kgを静注時30分～4時間後の乳汁中濃度はいずれも低い **代謝(参考)** ラットに静注で，未変化体は各組織から比較的速やかに消失しているが，代謝物に関しては不明．主代謝臓器は腎臓で，近位尿細管で細胞内に取り込まれ，小分子量の代謝物になると考えられる **排泄** 成人悪性腫瘍患者に35万単位(1例)，70万単位(6例)定速静注時，0～4時間の尿中濃度は検出されなかった

その他の管理的事項
投与期間制限 該当しない
保険給付上の注意 該当しない

資料
IF イムネース注35 2018年10月改訂(第10版)

テトラカイン塩酸塩
Tetracaine Hydrochloride

概要
薬効分類 121 局所麻酔剤，271 歯科用局所麻酔剤
構造式

分子式 $C_{15}H_{24}N_2O_2$・HCl
分子量 300.82
ステム 局所麻酔薬：-caine
原薬の規制区分 ㊧(ただし，テトラカインとして0.1％以下を含有する外用剤及び坐剤を除く)
原薬の外観・性状 白色の結晶又は結晶性の粉末で，においはなく，味は僅かに苦く，舌を麻痺させる．ギ酸に極めて溶けやすく，水に溶けやすく，エタノール(95)にやや溶けやすく，エタノール(99.5)にやや溶けにくく，無水酢酸に溶けにくく，ジエチルエーテルにほとんど溶けない．本品の水溶液(1→10)は中性である
原薬の吸湿性 約70％RHを超えると吸湿性を認める
原薬の融点・沸点・凝固点 融点：約148℃
原薬の酸塩基解離定数 pKa_1＝2.16±0.05(室温24℃)(UV法)，pKa_2＝8.11±0.4(室温24℃)(滴定法)
先発医薬品等
注射用 テトカイン注用20mg「杏林」(杏林)
歯科用 コーパロン歯科用表面麻酔液6％(昭和薬化)
国際誕生年月 不明
海外での発売状況 米，独など

製剤
規制区分 **注射用** **歯科用** ㊧ ㊇
製剤の性状 **注射用** 用時溶解して用いる注射剤で内容物は白色の粉末又は塊である **歯科用** 黄色のやや粘稠性，メントールようの芳香を有する溶液である．これに適当に細切したビニールスポンジの適当量を浸漬したもの
有効期間又は使用期限 5年

貯法・保存条件 室温保存 [歯科用] エタノールの蒸発を防ぐため，密栓して室温保存すること

薬剤取扱い上の留意点 [注射用] 沸騰 加圧滅菌に耐えるが，アルカリに合うと，Free Baseが析出するので注射器具等のアルカリ性煮沸滅菌を行ってはならない

溶液及び溶解時のpH [注射用] 5.0〜6.0（水溶液（1→200））

浸透圧比 [注射用] 約1（5%ブドウ糖注射液），約2（10%ブドウ糖注射液），約5（20%ブドウ糖注射液），約0.0（注射用蒸留水），約1（生食）

安定なpH域 [注射用] 5.4〜7.5

[薬理作用]

分類 エステル型局所麻酔剤

作用部位・作用機序 神経細胞の細胞膜の興奮時及び静止時のイオン透過性をいずれも抑制して，神経興奮に必要な脱分極を阻止することにより，神経遮断作用を示す

同効薬 プロカイン塩酸塩，ジブカイン塩酸塩，レボブピバカイン塩酸塩，ブピバカイン塩酸塩水和物，メピバカイン塩酸塩，リドカイン塩酸塩，ロピバカイン塩酸塩水和物など

[治療]

効能・効果 [注射用] 脊椎麻酔（腰椎麻酔），硬膜外麻酔，伝達麻酔，浸潤麻酔，表面麻酔

[歯科用] 歯科領域における表面麻酔

用法・用量 [注射用] 使用に際し，目的濃度の水性注射液又は水性液として，使用する（適宜増減）．必要に応じアドレナリン（通常濃度1：1万〜2万）を添加 ①脊椎麻酔（腰椎麻酔）：(1)高比重溶液：0.1〜0.5%注射液とし6〜15mg (2)低比重溶液：0.1%注射液とし6〜15mg ②硬膜外麻酔：0.15〜0.2%注射液とし30〜60mg ③伝達麻酔：（基準最高用量：1回100mg）0.2%注射液とし10〜75mg ④浸潤麻酔：（基準最高用量：1回100mg）0.1%注射液とし20〜30mg ⑤表面麻酔：0.25〜2%液とし5〜80mg

[歯科用] 薬液を浸漬したスポンジ1枚を取り出し局所に塗布（適宜増減）

[使用上の注意]

禁忌 [注射用] ①次の患者又は部位には投与しない：(1)（脊椎・硬膜外）重篤な出血やショック状態［重篤な低血圧が起こることがある］ (2)（脊椎・硬膜外）注射部位又はその周辺の炎症［化膿性髄膜炎症状を起こすおそれがある］ (3)（脊椎・硬膜外）敗血症［敗血症性の髄膜炎を生ずるおそれがある］ (4)本剤又は安息香酸エステル（コカインを除く）系局所麻酔剤に対し，過敏症の既往歴のある患者 (5)中枢神経系疾患（脊椎・硬膜外）：髄膜炎，脊椎癆，灰白脊髄炎等の患者［脊椎麻酔により症状が悪化するおそれがある］ ②次の患者には血管収縮剤（アドレナリン，ノルアドレナリン）を添加しない：(1)（脊椎を除く）血管収縮剤に対し，過敏症の既往歴のある患者 (2)（脊椎を除く）高血圧，動脈硬化，心不全，甲状腺機能亢進，糖尿病，血管痙攣等のある患者［これらの症状が悪化するおそれがある］ (3)（浸潤・伝達）耳，指趾又は陰茎の麻酔［壊死状態になるおそれがある］

[歯科用] 本剤又は安息香酸エステル（コカインを除く）系局所麻酔剤に対し，過敏症の既往歴のある患者

[薬物動態]

[注射用] **代謝** 血漿中でプロカインエステラーゼにより加水分解され，p-butylaminobenzoic acidとdimethylaminoethanolを生じるが，その分解速度はプロカインより4〜5倍遅い

[その他の管理的事項]

投与期間制限 該当しない

保険給付上の注意 該当しない

[資料]

IF テトカイン注用20mg「杏林」 2016年4月改訂（第10版）
コーパロン歯科用表面麻酔液6% 2017年1月改訂（第4版）

テトラサイクリン塩酸塩
Tetracycline Hydrochloride

[概要]

薬効分類 239 その他の消化器官用薬，263 化膿性疾患用剤，615 主としてグラム陽性・陰性菌，リケッチア，クラミジアに作用するもの

構造式

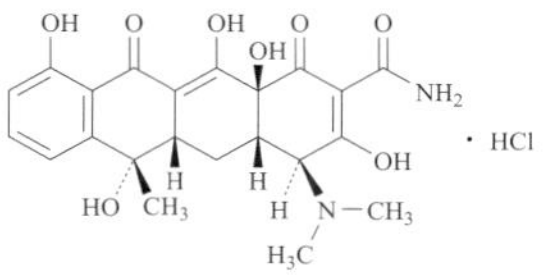

分子式 $C_{22}H_{24}N_2O_8 \cdot HCl$

分子量 480.90

略語・慣用名 TC

ステム テトラサイクリン系の抗生物質：-cycline

原薬の規制区分 該当しない

原薬の外観・性状 黄色〜帯微褐黄色の結晶性の粉末である．水に溶けやすく，エタノール（95）にやや溶けにくい．1.0gを水100mLに溶かした液のpHは1.8〜2.8である

原薬の吸湿性 該当資料なし

原薬の融点・沸点・凝固点 融点：214℃（分解点）

原薬の酸塩基解離定数 pKa＝3.3，7.7，9.7

先発医薬品等

[カ] アクロマイシンVカプセル50mg・250mg（サンファーマ）
[外用末] アクロマイシン末（サンファーマ）
[トローチ] アクロマイシントローチ15mg（サンファーマ）
[軟] アクロマイシン軟膏3%（サンファーマ）

国際誕生年月 不明

海外での発売状況 [カ] 米

[製剤]

規制区分 [末] [カ] [処]

製剤の性状 [末] 黄色の結晶又は結晶性の粉末である [カ] 白色〜淡黄白色のハードカプセル剤 [トローチ] 橙色のトローチ剤 [軟] 黄色の軟膏剤

有効期間又は使用期限 [末] [カ] [トローチ] [軟] 4年

貯法・保存条件 [末] 遮光・室温保存．開封後は防湿保存 [カ] [トローチ] 室温保存．開封後は防湿保存 [軟] 室温保存

薬剤取扱い上の留意点 [末] アルカリ性薬品（炭酸水素ナトリウム，アミノピリンなど），吸湿性薬品と配合するときは変色分解されやすいため，混合しないこと [軟] 眼科用に使用しないこと

患者向け資料等 くすりのしおり

溶液及び溶解時のpH 1.8〜2.8（1.0gを水100mLに溶かした液）

浸透圧比 該当資料なし

安定なpH域 該当資料なし

調製時の注意 該当資料なし

[薬理作用]

分類 テトラサイクリン系抗生物質

作用部位・作用機序 細菌の蛋白合成系において，aminoacyl t-RNAがm-RNA・リボゾーム複合物と結合するのを妨げ，蛋白合成を阻止させることにより抗菌作用を発揮する．また，動物のリボゾームには作用せず，細菌のリボゾームの30Sサブユニットに特異的に作用することから，選択毒性を有すると報告されている

同効薬 オキシテトラサイクリン塩酸塩，デメチルクロルテトラサイクリン塩酸塩，ドキシサイクリン塩酸塩水和物，ミノサイクリン塩酸塩など

[治療]

効能・効果 [末（経口）] [カ] 〈適応菌種〉テトラサイクリンに感

性のブドウ球菌属，レンサ球菌属，肺炎球菌，腸球菌属，淋菌，炭疽菌，大腸菌，クレブシエラ属，プロテウス属，モルガネラ・モルガニー，プロビデンシア属，インフルエンザ菌，軟性下疳菌，百日咳菌，ブルセラ属，野兎病菌，ガス壊疽菌群，回帰熱ボレリア，ワイル病レプトスピラ，リケッチア属，クラミジア属，肺炎マイコプラズマ（マイコプラズマ・ニューモニエ）〈適応症〉表在性皮膚感染症，深在性皮膚感染症，リンパ管・リンパ節炎，慢性膿皮症，乳腺炎，骨髄炎，咽頭・喉頭炎，扁桃炎，急性気管支炎，肺炎，肺膿瘍，慢性呼吸器病変の二次感染，膀胱炎，腎盂腎炎，尿道炎，淋菌感染症，軟性下疳，性病性（鼠径）リンパ肉芽種，子宮内感染，脳膿瘍，涙嚢炎，外耳炎，中耳炎，副鼻腔炎，歯周組織炎，猩紅熱，炭疽，ブルセラ症，百日咳，野兎病，ガス壊疽，回帰熱，ワイル病，発疹チフス，発疹熱，つつが虫病

トローチ〈適応菌種〉テトラサイクリンに感性のブドウ球菌属，レンサ球菌属，大腸菌，クレブシエラ属，プロテウス属，モルガネラ・モルガニー，プロビデンシア属，インフルエンザ菌〈適応症〉抜歯創・口腔手術創の二次感染，感染性口内炎

末（外皮用） **軟**〈適応菌種〉テトラサイクリンに感性のブドウ球菌属，レンサ球菌属，肺炎球菌，腸球菌属，大腸菌，クレブシエラ属，プロテウス属，モルガネラ・モルガニー，プロビデンシア属〈適応症〉表在性皮膚感染症，深在性皮膚感染症，慢性膿皮症，外傷・熱傷及び手術創等の二次感染

末（眼科用）〈適応菌種〉テトラサイクリンに感性のブドウ球菌属，レンサ球菌属，肺炎球菌，腸球菌属，淋菌，モラクセラ・ラクナータ（モラー・アクセンフェルト菌），大腸菌，クレブシエラ属，プロテウス属，モルガネラ・モルガニー，プロビデンシア属，インフルエンザ菌，ヘモフィルス・エジプチウス（コッホ・ウィークス菌），トラコーマクラミジア（クラミジア・トラコマティス）〈適応症〉眼瞼炎，涙嚢炎，麦粒腫，結膜炎，角膜炎（角膜潰瘍を含む），眼外傷・眼科周術期の無菌化療法

末（口腔挿入用）〈適応菌種〉テトラサイクリン感性菌〈適応症〉抜歯創・口腔手術創の二次感染

末（口腔軟膏用）〈適応菌種〉テトラサイクリン感性菌〈適応症〉歯周組織炎，抜歯創・口腔手術創の二次感染，ドライソケット，感染性口内炎

効能・効果に関連する使用上の注意 **末（経口）** **カ** ①咽頭・喉頭炎，扁桃炎，急性気管支炎，中耳炎，副鼻腔炎への使用にあたっては，「抗微生物薬適正使用の手引き」を参照し，抗菌薬投与の必要性を判断した上で，本剤の投与が適切と判断される場合に投与する ②胎児に一過性の骨発育不全，歯牙の着色・エナメル質形成不全を起こすことがある．また，動物実験（ラット）で胎児毒性が認められているので，妊婦又は妊娠している可能性のある婦人には治療上の有益性が危険性を上回ると判断される場合にのみ投与する ③小児（特に歯牙形成期にある8歳未満の小児）に投与した場合，歯牙の着色・エナメル質形成不全，また，一過性の骨発育不全を起こすことがあるので，他の薬剤が使用できないか，無効の場合にのみ適用を考慮する

用法・用量 **末（経口）** **カ** 1日1g（力価），小児30mg（力価）/kg，4回に分服（適宜増減）

トローチ 1日4～9個を数回に分け，口中，舌下，頬腔で溶かしながら用いる

末（外皮用） **軟** 1日1～数回，患部に直接塗布又は無菌ガーゼにのばしてはる

末（眼科用） 無刺激性の軟膏基剤を用い0.5～1%眼軟膏又は，滅菌精製水等の水性溶剤又は植物油等の非水性溶剤を用い0.5～1%点眼液とし，1日1～数回塗布又は点眼．適宜回数を増減．調製後は，冷所保存し，1週間以内に使用する

末（口腔挿入用） 抜歯創，口腔手術創に1～3個（1個中塩酸テトラサイクリンとして，5mg（力価）を含有）挿入．創面の状態により，必要に応じて追加挿入

末（口腔軟膏用） 1日1～数回患部に塗布

用法・用量に関連する使用上の注意 使用にあたっては，耐性菌の発現等を防ぐため，原則として感受性を確認し，疾病の治療上必要な最小限の期間の投与にとどめる

使用上の注意

禁忌 **末** **カ** **トローチ** **軟** テトラサイクリン系薬剤に対し過敏症の既往歴のある患者

歯科用 テトラサイクリン系抗生物質に対し過敏症の既往歴のある患者

薬物動態

①**カ** 健常成人男子5例に1回250mg経口投与3.6時間後に最高血中濃度1.2μg/mL，8時間までの尿中排泄率13.5% ②**トローチ** 15mgを健常人10人に単回上頬部に静かに挿入後の平均唾液中濃度は，投与5分後に最高唾液中濃度397μg/mL．投与1時間後（本剤の上頬部での溶解時間に相当）及び投与8時間後の平均唾液中濃度は，それぞれ102μg/mL，0.29μg/mL

その他の管理的事項

投与期間制限 該当しない

保険給付上の注意 該当しない

資料

IF アクロマイシン末 2020年1月改訂（第9版）
アクロマイシンVカプセル50mg・250mg 2020年1月改訂（第9版）
アクロマイシントローチ15mg 2020年1月改訂（第6版）
アクロマイシン軟膏3% 2020年1月改訂（第7版）

デヒドロコール酸
精製デヒドロコール酸
デヒドロコール酸注射液
Dehydrocholic Acid

概要

薬効分類 236 利胆剤

構造式

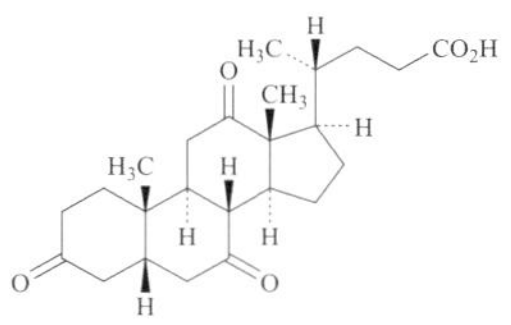

分子式 $C_{24}H_{34}O_5$

分子量 402.52

ステム 不明

原薬の規制区分 該当しない

原薬の外観・性状 白色の結晶性の粉末で，においはなく，味は苦い．アセトンにやや溶けにくく，エタノール（95）に溶けにくく，水にほとんど溶けない．水酸化ナトリウム試液に溶ける

原薬の吸湿性 該当資料なし

原薬の融点・沸点・凝固点 融点：233～242℃

原薬の酸塩基解離定数 該当資料なし

先発医薬品等

注 10%デヒドロコール酸注「ニッシン」（日新製薬）

国際誕生年月 不明

海外での発売状況 該当資料なし

製剤

規制区分 **注** ㊜

製剤の性状 **注** 無色～淡黄色澄明の液で，味は苦い

有効期間又は使用期限　3年
貯法・保存条件　遮光保存
薬剤取扱い上の留意点　投与時：本剤の静注により苦味感を感じるが，これはブドウ糖注射液（10〜20%）10〜30mLで希釈し，緩徐に静注すれば，通常和らげられる
溶液及び溶解時のpH　9〜11
浸透圧比　約1（対生食）
調製時の注意　本剤はアルカリ性であり，酸性の注射液（ビタミンB_1，ビタミンC等）と混合するとデヒドロコール酸が析出するので避けること

薬理作用

分類　コール酸化合物
作用部位・作用機序　肝細胞に直接作用して胆汁分泌機能を亢進し，胆汁分泌量及び流出速度の増大を図る．強力な速効性の胆汁分泌促進薬で，胆汁量は増加するが，胆汁中の固形分の増加は伴わない．したがって低比重の胆汁分泌が起こる
同効薬　ウルソデオキシコール酸

治療

効能・効果　次の疾患における利胆：胆道（胆管・胆嚢）系疾患及び胆汁うっ滞を伴う肝疾患
用法・用量　1日100〜1000mg，1〜3日間隔で静注（適宜増減）

使用上の注意

禁忌　①完全胆道閉塞のある患者［本剤により分泌増量した胆汁は胆道内圧を上昇させ，疼痛を起こし，かえって病像を悪化させることが考えられる］　②急性期の肝・胆道疾患のある患者［急性期の炎症が存在する場合は，本剤による大量の胆汁の排出が炎症にかえって悪影響を与えることが考えられる］　③重篤な肝障害のある患者［肝細胞障害時には，肝血流量，胆汁流出量を著しく増加させる本剤の使用は，肝細胞の疲憊を増強させることが考えられる］　④気管支喘息，アレルギー性疾患のある患者［胆汁酸及びその塩を静注すると，喉頭痙攣，全身の硬直，痙攣，血圧低下を伴うショックの起こることが報告されている］
過量投与　原疾患を悪化させるおそれがあるので，大量投与を避ける

その他の管理的事項

投与期間制限　該当しない
保険給付上の注意　該当しない

資料

IF　10%デヒドロコール酸注「ニッシン」 2017年1月作成（第2版）

デフェロキサミンメシル酸塩
Deferoxamine Mesilate

概要

薬効分類　392　解毒剤
構造式

・H_3C-SO_3H

分子式　$C_{25}H_{48}N_6O_8 \cdot CH_4O_3S$
分子量　656.79
原薬の規制区分　㊗
原薬の外観・性状　白色〜微黄白色の結晶性の粉末である．水に溶けやすく，エタノール（99.5），2-プロパノール又はジエチルエーテルにほとんど溶けない．1.0gを水10mLに溶かした液のpHは3.5〜5.5である
原薬の吸湿性　92%RHで吸湿性を認める
原薬の融点・沸点・凝固点　融点：約147℃（分解）
原薬の酸塩基解離定数　該当資料なし
先発医薬品等
注射用　デスフェラール注射用500mg（ノバルティス）
国際誕生年月　1962年12月
海外での発売状況　米など

製剤

規制区分　**注射用**　㊗　㊇
製剤の性状　**注射用**　白色〜微黄白色の塊（凍結乾燥品）．注射用水5mLを加えて溶解するとき，溶液は無色〜微黄色澄明である
有効期間又は使用期限　3年
貯法・保存条件　冷所保存
薬剤取扱い上の留意点　本剤投与中にめまい，視覚・聴覚障害を訴える患者には，本剤投与中は自動車の運転等危険を伴う機械の操作には従事させないこと
患者向け資料等　くすりのしおり
溶液及び溶解時のpH　4.0〜6.0
浸透圧比　約1（対生食）
調製時の注意　溶液が乳濁した場合には使用しないこと

薬理作用

分類　鉄キレート剤
作用部位・作用機序　3価の鉄イオンと結合して安定な水溶性のフェリオキサミンBを形成．フェリチン及びヘモジデリンから鉄を除去するが，ヘモグロビン鉄とは反応せず（*in vitro*），ミオグロビン又は呼吸系酵素中のポルフィリン鉄とは反応しないと考えられている．また，生体内ではトランスフェリンからの鉄はほとんど除去しない．肝実質細胞内でフェリチン若しくはヘモジデリン鉄と結合し，胆汁を介して排泄され，肝細胞外では網内細胞由来の鉄と結合し，腎を介して排泄されるが，この肝細胞外での鉄結合はトランスフェリンの鉄結合能飽和後においてのみ認められる
同効薬　デフェラシロクス

治療

効能・効果　次の疾患における尿中への鉄排泄増加：原発性ヘモクロマトーシス，続発性ヘモクロマトーシス
効能・効果に関連する使用上の注意　本剤による治療を開始するにあたっては，次の総輸血量及び血清フェリチン値を参考にする：①人赤血球濃厚液約100mL/kg以上（成人では約40単位以上に相当）の輸血を受けた場合　②輸血による慢性鉄過剰症の所見として，血清フェリチン値が継続的に高値を示す場合
用法・用量　1バイアル（500mg）を注射用水5mLに溶解して使用する．慢性鉄過剰症には1日1000mgを1〜2回に分けて筋注．維持量としては効果発現の程度に応じて，適宜1日500mgに減量．患者が特に重篤，あるいはショックの状態の場合1回1000mgを15mg/kg/hrで徐々に点滴静注し，1日量が80mg/kgを超えない範囲とする
禁忌・原則禁忌となる特定患者集団　妊婦

使用上の注意

禁忌　①無尿又は重篤な腎障害のある患者（透析中の患者を除く）［金属錯体の約半分は腎を介して排泄されるため，無尿又は重篤な腎障害のある患者では，排泄が遅延する．なお透析膜は通過するので透析患者には投与可能である］　②本剤の成分に対し過敏症の既往歴のある患者　③妊婦
過量投与　①徴候，症状：過量投与により，眼障害，聴力障害，腎障害が報告されている　②処置：投与を中止する等，適切な処置を行う．なお，本剤は血液透析により除去される

薬物動態

吸収（外国人データ）　健常人及び輸血性鉄過剰症患者に10mg/kgを1回静注3分後の血漿中濃度は80〜130μmol/L，血漿中消失半減期5〜10分で速やかに低下．フェリオキサミン

Bは投与後数分以内に血漿中に認められ，30分後に最高，この間の平均血漿中フェリオキサミンB濃度は，健常人2.5±0.3μmol/L，鉄過剰症患者6.1±1.28μmol/L **分布** ヒト血清中におけるデフェロキサミンの蛋白結合率は10%以下であった **排泄(外国人データ)** 500mgを1日2回筋注後，主としてフェリオキサミンBの形で尿中及び糞便中へ排泄，ヘモクロマトーシス患者の本剤投与後に増加する総排泄鉄量(尿及び糞便中)の30～50%が糞便中，健常人及びヘモクロマトーシス患者に1回500mg筋注後，12時間までの尿中排泄率は未変化体及びフェリオキサミンBとして健常人平均33.1%，患者60.5%で，そのほとんどが3時間以内に排泄．フェリオキサミンBは透析膜を通過

その他の管理的事項

投与期間制限 該当しない

保険給付上の注意 該当しない

資料

IF デスフェラール注射用500mg 2017年1月改訂(第5版)

テプレノン
テプレノンカプセル
Teprenone

概要

薬効分類 232 消化性潰瘍用剤

構造式

分子式 $C_{23}H_{38}O$

分子量 330.55

ステム アルドステロン拮抗作用を持つスピロノラクトン誘導体：-renone

原薬の規制区分 該当しない

原薬の外観・性状 無色～微黄色澄明の油状の液で，僅かに特異なにおいがある．エタノール(99.5)，酢酸エチル又はヘキサンと混和する．水にほとんど溶けない．空気によって酸化され，徐々に黄色となる

原薬の吸湿性 吸湿性はない

原薬の融点・沸点・凝固点 融点：該当しない(室温で液体のため)

原薬の酸塩基解離定数 解離しない

先発医薬品等

細 セルベックス細粒10%(エーザイ＝EAファーマ)

カ セルベックスカプセル50mg(エーザイ＝EAファーマ)

後発医薬品

細 10%

カ 50mg

国際誕生年月 該当しない

海外での発売状況 フィリピン，中国など

製剤

製剤の性状 **細** 白色～帯黄白色の細粒 **カ** 上半分が灰青緑色不透明，下半分が淡橙色不透明の硬カプセル剤

有効期間又は使用期限 3年

貯法・保存条件 室温保存．**細**〔バラ包装〕ボトル開栓後，又はアルミ袋開封後遮光保存すること

薬剤取扱い上の留意点 **細** 合成ケイ酸アルミニウムとの配合により，次第に黄変し，含量が低下するので配合剤とせず，組み合わせ剤とすること．テプレノンは，スチレン系樹脂を溶かすことがある

患者向け資料等 くすりのしおり

溶液及び溶解時のpH 該当しない

浸透圧比 該当しない

安定なpH域 該当しない

調製時の注意 該当しない

薬理作用

分類 テルペン系化合物

作用部位・作用機序 作用部位：胃を中心とした消化管 作用機序：胃粘液増加作用により，胃粘膜の保護・修復を促進し，S_2ステージへの移行率を向上する：①胃粘液分泌により胃粘膜の再生と保護作用を示す ②胃炎・胃潰瘍の欠損粘膜を修復し，治癒を促進する ③胃炎，特にびらんの内視鏡所見の改善にすぐれる

同効薬 スクラルファート，ベネキサート塩酸塩ベータデクス，ソファルコン，セトラキサート塩酸塩，アズレンスルホン酸ナトリウム・L-グルタミン，レバミピドなど

治療

効能・効果 ①次の疾患の胃粘膜病変(びらん，出血，発赤，浮腫)の改善：急性胃炎，慢性胃炎の急性増悪期 ②胃潰瘍

用法・用量 テプレノンとして1日150mg，食後3回に分服(適宜増減)

薬物動態

血中濃度 健康成人男子(12名)にクロスオーバー法で150mg(承認外用量)食後単回投与時の薬物動態パラメータ(50mgカプセルを3カプセル投与群，10%細粒を1.5g投与群の順)は，AUC_{0-32}(μg・hr/mL)7.831±0.822，7.055±0.657，Cmax(μg/mL)2.195±0.312，1.919±0.253で，両剤形のCmax及びAUC_{0-32}に有意な差は認められなかった **食事効果** 健康成人男子(18名)に150mg(承認外用量)をクロスオーバー法で食後30分，1時間及び3時間に経口投与し，血漿中濃度を測定．血漿中濃度曲線下面積(AUC)は食後30分投与を100%とすると，食後1時間投与では変化なく，食後3時間投与では約23%低下．薬物動態パラメータ(AUC_{0-24}(μg・hr/mL)，Cmax(μg/mL)，Tmax(hr)の順)は，食後30分4.768±1.368，2.087±1.041，5.4±0.5，食後1時間4.858±1.434，2.274±0.93，5.1±0.6，食後3時間3.671±1.296，1.562±0.852，4.3±0.9

その他の管理的事項

投与期間制限 該当しない

保険給付上の注意 該当しない

資料

IF セルベックス細粒10%・カプセル50mg 2016年4月改訂(第10版)

デメチルクロルテトラサイクリン塩酸塩
Demethylchlortetracycline Hydrochloride

概要

薬効分類 615 主としてグラム陽性・陰性菌，リケッチア，クラミジアに作用するもの

構造式

分子式 $C_{21}H_{21}ClN_2O_8 \cdot HCl$

分子量 501.31

略語・慣用名 別名：Demeclocycline，DMCTC

ステム テトラサイクリン系の抗生物質：-cycline

原薬の規制区分 該当しない

原薬の外観・性状 黄色の結晶性の粉末である．水にやや溶けやすく，エタノール(99.5)に溶けにくい．1.0gを水100mLに溶かした液のpHは2.0～3.0である

原薬の吸湿性 該当資料なし

原薬の融点・沸点・凝固点 融点：174～178℃(分解)

原薬の酸塩基解離定数 pKa＝3.3(トリカルボニルメタン)

先発医薬品等

カ レダマイシンカプセル150mg(サンファーマ)

国際誕生年月 不明

海外での発売状況 米など

製剤

規制区分 カ (処)

製剤の性状 カ 白色～淡黄白色のハードカプセル剤

有効期間又は使用期限 3年

貯法・保存条件 防湿保存(開封後は防湿保存すること)

薬剤取扱い上の留意点 服用時：食道に停留し，崩壊すると食道潰瘍を起こすことがあるので，多めの水で服用させ，特に就寝直前の服用等には注意すること

患者向け資料等 くすりのしおり

溶液及び溶解時のpH 該当資料なし

浸透圧比 該当資料なし

安定なpH域 該当資料なし

調製時の注意 該当資料なし

薬理作用

分類 テトラサイクリン系抗生物質

作用部位・作用機序 細菌の蛋白合成系において，aminoacyl t-RNAがm-RNA・リボゾーム複合物と結合するのを妨げ，蛋白合成を阻止させることにより抗菌作用を発揮する．また，動物のリボゾームには作用せず，細菌のリボゾームの30Sサブユニットに特異的に作用することから，選択毒性を有すると報告されている．治療量では静菌的であり，試験管内の高濃度では殺菌的である

同効薬 オキシテトラサイクリン塩酸塩，テトラサイクリン塩酸塩，ドキシサイクリン塩酸塩水和物，ミノサイクリン塩酸塩など

治療

効能・効果 〈適応菌種〉デメチルクロルテトラサイクリンに感性のブドウ球菌属，レンサ球菌属，肺炎球菌，腸球菌属，淋菌，炭疽菌，大腸菌，クレブシエラ属，プロテウス属，モルガネラ・モルガニー，プロビデンシア属，インフルエンザ菌，軟性下疳菌，百日咳菌，野兎病菌，ガス壊疽菌群，ワイル病レプトスピラ，リケッチア属，クラミジア属，肺炎マイコプラズマ(マイコプラズマ・ニューモニエ) 〈適応症〉表在性皮膚感染症，深在性皮膚感染症，リンパ管・リンパ節炎，慢性膿皮症，乳腺炎，骨髄炎，咽頭・喉頭炎，扁桃炎，急性気管支炎，肺炎，肺膿瘍，慢性呼吸器病変の二次感染，膀胱炎，腎盂腎炎，尿道炎，淋菌感染症，軟性下疳，性病性(鼠径)リンパ肉芽腫，子宮内感染，涙嚢炎，外耳炎，中耳炎，副鼻腔炎，猩紅熱，炭疽，百日咳，野兎病，ガス壊疽，ワイル病，発疹チフス，発疹熱，つつが虫病

効能・効果に関連する使用上の注意 ①咽頭・喉頭炎，扁桃炎，急性気管支炎，中耳炎，副鼻腔炎への使用にあたっては，「抗微生物薬適正使用の手引き」を参照し，抗菌薬投与の必要性を判断した上で，本剤の投与が適切と判断される場合に投与する ②胎児に一過性の骨発育不全，歯牙の着色・エナメル質形成不全を起こすことがある．また，動物実験(ラット)で胎児毒性が認められているので，妊婦又は妊娠している可能性のある婦人には治療上の有益性が危険性を上回ると判断される場合にのみ投与する ③小児(特に歯牙形成期にある8歳未満の小児)に投与した場合，歯牙の着色・エナメル質形成不全，また，一過性の骨発育不全を起こすことがあるので，他の薬剤が使用できないか，無効の場合にのみ適用を考慮する

用法・用量 1日450～600mg(力価)，2～4回に分服(適宜増減)

用法・用量に関連する使用上の注意 使用にあたっては，耐性菌の発現等を防ぐため，原則として感受性を確認し，疾病の治療上必要な最小限の期間の投与にとどめる

使用上の注意

禁忌 テトラサイクリン系薬剤に対し過敏症の既往歴のある患者

薬物動態

吸収・排泄 健常成人5例に150mgを空腹時単回経口投与後3時間で最高血中濃度1.3μg/mL，8時間後1.2μg/mL．投与8時間までの尿中排泄率24.2%

その他の管理的事項

投与期間制限 該当しない

保険給付上の注意 該当しない

資料

IF レダマイシンカプセル150mg 2020年1月改訂(第7版)

テモカプリル塩酸塩
テモカプリル塩酸塩錠
Temocapril Hydrochloride

概要

薬効分類 214 血圧降下剤

構造式

分子式 $C_{23}H_{28}N_2O_5S_2 \cdot HCl$

分子量 513.07

ステム アンジオテンシン変換酵素(ACE)阻害薬：-pril

原薬の規制区分 (劇)(ただし，1錠中テモカプリルとして3.72mg以下を含有するものを除く)

原薬の外観・性状 白色の結晶性の粉末である．エタノール(99.5)に溶けやすく，水に極めて溶けにくい

原薬の吸湿性 吸湿性なし(40℃，31～94%RH，95時間保存で質量変化はみられなかった．40℃，75%RH(曝気)，6カ月間経時しても水分の増加はみられなかった)

原薬の融点・沸点・凝固点 明確な融点及び分解点を示さなかった

原薬の酸塩基解離定数 pKa_1＝約2.8(カルボキシル基)，pKa_2＝約4.9(アミノ基)
先発医薬品等
錠 エースコール錠1mg・2mg・4mg(第一三共)
後発医薬品
錠 1mg・2mg・4mg
国際誕生年月 1994年4月
海外での発売状況 韓国

製剤

規制区分 **錠** ㊄
製剤の性状 **錠** 白色の割線入り素錠
有効期間又は使用期限 3年
貯法・保存条件 室温保存(吸湿及び光により，微黄～微黄白色に変化及び含量低下のおそれがあるので，開封後は防湿・遮光して保存すること)
薬剤取扱い上の留意点 降圧作用に基づくめまい，ふらつきが現れることがあるので，高所作業，自動車の運転等危険を伴う機械を操作する際には注意させること．手術前24時間は投与しないことが望ましい．吸湿及び光により，微黄～微黄白色に変化及び含量低下のおそれがあるので，開封後は防湿・遮光して保存すること
患者向け資料等 患者向医薬品ガイド，くすりのしおり
溶液及び溶解時のpH 約3.6(1→5000水溶液)
浸透圧比 該当しない
安定なpH域 該当しない
調製時の注意 該当しない

薬理作用

分類 アンジオテンシン変換酵素(ACE)阻害薬
作用部位・作用機序 プロドラッグであり，体内で活性体(テモカプリラート)に変化し，アンジオテンシン変換酵素を阻害して，アンジオテンシンⅡの生成を抑制することにより降圧作用を示す
同効薬 カプトプリル，エナラプリルマレイン酸塩など

治療

効能・効果 高血圧症，腎実質性高血圧症，腎血管性高血圧症
用法・用量 1日1回2～4mg．ただし，1日1回1mgから開始し，必要に応じ4mgまで漸次増量
禁忌・原則禁忌となる特定患者集団 妊婦又は妊娠している可能性のある女性

使用上の注意

禁忌 ①本剤の成分に対し，過敏症の既往歴のある患者 ②血管浮腫の既往歴のある患者(アンジオテンシン変換酵素阻害剤等の薬剤による血管浮腫，遺伝性血管浮腫，後天性血管浮腫，特発性血管浮腫等)［高度の呼吸困難を伴う血管浮腫を発現するおそれがある］ ③デキストラン硫酸固定化セルロース，トリプトファン固定化ポリビニルアルコール又はポリエチレンテレフタレートを用いた吸着器によるアフェレーシスを施行中の患者 ④アクリロニトリルメタリルスルホン酸ナトリウム膜(AN69)を用いた血液透析施行中の患者 ⑤妊婦又は妊娠している可能性のある女性 ⑥アリスキレンフマル酸塩を投与中の糖尿病患者(ただし，他の降圧治療を行ってもなお血圧のコントロールが著しく不良の患者を除く) ⑦アンジオテンシン受容体ネプリライシン阻害薬(サクビトリルバルサルタンナトリウム水和物)を投与中の患者，あるいは投与中止から36時間以内の患者

薬物動態

血中濃度 ①単回投与：0.5mg，1.25mg，2.5mg，5mgをそれぞれ健康成人男性6例に空腹時単回経口投与時，速やかに吸収され，主に肝臓で加水分解を受け，活性体(テモカプリラート)に変換される．血漿中では主に活性体として存在し，その血漿中濃度は投与後1～1.6時間で最高に達した．最高血漿中濃度は用量依存的に上昇し，8.4～174.7ng/mL．また，未変化体のAUCを活性体のそれと比較すると，いずれの投与量においても3%以下と低く，4時間後までに血漿中から消失：⑴未変化体の血中パラメータ(0.5mg，1.25mg，2.5mg，5mgの順に各6例)はCmax(ng/mL)定量限界以下，3.9±1.2，20.7±1.7，19.2±5.2，Tmax(hr)-，0.7±0.1，0.5±0.1，0.6±0.1，半減期(hr)-，-，0.2±0.1，0.4±0.1，AUC(ng・hr/mL)-，2.9±1.0，12.2±1.5，14.3±5.5 ⑵活性体の血中パラメータ(0.5mg，1.25mg，2.5mg，5mgの順に各6例)はCmax(ng/mL)8.4±0.7，37.6±7.2，100.0±13.2，174.7±15.1，Tmax(hr)1±0.2，1.4±0.3，1.1±0.2，1.6±0.3，$t_{1/2}\alpha$(hr)-，-，1.6±0.2，1.4±0.3，$t_{1/2}\beta$(hr)-，-，21.5±8.9，14.5±5.8，AUC(ng・hr/mL)47.0±3.8，178.2±53.6，436.4±53.8，856.3±105.9 ②連続投与：健康成人男性6例に2.5mgを1日1回朝食後7日間経口投与時，1日目と7日目のテモカプリラートの血漿中濃度は同様に推移．また，2日目以降の最低血漿中濃度はほぼ一定で，蓄積性はみられなかった **吸収** 食事の影響：健康成人男性6例に，食後2.5mg経口投与時，吸収に遅延が認められたものの空腹時と有意な差はなかった **分布** 血清蛋白結合率：^{14}C-テモカプリラート(1μg/mL)添加時の血清蛋白結合率(各3例，限外ろ過法)はアルブミン92.7±0.2%，総グロブリン42.6±1%，α_1酸性糖蛋白3.8±0.7%(*in vitro*) **排泄** ①単回投与：0.5mg，1.25mg，2.5mg，5mgをそれぞれ健康成人男性6例に空腹時単回経口投与時の累積尿中回収率(%)は8.9±2.0，22.5±4.4，28.1±3.4，31.9±1.5，排泄量(μg)44.5±10.0，281.3±55.0，702.5±85.0，1595±75.0で，尿中排泄のほとんどはテモカプリラート，またそれは肺などの体内血管のアンジオテンシン変換酵素との強い親和性で保持されていると考えられる．1.25mg以上ではその体内血管保持量で尿中排泄率を補正すると約34～35%と一定 ②連続投与：健康成人男性6例に2.5mgを1日1回朝食後7日間経口投与時，テモカプリル及びテモカプリラートの各投与後24時間目までの累積尿中排泄率は，テモカプリルでは1日目と2日目以降で有意差はなく，また，テモカプリラートでは2日目以降ほぼ一定で蓄積性はみられなかった **特定の背景を有する患者** 腎機能障害患者：健康成人男性6例(Ⅰ群)と種々の腎機能低下患者12例を重症度ごとに6例ずつ2群(Ⅱ，Ⅲ群)に分けた計18例それぞれに2.5mgを空腹時単回経口投与時，テモカプリルのCmaxとAUC_{0-24h}は腎機能の低下に伴い増大が認められ，Ⅰ群とⅡ群間で有意な差が認められた．テモカプリラートでは，$t_{1/2}$とAUC_{0-24h}に腎機能低下に伴い軽度の増大が認められたが，いずれのパラメータにおいても有意な差は認められなかった．また，テモカプリラート及びテモカプリルの24時間までの尿中排泄率は，腎機能の低下に伴い低下したが，血中動態の変動が少ないことから尿中以外の経路，おそらく胆汁を介した糞中への排泄が多いものと示唆．それぞれの患者背景(I群，II群，III群の順)は，平均体重(kg)68.6±4.2，54.7±2.9，51.8±4.7，クレアチニンクリアランス(mL/min)88.4±4.9，47.7±1.6，18.6±0.9，血清クレアチニン(mg/dL)1.1±0.04，1.4±0.08，3.1±0.20．未変化体の血中パラメータ[各6例，( )内は活性体．I群，II群，III群の順]はCmax(ng/mL)20.5±1.7(114.0±10.8)，43.1±6.4(114.6±21.0)，36.9±5.7(94.0±12.6)，Tmax(hr)0.5±0.0(1.2±0.2)，0.7±0.1(1.3±0.2)，0.5±0.0(1.2±0.2)，$t_{1/2}$(hr)データなし(6.7±0.4)，データなし(6.3±0.4)，データなし(8.2±0.9)，AUC(ng・hr/mL)12.5±1.7(526.2±58.6)，33.4±3.5(651.1±93.9)，27.3±6.6(839.9±107.5)

その他の管理的事項

投与期間制限 該当しない
保険給付上の注意 該当しない

資料

IF エースコール錠1mg・2mg・4mg 2016年2月改訂(第11版)

テルビナフィン塩酸塩
テルビナフィン塩酸塩錠
テルビナフィン塩酸塩液
テルビナフィン塩酸塩スプレー
テルビナフィン塩酸塩クリーム
Terbinafine Hydrochloride

概要

薬効分類 265 寄生性皮ふ疾患用剤，629 その他の化学療法剤

構造式

分子式 $C_{21}H_{25}N \cdot HCl$

分子量 327.89

原薬の規制区分 該当しない

原薬の外観・性状 白色～微黄白色の結晶性の粉末である．メタノール，エタノール(99.5)又は酢酸(100)に溶けやすく，水に溶けにくい．1.0gを水1000mLに溶かした液のpHは3.5～4.5である

原薬の吸湿性 40℃・75%RH，6カ月間の保存条件下，吸湿性は認められなかった

原薬の融点・沸点・凝固点 融点：約205℃(分解)

原薬の酸塩基解離定数 pKa＝7.13±0.06(電位差滴定法)

先発医薬品等

錠 ラミシール錠125mg(サンファーマ＝田辺三菱)
クリーム ラミシールクリーム1%(サンファーマ＝田辺三菱)
外用液 ラミシール外用液1%(サンファーマ＝田辺三菱)
噴 ラミシール外用スプレー1%(サンファーマ＝田辺三菱)

後発医薬品

錠 125mg
クリーム 1%
外用液 1%

国際誕生年月 1990年10月

海外での発売状況 錠 米，英，仏，独を含む116カ国 クリーム 外用液 噴 イタリアほか

製剤

規制区分 錠 ㊈

製剤の性状 錠 白色～淡黄白色の片面割線入りの素錠 クリーム 白色で，僅かに特異なにおいがある 外用液 噴 無色～微黄色澄明の液で，特異なにおいがある

有効期間又は使用期限 3年

貯法・保存条件 錠 室温保存(開封後は遮光保存すること) クリーム 室温保存 外用液 噴 室温保存，火気を避けて保存すること

薬剤取扱い上の留意点 錠 眠気，めまい・ふらつき等が現れることがあるので，高所作業，自動車の運転等危険を伴う機械を操作する際には注意させること 外用液 噴 火気厳禁

患者向け資料等 錠 患者向医薬品ガイド，くすりのしおり クリーム 外用液 噴 くすりのしおり

溶液及び溶解時のpH クリーム 4.0～6.0(1.0gに水10mLを加えて加温・懸濁し，冷却させた時の値) 外用液 噴 3.0～4.0

薬理作用

分類 アリルアミン系抗真菌剤

作用部位・作用機序 真菌細胞膜の必須成分であるエルゴステロールの生合成経路上において，スクアレンからスクアレンエポキシド転換過程に関与するスクアレンエポキシダーゼを選択的に阻害し，スクアレンの細胞内蓄積並びにエルゴステロール含量の低下をもたらす結果，細胞膜の障害を引き起こすことにより抗真菌作用を示す

同効薬 錠 イトラコナゾール クリーム 外用液 噴 イミダゾール系抗真菌剤，チオカルバメート系抗真菌剤，ベンジルアミン系抗真菌剤，モルホミン系抗真菌剤

治療

効能・効果 錠 皮膚糸状菌(トリコフィトン属，ミクロスポルム属，エピデルモフィトン属)，カンジダ属，スポロトリックス属，ホンセカエア属による次の感染症．ただし，外用抗真菌剤では治療困難な患者に限る：①深在性皮膚真菌症：白癬性肉芽腫，スポロトリコーシス，クロモミコーシス ②表在性皮膚真菌症：(1)白癬：爪白癬，手・足白癬*)，生毛部白癬*)，頭部白癬，ケルスス禿瘡，白癬性毛瘡，生毛部急性深在性白癬，硬毛部急性深在性白癬．＊)手・足白癬は角質増殖型の患者及び趾間型で角化・浸軟の強い患者，生毛部白癬は感染の部位及び範囲より外用抗真菌剤を適用できない患者に限る (2)カンジダ症：爪カンジダ症
クリーム 外用液 噴 次の皮膚真菌症の治療：①白癬：足白癬，体部白癬，股部白癬 ②皮膚カンジダ症：指間びらん症，間擦疹(乳児寄生菌性紅斑を含む) ③癜風

効能・効果に関連する使用上の注意 錠 罹患部位，重症度及び感染の範囲から本剤の内服が適切と判断される患者にのみ使用し，外用抗真菌剤で治療可能な患者には使用しない

用法・用量 錠 1日1回125mg食後(適宜増減)
クリーム 外用液 噴 1日1回患部に塗布又は噴霧

用法・用量に関連する使用上の注意 錠 投与中は随伴症状に注意し，定期的に肝機能検査及び血液検査(血球数算定，白血球分画等)を行う等，観察を十分に行う

使用上の注意

> **警告** 錠 重篤な肝障害(肝不全，肝炎，胆汁うっ滞，黄疸等)及び汎血球減少，無顆粒球症，血小板減少が現れることがあり，死亡に至った例も報告されている．本剤を使用する場合には，投与前に肝機能検査及び血液検査を行い，投与中は随伴症状に注意し，定期的に肝機能検査及び血液検査を行う等，観察を十分に行う．投与開始にあたっては，添付文書を熟読する

禁忌 錠 ①重篤な肝障害のある患者［肝障害が増悪するおそれがある］ ②汎血球減少，無顆粒球症，血小板減少等の血液障害のある患者［血液障害が増悪するおそれがある］ ③本剤の成分に対し過敏症の既往歴のある患者
クリーム 外用液 噴 本剤の成分に対し過敏症の既往歴のある患者

相互作用概要 主としてCYP2C9，CYP1A2，CYP3A4，CYP2C8，CYP2C19によって代謝され，また，CYP2D6を阻害する

過量投与 錠 ①徴候，症状：悪心，腹痛，めまいが報告されている ②処置法：薬物除去には活性炭投与，症状により対症療法を行う

薬物動態

錠 **吸収・血中濃度** 健康成人10例に125mgを空腹時又は食後に単回経口投与で，食後投与における未変化体の最高血漿中濃度(Cmax)は空腹時投与の約1.5倍．最高血漿中濃度到達時間(Tmax)及びβ半減期もわずかに遅延がみられたが有意な差は認められなかった．薬物動態パラメータ(空腹時，食後の順)はTmax(hr)2±0.4，2.2±0.3，Cmax(ng/mL)472±80，725±103，AUC_{0-72}(ng・hr/mL)2361±411，3572±499，$T_{1/2}\beta$(hr)30.8±8.1，39.9±7.1 **連日投与時の薬物動態** 爪白癬患者に125mgを1日1回連日投与で，投与2週後から爪甲中に検出され，病爪中濃度は投与12週まで徐々に増加し，12週では0.78μg/gに達し，その後はほぼ同じ濃度で推移．また，毛髪中には投与23～32週で，平均3.14μg/gが検出．さらに前記症例のうち追跡可能であった17例(投与期間：28～49

週)に対し，中止後の血漿中濃度を測定した結果，血中半減期は2.8週(中央値(min～max)：2.8(1.5～28.9))と，単回投与より延長することが認められた **代謝・排泄** 血漿中の主代謝産物はカルボン酸体及びN-脱メチルカルボン酸体．また，尿中主代謝産物はN-脱メチルカルボン酸体で未変化体は検出されなかった．健康成人に^{14}C-テルビナフィンを経口投与で，排泄率は尿中約80%及び糞中約20%．投与後72時間までに約85%が排泄(外国人)．*in vitro*では主として肝代謝酵素チトクロムP450の分子種CYP2C9，CYP1A2，CYP3A4，CYP2C8，CYP2C19によって代謝．また，CYP2D6を阻害
クリーム **外用液** **噴** **吸収・血中濃度** 健康成人背部に1%クリームを塗布時，24時間にわたる血漿中濃度はいずれの測定時点でも検出限界(1ng/mL)以下．薬剤回収率から推定される吸収率は約5%．健康成人(外国人)内腿部に1%液を1日1回反復塗布し，投与7日目の塗布直前と2時間後の血漿中濃度はいずれの測定時点でも検出限界(8ng/mL)以下 **ケラチンへの吸着性** 角質層の主要構成成分ヒトケラチンへの吸着率73～98%．いったんケラチンに吸着後，緩衝液洗浄で遊離され，ほぼ100%回収．ケラチンが貯蔵器として活性型薬剤の濃度維持に役立っていると考えられる(*in vitro*)

その他の管理的事項

投与期間制限 該当しない
保険給付上の注意 該当しない

資料

IF ラミシール錠125mg 2017年6月改訂(第12版)
ラミシールクリーム1%・外用液1%・外用スプレー1% 2016年10月改訂(第8版)

テルブタリン硫酸塩
Terbutaline Sulfate

概要

薬効分類 225 気管支拡張剤
構造式

$\cdot H_2SO_4$ 及び鏡像異性体

分子式 $(C_{12}H_{19}NO_3)_2 \cdot H_2SO_4$
分子量 548.65
ステム 不明
原薬の規制区分 (毒)(ただし，製剤は(劇)(ただし，1錠中テルブタリンとして2mg以下を含有するものを除く))
原薬の外観・性状 白色～帯褐白色の結晶又は結晶性の粉末で，においはないか，又は僅かに酢酸臭がある．水に溶けやすく，アセトニトリル，エタノール(95)，酢酸(100)，クロロホルム又はジエチルエーテルにほとんど溶けない．光又は空気によって徐々に着色する．0.10gを水10mLに溶かした液のpHは4.0～4.8である
原薬の吸湿性 37℃，96%RHで保存するとき，ほとんど吸湿性を示さない
原薬の融点・沸点・凝固点 融点：約255℃(分解)
原薬の酸塩基解離定数 pKa_1＝約8.8(フェノール性水酸基，吸光度法)，pKa_2＝約10.1(フェノール性水酸基，吸光度法)
先発医薬品等
錠 ブリカニール錠2mg(アストラゼネカ)
シ ブリカニールシロップ0.5mg/mL(アストラゼネカ)
注 ブリカニール皮下注0.2mg(アストラゼネカ)
国際誕生年月 **錠** 1970年6月
海外での発売状況 英など約65カ国

製剤

規制区分 **注** (劇)(処)
製剤の性状 **錠** 白色の割線入り裸錠 **シ** 無色澄明の液で淡白な甘味と僅かな芳香がある **注** 無色澄明の液
有効期間又は使用期限 **錠** 3年 **シ** **注** 4年
貯法・保存条件 **錠** 湿気を避けて室温保存 **シ** 室温保存，使用後密栓すること **注** 室温保存
薬剤取扱い上の留意点 **錠** PTPシートから錠剤を取り出して投与する場合には，吸湿に注意すること **シ** シロップはステンレス，アルミ以外の金属(鉄，銅等)に接触すると変色するおそれがあるので注意すること
患者向け資料等 **錠** **シ** くすりのしおり
溶液及び溶解時のpH **シ** 3.5～4.5 **注** 3.2～4.2
浸透圧比 **注** 約1(対生食)
調製時の注意 該当しない

薬理作用

分類 交感神経β受容体刺激剤
作用部位・作用機序 作用部位：β_2受容体 作用機序：交感神経β_2受容体を刺激することによりアデニルシクラーゼが賦活化され，細胞内のATPがc-AMPに変化し，このc-AMPの増加が気管支拡張などの効果を示す
同効薬 **錠** **シ** サルブタモール硫酸塩，ツロブテロール塩酸塩，プロカテロール塩酸塩など **注** ジプロフィリン注射液，プロキシフィリン注射液

治療

効能・効果 **錠** 次の疾患の気道閉塞性障害に基づく呼吸困難等の諸症状の緩解：気管支喘息，慢性気管支炎，喘息性気管支炎，気管支拡張症及び肺気腫
シ 次の疾患の気道閉塞性障害に基づく呼吸困難等の諸症状の緩解：気管支喘息，急性気管支炎，喘息様気管支炎
注 次の疾患の気道閉塞性障害に基づく呼吸困難等の諸症状の緩解：気管支喘息
用法・用量 **錠** テルブタリン硫酸塩として1回4mg，6歳以上の小児2mg，5歳以下の幼児1mg，1日3回(適宜増減)
シ テルブタリン硫酸塩として幼小児1日0.225mg/kg，3回に分服(適宜増減)．シロップの年齢別目安1日量は，0.5～1歳未満：1.5～2mg，1～3歳未満：2～3mg，3～5歳未満：3～4mg，5～7歳未満：4～5mg
注 テルブタリン硫酸塩として1回0.2mg，6歳以上の小児0.1mg，5歳以下の幼児0.05mgを皮下注(適宜増減)

使用上の注意

禁忌 本剤に対し過敏症の既往歴のある患者
過量投与 **錠** **シ** ①徴候・症状：頭痛，不安感，振戦，強直性筋痙直，心悸亢進，不整脈，血圧低下，高血糖，乳酸アシドーシス，低カリウム血症が現れることがある ②処置：本剤の大量投与が疑われた場合は，胃洗浄・活性炭による吸着を行う．また，酸塩基平衡・血糖値・電解質の測定を行い，心拍数・心リズム・血圧をモニターする．治療剤として心選択性β遮断剤があるが，気管支痙攣誘発の可能性があるため慎重に投与する．血圧低下に対しては血漿増量剤を投与する
注 ①徴候・症状：頭痛，不安感，振戦，強直性筋痙直，心悸亢進，不整脈，血圧低下，高血糖，乳酸アシドーシス，低カリウム血症が現れることがある ②処置：本剤の大量投与が疑われた場合は，酸塩基平衡・血糖値・電解質の測定を行い，心拍数・心リズム・血圧をモニターする．治療剤として心選択性β遮断剤があるが，気管支痙攣誘発の可能性があるため慎重に投与する．血圧低下に対しては血漿増量剤を投与する

薬物動態

①**錠** 成人喘息患者8例に5mgを単回経口投与時，未変化体は投与後2～4時間で最高血清中濃度に達し，3.2ng/mLを示した．また，健康成人に放射能標識テルブタリン硫酸塩を単回経口投与後の投与量に対する72時間累積尿中排泄率は，未変化体が約7.3%，未変化体と抱合体の総量は約40%で，代謝物

の大部分は硫酸抱合体(外国人データ).(注)承認1回用量は4mg ②シ 小児喘息患者12例(平均体重26.5kg)に4mL(テルブタリン硫酸塩として2mg)を単回経口投与後の血清中テルブタリン[未変化体, 総テルブタリン(未変化体+抱合体)の順]のパラメータはTmax2.7時間, 3時間, Cmax3.1ng/mL, 20.4ng/mL, $AUC_{0\text{-}8h}$14.6ng・hr/mL, 100.4ng・hr/mL, 24時間累積尿中排泄率(7例)5.8%, 31.7% ③注 0.5mgを成人喘息患者8例に単回皮下投与後の血清中テルブタリン濃度は, 30分で最高濃度6.9ng/mL. また, 健康成人に放射能標識硫酸テルブタリンを皮下投与時の96時間累積尿中排泄率は90%以上であり, その2/3は未変化体(外国人のデータ).(注)承認1回用量は0.2mg

その他の管理的事項

投与期間制限 該当しない

保険給付上の注意 該当しない

資料

IF ブリカニール錠2mg・シロップ0.5mg/mL 2017年9月改訂(第5版)
ブリカニール皮下注0.2mg 2017年9月改訂(第4版)

テルミサルタン テルミサルタン錠 Telmisartan

概要

薬効分類 214 血圧降下剤

構造式

[CH3, N, N, N, N, H3C, CO2H, CH3]

分子式 $C_{33}H_{30}N_4O_2$

分子量 514.62

ステム アンジオテンシンII受容体拮抗薬:-sartan

原薬の規制区分 該当しない

原薬の外観・性状 白色～微黄色の結晶性の粉末である. ギ酸に溶けやすく, メタノールに溶けにくく, エタノール(99.5)に極めて溶けにくく, 水にほとんど溶けない. 結晶多形が認められる

原薬の吸湿性 認められなかった

原薬の融点・沸点・凝固点 融点:269℃

原薬の酸塩基解離定数 $pKa_1=3.5$, $pKa_2=4.1$, $pKa_3=6.0$

先発医薬品等

錠 ミカルディス錠20mg・40mg・80mg(日本ベーリンガー)

後発医薬品

錠 20mg・40mg・80mg・OD錠20mg・40mg

国際誕生年月 1998年11月

海外での発売状況 欧米など102カ国

製剤

規制区分 錠 ㊄

製剤の性状 20mg錠 白色～微黄色の素錠 40mg錠 白色～微黄色の割線入り素錠 80mg錠 白色の割線入りフィルムコート錠

有効期間又は使用期限 3年

貯法・保存条件 室温保存. 分包後は吸湿して軟化, 黄変することがあるので, 高温・多湿を避けて保存すること

薬剤取扱い上の留意点 降圧作用に基づくめまい, ふらつきが現れることがあるので, 高所作業, 自動車の運転等危険を伴う機械を操作する際には注意させること. 手術前24時間は投与しないことが望ましい. 本剤を食後に服用している患者には, 毎日食後に服用するよう注意を与えること. 本剤の薬物動態は食事の影響を受け, 空腹時投与した場合は, 食後投与よりも血中濃度が高くなることが報告されており, 副作用が発現するおそれがある. 分包後は吸湿して軟化, 黄変することがあるので, 高温・多湿を避けて保存すること

患者向け資料等 患者向医薬品ガイド, くすりのしおり

溶液及び溶解時のpH 該当しない

浸透圧比 該当しない

安定なpH域 該当しない

調製時の注意 該当しない

薬理作用

分類 アンジオテンシンII受容体拮抗薬

作用部位・作用機序 主に血管平滑筋のアンジオテンシンIIタイプ1(AT_1)受容体において, 生理的昇圧物質であるアンジオテンシンII(AII)と特異的に拮抗し, その血管収縮作用を抑制することにより降圧作用を発現する. テルミサルタンのAT_1受容体親和性は高く(Ki=3.7nM), AT_1受容体から容易に解離しない. 10～1000nMの濃度範囲で, AIIによる摘出ウサギ大動脈標本の血管収縮反応曲線を, 濃度依存的に右方に移動させるとともに最大収縮を40～50%抑制する. また標本洗浄120分後においても有意な血管収縮抑制を示し, 作用は持続的である. また, ブラジキニン分解酵素であるACE(キニナーゼII)に対しては直接影響を及ぼさない

同効薬 ロサルタンカリウム, カンデサルタンシレキセチル, バルサルタン, オルメサルタンメドキソミル, イルベサルタン, アジルサルタン

治療

効能・効果 高血圧症

用法・用量 1日1回40mg.ただし, 1日20mgから開始し漸次増量. 年齢・症状により適宜増減するが, 1日最大投与量80mgまで

用法・用量に関連する使用上の注意 肝障害のある患者に投与する場合, 最大投与量は1日1回40mgとする

禁忌・原則禁忌となる特定患者集団 妊婦又は妊娠している可能性のある女性

使用上の注意

禁忌 ①本剤の成分に対し過敏症の既往歴のある患者 ②妊婦又は妊娠している可能性のある女性 ③胆汁の分泌が極めて悪い患者又は重篤な肝障害のある患者 ④アリスキレンフマル酸塩を投与中の糖尿病患者(ただし, 他の降圧治療を行ってもなお血圧のコントロールが著しく不良の患者を除く)

相互作用概要 主としてUGT酵素によるグルクロン酸抱合によって代謝される

過量投与 ①症状:過量服用(640mg)により, 低血圧及び頻脈が現れたとの報告がある ②処置:本剤は血液透析によって除去されない

薬物動態

血中濃度 ①単回投与:本態性高血圧症患者に20mg, 40mg, 80mg(カプセル剤)を食後単回経口投与(20mg群:31例(男性22, 女性9), 40mg群:29例(男性22, 女性7), 80mg群:30例(男性18, 女性12))時の血漿中未変化体濃度推移及び薬物動態パラメータ(20mg群, 40mg群, 80mg群の順)はCmax(ng/mL)33.84±17.37, 78.52±32.72, 365.81±253.08, Tmax(hr)6.9±6.2, 4.6±1.7, 3.6±1.2, $AUC_{0\text{-}24h}$(ng・hr/mL)424.65±232.25, 807.41±334.76, 2304.54±1522.85, $T_{1/2}$(hr)24±11, 20.3±12.1, 20.9±10.6. また, 日本人及び外国人の健康成人及び患者で, 40mg以上(カプセル剤もしくは溶液)の投与量で用量比以上の曝露の上昇がみられ, Cmaxで

その傾向は顕著．その機序として，小腸壁での抱合能の飽和及び肝臓への分布の飽和の関与が考えられる　②反復投与：本態性高血圧症患者に40mg，80mg（カプセル剤）を1日1回14日間食後反復経口投与（40mg群：10例（男性6，女性4），80mg群：10例（男性7，女性3））時，定常状態である14日目における血漿中未変化体濃度は投与後2～4時間で最大値を示し，以後徐々に低下．また，AUC$_{(0\text{-}24h)}$の比から算出した蓄積率は40mg及び80mg投与でそれぞれ1.91±0.53及び1.61±0.62．未変化体濃度推移及び薬物動態パラメータ：(ｱ)40mg群（投与1日目，14日目の順）：Cmax（ng/mL）85.78±45.25，166.51±88.49，Tmax（hr）4±1.6，3.4±1，AUC$_{0\text{-}24h}$（ng・hr/mL）1030.16±598.93，1930.61±1155.91(ｲ)80mg群（投与1日目，14日目の順）：Cmax（ng/mL）259.5±137.14，436.62±219.36，Tmax（hr）2.9±1.2，2.3±0.9，AUC$_{0\text{-}24h}$（ng・hr/mL）2288.28±956.39，3203.57±1710.92．14日目のCmax及びAUC$_{(0\text{-}24h)}$を男女別に分けた場合，各平均値の男性に対する女性の比は40mg投与時で1.18及び0.97，80mg投与時で1.77及び1.69，男性よりも女性で高い傾向が認められた　③生物学的同等性：錠剤とカプセル剤の生物学的同等性は，20mg含有の各製剤を用いて健康成人男子を対象にした生物学的同等性試験により確認されている．また，含量の異なる錠剤間の生物学的同等性は，20mg錠と40mg錠は溶出試験により，40mg錠と80mg錠は健康成人男子を対象にした生物学的同等性試験により確認されている　④ポピュレーションファーマコキネティクス解析：日本人及び外国人の併合データであるポピュレーションファーマコキネティクス解析から，クリアランスは女性より男性で39％高く，女性の曝露が男性よりも高いことが示唆　⑤個体差：日本人及び外国人の臨床試験における薬物動態を検討時，Cmax及びAUCに個体差が認められ，80mg以上の投与量においてその傾向が顕著　**吸収**　健康成人男子20例に40mg（カプセル剤）を単回経口投与時，空腹時投与に比べ食後投与でtmaxが遅延（空腹時：1.8±0.9時間，食後：5.3±1.4時間），Cmaxが57％，AUCが32％低下　**分布**　ラット及びヒトの血漿蛋白結合率は，*in vitro*及び*in vivo*ともに99％以上　**代謝**　健康成人男子5例に^{14}C-テルミサルタン40mgを静注時，血漿中総放射能の84％以上が未変化体，残りはグルクロン酸抱合体（外国人データ）　**排泄**　健康成人男子に20，40，80mgを空腹時単回経口投与（各群6例）時，未変化体はほとんど尿中に排出されず，投与後24時間までの平均累積尿中排泄率はいずれの投与量においても0.02％以下．健康成人男子5例に^{14}C-テルミサルタン40mgを空腹時単回経口投与時，投与後144時間までの放射能の尿中及び糞中総排泄率はそれぞれ約0.5％及び102％，吸収されたテルミサルタンの大部分が胆汁を介して糞中に排泄　**特定の背景を有する患者**　①腎機能障害患者：腎機能障害を伴う高血圧症患者12例に，40mg（カプセル剤）を1日1回7日間反復経口投与時，腎機能中等度低下群（6例（男性4，女性2），血清クレアチニン値1.5～2.9mg/dL）と高度低下群（6例（男性4，女性2），血清クレアチニン値3.0～4.0mg/dL）との間に薬物動態学的パラメータの差は認められなかった．また，正常腎機能の高血圧症患者と比較してCmax及びAUCに差は認められなかった　②肝機能障害患者：肝障害男性患者12例（Child-Pugh分類A（軽症）：8例，B（中等症）：4例）に20mg及び120mgを経口投与時，健康成人に比較しCmaxは4.5倍及び3倍高く，AUCは2.5倍及び2.7倍高かった（外国人データ）

その他の管理的事項

投与期間制限　該当しない

保険給付上の注意　該当しない

資料

IF　ミカルディス錠20mg・40mg・80mg　2020年7月改訂（第23版）

テルミサルタン・アムロジピンベシル酸塩錠
Telmisartan and Amlodipine Besilate Tablets

概要

薬効分類　214　血圧降下剤

分子式　［テルミサルタン］$C_{33}H_{30}N_4O_2$　［アムロジピンベシル酸塩］$C_{20}H_{25}ClN_2O_5 \cdot C_6H_6O_3S$

分子量　［テルミサルタン］514.62　［アムロジピンベシル酸塩］567.05

ステム　［テルミサルタン］アンジオテンシンⅡ受容体拮抗薬：-sartan　［アムロジピンベシル酸塩］ニフェジピン系カルシウムチャネル拮抗薬：-dipine

原薬の規制区分　［アムロジピンベシル酸塩］毒（ただし，1錠中アムロジピンベシル酸塩として13.87mg以下を含有するものは劇）

原薬の外観・性状　［テルミサルタン］白色～微黄色の結晶性の粉末である．ギ酸に溶けやすく，メタノールに溶けにくく，エタノール（99.5）に極めて溶けにくく，水にほとんど溶けない．結晶多形が認められる　［アムロジピンベシル酸塩］白色～帯黄白色の結晶性の粉末である．メタノールに溶けやすく，エタノール（99.5）にやや溶けにくく，水に溶けにくい．本品のメタノール溶液（1→100）は旋光性を示さない

原薬の吸湿性　［テルミサルタン］吸湿性は認められなかった　［アムロジピンベシル酸塩］該当資料なし

原薬の融点・沸点・凝固点　［テルミサルタン］融点：269℃　［アムロジピンベシル酸塩］融点：約198℃（分解）

原薬の酸塩基解離定数　［テルミサルタン］pKa_1＝3.5，pKa_2＝4.1，pKa_3＝6.0　［アムロジピンベシル酸塩］該当資料なし

先発医薬品等

錠　ミカムロ配合錠AP・BP（日本ベーリンガー）

後発医薬品

錠

国際誕生年月　2009年10月

海外での発売状況　欧米など106カ国

製剤

規制区分　**錠**　劇 処

製剤の性状　**錠**　淡赤色のフィルムコート錠

有効期間又は使用期限　3年

貯法・保存条件　室温保存

薬剤取扱い上の留意点　降圧作用に基づくめまい，ふらつきが現れることがあるので，高所作業，自動車の運転等危険を伴う機械を操作する際には注意させること．手術前24時間は投与しないことが望ましい．本剤を食後に服用している患者には，毎日食後に服用するよう注意を与えること．本剤の成分であるテルミサルタンの薬物動態は食事の影響を受け，空腹時投与した場合は，食後投与よりもテルミサルタンの血中濃度が高くなることが報告されており，副作用が発現するおそれがある．分包後は吸湿して軟化することがあるので，高温・多湿を避けて保存すること

患者向け資料等　患者向医薬品ガイド，くすりのしおり

溶液及び溶解時のpH　該当しない

浸透圧比　該当しない

安定なpH域　該当しない

調製時の注意　該当しない

薬理作用

分類　アンジオテンシンⅡ受容体拮抗薬・カルシウム拮抗薬配合剤

作用部位・作用機序　各項目参照

同効薬　バルサルタン/アムロジピンベシル酸塩配合錠，オルメサルタン メドキソミル/アゼルニジピン配合錠，カンデサルタン シレキセチル/アムロジピンベシル酸塩配合錠，アジルサルタン/アムロジピンベシル酸塩配合錠，イルベサルタン/アムロジピンベシル酸塩配合錠

治療

効能・効果　高血圧症

効能・効果に関連する使用上の注意　①過度な血圧低下のおそれ等があり，高血圧治療の第一選択薬としない　②原則として，テルミサルタン40mg及びアムロジピン5mgを併用している場合，あるいはいずれか一方を使用し血圧コントロールが不十分な場合に，テルミサルタン/アムロジピン40mg/5mgへの切り替えを検討する　③原則として，テルミサルタン80mg及びアムロジピン5mgを併用している場合，あるいは次のいずれかを使用し血圧コントロールが不十分な場合に，テルミサルタン/アムロジピン80mg/5mgへの切り替えを検討する：(1)テルミサルタン80mg　(2)テルミサルタン40mg及びアムロジピン5mgの併用　(3)テルミサルタン/アムロジピン40mg/5mg配合錠

用法・用量　1日1回1錠(テルミサルタン/アムロジピンとして40mg/5mg又は80mg/5mg)．高血圧治療の第一選択薬として用いない

用法・用量に関連する使用上の注意　①次のテルミサルタンとアムロジピンベシル酸塩の用法・月量を踏まえ，患者ごとに適応を考慮する：(1)テルミサルタン：通常，成人にはテルミサルタンとして40mgを1日1回経口投与する．ただし，1日20mgから開始し漸次増量する(適宜増減)．1日最大80mg　(2)アムロジピンベシル酸塩：〔高血圧症〕アムロジピンとして2.5～5mgを1日1回経口投与する．なお，症状に応じ適宜増減するが，効果不十分な場合には1日1回10mgまで増量することができる　②肝障害のある患者に投与する場合，テルミサルタン/アムロジピンとして40mg/5mgを超えて投与しない

禁忌・原則禁忌となる特定患者集団　妊婦又は妊娠している可能性のある女性

使用上の注意

禁忌　①本剤の成分及びジヒドロピリジン系化合物に対し過敏症の既往歴のある患者　②妊婦又は妊娠している可能性のある女性　③胆汁の分泌が極めて悪い患者又は重篤な肝障害のある患者　④アリスキレンフマル酸塩を投与中の糖尿病患者(ただし，他の降圧治療を行ってもなお血圧のコントロールが著しく不良の患者を除く)

相互作用概要　テルミサルタンは主としてUGT酵素によるグルクロン酸抱合によって代謝される．アムロジピンの代謝には主としてCYP3A4が関与していると考えられている

過量投与　①症状：テルミサルタンの過量服用(640mg)により，低血圧及び頻脈が現れたとの報告がある．アムロジピンでは，過度の末梢血管拡張により，ショックを含む著しい血圧低下と反射性頻脈を起こすことがある　②処置：テルミサルタンは血液透析によって除去されない．アムロジピンは，蛋白結合率が高いため，透析による除去は有効ではない．また，アムロジピンベシル酸塩服用直後に活性炭を投与した場合，アムロジピンベシル酸塩のAUCは99%減少し，服用2時間後では49%減少したことから，アムロジピンベシル酸塩過量投与時の吸収抑制処置として活性炭投与が有効であると報告されている

薬物動態

血中濃度　①単回投与(健康成人男子)：テルミサルタン/アムロジピン40mg/5mg配合剤及び80mg/5mg配合剤を空腹時単回経口投与時のテルミサルタン及びアムロジピンの薬物動態パラメータは単剤のときと同様．テルミサルタンのCmaxは用量比以上に上昇．テルミサルタン/アムロジピン40mg/5mg配合剤と単剤併用の相対バイオアベイラビリティ試験，テルミサルタン/アムロジピン80mg/5mg配合剤と単剤併用の相対バイオアベイラビリティ試験及び生物学的同等性試験で，本剤及び単剤併用を空腹時単回経口投与時のテルミサルタン及びアムロジピンの血漿中濃度推移及び薬物動態パラメータは単剤併用時と類似，生物学的同等性の基準を満たす製剤であることが確認されている　②反復投与：健康成人男子24例にテルミサルタン40mg錠とアムロジピン5mg錠，又はテルミサルタン80mg(40mg錠×2錠)とアムロジピン5mg錠を1日1回10日間空腹時反復併用投与時のテルミサルタンの血漿中濃度は両投与群ともに単回投与後に比べてやや高く，累積係数は1.3～1.9．また，テルミサルタンのtmax及び半減期は，両投与群ともに初回投与後と反復投与後とで類似．単剤のときと同様，テルミサルタンのCmaxは用量比以上に上昇．一方，アムロジピンの血漿中濃度推移は，両投与群ともに初回投与後に比べて高く，累積係数は2.9～3.5．また，アムロジピンのtmax及び半減期は，両投与群ともに単回投与後と反復投与後とで類似　③テルミサルタンとアムロジピンの相互作用：健康成人男子12例にテルミサルタン120mgとアムロジピン10mgを併用投与時とアムロジピン10mgを単独投与時との1日1回9日間反復投与後の薬物動態比較で，アムロジピンの血漿中濃度推移は単独投与時と併用投与時とで類似，テルミサルタン併用投与によるアムロジピンの体内動態への影響は認められなかった(外国人データ)．健康成人男女36名にテルミサルタン80mgとアムロジピン10mgを併用投与時とテルミサルタン80mgを単独投与時との1日1回9日間反復投与後の薬物動態比較で，テルミサルタンの血漿中濃度推移は単独投与時と併用投与時とで類似，アムロジピン併用投与によるテルミサルタンの体内動態への影響は認められなかった(外国人データ)　**吸収**　①食事の影響：健康成人男子32例(各用量16例)に，テルミサルタン/アムロジピン40mg/5mg配合剤及び80mg/5mg配合剤を単回経口投与時，テルミサルタンは食後投与で空腹時投与に比べtmaxの中央値が遅延(食後：4.00及び3.00時間，空腹時：1.50及び1.00時間)，Cmax及びAUCはそれぞれ63～71%及び32～37%低下．一方，アムロジピンのCmax，AUC及びtmaxは空腹時投与と食後投与時とで類似，食事の影響は受けなかった　**分布**　テルミサルタンのラット及びヒトの血漿蛋白結合率は，*in vitro*及び*in vivo*ともに99%以上．アムロジピンとヒト血漿蛋白との結合率は97.1%(*in vitro*，平衡透析法)　**代謝**　テルミサルタンは主としてUGT酵素(UDP-グルクロノシルトランスフェラーゼ)によるグルクロン酸抱合によって代謝される．アムロジピンの主たる尿中代謝体はジヒドロピリジン環の酸化したピリジン環体及びその酸化的脱アミノ体　**排泄**　①テルミサルタン：健康成人男子に20，40，80mgを空腹時に単回経口投与(各群6例)時，未変化体はほとんど尿中に排出されず，投与後24時間までの平均累積尿中排泄率は，いずれの投与量においても0.02%以下．健康成人男子5例に^{14}C-テルミサルタン40mgを空腹時単回経口投与時，投与後144時間までの放射能の尿中及び糞中総排泄率はそれぞれ約0.5%及び102%，吸収されたテルミサルタンの大部分が胆汁を介して糞中に排泄(外国人データ)　②アムロジピンベシル酸塩：健康成人6例に2.5mg又は5mgを単回経口投与時，尿中に未変化体として排泄される割合は小さく，いずれの投与量においても尿中未変化体排泄率は投与後24時間までに投与量の約3%，144時間までに約8%．また2.5mgを1日1回14日間連続投与時の尿中排泄率は投与開始6日目でほぼ定常状態に達し，6日目以降の1日当たりの未変化体の尿中排泄率は6.3～7.4%．健康成人2例に^{14}C-標識アムロジピン15mgを単回経口投与時，投与12日目までに投与放射能の59.3%は尿中，23.4%は糞中に排泄され，投与後72時間までの尿中放射能の9%は未変化体．その他に9種の代謝物が認められた(外国人データ)．なお，これら代謝物にはアムロジピンをしのぐ薬理作用は認められていない　**特定の背景を有する患者**　①肝機能障害患者：(1)テルミサルタン：肝障害患者12例(Child-Pugh分類A(軽症)：8例，B(中等症)：4例)に20mg及び120mgを経口投与時，健康成人に比較しCmaxは4.5倍及び3倍高く，AUCは2.5倍及び2.7倍高かった(外国人データ)　(2)アムロジピンベシル酸塩：成人肝硬変患者(Child分類A，B)5例に2.5mgを単回投与時，健康成人に比し，投与72時間後の血中濃度が有意に上昇，$t_{1/2}$，AUCはやや高値を示したが有意差は認められなかった　②

テ

高齢者：アムロジピンベシル酸塩：老年高血圧患者6例（男2例，女4例，平均年齢79.7歳）に5mgを単回，及び8日間反復投与時，単回投与時に若年健康者（男6例，平均年齢22.3歳）に比べ，CmaxおよびAUCは有意に高値を示したが，$t_{1/2}$に有意差は認められなかった．反復投与時には老年者の血清中アムロジピン濃度は若年者よりも高く推移したが，そのパターンは若年者に類似しており，老年者でその蓄積が増大する傾向は認められなかった

その他の管理的事項

投与期間制限　該当しない

保険給付上の注意　該当しない

資料

IF　ミカムロ配合錠AP・BP　2020年7月改訂（第20版）

テルミサルタン・ヒドロクロロチアジド錠
Telmisartan and Hydrochlorothiazide Tablets

概要

薬効分類　214　血圧降下剤

分子式　［テルミサルタン］$C_{33}H_{30}N_4O_2$　［ヒドロクロロチアジド］$C_7H_8ClN_3O_4S_2$

分子量　［テルミサルタン］514.62　［ヒドロクロロチアジド］297.74

ステム　［テルミサルタン］アンジオテンシンⅡ受容体拮抗薬：-sartan　［ヒドロクロロチアジド］チアジド系利尿薬：-tizide

原薬の規制区分　該当しない

原薬の外観・性状　［テルミサルタン］白色～微黄色の結晶性の粉末である．ギ酸に溶けやすく，メタノールに溶けにくく，エタノール（99.5）に極めて溶けにくく，水にほとんど溶けない．結晶多形が認められる　［ヒドロクロロチアジド］白色の結晶又は結晶性の粉末で，においはなく，味は僅かに苦い．アセトンに溶けやすく，アセトニトリルにやや溶けにくく，水又はエタノール（95）に極めて溶けにくく，ジエチルエーテルにほとんど溶けない．水酸化ナトリウム試液に溶ける

原薬の吸湿性　［テルミサルタン］吸湿性は認められなかった　［ヒドロクロロチアジド］該当資料なし

原薬の融点・沸点・凝固点　［テルミサルタン］融点：269℃　［ヒドロクロロチアジド］融点：約267℃（分解）

原薬の酸塩基解離定数　［テルミサルタン］$pKa_1=3.5$，$pKa_2=4.1$，$pKa_3=6.0$　［ヒドロクロロチアジド］該当資料なし

先発医薬品等

錠　ミコンビ配合錠AP・BP（日本ベーリンガー）

後発医薬品

錠

国際誕生年月　2000年11月

海外での発売状況　欧米など111カ国

製剤

規制区分　**錠**　㊙

製剤の性状　**錠**　黄橙色の素錠

有効期間又は使用期限　3年

貯法・保存条件　室温保存

薬剤取扱い上の留意点　降圧作用に基づくめまい，ふらつきが現れることがあるので，高所作業，自動車の運転等危険を伴う機械を操作する際には注意させること．手術前24時間は投与しないことが望ましい．本剤を食後に服用している患者には，毎日食後に服用するよう注意を与えること．本剤の薬物動態は食事の影響を受け，空腹時投与した場合は，食後投与よりも血中濃度が高くなることが報告されており，副作用が発現するおそれがある．分包後は吸湿して軟化することがあるので，高温・多湿を避けて保存すること

患者向け資料等　患者向医薬品ガイド，くすりのしおり

溶液及び溶解時のpH　該当しない

浸透圧比　該当しない

安定なpH域　該当しない

調製時の注意　該当しない

薬理作用

分類　アンジオテンシンⅡ受容体拮抗薬・チアジド系利尿薬配合剤

作用部位・作用機序　各項目参照

治療

効能・効果　高血圧症

効能・効果に関連する使用上の注意　①過度な血圧低下のおそれ等があり，高血圧治療の第一選択薬としない　②原則として，テルミサルタン40mgで効果不十分な場合にテルミサルタン/ヒドロクロロチアジド40mg/12.5mgの投与を，テルミサルタン80mg，又はテルミサルタン/ヒドロクロロチアジド40mg/12.5mgで効果不十分な場合にテルミサルタン/ヒドロクロロチアジド80mg/12.5mgの投与を検討する

用法・用量　1日1回1錠（テルミサルタン/ヒドロクロロチアジドとして40mg/12.5mg又は80mg/12.5mg）．高血圧治療の第一選択薬として用いない

用法・用量に関連する使用上の注意　肝障害のある患者に投与する場合，テルミサルタン/ヒドロクロロチアジドとして40mg/12.5mgを超えて投与しない

禁忌・原則禁忌となる特定患者集団　妊婦又は妊娠している可能性のある女性

使用上の注意

禁忌　①本剤の成分及びチアジド系薬剤又はその類似化合物（例えばクロルタリドン等のスルフォンアミド誘導体）に対し過敏症の既往歴のある患者　②妊婦又は妊娠している可能性のある女性　③胆汁の分泌が極めて悪い患者又は重篤な肝障害のある患者　④無尿の患者又は血液透析中の患者［本剤の効果が期待できない］　⑤急性腎不全の患者　⑥体液中のナトリウム・カリウムが明らかに減少している患者［低ナトリウム血症，低カリウム血症等の電解質失調を悪化させるおそれがある］　⑦アリスキレンフマル酸塩を投与中の糖尿病患者（ただし，他の降圧治療を行ってもなお血圧のコントロールが著しく不良の患者を除く）　⑧デスモプレシン酢酸塩水和物（男性における夜間多尿による夜間頻尿）を投与中の患者

相互作用概要　テルミサルタンは主としてUGT酵素によるグルクロン酸抱合によって代謝される

過量投与　①症状：テルミサルタンの過量服用（640mg）により，低血圧及び頻脈が現れたとの報告がある．また，本剤の過量服用（テルミサルタン/ヒドロクロロチアジド総量として320mg/50mg～400mg/62.5mg）により，低血圧及びめまいが現れたとの報告がある　②処置：テルミサルタンは血液透析によって除去されない．低血圧が起こった場合は，臥位にさせ，すみやかに生理食塩液及び補液を投与する

薬物動態

血中濃度　①単回投与：健康成人男子に空腹時単回経口投与時，テルミサルタン及びヒドロクロロチアジドは，それぞれ投与後1.00-1.50及び2.00時間に最高血漿中濃度に達し，消失半減期18.9-19.8及び8.49-8.82時間で消失．単剤と同様に，テルミサルタンのCmaxは用量比以上に上昇する傾向が認められた　②反復投与：健康成人男子10例に本剤との生物学的同等性が確認されているテルミサルタン80mg錠とヒドロクロロチアジド12.5mg錠を1日1回7日間空腹時併用反復経口投与時のテルミサルタン及びヒドロクロロチアジドの薬物動態は単回投与時と類似．投与1日目及び7日目のAUC及びCmaxから算出したテルミサルタンの蓄積率（算術平均値±S.D.）はそれぞれ1.34±0.423及び1.50±0.783，ヒドロクロロチアジドの蓄積率はそれぞれ1.11±0.197及び1.10±0.286．健康成人にテルミサルタン160mgとヒドロクロロチアジド25mg

をそれぞれ単独に1日1回7日間反復経口投与時と併用反復経口投与時の薬物動態比較で，単独投与後と併用投与後の血漿中濃度推移はテルミサルタン，ヒドロクロロチアジドともに類似しており，併用投与による体内動態への影響は認められなかった(外国人データ) **吸収** ①健康成人に^{14}C-ヒドロクロロチアジド5mgを経口投与時，投与量の60～80%は消化管から吸収され，特に小腸上部での吸収が顕著(外国人データ) ②食事の影響：健康成人男子32例(各用量16例)に，本剤(テルミサルタン/ヒドロクロロチアジド40mg/12.5mg及び80mg/12.5mg)を単回経口投与時，テルミサルタンは食後投与で空腹時投与に比べtmaxの中央値が遅延(食後：3.00及び2.50時間，空腹時：1.25及び1.50時間)し，Cmax及び$AUC_{0-t}z$はそれぞれ62%及び29～33%低下．一方，ヒドロクロロチアジドのtmaxの中央値(食後：2.00及び2.50時間，空腹時：2.25及び2.00時間)は類似．食後投与時のCmax及び$AUC_{0-t}z$も，空腹時に比べてそれぞれ13～15%及び13%低下する程度 **分布** テルミサルタンのラット及びヒトの血漿蛋白結合率は，*in vitro*及び*in vivo*ともに99%以上 **代謝** テルミサルタンは主としてUGT酵素によるグルクロン酸抱合によって代謝される．ヒドロクロロチアジドは生体内でほとんど代謝を受けない **排泄** テルミサルタンは尿中にはほとんど排泄されず，大部分が胆汁を介して糞中に排泄．ヒドロクロロチアジドは未変化体として尿中に排泄．健康成人男子10例にテルミサルタン80mg錠とヒドロクロロチアジド12.5mg錠を1日1回7日間空腹時併用反復経口投与時のヒドロクロロチアジドの尿中排泄率は89.3% **特定の背景を有する患者** ①肝機能障害患者：肝機能障害男性患者12例(Child-Pugh分類A(軽症)：8例，B(中等症)：4例)にテルミサルタン20mg及び120mgを経口投与時，健康成人に比較しCmaxは4.5倍及び3倍高く，AUCは2.5倍及び2.7倍高かった(外国人データ)

その他の管理的事項

投与期間制限 該当しない

保険給付上の注意 該当しない

資料

IF ミコンビ配合錠AP・BP 2020年7月改訂(第17版)

コムギデンプン
Wheat Starch

概要

原薬の規制区分 該当しない

原薬の外観・性状 白色の塊又は粉末である．水又はエタノール(99.5)にほとんど溶けない．5.0gを非金属製の容器にとり，新たに煮沸して冷却した水25mLを加え，穏やかに1分間かき混ぜて懸濁し，15分間放置した液のpHは4.5～7.0である

コメデンプン
Rice Starch

概要

原薬の規制区分 該当しない

原薬の外観・性状 白色の塊又は粉末である．水又はエタノール(99.5)にほとんど溶けない．5.0gに新たに煮沸して冷却した水25mLを加え，穏やかに1分間かき混ぜて懸濁し，15分間放置した液のpHは5.0～8.0である

トウモロコシデンプン
Corn Starch

概要

薬効分類 711 賦形剤

分子式 $(C_6H_{10}O_5)n$，nは300から1000

ステム 該当しない

原薬の規制区分 該当しない

原薬の外観・性状 白色～微黄白色の塊又は粉末である．水又はエタノール(99.5)にほとんど溶けない．5.0gを非金属製の容器にとり，新たに煮沸して冷却した水25.0mLを加え，穏やかに1分間かき混ぜて懸濁し，15分間放置した液のpHは4.0～7.0である

原薬の吸湿性 空気中の水分を速やかに吸湿する．50%RHにおけるおよその平衡状態の水分量：トウモロコシデンプン11%

原薬の酸塩基解離定数 該当資料なし

先発医薬品等

末 トウモロコシデンプン(小堺)
トウモロコシデンプン(司生堂)
トウモロコシデンプン(日興製薬)
トウモロコシデンプン「ホエイ」(マイラン＝ファイザー)
トウモロコシデンプン「ヨシダ」(吉田製薬)

国際誕生年月 該当しない

海外での発売状況 該当しない

製剤

製剤の性状 末 白色～微黄白色の塊又は粉末である

有効期間又は使用期限 5年

貯法・保存条件 室温保存

薬剤取扱い上の留意点 特になし

患者向け資料等 くすりのしおり

溶液及び溶解時のpH 該当しない

浸透圧比 該当しない

安定なpH域 該当しない

調製時の注意 該当しない

薬理作用

分類 賦形剤，糊剤(結合剤)，パップ剤等の基剤

作用部位・作用機序 該当資料なし

治療

効能・用法 賦形剤として調剤に用いる

その他の管理的事項

投与期間制限 該当しない

保険給付上の注意 該当しない

資料

IF トウモロコシデンプン「ホエイ」 2013年1月改訂(第4版)

バレイショデンプン
Potato Starch

概要

薬効分類 711 賦形剤

分子式 $(C_6H_{10}O_5)n$

原薬の規制区分 該当しない

原薬の外観・性状 白色の粉末である．水又はエタノール(99.5)にほとんど溶けない．5.0gを非金属製の容器にとり，新たに煮沸して冷却した水25.0mLを加え，穏やかに1分間かき混ぜ，懸濁液とした後，15分間静置したときのpHは5.0～8.0である

先発医薬品等

テ

末 バレイショデンプン(金田直)
バレイショデンプン(小堺)
バレイショデンプン(三恵)
バレイショデンプン(司生堂)
バレイショデンプン(東海製薬)
バレイショデンプン(日興製薬)
バレイショデンプン(山善)
バレイショデンプン原末「マルイシ」(丸石)
バレイショデンプン「ケンエー」(健栄)
バレイショデンプン「ヨシダ」(吉田製薬)

製剤

製剤の性状 白色の粉末
貯法・保存条件 密閉容器, 室温保存
患者向け資料等 くすりのしおり

薬理作用

分類 賦形剤

治療

効能・用法 賦形剤として調剤に用いる

資料

IF バレイショデンプン「ヨシダ」 2019年11改訂

デンプングリコール酸ナトリウム
Sodium Starch Glycolate

概要

原薬の規制区分 該当しない
原薬の外観・性状 白色の粉末で, 特異な塩味がある. エタノール(99.5)にほとんど溶けない. 水を加えるとき, 膨潤し, 粘稠性のあるのり状の液となる. 1gに水30mLを加え, 振り混ぜて得た懸濁液のpHはタイプA5.5～7.5及びタイプB3.0～5.0である
原薬の吸湿性 吸湿性である

乾燥痘そうワクチン
Freeze-dried Smallpox Vaccine

概要

原薬の規制区分 ㊟劇
原薬の外観・性状 溶剤を加えるとき, 白色～灰色の懸濁した液となる

乾燥細胞培養痘そうワクチン
Freeze-dried Smallpox Vaccine Prepared in Cell Culture

概要

薬効分類 631 ワクチン類
ステム 該当しない
原薬の規制区分 劇
原薬の外観・性状 溶剤を加えるとき, 帯赤色の澄明な液となる

製剤

規制区分 注射用 生物 劇 処
製剤の性状 注射用 生ワクチニアウイルス(LC16m8株)を含む帯黄色の乾燥製剤である. 添付の溶剤を加えると, 速やかに溶解して帯黄色又は帯赤色の澄明又は微濁した液剤となる
有効期間又は使用期限 4年
貯法・保存条件 遮光して, −20℃以下に保存
薬剤取扱い上の留意点 保存時：①−35℃以上−20℃以下に保存すること. ゴム栓の劣化, 破損等の可能性があるので, −35℃以下には保存しないこと ②本剤のウイルスは日光に弱く, 速やかに不活化されるので, 溶解の前後にかかわらず光が当たらないよう注意すること ③溶剤が凍結すると容器が破損することがある

薬理作用

分類 ウイルスワクチン類
作用部位・作用機序 あらかじめ本剤の接種により痘そうウイルスに対する液性免疫及び細胞性免疫が獲得されていると, 感染したウイルスの増殖は抑制され発症は阻止される

治療

効能・効果 痘そうの予防
用法・用量 添付の溶剤(20vol%グリセリン加注射用水)0.5mLで溶解し0.01mLを多刺法により皮膚に接種する. なお, 接種時の圧迫回数は, 初種痘で5回, その他の種痘で10回とする
用法・用量に関連する使用上の注意 ①他の生ワクチン(注射剤)との接種間隔：他の生ワクチン(注射剤)の接種を受けた者は, 通常, 27日以上間隔を置いて本剤を接種する ②同時接種：医師が必要と認めた場合には, 他のワクチンと同時に接種することができる(なお, 本剤を他のワクチンと混合して接種してはならない)
禁忌・原則禁忌となる特定患者集団 妊娠していることが明らかな者

使用上の注意

禁忌 ［接種不適当者］ 被接種者が次のいずれかに該当すると認められる場合には, 接種を行ってはならない：①明らかな発熱を呈している者 ②重篤な急性疾患にかかっていることが明らかな者 ③本剤の成分によってアナフィラキシーを呈したことがあることが明らかな者 ④明らかに免疫機能に異常のある疾患を有する者及び免疫抑制をきたす治療を受けている者 ⑤妊娠していることが明らかな者 ⑥まん延性の皮膚病にかかっている者で, 種痘により障害をきたすおそれのある者 ⑦前記に掲げる者のほか, 予防接種を行うことが不適当な状態にある者

その他の管理的事項

投与期間制限 該当しない
保険給付上の注意 薬価基準適用外

資料

添付文書 乾燥細胞培養痘そうワクチンLC16「KMB」 2020年1月改訂(第15版)

ドキサゾシンメシル酸塩
ドキサゾシンメシル酸塩錠
Doxazosin Mesilate

概要

薬効分類 214 血圧降下剤

構造式

・H_3C-SO_3H

及び鏡像異性体

分子式 $C_{23}H_{25}N_5O_5 \cdot CH_4O_3S$

分子量 547.58

ステム プラゾシン系降圧薬：-azosin

原薬の規制区分 該当しない

原薬の外観・性状 白色～帯黄白色の結晶性の粉末である．ジメチルスルホキシドに溶けやすく，水又はメタノールに溶けにくく，エタノール(99.5)に極めて溶けにくい．本品のジメチルスルホキシド溶液(1→20)は旋光性を示さない

原薬の吸湿性 吸湿平衡測定法により各種相対湿度槽(33～92%，25℃)に7日間保存したとき，吸湿増量はほとんどなく吸湿性は認められなかった

原薬の融点・沸点・凝固点 融点：約272℃(分解)

原薬の酸塩基解離定数 pKa＝6.9(分光光度法，電位差滴定法)

先発医薬品等

錠 カルデナリン錠0.5mg・1mg・2mg・4mg(ファイザー)
カルデナリンOD錠0.5mg・1mg・2mg・4mg(ファイザー)

後発医薬品

錠 0.5mg・1mg・2mg・4mg

国際誕生年月 1986年12月

海外での発売状況 米，英など

製剤

規制区分 **錠** **口腔内崩壊錠** ㊈

製剤の性状 **0.5mg錠** 白色の素錠 **1・4mg錠** 白色の割線入り素錠 **2mg錠** **2mg口腔内崩壊錠** 淡いだいだい色の割線入り素錠 **0.5mg口腔内崩壊錠** 淡黄色の素錠 **1・4mg口腔内崩壊錠** 淡黄色の割線入り素錠

有効期間又は使用期限 3年

貯法・保存条件 **錠** 室温保存 **口腔内崩壊錠** 気密容器，室温保存

薬剤取扱い上の留意点 本剤の投与初期又は用量の急増時等に起立性低血圧に基づくめまい等が現れることがあるので，高所作業，自動車の運転等危険を伴う作業に従事する場合には注意させること **口腔内崩壊錠** アルミピロー開封後は湿気を避けて保存すること．瓶の開封後は湿気を避けて保存すること．本剤をPTPシート又は瓶から取り出して保存する場合は，湿気を避けて保存するよう指導すること

患者向け資料等 くすりのしおり

溶液及び溶解時のpH 該当しない

浸透圧比 該当しない

安定なpH域 該当しない

調製時の注意 該当しない

薬理作用

分類 α_1受容体遮断剤

作用部位・作用機序 作用部位：血管平滑筋にある交感神経α_1受容体 作用機序：降圧作用は末梢血管の交感神経α受容体の遮断によるが，α_1受容体(シナプス後α受容体)に選択的に働き，α_2受容体(シナプス前α受容体)にはほとんど作用しないことがラット摘出輸精管標本，ウサギ摘出肺動脈標本又はreceptor binding assayによる*in vitro*実験で認められている．また，α_1受容体への選択性は従来のα_1遮断剤より優れている

同効薬 プラゾシン塩酸塩，ブナゾシン塩酸塩，ウラピジル，テラゾシン塩酸塩水和物

治療

効能・効果 高血圧症，褐色細胞腫による高血圧症

用法・用量 ドキサゾシンとして1日1回0.5mgから始め，効果が不十分な場合は1～2週間の間隔をおいて1日1回1～4mgに漸増(適宜増減)．1日最高8mgまで．ただし，褐色細胞腫による高血圧症には1日最高16mgまで

用法・用量に関連する使用上の注意 **口腔内崩壊錠** 口腔内で崩壊するが，口腔粘膜からの吸収により効果発現を期待する製剤ではないため，唾液又は水で飲み込む

使用上の注意

禁忌 本剤の成分に対し過敏症の既往歴のある患者

過量投与 ①症状：過量投与により低血圧を起こす可能性がある ②処置：過量投与の結果低血圧になった場合には，ただちに患者を足高仰臥位に保つ．その他必要に応じて適切な処置を行う．蛋白結合率が高いため，透析は有用ではない

薬物動態

吸収 健常成人6名に空腹時，単回経口投与後1.6～1.7時間で最高血漿中濃度(ng/mL)0.5mgで4.9，1mgで9.4，2mgで18.2，半減期10～16時間．高血圧症患者7例に1日1回2mgを5～8日間連続経口投与時の血漿中濃度は4日目以降で定常状態，初日の約1.4倍に増加．半減期は単回投与時11.1時間，連続投与時12.9時間と大差なし **食事の影響(参考)** 健常成人12名に1mgカプセルをクロスオーバー法で単回経口投与時の最高血漿中濃度は，空腹時投与で2.3時間後6.8ng/mL，食後投与で3.9時間後6.8ng/mL，血漿中濃度-時間曲線下面積にも有意差はなく，吸収に及ぼす食事の影響は少ない **分布** 健常成人6名に2mg単回経口投与時の血漿中濃度成績から算出した分布容積は1.2L/kgで，組織移行性は良好 **代謝・排泄** 健常成人6名に0.5，1，2mgを単回経口投与後24時間までの未変化体尿中排泄率はいずれも1%以下．(参考)健常成人2名に^{14}C-標識ドキサゾシン2mgを単回経口投与後7日目までの排泄率は尿中9%，糞中63%で，主に糞中へほとんど代謝物として排泄 **肝機能障害患者(参考)** 肝機能の低下している患者(肝硬変患者)12例及び健常成人12名に2mgを単回経口投与時，臨床的な影響は明らかではないが，肝機能低下患者におけるAUCは246±84ng・hr/mLと健常成人の172±61ng・hr/mLに比べ有意に増大 **腎機能障害患者** 腎機能障害を伴う高血圧症患者5例と腎機能正常の高血圧症患者7例に2mgを1日1回5～8日間連続経口投与時，両群間で血漿中濃度の推移に有意な差は認められなかった **高齢者(参考)** 高齢健常者12名(平均71.4歳)及び若年健常成人6名に1mgを静注，又は2mgを単回経口投与時，高齢健常者では若年健常成人に比べ分布容積は有意に高値を示すが，バイオアベイラビリティ，クリアランス及び血漿中濃度半減期には有意な変化は認められなかった **蛋白結合** ヒト血漿蛋白結合率(*in vitro*)は98.9%

その他の管理的事項

投与期間制限 該当しない

保険給付上の注意 該当しない

資料

IF カルデナリン錠0.5mg・1mg・2mg・4mg・OD錠0.5mg・1mg・2mg・4mg 2018年12月改訂(第13版)

ト

ドキサプラム塩酸塩水和物
Doxapram Hydrochloride Hydrate

概要

薬効分類　221　呼吸促進剤

構造式

CH_3 N O N O H ・HCl・H_2O

及び鏡像異性体

分子式　$C_{24}H_{30}N_2O_2$・HCl・H_2O

分子量　432.98

ステム　不明

原薬の規制区分　㊞

原薬の外観・性状　白色の結晶又は結晶性の粉末である．メタノール又は酢酸(100)に溶けやすく，水，エタノール(95)又は無水酢酸にやや溶けにくく，ジエチルエーテルにほとんど溶けない．1.0gを水50mLに溶かした液のpHは3.5～5.0である

原薬の吸湿性　90%RH(ガラスシャーレ蓋開放，30℃，6カ月)で吸湿性を認めない

原薬の融点・沸点・凝固点　融点：218～222℃

原薬の酸塩基解離定数　pKa＝6.70

先発医薬品等

注　ドプラム注射液400mg(キッセイ)

国際誕生年月　1965年

海外での発売状況　米，独など

製剤

規制区分　**注**　㊞ ㊇

製剤の性状　**注**　無色澄明の注射液

有効期間又は使用期限　3年

貯法・保存条件　遮光・室温保存

薬剤取扱い上の留意点　該当しない

患者向け資料等　くすりのしおり

溶液及び溶解時のpH　2.9～4.4(高温下(45℃以上)に長時間放置するとpHが低下することがある)

浸透圧比　0.3～0.4(対0.9%生食)

安定なpH域　3.5～5.0

調製時の注意　ブドウ糖液などの輸液で適宜希釈して投与する．酸性溶液であるので，アルカリ溶液と混合しないこと

薬理作用

分類　2-pyrrolidinone誘導体

作用部位・作用機序　呼吸促進作用は主に末梢性化学受容器の求心性神経活動を介して生じ，呼吸中枢に選択的に作用する

同効薬　中枢性呼吸促進薬：ジモルホラミン，フルマゼニル　麻薬拮抗薬：レバロルファン酒石酸塩，ナロキソン塩酸塩

治療

効能・効果　①次の状態における呼吸抑制ならびに覚醒遅延：麻酔時，中枢神経系抑制剤による中毒時　②遷延性無呼吸の鑑別診断　③急性ハイパーカプニアを伴う慢性肺疾患　④早産・低出生体重児における原発性無呼吸(未熟児無呼吸発作)．ただし，キサンチン製剤による治療で十分な効果が得られない場合に限る

効能・効果に関連する使用上の注意　①中枢神経系抑制剤による中毒時に関する注意：中枢神経系抑制剤による重篤な中毒患者に対し，本剤のみでは，呼吸促進ならびに意識レベルの改善が十分得られないことがあるので，従来慣用された維持療法や蘇生術の補助として用いるべきである　②早産・低出生体重児における原発性無呼吸(未熟児無呼吸発作)に関する注意：原発性無呼吸に対する治療薬であるので，投与前に二次性無呼吸の除外診断を行う．二次性無呼吸を呈する患者には，原疾患に応じ適切な処置を行う

用法・用量　①次の状態における呼吸抑制ならびに覚醒遅延：(1)麻酔時：0.5～1mg/kg徐々に静注．必要に応じて5分間隔で通常量を投与し，総投与量2mg/kgまで．点滴静注の場合は，はじめ約5mg/minの速度で投与し，患者の状態に応じて注入速度を適宜調節．総投与量5mg/kgまで　(2)中枢神経系抑制剤による中毒時：0.5～2mg/kg徐々に静注．初回投与に反応があった患者には維持量として，必要に応じて通常量を5～10分間隔で投与し，次いで1～2時間間隔で投与を繰り返す．点滴静注の場合は症状に応じて1～3mg/kg/hrの速度で投与　②遷延性無呼吸の鑑別診断：1～2mg/kg静注．呼吸興奮が十分生じない場合は呼吸抑制の原因が筋弛緩剤の残存効果によることを考慮する　③急性ハイパーカプニアを伴う慢性肺疾患：1～2mg/kg/hrの速度で点滴静注．投与開始後1～2時間は，動脈血液ガスを30分ごとに測定し，血液ガスの改善がみられないか，悪化する場合にはレスピレータの使用を考慮する．投与により血液ガスの改善がみられ，重篤な副作用が生じなければ投与を継続してもよい．動脈血液ガス分圧の測定は適宜行い，血液ガスが適当なレベルに達したら中断し，酸素吸入は必要に応じて継続する．注入中断後，PaCO2が上昇した場合には再投与を考慮する．1日最大2400mg　④早産・低出生体重児における原発性無呼吸(未熟児無呼吸発作)：初回投与量1.5mg/kg/hrの速度で1時間かけて点滴静注し，維持投与として0.2mg/kg/hrの速度で点滴静注．なお，十分な効果が得られない場合は，0.4mg/kg/hrの速度まで適宜増量

用法・用量に関連する使用上の注意　麻酔時に関する注意：投与により，アドレナリン放出が増加する．したがって，カテコラミンに対する心筋の感受性を高める麻酔剤，たとえばハロタン等を使用したときには，本剤投与は麻酔剤中止後少なくとも10分間間隔をあけるべきである

禁忌・原則禁忌となる特定患者集団　新生児，低出生体重児

使用上の注意

禁忌　①すべての効能・効果に関する注意：(1)てんかん及び他の痙攣状態の患者［症状を悪化させるおそれがある］　(2)呼吸筋・胸郭・胸膜等の異常により換気能力の低下している患者［効果が期待できず，レスピレータによる補助が必要である］　(3)重症の高血圧症及び脳血管障害患者［過度の昇圧，脳血管収縮・脳血流の減少を起こすおそれがある］　(4)冠動脈疾患，明瞭な代償不全性心不全［頻脈・不整脈を起こすおそれがある］　(5)新生児，低出生体重児(早産・低出生体重児における原発性無呼吸(未熟児無呼吸発作)の患児を除く)　(6)本剤の成分に対し過敏症の既往歴のある患者　②早産・低出生体重児における原発性無呼吸(未熟児無呼吸発作)に関する注意：壊死性腸炎又はその疑いのある患児［壊死性腸炎が悪化又は発症するおそれがある］

相互作用概要　CYP3A4/5が関与する

過量投与　①麻酔時，中枢神経系抑制剤による中毒時における呼吸抑制ならびに覚醒遅延，遷延性無呼吸の鑑別診断，急性ハイパーカプニアを伴う慢性肺疾患：(1)過量投与による初期症状として極度の昇圧，頻脈，骨格筋機能亢進，深部腱反射の亢進がみられるので，血圧，脈拍，深部腱反射を定期的に調べることが望ましい　(2)処置：過度の中枢神経興奮に対してはバルビツレートの静注，又は酸素及び人工呼吸装置の速やかな使用等を行う　②早産・低出生体重児における原発性無呼吸(未熟児無呼吸発作)：本剤による壊死性腸炎等の重篤な胃腸障害の発現は，1mg/kg/hr以上の高用量投与において多く認められており，死亡例も発現している．また，ドキサプラムの血中濃度が5μg/mLを超える場合に，胃腸障害等を含む副作用の発現率が上昇するとの報告がある　※(参考)体重あたり用量換算表は添付文書参照

薬物動態

①健康成人男子1mg/kg静注で，血中濃度は投与直後に最高，静注後約4分で半減，48時間後までの尿中排泄約15%．術後

患者の1時間点滴静注でも持続点滴により血中濃度は上昇し，点滴終了後，速やかに低下　②ヒト肝ミクロソームにおけるドキサプラムからその代謝物であるケトドキサプラム生成にはCYP3A4/5の関与が示唆　③アミノフィリンに不応の無呼吸発作を認めた早産・低出生体重児を対象にアミノフィリン併用下で，1.5mg/kgを1時間かけて点滴静注後，維持投与として0.2mg/kg/hrの速度で点滴静注(効果不十分な場合は0.4mg/kg/hrまで増量)時，定常状態における血清中ドキサプラム濃度の中央値は0.472μg/mLで，すべての患児で血清中ドキサプラム濃度は2.0μg/mL未満．ドキサプラムとケトドキサプラムの血清中濃度の合計の最大値は2.073μg/mL　④未熟児に投与時の薬物動態パラメータは，成人と比較して大きな個体間変動を示した．一方，平均値で比較すると，消失半減期は未熟児と成人で顕著な差異は認められなかったが，クリアランス及び分布容積では成人と比較して2倍程度大きくなる傾向を示した

その他の管理的事項

投与期間制限　該当しない

保険給付上の注意　該当しない

資料

IF　ドプラム注射液400mg　2020年7月改訂(第6版)

ドキシサイクリン塩酸塩水和物
ドキシサイクリン塩酸塩錠
Doxycycline Hydrochloride Hydrate

概要

薬効分類　615　主としてグラム陽性・陰性菌，リケッチア，クラミジアに作用するもの

構造式

$\cdot HCl \cdot \frac{1}{2} H_3C\text{—}CH_2\text{—}OH \cdot \frac{1}{2} H_2O$

分子式　$C_{22}H_{24}N_2O_8 \cdot HCl \cdot ½C_2H_6O \cdot ½H_2O$

分子量　512.94

略語・慣用名　DOXY

ステム　テトラサイクリン系の抗生物質：-cycline

原薬の規制区分　該当しない

原薬の外観・性状　黄色〜暗黄色の結晶又は結晶性の粉末である．水又はメタノールに溶けやすく，エタノール(99.5)に溶けにくい

原薬の吸湿性　吸湿性はほとんどなし

原薬の酸塩基解離定数　pKa＝3.4，7.7，9.7(H_2O)

先発医薬品等

錠　ビブラマイシン錠50mg・100mg(ファイザー)

国際誕生年月　1967年5月

海外での発売状況　米，英など

製剤

規制区分　**錠**　㊈

製剤の性状　**錠**　白色のフィルムコーティング錠

有効期間又は使用期限　3年

貯法・保存条件　室温保存

薬剤取扱い上の留意点　食道に停留し，崩壊すると，まれに食道潰瘍を起こすことがあるので，多めの水で服用させ，特に就寝直前の服用等には注意すること

患者向け資料等　くすりのしおり

溶液及び溶解時のpH　該当資料なし

浸透圧比　該当資料なし

安定なpH域　該当資料なし

調製時の注意　該当資料なし

薬理作用

分類　テトラサイクリン系抗生物質

作用部位・作用機序　作用部位：アミノアシル tRNA　作用機序：細菌の蛋白合成作用の阻害

同効薬　テトラサイクリン系抗生物質

治療

効能・効果　〈適応菌種〉ドキシサイクリンに感性のブドウ球菌属，レンサ球菌属，肺炎球菌，淋菌，炭疽菌，大腸菌，赤痢菌，肺炎桿菌，ペスト菌，コレラ菌，ブルセラ属，Q熱リケッチア(コクシエラ・ブルネティ)，クラミジア属　〈適応症〉表在性皮膚感染症，深在性皮膚感染症，リンパ管・リンパ節炎，慢性膿皮症，外傷・熱傷及び手術創等の二次感染，乳腺炎，骨髄炎，咽頭・喉頭炎，扁桃炎，急性気管支炎，肺炎，慢性呼吸器病変の二次感染，膀胱炎，腎盂腎炎，前立腺炎(急性症，慢性症)，尿道炎，淋菌感染症，感染性腸炎，コレラ，子宮内感染，子宮付属器炎，眼瞼膿瘍，涙嚢炎，麦粒腫，角膜炎(角膜潰瘍を含む)，中耳炎，副鼻腔炎，歯冠周囲炎，化膿性唾液腺炎，猩紅熱，炭疽，ブルセラ症，ペスト，Q熱，オウム病

効能・効果に関連する使用上の注意　①胎児に一過性の骨発育不全，歯牙の着色・エナメル質形成不全を起こすことがある．また，動物実験(ラット)で胎児毒性が認められているので，妊婦又は妊娠している可能性のある婦人には治療上の有益性が危険性を上回ると判断される場合にのみ投与する　②小児等(特に歯牙形成期にある8歳未満の小児等)に投与した場合，歯牙の着色・エナメル質形成不全，また，一過性の骨発育不全を起こすことがあるので，他の薬剤が使用できないか，無効の場合にのみ適用を考慮する　③咽頭・喉頭炎，扁桃炎，急性気管支炎，感染性腸炎，中耳炎，副鼻腔炎への使用にあたっては，「抗微生物薬適正使用の手引き」を参照し，抗菌薬投与の必要性を判断した上で，本剤の投与が適切と判断される場合に投与する

用法・用量　初日1日200mg(力価)1〜2回に分服，2日目から1日1回100mg(力価)(適宜増減)

用法・用量に関連する使用上の注意　①使用にあたっては，耐性菌の発現等を防ぐため，原則として感受性を確認し，疾病の治療上必要な最小限の期間の投与にとどめる　②炭疽，コレラ，ペスト，ブルセラ症，Q熱に使用する際には，投与開始時期，投与量，投与期間，併用薬等について国内外の学会のガイドライン等，最新の情報を参考にし，投与する　③炭疽については，体重45kg以上の小児においては，成人と同量を投与できる．体重45kg未満の小児においては，体重換算に基づき適切な量を投与する　④炭疽の発症及び進展抑制には，米国疾病管理センター(CDC)が，60日間の投与を推奨している

使用上の注意

禁忌　本剤の成分又はテトラサイクリン系抗生物質に対し過敏症の既往歴のある患者

薬物動態

血中濃度　経口投与で速やかに吸収，有効血中濃度を長時間持続．このため1日1回投与で，1日数回投与を必要とする他のテトラサイクリン系薬剤に効果が匹敵．健常成人に200mg経口投与時の最高血中濃度は2〜4時間後に約3μg/mL．血中濃度半減期11〜13時間．ミルクや食物の同時摂取により血中濃度のピークが遅れるものの吸収が妨げられることはない

尿中排泄　200mg経口投与後の尿中排泄率は24時間以内で15〜30%　**腎機能障害患者**　テトラサイクリンは腎機能障害患者に通常用量を用いると血中濃度半減期が延長し，連用により蓄積して高窒素血症を起こすことがあるが，本剤はこのような患者に投与した場合でも血中濃度半減期を有意に延長することなく，通常用量を連続投与しても過剰蓄積をきたさず，

またBUNの上昇を認めないと報告されている

その他の管理的事項

投与期間制限 該当しない

保険給付上の注意 該当しない

資料

IF ビブラマイシン錠50mg・100mg 2018年11月改訂(第12版)

ドキシフルリジン
ドキシフルリジンカプセル
Doxifluridine

概要

薬効分類 422 代謝拮抗剤

構造式

分子式 $C_9H_{11}FN_2O_5$

分子量 246.19

略語・慣用名 5'-DFUR

ステム ウリジン系抗悪性腫瘍薬：-uridine

原薬の規制区分 (劇)

原薬の外観・性状 白色の結晶性の粉末である．*N,N*-ジメチルホルムアミドに溶けやすく，水又はメタノールにやや溶けやすく，エタノール(99.5)に溶けにくい．0.1mol/L塩酸試液又は0.01mol/L水酸化ナトリウム試液に溶ける．0.10gを水10mLに溶かした液のpHは4.2～5.2である

原薬の吸湿性 30℃，90%RHで3カ月間保存したところ，吸湿性は認められなかった

原薬の融点・沸点・凝固点 融点：約191℃(分解)

原薬の酸塩基解離定数 pKa＝7.57(紫外可視吸光度法)

先発医薬品等

カ フルツロンカプセル100・200(太陽ファルマ)

国際誕生年月 1987年6月

製剤

規制区分 **カ** (劇) (処)

製剤の性状 **カ** 淡赤白色/白色の硬カプセル剤

有効期間又は使用期限 3年

貯法・保存条件 気密容器，室温保存

薬剤取扱い上の留意点 特になし

患者向け資料等 くすりのしおり

溶液及び溶解時のpH 4.2～5.2(1%水溶液)

浸透圧比 該当しない

安定なpH域 該当しない

調製時の注意 該当しない

薬理作用

分類 フッ化ピリミジン系抗悪性腫瘍剤

作用部位・作用機序 腫瘍組織で高い活性を有する酵素，ピリミジンヌクレオシドホスホリラーゼ(PyNPase)により5-FUに変換され，抗腫瘍効果を発揮する．5-FUはFdUMPに代謝され，ウラシル由来のdUMPと拮抗し，チミジル酸合成酵素によるDNA合成経路を阻害する．また，5-FUはFUTPに変換され，ウラシルと同じくRNAにも取り込まれてF-RNAを生成し，RNAの機能を障害すると考えられている

同効薬 フルオロウラシル，テガフール，テガフール・ウラシル配合剤，テガフール・ギメラシル・オテラシルカリウム配合剤，カペシタビン

治療

効能・効果 胃癌，結腸・直腸癌，乳癌，子宮頸癌，膀胱癌

用法・用量 1日800～1200mg，3～4回に分服(適宜増減)

使用上の注意

> **警告** テガフール・ギメラシル・オテラシルカリウム配合剤との併用により，重篤な血液障害等の副作用が発現するおそれがあるので，併用を行わない

禁忌 ①本剤の成分に対し重篤な過敏症の既往歴のある患者 ②テガフール・ギメラシル・オテラシルカリウム配合剤投与中の患者及び投与中止後7日以内の患者

薬物動態

血中濃度 悪性腫瘍患者4例に800mg単回経口投与(承認用法・用量：1日800～1200mg，分3～4)時，血清中未変化体濃度は1～2時間後に最高約1μg/mL，以後速やかに低下．5-FU濃度も1時間後に最高に達したが，その濃度は未変化体の約1/10と低値 **組織内濃度** 胃癌，大腸癌，乳癌，子宮頸癌，膀胱癌患者に1200mgを1日3回に分けて3～7日間連日経口投与時の腫瘍組織内フルオロウラシル濃度は，隣接正常組織及び血中より高値 **代謝及び排泄** 腫瘍組織で高活性を示す酵素のピリミジンヌクレオシドホスホリラーゼにより5-FUと5-デオキシ-D-リボース-1-リン酸へ分解．悪性腫瘍患者6例に800mg単回経口投与(承認用法・用量：1日800～1200mg，分3～4)後12時間までの主な尿中排泄物質は未変化体，5-FU及びその代謝物，5-デオキシ-D-リビトール

その他の管理的事項

投与期間制限 該当しない

保険給付上の注意 該当しない

資料

IF フルツロンカプセル100・200 2019年1月改訂(第6版)

ドキソルビシン塩酸塩
注射用ドキソルビシン塩酸塩
Doxorubicin Hydrochloride

概要

薬効分類 423 抗腫瘍性抗生物質製剤

構造式

分子式 $C_{27}H_{29}NO_{11}$・HCl

分子量 579.98

略語・慣用名 慣用名：アドリアマイシン(Adriamycin) ADR，ADM，DXR，DOX等

ステム アントラサイクリン系抗悪性腫瘍剤：-rubicin

原薬の規制区分 (毒)(ただし，1バイアル中ドキソルビシンとして50mg力価以下を含有するものは(劇))

原薬の外観・性状 赤橙色の結晶性の粉末である．水にやや溶

けにくく，メタノールに溶けにくく，エタノール(99.5)に極めて溶けにくく，アセトニトリルにほとんど溶けない．50mgを水10mLに溶かした液のpHは4.0～5.5である

原薬の吸湿性　吸湿しにくい．25℃，14日，75％RHの保存条件で吸湿性は0.3％であった．ごく僅かな吸湿を認めるが固化・潮解変化はみられない

原薬の融点・沸点・凝固点　約205℃(分解)

原薬の酸塩基解離定数　pKa＝8.22(pH滴定法)

先発医薬品等

注　ドキシル注20mg(ヤンセン＝持田)

注射用　アドリアシン注用10・50(アスペン)

後発医薬品

注　10mg・50mg

注射用　10mg・50mg

国際誕生年月　1971年

海外での発売状況　**注射用**　米，英，仏，独など諸外国　**注〔リポソーマル製剤〕**　米，カナダ，EUなど80カ国

製剤

規制区分　**注射用**　**注〔リポソーマル製剤〕**　㊙　㊫

製剤の性状　**注射用**　だいだい赤色の粉末又は塊(凍結乾燥製剤)　**注〔リポソーマル製剤〕**　赤色の懸濁液

有効期間又は使用期限　**注射用**　2年　**注〔リポソーマル製剤〕**　20カ月

貯法・保存条件　**注射用**　室温保存　**注〔リポソーマル製剤〕**　2～8℃(凍結を避けること)

薬剤取扱い上の留意点　細胞障害性のある抗悪性腫瘍剤であり，直接の接触により粘膜の刺激作用，潰瘍，組織の壊死等を起こす可能性があるので，取扱いにあたっては十分な注意が必要である：①他の注射剤との混合調製時に，薬液が皮膚や手指などに付着しないように注意する．薬液が付着したら，すぐに石けんを用いて，水で洗い流す　②眼に入ったら直ちに流水でよく洗眼する

患者向け資料等　**注射用**　患者向医薬品ガイド，くすりのしおり　**注〔リポソーマル製剤〕**　くすりのしおり

溶液及び溶解時のpH　**注射用**　5.0～6.0　**注〔リポソーマル製剤〕**　6.0～7.0

浸透圧比　**注射用**　約1　**注〔リポソーマル製剤〕**　325～375mOsm/kg

安定なpH域　**注射用**　水溶液はpHによって安定性が左右され，酸性側ではほぼ安定であるが，アルカリ側では不安定であり経時的に力価が低下する

調製時の注意　**注射用**　溶解時のpHにより安定性が低下することがあるので，他の薬剤との混注を避け，注射用水又は生理食塩液に溶解すること．またフルオロウラシル注射液等のアルカリ性薬剤の調剤に使用したシリンジ(注射筒)を本剤の調製時に使用すると不溶性の凝集物を形成するので避けること　**注〔リポソーマル製剤〕**　本剤のバイアルは1回使い切りである．バイアル中の未使用残液は適切に廃棄すること．また，希釈後は2～8℃で保存し，24時間以内に投与すること

薬理作用

分類　アントラサイクリン系抗腫瘍性抗生物質

作用部位・作用機序　作用部位：腫瘍細胞　作用機序：腫瘍細胞のDNAの塩基対間に挿入し，DNAポリメラーゼ，RNAポリメラーゼ及びトポイソメラーゼⅡ反応を阻害し，DNA，RNAの双方の生合成を抑制することによって抗腫瘍効果を示す．細胞周期別では特にS期の細胞が高い感受性を示す

同効薬　アクラルビシン塩酸塩，アムルビシン塩酸塩，イダルビシン塩酸塩，エピルビシン塩酸塩，ダウノルビシン塩酸塩，ピラルビシン塩酸塩など

治療

効能・効果　**アドリアシン**　**サンド**　**NK**　①通常療法：(1)次の諸症の自覚的及び他覚的症状の緩解　悪性リンパ腫，肺癌，消化器癌(胃癌，胆嚢・胆管癌，膵臓癌，肝癌，結腸癌，直腸癌等)，乳癌，膀胱腫瘍，骨肉腫　(2)次の悪性腫瘍に対する他の抗悪性腫瘍剤との併用療法：乳癌(手術可能例における術前，あるいは術後化学療法)，子宮体癌(術後化学療法，転移・再発時化学療法)，悪性骨・軟部腫瘍，悪性骨腫瘍，多発性骨髄腫，小児悪性固形腫瘍(ユーイング肉腫ファミリー腫瘍，横紋筋肉腫，神経芽腫，網膜芽腫，肝芽腫，腎芽腫等)　②M-VAC療法：尿路上皮癌

ドキシル　①がん化学療法後に増悪した卵巣癌　②エイズ関連カポジ肉腫

効能・効果に関連する使用上の注意　**ドキシル**　卵巣癌：投与を行う場合には，白金製剤を含む化学療法施行後の症例を対象とし，白金製剤に対する感受性を考慮して本剤以外の他の治療法を慎重に検討した上で，開始する

用法・用量　**アドリアシン**　**サンド**　**NK**　①通常療法：(1)肺癌，消化器癌，乳癌，骨肉腫：(ア)1日量，ドキソルビシン塩酸塩として10mg(0.2mg/kg)(力価)を注射用水又は生理食塩液に溶解し，1日1回4～6日間連日静脈内ワンショット投与後，7～10日間休薬．この方法を1クールとし，2～3クール繰り返す　(イ)1日量，ドキソルビシン塩酸塩として20mg(0.4mg/kg)(力価)を注射用水又は生理食塩液に溶解し，1日1回2～3日間静脈内にワンショット投与後，7～10日間休薬．この方法を1クールとし，2～3クール繰り返す　(ウ)1日量，ドキソルビシン塩酸塩として20mg～30mg(0.4～0.6mg/kg)(力価)を注射用水又は生理食塩液に溶解し，1日1回，3日間連日静脈内にワンショット投与後，18日間休薬．この方法を1クールとし，2～3クール繰り返す　(エ)総投与量はドキソルビシン塩酸塩として500mg(力価)/m^2(体表面積)以下　(2)悪性リンパ腫：(オ)前記(ア)～(ウ)に従う　(カ)他の抗悪性腫瘍剤との併用において，標準的なドキソルビシン塩酸塩の投与量及び投与方法は，次の通りとする：(a)ドキソルビシン塩酸塩として1日1回25～50mg(力価)/m^2(体表面積)を静注し，繰り返す場合には少なくとも2週間以上の間隔をあけて投与する　(b)ドキソルビシン塩酸塩として，1日目は40mg(力価)/m^2(体表面積)，8日目は30mg(力価)/m^2(体表面積)を静注し，その後20日間休薬．この方法を1クールとし，投与を繰り返す．投与に際しては，注射用水又は生理食塩液に溶解し，必要に応じて輸液により希釈する．なお，年齢，併用薬，患者の状態に応じて適宜減量．また，ドキソルビシン塩酸塩の総投与量は500mg(力価)/m^2(体表面積)以下とする　(3)乳癌(手術可能例における術前，あるいは術後化学療法)に対する他の抗悪性腫瘍剤との併用療法：シクロホスファミド水和物との併用において，標準的な本剤の投与量及び投与方法は，1日量，ドキソルビシン塩酸塩として60mg(力価)/m^2(体表面積)を注射用水又は生理食塩液に溶解し，1日1回静注後，20日間休薬．この方法を1クールとし，4クール繰り返す．年齢，症状により適宜減量．また本剤の総投与量は500mg(力価)/m^2(体表面積)以下　(4)子宮体癌(術後化学療法，転移・再発時化学療法)に対する他の抗悪性腫瘍剤との併用療法：シスプラチンとの併用において，標準的な本剤の投与量及び投与方法は，1日量，ドキソルビシン塩酸塩として60mg(力価)/m^2(体表面積)を注射用水又は生理食塩液に溶解し，1日1回静注，その後休薬し3週ごとに繰り返す．年齢，症状により適宜減量．また本剤の総投与量は500mg(力価)/m^2(体表面積)以下　(5)悪性骨・軟部腫瘍に対する他の抗悪性腫瘍剤との併用療法：イホスファミドとの併用において，標準的な本剤の投与量及び投与方法は，1日量，ドキソルビシン塩酸塩として20～30mg(力価)/m^2(体表面積)を注射用水又は生理食塩液に溶解し，1日1回3日間連続で静注，その後休薬し3～4週ごとに繰り返す．年齢，症状により適宜減量．また本剤の総投与量は500mg(力価)/m^2(体表面積)．本剤単剤では(ウ)(エ)に従う　(6)悪性骨腫瘍に対する他の抗悪性腫瘍剤との併用療法：シスプラチンとの併用において，標準的な本剤の投与量及び投与方法は，1日量，ドキソルビシン塩酸塩として20mg(力価)/m^2(体表面積)を注射用水又は生理食塩液に溶解し，1日1回3日間連続で静注又は点滴静注し，その後3週間休薬．これを1クールとし，投与を繰り

返す．疾患，症状により適宜減量．また本剤の総投与量は500mg(力価)/m^2(体表面積)以下　(7)多発性骨髄腫に対する他の抗悪性腫瘍剤との併用療法：ビンクリスチン硫酸塩，リン酸デキサメタゾンナトリウムとの併用において，標準的な本剤の投与量及び投与方法は，1日量ドキソルビシン塩酸塩として9mg(力価)/m^2(体表面積)を注射用水又は生理食塩液に溶解し，必要に応じて輸液に希釈し24時間持続静注．これを4日間連続で行う．その後休薬し，3～4週ごとに繰り返す方法を1クールとする．年齢，症状により適宜減量．また本剤の総投与量は500mg(力価)/m^2(体表面積)以下　(8)小児悪性固形腫瘍(ユーイング肉腫ファミリー腫瘍，横紋筋肉腫，神経芽腫，網膜芽腫，肝芽腫，腎芽腫等)に対する他の抗悪性腫瘍剤との併用療法：他の抗悪性腫瘍剤との併用において，標準的な本剤の投与量及び投与方法は，次の通り：(ア)1日20～40mg(力価)/m^2(体表面積)を24時間持続点滴1コース20～80mg(力価)/m^2(体表面積)を24～96時間かけて投与し，繰り返す場合には少なくとも3週間以上の間隔をあけて投与する．1日投与量は最大40mg(力価/m^2(体表面積)　(イ)1日1回20～40mg(力価)/m^2(体表面積)を静注又は点滴静注1コース20～80mg(力価)/m^2(体表面積)を投与し，繰り返す場合には少なくとも3週間以上の間隔をあけて投与．1日投与量は最大40mg(力価)/m^2(体表面積)．投与に際しては，注射用水又は生理食塩液に溶解し，必要に応じて輸液により希釈．年齢，併用薬，患者の状態に応じて適宜減量．また，本剤の総投与量は500mg(力価)/m^2(体表面積)以下　(9)膀胱腫瘍：1日量，ドキソルビシン塩酸塩として30～60mg(力価)を20～40mLの生理食塩液に1～2mg(力価)/mLになるように溶解し，1日1回連日又は週2～3回膀胱腔内に注入(適宜増減)．(本剤の膀胱腔内注入法)ネラトンカテーテルで導尿し，十分に膀胱腔内を空にしたのち同カテーテルより，ドキソルビシン塩酸塩30mg～60mg(力価)を20～40mLの生理食塩液に1～2mg(力価)/mLになるように溶解して膀胱腔内に注入し，1～2時間膀胱把持　②M-VAC療法：メトトレキサート，ビンブラスチン硫酸塩及びシスプラチンとの併用において，本剤を注射用水又は生理食塩液に溶解し，1回30mg(力価)/m^2(体表面積)を静注．年齢，症状により適宜減量．標準的な投与量及び投与方法は，メトトレキサート30mg/m^{2}を1日目に投与した後，2日目にビンブラスチン硫酸塩3mg/m^2，本剤30mg(力価)/m^{2}及びシスプラチン70mg/m^{2}を静注．15日目及び22日目に，メトトレキサート30mg/m^{2}及びビンブラスチン硫酸塩3mg/m^{2}を静注．これを1クールとして4週ごとに繰り返すが，本剤の総投与量は500mg(力価)/m^{2}以下とする　※**サンド** は注射用水又は生理食塩液に溶解せずに投与する

ドキシル 効能①：1日1回50mg/m^{2}を1mg/分の速度で静注し，その後4週間休薬．これを1コースとして繰り返す(適宜減量)　効能②：1日1回20mg/m^{2}を1mg/分の速度で静注し，その後2～3週間休薬．これを1コースとして繰り返す(適宜減量)

用法・用量に関連する使用上の注意　**アドリアシン**　**サンド**　**NK**　①24時間持続静注を実施する場合は，中心静脈カテーテルを留置して投与する　②悪性リンパ腫に対して投与する際には，投与量，投与スケジュール，併用薬等について，学会のガイドライン等，最新の情報を参考にする

ドキシル　①本剤と他の抗悪性腫瘍剤を併用した場合の有効性及び安全性は確立していない　②5%ブドウ糖注射液で希釈する．希釈方法については，投与量に合わせ，次の(1)，(2)いずれかの方法で行う　(1)投与量が90mg未満の場合：5%ブドウ糖注射液250mLで希釈する　(2)投与量が90mg以上の場合：5%ブドウ糖注射液500mLで希釈する　急速な投与によりinfusion reaction発現の危険性が高くなるおそれがあるため，急速静脈内投与又は希釈しない溶液での投与は行わない　③他の薬剤等との配合又は同じ静注ラインでの同時注入は避ける　④副作用により，休薬，減量，中止する場合には，添付文書の用量調節基準を考慮する．なお，減量を行った場合は，有害事象が軽快しても減量前の投与量に戻さない．各用量調節基準等は添付文書参照

使用上の注意

警告　**アドリアシン** ①本剤を含むがん化学療法は，緊急時に十分対応できる医療施設において，がん化学療法に十分な知識・経験をもつ医師のもとで，本療法が適切と判断される症例についてのみ実施する．適応患者の選択にあたっては，各併用薬剤の添付文書を参照して十分注意する．また，治療開始に先立ち，患者又はその家族に有効性及び危険性を十分説明し，同意を得てから投与する　②本剤の小児悪性固形腫瘍での使用は，小児のがん化学療法に十分な知識・経験をもつ医師のもとで実施する

ドキシル ①従来のドキソルビシン塩酸塩製剤の代替として本剤を投与しない　②投与は，緊急時に十分対応できる医療施設において，投与が適切と判断される症例についてのみ実施する　③卵巣癌患者への投与は，がん化学療法に十分な知識・経験をもつ医師のもとで実施する．また，治療開始に先立ち，患者又はその家族に本剤の臨床試験成績等を踏まえて，有効性及び危険性を十分説明し，同意を得てから投与する　④ドキソルビシン塩酸塩が有する心毒性に注意する．ドキソルビシン塩酸塩の総投与量が500mg/m^{2}を超えると，心筋障害によるうっ血性心不全が生じる可能性がある．ドキソルビシン塩酸塩の総投与量については，他のアントラサイクリン系薬剤や関連化合物による前治療又は併用を考慮する．また，縦隔に放射線療法を受けた患者又はシクロホスファミド等の心毒性のある薬剤を併用している患者では，より低い総投与量(400mg/m^2)で心毒性が発現する可能性があるので注意する．投与開始前，及び投与中は頻回に心機能検査を行う等，患者の状態を十分に観察し，異常が認められた場合には中止する　⑤心血管系疾患又はその既往歴のある患者には，治療上の有益性が危険性を上回る場合にのみ投与する　⑥重度の骨髄抑制が生じることがあるため，頻回に血液検査を行う等，患者の状態を十分に観察する　⑦ほてり，潮紅，呼吸困難，胸部不快感，熱感，悪心，息切れ，胸部及び咽喉の絞扼感，低血圧等を含む急性のinfusion reactionが認められている．これらの症状は，多くの患者で投与中止又は終了後，数時間から1日で軽快し，また，投与速度の減速により軽快することもある．一部の患者では，重篤で致死的なアレルギー様又はアナフィラキシー様のinfusion reactionが報告されている．緊急時に十分な対応のできるよう治療薬と救急装置を準備した上で投与を開始し，infusion reaction発現の危険性を最小限にするため投与速度は1mg/分を超えない．このようなinfusion reactionが生じた場合は中止する等，適切な処置を行う

禁忌　**アドリアシン** ①心機能異常又はその既往歴のある患者［心筋障害が現れることがある］　②本剤の成分に対し重篤な過敏症の既往歴のある患者

ドキシル 従来のドキソルビシン塩酸塩製剤又は本剤の成分に対して過敏症の既往歴のある患者

過量投与　**ドキシル** ①徴候，症状：ドキソルビシン塩酸塩の短期間での過量投与により粘膜炎，白血球減少症及び血小板減少症の頻度が増加することがある　②処置：血小板及び顆粒球の輸血，抗菌剤投与等，適切な処置を行うとともに，粘膜炎に対する対症療法を行う

薬物動態

アドリアシン **血中濃度(参考)**　欧州での試験成績：癌患者8名に50mg/m^{2}を急速静注時の未変化体と活性代謝物アドリアマイシノールの薬物速度論的パラメータは$T_{1/2}\alpha$ 0.041±0.02hr，$T_{1/2}\beta$ 0.79±1.13hr，$T_{1/2}\gamma$ 25.8±11.4hr，CL60.4±23.4L/hr，Vd24.0±12.0L/kg，$AUC_{0-\infty}$1.79±1.17nmol・min/mL　**分布**　①体組織への分布(参考：ラット)：^{3}H-アドリアマイシン(2.3μCi/mg)を静注し経時的に臓器内濃度を測定した結果，脾臓＞肺＞腎臓＞肝臓＞心臓の順に高く，脳へ

の分布は極めて少なかったが，他の臓器へは強く吸着され，持続的　②蛋白結合率：血漿蛋白結合率は添加濃度（μg/mL）が0.1で83%，1で83.9%　**代謝（参考）**　米国での試験データ：細胞内に存在するNADPH依存性のaldo-keto reductase及びmicrosomal glycosidaseによりそれぞれadriamycinolとdeoxyadriamycin aglyconeを生じる．さらにdeoxyadriamycinol aglycone，demethyldeoxyadriamycinol aglyconeに代謝され，硫酸，グルクロン酸抱合体を形成．なお，adriamycinolは未変化体よりも弱い活性を有する．また，代謝物は投与後速やかに血中に出現し，肝機能障害がある患者では未変化体及び代謝物の血中濃度が肝機能障害のない患者に比べて高く，かつ持続することが認められている　**排泄（参考）**　イタリアでの試験成績：癌患者7名に^{3}H-アドリアマイシン0.5mg/kgを静注時の尿中排泄は最初の24時間で11.5%，次の24時間で3.5%，7日間で計22.7%．また，糞中への7日間の総排泄率は14～45%

ドキシル　**各種固形癌患者**　血漿中濃度：各種固形癌患者15例を対象に，本剤30，40及び50mg/m^{2}を4週ごとに静注時，血漿中ドキソルビシン濃度推移は同用量範囲において線形性を示した．また，コース間における血漿中ドキソルビシンの蓄積は認められなかった．血漿中ドキソルビシンの薬物動態パラメータは[30mg/m^{2}投与群（6例），40mg/m^{2}投与群（3例），50mg/m^{2}投与群（6例）の順]，Cmax（μg/mL）19.3±2.5，25.6±2.9，34.1±3.3，AUC（μg・hr/mL）2513±784，3228±790，4663±1062，$t_{1/2}$（hr）89.5±24.0，86.3±14.7，95.3±25.3，CL（L/hr/m^2）0.013±0.005，0.013±0.004，0.011±0.002，Vc（L/m^2）1.57±0.19，1.57±0.17，1.47±0.13　※1-コンパートメントモデル解析　**外国人エイズ関連カポジ肉腫患者**　①血漿中濃度：クロスオーバー法により3週間の休薬期間を設け，本剤10又は20mg/m^{2}を30分間かけて単回静注時の血漿中ドキソルビシンの薬物動態パラメータは[23例，10mg/m^{2}投与群，20mg/m^{2}投与群の順]，Cmax（μg/mL）4.12±0.215，8.34±0.49，CL（L/hr/m^2）0.056±0.01，0.041±0.004，Vss（L/m^2）2.83±0.145，2.72±0.120，AUC（μg・hr/mL）277±32.9，590±58.7，$t_{1/2}\alpha$（hr）4.7±1.1，5.2±1.4，$t_{1/2}\beta$（hr）52.3±5.6，55.0±4.8．血漿中ドキソルビシンの薬物動態は，10～20mg/m^{2}の範囲で線形性．投与後の血漿中ドキソルビシン濃度は2相性の消失を示し，α相半減期（$t_{1/2}\alpha$）が約5時間，β相半減期（$t_{1/2}\beta$）が約55時間　②分布：ドキソルビシン塩酸塩投与時の分布容積（700～1100L/m^2）と比較して，本剤投与時の血漿中ドキソルビシンの分布容積（Vss）は約3L/m^{2}と小さく，本剤のほとんどが血液中に存在していることが示唆．本剤の血漿蛋白結合率は測定されていないが，ドキソルビシンの血漿蛋白結合率は約70%．患者11例において，本剤20mg/m^{2}投与48及び96時間後に病変部位及び正常部位の皮膚を採取し，ドキソルビシン濃度を測定した結果，投与48時間後では病変部位のドキソルビシン濃度は正常部位に比べて中央値で19倍（範囲：3～53倍）高値．しかし，この濃度は病変部位と正常部位に含まれる血液含量の差について補正しておらず，補正された比は1～22倍であると推測．以上より，正常部位に比べて病変部位に高濃度のドキソルビシンが分布することが示唆　③代謝：本剤10又は20mg/m^{2}を投与時，ドキソルビシンの主代謝物であるドキソルビシノールが低濃度で血漿中に認められた（範囲：0.8～26.2ng/mL）　④排泄：本剤20mg/m^{2}投与時の全身クリアランス（CL）は0.041L/hr/m^{2}であり，ドキソルビシン塩酸塩投与時のCL（24～35L/hr/m^2）と比較して小さい

その他の管理的事項

投与期間制限　該当しない

保険給付上の注意　該当しない

資料

IF　アドリアシン注用10・50　2017年9月改訂（第18版）
　　ドキシル注20mg　2019年10月改訂（第2版）

トコフェロール
Tocopherol

別名：ビタミンE

概要

構造式

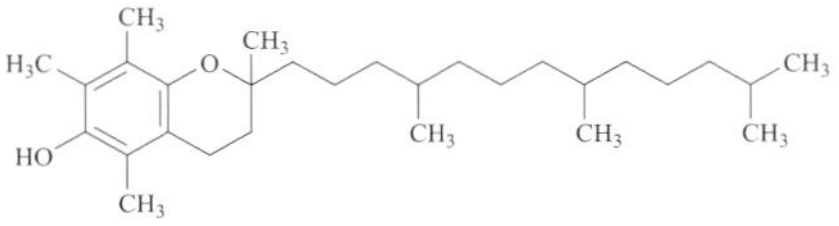

分子式　$C_{29}H_{50}O_2$

分子量　430.71

原薬の規制区分　該当しない

原薬の外観・性状　黄色～赤褐色澄明の粘性の液で，においはない．エタノール（99.5），アセトン，クロロホルム，ジエチルエーテル又は植物油と混和する．エタノール（95）に溶けやすく，水にほとんど溶けない．旋光性を示さない．空気及び光によって酸化されて，暗赤色となる

ト

トコフェロールコハク酸エステルカルシウム
Tocopherol Calcium Succinate

別名：ビタミンEコハク酸エステルカルシウム

概要

構造式

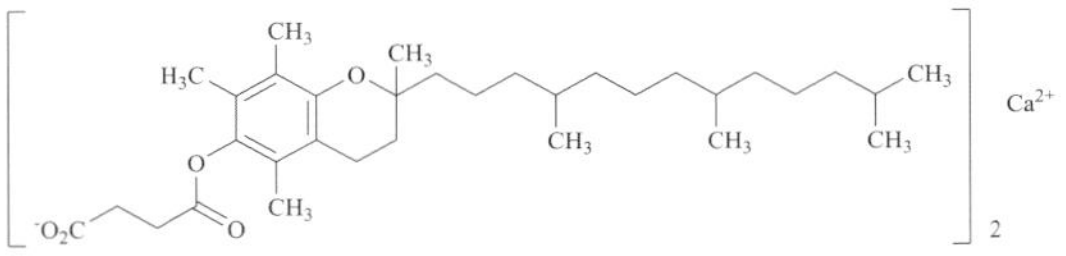

分子式　$C_{66}H_{106}CaO_{10}$

分子量　1099.62

原薬の規制区分　該当しない

原薬の外観・性状　白色～帯黄白色の粉末で，においはない．クロロホルム又は四塩化炭素に溶けやすく，水，エタノール（95）又はアセトンにほとんど溶けない．1gに酢酸（100）7mLを加えて振り混ぜるとき，溶け，しばらく放置すると濁りを生じる．酢酸（100）に溶ける．旋光性を示さない

トコフェロール酢酸エステル
Tocopherol Acetate

別名：ビタミンE酢酸エステル

概要

薬効分類　315　ビタミンE剤

構造式

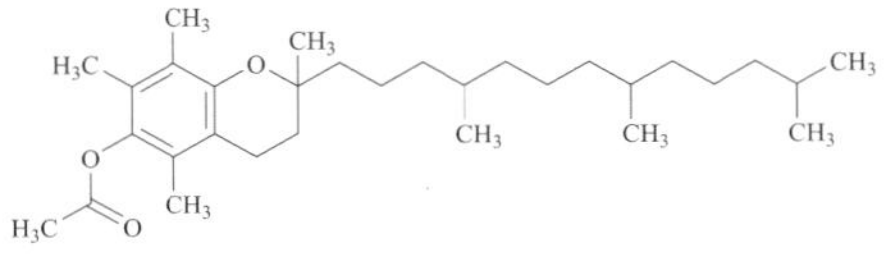

分子式　$C_{31}H_{52}O_3$

分子量　472.74
ステム　不明
原薬の規制区分　該当しない
原薬の外観・性状　無色～黄色澄明の粘性の液で，においはない．エタノール(99.5)，アセトン，クロロホルム，ジエチルエーテル，ヘキサン又は植物油と混和する．エタノール(95)に溶けやすく，水にほとんど溶けない．旋光性を示さない．空気及び光によって変化する
原薬の吸湿性　該当資料なし
原薬の酸塩基解離定数　解離する基をもたない
先発医薬品等
錠 ユベラ錠50mg(サンノーバ＝エーザイ)
後発医薬品
顆 20%
錠 50mg・100mg
カ 100mg
国際誕生年月　該当しない
海外での発売状況　各国

製剤
製剤の性状　**顆** 白色の顆粒剤　**錠** 橙色の糖衣錠　**カ** 赤色の球形の軟カプセル剤で，においはほとんどない
有効期間又は使用期限　**顆** 3年　**錠** 4年
貯法・保存条件　室温保存　**錠** バラ包装は開栓後，防湿保存すること
薬剤取扱い上の留意点　該当しない
患者向け資料等　くすりのしおり
溶液及び溶解時のpH　該当しない
浸透圧比　該当しない
安定なpH域　該当しない
調製時の注意　該当しない

薬理作用
分類　脂溶性ビタミン
作用部位・作用機序　細胞膜，ミトコンドリア，ライソソームなどの生体膜安定化作用及び過酸化物生成の抑制作用
同効薬　トコフェロールニコチン酸エステル

治療
効能・効果　①ビタミンE欠乏症の予防及び治療　②末梢循環障害(間欠性跛行症，動脈硬化症，静脈血栓症，血栓性静脈炎，糖尿病性網膜症，凍瘡，四肢冷感症)　③過酸化脂質の増加防止．効能②③に対して，効果がないのに月余にわたって漫然と使用すべきでない
用法・用量　トコフェロール酢酸エステルとして1回50～100mg，1日2～3回(適宜増減)

薬物動態
血中濃度　健康成人男子12名に200mg(承認外用量)経口投与19.2±7.1hrで最高血漿中濃度Cmax1412±98.7μg/dL．血中ビタミンE値が0.33mg/dL以下のビタミンE欠乏状態にある低出生体重児・乳児5例に1回100mg筋注24時間後に2.4～6.5mg/dL，以後漸減，2週間後0.2～1.1mg/dLまで減少．血中ビタミンE値0.6mg/dL以下の乳児5例に100mg/日を隔日3回筋注4日目で3.2～5.5mg/dL

その他の管理的事項
投与期間制限　該当しない
保険給付上の注意　該当しない

資料
IF　ユベラ顆粒20%・錠50mg　2016年8月改訂(第8版)
トコフェロール酢酸エステルカプセル100mg「ファイザー」 2015年6月改訂(第5版)

トコフェロールニコチン酸エステル
Tocopherol Nicotinate
別名：ビタミンEニコチン酸エステル

概要
薬効分類　219　その他の循環器官用薬
構造式

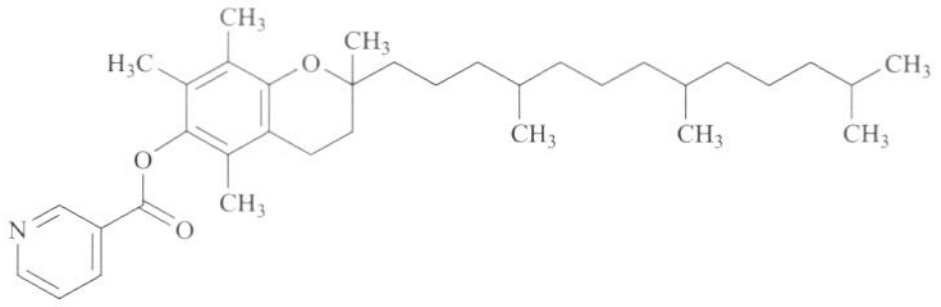

分子式　$C_{35}H_{53}NO_3$
分子量　535.80
ステム　不明
原薬の規制区分　該当しない
原薬の外観・性状　黄色～橙黄色の液体又は固体である．エタノール(99.5)に溶けやすく，水にほとんど溶けない．本品のエタノール(99.5)溶液(1→10)は旋光性を示さない．光によって変化する
原薬の吸湿性　ほとんど吸湿しない
原薬の融点・沸点・凝固点　融点：約38℃
原薬の酸塩基解離定数　該当資料なし
先発医薬品等
カ ユベラNカプセル100mg(エーザイ)
ユベラNソフトカプセル200mg(エーザイ)
後発医薬品
カ 100mg・200mg
国際誕生年月　該当しない
海外での発売状況　マレーシア，台湾など

製剤
製剤の性状　**カ** 不透明な紅色/白色の硬カプセル剤　**軟カ** 橙色の軟カプセル剤
有効期間又は使用期限　3年
貯法・保存条件　室温保存　**軟カ** PTP包装はアルミ袋開封後，バラ包装は開栓後，高温，湿気を避けて保存すること
薬剤取扱い上の留意点　**軟カ** 長期間にわたる予製及び投薬に際しては，高温，高湿を避けて保存すること　薬剤交付時の注意：特に梅雨時や夏場などの高温で湿気の高い時期に軟化し易い．処方後の保存は，高温を避けるとともに，湿気を防ぐことのできる容器に入れて保管することが望ましい
患者向け資料等　くすりのしおり
溶液及び溶解時のpH　該当資料なし
浸透圧比　該当資料なし
安定なpH域　該当資料なし
調製時の注意　該当資料なし

薬理作用
分類　ビタミンEとニコチン酸を結合させた誘導体
作用部位・作用機序　作用部位：生体膜及びリポ蛋白　薬理作用：脂質代謝改善，微小循環系賦活，血管強化，血小板凝集抑制，血中酸素分圧上昇など
同効薬　カリジノゲナーゼ，アルプロスタジルアルファデクス，エラスターゼ，パンテチン，デキストラン硫酸エステルナトリウム，ニコモール，ニセリトロール，プラバスタチンナトリウムなど

治療
効能・効果　①次に伴う随伴症状：高血圧症　②高脂質血症　③次に伴う末梢循環障害：閉塞性動脈硬化症
用法・用量　トコフェロールニコチン酸エステルとして1日300～600mg，3回に分服(適宜増減)

薬物動態
（健康成人男子） **血中濃度** **カ** 12名に600mg（承認外用量）を食後単回経口投与後，未変化体では6時間後最高血漿中濃度0.615μg/mL，以後消失半減期4.3時間で速やかに減少．トコフェロール濃度（内因性トコフェロール濃度を除したもの）は10時間後最高血漿中濃度1.62μg/mL，以後消失半減期38.5時間で緩徐に減少． **軟カ** 12名に600mg（承認外用量）を食後経口投与6時間後に未変化体濃度に最高血漿中濃度0.539μg/mL，以後緩徐に減少．AUC4.18±0.76μg・hr/mL **食事効果** 4名に600mg（承認外用量）経口投与では，食後服用は空腹時服用に比べ，最高血漿中濃度で32倍，AUCで29倍高い．吸収には食事が強く影響

その他の管理的事項
投与期間制限 該当しない
保険給付上の注意 該当しない

資料
IF ユベラNカプセル100mg・Nソフトカプセル200mg 2010年6月改訂（第8版）

トスフロキサシントシル酸塩水和物 トスフロキサシントシル酸塩錠
Tosufloxacin Tosilate Hydrate

概要
薬効分類 131 眼科用剤，624 合成抗菌剤
構造式

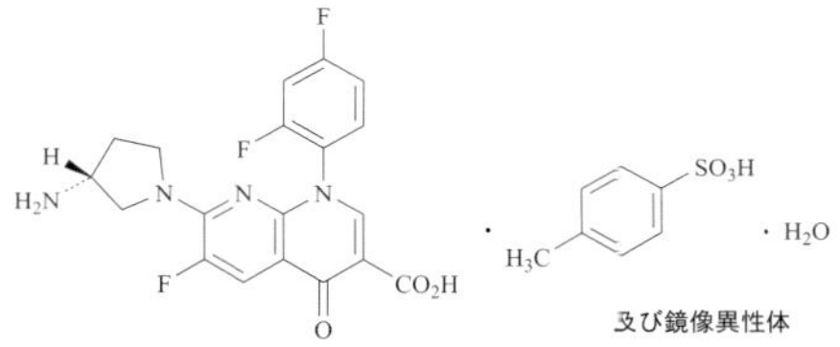

及び鏡像異性体

分子式 $C_{19}H_{15}F_3N_4O_3 \cdot C_7H_8O_3S \cdot H_2O$
分子量 594.56
略語・慣用名 TFLX
ステム ナリジクス酸系抗菌薬：-oxacin
原薬の規制区分 該当しない
原薬の外観・性状 白色～微黄白色の結晶性の粉末である．*N,N*-ジメチルホルムアミドに溶けやすく，メタノールにやや溶けにくく，水又はエタノール（99.5）にほとんど溶けない．本品のメタノール溶液（1→100）は旋光性を示さない
原薬の吸湿性 25℃，各種相対湿度条件下（7，22.5，52.9，75.3及び92.5%RH）で7日間放置し，その重量増加率を求めた．その結果，各種相対湿度で本品の重量増加はほとんどなく，吸湿性は認められなかった
原薬の融点・沸点・凝固点 融点：約254℃（分解）
原薬の酸塩基解離定数 $pKa_1 = 5.8$（カルボン酸），$pKa_2 = 8.7$（4-アミノピロリジン基）
先発医薬品等
細 オゼックス細粒小児用15%（富士フイルム富山化学）
錠 オゼックス錠小児用60mg・錠75・150（富士フイルム富山化学）
トスキサシン錠75mg・錠150mg（マイランEPD）
点眼液 オゼックス点眼液0.3%（富士フイルム富山化学＝大塚製薬）
トスフロ点眼液0.3%（日東メディック）
後発医薬品
細 15%
錠 75mg・150mg
国際誕生年月 1990年1月
海外での発売状況 **錠** **点眼液** 韓国

製剤
規制区分 **細** **錠** **点眼液** ㊙
製剤の性状 **小児用細** 淡赤色の細粒で，芳香があり味は甘い **小児用錠** 淡赤色のフィルムコーティング錠（割線入り） **錠** 白色のフィルムコーティング錠 **点眼液** 無色澄明の水性点眼液
有効期間又は使用期限 3年
貯法・保存条件 室温保存
薬剤取扱い上の留意点 **点眼液** 原則として配合変化が認められる点眼液との併用は避けること
患者向け資料等 **細** **錠** 患者向医薬品ガイド，くすりのしおり **点眼液** くすりのしおり
溶液及び溶解時のpH **点眼液** 4.9～5.5
浸透圧比 **点眼液** 0.9～1.1（対生食）
安定なpH域 該当しない
調製時の注意 該当しない

薬理作用
分類 ピリドンカルボン酸系抗菌剤
作用部位・作用機序 細菌のDNAジャイレース及びトポイソメラーゼⅣを阻害し，殺菌的に作用する
同効薬 **細** **錠** ノルフロキサシン，オフロキサシン，シプロフロキサシン塩酸塩水和物，塩酸ロメフロキサシン，レボフロキサシン水和物，プルリフロキサシン，モキシフロキサシン塩酸塩，メシル酸ガレノキサシン水和物，シタフロキサシン水和物 **点眼液** ノルフロキサシン点眼液，オフロキサシン点眼液，レボフロキサシン水和物点眼液，ロメフロキサシン塩酸塩点眼液，ガチフロキサシン点眼液，モキシフロキサシン塩酸塩点眼液

治療
効能・効果 **細** **60mg錠** 〈適応菌種〉トスフロキサシンに感性の肺炎球菌（ペニシリン耐性肺炎球菌を含む），モラクセラ（ブランハメラ）・カタラーリス，炭疽菌，コレラ菌，インフルエンザ菌※），肺炎マイコプラズマ（マイコプラズマ・ニューモニエ） 〈適応症〉肺炎，コレラ，中耳炎，炭疽 ※）β-ラクタム耐性インフルエンザ菌を含む
75mg・150mg錠 〈適応菌種〉トスフロキサシンに感性のブドウ球菌属，レンサ球菌属，肺炎球菌（ペニシリン耐性肺炎球菌を含む），腸球菌属，淋菌，モラクセラ（ブランハメラ）・カタラーリス，炭疽菌，大腸菌，赤痢菌，サルモネラ属，チフス菌，パラチフス菌，シトロバクター属，クレブシエラ属，エンテロバクター属，セラチア属，プロテウス属，モルガネラ・モルガニー，プロビデンシア属，コレラ菌，インフルエンザ菌，緑膿菌，バークホルデリア・セパシア，ステノトロホモナス（ザントモナス）・マルトフィリア，アシネトバクター属，ペプトストレプトコッカス属，バクテロイデス属，プレボテラ属，アクネ菌，トラコーマクラミジア（クラミジア・トラコマティス） 〈適応症〉表在性皮膚感染症，深在性皮膚感染症，リンパ管・リンパ節炎，慢性膿皮症，ざ瘡（化膿性炎症を伴うもの），外傷・熱傷及び手術創等の二次感染，乳腺炎，肛門周囲膿瘍，骨髄炎，関節炎，咽頭・喉頭炎，扁桃炎（扁桃周囲膿瘍を含む），急性気管支炎，肺炎，慢性呼吸器病変の二次感染，膀胱炎，腎盂腎炎，前立腺炎（急性症，慢性症），精巣上体炎（副睾丸炎），尿道炎，胆嚢炎，胆管炎，感染性腸炎，腸チフス，パラチフス，コレラ，バルトリン腺炎，子宮内感染，子宮付属器炎，涙嚢炎，麦粒腫，瞼板腺炎，外耳炎，中耳炎，副鼻腔炎，化膿性唾液腺炎，歯周組織炎，歯冠周囲炎，顎炎，炭疽
点眼液 〈適応菌種〉トスフロキサシンに感性のブドウ球菌属，レンサ球菌属，肺炎球菌，ミクロコッカス属，モラクセラ属，コリネバクテリウム属，クレブシエラ属，エンテロバクター

ト

属，セラチア属，プロテウス属，モルガネラ・モルガニー，プロビデンシア属，インフルエンザ菌，ヘモフィルス・エジプチウス（コッホ・ウィークス菌），シュードモナス属，緑膿菌，バークホルデリア・セパシア，ステノトロホモナス（ザントモナス）・マルトフィリア，アシネトバクター属，アクネ菌〈適応症〉眼瞼炎，涙嚢炎，麦粒腫，結膜炎，瞼板腺炎，角膜炎（角膜潰瘍を含む），眼科周術期の無菌化療法

効能・効果に関連する使用上の注意　**小児用細**　**小児用錠**　①効能共通：(1)使用に際しては，他の経口抗菌薬による治療効果が期待できない症例に使用する　(2)関節障害が発現するおそれがあるので，本剤の使用に際しては，リスクとベネフィットを考慮する　②肺炎：(1)肺炎球菌（ペニシリンGに対するMIC＞4μg/mL）に対する本剤の使用経験はない（CLSI法）(2)インフルエンザ菌にはβ-ラクタム耐性インフルエンザ菌を含む　③中耳炎(1)肺炎球菌（ペニシリンGに対するMIC＞4μg/mL）に対する本剤の使用経験はない（CLSI法）(2)インフルエンザ菌にはβ-ラクタム耐性インフルエンザ菌を含む(3)「抗微生物薬適正使用の手引き」を参照し，抗菌薬投与の必要性を判断した上で，本剤の投与が適切と判断される場合に投与する

75mg・150mg錠 咽頭・喉頭炎，扁桃炎（扁桃周囲膿瘍を含む），急性気管支炎，感染性腸炎，中耳炎，副鼻腔炎：「抗微生物薬適正使用の手引き」を参照し，抗菌薬投与の必要性を判断した上で，本剤の投与が適切と判断される場合に投与する

用法・用量　**小児用細**　**小児用錠** 小児に対しては，1回6mg/kg（トスフロキサシンとして4.1mg/kg），1日2回．ただし，1回180mg，1日360mg（トスフロキサシンとして1回122.4mg，1日244.8mg）を超えない

75mg・150mg錠 ①骨髄炎，関節炎：1日450mg，3回に分服（適宜増減）　②腸チフス，パラチフス：1日600mg，4回に分服14日間　③その他：1日300～450mg，2～3回に分服（適宜増減）．効能①③は，重症又は効果不十分と思われる症例には1日600mg

点眼液 1回1滴，1日3回点眼（適宜増量）

用法・用量に関連する使用上の注意　**小児用細**　**小児用錠**　①食直前又は食後に投与することが望ましい　②小児用60mg錠の体重換算による服用量は，次のとおりである．なお，患者の体重及び状態から錠剤の投与が難しい場合には，小児用15％細粒の投与を検討する：（1回あたりの服用量）15kg：90mg（1.5錠），20kg：120mg（2錠），25kg：150mg（2.5錠），30kg～：180mg（3錠）　③炭疽：炭疽の発症及び進展抑制には，シプロフロキサシンについて米国疾病管理センター（CDC）が，60日間の投与を推奨している

75mg・150mg錠 ①腸チフス，パラチフス：除菌を確実にするため14日間投与する．なお，投与中は，臨床検査値の異常変動等の発現に注意する　②炭疽：炭疽の発症及び進展抑制には，シプロフロキサシンについて米国疾病管理センター（CDC）が，60日間の投与を推奨している

禁忌・原則禁忌となる特定患者集団　**細**　**錠** 妊婦又は妊娠している可能性のある女性（炭疽，コレラに限り，治療上の有益性を考慮して投与すること）

使用上の注意

禁忌　**小児用細**　**小児用錠** ①効能共通：本剤の成分に対し過敏症の既往歴のある患者　②肺炎，中耳炎：妊婦又は妊娠している可能性のある女性

錠 ①効能共通：本剤の成分に対し過敏症の既往歴のある患者　②炭疽，コレラ以外：妊婦又は妊娠している可能性のある女性

点眼液 本剤の成分及びキノロン系抗菌剤に対し過敏症の既往歴のある患者

薬物動態

細　**錠**　**血中濃度**　①**75mg・150mg錠** 健康成人に150mg（34例），300mg（5例）食後単回経口投与時の最高血中濃度はそれぞれ2時間後0.54，2.16時間後1.06μg/mL．$T_{1/2}$はそれぞれ4.85，4.44hr．AUCはそれぞれ4.95，8.97μg・hr/mL　②**細** 肺炎及び中耳炎の小児患者に，15％細粒剤を1回6mg/kg（165例）又は9mg/kg（57例）を1日2回反復経口投与※時の薬物動態パラメータ（Population Pharmacokinetics（PPK）解析）はそれぞれ$AUC_{0\text{-}12}$（μg・hr/mL）7.58±2.38，12.51±6.24，Cmax（μg/mL）0.96±0.30，1.48±0.54，Tmax（hr）2.0±0.2，2.1±0.3，$T_{1/2}$（hr）3.8±0.5，4.0±0.8．PKパラメータはNONMEMによるベイズ推定値　※承認用量は1回6mg/kg（1日2回）　**組織内移行**　①扁桃組織：150～300mg単回投与（3例）時，130～195分で0.66～1.08μg/g　②喀痰：150mg単回投与（2例）時，最高濃度は2～3時間後にそれぞれ0.31，0.34μg/mL，6～8時間後0.2μg/mL前後　③前立腺組織：150mgを単回投与（5例）時，2時間で0.12μg/g，4時間で0.245μg/g　④皮膚組織：450mg（分3）を7日又は10日連続投与（各1例）時，最終投与後135分で2.5μg/g，225分で1.43μg/g　⑤その他：女性性器組織，胆汁，胆嚢組織，耳漏，唾液，涙液，抜歯創，関節液等に良好な移行．乳汁中へも移行　**代謝・排泄**　健康成人に150mgを食後単回経口投与，24時間までの尿中回収率45.8％．大部分が未変化体として尿中及び糞中に排泄．未変化体以外に2種の代謝物及びその抱合体が確認されており，代謝物も含めた24時間までの尿中総回収率50.7％　**腎機能障害者の血中濃度**　腎機能障害者に150mgを食後単回経口投与時の腎機能障害の程度別（Ccr値，mL/min）$T_{1/2}$は，正常者（80以上）で3.9hr，軽度（50～80未満）で4hr，中等度（20～50未満）で9.8hr，高度（20未満）で10.5hrと，腎機能の低下に伴い血中半減期が延長　**透析患者の血中濃度**　血液透析患者2例に150mgを単回投与時，それぞれ3時間後に1.6μg/mL，1.5時間後に1.65μg/mLの血中濃度ピーク値を示し，5時間後の透析で透析液中に8.33％及び7.31％回収

点眼液　**血中濃度及び結膜嚢内濃度**　健康成人眼に本剤を1回1滴，1日3回14日間点眼時，最終点眼1.5時間後の血清中トスフロキサシン濃度は定量限界（＜0.0347μg/mL）以下．また，本剤を1回1滴，1日8回14日間点眼時，点眼14日目の初回点眼24時間後の血清中トスフロキサシン濃度は定量限界（＜0.0347μg/mL）以下，結膜嚢内濃度は2.0μg/mL　**動物における眼組織内移行（参考；ウサギ，イヌ）**　①結膜嚢内濃度：有色ウサギに本剤を1回40μL点眼時の結膜嚢内トスフロキサシン濃度は，点眼5分後で168μg/mL，4時間後3.31μg/mL，6時間後0.670μg/mL　②眼組織内濃度：(1)^{14}C標識トスフロキサシントシル酸塩水和物点眼液0.3％を有色ウサギに1回40μL点眼時，点眼1時間後には硝子体を除く各眼組織に広く分布，放射能濃度は，眼瞼結膜436ng eq./g，眼球結膜128ng eq./g，前房水89.3ng eq./g，角膜1800ng eq./g．また，メラニン含有組織である虹彩・毛様体及び脈絡膜・網膜は1時間後でそれぞれ421ng eq./g及び249ng eq./g，24時間後ではそれぞれ3250ng eq./g，759ng eq./g　(2)^{14}C標識トスフロキサシントシル酸塩水和物をビーグル犬に20mg/kgの投与量で1日1回14日間反復経口投与時，脈絡膜・色素上皮及び虹彩・毛様体の放射能濃度は，投与終了12時間後に322ng eq./g及び425ng eq./g，投与終了360日後まで緩徐に消失　(3)幼若ウサギを用いた13週間反復点眼による眼毒性試験で，本剤投与群の眼瞼結膜，角膜，脈絡膜・色素上皮及び虹彩・毛様体内トスフロキサシン濃度は，成熟ウサギに本剤を39週間反復点眼時と比較して平均値で1.4～2.3倍とやや高値，眼球結膜及び前房水の薬剤濃度はほぼ同様

その他の管理的事項

投与期間制限　該当しない

保険給付上の注意　該当しない

資料

IF　オゼックス細粒小児用15％・錠小児用60mg・錠75・150　2019年9月改訂（第23版）
　　オゼックス点眼液0.3％　2018年10月改訂（第10版）

ドセタキセル水和物
ドセタキセル注射液
注射用ドセタキセル
Docetaxel Hydrate

概要

薬効分類 424 抗腫瘍性植物成分製剤

構造式

(構造式) ・$3H_2O$

分子式 $C_{43}H_{53}NO_{14}$・$3H_2O$

分子量 861.93

ステム タキサン系(taxanes)抗悪性腫瘍薬：-taxel

原薬の規制区分 毒

原薬の外観・性状 白色の結晶性の粉末である．*N,N*-ジメチルホルムアミド又はエタノール(99.5)に溶けやすく，メタノール又はジクロロメタンにやや溶けやすく，水にはほとんど溶けない．光によって分解する

原薬の吸湿性 20〜25℃，20〜100%RHにおいて，吸湿性を示さなかった

原薬の融点・沸点・凝固点 明確な融点は認められなかった

原薬の酸塩基解離定数 有機溶媒－水の混合溶媒系での外挿法による測定において，pH2.5〜10.5の間で明確なpKaは示さなかった

先発医薬品等

注 タキソテール点滴静注用20mg・80mg(サノフィ)
ワンタキソテール点滴静注20mg/1mL・80mg/4mL(サノフィ)

後発医薬品

注 20mg・80mg・120mg

国際誕生年月 1994年11月

海外での発売状況 **注射用** 米，EUなど100カ国以上 **注** 米，EUなど45カ国

製剤

規制区分 **注** **注射用** 毒 処

製剤の性状 **注射用** 原則として，添付溶解液全量を用いて用時溶解する注射剤．黄色〜黄褐色澄明の粘稠性の液 **注** 微黄色〜帯褐黄色澄明の液

有効期間又は使用期限 **注射用** 主剤：24カ月，添付溶解液：36カ月 **注**〔20mg/1mL〕24カ月，〔80mg/4mL〕36カ月

貯法・保存条件 遮光・室温保存(包装開封後もバイアルを箱に入れて保存すること)

薬剤取扱い上の留意点 輸液混和後，速やかに使用すること．調製時には手袋，マスク，眼鏡等を着用することが望ましい．本剤が皮膚に付着した場合には，直ちに石鹸及び多量の流水で洗い流すこと．また，粘膜に付着した場合には，直ちに多量の流水で洗い流すこと

患者向け資料等 くすりのしおり

溶液及び溶解時のpH **注射用** 3.0〜4.0(10w/w%水溶液) **注** 3.0〜4.5(2.5g/水10mL)

浸透圧比 **注射用** 約1(添付溶解液で溶解後，生食250又は500mLに混和したとき) **注** 約2(生食又は5%ブドウ糖液250mLに混和したとき)

調製時の注意 調製時の損失を考慮に入れ，過量充填されている．調製法の詳細は添付文書等参照

薬理作用

分類 タキソイド系抗悪性腫瘍剤

作用部位・作用機序 チューブリンの重合を促進し，安定な微小管を形成するとともに，その脱重合を抑制する．また，細胞内においては形態的に異常な微小管束を形成する．以上の作用により細胞の有糸分裂を停止させる

同効薬 パクリタキセルなど

治療

効能・効果 ①乳癌，非小細胞肺癌，胃癌，頭頸部癌 ②卵巣癌 ③食道癌，子宮体癌 ④前立腺癌

効能・効果に関連する使用上の注意 ①子宮体癌での術後補助化学療法における有効性及び安全性は確立されていない ②前立腺癌では外科的又は内科的去勢術を行い，進行又は再発が確認された患者を対象とする

用法・用量 効能①：1日1回，ドセタキセルとして60mg/m^2(体表面積)を1時間以上かけて3〜4週間間隔で点滴静注(患者の状態により適宜増減)．ただし，1回最高用量は75mg/m^2とする 効能②：1日1回，ドセタキセルとして70mg/m^2(体表面積)を1時間以上かけて3〜4週間間隔で点滴静注(患者の状態により適宜減量)．ただし，1回最高用量は75mg/m^2とする 効能③：1日1回，ドセタキセルとして70mg/m^2(体表面積)を1時間以上かけて3〜4週間間隔で点滴静注(患者の状態により適宜減量) 効能④：1日1回，ドセタキセルとして75mg/m^2(体表面積)を1時間以上かけて3週間間隔で点滴静注(患者の状態により適宜減量)

用法・用量に関連する使用上の注意 ①投与にあたっては，特に本剤の用量規制因子である好中球数の変動に十分留意し，投与当日の好中球数が2000/mm^3未満であれば，投与を延期する ②投与量が増加すると，骨髄抑制がより強く現れるおそれがある野で注意する ③投与時には，(〔タキソテール〕通常，添付溶解液全量に溶解して10mg/mLの濃度とした後，)必要量を注射筒で抜き取り，ただちに250又は500mLの生理食塩液又は5%ブドウ糖液に混和し，1時間以上かけて点滴静注．調製法は添付文書参照

禁忌・原則禁忌となる特定患者集団 妊婦又は妊娠している可能性のある患者

使用上の注意

警告 ①用量規制因子(Dose Limiting Factor，DLF)は好中球減少であり，使用により重篤な骨髄抑制(主に好中球減少)，重症感染症等の重篤な副作用及び本剤との因果関係が否定できない死亡例が認められている．したがって，本剤を含むがん化学療法は，緊急時に十分処置できる医療施設において，がん化学療法に十分な知識・経験をもつ医師のもとで，本剤の投与が適切と判断される症例についてのみ投与する．また，次の患者には投与しない等，適応患者の選択を慎重に行う：(1)重篤な骨髄抑制のある患者 (2)感染症を合併している患者 (3)発熱があり感染症の疑われる患者 ②治療の開始に先立ち，患者又はその家族に有効性及び危険性を十分説明し，同意を得てから投与する．なお，使用にあたっては添付文書を熟読する

禁忌 ①重篤な骨髄抑制のある患者［重症感染症等を併発し，致命的となることがある］ ②感染症を合併している患者［感染症が増悪し，致命的となることがある］ ③発熱があり感染症の疑われる患者［感染症が増悪し，致命的となることがある］ ④本剤又はポリソルベート80含有製剤に対し重篤な過敏症の既往歴のある患者［本剤はポリソルベート80を含有する］ ⑤妊婦又は妊娠している可能性のある患者

相互作用概要 主としてCYP3A4で代謝される

過量投与 過量投与時の解毒剤は知られていない．過量投与時に予期される主な合併症は，骨髄抑制，末梢性神経毒性及び粘膜炎である．過量投与が行われた場合には，患者を特別な設備下で管理し，バイタルサイン等を十分に監視する

薬物動態

（承認された1回用量は60，70及び75mg/m^2（体表面積）） **血漿中濃度（各種固形癌患者，点滴静注）** ①単回投与：24例に10〜90mg/m^{2}を60分以上かけて投与時，血漿中濃度は点滴終了後漸減．最高血漿中濃度（Cmax）及び$AUC_{0-\infty}$は投与量依存的に増加．また，NONMEM解析によるpopulation pharmacokinetic parametersを用い，60mg/m^2，60分投与時をシミュレーションして求めた薬物動態パラメータ[母集団，肝機能障害時（AST（GOT）又はALT（GPT）が60IU/L以上）の順]はCmax 2.0，2.3μg/mL，$AUC_{0-\infty}$ 2.9，3.7μg・hr/mL，$T_{1/2}\alpha$ 6.3，7.1min，$T_{1/2}\beta$ 46.4，47.8min，$T_{1/2}\gamma$ 18.8，20.2hr，CL20.4，16.2L/hr/m^2．α1-酸性糖蛋白（AAG）と肝機能障害がドセタキセルのクリアランス（CL）の主要な変動因子と考えられ，AST（GOT）又はALT（GPT）が60IU/L以上の患者ではクリアランスが21％減少 ②反復投与：6例に20，50及び70mg/m^{2}を3又は4週間間隔で2コースから最大4コースまで反復投与時，初回投与時と最終回投与時の血漿中濃度の推移に差はみられず，反復投与による体内動態の変化は認められなかった **分布（参考）** 担癌マウスに単回静注時，肝等の広範な臓器・組織に速やかに分布．腫瘍組織での消失半減期（β相）は20時間以上で他の臓器・組織に比べ長かった **代謝** 肝のモノオキシゲナーゼにより酸化を受けて代謝され，ヒト肝ミクロソーム*in vitro*試験で，この代謝にはP450-CYP3A4が関与しているものと考えられた．なお，主要代謝物の抗腫瘍効果はほとんど認められなかった **排泄** 19例に10〜90mg/m^{2}を60〜160分間かけて単回点滴静注時の未変化体の48時間までの尿中排泄率はいずれも5％以下．外国で^{14}C-ドセタキセル100mg/m^{2}を60分間単回点滴静注後168時間までの尿中及び糞中排泄率はそれぞれ6％（3例）及び74.1％（2例）で，主排泄経路は糞中排泄 **血漿蛋白結合率** 外国で各種固形癌患者に100mg/m^{2}を60分間単回点滴静注（3例）時の血漿蛋白結合率は点滴終了8時間までで90％以上

その他の管理的事項

投与期間制限 該当しない
保険給付上の注意 該当しない

資料

IF タキソテール点滴静注用20mg・80mg 2018年10月改訂（第12版）
ワンタキソテール点滴静注20mg/1mL・80mg/4mL 2014年9月改訂（第6版）

トドララジン塩酸塩水和物
Todralazine Hydrochloride Hydrate

概要

薬効分類 214 血圧降下剤
構造式

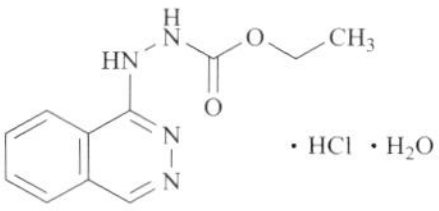

分子式 $C_{11}H_{12}N_4O_2$・HCl・H_2O
分子量 286.71
原薬の規制区分 該当しない
原薬の外観・性状 白色の結晶又は結晶性の粉末で，僅かに特異なにおいがあり，味は苦い．ギ酸に極めて溶けやすく，メタノールに溶けやすく，水にやや溶けやすく，エタノール（95）にやや溶けにくく，ジエチルエーテルにほとんど溶けない．1.0gを水200mLに溶かした液のpHは3.0〜4.0である

ドネペジル塩酸塩
ドネペジル塩酸塩錠
ドネペジル塩酸塩細粒
Donepezil Hydrochloride

概要

薬効分類 119 その他の中枢神経系用薬
構造式

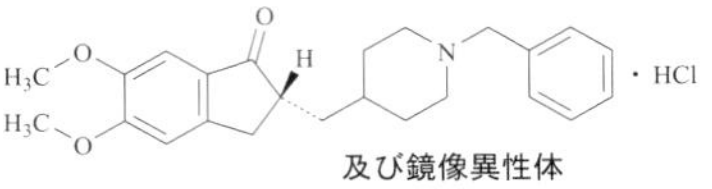

及び鏡像異性体

分子式 $C_{24}H_{29}NO_3$・HCl
分子量 415.95
ステム 不明
原薬の規制区分 毒（ただし，1個中ドネペジルとして9.12mg以下を含有するもの，ドネペジルとして0.456％以下を含有する細粒剤及びドネペジルとして0.912％以下を含有するシロップ剤は劇）
原薬の外観・性状 白色の結晶性の粉末である．水にやや溶けやすく，エタノール（99.5）に溶けにくい．本品の水溶液（1→100）は旋光性を示さない．結晶多形が認められる
原薬の吸湿性 有しない
原薬の融点・沸点・凝固点 融点：223.5℃（分解）
原薬の酸塩基解離定数 pKa＝8.90
先発医薬品等
細 アリセプト細粒0.5％（エーザイ）
錠 アリセプト錠3mg・5mg・10mg（エーザイ）
アリセプトD錠3mg・5mg・10mg（エーザイ）
シロップ用 アリセプトドライシロップ1％（エーザイ）
内用ゼリー アリセプト内服ゼリー3mg・5mg・10mg（エーザイ）
後発医薬品
細 0.5％
錠 3mg・5mg・10mg・OD錠3mg・5mg・10mg
内用液 3mg・5mg・10mg
内用ゼリー 3mg・5mg・10mg
内用フィルム 3mg・5mg・10mg
国際誕生年月 1996年11月
海外での発売状況 米，英など97カ国

製剤

規制区分 劇 処
製剤の性状 細 白色の細粒 3mg錠 黄色のフィルムコーティング錠 5mg錠 白色のフィルムコーティング錠 10mg錠 赤橙色のフィルムコーティング錠 3mg口腔内崩壊錠 黄色の口腔内崩壊錠 5mg口腔内崩壊錠 白色の口腔内崩壊錠 10mg口腔内崩壊錠 淡赤色の割線入り口腔内崩壊錠 シロップ用 淡黄色のドライシロップ剤 内用ゼリー 白色〜微黄色のゼリー剤でにおいはないか又は僅かに特有なにおいがある
有効期間又は使用期限 3年
貯法・保存条件 室温保存．細 バラ包装は開栓後，遮光保存すること 口腔内崩壊錠 PTP包装はアルミ袋開封後，防湿保存すること．バラ包装はアルミ袋開封後，遮光・防湿保存すること シロップ用 バラ包装は開栓後，遮光，防湿保存すること
薬剤取扱い上の留意点 アルツハイマー型認知症及びレビー小体型認知症では，自動車の運転等の機械操作能力が低下する可能性がある．また，本剤により，意識障害，めまい，眠気等が現れることがあるので，自動車の運転等危険を伴う機械の操作に従事しないよう患者等に十分に説明すること
薬剤交付時の取扱い：内用ゼリー 誤用を避けるため他の容器に移し替えて保存しないこと．高温を避けて保存すること．

包装に表示している上下の向きに注意して保存すること．アルミ袋の状態で保存すること．ゼリー表面に水分がみられることがあるが，製剤由来のものである　調剤時の留意点：**口腔内崩壊錠** 自動分包機を使用する場合は欠けることがあるため，カセットの位置及び錠剤投入量などに配慮すること．製剤の特性上，擦れ等により錠剤表面が一部白くみえることがある．10mgは錠剤表面に赤い斑点がみられることがあるが，使用色素によるものである　**シロップ用** 白い粉末がみられることがあるが，本剤由来のものである

患者向け資料等　患者向医薬品ガイド，くすりのしおり

溶液及び溶解時のpH　**内用ゼリー** 3.2～4.0

調製時の注意　**シロップ用** 服用直前に水で懸濁し速やかに服用するが，粉末のまま水とともに服用することもできる

薬理作用

分類　アセチルコリンエステラーゼ阻害剤

作用部位・作用機序　アセチルコリン（ACh）を分解する酵素であるアセチルコリンエステラーゼ（AChE）を可逆的に阻害することにより脳内ACh量を増加させ，脳内コリン作動性神経系を賦活する

同効薬　リバスチグミン，ガランタミン臭化水素酸塩，メマンチン塩酸塩

治療

効能・効果　アルツハイマー型認知症及びレビー小体型認知症における認知症症状の進行抑制

効能・効果に関連する使用上の注意　①効能共通：(1)アルツハイマー型認知症及びレビー小体型認知症の病態そのものの進行を抑制するという成績は得られていない　(2)アルツハイマー型認知症及びレビー小体型認知症以外の認知症性疾患において有効性は確認されていない　②アルツハイマー型認知症における認知症症状の進行抑制：アルツハイマー型認知症と診断された患者にのみ使用する　③レビー小体型認知症における認知症症状の進行抑制：(1)レビー小体型認知症の臨床診断基準に基づき，適切な症状観察や検査等によりレビー小体型認知症と診断された患者にのみ使用する　(2)精神症状・行動障害に対する有効性は確認されていない

用法・用量　①アルツハイマー型認知症における認知症症状の進行抑制：ドネペジル塩酸塩として1日1回3mgから開始し，1～2週間後に5mgに増量．高度のアルツハイマー型認知症患者には，5mgで4週間以上経過後，10mgに増量．なお，症状により適宜減量　②レビー小体型認知症における認知症症状の進行抑制：ドネペジル塩酸塩として1日1回3mgから開始し，1～2週間後に5mgに増量．5mgで4週間以上経過後，10mgに増量．なお，症状により5mgまで減量できる

用法・用量に関連する使用上の注意　①3mg/日投与は有効用量ではなく，消化器系副作用の発現を抑える目的なので，原則として1～2週間を超えて使用しない　②10mg/日に増量する場合は，消化器系副作用に注意しながら投与する　③医療従事者，家族等の管理のもとで投与する

使用上の注意

禁忌　本剤の成分又はピペリジン誘導体に対し過敏症の既往歴のある患者

相互作用概要　主としてCYP3A4及び一部CYP2D6で代謝される

過量投与　①症状：コリンエステラーゼ阻害剤の過量投与は高度な嘔気，嘔吐，流涎，発汗，徐脈，低血圧，呼吸抑制，虚脱，痙攣及び縮瞳等のコリン系副作用を引き起こす可能性がある．筋脱力の可能性もあり，呼吸筋の弛緩により死亡に至ることもあり得る　②処置：アトロピン硫酸塩水和物のような3級アミン系抗コリン剤が本剤の過量投与の解毒剤として使用できる．アトロピン硫酸塩水和物の1.0～2.0mgを初期投与量として静注し，臨床反応に基づいてその後の用量を決める．他のコリン作動薬では4級アンモニウム系抗コリン剤と併用した場合，血圧及び心拍数が不安定になることが報告されている

薬物動態

血中濃度　①単回投与：(1)普通錠：健康成人男子（各6例）に，絶食下1mg，2mg，5mg，8mg，10mg経口投与時の最高血漿中濃度（Cmax），血漿中濃度-時間曲線下面積（AUC）は投与量の増加に依存して高くなった．5mg又は10mg投与時の薬物動態パラメータ（5mg，10mgの順）は，Cmax（ng/mL）9.97±2.08，28.09±9.81，Tmax（hr）3.00±1.10，2.42±1.24，AUC（ng・hr/mL）591.72±155.87，1098.40±304.63，$t_{1/2}$（hr）89.3±36.0，75.7±17.3，CL/F（総クリアランス．L/hr/kg）0.141±0.040，0.153±0.043　(2)口腔内崩壊錠：健康成人男子に，5mg単回経口投与時の薬物動態パラメータ（D錠及び錠剤，12例）[Cmax（ng/mL），Tmax（hr），$AUC_{0\text{-}144}$（ng・hr/mL），$T_{1/2}$（hr）の順]は，D錠5mg（水なしで服用）[9.83±2.02，3.8±1.0，487.8±113.5，70.66±16.57]，D錠5mg（水で服用）[9.88±1.49，3.3±0.7，475.4±96.2，69.78±13.91]，錠5mg（水で服用）[9.93±1.90，2.8±0.7，479.7±97.4，69.35±10.11]（Mean±S.D.）　(3)内用ゼリー：健康成人男子に，5mg単回経口投与時の薬物動態パラメータ（内服ゼリー及び錠剤，9例）[Cmax（ng/mL），Tmax（hr），$AUC_{0\text{-}168}$（ng・hr/mL），$T_{1/2}$（hr）の順]は，内服ゼリー5mg[12.70±3.90，3.0（2.0-4.0），442.7±102.8，62.2±4.9]，錠5mg[12.25±4.13，2.0（2.0-3.0），433.4±107.4，64.3±12.7]（Mean±S.D.，ただしtmaxは中央値（最小値-最大値））　(4)シロップ用：健康成人男子に5mg単回経口投与時の薬物動態パラメータ（ドライシロップ剤及び錠剤，12例）[Cmax（ng/mL），Tmax（hr），$AUC_{0\text{-}168}$（ng・hr/mL），$T_{1/2}$（hr）の順]は，ドライシロップ1%0.5g（水に懸濁して服用）[9.97±1.64，2.0（2.0-3.0），443.35±90.73，65.43±10.71]，ドライシロップ1%0.5g（粉末のまま水とともに服用）[10.55±1.78，2.0（1.0-3.0），428.09±80.41，68.86±12.96]，錠5mg[10.36±1.70，2.0（2.0-3.0），429.80±75.58，68.47±13.09]（Mean±S.D.，ただしtmaxは中央値（最小値-最大値））　②反復投与：健康成人男子に，普通錠剤5mg又は8mgを1日1回14日間反復経口投与時の血漿中濃度は投与後約2週間で定常状態に達し，蓄積性あるいは体内動態に変化はないと考えられた　③生物学的同等性：健康成人男子13名に実施した生物学的同等性試験の結果，細粒0.5%，錠5mg，錠3mgは生物学的に同等であることが確認された．また，錠10mgは錠5mgを標準製剤としたとき溶出挙動が等しく，生物学的に同等とみなされた　**吸収**　①食事の影響：健康成人男子に吸収に及ぼす食事の影響を錠2mgで検討した結果，摂食時投与の血漿中濃度は絶食時とほぼ同様な推移を示し，食事による影響は認められなかった　**分布**　*In vitro*試験で，ヒト血漿蛋白結合率は88.9%，*in vivo*での血清蛋白結合率は92.6%　**代謝**　主代謝経路はN-脱アルキル化反応で，次いでO-脱メチル化反応とそれに続くグルクロン酸抱合反応であると考えられた．N-脱アルキル化反応には主としてCYP3A4が，またO-脱メチル化反応には主としてCYP2D6が関与していることが示唆　**排泄**　健康成人男子に錠2mgを単回経口投与時，投与後7日目までに尿中に排泄された未変化体は投与量の9.4%で，代謝物を含めると29.6%．また，10mg単回経口投与後，11日目までに排泄された未変化体は尿中で10.6%，糞中で1.7%．未変化体及び代謝物を合計した尿中排泄率は35.9%で，糞中排泄率は8.4%　**特定の背景を有する患者**　①腎機能障害患者：腎機能障害患者を対象に錠5mgを単回経口投与時の薬物動態パラメータには，健康成人のそれと有意差は認められなかった（外国人データ）　②肝機能障害患者：アルコール性肝硬変患者に錠5mgを単回経口投与時の薬物動態パラメータは健康成人と比較して肝疾患患者のCmaxが1.4倍高く有意差が認められたが，他のパラメータに有意差は認められなかった（外国人データ）　③高齢者：高齢者に錠2mgを単回経口投与時の薬物動態パラメータは健康成人と比較して，消失半減期が1.5倍有意に延長したが，Cmax，tmax及びAUCに有意な差は認められなかった

ト

その他の管理的事項
投与期間制限　該当しない
保険給付上の注意　該当しない
資料
IF　アリセプト細粒0.5%・錠3mg・5mg・10mg・D錠3mg・5mg・10mg・内服ゼリー3mg・5mg・10mg　2017年5月改訂(第30版)

ドパミン塩酸塩
ドパミン塩酸塩注射液
Dopamine Hydrochloride

概要
薬効分類　211　強心剤
構造式

H_2N–CH₂CH₂–(3,4-ジヒドロキシフェニル)（OH, OH）・HCl

分子式　$C_8H_{11}NO_2$・HCl
分子量　189.64
略語・慣用名　DOA，DAを用いる場合がある
ステム　ドパミン受容体作動薬：-dopa
原薬の規制区分　㊕(ただし，製剤は㊙)
原薬の外観・性状　白色の結晶又は結晶性の粉末である．水又はギ酸に溶けやすく，エタノール(95)にやや溶けにくい．1.0gを水50mLに溶かした液のpHは4.0～5.5である
原薬の吸湿性　ほとんど認められない
原薬の融点・沸点・凝固点　融点：約248℃(分解)
原薬の酸塩基解離定数　pKa_1＝8.74±0.10(フェノール性水酸基)，pKa_2＝10.3(アミノ基)
先発医薬品等
注　イノバン注50mg・100mg(協和キリン)
キット　イノバン注0.1%・0.3%・0.6%シリンジ(協和キリン)
後発医薬品
注　50mg・100mg・200mg
キット　0.1%・0.3%
国際誕生年月　1974年2月と考えられる
海外での発売状況　米など
製剤
規制区分　**注**　㊙ ㊉
製剤の性状　**注**　無色澄明の注射剤
有効期間又は使用期限　3年
貯法・保存条件　室温保存
薬剤取扱い上の留意点　pH8.0以上になると着色することがあるので，重曹のようなアルカリ性薬剤と混合しないこと
患者向け資料等　くすりのしおり
溶液及び溶解時のpH　3.0～5.0
浸透圧比　0.6～0.8
調製時の注意　pH8.0以上になると着色することがあるので，重曹のようなアルカリ性薬剤と混合しないこと
薬理作用
分類　カテコールアミン類
作用部位・作用機序　作用部位：心筋，冠動脈，大動脈，腎動脈，上腸間膜動脈など　作用機序：心収縮力増強作用，腎血流量増加作用，上腸間膜血流量増加作用，血圧上昇作用が複合的に絡み合って強心作用，昇圧作用，利尿作用を発現し，急性循環不全状態を改善する
同効薬　ドブタミン塩酸塩，*l*-イソプレナリン，ブクラデシンナトリウム，アドレナリン，ノルアドレナリンなど
治療
効能・効果　①急性循環不全(心原性ショック，出血性ショック)　②次のような急性循環不全状態に使用する：(1)無尿，乏尿や利尿剤で利尿が得られない状態　(2)脈拍数の増加した状態　(3)他の強心・昇圧剤により副作用が認められたり，好ましい反応が得られない状態
用法・用量　1～5μg/kg/分で点滴静注し，患者の病態に応じ20μg/kgまで増量できる．2%製剤は必要に応じて生理食塩液，ブドウ糖注射液，総合アミノ酸注射液，ブドウ糖・乳酸ナトリウム・無機塩類剤等で希釈する．投与量は患者の血圧，脈拍数及び尿量により適宜増減する
使用上の注意
禁忌　褐色細胞腫［カテコールアミンを過剰に産生する腫瘍であるため，症状が悪化するおそれがある］
過量投与　①症状：急激な血圧上昇等が生じるおそれがある　②処置：患者の状態が安定するまで投与速度を落とすか一時的に投与を中止する．必要な場合にはα遮断剤の投与等適切な処置を行う
薬物動態
代謝　大半がMAO，COMTの作用を受けて代謝されるが，一部は副腎等でノルアドレナリン，アドレナリンに転換された後代謝されると推定　**排泄**　外国人健康成人6例に^{14}C-ドパミン塩酸塩(104.6μCi/872μg/1000mL)を4時間点滴静注時，点滴投与時間内に投与量の約40%が尿中に排泄され，このうちHVAは約53%，ノルアドレナリンは4.7%，ドパミンは9%．投与5日後の総回収率は97±3.5%で，このうち投与したドパミンの直接関連代謝物は75%，残りの25%はノルアドレナリンの代謝物
その他の管理的事項
投与期間制限　該当しない
保険給付上の注意　該当しない
資料
IF　イノバン注50mg・100mg　2020年9月改訂(第1版)

トフィソパム
Tofisopam

概要
薬効分類　112　催眠鎮静剤，抗不安剤，123　自律神経剤
構造式

及び鏡像異性体

分子式　$C_{22}H_{26}N_2O_4$
分子量　382.45
原薬の規制区分　㊙(ただし，1個中50mg以下を含有する内用剤及び10%以下を含有する内用剤を除く)
原薬の外観・性状　微黄白色の結晶性の粉末である．酢酸(100)に溶けやすく，アセトンにやや溶けやすく，エタノール(95)にやや溶けにくく，ジエチルエーテルに溶けにくく，水にほとんど溶けない．本品のエタノール(95)溶液(1→100)は旋光性を示さない
原薬の吸湿性　ほとんど認められない

原薬の融点・沸点・凝固点　融点：155～159℃
原薬の酸塩基解離定数　pKb＝10.3
先発医薬品等
　細　グランダキシン細粒10%(持田)
　錠　グランダキシン錠50(持田)
後発医薬品
　細　10%
　錠　50mg
国際誕生年月　1975年
海外での発売状況　ハンガリー

製剤
規制区分　**細**　**錠**　㊈
製剤の性状　**細**　微黄白色の細粒剤　**錠**　微黄白色の素錠
有効期間又は使用期限　**細**　4年　**錠**　5年
貯法・保存条件　室温保存
薬剤取扱い上の留意点　眠気，注意力・集中力・反射運動能力等の低下が起こることがあるので，本剤投与中の患者には自動車の運転等危険を伴う機械の操作に従事させないように注意すること
患者向け資料等　くすりのしおり
溶液及び溶解時のpH　該当しない
浸透圧比　該当しない
安定なpH域　該当しない
調製時の注意　該当しない

薬理作用
分類　2,3-ベンゾジアゼピン誘導体
作用部位・作用機序　主として自律神経系の高位中枢を介して交感及び副交感神経間の緊張不均衡を改善するが，末梢性にも自律神経系の過度の興奮を抑制することが認められている
同効薬　γ-オリザノール，ジアゼパム，エストリオールなど

治療
効能・効果　次の疾患における頭痛・頭重，倦怠感，心悸亢進，発汗等の自律神経症状：自律神経失調症，頭部・頸部損傷，更年期障害・卵巣欠落症状
用法・用量　1回50mg，1日3回(適宜増減)

使用上の注意
禁忌　ロミタピドメシル酸塩を投与中の患者
過量投与　過量投与が明白又は疑われた場合の処置としてフルマゼニル(ベンゾジアゼピン受容体拮抗剤)を投与する場合には，使用前にフルマゼニルの使用上の注意(禁忌，慎重投与，相互作用等)を必ず読む

薬物動態
　血中濃度　健常成人男子に経口投与1時間後に最高血中濃度，以後漸減，12時間後には血中からほぼ消失　**排泄**　経口投与後，尿中には主に代謝産物，24時間後までに約14%が尿中に排泄　**代謝**　ヒト肝ミクロソームを用いた*in vitro*代謝試験において，本剤は主としてCYP3A4で代謝されること，また，CYP3A4での代謝を阻害することが示唆された．したがって，CYP3A4で代謝される薬物の血中濃度を上昇させる可能性がある

その他の管理的事項
投与期間制限　該当しない
保険給付上の注意　該当しない

資料
IF　グランダキシン細粒50%・錠50　2019年7月改訂(第6版)

ドブタミン塩酸塩
Dobutamine Hydrochloride

概要
薬効分類　211　強心剤，799　他に分類されない治療を主目的としない医薬品
構造式

HO, H, CH3, N, H, OH, OH ・HCl
及び鏡像異性体

分子式　$C_{18}H_{23}NO_3$・HCl
分子量　337.84
略語・慣用名　DOB
ステム　不明
原薬の規制区分　㊛
原薬の外観・性状　白色～ごく薄い橙色の結晶性の粉末又は粒である．メタノールに溶けやすく，水又はエタノール(95)にやや溶けにくく，ジエチルエーテルにほとんど溶けない．本品の水溶液(1→100)は旋光性を示さない．1.0gを水100mLに溶かした液のpHは4.0～5.5である
原薬の吸湿性　吸湿性あるいは潮解性を示さない
原薬の融点・沸点・凝固点　融点：188～192℃
原薬の酸塩基解離定数　pKa＝8.72(電位差滴定法)
先発医薬品等
　注　ドブトレックス注射液100mg(共和薬品)
　キット　ドブトレックスキット点滴静注用200mg・600mg(共和薬品)
後発医薬品
　注　100mg
　キット　0.1%・0.3%・0.6%
国際誕生年月　1977年3月
海外での発売状況　米，中国など

製剤
規制区分　**注**　**キット**　㊛　㊈
製剤の性状　**注**　**キット**　無色澄明の液
有効期間又は使用期限　3年
貯法・保存条件　室温保存
薬剤取扱い上の留意点　調製方法：他の注射液と混合せずに用いることが望ましい．希釈後は24時間以内に投与すること　調製時：pH8以上のアルカリ性の注射液(炭酸水素ナトリウム注射液，アミノフィリン注射液等)と混合しないこと．一部のナトリウム塩(ヘパリンナトリウム，セファロチンナトリウム，ベタメタゾンリン酸エステルナトリウム等)を含む注射液と混合すると，混濁・沈殿を生じることがある
患者向け資料等　くすりのしおり
溶液及び溶解時のpH　**注**　2.7～3.3　**キット**　3.0～4.0
浸透圧比　**注**　約0.8(対生食)　**キット**　約1(対生食)
調製時の注意　調製方法：他の注射液と混合せずに用いることが望ましい．希釈後は24時間以内に投与すること　調製時：pH8以上のアルカリ性の注射液(炭酸水素ナトリウム注射液，アミノフィリン注射液等)と混合しないこと．一部のナトリウム塩(ヘパリンナトリウム，セファロチンナトリウム，ベタメタゾンリン酸エステルナトリウム等)を含む注射液と混合すると，混濁・沈殿を生じることがある

薬理作用
分類　カテコールアミン類
作用部位・作用機序　作用部位：心筋のβ_1受容体　作用機序：心筋のβ_1受容体に直接作用し心収縮力を増強する．冠動脈結紮等により心原性ショックを起こさせたイヌ及びその他の急性循環不全病態モデルにおいて，ドブタミン塩酸塩は心収縮力を増強し，心拍出量の増加，冠血流量の増加，左室拡張

ト

終期圧の低下等の循環動態の改善を来す．軽度ではあるが，血管のβ_2及びα_1受容体に作用し末梢血管抵抗を軽減する

同効薬　ドパミン塩酸塩，イソプロテレノール，アドレナリン，ノルアドレナリン

治療

効能・効果　①急性循環不全における心収縮力増強②（ドブポン除く）心エコー図検査における負荷

効能・効果に関連する使用上の注意　心エコー図検査における負荷：負荷試験前に患者の病歴を確認し，安静時心エコー図検査等により本剤による薬物負荷心エコー図検査が適切と判断される症例についてのみ実施する

用法・用量　効能①：ドブタミンとして，1分間あたり1～5μg/kg点滴静注．患者の病態に応じて適宜増減し，必要ある場合には1分間あたり20μg/kgまで増量できる．5mL製剤は用時，5%ブドウ糖注射液又は生理食塩液で希釈して用いる．他に，5%果糖，5%キシリトール，5%ソルビトール，20%マンニトール，乳酸リンゲルの各注射液も用いることができる　効能②：ドブタミンとして，1分間あたり5μg/kgから点滴静注を開始し，病態が評価できるまで1分間あたり10，20，30，40μg/kgと3分ごとに増量

用法・用量に関連する使用上の注意　心エコー図検査における負荷：本剤による負荷終了の目安等を含めた投与方法等については，ガイドライン等，最新の情報を参考にする

使用上の注意

> **警告**　（ドブポン除く）心エコー図検査における負荷に用いる場合は，次の点に注意すること：①緊急時に十分措置できる医療施設において，負荷心エコー図検査に十分な知識・経験を持つ医師のもとで実施する　②心停止，心室頻拍，心室細動，心筋梗塞等が現れるおそれがあるため，蘇生処置ができる準備を行い実施する．負荷試験中は，心電図，血圧等の継続した監視を行い，患者の状態を注意深く観察する．また，重篤な胸痛，不整脈，高血圧又は低血圧等が発現し，検査の継続が困難と判断した場合は，速やかに本剤の投与を中止する

禁忌　〔適応共通〕①肥大型閉塞性心筋症（特発性肥厚性大動脈弁下狭窄）の患者［左室からの血液流出路の閉塞が増強され，症状を悪化するおそれがある］　②ドブタミン塩酸塩に対し過敏症の既往歴のある患者　〔心エコー図検査における負荷〕③急性心筋梗塞後早期の患者［急性心筋梗塞後早期に実施したドブタミン負荷試験中に，致死的な心破裂がおきたとの報告がある］　④不安定狭心症の患者［陽性変時作用及び陽性変力作用により，症状が悪化するおそれがある］　⑤左冠動脈主幹部狭窄のある患者［陽性変力作用により，広範囲に心筋虚血を来すおそれがある］　⑥重症心不全の患者［心不全が悪化するおそれがある］　⑦重症の頻拍性不整脈のある患者［陽性変時作用により，症状が悪化するおそれがある］　⑧急性の心膜炎，心筋炎，心内膜炎の患者［症状が悪化するおそれがある］　⑨大動脈解離等の重篤な血管病変のある患者［状態が悪化するおそれがある］　⑩コントロール不良の高血圧症の患者［陽性変力作用により，過度の昇圧を来すおそれがある］　⑪褐色細胞腫の患者［カテコールアミンを過剰に産生する腫瘍であるため，症状が悪化するおそれがある］　⑫高度な伝導障害のある患者［症状が悪化するおそれがある］　⑬心室充満の障害（収縮性心膜炎，心タンポナーデ等）のある患者［症状が悪化するおそれがある］　⑭循環血液量減少症の患者［症状が悪化するおそれがある］

過量投与　①徴候，症状：食欲不振，悪心，嘔吐，動悸，息切れ，胸痛等，また，陽性変力作用及び変時作用による血圧上昇，頻拍性不整脈，心筋虚血，心室細動，血管拡張による低血圧等が生じるおそれがある　②処置：半減期は短いため，通常，血圧上昇は減量あるいは中止により回復する．回復しない場合には，短時間型α遮断薬の投与を考慮する．重症の心室性頻拍性不整脈には，プロプラノロール塩酸塩あるいはリドカインの投与も考慮する

薬物動態

血漿中濃度　健康成人男子（5例）に2μg/kg/min40分間持続点滴投与時の血漿中濃度定常状態は25ng/mL，投与終了後の$T_{1/2}$3.58±0.86min　**分布**　参考：ラットに^{14}C-標識ドブタミン塩酸塩を1回静注時，心臓，副腎，肝臓，腎臓に高濃度に分布し，その他の組織は血液より高いか同程度．多くの組織からの消失は，投与後急速に，2時間以降はやや緩やかに減少　**代謝**　尿中の主代謝産物は3-O-メチルドブタミンのグルクロン酸抱合体．参考：モルモット摘出心筋で3-O-メチルドブタミンの心筋収縮力増強作用はドブタミンに比べて著しく弱い（*in vitro*）　**排泄**　①主要排泄部位：腎　②持続点滴投与後10時間までに3-O-メチルドブタミン及びそのグルクロン酸抱合体として約35%が尿中に排泄　**その他**　血漿蛋白結合率：38.2±12.8%

その他の管理的事項

投与期間制限　該当しない

保険給付上の注意　該当しない

資料

IF　ドブトレックス注射液100mg・キット点滴静注用200mg・600mg　2019年3月改訂（第10版）

トブラマイシン
トブラマイシン注射液
Tobramycin

概要

薬効分類　131　眼科用剤，612　主としてグラム陰性菌に作用するもの

構造式

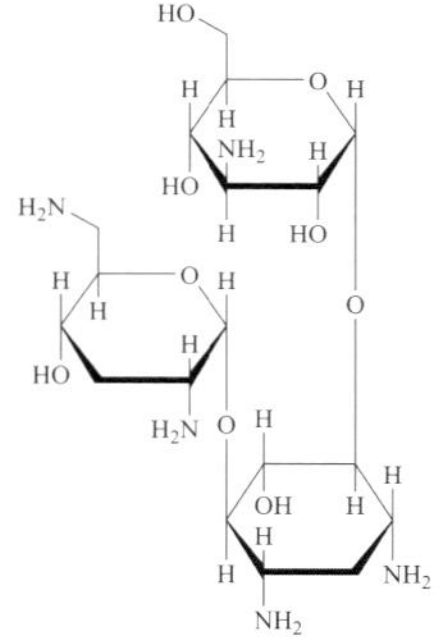

分子式　$C_{18}H_{37}N_5O_9$

分子量　467.51

略語・慣用名　TOB

ステム　*Streptomyces*属の産生する抗生物質：-mycin

原薬の規制区分　劇

原薬の外観・性状　白色～微黄白色の粉末である．水に極めて溶けやすく，ホルムアミドに溶けやすく，メタノールに溶けにくく，エタノール（95）に極めて溶けにくい．0.10gを水10mLに溶かした液のpHは9.5～11.5である

原薬の吸湿性　吸湿性である．臨界相対湿度：約93%

原薬の酸塩基解離定数　pKa＝7.18（トブラマイシンのアミノ基のすべてが全く同一の解離定数を有すると仮定して測定）（滴定法）

先発医薬品等

注　トブラシン注小児用10mg・注60mg・90mg（東和薬品＝ジェイドルフ）

吸入 トービイ吸入液300mg(マイランEPD)
点眼液 トブラシン点眼液0.3%(日東メディック)
国際誕生年月 **点眼液** 1973年10月
海外での発売状況 米，英，仏，独など

製剤

規制区分 **注** **吸入** **点眼液** ㊎ ㊕
製剤の性状 **注** 無色～ごくうすい黄色の澄明な液 **吸入** 微黄色澄明の液 **点眼液** 無色～微黄色の液
有効期間又は使用期限 **注** **吸入** 3年 **点眼液** 2年
貯法・保存条件 **注** 室温保存 **吸入** 遮光，凍結を避け，2～8℃に保存 **点眼液** 遮光・室温保存
薬剤取扱い上の留意点 **吸入** 室温で28日間を超えて保存しないこと．未使用のアンプルは，光を避けるため，必ずアルミ袋に保管すること．本剤の希釈又は他剤との混合は避けること
患者向け資料等 **吸入** **点眼液** くすりのしおり
溶液及び溶解時のpH **注** 5.0～7.0 **吸入** 5.5～6.5 **点眼液** 6.5～8.0
浸透圧比 **60mg注** 0.85～1.5 **90mg注** 0.9～1.1 **10mg小児用注** 0.85～1.5 **点眼液** 約1(対生食)
調製時の注意 **注** 5%ブドウ糖注射液と配合後はなるべく速やかに使用すること．20%マンニトールとは配合変化を起こすので，本剤とは混注しないこと．ピペラシリンと混合すると，両剤の反応によりアミドを形成し，本剤の活性低下を来すので，それぞれ別経路で投与すること

薬理作用

分類 アミノグリコシド系抗生物質
作用部位・作用機序 作用部位：細菌のリボソーム 作用機序：細菌のたん白合成阻害であり殺菌的に作用する．グラム陽性球菌ではブドウ球菌に対しては抗菌力を示すが，他のアミノグリコシド系抗生物質と同様に，レンサ球菌属や嫌気性菌にはほとんど作用しない．グラム陰性桿菌に対しては極めてすぐれた抗菌力を示し，特に緑膿菌に対する抗菌活性にすぐれている
同効薬 ゲンタマイシン硫酸塩，ジベカシン硫酸塩，アミカシン硫酸塩，シソマイシン硫酸塩，ミクロノマイシン硫酸塩などのアミノグリコシド系抗生物質

治療

効能・効果 **注**〈適応菌種〉本剤に感性の大腸菌，クレブシエラ属，エンテロバクター属，プロテウス属，モルガネラ・モルガニー，プロビデンシア属，緑膿菌 〈適応症〉敗血症，深在性皮膚感染症，慢性膿皮症，外傷・熱傷及び手術創等の二次感染，急性気管支炎，肺炎，慢性呼吸器病変の二次感染，膀胱炎，腎盂腎炎，腹膜炎
吸入 嚢胞性線維症における緑膿菌による呼吸器感染に伴う症状の改善
点眼液〈適応菌種〉本剤に感性のブドウ球菌属，レンサ球菌属，肺炎球菌，モラクセラ・ラクナータ(モラー・アクセンフェルト菌)，インフルエンザ菌，ヘモフィルス・エジプチウス(コッホ・ウィークス菌)，緑膿菌 〈適応症〉眼瞼炎，涙嚢炎，麦粒腫，結膜炎，角膜炎(角膜潰瘍を含む)
効能・効果に関連する使用上の注意 **注** 急性気管支炎への使用にあたっては，「抗微生物薬適正使用の手引き」を参照し，抗菌薬投与の必要性を判断した上で，本剤の投与が適切と判断される場合に投与する
吸入 ①6歳未満の小児における有効性及び安全性は確立していない ②1秒量(FEV_1)が予測正常値に対し＜25%又は＞75%の患者，バークホルデリア・セパシア感染を合併している患者における有効性及び安全性は確立していない
用法・用量 **注** 膀胱炎及び腎盂腎炎には1日120mg(力価)を2回に，その他の感染症には1日180mg(力価)を2～3回に，それぞれ分割して筋注又は点滴静注(適宜増減)．点滴静注においては30分～2時間かけて注入する．1回90mg(力価)投与の場合には，1時間以上かけて注入することが望ましい．小児1日3mg(力価)/kgを2～3回に分割して筋注又は点滴静注(適宜増減)．点滴静注においては30分～2時間かけて注入する
吸入 1回300mgを1日2回28日間噴霧吸入．その後28日間休薬する．これを1サイクルとして投与を繰り返す
点眼液 1回1～2滴1日4～5回点眼．適宜回数を増減
用法・用量に関連する使用上の注意 **注** ①使用にあたっては，耐性菌の発現等を防ぐため，原則として感受性を確認し，疾病の治療上必要な最小限の期間の投与にとどめる ②腎障害のある患者には，投与量を減らすか，投与間隔をあけて使用する
吸入 ①吸入以外の経路で投与しない ②可能な限り12時間間隔で投与し，少なくとも投与間隔を6時間以上あける ③投与には，原則としてパリ・LCプラスネブライザー及びプロモエイドコンプレッサーを使用する．なお，コンプレッサーは，パリ・LCプラスネブライザーに装着した際に，流量4～6L/分又は圧力110～217kPaが得られるコンプレッサーを使用することも可能である〔外国の臨床試験においては，パリ・LCプラスネブライザーが使用されており，これ以外のネブライザーを使用した場合の有効性及び安全性は確認されていない〕 ④患者が気管支拡張薬等の吸入及び肺理学療法を必要とする場合は，本剤の呼吸器における作用を確実にするために，これらの治療を行った後に本剤を投与することが望ましい
点眼液 使用にあたっては，耐性菌の発現等を防ぐため，原則として感受性を確認し，疾病の治療上必要な最小限の期間の投与にとどめる

使用上の注意

禁忌 **注** **点眼液** 本剤の成分ならびに他のアミノグリコシド系抗生物質又はバシトラシンに対し過敏症の既往歴のある患者
吸入 本剤の成分ならびに他のアミノグリコシド系抗生物質又はバシトラシンに対し過敏症の既往歴のある患者
過量投与 **注** ①徴候，症状：腎障害，聴覚障害，前庭障害，神経筋遮断症状，呼吸麻痺が現れることがある ②処置：血液透析，腹膜透析による薬剤の除去を行う．神経筋遮断症状，呼吸麻痺に対してはコリンエステラーゼ阻害剤，カルシウム製剤の投与又は機械的呼吸補助を行う **吸入** ①徴候，症状：本剤のヒトにおける最大耐量は確立されていない．吸入投与による過量投与時にみられる主な症状として重度の嗄声が考えられる ②処置：過量投与による急性中毒が認められた場合には中止し適切な処置を行うとともに，腎機能検査を実施する．また，血中濃度のモニタリングが有用と考えられる．本剤の除去には，血液透析が有用であることが示唆されたとの報告がある

薬物動態

注 **血中濃度** (測定法：bioassay)①健康成人：筋注又は点滴静注時の最高血清中濃度推定値は60mg(力価)投与で，筋注(13例)3.95μg/mL，$T_{1/2}$1.50hr，30分点滴静注(4例)5.24μg/mL，$T_{1/2}$1.62hr．90mg(力価)投与で，筋注(17例)5.28μg/mL，$T_{1/2}$1.40hr，60分点滴静注(8例)7.4μg/mL，$T_{1/2}$1.53hr ②腎機能正常小児：1.5mg/kgを筋注又は点滴静注時の最高血清中濃度推定値は，筋注(4例)4.8μg/mL，$T_{1/2}$1.40hr，30分点滴静注(7例)5.27μg/mL，$T_{1/2}$1.40hr，60分点滴静注(11例)4.45μg/mL，$T_{1/2}$1.58hr ③腎機能障害患者：50mg(力価)筋注時の薬物動態パラメータ(クレアチニンクリアランス(mL/min)正常，正常，60.3，53.0，＜10の順)はCmax(μg/mL)2.98，3.51，4.44，5.13，5.94，Tmax(hr)0.5，1，1，1，2，$T_{1/2}$(hr)1.65，2.04，3.76，3.66，16.90．腎機能障害患者ではCmaxの上昇，Tmaxの遷延，$T_{1/2}$の延長が認められた **分布** 喀痰，腹水に移行し，乳汁へはほとんど移行しない **代謝** 生体内で代謝されない **排泄** 主として腎から排泄される．健康成人に90mg(力価)筋注，1時間点滴静注(各4例)後の尿中排泄率は，8時間で約70%以上 **腎機能障害患者への投与法** 腎機能障害患者では，血中濃度の半減期が延長

し，高い血中濃度が長時間持続して，第8脳神経障害又は腎障害が現れるおそれがあるので，腎機能障害度に応じて，次のような方法により投与量及び投与間隔を調節すべきである：①1回投与量を調節する方法：⑴初回は通常量を投与し，以降の維持量は計算図（添付文書参照）から求めた用量を，通常投与間隔で投与する　⑵初回量，維持量ともに調節する方法：体重及びクレアチニン・クリアランスを用い，初回量及び維持量を求め，筋注する（添付文書参照）　②投与間隔を調節する方法：「血清クレアチニン値×6」時間ごとに通常量を投与
血中濃度モニタリング　アミノグリコシド系抗生物質による副作用発現の危険性は，一過性であっても異常に高い最高血中濃度（ピーク値）が繰り返されるほど大きくなり，また，異常に高い最低血中濃度（谷間値-次回投与直前値）が繰り返されるほど大きくなるといわれている．本剤の場合は，最高血中濃度が12μg/mL以上，最低血中濃度が2μg/mL以上が繰り返されると第8脳神経障害や腎障害発生の危険性が大きくなるといわれている．腎機能障害患者，低出生体重児，新生児，高齢者，長期間投与患者，及び大量投与患者等では血中濃度が高くなりやすいので，特に投与開始時に最高血中濃度と最低血中濃度を測定し，異常な高値を示す場合には，投与量や投与間隔を調整することが望ましい．たとえば，異常に高い最高血中濃度が繰り返されている場合は投与量を減量し，異常に高い最低血中濃度が繰り返されている場合は投与間隔を延長する等，調整を行う　**その他**　血清蛋白結合：ほとんど結合しない（限外ろ過法，外国人によるデータ）
吸入　**吸収**　陽イオン性の極性分子であり，上皮細胞膜の透過性は低い．経口投与した場合，ほとんど吸収されないため，噴霧吸入投与時の全身曝露は経肺吸収に由来すると考えられる．噴霧吸入投与時のバイオアベイラビリティは，ネブライザーの性能や気道の状態により異なることがある（外国人のデータ）①喀痰中濃度：⑴単回投与：嚢胞性線維症患者に300mgを単回噴霧吸入投与時の喀痰中薬物動態パラメータ（14～20例）は，Cmax737±1028μg/g，Tmax※）0.5（0.5～2）h，$AUC_{0\text{-}12h}$ 974±1143μg・h/g，AUC_{inf} 1302±1127μg・h/g，$T_{1/2}$ 1.7±1.6h　※）中央値（最小値～最大値）．喀痰中のトブラマイシンは開始後0.5時間（最初の採取時点）で最高濃度を示した．喀痰中からの平均消失半減期は1.7時間（外国人のデータ）　⑵反復投与：嚢胞性線維症患者に300mg1日2回，4週間反復噴霧吸入投与したのち4週間休薬を1サイクルとし，3回繰り返した時，初回噴霧吸入投与後10分の喀痰中トブラマイシン濃度の平均値（240例）は1237μg/g（範囲：35～7414μg/g）．最終噴霧吸入投与後10分の喀痰中トブラマイシン濃度の平均値（201例）は1154μg/g（範囲：定量下限値（20μg/g）未満～8085μg/g）．喀痰中トブラマイシン濃度のばらつきは大きかった（外国人のデータ）　②血清中濃度：⑴単回投与：嚢胞性線維症患者に300mgを単回噴霧吸入投与時の血清中薬物動態パラメータ（20例）は，Cmax1.04±0.58μg/mL，Tmax※）1（0.5～2）h，$AUC_{0\text{-}12h}$ 4.8±2.5μg・h/mL，AUC_{inf} 5.3±2.6μg・h/mL，$T_{1/2}$ 3.0±0.8h　※）中央値（最小値～最大値）．肺からの吸収は速やかで，血清中のトブラマイシンは開始後1時間で最高濃度を示した．平均消失半減期は3時間（外国人のデータ）　⑵反復投与：嚢胞性線維症患者に300mg1日2回，4週間反復噴霧吸入投与したのち4週間休薬を1サイクルとし，3回繰り返した時，初回噴霧吸入投与後1時間の血清中トブラマイシン濃度の平均値（257例）は0.95μg/mL（範囲：定量下限値（0.18μg/mL）未満～3.62μg/mL）．また，最終噴霧吸入投与後1時間の血清中トブラマイシン濃度の平均値（222例）は1.05μg/mL（範囲：定量下限値未満～3.41μg/mL）（外国人のデータ）　**分布**　噴霧吸入投与時，多く気道に留まる．血清蛋白とほとんど結合しない（外国人のデータ）
代謝　代謝を受けない　**排泄**　体内に吸収されたトブラマイシンは，主に糸球体濾過により未変化体として尿中に排泄される
点眼液　**結膜嚢内濃度**　健康成人12例16眼に0.3%点眼液を1滴点眼して，0.5～8時間後のトブラマイシンの結膜嚢内濃度を経時的に測定．点眼後0.5時間で28～100μg/mLの最高値，1時間後でも7.8～22μg/mLの濃度が結膜嚢内に貯留　**眼組織内濃度（参考）**　ウサギ眼に0.3%点眼液5分ごと5回点眼時の最高組織内濃度は，点眼後30分で結膜10.2μg/g，60分後で眼瞼8.3μg/g，角膜1.5μg/g．その他の眼組織，外眼筋，強膜，虹彩毛様体及び硝子体においても0.9～3.9μg/g．また角膜上皮を剥離したウサギ眼に1分ごと5回（1回1滴）点眼時の房水内濃度は点眼後30分で11.3μg/mL

その他の管理的事項
投与期間制限　該当しない
保険給付上の注意　該当しない

資料
IF　トブラシン注60mg・90mg・注小児用10mg　2018年5月改訂（第7版）
トービイ吸入液300mg　2019年9月改訂（第4版）
トブラシン点眼液0.3%　2018年4月改訂（第8版）

トラニラスト
トラニラストカプセル
トラニラスト細粒
シロップ用トラニラスト
トラニラスト点眼液
Tranilast

概要
薬効分類　131　眼科用剤，449　その他のアレルギー用薬
構造式

CO2H, NH, O, O–CH3, O–CH3

分子式　$C_{18}H_{17}NO_5$
分子量　327.33
ステム　抗ヒスタミン作用とは異なる作用機序の抗喘息薬又は抗アレルギー薬：-ast
原薬の規制区分　該当しない
原薬の外観・性状　淡黄色の結晶又は結晶性の粉末である．*N,N*-ジメチルホルムアミドに溶けやすく，アセトニトリル，メタノール又はエタノール（99.5）に溶けにくく，水にほとんど溶けない．光によって徐々に淡い黄褐色となる．結晶多形が認められる
原薬の吸湿性　示さない
原薬の融点・沸点・凝固点　融点：207～210℃
原薬の酸塩基解離定数　pKa＝約3.7（分配係数法）
先発医薬品等
細　リザベン細粒10%（キッセイ）
カ　リザベンカプセル100mg（キッセイ）
シロップ用　リザベンドライシロップ5%（キッセイ）
点眼液　トラメラス点眼液0.5%（ニッテン＝日本点眼薬）
トラメラスPF点眼液0.5%（日本点眼薬）
リザベン点眼液0.5%（キッセイ）
後発医薬品
細　10%
カ　100mg
シロップ用　5%

点眼液 0.5%
国際誕生年月 1982年6月
海外での発売状況 該当しない

製剤

製剤の性状 細 淡黄色の細粒で，においはなく，味は僅かに甘い カ 白色/白色の硬カプセル剤 シロップ用 淡黄色のドライシロップ(顆粒)で，においはなく，味は甘い．本剤に2倍量の水を加えて振り混ぜる時，均一に懸濁する 点眼液 微黄色澄明な液
有効期間又は使用期限 3年
貯法・保存条件 細 カ シロップ用 遮光・室温保存 点眼液 遮光した気密容器，室温保存
薬剤取扱い上の留意点 シロップ用 エチレンジアミンと白色塩を形成するので，ネオフィリン末などエチレンジアミンを含む製剤とは配合しないこと 点眼液 冷蔵庫等で保存すると，結晶が析出することがあるので避けること
患者向け資料等 細 カ シロップ用 患者向医薬品ガイド，くすりのしおり 点眼液 くすりのしおり
溶液及び溶解時のpH 点眼液 7.0～8.0
浸透圧比 点眼液 0.9～1.1(対0.9%生食)
調製時の注意 該当しない

薬理作用

分類 アレルギー性疾患，ケロイド・肥厚性瘢痕治療剤(ナンテン配糖体)
作用部位・作用機序 肥満細胞，各種炎症細胞からのヒスタミン，ロイコトリエンをはじめとする多くのケミカルメディエーターの遊離を抑制することによりI型アレルギー反応を抑制する．また，サイトカイン(TGF-β_1)，活性酸素の産生あるいは遊離抑制作用をも有し，ケロイド及び肥厚性瘢痕由来線維芽細胞のコラーゲン合成を抑制する
同効薬 細 カ シロップ用 クロモグリク酸ナトリウム，ケトチフェンフマル酸塩，オキサトミドなど 点眼液 クロモグリク酸ナトリウム，ケトチフェンフマル酸塩，アンレキサノクス，ペミロラストカリウムなど

治療

効能・効果 細 カ シロップ用 気管支喘息，アレルギー性鼻炎，アトピー性皮膚炎，ケロイド・肥厚性瘢痕
点眼液 アレルギー性結膜炎
用法・用量 細 カ シロップ用 1回100mgを1日3回，小児1日5mg/kgを3回に分服(適宜増減)．ドライシロップは用時懸濁する．ただし，シロップ用は小児のみに用いる
点眼液 1回1～2滴，1日4回(朝昼夕及び就寝前)点眼
禁忌・原則禁忌となる特定患者集団 細 カ シロップ用 妊婦(特に約3カ月以内)又は妊娠している可能性のある婦人

使用上の注意

禁忌 細 カ シロップ用 ①妊婦(特に約3カ月以内)又は妊娠している可能性のある婦人 ②本剤の成分に対し過敏症の既往歴のある患者
点眼液 本剤の成分に対し過敏症の既往歴のある患者
相互作用概要 主としてCYP2C9が関与している

薬物動態

細 カ シロップ用 ①健康成人男子(10例)に1回100mg単回経口投与後，消化管から速やかに吸収，血中濃度は2時間後最高12.6μg/mL，AUCは114.4μg・hr/mL，24時間後に1/10以下に低下，$T_{1/2}$5.3hr．尿中排泄は，96時間までに37.7%，うち28.8%が24時間以内に排泄．主代謝経路は，未変化体の抱合化及び4位の脱メチル化とそれに続く水酸基の抱合化 ②ヒト肝ミクロソーム及びP450発現系ミクロソームを用いた*in vitro*試験の結果，酸化的代謝反応はCYP2C9，CYP2C18，CYP2C8，CYP1A2，CYP3A4，CYP2D6で確認され，主としてCYP2C9が代謝に関与
点眼液 ①健常成人男子6名に点眼時(両眼に2滴ずつ，単回点眼，反復点眼(1日4回8日間)の順)，血漿中未変化体の最高濃度は1.2±0.4時間後に17.8±7.1ng/mL，0.8±0.3時間後に25±12.2ng/mL，$AUC_{0\text{-}4hr}$は50.8±17.6，75.6±31.3ng・hr/mL．血中からの消失半減期は3.6±1.3，3.9±1.2時間 ②ヒト肝ミクロソーム及びP450発現系ミクロソームを用いた*in vitro*試験で，本剤の酸化的代謝反応はCYP2C9，CYP2C18，CYP2C8，CYP1A2，CYP3A4，CYP2D6で確認，主としてCYP2C9が代謝に関与

その他の管理的事項

投与期間制限 該当しない
保険給付上の注意 該当しない

資料

IF リザベン細粒10%・カプセル100mg・ドライシロップ5% 2013年4月改訂(第4版)
リザベン点眼液0.5% 2013年3月改訂(第5版)

トラネキサム酸
トラネキサム酸錠
トラネキサム酸カプセル
トラネキサム酸注射液
Tranexamic Acid

概要

薬効分類 332 止血剤，449 その他のアレルギー用薬
構造式

分子式 $C_8H_{15}NO_2$
分子量 157.21
略語・慣用名 略名：*trans*-AMCHA，*t*-AMCHA，AMCHA
ステム 不明
原薬の規制区分 該当しない
原薬の外観・性状 白色の結晶又は結晶性の粉末である．水に溶けやすく，エタノール(99.5)にほとんど溶けない．1.0gを水20mLに溶かした液のpHは7.0～8.0である
原薬の吸湿性 吸湿性に乏しい
原薬の融点・沸点・凝固点 融点：386～390℃(分解)
原薬の酸塩基解離定数 pKa_1＝4.33(カルボキシル基，滴定法)，pKa_2＝10.65(アミノ基，滴定法)
先発医薬品等
散 トランサミン散50%(第一三共)
錠 トランサミン錠250mg・500mg(第一三共)
カ トランサミンカプセル250mg(第一三共)
シ トランサミンシロップ5%(ニプロファーマ＝第一三共)
注 トランサミン注5%・10%(第一三共)
後発医薬品
細 50%
錠 250mg・500mg
カ 250mg
シ 5%
注 5%・10%
キット 10%
国際誕生年月 1965年8月
海外での発売状況 米，英など

製剤

規制区分 注 ㊈
製剤の性状 散 白色の散剤 250mg錠 白色の素錠 500mg錠 白色～淡黄白色のフィルムコーティング錠(カプレット型) カ だいだい色不透明/白色不透明の硬カプセル剤 シ 淡赤

色のシロップ剤で，芳香(オレンジ臭)がある [注] 無色澄明の液

有効期間又は使用期限 [散] [250mg錠] [カ] 5年 [500mg錠] [注] 3年 [シ] 2年

貯法・保存条件 [散] [錠] [カ] [注] 室温保存 [シ] 遮光・室温保存

薬剤取扱い上の留意点 該当資料なし

患者向け資料等 くすりのしおり

溶液及び溶解時のpH [シ] 5.7～6.5 [注] 7.0～8.0

浸透圧比 [5%注] 約1 [10%注] 約2

調製時の注意 該当しない

薬理作用

分類 抗プラスミン剤

作用部位・作用機序 線維素溶解現象(線溶現象)は生体の生理的並びに病的状態において，フィブリン分解をはじめ，血管の透過性亢進等に関与し，プラスミンによって惹起される生体反応を含め，種々の出血症状やアレルギー等の発生進展や治癒と関連している．このプラスミンの働きを阻止し，抗出血・抗アレルギー・抗炎症効果を示す

同効薬 なし

治療

効能・効果 ①全身性線溶亢進が関与すると考えられる出血傾向(白血病，再生不良性貧血，紫斑病等，及び手術中・術後の異常出血) ②局所線溶亢進が関与すると考えられる異常出血(肺出血，鼻出血，性器出血，腎出血，前立腺手術中・術後の異常出血) ③次の疾患における紅斑・腫脹・そう痒等の症状：湿疹及びその類症，蕁麻疹，薬疹・中毒疹 ④次の疾患における咽頭痛・発赤・充血・腫脹等の症状：扁桃炎，咽喉頭炎 ⑤口内炎における口内痛及び口内粘膜アフター

用法・用量 [散] [細] [錠] [カ] トラネキサム酸として1日750～2000mg，3～4回に分服(適宜増減)

[シ] 次の1日量を3～4回に分服(適宜増減)．15歳以上750～2000mg，7～14歳400～1000mg，4～6歳250～650mg，2～3歳150～350mg，～1歳75～200mg

[注] [キット] トラネキサム酸として1日250～500mg1～2回に分けて静注又は筋注，術中・術後等には必要に応じ1回500～1000mg静注又は500～2500mg点滴静注(適宜増減)

使用上の注意

禁忌 ①トロンビンを投与中の患者 ②[注] [キット] 本剤の成分に対し過敏症の既往歴のある患者

薬物動態

血中濃度 健康成人に錠250mg，500mg，カプセル500mg経口投与後2～3時間のCmax(μg/mL)3.9，6.0，5.5，$T_{1/2}$(hr)3.1，3.3，3.3．健康成人3例に500mg単回筋注後30分で最高21.2，半減期は2時間．健康成人2例に1000mg単回静注15分後60，半減期は1.9時間，Vdは42.4L **分布(動物実験)** ラットに^{14}C-トラネキサム酸の単回経口投与では，大部分の臓器で全血中濃度と同様2時間後に最高濃度，腎，肝では血液より高濃度に，他の臓器では血液より低濃度に分布．マウスに^{14}C-トラネキサム酸の単回静注及び単回筋注時の組織内分布は，肝，腎，肺で高く，膵，副腎，脾，前立腺，結腸，子宮，心，筋肉がこれに次ぎ，脳では低かった **代謝，排泄** 健康成人に投与時，速やかに吸収され，24時間以内に250又は500mg単回経口投与では40～70%，500mg単回筋注で80%，1000mg単回静注で約76%が未変化体として尿中に排泄

その他の管理的事項

投与期間制限 該当しない

保険給付上の注意 該当しない

資料

IF トランサミン散50%・錠250mg・500mg・カプセル250mg・シロップ5% 2018年2月改訂(第11版)
トランサミン注5%・10% 2016年9月改訂(第10版)

トラピジル
Trapidil

概要

薬効分類 217 血管拡張剤

構造式

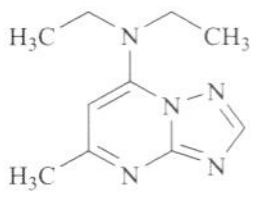

分子式 $C_{10}H_{15}N_5$

分子量 205.26

略語・慣用名 別名：Trapymin

ステム 血管拡張薬：-dil

原薬の規制区分 [劇](ただし，1個中100mg以下を含有する内用剤及び10%以下を含有する内用剤を除く)

原薬の外観・性状 白色～微黄白色の結晶性の粉末である．水又はメタノールに極めて溶けやすく，エタノール(95)，無水酢酸又は酢酸(100)に溶けやすく，ジエチルエーテルにやや溶けにくい．1.0gを水100mLに溶かした液のpHは6.5～7.5である

原薬の吸湿性 認められない

原薬の融点・沸点・凝固点 融点：101～105℃

原薬の酸塩基解離定数 pKb＝10.01，pKa＝3.99(Kb＝9.5×10^{-11})

先発医薬品等

[細] ロコルナール細粒10%(持田)

[錠] ロコルナール錠50mg・100mg(持田)

後発医薬品

[錠] 50mg・100mg

国際誕生年月 1970年3月

海外での発売状況 独，イタリア

製剤

規制区分 [細] [錠] [処]

製剤の性状 [細] 白色の細粒剤 [50mg錠] 淡青色の糖衣錠 [100mg錠] 白色のフィルムコーティング錠

有効期間又は使用期限 [細] 4年 [錠] 5年

貯法・保存条件 室温保存

薬剤取扱い上の留意点 該当しない

患者向け資料等 くすりのしおり

溶液及び溶解時のpH 該当しない

浸透圧比 該当しない

安定なpH域 該当しない

調製時の注意 該当しない

薬理作用

分類 triazolo-pyrimidine誘導体

作用部位・作用機序 冠動脈の比較的太い血管を拡張し，心筋虚血部の血流を改善．血小板におけるトロンボキサンA_2の合成及び作用を抑制するとともに，血管におけるプロスタサイクリンの産生を促進し，抗血小板作用を発揮．抗PDGF(血小板由来成長因子)作用により動脈硬化の進展を抑制．末梢血管抵抗減少に基づく後負荷軽減作用，静脈拡張作用に基づく前負荷軽減作用を有する

同効薬 ジラゼプ塩酸塩水和物，ジピリダモールなど

治療

効能・効果 狭心症

用法・用量 トラピジルとして1回100mg，1日3回(適宜増減)

使用上の注意

禁忌 ①頭蓋内出血発作後，止血が完成していないと考えられる患者［血小板凝集抑制作用を有する］ ②本剤の成分に対し過敏症の既往歴のある患者

過量投与 大量服用(トラピジルとして15g)で，重症ショック

（昏睡状態，頻回の嘔吐，全身痙攣，血圧低下，呼吸困難，四肢冷感等）が現れたとの報告がある．入院後，ただちに胃腸洗浄，強制利尿等の医薬品中毒に対する一般処置を行った後，吸着型血液浄化法（DHP）と血液透析を併用して行ったところ，臨床所見の急速な改善をみた．また，本剤では，循環虚脱に対する処置が重要と考えられている

薬物動態

血中濃度　健康成人男子経口投与で，血中濃度は速やかに上昇し2時間後最高値．以後ゆるやかに減少し，6時間後にピーク時の約1/2，12時間後にはほぼ消失　**排泄**　経口投与後，尿中には主に代謝産物が検出．尿中排泄は72時間後まで約30%

その他の管理的事項

投与期間制限　該当しない

保険給付上の注意　該当しない

資料

IF　ロコルナール細粒10%・錠50mg・100mg　2016年12月改訂（第4版）

トラマドール塩酸塩
Tramadol Hydrochloride

概要

薬効分類　114　解熱鎮痛消炎剤

構造式

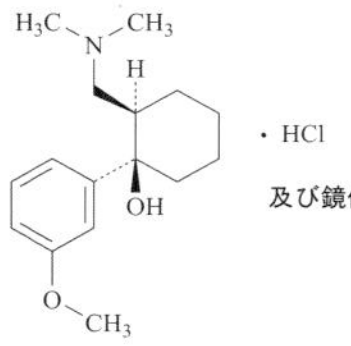

及び鏡像異性体

分子式　$C_{16}H_{25}NO_2$・HCl

分子量　299.84

ステム　鎮痛剤：-adol

原薬の規制区分　[劇]

原薬の外観・性状　白色の結晶性の粉末である．水に極めて溶けやすく，メタノール，エタノール（95）又は酢酸（100）に溶けやすい．本品の水溶液（1→20）は旋光性を示さない．結晶多形が認められる

原薬の吸湿性　吸湿性を認めない

原薬の融点・沸点・凝固点　融点：180～184℃

原薬の酸塩基解離定数　pKa＝9.3（20℃）

先発医薬品等

[錠]　トラマールOD錠25mg・50mg（日本新薬）

[徐放錠]　ツートラム錠50mg・100mg・150mg（日本臓器）
ワントラム錠100mg（日本新薬）

[注]　トラマール注100（日本新薬）

国際誕生年月　1973年4月

海外での発売状況　[錠]　米，英，仏，独など65カ国　[注]　英など

製剤

規制区分　[錠]　[注]　[劇]　[処]

製剤の性状　[口腔内崩壊錠]　片面に割線を施した白色の円形の口腔内崩壊錠で，ハッカようの味がある　[徐放錠]　白色～灰白色のフィルムコート錠　[注]　無色澄明の液体

有効期間又は使用期限　[錠]　3年　[注]　4年

貯法・保存条件　[口腔内崩壊錠]　気密容器，湿気を避けて室温保存　[徐放錠]　[注]　室温保存

薬剤取扱い上の留意点　眠気，めまい，意識消失が起こることがあるので，本剤投与中の患者には自動車の運転等危険を伴う機械の操作に従事させないよう注意すること．なお，意識消失により自動車事故に至った例も報告されている　[錠]　本剤の投与にあたっては，具体的な服用方法，服用時の注意点，保管方法等を十分に説明し，本剤の目的以外への使用をしないように指導するとともに，本剤を子供の手の届かないところに保管するよう指導すること　[注]　バルビタール系薬剤（注射液）と同じ注射筒を使用すると沈殿を生じるので，同じ注射筒で混ぜないこと

患者向け資料等　[錠]　患者向医薬品ガイド，くすりのしおり，その他の患者向資材

溶液及び溶解時のpH　[注]　5.5～6.5

浸透圧比　[注]　約1

安定なpH域　該当しない

調製時の注意　[注]　pH8.45以上の薬剤は塩基を析出させ，沈澱を生じる

薬理作用

分類　非麻薬性鎮痛剤

作用部位・作用機序　主に①μオピオイド受容体に結合し，オピオイド作動性による上行伝導路の抑制，②ノルアドレナリンの再取り込み阻害，③セロトニンの再取り込み阻害による下行抑制路の活性化，の3つの作用によって鎮痛効果を発揮

同効薬　[錠]　モルヒネ硫酸塩水和物，オキシコドン塩酸塩水和物，コデインリン酸塩水和物　[注]　ペンタゾシン

治療

効能・効果　[口腔内崩壊錠]　[徐放錠]　非オピオイド鎮痛剤で治療困難な次の疾患における鎮痛：①疼痛を伴う各種癌②慢性疼痛

[注]　次の疾患ならびに状態における鎮痛：各種癌，術後

効能・効果に関連する使用上の注意　[口腔内崩壊錠]　[徐放錠]　慢性疼痛患者においては，その原因となる器質的病変，心理的・社会的要因，依存リスクを含めた包括的な診断を行い，投与の適否を慎重に判断する

用法・用量　[口腔内崩壊錠]　1日100～300mgを4回に分服（適宜増減）．ただし1回100mg，1日400mgを超えないこととする

[徐放錠]　1日1回100～300mg（適宜増減）．ただし，1日400mgを超えない

[注]　1回100～150mg筋注，必要に応じて4～5時間ごとに反復注射（適宜増減）

用法・用量に関連する使用上の注意　[口腔内崩壊錠]　[徐放錠]　①初回量：⑴[口腔内崩壊錠]　初回投与する場合は，1回25mgから開始することが望ましい　⑵[徐放錠]　初回投与する場合は，1日100mgから開始することが望ましい．なお，トラマドール塩酸塩即放性製剤から切り替える場合は，即放性製剤の1日投与量，鎮痛効果及び副作用を考慮して，初回投与量を設定する　②投与間隔：⑴[口腔内崩壊錠]　4～6時間ごとの定時に経口投与する．ただし，生活時間帯に合わせて投与間隔を調整することも可能とする　⑵[徐放錠]　定時投与（1日1回）はできるだけ同じ時間帯に服用する　③増量及び減量：開始後は患者の状態を観察し，適切な鎮痛効果が得られ副作用が最小となるよう用量調整を行う．増量・減量の目安は，[口腔内崩壊錠]　1回25mg（1日100mg），[徐放錠]　1日100mgずつ行うことが望ましい　④がん疼痛患者における疼痛増強時の臨時追加投与（レスキュー・ドーズ）：服用中に疼痛が増強した場合や鎮痛効果が得られている患者で突出痛が発現した場合は，ただちに本剤（即放性製剤）の臨時追加投与を行って鎮痛を図る．臨時追加投与の1回投与量は，定時投与中の1日量の1/8～1/4を経口投与する．（[徐放錠]）ただし，1日総投与量は400mgを超えない　⑤投与の継続：慢性疼痛患者において，投与開始後4週間を経過してもなお期待する効果が得られない場合は，他の適切な治療への変更を検討する．また，定期的に症状及び効果を確認し，投与の継続の必要性について検討する　⑥投与の中止：⑴投与を必要としなくなった場合は，退薬症候の発現を防ぐために徐々に減量する　⑵がん疼痛患者において，1日の定時投与量が300mgで鎮痛効果が不十分となった場合，投与を中止し，モルヒネ等の強オピオイド鎮

ト

痛剤への変更を考慮する．その場合，定時投与量の1/5の用量の経口モルヒネを初回量の目安とすることが望ましい．また，経口モルヒネ以外の強オピオイド鎮痛剤に変更する場合は，経口モルヒネとの換算で投与量を求めることが望ましい　⑦高齢者への投与：75歳以上の高齢者では，本剤の血中濃度が高い状態で持続し，作用及び副作用が増強するおそれがあるので，1日300mgを超えないことが望ましい　⑧**口腔内崩壊錠** 服用時の注意：本剤は口腔内で崩壊するが，口腔粘膜からの吸収により効果発現を期待する製剤ではないため，唾液又は水で飲み込む

禁忌・原則禁忌となる特定患者集団　12歳未満の小児

使用上の注意

禁忌　**口腔内崩壊錠**　**徐放錠**　①12歳未満の小児　②本剤の成分に対し過敏症の既往歴のある患者　③アルコール，睡眠剤，鎮痛剤，オピオイド鎮痛剤又は向精神薬による急性中毒患者［中枢神経抑制及び呼吸抑制を悪化させるおそれがある］　④モノアミン酸化酵素阻害剤（セレギリン塩酸塩，ラサギリンメシル酸塩，サフィナミドメシル酸塩）を投与中の患者又は投与中止後14日以内の患者　⑤ナルメフェン塩酸塩水和物を投与中の患者又は投与中止後1週間以内の患者　⑥治療により十分な管理がされていないてんかん患者［症状が悪化するおそれがある］　⑦**徐放錠** 高度な腎機能障害又は高度な肝機能障害のある患者

注　①重篤な呼吸抑制状態にある患者［呼吸抑制の副作用が知られており，症状を悪化させるおそれがある］　②12歳未満の小児　③扁桃摘除術後又はアデノイド切除術後の鎮痛目的で使用する18歳未満の患者［重篤な呼吸抑制のリスクが増加するおそれがある］　④頭部傷害，脳に病変がある場合等で意識混濁が危惧される患者　⑤本剤の成分に対し過敏症の既往歴のある患者　⑥アルコール，睡眠剤，鎮痛剤，オピオイド鎮痛剤又は向精神薬による急性中毒患者［中枢神経抑制及び呼吸抑制を悪化させるおそれがある］　⑦モノアミン酸化酵素阻害剤（セレギリン塩酸塩，ラサギリンメシル酸塩，サフィナミドメシル酸塩）を投与中の患者又は投与中止後14日以内の患者　⑧ナルメフェン塩酸塩水和物を投与中の患者又は投与中止後1週間以内の患者　⑨治療により十分な管理がされていないてんかん患者［症状が悪化するおそれがある］

相互作用概要　主としてCYP2D6及びCYP3A4により代謝される

過量投与　**口腔内崩壊錠**　**徐放錠**　①症状：中毒による典型的な症状として，縮瞳，嘔吐，心血管虚脱，昏睡に至る意識障害，痙攣，呼吸停止に至る呼吸抑制等が報告されている　②処置：緊急処置として，気道を確保し，症状に応じた呼吸管理と循環の管理を行う．本剤摂取後2時間以内の場合，胃内容物の吸引，胃洗浄あるいは活性炭投与等の処置が有効である．また，呼吸抑制に対してはナロキソンの投与，痙攣に対してはジアゼパムの静注を行う（ナロキソンは動物実験で痙攣を増悪させるとの報告がある）．本剤は透析によってはほとんど除去されず，急性中毒に対して，解毒のための血液透析，あるいは血液濾過のみの治療は不適切である

注　①症状：中毒による典型的な症状として，縮瞳，嘔吐，心血管虚脱，昏睡に至る意識障害，痙攣，呼吸停止に至る呼吸抑制等が報告されている　②処置：緊急処置として，気道を確保し，症状に応じた呼吸管理と循環の管理を行う．呼吸抑制に対してはナロキソンの投与，痙攣に対してはジアゼパムの静注を行うこと（ナロキソンは動物実験で痙攣を増悪させるとの報告がある）．本剤は透析によってはほとんど除去されず，急性中毒に対して，解毒のための血液透析，あるいは血液濾過のみの治療は不適切である

薬物動態

徐放錠　**血中濃度**　①健康成人：健康成人男性10例に空腹時単回経口投与時のトラマドール及び活性代謝物モノ-O-脱メチル体（M1）の薬物動態パラメータ[Cmax（ng/mL），tmax（hr）$t_{1/2}$，β（hr），$AUC_{0-\infty}$（ng・hr/mL）の順]は，100mg投与：トラマドール[123±39，9.5±2.8，6.44±1.07，2640±1020]，M1[25.9±5.9，11.5±4.0，7.02±1.37，610±159]，200mg投与：トラマドール[257±89，9.6±3.2，6.63±1.99，5500±2480]，M1[56.1±13.8，9.6±3.6，7.34±1.89，1290±260]，300mg投与：トラマドール[444±117，11.6±1.3，6.97±1.08，9720±2820]，M1[86.6±26.1，12.0±0.0，7.93±1.51，2090±520]．トラマドール及びM1の血漿中濃度は投与後9～12時間でCmaxに達した後，6～8時間の$t_{1/2}$，βで低下．血漿中トラマドール及びM1のCmax及び$AUC_{0-\infty}$はいずれも用量に比例して増加　②健康成人男性24例に徐放錠（200mg）単回又はカプセル（50mg）を1日4回空腹時に経口投与時のトラマドール及びM1のCmax及び$AUC_{0-\infty}$に差は認められなかった　③健康成人男性9例に徐放錠（200及び300mg）を1日1回5日間食後経口投与時，投与2日目から最終投与日のトラフ値はいずれの用量においてもほぼ一定値を示し，投与3日目には定常状態に達しているものと推察された　**吸収**　①食事の影響：⑴標準食：健康成人男性12例に徐放錠（200mg）を空腹時及び食後30分に単回経口投与時，血漿中トラマドール及びM1濃度推移に差はなく，食事の影響は認められなかった　⑵高脂肪高カロリー食：健康成人男性29例に徐放錠（200mg）を空腹時及び食後単回経口投与時，食後の血漿中トラマドール及びM1のCmaxは空腹時と比べて約50％上昇したが，$AUC_{0-\infty}$は変わらなかった（外国人データ）　**分布**　①組織への移行：^{14}C-トラマドール塩酸塩を雄性ラットに30mg/kg経口投与後，放射能濃度はほとんどの組織で投与後1～2時間で最高値．投与後1時間の組織中濃度は肝臓，腎臓及び肺で高く，それぞれ血漿中濃度の約15，13及び11倍．脳内の放射能濃度は血漿の約2倍高かった．各組織からの放射能の消失は血漿と同様に速やか，放射能濃度は投与後24時間で最高値の10％以下に低下　②血漿タンパク結合：^{14}C-トラマドール塩酸塩の血漿タンパク結合率は0.2～10μg/mLの範囲で19.5～21.5％，結合率に濃度依存性は認められなかった（*in vitro*）　**代謝**　①主な代謝経路は，O-及びN-脱メチル化（第一相反応）並びにそれらの代謝物のグルクロン酸又は硫酸抱合（第二相反応）　②トラマドールのO-脱メチル化反応にはCYP2D6が，N-脱メチル化反応にはCYP3A4が主に関与していた　**排泄**　健康成人男性6例にカプセル25，50又は100mgを空腹時単回経口投与時，投与後24時間までの尿中排泄率に用量間で差はなく，投与量の12～16％が未変化体として，12～15％がモノ-O-脱メチル体（M1），15～18％がM1の抱合体として排泄　**特定の背景を有する患者**　①腎機能障害患者：腎機能障害患者21例（クレアチニンクリアランス：80mL/min以下）に100mgを静注時，血清中トラマドールの$t_{1/2}$，β及び$AUC_{0-\infty}$は健康成人のそれぞれ最大で1.5倍及び2倍（外国人データ）　②肝機能障害患者：肝硬変患者12例にカプセル50mgを経口投与時，健康成人と比較して血清中トラマドールのCmax及び$AUC_{0-\infty}$は顕著に増加，$t_{1/2}$，βは約2.6倍に延長（外国人データ）　③高齢者：健康高齢者20例（66～82歳）にカプセル50mgを経口投与時の血清中トラマドール濃度は，健康非高齢者8例（22～47歳）と同様の推移．一方，後期高齢者（75歳以上，8例）では，前期高齢者（65歳以上75歳未満，12例）に比べ，血清中トラマドールのCmax，$AUC_{0-\infty}$及び尿中排泄量が30～50％増加，$t_{1/2}$，β及びMRTが約1時間延長（外国人データ）

注　**分布**　モルモットに筋注時の各組織内濃度は投与1時間後最高を示し，以後3時間まで急激に減少．組織内濃度は肺が最も高く，肝，腎，脾，血液，腸，胃，心，筋と続いた　**排泄**　モルモットに筋注時，投与後6時間までに約29％，24時間までに31％が尿中排泄．尿中代謝物は，トラマドール及びO-脱メチル体，N-脱メチル体が主なものであった

その他の管理的事項

投与期間制限　該当しない

保険給付上の注意　該当しない

資料

IF　トラマールOD錠25mg・50mg　2020年7月改訂（第14版）

ワントラム錠100mg　2020年7月改訂（第7版）
トラマール注100　2020年6月改訂（第8版）

トリアゾラム
Triazolam

概要

薬効分類　112　催眠鎮静剤，抗不安剤

構造式

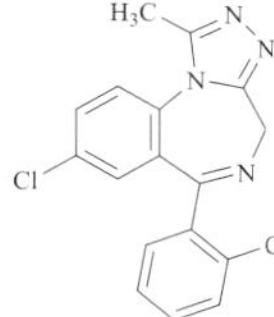

分子式　$C_{17}H_{12}Cl_2N_4$

分子量　343.21

ステム　ジアゼパム誘導体：-azolam

原薬の規制区分　向Ⅲ 習

原薬の外観・性状　白色の結晶性の粉末である．*N,N*-ジメチルホルムアミドにやや溶けにくく，エタノール（95）に溶けにくく，水にほとんど溶けない．結晶多形が認められる

原薬の吸湿性　該当資料なし

原薬の融点・沸点・凝固点　融点：239～243℃

原薬の酸塩基解離定数　pKa＝約2.0

先発医薬品等

錠 ハルシオン0.125mg・0.25mg錠（ファイザー）

後発医薬品

錠 0.125mg・0.25mg

国際誕生年月　1977年3月

海外での発売状況　米，独など47カ国

製剤

規制区分　錠 向Ⅲ 習 処

製剤の性状　0.125mg錠 淡紫色の素錠　0.25mg錠 淡青色，割線入りの素錠

有効期間又は使用期限　3年

貯法・保存条件　室温保存

薬剤取扱い上の留意点　本剤の影響が翌朝以後に及び，眠気，注意力・集中力・反射運動能力等の低下が起こることがあるので，自動車の運転等危険を伴う機械の操作に従事させないよう注意すること．飲酒により作用が増強することがあるので，服用する場合は飲酒を避けるように注意すること．就寝の直前に使用するよう注意すること．またいったん寝たあと，短時間後にまた起きて仕事などをする可能性があるときは，服用しないよう注意すること

患者向け資料等　患者向医薬品ガイド，くすりのしおり

溶液及び溶解時のpH　該当しない

浸透圧比　該当しない

安定なpH域　該当しない

調製時の注意　該当しない

薬理作用

分類　トリアゾロベンゾジアゼピン系睡眠導入剤

作用部位・作用機序　部位：大脳辺縁系，視床下部　機序：大脳辺縁系及び視床下部における情動機構の抑制，並びに大脳辺縁系賦活機構の抑制によると考えられている

同効薬　ベンゾジアゼピン系睡眠導入剤（ブロチゾラム，ニトラゼパム，エスタゾラムなど），睡眠導入剤（ゾピクロン，ゾルピデムなど）

治療

効能・効果　①不眠症②麻酔前投薬

用法・用量　効能①：1回0.25mg就寝前，高度な不眠症には0.5mg（適宜増減），高齢者1回0.125～0.25mgまで　効能②：手術前夜1回0.25mg就寝前，必要に応じ0.5mg投与できる

用法・用量に関連する使用上の注意　①本剤に対する反応には個人差があり，また，眠気，めまい，ふらつき及び健忘等は用量依存的に現れるので，投与する場合には少量（1回0.125mg以下）から開始する．やむを得ず増量する場合は観察を十分に行いながら慎重に行う．ただし，0.5mgを超えないこととし，症状の改善に伴って減量に努める　②不眠症には，就寝の直前に服用させる．また，服用して就寝した後，患者が起床して活動を開始するまでに十分な睡眠時間がとれなかった場合，又は睡眠途中において一時的に起床して仕事等を行った場合等において健忘が現れたとの報告があるので，薬効が消失する前に活動を開始する可能性があるときは服用させない

使用上の注意

警告　服用後に，もうろう状態，睡眠随伴症状（夢遊症状等）が現れることがある．また，入眠までの，あるいは中途覚醒時の出来事を記憶していないことがあるので注意する

禁忌　①本剤に対し過敏症の既往歴のある患者　②急性閉塞隅角緑内障の患者［抗コリン作用により眼圧が上昇し，症状を悪化させることがある］　③重症筋無力症の患者［筋弛緩作用により，症状を悪化させるおそれがある］　④次の薬剤を投与中の患者：イトラコナゾール，フルコナゾール，ホスフルコナゾール，ボリコナゾール，ミコナゾール，HIVプロテアーゼ阻害剤（インジナビル，リトナビル等），エファビレンツ，テラプレビル

相互作用概要　主としてCYP3A4で代謝される

過量投与　症状に関して，次の報告がある．万一過量投与に至った場合には，以下を参考の上，適切な処置を行う：①症状：過量投与により，傾眠，錯乱，協調運動障害，不明瞭言語を生じ，昏睡に至ることがある．悪性症候群（無動緘黙，強度の筋強剛，嚥下困難，頻脈，血圧の変動，発汗等），呼吸抑制，無呼吸，痙攣発作が現れることがある．他のベンゾジアゼピン系薬剤と同様に本剤の過量投与において死亡が報告されている．また，本剤を含むベンゾジアゼピン系薬剤とアルコールとを過量に併用した患者で死亡が報告されている　②処置：呼吸，脈拍，血圧の監視を行うとともに，胃洗浄，輸液，気道の確保等の適切な処置を行う．また，本剤の過量投与が明白又は疑われた場合の処置としてフルマゼニル（ベンゾジアゼピン受容体拮抗剤）を投与する場合には，使用前にフルマゼニルの使用上の注意（禁忌，慎重投与，相互作用等）を必ず読む．悪性症候群が疑われた場合は，適切な処置を行う

薬物動態

健康成人男子（32名）に0.5mgを単回経口投与時の吸収は速やかで，投与後平均1.2時間で最高血漿中濃度．排泄も速やかで，血漿中濃度消失半減期は平均2.9時間．（外国人）経口投与時の吸収率は少なくとも85%．代謝物は主として α-hydroxytriazolamと4-hydroxytriazolamで，前者は未変化体より弱い活性を有するが，血漿中濃度は低く，後者は活性がない．排泄パターンは尿中排泄型で尿中82%，糞便中8%．尿中への排泄は速やかで，投与後10時間で73%，24時間で94%．（参考；ラット）経口投与で，投与後5分でほとんどの器官及び組織に分布，15分～1時間で最高濃度．中枢神経系では投与15分で最高濃度に達し，その後は血中よりも速やかに減少し消失．血液脳関門及び胎盤関門を通過し，また乳汁中へ移行

その他の管理的事項

投与期間制限　30日

保険給付上の注意　該当しない

資料
IF　ハルシオン0.125mg錠・0.25mg錠　2018年12月改訂(第11版)

トリアムシノロン
Triamcinolone

概要
薬効分類　245　副腎ホルモン剤
構造式

分子式　$C_{21}H_{27}FO_6$
分子量　394.43
ステム　ステロイド医薬品：-olone
原薬の規制区分　該当しない
原薬の外観・性状　白色の結晶性の粉末である．*N,N*-ジメチルホルムアミドに溶けやすく，メタノール又はエタノール(95)に溶けにくく，水にほとんど溶けない．結晶多形が認められる
原薬の吸湿性　該当資料なし
原薬の融点・沸点・凝固点　融点：約264℃(分解)
原薬の酸塩基解離定数　該当資料なし
先発医薬品等
錠 レダコート錠4mg(アルフレッサファーマ)
国際誕生年月　不明
海外での発売状況　不明

製剤
規制区分　錠　㊇
製剤の性状　錠 白色の割線入り素錠
有効期間又は使用期限　5年
貯法・保存条件　室温保存
薬剤取扱い上の留意点　特になし
患者向け資料等　患者向医薬品ガイド，くすりのしおり
溶液及び溶解時のpH　該当しない
浸透圧比　該当しない
安定なpH域　該当しない
調製時の注意　該当しない

薬理作用
分類　副腎皮質ホルモン
作用部位・作用機序　作用部位：糖質コルチコイド受容体　作用機序：標的組織において特異的受容体タンパク質と相互作用して，コルチコステロイド反応性遺伝子の発現を調節し，それによってさまざまな標的組織で合成されるタンパク質の量や種類を変化させる．抗炎症作用，免疫抑制作用など多様な作用を有する
同効薬　プレドニゾロン，ヒドロコルチゾン，ベタメタゾンなど

治療
効能・効果　①内分泌疾患：慢性副腎皮質機能不全(原発性，続発性，下垂体性，医原性)，急性副腎皮質機能不全(副腎クリーゼ)，副腎性器症候群，亜急性甲状腺炎，甲状腺中毒症〔甲状腺(中毒性)クリーゼ〕，副腎摘除　②膠原病：関節リウマチ，若年性関節リウマチ(スチル病を含む)，リウマチ熱(リウマチ性心炎を含む)，リウマチ性多発筋痛，エリテマトーデス(全身性及び慢性円板状)，全身性血管炎(大動脈炎症候群，結節性動脈周囲炎，多発性動脈炎，ヴェゲナ肉芽腫症を含む)，強皮症，成年性浮腫性硬化症，多発性筋炎(皮膚筋炎)，強直性脊椎炎(リウマチ性脊椎炎)　③アレルギー性疾患：気管支喘息，喘息性気管支炎(小児喘息性気管支炎を含む)，薬剤その他の化学物質によるアレルギー・中毒(薬疹，中毒疹を含む)，血清病，花粉症(枯草熱)，アレルギー性鼻炎，血管運動(神経)性鼻炎　④心臓疾患：うっ血性心不全　⑤神経疾患：脳脊髄炎(脳炎，脊髄炎を含む．ただし，一次性脳炎の場合は頭蓋内圧亢進症状がみられ，かつ他剤で効果が不十分なときに短期間用いる)，多発性硬化症(視束脊髄炎を含む)，顔面神経麻痺，小舞踏病　⑥腎疾患：ネフローゼ及びネフローゼ症候群　⑦血液疾患：紫斑病(血小板減少性及び血小板非減少性)，溶血性貧血(免疫性又は免疫性機序の疑われるもの)，白血病(急性白血病，慢性骨髄性白血病の急性転化，慢性リンパ性白血病，皮膚白血病を含む)，顆粒球減少症(本態性，続発性)，悪性リンパ腫(リンパ肉腫症，細網肉腫症，ホジキン病，皮膚細網症，菌状息肉症)及び類似疾患(近縁疾患)　⑧胃腸疾患：潰瘍性大腸炎，限局性腸炎　⑨重症感染症：重症感染症(化学療法と併用する)，結核性髄膜炎・結核性胸膜炎・結核性腹膜炎(いずれも抗結核剤と併用する)　⑩新陳代謝疾患：特発性低血糖症　⑪皮膚疾患：★湿疹・皮膚炎群(急性湿疹，亜急性湿疹，慢性湿疹，接触皮膚炎，貨幣状湿疹，自家感作性皮膚炎，アトピー皮膚炎，乳・幼・小児湿疹，ビダール苔癬，その他の神経皮膚炎，脂漏性皮膚炎，進行性指掌角皮症，その他の手指の皮膚炎，陰部あるいは肛門湿疹，耳介及び外耳道の湿疹・皮膚炎，鼻前庭及び鼻翼周辺の湿疹・皮膚炎等．ただし，重症例以外は極力投与しない)，★乾癬及び類症〔尋常性乾癬(重症例)，関節症性乾癬，乾癬性紅皮症，膿疱性乾癬，稽留性肢端皮膚炎，疱疹状膿痂疹，ライター症候群〕，★痒疹群(小児ストロフルス，蕁麻疹様苔癬，固定蕁麻疹を含む．ただし，重症例に限る．また，固定蕁麻疹は局所皮内注射が望ましい)，蕁麻疹(慢性例を除く．重症例に限る)，蛇毒・昆虫毒(重症の虫ささされを含む)，紅斑症(★多形滲出性紅斑，結節性紅斑．ただし，多形滲出性紅斑の場合は重症例に限る)，アナフィラクトイド紫斑(単純型，シェーンライン型，ヘノッホ型．重症例に限る)，粘膜皮膚眼症候群〔開口部びらん性外皮症，スチブンス・ジョンソン病，皮膚口内炎，フックス症候群，ベーチェット病(眼症状のない場合)，リップシュッツ急性陰門潰瘍〕，天疱瘡群(尋常性天疱瘡，落葉状天疱瘡，Senear-Usher症候群，増殖性天疱瘡)，デューリング疱疹状皮膚炎(類天疱瘡，妊娠性疱疹を含む)，帯状疱疹(重症例に限る)，★紅皮症(ヘブラ紅色粃糠疹を含む)，★毛孔性紅色粃糠疹(重症例に限る)，★扁平苔癬(重症例に限る)，レイノー病，★円形脱毛症(悪性型に限る)，ウェーバークリスチャン病，難治性口内炎及び舌炎(局所療法で治癒しないもの)．★印は外用剤を用いても効果が不十分な場合あるいは十分な効果を期待できないと推定される場合にのみ用いる　⑫眼科疾患：内眼・視神経・眼窩・眼筋の炎症性疾患の対症療法(ブドウ膜炎，網脈絡膜炎，網膜血管炎，視神経炎，眼窩炎性偽腫瘍，眼窩漏斗尖端部症候群，眼筋麻痺)．外眼部及び前眼部の炎症性疾患の対症療法で点眼が不適当又は不十分な場合(眼瞼炎，結膜炎，角膜炎，強膜炎，虹彩毛様体炎)．眼科領域の術後炎症　⑬外科疾患：副腎皮質機能不全患者に対する外科的侵襲，侵襲後肺水腫　⑭その他：重症消耗性疾患の全身状態の改善(癌末期，スプルーを含む)，前立腺癌(他の療法が無効な場合)
用法・用量　1日4～48mg(1～12錠)，1～4回に分服(適宜増減)

使用上の注意
禁忌　①本剤の成分に対し過敏症の既往歴のある患者　②デスモプレシン酢酸塩水和物(男性における夜間多尿による夜間頻尿)を投与中の患者

薬物動態
血中濃度　ヒトに4mg経口投与時，血漿中半減期は約5時間(米国)

その他の管理的事項
投与期間制限 該当しない
保険給付上の注意 該当しない
資料
IF レダコート錠4mg 2019年10月改訂(第11版)

トリアムシノロンアセトニド
Triamcinolone Acetonide

概要
薬効分類 131 眼科用剤，239 その他の消化器官用薬，245 副腎ホルモン剤，264 鎮痛，鎮痒，収斂，消炎剤
構造式

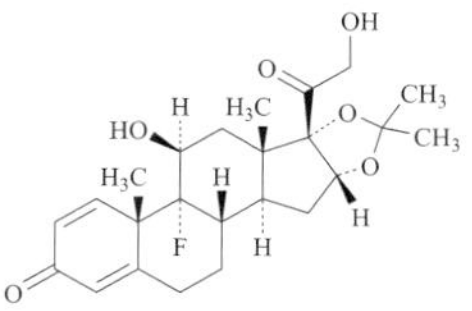

分子式 $C_{24}H_{31}FO_6$
分子量 434.50
ステム 局所使用のアセタール基を持つステロイド類：-onide
原薬の規制区分 該当しない
原薬の外観・性状 白色の結晶性の粉末である．エタノール(99.5)又はアセトンにやや溶けにくく，メタノールに溶けにくく，水にほとんど溶けない．結晶多形が認められる
原薬の吸湿性 該当資料なし
原薬の融点・沸点・凝固点 融点：約290℃(分解)
原薬の酸塩基解離定数 該当資料なし
先発医薬品等
注 ケナコルト-A皮内用関節腔内用水懸注50mg/5mL(BMS)
ケナコルト-A筋注用関節腔内用水懸注40mg/1mL(BMS)
注射用 マキュエイド眼注用40mg(わかもと)
軟 レダコート軟膏0.1%(アルフレッサファーマ)
クリーム レダコートクリーム0.1%(アルフレッサファーマ)
貼 アフタッチ口腔用貼付剤25μg(帝人ファーマ)
後発医薬品
軟 0.1%
クリーム 0.1%
外用ゲル 0.1%
国際誕生年月 1953年12月
海外での発売状況 **筋注用** 米，独など **皮内用** 英 **眼注用** 韓国 **軟** **クリーム** **口腔用軟** 該当資料なし
製剤
規制区分 **筋注用** **皮内用** **眼注用** ㊕
製剤の性状 **筋注用** **皮内用** 白色の懸濁液で，放置するとき，白色の沈殿物と無色の上澄液とに分離し，この沈殿物は，穏やかに振り混ぜるとき，再び容易に懸濁状となる **眼注用** 白色の結晶性の粉末 **軟** 微黄色の軟膏剤 **クリーム** 白色のクリーム剤 **口腔用軟** 微黄色～淡黄色で，特異な芳香があり，味は甘く，微小粒子が均等に分散した軟膏 **口腔用貼** 白色の薬剤層と表面に光沢がある淡赤色半透明の支持層からなる円形の薄いフィルム状で，におい及び味はない
有効期間又は使用期限 **筋注用** **皮内用** **眼注用** **クリーム** **口腔用軟** **口腔用貼** 3年 **軟** 5年
貯法・保存条件 **筋注用** **皮内用** 室温保存(寒冷時には凍結を避けること．冷所での保存は推奨されない) **眼注用** **軟** **クリーム** **口腔用軟** 室温保存 **口腔用貼** 気密容器，遮光・室温保存
薬剤取扱い上の留意点 **筋注用** **皮内用** 製品を10℃以下で保存すると注射液中に凝集が発生することが報告されている．凍結した製品や冷所で保存された製品は使用しないこと **口腔用軟** 使用前に手洗い，うがいをすること．ティッシュペーパーやガーゼなどで患部周囲の余分な水分や唾液をぬぐうこと．患部をおおうだけの量のケナログを指先に取り，患部周囲からおおうように塗布する．塗布後，舌でさぐらないようにし，しばらく飲食を控えること．使用後はチューブの先に残った薬をよくふきとりキャップをきちんとしめること **口腔用貼** 開封後，未使用分の薬剤は開封した袋に再び入れて開封口を折り返して保管すること
患者向け資料等 **筋注用** **皮内用** **眼注用** 患者向医薬品ガイド **軟** **クリーム** **口腔用軟** **口腔用貼** くすりのしおり
溶液及び溶解時のpH **筋注用** **皮内用** 5.0～7.0 **眼注用** 4.0～7.0
浸透圧比 **筋注用** **皮内用** 約1(対生食) **硝子体内注用** 0.9～1.1(対生食)
調製時の注意 **注** 凍結により凝集が生じる **眼注用** 保存剤を含有していないため，用時調製し，調整後は速やかに使用すること
薬理作用
分類 合成副腎皮質ホルモン
作用部位・作用機序 糖質代謝作用，抗炎症，抗アレルギー作用が強く，しかも鉱質代謝作用が弱いためナトリウム，水分の体内貯留に基づく浮腫などが少ないという特長を有する．コルチコイド活性に関する動物実験(ラット)から抗炎症作用，胸腺退縮作用，肝グリコーゲン貯留作用が明らかにされている．また，副腎摘出ラットの延命効果，作用の持続時間，皮膚透過性においても優れている
同効薬 プレドニゾロン，デキサメタゾン，ベタメタゾンなど
治療
効能・効果 **注** 筋注(4%注)：①慢性副腎皮質機能不全(原発性，続発性，下垂体性，医原性)，※副腎性器症候群，※亜急性甲状腺炎，※甲状腺中毒症〔甲状腺(中毒性)クリーゼ〕 ②関節リウマチ，若年性関節リウマチ(スチル病を含む)，リウマチ熱(リウマチ性心炎を含む)，リウマチ性多発筋痛 ③エリテマトーデス(全身性及び慢性円板状)，全身性血管炎(大動脈炎症候群，結節性動脈周囲炎，多発性動脈炎，ヴェゲナ肉芽腫症を含む)，多発性筋炎(皮膚筋炎)，※強皮症 ④※ネフローゼ及びネフローゼ症候群 ⑤※うっ血性心不全 ⑥気管支喘息(ただし，筋注以外の投与法では不適当な場合に限る)，※薬剤その他の化学物質によるアレルギー・中毒(薬疹，中毒疹を含む)，※血清病 ⑦※重症感染症(化学療法と併用する) ⑧※溶血性貧血(免疫性又は免疫性機序の疑われるもの)，※白血病(急性白血病，慢性骨髄性白血病の急性転化，慢性リンパ性白血病，皮膚白血病を含む)，※顆粒球減少症(本態性，続発性)，※紫斑病(血小板減少性及び血小板非減少性)，※再生不良性貧血，※凝固因子の障害による出血性素因 ⑨※限局性腸炎，※潰瘍性大腸炎 ⑩※重症消耗性疾患の全身状態の改善(癌末期，スプルーを含む) ⑪※肝硬変(活動型，難治性腹水を伴うもの，胆汁うっ帯を伴うもの) ⑫※脳脊髄炎(脳炎，脊髄炎を含む．ただし，一次性脳炎の場合は頭蓋内圧亢進症状がみられ，かつ他剤で効果が不十分なときに短期間用いる)，※末梢神経炎(ギランバレー症候群を含む)，※重症筋無力症，※多発性硬化症(視束脊髄炎を含む)，※小舞踏病，※顔面神経麻痺，※脊髄蜘網膜炎 ⑬※悪性リンパ腫(リンパ肉腫症，細網肉腫症，ホジキン病，皮膚細網症，菌状息肉症)及び類似疾患(近縁疾患)，※好酸性肉芽腫 ⑭※特発性低血糖症 ⑮副腎摘除，※臓器・組織移植，※副腎皮質機能不全患者に対する外科的侵襲 ⑯※蛇毒・昆虫毒(重症の虫さされを含む) ⑰強直性脊椎炎(リウマチ性脊椎炎) ⑱※卵管整形術後の癒着防止 ⑲※前立腺癌(他の療法が無効な場合)，※乳癌の再発転移 ⑳★※湿疹・皮膚炎群(急性湿疹，亜急性湿疹，慢性湿疹，接触皮膚炎，貨幣状湿疹，自

家感作性皮膚炎，アトピー皮膚炎，乳・幼・小児湿疹，ビダール苔癬，その他の神経皮膚炎，脂漏性皮膚炎，進行性指掌角皮症，その他の手指の皮膚炎，陰部あるいは肛門湿疹，耳介及び外耳道の湿疹・皮膚炎，鼻前庭及び鼻翼周辺の湿疹・皮膚炎等．ただし，重症例以外は極力投与しない），※蕁麻疹（慢性例を除く．重症例に限る），★※乾癬及び類症〔尋常性乾癬（重症例），関節症性乾癬，乾癬性紅皮症，膿疱性乾癬，稽留性肢端皮膚炎，疱疹状膿痂疹，ライター症候群〕，★※掌蹠膿疱症（重症例に限る），★※扁平苔癬（重症例に限る），※成年性浮腫性硬化症，※紅斑症（★多形滲出性紅斑，結節性紅斑．ただし，多形滲出性紅斑の場合は重症例に限る），※粘膜皮膚眼症候群〔開口部びらん性外皮症，スチブンス・ジョンソン病，皮膚口内炎，フックス症候群，ベーチェット病（眼症状のない場合），リップシュッツ急性陰門潰瘍〕，天疱瘡群（尋常性天疱瘡，落葉状天疱瘡，Senear-Usher症候群，増殖性天疱瘡），※デューリング疱疹状皮膚炎（類天疱瘡，妊娠性疱疹を含む），※帯状疱疹（重症例に限る），★※紅皮症（ヘブラ紅色粃糠疹を含む）　㉑★※痒疹群（小児ストロフルス，蕁麻疹様苔癬，固定蕁麻疹を含む．ただし，重症例に限る．また固定蕁麻疹は局所皮内注射が望ましい）　㉒※内眼・視神経・眼窩・眼筋の炎症性疾患の対症療法（ブドウ膜炎，網脈絡膜炎，網膜血管炎，視神経炎，眼窩炎性偽腫瘍，眼窩漏斗尖端部症候群，眼筋麻痺），※外眼部及び前眼部の炎症性疾患の対症療法で点眼が不適当又は不十分な場合（眼瞼炎，結膜炎，角膜炎，強膜炎，虹彩毛様体炎）　㉓※急性・慢性中耳炎・※滲出性中耳炎，耳管狭窄症，アレルギー性鼻炎，花粉症（枯草熱），副鼻腔炎・鼻茸，喉頭炎・喉頭浮腫，※喉頭ポリープ・結節，※食道の炎症（腐食性食道炎，直達鏡使用後）及び食道拡張術後，耳鼻咽喉科領域の手術後の後療法　㉔口腔外科領域手術後の後療法．※印は経口投与不能時，★印は外用剤を用いても効果が不十分な場合あるいは十分な効果を期待できないと推定される場合にのみ用いる

関節腔内注射：①関節リウマチ，若年性関節リウマチ（スチル病を含む）　②強直性脊椎炎（リウマチ性脊椎炎）に伴う四肢関節炎，変形性関節症（炎症症状がはっきり認められる場合），外傷後関節炎，非感染性慢性関節炎

軟組織内注射：①関節周囲炎・腱炎・腱周囲炎（いずれも非感染性のものに限る）　②耳鼻咽喉科領域の手術後の後療法　③難治性口内炎及び舌炎（局所療法で治癒しないもの）

腱鞘内注射：関節周囲炎・腱炎・腱鞘炎・腱周囲炎（いずれも非感染性のものに限る）　滑液嚢内注入：関節周囲炎・腱周囲炎・滑液包炎（いずれも非感染性のものに限る）

局所皮内注射（1％注）：①★湿疹・皮膚炎群（急性湿疹・亜急性湿疹，慢性湿疹，接触皮膚炎，貨幣状湿疹，自家感作性皮膚炎，アトピー皮膚炎，乳・幼・小児湿疹，ビダール苔癬，その他の神経皮膚炎，脂漏性皮膚炎，進行性指掌角皮症，その他の手指の皮膚炎，陰部あるいは肛門湿疹，耳介及び外耳道の湿疹・皮膚炎，鼻前庭及び鼻翼周辺の湿疹・皮膚炎等．ただし，重症例以外は極力投与しない．局所皮内注射は浸潤，苔癬化の著しい場合のみとする），★痒疹群（小児ストロフルス，蕁麻疹様苔癬，固定蕁麻疹を含む．重症例に限る），★乾癬及び類症〔尋常性乾癬（重症例），関節症性乾癬，乾癬性紅皮症，膿疱性乾癬，稽留性肢端皮膚炎，疱疹状膿痂疹，ライター症候群〕のうち尋常性乾癬，★扁平苔癬（重症例に限る），限局性強皮症，★円形脱毛症（悪性型に限る），★早期ケロイド及びケロイド防止　②耳鼻咽喉科領域の手術後の後療法．★印は外用剤を用いても効果が不十分な場合あるいは十分な効果を期待できないと推定される場合にのみ用いる

ネブライザー：①気管支喘息　②びまん性間質性肺炎（肺線維症，放射線肺臓炎を含む）　③アレルギー性鼻炎，花粉症（枯草熱），副鼻腔炎・鼻茸，喉頭炎・喉頭浮腫，喉頭ポリープ・結節，食道の炎症（腐食性食道炎，直達鏡使用後）及び食道拡張術後，耳鼻咽喉科領域の手術後の後療法

鼻腔内注入：アレルギー性鼻炎，花粉症（枯草熱），副鼻腔炎・鼻茸，耳鼻咽喉科領域の手術後の後療法

副鼻腔内注入：副鼻腔炎・鼻茸，耳鼻咽喉科領域の手術後の後療法

鼻甲介内注射：アレルギー性鼻炎，花粉症（枯草熱），耳鼻咽喉科領域の手術後の後療法

鼻茸内注射：副鼻腔炎・鼻茸

喉頭・気管注入：喉頭炎・喉頭浮腫，喉頭ポリープ・結節，耳鼻咽喉科領域の手術後の後療法

中耳腔内注入：急性・慢性中耳炎，滲出性中耳炎・耳管狭窄症，耳鼻咽喉科領域の手術後の後療法

耳管内注入：滲出性中耳炎・耳管狭窄症

食道注入：食道の炎症（腐食性食道炎，直達鏡使用後）及び食道拡張術後，耳鼻咽喉科領域の手術後の後療法

眼注用 ①硝子体内投与：硝子体手術時の硝子体可視化，糖尿病黄斑浮腫②テノン嚢下投与：次の疾患に伴う黄斑浮腫の軽減：糖尿病黄斑浮腫，網膜静脈閉塞症，非感染性ぶどう膜炎

軟　クリーム　外用ゲル 湿疹・皮膚炎群（進行性指掌角皮症，女子顔面黒皮症，ビダール苔癬，放射線皮膚炎，日光皮膚炎を含む），皮膚そう痒症，痒疹群（蕁麻疹様苔癬，ストロフルス，固定蕁麻疹を含む），虫さされ，乾癬，掌蹠膿疱症，紅斑症（多形滲出性紅斑，結節性紅斑，ダリエ遠心性環状紅斑），紅皮症（悪性リンパ腫による紅皮症を含む），皮膚粘膜症候群（ベーチェット病を含む），薬疹・中毒疹，円形脱毛症（悪性を含む），熱傷（瘢痕，ケロイドを含む），凍瘡，天疱瘡群，ジューリング疱疹状皮膚炎（類天疱瘡を含む），扁平苔癬，毛孔性紅色粃糠疹

口腔用 ①〔口腔用軟〕慢性剥離性歯肉炎，びらん又は潰瘍を伴う難治性口内炎及び舌炎　②〔口腔用貼付剤〕アフタ性口内炎

用法・用量　**注** ①筋注：1回20～80mg，1～2週おき（適宜増減）②関節腔内注射，軟組織内注射，腱鞘内注射，滑液嚢内注入：1回2～40mg，原則として投与間隔2週間以上（適宜増減）　③局所皮内注射：1回0.2～1mgずつ10mgまで，週1回（適宜増減）　④ネブライザー，鼻腔内注入，副鼻腔内注入，喉頭・気管注入，中耳腔内注入，耳管内注入：1回2～10mg，1日1～3回（適宜増減）　⑤鼻甲介内注射，鼻茸内注射：1回2～40mg（適宜増減）　⑥食道注入：1回2mg（適宜増減）

眼注用 効能①：1バイアルに4mLの生理食塩液又は眼灌流液を注入してトリアムシノロンアセトニド濃度が10mg/mLになるように用時懸濁し，0.5～4mg（懸濁液として0.05～0.4mL）を硝子体内に注入．なお，懸濁液のトリアムシノロンアセトニド濃度は，術式，患者の状態等に応じて適宜増減できるが，40mg/mLを超えない　効能②：1バイアルに1mLの生理食塩液又は眼灌流液を注入してトリアムシノロンアセトニド濃度が40mg/mLになるように用時懸濁し，4mg（懸濁液として0.1mL）を硝子体内に投与

軟　クリーム　外用ゲル 1日2～3回患部に塗布（適宜増減）

口腔用 ①〔口腔用軟〕1日1～数回塗布（適宜増減）　②〔口腔用貼付剤〕1患部に1回1個ずつ，1日1～2回，（アフタシール，アフタッチは白色面，ワプロンPは淡黄赤色面）患部粘膜に付着させる．症状により適宜増量

用法・用量に関連する使用上の注意　**眼注用** 効能①（糖尿病黄斑浮腫）・効能②：①長期投与時の有効性及び安全性は確立していない．長期投与により，白内障のリスクが高くなるおそれがあることから，継続的な長期投与は避ける．再投与は，患者の状態をみながら治療上の有益性が危険性を上回ると判断される場合にのみ，3カ月以上の間隔をあけ，糖尿病黄斑浮腫に対する硝子体内投与の場合は，トリアムシノロンアセトニド粒子の消失を細隙灯顕微鏡等で確認した後に行う　②臨床試験においては，両眼治療は行われていない．両眼に治療対象となる病変がある場合は，両眼同時治療の有益性と危険性を慎重に評価した上で投与する．なお，初回治療における両眼同日投与は避け，片眼での安全性を十分に評価した上で対側眼の治療を行う

使用上の注意
禁忌 **注** ①本剤の成分に対し過敏症の既往歴のある患者 ②感染症のある関節腔内，滑液嚢内，腱鞘内又は腱周囲［免疫機能抑制作用により，感染症が増悪するおそれがある］ ③動揺関節の関節腔内［関節症状が増悪するおそれがある］ ④デスモプレシン酢酸塩水和物(男性における夜間多尿による夜間頻尿)を投与中の患者
注射用(硝子体内) ①共通：本剤の成分に対し過敏症の既往歴のある患者 ②糖尿病黄斑浮腫：(1)眼又は眼周囲に感染のある患者，あるいは感染の疑いのある患者［眼内炎等の重篤な副作用が発現するおそれがある］ (2)コントロール不良の緑内障の患者［症状が悪化することがある］
軟 **クリーム** **外用ゲル** ①皮膚結核，単純疱疹，水痘，帯状疱疹，種痘疹［症状を増悪させるおそれがある］ ②本剤の成分に対して過敏症の既往歴のある患者 ③鼓膜に穿孔のある湿疹性外耳道炎［穿孔の治癒を阻害するおそれがある．また，感染症が現れるおそれがある］ ④潰瘍(ベーチェット病は除く)，第2度深在性以上の熱傷・凍傷［上皮形成を阻害するおそれがある．また，感染症が現れるおそれがある］
口腔用軟 **口腔用貼** 本剤の成分に対し過敏症の既往歴のある患者

薬物動態
注 **血中濃度** 肝及び腎機能正常乳癌患者5例に40mg及び^{3}H-トリアムシノロンアセトニドを筋注時の平均血中濃度は，3時間後に最高51.7μg/100mL，以後3日目に15.2μg/100mLまで漸減，7日目から14日目までほぼ一定濃度で，有効血中濃度は14～21日間持続 **排泄** 40mg及び^{3}H-トリアムシノロンアセトニドを筋注した乳癌患者4例の尿中排泄は，第1日目12.5%，その後は極めて少なく7日間で16.5%
眼注用 **血漿中濃度** ①硝子体内投与(硝子体手術時の硝子体可視化)：硝子体手術が施術される日本人患者32例に本剤0.5～3.8mgを硝子体内に注入し，硝子体手術時に可能な限り除去した時，血漿中トリアムシノロンアセトニド濃度(平均値)は，投与後4時間で0.062ng/mL，投与後(術後)7日では定量限界(0.020ng/mL)未満 ②硝子体内投与(糖尿病黄斑浮腫)：日本人糖尿病黄斑浮腫患者11例に本剤4mgを硝子体内投与時の血漿中トリアムシノロンアセトニド濃度(平均値)は，投与後8時間が最高濃度で0.557ng/mLを示し，以後28日目には0.076ng/mLまで漸減し，56日目より84日目では定量限界(0.020ng/mL)未満 ③テノン嚢下投与(糖尿病黄斑浮腫)：日本人糖尿病黄斑浮腫患者22例に20mgをテノン嚢下投与時の血漿中トリアムシノロンアセトニド濃度(平均値)は，投与後3時間が最高濃度で0.604ng/mL，投与後84日目で0.056ng/mL
軟 **クリーム** **吸収** ^{14}C－トリアムシノロンアセトニド0.1%クリームをヒトの角質剥離皮膚に塗布時，24時間後においても塗布部位に約40%残存することが認められている **分布** ^{14}C－トリアムシノロンアセトニド0.1%軟膏をヒトの健常腋窩皮膚に24時間密封塗布し，オートラジオグラフ法を用いて観察時，7日後においても毛嚢壁，アポクリン腺に貯留が認められている **排泄** ^{14}C-トリアムシノロンアセトニド0.1%クリームをヒトの健常皮膚に塗布時，13時間の尿中排泄率は塗布量の0.6～2.3%

その他の管理的事項
投与期間制限 該当しない
保険給付上の注意 該当しない

資料
IF ケナコルト-A筋注用関節腔内用水懸注40mg/1mL・皮内用関節腔内用水懸注50mg/5mL 2020年9月改訂(第4版)
マキュエイド眼注用40mg 2020年1月改訂(第11版)
レダコート軟膏0.1%・クリーム0.1% 2020年4月改訂(第7版)
オルテクサー口腔用軟膏0.1% 2017年12月改訂(第2版)
アフタシール25μg 2019年4月改訂(第7版)

トリアムテレン
Triamterene

概要
薬効分類 213 利尿剤
構造式

分子式 $C_{12}H_{11}N_7$
分子量 253.26
ステム 不明
原薬の規制区分 該当しない
原薬の外観・性状 黄色の結晶性の粉末で，におい及び味はない．ジメチルスルホキシドにやや溶けにくく，酢酸(100)に極めて溶けにくく，水，エタノール(95)又はジエチルエーテルにほとんど溶けない．硝酸又は硫酸に溶けるが，希硝酸，希硫酸又は希塩酸に溶けない
原薬の吸湿性 該当資料なし
原薬の融点・沸点・凝固点 融点：316℃
原薬の酸塩基解離定数 pKa＝6.20
先発医薬品等
カ トリテレン・カプセル50mg(京都＝大日本住友)
国際誕生年月 不明
海外での発売状況 米，英など

製剤
規制区分 **カ** ㊇
製剤の性状 **カ** 緑色(不透明)/黄緑色(透明)の硬カプセル剤
有効期間又は使用期限 3年
貯法・保存条件 室温保存
薬剤取扱い上の留意点 降圧作用に基づくめまい等が現れることがあるので，高所作業，自動車の運転等危険を伴う機械を操作する際には注意させること
患者向け資料等 くすりのしおり
溶液及び溶解時のpH 該当しない
浸透圧比 該当しない
安定なpH域 該当しない
調製時の注意 該当しない

薬理作用
分類 カリウム保持性利尿薬
作用部位・作用機序 作用部位：腎の遠位尿細管 作用機序：遠位尿細管でのアルドステロンに拮抗し，Na排泄，K排泄低下，利尿・降圧を示す．また尿細管に直接作用もあると考えられている
同効薬 スピロノラクトン

治療
効能・効果 高血圧症(本態性，腎性等)，心性浮腫(うっ血性心不全)，腎性浮腫，肝性浮腫
用法・用量 トリアムテレンとして1日90～200mg，2～3回に分服(適宜増減)

使用上の注意
禁忌 ①無尿の患者 ②急性腎不全の患者［①②高カリウム血症等の電解質異常が現れるおそれがある］ ③高カリウム血症の患者［高カリウム血症が悪化するおそれがある］ ④腎結石及びその既往歴のある患者［トリアムテレン結石を形成するおそれがある］ ⑤インドメタシン又はジクロフェナクを投与中の患者 ⑥テルフェナジン又はアステミゾールを投与中の患者［QT延長，心室性不整脈を起こすおそれがある．他の利尿薬(ループ利尿薬)でテルフェナジンとの併用によりQT延長，心室性不整脈を起こしたとの報告がある］
過量投与 ①症状：高カリウム血症等，電解質異常，悪心・嘔吐・その他の消化器障害，脱力，低血圧を起こす可能性があ

ト

る　②処置：ただちに，催吐，胃洗浄により胃内容物を除去する．次いで電解質及び体液平衡を正常範囲内に維持する

薬物動態

（外国人データ）　**血中濃度**　健常成人男子（6名）に100mg経口投与時Tmax1.23±0.54hr，Cmax125.1±42.2ng/mL，$AUC_{0\text{-}24}$（血漿中濃度-時間曲線下面積）488.4±122.1ng・hr/mL　**血漿蛋白結合率**　約60%　**代謝・排泄**　肝で代謝され，p-hydroxytriamterene及びその硫酸抱合体となる．p-hydroxytriamtereneの硫酸抱合体はナトリウム利尿利用，カリウム排泄抑制作用がある（ラット，*in vitro*）．尿中から排泄され，尿中濃度は2〜3時間でピーク，8時間後80%を排泄

その他の管理的事項

投与期間制限　該当しない
保険給付上の注意　該当しない

資料

IF　トリテレン・カプセル50mg　2016年11月改訂（第4版）

トリエンチン塩酸塩
トリエンチン塩酸塩カプセル
Trientine Hydrochloride

概要

薬効分類　392　解毒剤
構造式

分子式　$C_6H_{18}N_4$・2HCl
分子量　219.16
略語・慣用名　TETA，TECZA　慣用名：triethylenetetramine，trien
原薬の規制区分　(劇)
原薬の外観・性状　白色〜微黄色の結晶又は結晶性の粉末で，においはないか，又は僅かにアンモニア様のにおいがある．水に溶けやすく，メタノールにやや溶けやすく，エタノール（99.5）に溶けにくい．1gを水100mLに溶かした液のpHは7.0〜8.5である
原薬の吸湿性　吸湿性である
原薬の融点・沸点・凝固点　融点：約121℃
原薬の酸塩基解離定数　pKa_1＝3.63（滴定法），pKa_2＝6.77（滴定法），pKa_3＝9.50（滴定法）
先発医薬品等
カ　メタライト250カプセル（ツムラ）
国際誕生年月　1984年12月
海外での発売状況　米など

製剤

規制区分　カ　(劇)(処)
製剤の性状　カ　淡褐色/淡褐色の硬カプセル剤
有効期間又は使用期限　3年
貯法・保存条件　気密容器，2〜8℃に保存
薬剤取扱い上の留意点　服用に際しては，カプセルを開けたり，かんだりせず，多めの水で服用するよう注意すること．接触性皮膚炎を生じる可能性があるので，カプセルの内容物に曝された部位は速やかに水で洗浄すること．吸湿性が高く，高温で不安定なため，取扱いについては十分注意し，保管は気密容器に入れ冷蔵庫内とするよう注意すること
溶液及び溶解時のpH　7.0〜8.5（水溶液（1→100））

薬理作用

分類　銅キレート剤
作用部位・作用機序　血液中の銅（Ⅱ）とキレートを形成し，体外に排泄する
同効薬　D-ペニシラミン

治療

効能・効果　ウィルソン病（D-ペニシラミンに不耐性である場合）
用法・用量　1日1500mg，食前空腹時2〜4回に分服．なお，患者の年齢，症状及び本剤に対する反応等に応じて，1日1000〜2500mgの範囲で増減
用法・用量に関連する使用上の注意　①食前1時間あるいは食後2時間以上の空腹時に服用し，他剤の服用あるいは食物の摂取から1時間以上の間隔をあける　②臨床症状の効果が十分でない場合，あるいは血清中の遊離銅濃度が20μg/dLを超える状態が続く場合には，投与量を増量する

薬物動態

吸収　ウィルソン病患者に経口投与時，投与後2〜3時間で最高血清中濃度に達し，半減期2.08時間で血清中より消失．また，最高血清中濃度到達時間では遊離型トリエンチンは検出されなかった　**排泄**　ウィルソン病患者に経口投与時，投与後24時間までの未変化体，代謝物の尿中排泄率は，それぞれ2.4%，20.9%

その他の管理的事項

投与期間制限　該当しない
保険給付上の注意　該当しない

資料

IF　メタライト250カプセル　2010年2月改訂（第2版）

歯科用トリオジンクパスタ
Dental Triozinc Paste

概要

原薬の規制区分　(劇)（ただし，ホルムアルデヒドとして1%以下を含有するものを除く）
原薬の外観・性状　散剤は白色微細の粉末で，特異なにおいがあり，液剤は黄褐色〜赤褐色澄明濃稠の液で，クレゾールのにおいがある

製剤

製剤の性状　散剤は白色微細の粉末で，特異なにおいがあり，液剤は黄褐色〜赤褐色澄明濃稠の液で，クレゾールのにおいがある
貯法・保存条件　気密容器

トリクロホスナトリウム
トリクロホスナトリウムシロップ
Triclofos Sodium

概要

薬効分類　112　催眠鎮静剤，抗不安剤
構造式

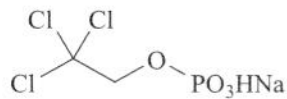

分子式　$C_2H_3Cl_3NaO_4P$
分子量　251.37
ステム　リン誘導体：-fos
原薬の規制区分　(劇)（ただし，1錠中トリクロホスとして0.5g以

下を含有するものを除く)，[習]
原薬の外観・性状 白色の結晶性の粉末である．水に溶けやすく，エタノール(95)に溶けにくく，ジエチルエーテルにほとんど溶けない．1.0gを水50mLに溶かした液のpHは3.0〜4.5である
原薬の吸湿性 吸湿性である
原薬の酸塩基解離定数 該当資料なし
先発医薬品等
[シ] トリクロリールシロップ10%(アルフレッサファーマ)
国際誕生年月 該当資料なし
海外での発売状況 該当資料なし

製剤
規制区分 [シ] [劇][習][処]
製剤の性状 [シ] 橙色澄明でバニリン様のにおいを有するシロップ剤
有効期間又は使用期限 3年
貯法・保存条件 気密容器，凍結を避け，冷所保存(1〜15℃)
薬剤取扱い上の留意点 本剤投与中の患者には，自動車の運転等危険を伴う機械の操作には従事させないよう注意すること
患者向け資料等 くすりのしおり
溶液及び溶解時のpH 6.0〜6.5

薬理作用
分類 催眠剤
作用部位・作用機序 作用部位：脳幹網様体 作用機序：抱水クロラールと同様に，体内で活性代謝物のトリクロロエタノールとなり，鎮静・催眠作用を現す．消化管刺激性は抱水クロラールより低い
同効薬 抱水クロラール

治療
効能・効果 不眠症，脳波・心電図検査等における睡眠
用法・用量 1回1〜2g(10〜20mL)就寝前又は検査前投与．幼小児は年齢により適宜減量．患者の年齢及び状態，目的等を考慮して20〜80mg/kgを標準とし，総量2gを超えない

使用上の注意
禁忌 ①本剤の成分又は抱水クロラールに対して過敏症の既往歴のある患者［抱水クロラールと同様に生体内でトリクロルエタノールとなる］ ②急性間欠性ポルフィリン症の患者［ポルフィリン症の症状を増悪させる］
過量投与 ①徴候，症状：呼吸抑制，徐脈，血圧低下が認められることがある ②処置：呼吸，脈拍，血圧，経皮的動脈血酸素飽和度の監視を行うとともに，気道の確保等の適切な処置を行う．血液透析，血液灌流が有効であったとの報告もある

薬物動態
血中濃度 健康成人7名に22.5mg/kgを経口投与時の血中トリクロルエタノール濃度は投与1時間後に最高血中濃度8.2±0.6μg/mL，β半減期($T_{1/2}β$)は8.2時間(外国人データ) **尿中排泄** 投与後24時間で用量(15mg/kg)の4.6%(0.5〜19%)が未変化体として，グルクロン酸抱合体と合わせて17〜40%が尿中排泄．トリクロル酢酸の排泄は遅く，初めの2時間では10%以下，次の6時間で25%以下，24時間で38%(排泄が遅く，3日後でも血液中に残留) **その他の薬物速度論的パラメータ** 血漿蛋白結合率：35%(外国人データ)

その他の管理的事項
投与期間制限 該当しない
保険給付上の注意 該当しない

資料
IF トリクロリールシロップ10% 2017年5月改訂(第7版)

トリクロルメチアジド
トリクロルメチアジド錠
Trichlormethiazide

概要
薬効分類 213 利尿剤
構造式

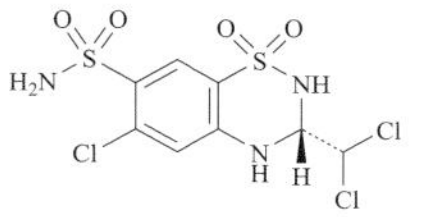

及び鏡像異性体

分子式 $C_8H_8Cl_3N_3O_4S_2$
分子量 380.66
ステム チアジド系利尿薬：-tizide(-thiazide)
原薬の規制区分 該当しない
原薬の外観・性状 白色の粉末である．*N,N*-ジメチルホルムアミド又はアセトンに溶けやすく，アセトニトリル又はエタノール(95)に溶けにくく，水にほとんど溶けない．本品のアセトン溶液(1→50)は旋光性を示さない
原薬の吸湿性 認められない
原薬の融点・沸点・凝固点 融点：約270℃(分解)
原薬の酸塩基解離定数 $pKa_1=6.8$，$pKa_2=10.3$(スルホンアミド基)(紫外可視吸光度測定法)
先発医薬品等
[錠] フルイトラン錠1mg・2mg(シオノギファーマ＝塩野義)
後発医薬品
[錠] 1mg・2mg
国際誕生年月 不明
海外での発売状況 該当資料なし

製剤
規制区分 [錠] [処]
製剤の性状 [1mg錠] 白色の花形の錠剤 [2mg錠] 淡赤色の花形の錠剤
有効期間又は使用期限 [1mg錠] 3年 [2mg錠] 5年
貯法・保存条件 [1mg錠] 室温保存 [2mg錠] 外箱開封後遮光・室温保存
薬剤取扱い上の留意点 降圧作用に基づくめまい，ふらつきが現れることがあるので，高所作業，自動車の運転等危険を伴う機械を操作する際には注意させること [2mg錠] 光により表面の色が退色(主薬の含量に影響はない)することがあるので注意すること
患者向け資料等 くすりのしおり
溶液及び溶解時のpH 該当しない
浸透圧比 該当しない
安定なpH域 該当しない
調製時の注意 該当しない

薬理作用
分類 チアジド系化合物
作用部位・作用機序 作用部位：遠位尿細管 作用機序：①利尿作用：遠位尿細管曲部の管腔側に局在するNa^+-Cl^-共輸送体を阻害することによりNa^+，Cl^-の再吸収を抑制し，尿中への排泄を増加させる．これに伴って水の排泄が増加する ②降圧作用：作用機序は明らかではないが，トリクロルメチアジドの脱塩・利尿作用により，循環血液量を減少させる，あるいは交感神経刺激に対する末梢血管の感受性を低下させることにより，血圧が下降すると考えられている
同効薬 ヒドロクロロチアジドなどチアジド系利尿剤

治療
効能・効果 高血圧症(本態性，腎性等)，悪性高血圧，心性浮腫(うっ血性心不全)，腎性浮腫，肝性浮腫，月経前緊張症
用法・用量 1日2〜8mg，1〜2回に分服(適宜増減)．高血圧症

ト

に用いる場合には少量から開始して徐々に増量する．また，悪性高血圧には，他の降圧剤と併用する

使用上の注意

禁忌　①無尿の患者［効果が期待できない］②急性腎不全の患者　③体液中のナトリウム，カリウムが明らかに減少している患者［低ナトリウム血症，低カリウム血症等の電解質失調を悪化させるおそれがある］④チアジド系薬剤又はその類似化合物(たとえばクロルタリドン等のスルホンアミド誘導体)に対する過敏症の既往歴のある患者　⑤デスモプレシン酢酸塩水和物(男性における夜間多尿による夜間頻尿)を投与中の患者

薬物動態

血中濃度　軽・中等症本態性高血圧症患者9例(食塩摂取量を7～10g/日に制限)に，4mgを1日1回朝食後(8時)1週間経口投与し，第6日に採血．血漿中濃度は，投与約3時間後に最高値0.088±0.010μg/mL(平均値±標準誤差)に達し，以後漸減，8時間後では0.027±0.005μg/mL　**分布**　イヌ血漿を用いた*in vitro*試験系で，血漿蛋白結合率は約85％　**代謝**　ヒト肝細胞を用いた*in vitro*試験系ではほとんど代謝を受けなかった　**排泄**　軽・中等症本態性高血圧症患者9例(食塩摂取量を7～10g/日に制限)に，4mgを1日1回朝食後(8時)1週間経口投与し，第7日に採尿．24時間後までの尿中累積排泄率は68.2±4.3％(平均値±標準誤差)　**薬物相互作用**　ヒト肝ミクロソームを用いた*in vitro*試験系で，CYP活性に対するトリクロルメチアジドの阻害作用を検討時，CYP1A2，CYP2B6，CYP2C8，CYP2C9，CYP2C19，CYP2D6，CYP2E1及びCYP3A4/5を阻害しなかった

その他の管理的事項

投与期間制限　該当しない

保険給付上の注意　該当しない

資料

IF　フルイトラン錠1mg・2mg　2020年3月改訂(第17版)

トリコマイシン
Trichomycin

概要

構造式

トリコマイシンA：R^1=H, R^2=OH
トリコマイシンB：R^1=OH, R^2=H

原薬の規制区分　該当しない

原薬の外観・性状　黄色～黄褐色の粉末である．水，エタノール(99.5)又はテトラヒドロフランにほとんど溶けない．希水酸化ナトリウム試液に溶ける

原薬の吸湿性　吸湿性である

L-トリプトファン
L-Tryptophan

概要

構造式

分子式　$C_{11}H_{12}N_2O_2$

分子量　204.23

原薬の規制区分　該当しない

原薬の外観・性状　白色～帯黄白色の結晶又は結晶性の粉末で，においはなく，味は僅かに苦い．ギ酸に溶けやすく，水に溶けにくく，エタノール(95)に極めて溶けにくい．希塩酸に溶ける．1.0gを水100mLに加温して溶かし，冷却した液のpHは5.4～6.4である

製剤

溶液及び溶解時のpH　1.0gを水100mLに加温して溶かし，冷却した液のpH：5.4～6.4

トリヘキシフェニジル塩酸塩
トリヘキシフェニジル塩酸塩錠
Trihexyphenidyl Hydrochloride

概要

薬効分類　116　抗パーキンソン剤

構造式

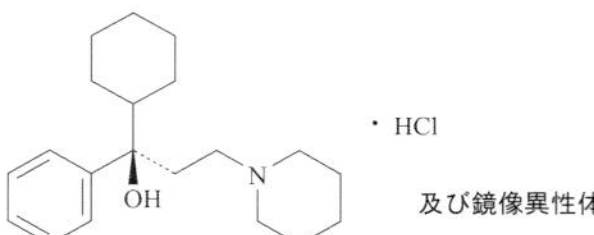

分子式　$C_{20}H_{31}NO \cdot HCl$

分子量　337.93

ステム　血管拡張薬：-dil

原薬の規制区分　劇(ただし，1錠中トリヘキシフェニジルとして5mg以下を含有するもの及び注射剤以外の製剤であってトリヘキシフェニジルとして1％以下を含有するものを除く)

原薬の外観・性状　白色の結晶性の粉末で，においはなく，味は苦い．エタノール(95)にやや溶けやすく，酢酸(100)にやや溶けにくく，水に溶けにくく，無水酢酸に極めて溶けにくく，ジエチルエーテルにほとんど溶けない．1.0gを水100mLに加温して溶かし，冷却した液のpHは5.0～6.0である

原薬の吸湿性　該当資料なし

原薬の融点・沸点・凝固点　約250℃(分解)

原薬の酸塩基解離定数　該当資料なし

先発医薬品等

散　アーテン散1％(ファイザー)

錠　アーテン錠(2mg)(ファイザー)

セドリーナ錠2mg(第一三共)

トリヘキシフェニジル塩酸塩錠2mg「CH」(長生堂＝日本ジェネリック)

トリヘキシフェニジル塩酸塩錠2mg「アメル」(共和薬品)

トリヘキシフェニジル塩酸塩錠2mg「杏林」(キョーリンリメディオ＝杏林)

トリヘキシフェニジル塩酸塩錠2mg「タイヨー」(武田テ

バファーマ＝武田）
トリヘキシフェニジル塩酸塩錠2mg「タカタ」（高田）
トリヘキシフェニジル塩酸塩錠2mg「ニプロ」（ニプロ）
パーキネス錠2（東和薬品）

後発医薬品
散 1%

国際誕生年月 1949年5月

製剤

規制区分 **散** **錠** ㊚

製剤の性状 **散** 白色の細粒状の粉末 **錠** 白色の素錠（割線有）

有効期間又は使用期限 3年

貯法・保存条件 室温保存

薬剤取扱い上の留意点 眠気，眼の調節障害及び注意力・集中力・反射機能等の低下が起こることがあるので，本剤投与中の患者には自動車の運転等危険を伴う機械の操作には従事させないよう注意すること

患者向け資料等 くすりのしおり

溶液及び溶解時のpH 該当資料なし

浸透圧比 該当資料なし

安定なpH域 該当資料なし

調製時の注意 該当資料なし

薬理作用

分類 第3級アミノプロパノール誘導体

作用部位・作用機序 平滑筋に対して抗痙攣作用を，副交感神経系に対して抑制作用を現す．したがって平滑筋の痙攣は直接には筋弛緩により，間接には副交感神経系の緩解によって軽快する．そのうえ随意筋の痙攣をも緩解するが，これは副交感神経抑制作用と脳運動中枢に対する作用によると考えられている

同効薬 ビペリデン塩酸塩，プロフェナミン塩酸塩など

治療

効能・効果 ①向精神薬投与によるパーキンソニズム・ジスキネジア（遅発性を除く）・アカシジア ②特発性パーキンソニズム及びその他のパーキンソニズム（脳炎後，動脈硬化性）

効能・効果に関連する使用上の注意 抗パーキンソン病薬はフェノチアジン系薬剤，レセルピン誘導体等による口周部等の不随意運動（遅発性ジスキネジア）を通常軽減しない．場合によってはこのような症状を増悪顕性化させることがある

用法・用量 効能①：トリヘキシフェニジル塩酸塩として1日2〜10mg，3〜4回に分服（適宜増減） 効能②：トリヘキシフェニジル塩酸塩として第1日目1mg，第2日目2mg，以後1日につき2mgずつ増量し維持量1日6〜10mg，3〜4回に分服（適宜増減）

使用上の注意

禁忌 ①閉塞隅角緑内障の患者［抗コリン作用により眼圧が上昇し，症状を悪化させることがある］ ②本剤の成分に対し過敏症の既往歴のある患者 ③重症筋無力症の患者［抗コリン作用により症状を増悪させるおそれがある］

薬物動態

血清中濃度（参考）：8mg（2mg錠4錠）を健常成人男子16例に空腹時単回経口投与時，Tmax1.2hr，Cmax56.1ng/mL，AUC332.8ng・hr/mL，$T_{1/2}$17.6hr

その他の管理的事項

投与期間制限 該当しない

保険給付上の注意 該当しない

資料

IF アーテン散1%・錠（2mg） 2019年8月改訂（第9版）

ドリペネム水和物
注射用ドリペネム
Doripenem Hydrate

概要

薬効分類 613 主としてグラム陽性・陰性菌に作用するもの

構造式

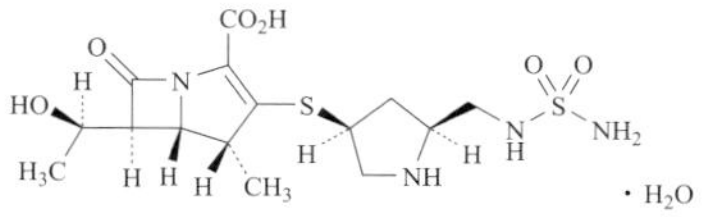

分子式 $C_{15}H_{24}N_4O_6S_2 \cdot H_2O$

分子量 438.52

略語・慣用名 DRPM

ステム 五員環を修飾したペニシリン類縁抗生物質：-penem

原薬の規制区分 該当しない

原薬の外観・性状 白色〜微黄褐白色の結晶性の粉末である．水にやや溶けにくく，メタノールに溶けにくく，エタノール（99.5）にほとんど溶けない．光によって徐々に微黄褐白色となる．0.3gを水30mLに溶かした液のpHは4.5〜6.0である

原薬の吸湿性 吸湿性はない

原薬の融点・沸点・凝固点 明確な融点を示さない（140℃以上で徐々に着色する）

原薬の酸塩基解離定数 pKa_1＝2.8（カルボキシル基，紫外可視吸光度測定法） pKa_2＝7.9（アミノ基，電位差滴定法）

先発医薬品等
注射用 フィニバックス点滴静注用0.25g・0.5g（塩野義）
キット フィニバックスキット点滴静注用0.25g（塩野義）

国際誕生年月 2005年7月

海外での発売状況 欧米では発売されていない

製剤

規制区分 **注射用** **キット** ㊚

製剤の性状 **注射用** **キット** 白色〜微黄褐白色の結晶性の粉末

有効期間又は使用期限 3年

貯法・保存条件 室温保存

薬剤取扱い上の留意点 **注射用** 生食に溶解した場合，室温保存では8時間以内に，冷蔵庫保存では24時間以内に使用すること

患者向け資料等 くすりのしおり

溶液及び溶解時のpH 4.5〜6.0（0.3g/水30mL）

浸透圧比 約1（対生食）

調製時の注意 **注射用** 注射用水は溶液が等張とならないため使用しないこと．L-システイン及びL-シスチンを含むアミノ酸製剤と配合すると，著しく力価が低下するので配合しないこと

薬理作用

分類 カルバペネム系抗生物質

作用部位・作用機序 部位：細菌の細胞壁合成酵素 機序（*in vitro*）：細菌の細胞壁合成酵素であるペニシリン結合蛋白（PBP）に結合し，細胞壁合成を阻害することにより抗菌作用を発揮，作用は殺菌的．黄色ブドウ球菌ではPBP1，緑膿菌ではPBP2，3，大腸菌ではPBP2に高い結合親和性を示すことが抗菌力の発揮につながっていると考えられた

同効薬 カルバペネム系注射用抗生物質

治療

効能・効果 〈適応菌種〉ドリペネムに感性のブドウ球菌属，レンサ球菌属，肺炎球菌，腸球菌属（エンテロコッカス・フェシウムを除く），モラクセラ（ブランハメラ）・カタラーリス，大腸菌，シトロバクター属，クレブシエラ属，エンテロバクター属，セラチア属，プロテウス属，モルガネラ・モルガニー，

プロビデンシア属，インフルエンザ菌，緑膿菌，アシネトバクター属，ペプトストレプトコッカス属，バクテロイデス属，プレボテラ属 〈適応症〉敗血症，感染性心内膜炎，深在性皮膚感染症，リンパ管・リンパ節炎，外傷・熱傷及び手術創等の二次感染，骨髄炎，関節炎，咽頭・喉頭炎，扁桃炎(扁桃周囲炎，扁桃周囲膿瘍を含む)，肺炎，肺膿瘍，膿胸，慢性呼吸器病変の二次感染，複雑性膀胱炎，腎盂腎炎，前立腺炎(急性症，慢性症)，精巣上体炎(副睾丸炎)，腹膜炎，腹腔内膿瘍，胆嚢炎，胆管炎，肝膿瘍，子宮内感染，子宮付属器炎，子宮旁結合織炎，化膿性髄膜炎，眼窩感染，角膜炎(角膜潰瘍を含む)，眼内炎(全眼球炎を含む)，中耳炎，顎骨周辺の蜂巣炎，顎炎

効能・効果に関連する使用上の注意 咽頭・喉頭炎，扁桃炎(扁桃周囲炎,扁桃周囲膿瘍を含む)，中耳炎：「抗微生物薬適正使用の手引き」を参照し，抗菌薬投与の必要性を判断した上で，本剤の投与が適切と判断される場合に投与する

用法・用量 ①成人：ドリペネムとして1回0.25g(力価)を1日2回又は3回，30分以上かけて点滴静注(適宜増減)．重症・難治性感染症には，1回0.5g(力価)を1日3回投与し，増量が必要と判断される場合に限り1回量として1.0g(力価)，1日量として3.0g(力価)まで ②小児：ドリペネムとして1回20mg(力価)/kgを1日3回，30分以上かけて点滴静注(適宜増減)．重症・難治性感染症には，1回40mg(力価)/kgまで増量することができる．ただし，投与量の上限は1回1.0g(力価)まで

用法・用量に関連する使用上の注意 ①腎機能障害患者への投与に際しては，次を目安に投与量を調節する：腎機能正常者(70<Ccr)の1日投与量(0.25g×2回，0.25g×3回，0.5g×3回，1.0g×3回の順)に対応するCcr別の1日投与量の目安は，50<Ccr<70では0.25g×2回，0.25g×2～3回，0.5g×2～3回，1.0g×2回※1)．30<Ccr<50では，0.25g×2回，0.25g×2回，0.25g×3回又は0.5g×2回，0.5g×3回．Ccr<30では，0.25g×2回※2)，0.25g×2回※2)，0.25g×2回※2)，0.25g×3回※2) Ccr：クレアチニンクリアランス ※1)1.0g×3回投与は避けることが望ましい ※2)低体重患者では安全性に留意し，慎重に投与する ②使用に際しては，投与開始後3日を目安としてさらに継続投与が必要か判定し，中止又はより適切な他剤に切り替えるべきか検討を行う

使用上の注意

禁忌 ①本剤の成分に対し過敏症の既往歴のある患者 ②バルプロ酸ナトリウムを投与中の患者

薬物動態

血中濃度 健康成人男性各6例に0.25g，0.5g及び1.0gを30分単回点滴静注時の薬物動態パラメータ(0.25g，0.5g，1.0gの順．各6例．bioassay法)は，Cmax(μg/mL)18.1±1.9，33.1±4.8，63.0±5.1，$AUC_{0\text{-}12}$(μg・hr/mL)20.26±3.48，34.38±2.23，75.52±5.89，$T_{1/2\beta}$(hr)0.9±0.08，0.86±0.04，0.98±0.09で，反復投与での体内動態は単回投与時とほとんど変わらなかった **分布** ①組織移行：皮膚組織，関節液，滑膜，海綿骨，皮質骨，喀痰，前立腺組織，胆汁，胆嚢，腹腔内滲出液，子宮・子宮付属器，骨盤死腔液，前房水，中耳粘膜，口蓋扁桃，中耳分泌物，歯肉，嚢胞，髄液への移行が認められた ②乳汁中移行：授乳ラットに［^{14}C］-ドリペネム20mg/kgを静注時の乳汁中放射能濃度は投与30分後に最高濃度に達したが，血漿中放射能濃度の約1/6 ③蛋白結合：0.5g1日2回反復投与試験において限外ろ過法にて測定した血清蛋白結合率は約9% **代謝** ヒト腎デヒドロペプチダーゼ-Iに安定性を示す(*in vitro*) **排泄**主として糸球体ろ過及び尿細管分泌により腎から尿中に排泄．健康成人男性6例に0.25g，0.5g及び1.0gを単回点滴静注時の尿中排泄率は，投与量に関係なく，24時間までに未変化体として約75%，βラクタム環が開裂したジカルボン酸体(主代謝物)を含めると約90% **特定の背景を有する患者** ①腎機能障害患者：⑴腎機能障害患者12例に0.25gを30分単回点滴静注時の薬物動態パラメータは，Cmax(μg/mL)，$AUC_{0\text{-}24}$(μg・hr/mL)，$T_{1/2\beta}$(hr)の順に，50<Ccr<70(4例)は21.9±1.3，40.55±5.89，1.98±0.38．30<Ccr<50(6例)は21.2±4.6，48.21±13.41，2.16±0.32．Ccr<30(2例)は17.9，64.31，3.56．腎機能の低下に伴い，血中からの消失が遅延する傾向が認められた ⑵健康成人，腎機能障害患者及び健康高齢者の92例から得られた921ポイントの血漿中濃度について，母集団薬物動態解析を行った．本剤の薬物動態に対する影響因子として，腎機能障害の程度(Ccr)の影響が大きく，Ccrに応じた投与量の調節が必要であると考えられた．Ccr別の1日投与量ごとの1日あたりのAUC(μg・hr/mL)(定常状態)※1)は，1日投与量が0.25g×2回，0.25g×3回，0.5g×2回，0.5g×3回，1.0g×2回，1.0g×3回の順に，Ccr(mL/min)が105<Ccrで34.7(28.2-42.5)，52.3(42.7-64.3)，69.4(56.4-85.5)，104(84.4-129)，139(113-172)，209(170-256)．70<Ccr<105で41.3(31.7-54.7)，62.2(47.4-82.3)，82.7(62.9-110)，124(95.0-165)，165(126-218)，250(191-331)．50<Ccr<70で58.2(44.8-76.0)，87.5(67.5-115)，117(90.3-153)，175(135-229)，233(181-305)，349(271-459)．30<Ccr<50で82.9(61.3-117)，124(91.3-176)，166(122-235)，250(182-346)，332(246-472)，498(368-700)．Ccr<30で145(95.9-269)，215(141-397)，293(189-518)，433(285-798)，587(378-1050)，872(574-1580) Ccr：クレアチニンクリアランス ※1)中央値(90%予測範囲)，母集団薬物動態解析パラメータ(NONMEMを用いて推定)によるシミュレーション結果 ⑶血液透析患者6例に0.5gを1時間単回点滴静注時，点滴開始2時間後から4時間かけて透析することにより血液透析未実施の場合と比較してAUCは43%に低下(外国人データ) ②小児患者：小児患者(2カ月～13歳)99例に20mg/kg(体重25kg以上は0.5g)を30分以上かけて点滴静注時，母集団薬物動態解析結果に基づいて推定した薬物曝露量(1日3回投与)は，Cmax(μg/mL)30.5±2.6，1日あたりのAUC(μg・hr/mL)140.6±23.1 ※)NONMEMを用いて推定 ③高齢者：健康高齢者(66～69歳)6例に0.25gを30分単回点滴静注時の薬物動態パラメータ(高齢者，非高齢者の順．各6例．bioassay法)は，Cmax(μg/mL)17.5±2.5，18.1±1.9，$AUC_{0\text{-}24}$(μg・hr/mL)25.72±4.62，20.26±3.48($AUC_{0\text{-}12}$)，$T_{1/2}\beta$(hr)1.43±0.19，0.9±0.08．高齢者では非高齢者に比べて血中からの消失が遅延する傾向が認められるものの，Cmaxに有意な差はみられなかった

その他の管理的事項

投与期間制限 該当しない

保険給付上の注意 該当しない

資料

IF フィニバックス点滴静注用0.25g・0.5g・キット点滴静注用0.25g 2020年10月改訂(第15版)

トリメタジオン
Trimethadione

概要

薬効分類 113 抗てんかん剤

構造式

H_3C, H_3C, O, O, N, O, CH_3

分子式 $C_6H_9NO_3$

分子量 143.14

略語・慣用名 TMO

ステム 不明

原薬の規制区分 該当しない
原薬の外観・性状 白色の結晶又は結晶性の粉末で，カンフルようのにおいがある．エタノール(95)又はクロロホルムに極めて溶けやすく，ジエチルエーテルに溶けやすく，水にやや溶けやすい
原薬の吸湿性 該当資料なし
原薬の融点・沸点・凝固点 融点：45～47℃
原薬の酸塩基解離定数 pKa＝9.4(25℃，オキサゾリジン環，滴定法)
先発医薬品等
散 ミノアレ散66.7%(日医工)
国際誕生年月 不明
海外での発売状況 米など

製剤
規制区分 散 ㊙
製剤の性状 散 白色の粉末で，バニラの芳香がある
有効期間又は使用期限 3年
貯法・保存条件 30℃以下で保存
薬剤取扱い上の留意点 眠気，注意力・集中力・反射運動能力等の低下が起こることがあるので，本剤投与中の患者には自動車の運転など危険を伴う機械の操作に従事させないよう注意すること
患者向け資料等 くすりのしおり
溶液及び溶解時のpH 約6.0(5%溶液)
浸透圧比 該当しない
安定なpH域 該当しない
調製時の注意 該当しない

薬理作用
分類 オキサゾリジン系抗てんかん剤
作用部位・作用機序 フェニトインでほとんど作用の認められないペンテトラゾールけいれんに対する拮抗作用が最も強く現れるのに対し，フェニトインで特徴的とされる最大電撃けいれんに対する作用は，相当大量を用いないと認められない．また，脊髄におけるpost-tetanicpotentiation(PTP)を減少させる作用もみられない
同効薬 エトスクシミド，バルプロ酸ナトリウムなど

治療
効能・効果 ①定型欠神発作(小発作) ②小型(運動)発作〔ミオクロニー発作，失立(無動)発作，点頭てんかん(幼児けい縮発作，BNS痙攣等)〕
用法・用量 トリメタジオンとして1日1.0g(散として1.5g)食後3回に分服(適宜増減)．症状，耐薬性に応じ，適宜漸増し，治療効果がみられるまで増量するが，最高1日2.0g(散として3.0g)を限度とする．小児においては成人量を基準として体重により決定する
禁忌・原則禁忌となる特定患者集団 妊婦又は妊娠している可能性のある婦人

使用上の注意
禁忌 ①本剤の成分に対し過敏症の患者 ②妊婦又は妊娠している可能性のある婦人 ③重篤な肝障害，腎障害のある患者［血中濃度が上昇するおそれがある］ ④重篤な血液障害のある患者 ⑤網膜・視神経障害のある患者

薬物動態
血清中濃度 健康成人(外国人)，600mg1回投与：Tmax0.5hr，Cmax14μg/mL，$T_{1/2}$16hr **主代謝産物及び代謝経路** ①主代謝産物：ジメタジオン(活性あり) ②代謝経路：主として肝臓で脱メチル化されジメタジオンになる **排泄経路及び排泄率** ①排泄経路：主として尿中 ②排泄率：投与後48時間での尿中排泄率は未変化体0.8%，ジメタジオン1.9%(健康成人，4mg/kg投与)

その他の管理的事項
投与期間制限 該当しない
保険給付上の注意 該当しない

資料
IF ミノアレ散66.7% 2019年1月改訂(第2版)

トリメタジジン塩酸塩
トリメタジジン塩酸塩錠
Trimetazidine Hydrochloride

概要
薬効分類 217 血管拡張剤
構造式

H_3C–O, H_3C–O, O–CH_3, N, NH · 2HCl

分子式 $C_{14}H_{22}N_2O_3 \cdot 2HCl$
分子量 339.26
略語・慣用名 VF
ステム 不明
原薬の規制区分 該当しない
原薬の外観・性状 白色の結晶性の粉末である．水又はギ酸に極めて溶けやすく，メタノールにやや溶けやすく，エタノール(99.5)に溶けにくい．1.0gを水20mLに溶かした液のpHは2.3～3.3である
原薬の吸湿性 60%RH以下においては全く吸湿性は認められず安定であった．約70%RHより徐々に吸湿し，90%では液状となり，その臨界湿度は79.6%であった
原薬の融点・沸点・凝固点 融点：約227℃(分解)
原薬の酸塩基解離定数 pKa＝4.86(紫外可視吸光度測定法)
先発医薬品等
錠 バスタレルF錠3mg(京都＝大日本住友)
国際誕生年月 不明
海外での発売状況 仏，独など29カ国

製剤
製剤の性状 錠 白色のフィルムコーティング錠
有効期間又は使用期限 3年
貯法・保存条件 気密容器，室温保存
薬剤取扱い上の留意点 該当しない
患者向け資料等 くすりのしおり
溶液及び溶解時のpH 該当しない
浸透圧比 該当しない
安定なpH域 該当しない
調製時の注意 該当しない

薬理作用
分類 虚血性心疾患治療剤
作用部位・作用機序 血管拡張作用，心仕事量減少作用，副血行路形成促進作用，心筋代謝改善作用，心筋保護作用，血小板凝集抑制作用
同効薬 ジピリダモール，ジラゼプ塩酸塩水和物

治療
効能・効果 狭心症，心筋梗塞(急性期を除く)，その他の虚血性心疾患
用法・用量 トリメタジジン塩酸塩として1回3mg，1日3回(適宜増減)

薬物動態
健常成人6mg(注：1回用量は3mg)単回経口投与時の最高血中濃度は2時間後約17ng/mL，消失半減期11.5時間．尿中排泄率は48時間で未変化体約60%

ト

その他の管理的事項
投与期間制限　該当しない
保険給付上の注意　該当しない

資料
IF　バスタレルF錠3mg　2018年3月改訂（第5版）

トリメトキノール塩酸塩水和物
Trimetoquinol Hydrochloride Hydrate

概要
薬効分類　225　気管支拡張剤
構造式

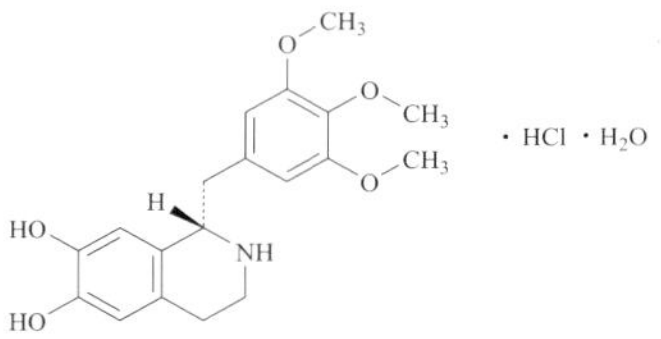

分子式　$C_{19}H_{23}NO_5 \cdot HCl \cdot H_2O$
分子量　399.87
ステム　不明
原薬の規制区分　[劇]（ただし，1個中トリメトキノールとして3mg以下を含有する内用剤並びにトリメトキノールとして1％以下を含有する吸入剤，散剤及びシロップ剤を除く）
原薬の外観・性状　白色の結晶又は結晶性の粉末である．メタノールに溶けやすく，水又はエタノール（99.5）にやや溶けにくい．1.0gを水100mLに加温して溶かし，冷却した液のpHは4.5～5.5である
原薬の吸湿性　該当資料なし
原薬の融点・沸点・凝固点　融点：約151℃（分解，ただし105℃で4時間減圧乾燥後）
原薬の酸塩基解離定数　pKa_1＝8.33（第二アミノ基，滴定法），pKa_2＝9.58（フェノール性水酸基，滴定法），pKa_3＝11.06（フェノール性水酸基，滴定法）
先発医薬品等
[散] イノリン散1％（ニプロES）
[錠] イノリン錠3mg（ニプロES）
[シ] イノリンシロップ0.1％（ニプロES）
[吸入] イノリン吸入液0.5％（ニプロES）
国際誕生年月　1968年12月
海外での発売状況　インドネシア，台湾

製剤
規制区分　[吸入] [処]
製剤の性状　[散] 微粒状の散剤で，僅かに苦みがある　[錠] 素錠（割線入り）　[シ] 無色～淡黄褐色澄明のシロップ剤，芳香性があり，甘味がある　[吸入] 無色～ほとんど無色澄明の液
有効期間又は使用期限　[散] 4年　[錠] [シ] [吸入] 3年
貯法・保存条件　[散] [錠] 室温保存　[シ] [吸入] 冷所保存
薬剤取扱い上の留意点　[シ] [吸入] 冷所保存するよう注意すること
患者向け資料等　[散] [錠] [シ] くすりのしおり　[吸入] 患者向医薬品ガイド，くすりのしおり
溶液及び溶解時のpH　[シ] 3.0～5.0　[吸入] 2.3～4.5
浸透圧比　該当しない
安定なpH域　該当しない
調製時の注意　[シ] 本剤中の抗酸化剤により着色シロップとの配合で脱色した例がみられた．また，抗生物質のドライシロップとの配合で苦み及びイオウ臭を呈した例がみられたが，これらドライシロップに水を添加しても同様の現象が認められた

薬理作用
分類　アドレナリン作動性β受容体刺激剤
作用部位・作用機序　β受容体の刺激作用により選択的に気管支筋を拡張させる
同効薬　イソプレナリンなどのβ受容体刺激剤

治療
効能・効果　[散] [錠] 次の疾患の気道閉塞性障害に基づく諸症状の緩解：気管支喘息，慢性気管支炎，塵肺症
[シ] 次の疾患の気道閉塞性障害に基づく諸症状の緩解：気管支炎，喘息様気管支炎，気管支喘息
[吸入] 次の疾患の気道閉塞性障害に基づく諸症状の緩解：気管支喘息
用法・用量　[散] [錠] トリメトキノール塩酸塩水和物として1回2～4mg，1日2～3回（適宜増減）
[シ] 1歳未満：1～2mL，1～3歳未満：2～4mL，3～5歳：4～6mLを1日3～4回に分服（適宜増減）
[吸入] 吸入器で1回0.25～0.5mLを深呼吸しながら吸入
用法・用量に関連する使用上の注意　[吸入] 患者に対し，過度の使用により不整脈，心停止等の重篤な副作用が発現する危険性があることを理解させ，次の事項及びその他必要と考えられる注意を与える　①通常1回0.25～0.5mLの用法・用量を守る　②発作が重篤で吸入液の効果が不十分な場合には，可及的速やかに医療機関を受診し治療を求める

薬物動態
健康成人男子に6mg経口投与時，血中濃度は30分以内に最高に達した後，速やかに減少．24時間以内に大部分が代謝物（メチル化体のグルクロン酸抱合体）として13～33％尿中排泄

その他の管理的事項
投与期間制限　該当しない
保険給付上の注意　該当しない

資料
IF　イノリン散1％・錠3mg　2020年4月改訂（第9版）
イノリンシロップ0.1％　2020年4月改訂（第8版）
イノリン吸入液0.5％　2017年10月改訂（第8版）

トリメブチンマレイン酸塩
Trimebutine Maleate

概要
薬効分類　239　その他の消化器官用薬
構造式

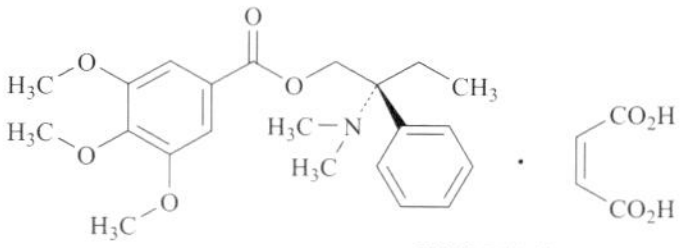

及び鏡像異性体

分子式　$C_{22}H_{29}NO_5 \cdot C_4H_4O_4$
分子量　503.54
ステム　不明
原薬の規制区分　[劇]（ただし，1個中トリメブチンとして100mg以下を含有する内用剤及びトリメブチンとして20％以下を含有する内用剤を除く）
原薬の外観・性状　白色の結晶又は結晶性の粉末である．*N*,*N*-ジメチルホルムアミド又は酢酸（100）に溶けやすく，アセトニトリルにやや溶けやすく，水又はエタノール（99.5）に溶けにくい．0.01mol/L塩酸試液に溶ける．本品の*N*,*N*-ジメチルホルムアミド溶液（1→20）は旋光性を示さない
原薬の吸湿性　25℃，79％RH，25℃，90％RH，25℃，100％RH，

40℃，79％RH，40℃，89％RH及び40℃，100％RH，1カ月の加湿条件において，ほとんど吸湿性は示さなかった
原薬の融点・沸点・凝固点　融点：131〜135℃
原薬の酸塩基解離定数　pKa＝6.25（第三アミノ基，滴定法）
先発医薬品等
[錠] セレキノン錠100mg（田辺三菱）
後発医薬品
[細] 20％
[錠] 100mg
国際誕生年月　不明
海外での発売状況　中国

製剤

製剤の性状　[錠] 白色〜微黄白色のフィルムコーティング錠
有効期間又は使用期限　3年
貯法・保存条件　室温保存
薬剤取扱い上の留意点　該当しない
患者向け資料等　くすりのしおり
溶液及び溶解時のpH　該当しない
浸透圧比　該当しない
安定なpH域　該当しない
調製時の注意　該当しない

薬理作用

分類　消化管運動機能調律剤
作用部位・作用機序　消化管平滑筋に対する作用：平滑筋細胞において，弛緩した細胞に対しては，Kチャネルの抑制に基づく脱分極作用により細胞の興奮性を高め，一方，細胞の興奮性に応じてCaチャネルを抑制することで過剰な収縮を抑制することが推測される　オピオイド受容体を介する作用：運動亢進状態にある腸管では，副交感神経終末にあるオピオイドμ及びκ受容体に作用して，アセチルコリン遊離を抑制し，消化管運動を抑制する．一方，運動低下状態にある腸管では，交感神経終末にあるμ受容体に作用してノルアドレナリン遊離を抑制する．その結果，副交感神経終末からのアセチルコリン遊離が増加し，消化管運動を亢進する
同効薬　ドンペリドン，メトクロプラミド，メペンゾラート臭化物，ブチルスコポラミン臭化物，ポリカルボフィルカルシウム，モサプリドクエン酸塩水和物

治療

効能・効果　①慢性胃炎における消化器症状（腹部疼痛，悪心，曖気，腹部膨満感）　②過敏性腸症候群
用法・用量　効能①：トリメブチンマレイン酸塩として1日300mg，3回に分服（適宜増減）　効能②：トリメブチンマレイン酸塩として1日300〜600mg，3回に分服

薬物動態

血中濃度　健康成人男子に100mg経口投与時，血漿中トリメブチン濃度は30分前後に最高値32.5〜42.3ng/mL．半減期は約2時間　**吸収**　ラットの小腸（空腸）結紮部に^{14}C-トリメブチンを投与し，トリメブチンの消化管からの吸収は速やかであり，1時間までに94％の放射能が吸収　**分布**　①蛋白結合率：ヒト血清において77.0％（*in vitro*，平衡透析法）　②組織への移行性：ラットに^{14}C-又は^{3}H-トリメブチンを経口投与後30分での放射能濃度は，肝臓，消化管内容，腎臓では高く，肺，脾臓，膵臓，副腎では中程度，血液，骨格筋，脳，精巣等では低かった．^{3}H-標識体投与時の同時点では，消化管内容，腎臓，肝臓に高く，肺，血液，心筋には中程度，精巣及び脳では低かった．いずれの標識化合物投与時でも，72時間後には極めて低い濃度．ラットに^{3}H/^{14}C-トリメブチンを1日1回，7日及び14日間連続経口投与時の組織内濃度は，14日連続投与してもそれらの値は7回連続投与群とほとんど同程度か，むしろ低くなる臓器・組織もあった．14日連続投与後72時間目の^{14}C濃度はかなり低くなり，特定の臓器・組織に残留する傾向は認められなかった．一方，組織内^{3}H濃度についてみると，分布パターンにおいて^{14}C-標識体の場合と若干異なるところもあったが，^{14}C-標識体の場合と同様に，特定の臓器・組織に残留する傾向は認められなかった　③胎児への移行性：妊娠後期の雌ラットに^{14}C-トリメブチンを経口投与時の母体組織内濃度は投与後30分値が最も高く，以後経時的に減少．卵巣，子宮，胎盤の濃度は母体血中濃度にほぼ等しく，胎児，羊水の濃度は極めて低かった．胎児1匹当りの放射能移行量は母体投与量の約0.02％　④乳汁への移行性：分娩後6日目の母体ラットに^{14}C-トリメブチン（30mg/kg）を経口投与時，哺乳児中の放射能濃度は4時間から8時間にかけて最高値，乳児1匹への放射能移行量は，8時間までに母体投与量の約0.04％と推定　**代謝**　ヒトにおける血漿及び尿中の代謝物組成から，トリメブチンの代謝経路はN-脱メチル化，エステル加水分解，ならびにそれに引き続く抱合反応であると考えられる　**排泄**　健康成人男子に経口投与時，主な消失経路は代謝であり，代謝物のほとんどは尿中へ排泄．投与後24時間までの尿中への未変化体の排泄率は0.01％以下

その他の管理的事項

投与期間制限　該当しない
保険給付上の注意　該当しない

資料

IF　セレキノン錠100mg　2020年7月改訂（第10版）

ドルゾラミド塩酸塩
ドルゾラミド塩酸塩点眼液
Dorzolamide Hydrochloride

概要

薬効分類　131　眼科用剤
構造式

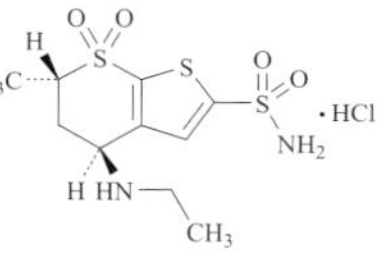

分子式　$C_{10}H_{16}N_2O_4S_3$・HCl
分子量　360.90
ステム　炭酸脱水酵素阻害剤：-zolamide
原薬の規制区分　該当しない
原薬の外観・性状　白色の結晶性の粉末である．水にやや溶けやすく，メタノールにやや溶けにくく，エタノール（99.5）に極めて溶けにくい．薄めたアンモニア水（28）（13→400）に溶ける．結晶多形が認められる
原薬の吸湿性　吸湿は認められなかった（25℃，33％〜93％RH，14日間放置）
原薬の酸塩基解離定数　pKa$_1$＝6.4，pKa$_2$＝8.5
先発医薬品等
[点眼液] トルソプト点眼液0.5％・1％（参天）
国際誕生年月　1994年11月
海外での発売状況　米，英，仏，独など約90カ国

製剤

規制区分　[点眼液] [処]
製剤の性状　[点眼液] 無色澄明，僅かに粘稠性のある水性点眼剤
有効期間又は使用期限　3年
貯法・保存条件　気密容器，室温保存
薬剤取扱い上の留意点　該当しない
患者向け資料等　くすりのしおり
溶液及び溶解時のpH　5.5〜5.9
浸透圧比　約1

調製時の注意　該当しない

薬理作用

分類　炭酸脱水酵素阻害剤

作用部位・作用機序　作用部位：眼毛様体　作用機序：炭酸脱水酵素は眼を含む多くの組織に存在し，生体内での二酸化炭素の水和，炭酸の脱水の可逆的反応($CO_2+H_2O \Leftrightarrow H_2CO_3$)を可逆的に触媒する酵素である．点眼投与されたドルゾラミド塩酸塩は眼毛様体に存在するⅡ型炭酸脱水酵素を特異的に阻害し，重炭酸イオン(炭酸水素イオン)の形成及び後房への輸送を遅延させ，次いで逆イオンであるナトリウムイオンの後房への輸送及びそれに伴う水の後房への輸送を低下させることにより房水産生を抑制し，眼圧下降作用を示すと考えられる

同効薬　アセタゾラミド，ブリンゾラミドなど

治療

効能・効果　次の疾患で，他の緑内障治療薬で効果不十分な場合の併用療法：緑内障，高眼圧症

効能・効果に関連する使用上の注意　①投与前には他剤での治療を実施する　②他剤による治療において効果不十分の場合，あるいは，副作用等で他剤の使用が継続不可能な場合に本剤の使用を検討する

用法・用量　0.5%製剤を1回1滴，1日3回点眼．十分な効果が得られない場合は，1%製剤を1回1滴，1日3回点眼

使用上の注意

禁忌　①本剤の成分に対し過敏症の既往歴のある患者　②重篤な腎障害のある患者［主に腎から排泄されるため，体内に蓄積が起こるおそれがある］

相互作用概要　主としてCYP2C9，2C19及び3A4によって代謝される

薬物動態

血中濃度・尿中排泄　健康成人に2.5%点眼液を1回1滴，1日3回，7日間点眼時の全血中濃度は試験第8日目に最高血中ドルゾラミド濃度1028ng/mL，それ以降の消失は非常に緩やかで消失半減期は約5カ月．ドルゾラミドは血漿中には認められず，18%が全血中に存在したことから，赤血球中炭酸脱水酵素と結合していることが示されたが，赤血球機能には影響を及ぼさなかった．また，ドルゾラミドの尿中排泄量は試験第8日目までに0.6%　**(参考)吸収・分布**　有色ウサギに点眼時，角膜から吸収され，角膜，虹彩・毛様体，硝子体，網膜・脈絡膜及び水晶体に高く分布．投与後赤血球中の炭酸脱水酵素と結合

その他の管理的事項

投与期間制限　該当しない

保険給付上の注意　該当しない

資料

IF　トルソプト点眼液0.5%・1%　2018年4月改訂(第19版)

ドルゾラミド塩酸塩・チモロールマレイン酸塩点眼液
Dorzolamide Hydrochloride and Timolol Maleate Ophthalmic Solution

概要

薬効分類　131　眼科用剤

分子式　［ドルゾラミド塩酸塩］$C_{10}H_{16}N_2O_4S_3 \cdot HCl$　［チモロールマレイン酸塩］$C_{13}H_{24}N_4O_3S \cdot C_4H_4O_4$

分子量　［ドルゾラミド塩酸塩］360.90　［チモロールマレイン酸塩］432.49

ステム　［ドルゾラミド塩酸塩］炭酸脱水酵素阻害剤：-zolamide　［チモロールマレイン酸塩］β-遮断剤：-olol

原薬の規制区分　［チモロールマレイン酸塩］[劇](ただし，チモロールとして0.5%以下を含有する点眼剤を除く)

原薬の外観・性状　［ドルゾラミド塩酸塩］白色の結晶性の粉末である．水にやや溶けやすく，メタノールにやや溶けにくく，エタノール(99.5)に極めて溶けにくい．薄めたアンモニア水(28)(13→400)に溶ける．結晶多形が認められる　［チモロールマレイン酸塩］白色～微黄白色の結晶性の粉末である．酢酸(100)に溶けやすく，水又はエタノール(99.5)にやや溶けやすい．0.1mol/L塩酸試液に溶ける．1.0gを水20mLに溶かした液のpHは3.8～4.3である

原薬の吸湿性　［ドルゾラミド塩酸塩］吸湿は認められなかった(25℃，33%～93%RH，14日間放置)　［チモロールマレイン酸塩］相対湿度80%の条件下で，若干の水分の増加がみられたが，力価等には変化なし

原薬の融点・沸点・凝固点　［チモロールマレイン酸塩］約197℃(分解)

原薬の酸塩基解離定数　［ドルゾラミド塩酸塩］$pKa_1=6.4$，$pKa_2=8.5$　［チモロールマレイン酸塩］pKa＝約9.2

先発医薬品等

点眼液　コソプト配合点眼液(参天)
　　　　コソプトミニ配合点眼液(参天)

後発医薬品

点眼液

国際誕生年月　1998年2月

海外での発売状況　欧米など約90カ国

製剤

規制区分　**点眼液**　[処]

製剤の性状　**点眼液**　無色澄明，僅かに粘稠性のある液

有効期間又は使用期限　3年

貯法・保存条件　気密容器，遮光・室温保存

薬剤取扱い上の留意点　**ミニ点眼液**　アルミピロー包装開封後は，添付の遮光用投薬袋に入れて室温で保存し，1年以内に使用すること．アルミピロー包装を開封した製品から先に使用すること

患者向け資料等　くすりのしおり

溶液及び溶解時のpH　5.5～5.8

浸透圧比　0.95～1.25

調製時の注意　該当しない

薬理作用

分類　炭酸脱水酵素阻害剤・β-遮断剤配合　緑内障・高眼圧症治療剤

作用部位・作用機序　各項目参照

同効薬　炭酸脱水酵素阻害剤(ブリンゾラミド，アセタゾラミドなど)　β-遮断剤(カルテオロール塩酸塩，ベタキソロール塩酸塩など)

治療

効能・効果　次の疾患で，他の緑内障治療薬が効果不十分な場合：緑内障，高眼圧症

効能・効果に関連する使用上の注意　単剤での治療を優先する

用法・用量　1回1滴，1日2回

使用上の注意

禁忌　①気管支喘息，又はその既往歴のある患者，気管支痙攣，重篤な慢性閉塞性肺疾患のある患者［β-受容体遮断による気管支平滑筋収縮作用により，喘息発作の誘発・増悪がみられるおそれがある］　②コントロール不十分な心不全，洞性徐脈，房室ブロック(II，III度)，心原性ショックのある患者［β-受容体遮断による陰性変時・変力作用により，これらの症状を増悪させるおそれがある］　③本剤の成分に対し過敏症の既往歴のある患者　④重篤な腎障害のある患者［ドルゾラミド塩酸塩及びその代謝物は主に腎より排泄されるため，体内に蓄積が起こるおそれがある］

相互作用概要　ドルゾラミドは主としてCYP2C9，2C19及び3A4によって代謝される．チモロールは主としてCYP2D6によって代謝される

薬物動態

全血中及び血漿中濃度　健康成人8例の両眼に単回点眼時の

全血中ドルゾラミドのCmaxは39.4±10.7ng/mL，血漿中チモロールのCmaxは1.32±0.583ng/mL **吸収・分布(参考)** 有色ウサギに2%ドルゾラミド塩酸塩／0.5%チモロールマレイン酸塩点眼液を1回点眼時，いずれの配合成分も前眼部及び後眼部の各眼組織(角膜，虹彩，毛様体，房水，水晶体，硝子体，網膜，脈絡膜及び強膜)に広範に分布．また，両成分ともに前眼部の角膜，虹彩及び毛様体に高濃度で分布

その他の管理的事項

投与期間制限 該当しない

保険給付上の注意 ミニ点眼液 次の患者に使用した場合に限り算定するものであること：①ベンザルコニウム塩化物に対し過敏症の患者又はその疑いのある患者 ②角膜上皮障害を有する患者

資料

IF コソプト配合点眼液・ミニ配合点眼液 2019年1月改訂(第18版)

トルナフタート
トルナフタート液
Tolnaftate

概要

薬効分類 265 寄生性皮ふ疾患用剤

構造式

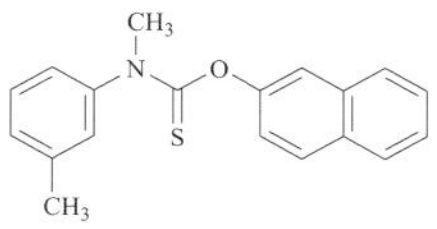

分子式 $C_{19}H_{17}NOS$

分子量 307.41

ステム なし

原薬の規制区分 該当しない

原薬の外観・性状 白色の粉末で，においはない．クロロホルムに溶けやすく，ジエチルエーテルにやや溶けにくく，メタノール又はエタノール(95)に溶けにくく，水にほとんど溶けない

原薬の吸湿性 該当資料なし

原薬の融点・沸点・凝固点 融点：111～114℃(乾燥後)

原薬の酸塩基解離定数 該当資料なし

先発医薬品等

軟 ハイアラージン軟膏2%(長生堂＝日本ジェネリック)

外用液 ハイアラージン外用液2%(長生堂＝日本ジェネリック)

国際誕生年月 不明

海外での発売状況 該当資料なし

製剤

製剤の性状 軟 白色の軟膏 外用液 無色澄明の液で特異な芳香がある

有効期間又は使用期限 5年

貯法・保存条件 軟 室温保存 外用液 気密容器，室温保存．火気厳禁．直射日光を避け，なるべく涼しい所に密栓して保管すること

薬剤取扱い上の留意点 眼科用に使用しないこと 外用液 火気厳禁．直射日光を避け，なるべく涼しい所に密栓して保管すること．合成樹脂を軟化したり，塗料を溶かすことがあるので注意すること

患者向け資料等 くすりのしおり

溶液及び溶解時のpH 該当しない

浸透圧比 該当しない

安定なpH域 該当しない

調製時の注意 該当しない

薬理作用

分類 チオカルバメート系抗真菌薬

作用部位・作用機序 白癬菌，表皮菌及び小胞子菌に対し殺菌的に作用する．その最小発育阻止濃度は5～25ng/mLである．各種細菌，カンジダ，アスペルギルスには無効である

同効薬 リラナフタート

治療

効能・効果 汗疱状白癬，頑癬，小水疱性斑状白癬，癜風

用法・用量 1日2～3回患部に塗布又は塗擦

使用上の注意

禁忌 本剤の成分に対し過敏症の既往歴のある患者

その他の管理的事項

投与期間制限 該当しない

保険給付上の注意 該当しない

資料

IF ハイアラージン軟膏2% 2014年3月改訂(第6版)
ハイアラージン外用液2% 2014年3月改訂(第6版)

トルブタミド
トルブタミド錠
Tolbutamide

概要

構造式

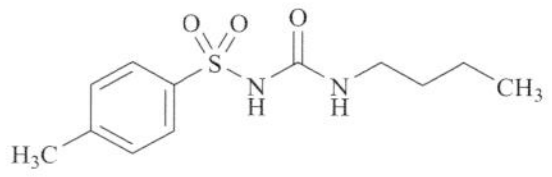

分子式 $C_{12}H_{18}N_2O_3S$

分子量 270.35

原薬の規制区分 該当しない

原薬の外観・性状 白色の結晶又は結晶性の粉末で，においはないか，又は僅かに特異なにおいがあり，味はない．エタノール(95)にやや溶けやすく，ジエチルエーテルに溶けにくく，水にほとんど溶けない

原薬の融点・沸点・凝固点 融点：126～132℃

トルペリゾン塩酸塩
Tolperisone Hydrochloride

概要

構造式

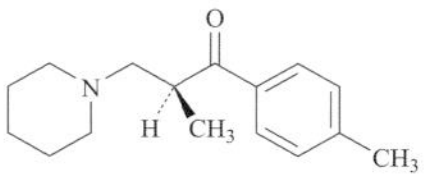

・HCl
及び鏡像異性体

分子式 $C_{16}H_{23}NO \cdot HCl$

分子量 281.82

原薬の規制区分 [劇](ただし，1錠中トリペリゾンとして50mg以下を含有するものを除く)

原薬の外観・性状 白色の結晶性の粉末で，僅かに特異なにおいがある．酢酸(100)に極めて溶けやすく，水又はエタノール(95)に溶けやすく，無水酢酸にやや溶けやすく，アセトン

に溶けにくく，ジエチルエーテルにほとんど溶けない．1.0gを水20mLに溶かした液のpHは4.5～5.5である

原薬の吸湿性　吸湿性である

L−トレオニン
L-Threonine

概要

構造式

分子式　$C_4H_9NO_3$

分子量　119.12

原薬の規制区分　該当しない

原薬の外観・性状　白色の結晶又は結晶性の粉末で，においはないか，又は僅かに特異なにおいがあり，味は僅かに甘い．ギ酸に溶けやすく，水にやや溶けやすく，エタノール(95)にほとんど溶けない．0.20gを水20mLに溶かした液のpHは5.2～6.2である

製剤

溶液及び溶解時のpH　0.20gを水20mLに溶かした液のpHは5.2～6.2である

トレハロース水和物
Trehalose Hydrate

概要

構造式

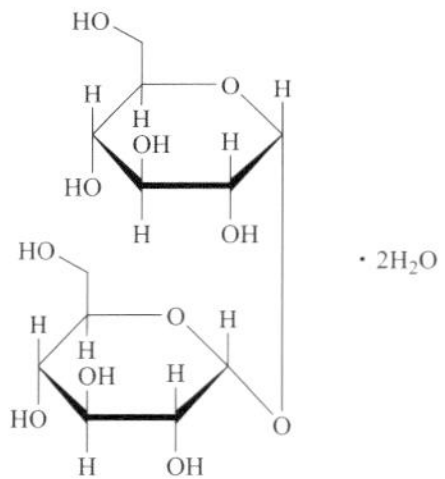

分子式　$C_{12}H_{22}O_{11}・2H_2O$

分子量　378.33

原薬の規制区分　該当しない

原薬の外観・性状　白色の結晶又は結晶性の粉末である．水に溶けやすく，メタノール又はエタノール(99.5)に溶けにくい．1gを水10mLに溶かした液のpHは4.5～6.5である

製剤

溶液及び溶解時のpH　1gを水10mLに溶かした液のpHは4.5～6.5である

トレピブトン
Trepibutone

概要

薬効分類　236　利胆剤

構造式

分子式　$C_{16}H_{22}O_6$

分子量　310.34

原薬の規制区分　該当しない

原薬の外観・性状　白色～帯黄白色の結晶又は結晶性の粉末で，においはなく，味はないか，又は僅かに特異なあと味がある．アセトンにやや溶けやすく，エタノール(95)にやや溶けにくく，ジエチルエーテルに溶けにくく，水にほとんど溶けない．水酸化ナトリウム試液に溶ける

原薬の吸湿性　ほとんど認められない

原薬の融点・沸点・凝固点　融点：146～150℃

原薬の酸塩基解離定数　水にほとんど溶解しないため得られていない

先発医薬品等

細 スパカール細粒10％(大原)

錠 スパカール錠40mg(大原)

国際誕生年月　1980年6月

海外での発売状況　該当資料なし

製剤

製剤の性状　**細** 白色～帯黄白色の細粒剤で，においはなく，味はないかまたは僅かに特異なあと味がある　**錠** 白色～帯黄白色の錠剤で，においはなく，味はないかまたは僅かに特異なあと味がある

有効期間又は使用期限　3年

貯法・保存条件　室温保存

薬剤取扱い上の留意点　特になし

患者向け資料等　くすりのしおり

溶液及び溶解時のpH　該当しない

浸透圧比　該当しない

安定なpH域　該当しない

調製時の注意　該当しない

薬理作用

分類　膵・胆道疾患治療剤

作用部位・作用機序　胆嚢・胆管内圧を用量依存的に低下させる．この作用は，胆汁の総胆管，十二指腸接合部における通過抵抗の減少による．また，胆汁酸非依存の胆汁分泌促進作用を有する．これらの作用はヒメクロモン及びフロプロピオンより強い．高用量では膵管におけるセレクトン様の水分泌作用による膵分泌促進作用がある

同効薬　ヒメクロモン，フロプロピオン

治療

効能・効果　①次の疾患に伴う鎮痙・利胆：胆石症，胆嚢炎，胆管炎，胆道ジスキネジー，胆嚢切除後症候群　②慢性膵炎に伴う疼痛ならびに胃腸症状の改善

用法・用量　トレピブトンとして1回40mg，1日3回食直後(適宜増減)

使用上の注意

禁忌　本剤の成分に対し過敏症の既往歴のある患者

薬物動態

血清中濃度　40mg1錠又は10％細粒0.4gをそれぞれ健常成人男子10例に単回経口投与時，Tmax(hr)0.95，0.5，Cmax(μg/mL)2.9，3.6，AUC(μg・hr/mL)6.45，5.10，$T_{1/2}$(hr)1.40，1.79　**代謝・排泄(参考)**　本剤のナトリウム塩40mgを健常成人男子2例に空腹時単回経口投与後23時間以内に66.7％が

尿中排泄．うち投与量に対してグルクロン酸抱合体が52.4%，脱アルキル化されたフェノール体が8.8%，未変化体は5.6%

その他の管理的事項

投与期間制限　該当しない

保険給付上の注意　該当しない

資料

IF　スパカール細粒10%・錠40mg　2008年8月改訂(第5版)

ドロキシドパ
ドロキシドパカプセル
ドロキシドパ細粒
Droxidopa

概要

薬効分類　116　抗パーキンソン剤

構造式

分子式　$C_9H_{11}NO_5$

分子量　213.19

略語・慣用名　別名：ノルカルボフリン

ステム　ドパミン受容体作動薬：-dopa

原薬の規制区分　劇(ただし，1個中200mg以下を含有する内用剤及び20%以下を含有する内用剤を除く)

原薬の外観・性状　白色～淡褐色の結晶又は結晶性の粉末である．水に溶けにくく，エタノール(99.5)にほとんど溶けない．0.1mol/L塩酸試液に溶ける

原薬の吸湿性　吸湿性はほとんどなし

原薬の融点・沸点・凝固点　220℃付近から茶褐色に変化し始め，225℃付近で融解が始まり，230℃付近で黒色となって液化し，融点又は分解点の測定は困難である

原薬の酸塩基解離定数　pKa＝7.88(滴定法)

先発医薬品等

細　ドプス細粒20%(大日本住友)

錠　ドプスOD錠100mg・200mg(大日本住友)

後発医薬品

カ　100mg・200mg

国際誕生年月　1989年1月

海外での発売状況　米

製剤

規制区分　細　口腔内崩壊錠　処

製剤の性状　細　白色～淡褐色の細粒剤　100mg口腔内崩壊錠　白色～淡褐色の素錠　200mg口腔内崩壊錠　割線入りの白色～淡褐色の素錠

有効期間又は使用期限　3年

貯法・保存条件　気密容器，室温保存

薬剤取扱い上の留意点　口腔内崩壊錠　自動分包機を使用する場合は欠けることがあるため，カセットのセット位置等に注意すること

患者向け資料等　くすりのしおり

溶液及び溶解時のpH　該当しない

浸透圧比　該当しない

安定なpH域　該当しない

調製時の注意　該当しない

薬理作用

分類　ノルアドレナリン前駆物質

作用部位・作用機序　作用部位①パーキンソン病：脳内のノルアドレナリン作動性神経(終末部)　②シャイドレーガー症候群：末梢交感神経(終末部)及び中枢性ノルアドレナリン作動性神経(終末部)　③家族性アミロイドポリニューロパチー：末梢交感神経(終末部)　④血液透析患者：末梢交感神経(終末部)　作用機序：生体内に広く分布する芳香族L-アミノ酸脱炭酸酵素により直接*l*-ノルアドレナリンに変換され，薬理作用を示す

同効薬　アマンタジン，ビペリデン，レボドパなどの抗パーキンソン剤

治療

効能・効果　①パーキンソン病(Yahr重症度ステージIII)におけるすくみ足，立ちくらみの改善　②次の疾患における起立性低血圧，失神，立ちくらみの改善：シャイドレーガー症候群，家族性アミロイドポリニューロパチー　③起立性低血圧を伴う血液透析患者における次の症状の改善：めまい・ふらつき・立ちくらみ，倦怠感，脱力感

効能・効果に関連する使用上の注意　①パーキンソン病への適用にあたっては，次の点に十分留意する：(1)Yahr重症度分類でステージIIIと判定された患者である　(2)他剤の治療効果が不十分で，すくみ足又は立ちくらみが認められる患者にのみ本剤の投与を考慮する　②血液透析患者への適用にあたっては，次の点に十分留意する：透析終了後の起立時に収縮期血圧が15mmHg以上低下する患者である．なお，作用機序は不明であり，治療後の血圧低下の減少度は個体内変動を超えるものではない

用法・用量　効能①：ドロキシドパとして1日100mg，1日1回から始め，隔日に100mgずつ増量，最適投与量を定め維持量とする(標準維持量1日600mg，1日3回に分服)(適宜増減)．1日900mgを超えない　効能②：ドロキシドパとして1日200～300mgを2～3回に分服から始め，数日から1週間ごとに1日100mgずつ増量，最適投与量を定め維持量とする(標準維持量1日300～600mg，3回に分服)(適宜増減)．1日900mgを超えない　効能③：ドロキシドパとして1回200～400mgを透析開始30分から1時間前服用，適宜減量．1回400mgを超えない

用法・用量に関連する使用上の注意　①パーキンソン病への適用にあたっては，効果が認められない場合には，漫然と投与しないよう注意する　②血液透析患者への適用にあたっては，1カ月間投与しても効果が認められない場合には中止する　③口腔内崩壊錠　口腔内で崩壊するが，口腔粘膜から吸収されることはないため，唾液又は水で飲み込む

禁忌・原則禁忌となる特定患者集団　妊婦又は妊娠している可能性のある婦人

使用上の注意

禁忌　①本剤に対し過敏症の患者　②閉塞隅角緑内障の患者［眼圧を上昇させる］　③本剤を投与中の患者には，ハロタン等のハロゲン含有吸入麻酔剤を投与しない　④イソプレナリン等のカテコールアミン製剤を投与中の患者　⑤妊婦又は妊娠している可能性のある婦人　⑥重篤な末梢血管病変(糖尿病性壊疽等)のある血液透析患者［症状が悪化するおそれがある］

薬物動態

血中濃度　①健康成人に1回100mg(4例)又は300mg(5例)経口投与後の未変化体の血漿中濃度は2時間後に最高値それぞれ0.8，2.2μg/mL，その後半減期約1.5時間で比較的速やかに減少し，12時間後にはほとんど消失．血漿中ノルアドレナリン濃度は未変化体の最高値到達時間より遅れ，4時間後に最高値(投与前値のそれぞれ約2倍，約3倍)　②健康成人に1回300mg，1日2回5日間連続経口投与で，開始後1，3及び5日目の投与4時間後の血漿中未変化体濃度はいずれも約1μg/mL．それぞれの投与前及び5日目の24時間後には血漿中からほとんど消失し，連続投与による影響は認められない　③健康成人29例に空腹時ドロキシドパとして200mgを1回投与(測定：血漿中ドロキシドパ)した際のCmax(μg/mL)，Tmax (hr), $T_{1/2}$(hr), $AUC_{0\text{-}24hr}$(μg・hr/mL)は順に, OD錠200mg(水で服用)[1.9, 2.5, 1.9, 8.5], OD錠200mg(水なしで服用)[1.9, 2.6, 2.0, 8.1], 細粒20%(水で服用)[1.9, 1.8, 2.1, 7.9]となり, OD錠と細粒は生物学的に同等であることが確認された ④パーキンソン病(9例), シャイドレーガー症候群(9例)及び家族性アミロイドポリニューロパチー患者(7例)に1回300mg経口投与後, 未変化体の最高値到達時間はそれぞれ5, 4, 5時間後で健康成人に比べ遅れる傾向, 最高血漿中濃度はほぼ同値(それぞれ2.5, 1.56～1.89, 1.14μg/mL) ⑤血液透析患者に1回300mgを透析開始1時間前経口投与時, 未変化体の血漿中濃度は6時間後に最高値(1.43μg/mL), 36時間後に定量限界以下(0.05μg/mL). また, 血漿中ノルアドレナリン濃度は投与3時間以降, 投与前値に対し有意な高値を認め, 以後投与6～36時間まで持続 **代謝・排泄** ①健常成人に1回100mg又は300mg経口投与後, 24時間までに約15%が未変化体, 約6%が3-メトキシ体で尿中に回収 ②血液透析患者に1回300mg経口投与時, 血液回路の動静脈側濃度差から算出した未変化体及びノルアドレナリンのダイアリザンスはクレアチニンとほぼ同程度 **分布(参考)** マウス, ラット, イヌ及びアカゲザルに^{14}C-ドロキシドパを10mg/kg1回経口投与後1時間目(マウスでは0.5時間目)の組織中^{14}C放射活性は腎臓, 肝臓で高く, 脳, 脊髄へも移行. マウス及びラットでは膵臓でも高かった

その他の管理的事項

投与期間制限 該当しない

保険給付上の注意 該当しない

資料

IF ドプス細粒20%・OD錠100mg・200mg 2017年9月改訂(第11版)

トロキシピド
トロキシピド錠
トロキシピド細粒
Troxipide

概要

薬効分類 232 消化性潰瘍用剤

構造式

及び鏡像異性体

分子式 $C_{15}H_{22}N_2O_4$

分子量 294.35

ステム 不明

原薬の規制区分 ㊛(ただし, 1個中100mg以下を含有する内用剤及び20%以下を含有する内用剤を除く)

原薬の外観・性状 白色の結晶性の粉末である. 酢酸(100)に溶けやすく, メタノールにやや溶けやすく, エタノール(99.5)にやや溶けにくく, 水に溶けにくい. 0.1mol/L塩酸試液に溶ける. 本品の1mol/L塩酸試液溶液(1→5)は旋光性を示さない

原薬の吸湿性 吸湿性はほとんどない

原薬の融点・沸点・凝固点 融点：177～181℃

原薬の酸塩基解離定数 pKa＝9.49±0.06(25℃, 中和測定法)

先発医薬品等

細 アプレース細粒20%(杏林)

錠 アプレース錠100mg(杏林)

後発医薬品

細 20%

錠 100mg

国際誕生年月 1986年4月

海外での発売状況 韓国

製剤

製剤の性状 **細** 帯黄白色～微黄色の細粒剤で, 初め僅かに甘く, 後に味はないか, 又は, 僅かに苦い. 僅かに芳香がある **錠** 白色のフィルムコーティング錠

有効期間又は使用期限 **細** 3年 **錠** 5年

貯法・保存条件 室温保存

薬剤取扱い上の留意点 該当資料なし

患者向け資料等 くすりのしおり

溶液及び溶解時のpH 該当資料なし

浸透圧比 該当資料なし

安定なpH域 該当資料なし

調製時の注意 該当資料なし

薬理作用

分類 ピペリジルベンズアミド誘導体

作用部位・作用機序 ①胃粘膜の血流量を増加させる ②胃粘膜の構成成分を正常化させる ③胃粘膜内のプロスタグランジン量を増加させる ④胃粘膜の組織呼吸を高め, ATP含量を増加し, 代謝を賦活させる

同効薬 セトラキサート塩酸塩, テプレノン, ソファルコン, ゲファルナートなど

治療

効能・効果 ①胃潰瘍 ②次の疾患の胃粘膜病変(びらん, 出血, 発赤, 浮腫)の改善：急性胃炎, 慢性胃炎の急性増悪期

用法・用量 トロキシピドとして1回100mg, 1日3回食後(適宜増減)

薬物動態

血中濃度 健康成人に100mg錠(18例)及び細粒(20例)を単回経口投与時の血中濃度及び薬物速度論的パラメータ(錠, 細粒の順)はTmax(hr)2.1, 2.7, Cmax(μg/mL)0.84, 1.09, $t_{1/2}$(hr)7.4, 7.0, $AUC_{0\text{-}24}$(μg・hr/mL)7.13, 7.94 **代謝** 健康成人に100mgを単回経口投与時の尿中排泄物の96%以上は未変化体, 他に1種の代謝物 **排泄** 健康成人に100mgを単回経口投与時, 24時間後に約61%, 48時間後に約67%が尿中に排泄

その他の管理的事項

投与期間制限 該当しない

保険給付上の注意 該当しない

資料

IF アプレース細粒20%・錠100mg 2016年4月改訂(第13版)

トロピカミド
Tropicamide

概要

薬効分類 131 眼科用剤

構造式

及び鏡像異性体

分子式 $C_{17}H_{20}N_2O_2$

分子量 284.35

ステム 不明

原薬の規制区分　該当しない
原薬の外観・性状　白色の結晶性の粉末で，においはなく，味は苦い．エタノール(95)又はクロロホルムに溶けやすく，水又はジエチルエーテルに溶けにくく，石油エーテルにほとんど溶けない．希塩酸に溶ける．1.0gを水500mLに溶かした液のpHは6.5～8.0である
原薬の吸湿性　該当資料なし
原薬の融点・沸点・凝固点　融点：96～99℃
原薬の酸塩基解離定数　該当資料なし
先発医薬品等
点眼液 ミドリンM点眼液0.4%(参天)
後発医薬品
点眼液 0.4%
国際誕生年月　不明
海外での発売状況　台湾
製剤
製剤の性状　点眼液 無色澄明の水性点眼液
有効期間又は使用期限　3年
貯法・保存条件　気密容器，室温保存
薬剤取扱い上の留意点　散瞳又は調節麻痺が起こるので，本剤投与中の患者には，散瞳又は調節麻痺が回復するまで自動車の運転等危険を伴う機械の操作に従事させないよう注意すること．また，サングラスを着用する等太陽光や強い光を直接見ないよう指導すること
患者向け資料等　くすりのしおり
溶液及び溶解時のpH　4.5～5.8
浸透圧比　0.9～1.1
調製時の注意　該当しない
薬理作用
分類　トロパ酸誘導体，副交感神経遮断薬
作用部位・作用機序　作用部位：瞳孔括約筋，毛様体筋　作用機序：瞳孔括約筋の弛緩により散瞳効果，毛様体筋(特にMuller筋)の弛緩により調節麻痺を発現する
同効薬　シクロペントラート塩酸塩，アトロピン硫酸塩水和物
治療
効能・効果　診断又は治療を目的とする散瞳と調節麻痺
用法・用量　診断又は治療を目的とする散瞳には1日1回1～2滴，調節麻痺には3～5分おきに1回1滴2～3回点眼
使用上の注意
禁忌　緑内障及び狭隅角や前房が浅い等の眼圧上昇の素因のある患者［急性閉塞隅角緑内障の発作を起こすおそれがある］
その他の管理的事項
投与期間制限　該当しない
保険給付上の注意　該当しない
資料
IF　ミドリンM点眼液0.4%　2017年7月改訂(第7版)

ドロペリドール
Droperidol

概要
薬効分類　111　全身麻酔剤
構造式

分子式　$C_{22}H_{22}FN_3O_2$
分子量　379.43
ステム　抗精神病薬，ハロペリドール誘導体：-peridol
原薬の規制区分　㊀劇
原薬の外観・性状　白色～淡黄色の粉末である．酢酸(100)に溶けやすく，ジクロロメタンにやや溶けやすく，エタノール(99.5)に溶けにくく，水にほとんど溶けない．光によって徐々に着色する．結晶多形が認められる
原薬の吸湿性　該当資料なし
原薬の酸塩基解離定数　該当資料なし
先発医薬品等
注 ドロレプタン注射液25mg(アルフレッサファーマ)
国際誕生年月　不明
海外での発売状況　米，英，仏，独など22カ国
製剤
規制区分　注 劇 処
製剤の性状　注 ほとんど無色の澄明な注射液
有効期間又は使用期限　3年6カ月
貯法・保存条件　遮光・室温保存
薬剤取扱い上の留意点　該当しない
患者向け資料等　患者向医薬品ガイド，くすりのしおり
溶液及び溶解時のpH　2.5～4.5
浸透圧比　約0.1(対生食)
調製時の注意　該当しない
薬理作用
分類　ブチロフェノン系麻酔用神経遮断剤
作用部位・作用機序　ドパミンやノルアドレナリン，セロトニン，γ-アミノ酪酸(GABA)のシナプス側において中枢神経伝達を阻害する．制吐作用はchemoreceptor trigger zoneにおけるレセプターの遮断による．α_1遮断作用により体血管抵抗や血圧を低下させ，これとは別に不応期を延長し，活動電位の立ち上がり速度を減少させる
同効薬　なし
治療
効能・効果　①フェンタニルとの併用による手術，検査及び処置時の全身麻酔ならびに局所麻酔の補助　②ドロペリドールの単独投与による麻酔前投薬
用法・用量　効能①：導入麻酔剤には0.25～0.5mg/kgをフェンタニル5～10μg/kgとともに緩徐に静注又はブドウ糖液等に希釈して点滴静注，局所麻酔の補助には局所麻酔剤投与10～15分後に0.25mg/kgをフェンタニル5μg/kgとともに緩徐に静注(適宜増減)　効能②：0.05～0.1mg/kgを麻酔開始30～60分前に筋注(適宜増減)
用法・用量に関連する使用上の注意　用法・用量は，患者の感受性，全身状態，手術術式，麻酔方法等に応じて決めるが，一般にフェンタニルとの併用による導入麻酔・局所麻酔，また単独投与による前投薬は通常次のように行われている　①導入麻酔剤として：硫酸アトロピン等，通常の前投薬に引き続き，本剤及びフェンタニルの1回量を緩徐に静注(点滴静注

ト

が安全で確実）．なお症例により，同時にGO，GOF等の吸入麻酔やチアミラール等の静注用全身麻酔剤の併用も行われる　②局所麻酔の補助として：カルボカインE等による持続硬膜外麻酔の補助として本剤を併用する（症例によっては，全身麻酔や気管内挿管を必要としないで手術可能な例もある）　③前投薬として：通常麻酔開始30分～1時間前に本剤1回量の筋注を行う．投与後10～30分後にはほとんどの例に十分な鎮静効果が得られる．なお症例により，硫酸アトロピンが併用される場合もある

禁忌・原則禁忌となる特定患者集団　新生児，乳児及び2歳以下の幼児

使用上の注意

禁忌　①本剤の成分に対し過敏症の既往歴のある患者　②痙攣発作の既往歴のある患者［痙攣を誘発することがある］　③外来患者［麻酔前後の管理が行き届かない］　④重篤な心疾患を有する患者［重篤な副作用が生じる可能性がある］　⑤QT延長症候群のある患者［QT延長が発現したとの報告がある］　⑥新生児，乳児及び2歳以下の幼児

薬物動態

血中濃度　健康男性3例に^{3}H-ドロペリドール5mgを静注時，血漿中濃度は投与後30分で約30ng/mLに低下し，以後緩やかに漸減．また，健康男性9例に^{3}H-ドロペリドール5mgを筋注時，吸収は速く，その血漿中濃度の推移は静注と類似（外国人データ）　**分布**　ラットに^{3}H-ドロペリドール1.6mg/kgを皮下注し，臓器中の放射活性を測定した結果，肝・腎では投与後30分，血液その他の臓器では15分後に最高値を示し，いずれの臓器においても急速に低下し，蓄積傾向は認められなかった　**排泄**　健康男性3例に^{3}H-ドロペリドール5mgを静注時，投与後96時間以内に投与量の約75％相当の代謝物及び1％未満の未変化体が尿中に排泄（外国人データ）

その他の管理的事項

投与期間制限　該当しない

保険給付上の注意　該当しない

資料

IF　ドロレプタン注射液25mg　2019年12月改訂（第2版）

トロンビン
Thrombin

概要

薬効分類　332　止血剤

分子量　37000～41000

ステム　該当しない

原薬の規制区分　該当しない

原薬の外観・性状　白色～淡黄色の無晶形の物質である．本品500単位当たりの量を生理食塩液1.0mLに溶かすとき，1分間以内に澄明又は僅かに混濁して溶ける

原薬の吸湿性　500単位当たりの量を生理食塩液1.0mLに溶かすとき，1分間以内に澄明又は僅かに混濁して溶ける

原薬の酸塩基解離定数　該当資料なし

先発医薬品等

細　経口用トロンビン細粒5千単位・1万単位（持田）

外用液　トロンビン液モチダソフトボトル5千・1万（持田）

外用末　トロンビン経口・外用剤5千・1万「F」（富士製薬）

後発医薬品

細　5,000単位0.5g・10,000単位1g

外用液　5,000単位

国際誕生年月　不明

海外での発売状況　該当しない

製剤

規制区分　**細**　**外用液**　㊀生物　㊀処

製剤の性状　**細**　白色の細粒剤で，味は甘い　**外用液**　無色澄明または僅かに混濁した液で，においはなく，甘味がある

有効期間又は使用期限　**細**　**外用液**　3年

貯法・保存条件　**細**　室温保存　**外用液**　10℃以下に保存

薬剤取扱い上の留意点　**細**　開封・溶解後は速やかに使用すること　**外用液**　局所に使用する場合には血管内に入らないように注意すること．酸，アルカリ，熱，重金属塩に対して不安定であるので注意すること

患者向け資料等　**細**　くすりのしおり

安定なpH域　安定なpHは7付近であり，酸により酵素活性が低下する

薬理作用

分類　止血剤

作用部位・作用機序　トロンビンは一種のたん白分解酵素で，血中のフィブリノゲンに作用してフィブリンを生成し，生成したフィブリンに活性化されたⅩⅢ因子が作用して，安定化したフィブリンを形成する．したがって，血中のフィブリノゲン減少の認められない限り，本剤は止血作用を現す．凝血の速度はトロンビン溶液の濃度に依存する

同効薬　**細**　アルギン酸ナトリウム製剤　**外用液**　カルバゾクロムスルホン酸ナトリウム，ゼラチン，トラネキサム酸

治療

効能・効果　**細**　上部消化管出血

外用末　**外用液**　通常の結紮によって止血困難な小血管，毛細血管及び実質臓器からの出血（たとえば外傷に伴う出血，手術中の出血，骨性出血，膀胱出血，抜歯後の出血，鼻出血及び上部消化管からの出血等）

用法・用量　**細**　適当な緩衝剤に溶かした溶液（トロンビンとして200～400単位/mL）を服用（適宜増減）

外用末　**外用液**　出血局所に，生理食塩液に溶かした溶液（トロンビンとして50～1000単位/mL）を噴霧もしくは灌注又は粉末のままで散布（ソフトボトル液は出血局所にそのまま噴霧もしくは灌注又は散布）（適宜増減）．上部消化管出血の場合には，適当な緩衝剤で希釈した液（トロンビンとして200～400単位/mL）を経口投与（適宜増減）

用法・用量に関連する使用上の注意　**細**　トロンビンの至適pHは7付近であり，酸により酵素活性を失うので，投与する際には，事前に緩衝液等により胃酸を中和させる

外用末　**外用液**　トロンビンの至適pHは7付近であり，酸により酵素活性が低下するので，上部消化管出血に用いる場合には，事前に緩衝液等により胃酸を中和させる

使用上の注意

> **警告**　**細**　血液を凝固させるので，血管内には注入しない
> **外用末**　**外用液**　注射しない［静脈内に誤って注射すると，血液を凝固させ致死的な結果を招くおそれがある．また，アナフィラキシーを起こすおそれがあるので，静脈内はもちろん皮下・筋肉内にも注射しない］

禁忌　①本剤又は牛血液を原料とする製剤（フィブリノリジン，幼牛血液抽出物等）に対し過敏症の既往歴のある患者　②凝血促進剤（ヘモコアグラーゼ），抗プラスミン剤（トラネキサム酸），アプロチニン製剤を投与中の患者

その他の管理的事項

投与期間制限　該当しない

保険給付上の注意　該当しない

資料

IF　経口用トロンビン細粒5千単位・1万単位　2015年8月改訂（第11版）
トロンビン経口・局所用液5千「F」　2015年3月改訂（第7版）

ドンペリドン
Domperidone

概要

薬効分類 239 その他の消化器官用薬

構造式

分子式 $C_{22}H_{24}ClN_5O_2$

分子量 425.91

ステム リスペリドン誘導体：-peridone

原薬の規制区分 劇(ただし，1個中10mg又は1%以下を含有する内用剤及び1個中60mg以下を含有する坐剤を除く)

原薬の外観・性状 白色～微黄色の結晶性の粉末又は粉末である．酢酸(100)に溶けやすく，メタノール又はエタノール(99.5)に溶けにくく，2-プロパノールに極めて溶けにくく，水にほとんど溶けない

原薬の吸湿性 吸湿性なし

原薬の融点・沸点・凝固点 融点：約243℃(分解)

原薬の酸塩基解離定数 pKa_1＝7.8(ピペリジン部分)，pKa_2＝11.5(ベンズイミダゾロン部分)

先発医薬品等

細 ナウゼリン細粒1%(協和キリン)

錠 ナウゼリン錠5・10(協和キリン)

ナウゼリンOD錠5・10(協和キリン)

シロップ用 ナウゼリンドライシロップ1%(協和キリン)

坐 ナウゼリン坐剤10・30・60(協和キリン)

後発医薬品

錠 5mg・10mg

シロップ用 1%

坐 10mg・30mg

国際誕生年月 1978年

海外での発売状況 英，仏，独など100カ国以上

製剤

製剤の性状 **細** 白色の細粒剤，無臭・無味 **錠** 白色のフィルムコーティング錠 **口腔内崩壊錠** ごくうすい黄色の素錠 **シロップ用** 白色・粉末を含む微細な粒子，用時水で懸濁して服用するシロップ剤，無臭・甘味 **坐** 白色～帯黄白色の紡すい形の坐剤

有効期間又は使用期限 3年

貯法・保存条件 室温保存

薬剤取扱い上の留意点 眠気，めまい・ふらつきが現れることがあるので，本剤投与中の患者には自動車の運転等危険を伴う機械操作に注意させること **口腔内崩壊錠** 本剤の錠剤表面に斑点が認められることがあるが，これは使用色素によるものであり，品質に影響はない

患者向け資料等 くすりのしおり

溶液及び溶解時のpH 該当しない

浸透圧比 該当しない

安定なpH域 該当しない

調製時の注意 **シロップ用** 他のドライシロップ，細粒，顆粒，散剤と混合調剤した場合，相手薬によって湿潤してくる可能性がある．また，本剤を水で懸濁して液シロップと配合すると，主薬のドンペリドンが遊離して苦味を呈することがある

薬理作用

分類 ベンズイミダゾロン系消化管運動改善剤

作用部位・作用機序 上部消化管並びにCTZ(chemoreceptor trigger zone)に作用し，抗ドパミン作用により薬効を発現する

同効薬 メトクロプラミド，アクラトニウムナパジシル酸塩，トリメブチンマレイン酸塩，イトプリド塩酸塩，モサプリドクエン酸塩水和物など

治療

効能・効果 **細** **錠** **口腔内崩壊錠** 次の疾患及び薬剤投与時の消化器症状(悪心，嘔吐，食欲不振，腹部膨満，上腹部不快感，腹痛，胸やけ，曖気) ①成人：慢性胃炎，胃下垂症，胃切除後症候群．抗悪性腫瘍剤又はレボドパ製剤投与時 ②小児：周期性嘔吐症，上気道感染症．抗悪性腫瘍剤投与時

シロップ用 **10mg坐** **30mg坐** 次の疾患及び薬剤投与時の消化器症状(悪心，嘔吐，食欲不振，腹部膨満，腹痛)：周期性嘔吐症，乳幼児下痢症，上気道感染症．抗悪性腫瘍剤投与時

60mg坐 次の疾患及び薬剤投与時の消化器症状(悪心，嘔吐，食欲不振，腹部膨満，上腹部不快感，胸やけ)：胃・十二指腸手術後．抗悪性腫瘍剤投与時

用法・用量 **細** **錠** **口腔内崩壊錠** **シロップ用** ドンペリドンとして1回10mg(レボドパ製剤投与時5～10mg)1日3回食前，小児1日1～2mg/kgを食前3回に分服(適宜増減)．小児は1日投与量30mgを超えない．6歳以上1日最高1mg/kgまで．ドライシロップは用時水で懸濁

坐 ドンペリドンとして1回60mg1日2回，小児1回3歳以上30mg，3歳未満10mg1日2～3回直腸内投与(適宜増減)

禁忌・原則禁忌となる特定患者集団 妊婦又は妊娠している可能性のある女性

使用上の注意

禁忌 ①本剤の成分に対し過敏症の既往歴のある患者 ②妊婦又は妊娠している可能性のある女性 ③消化管出血，機械的イレウス，消化管穿孔の患者［症状が悪化するおそれがある］ ④プロラクチン分泌性の下垂体腫瘍(プロラクチノーマ)の患者［抗ドパミン作用によりプロラクチン分泌を促す］

相互作用概要 主にCYP3A4で代謝される

薬物動態

血中濃度 ①経口：健康成人10例に10mgを絶食下単回経口投与時の薬物動態パラメータはtmax0.5h，Cmax約11ng/mL，$AUC_{0\text{-}24}$ 35.5±7.9ng・h/mL，$t_{1/2}\alpha$ 0.89±0.40，$t_{1/2}\beta$ 10.3±2.2 ②坐剤：健康成人6例に30mg及び60mg(各3例)を直腸内単回投与時の薬物動態パラメータ(30mg，60mgの順)は，tmax(h)2，2，Cmax(ng/mL)23.4，43.3，$t_{1/2}$(h)約7，約7，$AUC_{0\text{-}24}$(ng・h/mL)225.5，396.7 **吸収** バイオアベイラビリティ：外国人健康成人7例に60mgを絶食下単回経口投与時のバイオアベイラビリティは12.7% **分布** ①体組織への分布：ラットに^{14}C-ドンペリドン2.5mg/kgを経口及び静注時，いずれも腸管組織，肝臓，膵臓等に高濃度に分布したが，脳への分布は極めて低かった．また，蓄積性も認められなかった ②血液－脳関門通過性：ラットに^{14}C-ドンペリドン2.5mg/kgを経口投与時，脳内放射能濃度は投与後0.25～1時間で最高，その後定常状態に達した時点では血漿中放射能濃度の約1/5 ③血液－胎盤関門通過性：妊娠ラットに^{14}C-ドンペリドン2.5mg/kgを静注又は経口投与時，胎盤内放射能濃度は投与1時間後に最高，母体血漿中放射能濃度に比べ静注では2.7倍，経口では2倍 ④母乳中への移行性：授乳ラットに^{14}C-ドンペリドン2.5mg/kgを静注又は経口投与時，乳汁中放射能濃度は静注後30分，経口投与後1～2時間で最高に達した ⑤血漿蛋白結合率：ヒト血漿蛋白結合率は添加濃度10ng/mLで91.8%，100ng/mLで93.0%(*in vitro*，外国人データ) **代謝** ①*in vitro*試験で，代謝には肝チトクロームP450(CYP3A4)が約50%関与することが示された ②外国人健康成人3例に^{14}C-ドンペリドン40mgを経口投与時，尿中の主代謝物はN-脱アルキル体とその抱合体，糞中の主代謝物は水酸化体 **排泄** ①経口：外国人健康成人3例に^{14}C-ドンペリドン

ト

40mgを経口投与時，4日以内に総放射能の約95%が排泄．なお，尿中と糞中への排泄の割合は約3：7．尿中には投与後24時間以内に大部分が排泄され，24時間後の尿中排泄率は投与量の29.5%．一方，糞中には投与量の約66%が投与後4日以内に排泄．未変化体の尿中排泄率及び糞中排泄率は，それぞれ投与量の0.39%及び約10%　②坐剤：健康成人6例に30mg又は60mg（各3例）を直腸内単回投与時，投与後24時間までに尿中に投与量の0.3～1%が未変化体として排泄され，そのうち約1/3は投与後4時間までに排泄．また，60mgを直腸内単回投与時，投与後8時間までに未変化体及び代謝物として投与量の3.8%が尿中へ排泄　**薬物相互作用**　①イトラコナゾール：外国人健康成人15例に本剤（経口剤，20mg，単回投与）とイトラコナゾール（200mg/日，5日間反復投与）を併用投与時，本剤のCmax及び$AUC_{0-\infty}$はそれぞれ2.7倍及び3.2倍増加　②エリスロマイシン：外国人健康成人32例に本剤（経口剤，10mg/回，1日4回，5日間反復投与）とエリスロマイシン（500mg/日，1日3回，5日間反復投与）を併用投与時，本剤のCmax及びAUC（AUC_{τ}及び$AUC_{12h, ss}$）はそれぞれ約142%及び約167%増加．同試験で，QT延長が認められ，その最大値（95%信頼区間）は本剤単独投与では7.52ms（0.602-14.435），エリスロマイシン単独投与では9.19ms（1.678-16.706），併用投与では14.26ms（8.014-20.505）

その他の管理的事項

投与期間制限　該当しない

保険給付上の注意　該当しない

資料

IF　ナウゼリン細粒1%・錠5・10・OD錠5・10・ドライシロップ1%　2020年4月改訂（第2版）
ナウゼリン坐剤10・30・60　2020年1月改訂（第1版）

ナイスタチン
Nystatin

概要

分子式　$C_{47}H_{75}NO_{17}$

分子量　926.09

原薬の規制区分　該当しない

原薬の外観・性状　白色～淡黄褐色の粉末である．ホルムアミドにやや溶けやすく，メタノールにやや溶けにくく，エタノール(95)に溶けにくく，水に極めて溶けにくい．水酸化ナトリウム試液に溶ける

治療

効能・効果†　〈有効菌種〉カンジダ　〈適応症〉消化管カンジダ症

ナテグリニド
ナテグリニド錠
Nateglinide

概要

薬効分類　396　糖尿病用剤

構造式

分子式　$C_{19}H_{27}NO_3$

分子量　317.42

ステム　スルホンアミド誘導体以外の血糖降下剤：-gli-

原薬の規制区分　該当しない

原薬の外観・性状　白色の結晶性の粉末である．メタノール又はエタノール(99.5)に溶けやすく，アセトニトリルにやや溶けにくく，水にほとんど溶けない．希水酸化ナトリウム試液に溶ける．結晶多形が認められる

原薬の吸湿性　認められない

原薬の融点・沸点・凝固点　融点：137～141℃

原薬の酸塩基解離定数　pKa＝3.1

先発医薬品等

錠　スターシス錠30mg・90mg(アステラス)
　ファスティック錠30・90(EAファーマ＝持田)

後発医薬品

錠　30mg・90mg

国際誕生年月　1999年6月

海外での発売状況　米，英など

製剤

規制区分　錠　㈹

製剤の性状　30mg錠 白色のフィルムコーティング錠　90mg錠 淡赤色のフィルムコーティング錠

有効期間又は使用期限　3年

貯法・保存条件　気密容器，室温保存(90mg錠 吸湿性があるので，PTPシートの状態で保存すること)

薬剤取扱い上の留意点　服用後，低血糖及び低血糖症状を起こすことがあるので，高所作業，自動車の運転等に従事している患者に投与するときには注意すること．患者に対し低血糖症状及びその対処方法について十分説明すること

患者向け資料等　患者向医薬品ガイド，くすりのしおり，その他患者向け資材

溶液及び溶解時のpH　該当しない

浸透圧比　該当しない

安定なpH域　該当しない

調製時の注意　該当しない

薬理作用

分類　速効・短時間型インスリン分泌促進薬

作用部位・作用機序　膵β細胞膜上のスルホニルウレア受容体(SU受容体)に結合することにより，ATP感受性K^+チャネルを閉鎖し細胞膜の脱分極を引き起こす．その結果，電位依存性L型Ca^{2+}チャネルが開口し，細胞外からのCa^{2+}流入により細胞内Ca^{2+}濃度が上昇し，この上昇によりインスリン分泌顆粒の開口放出が起こるものと推察される(*in vitro*)

同効薬　ミチグリニドカルシウム水和物，レパグリニド

治療

効能・効果　2型糖尿病における食後血糖推移の改善．ただし，次のいずれかの治療で十分な効果が得られない場合に限る：①食事療法・運動療法のみ　②食事療法・運動療法に加えてα-グルコシダーゼ阻害剤を使用　③食事療法・運動療法に加えてビグアナイド系薬剤を使用　④食事療法・運動療法に加えてチアゾリジン系薬剤を使用

効能・効果に関連する使用上の注意　①糖尿病の診断が確立した患者に対してのみ適用を考慮する．糖尿病以外にも耐糖能異常・尿糖陽性等，糖尿病類似の症状(腎性糖尿，老人性糖代謝異常，甲状腺機能異常等)を有する疾患があることに留意する　②糖尿病治療の基本である食事療法・運動療法のみを行っている患者では，投与の際，空腹時血糖が120mg/dL以上，又は食後血糖1又は2時間値が200mg/dL以上の患者に限る　③食事療法・運動療法に加えてα-グルコシダーゼ阻害剤を使用している患者では，投与の際の空腹時血糖値は140mg/dL以上を目安とする

用法・用量　1回90mgを1日3回毎食直前．なお，効果不十分な場合には，経過を十分に観察しながら1回量を120mgまで増量できる

用法・用量に関連する使用上の注意　①食後投与では速やかな吸収が得られず効果が減弱する．効果的に食後の血糖上昇を抑制するため，投与は毎食前10分以内(食直前)とする．また，投与後，速やかに薬効を発現するため，食前30分投与では食事開始前に低血糖を誘発する可能性がある　②高齢者には，低用量(例えば1回量60mg)から投与を開始するとともに，血糖値に留意するなど，経過を十分に観察しながら慎重に投与する

禁忌・原則禁忌となる特定患者集団　妊婦又は妊娠している可能性のある女性

使用上の注意

禁忌　①重症ケトーシス，糖尿病性昏睡又は前昏睡，インスリン依存型糖尿病の患者［輸液及びインスリンによる速やかな高血糖の是正が必須となるので本剤の投与は適さない］　②透析を必要とするような重篤な腎機能障害のある患者　③重症感染症，手術前後，重篤な外傷のある患者［インスリン注射による血糖管理が望まれるので本剤の投与は適さない］　④本剤の成分に対し過敏症の既往歴のある患者　⑤妊婦又は妊娠している可能性のある女性

相互作用概要　主としてCYP2C9で代謝される

薬物動態

血中濃度　①単回投与：健康成人男性(6名)に空腹時経口投与時(20，40，60mgの順)のTmax(hr)は1.31，1.75，0.92，Cmax(μg/mL)1.52，3.13，4.68，半減期(hr)1.16，1.12，1.27で，投与後0.9～1.8時間で最高値に達し，半減期は1.1～1.3時間　**吸収**　食事の影響：健康成人男性(10名)に食前60mg経口投与時，投与後約0.5時間で最高値に達し，半減期は約1時間　**代謝**　健康成人男性に60mgを経口投与時，血漿中のナテグリニドの代謝物としてイソプロピル基の水酸化体が最も多く，次いでイソプロピル基の脱水素体が認められ，他の代謝物は検出されなかった．ラット及びイヌにおいて肝

臓及び腎臓で代謝され，ヒトにおいては主として肝臓の薬物代謝酵素CYP2C9で代謝(*in vitro*)　**排泄**　尿中にはイソプロピル基の水酸化体が主として排泄され(投与量の約40%)，未変化体の尿中排泄率は約5%．一方，ラット及びイヌに放射能標識したナテグリニドを投与時，投与した放射能の30～40%が尿中に，50～60%が胆汁中に排泄　**薬物相互作用**　①ビグアナイド系薬剤併用時の血漿中濃度：メトホルミン塩酸塩使用中の2型糖尿病患者に1回60mg，90mg又は120mg1日3回毎食直前12週間経口投与時の血漿中濃度は，ナテグリニドを単独で同量，単回投与時とそれぞれ類似．また，メトホルミン塩酸塩の薬物動態に大きな影響はなかった(外国人データを含む)　②チアゾリジン系薬剤併用時の血漿中濃度：ピオグリタゾン塩酸塩使用中の2型糖尿病患者に，朝食直前に120mg単回経口投与時の血漿中濃度は，ナテグリニドを単独で同用量単回投与時の結果と類似．また，ピオグリタゾン塩酸塩の未変化体及び活性化合物合計の血清中濃度に対し，本剤併用による影響はなかった

その他の管理的事項

投与期間制限　該当しない

資料

IF　スターシス錠30mg・90mg　2020年4月改訂(第25版)

ナドロール
Nadolol

概要

薬効分類　212　不整脈用剤，214　血圧降下剤

構造式

及び鏡像異性体

R^1 = OH, R^2 = H or R^1 = H, R^2 = OH

分子式　$C_{17}H_{27}NO_4$

分子量　309.40

ステム　アドレナリンβ受容体拮抗薬：-olol

原薬の規制区分　㊙(ただし，1個中60mg以下を含有する内用剤を除く)

原薬の外観・性状　白色～帯黄褐白色の結晶性の粉末である．メタノール又は酢酸(100)に溶けやすく，エタノール(95)にやや溶けやすく，水又はクロロホルムに溶けにくい．本品のメタノール溶液(1→100)は旋光性を示さない

原薬の吸湿性　認められない

原薬の融点・沸点・凝固点　融点：約137℃

原薬の酸塩基解離定数　pKa＝9.75(中和滴定法)

先発医薬品等

錠　ナディック錠30mg・60mg(大日本住友)

国際誕生年月　不明

海外での発売状況　米，英など

製剤

規制区分　**錠**　㊙

製剤の性状　**錠**　白色の割線入り素錠

有効期間又は使用期限　3年

貯法・保存条件　気密容器，室温保存

薬剤取扱い上の留意点　めまい，ふらつきが現れることがあるので，本剤投与中の患者(特に投与初期)には，自動車の運転など危険を伴う機械の作業に注意させること．手術前48時間は投与しないことが望ましい

患者向け資料等　くすりのしおり

溶液及び溶解時のpH　該当しない

浸透圧比　該当しない

安定なpH域　該当しない

調製時の注意　該当しない

薬理作用

分類　交感神経β受容体遮断剤

作用部位・作用機序　作用部位：交感神経β受容体　作用機序：抗高血圧作用機序としてはβ遮断作用と，それにもとづく心拍出量の減少，レニン分泌の低下及びシナプス前膜β受容体遮断による交感神経緊張の低下が推察された．なお，親水性タイプのβ遮断剤で血液・脳関門を通過し難く，脳内への移行率がきわめて少ないことから，降圧作用機序における中枢神経系の関与は少ないと考えられた．抗不整脈作用及び抗狭心症作用の機序として，β遮断作用にもとづく心臓の刺激伝導系の抑制，心仕事量及び心筋酸素消費量の低下が推察された

同効薬　プロプラノロール塩酸塩，アテノロール，アルプレノロール塩酸塩，アセブトロール塩酸塩，カルテオロール塩酸塩，ピンドロールなど

治療

効能・効果　本態性高血圧症(軽症～中等症)，狭心症，頻脈性不整脈

用法・用量　1日1回30～60mg(適宜増減)

用法・用量に関連する使用上の注意　①褐色細胞腫の患者では，本剤の単独投与により急激に血圧が上昇することがあるので，α遮断剤で初期治療を行った後に本剤を投与し，常にα遮断剤を併用する　②腎障害のある患者では血中濃度が高値になることがあるので，クレアチニンクリアランス値が50mL/分，糸球体ろ過値が50mL/分以下の場合は，投与間隔を延長する等，慎重に投与する

禁忌・原則禁忌となる特定患者集団　妊婦又は妊娠している可能性のある婦人

使用上の注意

禁忌　①気管支喘息，気管支痙攣，慢性閉塞性肺疾患のおそれのある患者［気管支筋を収縮させ，喘息症状の誘発及び症状の悪化を招くおそれがある］　②糖尿病性ケトアシドーシス，代謝性アシドーシスのある患者［心筋収縮力の抑制が増強されるおそれがある］　③高度の徐脈(著しい洞性徐脈)，房室ブロック(II，III度)，洞房ブロック，洞不全症候群のある患者［心刺激伝導の抑制により，症状の悪化をきたす］　④心原性ショックの患者［心拍出量の抑制により，循環不全が悪化するおそれがある］　⑤肺高血圧による右心不全のある患者［心拍出量の抑制により，症状の悪化をきたすおそれがある］　⑥うっ血性心不全のある患者［心収縮力抑制作用により，症状の悪化をきたすおそれがある］　⑦異型狭心症の患者［症状を悪化させるおそれがある］　⑧未治療の褐色細胞腫の患者　⑨妊婦又は妊娠している可能性のある婦人

過量投与　①症状：過度の徐脈，心不全，低血圧，気管支痙攣等が現れることがある　②処置：中止し，必要に応じて胃洗浄，血液透析等により薬剤の除去を行う．心電図をモニターするとともに，次のような適切な処置を行う：(1)過度の徐脈に対しては，まずアトロピン硫酸塩水和物(0.25～1mg静注)を投与し，さらに必要に応じてβ-刺激剤の投与や心臓ペーシングを行う　(2)心不全に対しては，強心配糖体，利尿剤を投与する　(3)低血圧に対しては，アドレナリン等の昇圧剤を投与する　(4)気管支痙攣に対しては，β_2-刺激剤又はアミノフィリンの静注や補助呼吸を行う

薬物動態

血漿中濃度　①健康成人に60mgを1回投与時のTmaxは4hr，Cmaxは59.1ng/mL，$T_{1/2}$4.8hr(α相)，19.6hr(β相)　②高血圧患者に30mgを1回投与時のTmaxは4hr，Cmaxは40.5ng/

mL，$T_{1/2}$ 2.5hr（α 相），17.4hr（β 相） **吸収率（参考）** 17.9%（ラット） **血漿蛋白結合率** 23.9%（*in vitro*，ヒト血漿，60ng/mL） **主な代謝産物及び代謝経路** 体内では代謝されない **排泄経路及び排泄率** ①排泄経路：主として尿中 ②排泄率：投与後72時間までの尿中に11.5〜14.1%が未変化体として排泄（健康成人，60mg1回投与） **腎機能障害患者における薬物動態** クレアチニンクリアランスが9〜50mL/min/1.48m^{2}の腎機能障害患者8名に60mgを1回投与時の血中濃度半減期は，27.8〜83.5時間と健康成人に比べてかなり遅延

その他の管理的事項

投与期間制限 該当しない

保険給付上の注意 該当しない

資料

IF ナディック錠30mg・90mg 2017年10月改訂（第12版）

ナファゾリン塩酸塩
Naphazoline Hydrochloride

概要

構造式

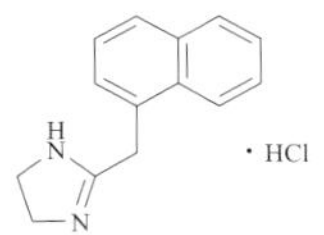

分子式 $C_{14}H_{14}N_2 \cdot HCl$

分子量 246.74

原薬の規制区分 該当しない

原薬の外観・性状 白色の結晶性の粉末で，においはなく，味は苦い．水に溶けやすく，エタノール(95)又は酢酸(100)にやや溶けやすく，無水酢酸に極めて溶けにくく，ジエチルエーテルにほとんど溶けない．0.10gを新たに煮沸して冷却した水10mLに溶かした液のpHは5.0〜7.0である

原薬の融点・沸点・凝固点 融点：255〜260℃（分解）

製剤

溶液及び溶解時のpH 0.10gを新たに煮沸して冷却した水10mLに溶かした液のpHは5.0〜7.0である

ナファゾリン硝酸塩
Naphazoline Nitrate

概要

薬効分類 131 眼科用剤，132 耳鼻科用剤

構造式

分子式 $C_{14}H_{14}N_2 \cdot HNO_3$

分子量 273.29

ステム アンダゾリン系血管収縮薬：-azoline

原薬の規制区分 該当しない

原薬の外観・性状 白色の結晶性の粉末で，においはなく，味は苦い．酢酸(100)に溶けやすく，エタノール(95)にやや溶けやすく，水にやや溶けにくく，無水酢酸に溶けにくく，ジエチルエーテルにほとんど溶けない．0.1gを新たに煮沸して冷却した水10mLに溶かした液のpHは5.0〜7.0である

原薬の吸湿性 該当資料なし

原薬の融点・沸点・凝固点 融点：167〜170℃

原薬の酸塩基解離定数 該当資料なし

先発医薬品等

点眼液 プリビナ点眼液0.5mg/mL（日新製薬）

点鼻液 プリビナ液0.05%（日新製薬）

国際誕生年月 1943年1月

海外での発売状況 米，英など

製剤

製剤の性状 **点眼液** 無色澄明の液（無菌製剤） **点鼻液** 液剤，無色澄明の等張な緩衝液

有効期間又は使用期限 **点眼液** 3年 **点鼻液** 5年

貯法・保存条件 室温保存

薬剤取扱い上の留意点 **点眼液** **点鼻液** 調剤上の留意点：本品を小分けする場合は，微生物の混入等汚染が起きないよう注意し，一度小分けしたものは，本品容器に戻さないこと．また，汚染が起きたときは使用しないこと **点眼液** 調剤専用 **点鼻液** 配合不適なものとしてデカドロン注，リンデロン液の報告がある

患者向け資料等 くすりのしおり

溶液及び溶解時のpH **点眼液** 5.3〜6.3 **点鼻液** pH4.5〜4.9

薬理作用

分類 αアドレナリン受容体作用薬

作用部位・作用機序 ①αアドレナリン刺激作用：血管平滑筋のαアドレナリン受容体に直接作用して血管を収縮させる ②末梢血管収縮作用：アドレナリンより強い末梢血管収縮作用を有し，作用持続時間も長い

同効薬 トラマゾリン塩酸塩，テトラヒドロゾリン，オキシメタゾリン塩酸塩

治療

効能・効果 **点眼液** 表在性充血（原因療法と併用）

点鼻液 上気道の諸疾患の充血・うっ血，上気道粘膜の表面麻酔時における局所麻酔剤の効力持続時間の延長

用法・用量 **点眼液** 1回1〜2滴1日2〜3回点眼（適宜増減）

点鼻液 鼻腔内には1回2〜4滴，咽頭及び喉頭には1回1〜2mL，1日数回塗布又は噴霧（適宜増減）．局所麻酔剤への添加には，局所麻酔剤1mLあたり0.05%液2〜4滴の割合で添加

使用上の注意

禁忌 **点眼液** ①閉塞隅角緑内障の患者［アドレナリン作用により散瞳をきたし，症状を悪化させる］ ②MAO阻害剤の投与を受けている患者［併用により，急激な血圧上昇を起こすおそれがある］

点鼻液 ①本剤に対し過敏症の既往歴のある患者 ②2歳未満の乳・幼児［作用が強く現れ，ショックを起こすことがある］ ③MAO阻害剤の投与を受けている患者［併用により，急激な血圧上昇を起こすおそれがある］

過量投与 **点鼻液** ①徴候・症状：主な全身作用として，血圧上昇と二次作用として臓器虚血がみられる．幼・小児では顕著な鎮静が現れ，迅速な処置が必要となる．幼・小児でみられる症状に次のようなものがある：(1)呼吸機能：呼吸数の低下又はチェーン・ストークス型の不規則呼吸，二次性肺水腫 (2)心血管系：頻脈，高血圧，反射性徐脈．重度の場合一過性の血圧上昇の後に低血圧及びショック．心律動障害，冠動脈収縮に伴う狭心症様症状 (3)中枢神経系：一過性興奮及び反射亢進，次いで体温低下や意識障害等の中枢神経系の抑制，瞳孔散大，一過性の神経過敏，頭痛，眠気，めまい (4)皮膚・粘膜：四肢冷却，蒼白，発汗，悪寒 ②処置：微温の等張食塩液で鼻腔内を繰り返しすすぎ，洗浄液を吐き出させる．患者の意識が障害されている場合や幼・小児では頭を下げた姿勢をとらせ，鼻をすすぎ，同時に嚥下を避けるために鼻-咽頭

腔の吸引を行う．特別な処置法は知られていないが，その薬理作用から次のような処置法が考えられる：(1)呼吸不全：酸素供給，気管内挿管，人工呼吸 (2)高血圧：動脈及び中心静脈圧をモニターしながらα-ブロッカー(フェントラミンの点滴静注等)又は直接的血管拡張作用のある薬剤(ヒドララジン静注等)の投与 (3)低血圧：両下肢を挙上し，血漿増量剤を投与．血管作用薬が必要な場合，その効果をモニターし，用量を調節しながら投与 (4)心律動障害：不整脈の一般的処置法に準ずる (5)痙攣，興奮性亢進状態：酸素供給，十分な換気，ジアゼパム又は短時間作用型バルビツール酸系の投与．抗痙攣剤が換気不全を悪化させることがあり，また興奮状態から突然中枢神経抑制状態に変わることがあるので注意する

その他の管理的事項

投与期間制限 該当しない

保険給付上の注意 該当しない

資料

IF プリビナ点眼液0.5mg/mL 2020年6月改訂(第7版)
プリビナ液0.05% 2018年1月改訂(第5版)

ナファゾリン・クロルフェニラミン液
Naphazoline and Chlorpheniramine Solution

概要

分子式 ［ナファゾリン硝酸塩］$C_{14}H_{14}N_2 \cdot HNO_3$ ［クロルフェニラミンマレイン酸塩］$C_{16}H_{19}ClN_2 \cdot C_4H_4O_4$

分子量 ［ナファゾリン硝酸塩］273.29 ［クロルフェニラミンマレイン酸塩］390.86

原薬の規制区分 該当しない

原薬の外観・性状 無色澄明の液である

製剤

貯法・保存条件 気密容器，遮光保存

ナファモスタットメシル酸塩
Nafamostat Mesilate

概要

薬効分類 399 他に分類されない代謝性医薬品

構造式

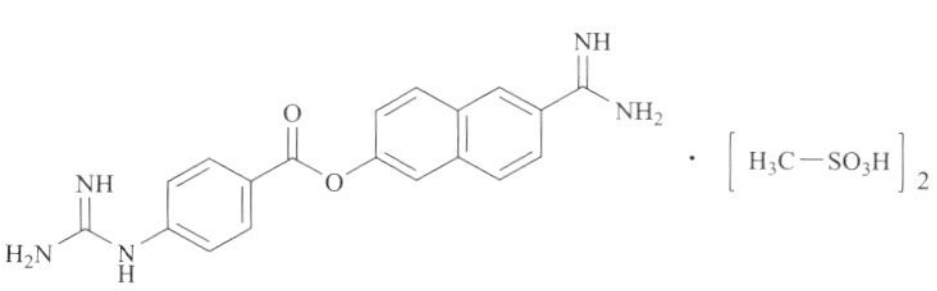

NH
NH₂
O
O
NH
H₂N
N
H
H₃C—SO₃H
2

分子式 $C_{19}H_{17}N_5O_2 \cdot 2CH_4O_3S$

分子量 539.58

ステム 酵素阻害薬：-stat

原薬の規制区分 [劇]

原薬の外観・性状 白色の結晶性の粉末である．ギ酸に溶けやすく，水にやや溶けやすく，エタノール(99.5)にほとんど溶けない．0.01mol/L塩酸試液に溶ける．1.0gを水50mLに溶かした液のpHは4.7～5.7である

原薬の吸湿性 認められていない

原薬の融点・沸点・凝固点 融点：約262℃(分解)

原薬の酸塩基解離定数 該当資料なし

先発医薬品等
注射用 注射用フサン10・50(日医工)

後発医薬品
注射用 10mg・50mg・100mg・150mg

国際誕生年月 1986年10月

海外での発売状況 韓国

製剤

規制区分 注射用 [劇] [処]

製剤の性状 注射用 白色の多孔質の軽い塊である

有効期間又は使用期限 3年

貯法・保存条件 遮光・室温保存

薬剤取扱い上の留意点 透析器：AN69(ポリアクリロニトリル)膜への吸着性が高いので，本剤の使用を避けること

患者向け資料等 くすりのしおり

溶液及び溶解時のpH 3.5～4.0

浸透圧比 10mg注射用 約1(1バイアル/500mL5%ブドウ糖注射液)(対生食) 50mg注射用 約2(1バイアル/4mL5%ブドウ糖注射液)(対生食)

調製時の注意 白濁あるいは結晶が析出する場合があるので，生理食塩液又は無機塩類を含有する溶液をバイアルに直接加えないこと

薬理作用

分類 蛋白分解酵素阻害剤

作用部位・作用機序 作用部位：トリプシン様セリン蛋白分解酵素 作用機序：蛋白分解酵素を可逆的に阻害すると考えられる

同効薬 膵炎の急性症状の改善：ガベキサートメシル酸塩，カモスタットメシル酸塩，ウリナスタチン DIC：ガベキサートメシル酸塩，ヘパリン製剤，乾燥濃縮人アンチトロンビンⅢ，ダナパロイドナトリウム，トロンボモデュリン アルファ(遺伝子組換え) 血液体外循環時の凝固防止：ヘパリン製剤，アルガトロバン

治療

効能・効果 ①膵炎の急性症状(急性膵炎，慢性膵炎の急性増悪，術後の急性膵炎，膵管造影後の急性膵炎，外傷性膵炎)の改善 ②汎発性血管内血液凝固症(DIC) ③出血性病変又は出血傾向がある患者の血液体外循環時の灌流血液の凝固防止(血液透析及びプラスマフェレーシス) ※効能①は10mg注のみ

用法・用量 効能①：1回10mgを5%ブドウ糖注射液500mLに溶解し，約2時間前後かけて1日1～2回点滴静注(適宜増減) 効能②：1日量を5%ブドウ糖注射液1000mLに溶解し，毎時0.06～0.2mg/kgを24時間かけて静脈内に持続注入 効能③：体外循環開始に先だち，20mgを生理食塩液500mLに溶解した液で血液回路内の洗浄・充てんを行い，体外循環開始後は，毎時20～50mgを5%ブドウ糖注射液に溶解し，抗凝固剤注入ラインから持続注入(適宜増減)．注射液の調製法は添付文書参照

使用上の注意

禁忌 本剤の成分に対し過敏症の既往歴のある患者

薬物動態

血中濃度 ①健康成人男子に1020mgを90分間点滴静注時，血中未変化体濃度は点滴開始後60～90分後に最高，それぞれ16.4，61.5ng/mL．血中からの消失は速やかで，投与終了1時間後5ng/mL以下 ②DIC患者に0.1又は0.2mg/kg/hrで13～23日間点滴静注時，約14～130ng/mLを維持 ③血液透析患者の体外循環回路内に40mg/時で5時間持続注入時，体外循環回路内の血中濃度は，透析器前で最も高く，透析器から約40%透析．体内血中濃度は約300ng/mL **尿中排泄** ①健康成人男子に20，40mgを点滴静注時，主代謝物である総アミジノナフトールの尿中排泄率は，24時間後にそれぞれ27.1，30.2% ②DIC患者に0.1又は0.2mg/kg/hrの速度で13～23日間点滴静注時，24時間後までの総アミジノナフトール排泄率16.2～24.9%，その後徐々に増加．0.2mg/kg/hr投与群の最終的な累積排泄率49.2～57.3% **血液透析連続使用時の代謝物濃度** 連続10回透析時，代謝物のアミジノナフトールと

そのグルクロン酸抱合体の血中濃度は，第7回透析以降ほぼ定常状態，ヘパリン透析に変更後急速に低下．p-グアニジノ安息香酸は，透析開始時よりも終了時に高く，ヘパリン透析に変更後急速に低下　**動物における分布，代謝，排泄(参考)**　①分布：ラットに^{14}C-ナファモスタットメシル酸塩1mg/kg静注で，未変化体の濃度は腎，肝，肺，膵の順．血液中濃度より高く，投与後4時間まで肝を除く臓器に存在．分娩後14日前後の哺育中のラットに^{14}C-ナファモスタットメシル酸塩1mg/kg静注で，乳汁中移行は最高濃度0.95nmoles/mL以下　②代謝：主に血液及び肝で加水分解，6-アミジノ-2-ナフトール及びp-グアニジノ安息香酸に分解，さらにグルクロン酸抱合を受けると推定される(ラット，イヌ)　③腎不全モデルにおける排泄：実験的腎不全ラットに，^{14}C-ナファモスタットメシル酸塩1mg/kg静注時，胆汁排泄を含む消化管への排泄が亢進

その他の管理的事項

投与期間制限　該当しない

保険給付上の注意　該当しない

資料

IF　注射用フサン10・50　2019年4月改訂(第6版)

ナフトピジル
ナフトピジル錠
ナフトピジル口腔内崩壊錠
Naftopidil

概要

薬効分類　259　その他の泌尿生殖器官及び肛門用薬

構造式

及び鏡像異性体

分子式　$C_{24}H_{28}N_2O_3$

分子量　392.49

ステム　血管拡張薬：-dil

原薬の規制区分　該当しない

原薬の外観・性状　白色の結晶性の粉末である．無水酢酸に極めて溶けやすく，*N,N*-ジメチルホルムアミド又は酢酸(100)に溶けやすく，メタノール又はエタノール(99.5)に溶けにくく，水にほとんど溶けない．光によって徐々に淡褐色となる．本品の*N,N*-ジメチルホルムアミド溶液(1→10)は旋光性を示さない

原薬の吸湿性　25℃，53～93%RH，14日間の条件下で保存した結果，ほとんど重量変化を示さず吸湿性は認められなかった

原薬の融点・沸点・凝固点　融点：126～129℃

原薬の酸塩基解離定数　pKa＝3.7及び6.7

先発医薬品等

錠　フリバス錠25mg・50mg・75mg(旭化成ファーマ)
　フリバスOD錠25mg・50mg・75mg(旭化成ファーマ)

後発医薬品

錠　25mg・50mg・75mg・OD錠25mg・50mg・75mg

国際誕生年月　1998年12月

海外での発売状況　韓国

製剤

規制区分　錠　口腔内崩壊錠　㊈

製剤の性状　25mg・50mg錠　白色の片面割線入り素錠　75mg錠　黄白色～淡黄色の片面割線入り素錠　口腔内崩壊錠　白色の素錠

有効期間又は使用期限　36カ月

貯法・保存条件　室温保存(外箱開封後は遮光保存すること．本剤は光により変色することがある．変色したものは使用しないこと)

薬剤取扱い上の留意点　本剤の投与初期又は用量の急増時等に，起立性低血圧に基づくめまい，立ちくらみ等が現れることがあるので，高所作業，自動車の運転等危険を伴う作業に従事する場合には注意させること

患者向け資料等　くすりのしおり

溶液及び溶解時のpH　該当しない

浸透圧比　該当しない

安定なpH域　該当しない

調製時の注意　該当しない

薬理作用

分類　選択的α_1受容体遮断剤(N-置換フェニルピペラジン誘導体)

作用部位・作用機序　作用部位：前立腺及び尿道の平滑筋　作用機序：前立腺・尿道のα_1受容体を選択的に遮断し，前立腺・尿道の平滑筋収縮を抑制することにより尿道内圧を低下させ，前立腺肥大症に伴う排尿障害を改善する

同効薬　タムスロシン塩酸塩，プラゾシン塩酸塩，テラゾシン塩酸塩水和物，ウラピジル，シロドシン

治療

効能・効果　前立腺肥大症に伴う排尿障害

効能・効果に関連する使用上の注意　本剤による治療は原因療法ではなく，対症療法であることに留意し，投与により期待する効果が得られない場合には手術療法等，他の適切な処置を考慮する

用法・用量　1日1回食後25mgから開始し，効果が不十分な場合は1～2週間の間隔をおいて1日1回50～75mgに漸増(適宜増減)．1日最高75mgまで

使用上の注意

禁忌　本剤の成分に対し過敏症の既往歴のある患者

薬物動態

血中濃度　健康成人に25，50及び100mgを空腹時単回経口投与時の薬物動態パラメータ(25mg，50mg，100mgの順)はTmax(時間)0.45±0.21，0.75±0.71，0.65±0.22，Cmax(ng/mL)39.3±10.3，70.1±32.9，134.8±55.8，半減期(時間)15.2±4.7，10.3±4.1，20.1±13.7，$AUC_{0-\infty}$(ng・hr/mL)181.1±71.8，235.8±75.3，522.8±180.4．また，1回50mgを1日2回食後反復経口投与すると，血清中濃度は4回目投与で定常状態　**吸収**　食事の影響：健康成人に50mgを空腹時及び食後単回経口投与時，最高血清中未変化体濃度到達時間はそれぞれ0.75時間及び2.20時間で，食後投与で遅延する傾向を示し，血清中濃度－時間曲線下面積はわずかに増大したが，最高血清中濃度及び消失相の半減期に変化がなく，ナフトピジルの吸収に及ぼす食事の影響は少なかった　**分布**　蛋白結合率：健康成人に100mgを空腹時単回経口投与時の血清蛋白結合率は98.5%　**代謝**　主要代謝反応は，未変化体のグルクロン酸抱合及びメトキシフェニル基の水酸化　**排泄**　健康成人に25，50及び100mgを単回経口投与時の投与後24時間までの尿中未変化体排泄率はいずれも0.01%以下

その他の管理的事項

投与期間制限　該当しない

保険給付上の注意　該当しない

資料

IF　フリバス錠25mg・50mg・75mg・OD錠25mg・50mg・75mg　2020年2月改訂(第19版)

ナブメトン
ナブメトン錠
Nabumetone

概要

薬効分類 114 解熱鎮痛消炎剤

構造式

分子式 $C_{15}H_{16}O_2$

分子量 228.29

ステム 不明

原薬の規制区分 該当しない

原薬の外観・性状 白色～帯黄白色の結晶又は結晶性の粉末である．アセトニトリルにやや溶けやすく，メタノール又はエタノール(99.5)にやや溶けにくく，水にほとんど溶けない

原薬の吸湿性 93％RH以下において吸湿性を示さない

原薬の融点・沸点・凝固点 融点：79～84℃

原薬の酸塩基解離定数 化学構造上解離基を有していないため，測定せず

先発医薬品等

錠 レリフェン錠400mg(三和化学)

国際誕生年月 1984年3月

海外での発売状況 発売されていない

製剤

製剤の性状 **錠** 白色～帯黄白色のフィルムコート錠

有効期間又は使用期限 4年

貯法・保存条件 室温保存

薬剤取扱い上の留意点 該当しない

患者向け資料等 くすりのしおり

溶液及び溶解時のpH 該当しない

浸透圧比 該当しない

安定なpH域 該当しない

調製時の注意 該当しない

薬理作用

分類 持続性抗炎症・鎮痛剤(naphthylalkanone誘導体)

作用部位・作用機序 プロスタグランジン生合成阻害作用．経口投与されたとき未変化体のまま吸収され，体内で速やかに活性代謝物に変換される．この活性代謝物6MNAはシクロオキシゲナーゼ活性抑制作用を有し，プロスタグランジン生合成を阻害することによって，抗炎症・鎮痛作用を発揮

同効薬 アンピロキシカム，ナプロキセン，ロキソプロフェンナトリウム水和物，ジクロフェナクナトリウムなど

治療

効能・効果 次の疾患ならびに症状の消炎・鎮痛：関節リウマチ，変形性関節症，腰痛症，頸肩腕症候群，肩関節周囲炎

用法・用量 1日1回800mg食後(適宜増減)

禁忌・原則禁忌となる特定患者集団 妊娠末期の婦人

使用上の注意

禁忌 ①消化性潰瘍のある患者［プロスタグランジン生合成抑制作用により胃の血流量が減少し，消化性潰瘍を悪化させるおそれがある］ ②重篤な血液の異常のある患者［症状を悪化させるおそれがある］ ③重篤な肝障害のある患者［副作用として肝障害が報告されており，肝障害をさらに悪化させるおそれがある］ ④重篤な腎障害のある患者［プロスタグランジン生合成抑制作用による腎血流量の低下等により，腎障害を悪化させるおそれがある］ ⑤本剤の成分に対し過敏症の既往歴のある患者 ⑥アスピリン喘息(非ステロイド性消炎鎮痛剤等による喘息発作の誘発)又はその既往歴のある患者［喘息発作を誘発させるおそれがある］ ⑦妊娠末期の婦人

薬物動態

経口投与：**吸収，代謝** 健常成人6例に800mgを食後1回投与後速やかに吸収，血中には大部分が活性代謝物6-メトキシ-2-ナフチル酢酸の形で存在し，未変化体はほとんどなかった．6-メトキシ-2-ナフチル酢酸は約4時間で最高血中濃度36.7μg/mLに達し，20.5時間の半減期で減少 **排泄** 健常成人に800mg投与後の尿中排泄は6-メトキシ-2-ナフチル酢酸が抱合体として約20％，未変化体はなかった．主要排泄経路は腎 **連続投与時の吸収・排泄** 健常成人6例に800mgを1日1回7日間連続投与時，6-メトキシ-2-ナフチル酢酸の血中濃度は投与後4日目で定常状態．7日目投与後の半減期は約19時間と単回投与時と大差はなかった **関節リウマチ患者での血清中濃度** 7例に800mgを1日1回42日間投与時，血清中6-メトキシ-2-ナフチル酢酸濃度は3日目の投与直前値28.7μg/mL，42日目31.8μg/mL，3日目の投与後4時間値54.1μg/mL，42日目57.6μg/mL，血清中濃度は3日目で定常状態．これらの値は健常成人に800mgを1日1回7日間投与時の4日目及び7日目の投与直前値と比べ1.2～1.4倍高い **高齢患者での血清中濃度** 高齢(69～75歳)の関節リウマチ患者9例に800mgを1日1回42日間投与時の血清中6-メトキシ-2-ナフチル酢酸濃度は成人患者群とほぼ同じで，両群間に有意差はない **血清中蛋白結合率** 関節リウマチ患者16例に800mgを1日1回42日間投与時の血清中蛋白結合率は，投与後1日目から42日目まで成人及び高齢患者とも99％以上

その他の管理的事項

投与期間制限 該当しない

保険給付上の注意 該当しない

資料

IF レリフェン錠400mg 2018年2月改訂(第6版)

ナプロキセン
Naproxen

概要

薬効分類 114 解熱鎮痛消炎剤

構造式

分子式 $C_{14}H_{14}O_3$

分子量 230.26

ステム 不明

原薬の規制区分 ㊙劇

原薬の外観・性状 白色の結晶又は結晶性の粉末で，においはない．アセトンに溶けやすく，メタノール，エタノール(99.5)又はクロロホルムにやや溶けやすく，ジエチルエーテルにやや溶けにくく，水にほとんど溶けない．水酸化ナトリウム試液に溶ける

原薬の吸湿性 ほとんど認められない

原薬の融点・沸点・凝固点 融点：154～158℃

原薬の酸塩基解離定数 pKa＝4.90(未補正：5％エタノール溶液)

先発医薬品等

錠 ナイキサン錠100mg(田辺三菱＝ニプロES)

国際誕生年月 1980年

海外での発売状況 米，英，豪，カナダなど(ナプロキセンとして)

製剤
規制区分 錠 劇
製剤の性状 錠 白色の素錠
有効期間又は使用期限 3年
貯法・保存条件 室温保存(開封後は遮光保存のこと)
薬剤取扱い上の留意点 該当しない
患者向け資料等 くすりのしおり
溶液及び溶解時のpH 該当しない
浸透圧比 該当しない
安定なpH域 該当しない
調製時の注意 該当しない
薬理作用
分類 プロピオン酸系非ステロイド性消炎鎮痛剤
作用部位・作用機序 リソゾーム系の組織分解酵素活性の抑制(ラット),肉芽組織構成成分の構造的安定化(ラット),プロスタグランジン生合成の抑制(ラット,*in vitro*)等の作用に基づくと考えられる
同効薬 インドメタシン,ジクロフェナク,ロキソプロフェン,ピロキシカム
治療
効能・効果 ①次の疾患の消炎,鎮痛,解熱:関節リウマチ,変形性関節症,痛風発作,強直性脊椎炎,腰痛症,肩関節周囲炎,頸肩腕症候群,腱・腱鞘炎,月経困難症,帯状疱疹 ②外傷後ならびに手術後の消炎,鎮痛 ③歯科・口腔外科領域における抜歯ならびに小手術後の消炎,鎮痛
用法・用量 1日300~600mgなるべく空腹時を避け2~3回に分服,痛風発作に初回400~600mg,頓用及び外傷後・術後初回に300mg(適宜増減)
禁忌・原則禁忌となる特定患者集団 妊娠後期の婦人
使用上の注意
禁忌 ①消化性潰瘍のある患者[胃粘膜の防御因子の一つであるプロスタグランジン(PG)の生合成を阻害し,胃潰瘍を悪化させるおそれがある] ②重篤な血液の異常のある患者 ③重篤な肝障害のある患者[②③副作用として血液・肝障害が報告されているため,さらに悪化させるおそれがある] ④重篤な腎障害のある患者[腎血流量を低下させることがあるので,腎障害をさらに悪化させるおそれがある] ⑤重篤な心機能不全のある患者 ⑥重篤な高血圧症の患者[⑤⑥腎血流量及び水・電解質代謝の調節作用があるPGの生合成を阻害することにより,Na・水分貯留傾向があるため心機能を悪化させたり,血圧をさらに上昇させるおそれがある] ⑦本剤の成分又は他の非ステロイド性鎮痛消炎剤に対し過敏症の既往歴のある患者 ⑧アスピリン喘息(非ステロイド性鎮痛消炎剤等により誘発される喘息発作)又はその既往歴のある患者[気管支筋拡張に関与するPGの合成を阻害することにより,気管支筋の攣縮が引き起こされ喘息発作を誘発する] ⑨妊娠後期の婦人
薬物動態
吸収 健康成人に250mg経口投与後,速やかに吸収,血漿中濃度のピーク2~4時間後,半減期約14時間(8~16時間) **代謝** 健康成人に200mg経口投与時の尿中代謝物はグルクロン酸抱合体約50%,他は主としてO-脱メチル化を受けた6-demethylnaproxenの硫酸抱合体やグルクロン酸抱合体 **排泄** 健康成人(腎機能正常者)に250mg経口投与後,主として腎臓から排泄,尿中排泄率24時間後61.5%,48時間後78%.経口投与後72時間内に尿中排泄95%
その他の管理的事項
投与期間制限 該当しない
保険給付上の注意 該当しない
資料
IF ナイキサン錠100mg 2017年10月改訂(第13版)

ナリジクス酸
Nalidixic Acid

概要
構造式

(構造式: H_3C, N, N, CH_3, CO_2H, O)

分子式 $C_{12}H_{12}N_2O_3$
分子量 232.24
原薬の規制区分 該当しない
原薬の外観・性状 白色~淡黄色の結晶又は結晶性の粉末である.*N*,*N*-ジメチルホルムアミドにやや溶けにくく,エタノール(99.5)に極めて溶けにくく,水にほとんど溶けない.水酸化ナトリウム試液に溶ける
原薬の融点・沸点・凝固点 融点:225~231℃
治療
効能・効果† 〈適応菌種〉本剤に感性の淋菌,大腸菌,赤痢菌,サルモネラ属(チフス菌,パラチフス菌を除く),肺炎桿菌,プロテウス属,腸炎ビブリオ 〈適応症〉膀胱炎,腎盂腎炎,前立腺炎(急性症,慢性症),淋菌感染症,感染性腸炎

ナルトグラスチム(遺伝子組換え)
注射用ナルトグラスチム(遺伝子組換え)
Nartograstim(Genetical Recombination)

概要
構造式

MAPTYRASSL PQSFLLKSLE QVRKIQGDGA ALQEKLCATY KLCHPEELVL
LGHSLGIPWA PLSSCPSQAL QLAGCLSQLH SGLFLYQGLL QALEGISPEL
GPTLDTLQLD VADFATTIWQ QMEELGMAPA LQPTQGAMPA FASAFQRRAG
GVLVASHLQS FLEVSYRVLR HLAQP

分子式 $C_{850}H_{1344}N_{226}O_{245}S_8$
分子量 18905.65
原薬の規制区分 該当しない
原薬の外観・性状 無色澄明の液である.pH:7.0~7.5
治療
効能・効果† ①骨髄移植時の好中球数の増加促進 ②がん化学療法による好中球減少症 ③小児再生不良性貧血に伴う好中球減少症 ④先天性・特発性好中球減少症

ナ

ナロキソン塩酸塩
Naloxone Hydrochloride

概要

薬効分類　221　呼吸促進剤

構造式

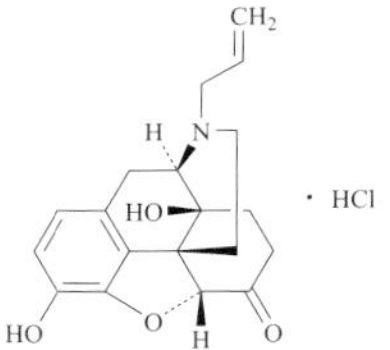

分子式　$C_{19}H_{21}NO_4$・HCl

分子量　363.84

原薬の規制区分　(劇)

原薬の外観・性状　白色～帯黄白色の結晶又は結晶性の粉末である．水に溶けやすく，メタノールにやや溶けやすく，エタノール(99.5)又は酢酸(100)に溶けにくく，無水酢酸に極めて溶けにくい．光によって着色する．0.10gを新たに煮沸して冷却した水10mLに溶かした液のpHは4.5～5.5である

原薬の吸湿性　吸湿性であり，53%RH以上で，ほぼ一定の吸湿量に達する

原薬の融点・沸点・凝固点　190～210℃で分解による着色と発泡が認められるが，温度上昇に伴う外観変化はきわめてゆるやかで明確な融点(分解点)を示さない

原薬の酸塩基解離定数　pKa_1＝7.09，pKa_2＝9.89(電位差滴定法，20%メタノール溶液，20℃)

先発医薬品等

注　ナロキソン塩酸塩静注0.2mg「第一三共」(第一三共＝アルフレッサファーマ)

海外での発売状況　米，英など

製剤

規制区分　**注**　(劇)(処)

製剤の性状　**注**　無色澄明の液

有効期間又は使用期限　3年

貯法・保存条件　室温保存

薬剤取扱い上の留意点　該当しない

溶液及び溶解時のpH　3.0～4.5

浸透圧比　0.9～1.1

安定なpH域　酸性領域では比較的安定であるが，アルカリ性領域では分解が進行する

薬理作用

分類　麻薬拮抗剤

作用部位・作用機序　オピエートレセプターにおいて麻薬性鎮痛剤の作用を競合的に拮抗することにより，これらの薬剤に起因する呼吸抑制等の作用を改善するといわれている

同効薬　レバロルファン酒石酸塩

治療

効能・効果　麻薬による呼吸抑制ならびに覚醒遅延の改善

用法・用量　1回0.2mg静注，効果不十分の場合はさらに2～3分間隔で同量を1～2回追加(適宜増減)

使用上の注意

禁忌　①本剤の成分に対し過敏症の既往歴のある患者　②バルビツール系薬剤等の非麻薬性中枢神経抑制剤又は病的原因による呼吸抑制のある患者［無効のため］

薬物動態

外国人データ：**血中濃度**　健康成人9例に0.4mg静注時(ラジオイムノアッセイ法)，血中からの消失は，初期に急速で，5分後には97%消失，投与後20分から2時間にかけての平均血中半減期は64分　**尿中排泄**　健康成人にナロキソン-7,8-^{3}Hを静注時の尿中排泄は速やかに現れ，6時間で約38%，48～72時間ではほとんど排泄されず(1.4%)，尿中総排泄率は約65%

その他の管理的事項

投与期間制限　該当しない

保険給付上の注意　該当しない

資料

IF　ナロキソン塩酸塩静注0.2mg「第一三共」 2019年7月改訂(第11版)

白色軟膏
White Ointment

概要

薬効分類　712　軟膏基剤

原薬の規制区分　該当しない

原薬の外観・性状　白色で，僅かに特異なにおいがある

先発医薬品等

軟　白色軟膏(司生堂)

白色軟膏(日興製薬＝丸石＝健栄)

白色軟膏「ヨシダ」(吉田製薬)

製剤

製剤の性状　疎水性軟膏基剤であり，ワセリンよりも融点をあげ，稠度を硬くし，かつ吸水性を増加したものである

貯法・保存条件　気密容器，室温保存

薬理作用

分類　軟膏基剤

治療

効能・用法　①軟膏基剤として調剤に用いる　②皮膚保護剤として用いる

その他の管理的事項

投与期間制限　該当しない

保険給付上の注意　該当しない

資料

IF　白色軟膏「ヨシダ」 2020年6月改訂

ニカルジピン塩酸塩
ニカルジピン塩酸塩注射液
Nicardipine Hydrochloride

概要

薬効分類　214　血圧降下剤

構造式

及び鏡像異性体

分子式　$C_{26}H_{29}N_3O_6$・HCl

分子量　515.99

ステム　ニフェジピン系カルシウムチャネル拮抗薬：-dipine

原薬の規制区分　(劇)(ただし，1個中ニカルジピンとして40mg以下を含有する内用剤及びニカルジピンとして10%以下を含有する散剤を除く)

原薬の外観・性状　僅かに緑みを帯びた黄色の結晶性の粉末である．メタノール又は酢酸(100)に溶けやすく，エタノール

(99.5)にやや溶けにくく，水，アセトニトリル又は無水酢酸に溶けにくい．本品のメタノール溶液(1→20)は旋光性を示さない．光によって徐々に変化する

原薬の吸湿性　通常の保存条件下では吸湿性はない

原薬の融点・沸点・凝固点　融点：167～171℃

原薬の酸塩基解離定数　pKa＝約7.1(25℃)

先発医薬品等

[散] ペルジピン散10%(LTL)

[錠] ペルジピン錠10mg・20mg(LTL)

[徐放力] ペルジピンLAカプセル・40mg(LTL)

[注] ペルジピン注射液2mg・10mg・25mg(LTL)

後発医薬品

[散] 10%

[錠] 10mg・20mg

[徐放力] 20mg・40mg

[注] 2mg・10mg・25mg

国際誕生年月　1981年5月

海外での発売状況　[散] [錠] 仏など29カ国　[徐放力] 英，仏など30カ国以上　[注] 米など30カ国以上

製剤

規制区分　[散] [錠] [徐放力] [処]　[注] [劇][処]

製剤の性状　[散] 淡黄色の散剤　[錠] 白色の糖衣錠　[徐放力] 白色の硬カプセル剤　[注] 澄明な微黄色の注射液

有効期間又は使用期限　[散] 5年　[錠] [徐放力] [注] 3年

貯法・保存条件　[散] [徐放力] [注] 遮光・室温保存　[錠] 室温保存

薬剤取扱い上の留意点　[散] [錠] [徐放力] 降圧作用に基づくめまい等が現れることがあるので，高所作業，自動車の運転等危険を伴う機械を操作する際には注意させること　[徐放力] 本品は高防湿性の内袋により品質保持をはかっている

患者向け資料等　くすりのしおり

溶液及び溶解時のpH　[注] 3.0～4.5

浸透圧比　[注] 約1(対生食)

薬理作用

分類　ジヒドロピリジン誘導体Ca拮抗薬

作用部位・作用機序　血管平滑筋細胞中へのCa^{2+}の取り込みを抑制することにより，血管拡張作用を発揮する．血管平滑筋において心筋の30,000倍の強いカルシウム拮抗作用を示し，血管選択性は他のカルシウム拮抗薬より高かった

同効薬　ニフェジピン，アラニジピン，エホニジピン塩酸塩，バルニジピン塩酸塩，ベニジピン塩酸塩，マニジピン塩酸塩，シルニジピン，ニソルジピン，ニトレンジピン，ニルバジピン，フェロジピン，アゼルニジピン，アムロジピンベシル酸塩，ジルチアゼム，ベラパミル

治療

効能・効果　[散] [錠] [徐放力] 本態性高血圧症

[注] ①手術時の異常高血圧の救急処置　②高血圧性緊急症　③急性心不全(慢性心不全の急性増悪を含む)

用法・用量　[散] [錠] ニカルジピン塩酸塩として1回10～20mg，1日3回

[徐放力] ニカルジピン塩酸塩として1回20～40mg，1日2回

[注] ニカルジピン塩酸塩として生理食塩液又は5%ブドウ糖注射液で希釈し，0.01～0.02%溶液を点滴静注　①手術時異常高血圧：2～10μg/kg/分の点滴速度で開始し，目的値まで血圧を下げ，以後血圧をモニターしながら点滴速度を調節する．急速に血圧を下げる必要がある場合にはそのまま10～30μg/kg静注　②高血圧性緊急症：0.5～6μg/kg/分の点滴速度で投与する．投与に際して0.5μg/kg/分から開始し，目的値まで血圧を下げ，以後血圧をモニターしながら点滴速度を調節する　③急性心不全：1μg/kg/分の点滴速度で投与する．患者の病態に応じて0.5～2μg/kg/分の範囲で点滴速度を調節する

用法・用量に関連する使用上の注意　[注] ①高血圧性緊急症：⑴投与により目的の血圧が得られた後，引き続いて降圧治療が必要で経口投与が可能な場合には，経口投与に切り替える　⑵投与終了後に血圧が再上昇することがあるので，投与を終了する際には徐々に減量し，投与終了後も血圧を十分に管理する．なお，経口投与に切り替えた後にも血圧の再上昇等に留意する　②急性心不全：投与によっても，期待された改善がみられない場合には中止し，他の治療法(利尿薬，陽性変力作用を有するいわゆる強心薬，血管拡張薬等の静脈内投与又は機械的補助循環等)に切り替える等，必要な措置を行う

禁忌・原則禁忌となる特定患者集団　[散] [錠] [徐放力] 妊婦又は妊娠している可能性のある婦人

使用上の注意

> **警告**　[注] 本剤を脳出血急性期の患者及び脳卒中急性期で頭蓋内圧が亢進している患者に投与する場合には，緊急対応が可能な医療施設において，最新の関連ガイドラインを参照しつつ，血圧等の患者の状態を十分にモニタリングしながら投与する

禁忌　[散] [錠] [徐放力] ①頭蓋内出血で止血が完成していないと推定される患者［出血が促進する可能性がある］　②脳卒中急性期で頭蓋内圧が亢進している患者［頭蓋内圧が高まるおそれがある］　③妊婦又は妊娠している可能性のある婦人

[注] ①本剤の成分に対し過敏症の既往歴のある患者　②急性心不全：⑴高度な大動脈弁狭窄・僧帽弁狭窄，肥大型閉塞性心筋症，低血圧(収縮期血圧90mmHg未満)，心原性ショックのある患者［心拍出量及び血圧がさらに低下する可能性がある］　⑵発症直後で病態が安定していない重篤な急性心筋梗塞患者［広範囲，3枝病変による梗塞等の重篤な急性心筋梗塞患者では血行動態の急激な変化を生じることがあり，さらに病態が悪化するおそれがある］

相互作用概要　主としてCYP3A4で代謝される

薬物動態

[散] [錠] [徐放力] 健常成人：**血漿中濃度**　①単回経口投与：⑴ [散] [錠] 10～40mgを経口投与時，その血漿中未変化体濃度は30～60分後に最高濃度，半減期(8時間後までの数値から算出)は約90分．投与量ごとの薬動力学パラメータ[10mg(4例)，20mg(5例)，30mg(6例)，40mg(4例)の順]はTmax(hr)0.5，1，1，0.5，Cmax(μg/mL)0.013，0.032，0.091，0.253，AUC(ng・min/mL)1.4，4.6，10.3，24.2，クリアランス(mL/min・kg)131，90，54，27　⑵ [徐放力] (6例)：40mg投与時，未変化体濃度は二峰性，最高血中濃度は0.8時間後16.5ng/mL，6時間後12.4ng/mL，AUCは115ng・hr/mL　②連続経口投与：⑴ [散] [錠] 5例に1回20mg1日3回食後30分連続経口投与時，1，8，15日目いずれも夕食後服用時の半減期は約4時間．8日目と15日目のAUCに差はみられず，8日以内に定常状態に達していると考えられる．薬動力学パラメータ[1日目，8日目，15日目の順]はAUC(ng・hr/mL)269，463，447，$T_{1/2}$(hr)4.4，3.7，4.1　⑵ [徐放力] (男子)：1回40mg1日2回連続経口投与時(14日間)，7日以内に血漿中濃度は定常状態，ほぼ24時間有効血漿中濃度が得られ，半減期は7.6時間．薬動力学パラメータ[1日目，7日目，14日目の順]はCmax(ng/mL)21.1，30，30.5，Tmax(hr)4.5，4，4，$AUC_{0\text{-}12h}$(ng・hr/mL)90.6，160.8，157.9，半減期(hr)-，-，7.6．最終投与時(14日目の2回目投与時)の12，16，20時間の血漿中濃度による半減期(4～5例)は7.6時間．本剤40mgを1日2回及び普通錠20mgを1日3回クロスオーバー法で7日間連続経口投与時，徐放剤投与時のAUCは普通錠投与時よりもやや低かったが，最低血漿中濃度は普通錠投与時よりも高く，かつ安定した血漿中濃度推移　**代謝，排泄**　[散] [錠] 40mgを経口投与時，24時間までの尿中への未変化体の排泄率は0.01%以下，主代謝物である本剤の脱ベンジル体が3.2%と最も多く排泄．(徐放剤)男子に20mg及び40mgを投与し，尿中未変化体及び代謝物を測定時，尿中へ未変化体は排泄されなかった．主代謝物は側鎖が脱ベンジル化され，ピリジン環への酸化体及びそのグルクロン酸抱合体．尿中への代謝物の総排泄率は20mg及び40mg投与時

とほぼ同値，連続投与してもそれらの値に変動は認められなかった

注 ①血漿中未変化体濃度(薬動力学パラメータ)：(1)(ア)健常人に0.01～0.02mg/kg単回静注[0.01mg/kg(2例)，0.02mg/kg(2例)の順]時$T_{1/2}\beta$(min)63，50，AUC(ng・hr/mL)23.3，38.3，Vdβ(mL/kg)644，641 (イ)全身麻酔下の患者に0.01～0.03mg/kg単回静注[0.01mg/kg(7例)，0.02mg/kg(5例)，0.03mg/kg(4例)の順]時$T_{1/2}\beta$(min)28，22，45，AUC(ng・hr/mL)21.8，29.8，68.7，Vdβ(mL/kg)321，495，609 (2)(ア)健常人(5例)に4mg/時(約1.1μg/kg/minの速度)で2時間持続投与を1日1回5日間連続投与での1日目の$T_{1/2}\beta$は109分，CLtotは10.7mL/kg/min，Vdβは1683mL/kg (イ)高血圧性緊急症患者(5例)に0.5μg/kg/minで5～24時間持続静注逐次増量又は減量での$T_{1/2}\beta$は160min，CLtotは14.2mL/kg/min，Vdβは3083mL/kg (ウ)急性心不全患者(5例)に1μg/kg/分で2時間持続静注での$T_{1/2}\beta$は130min，CLtotは11.5mL/kg/min，Vdssは2091mL/kg ②健常人の尿中主代謝物はM-11(N-ベンジル-N-メチルアミノ基が脱離，さらにピリジン体に酸化された代謝物)の抱合体．主としてCYP3A4で代謝 ③血漿蛋白との結合率は*in vitro*(健常人)，*in vitro*(急性心不全患者)，*in vivo*(全身麻酔下患者)ともに90％以上

その他の管理的事項

投与期間制限 該当しない

保険給付上の注意 該当しない

資料

IF ペルジピン散10％・錠10mg・20mg 2019年4月改訂(第20版)

ペルジピンLAカプセル20mg・40mg 2019年4月改訂(第19版)

ペルジピン注射液2mg・10mg・25mg 2019年4月改訂(第17版)

ニコチン酸
ニコチン酸注射液
Nicotinic Acid

概要

薬効分類 313 ビタミンB剤(ビタミンB_1剤を除く.)

構造式

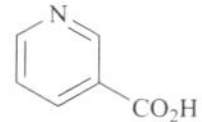

分子式 $C_6H_5NO_2$

分子量 123.11

略語・慣用名 別名：ビタミンB_3

ステム ニコチン酸又はニコチニルアルコール誘導体：nico-

原薬の規制区分 該当しない

原薬の外観・性状 白色の結晶又は結晶性の粉末で，においはなく，僅かに酸味がある．水にやや溶けにくく，エタノール(95)に溶けにくく，ジエチルエーテルに極めて溶けにくい．水酸化ナトリウム試液又は炭酸ナトリウム試液に溶ける．0.20gを水20mLに溶かした液のpHは3.0～4.0である

原薬の吸湿性 吸湿性がなく，空気中で安定である

原薬の融点・沸点・凝固点 融点：234～238℃

原薬の酸塩基解離定数 pKa＝4.95，pKb＝10.45

先発医薬品等

注 ナイクリン注射液20mg・50mg(トーアエイヨー＝アステラス)

国際誕生年月 不明

海外での発売状況 発売されていない

製剤

規制区分 **注** ㊙

製剤の性状 **注** 無色澄明な水性注射液

有効期間又は使用期限 3年

貯法・保存条件 室温保存

薬剤取扱い上の留意点 該当しない

溶液及び溶解時のpH **注** 6.0～7.0

浸透圧比 **20mg注** 約2(対生食) **50mg注** 約3(対生食)

調製時の注意 該当しない

薬理作用

分類 ニコチン酸製剤

作用部位・作用機序 作用部位：生体内の各組織 作用機序：①ニコチン酸は生体内でNAD(nicotinamide adenine dinucleotide)，NADP(nicotinamide adenine dinucleotide phosphate)に生合成され種々の脱水素酵素の補酵素として生体内の酸化還元反応に関与している ②ニコチン酸はヒトに投与した場合に，明らかな末梢血管拡張作用が認められている．ニコチン酸が血中へ入ると，血管壁におけるプロスタグランジン(E)の生合成を促進し，それによってサイクリックAMPレベルが上昇して血管壁の拡張や血流量の増加が起きる

同効薬 ニコチン酸アミド

治療

効能・効果 ①ニコチン酸欠乏症の予防及び治療(ペラグラ等) ②ニコチン酸の需要が増大し，食事からの摂取が不十分な際の補給(消耗性疾患，妊産婦，授乳婦，激しい肉体労働時等) ③次の疾患のうちニコチン酸の欠乏又は代謝障害が関与すると推定される場合：(1)口角炎，口内炎，舌炎 (2)接触皮膚炎，急・慢性湿疹，光線過敏性皮膚炎 (3)メニエル症候群 (4)末梢循環障害(レイノー病，四肢冷感，凍瘡，凍傷) (5)耳鳴，難聴 (6)**注** SMONによるしびれ感．効能③に対して，効果がないのに月余にわたって漫然と使用すべきでない

用法・用量 **散** **錠** ニコチン酸として1日25～200mg(適宜増減)

注 ニコチン酸として1日10～100mg皮下，筋注又は静注(適宜増減)

使用上の注意

禁忌 ①本剤に対し過敏症の既往歴のある患者 ②重症低血圧又は動脈出血のある患者［血管拡張作用により，さらに血圧を低下させるおそれがある］

その他の管理的事項

投与期間制限 該当しない

保険給付上の注意 該当しない

資料

IF ナイクリン注射液20mg・50mg 2015年4月改訂(第6版)

ニコチン酸アミド
Nicotinamide

概要

薬効分類 313 ビタミンB剤(ビタミンB_1剤を除く.)

構造式

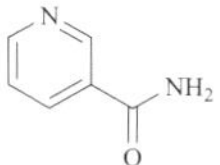

分子式 $C_6H_6N_2O$

分子量 122.12

略語・慣用名 別名：ナイアシンアミド，ビタミンB_3 NAA

ステム ニコチン酸又はニコチニルアルコール誘導体：nico-

原薬の規制区分　該当しない
原薬の外観・性状　白色の結晶又は結晶性の粉末で，においはなく，味は苦い．水又はエタノール(95)に溶けやすく，ジエチルエーテルに溶けにくい．1.0gを水20mLに溶かした液のpHは6.0〜7.5である
原薬の吸湿性　少し吸湿性がある
原薬の融点・沸点・凝固点　融点：128〜131℃
原薬の酸塩基解離定数　pKa＝0.5，3.35
先発医薬品等
散 ニコチン酸アミド散10%「ゾンネ」(ゾンネボード)
国際誕生年月　不明
海外での発売状況　各国

製剤
製剤の性状　**散** 僅かな苦味を有する白色の粉末でにおいはない
有効期間又は使用期限　5年
貯法・保存条件　遮光した気密容器　室温保存
薬剤取扱い上の留意点　特になし
患者向け資料等　くすりのしおり
溶液及び溶解時のpH　6.0〜7.5(水溶液(1→20))
浸透圧比　該当しない
安定なpH域　該当しない
調製時の注意　該当しない

薬理作用
分類　ニコチン酸アミド製剤
作用部位・作用機序　作用部位：細胞組織内　作用機序：生体内でnicotinamide adenine dinucleotide(NAD)やnicotinamide adenine dinucleotide phosphate(NADP)に生合成され，種々の脱水素酵素の補酵素として各細胞の酸化還元反応に関与することで，ニコチン酸の欠乏によりおこる皮膚疾患や末梢循環障害などに作用を示す．薬効薬理はニコチン酸にほぼ同じである．ただし，血管拡張作用はない
同効薬　ニコチン酸

治療
効能・効果　①ニコチン酸欠乏症の予防及び治療(ペラグラ等)，ニコチン酸の需要が増大し，食事からの摂取が不十分な際の補給(消耗性疾患，妊産婦，授乳婦，激しい肉体労働時等)　②次の疾患のうちニコチン酸の欠乏又は代謝障害が関与すると推定される場合：口角炎，口内炎，舌炎，接触皮膚炎，急・慢性湿疹，光線過敏性皮膚炎，メニエル症候群，末梢循環障害(レイノー病，四肢冷感，凍瘡，凍傷)，耳鳴，難聴．効能②に対して，効果がないのに月余にわたって漫然と使用すべきでない
用法・用量　ニコチン酸アミドとして1日25〜200mg(適宜増減)

その他の管理的事項
投与期間制限　該当しない
保険給付上の注意　該当しない

資料
IF　ニコチン酸アミド散10%「ゾンネ」 2015年4月改訂(第5版)

ニコモール
ニコモール錠
Nicomol

概要
薬効分類　218　高脂血症用剤
構造式

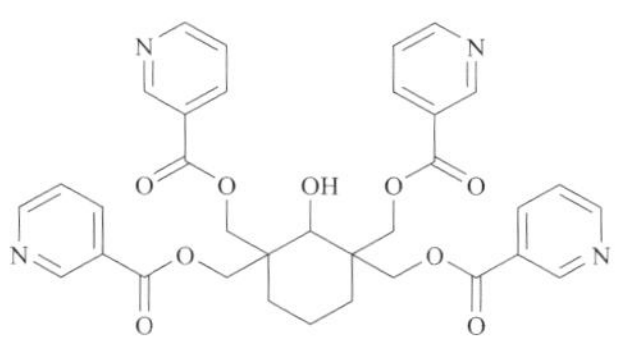

分子式　$C_{34}H_{32}N_4O_9$
分子量　640.64
ステム　ニコチン酸又はニコチニルアルコール誘導体：nico-
原薬の規制区分　該当しない
原薬の外観・性状　白色の結晶性の粉末で，におい及び味はない．クロロホルムにやや溶けやすく，水，エタノール(95)又はジエチルエーテルにほとんど溶けない．希塩酸又は希硝酸に溶ける
原薬の吸湿性　該当資料なし
原薬の融点・沸点・凝固点　融点:181〜185℃
原薬の酸塩基解離定数　pKa＝2.5
先発医薬品等
錠 コレキサミン錠200mg(杏林)
国際誕生年月　1971年5月
海外での発売状況　発売されていない

製剤
製剤の性状　**錠** 白色の裸錠
有効期間又は使用期限　3年
貯法・保存条件　室温保存
薬剤取扱い上の留意点　服用時：空腹時に服用すると潮紅，発赤等の発現が多くなるので，食後すぐに服用することが望ましい
患者向け資料等　くすりのしおり
溶液及び溶解時のpH　該当しない
浸透圧比　該当しない
安定なpH域　該当しない
調製時の注意　該当しない

薬理作用
分類　ニコチン酸誘導体
作用部位・作用機序　脂質代謝改善作用，凝固線溶系に対する作用，末梢血行改善作用
同効薬　脂質代謝改善剤：ニセリトロール，プロブコール，デキストラン硫酸ナトリウム，クロフィブラート，シンバスタチン，フルバスタチンナトリウムなど　末梢血行改善剤：ニセリトロール，イソクスプリン塩酸塩，ニコチン酸，トコフェロールニコチン酸エステルなど

治療
効能・効果　①高脂血症　②次の疾患に伴う末梢血行障害の改善：凍瘡，四肢動脈閉塞症(血栓閉塞性動脈炎・動脈硬化性閉塞症)，レイノー症候群
用法・用量　1回200〜400mg，1日3回食後(適宜増減)

使用上の注意
禁忌　重症低血圧症，出血が持続している患者［末梢血管拡張作用により，低血圧症の悪化や出血を助長させるおそれがある］

薬物動態
血中濃度　健康成人10例に400mgを食後30分に単回経口投与時の遊離ニコチン酸の薬物速度論的パラメータはTmax2.2

ニ

時間，Cmax0.25μg/mL，$AUC_{0\text{-}8}$0.49μg・hr/mL（ガスクロマトグラフ・質量分析計を用い，マスフラグメントグラフ法測定）**代謝，排泄** ニコチン酸のエステル化合物で，生体内で加水分解され，ニコチン酸と2，2，6，6-テトラキスヒドロキシメチルシクロヘキサノール（THC）として代謝される．健康成人に400mgを食後30分に単回経口投与後24時間までにTHCとして49％尿中排泄

その他の管理的事項

投与期間制限 該当しない

保険給付上の注意 該当しない

資料

IF コレキサミン錠200mg 2018年3月改訂（第9版）

ニコランジル
Nicorandil

概要

薬効分類 217 血管拡張剤

構造式

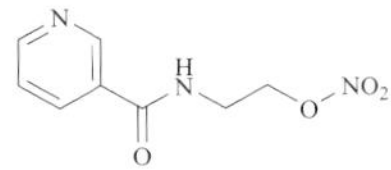

分子式 $C_8H_9N_3O_4$

分子量 211.17

ステム 血管拡張薬：-dil

原薬の規制区分 該当しない

原薬の外観・性状 白色の結晶である．メタノール，エタノール（99.5），酢酸（100）に溶けやすく，無水酢酸にやや溶けやすく，水にやや溶けにくい

原薬の吸湿性 臨界相対湿度（CRH）90％以上．90％RH以下ではほとんど吸湿を認めない

原薬の融点・沸点・凝固点 融点：約92℃（分解）

原薬の酸塩基解離定数 pKa＝3.24±0.01

先発医薬品等

錠 シグマート錠2.5mg・5mg（中外）

注射用 シグマート注2mg・12mg・48mg（中外）

後発医薬品

錠 2.5mg・5mg

注射用 2mg・12mg・48mg

国際誕生年月 1983年9月

海外での発売状況 英，仏など

製剤

規制区分 **錠** **注** ㊙

製剤の性状 **2mg錠** 白色の素錠 **5mg錠** 白色の素錠（割線入り） **注** 白色の塊又は粉末

有効期間又は使用期限 **錠** 5年 **注** 3年

貯法・保存条件 **錠** 室温保存（開封後は防湿保存すること） **注** 10℃以下

薬剤取扱い上の留意点 **錠** 湿気を避けて涼しいところに保管するよう指導すること

患者向け資料等 くすりのしおり

溶液及び溶解時のpH **注** 6.6±1.0（0.01％生食），6.8±1.0（0.02％生食），6.9±1.0（0.03％生食），6.7±1.0（0.01％ 5％ブドウ糖注），7.0±1.0（0.02％ 5％ブドウ糖注），7.1±1.0（0.03％ 5％ブドウ糖注）

浸透圧比 **注** 約1（対生食）

薬理作用

分類 狭心症治療剤（硝酸エステル）

作用部位・作用機序 作用部位：冠血管平滑筋 作用機序：冠血管拡張作用では，亜硝酸薬と同様に冠血管平滑筋のグアニル酸サイクラーゼ活性化によるcyclic-GMP産生量の増大が考えられている（*in vitro*）．これに加えて，冠血流増加作用及び冠血管攣縮抑制作用では膜部位の過分極などが検討されている

同効薬 ニトログリセリン，硝酸イソソルビド，Ca拮抗剤

治療

効能・効果 **錠** 狭心症

注射用 ①不安定狭心症 ②急性心不全（慢性心不全の急性増悪期を含む）

用法・用量 **錠** 1日15mg，3回に分服（適宜増減）

注射用 効能①：生理食塩液又は5％ブドウ糖注射液で0.01～0.03％溶液とし，2mg/時の点滴静注から開始（適宜増減）．最高用量6mg/時まで 効能②：生理食塩液又は5％ブドウ糖注射液で0.04～0.25％溶液とし，0.2mg/kgを5分間程度かけて静注し，引き続き0.2mg/kg/時で持続静注を開始．投与量は血圧の推移や患者の病態に応じて，0.05～0.2mg/kg/時の範囲で調整

使用上の注意

禁忌 **錠** ホスホジエステラーゼ5阻害作用を有する薬剤（シルデナフィルクエン酸塩，バルデナフィル塩酸塩水和物，タダラフィル）又はグアニル酸シクラーゼ刺激作用を有する薬剤（リオシグアト）を投与中の患者

注射用 ①重篤な肝・腎機能障害のある患者［代謝・排泄機能が障害されるため，高い血中濃度で推移する可能性がある］ ②重篤な脳機能障害のある患者［過度の血圧低下が生じた場合，脳機能障害に悪影響を及ぼす可能性がある］ ③重篤な低血圧又は心原性ショックのある患者［血圧低下が生じ，これらの症状を悪化させる可能性がある］ ④Eisenmenger症候群又は原発性肺高血圧症のある患者［静脈還流量が減少し，血圧低下，心拍出量減少が強く現れる可能性がある］ ⑤右室梗塞のある患者［静脈還流量が減少し，心原性ショックを招来する可能性がある］ ⑥脱水症状のある患者［静脈還流量が減少し，心拍出量もさらに減少するため，心原性ショックを起こす可能性がある］ ⑦神経循環無力症のある患者［神経的要因により生じる病態であるため，効果は不定である］ ⑧閉塞隅角緑内障のある患者［眼圧を上昇させるおそれがある］ ⑨本剤又は硝酸・亜硝酸エステル系薬剤に対し過敏症の既往歴のある患者 ⑩ホスホジエステラーゼ5阻害作用を有する薬剤（シルデナフィルクエン酸塩，バルデナフィル塩酸塩水和物，タダラフィル）又はグアニル酸シクラーゼ刺激作用を有する薬剤（リオシグアト）を投与中の患者

薬物動態

血中濃度 ①**錠** 健康成人男子5例に5mg錠2錠を単回経口投与（承認外用量）時のパラメータは$AUC_{0\text{-}4}$（hr・ng/mL）262.5±43.1，Cmax（ng/mL）152.3±29.1，Tmax（hr）0.55±0.12，半減期（hr）0.75 ②**注射用**（健康人5例）：⑴単回投与：2mg注を2分間で単回投与（承認用量は2～6mg/hr）時の平均パラメータは投与直後の血漿中濃度Co（ng/mL）103.8，kel（hr^{-1}）6.50，$t_{1/2}$（hr）0.109，Cltotal（L/hr）126.0，AUC（ng・hr/mL）16.23，Vd（L）19.6 ⑵持続投与：6時間持続静注時のパラメータ（2，4，6mg/時投与の順）は投与終了直後の血漿中濃度C6h（ng/mL）31，84，152，$t_{1/2}\alpha$（hr）0.14，0.17，0.14，$t_{1/2}\beta$（hr）1.56，1.98，1.32，Cltotal（L/hr）62，44，39，AUC（ng・hr/mL）194，559，958，Clrenal（L/hr）0.113，0.131，0.111 ⑶長時間投与（急性心不全患者）：14例に0.2mg/kgを5分間静注後，0.2mg/kg/hrで48時間持続静注時の血漿中濃度推移：添付文書参照 **代謝・排泄** ①**錠** 健康成人男子4例へ重水素標識体20mgを単回投与（承認外用量）で，ほとんどは脱ニトロ化されてN-(2-ヒドロキシエチル)ニコチンアミドへ代謝．この代謝物は投与後0.5時間ですでに血漿中に認められ，2時間後に最高濃度，8時間後にはほとんどが消失．24時間後の累積尿中排泄率は，未変化体0.7～1.2％，代謝物6.8～17.3％ ②**注射用** 健康成人男子5例に2，4，6mg/hrで，

また4例に重水素標識体を6mg/hrで各々6時間持続静注時，ほとんどはN-(2-ヒドロキシエチル)ニコチンアミドへ脱ニトロ化．この代謝物は，持続静注開始後0.25～0.5時間から血漿中に認められ，3～9時間後にかけてほぼ一定のレベルで推移．24時間後の累積尿中排泄率は，未変化体0.2～0.4%，代謝物2～5%　**血清蛋白結合率**　ヒト血清を用いた*in vitro*試験で，血清蛋白結合率は34.2～41.5%(本剤濃度1～100μg/mL)

その他の管理的事項
投与期間制限　該当しない
保険給付上の注意　該当しない
資料
IF　シグマート錠2.5mg・5mg　2020年2月改訂(第11版)
　シグマート注2mg・12mg・48mg　2017年12月改訂(第9版)

ニザチジン
ニザチジンカプセル
Nizatidine

概要
薬効分類　232　消化性潰瘍用剤
構造式

及びC*位幾何異性体

分子式　$C_{12}H_{21}N_5O_2S_2$
分子量　331.46
ステム　シメチジン系のヒスタミンH_2受容体拮抗薬：-tidine
原薬の規制区分　該当しない
原薬の外観・性状　白色～微黄白色の結晶性の粉末で，特異なにおいがある．メタノールにやや溶けやすく，水にやや溶けにくく，エタノール(99.5)に溶けにくい
原薬の吸湿性　25℃，33%～92%RHに14日間保存するとき，吸湿性を認めない
原薬の融点・沸点・凝固点　融点：130～135℃(乾燥後)
原薬の酸塩基解離定数　pKa＝2.1(ジアミノニトロエテン基)，pKa＝6.7(ジメチルアミノ基)
先発医薬品等
　錠　アシノン錠75mg・150mg(ゼリア)
後発医薬品
　錠　150mg
　カ　75mg・150mg
国際誕生年月　1985年8月
海外での発売状況　米，英など
製剤
製剤の性状　**錠**　白色～微黄白色のフィルムコーティング錠
有効期間又は使用期限　3年
貯法・保存条件　**錠**　室温保存(開封後は遮光保存)
薬剤取扱い上の留意点　開封後は光を避けて保存すること
患者向け資料等　くすりのしおり
溶液及び溶解時のpH　9～10(1%水溶液)
浸透圧比　該当しない
安定なpH域　該当しない
調製時の注意　該当しない
薬理作用
分類　H_2受容体拮抗剤
作用部位・作用機序　作用部位：胃粘膜壁細胞(胃酸分泌細胞)のヒスタミンH_2受容体　作用機序：胃粘膜壁細胞のヒスタミンH_2受容体を選択的に遮断し，胃酸分泌抑制作用を示す
同効薬　シメチジン，ラニチジン塩酸塩，ファモチジン，ロキサチジン酢酸エステル塩酸塩，ラフチジン
治療
効能・効果　①胃潰瘍，十二指腸潰瘍，逆流性食道炎　②(75mg錠　75mgカ　のみ)次の疾患の胃粘膜病変(びらん，出血，発赤，浮腫)の改善：急性胃炎，慢性胃炎の急性増悪期
用法・用量　効能①：1回150mg1日2回朝食後，就寝前(適宜増減)，胃潰瘍，十二指腸潰瘍には1日1回300mg就寝前投与もできる　効能②：1回75mg1日2回朝食後，就寝前(適宜増減)
薬物動態
血中濃度　①単回投与：健康成人男性(20例)に150mgを絶食下経口投与時の薬物動態パラメータは，Tmax1.1±0.5hr，Cmax1621.8±492.0ng/mL，$AUC_{0\text{-}24hr}$4183.05±715.56ng・hr/mL，$T_{1/2}$1.67±0.16hr　②連続投与：健康成人男性(各群6例)に150mgを1日2回又は300mgを1日1回7日間連続経口投与時，蓄積性は認められなかった　**吸収**　①バイオアベイラビリティ：健康成人男性(12例)に対する150mg経口投与のバイオアベイラビリティは98%(外国人データ)　②食事の影響：健康成人男性(10例)に150mgを絶食及び非絶食下で12時間おきに5回連続投与時，食事による影響は認められなかった(外国人データ)　**分布**　①組織移行：ラットに^{14}C-ニザチジン5mg/kgを単回投与30分後に各組織濃度は最高値，以後速やかに減少．特に胃，小腸，肝臓，腎臓，膀胱で高い濃度を示し，大脳及び小脳への移行は低かった　②蛋白結合率：ヒト血漿蛋白結合率は，0.1～10μg/mLの場合，23.9～45.4%(*in vitro*)　**代謝**　健康成人男性(各群6例)に75mg，150mg又は300mgを経口投与時の尿中代謝物は，未変化体が主で，その他N-desmethyl体(6.8～7.6%)及びS-oxide体(2.3～2.7%)　**排泄**　健康成人男性(12例)に75mg，150mg又は300mgを経口投与時，24時間以内の未変化体の尿中排泄率は，投与量の62.8～64.9%　**特定の背景を有する患者**　①腎機能障害患者の体内動態：腎機能障害を有する成人男性(20例)に150mgを単回経口投与し薬物動態を検討時，腎機能障害の程度に比例して，血中消失半減期の延長及びクリアランスの減少が認められた(外国人データ)．クレアチニンクリアランス(Ccr，mL/min)値に対する血漿中半減期，血漿クリアランス(L/kg/hr)値はCcr＞90で1.6±0.1hr，0.57±0.08，75＞Ccr＞50で2.1±0.3hr，0.34±0.32，50＞Ccr＞10で4.1±0.7hr，0.22±0.06，10＞Ccrで5.3±2.4hr，0.20±0.05　②高齢者の体内動態：高齢者(12例)(平均72歳，66～79歳)に100mg～300mgを経口投与時，腎機能の正常な高齢者では若年者(8例)(平均40歳，25～48歳)と同等の薬物動態(外国人データ)
その他の管理的事項
投与期間制限　該当しない
保険給付上の注意　該当しない
資料
IF　アシノン錠75mg・150mg　2018年8月改訂(第4版)

二酸化炭素
Carbon Dioxide

概要
薬効分類　799　他に分類されない治療を主目的としない医薬品
分子式　CO_2
分子量　44.01
略語・慣用名　別名：炭酸ガス
ステム　該当しない

原薬の規制区分　該当しない
原薬の外観・性状　室温，大気圧下においては無色のガスで，においはない．1mLは水1mLに溶け，微酸性である．1000mLは温度0℃，気圧101.3kPaで1.978gである
先発医薬品等
外用 二酸化炭素(エアウォーター)
二酸化炭素(小池メディカル)
二酸化炭素(日本エア・リキード)
国際誕生年月　不明

製剤

製剤の性状　定量するとき，二酸化炭素(CO_2)99.5vol%以上を含む．高圧ガス容器に充てんされた「液化ガス」で，室温，大気圧下において無色のガスで，においはない
貯法・保存条件　耐圧密封容器，40℃以下で保存する
薬剤取扱い上の留意点　貯蔵上の注意：①容器は直射日光の当たらない場所で，常に温度40℃以下に保つ　②容器は湿気水滴等による腐食を防止する措置を講ずる：⑴容器置場は，錆・腐食を防止するため，水分を浸入させないようにして，腐食物質を近くに置かない　⑵水分，異物等の混入による腐食等を防止するため，使用済みの容器でも，容器のバルブは必ず閉めておく　③容器は衝撃を与えたり，粗暴な取扱いはしない　④他の高圧ガスとは区分して保管する　⑤充てん容器と空容器に区分して保管する　⑥容器は転倒，転落を防止する措置を講ずる　消費上の注意：①本品は「液化ガス」のため，容器は立てて使用する　②容器は転倒，転落しないようロープ等で固定して使用する　③容器バルブの開閉は静かに行う　④配管などの取付け部は，ガス漏れのないことを確認する　⑤ガス漏れのある場合は容器バルブを閉じて，ガスの使用を中止する　⑥使用方法によっては，-70℃以下の超低温になることがあるので注意する　⑦使用後は容器バルブを必ず閉める　ガス漏洩時の注意：①二酸化炭素は空気より重く，低い場所に滞留し高濃度になりやすいので注意する(二酸化炭素の許容濃度は5,000ppm)　②万一，安全弁(破裂板)からのガス噴出の場合は，容器から離れ換気を良くし，販売店に連絡する　移送時の注意：容器は常に温度40℃以下に保ち，直射日光を避け，転倒転落させないよう，固定して安全に運搬する

薬理作用

分類　医療用ガス

治療

効能・効果　①酸素吸入時の呼吸中枢を刺激する　②高山病における呼吸困難，麻酔時における覚醒と手術後の肺拡張不全の予防　③一酸化炭素，モルヒネ，シアン化合物等の中毒時における呼吸中枢の興奮性の低下　④炭素水の水浴による脈拍及び拡張期血圧の減少，静脈血の心臓還流の改善と拍出量の増加，皮膚の充血，呼吸量の増加をきたす　⑤ドライアイスでの狼瘡，色素斑等の皮膚疾患に腐食剤として使用する　⑥腹腔鏡下外科手術に必要な視野及び術野の確保　⑦X線コンピュータ断層撮影に必要な腸管の拡張
用法・用量　酸素吸入に併用する場合，純酸素に対して数%混ぜる

その他の管理的事項

投与期間制限　該当しない
保険給付上の注意　薬価基準適用外

資料

添付文書　二酸化炭素(日本エア・リキード)　2020年1月改訂(第4版)

ニセリトロール
Niceritrol

概要

薬効分類　218　高脂血症用剤
構造式

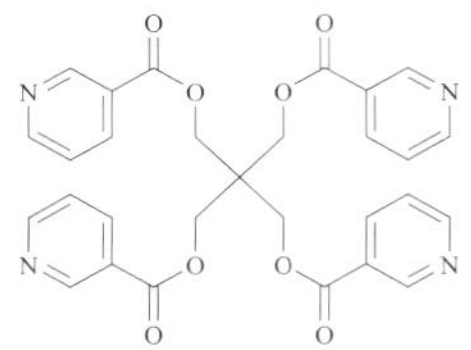

分子式　$C_{29}H_{24}N_4O_8$
分子量　556.52
ステム　ニコチン酸又はニコチルアルコール誘導体：nic-
原薬の規制区分　該当しない
原薬の外観・性状　白色～微黄白色の粉末で，においはなく，味は僅かに苦い．クロロホルムに溶けやすく，*N,N*-ジメチルホルムアミドにやや溶けやすく，エタノール(95)に極めて溶けにくく，水又はジエチルエーテルにほとんど溶けない
原薬の吸湿性　該当資料なし
原薬の融点・沸点・凝固点　融点：162～165℃
原薬の酸塩基解離定数　該当資料なし
先発医薬品等
錠 ペリシット錠125mg・250mg(三和化学)
国際誕生年月　不明
海外での発売状況　各国

製剤

製剤の性状　錠 フィルムコーティング錠
有効期間又は使用期限　3年
貯法・保存条件　室温保存
薬剤取扱い上の留意点　服用時：空腹時に服用すると潮紅，熱感等の発現が多くなるので，食後すぐに服用することが望ましい
患者向け資料等　くすりのしおり
溶液及び溶解時のpH　該当しない
浸透圧比　該当しない
安定なpH域　該当しない
調製時の注意　該当しない

薬理作用

分類　ニコチン酸エステル類
作用部位・作用機序　①脂質低下作用：腸管からのコレステロール吸収の抑制作用，胆汁中へのコレステロール排泄の増加作用，カテコールアミンによる脂肪動員抑制作用，血漿リポ蛋白リパーゼ(LPL)活性の上昇作用　②末梢循環改善作用：血管平滑筋への直接作用による末梢血管拡張作用，プロスタグランジンの生成促進に基づく血管拡張作用，トロンボキサン合成阻害作用に基づく血小板凝集抑制作用
同効薬　クロフィブラート，ベザフィブラート，フェノフィブラート，プラバスタチンナトリウム，シンバスタチン，フルバスタチンナトリウム，ニコモール，ソイステロール，ポリエンホスファチジルコリン，プロブコール，コレスチラミン，コレスチミド，トコフェロールニコチン酸エステルなど

治療

効能・効果　①高脂質血症の改善　②次の疾患に伴う末梢循環障害の改善：ビュルガー病，閉塞性動脈硬化症，レイノー病及びレイノー症候群
用法・用量　1日750mg，食直後3回に分服(適宜増減)

使用上の注意

禁忌　①重症低血圧又は動脈出血のある患者［末梢血管拡張作用により，低血圧症の悪化や出血を助長させるおそれがあ

る］ ②本剤に対し過敏症の既往歴のある患者

薬物動態

吸収 健常成人(4名)に250mg単回経口投与時の血漿中ニコチン酸濃度は，Cmax197±19.9ng/mL，AUC845±103ng・hr/mL，Tmax1.8±0.3hr，$T_{1/2}$2.4±0.4hr **代謝・排泄(外国人)** 健康成人に500mg経口投与後，ニコチン酸，ニコチヌル酸，ニコチン酸アミド，N-メチルニコチン酸アミド，2-ピリドン体を尿中に排泄．尿中排泄率は24時間以内に約32%．500mgを1日3回2日間投与時の糞中排泄率は約13%

その他の管理的事項

投与期間制限 該当しない

保険給付上の注意 該当しない

資料

IF ペリシット錠125mg・250mg 2013年2月改訂(第3版)

ニセルゴリン
ニセルゴリン錠
ニセルゴリン散
Nicergoline

概要

薬効分類 219 その他の循環器官用薬

構造式

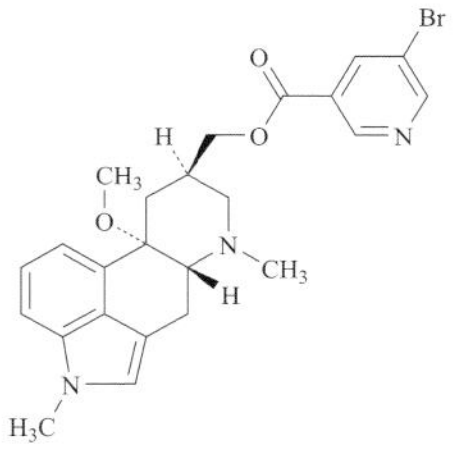

分子式 $C_{24}H_{26}BrN_3O_3$

分子量 484.39

ステム 麦角アルカロイド誘導体：-erg

原薬の規制区分 該当しない

原薬の外観・性状 白色～淡黄色の結晶又は結晶性の粉末である．アセトニトリル，エタノール(99.5)又は無水酢酸にやや溶けやすく，水にほとんど溶けない．光によって徐々に淡褐色となる

原薬の吸湿性 認められない

原薬の融点・沸点・凝固点 融点：約136℃(分解)

原薬の酸塩基解離定数 pKa＝8.4(エタノール(95)・水混液中で測定し，外挿して求めた値)

先発医薬品等

散 サアミオン散1%(田辺三菱)

錠 サアミオン錠5mg(田辺三菱)

後発医薬品

細 1%

錠 5mg

国際誕生年月 1974年

海外での発売状況 仏，独など

製剤

規制区分 **散** **錠** ㉄

製剤の性状 **散** 白色の散剤 **錠** 白色のフィルムコーティング錠

有効期間又は使用期限 3年

貯法・保存条件 **散** 遮光・室温保存．開封後防湿保存のこと **錠** 室温保存

薬剤取扱い上の留意点 該当しない

患者向け資料等 くすりのしおり

溶液及び溶解時のpH 該当しない

浸透圧比 該当しない

安定なpH域 該当しない

調製時の注意 該当しない

薬理作用

分類 エステル型麦角アルカロイド誘導体

作用部位・作用機序 脳血管を選択的に拡張し脳血流を増加させるとともに，血小板凝集抑制作用，赤血球変形能改善作用及びPAF産生能抑制作用等により血液流動性を改善し脳循環を改善する．また，脳内アセチルコリン系及びドパミン系の神経伝達機能を促進し，脳虚血時のグルコース，ATP及びピルビン酸等の各種脳エネルギー関連物質の代謝改善作用により脳代謝を改善する

同効薬 ジヒドロエルゴトキシンメシル酸塩

治療

効能・効果 脳梗塞後遺症に伴う慢性脳循環障害による意欲低下の改善

用法・用量 ニセルゴリンとして1日15mg，3回に分服(適宜増減)

用法・用量に関連する使用上の注意 投与期間は，臨床効果及び副作用の程度を考慮しながら慎重に決定するが，投与12週で効果が認められない場合には中止する

使用上の注意

禁忌 頭蓋内出血後，止血が完成していないと考えられる患者［出血を助長するおそれがある］

薬物動態

血中濃度 外国人健康成人に15mg経口投与後，吸収は速やかで，血漿中濃度(総放射活性)は2～4時間後に最高57～96ng eq/mL **代謝・排泄** 健康成人に5mg錠を8錠経口投与時，大部分が代謝物として排泄，24時間までの尿中排泄率51%

その他の管理的事項

投与期間制限 該当しない

保険給付上の注意 該当しない

資料

IF サアミオン散1%・錠5mg 2013年2月改訂(第10版)

ニトラゼパム
Nitrazepam

概要

薬効分類 112 催眠鎮静剤，抗不安剤，113 抗てんかん剤

構造式

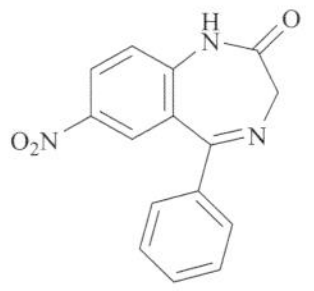

分子式 $C_{15}H_{11}N_3O_3$

分子量 281.27

略語・慣用名 NZP

ステム ジアゼパム系抗不安薬・鎮静薬：-azepam，二酸化窒素誘導体：nit-

原薬の規制区分 ㊓Ⅲ ㊢

原薬の外観・性状 白色～淡黄色の結晶又は結晶性の粉末で，においはない．酢酸(100)に溶けやすく，アセトン又はクロロホルムにやや溶けやすく，メタノール，エタノール(95)又

はエタノール(99.5)に溶けにくく，ジエチルエーテルに極めて溶けにくく，水にほとんど溶けない

原薬の吸湿性 ほとんど吸湿しない．100%RH，室温の容器内で1カ月間保存すると1き，重量増加は1%以下である

原薬の融点・沸点・凝固点 融点：約227℃(分解)

原薬の酸塩基解離定数 $pKa_1=2.8$，$pKa_2=11.0$

先発医薬品等

散 ネルボン散1%(アルフレッサファーマ)

細 ベンザリン細粒1%(共和薬品)

錠 ネルボン錠5mg・10mg(アルフレッサファーマ)
ベンザリン錠2・5・10(共和薬品)

後発医薬品

細 1%

錠 5mg・10mg

国際誕生年月 1964年12月

海外での発売状況 英，仏，独など

製剤

規制区分 **散** **細** **錠** 向Ⅲ 習 処

製剤の性状 **散** 白色の粉末 **細** 白色の細粒 **錠**〔ネルボン〕白色の素錠(割線入り)〔ベンザリン錠2〕ごくうすいだいだい色の楕円形フィルムコーティング錠〔ベンザリン錠5〕白色の楕円形素錠〔ベンザリン錠10〕うすいだいだい色の楕円形素錠

有効期間又は使用期限 **散** **錠〔ネルボン錠5mg〕**4年 **細** **錠〔ネルボン錠10mg〕** **錠〔ベンザリン〕**5年

貯法・保存条件 **散** **細** **錠〔ベンザリン〕**室温保存 **錠〔ネルボン〕**室温保存．開封後は防湿・遮光保存すること

薬剤取扱い上の留意点 本剤の影響が翌朝以後に及び，眠気，注意力・集中力・反射運動能力等の低下が起こることがあるので，自動車の運転等危険を伴う機械の操作に従事させないよう注意すること

患者向け資料等 患者向医薬品ガイド，くすりのしおり

溶液及び溶解時のpH 該当しない

浸透圧比 該当しない

安定なpH域 該当しない

調製時の注意 該当しない

薬理作用

分類 ベンゾジアゼピン誘導体

作用部位・作用機序 作用部位：中枢の抑制性神経であるGABAニューロン 作用機序：ベンゾジアゼピン誘導体はその受容体に結合することにより，GABAのGABA受容体への親和性を増大させてCl^-チャネルの開口頻度を増加させ，Cl^-透過性の亢進，シナプス後膜の過分極を経由して，神経抑制性に働き，鎮静，催眠，抗不安，筋弛緩，前行性健忘，抗けいれん作用などを示す

同効薬 リルマザホン塩酸塩水和物，フルラゼパム塩酸塩，ハロキサゾラム，エスタゾラム，ニメタゼパム，フルニトラゼパム，ブロチゾラム，ロルメタゼパム，エチゾラム，ゾピクロン，トリアゾラム

治療

効能・効果 ①不眠症 ②麻酔前投薬 ③異型小発作群(点頭てんかん，ミオクロヌス発作，失立発作等)，焦点性発作(焦点性痙攣発作，精神運動発作，自律神経発作等)

用法・用量 効能①：ニトラゼパムとして1日1回5～10mg就寝前(適宜増減) 効能②：ニトラゼパムとして1回5～10mgを就寝前又は手術前(適宜増減) 効能③：ニトラゼパムとして成人，小児とも，1日量5～15mgを適宜分服(適宜増減)

用法・用量に関連する使用上の注意 不眠症には，就寝の直前に服用させる．また，服用して就寝した後，睡眠途中において一時的に起床して仕事等をする可能性があるときは服用させない

使用上の注意

禁忌 ①本剤の成分に対し過敏症の既往歴のある患者 ②急性閉塞隅角緑内障の患者［抗コリン作用により眼圧が上昇し，症状を悪化させることがある］ ③重症筋無力症のある患者［筋弛緩作用により症状を悪化させるおそれがある］

過量投与 過量投与が明白又は疑われた場合の処置としてフルマゼニル(ベンゾジアゼピン受容体拮抗剤)を投与する場合には，使用前にフルマゼニルの使用上の注意(禁忌，慎重投与，相互作用等)を必ず読む

薬物動態

血漿中濃度(外国人) 健康成人6例に10mg経口投与後，速やかに吸収(53～94%)，未変化体の血漿中濃度は約2時間後最高平均84ng/mL(68～108ng/mL) **代謝・排泄(外国人)** 健康成人に10mg経口投与時，ニトラゼパム及びその代謝物の尿中排泄量の経時的観察では，その主要代謝物は7-amino及び7-acetamido誘導体，大部分24～48時間以内に排泄，投与量の約13～20%を尿中排泄．ニトラゼパムはヒト肝ミクロソーム代謝はわずかで，ニトロ基の還元によるアミノ体生成とアセチル抱合が主代謝経路(*in vitro*)

その他の管理的事項

投与期間制限 90日

保険給付上の注意 該当しない

資料

IF ネルボン散1%・錠5mg・10mg 2019年9月改訂(第2版)
ベンザリン細粒1%・錠2・5・10 2019年10月改訂(第20版)

ニトレンジピン
ニトレンジピン錠
Nitrendipine

概要

薬効分類 217 血管拡張剤

構造式

及び鏡像異性体

分子式 $C_{18}H_{20}N_2O_6$

分子量 360.36

ステム ニフェジピン系カルシウムチャネル拮抗薬：-dipine

原薬の規制区分 該当しない

原薬の外観・性状 黄色の結晶性の粉末である．アセトニトリルにやや溶けやすく，メタノール又はエタノール(99.5)にやや溶けにくく，水にほとんど溶けない．光によって徐々に帯褐黄色となる．本品のアセトニトリル溶液(1→50)は施光性を示さない

原薬の吸湿性 吸湿平衡測定法により吸湿性を観測した結果，室温，52～93%RHの各種条件下で30日間放置しても，ほとんど吸湿性を示さなかった

原薬の融点・沸点・凝固点 融点：157～161℃

原薬の酸塩基解離定数 測定不能(水に極めて難溶のため)

先発医薬品等

錠 バイロテンシン錠5mg・10mg(田辺三菱)

後発医薬品

錠 5mg・10mg

国際誕生年月 1985年4月

海外での発売状況 仏，独など

製剤

規制区分 **錠** 処

製剤の性状 **5mg錠** 淡黄白色のフィルムコーティング錠

10mg錠 淡黄色のフィルムコーティング錠
有効期間又は使用期限 3年
貯法・保存条件 遮光・室温保存
薬剤取扱い上の留意点 降圧作用に基づくめまい等が現れることがあるので，高所作業，自動車の運転等危険を伴う作業に注意させること
患者向け資料等 くすりのしおり
溶液及び溶解時のpH 該当しない
浸透圧比 該当しない
安定なpH域 該当しない
調製時の注意 該当しない

薬理作用
分類 ジヒドロピリジン系持続性Ca拮抗薬
作用部位・作用機序 細胞膜の膜電位依存性カルシウムチャンネルに特異的に結合し，細胞内へのカルシウムの流入を減少させて冠血管や末梢血管の平滑筋を選択的に弛緩させる
同効薬 アムロジピンベシル酸塩，ニフェジピン，ニカルジピン塩酸塩，ベニジピン塩酸塩，ジルチアゼム塩酸塩など

治療
効能・効果 ①高血圧症 ②腎実質性高血圧症 ③狭心症
用法・用量 効能①②：1回5～10mg，1日1回(適宜増減) 効能③：1回10mg，1日1回(適宜増減)
禁忌・原則禁忌となる特定患者集団 妊婦又は妊娠している可能性のある婦人

使用上の注意
禁忌 妊婦又は妊娠している可能性のある婦人［動物実験で催奇形作用及び胎児致死作用が報告されている］
相互作用概要 主としてCYP3A4で代謝される
過量投与 ①徴候，症状：過量投与に関する情報は少ないが，主要な臨床症状として過度の血圧低下等が引き起こされる可能性がある．また肝機能障害があると症状が遷延することがある ②処置：急性中毒に対しては，通常，胃洗浄もしくは催吐，下剤及び活性炭の投与等の初期治療を行う．心電図や呼吸機能等のモニターを行いながら，下肢の挙上，また必要に応じて輸液，カルシウムの静注 昇圧剤の投与等，積極的な支持・対症療法を行う．なお，蛋白結合率が高いので，強制利尿，血液透析等は本剤の除去にそれほど有用でないと考えられる

薬物動態
吸収・血中濃度 ①健康成人22人に10mg経口投与時の血漿中未変化体濃度は，投与後2～3時間で最高，Cmaxは7ng/mL，その後の消失は2相性で，$T_{1/2}\beta$ 約10hr，AUCは37ng・hr/mL ②本態性高血圧症患者5人に1日1回10mg投与で，降圧効果と血漿中濃度は有意に相関し，推定最小有効血漿中濃度1.13ng/mL **代謝・排泄** 健康成人に10mg経口投与で主な代謝経路はジヒドロピリジン環の酸化，エステル結合の開裂及びメチル基の酸化と，グルクロン酸抱合．代謝物の薬理作用は未変化体に比べ極めて弱く，52.4%が48時間までの尿中に排泄 **蛋白結合率** 約98%(*in vitro*5～100ng/mL濃度時)
チトクロムP450の分子種 CYP3A4

その他の管理的事項
投与期間制限 該当しない
保険給付上の注意 該当しない

資料
IF バイロテンシン錠5mg・10mg 2010年11月改訂(第8版)

ニトログリセリン錠
Nitroglycerin Tablets

概要
薬効分類 217 血管拡張剤
分子式 $C_3H_5N_3O_9$
分子量 227.09
略語・慣用名 GTN
原薬の規制区分 毒(ただし，1錠中ニトログリセリン0.3mg(徐放性製剤たる口腔内貼付剤にあつては，2.5mg)以下を含有するもの，1mL中ニトログリセリン5mg以下を含有する注射剤，ニトログリセリン2%以下を含有する軟膏，1枚中ニトログリセリン27mg以下を含有する貼付剤及び1噴霧中ニトログリセリン0.3mg以下を含有するエアゾール剤及び液剤は劇)
原薬の外観・性状 常温で無色澄明の粘稠性の液体で，味は甘く灼熱感があり，衝撃により爆発する．メタノール，酢酸エチル，無水酢酸，ベンゼン，トルエン，キシレン，フェノール，ピリジンまたはクロロホルムに極めて溶けやすい．また，エタノールまたは植物油に溶けやすい．*n*-ヘキサン，シクロヘキサンまたはリグロインに溶けにくく，水に極めて溶けにくい
原薬の吸湿性 吸湿性なし
原薬の融点・沸点・凝固点 融点：不安定形2.8℃，安定形13.5℃
原薬の酸塩基解離定数 該当しない(非電荷分子のため解離しない)
先発医薬品等
注 冠動注用ミリスロール0.5mg/10mL(日本化薬)
ミリスロール注1mg/2mL・5mg/10mL・25mg/50mL・50mg/100mL・50mg/100mL(日本化薬)
噴 ミオコールスプレー0.3mg(トーアエイヨー＝アステラス)
貼 ニトロダームTTS25mg(サンファーマ＝田辺三菱)
バソレーターテープ27mg(三和化学)
ミニトロテープ27mg(キョーリンリメディオ＝杏林＝共創未来ファーマ)
ミリステープ5mg(日本化薬)
メディトランステープ27mg(トーヨーケム＝協和キリン)
後発医薬品
錠 0.3mg
注 1mg・5mg・25mg・50mg
キット 25mg
貼 27mg
国際誕生年月 該当しない
海外での発売状況 該当しない

製剤
規制区分 錠 劇 処
製剤の性状 錠 白色の裸錠
有効期間又は使用期限 2.5年．開封後は3カ月以内に使用のこと
貯法・保存条件 遮光，密栓して保管．20℃以下で保存すること
薬剤取扱い上の留意点 本剤の投与開始時には，他の硝酸・亜硝酸エステル系薬剤と同様に血管拡張作用による頭痛等の副作用が起こりやすく，これらの副作用のために注意力，集中力，反射運動等の低下が起こることがあるので，このような場合には，自動車の運転等の危険を伴う機械の操作には従事させないように注意すること．患者に対し，次項を守るよう注意すること：(1)幼小児，特に乳児の手のとどかない所に保存するよう注意すること (2)本剤は舌下で溶解させ，口腔粘膜より吸収されて速やかに効果を発現するもので，内服では効果がない (3)本剤を初めて使用する患者は，最初の数回は

必ず1錠を投与すること．このとき一過性の頭痛が起こることがあるが，この症状は投与を続ける間に起こらなくなる

患者向け資料等　くすりのしおり

溶液及び溶解時のpH　該当しない

浸透圧比　該当しない

安定なpH域　該当しない

調製時の注意　該当しない

薬理作用

分類　狭心症用舌下錠

作用部位・作用機序　直接血管平滑筋に作用し，低用量では静脈の，高用量では静脈及び動脈の拡張作用を示すと報告されている．機序に関しては，ニトログリセリンが細胞内で一酸化窒素(NO)に変換され，グアニル酸シクラーゼを介してcGMPを増加することにより，(1)細胞内へのCa流入を抑制する，(2)細胞内貯留部位から細胞内へのCa放出を抑制する，(3)細胞外へのCa流出を促進する，(4)収縮蛋白のCa感受性を低下させる，などの報告がある

同効薬　亜硝酸アミル，硝酸イソソルビド

治療

効能・効果　**舌下錠** 狭心症，心筋梗塞，心臓喘息，アカラジアの一時的な緩解

噴〔舌下スプレー〕狭心症発作の寛解

注　**キット** ①手術時の低血圧維持，手術時の異常高血圧の救急処置　②急性心不全(慢性心不全の急性増悪期を含む)，不安定狭心症

冠動注用 冠動脈造影時の冠攣縮寛解

貼 ①狭心症　②(ミリステープのみ)急性心不全(慢性心不全の急性増悪期を含む)

効能・効果に関連する使用上の注意　**貼** 狭心症の発作緩解を目的とした治療には不適であるので，この目的のためには速効性の硝酸・亜硝酸エステル系薬剤を使用する

用法・用量　**舌下錠** 0.3～0.6mg舌下投与(適宜増減)．狭心症に投与後，数分間で効果の現れない場合には，さらに0.3～0.6mg追加

噴〔舌下スプレー〕1回0.3mg(1噴霧)舌下投与．効果不十分の場合は1噴霧追加．使用法の詳細は添付文書参照

注　**キット** そのまま，又は生理食塩液，5%ブドウ糖注射液，乳酸リンゲル液等で0.005～0.05%(1mLあたり50～500μg)に希釈し，点滴静注：①手術時の低血圧維持には1～5μg/kg/分，手術時の異常高血圧の救急処置には0.5～5μg/kg/分で開始し，目的値まで血圧を下げ，以後血圧をモニターしながら点滴速度を調節　②急性心不全には0.05～0.1μg/kg/分で開始し，目的とする血行動態を得るまで血圧，左心室充満圧等の循環動態をモニターしながら5～15分ごとに0.1～0.2μg/kg/分ずつ増量し，最適点滴速度で維持　③不安定狭心症には0.1～0.2μg/kg/分で開始し，発作の経過及び血圧をモニターしながら約5分ごとに0.1～0.2μg/kg/分ずつ増量し，1～2μg/kg/分で維持．効果がみられない場合には20～40μg/kgの静注を1時間ごとに併用．静注は1～3分かけて緩徐に行う

冠動注用 冠動脈造影時に注射液そのまま，0.2mgを，カテーテルを通し速やかに冠動注(適宜増減)

貼 ①5mg：1回1枚1日2回，12時間ごとに胸部，上腹部，背部，上腕部又は大腿部のいずれかに貼付(適宜増減)　②25・27mg：1日1回1枚(25mg又は27mg)，胸部，腰部，上腕部のいずれかに貼付．効果不十分の場合は2枚に増量

用法・用量に関連する使用上の注意　**注**　**キット** ①塩化ビニル製の輸液容器及び輸液セットに吸着されるので，点滴時にはガラス製，ポリエチレン製又はポリプロピレン製の輸液容器を使用する．また，輸液セットへの吸着は点滴速度が遅い程及び輸液セットの長さが長くなる程吸着率が大きくなるので注意する　②用法及び用量のうち急性心不全及び不安定狭心症については吸着のない輸液セットを使用した場合の用法及び用量であり，従って塩化ビニル製の輸液セットを用いる場合には多量を要することがあるので注意する

冠動注用 冠動脈造影時に冠攣縮を誘発した場合は，迅速に攣縮寛解のための処置を行う．また，完全閉塞寛解時にreperfusion injury(虚血再灌流障害)によると考えられる心室細動等の危険な不整脈や血圧低下を起こすおそれがあるので電気的除細動等の適切な処置を行う

使用上の注意

禁忌　**舌下錠** ①重篤な低血圧又は心原性ショックの患者［血管拡張作用により，さらに血圧を低下させ，症状を悪化させるおそれがある］　②閉塞隅角緑内障の患者［眼圧を上昇させるおそれがある］　③頭部外傷又は脳出血のある患者［頭蓋内圧を上昇させるおそれがある］　④高度な貧血の患者［血圧低下により貧血症状(めまい，立ちくらみ等)を悪化させるおそれがある］　⑤硝酸・亜硝酸エステル系薬剤に対し過敏症の既往歴のある患者　⑥ホスホジエステラーゼ5阻害作用を有する薬剤(シルデナフィルクエン酸塩，バルデナフィル塩酸塩水和物，タダラフィル)又はグアニル酸シクラーゼ刺激作用を有する薬剤(リオシグアト)を投与中の患者［降圧作用が増強され，過度に血圧を低下させることがある］

噴〔舌下スプレー〕①重篤な低血圧又は心原性ショックのある患者［血管拡張作用によりさらに血圧を低下させ，症状を悪化させるおそれがある］　②閉塞隅角緑内障の患者［眼圧を上昇させるおそれがある］　③頭部外傷又は脳出血のある患者［頭蓋内圧を上昇させるおそれがある］　④高度な貧血のある患者［血圧低下により貧血症状(めまい，立ちくらみ等)を悪化させるおそれがある］　⑤硝酸・亜硝酸エステル系薬剤に対し，過敏症の既往歴のある患者　⑥ホスホジエステラーゼ5阻害作用を有する薬剤(シルデナフィルクエン酸塩，バルデナフィル塩酸塩水和物，タダラフィル)又はグアニル酸シクラーゼ刺激作用を有する薬剤(リオシグアト)を投与中の患者［降圧作用が増強され，過度に血圧を低下させることがある］

注　**冠動注用**　**キット** ①硝酸・亜硝酸エステル系薬剤に対し過敏症の既往歴のある患者　②閉塞隅角緑内障の患者［眼圧を上昇させるおそれがある］　③高度な貧血の患者［血圧低下により貧血症状(めまい，立ちくらみ等)を悪化させるおそれがある］　④ホスホジエステラーゼ5阻害作用を有する薬剤(シルデナフィルクエン酸塩，バルデナフィル塩酸塩水和物，タダラフィル)又はグアニル酸シクラーゼ刺激作用を有する薬剤(リオシグアト)を投与中の患者［本剤とこれらの薬剤との併用療法により降圧作用が増強され，過度に血圧を低下させることがある］

貼 ①重篤な低血圧又は心原性ショックのある患者［血管拡張作用によりさらに血圧を低下させ，症状を悪化させるおそれがある］　②閉塞隅角緑内障のある患者［眼圧を上昇させるおそれがある］　③頭部外傷又は脳出血のある患者［頭蓋内圧を上昇させるおそれがある］　④高度な貧血のある患者［血圧低下により貧血症状(めまい，立ちくらみ等)を悪化させるおそれがある］　⑤硝酸・亜硝酸エステル系薬剤に対し，過敏症の既往歴のある患者　⑥ホスホジエステラーゼ5阻害作用を有する薬剤(シルデナフィルクエン酸塩，バルデナフィル塩酸塩水和物，タダラフィル)又はグアニル酸シクラーゼ刺激作用を有する薬剤(リオシグアト)を投与中の患者［本剤とこれらの薬剤との併用により降圧作用が増強され，過度に血圧を低下させることがある］

過量投与　**噴**〔舌下スプレー〕①徴候，症状：急激な血圧低下による意識喪失等を起こすことがある　②処置：下肢の挙上あるいは昇圧剤の投与等，適切な処置を行う　**貼** ①徴候・症状：高用量のニトログリセリンは血圧降下，反射性頻脈，虚脱，失神，メトヘモグロビン血症等を引き起こすことがある．しかし，本剤では放出制御膜により，過量投与発現の可能性は低い　②処置：本剤除去により，ただちに症状は消失する．高度の血圧降下及び虚脱には，患者を臥位にし，下肢を挙げさせる

薬物動態
健康成人男子10名に0.3mgずつ投与後4分で血漿中濃度は最高値約1.3ng/mL，以後2相性で消失

その他の管理的事項
投与期間制限 該当しない
保険給付上の注意 該当しない

資料
IF ニトロペン舌下錠0.3mg 2014年8月改訂(第8版)

ニフェジピン
ニフェジピン徐放カプセル
ニフェジピン細粒
ニフェジピン腸溶細粒
Nifedipine

概要
薬効分類 214 血圧降下剤，217 血管拡張剤
構造式

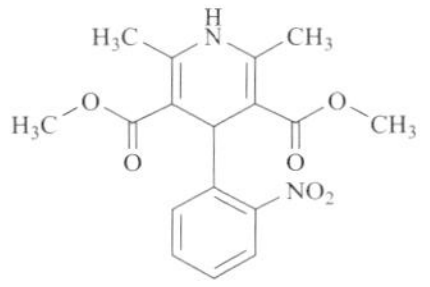

分子式 $C_{17}H_{18}N_2O_6$
分子量 346.33
ステム ニフェジピン系カルシウムチャネル拮抗薬：-dipine
原薬の規制区分 ㊣
原薬の外観・性状 黄色の結晶性の粉末で，におい及び味はない．アセトン又はジクロロメタンに溶けやすく，メタノール，エタノール(95)又は酢酸(100)にやや溶けにくく，ジエチルエーテルに溶けにくく，水にほとんど溶けない．光によって変化する
原薬の吸湿性 僅かに吸湿性を示す
原薬の融点・沸点・凝固点 融点：172～175℃
原薬の酸塩基解離定数 測定不能(水中で測定できるほどの塩基性を示さない)
先発医薬品等
徐放細 セパミット-R細粒2%(日本ジェネリック)
徐放錠 アダラートL錠10mg・20mg・アダラートCR錠10mg・20mg・40mg(バイエル)
徐放カ セパミット-Rカプセル10・20(日本ジェネリック)
後発医薬品
細 1%
錠 10mg
徐放錠 10mg・20mg・40mg
カ 5mg・10mg
国際誕生年月 該当しない
海外での発売状況 米，独など111カ国(承認)

製剤
規制区分 **1%細** **2%腸溶細** **徐放錠(L)** **徐放錠(CR)** **カ** **徐放カ** ㊣ ㊇
製剤の性状 **1%細** **2%腸溶細** 黄色の細粒剤 **徐放錠(L)** 淡赤色のフィルムコーティング錠 **10mg徐放錠(CR)** 帯赤灰色のフィルムコーティング錠 **20mg徐放錠(CR)** 淡赤色のフィルムコーティング錠 **40mg徐放錠(CR)** 淡赤褐色のフィルムコーティング錠 **カ** だいだい色の軟カプセル剤 **徐放カ** だいだい色/濃いだいだい色の硬カプセル剤
有効期間又は使用期限 **1%細** 5年 **2%腸溶細** **徐放錠(CR)** **カ** **徐放カ** 3年 **徐放錠(L)** 4年
貯法・保存条件 **1%細** **2%腸溶細** **徐放錠(L)** **徐放カ** 気密容器，遮光・室温保存 **徐放錠(CR)** 気密容器，室温保存
薬剤取扱い上の留意点 降圧作用に基づくめまい等が現れることがあるので，高所作業，自動車の運転等危険を伴う機械を操作する際には注意させること **1%細** **2%腸溶細** 容器から取り出して調剤する場合には，光に不安定であるため，できるだけ光にあてないよう注意すること **徐放錠(L)** 徐放性のフィルムコーティング錠であり，粉砕により作用持続性及び光に対する安定性が失われることが考えられるため，粉砕して使用しないこと **徐放錠(CR)** 有核二層構造の徐放性フィルムコーティング錠であり，粉砕により作用持続性及び光に対する安定性が失われることが考えられるため，粉砕して使用しないこと **徐放カ** かみ砕いて服用しないこと
患者向け資料等 **1%細** **2%腸溶細** **徐放カ** くすりのしおり **徐放錠(L)** **徐放錠(CR)** **カ** 患者向医薬品ガイド，くすりのしおり
溶液及び溶解時のpH 該当しない
浸透圧比 該当しない
安定なpH域 該当しない
調製時の注意 該当しない

薬理作用
分類 1,4-ジヒドロピリジン誘導体Ca拮抗剤
作用部位・作用機序 膜電位依存性L型Ca^{++}チャンネルを介する細胞外Ca^{++}の血管平滑筋及び心筋細胞内への流入を特異的に遮断し，筋原繊維ATPaseの活性化を阻害することにより筋の機械的収縮を抑制する．これにより，全身細動脈及び冠動脈を拡張し，血管抵抗の減少と血流量の増加をもたらす
同効薬 ニカルジピン塩酸塩，ニルバジピン，ニソルジピン，ニトレンジピン，マニジピン塩酸塩，ベニジピン塩酸塩，バルニジピン塩酸塩，アムロジピンベシル酸塩，エホニジピン塩酸塩エタノール付加物，フェロジピン，アラニジピン，シルニジピン，アゼルニジピン

治療
効能・効果 **細** **錠** **L錠** **カ** **Rカ** ①本態性高血圧症，腎性高血圧症②狭心症
R細 ①本態性高血圧症②狭心症
CR錠 ①高血圧症，腎実質性高血圧症，腎血管性高血圧症②狭心症，異型狭心症
用法・用量 **細** **錠** **カ** 1回10mg，1日3回(適宜増減)
L錠 **Rカ** 効能①：1回10～20mg 効能②：1回20mg，1日2回(適宜増減)
R細 効能①：1回10～20mg，1日2回食後(適宜増減) 効能②：1回20mg，1日2回食後(適宜増減)
CR錠 効能①：(1)高血圧症：1日1回20～40mg．ただし，1日10～20mgから開始し，必要に応じ漸次増量．なお，1日40mgで効果不十分な場合には，1回40mg1日2回まで増量できる (2)腎実質性高血圧症，腎血管性高血圧症：1日1回20～40mg．ただし，1日10～20mgから開始し，必要に応じ漸次増量 効能②：1日1回40mg(適宜増減)．最高用量は1日1回60mg
禁忌・原則禁忌となる特定患者集団 妊婦(妊娠20週未満)又は妊娠している可能性のある婦人

使用上の注意
禁忌 ①本剤の成分に対し過敏症の既往歴のある患者 ②妊婦(妊娠20週未満)又は妊娠している可能性のある婦人 ③心原性ショックの患者［血圧低下により症状が悪化するおそれがある］ ④**細** **錠** **カ** 急性心筋梗塞の患者［急激な血行動態の変化により，病態が悪化するおそれがある］
相互作用概要 主にCYP3A4により代謝される
過量投与 ①徴候と症状：過量投与に関する情報は少ないが，主要な臨床症状として過度の血圧低下等が引き起こされる可能性がある．また肝機能障害があると症状が遷延することがある ②処置：急性中毒に対しては，通常，胃洗浄もしくは催吐，下剤及び活性炭の投与等の初期治療を行う．心電図や

呼吸機能等のモニターを行いながら，下肢の挙上，また必要に応じて輸液，カルシウムの静注，昇圧剤の投与等，積極的な支持・対症療法を行う．なお，蛋白結合率が高いので，強制利尿，血液透析等は本剤の除去にはそれほど有用ではないと考えられる

薬物動態

血中濃度　**徐放錠**　健康成人に10及び20mg(各6例)を経口投与時，3時間後最高血中濃度26.1±2.2及び49.8±6.6ng/mL，$T_{1/2}$は3.51±0.6及び3.72±0.39時間．1回20mgを1日2回経口投与時の有効血中濃度はほぼ24時間持続　**吸収・排泄**　**アダラートCR**　健康成人に単回経口投与時の血中未変化体濃度のCmaxは，20mg(12例)で25.7±2.8ng/mL，40mg(12例)で48.2±4.3ng/mL．尿中には未変化体は検出されず，投与後60時間までに約60%が代謝物として排泄．本態性高血圧症患者に40mgを1日1回又は1日2回2週間経口投与時のトラフ時血中未変化体濃度は，1日1回投与で26.7ng/mL，1日2回投与で68.1ng/mL．軽～中等度の腎機能障害を伴う高血圧症患者に経口投与時，腎障害のない本態性高血圧症患者と比較してCmax及びAUCが約1.4倍であり，代謝物の尿中排泄がやや遅延　**分布(参考)**　ラットに^{14}C-ニフェジピンを1回1mg/kg経口あるいは静注では，骨格筋よりも心筋に高濃度に分布．投与後2日以内に97%以上排泄，肝臓には0.4%以下．いずれの組織においてもニフェジピン又は代謝産物の選択的蓄積作用は認められていない．授乳ラットに^{14}C-ニフェジピンを1回3mg/kg静注では血中濃度の1/2～1/4の濃度で乳汁中に移行，血中濃度の低下とともに速やかに低下　**肝機能障害**(外国人での成績)**徐放錠**　軽度の肝機能障害(Child-Pugh分類A　8例)又は中等度の肝機能障害(Child-Pugh分類B　8例)のある患者に，ニフェジピンGITS錠(GastroIntestinal Therapeutic System，承認外剤形)30mgとカンデサルタンシレキセチル8mgとの配合錠(国内未承認)を単回投与時，健康成人と比べてニフェジピンのAUCはそれぞれ93%，253%上昇し，Cmaxはそれぞれ64%，171%上昇

その他の管理的事項

投与期間制限　該当しない
保険給付上の注意　該当しない

資料

IF　セパミット細粒1%　2020年3月改訂(第3版)
セパミット-R細粒2%　2020年2月改訂(第3版)
アダラートL錠10mg・20mg　2020年6月改訂(第5版)
アダラートCR錠10mg・20mg・40mg　2020年6月改訂(第7版)
ニフェジピンカプセル5mg・10mg「テバ」　2020年4月改訂(第10版)
セパミット-Rカプセル10・20　2018年5月改訂(第3版)

乳酸
Lactic Acid

概要

薬効分類　714　矯味，矯臭，着色剤
構造式

及び鏡像異性体

分子式　$C_3H_6O_3$
分子量　90.08
原薬の規制区分　該当しない
原薬の外観・性状　無色～淡黄色澄明の粘性の液で，においはないか，又は僅かに不快でないにおいがある．水，エタノール(95)又はジエチルエーテルと混和する
原薬の吸湿性　吸湿性である
先発医薬品等
内用液　乳酸「ケンエー」(健栄)
乳酸(小堺)

製剤

製剤の性状　**末**　1g中，乳酸85.0～92.0%を含む
貯法・保存条件　気密容器

薬理作用

分類　矯味剤

治療

効能・用法　矯味等の目的で調剤に用いる

その他の管理的事項

投与期間制限　該当しない
保険給付上の注意　該当しない

資料

添付文書　乳酸「コザカイ・M」　2012年4月改訂(第3版)

L－乳酸
L-Lactic Acid

概要

構造式

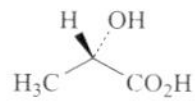

分子式　$C_3H_6O_3$
分子量　90.08
原薬の規制区分　該当しない
原薬の外観・性状　無色～淡黄色澄明の粘性の液で，においはないか，又は僅かに不快でないにおいがある．水，エタノール(99.5)又はジエチルエーテルと混和する
原薬の吸湿性　吸湿性である

乳酸カルシウム水和物
Calcium Lactate Hydrate

概要

薬効分類　321　カルシウム剤
構造式

及び鏡像異性体

分子式　$C_6H_{10}CaO_6 \cdot 5H_2O$
分子量　308.29
ステム　該当しない
原薬の規制区分　該当しない
原薬の外観・性状　白色の粉末又は粒で，においはなく，味は僅かに酸味がある．1gは水20mLに徐々に溶け，エタノール(95)に溶けにくく，ジエチルエーテルにほとんど溶けない．常温でやや風解し，120℃で無水物となる
原薬の吸湿性　該当資料なし
原薬の酸塩基解離定数　該当資料なし
先発医薬品等
末　乳酸カルシウム「NikP」(日医工＝岩城)
乳酸カルシウム「エビス」(日興製薬＝ニプロ)

乳酸カルシウム「ケンエー」(健栄)
乳酸カルシウム「コザカイ・M」(小堺＝中北＝日興製薬販売)
乳酸カルシウム水和物「シオエ」原末(シオエ＝日本新薬)
乳酸カルシウム水和物〈ハチ〉原末(東洋製化＝丸石)
乳酸カルシウム水和物「ヨシダ」(吉田製薬)
乳酸カルシウム「ファイザー」原末(マイラン＝ファイザー)
乳酸カルシウム(山善)

後発医薬品
錠 500mg
国際誕生年月 不明
海外での発売状況 該当資料なし

製剤

製剤の性状 **散** **細** 白色の粉末又は粒で，においはなく，味は僅かに酸味がある **錠** 白色の素錠
有効期間又は使用期限 **散** 4年 **錠** 3年
貯法・保存条件 気密容器，室温保存
薬剤取扱い上の留意点 特になし
患者向け資料等 くすりのしおり
溶液及び溶解時のpH 該当資料なし

薬理作用

分類 カルシウム剤
作用部位・作用機序 血清カルシウム値が低下した際に，カルシウム値を上昇させる．血漿中カルシウムイオンが欠乏すると神経系及び筋肉系の興奮性が高まって疲労しやすくなり，横紋筋はけいれんを起こす．本薬の投与により鎮静，けいれん軽減の作用を示す．カルシウムは無機栄養素としても重要で，歯や骨の主成分である
同効薬 塩化カルシウム

治療

効能・効果 ①低カルシウム血症に起因する次の症候の改善：テタニー ②次の代謝性骨疾患におけるカルシウム補給：妊婦・産婦の骨軟化症 ③発育期におけるカルシウム補給
用法・用量 1回1g，1日2～5回(適宜増減)

使用上の注意

禁忌 ①高カルシウム血症の患者［高カルシウム血症を増悪させるおそれがある］ ②腎結石のある患者［腎結石を増強させるおそれがある］ ③重篤な腎不全のある患者［カルシウム排泄低下により，高カルシウム血症が現れるおそれがある］

その他の管理的事項

投与期間制限 該当しない
保険給付上の注意 該当しない

資料

IF 乳酸カルシウム「ケンエー」 2008年10月改訂(第2版)
乳石錠500mg「ファイザー」 2019年1月改訂(第8版)

L－乳酸ナトリウム液
Sodium L-Lactate Solution

概要

分子式 $C_3H_5NaO_3$(L-乳酸ナトリウム)
原薬の規制区分 該当しない
原薬の外観・性状 無色澄明の粘性の液で，においはないか，又は僅かに特異なにおいがあり，味は僅かに塩味がある．水又はエタノール(99.5)と混和する．本品のL-乳酸ナトリウム($C_3H_5NaO_3$)5gに対応する量をとり，水を加えて50mLとした液のpHは6.5～7.5である

製剤

貯法・保存条件 気密容器

L－乳酸ナトリウムリンゲル液
Sodium L-Lactate Ringer's Solution

概要

原薬の規制区分 該当しない
原薬の外観・性状 無色澄明の液である．pH：6.0～7.5

無水乳糖
Anhydrous Lactose

概要

構造式

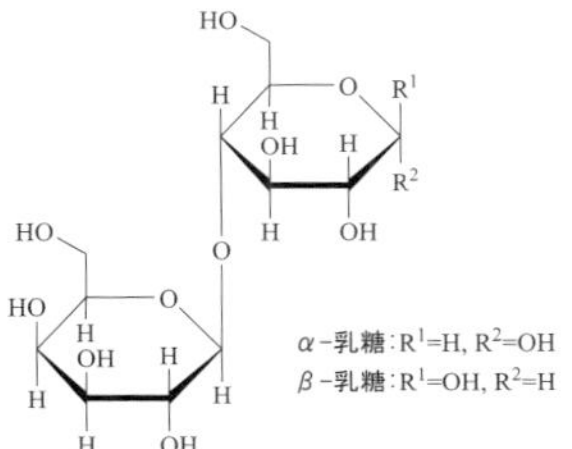

分子式 $C_{12}H_{22}O_{11}$
分子量 342.30
原薬の規制区分 該当しない
原薬の外観・性状 白色の結晶又は粉末である．水に溶けやすく，エタノール(99.5)にほとんど溶けない

乳糖水和物
Lactose Hydrate

概要

薬効分類 711 賦形剤
構造式

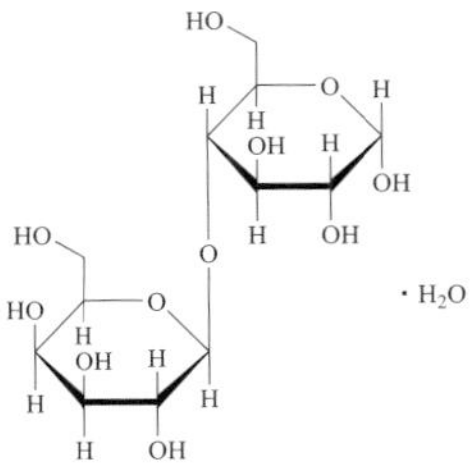

分子式 $C_{12}H_{22}O_{11} \cdot H_2O$
分子量 360.31
ステム 不明
原薬の規制区分 該当しない
原薬の外観・性状 白色の結晶，粉末又は造粒した粉末である．

水に溶けやすく，エタノール(99.5)にほとんど溶けない
原薬の吸湿性　該当資料なし
原薬の酸塩基解離定数　該当資料なし
先発医薬品等
末 乳糖(三恵)
乳糖水和物(金田直)
乳糖水和物(司生堂)
乳糖水和物(東海製薬)
乳糖水和物原末「マルイシ」(丸石＝ニプロ)
乳糖水和物(結晶)「NikP」(日医工＝岩城)
乳糖水和物(粉末)「日医工」(日医工)
乳糖水和物「ケンエー」(健栄)
乳糖水和物(小堺)
乳糖水和物「シオエ」(シオエ＝日本新薬)
乳糖水和物「ヨシダ」(吉田製薬)
乳糖(日興製薬＝中北)
乳糖「ホエイ」(マイラン＝ファイザー)
乳糖(山善)
国際誕生年月　不明
海外での発売状況　該当しない
製剤
製剤の性状　**散** 白色の結晶(粒状)である．水に溶けやすく，エタノール(99.5)にほとんど溶けない
有効期間又は使用期限　3年
貯法・保存条件　室温保存
薬剤取扱い上の留意点　該当しない
患者向け資料等　くすりのしおり
溶液及び溶解時のpH　中性(1→20)
調製時の注意　該当資料なし
薬理作用
分類　賦形剤
作用部位・作用機序　乳糖は有用な腸内細菌*Lactobacillus acidophlus*の発育を盛んにして腸の作用を調整するのに役立つともいわれている．また腸におけるカルシウムの吸収を増大するという
治療
効能・用法　散剤や錠剤の賦形剤として調剤に用いる
その他の管理的事項
投与期間制限　該当しない
保険給付上の注意　該当しない
資料
IF　乳糖水和物原末「マルイシ」 2013年10月作成(第1版)

尿素
Urea

概要
薬効分類　266　皮ふ軟化剤(腐しょく剤を含む.)
構造式

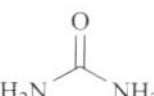

分子式　CH_4N_2O
分子量　60.06
略語・慣用名　別名：Carbamide，Carbonyldiamide
ステム　該当しない
原薬の規制区分　該当しない
原薬の外観・性状　無色～白色の結晶又は結晶性の粉末で，においはなく，冷涼な塩味がある．水に極めて溶けやすく，沸騰エタノール(95)に溶けやすく，エタノール(95)にやや溶けやすく，ジエチルエーテルに極めて溶けにくい．本品の水溶液(1→100)は中性である
原薬の吸湿性　吸湿性なし
原薬の融点・沸点・凝固点　融点：132.5～134.5℃
原薬の酸塩基解離定数　該当しない
先発医薬品等
外用末 尿素「コザカイ・M」(小堺)
軟 パスタロンソフト軟膏10%・20%(佐藤製薬)
クリーム ウレパールクリーム10%(大塚工場＝大塚製薬)
ケラチナミンコーワクリーム20%(興和)
パスタロンクリーム10%・20%(佐藤製薬)
外用液 ウレパールローション10%(大塚工場＝大塚製薬)
パスタロンローション10%(佐藤製薬)
後発医薬品
クリーム 10%・20%
国際誕生年月　不明
海外での発売状況　**軟**　**クリーム**　**外用液** スウェーデン，オーストラリアなど
製剤
製剤の性状　**10・20%軟** W/O型白色～微黄色乳剤性の軟膏で，僅かに特異なにおいがある　**10・20%クリーム** O/W型白色乳剤性の軟膏で，僅かに特異なにおいがある　**10%外用液** 白色乳濁性のローション剤で，僅かに特異なにおいがある
有効期間又は使用期限　3年
貯法・保存条件　**末** 気密容器　**10%・20%軟**　**10%・20%クリーム**　**10%外用液** 室温保存(外用液はなるべく涼しい所に保管すること)
薬剤取扱い上の留意点　金属と接触させた場合，着色することがある．ステンレスヘラを長時間本剤と接触させたままで放置しないこと
患者向け資料等　くすりのしおり
溶液及び溶解時のpH　**10%クリーム** 4.5～6.5(1→100)
調製時の注意　該当しない
薬理作用
分類　角化症治療剤，調剤用薬
作用部位・作用機序　尿素の持つ角層水分保持作用により角層水分含有量を増加させ，皮膚の乾燥粗ぞう化を改善する
同効薬　ヘパリン類似物質など
治療
効能・効果　**軟**　**クリーム**　**外用液** 魚鱗癬，老人性乾皮症，アトピー皮膚，進行性指掌角皮症(主婦湿疹の乾燥型)，足蹠部皸裂性皮膚炎，掌蹠角化症，毛孔性苔癬，(外用液のみ)頭部粃糠疹
外用末 尿素製剤の調剤に用いる
用法・用量　**10%軟**　**10%クリーム**　**外用液** 1日2～3回患部を清浄にしたのち塗布し，よく擦り込む(適宜増減)
20%軟　**20%クリーム** 1日1～数回，患部に塗擦
使用上の注意
禁忌　**ケラチナミンコーワ20%** 眼粘膜等の粘膜［尿素により粘膜機能を障害する］
薬物動態
10%軟・クリーム　**外用液** 参考：^{14}C-尿素を含む10%クリームをラット背部の皮膚に塗布し，密封した結果，血中濃度は投与後3時間で最大値を示し，以後速やかに消失．また，皮下投与時^{14}C-尿素は24時間までに尿中へ78.4%，呼気中へ13.8%，糞中へ0.14%排泄
その他の管理的事項
投与期間制限　該当しない
保険給付上の注意　該当しない
資料
添付文書　尿素「コザカイ・M」 2014年5月改訂(第3版)
パスタロンソフト軟膏10%・クリーム10%・ローション10%　2012年12月改訂(第1版)
パスタロンソフト軟膏20%・クリーム20%　2012年

12月改訂(第5版)
ウレパールクリーム10%・ローション10% 2009年6月改訂(第6版)

ニルバジピン ニルバジピン錠
Nilvadipine

概要
薬効分類 214 血圧降下剤
構造式
及び鏡像異性体
分子式 $C_{19}H_{19}N_3O_6$
分子量 385.37
ステム ニフェジピン系カルシウムチャネル拮抗薬：-dipine
原薬の規制区分 ㊕(ただし，1個中4mg以下を含有する内用剤は㊋)
原薬の外観・性状 黄色の結晶性の粉末である．アセトニトリルに溶けやすく，メタノールにやや溶けやすく，エタノール(99.5)にやや溶けにくく，水にほとんど溶けない．本品のアセトニトリル溶液(1→20)は旋光性を示さない
原薬の吸湿性 認めない
原薬の融点・沸点・凝固点 融点：167～171℃
原薬の酸塩基解離定数 解離基を有しない
先発医薬品等
錠 ニバジール錠2mg・4mg(LTL)
後発医薬品
錠 2mg・4mg
国際誕生年月 1989年1月
海外での発売状況 独など

製剤
規制区分 **錠** ㊋ ㊈
製剤の性状 **錠** 帯褐黄色のフィルムコーティング錠
有効期間又は使用期限 4年
貯法・保存条件 室温保存(開封後は防湿保存すること)
薬剤取扱い上の留意点 降圧作用に基づくめまい等が現れることがあるので，高所作業，自動車の運転等危険を伴う機械を操作する際には注意させること．本品は高防湿性の内袋により品質保持をはかっている
患者向け資料等 くすりのしおり
溶液及び溶解時のpH 該当しない
浸透圧比 該当しない
安定なpH域 該当しない
調製時の注意 該当しない

薬理作用
分類 ジヒドロピリジン系Ca拮抗薬
作用部位・作用機序 作用部位：血管平滑筋細胞 作用機序：血管平滑筋へのCa^{2+}の過剰な流入を選択的に抑制することにより，血圧降下作用を示す
同効薬 ニフェジピン，ニカルジピン塩酸塩，ニソルジピン，ニトレンジピン，マニジピン塩酸塩，ベニジピン塩酸塩，バルニジピン塩酸塩，アムロジピンベシル酸塩，エホニジピン塩酸塩エタノール付加物，フェロジピン，シルニジピン，アラニジピン，アゼルニジピン，ベラパミル塩酸塩

治療
効能・効果 本態性高血圧症
用法・用量 1回2～4mg，1日2回
禁忌・原則禁忌となる特定患者集団 妊婦又は妊娠している可能性のある婦人

使用上の注意
禁忌 ①頭蓋内出血で止血が完成していないと推定される患者［出血を助長するおそれがある］ ②脳卒中急性期で頭蓋内圧が亢進している患者［頭蓋内圧の亢進を増悪するおそれがある］ ③妊婦又は妊娠している可能性のある婦人 ④本剤の成分に対し過敏症の既往歴のある患者
相互作用概要 主としてCYP3A4で代謝される

薬物動態
血中濃度 健常成人男子(6例)に錠2mg及び4mgを単回経口投与時の血漿中濃度は，Tmax(hr)1.5±0.84，1.08±0.49，Cmax(ng/mL)1.48±0.47，3.48±0.53，$T_{1/2}$(hr)10.7±2.3，10.9±2.4 **代謝** 主な代謝経路は肝薬物代謝酵素CYP3A4によるジヒドロピリジン環の酸化，さらにそれに続くエステル基の加水分解及びメチル基の水酸化 **排泄** 健常成人男子に錠4mgを単回経口投与時，32時間までの尿中に代謝物が65.3%排泄され，うち3位カルボキシピリジン体が投与量の58%で未変化体は検出されなかった **乳汁中移行(参考)** 哺育中の雌性ラットに^{14}C-標識ニルバジピン10mg/kgを経口投与，未変化体濃度は1時間後に最高値，血漿中濃度の19倍

その他の管理的事項
投与期間制限 該当しない
保険給付上の注意 該当しない

資料
IF ニバジール錠2mg・4mg 2017年10月改訂(第17版)

ネオスチグミンメチル硫酸塩 ネオスチグミンメチル硫酸塩注射液
Neostigmine Methylsulfate

概要
薬効分類 123 自律神経剤
構造式
分子式 $C_{13}H_{22}N_2O_6S$
分子量 334.39
ステム アセチルコリンエステラーゼ阻害剤：-stigmine
原薬の規制区分 ㊋(ただし，ネオスチグミンとして0.005%以下を含有する点眼剤を除く)
原薬の外観・性状 白色の結晶性の粉末である．水に極めて溶けやすく，アセトニトリル又はエタノール(95)に溶けやすい．1.0gを新たに煮沸して冷却した水10mLに溶かした液のpHは3.0～5.0である
原薬の吸湿性 吸湿性である
原薬の融点・沸点・凝固点 融点：145～149℃
原薬の酸塩基解離定数 pKa＝12.0(アンモニウム基)(測定法：不明)
先発医薬品等
散 ワゴスチグミン散(0.5%)(共和薬品)
注 ワゴスチグミン注0.5mg・2mg(共和薬品)

ネ

国際誕生年月　不明
海外での発売状況　米，英，仏，独など

製剤

規制区分　**注**　㊕ ㊐
製剤の性状　**注** 無色澄明の液
有効期間又は使用期限　3年
貯法・保存条件　遮光・室温保存(光によって徐々に変化することがあるので注意すること)
薬剤取扱い上の留意点　該当資料なし
患者向け資料等　くすりのしおり
溶液及び溶解時のpH　5.0〜6.5
浸透圧比　約1(対生食)
調製時の注意　バルビタール系薬剤との配合には注意を要する

薬理作用

分類　コリンエステラーゼ阻害薬
作用部位・作用機序　作用部位：コリン作動性神経　作用機序：アセチルコリンはコリン作動性神経(cholinergic nerve)における刺激伝達物質と考えられているが，これを選択的に分解する生体内酵素コリンエステラーゼによって加水分解され，その作用を消失する．ネオスチグミンは，このコリンエステラーゼを一時的に不活化して，アセチルコリンの分解を抑制し，間接的にアセチルコリンの作用を増強するとともに，自らもアセチルコリン様の作用を有するコリン作動薬(副交感神経興奮薬)である
同効薬　エドロホニウム塩化物

治療

効能・効果　①重症筋無力症②クラーレ剤(ツボクラリン)による遷延性呼吸抑制③消化管機能低下のみられる手術後及び分娩後の腸管麻痺④手術後及び分娩後における排尿困難⑤非脱分極性筋弛緩剤の作用の拮抗
用法・用量　効能①〜④：ネオスチグミンメチル硫酸塩として1回0.25〜1.0mg，1日1〜3回皮下又は筋注(適宜増減)　効能⑤：ネオスチグミンメチル硫酸塩として1回0.5〜2.0mgを緩徐に静注(適宜増減)．ただし，アトロピン硫酸塩水和物を静注により併用する
用法・用量に関連する使用上の注意　非脱分極性筋弛緩剤(ツボクラリン塩化物塩酸塩水和物，パンクロニウム臭化物，ベクロニウム臭化物等)の作用の拮抗に本剤を静注する場合には，次の点に注意する：①投与は，筋弛緩モニターによる回復又は自発呼吸の発現を確認した後に行う　②特別な場合を除き5mgを超えて投与しない　③徐脈がある場合には，本剤投与前にアトロピン硫酸塩水和物を投与して脈拍を適度に増加させておく　④静注する場合には，過度のコリン作動性反応を防止するため，通常，成人にはアトロピン硫酸塩水和物として1回0.25〜1.0mgを静注により併用する．なお，アトロピン硫酸塩水和物は必要に応じ適宜増減する　⑤さらに血圧低下，徐脈，房室ブロック，心停止等が起こることがあるのでアトロピン硫酸塩水和物0.5〜1.0mgを入れた注射器をすぐ使えるようにしておく．これらの副作用が現れた場合には，アトロピン硫酸塩水和物等を追加投与する

使用上の注意

> **警告**　非脱分極性筋弛緩剤の作用の拮抗に静注するにあたっては，緊急時に十分対応できる医療施設において，本剤の作用及び使用法について熟知した医師のみが使用する

禁忌　①消化管又は尿路の器質的閉塞のある患者［蠕動運動を亢進させ，また排尿筋を収縮させる作用を有する］　②本剤の成分に対し過敏症の既往歴のある患者　③迷走神経緊張症の患者［迷走神経興奮作用を有する］　④脱分極性筋弛緩剤(スキサメトニウム)を投与中の患者
過量投与　①徴候，症状：コリン作動性クリーゼ(腹痛，下痢，発汗，唾液分泌過多，縮瞳，線維束攣縮等)が現れることがある　②処置：直ちに投与を中止し，アトロピン硫酸塩水和物0.5〜1mgを静注する．さらに，必要に応じて人工呼吸又は気管切開等を行い気道を確保する

薬物動態

血漿中濃度　(測定法：ガスクロマトグラフ法)①重症筋無力症患者：5例に2mgを単回筋注時のネオスチグミンの薬物動態パラメータ(重症筋無力症の承認用法・用量は1回0.25〜1mg，1日1〜3回皮下又は筋注)はCmax21±2ng/mL，半減期1.2±0.11hr　②腎機能正常手術患者，両側腎摘出患者及び腎移植患者：腎機能正常手術患者8例，両側腎摘出患者4例及び腎移植患者6例に麻酔下で2mgを単回静注時のネオスチグミンの薬物動態パラメータはそれぞれ半減期79.8±48.6，181.1±54.4※)，104.7±64分，分布容積1.4±0.5，1.6±0.2，2.1±1L/kg，全身クリアランスCLt16.7±5.4，7.8±2.6※)，18.8±5.8mL/kg/分[※：腎機能正常手術患者と有意差ありp＜0.05(t検定)]　**排泄**　重症筋無力症患者3例に^{14}C-標識体1mgあるいは2mgを筋注時，24時間以内に約82%が尿中に排泄．その尿中には未変化体約50%，活性代謝物3-ヒドロキシフェニルトリメチルアンモニウム約15%，そのグルクロン酸抱合体0.7%が認められた(重症筋無力症の承認用法・用量は1回0.25〜1mg1日1〜3回皮下又は筋注)　**その他**　蛋白結合率：15〜25%

その他の管理的事項

投与期間制限　該当しない
保険給付上の注意　該当しない

資料

IF　ワゴスチグミン注0.5mg・2mg　2019年10月改訂(第15版)

ノスカピン
Noscapine

概要

薬効分類　222　鎮咳剤
構造式

分子式　$C_{22}H_{23}NO_7$
分子量　413.42
原薬の規制区分　該当しない
原薬の外観・性状　白色の結晶又は結晶性の粉末で，におい及び味はない．酢酸(100)に極めて溶けやすく，エタノール(95)又はジエチルエーテルに溶けにくく，水にほとんど溶けない
原薬の融点・沸点・凝固点　融点：174〜177℃

製剤

製剤の性状　**末** 白色の結晶又は結晶性の粉末で，におい及び味はない．酢酸(100)に極めて溶けやすく，エタノール(95)又はジエチルエーテルに溶けにくく，水にほとんど溶けない
貯法・保存条件　遮光保存

薬理作用

分類　鎮咳剤
作用部位・作用機序　非麻薬性中枢性鎮咳薬で，鎮咳効果は麻薬性のものに及ばないが，耐性や依存性がないという利点がある．作用機序は咳中枢の抑制であるが，オピオイド受容体とは異なる受容部位に結合することによると考えられる

治療

効能・効果　次の疾患に伴う咳嗽：感冒，気管支喘息，喘息性

(様)気管支炎，急性気管支炎，慢性気管支炎，気管支拡張症，肺炎，肺結核，肺癌，肺化膿症，胸膜炎，上気道炎(咽喉頭炎，鼻カタル)

用法・用量 1回10～30mg，1日3～4回(適宜増減)

その他の管理的事項

投与期間制限 該当しない

保険給付上の注意 該当しない

資料

添付文書 「純生」ノスカピン 2012年4月作成(第1版)

ノスカピン塩酸塩水和物
Noscapine Hydrochloride Hydrate

概要

構造式

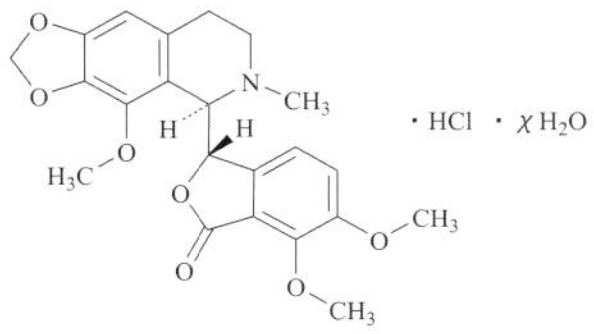

・HCl ・χH_2O

分子式 $C_{22}H_{23}NO_7$・HCl・xH_2O

分子量 449.88(無水物)

原薬の規制区分 該当しない

原薬の外観・性状 無色又は白色の結晶又は結晶性の粉末で，においはなく，味は苦い．水，無水酢酸又は酢酸(100)に溶けやすく，エタノール(95)にやや溶けやすく，ジエチルエーテルにほとんど溶けない

ノルアドレナリン
ノルアドレナリン注射液
Noradrenaline

別名：ノルエピネフリン

概要

薬効分類 245 副腎ホルモン剤

構造式

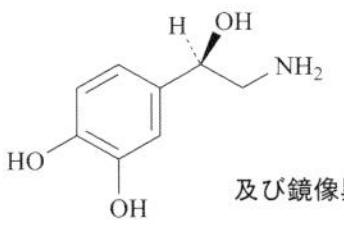

及び鏡像異性体

分子式 $C_8H_{11}NO_3$

分子量 169.18

ステム 不明

原薬の規制区分 毒(ただし，製剤は劇)

原薬の外観・性状 白色～淡褐色又は僅かに赤みを帯びた褐色の結晶性の粉末である．酢酸(100)に溶けやすく，水に極めて溶けにくく，エタノール(95)にほとんど溶けない．希塩酸に溶ける．空気又は光によって徐々に褐色となる

原薬の吸湿性 該当資料なし

原薬の融点・沸点・凝固点 融点 約191℃(分解)

原薬の酸塩基解離定数 該当資料なし

先発医薬品等

注 ノルアドリナリン注1mg(アルフレッサファーマ)

国際誕生年月 不明

海外での発売状況 米，独など

製剤

規制区分 注 劇 処

製剤の性状 注 無色澄明の液で，空気又は光によって徐々に微赤色となる

有効期間又は使用期限 3年

貯法・保存条件 遮光・室温保存

患者向け資料等 くすりのしおり

溶液及び溶解時のpH 2.3～5.0

浸透圧比 約1(対生食)

調製時の注意 アルカリ性溶液，酸化剤，金属イオンとの混合は避ける

薬理作用

分類 カテコールアミン

作用部位・作用機序 ノルアドレナリンは交感神経節後神経終末部で生合成され，神経終末内顆粒に貯蔵され，交感神経の興奮により開口分泌により遊離され，効果器にある受容体と結合して生理的作用を現す神経伝達物質(ニューロトランスミッター)である．体外より投与されたノルアドレナリンは，アドレナリンとほぼ同等の強さのβ_1作用及びそれより若干弱いα作用を現すが，β_2作用はほとんど起こさない．静注により，脳血管，冠動脈以外のすべての血管平滑筋が収縮(α_1作用)，末梢血管抵抗が増大するので，収縮期圧，拡張期圧，脈圧すべて上昇する．平均血圧が上昇すると反射性の心拍数の減少が起こる．アドレナリンのようなα遮断薬による血圧反転は起こらない．ノルアドレナリンの代謝作用は弱い

同効薬 エチレフリン塩酸塩，フェニレフリン塩酸塩，アドレナリンなど

治療

効能・効果 各種疾患もしくは状態に伴う急性低血圧又はショック時の補助治療(心筋梗塞によるショック，敗血症によるショック，アナフィラキシー性ショック，循環血液量低下を伴う急性低血圧ないしショック，全身麻酔時の急性低血圧等)

用法・用量 ①点滴静注：1回1mgを250mLの生理食塩液，5%ブドウ糖液，血漿又は全血等に溶解して点滴静注．点滴の速度は1分間につき0.5～1mLであるが，血圧を絶えず観察して適宜調節する ②皮下注射：1回0.1～1mg皮下注(適宜増減)

使用上の注意

禁忌 ①ハロゲン含有吸入麻酔剤投与中の患者 ②他のカテコールアミン製剤投与中の患者

その他の管理的事項

投与期間制限 該当しない

保険給付上の注意 該当しない

資料

IF ノルアドリナリン注1mg 2019年3月作成(第1版)

ノルエチステロン
Norethisterone

概要

薬効分類 247 卵胞ホルモン及び黄体ホルモン剤

構造式

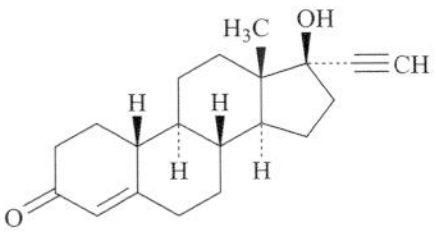

分子式 $C_{20}H_{26}O_2$

ノ

分子量 298.42
ステム ステロイド(黄体ホルモン)：-sterone
原薬の規制区分 該当しない
原薬の外観・性状 白色～微黄白色の結晶性の粉末で，においはない．エタノール(95)，アセトン又はテトラヒドロフランにやや溶けにくく，ジエチルエーテルに溶けにくく，水に極めて溶けにくい．光によって変化する
原薬の吸湿性 該当資料なし
原薬の融点・沸点・凝固点 融点：203～209℃
原薬の酸塩基解離定数 該当資料なし
先発医薬品等
錠 ノアルテン錠(5mg)(富士製薬)
国際誕生年月 不明
海外での発売状況 カナダ，デンマークなど

製剤
規制区分 錠 ㊈
製剤の性状 錠 白色の円形の素錠
有効期間又は使用期限 5年
貯法・保存条件 室温保存
薬剤取扱い上の留意点 特になし
患者向け資料等 くすりのしおり
溶液及び溶解時のpH 該当しない
浸透圧比 該当しない
安定なpH域 該当しない
調製時の注意 該当しない

薬理作用
分類 持続性合成黄体ホルモン
作用部位・作用機序 作用部位:子宮内膜，乳腺，脳等の細胞 作用機序:標的臓器(子宮内膜等)の細胞内に存在する特定のレセプター蛋白を介して発揮される．すなわち，細胞内のレセプター蛋白と結合してその立体構造を変え，DNAの特定領域に結合する．その部位の遺伝子が活性化されて特定のmRNAが生成され，特異蛋白の合成が起こり，ホルモン効果が発揮される
同効薬 アリルエストレノール，クロルマジノン酢酸エステル

治療
効能・効果 無月経，月経周期異常(稀発月経，多発月経)，月経量異常(過少月経，過多月経)，月経困難症，卵巣機能不全症，黄体機能不全による不妊症，機能性子宮出血，月経周期の変更(短縮及び延長)
用法・用量 1日5～10mgを1～2回に分服．月経周期延長：1日5mgを月経予定の5日前から延長希望日まで連続投与．月経周期短縮：1日5mgを卵胞期に投与し，数日間連続投与
禁忌・原則禁忌となる特定患者集団 妊婦又は妊娠している可能性のある婦人

使用上の注意
禁忌 ①重篤な肝障害・肝疾患のある患者［肝障害・肝疾患を悪化させることがある］ ②妊婦又は妊娠している可能性のある婦人

薬物動態
血中濃度 婦人に10mg単回投与2時間後に最高血中濃度，消失半減期は約5時間(測定法：competitive protein binding (CPB)) **代謝(参考)** 子宮癌術後の婦人に，100mg(承認外用量)を単回投与し，フェノール性代謝物の定性試験を行ったとき，主に肝臓で17α-エチニルエストラジオールに一部代謝されることが証明された(承認用量は1日5～10mgを1～2回に分割投与) **排泄** 子宮癌末期患者に^{3}H-標識ノルエチステロン5mgを経口投与時，尿中から約30%が5日間で排泄され，6日目以降は尿中からは認められなかった

その他の管理的事項
投与期間制限 該当しない
保険給付上の注意 該当しない

資料
IF ノアルテン錠(5mg) 2015年10月改訂(第2版)

ノルゲストレル
Norgestrel

概要
構造式

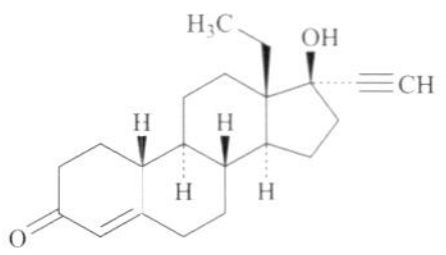

分子式 $C_{21}H_{28}O_2$
分子量 312.45
原薬の規制区分 該当しない
原薬の外観・性状 白色の結晶又は結晶性の粉末である．テトラヒドロフラン又はクロロホルムにやや溶けやすく，エタノール(95)にやや溶けにくく，ジエチルエーテルに溶けにくく，水にほとんど溶けない
原薬の融点・沸点・凝固点 融点：206～212℃

ノルゲストレル・エチニルエストラジオール錠
Norgestrel and Ethinylestradiol Tablets

概要
薬効分類 248 混合ホルモン剤
分子式 ［ノルゲストレル］$C_{21}H_{28}O_2$ ［エチニルエストラジオール］$C_{20}H_{24}O_2$
分子量 ［ノルゲストレル］312.45 ［エチニルエストラジオール］296.40
ステム ［ノルゲストレル］プロゲステロン：-gestr- ［エチニルエストラジオール］エストロゲン：-estr
原薬の規制区分 該当しない
原薬の吸湿性 該当資料なし
先発医薬品等
錠 プラノバール配合錠(あすか製薬＝武田)
国際誕生年月 1965年4月
海外での発売状況 該当しない

製剤
規制区分 錠 ㊈
製剤の性状 錠 白色の糖衣錠
有効期間又は使用期限 5年
貯法・保存条件 室温保存
患者向け資料等 患者向医薬品ガイド，くすりのしおり
調製時の注意 該当しない

薬理作用
分類 黄体・卵胞ホルモン配合剤
作用部位・作用機序 作用部位：女性性器(子宮・卵巣) 作用機序：脳下垂体前葉に作用して，脳下垂体前葉からのFSH，LH分泌を抑制し，また，子宮内膜の再生を促進し，分泌相に転換する

治療
効能・効果 ①機能性子宮出血 ②月経困難症，月経周期異常(稀発月経，頻発月経)，過多月経，子宮内膜症，卵巣機能不全
用法・用量 機能性子宮出血には1日1錠，7～10日間連続投与．その他には1日1錠を月経周期第5日から約3週間連続投与
禁忌・原則禁忌となる特定患者集団 妊婦又は妊娠している可能性のある女性

使用上の注意

禁忌　①血栓性静脈炎，肺塞栓症又はその既往歴のある患者［血液凝固能が亢進され，これらの症状が悪化又は再発することがある］　②エストロゲン依存性悪性腫瘍(たとえば乳癌，子宮内膜癌)及びその疑いのある患者［エストロゲン作用により，腫瘍の悪化あるいは顕性化を促すことがある］　③重篤な肝障害のある患者　④前回妊娠中に黄疸又は持続性そう痒症の既往歴のある患者［症状が再発するおそれがある］　⑤前回の妊娠中に悪化した耳硬化症の既往歴のある患者［症状が再発するおそれがある］　⑥妊娠ヘルペスの既往歴のある患者［症状が再発するおそれがある］　⑦鎌状赤血球貧血のある患者［血栓症又は肝障害を起こすおそれがある］　⑧デュビン・ジョンソン症候群，ローター症候群の患者［症状を悪化させるおそれがある］　⑨脂質代謝異常のある患者［症状を悪化させるおそれがある］　⑩妊婦又は妊娠している可能性のある女性　⑪診断の確定していない異常性器出血のある患者［悪性腫瘍の場合，症状を悪化させるおそれがある］

薬物動態

血中濃度　健康成人女性に^{14}C標識ノルゲストレル(NG)4mgを経口投与時，血中濃度は3時間後に最高に達し，24時間後にはほぼ半減(外国人データ)．健康成人男性に^{3}H標識エチニルエストラジオール(EE)30μgを経口投与時，血中濃度は2～4時間後に最高に達した(外国人データ)　**吸収**　NGは，経口投与後消化管より速やかに吸収され，初回通過効果もあまり受けないのでバイオアベイラビリティは高い．EEは，経口投与後吸収は速いが小腸で抱合を受け，バイオアベイラビリティは40～50%程度　**分布**　NGは，血漿中でアルブミン及び性ホルモン結合グロブリンと高度に結合している．EEの分布容積は3.5L/kg，消失半減期は10時間，全身クリアランスは5.4mL/min/kgで，血漿たん白結合率は95～98%　**代謝**　NGは，16β位の水酸化やA環の還元の後，硫酸抱合やグルクロン酸抱合を受ける　**排泄**　健康成人女性に^{14}C標識NG4mgを経口投与時，総投与量の95%が糞尿中より排泄され，尿中排泄量は総排泄量の64%(外国人データ)．健康成人男性に^{3}H標識EE30μgを経口投与時，総投与量の95%が糞尿中より排泄され，尿中排泄量は総排泄量の42.7%(外国人データ)

その他の管理的事項

投与期間制限　該当しない

保険給付上の注意　該当しない

資料

IF　プラノバール配合錠　2020年7月改訂(第13版)

ノルトリプチリン塩酸塩
ノルトリプチリン塩酸塩錠
Nortriptyline Hydrochloride

概要

薬効分類　117　精神神経用剤

構造式

分子式　$C_{19}H_{21}N \cdot HCl$

分子量　299.84

ステム　三環系抗うつ剤：-triptyline

原薬の規制区分　[劇]

原薬の外観・性状　白色～帯黄白色の結晶性の粉末で，においはないか，又は僅かに特異なにおいがある．酢酸(100)又はクロロホルムに溶けやすく，エタノール(95)にやや溶けやすく，水にやや溶けにくく，ジエチルエーテルにほとんど溶けない．1.0gを水100mLに溶かした液のpHは約5.5である

原薬の吸湿性　認められない(40℃，20～98%RH，14日間)

原薬の融点・沸点・凝固点　融点：215～220℃

原薬の酸塩基解離定数　pKa＝12.6(第二アミノ基，溶解度法)

先発医薬品等

[錠] ノリトレン錠10mg・25mg(大日本住友)

国際誕生年月　不明

海外での発売状況　米，英など

製剤

規制区分　[錠] [劇] [処]

製剤の性状　10mg錠 うすいだいだい色の糖衣錠　25mg錠 だいだい色のフィルムコート錠

有効期間又は使用期限　3年

貯法・保存条件　気密容器，室温保存

薬剤取扱い上の留意点　眠気，注意力・集中力・反射運動能力等の低下が起こることがあるので，本剤投与中の患者には，自動車の運転など危険を伴う機械の操作に従事させないよう注意すること

患者向け資料等　患者向医薬品ガイド，くすりのしおり

溶液及び溶解時のpH　約5.5(1.0gを水100mLに溶かした液)

浸透圧比　該当資料なし

安定なpH域　該当資料なし

調製時の注意　該当しない

薬理作用

分類　三環系抗うつ剤

作用部位・作用機序　三環系抗うつ薬の作用機序として，脳内モノアミン(ノルアドレナリン，セロトニンなど)の再取り込み阻害作用により，シナプス間隙のモノアミン量を増やし，その結果，レセプター(受容体)に作用する伝達物質の量が増加することが考えられている．ノルトリプチリン塩酸塩も同様な機序が考えられており，ノルアドレナリン再取り込みを選択的に阻害するとされている．また，抗うつ薬の慢性投与による脳内ノルアドレナリン受容体の変化についての検討により，ノルアドレナリンβ受容体の減少と抗うつ作用の関連が示唆されている．ノルトリプチリン塩酸塩においても，ノルアドレナリンβ受容体の減少が指摘されており，抗うつ作用との関連が示唆されている

同効薬　アミトリプチリン塩酸塩，イミプラミン塩酸塩，トリミプラミンマレイン酸塩，クロミプラミン塩酸塩，ロフェプラミン塩酸塩，マプロチリン塩酸塩，ミアンセリン塩酸塩，セチプチリンマレイン酸塩，トラゾドン塩酸塩，フルボキサミンマレイン酸塩，パロキセチン塩酸塩水和物，ミルナシプラン塩酸塩など

治療

効能・効果　精神科領域におけるうつ病及びうつ状態(内因性うつ病，反応性うつ病，退行期うつ病，神経症性うつ状態，脳器質性精神障害のうつ状態)

効能・効果に関連する使用上の注意　抗うつ剤の投与により，24歳以下の患者で，自殺念慮，自殺企図のリスクが増加するとの報告があるため，投与にあたっては，リスクとベネフィットを考慮する

用法・用量　ノルトリプチリンとして初め1回10～25mgを1日3回，又はその1日量を2回に分服．その後，症状及び副作用を観察しながら，必要ある場合は漸次増量．最大1日150mg以内を2～3回に分服

使用上の注意

禁忌　①閉塞隅角緑内障の患者［抗コリン作用により眼圧が上昇し，症状を悪化させることがある］　②本剤の成分及び三環系抗うつ剤に対し過敏症の患者　③心筋梗塞の回復初期の患者［循環器系への影響を強く受けるおそれがある］　④尿閉(前立腺疾患等)のある患者［本剤の抗コリン作用により，

尿閉が助長されるおそれがある］ ⑤モノアミン酸化酵素阻害剤（セレギリン塩酸塩，ラサギリンメシル酸塩，サフィナミドメシル酸塩）を投与中の患者

過量投与 ①症状：昏睡，錯乱，不安，激越，異常高熱，筋強剛，反射亢進，痙攣，不整脈，伝導障害を示す心電図異常，うっ血性心不全，ショック，嘔吐等が現れる ②処置：特異的な解毒剤は知られていないので，胃洗浄，活性炭の投与を行い，維持療法を実施する．呼吸抑制が現れた場合には気道を確保し，呼吸補助を行う

薬物動態

血漿中濃度 健康成人（外国人）に1回1mg/kg経口投与時のTmax（hr）は5.6，Cmaxは44.4ng/mL，$T_{1/2}\beta$ 26.9hr **血漿蛋白結合率** 約94%（*in vitro*，ヒト血漿，限外ろ過法） **主な代謝産物及び代謝経路** ①主な代謝産物：10-hydroxynortriptyline（10-OH-NT），desmethylnortriptyline（DNT），10-hydroxydesmethylnortriptyline（10-OH-DNT） ②代謝経路（外国人）：主に肝臓において10位の水酸化体，N位の脱メチル体に代謝される．一部は抱合を受ける **排泄経路及び排泄率** ①排泄経路：主として尿中 ②排泄率：尿中に投与量の62%［健康成人（外国人）に1回1mg/kg経口投与又は0.4mg/kg1日3回反復経口投与時］ **初回通過効果（外国人）** 41～54% **代謝酵素** 主なチトクロムP450分子種：CYP2D6（ノルトリプチリンの10位の水酸化）

その他の管理的事項

投与期間制限 該当しない

保険給付上の注意 該当しない

資料

IF ノリトレン錠10mg・25mg 2020年3月改訂（第19版）

ノルフロキサシン
Norfloxacin

概要

薬効分類 131 眼科用剤，624 合成抗菌剤

構造式

HN, N, CH3, N, F, CO2H, O

分子式 $C_{16}H_{18}FN_3O_3$

分子量 319.33

略語・慣用名 NFLX

ステム ナリジクス酸系抗菌薬：-oxacin

原薬の規制区分 該当しない

原薬の外観・性状 白色～微黄色の結晶性の粉末である．酢酸（100）に溶けやすく，エタノール（99.5）又はアセトンに溶けにくく，メタノールに極めて溶けにくく，水にほとんど溶けない．希塩酸又は水酸化ナトリウム試液に溶ける．光によって徐々に着色する

原薬の吸湿性 吸湿性である

原薬の融点・沸点・凝固点 融点：220～224℃

原薬の酸塩基解離定数 $pKa_1 = 6.34$，$pKa_2 = 8.75$（25℃，中和滴定法）

先発医薬品等

錠 小児用バクシダール錠50mg（杏林）
バクシダール錠100mg・200mg（杏林）
ノルフロキサシン錠100mg・200mg「EMEC」（エルメッド＝日医工）
ノルフロキサシン錠100mg・200mg「YD」（陽進堂）
ノルフロキサシン錠100mg・200mg「サワイ」（沢井）
ノルフロキサシン錠100mg・200mg「ツルハラ」（鶴原）

点眼液 ノフロ点眼液0.3%（日医工）
ノルフロキサシン点眼液0.3%「NikP」（日医工ファーマ＝日医工）
ノルフロキサシン点眼液0.3%「杏林」（キョーリンリメディオ＝杏林）
ノルフロキサシン点眼液0.3%「ツルハラ」（鶴原）
ノルフロキサシン点眼液0.3%「日新」（日新製薬）
ノルフロキサシン点眼液0.3%「ニットー」（富士薬品＝日東メディック）
ノルフロキサシン点眼液0.3%「わかもと」（わかもと）
バクシダール点眼液0.3%（杏林＝千寿＝武田）

国際誕生年月 1983年9月

製剤

規制区分 **小児用錠** **錠** **点眼液** 処

製剤の性状 **小児用錠** **錠** 白色～微黄色のフィルムコーティング錠 **点眼液** 無色澄明の水性点眼液

有効期間又は使用期限 3年

貯法・保存条件 **小児用錠** **錠** 湿気を避け，遮光・室温保存 **点眼液** 気密容器，遮光・室温保存（長期間低温に保存しないこと）

薬剤取扱い上の留意点 **小児用錠** **錠** 本剤を牛乳で服用した時，本剤の吸収が低下し，効果が減弱されるおそれがあるので，両者の併用は避けた方が望ましい

患者向け資料等 くすりのしおり

溶液及び溶解時のpH **点眼液** 5.0～5.6

浸透圧比 **点眼液** 約1（対生食）

薬理作用

分類 ピリドンカルボン酸系合成抗菌剤

作用部位・作用機序 ①細菌のDNAの高次構造を変換するDNA gyraseに作用し，DNA複製を阻害する ②対数増殖期の大腸菌，肺炎桿菌及び緑膿菌で生菌数の推移からNFLXの作用は殺菌的であることが示された ③大腸菌に対して，NFLXのMBCはMICとほとんど同じ値を示し，殺菌的に作用した

同効薬 オフロキサシン，シプロフロキサシン塩酸塩水和物，ロメフロキサシン塩酸塩，トスフロキサシントシル酸塩水和物，レボフロキサシン水和物，パズフロキサシンメシル酸塩，プルリフロキサシン，モキシフロキサシン塩酸塩，メシル酸ガレノキサシン水和物，シタフロキサシン水和物，ラスクフロキサシン塩酸塩など

治療

効能・効果 **錠**〈適応菌種〉本剤に感性のブドウ球菌属，レンサ球菌属，肺炎球菌，腸球菌属，淋菌，炭疽菌，大腸菌，赤痢菌，サルモネラ属，チフス菌，パラチフス菌，シトロバクター属，クレブシエラ属，エンテロバクター属，セラチア属，プロテウス属，モルガネラ・モルガニー，プロビデンシア・レットゲリ，コレラ菌，腸炎ビブリオ，インフルエンザ菌，緑膿菌，野兎病菌，カンピロバクター属 〈適応症〉表在性皮膚感染症，深在性皮膚感染症，慢性膿皮症，咽頭・喉頭炎，扁桃炎，急性気管支炎，膀胱炎，腎盂腎炎，前立腺炎（急性症，慢性症），尿道炎，胆嚢炎，胆管炎，感染性腸炎，腸チフス，パラチフス，コレラ，中耳炎，副鼻腔炎，炭疽，野兎病
小児用錠〈適応菌種〉本剤に感性のブドウ球菌属，レンサ球菌属，肺炎球菌，腸球菌属，炭疽菌，大腸菌，赤痢菌，サルモネラ属，チフス菌，パラチフス菌，シトロバクター属，クレブシエラ属，エンテロバクター属，プロテウス属，モルガネラ・モルガニー，インフルエンザ菌，緑膿菌，野兎病菌，カンピロバクター属 〈適応症〉表在性皮膚感染症，慢性膿皮症，咽頭・喉頭炎，扁桃炎，急性気管支炎，膀胱炎，腎盂腎炎，感染性腸炎，腸チフス，パラチフス，炭疽，野兎病
点眼液〈適応菌種〉本剤に感性のブドウ球菌属，レンサ球菌

属，肺炎球菌，腸球菌属，ミクロコッカス属，モラクセラ属，コリネバクテリウム属，バシラス属，クレブシエラ属，エンテロバクター属，セラチア属，プロテウス属，インフルエンザ菌，ヘモフィルス・エジプチウス(コッホ・ウィークス菌)，シュードモナス属，緑膿菌，バークホルデリア・セパシア，ステノトロホモナス(ザントモナス)・マルトフィリア，アシネトバクター属，フラボバクテリウム属，アルカリゲネス属〈適応症〉眼瞼炎，涙嚢炎，麦粒腫，結膜炎，瞼板腺炎，角膜炎(角膜潰瘍を含む)，眼科周術期の無菌化療法

効能・効果に関連する使用上の注意　**錠** 咽頭・喉頭炎，扁桃炎，急性気管支炎，感染性腸炎，中耳炎，副鼻腔炎への使用にあたっては，「抗微生物薬適正使用の手引き」を参照し，抗菌薬投与の必要性を判断した上で，本剤の投与が適切と判断される場合に投与する

小児用錠 咽頭・喉頭炎，扁桃炎，急性気管支炎，感染性腸炎への使用にあたっては，「抗微生物薬適正使用の手引き」を参照し，抗菌薬投与の必要性を判断した上で，本剤の投与が適切と判断される場合に投与する

用法・用量　**錠** ノルフロキサシンとして1回100～200mg，1日3～4回(適宜増減)．ただし，腸チフス，パラチフスの場合は，1回400mgを1日3回，14日間

小児用錠 他の抗菌剤が無効と判断される症例に対してのみ，ノルフロキサシンとして1日6～12mg/kgを3回に分服(適宜増減)．また，投与期間はできるだけ短期間(原則として7日以内)にとどめる．ただし，腸チフス，パラチフスの場合は，1日15～18mg/kgを3回に分服，14日間

点眼液 1回1滴，1日3回点眼(適宜増減)

用法・用量に関連する使用上の注意　**錠** ①使用にあたっては，耐性菌の発現等を防ぐため，原則として感受性を確認し，疾病の治療上必要な最小限の期間の投与にとどめる．なお，長期投与が必要となる場合には，経過観察を十分行う　②腸チフス，パラチフスにおける用量では，他の感染症に対する用量と比較して国内投与経験が少ないため，頻回に臨床検査を行う等，患者の状態を十分に観察する　③炭疽の発症及び進展抑制には，類薬であるシプロフロキサシンについて米国疾病管理センター(CDC)が，60日間の投与を推奨している

小児用錠 ①使用にあたっては，耐性菌の発現等を防ぐため，原則として感受性を確認し，疾病の治療上必要な最小限の期間の投与にとどめる．なお，長期投与が必要となる場合には，経過観察を十分行う　②腸チフス，パラチフスの場合には，本剤が50mg錠であることから，次の体重あたりの1回投与量を目安とする．49～41kg5錠，40～32kg4錠，31～23kg3錠，22～15kg2錠　③炭疽の発症及び進展抑制には，類薬であるシプロフロキサシンについて米国疾病管理センター(CDC)が，60日間の投与を推奨している

点眼液 使用にあたっては，耐性菌の発現等を防ぐため，原則として感受性を確認し，疾病の治療上必要な最小限の期間の投与にとどめる

禁忌・原則禁忌となる特定患者集団　**小児用錠**　**錠** 妊婦又は妊娠している可能性のある婦人(ただし，炭疽及び野兎病に限り，治療上の有益性を考慮して投与すること)　**小児用錠** 乳児

使用上の注意

禁忌　**錠**　**小児用錠** ①本剤の成分に対し過敏症の既往歴のある患者　②次の薬剤を投与中の患者：〔100mg錠，200mg錠〕フェンブフェン，フルルビプロフェンアキセチル，フルルビプロフェン．〔小児用錠〕フェンブフェン，フルルビプロフェンアキセチル，フルルビプロフェン等のフェニル酢酸系又はプロピオン酸系非ステロイド性消炎鎮痛剤　③妊婦又は妊娠している可能性のある婦人．ただし，妊婦又は妊娠している可能性のある婦人に対しては，炭疽及び野兎病に限り，治療上の有益性を考慮して投与する　④〔小児用錠〕乳児等

点眼液 ノルフロキサシン又はキノロン系合成抗菌剤に対し過敏症の既往歴のある患者

薬物動態

錠　**小児用錠** 単回経口投与：**血中濃度**　健康成人(3例)に200mg投与1.3時間後最高1.15μg/mL，$T_{1/2}$2.74hr，AUCは4.29μg・hr/mL．小児患者(11例)に2.2～4mg/kg投与2.3時間後最高0.42μg/mL，$T_{1/2}$(10例)2.3hr，AUC(10例)は2.09μg・hr/mL　**分布**　(成人患者200mg投与)①喀痰(2例)：約4時間後0.77μg/mL　②扁桃(6例)：2時間後1.87μg/g　③上顎洞粘膜(5例)：2時間後0.72～2.03μg/g　④耳漏(1例)：2時間後1.93μg/mL　⑤胆嚢(9例)：1～4.5時間後1.39μg/g　⑥胆汁(6例)：1～4.5時間後10.4μg/mL　⑦前立腺液(6例)：1時間後0.16μg/mL　⑧尿道分泌物(5例)：1時間後0.51μg/mL　**代謝**　健康成人に200mg投与時の尿中排泄物は未変化体約80%，その他に5種の代謝物．小児患者に2.2～4mg/kg投与時の尿中排泄物は未変化体85.4%，その他に4種の代謝物　**排泄**　健康成人に200mg投与時の尿中濃度は0～2時間尿に最高348μg/mL，8時間までの尿中回収率42.6%．クレアチニンクリアランス29mL/分以下の高度腎機能障害患者で尿中排泄量が著明に減少．小児患者に2.2～4mg/kg投与時の尿中濃度は2～4時間尿に最高平均101μg/mL，6時間までの尿中回収率21.6%

点眼液 **血中濃度**　健康成人眼に1回2滴1日4回14日間点眼時，最終投与日の3回目の点眼1時間後には，測定限界値(0.005μg/mL)以下　**眼内移行**　眼手術患者に術前0.5～3時間の間に数回点眼時の前房水中濃度は点眼後90分に最高値0.36μg/mL(注：承認用法・用量は1回1滴，1日3回)①結膜嚢内濃度(参考)：ウサギ正常眼に1回2滴点眼30分後305μg/mL，1時間後77μg/mL，6時間後8.9μg/mL　②眼組織内濃度(参考)　(1)(白色ウサギ)正常眼に1回2滴5分ごとに5回点眼時，眼球内部組織に比べ外眼部で濃度が高く，最高濃度は角膜7.84μg/g(15分後)，眼瞼6.55μg/g(30分後)，球結膜5.76μg/g(15分後)，前房水中は0.68μg/mL(2時間後)，虹彩・毛様体で0.65μg/g(30分後)，脈絡膜で0.26μg/g(15分後)と少なく，血清中は0.02μg/mL(15分後)と極めて少なかった．角膜炎症眼では正常眼に比べてより高い移行濃度　(2)(有色ウサギ)正常眼に0.3%[^{14}C]-ノルフロキサシン溶液を1回1滴1日5回14日間点眼時の最終点眼24時間後の眼組織内濃度は虹彩・毛様体で3μg・eq/g，脈絡膜・網膜色素上皮で3.65μg・eq/g，色素上皮を除く網膜で測定限界以下で，メラニン色素を含む組織には高度に分布

その他の管理的事項

投与期間制限　該当しない

保険給付上の注意　該当しない

資料

IF　小児用バクシダール錠50mg　2019年9月改訂(第15版)
バクシダール錠100mg・200mg　2019年9月改訂(第17版)
ノフロ点眼液0.3%　2018年12月改訂(第3版)

ノ

バカンピシリン塩酸塩
Bacampicillin Hydrochloride

概要

薬効分類　613　主としてグラム陽性・陰性菌に作用するもの

構造式

分子式　$C_{21}H_{27}N_3O_7S \cdot HCl$

分子量　501.98

略語・慣用名　別名：塩酸アンピシリンエトキシカルボニルオキシエチル，BAPC

ステム　6-アミノペニシラン酸系抗生物質：-cillin

原薬の規制区分　該当しない

原薬の外観・性状　白色～微黄色の結晶性の粉末である．メタノール又はエタノール(95)に溶けやすく，水にやや溶けやすい

原薬の吸湿性　吸湿性である．(臨界湿度約75%RH)

原薬の融点・沸点・凝固点　融点(分解点)：測定不能(140℃付近より熱分解し明瞭な融点を示さない)

原薬の酸塩基解離定数　pKa＝6.8(0.1mol/L NaOH滴定法)

先発医薬品等

錠 ペングッド錠250mg(日医工)

国際誕生年月　1975年

海外での発売状況　該当資料なし

製剤

規制区分　錠 ㊈

製剤の性状　錠 白色のフィルムコーティング錠

有効期間又は使用期限　2年

貯法・保存条件　防湿・室温保存

薬剤取扱い上の留意点　服用時：食道に停留し崩壊すると，まれに食道潰瘍を起こすことがあるので，多めの水で服用させ，特に就寝直前の服用等には注意すること

患者向け資料等　くすりのしおり

溶液及び溶解時のpH　該当資料なし

浸透圧比　該当資料なし

安定なpH域　該当資料なし

調製時の注意　該当しない

薬理作用

分類　合成ペニシリン製剤

作用部位・作用機序　作用部位：細菌の細胞壁　作用機序：バカンピシリンは，生体内でアンピシリンとなり，細菌の細胞壁合成を阻害することにより殺菌的に作用する

同効薬　アンピシリン，アモキシシリン

治療

効能・効果　〈適応菌種〉アンピシリンに感性のブドウ球菌属，レンサ球菌属，肺炎球菌，腸球菌属，淋菌，大腸菌，プロテウス・ミラビリス，インフルエンザ菌　〈適応症〉表在性皮膚感染症，深在性皮膚感染症，リンパ管・リンパ節炎，慢性膿皮症，外傷・熱傷及び手術創等の二次感染，乳腺炎，咽頭・喉頭炎，扁桃炎，急性気管支炎，肺炎，慢性呼吸器病変の二次感染，膀胱炎，腎盂腎炎，淋菌感染症，腹膜炎，子宮内感染，子宮付属器炎，眼瞼膿瘍，麦粒腫，角膜炎(角膜潰瘍を含む)，中耳炎，副鼻腔炎，歯周組織炎，歯冠周囲炎，抜歯創・口腔手術創の二次感染，猩紅熱

効能・効果に関連する使用上の注意　咽頭・喉頭炎，扁桃炎，急性気管支炎，中耳炎，副鼻腔炎への使用にあたっては，「抗微生物薬適正使用の手引き」を参照し，抗菌薬投与の必要性を判断した上で，投与が適切と判断される場合に投与する

用法・用量　1日500～1000mg(力価)，小児15～40mg(力価)/kg，3～4回に分服(適宜増減)

用法・用量に関連する使用上の注意　①使用にあたっては，耐性菌の発現等を防ぐため，原則として感受性を確認し，疾病の治療上必要な最小限の期間の投与にとどめる　②高度の腎障害のある患者には，投与量・投与間隔の適切な調整をする等，慎重に投与する

使用上の注意

禁忌　①本剤の成分に対し過敏症の既往歴のある患者　②伝染性単核症の患者［発疹の発現頻度を高めることがある］

薬物動態

吸収・血中濃度　①健康成人男子6例に250mgを空腹時又は食後に経口投与時，血清中濃度は投与後1時間で最高に達し，各々6.23μg/mL，4.22μg/mLであり，食事の影響をほとんど受けない　②腎機能障害患者11例に500mgを経口投与時，腎機能低下に応じて，$T_{1/2}$が延長し，AUCが上昇　③小児患者(4～12歳)に10mg/kg(11例)又は20mg/kg(8例)を空腹時に経口投与時，血中濃度は1～2時間後に最高．最高血中濃度及び血中濃度曲線下面積(AUC)には，年齢による差はみられなかった．10mg/kg，20mg/kgの順に，Cmax(μg/mL)7.02，12.81，Tmax (hr) 1.02，0.76，$T_{1/2}$ (min) 45.23，61.16，$AUC_{0\text{-}24h}$(μg・hr/mL)14.67，23.26　**排泄**　①健康成人に250mgを空腹時又は食後に経口投与時，大部分はアンピシリンとして，6時間までに各々59.4%，55.3%が尿中排泄　②腎機能障害患者11例に500mgを経口投与時，腎機能低下に応じて排泄速度が遅延　③小児患者(4～12歳)に10mg/kg又は20mg/kgを空腹時経口投与後6時間までに，各々53.5%，47.2%が尿中排泄，その半分以上が2時間までに排泄

その他の管理的事項

投与期間制限　該当しない

保険給付上の注意　該当しない

資料

IF　ペングッド錠250mg　2019年7月改訂(第11版)

白糖
精製白糖
White Soft Sugar

概要

薬効分類　714　矯味，矯臭，着色剤

構造式

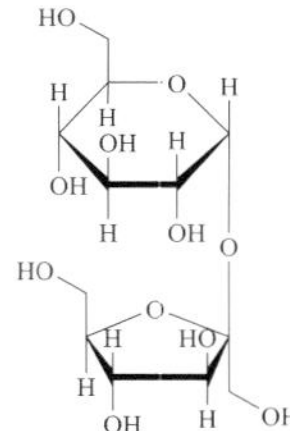

分子式　$C_{12}H_{22}O_{11}$

分子量　342.30

原薬の規制区分　該当しない

原薬の外観・性状　無色又は白色の結晶又は結晶性の粉末で，においはなく，味は甘い．水に極めて溶けやすく，エタノール(95)に極めて溶けにくく，ジエチルエーテルにほとんど溶けない．本品の水溶液(1→10)は中性である

先発医薬品等

末 白糖(小堺＝吉田製薬)

白糖(司生堂)
白糖(鈴粉末)
白糖「ヨシダ」(吉田製薬)

製剤

製剤の性状　[末] 無色又は白色の結晶性粉末で，においはなく，味は甘い
貯法・保存条件　密閉容器，室温保存
薬剤取扱い上の留意点　高温多湿を嫌うので，缶のフタは必ず良く閉め高温を避けて保管すること

薬理作用

分類　矯味剤

治療

効能・用法　矯味の目的で調剤に用いる

その他の管理的事項

投与期間制限　該当しない
保険給付上の注意　該当しない

資料

IF　白糖「ヨシダ」 2020年4月改訂

バクロフェン
バクロフェン錠
Baclofen

概要

薬効分類　124　鎮けい剤
構造式

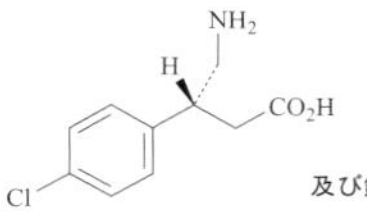

及び鏡像異性体

分子式　$C_{10}H_{12}ClNO_2$
分子量　213.66
原薬の規制区分　[劇]
原薬の外観・性状　白色～微黄白色の結晶性の粉末である．酢酸(100)に溶けやすく，水に溶けにくく，メタノール又はエタノール(95)に極めて溶けにくく，ジエチルエーテルにほとんど溶けない．希塩酸に溶ける
原薬の吸湿性　吸湿性はほとんどない
原薬の融点・沸点・凝固点　約200℃(分解点)
原薬の酸塩基解離定数　pKa_1＝3.9(帰属：-COOH)(滴定法)，pKa_2：9.6(帰属：$-NH_2$)(滴定法)
先発医薬品等
[錠] ギャバロン錠5mg・10mg(アルフレッサファーマ)
リオレサール錠5mg・10mg(サンファーマ＝田辺三菱)
[注] ギャバロン髄注0.005%・0.05%・0.2%(第一三共)
国際誕生年月　1970年9月
海外での発売状況　米，英，独など

製剤

規制区分　[錠] [注] [劇] [処]
製剤の性状　[5mg錠] 白色の割線入り素錠　[10mg錠] だいだい色の割線入り素錠　[注] 無色澄明の液
有効期間又は使用期限　[錠] 3年　[注] 5年
貯法・保存条件　室温保存
薬剤取扱い上の留意点　眠気等を催すことがあるので，本剤投与中の患者には自動車の運転等危険を伴う機械の操作には従事させないように注意すること　[注] ①長期持続投与は，髄腔内持続投与用に承認された専用の植込み型プログラマブルポンプを用いる．本ポンプは本剤を保存するリザーバを内蔵し，本剤の充填は，注射器に0.22μmのフィルターを必ず装着し，ポンプの充填用薬剤注入口へ行う．本ポンプは，体外からの専用プログラマを使用して用量の変更が可能である．本ポンプはいくつかの投与モードを内蔵しているが，臨床試験は主に単純連続モードで実施されており，単純連続モード以外のモードに関する有効性及び安全性は確立されていない．詳細に関しては，本ポンプの添付文書，説明書等を参照すること　②離脱症状や過量投与は，一般にカテーテル及びポンプの障害，誤った用量設定等によって起こるおそれがあるので，ポンプ，カテーテル及びプログラマ等の説明書の指示及び注意に従い，ポンプ及びカテーテルの植込み，本剤の補充，用量の調節等を適切に行うこと　③いずれのアンプルも1回使い切りの製剤であり，未使用の残液は廃棄すること　④薬液を補充する際は，ポンプ内の薬液を抜き取り，新しい薬液を補充すること．また，薬液の補充は，前回の充填から3カ月以内に行うこと．(5)スクリーニング並びにポンプシステム植込み時に，頭痛，悪心，嘔吐等を発現することがある．意思表示をできない小児等の場合，観察を十分に行い，必要に応じて適切な処置を行うこと
患者向け資料等　くすりのしおり
溶液及び溶解時のpH　[0.005%注] 5.0～7.0　[0.05・0.2%注] 5.5～7.0
浸透圧比　約1(対生食)
調製時の注意　該当しない

薬理作用

分類　γ-アミノ酪酸(GABA)誘導体
作用部位・作用機序　脊髄の単シナプス及び多シナプス反射の両方を抑制し，γ-運動ニューロンの活性を低下させる抗痙縮剤である．また，痛覚の閾値を上昇させ鎮痛作用を示す
同効薬　チザニジン塩酸塩，ダントロレンナトリウム水和物，エペリゾン塩酸塩など

治療

効能・効果　[錠] 次の疾患による痙性麻痺：脳血管障害，脳性(小児)麻痺，痙性脊髄麻痺，脊髄血管障害，頸部脊椎症，後縦靱帯骨化症，多発性硬化症，筋萎縮性側索硬化症，脊髄小脳変性症，外傷後遺症(脊髄損傷，頭部外傷)，術後後遺症(脳・脊髄腫瘍を含む)，その他の脳性疾患，その他のミエロパチー
[注] 脳脊髄疾患に由来する重度の痙性麻痺(既存治療で効果不十分な場合に限る)
効能・効果に関連する使用上の注意　[注] ①多発性硬化症に由来する痙性麻痺に対する有効性及び安全性は確立しておらず(本邦での使用経験がない)，投与にあたっては，疾患を悪化させることがないよう，髄膜炎のリスク等について十分考慮し，適宜髄液検査を実施する等して，慎重に観察する　②上肢痙縮に対する有効性及び安全性は確立していない(臨床試験では下肢痙縮に対してのみ有効性が認められている)
用法・用量　[錠] 初回量1日5～15mgを1～3回に食後分服し，以後症状を観察しながら，標準用量1日30mgに達するまで2～3日ごとに1日5～10mgずつ増量(適宜増減)．小児には，初回量1日5mgを1～2回に食後分服し，以後症状を観察しながら，標準用量(12～15歳5～25mg，7～11歳5～20mg，4～6歳5～15mg)に達するまで2～3日ごとに1日5mgずつ増量(適宜増減)
[注] ①スクリーニング(効果の確認)：本剤専用のポンプシステムを植込む前に本剤の効果を確認するため，スクリーニングを実施する．スクリーニングには0.005%(0.05mg/1mL)を用いる：(1)成人：バクロフェンとして1日1回50μg(0.005%を1mL(1管))をバルボタージ法(ポンピング)により髄注し，抗痙縮効果を1～8時間後に確認する．期待した効果が認められない場合，初回投与から24時間以降に75μg(0.005%を1.5mL(1.5管))に増量の上同様に髄注して1～8時間後に効果を確認する．期待した効果が認められない場合，2回目の投与から24時間以降に100μg(0.005%を2mL(2管))に増量の上

同様に髄注して1～8時間後に効果を確認する．100μgでも効果が認められない場合，本剤の治療対象とはならない ⑵小児：バクロフェンとして1日1回25μg(0.005％を0.5mL(0.5管))をバルボタージ法(ポンピング)により髄注し，抗痙縮効果を1～8時間後に確認する．ただし，体格，症状等を考慮して増量することができるが，初回投与量の上限は50μg(0.005％を1mL(1管))とする．期待した効果が認められない場合，初回投与量が50μg未満である場合は50μg，50μgである場合は75μgに増量の上，髄注して1～8時間後に効果を確認する．期待した効果が認められない場合，成人の用法・用量に準じて増量の上，同様に髄注して1～8時間後に効果を確認する．100μgでも効果が認められない場合，本剤の治療対象とはならない ②適正用量の設定：本剤専用のポンプシステム植込み後の適正用量の設定には，0.05％(10mg/20mL)又は0.2％(10mg/5mL)を用いる．0.2％は0.05～0.2％の範囲内で生食にて希釈して使用することができる：⑴用量設定期(滴定期)(ポンプシステム植込み後60日まで)：スクリーニングのいずれかの用量で期待した抗痙縮効果が認められた患者には，その用量を初回1日用量とし，本剤専用の植込み型ポンプシステムを用い24時間かけて髄注する：(ア)成人：1日用量が50～250μgとなる範囲で患者の症状に応じ適宜増減．用量の調整は通常1日に1回，原疾患が脊髄疾患(脊髄損傷，脊髄小脳変性症(痙性対麻痺)等)の場合は増量時30％以内の範囲，減量時20％以内の範囲で，原疾患が脳疾患(脳性麻痺，頭部外傷等)の場合は増量時15％以内の範囲，減量時20％以内の範囲とする．なお，1日用量の上限は600μgとする (イ)小児：1日用量が25～150μgとなる範囲で患者の症状に応じ適宜増減．用量の調整は通常1日に1回，増量時15％以内の範囲，減量時20％以内の範囲とする．なお，1日用量の上限は400μgとする ⑵維持期(ポンプシステム植込み後61日以降)：(ア)成人：標準1日用量として50～250μgであるが，患者の本剤に対する反応には個人差があるため，症状に応じて適宜増減．用量の調整は通常1日に1回，原疾患が脊髄疾患(脊髄損傷，脊髄小脳変性症(痙性対麻痺)等)の場合は増量時40％以内の範囲，減量時20％以内の範囲で，原疾患が脳疾患(脳性麻痺，頭部外傷等)の場合は増量時，減量時ともに20％以内の範囲とする．なお，1日用量の上限は600μgとする (イ)小児：標準1日用量として25～150μgであるが，患者の本剤に対する反応には個人差があるため，症状に応じて適宜増減．用量の調整は通常1日に1回，増量時，減量時ともに20％以内の範囲．なお，1日用量の上限は400μgとする

参考：用量設定期及び維持期において使用が推奨される製剤(1日用量別)は，1日用量200μg未満：0.05％，200μg以上300μg未満：0.05％又は0.2％，300μg以上600μg以下：0.2％

用法・用量に関連する使用上の注意 錠 大部分が未変化体のまま尿中に排泄されるため，腎機能が低下している患者では血中濃度が上昇することがあるので，このような患者では低用量から投与を開始する．特に透析を必要とするような重篤な腎機能障害を有する患者においては，1日5mgから投与を開始する等，慎重に投与する

注 ①本剤の髄腔内及び経口以外の投与経路におけるヒトでの薬物動態，有効性及び安全性は本邦においては確認されていないため，静脈内，筋肉内，皮下又は硬膜外への投与は行わない ②0.005％は，スクリーニング専用の製剤であり，適正用量の設定には用いない．0.05％及び0.2％は，専用のポンプシステムと組み合わせて適正用量の設定に使用する製剤であり，スクリーニングには使用しない ③用量を調整する際には，用法・用量に従う．適切な手順に従わなかったり，使用する薬液濃度を誤った場合，離脱症状や過量投与が発現するおそれがあるため，注意する ④本剤の中止に際しては，1日用量の20％以内の範囲で2日ごとに減量し，患者の状態を慎重に観察しながらポンプシステム植込み時の初回1日用量まで減量する．なお，本剤の投与再開に際しては，用量設定期における初回投与量から開始し，用量の増減については用量設定期の用法・用量に従う ⑤臨床試験では，カテーテル先端を第10胸椎(T10)以下に設置して本剤が投与されており，より高位に留置した場合には，呼吸抑制等の重篤な副作用が発現するおそれがあるので注意する ⑥体躯が極端に小さい患者の場合には，通常よりも低用量からスクリーニング試験を開始することを考慮する ⑦スクリーニング実施時及びポンプシステム植込み直後の用量設定期には，過量投与等，重篤な副作用発現に備え，注意深く観察するとともに蘇生設備を確保しておく ⑧突然大量に増量する必要が生じた場合，ポンプ又はカテーテルの不具合(移動，外れ，中折れ等)が疑われるので，ポンプ内の薬液残量検査，X線検査等により確認する．また，耐薬性発現との判別を行う ⑨用量の調整には，痙縮が循環器系機能の維持及び深部静脈血栓症を予防している可能性のあることも考慮し，立位，歩行のバランス維持等，日常生活動作を適切に保持するために，ある程度の痙縮を残すことも検討する

使用上の注意

警告 注 ①本剤の長期持続投与は，本剤の髄腔内持続投与用に承認された専用のポンプシステムと組み合わせて行うため，ポンプシステムの植込み手術ならびに専用機器による用量の調節を伴う．したがって，本剤の長期持続投与は，当該手技及び専用機器の取り扱いに関する講習を受けた上で，本剤の安全性及び有効性を十分理解し，施術に関する十分な知識・経験のある医師のみが行う ②本剤の長期連用中に投与が突然中断されると離脱症状(高熱，精神状態の変化，強いリバウンド痙縮，筋硬直，横紋筋融解症等)が発現し，死亡に至る例も報告されているので，「使用上の注意」に十分留意し，離脱症状が発現しないよう適切な措置を講じるとともに，患者に対し離脱症状発現の可能性について十分説明する ③投与に際しては，患者又はそれに代わり得る適切な者に対して，本剤の危険性，本剤の投与が長期にわたる可能性があること，ならびに長期持続投与時には専用のポンプシステムと組み合わせて使用する必要があり，ポンプシステムに由来する危険性があることを十分に説明し，文書による同意を得た上で投与を開始する

禁忌 ①本剤の成分に対し過敏症の既往歴のある患者 ②注 ポンプシステム植込み前に感染症に罹患している患者［感染症に罹患している患者では，術後の合併症のリスクが高まるため］

過量投与 錠 ①徴候・症状：特徴的な症状は傾眠，意識障害，呼吸抑制，昏睡等の中枢神経抑制症状である．また，痙攣，錯乱，幻覚，全身筋緊張低下，反射低下・消失，瞳孔反射障害，ミオクロヌス，脳波変化，低血圧，高血圧，徐脈，頻脈，不整脈，低体温等が現れることがある ②処置：特定の解毒薬は知られていないので，低血圧，高血圧，痙攣，呼吸又は循環抑制等の症状に対しては対症療法(痙攣に対するジアゼパム静脈内注射等)を行う．胃洗浄は，特に生命に危険が及ぶような高用量を服用した場合に早期(60分以内)に実施する等，患者の状態に応じて適応を考慮する．なお，昏睡状態や痙攣のある患者の場合は，挿管してから洗浄を行う．中毒量を服用したと思われる場合は，服用後早期であれば，活性炭投与を考慮する．また，必要な場合は緩下剤(塩類又は糖類下剤)の投与を行う．本剤は主として腎から排泄されるため，水分の供給を十分に行い，可能ならば利尿剤を併用する．腎機能が低下している場合には血液透析等を考慮する 注 カテーテルの開存性又は位置を確認する際，カテーテル内の薬液を不注意に送達することにより過量投与が生じることがある．また，ポンプシステムのプログラミングミス，極端に急激な増量，経口バクロフェンとの併用，あるいはポンプの機能異常等が原因で発現することがある：①徴候・症状：特徴的な症状は傾眠，意識障害，呼吸抑制，昏睡等の中枢神経抑制症状である．また，痙攣，錯乱，幻覚，全身筋緊張低下，反射低下・消失，血圧低下，徐脈，低体温等が現れることが

ある　②処置：速やかにポンプを停止させる(プログラマが無い場合には，ポンプ内の残存薬液をすべて抜き取ることでも薬液注入は停止する)．呼吸抑制がみられる場合，人工呼吸あるいは必要に応じて挿管するとともに心血管系の機能保持のための処置を行う．本剤は主として腎から排泄されるため，水分の供給を十分に行い，可能ならば利尿薬を併用する．腎機能が低下している場合には血液透析等を考慮する．痙攣が発現した場合にはジアゼパムを慎重に静脈内注射する．症状の発現直後であれば，髄液中バクロフェン濃度を低下させるために，腰椎穿刺又はポンプアクセスポートより30～40mLの髄液を抜き取ることも有効である．ただし，その場合，低髄圧症状，ヘルニア等の発現に注意しながら急激には抜き取らない．なお，過量投与による症状が改善した後もポンプを停止させたままで放置した場合には，離脱症状が発現する可能性があるため，症状が改善した後には，患者の痙縮の状態を十分観察しながら，過量投与を起こす前の用量あるいはそれに近い用量で投与を再開する

薬物動態

錠 吸収・血中濃度　消化管からよく吸収．健常人に5mg及び10mg経口投与時，血中濃度はともに3時間後で最高，それぞれ82.8，121.8ng/mL，血中消失半減期それぞれ4.5，3.6hr **代謝・排泄**　ヒトに経口投与時，83～93%が未変化体で4～8%が代謝物として尿中に排泄．ヒト体内での代謝はわずか(外国人データ)．健常人に5mg及び10mgを経口投与後24時間までに78.7～80.8%が未変化体として尿中に排泄．漸増法による連続投与時，累積投与に対して尿中排泄率は1日目80.8%，2日目75.8%，3日目以降は62～63%と一定　**乳汁中移行**　20mg1回投与で，乳汁中への移行が認められている(強直性対麻痺患者)(外国人データ)

注 髄液中及び血漿中濃度　重度痙性麻痺患者(8名)に本剤50μgを髄腔内単回投与時，投与2時間後までの髄液中濃度は350～1320ng/mL，2～4時間後では29～950ng/mL．投与1～4時間後までの血漿中濃度は0.4～0.6ng/mL．参考(動物実験)：雄性イヌに^{14}C-バクロフェン250μg(約0.019mg/kg)を髄腔内単回投与時，髄液中放射能濃度は投与0.58時間後でCmax(11263.7ng/mL)，生物学的半減期は0.54時間(投与2又は4時間後まで)及び8.2時間(投与4又は6時間後以降)．血漿中放射能濃度は投与0.50時間後でCmax(20.5ng/mL)，生物学的半減期は8.0時間　**代謝**　本剤を経口投与時，大部分が未変化体として存在するが，一部は酸化的脱アミノ化されて4-hydroxy-3-(4-chlorophenyl) butyric acidになる　**排泄**　健康成人に本剤5mg，10mgを経口投与時，尿中排泄率は投与24時間後でそれぞれ投与量の約81%，79%．漸増法により連続投与時，累積投与量に対して尿中排泄率は1日目80.8%，2日目75.8%，3日目以降は62～63%と一定．参考(動物実験)：雄性イヌに^{14}C-バクロフェン250μg(約0.019mg/kg)を髄腔内単回投与時，投与72時間後までの尿中及び糞中排泄率は，それぞれ投与量の98.5%，0.1%

その他の管理的事項

投与期間制限　該当しない
保険給付上の注意　該当しない

資料

IF　ギャバロン錠5mg・10mg　2015年11月改訂(第10版)
ギャバロン髄注0.005%・0 05%・0.2%　2019年12月改訂(第12版)

バシトラシン
Bacitracin

別名：バシトラシンA

概要

構造式

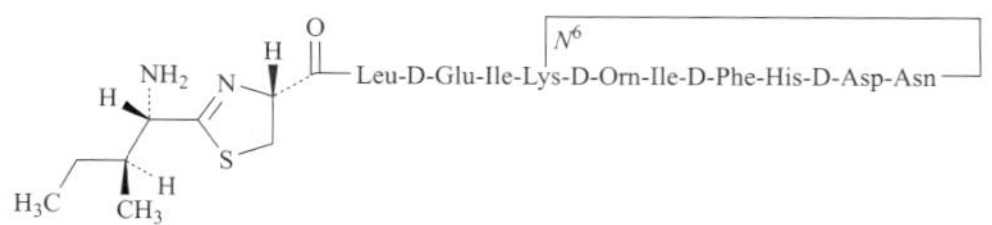

分子式　$C_{66}H_{103}N_{17}O_{16}S$
分子量　1422.69
原薬の規制区分　該当しない
原薬の外観・性状　白色～淡褐色の粉末である．水に溶けやすく，エタノール(99.5)に溶けにくい

沈降破傷風トキソイド
Adsorbed Tetanus Toxoid

概要

薬効分類　632　毒素及びトキソイド類
分子式　該当資料なし
略語・慣用名　慣用名・別名：破傷風トキソイド
ステム　該当しない
原薬の規制区分　㊞劇
原薬の外観・性状　振り混ぜるとき，均等に白濁する
原薬の吸湿性　該当資料なし
原薬の酸塩基解離定数　該当資料なし
先発医薬品等
注　沈降破傷風トキソイド「生研」(デンカ＝田辺三菱)
破トキ「ビケンF」(阪大微研＝田辺三菱)
キット　沈降破傷風トキソイドキット「タケダ」(武田)
国際誕生年月　不明
海外での発売状況　該当しない

製剤

規制区分　**注**　(生物)(劇)(処)
製剤の性状　**注**　破傷風トキソイドを含む液にアルミニウム塩を加えてトキソイドを不溶性とした液剤である．振り混ぜるとき均等に白濁する
有効期間又は使用期限　検定合格日から2年
貯法・保存条件　遮光して，10℃以下に凍結を避けて保存
薬剤取扱い上の留意点　保存時：誤って凍結させたものは，品質が変化しているおそれがあるので，使用してはならない　接種時：冷蔵庫から取り出し室温になってから，必ず振り混ぜ均等にして使用する
患者向け資料等　患者向医薬品ガイド，くすりのしおり，ワクチン接種を受ける人へのガイド
溶液及び溶解時のpH　5.4～7.4
浸透圧比　約1(対生食)
調製時の注意　該当しない

薬理作用

分類　トキソイド類
作用部位・作用機序　本剤を2回接種すると，4週間で感染防御に必要な抗毒素量が得られ，さらに6～12月あるいは1年半後に3回目の追加免疫を行えば感染防御効果は持続し，約4～5年間免疫状態が続く

治療

効能・効果　破傷風の予防(健康保険等一部限定適用)

ハ

用法・用量 ①初回免疫：1回0.5mL，3～8週間の間隔で2回皮下又は筋注 ②追加免疫：第1回の追加免疫には，初回免疫後6カ月以上の間隔(標準として初回免疫終了後12～18カ月までの間)で1回0.5mL皮下又は筋注．ただし，初回免疫のとき副反応の強かった者には適宜減量．以後の追加免疫の接種量もこれに準ずる

用法・用量に関連する使用上の注意 ①接種対象者・接種時期：(1)初回免疫と追加免疫を完了した者には，数年ごとに再追加免疫として，通常，1回0.5mLを皮下又は筋肉内に注射する．なお，再追加免疫の接種間隔は職業，スポーツ等の実施状況を考慮する (2)初回免疫，追加免疫，又は再追加免疫を受けた者で，破傷風感染のおそれのある負傷を受けたときは，ただちに通常，1回0.5mLを皮下又は筋肉内に注射する ②同時接種：医師が必要と認めた場合には，他のワクチンと同時に接種することができる(なお，本剤を他のワクチンと混合して接種してはならない)

使用上の注意

禁忌 ［接種不適当者］ 被接種者が次のいずれかに該当すると認められる場合には，接種を行ってはならない：①明らかな発熱を呈している者 ②重篤な急性疾患にかかっていることが明らかな者 ③本剤の成分によってアナフィラキシーを呈したことがあることが明らかな者 ④前記に掲げる者のほか，予防接種を行うことが不適当な状態にある者

その他の管理的事項

投与期間制限 該当しない

保険給付上の注意 健保等一部限定適用

資料

IF 沈降破傷風トキソイド「第一三共」 2019年4月改訂(第5版)

パズフロキサシンメシル酸塩
パズフロキサシンメシル酸塩注射液
Pazufloxacin Mesilate

概要

薬効分類 624 合成抗菌剤

構造式

CH_3, H, O, N, H_2N, F, CO_2H, O · H_3C-SO_3H

分子式 $C_{16}H_{15}FN_2O_4 \cdot CH_4O_3S$

分子量 414.41

略語・慣用名 PZFX

ステム ナリジクス酸系抗菌剤：-oxacin

原薬の規制区分 該当しない

原薬の外観・性状 白色～淡黄色の結晶性の粉末である．水に溶けやすく，エタノール(99.5)に溶けにくい．水酸化ナトリウム試液に溶ける．0.4gを水10mLに溶かした液のpHは3.0～4.0である．結晶多形が認められる

原薬の吸湿性 相対湿度75%以上で，湿度の上昇とともに重量増加率が大きくなった

原薬の融点・沸点・凝固点 融点：約258℃(分解)

原薬の酸塩基解離定数 $pKa_1=5.5$，$pKa_2=7.8$

先発医薬品等

キット パシル点滴静注液300mg・500mg・1000mg(富士フイルム富山化学)

パズクロス点滴静注液300mg・500mg・1000mg(田辺三菱)

国際誕生年月 2002年4月

海外での発売状況 発売していない

製剤

規制区分 注 ㊛

製剤の性状 注 無色澄明の液剤

有効期間又は使用期限 3年

貯法・保存条件 室温保存

薬剤取扱い上の留意点 外袋は遮光性の包材を使用しているので，使用直前まで開封しないこと

患者向け資料等 患者向医薬品ガイド，くすりのしおり

溶液及び溶解時のpH 300mg注 3.4～3.7 500mg・1000mg注 3.2～3.5

浸透圧比 約1(対生食)

調製時の注意 希釈操作は不要である．他剤及び輸液と配合した場合に，配合変化(白濁等)が認められているため，原則として他剤及び輸液と配合しないこと．なお，I.V.Push法及びPiggyback法においても配合変化が認められているため，側管からの配合も避けること

薬理作用

分類 ニューキノロン系抗菌薬

作用部位・作用機序 細菌由来のDNAジャイレース及びトポイソメレースⅣと呼ばれるDNA高次構造を変換する酵素に作用し，DNA複製を阻害．抗菌作用は殺菌的で，グラム陽性，陰性菌及び既存注射薬に耐性を示す菌に対して活性を有する．また，既存注射薬とは作用メカニズムが異なることから交叉耐性が少ない

同効薬 ニューキノロン系抗菌薬(シプロフロキサシン，オフロキサシン，レボフロキサシンなど)

治療

効能・効果 〈適応菌種〉パズフロキサシンに感性のブドウ球菌属，レンサ球菌属，肺炎球菌，腸球菌属，モラクセラ(ブランハメラ)・カタラーリス，大腸菌，シトロバクター属，クレブシエラ属，エンテロバクター属，セラチア属，プロテウス属，モルガネラ・モルガニー，プロビデンシア属，インフルエンザ菌，緑膿菌，アシネトバクター属，レジオネラ属，バクテロイデス属，プレボテラ属 〈適応症〉敗血症，外傷・熱傷及び手術創等の二次感染，肺炎，肺膿瘍，慢性呼吸器病変の二次感染，複雑性膀胱炎，腎盂腎炎，前立腺炎(急性症，慢性症)，腹膜炎，腹腔内膿瘍，胆嚢炎，胆管炎，肝膿瘍，子宮付属器炎，子宮旁結合織炎

効能・効果に関連する使用上の注意 ①使用に際しては，起炎菌と適応患者を十分考慮し，一次選択薬としての要否を検討する ②細菌学的検査を実施した後に投与する

用法・用量 ①パズフロキサシンとして1日1000mgを2回に分けて点滴静注．年齢，症状に応じ，1日600mgを2回に分けて点滴静注する等，減量する．点滴静注に際しては，30分～1時間かけて投与する ②敗血症，肺炎球菌による肺炎，重症・難治性の呼吸器感染症(肺炎，慢性呼吸器病変の二次感染に限る)の場合：パズフロキサシンとして1日2000mgを2回に分けて点滴静注．点滴静注に際しては，1時間かけて投与する

用法・用量に関連する使用上の注意 ①使用に際しては，投与開始後3日を目安として継続投与が必要か判定し，投与中止又はより適切な他剤に切り替えるべきか検討を行うこと．更に，投与期間は，原則として14日以内とする ②臨床試験において，1日1000mg投与時と比較して1日2000mg投与時では，注射部位反応などの副作用発現率が高い傾向が認められたため，1日2000mg投与は，他の抗菌薬の投与を考慮した上で，必要な患者に限り，副作用の発現に十分注意して慎重に投与する ③高度の腎障害のある患者には，投与量及び投与間隔を適切に調節する等，慎重に投与する．参考として，体内動態試験の結果より，次の用量が目安として推察されている：(1)1回500mg1日2回投与対象の場合：㋐Ccr(mL/min)20以上

30未満：1回500mg1日2回（用量調節不要） (イ)Ccr（mL/min）20未満：1回500mg1日1回 (2)1回1000mg1日2回投与対象の場合：(ア)Ccr（mL/min）20以上30未満：1回500mg1日2回 (イ)Ccr（mL/min）20未満：1回500mg1日1回

禁忌・原則禁忌となる特定患者集団 妊婦又は妊娠している可能性のある女性，小児等

使用上の注意

禁忌 ①本剤の成分に対し過敏症の既往歴のある患者 ②妊婦又は妊娠している可能性のある女性 ③小児等

相互作用概要 CYP1A2の代謝活性を阻害する

薬物動態

血中濃度 健康成人に単回投与時の薬物動態パラメータ※1)（$T_{1/2}$※2)（hr），Tmax，Cmax（μg/mL），$AUC_{0-\infty}$（μg・hr/mL）の順）は，(1)300mg投与群（5例）1.65±0.27，0.5，8.99±0.59，13.3±2.5 (2)500mg投与群（6例）1.88±0.26，0.5，11.0±2.4，21.7±3.0 (3)1000mg投与群（8例）の順）3.0±0.3，1.1±0.0，18.45±1.49，59.42±4.43 ※1）投与量300mg及び500mg：2-コンパートメントモデルに基づく解析．投与量1000mg：モデルに依存しない解析により算出 ※2）投与量300mg及び500mg：β相の半減期（$t_{1/2}\beta$）．また，高齢者（65歳以上）に単回投与時の薬物動態パラメータ※3)（$t_{1/2}$※4)（h），Cmax（μg/mL），$AUC_{0-\infty}$（μg・h/mL）の順）は，(1)500mg投与群（10例）2.04±0.27，18.3±3.5，37.2±6.3 (2)1000mg投与群（10例）3.0±0.4，25.74±5.61，73.18±15.10 ※3）投与量500mg：2-コンパートメントモデルに基づく解析．投与量1000mg：モデルに依存しない解析により算出 ※4）投与量500mg：β相の半減期（$t_{1/2}\beta$） **分布** ①組織内移行：(1)喀痰・肺組織：1回500mg，30分点滴静注時の最高喀痰中濃度は点滴開始0.5～2.5時間後に2.49～6.24μg/g（n=4），また，点滴開始1.5時間後の肺組織内濃度は平均7.95μg/g（n=5） (2)胆道：1回500mg，30分点滴静注時の胆管胆汁中最高濃度は点滴開始1.5～4.5時間後に5.47～29.9μg/mL（n=3），また，胆嚢組織内濃度は点滴開始1.0～2.5時間後に9.85～35.5μg/g（n=4） (3)胸水・腹水：1回500mg，1時間点滴静注時の胸水中濃度は点滴開始7時間後に1.43μg/mL（n=1），1回300mg，1時間点滴静注時の腹水中濃度は点滴開始4時間後に1.87μg/mL（n=1） (4)創膿汁・熱傷皮膚組織：1回500mg，30分点滴静注時の創膿汁中濃度は点滴開始1.5時間後に2例平均で4.73μg/mL，また，点滴開始1.5時間後の熱傷皮膚組織エスカー部分の濃度は4例平均で4.54μg/g (5)女性性器組織：1回300mg，30分点滴静注時の女性性器の各組織濃度は点滴開始0.83時間後で5.00～13.9μg/g（n=1），骨盤死腔液中濃度は点滴開始2時間後の平均で3.18μg/mL（n=4） (6)髄液：1回500mg，30分点滴静注1.5時間後の髄液中濃度は3例平均で0.33μg/mL (7)好中球・組織培養細胞：好中球及び組織培養細胞（胎児小腸細胞，胎児肺正常2倍体細胞及び成人肝細胞）の浮遊液にパズフロキサシン溶液を添加した4種類の混合液（薬剤濃度：1μg/mL）を培養後，細胞内及び細胞外液の薬剤濃度を測定し，各細胞におけるC/E ratio（細胞外薬剤濃度に対する細胞内薬剤濃度の比率）を算出した結果，平均でそれぞれ7.1（n=14），7.4（n=9），3.4（n=12）及び2.1（n=3） **代謝** ①ヒト肝ミクロソームを用いた試験で，CYP1A2に対し1000μmol/Lで約37%の阻害作用を示したが，CYP2C9，2C19，2D6，2E1及び3A4に対しては阻害作用を示さなかった ②投与後の代謝物はグルクロン酸抱合体が胆汁中及び尿中に認められた．しかし，それ以外の代謝物の濃度は低く，健康成人に400mgを30分単回点滴静注時，投与24時間までのグルクロン酸抱合体の尿中排泄率5.71%を含めた本剤の尿中排泄率は99.7%と高く，生体内で光学異性化も示さないことから，本剤は代謝を受け難い薬剤と考えられた **排泄** 健康成人に50～500mgを30分単回点滴静注時又は1000mgを1時間単回点滴静注時の投与24時間までの尿中排泄率は約90%．1回300mgを1日2回（最終日は1回）で5日間，1回500mgを1日2回（1日目及び最終日は1回）で5日間，又は1回1000mgを1日2回（1日目及び最終日は1回）で6日間反復投与時の累積尿中排泄率も約90%で推移．また，1回500mgを1日3回（最終日は1回）5日間反復投与時にも尿中回収率の上昇傾向を認めなかった **特定の背景を有する患者** ①高齢者：高齢者（65歳以上）に単回投与時の薬物動態パラメータ（500mg，1000mgの順（各10例））は，$T_{1/2}$（hr）2.04±0.27，3.0±0.4，Cmax（μg/mL）18.3±3.5，25.74±5.61，$AUC_{0\to\infty}$（μg・hr/mL）37.2±6.3，73.18±15.10．高齢者（65歳以上）に500mgを30分単回点滴静注時の投与24時間までの尿中排泄率は平均83.5% ②腎機能低下患者：Ccr13.6（mL/min）の患者1例に300mgを30分単回点滴静注時のCmax，$AUC_{0\to\infty}$，$T_{1/2}\beta$はそれぞれ10.3μg/mL，51.5μg・hr/mL，7.36時間．Ccr13.6（mL/min）の患者に1回500mgを1日1回点滴静注にて反復投与時のCss，max，$AUC_{0\to24}$をシミュレーションにて算出した結果，それぞれ30.2μg/mL，451.5μg・hr/mL．Ccr20～30（mL/min）の患者に1回500mgを1日2回点滴静注にて反復投与時のCss，max，$AUC_{0\to24}$をシミュレーションにて算出した結果，それぞれ22.1～30.3μg/mL，269.2～470.6μg・hr/mL ③血液透析施行患者：血液透析施行患者3例に300mgを30分単回点滴静注時のCmax，$AUC_{0\to\infty}$はそれぞれ12.5～13.3μg/mL，196～269μg・hr/mL．また，投与開始24時間後より血液透析を4時間施行した場合，本剤は59～66mgが除去され，見かけ上の血清中濃度半減期（$T_{1/2}d$）は非透析時の半減期（$T_{1/2}\beta$）17.9～23.2時間から2.78～4.00時間に短縮．のう胞腎感染症の血液透析施行患者4例に週3回の血液透析後，300mgを30分点滴静注投与時，初回投与時のCmax，$AUC_{0\to\infty}$及び$T_{1/2}$はそれぞれ7.76～13.04μg/mL，258～662μg・hr/mL及び22.0～47.2時間．また，3回目投与の約64時間後より血液透析を4時間施行した場合，透析開始前から透析終了1時間後までの本剤の除去率は37.5～51.7% **薬物相互作用** プロベネシドによる影響：健康成人3例にプロベネシド1gを経口投与し，2時間後に本剤200mgを30分点滴静注，更に点滴終了2時間後にプロベネシド0.5gを経口投与した結果，本剤の血清中半減期は約2倍に延長し，AUCは2.4倍に増加したが，最高血清中濃度に大きな変化は認められなかった

その他の管理的事項

投与期間制限 該当しない

保険給付上の注意 該当しない

資料

IF パシル点滴静注液300mg・500mg・1000mg 2019年9月改訂（第22版）

バソプレシン注射液
Vasopressin Injection

概要

薬効分類 241 脳下垂体ホルモン剤

構造式

Cys-Tyr-Phe-Gln-Asn-Cys-Pro-Arg-Gly-NH_2

分子式 $C_{46}H_{65}N_{15}O_{12}S_2$

分子量 1084.23

ステム 血管収縮薬，バソプレシン誘導体：-pressin

原薬の規制区分 該当しない

原薬の外観・性状 ［合成バソプレシン］白色～淡黄白色の粉末である．酢酸（31）に極めて溶けやすく，水に溶けやすく，エタノール（95），アセトン又はジエチルエーテルにほとんど溶けない

原薬の吸湿性 ［合成バソプレシン］該当資料なし

原薬の酸塩基解離定数 ［合成バソプレシン］該当資料なし

ハ

先発医薬品等
注 ピトレシン注射液20(第一三共)
国際誕生年月　不明
海外での発売状況　米，英，豪など

製剤

規制区分　**注** ㊕
製剤の性状　**注** 無色澄明の液
有効期間又は使用期限　3年
貯法・保存条件　凍結を避け，冷所に保存
患者向け資料等　くすりのしおり
溶液及び溶解時のpH　3.0～4.0
浸透圧比　約0.1(対生食)
調製時の注意　該当しない

薬理作用

分類　バソプレシン受容体作動薬(脳下垂体後葉ホルモン)
作用部位・作用機序　バソプレシン受容体(VR)は，細胞膜7回貫通型Gタンパク質共役受容体で，V_1血管受容体(V_{1a})，V_2腎受容体(V_2)，及びV_3下垂体受容体(V_{1b}の3サブタイプが存在する．下垂体性尿崩症に対する効果は，バソプレシンのV_2受容体を介した抗利尿作用，腸内ガスの除去及び門脈圧亢進による食道静脈瘤出血時の緊急処置に対する効果は，V_1受容体を介した腸管平滑筋及び血管平滑筋収縮作用に基づく
同効薬　デスモプレシン酢酸塩水和物(中枢性尿崩症)

治療

効能・効果　下垂体性尿崩症，下垂体性又は腎性尿崩症の鑑別診断，腸内ガスの除去(鼓腸，胆嚢撮影の前処置，腎盂撮影の前処置)，食道静脈瘤出血の緊急処置
用法・用量　①下垂体性尿崩症：2～10単位を必要に応じて1日2～3回皮下又は筋注(適宜増減)　②下垂体性又は腎性尿崩症の鑑別診断：5～10単位を皮下又は筋注するか，0.1単位を静注し，その後尿量の減少が著しく，かつ尿比重が1.010以上にまで上昇すれば，バソプレシン反応性尿崩症が考えられる(適宜増減)　③腸内ガスの除去(鼓腸，胆嚢撮影の前処置，腎盂撮影の前処置)：5～10単位皮下又は筋注(適宜増減)　④食道静脈瘤出血の緊急処置：20単位を5%ブドウ糖液等100～200mLに混和し，0.1～0.4単位/分で持続的に静注(適宜増減)

使用上の注意

禁忌　①本剤の成分に対しアナフィラキシー又は過敏症の既往歴のある患者　②冠動脈硬化症(心筋梗塞症，狭心症等)の患者［心筋虚血を延長させることがある］　③急速な細胞外水分の増加が危険となるような病態(心不全，喘息，妊娠高血圧症候群，片頭痛，てんかん等)のある患者［水中毒を起こすことにより，それらの病態を悪化させるおそれがある］　④血中窒素貯留のある慢性腎炎の患者［水分貯留を起こすことにより，血中窒素の排泄が抑制されるおそれがある］
過量投与　過量投与した場合，水分貯留による低ナトリウム血症(初期症候：体重の急速な増加，頭痛，脱力感，眠気等)を起こすことがあるので，このような場合には中止する．なお，重篤な低ナトリウム血症に至った場合，急に中止すると，中枢性神経障害等を引き起こすことがあるので，徐々に減量し，その補正速度に十分注意する

その他の管理的事項

投与期間制限　該当しない
保険給付上の注意　該当しない

資料

IF　ピトレシン注射液2　2019年5月改訂(第10版)

パニペネム
Panipenem

概要

構造式

分子式　$C_{15}H_{21}N_3O_4S$
分子量　339.41
原薬の規制区分　該当しない
原薬の外観・性状　白色～淡黄色の粉末又は塊である．水に極めて溶けやすく，メタノールに溶けやすく，エタノール(99.5)に溶けにくく，ジエチルエーテルにほとんど溶けない．湿気によって潮解する．0.5gを水10mLに溶かした液のpHは4.5～6.5である
原薬の吸湿性　吸湿性である

注射用パニペネム・ベタミプロン
Panipenem and Betamipron for Injection

概要

薬効分類　613　主としてグラム陽性・陰性菌に作用するもの
分子式　［パニペネム］$C_{15}H_{21}N_3O_4S$　［ベタミプロン］$C_{10}H_{11}NO_3$
分子量　［パニペネム］339.41　［ベタミプロン］193.20
略語・慣用名　PAPM/BP(パニペネム：PAPM，ベタミプロン：BP)
ステム　［パニペネム］5員環を修飾したペニシラン酸誘導体抗生物質：-penem
原薬の規制区分　該当しない
原薬の外観・性状　［パニペネム］白色～淡黄色の粉末又は塊である．水に極めて溶けやすく，メタノールに溶けやすく，エタノール(99.5)に溶けにくく，ジエチルエーテルにほとんど溶けない　［ベタミプロン］白色の結晶又は結晶性の粉末である．メタノールに溶けやすく，エタノール(99.5)にやや溶けやすく，水に溶けにくい．水酸化ナトリウム試液に溶ける
原薬の吸湿性　［パニペネム］吸湿性である．湿気によって潮解する　［ベタミプロン］吸湿性はない
原薬の融点・沸点・凝固点　［パニペネム］融点：明確な融点の測定は不可能　分解点：約200℃(示差走査熱量分析)　［ベタミプロン］融点：132～135℃
原薬の酸塩基解離定数　［パニペネム］：pKa_1＝約3.3，pKa_2＝約10.9　［ベタミプロン］pKa＝4.4
先発医薬品等
注射用 カルベニン点滴用0.25g・0.5g(第一三共)
国際誕生年月　1993年10月

製剤

規制区分　**注射用** ㊕
製剤の性状　**注射用** 上層：微帯黄白色～黄褐色の塊又は粉末を含む塊　下層：白色の塊又は粉末を含む塊
有効期間又は使用期限　2年
貯法・保存条件　室温保存
薬剤取扱い上の留意点　調製後：溶解後は速やかに使用すること．本剤溶解時，溶液は無色から微黄色澄明を呈するが，色の濃淡は本剤の効力には影響しない．なお，やむを得ず保存を必要とする場合でも室温保存で6時間以内に使用すること

その他の注意：本剤投与患者において，パニペネムが分解され，尿が茶色を呈することがある

患者向け資料等　くすりのしおり

溶液及び溶解時のpH　5.8〜7.8(1バイアル/100mL生食)

浸透圧比　約1(1バイアル/100mL生食)(対生食)

調製時の注意　注射用水は溶液が等張とならないので使用しないこと

薬理作用

分類　カルバペネム系抗生物質・有機アニオン輸送系阻害剤等量配合注射用抗生物質製剤

作用部位・作用機序　パニペネムはペニシリン結合蛋白への高い結合親和性を示し，細菌細胞壁の合成阻害による殺菌作用を示す

同効薬　カルバペネム系抗生物質：イミペネム/シラスタチンナトリウム，メロペネム水和物など

治療

効能・効果　〈適応菌種〉パニペネムに感性のブドウ球菌属，レンサ球菌属，肺炎球菌，腸球菌属，モラクセラ(ブランハメラ)・カタラーリス，大腸菌，シトロバクター属，クレブシエラ属，エンテロバクター属，セラチア属，プロテウス属，モルガネラ・モルガニー，プロビデンシア属，インフルエンザ菌，シュードモナス属，緑膿菌　バークホルデリア・セパシア，ペプトストレプトコッカス属，バクテロイデス属，プレボテラ属　〈適応症〉敗血症，感染性心内膜炎，深在性皮膚感染症，リンパ管・リンパ節炎，外傷・熱傷及び手術創等の二次感染，肛門周囲膿瘍，骨髄炎，関節炎，咽頭・喉頭炎，扁桃炎(扁桃周囲炎，扁桃周囲膿瘍を含む)，急性気管支炎，肺炎，肺膿瘍，膿胸，慢性呼吸器病変の二次感染，膀胱炎，腎盂腎炎，前立腺炎(急性症，慢性症)，精巣上体炎(副睾丸炎)，腹膜炎，腹腔内膿瘍，胆嚢炎，胆管炎，肝膿瘍，バルトリン腺炎，子宮内感染，子宮付属器炎，子宮旁結合織炎，化膿性髄膜炎，眼窩感染，眼内炎(全眼球炎を含む)，中耳炎，副鼻腔炎，化膿性唾液腺炎，顎骨周辺の蜂巣炎，顎炎

効能・効果に関連する使用上の注意　咽頭・喉頭炎，扁桃炎(扁桃周囲炎，扁桃周囲膿瘍を含む)，急性気管支炎，中耳炎，副鼻腔炎への使用にあたっては，「抗微生物薬適正使用の手引き」を参照し，抗菌薬投与の必要性を判断した上で，本剤の投与が適切と判断される場合に投与する

用法・用量　パニペネムとして1日1g(力価)を2回に分け，小児には1日30〜60mg(力価)/kgを3回に分け，30分以上かけて点滴静注(適宜増減)．重症又は難治性感染症には1日2g(力価)まで増量し2回に分け，1回1g(力価)を60分以上で投与．小児には1日100mg(力価)/kgまで増量し3〜4回に分注，上限1日2g(力価)まで．注射液の調製法は0.25g及び0.5gを通常100mL以上の生理食塩液，5%ブドウ糖注射液等に溶解する．ただし，注射用蒸留水は溶液が等張とならないので使用しない

用法・用量に関連する使用上の注意　使用にあたっては，原則として感受性を確認し，疾病の治療上必要な最小限の期間の投与にとどめる(耐性菌の発現等を防ぐため)

使用上の注意

禁忌　①本剤の成分に対し過敏症の既往歴のある患者　②バルプロ酸ナトリウム投与中の患者

薬物動態

血中濃度　健康成人にパニペネムとして0.5g，1g(各5例)を60分，腎機能正常な小児に10mg/kg(24例)，20mg/kg(27例)，30mg/kg(4例)を30分で点滴静注後のパニペネムの最高血漿中濃度，血中濃度曲線下面積は投与量に比例して増加．健康成人における半減期は投与量に関係なく，パニペネムで約70分，ベタミプロンで約40分，小児ではパニペネムで約60分，ベタミプロンで約30分　**薬物速度論的パラメータ**　健康成人5例に本剤500mgを1日2回5日間，計9回(5日目のみ1日1回投与)連続点滴静注(点滴時間60分)時の薬物速度論的パラメータ(初回投与後，最終回投与後の順)：①パニペネム：Cmax(μg/mL)23.32±2.9，26.24±2.27，Vd(L/body)20.12±3.51，23.63±7.41，$T_{1/2}\alpha$(hr)0.37±0.18，0.39±0.14，$T_{1/2}\beta$(hr)1.07±0.21，1.27±0.35，AUC(μg・hr/mL)39.42±4.72，40.27±3.89，CL(L/hr)12.83±1.56，12.5±1.12，血清蛋白結合率(%)-，7±4.5　②ベタミプロン：Cmax(μg/mL)14.1±1.56，16.19±1.6，Vd(L/body)34.99±13.6，26.89±3.07，$T_{1/2}\alpha$(hr)0.13±0.05，0.12±0.04，$T_{1/2}\beta$(hr)0.81±0.24，0.71±0.05，AUC(μg・hr/mL)17.7±1.74，19.47±3.04，CL(L/hr)28.46±2.67，26.13±3.59，血清蛋白結合率(%)(1000mgを連続点滴静注後1時間目の値．4例)-，73.1±1.6　**分布**　喀痰，前立腺，胆汁，子宮・卵巣・卵管，骨盤死腔液，前房水，皮膚，中耳・上顎洞粘膜・扁桃組織，口腔組織，唾液，髄液等へ移行　**代謝・排泄**　パニペネムはいずれも主に腎臓から排泄，健康成人5例に500mg，60分点滴静注後24時間までの尿中排泄率はパニペネムとして約30%，β-ラクタム環が開裂した代謝物として約50%　**腎障害時の体内動態**　①各種腎障害患者に500mgを単回点滴静注(点滴時間60分)時，腎障害の程度が高度になるにつれパニペネムが血中に長く滞留し，半減期の延長，尿中排泄の遅延が認められた．Ccr(mL/min)ごとの薬物動態パラメータ(60<Ccr(5例)，30<Ccr<60(5例)，Ccr<30(6例)の順)：(1)パニペネム：Cmax(μg/mL)30.76±14.94，27.78±8.08，25.97±8.93，$T_{1/2}$(hr)1.42±0.18，1.78±0.49，3.94±1.09，AUC(μg・hr/mL)53.46±18.78，61.47±6.59，126.05±33.81，尿中排泄率(%)(24時間尿中排泄率)35.46±8.72，28.04±19.95，11.86±6.83　(2)ベタミプロン：Cmax(μg/mL)18.08±13.85，20.46±7.72，25.81±4.11，$T_{1/2}$(hr)0.71±0.15，1.31±0.76，5.77±1.99，AUC(μg・hr/mL)20.4±15.94，37.61±26.67，194.67±69.84，尿中排泄率(%)(24時間尿中排泄率)98.48±12.12，73.03±12.85，82.53±16.88　②血液透析(HD)患者8例に500mgを単回点滴静注(点滴時間60分)し，投与終了後ただちに4時間のHDを施行した場合とHDを施行しない場合の血中濃度を検討．最高血漿中濃度(Cmax)は健康人比でパニペネムが約1.9倍，ベタミプロンが約3.8倍と上昇．非HD施行時の全身クリアランス(CL)は健康人に比較し減少したが，HDの施行により健康人とほぼ同程度．消失相半減期($T_{1/2}$)及び血中濃度曲線下面積(AUC)はHDにより大きく影響を受けた．薬物動態パラメータ(HD施行時，非HD施行時の順)：(1)パニペネム：Cmax(μg/mL)45.7±8.84，46.4±5.29，$T_{1/2}$(hr)1.04±0.129，2.84±0.248，AUC(μg・hr/mL)78.2±9.16，172±13.9，CL(L/hr)9.53±1.26，2.92±0.238　(2)ベタミプロン：Cmax(μg/mL)53±9.18，54.3±5.5，$T_{1/2}$(hr)2.24±0.282，30.8±26，AUC(μg・hr/mL)630±439，1898±1628，CL(L/hr)4.18±0.643，0.615±0.511

その他の管理的事項

投与期間制限　該当しない

保険給付上の注意　該当しない

資料

IF　カルベニン点滴用0.25g・0.5g　2019年5月改訂(第10版)

ハ

パパベリン塩酸塩
パパベリン塩酸塩注射液
Papaverine Hydrochloride

概要
薬効分類　124　鎮けい剤
構造式

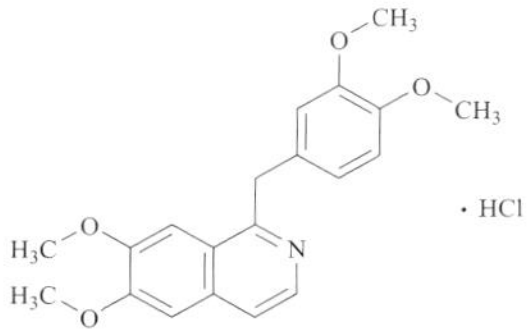

分子式　$C_{20}H_{21}NO_4 \cdot HCl$
分子量　375.85
ステム　パパベリン作用を持つ鎮痙薬：-verine
原薬の規制区分　[劇]
原薬の外観・性状　白色の結晶又は結晶性の粉末である．水又は酢酸(100)にやや溶けにくく，エタノール(95)に溶けにくく，無水酢酸又はジエチルエーテルにほとんど溶けない．1.0gを水50mLに溶かした液のpHは3.0～4.0である
原薬の吸湿性　該当資料なし
原薬の融点・沸点・凝固点　融点：220～225℃
原薬の酸塩基解離定数　pKa(25℃)＝6.4(パパベリン)
先発医薬品等
[注] パパベリン塩酸塩注40mg「日医工」(日医工)
国際誕生年月　不明
海外での発売状況　米，英，仏など

製剤
規制区分　[注] [処]
製剤の性状　[注] 無色澄明の液(経時したものは若干の着色が認められることがある)
有効期間又は使用期限　3年
貯法・保存条件　[注] 遮光・室温保存
薬剤取扱い上の留意点　イオキサグル酸(X線造影剤)と混合すると沈殿を生じる可能性があるので，併用する場合には別々に使用するか，又はカテーテル内を生理食塩液で洗浄するなど，直接混合しないよう注意すること
患者向け資料等　[注] くすりのしおり
溶液及び溶解時のpH　[注] 3.0～5.0
浸透圧比　[注] 約0.4(対生食)
調製時の注意　該当しない

薬理作用
分類　ベンジルイソキノリン誘導体血管拡張・鎮痙剤
作用部位・作用機序　各種平滑筋に直接作用して平滑筋の異常緊張及び痙れんを抑制する作用を有する．基本的な薬理作用はホスホジエステラーゼの阻害による細胞内cAMP含量の増加と，Ca^{2+}の細胞内への流入抑制である．主としてこの両作用により平滑筋弛緩作用を現す
同効薬　[注] アトロピン硫酸塩，ブチルスコポラミン臭化物など

治療
効能・効果　①次の疾患に伴う内臓平滑筋の痙攣症状：胃炎，胆道(胆管・胆嚢)系疾患　②急性動脈塞栓，末梢循環障害，冠循環障害における血管拡張と症状の改善，[注] 急性肺塞栓
用法・用量　[末] [散] パパベリン塩酸塩として1日200mg，3～4回に分服(適宜増減)
[注] パパベリン塩酸塩として1回30～50mg，1日100～200mg，主として皮下注するが，筋注もできる(適宜増減)．急性動脈塞栓には1回50mg動注，急性肺塞栓には1回50mg静注(適宜増減)

使用上の注意
禁忌　①房室ブロックのある患者［完全房室ブロックに移行するおそれがある］　②本剤の成分に対し過敏症の既往歴のある患者

薬物動態
[注] ①血漿中濃度(外国人，3mg/kg1回静注(承認範囲外用量))：Cmaxはデータなし，半減期はα相0.37hr，β相1.75hr
②主代謝産物及び代謝経路：投与後，主として肝臓で，フェノール性代謝物及びそのグルクロン酸抱合体にほぼ完全に代謝(外国人)　③排泄経路及び排泄率：(1)排泄経路：主として尿中(外国人)　(2)排泄率：投与後48時間までの尿中に，未変化体はほとんど認められず，約64％はフェノール性代謝物のグルクロン酸抱合体として尿中排泄(外国人，10mg/kg1回経口投与(承認範囲外用量))

その他の管理的事項
投与期間制限　該当しない
保険給付上の注意　該当しない

資料
IF　パパベリン塩酸塩注40mg「日医工」2009年2月作成(第1版)

乾燥はぶウマ抗毒素
Freeze-dried Habu Antivenom, Equine

概要
薬効分類　633　抗毒素類及び抗レプトスピラ血清類
原薬の規制区分　[劇]
原薬の外観・性状　溶剤を加えるとき，無色～淡黄褐色の澄明又は僅かに白濁した液となる

バメタン硫酸塩
Bamethan Sulfate

概要
構造式

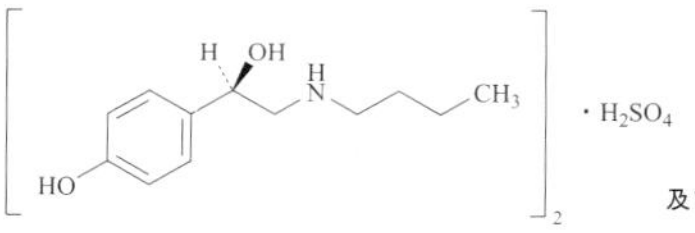

及び鏡像異性体

分子式　$(C_{12}H_{19}NO_2)_2 \cdot H_2SO_4$
分子量　516.65
原薬の規制区分　該当しない
原薬の外観・性状　白色の結晶又は結晶性の粉末で，においはなく，味は苦い．水又は酢酸(100)に溶けやすく，メタノールにやや溶けやすく，エタノール(95)に溶けにくく，ジエチルエーテルにほとんど溶けない．1.0gを水10mLに溶かした液のpHは4.0～5.5である
原薬の融点・沸点・凝固点　融点：約169℃(分解)

パラアミノサリチル酸カルシウム水和物 パラアミノサリチル酸カルシウム顆粒
Calcium Paraaminosalicylate Hydrate
別名：パスカルシウム水和物

概要
薬効分類 622 抗結核剤
構造式

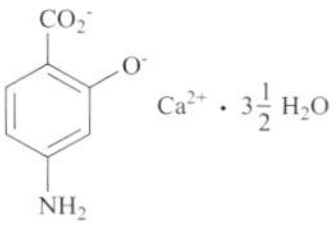

分子式 $C_7H_5CaNO_3 \cdot 3\frac{1}{2}H_2O$
分子量 254.25
略語・慣用名 PAS-Ca
原薬の規制区分 該当しない
原薬の外観・性状 白色又は僅かに着色した粉末で，味は僅かに苦い．水に極めて溶けにくく，メタノール又はエタノール(99.5)にほとんど溶けない．光によって徐々に褐色になる
先発医薬品等
顆 ニッパスカルシウム顆粒100％(田辺三菱)

製剤
規制区分 顆 ㊈
製剤の性状 顆 白色～灰褐色の顆粒剤
貯法・保存条件 室温保存．開封後は防湿，遮光保存(気密容器)
患者向け資料等 くすりのしおり

薬理作用
分類 抗結核化学療法剤
作用部位・作用機序 抗菌作用：ヒト型結核菌に対し静菌作用を示す 協力作用：SM(ストレプトマイシン)あるいはINH(イソニアジド)との併用で試験管内抗菌力，血中抗菌作用及び耐性上昇遅延等の協力効果を示す

治療
効能・効果 〈適応菌種〉パラアミノサリチル酸に感性の結核菌 〈適応症〉肺結核及びその他の結核症
用法・用量 1日10～15g，2～3回に分服(適宜増減)．他の抗結核薬と併用することが望ましい
用法・用量に関連する使用上の注意 使用にあたっては，耐性菌の発現等を防ぐため，原則として感受性を確認し，疾病の治療上必要な最小限の期間の投与にとどめる

使用上の注意
禁忌 高カルシウム血症の患者［カルシウム塩であり，投与により症状を悪化させるおそれがある］

薬物動態
健康成人に4g経口投与後，約1時間で最高血中濃度90μg/mL，以後0.91時間の半減期で減少．24時間までに約98％が尿中排泄，うち約57％はアセチル化体(参考)

資料
添付文書 ニッパスカルシウム顆粒100％ 2019年4月改訂(第11版)

パラオキシ安息香酸エチル
Ethyl Parahydroxybenzoate

概要
構造式

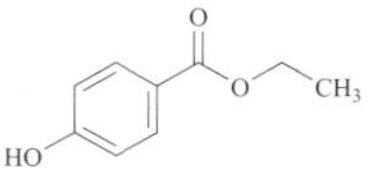

分子式 $C_9H_{10}O_3$
分子量 166.17
原薬の規制区分 該当しない
原薬の外観・性状 無色の結晶又は白色の結晶性の粉末である．メタノール，エタノール(95)又はアセトンに溶けやすく，水に極めて溶けにくい
原薬の融点・沸点・凝固点 融点：115～118℃

パラオキシ安息香酸ブチル
Butyl Parahydroxybenzoate

概要
構造式

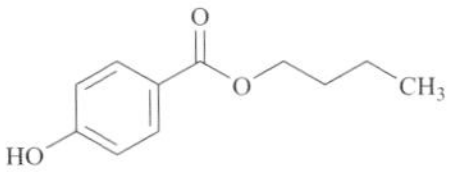

分子式 $C_{11}H_{14}O_3$
分子量 194.23
原薬の規制区分 該当しない
原薬の外観・性状 無色の結晶又は白色の結晶性の粉末である．メタノールに極めて溶けやすく，エタノール(95)又はアセトンに溶けやすく，水にほとんど溶けない
原薬の融点・沸点・凝固点 融点：68～71℃

パラオキシ安息香酸プロピル
Propyl Parahydroxybenzoate

概要
構造式

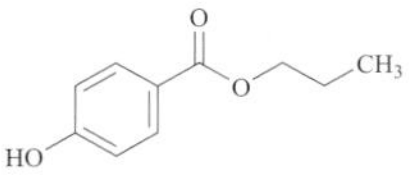

分子式 $C_{10}H_{12}O_3$
分子量 180.20
原薬の規制区分 該当しない
原薬の外観・性状 無色の結晶又は白色の結晶性の粉末である．メタノール，エタノール(95)又はアセトンに溶けやすく，水に極めて溶けにくい
原薬の融点・沸点・凝固点 融点：96～99℃

パラオキシ安息香酸メチル
Methyl Parahydroxybenzoate

概要
構造式

分子式 $C_8H_8O_3$
分子量 152.15
原薬の規制区分 該当しない
原薬の外観・性状 無色の結晶又は白色の結晶性の粉末である．メタノール，エタノール(95)又はアセトンに溶けやすく，水に溶けにくい
原薬の融点・沸点・凝固点 融点：125～128℃

バラシクロビル塩酸塩
バラシクロビル塩酸塩錠
Valaciclovir Hydrochloride

概要
薬効分類 625 抗ウイルス剤
構造式

分子式 $C_{13}H_{20}N_6O_4$・HCl
分子量 360.80
略語・慣用名 VACV
ステム 抗ウイルス剤，複素二環化合物：-ciclovir
原薬の規制区分 該当しない
原薬の外観・性状 白色～微黄白色の結晶性の粉末である．水に溶けやすく，エタノール(99.5)に極めて溶けにくい．0.05mol/L塩酸試液に溶ける．結晶多形が認められる
原薬の吸湿性 認められない
原薬の融点・沸点・凝固点 融点：約200℃(分解)
原薬の酸塩基解離定数 $pKa_1 = 1.90$，$pKa_2 = 7.47$，$pKa_3 = 9.43$
先発医薬品等
顆 バルトレックス顆粒50%(GSK)
錠 バルトレックス錠500(GSK)
後発医薬品
顆 50%
錠 500mg・粒状錠500mg
国際誕生年月 1994年12月
海外での発売状況 欧米など100カ国以上
製剤
規制区分 顆 錠 ㊄
製剤の性状 顆 白色～微黄白色の顆粒剤で，においはないか，僅かに特異なにおいがある 錠 白色～微黄白色のフィルムコート錠
有効期間又は使用期限 3年
貯法・保存条件 室温保存
薬剤取扱い上の留意点 投与中は適切な水分補給を行うこと．意識障害等が現れることがあるので，自動車の運転等，危険を伴う機械の操作に従事する際には注意するよう患者に十分に説明すること．なお，腎機能障害患者では特に意識障害等が現れやすいので，患者の状態によっては従事させないよう注意すること 錠 主薬の苦みを防ぐため，コーティングを施しているので，錠剤をつぶすことなく服用させること
患者向け資料等 患者向医薬品ガイド，くすりのしおり
溶液及び溶解時のpH 3.5(飽和水溶液)
浸透圧比 該当しない
安定なpH域 該当しない
調製時の注意 該当しない
薬理作用
分類 抗ウイルス剤(アシクロビルプロドラッグ)
作用部位・作用機序 投与後，速やかにアシクロビルに変換される．アシクロビルは，単純ヘルペスウイルス1型(HSV-1)，同2型(HSV-2)，水痘・帯状疱疹ウイルス(VZV)が感染した細胞内に入ると，ウイルス性チミジンキナーゼ(TK)により一リン酸化された後，細胞性キナーゼによりリン酸化され，アシクロビル三リン酸(ACV-TP)となる．ACV-TPは正常基質であるデオキシグアノシン三リン酸(dGTP)と競合してウイルスDNAポリメラーゼによりウイルスDNAの3′末端に取り込まれると，ウイルスDNA鎖の伸長を停止させ，ウイルスDNAの複製を阻害する．アシクロビルリン酸化の第一段階である一リン酸化は感染細胞内に存在するウイルス性TKによるため，ウイルス非感染細胞に対する障害性は低いものと考えられる
同効薬 アシクロビル，ビダラビン，ファムシクロビル
治療
効能・効果 単純疱疹，造血幹細胞移植における単純ヘルペスウイルス感染症(単純疱疹)の発症抑制，帯状疱疹，水痘，性器ヘルペスの再発抑制
効能・効果に関連する使用上の注意 ①性器ヘルペスの再発抑制に対する本剤の投与により，セックスパートナーへの感染を抑制することが認められている．ただし，投与中もセックスパートナーへの感染リスクがあるため，コンドームの使用等が推奨される ②性器ヘルペスの発症を繰り返す患者(免疫正常患者においては，おおむね年6回以上の頻度で再発する者)に対して投与する
用法・用量 ①成人：⑴単純疱疹：バラシクロビルとして1回500mg，1日2回 ⑵造血幹細胞移植における単純ヘルペスウイルス感染症(単純疱疹)の発症抑制：バラシクロビルとして1回500mg，1日2回造血幹細胞移植施行7日前より施行後35日まで ⑶帯状疱疹：バラシクロビルとして1回1000mg，1日3回 ⑷水痘：バラシクロビルとして1回1000mg，1日3回 ⑸性器ヘルペスの再発抑制：バラシクロビルとして1日1回500mg．なお，HIV感染症の患者(CD4リンパ球数100/mm^3以上)にはバラシクロビルとして1回500mg，1日2回 ②小児：⑴錠 ㋐単純疱疹：体重40kg以上はバラシクロビルとして1回500mg，1日2回 ㋑造血幹細胞移植における単純ヘルペスウイルス感染症(単純疱疹)の発症抑制：体重40kg以上はバラシクロビルとして1回500mg，1日2回造血幹細胞移植施行7日前より施行後35日まで ㋒帯状疱疹：体重40kg以上はバラシクロビルとして1回1000mg，1日3回 ㋓水痘：体重40kg以上はバラシクロビルとして1回1000mg，1日3回 ㋔性器ヘルペスの再発抑制：体重40kg以上はバラシクロビルとして1日1回500mg．なお，HIV感染症の患者(CD4リンパ球数100/mm^3以上)にはバラシクロビルとして1回500mg，1日2回 ⑵顆 ㋐単純疱疹：体重10kg未満はバラシクロビルとして1回25mg/kg，1日3回，体重10kg以上はバラシクロビルとして1回25mg/kg，1日2回．ただし，1回最高用量は500mg ㋑造血幹細胞移植における単純ヘルペスウイルス感染症(単純疱疹)の発症抑制：体重10kg未満はバラシクロビルとして1回25mg/kg，1日3回，体重10kg以上はバラシクロビルとして1回25mg/kg，1日2回造血幹細胞移植施行7日前より施行後35日まで．ただし，1回最高用量は500mg ㋒帯状疱疹：バラシクロビルとして1回25mg/kg，1日3回．ただし，1回最高用量は1000mg ㋓

水痘：1回25mg/kg，1日3回．ただし，1回最高用量は1000mg ㈎性器ヘルペスの再発抑制：体重40kg以上はバラシクロビルとして1日1回500mg．なお，HIV感染症の患者（CD4リンパ球数100/mm^{3}以上）にはバラシクロビルとして1回500mg，1日2回

用法・用量に関連する使用上の注意　①効能共通：⑴投与は，発病初期に近いほど効果が期待できるので，早期に投与を開始することが望ましい　⑵腎障害のある患者又は腎機能の低下している患者，高齢者では，精神神経系の副作用が現れやすいので，投与間隔を延長する等，注意する．なお，クレアチニンクリアランスによる投与量及び投与間隔の目安は次の通りである．また，血液透析を受けている患者に対しては，患者の腎機能，体重又は臨床症状に応じ，クレアチニンクリアランス10mL/min未満の目安よりさらに減量（250mgを24時間ごと等）することを考慮する．また，血液透析日には透析後に投与する．なお，腎障害を有する小児患者における本剤の投与量，投与間隔調節の目安は確立していない：㈠単純疱疹/造血幹細胞移植における単純ヘルペスウイルス感染症（単純疱疹）の発症抑制：＞50mL/min又は30～49mL/minの場合500mgを12時間ごと，10～29mL/min又は＜10mL/minの場合500mgを24時間ごと，㈡帯状疱疹/水痘：＞50mL/minの場合1000mgを8時間ごと，30～49mL/minの場合1000mgを12時間ごと，10～29mL/minの場合1000mgを24時間ごと，＜10mL/minの場合500mgを24時間ごと，㈢性器ヘルペスの再発抑制：＞50mL/min又は30～49mL/minの場合500mgを24時間ごと，なお，HIV感染症の患者（CD4リンパ球数100/mm^{3}以上）には，500mgを12時間ごと．10～29mL/min又は＜10mL/minの場合250mgを24時間ごと，なお，HIV感染症の患者（CD4リンパ球数100/mm^{3}以上）には，500mgを24時間ごと．肝障害のある患者でもバラシクロビルは十分にアシクロビルに変換される．なお，肝障害のある患者での臨床使用経験は限られている

②単純疱疹：5日間使用し，改善の兆しが見られないか，あるいは悪化する場合には，他の治療に切り替える．ただし，初発型性器ヘルペスは重症化する場合があるため，本剤を10日間まで使用可能とする　③帯状疱疹：⑴目安として，皮疹出現後5日以内に投与を開始することが望ましい　⑵7日間使用し，改善の兆しが見られないか，あるいは悪化する場合には，他の治療に切り替える　④水痘：⑴目安として，皮疹出現後2日以内に投与を開始することが望ましい　⑵成人においては5～7日間，小児においては5日間使用し，改善の兆しが見られないか，あるいは悪化する場合には，他の治療に切り替える　⑤性器ヘルペスの再発抑制：⑴：免疫正常患者において，性器ヘルペスの再発抑制に本剤を使用している際に再発が認められた場合には，1回500mg1日1回投与（性器ヘルペスの再発抑制に対する用法及び用量）から1回500mg1日2回投与（単純疱疹の治療に対する用法及び用量）に変更する．治癒後は必要に応じ1回500mg1日1回投与（性器ヘルペスの再発抑制に対する用法及び用量）の再開を考慮する．また，再発抑制に対して本剤を投与しているにもかかわらず頻回に再発を繰り返すような患者に対しては，症状に応じて1回250mg1日2回又は1回1000mg1日1回投与に変更することを考慮する　⑵1年間投与後，投与継続の必要性について検討することが推奨される

使用上の注意

禁忌　本剤の成分あるいはアシクロビルに対し過敏症の既往歴のある患者

過量投与　①徴候，症状：過量投与により，急性腎不全，精神神経症状（錯乱，幻覚，激越，意識低下，昏睡等）が報告されており，嘔気・嘔吐が発現する可能性も考えられる．なお，これら報告例には，適切な減量投与が行われなかったために過量投与の状態となった腎障害患者又は高齢者における例が多く含まれていた　②処置：毒性の発現を注意深く観察する．血液透析により，アシクロビルを血中から除去することができるので，過量投与により症状が発現した場合は，処置の一つとして血液透析を考慮する

薬物動態

血中濃度　①単回投与：健康成人6例に500mg又は1000mg（錠剤）を単回経口投与時，その活性代謝物であるアシクロビルに主に肝臓において速やかに代謝され，薬物動態パラメータ（500mg，1000mgの順）はCmax（μg/mL）1.50±0.63時間後に3.66±0.83，2.17±0.61時間後に5.84±1.08．$AUC_{0-\infty}$（μg・hr/mL）12.74±2.77，22.26±5.73，$T_{1/2}$（hr）2.96±0.41，3.55±0.27　②反復投与：500mgを1日2回（12時間毎）又は1000mg（錠剤）を1日3回（8時間毎）6日間反復経口投与時，数回の投与で血漿中アシクロビル濃度は定常状態に達し，トラフ濃度の平均はそれぞれ0.22～0.29μg/mL及び0.94～1.18μg/mLで，蓄積性は認められなかった　③生物学的同等性：健康成人12例に500mg（顆粒剤1g又は錠剤1錠）を単回経口投与時，活性代謝物の血漿中アシクロビル薬物動態パラメータ（顆粒剤，錠剤の順）はCmax（μg/mL）3.66±0.73，3.70±1.01，Tmax（hr）1.63±0.38，1.63±0.43，$AUC_{0-\infty}$（μg・hr/mL）12.62±2.04，11.98±2.51，$T_{1/2}$（hr）3.08±0.53，3.27±0.71で，両製剤は生物学的に同等　**吸収**　①食事の影響：食事によりアシクロビルの最高血漿中濃度到達時間は僅かに遅延したが，AUCに有意な差を認めなかった（外国人データ）　②バイオアベイラビリティ：健康成人に1000mgを単回経口投与時のアシクロビルの生物学的利用率は54.2%（外国人データ）　**分布**　①血漿蛋白結合率：*In vitro*でのバラシクロビル及びアシクロビル（活性代謝物）の血漿蛋白結合率は，それぞれ13.5～17.9及び22～33%　②乳汁中濃度：ヒトにバラシクロビル500mg経口投与後，アシクロビルの乳汁中Cmaxは，母体血清中Cmaxの0.5～2.3倍（中央値：1.4），アシクロビルの乳汁中AUCは，母体血清中AUCの1.4～2.6倍（中央値：2.2）（外国人データ）　**代謝**　ヒト肝において，バラシクロビルの加水分解活性は高かった　**排泄**　健康成人6例に1000mg（錠剤）を単回経口投与時，主な排泄経路は尿中，24時間以内の尿中に未変化体，アシクロビル及び9-カルボキシメトキシメチルグアニン（既知のアシクロビルの代謝物）がそれぞれ投与量の0.4%，43.1%及び5.0%排泄　**特定の背景を有する患者**　①腎機能障害患者：透析患者（クレアチニンクリアランス値平均0.93mL/min）に1000mgを単回経口投与時の薬物動態パラメータ（平均値±標準偏差）は，Cmax10.60±4.22μg/mL，Tmax（中央値）2.00（1.00-4.00）hr，$t_{1/2}$22.2±5.0hr，$AUC_{0-\infty}$249.43±105.09μg・hr/mL．また，4時間の透析により血漿中のアシクロビルは約70%が除去　②肝機能障害患者：健康成人及び肝機能障害患者に1000mgを単回経口投与時，アシクロビルの薬物動態パラメータに大きな違いは認められず，肝機能障害患者においても十分にアシクロビルへ加水分解された．この結果から，肝機能障害患者における用量調節は必要ないと考えられる（外国人データ）．健康成人（12例）及び肝機能障害患者（中等度12例，重度・腹水なし8例，重度・腹水あり4例）での薬物動態パラメータは，Cmax（μg/mL）4.79±1.24，7.75±2.45※，5.21±1.32，4.23±2.21，Tmax（hr，中央値）1.5（0.5-2.5），1.01（0.75-2.5），1.5（0.75-3.05），1.5（1-2），$T_{1/2}$（hr）2.95±0.36，2.93±0.39，2.7±0.4，2.92±0.3，$AUC_{0-\infty}$（μg・hr/mL）17.40±4.34，23.41±5.53※，22.31±11.56，19.42±6.99，CL/F（mL/min）703±175，518±117，628±254，683±336．※印は健康成人に対して有意差有り（$p<0.05$，分散分析）　③高齢者：高齢者（平均72歳，クレアチニンクリアランス値平均57mL/min）に経口投与時，健康成人に比べ血漿中アシクロビルのCmax及びAUCはそれぞれ15～20%及び30～50%増加．この変化は高齢者での加齢に伴う腎機能低下によると考えられた（外国人データ）　④小児等：小児水痘患者（1～9歳）に25mg/kg（顆粒剤50mg/kg）を1日3回5日間反復経口投与時の初回投与時の薬物動態パラメータ（平均値±標準偏差）は，Cmax6.21±2.46μg/mL，Tmax※1) 1.03（1.00-4.08）hr，

ハ

$AUC_{0-\infty}$※2) 16.90±6.99μg・hr/mL, $t_{1/2}$※2) 1.34±0.29hr. 投与5日目の血漿中アシクロビル濃度に反復投与による蓄積性は認められなかった ※1)中央値(最小値－最大値) ※2) 9例 **薬物相互作用** ①*In vitro*：活性代謝物であるアシクロビルは, OAT1, OAT2, MATE1及びMATE2-Kの基質 ②吸収過程における相互作用(*in situ*)：ラット小腸に0.01mMを含む緩衝液を灌流時, バラシクロビルの小腸透過係数はペプチドトランスポーター(PEPT)1の基質として知られるβ-ラクタム系抗生物質(アモキシシリン, アンピシリン, セファドロキシル, セファラジン；各々5mM)の高濃度の共存下で有意に低下したことから, 吸収過程にはPEPT1が関与していることが示された

その他の管理的事項

投与期間制限 該当しないが, 投薬量は予見できる必要期間に従うこと

保険給付上の注意 該当しない

資料

IF バルトレックス顆粒50%・錠500 2020年5月改訂(第17版)

パラフィン
Paraffin

概要

原薬の規制区分 該当しない

原薬の外観・性状 無色又は白色のやや透明な結晶性の塊で, におい及び味はない. ジエチルエーテルにやや溶けにくく, 水, エタノール(95)又はエタノール(99.5)にほとんど溶けない

原薬の融点・沸点・凝固点 融点：50～75℃(第2法)

流動パラフィン
軽質流動パラフィン
Liquid Paraffin

概要

薬効分類 712 軟膏基剤

原薬の規制区分 該当しない

原薬の外観・性状 無色で, ほとんど蛍光を発しない澄明の油液で, におい及び味はない. ジエチルエーテルに溶けやすく, エタノール(99.5)に極めて溶けにくく, 水又はエタノール(95)にほとんど溶けない

原薬の融点・沸点・凝固点 沸点：300℃以上

先発医薬品等

外用液 流動パラフィン(小堺)
流動パラフィン「NikP」(日医工)
流動パラフィン「カナダ」(金田直)
流動パラフィン「ケンエー」(健栄)
流動パラフィン「司生堂」(司生堂)
流動パラフィン「東海」(東海製薬)
流動パラフィン「ニッコー」(日興製薬)
流動パラフィン「マルイシ」(丸石)
流動パラフィン「ヨシダ」(吉田製薬＝中北)

製剤

貯法・保存条件 気密容器, 火気を避けて保存

薬剤取扱い上の留意点 火気厳禁. 第四石油類, 危険等級Ⅲ

患者向け資料等 くすりのしおり

治療

効能・用法 軟膏基剤として調剤に用いる

資料

添付文書 流動パラフィン「ヨシダ」 2017年1月改訂(第7版)

パラホルムアルデヒド
Paraformaldehyde

概要

薬効分類 279 その他の歯科口腔用薬

分子式 $(CH_2O)_n$

原薬の規制区分 ㊞(ただし, ホルムアルデヒドとして1%以下を含有するものを除く)

原薬の外観・性状 白色の粉末で, 僅かにホルムアルデヒド臭があり, 加熱するとき, 強い刺激性のにおいを発する. 水, エタノール(95)又はジエチルエーテルにほとんど溶けない. 熱湯, 熱希塩酸, 水酸化ナトリウム試液又はアンモニア試液に溶ける. 約100℃で昇華する

原薬の融点・沸点・凝固点 昇華：約100℃

歯科用パラホルムアルデヒドパスタ
Dental Paraformaldehyde Paste

概要

原薬の規制区分 ㊞

原薬の外観・性状 帯黄白色で, 特異なにおいがある

製剤

製剤の性状 帯黄白色で, 特異なにおいがある

貯法・保存条件 気密容器

L－バリン
L-Valine

概要

構造式

CH_3, H_3C, CO_2H, H, NH_2

分子式 $C_5H_{11}NO_2$

分子量 117.15

原薬の規制区分 該当しない

原薬の外観・性状 白色の結晶又は結晶性の粉末で, においはないか, 又は僅かに特異なにおいがあり, 味は僅かに甘いが, 後に苦い. ギ酸に溶けやすく, 水にやや溶けやすく, エタノール(95)にほとんど溶けない. 希塩酸に溶ける. 0.5gを水20mLに溶かした液のpHは5.5～6.5である

バルサルタン
バルサルタン錠
Valsartan

概要

薬効分類 214 血圧降下剤

構造式

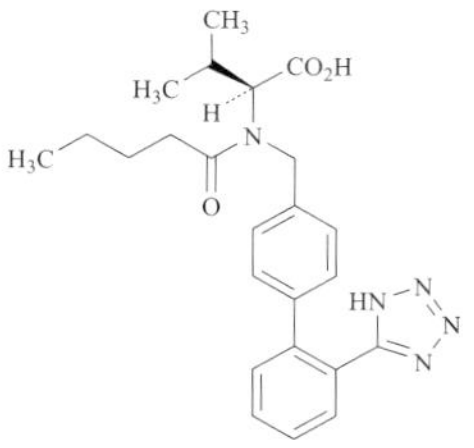

分子式 $C_{24}H_{29}N_5O_3$

分子量 435.52

ステム アンジオテンシンⅡ受容体拮抗薬：-sartan

原薬の規制区分 該当しない

原薬の外観・性状 白色の粉末である．メタノール又はエタノール(99.5)に極めて溶けやすく，水にほとんど溶けない

原薬の吸湿性 25℃・97%RH及び40℃・97%RHに7日間保存するとき各湿度条件での吸湿度は 2.4%及び4.2%

原薬の融点・沸点・凝固点 融点：約103℃

原薬の酸塩基解離定数 pKa_1＝3.90(滴定法：カルボキシル基の解離に対応)，pKa_2＝4.73(滴定法：テトラゾール基の解離に対応)

先発医薬品等

錠 ディオバン錠20mg・40mg・80mg・160mg(ノバルティス) ディオバンOD錠20mg・40mg・80mg・160mg(ノバルティス)

後発医薬品

錠 20mg・40mg・80mg・160mg・OD錠20mg・40mg・80mg・160mg

国際誕生年月 1996年5月

海外での発売状況 **錠** 米，英，仏，独を含む130カ国以上

製剤

規制区分 **錠** **口腔内崩壊錠** ㊎

製剤の性状 **20mg錠** 淡黄色の片面割線入りのフィルムコート錠 **40・80mg錠** 白色の片面割線入りのフィルムコート錠 **160mg錠** 白色の長楕円形をした割線入りのフィルムコート錠 **20・40・80mg口腔内崩壊錠** 白色の素錠 **160mg口腔内崩壊錠** 白色の楕円形をした割線入りの素錠

有効期間又は使用期限 3年

貯法・保存条件 **錠** 室温保存 **口腔内崩壊錠** 室温保存(吸湿性を有するため，PTPシートのまま保存(自動分包機には適さない))

薬剤取扱い上の留意点 降圧作用に基づくめまい，ふらつきが現れることがあるので，高所作業，自動車の運転等危険を伴う機械を操作する際には注意させること．手術前24時間は投与しないことが望ましい **口腔内崩壊錠** 吸湿性を有するため，PTPシートのまま保存(自動分包機には適さない)

患者向け資料等 患者向医薬品ガイド，くすりのしおり

薬理作用

分類 アンジオテンシンⅡ受容体拮抗薬

作用部位・作用機序 AT_1受容体に高親和性かつ選択的に結合し，昇圧因子として作用するAⅡに対して拮抗した結果，降圧作用を示すと考えられる

同効薬 ロサルタンカリウム，カンデサルタンシレキセチルなど

治療

効能・効果 高血圧症

用法・用量 ①成人：1日1回40～80mg(適宜増減)．1日160mgまで増量できる ②6歳以上の小児：体重35kg未満の場合は1日1回20mgを，体重35kg以上の場合は1日1回40mg(適宜増減)．1日最高用量は，体重35kg未満の場合，40mg

用法・用量に関連する使用上の注意 国内においては小児に対して，1日80mgを超える使用経験がない

禁忌・原則禁忌となる特定患者集団 妊婦又は妊娠している可能性のある女性

使用上の注意

禁忌 ①本剤の成分に対し過敏症の既往歴のある患者 ②妊婦又は妊娠している可能性のある女性 ③アリスキレンを投与中の糖尿病患者(ただし，他の降圧治療を行ってもなお血圧のコントロールが著しく不良の患者を除く)

過量投与 ①症状：過量投与により，著しい血圧低下が生じ，意識レベルの低下，循環虚脱に至るおそれがある ②処置：著しい低血圧の場合には，患者を仰臥位にし，速やかに生理食塩液等の静注等，適切な処置を行う．なお，本剤の血漿蛋白との結合率は93%以上であり，血液透析によって除去できない

薬物動態

血中濃度 ①単回投与：健康成人男子に20，40，80及び160mg(80mg×2)を単回経口投与時，速やかに吸収され，血漿中の未変化体は投与後2～3時間で最高濃度に到達．また，Cmax及びAUCは160mg投与まで投与量の増加に比例して増大し，消失半減期は4～6時間．血中濃度パラメータ(20，40，80，160mgの順．各6例)はTmax(hr)2，3，3，3，Cmax(μg/mL)0.86±0.53，1.37±0.53，2.83±0.92，5.26±2.30，AUC(μg・hr/mL)5.2±3.1，8.9±4.0，18.0±5.8，33.9±18.9，$T_{1/2}$(hr)3.7±0.8，4.0±1.3，3.9±0.6，5.7±1.8．体重が35kg未満又は35kg以上の小児患者(7から14歳の高血圧症，慢性腎臓病，もしくはネフローゼ症候群の患者)にそれぞれ20mg又は40mgを単回投与時のCmax(μg/mL)及びAUC(μg・h/mL)は，20mg群(体重26.1±4.9kg，6例)2.45±0.86，12.0±3.9，40mg群(48.4±8.4kg，6例)2.11±0.84，11.3±6.1 ②反復投与：健康成人男子に160mg(80mg×2)を1日1回7日間反復経口投与時，血漿中の未変化体濃度の投与回数に伴う上昇は認められなかった．また，初回及び投与7日目の薬物動態パラメータはほぼ同等で，蓄積性は認められなかった **代謝** 健康成人男子に^{14}Cバルサルタン80mgを空腹時単回経口投与8時間後の血漿中には，主として未変化体が存在し，その他に代謝物として4-ヒドロキシ体が認められ，*in vitro*の試験で主としてCYP2C9の関与が示唆されている(外国人データ) **排泄** 健康成人男子に^{14}Cバルサルタン80mgを空腹時単回経口投与後の排泄率(糞中，尿中の順)：(1)総排泄率(168時間値)：86%，13% (2)未変化体：71%(12～72時間値)，10%(48時間値) (3)4-ヒドロキシ体：8%(12～72時間値)，1%(48時間値)(外国人データ)．健康成人男子に20，40，80及び160mg(80mg×2)を空腹時単回経口投与時，投与後48時間までに投与量の9～14%が未変化体として尿中に排泄

特定の背景を有する患者 ①高齢者：65歳以上の健康成人男子に80mgを単回経口投与時の血漿中の未変化体濃度推移は，65歳未満の健康成人男子に投与した場合に比べてCmaxが1.2倍，AUCが1.7倍高く，AUC及び消失半減期において有意な差($P<0.05$)が認められた(外国人データ)

その他の管理的事項

投与期間制限 該当しない

保険給付上の注意 該当しない

資料

IF ディオバン錠20mg・40mg・80mg・160mg・OD錠20mg・40mg・80mg・160mg 2020年4月改訂(第23版)

ハ

バルサルタン・ヒドロクロロチアジド錠
Valsartan and Hydrochlorothiazide Tablets

概要

薬効分類 214 血圧降下剤

分子式 ［バルサルタン］$C_{24}H_{29}N_5O_3$ ［ヒドロクロロチアジド］$C_7H_8ClN_3O_4S_2$

分子量 ［バルサルタン］435.52 ［ヒドロクロロチアジド］297.74

ステム ［バルサルタン］アンジオテンシンⅡ受容体拮抗薬：-sartan ［ヒドロクロロチアジド］チアジド系利尿薬：-tizide

原薬の規制区分 該当しない

原薬の外観・性状 ［バルサルタン］白色の粉末である．メタノール又はエタノール(99.5)に極めて溶けやすく，水にほとんど溶けない ［ヒドロクロロチアジド］白色の結晶又は結晶性の粉末で，においはなく，味は僅かに苦い．アセトンに溶けやすく，アセトニトリルにやや溶けにくく，水又はエタノール(95)に極めて溶けにくく，ジエチルエーテルにほとんど溶けない．水酸化ナトリウム試液に溶ける

原薬の吸湿性 ［バルサルタン］25℃・97％RH及び40℃・97％RHに7日間保存するとき各湿度条件での吸湿度は，2.4％及び4.2％ ［ヒドロクロロチアジド］吸湿性を認めない

原薬の融点・沸点・凝固点 ［バルサルタン］融点：約103℃ ［ヒドロクロロチアジド］融点：約267℃(分解)

原薬の酸塩基解離定数 ［バルサルタン］pKa_1＝3.90(滴定法：カルボキシル基の解離に対応)，pKa_2＝4.73(滴定法：テトラゾール基の解離に対応) ［ヒドロクロロチアジド］pKa_1＝8.6(スルホンアミノ基，滴定法)，pKa_2＝9.9(アミノ基，滴定法)

先発医薬品等

錠 コディオ配合錠MD・EX(ノバルティス)

後発医薬品

錠

国際誕生年月 1997年9月

海外での発売状況 米，英など90カ国以上

製剤

規制区分 **錠** ㊕

製剤の性状 **MD錠** うすい赤色のフィルムコート錠 **EX錠** ごくうすい赤色のフィルムコート錠

有効期間又は使用期限 3年

貯法・保存条件 室温保存

薬剤取扱い上の留意点 降圧作用に基づくめまい，ふらつきが現れることがあるので，高所作業，自動車の運転等危険を伴う機械を操作する際には注意させること．手術前24時間は投与しないことが望ましい

患者向け資料等 患者向医薬品ガイド，くすりのしおり

薬理作用

分類 アンジオテンシンⅡ受容体拮抗薬・チアジド系利尿薬配合剤

作用部位・作用機序 各項目参照

同効薬 ロサルタンカリウム/ヒドロクロロチアジド配合錠，カンデサルタン シレキセチル/ヒドロクロロチアジド配合錠，テルミサルタン/ヒドロクロロチアジド配合錠

治療

効能・効果 高血圧症

効能・効果に関連する使用上の注意 ①過度な血圧低下のおそれ等があり，本剤を高血圧治療の第一選択薬としない ②原則として，バルサルタン80mgで効果不十分な場合に本剤の使用を検討する

用法・用量 1日1回1錠(バルサルタン/ヒドロクロロチアジドとして80mg/6.25mg又は80mg/12.5mg)．高血圧治療の第一選択薬として用いない

禁忌・原則禁忌となる特定患者集団 妊婦又は妊娠している可能性のある婦人

使用上の注意

禁忌 ①本剤の成分に対し過敏症の既往歴のある患者 ②チアジド系薬剤又はその類似化合物(例えばクロルタリドン等のスルフォンアミド誘導体)に対する過敏症の既往歴のある患者 ③妊婦又は妊娠している可能性のある女性 ④無尿の患者又は透析患者［本剤の効果が期待できない］ ⑤急性腎不全の患者 ⑥体液中のナトリウム・カリウムが明らかに減少している患者［低ナトリウム血症，低カリウム血症等の電解質失調を悪化させるおそれがある］ ⑦アリスキレンフマル酸塩を投与中の糖尿病患者(ただし，他の降圧治療を行ってもなお血圧のコントロールが著しく不良の患者を除く) ⑧デスモプレシン酢酸塩水和物(男性における夜間多尿による夜間頻尿)を投与中の患者

過量投与 ①症状：バルサルタンの過量投与により，著しい血圧低下が生じ，意識レベルの低下，循環虚脱に至るおそれがある ②処置：著しい低血圧の場合には，患者を仰臥位にし，速やかに生理食塩液等の静注等，適切な処置を行う．なお，バルサルタンの血漿蛋白との結合率は93％以上であり，血液透析によって除去できない

薬物動態

血中濃度 ①単回投与：健康成人男子に単回経口投与時，速やかに吸収され，バルサルタン及びヒドロクロロチアジドは，それぞれ投与後約3及び1.5時間で最高濃度に到達し，消失半減期はそれぞれ約6及び9時間．バルサルタン及びヒドロクロロチアジドの薬物動態パラメータはそれぞれ，(1)VAH[※1]80/6.25mg(n＝50)でCmax(ng/mL)3483±1660，47±8，Tmax[※2](h)3.0(1.0～4.0)，1.5(1.0～4.0)，$AUC_{0\text{-}inf}$(ng・h/mL)21745±10617，325±56，$t_{1/2}$(h)5.7±1.0，8.9±0.8 (2)VAH[※1]80/12.5mg(n=52)でCmax(ng/mL)3582±1181，93±23，Tmax[※2](h)2.8(1.0～6.0)，1.5(1.0～4.0)，$AUC_{0\text{-}inf}$(ng・h/mL)21498±6793，638±106，$t_{1/2}$(h)6.3±3.3，8.6±0.7 ※1)バルサルタンとヒドロクロロチアジドの配合剤 ※2)中央値(最小～最大) **吸収** 食事の影響：健康成人男子に本剤80/12.5mgを単回経口投与時，空腹時投与に比べて食後投与でバルサルタンのCmax及びAUCはそれぞれ32％及び37％低下，ヒドロクロロチアジドのCmax及びAUCはそれぞれ36％及び22％低下 **分布** バルサルタン及びヒドロクロロチアジドの血漿蛋白結合率はそれぞれ93～96％及び58％(外国人データ) **代謝** 健康成人男子に^{14}Cバルサルタン80mgを空腹時単回経口投与8時間後の血漿中には，主として未変化体が存在し，その他に代謝物として4-ヒドロキシ体が認められ，*in vitro*の試験で主としてCYP2C9の関与が示唆されている(外国人データ)．ヒドロクロロチアジドはほとんど代謝を受けず，大部分が未変化体のまま排泄(外国人データ) **排泄** 健康成人男子にバルサルタン80mg及びヒドロクロロチアジド12.5mgを併用単回投与時，投与後24時間までにそれぞれ投与量の12.0％及び74.4％が未変化体として尿中に排泄 **薬物相互作用** 健康成人男子にバルサルタン80mg及びヒドロクロロチアジド12.5mgを併用単回投与時のバルサルタン及びヒドロクロロチアジドの薬物動態は各単剤投与後と差はなく，バルサルタンとヒドロクロロチアジドの間に薬物動態学的相互作用は認められなかった

その他の管理的事項

投与期間制限 該当しない

保険給付上の注意 該当しない

資料

IF コディオ配合錠MD・EX 2020年2月改訂(第11版)

パルナパリンナトリウム
Parnaparin Sodium

概要

薬効分類　333　血液凝固阻止剤

構造式

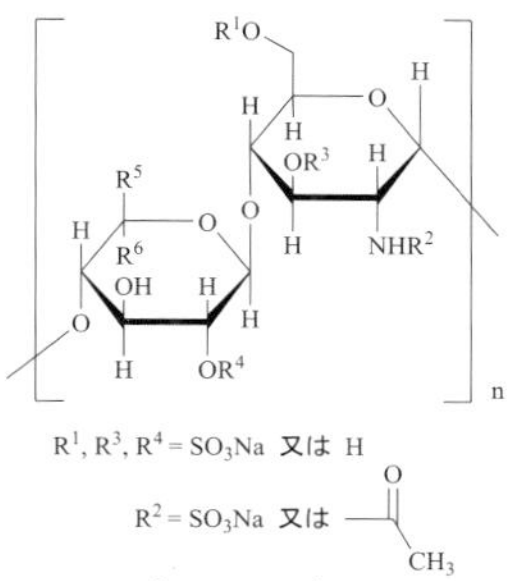

$R^1, R^3, R^4 = SO_3Na$ 又は H

$R^2 = SO_3Na$ 又は $-C(=O)CH_3$

$R^5 = CO_2Na$，$R^6 = H$

又は

$R^5 = H$，$R^6 = CO_2Na$

n = 4-21

分子量　4500～6500（質量平均分子量）

ステム　ヘパリン誘導体：-parin

原薬の規制区分　該当しない

原薬の外観・性状　白色～微黄色の粉末である．水に極めて溶けやすく，エタノール（99.5）にほとんど溶けない．0.1gを水10mLに溶かした液のpHは6.0～8.0である

原薬の吸湿性　吸湿性である

原薬の融点・沸点・凝固点　融点：約220℃（分解）

原薬の酸塩基解離定数　pKa＝4.7（電位差滴定法）

先発医薬品等

注　ローヘパ透析用500単位/mLバイアル10mL（エイワイファーマ＝陽進堂）

キット　ローヘパ透析用100単位・150単位・200単位/mLシリンジ20mL（エイワイファーマ＝陽進堂）

国際誕生年月　1993年2月

海外での発売状況　イタリアなど18カ国

製剤

規制区分　**注**　㊤生物㊦　㊤処㊦

製剤の性状　**注**　無色澄明の液

有効期間又は使用期限　3年

貯法・保存条件　室温保存

薬剤取扱い上の留意点　保存剤を含有しないので，分割使用は避ける

患者向け資料等　くすりのしおり

溶液及び溶解時のpH　5.0～7.0

浸透圧比　約1（対生食）

調製時の注意　該当しない

薬理作用

分類　血液凝固阻止剤

作用部位・作用機序　抗凝固作用はヘパリンナトリウムと同様アンチトロンビンⅢ（ATⅢ）を介する間接作用である．本剤はATⅢの第Xa因子，トロンビンとの結合反応を促進するが，ヘパリンナトリウムに比して，より第Xa因子への選択性が高いことが示唆されている

同効薬　ダルテパリンナトリウム，レビパリンナトリウム，ヘパリンナトリウム，ヘパリンカルシウム

治療

効能・効果　血液体外循環時の灌流血液の凝固防止（血液透析・血液透析ろ過・血液ろ過）

用法・用量　（**注**　直接又は生理食塩液で希釈し，）体外循環開始時，次の量を投与する：①出血性病変又は出血傾向を有しない患者：⑴治療1時間あたり7～13IU/kgを体外循環路内血液に単回投与　⑵15～20IU/kgを体外循環路内血液に単回投与し，体外循環開始後は毎時6～8IU/kgを抗凝固薬注入ラインから持続注入．⑴⑵とも，体外循環路内の血液凝固状況に応じ適宜増減　②出血性病変又は出血傾向を有する患者：10～15IU/kgを体外循環路内血液に単回投与し，体外循環開始後は毎時6～9IU/kgを抗凝固薬注入ラインから持続注入

禁忌・原則禁忌となる特定患者集団　妊婦又は妊娠している可能性のある婦人

使用上の注意

禁忌　①パルナパリンナトリウムに対し過敏症状又は過敏症の既往歴のある患者　②妊婦又は妊娠している可能性のある婦人

過量投与　過量投与した場合，出血性の合併症を引き起こすことがある．本剤の抗凝固作用を急速に中和する必要のある場合には，プロタミン硫酸塩を投与する．プロタミン硫酸塩1.2mgは本剤の100IUの効果を抑制する［血液体外循環終了時に中和する場合には，反跳性の出血が現れることがある］

薬物動態

①健常成人男子（17例）に単回静注時の血漿中抗第Xa因子活性は次の通りで，用量相関性が認められる．［20IU/kg（5例），40IU/kg（6例），80IU/kg（6例）の順］Cmax（anti-Xa U/mL）は0.39±0.03，0.67±0.07，1.21±0.17，$T_{1/2}$（min）は84.30±6.00，114.94±18.70，146.42±7.88，AUC（anti-Xa U・min/mL）は49.00±3.10，116.18±18.97，241.92±31.36，CL（mL/min/kg）は0.41±0.02，0.35±0.06，0.34±0.04　②血液透析施行中の安定期慢性腎不全患者15例に40～50IU/kg（平均9.95IU/kg/hr，平均4.5時間透析）を単回静注時，血漿中抗第Xa因子活性は投与後1相性に低下．本剤は主に尿中排泄されるが，腎機能低下患者では尿中に排泄されないため抗第Xa因子活性の血漿中からの消失が遅延し，平均44.7IU/kgを投与時の消失半減期は健常人（40IU/kgを投与時114.94分）に比べ約2倍長い246.53±76.97分　③透析膜への吸着性：ヘパリンを対照とした灌流試験で，本剤の吸着性について抗Xa活性を指標に検討した結果，抗Xa活性は経時的に低下し，ヘモファン膜に吸着

その他の管理的事項

投与期間制限　該当しない

保険給付上の注意　「血液凝固阻止剤（在宅血液透析患者に対して使用する場合に限る）」として投与が認められている

資料

IF　ローヘパ透析用100単位/mL・150単位/mL・200単位/mLシリンジ20mL　2016年3月改訂（第2版）

ローヘパ透析用500単位/mLバイアル10mL　2016年3月改訂（第2版）

バルビタール
Barbital

概要

構造式

分子式　$C_8H_{12}N_2O_3$

分子量　184.19

原薬の規制区分　㊤劇㊦　㊤向Ⅲ㊦　㊤習㊦

原薬の外観・性状　無色若しくは白色の結晶又は白色の結晶性の粉末で，においはなく，味は僅かに苦い．アセトン又はピ

リジンに溶けやすく，エタノール(95)にやや溶けやすく，ジエチルエーテルにやや溶けにくく，水又はクロロホルムに溶けにくい．水酸化ナトリウム試液又はアンモニア試液に溶ける．本品の飽和水溶液のpHは5.0～6.0である
原薬の融点・沸点・凝固点　融点：189～192℃
治療
効能・効果† ①不眠症(他剤が無効な場合)　②不安緊張状態の鎮静(他剤が無効な場合)

バルプロ酸ナトリウム
バルプロ酸ナトリウム錠
バルプロ酸ナトリウム徐放錠A
バルプロ酸ナトリウム徐放錠B
バルプロ酸ナトリウムシロップ
Sodium Valproate

概要
薬効分類　113　抗てんかん剤，117　精神神経用剤
構造式

CO_2Na
H_3C　CH_3

分子式　$C_8H_{15}NaO_2$
分子量　166.19
略語・慣用名　VPA-Na(バルプロ酸の略号：VPA，DPA，SV)
ステム　不明
原薬の規制区分　該当しない
原薬の外観・性状　白色の結晶性の粉末である．水に極めて溶けやすく，エタノール(99.5)又は酢酸(100)に溶けやすい．1.0gを水20mLに溶かした液のpHは7.0～8.5である
原薬の吸湿性　吸湿性である．極めて吸湿性が強く，空気中で徐々に潮解する
原薬の融点・沸点・凝固点　融点：約360℃(分解)
原薬の酸塩基解離定数　pKa'＝4.6
先発医薬品等
細 デパケン細粒20%・40%(協和キリン)
徐放顆 セレニカR顆粒40%(興和＝田辺三菱＝吉富薬品)
錠 デパケン錠100mg・200mg(協和キリン)
徐放錠 セレニカR錠200mg・400mg(興和＝田辺三菱＝吉富薬品)
デパケンR錠100mg・200mg(協和キリン)
シ デパケンシロップ5%(協和キリン)
後発医薬品
細 20%・40%
徐放顆 40%
錠 100mg・200mg
徐放錠 100mg・200mg
シ 5%
国際誕生年月　該当資料なし
海外での発売状況　欧米など
製剤
規制区分　細　徐放顆　錠　徐放錠　シ　㊕
製剤の性状　細 白色の細粒，メントール様の特異な味，無臭　徐放顆 核顆粒を二重コーティングした膜制御拡散型の徐放性顆粒剤　錠 黄色のフィルムコーティング錠　徐放錠 マトリックスを核とし，その上を徐放性被膜でコーティングした白色の糖衣錠　シ 赤色澄明なシロップ剤，味は甘くパイナップル臭を有する(用時，水道水，牛乳により混合希釈可)
有効期間又は使用期限　3年
貯法・保存条件　細 錠 室温保存(開封後湿気を避ける)　徐放顆 気密容器，室温保存　徐放錠 シ 室温保存
薬剤取扱い上の留意点　眠気，注意力・集中力・反射運動能力等の低下が起こることがあるので，本剤投与中の患者には自動車の運転等危険を伴う機械の操作に従事させないよう注意すること　錠 吸湿性が強いので，服用直前までPTPシートから取り出さない．また，保存に際してPTPシートを破損しない(PTPシートから取り出し一包化調剤することは避ける)　徐放顆 吸湿することがあるので開封後の保存には注意する
患者向け資料等　患者向医薬品ガイド，くすりのしおり，徐放顆 お薬の注意事項カード
溶液及び溶解時のpH　シ 7.0～7.8
浸透圧比　シ 12.3
調製時の注意　該当しない
薬理作用
分類　抗てんかん，躁病・躁状態，片頭痛治療剤
作用部位・作用機序　作用部位：海馬及び扁桃核を中心とする皮質下　作用機序：脳内のGABA・グルタミン酸の代謝経路においてGABA合成に関与しているグルタミン酸脱炭酸酵素活性の低下抑制や，GABA分解に関与しているGABAトランスアミナーゼ及びコハク酸セミアルデヒド脱水素酵素活性を阻害することにより，脳内GABA濃度を増加し，痙攣を抑制することが考えられている．抗躁作用及び片頭痛発作の発症抑制作用についてもGABA神経伝達促進作用が寄与している可能性が考えられている
同効薬　各種てんかんおよびてんかんに伴う性格行動障害の治療：カルバマゼピン，フェニトイン，ゾニサミド，クロナゼパムなど　躁病および躁うつ病の躁状態の治療：炭酸リチウム，カルバマゼピン　片頭痛発作の発症抑制：ロメリジン
治療
効能・効果　①各種てんかん(小発作・焦点発作・精神運動発作ならびに混合発作)及びてんかんに伴う性格行動障害(不機嫌・易怒性等)の治療　②躁病及び躁うつ病の躁状態の治療　③片頭痛発作の発症抑制
効能・効果に関連する使用上の注意　効能③：①片頭痛発作の急性期治療のみでは日常生活に支障をきたしている患者にのみ投与する　②発現した頭痛発作を緩解する薬剤ではないので，本剤投与中に頭痛発作が発現した場合には必要に応じて頭痛発作治療薬を頓用させる．投与前にこのことを患者に十分に説明しておく
用法・用量　効能①②：バルプロ酸ナトリウムとして1日400～1200mg，細 錠 シ 2～3回に分服(適宜増減)，徐放錠 徐放顆 1日1回(適宜増減)　効能③：バルプロ酸ナトリウムとして1日400～800mgを，細 錠 シ 2～3回に分服(適宜増減)，徐放錠 徐放顆 1日1回(適宜増減)　※ただし，1日量として1000mgを超えない
用法・用量に関連する使用上の注意　効能②：バルプロ酸の躁病および躁うつ病の躁状態に対する，3週間以上の長期使用については，国内外の臨床試験で明確なエビデンスは得られていない
禁忌・原則禁忌となる特定患者集団　原則禁忌：妊婦又は妊娠している可能性のある女性
使用上の注意
禁忌　①効能共通：⑴重篤な肝障害のある患者　⑵カルバペネム系抗生物質を投与中の患者　⑶尿素サイクル異常症の患者［重篤な高アンモニア血症が現れることがある］　②片頭痛発作の発症抑制：⑷妊婦又は妊娠している可能性のある女性
過量投与　①症状：誤飲や自殺企図による過量服用により意識障害(傾眠，昏睡)，痙攣，呼吸抑制，高アンモニア血症，脳水腫を起こした例が報告されている．外国では死亡例が報告されている　②処置：下剤，活性炭投与を行い，尿排泄を促進させる．また，必要に応じて直接血液灌流，血液透析を行

う．ナロキソンの投与が有効であったとする報告がある

薬物動態

血中濃度　①単回投与：(1)**錠** 健康成人8例に錠600mg(200mgを1回3錠)を単回経口投与時の薬物動態パラメータ(空腹時投与，食後投与の順)はtmax(hr)0.92±0.57，3.46±0.66，Cmax(μg/mL)59.4±6.7，50.6±4.2，$AUC_{0-\infty}$(μg・h/mL)964±236，868±195，$t_{1/2}$(hr)9.54±2.07，7.92±1.78，CL(L/hr)0.73，0.83，Vd(L)9.67±1.17，9.09±0.42．CLはVd，Kelから算出　(2)**徐放錠** 健康成人8例にR錠600mg(徐放錠200mgを1回3錠)を単回経口投与時の薬物動態パラメータ(空腹時投与，食後投与の順)はtmax(hr)10.26±1.51，8.95±1.08，Cmax(μg/mL)27.9±5.3，31.4±5.3，$AUC_{0-\infty}$(μg・h/mL)863±271，843±262，$t_{1/2}$(hr)12.92±3.34，12.18±4.03，CL(L/hr)0.79，0.83，Vd(L)14.00±2.03，12.84±1.35(CLはVd，Kelから算出)で，普通錠と比較してR錠では制御された溶出に由来する血中濃度の安定した持続性(服薬後6，12及び24時間のそれぞれの濃度は食後投与群：28.0，28.8及び16.3μg/mL，空腹時投与群：22.9，27.4及び16.8μg/mL)が認められた　②**徐放錠** 反復投与：健康成人各6例にR錠1回600mg(200mgを1回3錠)1日2回，計15回の反復投与及び1200mg(200mgを1回6錠)1日1回，計8回の反復投与を行い，バルプロ酸の血漿中動態を検討した結果，1回600mg1日2回の反復投与では6～7日で血漿中濃度が定常状態に達し，最終回投与後のCmax及びCminはそれぞれ103.8及び85.4μg/mL．また，1200mg1日1回反復投与後の血漿中濃度は7日間で定常状態，最終回投与後のCmax及びCminはそれぞれ103.9及び61.8μg/mL　③普通錠とR錠の比較：健康成人に普通錠又はR錠(各600mg)を経口投与時，AUCに有意差は認められなかったが，徐放効果を示す吸収速度定数，tmax及びCmaxでは両製剤間に有意差が認められた　④クリアランス：バルプロ酸の吸収率を100%と仮定したとき，全身クリアランスは外国人健康成人(16～60歳)で6～8mL/h/kg，外国人小児てんかん患者(3～16歳)で13～18mL/h/kgとの報告がある．外国人高齢者では，全身クリアランスは成人と差はないが，遊離型のクリアランスは低下するとの報告がある．バルプロ酸の全身クリアランスは主に肝固有クリアランスと血漿蛋白非結合率の影響を受ける　**吸収**　①バイオアベイラビリティ：バルプロ酸のバイオアベイラビリティは剤形の違いによらず約100%との報告がある　②食事の影響：(1)**錠** 健康成人8例に錠600mg(200mgを1回3錠)を空腹時及び食後単回経口投与時，空腹時投与と比べ食後投与では吸収速度定数及びCmaxの有意な低下，tmaxの有意な延長が認められた　(2)**徐放錠** 健康成人8例にR錠600mg(200mgを1回3錠)を空腹時及び食後単回経口投与時，空腹時投与と食後投与では薬物動態パラメータに有意差はなく，食事の影響を受けずに安定した吸収　**分布**　①体組織への分布：ラットに^{14}C-バルプロ酸ナトリウム(100mg/kg)を経口投与時，投与30分後の体組織への分布は胃＞小腸＞肝臓＞大腸＞腎臓＞肺＞脳＞心臓＞睾丸＞骨の順　②血液－脳関門通過性：手術前の外国人脳腫瘍患者9例に600～1600mg/日を投与時，脳内濃度は，血漿中濃度の6.8～27.9%　③血液－胎盤関門通過性：妊娠中のてんかん患者4例に600～1200mg/日を経口投与時，臍帯血中濃度は母体血漿中濃度の1.7倍　④母乳中への移行性：授乳期の患者2例に1000～1400mg/日を投与時，母乳中濃度は血中濃度の3～6%　⑤髄液への移行性：てんかん患者3例に普通錠を経口投与時，髄液中濃度は，血清中濃度の12%　⑥蛋白結合率：バルプロ酸の血漿蛋白結合率は90%超であり，総血清中濃度がおよそ100μg/mL以上では結合が飽和するとの報告がある．蛋白結合率が低下した場合，定常状態では総血漿中濃度は低下すると考えられるが，非結合型濃度は低下しないとされている．蛋白結合率(%，添加濃度20，50，100，150，200(μg/mL)の順)は91.39±0.72，91.36±0.20，88.63±0.72，85.52±0.74，80.03±0.37　⑦分布容積：バルプロ酸の分布容積は0.1～0.4L/kgで，ほぼ細胞外液に相当するとの報告がある　**代謝**バルプロ酸の大半は肝臓で代謝され，ヒトでは主に，グルクロン酸抱合，β-酸化，ω，ω_1及びω_2-酸化を受けることが報告されている．関与する代謝酵素の割合はチトクロームP-450(CYP)が10%，グルクロン酸転移酵素(UGT)が40%，β-酸化が30～35%程度であることが報告されている．4-en体の生成には主にCYP2A6，2B6，2C9分子種が，バルプロ酸のグルクロン酸抱合体の生成にはUGT2B7分子種が関与することが報告されている(*in vitro*)　**排泄**健康成人6例にR錠又は普通錠を600mg単回経口投与時，尿中への総排泄量は両製剤投与群間で差はなく，投与後5日以内に投与量の約60%(バルプロ酸当量)．尿中へは主に3-keto体として排泄され，以下バルプロ酸のグルクロン酸抱合体，3-OH体，2-propyl-glutaric acid，4-OH体，5-OH体，4-keto体，cis-2-en体，trans-2-en体の順で，未変化体，3-en体，4-en体はほとんど排泄されなかった．なお，バルプロ酸の未変化体の尿中排泄率は1～3%との報告がある　**その他**　①有効血中濃度：(1)各種てんかんおよびてんかんに伴う性格行動障害の治療：有効血中濃度は40～120μg/mLと報告されているが，各種の報告があり，その下限は50μg/mLを示唆する報告や上限は150μg/mLとする報告もある　(2)躁病および躁うつ病の躁状態の治療：有効血中濃度は40～120μg/mLと報告されているが，各種の報告があり，その下限は50μg/mLを示唆する報告や上限は150μg/mLとする報告もある．急性期治療を目的としているため，原則的に血中濃度モニタリングは必須ではないが，用量増減時に臨床状態の変化があった場合や，予期した治療効果が得られない場合等には，必要に応じ血中濃度モニタリングを行い，用量調整することが望ましい　(3)片頭痛発作の発症抑制：有効血中濃度が明確になっていないため，原則的に血中濃度モニタリングは必須ではないが，用量増減時に臨床状態の悪化があった場合等には，必要に応じ血中濃度モニタリングを行い，用量調整することが望ましい

その他の管理的事項

投与期間制限　該当しない

保険給付上の注意　該当しない

資料

IF　デパケン細粒20%・40%・錠100mg・200mg・R錠100mg・200mg・シロップ5%　2020年12月改訂(第1版)
セレニカR顆粒40%　2020年4月改訂(第19版)

ハロキサゾラム
Haloxazolam

概要

薬効分類　112　催眠鎮静剤，抗不安剤

構造式

及び鏡像異性体

分子式　$C_{17}H_{14}BrFN_2O_2$

分子量　377.21

ステム　ジアゼパム誘導体：-azolam

原薬の規制区分　向Ⅲ　習

原薬の外観・性状　白色の結晶又は結晶性の粉末で，におい及び味はない．酢酸(100)に溶けやすく，アセトニトリル，メタノール又はエタノール(99.5)にやや溶けにくく，ジエチルエーテルに溶けにくく，水にほとんど溶けない

原薬の吸湿性　40℃，80%RHの恒温・恒湿室中に放置し，1週

間にわたり重量増加率を測定した結果では，吸湿性は認められない
原薬の融点・沸点・凝固点　融点：約183℃(分解)
原薬の酸塩基解離定数　pKa＝6.18(オキサゾリジン環，吸光度法)
先発医薬品等
細　ソメリン細粒1%(アルフレッサファーマ)
錠　ソメリン錠5mg・10mg(アルフレッサファーマ)
国際誕生年月　1980年6月
海外での発売状況　発売されていない

製剤
規制区分　細　錠　[向Ⅲ] [習] [処]
製剤の性状　細　白色の細粒　錠　白色の素錠(割線入)
有効期間又は使用期限　細　3年6カ月　錠　3年
貯法・保存条件　室温保存(吸湿及び光により微黄～淡黄色に変化するので，開封後は湿気を避け，乾燥した場所に遮光して保存)
薬剤取扱い上の留意点　本剤の影響が翌朝以降に及び，眠気，注意力・集中力・反射運動能力等の低下が起こることがあるので，自動車の運転等危険を伴う機械の操作に従事させないよう注意すること．吸湿及び光により微黄～淡黄色に変化するので，開封後は湿気を避け，乾燥した場所に遮光して保存すること
患者向け資料等　患者向医薬品ガイド，くすりのしおり
溶液及び溶解時のpH　該当しない
浸透圧比　該当しない
安定なpH域　該当しない
調製時の注意　該当しない

薬理作用
分類　ベンゾジアゼピン系睡眠導入剤
作用部位・作用機序　ベンゾジアゼピン誘導体は脳内に広く存在する大脳辺縁系を中心に大脳皮質，小脳，脊髄などに分布するベンゾジアゼピン受容体に結合して，抑制性神経伝達物質γ-アミノ酪酸(GABA)の働きを促進し，神経活動を抑制することにより催眠をもたらす
同効薬　フルニトラゼパム，ニメタゼパム，エスタゾラム，ニトラゼパム，フルラゼパム塩酸塩，クアゼパムなど

治療
効能・効果　不眠症
用法・用量　ハロキサゾラムとして1回5～10mg就寝前(適宜増減)
用法・用量に関連する使用上の注意　不眠症には，就寝の直前に服用させる．また，服用して就寝した後，睡眠途中において一時的に起床して仕事等をする可能性があるときは服用させない

使用上の注意
禁忌　①本剤の成分に対し過敏症の既往歴のある患者　②急性閉塞隅角緑内障の患者［抗コリン作用により眼圧が上昇し，症状を悪化させることがある］　③重症筋無力症の患者［筋弛緩作用により症状を悪化させるおそれがある］
過量投与　過量投与が明白又は疑われた場合の処置としてフルマゼニル(ベンゾジアゼピン受容体拮抗剤)を投与する場合には，使用前にフルマゼニルの使用上の注意(禁忌，慎重投与，相互作用等)を必ず読む

薬物動態
①健康成人7例の第1相試験で1回5～20mg経口投与後の血漿中には未変化体はなく，主代謝物として7-bromo-1,3-dihydro-5-(2-fluorophenyl)-2H-1,4-benzodiazepin-2-one，15mg以上ではその水酸化体の7-bromo-5-(2-fluorophenyl)-1,3-dihydro-3-hydroxy-2H-1,4-benzodiazepin-2-one．尿中主代謝物は水酸化体ならびにbenzophenone誘導体の2-amino-5-bromo-2'-fluoro-3-hydroxybenzophenone(ともに抱合体)　②吸収・分布・代謝・排泄(参考：動物．^{14}C-標識ハロキサゾラム，マウス，ラット，イヌ，サル，経口)：(1)吸収・分布：30分後には全身へ分布．組織内濃度は60分後にピーク，24～72時間後には全身からほとんど消失　(2)代謝・排泄：腸管から吸収後，体内で酸化，加水分解ならびに抱合を受けて2～3日後にはほとんどが尿及び糞中に排泄

その他の管理的事項
投与期間制限　30日
保険給付上の注意　該当しない

資料
IF　ソメリン細粒1%・錠5mg・10mg　2019年9月改訂(第2版)

パロキセチン塩酸塩水和物
パロキセチン塩酸塩錠
Paroxetine Hydrochloride Hydrate

概要
薬効分類　117　精神神経用剤
構造式

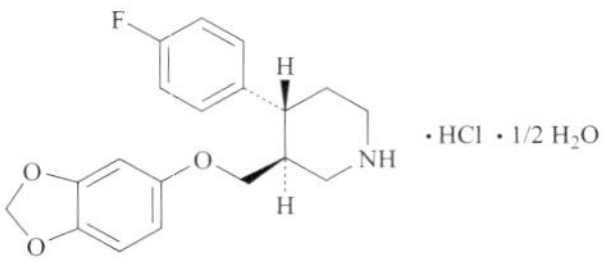

分子式　$C_{19}H_{20}FNO_3 \cdot HCl \cdot \frac{1}{2}H_2O$
分子量　374.83
ステム　フルオキセチン誘導体：-oxetine
原薬の規制区分　[毒](ただし，1錠中パロキセチンとして20mg(徐放性製剤にあっては25mg)以下を含有するものは[劇])
原薬の外観・性状　白色の結晶性の粉末である．メタノールに溶けやすく，エタノール(99.5)にやや溶けやすく，水に溶けにくい
原薬の吸湿性　25℃/90%RHの条件下で3カ月保存した結果，吸湿性は認められなかった
原薬の融点・沸点・凝固点　融点：約140℃(分解)
原薬の酸塩基解離定数　pKa＝約9.9(50%ジメチルスルホキシド溶液中)
先発医薬品等
錠　パキシル錠5mg・10mg・20mg(GSK)
徐放錠　パキシルCR錠6.25mg・12.5mg・25mg(GSK)
後発医薬品
錠　5mg・10mg・20mg・OD錠5mg・10mg・20mg
国際誕生年月　1990年12月
海外での発売状況　錠　米，英，仏，独を含む110カ国以上　徐放錠　米など40カ国以上

製剤
規制区分　錠　徐放錠　[劇] [処]
製剤の性状　錠　帯紅白色のフィルムコーティング錠　6.25mg徐放錠　白色～帯黄白色の徐放性の二層錠に腸溶性フィルムコーティングを施した，放出制御型の腸溶性徐放錠　12.5・25mg徐放錠　白色～帯黄白色の層(有効成分含有)及び淡黄色の層からなる徐放性の二層錠に腸溶性フィルムコーティングを施した，放出制御型の腸溶性徐放錠
有効期間又は使用期限　錠　12.5・25mg徐放錠　3年　6.25mg徐放錠　4年(アルミ袋開封後の有効期間：6カ月)
貯法・保存条件　室温保存，6.25mg徐放錠　アルミピロー開封後は防湿保存
薬剤取扱い上の留意点　眠気，めまい等が現れることがあるので，自動車の運転等危険を伴う機械を操作する際には十分注意させること．これらの症状は治療開始早期に多くみられて

いる

患者向け資料等　患者向医薬品ガイド，くすりのしおり

溶液及び溶解時のpH　5.6～5.8(水溶液1→500)

浸透圧比　該当資料なし

安定なpH域　該当資料なし

調製時の注意　該当しない

薬理作用

分類　選択的セロトニン再取り込み阻害剤(SSRI)

作用部位・作用機序　選択的なセロトニン(5-HT)取り込み阻害作用を示し，神経間隙内の5-HT濃度を上昇させ，反復経口投与によって$5\text{-}HT_{2C}$受容体のdown-regulationを誘発することにより，抗うつ作用及び抗不安作用を示すと考えられる

同効薬　うつ病及びうつ状態：フルボキサミンマレイン酸塩，塩酸セルトラリン，エスシタロプラムシュウ酸塩など　パニック障害：塩酸セルトラリン　強迫性障害：フルボキサミンマレイン酸塩　社会不安障害：フルボキサミンマレイン酸塩　外傷後ストレス障害：塩酸セルトラリン

治療

効能・効果　**錠**　**口腔内崩壊錠**　①うつ病・うつ状態　②パニック障害　③強迫性障害　④社会不安障害　⑤外傷後ストレス障害

徐放錠　うつ病・うつ状態

効能・効果に関連する使用上の注意　①抗うつ剤の投与により，24歳以下の患者で，自殺念慮，自殺企図のリスクが増加するとの報告があるため，投与にあたっては，リスクとベネフィットを考慮する　②社会不安障害及び外傷後ストレス障害の診断は，DSM*)等の適切な診断基準に基づき慎重に実施し，診断基準を満たす場合にのみ投与する　*)DSM：American Psychiatric Association(米国精神医学会)のDiagnostic and Statistical Manual of Mental Disorders(精神疾患の診断・統計マニュアル)

用法・用量　**錠**　**口腔内崩壊錠**　効能①：パロキセチンとして1日1回夕食後20～40mg．1回10～20mgから開始し，原則として1週ごとに10mg/日ずつ増量．症状により1日40mgを超えない範囲で適宜増減　効能②：パロキセチンとして1日1回夕食後30mg．1回10mgから開始し，原則として1週ごとに10mg/日ずつ増量．症状により1日30mgを超えない範囲で適宜増減　効能③：パロキセチンとして1日1回夕食後40mg．1回20mgより開始し，原則として1週ごとに10mg/日ずつ増量．症状により1日50mgを超えない範囲で適宜増減　効能④：パロキセチンとして1日1回夕食後20mg．1回10mgより開始し，原則として1週ごとに10mg/日ずつ増量．症状により1日40mgを超えない範囲で適宜増減　効能⑤：パロキセチンとして1日1回夕食後20mg．1回10～20mgより開始し，原則として1週ごとに10mg/日ずつ増量．症状により1日40mgを超えない範囲で適宜増減

徐放錠　パロキセチンとして，1日1回夕食後，初期用量12.5mg，その後1週間以上かけて1日用量として25mgに増量．なお，年齢，症状により1日50mgを超えない範囲で適宜増減するが，いずれも1日1回夕食後に投与することとし，増量は1週間以上の間隔をあけて1日用量として12.5mgずつ行う

用法・用量に関連する使用上の注意　①投与量は必要最小限となるよう，患者ごとに慎重に観察しながら調節する．なお，肝障害及び高度の腎障害のある患者では，血中濃度が上昇することがあるので特に注意する　②外傷後ストレス障害患者においては，症状の経過を十分に観察し，漫然と投与しないよう，定期的に投与継続の要否について検討する

使用上の注意

警告　海外で実施した7～18歳の大うつ病性障害患者を対象としたプラセボ対照試験において有効性が確認できなかったとの報告，また，自殺に関するリスクが増加するとの報告もあるので，本剤を18歳未満の大うつ病性障害患者に投与する際には適応を慎重に検討する

禁忌　①本剤の成分に対し過敏症の既往歴のある患者　②MAO阻害剤を投与中あるいは中止後2週間以内の患者　③ピモジドを投与中の患者

相互作用概要　主としてCYP2D6で代謝される．また，CYP2D6の阻害作用を有する

過量投与　①症状：外国において，本剤単独2000mgまでの，また，他剤との併用による過量投与が報告されている．過量投与後にみられる主な症状は，副作用にあげる症状のほか，発熱，不随意筋収縮及び不安等である．飲酒の有無にかかわらず他の精神病用薬と併用した場合に，昏睡，心電図の変化が現れることがある

薬物動態

血中濃度　①単回投与：(1)錠：健康成人(20～27歳)に10，20又は40mgを単回経口投与時の投与量で補正した最高血漿中濃度(Cmax)の平均値は10mg群と比較して20及び40mg群でそれぞれ1.98及び4.69倍で，投与量の増加を上回った増加が確認された．また，40mg群の投与量で補正した血漿中濃度曲線下面積(AUC)は20mg群の2.48倍で，Cmaxと同様に投与量の増加を上回った増加がみられ，薬物動態の非線形性が確認された．薬物動態学的パラメータ(19例．10，20，40mgの順)はCmax(ng/mL)1.93±1.38，6.48±4.1，26.89±11，Tmax(hr)4.61±1.04，5.05±1.22，4.58±0.96，AUC(ng・hr/mL)算出できず，119.6±100.1，447.2±254.8，$T_{1/2}$(hr)算出できず，14.35±10.99，14.98±11.51　(2)徐放錠：健康成人(20～49歳)にCR錠12.5，25及び50mgを単回経口投与時の血漿中パロキセチン濃度は，各投与の約4時間後から定量下限以上に上昇し，投与後8～10時間付近で最高血漿中濃度(Cmax)．投与量で補正したCmaxの幾何平均値は12.5mg投与と比較して25及び50mg投与でそれぞれ1.27及び2.50倍で，投与量の増加を上回った増加が確認された．また，投与量で補正した血漿中濃度曲線下面積(AUC)の幾何平均値は，12.5mg投与と比較して25及び50mg投与でそれぞれ1.58及び3.25倍で，Cmaxと同様に投与量の増加を上回った増加がみられ，薬物動態の非線形性が確認された．CR錠の単回投与時の血漿中濃度を速放錠の10，20及び40mgを健康成人(20～27歳)に単回投与時の血漿中濃度(19例)と比較すると，パキシルCR錠では4時間前後の吸収のタイムラグが存在し，Tmaxは遅延し，Cmaxは低下．薬物動態パラメータは，Cmax(ng/mL)，Tmax(hr)，AUC(ng・hr/mL)，$T_{1/2}$(hr)の順に，(1)12.5mg群：1.804±2.130，8.0(5-10)，40.14±55.14，13.03±2.20　(2)25mg群：4.277±3.574，10.0(5-12)，96.32±94.26，13.42±2.28　(3)50mg群：17.547±10.665，10.0(6-12)，427.99±306.86，13.48±2.39　②反復投与：健康成人(23～43歳)に，CR錠25mg及び錠20mgをそれぞれ1日1回14日間反復経口投与し，各製剤の反復投与後における血漿中パロキセチンの薬物動態を比較した結果，両製剤とも血漿中濃度は投与14日目までに定常状態．CR錠投与後のパロキセチンの吸収は，錠投与後と比べて緩徐で，血漿中濃度は投与後5時間付近まで投与直前と同程度の濃度を維持し，その後上昇して投与後8時間付近でCmax．投与後約8～12時間の血漿中濃度はCR錠の方が緩徐に低下したが，その後の推移は両製剤で同様．CR錠25mg/日投与時の定常状態におけるCmax及び24時間のAUC($AUC_{0\text{-}24}$)の各幾何平均値は，錠20mg/日投与時のそれぞれ75%及び77%．最終投与後96時間までの血漿中濃度から算出した$T_{1/2}$の平均値は両製剤とも約23.3時間．薬物動態パラメータは，Cmax(ng/mL)，Cmin(ng/mL)，Tmax(hr)，$AUC_{0\text{-}24}$(ng・hr/mL)の順に，(1)CR錠25mg/日投与群：45.070±36.462，27.538±26.158，8.02(8-12)，836.85±735.66　(2)錠20mg/日投与群：54.273±32.725，30.247±23.131，6.00(3-8)，964.61±644.12　**吸収**　①食事の影響：(1)錠：健康成人に20mgを空腹時又は食後単回経口投与時の薬物動態学的パラメータに差は認められず，食事の影響はないと考えられる(外国人データ)　(2)徐放錠：健康成人にCR錠25mgを空腹時及び食後にそれぞれ1日1回反復経口投

ハ

与時の定常状態における薬物動態学的パラメータに差は認められなかった(外国人データ). 従って, CR錠投与時の薬物動態に食事の影響はないと考えられる **分布** ①血漿タンパク結合率：*In vitro*でヒト血漿にパロキセチンの100又は400ng/mLを添加時の血漿タンパク結合率はそれぞれ約95及び93% ②血球分配率：*In vitro*でヒト血液に^{14}C標識パロキセチン塩酸塩を添加時の血球分配率は51%以上で, 血球移行が認められた **代謝** ヒト肝ミクロソームを用いた*in vitro*試験で, 本剤のCYP2D6に対する阻害様式は拮抗阻害であり, sparteineの脱水素反応を指標としたKi値は0.15μM. 主に肝臓のCYP2D6により代謝されることから, 薬物動態の非線形性はCYP2D6による代謝の飽和と考えられる. 本剤がCYP2D6を阻害し, 表現型がExtensive MetabolizerからPoor Metabolizer様へ変換することから, CYP2D6で代謝される薬剤との相互作用が考えられる. なお, この表現型の変換は休薬後約1週間で回復する **排泄** 健康成人に^{14}C標識パロキセチン塩酸塩30mgを単回経口投与時の放射能は, 投与後168時間以内に投与量の約64%が尿中にほとんど代謝物として排泄され, 糞中には約35%が排泄(外国人データ) **特定の背景を有する患者** ①腎機能障害者：腎機能障害者に20mgを1日1回18日間反復経口投与時, 重度の腎機能障害者(クレアチニンクリアランス値30mL/分未満)で, 血漿中濃度の上昇及びAUCの増大が認められた(外国人データ) ②肝機能障害者：肝機能障害者に肝機能低下の程度に応じ20又は30mgを1日1回14日間反復経口投与時, 血漿中濃度の上昇, $T_{1/2}$の延長及びAUCの増大が認められた(外国人データ) ③高齢者：健康高齢者(65～80歳)に20mgを単回経口投与時の血漿中濃度は投与約6時間後にCmax 7.3ng/mL, $T_{1/2}$は約18時間 **薬物相互作用** ①フェノバルビタール：フェノバルビタール100mgを1日1回14日間反復投与し, 14日目に本剤30mgを単回経口投与時, 血漿中パロキセチンのAUC及び$T_{1/2}$は, それぞれ平均25及び38%減少 ②フェニトイン：フェニトイン300mgを1日1回14日間反復投与し, 14日目に本剤30mgを単回経口投与時, 血漿中パロキセチンのAUC及び$T_{1/2}$は, それぞれ平均50及び38%減少. 本剤30mgを1日1回14日間反復投与し, 14日目にフェニトイン300mgを単回経口投与時, フェニトインのAUCは平均12%減少 ③シメチジン：本剤30mgを1日1回28日間反復投与し, 投与22～28日目にシメチジン300mgを1日3回反復併用投与時, 定常状態におけるパロキセチン濃度は併用投与期間中に約50%増加 ④ジゴキシン：ジゴキシン0.25mgを1日1回28日間反復投与し, 投与15～42日目に本剤30mgを1日1回反復併用投与時, 定常状態におけるジゴキシンの平均AUCは, パロキセチンの併用により15%減少 ⑤その他の薬剤：プロプラノロール, ジアゼパム, ワルファリン, ジゴキシン, メチルドパ又はアルコールとの併用投与で, パロキセチンの薬物動態に影響はみられなかった. また, パロキセチンはワルファリン, グリベンクラミド及びフェニトインの血漿タンパク結合率に影響を及ぼさなかった(*in vitro*)

その他の管理的事項

投与期間制限 該当しない

保険給付上の注意 該当しない

資料

IF パキシル錠5mg・10mg・20mg 2018年12月改訂(第20版)
パキシルCR錠12.5mg・25mg 2018年12月改訂(第9版)

ハロタン
Halothane

概要

構造式

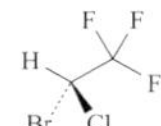

及び鏡像異性体

分子式 $C_2HBrClF_3$

分子量 197.38

原薬の規制区分 (劇)

原薬の外観・性状 無色澄明の流動しやすい液である. エタノール(95), ジエチルエーテル又はイソオクタンと混和する. 水に溶けにくい. 揮発性で, 引火性はなく, 加熱したガスに点火しても燃えない. 光によって変化する

治療

効能・効果† 全身麻酔

ハロペリドール
ハロペリドール錠
ハロペリドール細粒
ハロペリドール注射液
Haloperidol

概要

薬効分類 117 精神神経用剤

構造式

分子式 $C_{21}H_{23}ClFNO_2$

分子量 375.86

略語・慣用名 HPD, HAL

ステム 抗精神病薬, ハロペリドール誘導体：-peridol

原薬の規制区分 (劇)

原薬の外観・性状 白色～微黄色の結晶又は粉末である. 酢酸(100)に溶けやすく, メタノールにやや溶けにくく, 2-プロパノール又はエタノール(99.5)に溶けにくく, 水にほとんど溶けない

原薬の吸湿性 該当資料なし

原薬の融点・沸点・凝固点 融点：150～154℃

原薬の酸塩基解離定数 pKa＝8.25(50%メタノール中で測定)

先発医薬品等

細 セレネース細粒1%(大日本住友)
錠 セレネース錠0.75mg・1mg・1.5mg・3mg(大日本住友)
内用液 セレネース内服液0.2%(大日本住友)
注 セレネース注5mg(大日本住友)

後発医薬品

細 1%
錠 0.75mg・1mg・1.5mg・2mg・3mg
注 0.5%

国際誕生年月 不明

海外での発売状況 米, 英など

製剤

規制区分 **細** **錠** **内用液** **注** (劇)(処)

製剤の性状　**細** 白色の細粒　**0.75・1.5mg錠** 白色の割線入り素錠　**1・3mg錠** 白色～帯黄白色のフィルムコーティング錠　**内用液** 無色ほとんど澄明の液　**注** アンプル注射剤．アンプル内容物はほとんど無色澄明の液

有効期間又は使用期限　**細**　**錠** 3年　**内用液**　**注** 5年

貯法・保存条件　**細**　**0.75・1.5mg錠** 遮光・気密容器・室温保存　**1・3mg錠** 気密容器・室温保存　**内用液**　**注** 遮光・室温保存

薬剤取扱い上の留意点　眠気，注意力・集中力・反射運動能力等の低下が起こることがあるので，本剤投与中の患者には自動車の運転など危険を伴う機械の操作に従事させないよう注意すること．光により着色する

患者向け資料等　患者向医薬品ガイド，くすりのしおり

溶液及び溶解時のpH　**内用液** 約3.5　**注** 約3.5～4.2

浸透圧比　**注** 約1(対生食)

薬理作用

分類　ブチロフェノン系抗精神病薬

作用部位・作用機序　作用部位：中枢神経系　作用機序：中枢神経系におけるドパミン作動系，ノルアドレナリン作動系等に対する抑制作用が想定されている

同効薬　ハロペリドールデカン酸エステル，ブロムペリドール，チミペロン，スピペロン，スルピリド，スルトプリド，クロルプロマジン，レボメプロマジン，ペルフェナジン，リスペリドン，クエチアピン，ペロスピロン，オランザピン，ブロナンセリンなど

治療

効能・効果　統合失調症，躁病

用法・用量　**細**　**錠**　**内用液** ハロペリドールとして1日0.75～2.25mgから始め徐々に増量．維持量1日3～6mg(適宜増減)　**注** ハロペリドールとして急激な精神運動興奮等で，緊急を要する場合に用いる．1回5mg，1日1～2回筋注又は静注(適宜増減)

用法・用量に関連する使用上の注意　増量する場合は慎重に行う(急激な増量により悪性症候群(Syndrome malin)が起こることがある)

禁忌・原則禁忌となる特定患者集団　妊婦又は妊娠している可能性のある婦人

使用上の注意

禁忌　①昏睡状態の患者［昏睡状態が悪化するおそれがある］　②バルビツール酸誘導体等の中枢神経抑制剤の強い影響下にある患者［中枢神経抑制作用が増強される］　③重症の心不全患者［心筋に対する障害作用や血圧降下が報告されている］　④パーキンソン病又はレビー小体型認知症の患者［錐体外路症状が悪化するおそれがある］　⑤本剤の成分又はブチロフェノン系化合物に対し過敏症の患者　⑥アドレナリンを投与中の患者(アドレナリンをアナフィラキシーの救急治療に使用する場合を除く)　⑦妊婦又は妊娠している可能性のある婦人

相互作用概要　主としてCYP2D6及びCYP3A4で代謝される

過量投与　①症状：主な症状は，低血圧，過度の鎮静，重症の錐体外路症状(筋強剛，振戦，ジストニア症状)等である．また，呼吸抑制及び低血圧を伴う昏睡状態や心電図異常(Torsades de pointesを含む)が現れることがある．小児では血圧上昇が現れたとの報告もある　②処置：特異的な解毒剤はないので，維持療法を行う．呼吸抑制が現れた場合には，気道の確保，人工呼吸等の適切な処置を行う．低血圧や循環虚脱が現れた場合には，輸液，血漿製剤，アルブミン製剤，ノルアドレナリン等の昇圧剤(アドレナリンは禁忌)等の投与により血圧の確保等の処置を行う．また，QT延長，不整脈等の心電図異常に注意する．重症の錐体外路症状に対しては，抗パーキンソン剤を投与する

薬物動態

血清中濃度　**細**　**錠** 健康成人男性に空腹時単回投与した際の薬物動態パラメータは，Cmax(ng/mL)，$AUC_{0\text{-}72}$(ng・h/mL)，Tmax(h)，$T_{1/2}$(h)の順に，1mg(n=53)0.184±0.105，5.989±2.275，6.0±3.0，83.155±55.634　1.5mg(n=58)0.375±0.159，9.639±3.542，5.3±1.0，51.575±16.695　**内用液** 健康成人(外国人)7例に10mgを1回(承認外用量)経口投与後，Tmax5.1±1hr，Cmax3.2±1.2ng/mL，$T_{1/2}$24.1±8.9hr　**注** 健康成人(外国人)7例(α相)又は9例(β相)に1回10mg(承認外用量)静注後のCmaxはデータなし，$T_{1/2}$はα相0.19±0.1hr，β相14.1±3.2hr　**吸収率**　**細**　**錠**　**内用液** 約60%(外国人)　**血清蛋白結合率**　約92%(*in vitro*，ヒト血清，限外ろ過法又は平衡透析法)，約92%［統合失調症(外国人)，本剤投与約12時間後採血，平衡透析法］　**主な代謝産物及び代謝経路**　カルボニル基の還元化のほか，酸化的脱アルキル化，グルクロン酸抱合等により代謝．代謝産物の還元型ハロペリドールも酸化的脱アルキル化及びグルクロン酸抱合を受け，またハロペリドールへ逆酸化　**排泄経路及び排泄率**　参考：①排泄経路：尿中及び糞便中　②排泄率(ラット)：^{3}H-ハロペリドール0.5mg/kg経口投与で，0～24時間で尿中35.2%，糞便中26.1%，総量61.3%，0～96時間でそれぞれ40.4%，41.9%，82.3%排泄．^{14}C-ハロペリドール0.6mg/kg静注で，投与後5日目までに97%が尿中及び糞便中に排泄．^{14}C-ハロペリドール5mg/kg筋注後96時間までに約99%が尿中及び糞中に排泄　**代謝酵素**　チトクロムP450分子種(CYP2D6，CYP3A4)

その他の管理的事項

投与期間制限　該当しない

保険給付上の注意　該当しない

資料

IF　セレネース細粒1%・錠0.75mg・1mg・1.5mg・3mg・内服液0.2%　2020年3月改訂(第26版)
セレネース注5mg　2020年3月改訂(第25版)

ハ

パンクレアチン
Pancreatin

概要

薬効分類　233　健胃消化剤

分子量　該当しない

ステム　不明

原薬の規制区分　該当しない

原薬の外観・性状　白色～淡黄色の粉末で，特異なにおいがある

原薬の吸湿性　該当資料なし

原薬の酸塩基解離定数　該当資料なし

先発医薬品等

末 パンクレアチン「ケンエー」(健栄)
パンクレアチン「三恵」(三恵)
パンクレアチン　シオエ(シオエ＝日本新薬)
パンクレアチン「日医工」(日医工)
パンクレアチン〈ハチ〉(東洋製化＝小野＝ニプロ＝丸石)
パンクレアチン「ファイザー」原末(マイラン＝ファイザー)
パンクレアチン「ヨシダ」(吉田製薬)

国際誕生年月　不明

海外での発売状況　該当しない

製剤

製剤の性状　**末** 白色～淡黄色の粉末で，特異なにおいがある

有効期間又は使用期限　3年

貯法・保存条件　吸湿注意．30℃以下で保存

薬剤取扱い上の留意点　①投与に際しては，直ちに飲み下すように注意する　②投与に際しては，粉末を吸入しないように

注意する
患者向け資料等　くすりのしおり
溶液及び溶解時のpH　該当資料なし
浸透圧比　該当資料なし
安定なpH域　該当資料なし
調製時の注意　該当しない

薬理作用

分類　消化酵素製剤
作用部位・作用機序　プロテアーゼ，アミラーゼ，リパーゼ，トリプシン，キモトリプシン，カルボキシペプチダーゼ，リボヌクレアーゼなど多くの酵素を含有し，タンパク質，炭水化物及び脂肪の消化を行う
同効薬　ビオヂアスターゼ配合剤など

治療

効能・効果　消化異常症状の改善
用法・用量　1回1g，1日3回食後(適宜増減)

使用上の注意

禁忌　①本剤に対し過敏症の既往歴のある患者　②ウシ又はブタ蛋白質に対し過敏症の既往歴のある患者

その他の管理的事項

投与期間制限　該当しない
保険給付上の注意　該当しない

資料

IF　パンクレアチン原末「マルイシ」 2013年10月作成(第1版)

パンクロニウム臭化物
Pancuronium Bromide

概要

薬効分類　122　骨格筋弛緩剤
構造式

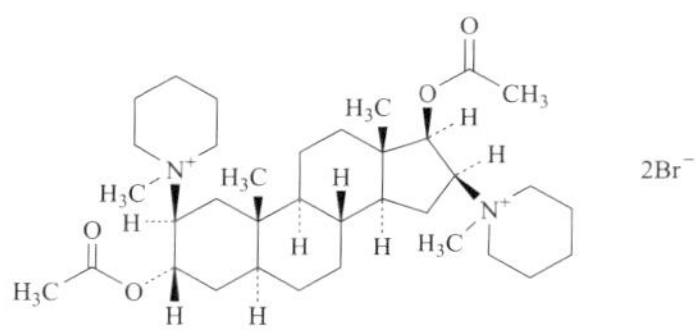

分子式　$C_{35}H_{60}Br_2N_2O_4$
分子量　732.67
原薬の規制区分　毒
原薬の外観・性状　白色の結晶性の粉末である．水に極めて溶けやすく，エタノール(95)又は無水酢酸に溶けやすい．本品の水溶液(1→100)のpHは4.5～6.5である
原薬の吸湿性　吸湿性である

バンコマイシン塩酸塩
注射用バンコマイシン塩酸塩
Vancomycin Hydrochloride

概要

薬効分類　611　主としてグラム陽性菌に作用するもの
構造式

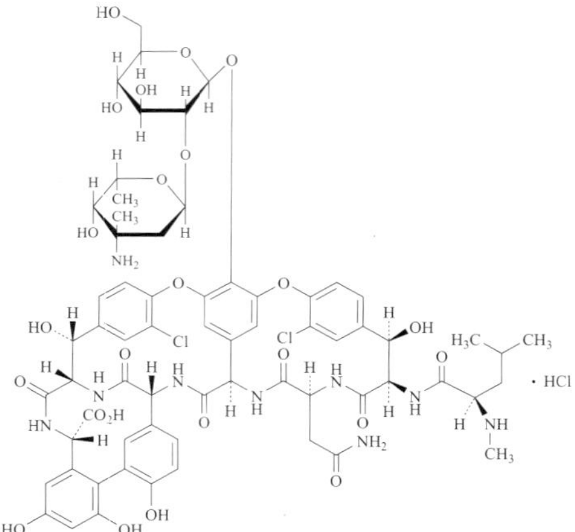

分子式　$C_{66}H_{75}Cl_2N_9O_{24}$・HCl
分子量　1485.71
略語・慣用名　VCM
ステム　*Streptomyces*属の産生する抗生物質：-mycin
原薬の規制区分　該当しない
原薬の外観・性状　白色の粉末である．水に溶けやすく，ホルムアミドにやや溶けやすく，メタノールに溶けにくく，エタノール(95)に極めて溶けにくく，アセトニトリルにほとんど溶けない．0.25gを水5mLに溶かした液のpHは2.5～4.5である
原薬の吸湿性　吸湿性である．室温・75%RHに7日間放置すると約20%吸湿し，吸湿性を示す．また，室温・94%RHに7日間放置するとき約28%吸湿するが，潮解しない
原薬の融点・沸点・凝固点　融点：明確な融点を示さない(120℃以上で徐々に着色し分解する)
原薬の酸塩基解離定数　$pKa_1=2.9$(カルボキシル基)，$pKa_2=7.2$，$pKa_3=8.6$(アミノ基)，$pKa_4=9.6$，$pKa_5=10.5$，$pKa_6=11.7$(フェノール性水酸基)
先発医薬品等
散　塩酸バンコマイシン散0.5g(塩野義)
注射用　塩酸バンコマイシン点滴静注用0.5g(塩野義)
眼軟膏　バンコマイシン眼軟膏1%(東亜薬品＝日東メディック)
後発医薬品
散　500mg
注射用　0.5g・1g
国際誕生年月　1954年9月
海外での発売状況　該当資料なし

製剤

規制区分　**散**　**注射用**　**眼軟膏**　処
製剤の性状　**散**　白色の塊又は粉末(散剤)　**注射用**　白色の塊又は粉末(注射剤)(凍結乾燥品)　**眼軟膏**　白色～微黄色の眼軟膏剤
有効期間又は使用期限　**散**　**注射用**　2年　**眼軟膏**　3年
貯法・保存条件　**散**　**注射用**　室温保存　**眼軟膏**　遮光，2～8℃で保存
薬剤取扱い上の留意点　**散**　調製方法：本剤はバイアル入りの散剤(無菌)である．骨髄移植時の消化管内殺菌を目的とする

場合は，注射器を用い5〜10mLの溶解液（注射用水等）で溶解する　調製時：薬剤溶液そのままで服用しにくい場合には，単シロップ等で矯味してもよい　服用時（骨髄移植時の消化管内殺菌を目的とする場合）：用時溶解液は無菌のものを用い，溶解後は直ちに服用すること．また，服用にあたっては口腔内殺菌のために薬剤溶液で十分含嗽した後飲用することが望ましい　**注射用** 調製時：現在までに，次の注射剤と混合すると，配合変化を起こすことが確認されているので，混注しないこと①アミノフィリン，フルオロウラシル製剤と混合すると外観変化とともに経時的に著しい力価低下を来すことがある　②ヒドロコルチゾンコハク酸エステル，セフォタキシム，セフチゾキシム，セフメノキシム，セフォゾプラン，パニペネム・ベタミプロン，アズトレオナム製剤と混合すると著しい外観変化を起こすことがある　投与時：①血栓性静脈炎が起こることがあるので，薬液の濃度及び点滴速度に十分注意し，繰り返し投与する場合は，点滴部位を変更すること　②薬液が血管外に漏れると壊死が起こるおそれがあるので，薬液が血管外に漏れないように慎重に投与すること

患者向け資料等　**散**　**眼軟膏** くすりのしおり　**注射用** 患者向医薬品ガイド，くすりのしおり

溶液及び溶解時のpH　**注射用** 2.5〜4.5（5mg/mL生食）

浸透圧比　**注射用** 約1（5mg/mL生食）（対生食）

薬理作用

分類　グリコペプチド系抗生物質

作用部位・作用機序　作用は細菌の細胞壁合成阻害によるものであり，その抗菌作用は殺菌的である．しかし，βラクタム剤とは異なり，VCMは，ムレイン架橋酵素の基質であるムレインのD-Ala-D-Ala部位に水素結合することにより，ムレイン架橋酵素と基質との結合を阻害する．更に細菌の細胞膜の透過性に変化を与え，RNA合成を阻害する

同効薬　**注射用** テイコプラニン，アルベカシン硫酸塩，リネゾリド，ダプトマイシン（PRSP感染症，MRCNS感染症，MRSA又はMRCNS感染が疑われる発熱性好中球減少症の適応はない）

治療

効能・効果　**散** ①感染性腸炎：〈適応菌種〉バンコマイシンに感性のメチシリン耐性黄色ブドウ球菌（MRSA），クロストリジウム・ディフィシル　〈適応症〉感染性腸炎（偽膜性大腸炎を含む）　②骨髄移植時の消化管内殺菌

注射用 ①〈適応菌種〉バンコマイシンに感性のメチシリン耐性黄色ブドウ球菌（MRSA）〈適応症〉敗血症，感染性心内膜炎，外傷・熱傷及び手術創等の二次感染，骨髄炎，関節炎，肺炎，肺膿瘍，膿胸，腹膜炎，化膿性髄膜炎　②〈適応菌種〉バンコマイシンに感性のメチシリン耐性コアグラーゼ陰性ブドウ球菌（MRCNS）〈適応症〉敗血症，感染性心内膜炎，外傷・熱傷及び手術創等の二次感染，骨髄炎，関節炎，腹膜炎，化膿性髄膜炎　③〈適応菌種〉バンコマイシンに感性のペニシリン耐性肺炎球菌（PRSP）〈適応症〉敗血症，肺炎，化膿性髄膜炎　④MRSA又はMRCNS感染が疑われる発熱性好中球減少症

眼軟膏〈適応菌種〉バンコマイシンに感性のメチシリン耐性黄色ブドウ球菌（MRSA），メチシリン耐性表皮ブドウ球菌（MRSE）〈適応症〉既存治療で効果不十分な次の疾患：結膜炎，眼瞼炎，瞼板腺炎，涙嚢炎

効能・効果に関連する使用上の注意　**散** 感染性腸炎（偽膜性大腸炎を含む）への使用にあたっては，「抗微生物薬適正使用の手引き」を参照し，抗菌薬投与の必要性を判断した上で，本剤の投与が適切と判断される場合に投与する

注射用 ①副作用として聴力低下，難聴等の第8脳神経障害がみられることがあり，また化膿性髄膜炎においては，後遺症として聴覚障害が発現するおそれがあるので，特に小児等，適応患者の選択に十分注意し，慎重に投与する　②PRSP肺炎の場合には，アレルギー，薬剤感受性等，他剤による効果が期待できない場合にのみ使用する　③MRSA又はMRCNS感染が疑われる発熱性好中球減少症に用いる場合には，次の点に注意する：(1)本剤は，次の2条件を満たし，かつMRSA又はMRCNSが原因菌であると疑われる症例に投与する：(ア)1回の検温で38℃以上の発熱，又は1時間以上持続する37.5℃以上の発熱　(イ)好中球数が500/mm³未満の場合，又は1000/mm³未満で500/mm³未満に減少することが予測される場合 (2)国内外のガイドラインを参照し，本疾患の治療に十分な経験を持つ医師のもとで，本剤の使用が適切と判断される症例についてのみ実施する　(3)投与前に血液培養を実施する．MRSA又はMRCNS感染の可能性が否定された場合には本剤の中止や他剤への変更を考慮する　(4)投与の開始時期の指標である好中球数が緊急時等で確認できない場合には，白血球数の半数を好中球数として推定する

眼軟膏 投与にあたっては，耐性菌の発現を防ぐため，次のことに注意する：①原則として他の抗菌薬及び本剤に対する感受性を確認し，他の薬剤による効果が期待できず，かつ，本剤に感性のMRSAあるいはMRSEが起炎菌と診断された感染症である場合に投与する②感染症の治療に十分な知識と経験を持つ医師又はその指導の下で投与する

用法・用量　**散** 用時溶解し服用：①感染性腸炎（偽膜性大腸炎を含む）：1回0.125〜0.5g（力価）1日4回（適宜増減）　②骨髄移植時の消化管内殺菌：1回0.5g（力価）を非吸収性の抗菌剤及び抗真菌剤と併用して1日4〜6回（適宜増減）

注射用 成人には1日2g（力価）を1回0.5g（力価）6時間ごと又は1回1g（力価）12時間ごとに分割して，それぞれ60分以上かけて点滴静注（適宜増減）．高齢者には1回0.5g（力価）12時間ごと又は1回1g（力価）24時間ごとに，それぞれ60分以上かけて点滴静注（適宜増減）．小児，乳児には1日40mg（力価）/kgを2〜4回に分割して，新生児には1回投与量を10〜15mg（力価）/kgとし，生後1週までの新生児には12時間ごと，生後1カ月までの新生児には8時間ごとに，それぞれ60分以上かけて点滴静注

眼軟膏 適量を1日4回塗布

用法・用量に関連する使用上の注意　**散** ①腎障害のある患者には，投与量・投与間隔の調節を行い，慎重に投与する　②感染性腸炎に投与するとき，7〜10日以内に下痢，腹痛，発熱等の症状改善の兆候が全くみられない場合は中止する　③使用にあたっては，耐性菌の発現を防ぐため，次のことに注意する：(1)感染症の治療に十分な知識と経験をもつ医師又はその指導の下で行う　(2)原則として他の抗菌薬及び本剤に対する感受性を確認する　(3)投与期間は，感染部位，重症度，患者の症状等を考慮し，適切な時期に，継続投与が必要か否か判定し，疾病の治療上必要な最低限の期間の投与にとどめる

注射用 ①急速なワンショット静注又は短時間での点滴静注を行うとヒスタミンが遊離されてred neck（red man）症候群（顔，頸，躯幹の紅斑性充血，そう痒等），血圧低下等の副作用が発現することがあるので，60分以上かけて点滴静注する ②腎障害のある患者，高齢者には，投与量・投与間隔の調節を行い，血中濃度をモニタリングする等，慎重に投与する ③使用にあたっては，耐性菌の発現を防ぐため，次のことに注意する：(1)感染症の治療に十分な知識と経験をもつ医師又はその指導の下で行う　(2)原則として他の抗菌薬及び本剤に対する感受性を確認する　(3)投与期間は，感染部位，重症度，患者の症状等を考慮し，適切な時期に，継続投与が必要か否か判定し，疾病の治療上必要な最低限の期間の投与にとどめる

眼軟膏 投与にあたっては，耐性菌の発現を防ぐため，次のことに注意する：①投与期間は，14日間以内を目安とする．なお，感染部位，重症度，患者の症状等を考慮し，適切な時期に，本剤の継続投与が必要か否か判定し，疾病の治療上必要な最低限の期間の投与にとどめる　②14日間を超えた投与期間における安全性は確認されていない

使用上の注意

ハ

警告 **散** 本剤の耐性菌の発現を防ぐため，用法関連注意を熟読の上，適正使用に努める
注射用 本剤の耐性菌の発現を防ぐため，効能関連注意，用法関連注意を熟読の上，適正使用に努める
眼軟膏 本剤の耐性菌の発現を防ぐため，効能関連注意，用法関連注意を熟読の上，適正使用に努める

禁忌 **散** **眼軟膏** 本剤の成分によるショックの既往歴のある患者
注射用 本剤の成分に対し過敏症の既往歴のある患者本剤の成分によるショックの既往歴のある患者

過量投与 **注射用** ①徴候，症状：急性腎不全等の腎障害，難聴等の第8脳神経障害を起こすおそれがある　②処置：HPM (high performance membrane)を用いた血液透析により血中濃度を下げることが有効であるとの報告がある

薬物動態

散 経口投与ではほとんど吸収されず，高い消化管内濃度が得られ，血中にはほとんど認められない．腸管病変患者で吸収され尿中に排泄されたとの報告がある　**血中濃度，糞便中濃度，尿中濃度**　①健康成人(bioassay)：1例に500mg×4/日×7日経口投与時，血中濃度は測定限界以下(＜2.5μg/mL)，糞便中濃度は2.5～4.75mg/g，尿中濃度は検出されず　②偽膜性大腸炎患者(bioassay)：6例に500mg×4/日×5～19日経口投与時，血中濃度(3例)は測定限界以下(＜1.25μg/mL)，糞便中濃度(5例)は0.726～8.37mg/g，尿中濃度は測定限界以下1例(＜1.25μg/mL)，3例[2.44～94.6μg/mL(尿中排泄率0.15～1.65%)]　③メチシリン耐性黄色ブドウ球菌(MRSA)による感染性腸炎患者[血清中濃度：FPIA(蛍光偏光免疫測定法)，糞便中・尿中濃度：bioassay]：49例に500mg×4/日×2～19日経口投与時，血清中濃度(26例)は測定限界以下(＜1.0μg/mL)，糞便中濃度(9例，水様性下痢を呈した1例は10.5～92.5μg/gを示した)は0.5～5.5mg/g，尿中濃度(7例)は測定限界以下(＜0.39～23.4μg/mL)　④腎機能障害を有する偽膜性大腸炎患者(外国人，( )内は基礎疾患)に経口投与時の血清中濃度(μg/mL)：14歳女性(無腎，血液透析中)に250mg×4/日×8日投与で13.5～34.0[RIA：放射免疫測定法]，62歳男性(腎不全)500mg×4/日×8日，1000mg/日×9日，500mg/日×3日投与で11.4～20.3(以降FPIA法で測定)，32歳男性(糖尿病，血液透析中)に250mg×4/日×11日投与で約4.5～7.0，45歳男性(血液透析中)に250mg×4/日投与期間不明で2.4～2.6，45歳男性(血液透析中)に500mg×4/日×3日投与で11.4～20.3，125mg×4/日投与期間不明で2.4～3.4，63歳男性(糖尿病，血液透析中)に250mg×4/日投与期間不明で0.0，28歳男性(糖尿病性腎症)に500mg/日×4日投与期間不明で0.7～9.8　**代謝(参考)**　点滴静注(承認外用法)後，72時間までに90%以上が未変化体として尿中排泄．代謝物は確認されていない　**その他(参考)**　健康成人に1g点滴静注(承認外用法・用量)時の血清蛋白結合率は遠心限外ろ過法で34.3%

注射用 **血中濃度モニタリング**　有効性を確保し，かつ副作用の発現を避けるため，長期間投与中の患者，低出生体重児，新生児及び乳児，高齢者，腎機能障害又は難聴のある患者，腎障害，聴覚障害を起こす可能性のある薬剤(アミノグリコシド系抗生物質等)を併用中の患者等には，血中濃度をモニタリングすることが望ましい．点滴終了1～2時間後の血中濃度は25～40μg/mL，最低血中濃度(谷間値・次回投与直前値)は10μg/mLを超えないことが望ましい．点滴終了1～2時間後の血中濃度が60～80μg/mL以上，最低血中濃度が30μg/mL以上が継続すると，聴覚障害，腎障害等の副作用が発現する可能性が報告されている　**腎機能障害患者への投与法**　腎機能障害患者では健康者より血中濃度の半減期が延長するので，投与量を修正して使用する必要がある．クレアチニンクリアランスから投与量を修正する目安は添付文書の図により算出できる　**血中濃度**　点滴静注時の血漿中濃度及び薬物動態パラメータ(平均値)：①健康成人(bioassay)：0.5g又は1gをそれぞれ6例に60分間で点滴静注時の最高血中濃度はそれぞれ23.0，49.5μg/mL，$AUC_{0-\infty}$85，166μg・hr/mL，$T_{1/2}$4.29及び5.23hr　②小児患者，低出生体重児患者：低出生体重児，特に体重1kg以下の超低出生体重児では消失半減期が延長　③高齢者[投与量10mg/kg(承認外用法・用量)，60分点滴静注．FPIA法．高齢者(6例，73～87歳，Ccr19.3～62.7mL/min)，健康成人(6例)の順]：年齢78.3，22歳，体重34.8，62.7kg，Ccr41.9，115mL/min，Cmax22.6，38μg/mL，$AUC_{0-\infty}$186，110μg・hr/mL，$T_{1/2}$12.99，2.98hr　④腎機能障害患者[投与量0.5g，60分点滴静注．FPIA法．Cmax(μg/mL)，$AUC_{0-\infty}$(μg・hr/mL)，$T_{1/2}\alpha$(hr)，$T_{1/2}\beta$(hr)の順]：腎機能の低下に伴って，半減期が延長，AUCが増大．このため，腎機能障害の程度に応じた投与量・投与間隔の調節が必要．健康成人(70mL/min＜Ccr，4例)34.53，90.4，0.32，3.08，腎障害A群(50mL/min＜Ccr＜70mL/min，4例)22.60，95.4，0.43，7.41，腎障害B群(30mL/min＜Ccr＜50mL/min，5例)22.85，163.2，0.70，10.73，腎障害C群(15mL/min＜Ccr＜30mL/min，4例)24.99，374.8，0.49，20.22，腎障害D群(Ccr＜15mL/min，6例)35.13，682.8，0.38，35.49　**分布**　骨髄血，骨組織，関節液，腹水，髄液(髄膜炎時)に移行　**代謝**　点滴静注後，72時間までに90%以上が尿中に未変化体として排泄．代謝物は確認されていない　**排泄**　主に糸球体ろ過により腎臓から排泄．健康成人に0.5g，1g(各6例)60分点滴静注時の累積尿中排泄率は，点滴終了後24時間までに投与量の約85%，72時間までに90%以上．総クリアランスは約100mL/分　**その他**　健康成人に1g点滴静注時の血清を用い，遠心限外ろ過法で測定された血清蛋白結合率は34.3%

眼軟膏 **血漿中濃度**　健康成人男性に0.3～3%製剤を単回又は1%及び2%製剤を1日4回14日間反復塗布したところ，いずれにおいても塗布後1時間及び24時間の血漿中バンコマイシン濃度は定量限界(0.01μg/mL)以下　**尿中濃度**　健康成人男性に2%及び3%製剤を単回又は1%及び2%製剤を1日4回14日間反復塗布したところ，一部の被験者の尿中よりバンコマイシンがわずかながら検出　**動物における眼組織内移行**(参考：有色ウサギ)有色ウサギに1%～3%製剤を単回塗布時，結膜及び角膜へはバンコマイシンの速やかな移行(Tmax0.25～1時間)が認められ，結膜では塗布8時間後までほぼ一定レベルの推移を示し，その後減少．一方，角膜では塗布8時間後のバンコマイシン濃度はCmaxの1/20～1/4程度．また，眼房水，虹彩・毛様体，脈絡膜・網膜色素上皮・網膜中及び硝子体へのバンコマイシンの移行は結膜や角膜に比べ低値　**動物における排泄**　(参考：有色ウサギ)有色ウサギに1%製剤を1日4回14日間，反復塗布時のバンコマイシン(未変化体)の尿及び糞への1日排泄率は，それぞれ1日投与量の1%未満及び約98%

その他の管理的事項

投与期間制限　該当しない
保険給付上の注意　該当しない

資料

IF　塩酸バンコマイシン散0.5g　2019年10月改訂(第17版)
塩酸バンコマイシン点滴静注用0.5g　2019年10月改訂(第15版)
バンコマイシン眼軟膏1%　2011年12月改訂(第4版)

パンテチン
Pantethine

概要

薬効分類 313 ビタミンB剤(ビタミンB_1剤を除く.)

構造式

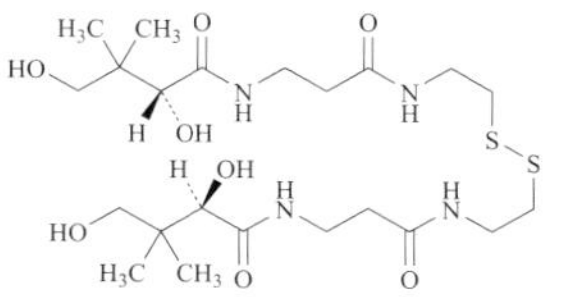

分子式 $C_{22}H_{42}N_4O_8S_2$

分子量 554.72

略語・慣用名 PaSS

ステム 該当しない

原薬の規制区分 該当しない

原薬の外観・性状 無色～微黄色澄明の粘性の液である. 水, メタノール又はエタノール(95)と混和する. 光によって分解する

原薬の吸湿性 該当資料なし

原薬の融点・沸点・凝固点 該当しない

原薬の酸塩基解離定数 該当資料なし

先発医薬品等

散 パントシン散20%(アルフレッサファーマ)
細 パントシン細粒50%(アルフレッサファーマ)
錠 パントシン錠30・60・100・200(アルフレッサファーマ)
注 パントシン注5%・10%(アルフレッサファーマ)

後発医薬品

散 20%
細 20%・50%
錠 30mg・60mg・100mg
注 200mg

国際誕生年月 1966年8月

海外での発売状況 中国, イタリア, スペインなど世界各国

製剤

規制区分 注 ㊄

製剤の性状 散 白色の散 細 白色～微黄色の細粒 30mg錠 うすいだいだい～だいだい色のフィルムコーティング錠 60・100・200mg錠 白色～微黄白色のフィルムコーティング錠 注 無色澄明の液

有効期間又は使用期限 散 30mg錠 4年 細 100・200mg錠 注 3年 60mg錠 5年

貯法・保存条件 散 細 錠 室温保存, 吸湿注意 注 室温保存

薬剤取扱い上の留意点 該当資料なし

患者向け資料等 くすりのしおり

溶液及び溶解時のpH 注 4.2～5.2

浸透圧比 注 約1(対生食)

調製時の注意 該当しない

薬理作用

分類 代謝異常改善薬

作用部位・作用機序 実験的粥状硬化の進展抑制作用, 血清総コレステロール低下作用, 血清中性脂肪低下作用, 血清HDL－コレステロールの増加作用, 脂肪酸酸化促進作用, 血管壁コレステロール代謝促進作用 血小板数の改善作用, 腸管運動促進作用

同効薬 パントテン酸カルシウム

治療

効能・効果 ①パントテン酸欠乏症の予防及び治療 ②パントテン酸の需要が増大し, 食事からの摂取が不十分な際の補給(消耗性疾患, 甲状腺機能亢進症, 妊産婦, 授乳婦等) ③次の疾患のうち, パントテン酸の欠乏又は代謝障害が関与すると推定される場合：(1)高脂血症 (2)散 細 錠 弛緩性便秘 (3)注 術後腸管麻痺 (4)ストレプトマイシン及びカナマイシンによる副作用の予防及び治療 (5)急・慢性湿疹 (6)血液疾患の血小板数ならびに出血傾向の改善. 効能③に対して, 効果がないのに月余にわたって漫然と使用すべきでない

用法・用量 散 細 錠 パンテチンとして1日30～180mg, 血液疾患, 弛緩性便秘には300～600mg, 1～3回に分服(適宜増減). 高脂血症には1日600mg, 3回に分服(適宜増減)

注 パンテチンとして1日20～100mg, 血液疾患, 術後腸管麻痺には200mg, 1～2回に分けて皮下, 筋注又は静注(適宜増減)

薬物動態

散 細 錠 **吸収, 分布, 代謝及び排泄(参考：動物実験)** ラットに[β-Ala-^{14}C]パンテチン200mg/kgを単回経口投与時の最高血中濃度到達時間(Tmax)は, 正常ラット16時間, 病態ラットでは動脈硬化症16時間, 糖尿病8時間, アルコール性脂肪肝24時間. 組織内放射能濃度は肝で著しく高く, ほとんどの組織において血液より高濃度を示し, 組織親和性が高いことを示唆. 細胞内でパンテチンは, パントテン酸とシステアミンに分解されたが, 一部はCoAに合成された. 正常ラットでは, [β-Ala-^{14}C]パンテチンは主として糞中に排泄され, 投与後48時間までで投与放射能の約85%が尿中, 糞中及び呼気中に排泄され, 胆汁中にはほとんど排泄されなかった

注 **吸収, 分布, 代謝及び排泄(参考：動物実験)** 正常ラットに[β-Ala-^{14}C]パンテチン20mg/kgを単回静注時, 血中放射能濃度は二相性で推移し, 分布相での消失は速やかであり, 消失相の半減期はきわめて長かった. また, 組織内放射能濃度は肝で著しく高く, ほとんどの組織において血液より高濃度を示し, 組織親和性が高いことを示唆. 細胞内でパンテチンは, パントテン酸とシステアミンに分解されたが, 一部はCoAに合成された. [β-Ala-^{14}C]パンテチン投与後48時間で放射能の約80%が尿中に排泄され, 糞中にはほとんど排泄されない

その他の管理的事項

投与期間制限 該当しない

保険給付上の注意 該当しない

資料

IF パントシン散20%・細粒50%・錠30・60・100・200 2019年3月作成(第1版)
パントシン注5%・10% 2019年3月作成(第1版)

パントテン酸カルシウム
Calcium Pantothenate

概要

構造式

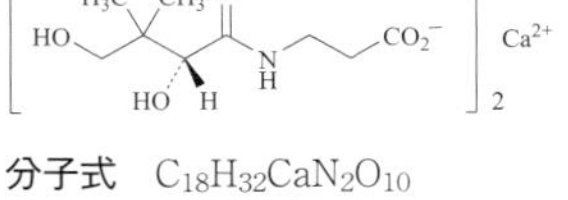

分子式 $C_{18}H_{32}CaN_2O_{10}$

分子量 476.53

原薬の規制区分 該当しない

原薬の外観・性状 白色の粉末である. 水に溶けやすく, エタノール(99.5)にほとんど溶けない. 1.0gを水20mLに溶かした液のpHは7.0～9.0である. 結晶多形が認められる

原薬の吸湿性 吸湿性である

治療

効能・効果† ①パントテン酸欠乏症の予防及び治療, パントテン酸の需要が増大し, 食事からの摂取が不十分な際の補給

（消耗性疾患，甲状腺機能亢進症，妊産婦，授乳婦等）②次の疾患のうち，パントテン酸の欠乏又は代謝障害が関与すると推定される場合（なお，効果がないのに月余にわたって漫然と使用すべきでない）：ストレプトマイシン及びカナマイシンによる副作用の予防及び治療，接触皮膚炎，急・慢性湿疹，弛緩性便秘

精製ヒアルロン酸ナトリウム
精製ヒアルロン酸ナトリウム注射液
精製ヒアルロン酸ナトリウム点眼液
Purified Sodium Hyaluronate

概要

薬効分類 131 眼科用剤，399 他に分類されない代謝性医薬品

構造式

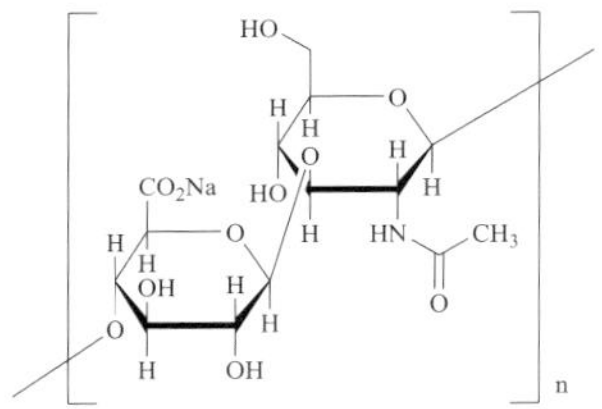

分子式 $(C_{14}H_{20}NNaO_{11})_n$

分子量 平均分子量として50万～149万又は150万～390万のヒアルロン酸のナトリウム塩からなる

ステム 不明

原薬の規制区分 該当しない

原薬の外観・性状 白色の粉末，粒又は繊維状の塊である．水にやや溶けにくく，エタノール(99.5)にほとんど溶けない

原薬の吸湿性 吸湿性である

原薬の酸塩基解離定数 該当資料なし

先発医薬品等

注 アルツ関節注25mg（生化学＝科研）

キット アルツディスポ関節注25mg（生化学＝科研）
スベニールディスポ関節注25mg（中外）

液 オペガン0.6眼粘弾剤1％（生化学＝参天）
オペガン1.1眼粘弾剤1％（生化学＝参天）
ヒーロン眼粘弾剤1％シリンジ0.4mL・0.6mL・0.85mL（AMO）
ヒーロンV眼粘弾剤2.3％シリンジ0.6mL（AMO）

点眼液 ヒアレイン点眼液0.1％・0.3％（参天）
ヒアレインミニ点眼液0.1％・0.3％（参天）

後発医薬品

注 1％

キット 1％

液 1％

点眼液 0.1％・0.3％

国際誕生年月 1980年7月

海外での発売状況 注 欧米など世界各国 点眼液 中国，韓国など

製剤

規制区分 注 ㊕

製剤の性状 注 無色澄明の粘稠な水性注射液で，においはない 液 無色澄明の粘稠な液で，においはない 点眼液 無色澄明の粘稠性のある無菌水性点眼剤

有効期間又は使用期限 注 3年6カ月 液 点眼液 3年

貯法・保存条件 注 液〔オペガン〕室温保存 液〔オペガンハイ〕遮光，2～8℃（凍結を避け保存） 点眼液 気密容器，室温保存

薬剤取扱い上の留意点 注 粘稠なため，18～20G程度の太めの注射針を用いて注射筒に吸引し，22～23G程度の注射針を用いて投与することが望ましい 液 過量に注入しないこと 点眼液 点眼用にのみ使用すること

患者向け資料等 注 くすりのしおり 点眼液 くすりのしおり，服薬指導箋

溶液及び溶解時のpH 注 液〔オペガン〕6.8～7.8 液〔オペガンハイ〕7.0～7.5 点眼液 6.0～7.0

浸透圧比 注 液〔オペガン〕1.0～1.2（対生食） 液〔オペガンハイ〕0.9～1.3（対生食） 点眼液 0.9～1.1

安定なpH域 注 中性

調製時の注意 液 ポビドンヨード，クロルヘキシジンと配合すると混濁が認められた．また，ベンザルコニウム塩化物などの第4級アンモニウム塩により沈殿を生じることがある

薬理作用

分類 関節機能改善剤・眼科手術補助剤・角結膜上皮障害治療剤

作用部位・作用機序 （関節機能改善）関節組織を被覆・保護し，潤滑機能を改善するとともに，変性軟骨に浸透し，変性変化の抑制，軟骨代謝の改善をもたらす．更に滑膜組織に浸透し，炎症及び変性変化を抑制する．また，発痛物質の作用を抑制して，疼痛抑制作用を発揮する．これらのことから疼痛の寛解，日常生活動作及び関節可動域の改善をもたらす （眼科手術補助）作用部位：前房 作用機序：ヒアルロン酸溶液が持つ高い粘弾性により，前房内の組織を押し広げ，前房深度を維持し，またその粘弾性により手術器具，眼内レンズなどによる機械的侵襲から眼内組織を保護する．また，超音波水晶体乳化吸引における前房内組織（角膜内皮）障害に対し抑制効果を有する （角結膜上皮障害）作用部位：角結膜上皮の障害部位 作用機序：フィブロネクチンと結合し，その作用を介して角膜上皮細胞の接着，伸展を促進すると考えられる．またその分子内に多数の水分子を保持することによって優れた保水性を示す

同効薬 点眼液 ジクアホソルナトリウム点眼液

治療

効能・効果 注 キット ①変形性膝関節症 ②肩関節周囲炎 ③関節リウマチにおける膝関節痛（次の(1)～(4)の基準をすべて満たす場合に限る）：(1)抗リウマチ薬等による治療で全身の病勢がコントロールできていても膝関節痛のある場合 (2)全身の炎症症状がCRP値として10mg/dL以下の場合 (3)膝関節の症状が軽症から中等症の場合 (4)膝関節のLarsenX線分類がGradeIからGradeIIIの場合

液 ①白内障手術における手術補助 ②眼内レンズ挿入術における手術補助 ③全層角膜移植術における手術補助．
＊ヒーロンV眼粘弾剤は効能①②のみ

点眼液 次の疾患に伴う角結膜上皮障害：①シェーグレン症候群，スティーブンス・ジョンソン症候群，眼球乾燥症候群（ドライアイ）等の内因性疾患 ②術後，薬剤性，外傷，コンタクトレンズ装用等による外因性疾患
＊なお，ヒアレインミニ点眼液0.1％・0.3％の保険請求は，シェーグレン症候群又はスティーブンス・ジョンソン症候群に伴う角結膜上皮障害に限る

用法・用量 注 キット 効能①：〔スベニール〕1回25mg，1週間ごとに連続5回膝関節腔内投与．その後，症状の維持を目的とする場合は，2～4週間隔で投与 〔スベニールを除く製品〕1回25mg，1週間ごとに連続5回膝関節腔内投与するが，症状により回数を適宜増減 効能②：〔スベニール〕1回25mg，1週間ごとに連続5回肩関節（肩関節腔，肩峰下滑液包又は上腕二頭筋長頭腱腱鞘）内投与 〔スベニールを除く製品〕1回25mg，1週間ごとに連続5回肩関節（肩関節腔，肩峰下滑液包又は上腕二頭筋長頭腱腱鞘）内投与するが，症状により回数

を適宜増減　効能③：1回25mg，1週間ごとに連続5回膝関節腔内投与
液 効能①②：白内障手術・眼内レンズ挿入術を連続して施行する場合には，（オペガン，オペリード）0.4～1mL，（オペガンハイ，オペリードHV，ヒアガード，ヒーロン，プロビスク，「テバ」）0.2～0.75mL，（ヒーロンV）0.3～0.6mLを前房内注入．また，眼内レンズのコーティングに約0.1mL使用．ただし，白内障手術又は眼内レンズ挿入術のみを施行する場合には次の通りとする：⑴白内障手術：通常（オペガン，オペリード）0.1～0.6mL，（オペガンハイ，オペリードHV，ヒアガード，ヒーロン，プロビスク，「テバ」）0.1～0.4mL，（ヒーロンV）0.1～0.3mL前房内注入　⑵眼内レンズ挿入術：眼内レンズ挿入前0.1～0.5mL（ヒーロンV0.1～0.4mL）前房内注入．眼内レンズのコーティングには約0.1mL　効能③：移植眼の角膜片を除去後，（オペガン，オペリード）0.1～0.5mL，（オペガンハイ，オペリードHV，ヒアガード，ヒーロン，プロビスク，「テバ」）0.1～0.6mL前房内注入し，移植片角膜を本剤上に浮遊させて縫合を行う．提供眼の移植片角膜のコーティングには約0.1mL **点眼液** 1回1滴，1日5～6回点眼（適宜増減）．なお，通常0.1％液を，重症疾患等で効果不十分の場合に0.3％液を投与する

用法・用量に関連する使用上の注意　**注**　**キット** 関節内に投与するので，厳重な無菌的操作のもとに行う
液〔ヒーロンV〕粘弾性が高く術後に本剤の除去が不十分な場合には，著しい眼圧上昇を起こすおそれがあるので，使用にあたっては，除去方法について十分に理解し，術後本剤の除去を徹底するとともに，眼圧上昇に注意する

使用上の注意

禁忌　**注**　**キット** 本剤の成分に対し過敏症の既往歴のある患者

薬物動態

注　**キット**（参考）動物における吸収，分布，代謝，排泄：ウサギの膝関節腔内に1％^{14}C-ヒアルロン酸ナトリウム0.1mL/kgを単回投与　**関節液中濃度**　投与後約3日間で関節液中から消失．関節液中半減期は約20時間　**血中濃度**　投与後約48時間に最高値を示し，以後徐々に減少　**関節組織内濃度**　靱帯，滑膜組織に高く，次いで半月板，関節軟骨に高く分布．肝臓，脾臓でも高い分布が認められたが，蓄積は認められなかった　**代謝**　関節液中ではほとんど代謝されることなく滑膜組織に取り込まれ，そこで一部低分子化を受け血中へ移行後，主に肝で代謝　**排泄**　大部分が呼気中に，一部が尿中及び糞中に排泄
液 参考：**ヒーロン**　ウサギの眼球の前房内に投与した^{14}C-ヒアルロン酸ナトリウムは低分子化されることなく24時間後には95％が前房隅角から血中に移行し，主に肝臓で代謝され，そのほとんどが呼気により排泄される．**ヒーロンV**　ウサギの眼球の前房内に投与した本剤は，低分子化されることなく48時間後にはほぼ100％が前房隅角から消失．血中に移行し，主に肝臓で単糖に代謝され，その後糖蛋白質合成に再利用されるものと，二酸化炭素に分解されるものがある
点眼液 **血中濃度**　健常成人男子（6名）の片眼に1日目0.1％及び2日目0.5％ヒアルロン酸点眼液を1回1滴，1日5回点眼し，引き続いて3～9日目0.5％濃度で，1日13回の7日間点眼を行い，点眼開始前，3日目，9日目（最終日）及びその翌日の血中濃度測定で，いずれの時点でも点眼前と同様に検出限界（10μg/mL）以下（承認濃度は0.1％及び0.3％）　**動物における眼組織内移行**　参考：ウサギ正常角膜上に0.1％^{14}C-ヒアルロン酸ナトリウム点眼液50μL1回点眼では，外眼部にのみ検出，特に眼球結膜で高濃度，8時間後まで検出されたが，角膜では低濃度で，30分後までしか検出されなかった．創傷角膜上では，角膜へ多く移行，1時間後でも約408ng/mL検出．また，房水中にも検出

その他の管理的事項

投与期間制限　該当しない

保険給付上の注意　**液〔オペガン1.1眼粘弾剤1%〕〔オペガンハイ0.85眼粘弾剤1%〕** 連続して行われる白内障手術及び眼内レンズ挿入術に伴って使用される場合に限り算定できる　**点眼液〔ミニ〕** シェーグレン症候群又はスティーブンス・ジョンソン症候群に伴う角結膜上皮障害に使用した場合に限り算定する

資料

IF　アルツ関節注25mg・ディスポ関節注25mg　2016年8月改訂（第12版）
オペガン0.6・1.1眼粘弾剤1％　2014年6月改訂（第6版）
オペガンハイ0.4・0.6・0.7・0.85眼粘弾剤1％　2020年4月改訂（第8版）
ヒアレイン点眼液0.1％・0.3％・ミニ点眼液0.1％・0.3％　2018年7月改訂（第11版）

ピオグリタゾン塩酸塩
ピオグリタゾン塩酸塩錠
Pioglitazone Hydrochloride

概要

薬効分類　396　糖尿病用剤
構造式

及び鏡像異性体

分子式　$C_{19}H_{20}N_2O_3S \cdot HCl$
分子量　392.90
ステム　チアゾリジン系薬：-glitazone
原薬の規制区分　該当しない
原薬の外観・性状　白色の結晶又は結晶性の粉末である．*N,N*-ジメチルホルムアミド又はメタノールにやや溶けやすく，エタノール（99.5）に溶けにくく，水にほとんど溶けない．0.1mol/L塩酸試液に溶ける．*N,N*-ジメチルホルムアミド溶液（1→20）は旋光性を示さない
原薬の吸湿性　25℃，31％RH，75％RH及び93％RHの条件下に14日間保存したが，重量変化は示さず吸湿性は認められなかった
原薬の融点・沸点・凝固点　融点：193℃（分解点）
原薬の酸塩基解離定数　pKa_1＝5.8（ピリジル基），pKa_2＝6.4（チアゾリジル基）
先発医薬品等
錠 アクトス錠15・30（武田テバ薬品＝武田）
アクトスOD錠15・30（武田テバ薬品＝武田）
後発医薬品
錠 15mg・30mg・OD錠15mg・30mg
国際誕生年月　1999年7月
海外での発売状況　米など

製剤

規制区分　**錠**　**口腔内崩壊錠**　㊕
製剤の性状　**錠** 白色～帯黄白色の割線入りの素錠　**口腔内崩壊錠** 帯黄白色の割線入りの素錠（口腔内崩壊錠）
有効期間又は使用期限　3年
貯法・保存条件　**錠** 室温保存　**口腔内崩壊錠** 室温保存．開封後も湿気を避けて保存（高防湿性の内袋により品質保持をはかっている）
薬剤取扱い上の留意点　循環血漿量の増加によると考えられる

浮腫が短期間に発現し，また心不全が増悪あるいは発症することがあるので，患者には服用中の浮腫，急激な体重増加，症状の変化に注意し，異常がみられた場合には直ちに本剤の服用を中止し，受診するよう指導すること．他の糖尿病用薬と併用した場合に低血糖を起こすことがあるので，これらの薬剤との併用時には患者に対し低血糖症状及びその対処方法について十分説明し，注意喚起すること．低血糖症状を起こすことがあるので，高所作業や自動車等の運転等に従事している患者に投与するときには注意すること．投与中に血尿，頻尿，排尿痛等の症状が認められた場合には，直ちに受診するよう指導すること

患者向け資料等　患者向医薬品ガイド，くすりのしおり

溶液及び溶解時のpH　該当しない

浸透圧比　該当しない

安定なpH域　該当しない

調製時の注意　該当しない

薬理作用

分類　チアゾリジン系インスリン抵抗性改善剤

作用部位・作用機序　末梢(筋肉組織，脂肪組織)及び肝臓におけるインスリン抵抗性を改善することにより，末梢では糖の取り込み及び糖の利用を促進し，肝臓では糖の放出を抑制して血糖を低下させる

同効薬　糖尿病用薬

治療

効能・効果　2型糖尿病：ただし，次のいずれかの治療で十分な効果が得られずインスリン抵抗性が推定される場合に限る：①(1)食事療法，運動療法のみ　(2)食事療法，運動療法に加えてスルホニルウレア剤を使用　(3)食事療法，運動療法に加えてα-グルコシダーゼ阻害剤を使用　(4)食事療法，運動療法に加えてビグアナイド系薬剤を使用　②食事療法，運動療法に加えてインスリン製剤を使用

効能・効果に関連する使用上の注意　使用する場合は，インスリン抵抗性が推定される患者に限定する．インスリン抵抗性の目安は肥満度(Body Mass Index＝BMI kg/m^2)で24以上あるいはインスリン分泌状態が空腹時血中インスリン値で5μU/mL以上とする

用法・用量　効能①：ピオグリタゾンとして1日1回15〜30mg朝食前又は朝食後(適宜増減)．45mgを上限とする　効能②：ピオグリタゾンとして15mgを1日1回朝食前又は朝食後(適宜増減)．30mgを上限とする

用法・用量に関連する使用上の注意　①浮腫が比較的女性に多く報告されているので，女性に投与する場合は，浮腫の発現に留意し，1日1回15mgから開始することが望ましい　②1日1回30mgから45mgに増量した後に浮腫が発現した例が多くみられているので，45mgに増量する場合には，浮腫の発現に留意する　③インスリンとの併用時においては，浮腫が多く報告されていることから，1日1回15mgから投与を開始する．増量する場合は浮腫及び心不全の症状・徴候を十分に観察しながら慎重に行う．ただし，1日量として30mgを超えない　④一般に高齢者では生理機能が低下しているので，1日1回15mgから開始することが望ましい

禁忌・原則禁忌となる特定患者集団　妊婦又は妊娠している可能性のある女性

使用上の注意

禁忌　①心不全の患者及び心不全の既往歴のある患者［動物試験において循環血漿量の増加に伴う代償性の変化と考えられる心重量の増加がみられており，また，臨床的にも心不全を増悪あるいは発症したとの報告がある］　②重症ケトーシス，糖尿病性昏睡又は前昏睡，1型糖尿病の患者［輸液，インスリンによる速やかな高血糖の是正が必須となる］　③重篤な肝機能障害のある患者　④重篤な腎機能障害のある患者　⑤重症感染症，手術前後，重篤な外傷のある患者［インスリン注射による血糖管理が望まれるので本剤の投与は適さない］　⑥本剤の成分に対し過敏症の既往歴のある患者　⑦妊婦又は妊娠している可能性のある女性

相互作用概要　主としてCYP2C8で代謝され，他に複数の分子種が代謝に関与する

薬物動態

血中濃度　①単回経口投与：健康成人男子に経口投与時，血中には未変化体及び代謝物-Ⅰ〜Ⅵ(M-Ⅰ〜Ⅵ)が検出され，そのうちM-Ⅱ〜Ⅳは活性代謝物．健康成人男子8例に空腹時に1回30mgを単回経口投与時，未変化体及び活性代謝物の血中濃度(未変化体，M-II，M-III，M-IVの順)はCmax(μg/mL)1.4±0.2，0.04±0.02，0.3，0.6±0.1，Tmax(hr)1.8±0.4，4.8±2.5，11.5±2.1，14.8±4，$AUC_{0\text{-}336h}$(μg・hr/mL)11.6±2.2，0.4±0.3，12.8±2.1，29.5±4.5，半減期(hr)5.4±1.7，データなし，25±4.7，23.8±2.7．なお，Wistar fattyラットで調べた血糖低下作用において，M-Ⅱ〜Ⅳの活性は未変化体より弱い　②反復投与：健康成人男子(6例)に1日1回30mgを9日間(2日目は休薬)反復経口投与時，未変化体及び活性化合物合計(未変化体＋M-Ⅱ〜Ⅳ)の血中濃度は6〜7日目でほぼ定常状態．反復投与による蓄積性はないものと考えられる　**吸収**　健康成人男子(8例)に空腹時又は食後に1回30mgを単回経口投与時，食後投与において未変化体のTmaxの延長がみられた以外に未変化体の薬物速度論的パラメータに大きな差はなく，摂食による影響はほとんどないと考えられる　**代謝**　代謝にはチトクロームP450 1A1，1A2，2C8，2C9，2C19，2D6，3A4の複数の分子種が関与している．また，ヒトチトクロームP450分子種発現ミクロゾームの代謝活性に対して，チトクロームP450 1A1，1A2，2A6，2B6，2C8，2C9，2C19，2D6，2E1，3A4にほとんど影響を与えない(*in vitro*)　**排泄**　健康成人男子(14例)に空腹時に1回30mgを単回経口投与時，尿中には主としてM-Ⅳ〜Ⅵが排泄され，投与後48時間までの累積尿中排泄率は約30%　**薬物相互作用**　①スルホニルウレア剤：スルホニルウレア剤(グリベンクラミド，グリクラジド)使用中の2型糖尿病患者(9例)に，1日1回30mgを7日間経口投与時，本剤の未変化体及び活性化合物合計(未変化体＋M-Ⅱ〜Ⅳ)の血中濃度は食事療法のみの2型糖尿病患者での結果と近似，またスルホニルウレア剤の血中濃度推移及び蛋白結合率に影響はみられていない　②α-グルコシダーゼ阻害剤：ボグリボース使用中の2型糖尿病患者(42例)に，1日1回30mgを経口投与時，本剤の活性化合物合計(未変化体＋M-Ⅱ〜Ⅳ)の血中濃度は食事療法のみ又はスルホニルウレア剤使用中の2型糖尿病患者での結果と近似　③ビグアナイド系薬剤：メトホルミン反復投与中の健康成人男子(14例)に，1日1回30mgを経口投与時，本剤の活性化合物合計(未変化体＋M-Ⅱ〜Ⅳ)の血中濃度は本剤単独投与時の健康成人男子(8例)での結果と近似

その他の管理的事項

投与期間制限　該当しない

保険給付上の注意　該当しない

資料

IF　アクトス錠15・30・OD錠15・30　2017年6月改訂(第16版)

ピオグリタゾン塩酸塩・グリメピリド錠
Pioglitazone Hydrochloride and Glimepiride Tablets

概要

薬効分類　396　糖尿病用剤

分子式　［ピオグリタゾン塩酸塩］$C_{19}H_{20}N_2O_3S$・HCl　［グリメピリド］$C_{24}H_{34}N_4O_5S$

分子量　［ピオグリタゾン塩酸塩］392.90　［グリメピリド］490.62

ステム　［ピオグリタゾン塩酸塩］チアゾリジン系薬：-glitazone ［グリメピリド］スルホニル尿素系薬：gli(x)

原薬の規制区分 ［グリメピリド］劇

原薬の外観・性状 ［ピオグリタゾン塩酸塩］白色の結晶又は結晶性の粉末である．*N,N*-ジメチルホルムアミド又はメタノールにやや溶けやすく，エタノール(99.5)に溶けにくく，水にほとんど溶けない．0.1mol/L塩酸塩に溶ける ［グリメピリド］白色の結晶性の粉末である．ジクロロメタンに溶けにくく，メタノール又はエタノール(99.5)に極めて溶けにくく，水にほとんど溶けない

原薬の吸湿性 ［ピオグリタゾン塩酸塩］25℃，31%RH，75%RH及び93%RHの条件下に14日間保存したが，重量変化は示さず，吸湿性は認められなかった ［グリメピリド］該当資料なし

原薬の融点・沸点・凝固点 ［ピオグリタゾン塩酸塩］融点：193℃(分解点) ［グリメピリド］融点：約202℃(分解)

原薬の酸塩基解離定数 ［ピオグリタゾン塩酸塩］ $pKa_1=5.8$ (ピリジル基)，$pKa_2=6.4$ (チアゾリジル基) ［グリメピリド］該当資料なし

先発医薬品等

錠 ソニアス配合錠LD・HD(武田テバ薬品＝武田)

国際誕生年月 該当資料なし

海外での発売状況 欧米など

製剤

規制区分 錠 劇 処

製剤の性状 **LD錠** 白色～帯黄白色の層と帯赤白色の層の素錠 **HD錠** 白色～帯黄白色の層と帯黄白色の層の素錠

有効期間又は使用期限 3年

貯法・保存条件 室温保存

薬剤取扱い上の留意点 循環血漿量の増加によると考えられる浮腫が短期間に発現し，また心不全が増悪あるいは発症することがあるので，患者には服用中の浮腫，急激な体重増加，症状の変化に注意し，異常がみられた場合には直ちに本剤の服用を中止し，受診するよう指導すること．重篤かつ遷延性の低血糖を起こすことがあるので，高所作業，自動車の運転等危険を伴う機械を操作する際には注意させること．また，低血糖に関する注意及び対処方法について，患者及びその家族に十分徹底させること．本剤投与中に血尿，頻尿，排尿痛等の症状が認めれらた場合には，直ちに受診するよう指導すること

患者向け資料等 患者向医薬品ガイド，くすりのしおり

溶液及び溶解時のpH 該当しない

浸透圧比 該当しない

安定なpH域 該当しない

調製時の注意 該当しない

薬理作用

分類 チアゾリジン系薬・スルホニルウレア系薬配合剤

作用部位・作用機序 各項目参照

同効薬 グリメピリド，ピオグリタゾン塩酸塩などの糖尿病用薬

治療

効能・効果 2型糖尿病(ただし，ピオグリタゾン塩酸塩及びグリメピリドの併用による治療が適切と判断される場合に限る)

効能・効果に関連する使用上の注意 ①2型糖尿病治療の第一選択薬として用いないこ ②LD(ピオグリタゾン/グリメピリドとして15mg/1mg)については，原則として，既にピオグリタゾンとして1日15mg及びグリメピリド1日1mgを併用し状態が安定している場合，あるいはピオグリタゾンとして1日15mg又はグリメピリド1日1mgの単剤の治療により効果不十分な場合に，使用を検討する ③HD(ピオグリタゾン/グリメピリドとして30mg/3mg)については，原則として，既にピオグリタゾンとして1日30mg及びグリメピリド1日3mgを併用し状態が安定している場合，あるいはグリメピリド1日3mgの単剤の治療により効果不十分な場合に，使用を検討する ④ピオグリタゾン塩酸塩の治療により効果不十分な場合の本剤使用に関する臨床試験を実施しておらず，有効性及び安全性に関する成績は限られている ⑤投与中において，本剤の投与がピオグリタゾン塩酸塩及びグリメピリドの各単剤の併用よりも適切であるか慎重に判断する ⑥適用においては，あらかじめ糖尿病治療の基本である食事療法，運動療法を十分に行う ⑦本剤を使用する場合は，インスリン抵抗性が推定される患者に限定する．インスリン抵抗性の目安は肥満度(Body Mass Index＝BMI kg/m^2)で24以上あるいはインスリン分泌状態が空腹時血中インスリン値で5μU/mL以上とする

用法・用量 1日1回1錠(ピオグリタゾン/グリメピリドとして15mg/1mg又は30mg/3mg)．朝食前又は朝食後

用法・用量に関連する使用上の注意 ①ピオグリタゾンの投与により浮腫が比較的女性に多く報告されているので，グリメピリド1日1mg単剤の治療により効果不十分な女性に投与する場合は，浮腫の発現に留意し，ピオグリタゾン/グリメピリドとして1日1回15mg/1mgから投与を開始することが望ましい ②グリメピリド1日1mg単剤の治療により効果不十分な高齢者に投与する場合は，ピオグリタゾン/グリメピリドとして1日1回15mg/1mgから投与を開始することが望ましい ③グリメピリド1日3mg単剤の治療により効果不十分な場合は，浮腫，低血糖等に注意し，ピオグリタゾンとして1日30mgを上乗せすることが適切であるか慎重に検討する ④ピオグリタゾンとして1日30mg単剤の治療により効果不十分な場合は，原則としてグリメピリドの開始用量(1日0.5～1mg)から各単剤の併用療法を行う

禁忌・原則禁忌となる特定患者集団 妊婦又は妊娠している可能性のある女性

使用上の注意

> **警告** 重篤かつ遷延性の低血糖症を起こすことがある．用法及び用量，使用上の注意に特に留意する

禁忌 ①心不全の患者及び心不全の既往歴のある患者［ピオグリタゾンでは，動物試験において循環血漿量の増加に伴う代償性の変化と考えられる心重量の増加がみられており，また，臨床的にも心不全を増悪あるいは発症したとの報告がある］ ②重篤な肝又は腎機能障害のある患者［低血糖を起こすおそれがある］ ③重症ケトーシス，糖尿病性昏睡又は前昏睡，1型糖尿病の患者［輸液，インスリンによる速やかな高血糖の是正が必須となる］ ④重症感染症，手術前後，重篤な外傷のある患者［インスリン注射による血糖管理が望まれるので本剤の投与は適さない］ ⑤下痢，嘔吐等の胃腸障害のある患者［低血糖を起こすおそれがある］ ⑥妊婦又は妊娠している可能性のある女性 ⑦本剤の成分又はスルホンアミド系薬剤に対し過敏症の既往歴のある患者

相互作用概要 ピオグリタゾンは主としてCYP2C8で代謝され，他に複数の分子種が代謝に関与する．グリメピリドは主としてCYP2C9で代謝される

過量投与 ①症状：低血糖が起こることがある ②処置 (1)飲食が可能な場合：ブドウ糖(5～15g)又は10～30gの砂糖の入った吸収の良いジュース，キャンディ等を摂取させる (2)意識障害がある場合：ブドウ糖液(50% 20mL)を静注し，必要に応じて5%ブドウ糖液点滴により血糖値の維持を図る (3)血糖上昇ホルモンとしてのグルカゴン投与もよい

薬物動態

血中濃度 ①生物学的同等性試験：健康成人(71例)にピオグリタゾン/グリメピリドとして30mg/3mg配合錠とピオグリタゾンとして30mgとグリメピリド3mg(単剤併用投与)をクロスオーバー法で1日1回絶食下単回経口投与時のピオグリタゾン未変化体，グリメピリド未変化体の血漿中濃度推移は，生物学的同等性が認められた．配合錠投与時のピオグリタゾン未変化体，活性代謝物(M-Ⅱ～Ⅳ)及びグリメピリド未変化体の薬物動態学的パラメータは，測定物質がピオグリタゾン，

ヒ

M-II，M-III，M-IV，グリメピリドの順に，Cmax(ng/mL)1183.2±364.4，37.3±15.4，254.4±84.9，508.3±136.9，222.5±64.7．Tmax(h)2.6±1.4，6.8±2.2，12.6±4.8，13.3±6.3，2.2±0.7．$AUC_{0\text{-}inf}$(ng・h/mL)11842.2±3607.7，1075.1±465.4，12757.7±4104.0，28422.2±6984.2，1269.7±426.1．$T_{1/2}$(h)8.9±9.3，15.5±9.2，28.3±10.2，27.3±9.0，7.5±5.5．なお，Wistar fattyラットで調べた血糖低下作用において，ピオグリタゾンの代謝物M-Ⅱ～Ⅳの活性は未変化体より弱い　**吸収**　健康成人(24例)を対象としたクロスオーバー試験で，ピオグリタゾン/グリメピリドとして45mg/4mg配合錠を高脂肪食摂取開始の約30分後に投与時，絶食下投与と比較してピオグリタゾン未変化体のAUC及びCmax，グリメピリド未変化体のAUCのそれぞれの幾何平均比(高脂肪食摂取後投与/絶食下投与)90%信頼区間は0.8～1.25の範囲内であったが，グリメピリド未変化体のCmaxの幾何平均比(高脂肪食摂取後投与/絶食下投与)90%信頼区間は1.12～1.33(外国人データ)　**分布**　$[^{14}C]$ピオグリタゾンをヒトの血清，4%ヒト血清アルブミン溶液に添加した時の蛋白結合率は，いずれも98%以上(*in vitro*)　**代謝**　①ピオグリタゾンは主にCYP2C8で代謝され，他に1A1，1A2，2C9，2C19，2D6，3A4の複数の分子種が代謝に関与しエーテル部の開裂，エチレン部分の酸化，エチル基の酸化などを受けてM-Ⅰ～Ⅳに代謝される．また，ピオグリタゾンはCYP1A1，1A2，2A6，2B6，2C8，2C9，2C19，2D6，2E1，3A4にほとんど影響を与えなかった(*in vitro*)　②グリメピリドは主にCYP2C9の関与により，シクロヘキシル環メチル基の水酸化を受ける　③ラット肝細胞分画を用いて代謝酵素を検討時，グリメピリドは主にCYP2Cサブファミリーの関与によりシクロヘキシル環メチル基の水酸化を受け，引き続いてサイトゾールの酵素によってカルボン酸体に変換されることが示唆されている　**排泄**　①健康成人男子(14例)に空腹時にピオグリタゾンとして1回30mgを単回経口投与時，尿中には主としてM-Ⅳ～Ⅵが排泄され，投与後48時間までの累積尿中排泄率は約30%　②健康成人男子(6例)にグリメピリド1mgを朝食直前に単回経口投与時，尿中にはグリメピリド代謝物のみが検出．この代謝物は，シクロヘキシル環のメチル基の水酸化体及びカルボン酸体で，投与後24時間までに投与量の44.9%が尿中に排泄　**その他**　2型糖尿病患者(31例/群)を対象に1日1回グリメピリド1mg又は3mgの4週間反復投与時と1日1回ピオグリタゾン/グリメピリドとして15mg/1mg又は30mg/3mg配合錠の2週間反復投与時のグリメピリド血漿中トラフ濃度の比較で，ピオグリタゾンはグリメピリドの薬物動態に影響を与えないと考えられた

その他の管理的事項

投与期間制限　該当しない

保険給付上の注意　該当しない

資料

IF　ソニアス配合錠LD・HD　2017年6月改訂(第11版)

ピオグリタゾン塩酸塩・メトホルミン塩酸塩錠

Pioglitazone Hydrochloride and Metformin Hydrochloride Tablets

概要

薬効分類　396　糖尿病用剤

分子式　［ピオグリタゾン塩酸塩］$C_{19}H_{20}N_2O_3S$・HCl，［メトホルミン塩酸塩］$C_4H_{11}N_5$・HCl

分子量　［ピオグリタゾン塩酸塩］392.90　［メトホルミン塩酸塩］165.62

ステム　［ピオグリタゾン塩酸塩］チアゾリジン系薬：-glitazone，［メトホルミン塩酸塩］ビグアナイド系薬：-formin

原薬の規制区分　［メトホルミン塩酸塩］(劇)

原薬の外観・性状　［ピオグリタゾン塩酸塩］白色の結晶又は結晶性の粉末である．*N,N*-ジメチルホルムアミド又はメタノールにやや溶けやすく，エタノール(99.5)に溶けにくく，水にほとんど溶けない．0.1mol/L塩酸試液に溶ける．*N,N*-ジメチルホルムアミド溶液(1→20)は旋光性を示さない　［メトホルミン塩酸塩］白色の結晶又は結晶性の粉末である．水に溶けやすく，酢酸(100)にやや溶けにくく，エタノール(99.5)に溶けにくい

原薬の吸湿性　［ピオグリタゾン塩酸塩］25℃，31%RH，75%RH及び93%RHの条件下に14日間保存したが，重量変化は示さず吸湿性は認められなかった．［メトホルミン塩酸塩］該当資料なし

原薬の融点・沸点・凝固点　［ピオグリタゾン塩酸塩］融点：193℃(分解点)　［メトホルミン塩酸塩］融点：約221℃(分解)

原薬の酸塩基解離定数　［ピオグリタゾン塩酸塩］$pKa_1=5.8$(ピリジル基)，$pKa_2=6.4$(チアゾリジル基)，［メトホルミン塩酸塩］pKa＝12.4

先発医薬品等

錠　メタクト配合錠LD・HD(武田テバ薬品＝武田)

国際誕生年月　該当資料なし

海外での発売状況　欧米など

製剤

規制区分　**錠**　(劇)(処)

製剤の性状　**LD錠**　白色のフィルムコーティング錠　**HD錠**　帯黄白色のフィルムコーティング錠

有効期間又は使用期限　3年

貯法・保存条件　室温保存

薬剤取扱い上の留意点　オルメサルタン　メドキソミル製剤等との一包化は避ける(一包化して高温高湿度条件下にて保存した場合，本剤が変色することがある)．他の糖尿病用薬と併用した場合に低血糖を起こすことがあるので，これらの薬剤との併用時には患者に対し低血糖症状及びその対処方法について十分説明し，注意喚起すること．乳酸アシドーシス及び低血糖症状に関する注意について，患者及びその家族に十分指導すること．また，まれに重篤な乳酸アシドーシス，低血糖症状を起こすことがあるので，高所作業や自動車等の運転等に従事している患者に投与するときには注意すること．投与中に血尿，頻尿，排尿痛等の症状が認められた場合には，直ちに受診するよう指導すること

患者向け資料等　患者向医薬品ガイド，くすりのしおり

溶液及び溶解時のpH　該当しない

浸透圧比　該当しない

安定なpH域　該当しない

調製時の注意　該当しない

薬理作用

分類　チアゾリジン系薬・ビグアナイド系薬配合剤

作用部位・作用機序　各項目参照

同効薬　ピオグリタゾン塩酸塩，メトホルミン塩酸塩などの糖尿病用薬

治療

効能・効果　2型糖尿病(ただし，ピオグリタゾン塩酸塩及びメトホルミン塩酸塩の併用による治療が適切と判断される場合に限る)

効能・効果に関連する使用上の注意　①2型糖尿病治療の第一選択薬として用いない　②原則として，既にピオグリタゾン塩酸塩(ピオグリタゾンとして1日15mg又は30mg)及びメトホルミン塩酸塩(メトホルミン塩酸塩として1日500mg)を併用し状態が安定している場合，あるいはピオグリタゾン塩酸塩(ピオグリタゾンとして1日15mg又は30mg)又はメトホルミン塩酸塩(メトホルミン塩酸塩として1日500mg)単剤の治療により効果不十分な場合に，本剤の使用を検討する　③投与中において，本剤の投与がピオグリタゾン塩酸塩及びメトホルミン塩酸塩の各単剤の併用よりも適切であるか慎重に判

断する ④適用においては，あらかじめ糖尿病治療の基本である食事療法，運動療法を十分に行う ⑤本剤を使用する場合は，インスリン抵抗性が推定される患者に限定する．インスリン抵抗性の目安は肥満度(Body Mass Index＝BMI kg/m²)で24以上あるいはインスリン分泌状態が空腹時血中インスリン値で5μU/mL以上とする

用法・用量 1日1回1錠(ピオグリタゾン/メトホルミン塩酸塩として15mg/500mg又は30mg/500mg)，朝食後

用法・用量に関連する使用上の注意 ①ピオグリタゾンの投与により浮腫が比較的女性に多く報告されているので，女性に投与する場合は，浮腫の発現に留意し，本剤に含まれるピオグリタゾンとしての投与量は1日1回15mgから投与を開始することが望ましい ②中等度の腎機能障害のある患者(eGFR30mL/min/1.73m²以上60mL/min/1.73m²未満)では，メトホルミンの血中濃度が上昇し，乳酸アシドーシスの発現リスクが高くなる可能性があるため，次の点に注意すること．特にeGFRが30mL/min/1.73m²以上45mL/min/1.73m²未満の患者には，治療上の有益性が危険性を上回ると判断される場合にのみ投与する：(1)メトホルミン塩酸塩を少量より開始し，効果を観察しながら徐々に増量するなど，慎重に投与量を調節することが必要であるため，本剤投与がピオグリタゾン及びメトホルミン塩酸塩の各単剤の併用療法より適切であるか慎重に判断する (2)本剤に含まれるピオグリタゾン及びメトホルミン塩酸塩の量，次に示すメトホルミン塩酸塩単剤の1日最高投与量の目安も考慮して，本剤の投与量を決める：推算糸球体濾過量(eGFR)(mL/min/1.73m²)，メトホルミン塩酸塩としての1日最高投与量※の目安の順に，45＜eGFR＜60→1500mg，30＜eGFR＜45→750mg ※メトホルミン塩酸塩単剤の承認用法は1日量を1日2～3回分割投与であるが，本剤(ピオグリタゾン/メトホルミン塩酸塩として15mg/500mg又は30mg/500mg)の承認用法は1日1回投与である (3)投与中は，より頻回に腎機能(eGFR等)を確認するなど慎重に経過を観察し，投与の適否及び投与量の調節を検討する

禁忌・原則禁忌となる特定患者集団 妊婦又は妊娠している可能性のある女性

使用上の注意

警告 ①重篤な乳酸アシドーシスを起こすことがあり，死亡に至った例も報告されている．乳酸アシドーシスを起こしやすい患者には投与しない ②腎機能障害又は肝機能障害のある患者，高齢者に投与する場合には，定期的に腎機能や肝機能を確認する等，慎重に投与する．特に75歳以上の高齢者では，本剤投与の適否を慎重に判断する

禁忌 ①心不全の患者及び心不全の既往歴のある患者［ピオグリタゾンでは，動物試験において循環血漿量の増加に伴う代償性の変化と考えられる心重量の増加がみられており，また，臨床的にも心不全を増悪あるいは発症したとの報告がある］ ②次に示す患者［メトホルミンによる乳酸アシドーシスを起こしやすい］：(1)乳酸アシドーシスの既往のある患者 (2)重度の腎機能障害(eGFR30mL/min/1.73m²未満)のある患者又は透析患者(腹膜透析を含む) (3)心血管系，肺機能に高度の障害(ショック，心不全，心筋梗塞，肺塞栓等)のある患者及びその他の低酸素血症を伴いやすい状態にある患者［嫌気的解糖の亢進により乳酸産生が増加する］ (4)脱水症の患者又は脱水状態が懸念される患者(下痢，嘔吐等の胃腸障害のある患者，経口摂取が困難な患者等) (5)過度のアルコール摂取者 ③重度の肝機能障害のある患者［肝臓における乳酸の代謝能が低下し，メトホルミンによる乳酸アシドーシスを起こしやすい．また，ピオグリタゾンは主に肝臓で代謝されるため，蓄積するおそれがある］ ④重症ケトーシス，糖尿病性昏睡又は前昏睡，1型糖尿病の患者［輸液，インスリンによる速やかな高血糖の是正が必須となる］ ⑤重症感染症，手術前後，重篤な外傷のある患者［インスリン注射による血糖管理が望まれるので本剤の投与は適さない．また，乳酸アシドーシスを起こしやすい］ ⑥栄養不良状態，飢餓状態，衰弱状態，脳下垂体機能不全又は副腎機能不全の患者［低血糖を起こすおそれがある］ ⑦本剤の各成分又はビグアナイド系薬剤に対し過敏症の既往歴のある患者 ⑧妊婦又は妊娠している可能性のある女性

相互作用概要 ピオグリタゾンは主としてCYP2C8で代謝され，他に複数の分子種が代謝に関与する

過量投与 ①症状：乳酸アシドーシスが起こることがある ②処置：アシドーシスの補正(炭酸水素ナトリウム静注等)，輸液(強制利尿)，血液透析等の適切な処置を行う

薬物動態

血中濃度 ①単回投与：健康成人男子(82例)にピオグリタゾン/メトホルミン塩酸塩として30mg/500mg配合錠とピオグリタゾン塩酸塩30mg1錠とメトホルミン塩酸塩250mg2錠をクロスオーバー法により1日1回絶食下経口投与時のピオグリタゾン未変化体及びメトホルミン未変化体の血漿中濃度推移は，生物学的同等性が認められた．また，30mg/500mg配合錠のピオグリタゾン未変化体，活性代謝物(M-Ⅱ～Ⅳ)及びメトホルミン未変化体の薬物動態学的パラメータ(Cmax(ng/mL)，Tmax(h)，AUC_{0-72}(ng・h/mL)，$T_{1/2}$(h)の順)は，ピオグリタゾン未変化体：1073.1±407.59，2.5±1.03，11242.1±3679.00，10.4±13.66，M-II：29.5±14.56，7.6±2.51，380.6±248.75，25.2±18.42，M-III：180.4±58.37，17.2±6.72，8112.7±2454.85，32.7±13.96，M-IV：427.8±132.61，15.5±6.69，19159.5±5244.59，31.2±13.40，メトホルミン：1426.0±387.41，2.8±0.95，8641.7±1698.97，4.4±1.40．なお，Wistar fattyラットで調べた血糖低下作用において，M-Ⅱ～Ⅳの活性は未変化体より弱かった **吸収** ①外国人健康成人男女(28例)にピオグリタゾン/メトホルミン塩酸塩として15mg/850mg錠を空腹時又は高脂肪食後に投与時，高脂肪食後投与時においてメトホルミン未変化体のCmaxが約28%低下したが，メトホルミン未変化体のAUCとピオグリタゾン未変化体のAUC及びCmaxに差はみられなかった ②健康成人男子(8例)に空腹時又は食後にピオグリタゾンとして1回30mgを単回経口投与時，食後投与において未変化体のTmaxの延長がみられた以外に未変化体の薬物速度論的パラメータに大きな差はなく，摂食による影響はほとんどないと考えられた ③胃液酸度低酸者(5例)にピオグリタゾン30mgのクエン酸添加錠又は非添加錠をクロスオーバー法で単回投与時，ピオグリタゾン未変化体の体内動態に大きな差はなく，クエン酸添加の影響はみられなかった **分布** [^{14}C]ピオグリタゾン塩酸塩をヒトの血清，4%ヒト血清アルブミン溶液に添加したときの蛋白結合率は，いずれも98%以上 **代謝** ①ピオグリタゾンの代謝にはチトクロームP450 1A1，1A2，2C8，2C9，2C19，2D6，3A4の複数の分子種が関与．また，ピオグリタゾンはヒトチトクロームP450分子種発現ミクロゾームの代謝活性に対して，チトクロームP450 1A1，1A2，2A6，2B6，2C8，2C9，2C19，2D6，2E1，3A4にほとんど影響を与えなかった(*in vitro*) ②メトホルミンはヒト体内では代謝されず，また，チトクロームP450 1A2，2C8，2C9，2C19，2D6，2E1，3A4に影響を与えなかった(*in vitro*) **排泄** ①健康成人男子(14例)に空腹時にピオグリタゾンとして1回30mgを単回経口投与時，尿中には主としてM－Ⅳ～Ⅵが排泄され，投与後48時間までの累積尿中排泄率は約30% ②メトホルミンはヒト体内では代謝されず，未変化体のまま尿中に排泄 **特定の背景を有する患者** ①腎機能障害患者：腎機能正常者(クレアチニンクリアランス：＞90mL/min)，軽度(クレアチニンクリアランス：61～90mL/min)及び中等度(クレアチニンクリアランス：31～60mL/min)の腎機能障害者にメトホルミン塩酸塩850mgを空腹時単回経口投与時のメトホルミンの薬物動態パラメータ(腎機能正常者3例，軽度腎機能障害者5例，中等度腎機能障害者4例の順)は，Cmax(μg/mL)1.64±050，1.86±0.52，4.12±1.83，$AUC_{0-\infty}$(μg・h/mL)11.22±3.19，13.22±2.00，58.30±

ヒ

36.58, $T_{1/2}$(h)11.2±5.2, 17.3±21.2, 16.2±7.6, CL_R(mL/min)394.7±83.8, 383.6±122.3, 108.3±57.2(外国人データ)

その他の管理的事項

投与期間制限　該当しない

保険給付上の注意　該当しない

資料

IF　メタクト配合錠LD・HD　2019年7月改訂(第14版)

ビオチン
Biotin

別名：ビタミンH

概要

薬効分類　319　その他のビタミン剤

構造式

分子式　$C_{10}H_{16}N_2O_3S$

分子量　244.31

ステム　該当しない

原薬の規制区分　該当しない

原薬の外観・性状　白色の結晶又は結晶性の粉末である．水又はエタノール(99.5)に極めて溶けにくい．希水酸化ナトリウム試液に溶ける

原薬の吸湿性　該当資料なし

原薬の融点・沸点・凝固点　融点：約231℃(分解)

原薬の酸塩基解離定数　該当資料なし

先発医薬品等

散 ビオチン散0.2%「フソー」(扶桑)
ビオチン散0.2%「ホエイ」(東洋製化＝ファイザー)

注 ビオチン注1mg「フソー」(扶桑)

後発医薬品

シロップ用 0.1%

国際誕生年月　不明

海外での発売状況　該当しない

製剤

規制区分　注 ㊇

製剤の性状　散 白色の散剤　注 無色澄明の水性注射液で，特異な味があり，においはない

有効期間又は使用期限　散(バラ包装)　注 3年　散(SP包装) 5年

貯法・保存条件　散　注 室温保存

薬剤取扱い上の留意点　該当資料なし

患者向け資料等　くすりのしおり

溶液及び溶解時のpH　注 6.0～7.0

浸透圧比　注 1.0～1.1

調製時の注意　該当しない

薬理作用

分類　ビタミンH製剤

作用部位・作用機序　カルボキシル基転移に関与し，acetyl CoA carboxylase, propionyl CoA carboxylase, pyruvate carboxylaseなどの酵素の補酵素として作用する

同効薬　ビオチン製剤

治療

効能・効果　急・慢性湿疹，小児湿疹，接触皮膚炎，脂漏性湿疹，尋常性ざ瘡

用法・用量　散　シロップ用 ビオチンとして1日0.5～2mg，1日1～3回に分服(適宜増減)

注 ビオチンとして1日0.5～2mg皮下・筋注又は静注(適宜増減)

薬物動態

注 健常人に0.015mg/kg注射時の最高遊離体濃度は筋注40分後3.7ng/mL，皮下注20分後3.8ng/mL，以後漸減し，6時間後0.9ng/mL．血中半減期は約3時間

その他の管理的事項

投与期間制限　該当しない

保険給付上の注意　該当しない

資料

IF　ビオチン散0.2%「フソー」 2019年6月改訂(第7版)
ビオチン注1mg「フソー」 2015年9月改訂(第6版)

沈降B型肝炎ワクチン
Adsorbed Hepatitis B Vaccine

概要

薬効分類　631　ワクチン類

原薬の規制区分　㊀

原薬の外観・性状　振り混ぜるとき，均等に白濁する

ビカルタミド
Bicalutamide

概要

薬効分類　429　その他の腫瘍用薬

構造式

及び鏡像異性体

分子式　$C_{18}H_{14}F_4N_2O_4S$

分子量　430.37

原薬の規制区分　㊀

原薬の外観・性状　白色の粉末又は結晶性の粉末である．アセトンに溶けやすく，メタノールにやや溶けにくく，エタノール(99.5)に溶けにくく，水にほとんど溶けない．本品のアセトン溶液(1→100)は旋光性を示さない．結晶多形が認められる

原薬の吸湿性　25℃，相対湿度90%の保存条件下で，吸湿性は認められなかった

原薬の融点・沸点・凝固点　融点：192～197℃

原薬の酸塩基解離定数　pKa＝1.13(塩基のアミド結合)，11.89(酸のヒドロキシ基)

先発医薬品等

錠 カソデックス錠80mg(アストラゼネカ)
カソデックスOD錠80mg(アストラゼネカ)

後発医薬品

錠 80mg・OD錠80mg

国際誕生年月　1995年2月

海外での発売状況　米，英など

製剤

規制区分　㊀ ㊇

製剤の性状　錠 白色のフィルムコーティング錠　口腔内崩壊

錠 白色～微黄白色の素錠
有効期間又は使用期限 3年
貯法・保存条件 室温保存
患者向け資料等 くすりのしおり

薬理作用

分類 非ステロイド性抗アンドロゲン剤
作用部位・作用機序 ジヒドロテストステロンとアンドロゲン受容体との結合を競合的に阻害することにより抗アンドロゲン作用を発揮し，アンドロゲン依存性の臓器(前立腺・精嚢)及び前立腺腫瘍の細胞増殖を抑制
同効薬 フルタミド

治療

効能・効果 前立腺癌
効能・効果に関連する使用上の注意 ①本剤による治療は，根治療法ではないことに留意し，投与12週後を抗腫瘍効果観察のめどとして，投与により期待する効果が得られない場合，あるいは病勢の進行が認められた場合には，手術療法等，他の適切な処置を考慮する ②投与により，安全性の面から容認し難いと考えられる副作用が発現した場合は，治療上の有益性を考慮の上，必要に応じ，休薬又は集学的治療法等の治療法に変更する
用法・用量 1日1回80mg
用法・用量に関連する使用上の注意 **口腔内崩壊錠** 口腔内で崩壊するが，口腔の粘膜から吸収されることはないため，唾液又は水で飲み込む
禁忌・原則禁忌となる特定患者集団 小児，女性

使用上の注意

禁忌 ①本剤の成分に対し過敏症の既往歴のある患者 ②小児［本薬の薬理作用に基づき，男子小児の生殖器官の正常発育に影響を及ぼすおそれがある．また，本薬の毒性試験(ラット)において，雌性ラットで子宮の腫瘍性変化が認められている］ ③女性［本薬の毒性試験(ラット)において，子宮の腫瘍性変化及び雄児の雌性化が報告されている］
相互作用概要 主としてCYP3A4を阻害する

薬物動態

血漿中濃度 ①健康成人における血漿中濃度：健康成人男子にカソデックス錠80mg又はカソデックスOD錠80mgをクロスオーバー法にて空腹時に単回経口投与した．R-ビカルタミド(活性体)の血漿中濃度は，投与後36時間に最高値を示し，消失半減期は4.9～5.2日であった．また，カソデックス錠とOD錠は生物学的に同等であった．薬物動態パラメータ(C_{max}(μg/mL)，tmax(h)，AUC_∞(μg・h/mL)，$t_{1/2}$(日)の順)は，(1)カソデックス錠80mg(23例)1.21±0.23，36.0(24.0～72.0)，280±80，5.2±1.4 (2)カソデックスOD錠80mg(21例)1.26±0.21，36.0(15.0～72.0)，286±69，4.9±1.1 平均値±標準偏差[tmaxは中央値(範囲)] ②OD錠を水とともに投与時の血漿中濃度：健康成人男子にカソデックスOD錠80mgを水とともに空腹時単回経口投与し，クロスオーバー法にてカソデックス錠80mgと比較したところ，両製剤は生物学的に同等であった．R-ビカルタミドの薬物動態パラメータ(C_{max}(μg/mL)，tmax(h)，AUC_∞(μg・h/mL)，$t_{1/2}$(日)の順)は，(1)カソデックス錠80mg(22例)1.25±0.27，36.0(9.0～72.0)，262±78，4.6±0.7 (2)カソデックスOD錠80mg(22例)1.29±0.25，36.0(5.0～72.0)，277±86，4.8±1.2 平均値±標準偏差[tmaxは中央値(範囲)] ③前立腺癌患者における血漿中濃度：前立腺癌患者にビカルタミド80mgを単回経口投与時，投与後6，12，24時間の血漿中R-ビカルタミド(活性体)濃度はほぼ一定(1.5-1.7μg/mL，n=3)であった．また，80mgの用量で1日1回反復経口投与時，血漿中R-ビカルタミド濃度は約8週で定常状態(18μg/mL，n=37)に達した．さらに，反復投与時の血漿中濃度推移から推定したみかけの消失半減期は8.4日であった．なお，定常状態における血漿中S-ビカルタミド(非活性体)濃度はR-ビカルタミド濃度の1%以下であった ④年齢及び腎機能の影響(外国人によるデータ)：反復投与時の血漿中濃度は，年齢あるいはクレアチニンクリアランスとの間に相関関係を示さなかった ⑤肝機能の影響(外国人によるデータ)：肝機能障害患者では，R-ビカルタミドの消失半減期が長くなる傾向が認められている **代謝及び排泄(外国人によるデータ)** ヒトにおけるビカルタミドの代謝は，水酸化及びグルクロン酸抱合であった．血漿中には未変化体が，尿中には未変化体のグルクロン酸抱合体及び水酸化体のグルクロン酸抱合体が，糞中には未変化体及び水酸化体が認められた．ビカルタミド50mg経口投与後9日目までの累積尿中及び糞中排泄率は，それぞれ36%及び43%であった **蛋白結合率** *in vitro*におけるヒト血漿蛋白結合率(ラセミ体)は96%であった **チトクロムP450に及ぼす影響** 本薬は*in vitro*試験で，チトクロムP450酵素(CYP3A4)を阻害し，またそれより程度は低いが，他のチトクロムP450酵素(CYP2C9，2C19，2D6)に対しても阻害作用を示すとの報告がある．海外臨床試験において，ビカルタミド150mgまで投与された患者で，アンチピリン代謝に関与するチトクロムP450酵素に対しほとんど影響は認められていない．ビカルタミドは臨床の場で通常併用される薬剤とは相互作用を示す可能性は低いと考えられる

その他の管理的事項

投与期間制限 該当しない
保険給付上の注意 該当しない

資料

IF カソデックス錠80mg・OD錠80mg 2016年4月改訂(第18版)

ヒ

ピコスルファートナトリウム水和物
Sodium Picosulfate Hydrate

概要

薬効分類 235 下剤，浣腸剤
構造式

NaO_3SO / OSO_3Na / N / ・H_2O

分子式 $C_{18}H_{13}NNa_2O_8S_2 \cdot H_2O$
分子量 499.42
ステム 不明
原薬の規制区分 該当しない
原薬の外観・性状 白色の結晶性の粉末で，におい及び味はない．水に極めて溶けやすく，メタノールにやや溶けやすく，エタノール(99.5)に溶けにくく，ジエチルエーテルにほとんど溶けない．光により徐々に着色する．1.0gを水20mLに溶かした液のpHは7.4～9.4である
原薬の吸湿性 80%RH以上では，吸湿性を示す
原薬の融点・沸点・凝固点 融点：約260℃以上(分解，乾燥後)
原薬の酸塩基解離定数 pKa＝5.50(滴定法)
先発医薬品等
　錠 ラキソベロン錠2.5mg(帝人ファーマ)
　内用液 ラキソベロン内用液0.75%(帝人ファーマ)
後発医薬品
　顆 1%
　錠 2.5mg・7.5mg
　カ 2.5mg
　シロップ用 1%
　内用液 0.75%

国際誕生年月　1967年10月
海外での発売状況　独など11カ国

製剤

製剤の性状　**錠** 白色のフィルムコーティング錠　**内用液** 無色〜微黄色の澄明な，僅かに粘性のある液体で，においはなく，味は甘い
有効期間又は使用期限　3年
貯法・保存条件　**錠** 気密容器，室温保存　**内用液** 遮光した気密容器，室温保存
薬剤取扱い上の留意点　**内用液** 眼科用(点眼)として使用しないこと
患者向け資料等　くすりのしおり
溶液及び溶解時のpH　**内用液** 5.0〜7.5

薬理作用

分類　フェノール系緩下剤
作用部位・作用機序　作用部位：大腸　作用機序：胃，小腸ではほとんど作用せず，大腸細菌叢由来の酵素アリルスルファターゼにより加水分解され，活性型のジフェノール体となる(ラット)．ジフェノール体は，腸管粘膜への以下の作用により瀉下作用を示す
同効薬　センノシド，ビサコジル

治療

効能・効果　①各種便秘症　②術後排便補助　③造影剤(硫酸バリウム)投与後の排便促進　④**顆　内用液　シロップ用** 手術前における腸管内容物の排除　⑤**顆　内用液　シロップ用** 大腸検査(X線・内視鏡)前処置における腸管内容物の排除
用法・用量　効能①：ピコスルファートナトリウム水和物として1日1回5.0〜7.5mg(適宜増減)．**カ　錠** 1日1回7〜15歳5mgの用法がある．**顆　内用液　シロップ用** 小児1日1回基準量：7〜15歳5mg，4〜6歳3.5mg，1〜3歳3mg，7〜12カ月1.5mg，6カ月以下1mg(適宜増減)　効能②：ピコスルファートナトリウム水和物として1日1回5〜7.5mg(適宜増減)　効能③：ピコスルファートナトリウム水和物として**顆　シロップ用** 3〜7.5mg，**錠　内用液** 5〜7.5mg(適宜増減)　効能④：ピコスルファートナトリウム水和物として7mg(適宜増減)　効能⑤：ピコスルファートナトリウム水和物として検査予定の10〜15時間前に150mg(適宜増減)．内用液1mL(7.5mg)＝約15滴

使用上の注意

禁忌　①急性腹症が疑われる患者［腸管ぜん動運動の亢進により，症状が増悪するおそれがある］　②本剤の成分に対して過敏症の既往歴のある患者　③腸管に閉塞のある患者又はその疑いのある患者(大腸検査前処置に用いる場合)［腸管ぜん動運動の亢進により腸管の閉塞による症状が増悪し，腸管穿孔に至るおそれがある］

薬物動態

(参考)　**分布**　^{14}C-ピコスルファートナトリウム水和物5mg/kgをラットに経口投与時，大部分が胃腸管部に局在，わずかが肝臓，腎臓，血液及び肺に分布．繰り返し投与によってもほとんど変化がなかった　**代謝**　ラットに経口投与時，小腸内で加水分解されず大腸に移行，大腸細菌叢由来の酵素アリルスルファターゼによりジフェノール体に加水分解．ジフェノール体の一部は吸収され肝臓でグルクロン酸抱合を受ける　**排泄**　大腸で加水分解を受け生成したジフェノール体の大部分は，そのまま糞便中に排泄．一部吸収されたジフェノール体は，肝臓でグルクロン酸抱合を受け，尿中に排泄されるか，胆汁とともに再度十二指腸内に分泌され腸管を経由して糞便中に排泄．ラットに^{14}C-ピコスルファートナトリウム水和物5mg/kgを経口投与し，72時間まで測定．体内からの排泄は，投与後48時間でほとんど終了．さらに72時間では投与量の21％が尿中に，72％が糞便中に排泄

その他の管理的事項

投与期間制限　該当しない
保険給付上の注意　該当しない

資料

IF　ラキソベロン錠2.5mg・内用液0.75％　2010年4月改訂(第5版)

ビサコジル
ビサコジル坐剤
Bisacodyl

概要

薬効分類　235　下剤，浣腸剤
構造式

分子式　$C_{22}H_{19}NO_4$
分子量　361.39
ステム　血管拡張薬：-dyl
原薬の規制区分　該当しない
原薬の外観・性状　白色の結晶性の粉末である．酢酸(100)に溶けやすく，アセトンにやや溶けやすく，エタノール(95)又はジエチルエーテルに溶けにくく，水にほとんど溶けない．希塩酸に溶ける
原薬の吸湿性　該当資料なし
原薬の融点・沸点・凝固点　融点：132〜136℃
原薬の酸塩基解離定数　該当資料なし
先発医薬品等
坐 テレミンソフト坐薬2mg・10mg(EAファーマ)
ビサコジル坐剤乳幼児用2mg・坐剤10mg「JG」(長生堂＝日本ジェネリック)
ビサコジル坐剤2mg・10mg「日新」(日新製薬)
国際誕生年月　不明
海外での発売状況　独など

製剤

製剤の性状　**坐** 淡黄白色の紡すい型坐剤
有効期間又は使用期限　3年
貯法・保存条件　室温保存(高温を避けて保存)
薬剤取扱い上の留意点　服薬指導：①早くて5分程度，遅くとも2時間以内に効果が現れることを患者に説明し，対処してもらう　②妊婦又は妊娠している可能性がある場合には申し出るように指導する
患者向け資料等　くすりのしおり
溶液及び溶解時のpH　該当しない
浸透圧比　該当しない
安定なpH域　該当しない
調製時の注意　該当しない

薬理作用

分類　Dioxy-diphehyl-methane系排便機能促進剤
作用部位・作用機序　作用部位：結腸及び直腸　作用機序：刺激性の緩下作用を示す．結腸・直腸粘膜の副交感神経末端に作用して蠕動をたかめ，また腸粘膜への直接作用により排便反射を刺激する
同効薬　特になし

治療

効能・効果　便秘症，消化管検査時又は手術前後における腸管内容物の排除
用法・用量　1回10mg，〔2mg製剤及び「日新」〕乳幼児2mg

(〔「日新」〕小児1回5mg)1日1～2回肛門内に挿入(適宜増減)

使用上の注意

禁忌 ①急性腹症が疑われる患者［ぜん動運動の促進及び排便反射の刺激作用により，症状を悪化させるおそれがある］②痙攣性便秘の患者［ぜん動運動の促進及び排便反射の刺激作用により，症状を悪化させるおそれがある］ ③重症の硬結便のある患者［ぜん動運動の促進及び排便反射の刺激作用により，症状を悪化させるおそれがある］ ④肛門裂創，潰瘍性痔核のある患者［坐剤挿入に伴う物理的，機械的な刺激を避けるため］

その他の管理的事項

投与期間制限 該当しない

保険給付上の注意 該当しない

資料

IF テレミンソフト坐薬2mg・10mg 2016年4月改訂(第3版)

乾燥BCGワクチン
Freeze-dried BCG Vaccine(for Percutaneous Use)

概要

薬効分類 631 ワクチン類

ステム 該当しない

原薬の規制区分 (生物) (劇)

原薬の外観・性状 溶剤を加えるとき，白色～淡黄色の混濁した液となる

原薬の吸湿性 該当資料なし

原薬の融点・沸点・凝固点 該当しない

原薬の酸塩基解離定数 該当しない

先発医薬品等

注射用 乾燥BCGワクチン(経皮用・1人用)(日本BCG)

国際誕生年月 不明

海外での発売状況 該当しない

製剤

規制区分 注射用 (生物) (劇) (処)

製剤の性状 凍結乾燥製剤．溶剤を加えるとき，白色～淡黄色の混濁した液となる

有効期間又は使用期限 2年

貯法・保存条件 10℃以下で保存

薬剤取扱い上の留意点 使用済のアンプル，管針などは，感染防止に留意し安全な方法で処分すること

溶液及び溶解時のpH 5.5～7.0(添付溶剤で懸濁時)

調製時の注意 懸濁後のBCGは凝集する性質をもち，不均等な懸濁液となりやすいので，懸濁後は速やかに使用し，残液は滅菌後廃棄する

薬理作用

分類 ワクチン類

作用部位・作用機序 BCG接種によって誘導される結核に対する免疫は，Tリンパ球とマクロファージを主体とした細胞性免疫

同効薬 該当しない

治療

効能・効果 結核予防

用法・用量 溶剤を加えたものを上腕外側のほぼ中央部に滴下塗布し，経皮用接種針(管針)を用いて行う

〈接種方法(管針法による経皮接種)〉 添付の溶剤(生理食塩液)を加えて80mg/mLの濃度の均一な懸濁液とし，接種部位の皮膚を緊張させ，懸濁液を塗った後，9本針植付けの管針を接種皮膚面に対してほぼ垂直に保ち，これを強く圧して行う．接種数は2箇とし，管針の円跡は相互に接するものとする

用法・用量に関連する使用上の注意 ①経皮接種用の濃厚なワクチンであり，もし皮内等に注射すると強い局所反応を呈するので，絶対に注射してはならない ②他の生ワクチン(注射剤)との接種間隔他の生ワクチン(注射剤)の接種を受けた者は，通常，27日以上間隔を置いて本剤を接種する ③同時接種医師が必要と認めた場合には，他のワクチンと同時に接種することができる(なお，本剤を他のワクチンと混合して接種してはならない)

使用上の注意

禁忌 ［接種不適当者］ 被接種者が次のいずれかに該当すると認められる場合には，接種を行ってはならない：①明らかな発熱を呈している者 ②重篤な急性疾患にかかっていることが明らかな者 ③本剤の成分によってアナフィラキシーを呈したことがあることが明らかな者 ④結核その他の疾病の予防接種，外傷等によるケロイドの認められる者 ⑤免疫機能に異常のある疾患を有する者及び免疫抑制をきたす治療を受けている者 ⑥結核の既往のある者 ⑦前記に掲げる者のほか，予防接種を行うことが不適当な状態にある者

その他の管理的事項

投与期間制限 該当しない

保険給付上の注意 薬価基準適用外

資料

IF 乾燥BCGワクチン(経皮用・1人用) 2020年1月改訂(第6版)

L－ヒスチジン
L-Histidine

概要

構造式

N, HN, CO_2H, H, NH_2

分子式 $C_6H_9N_3O_2$

分子量 155.15

原薬の規制区分 該当しない

原薬の外観・性状 白色の結晶又は結晶性の粉末で，味は僅かに苦い．ギ酸に溶けやすく，水にやや溶けやすく，エタノール(99.5)にほとんど溶けない．6mol/L塩酸試液に溶ける．結晶多形が認められる．1.0gを水50mLに溶かした液のpHは7.0～8.5である

L－ヒスチジン塩酸塩水和物
L-Histidine Hydrochloride Hydrate

概要

構造式

N, HN, CO_2H, H, NH_2, ・HCl ・H_2O

分子式 $C_6H_9N_3O_2$・HCl・H_2O

分子量 209.63

原薬の規制区分 該当しない

原薬の外観・性状 白色の結晶又は結晶性の粉末で，味は初め酸味があり，後に僅かに苦い．水又はギ酸に溶けやすく，エタノール(99.5)にほとんど溶けない．6mol/L塩酸試液に溶ける．1.0gを水10mLに溶かした液のpHは3.5～4.5である

ビソプロロールフマル酸塩
ビソプロロールフマル酸塩錠
Bisoprolol Fumarate

概要

薬効分類　212　不整脈用剤，214　血圧降下剤

構造式

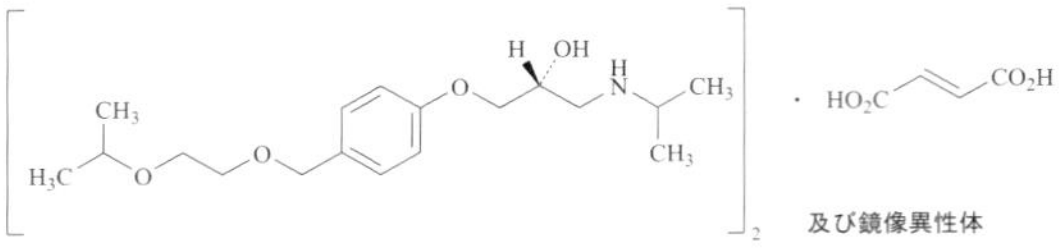

及び鏡像異性体

分子式　$(C_{18}H_{31}NO_4)_2 \cdot C_4H_4O_4$

分子量　766.96

ステム　アドレナリンβ受容体拮抗薬：-olol

原薬の規制区分　劇(ただし，1錠中ビソプロロールとして4.25mg以下を含有するもの及び1枚中ビソプロロールとして8mg以下を含有する貼付剤を除く)

原薬の外観・性状　白色の結晶又は結晶性の粉末である．水又はメタノールに極めて溶けやすく，エタノール(99.5)又は酢酸(100)に溶けやすい．本品の水溶液(1→10)は旋光性を示さない

原薬の吸湿性　温度25℃，23%RH，52%RH，75%RH，90%RHの条件下で1～6カ月間放置し，吸湿性を調べた結果，相対湿度が高い場合(90%RH)，吸湿性を示した

原薬の融点・沸点・凝固点　融点：101～105℃

原薬の酸塩基解離定数　pKa＝9.31

先発医薬品等

錠　メインテート錠0.625mg・2.5mg・5mg(田辺三菱)

後発医薬品

錠　0.625mg・2.5mg・5mg

国際誕生年月　1986年1月

海外での発売状況　米，英，仏，独を含む100カ国以上

製剤

規制区分　**錠**　処

製剤の性状　**錠**　白色の素錠(割線入)

有効期間又は使用期限　3年

貯法・保存条件　室温保存

薬剤取扱い上の留意点　めまい，ふらつきが現れることがあるので，本剤投与中の患者(特に投与初期)には自動車の運転等危険を伴う機械を操作する際には注意させること．手術前48時間は投与しないことが望ましい

患者向け資料等　患者向医薬品ガイド，くすりのしおり

溶液及び溶解時のpH　6.6～6.7(5%水溶液)

浸透圧比　該当しない

安定なpH域　該当しない

調製時の注意　該当しない

薬理作用

分類　選択的β_1受容体遮断剤

作用部位・作用機序　β_1受容体選択性が高く，心臓等のβ_1受容体でカテコールアミンと競合拮抗することで作用を発揮する

同効薬　アテノロール，メトプロロールなど

治療

効能・効果　①(0.625mg錠は除く)本態性高血圧症(軽症～中等症)，狭心症，心室性期外収縮　②次の状態で，アンジオテンシン変換酵素阻害薬又はアンジオテンシンII受容体拮抗薬，利尿薬，ジギタリス製剤等の基礎治療を受けている患者：虚血性心疾患又は拡張型心筋症に基づく慢性心不全　③(0.625mg錠を除く)頻脈性心房細動

用法・用量　効能①：ビソプロロールフマル酸塩として1日1回5mg(適宜増減)　効能②：ビソプロロールフマル酸塩として，成人には1回0.625mg，1日1回から開始．1日1回0.625mgの用量で2週間以上経口投与し，忍容性がある場合には，1日1回1.25mgに増量．その後忍容性がある場合には，4週間以上の間隔で忍容性をみながら段階的に増量し，忍容性がない場合は減量．用量の増減は1回投与量を0.625，1.25，2.5，3.75，5mgとして必ず段階的に行い，いずれの用量においても，1日1回経口投与．通常，維持量として1日1回1.25～5mgを経口投与．なお，年齢，症状により，開始用量はさらに低用量に，増量幅はさらに小さくしてもよい．また，患者の本剤に対する反応性により，維持量は適宜増減するが，最高投与量は1日1回5mgを超えない　効能③：ビソプロロールフマル酸塩として，1日1回2.5mgから開始し，効果が不十分な場合には1日1回5mgに増量．なお，適宜増減するが，最高投与量は1日1回5mgを超えない

用法・用量に関連する使用上の注意　①褐色細胞腫の患者では，単独投与により急激に血圧が上昇することがあるので，α遮断剤で初期治療を行った後に本剤を投与し，常にα遮断剤を併用する　②慢性心不全を合併する本態性高血圧症，狭心症の患者，心室性期外収縮また頻脈性心房細動のある患者では，慢性心不全の用法・用量に従う　③慢性心不全の場合：(1)慢性心不全患者に投与する場合には，必ずビソプロロールフマル酸塩として1日1回0.625mg又はさらに低用量から開始し，忍容性をもとに患者ごとに維持量を設定する　(2)投与初期及び増量時は，心不全の悪化，浮腫，体重増加，めまい，低血圧，徐脈，血糖値の変動及び腎機能の悪化が起こりやすいので，観察を十分に行い，忍容性を確認する　(3)投与初期又は増量時における心不全や体液貯留の悪化(浮腫，体重増加等)を防ぐため，本剤の投与前に体液貯留の治療を十分に行う．心不全や体液貯留の悪化(浮腫，体重増加等)がみられ，利尿薬増量で改善がみられない場合には本剤を減量又は中止する．低血圧，めまい等の症状がみられ，アンジオテンシン変換酵素阻害薬や利尿薬の減量により改善しない場合には本剤を減量する．高度な徐脈をきたした場合には減量する．また，これら症状が安定化するまで増量しない　(4)投与を急に中止した場合，心不全が一過性に悪化するおそれがあるので，中止する場合には，急に中止せず，原則として徐々に減量し中止する　(5)2週間以上休薬した後，投与を再開する場合には，用法・用量の項に従って，低用量から開始し，段階的に増量する　④頻脈性心房細動を合併する本態性高血圧症，狭心症の患者又は心室性期外収縮のある患者に投与する場合，頻脈性心房細動の用法・用量は1日1回2.5mgから開始することに留意した上で，各疾患の指標となる血圧や心拍数，症状等に応じ，開始用量を設定する

禁忌・原則禁忌となる特定患者集団　妊婦又は妊娠している可能性のある婦人

使用上の注意

警告　①慢性心不全患者に使用する場合には，慢性心不全治療の経験が十分にある医師のもとで使用する　②慢性心不全患者に使用する場合には，投与初期及び増量時に症状が悪化することに注意し，慎重に用量調節を行う

禁忌　①高度の徐脈(著しい洞性徐脈)，房室ブロック(II，III度)，洞房ブロック，洞不全症候群のある患者［症状を悪化させるおそれがある］　②糖尿病性ケトアシドーシス，代謝性アシドーシスのある患者［アシドーシスに基づく心収縮力の抑制を増強させるおそれがある］　③心原性ショックのある患者［心機能が抑制され，症状を悪化させるおそれがある］　④肺高血圧による右心不全のある患者［心機能が抑制され，症状を悪化させるおそれがある］　⑤強心薬又は血管拡張薬を静注する必要のある心不全患者［心収縮力抑制作用により，心不全が悪化するおそれがある］　⑥非代償性の心不全患者［心収縮力抑制作用により，心不全が悪化するおそれがある］　⑦重度の末梢循環障害のある患者(壊疽等)［末梢血管の拡張

を抑制し，症状を悪化させるおそれがある］ ⑧未治療の褐色細胞腫の患者 ⑨妊婦又は妊娠している可能性のある婦人 ⑩本剤の成分に対し過敏症の既往歴のある患者

過量投与 ①症状：過量投与により，徐脈，完全房室ブロック，心不全，低血圧，気管支痙攣等が現れることがある．しかし，このような症状は副作用としても報告されている ②処置：過量投与の場合は中止し，必要に応じて胃洗浄等により薬剤の除去を行うとともに，次等の適切な処置を行う：(1)徐脈，完全房室ブロック：アトロピン硫酸塩水和物，イソプレナリン塩酸塩等の投与や心臓ペーシングを適用する (2)心不全の急性増悪：利尿薬，強心薬，血管拡張剤を静注する (3)低血圧：強心剤，昇圧剤，輸液等の投与や補助循環を適用する (4)気管支痙攣：イソプレナリン塩酸塩，β_2刺激薬又はアミノフィリン水和物等の気管支拡張剤を投与する

薬物動態

血中濃度 健康成人(10例)にビソプロロールフマル酸塩として5mg単回経口投与時，3.1±0.4時間後最高血漿中濃度23.7±1ng/mL，半減期8.6±0.3時間．反復経口投与では3～4日で定常状態 **代謝・排泄** (外国人5例)健康成人に^{14}C-ビソプロロールフマル酸塩20mg単回経口投与時，72時間までに90±6%が尿中排泄．未変化体47.8±10%，残りは代謝産物(アルキル側鎖開裂体とその酸化体)

その他の管理的事項

投与期間制限 該当しない

保険給付上の注意 該当しない

資料

IF メインテート錠0.625mg・2.5mg・5mg 2013年9月改訂(第12版)

ピタバスタチンカルシウム水和物
ピタバスタチンカルシウム錠
ピタバスタチンカルシウム口腔内崩壊錠
Pitavastatin Calcium Hydrate

概要

薬効分類 218 高脂血症用剤

構造式

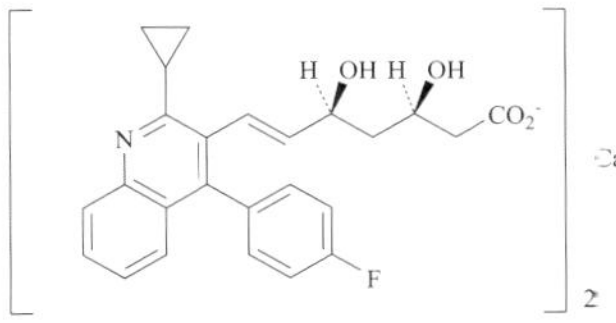

分子式 $C_{50}H_{46}CaF_2N_2O_8 \cdot 5H_2O$

分子量 971.06

ステム HMG-CoA還元酵素阻害薬：-(v)astatin

原薬の規制区分 [劇](ただし，1錠中ピタバスタチンとして4mg以下を含有するものを除く)

原薬の外観・性状 白色～微黄色の粉末である．メタノールに溶けにくく，水又はエタノール(99.5)に極めて溶けにくい．希塩酸に溶ける．結晶多形が認められる

原薬の吸湿性 相対湿度の上昇に伴い吸湿量は増加した

原薬の融点・沸点・凝固点 融点を示さず分解した

原薬の酸塩基解離定数 pKa_1＝4.40(ヘプテン酸カルボキシル基由来)，pKa_2＝5.36(キノリン環窒素由来)

先発医薬品等

[錠] リバロ錠1mg・2mg・4mg(興和)
リバロOD錠1mg・2mg・4mg(興和)

後発医薬品

[錠] 1mg・2mg・4mg・OD錠1mg・2mg・4mg

国際誕生年月 2003年7月

海外での発売状況 米など

製剤

規制区分 [錠] [処]

製剤の性状 1mg錠 白色のフィルムコーティング錠 2mg錠 ごくうすい黄赤色の割線入りフィルムコーティング錠 4mg錠 淡黄色の割線入りフィルムコーティング錠 1mg口腔内崩壊錠 白色～帯黄白色，円形の素錠で淡黄色～濃黄色の斑点がある 2・4mg口腔内崩壊錠 白色～帯黄白色，円形の割線入り素錠で淡黄色～濃黄色の斑点がある

有効期間又は使用期限 3年

貯法・保存条件 気密容器，遮光・室温保存

薬剤取扱い上の留意点 口腔内崩壊錠 開封後は湿気，光を避けて保存

患者向け資料等 患者向医薬品ガイド，くすりのしおり，患者向けカード

溶液及び溶解時のpH 該当しない

浸透圧比 該当しない

安定なpH域 該当しない

調製時の注意 該当しない

薬理作用

分類 HMG-CoA還元酵素阻害剤

作用部位・作用機序 コレステロール合成の主要臓器である肝臓に選択的に分布し，コレステロール合成の律速酵素であるHMG-CoA還元酵素を特異的かつ拮抗的に阻害する．肝細胞内のコレステロール含量低下により，LDL受容体の発現を促進し，血液中のLDL-コレステロールの取り込みが増加する．その結果，血清コレステロールを低下させる．また，持続的なコレステロール合成阻害作用を有するため，肝臓からのVLDL分泌を抑制することも認められている

同効薬 プラバスタチンナトリウム，シンバスタチン，フルバスタチンナトリウム，アトルバスタチンカルシウム水和物，ロスバスタチンカルシウム

治療

効能・効果 高コレステロール血症，家族性高コレステロール血症

効能・効果に関連する使用上の注意 ①適用の前に十分な検査を実施し，高コレステロール血症，家族性高コレステロール血症であることを確認した上で適用を考慮する ②家族性高コレステロール血症のうちホモ接合体については，使用経験がないので，治療上やむを得ないと判断される場合のみ，LDL-アフェレーシス等の非薬物療法の補助として適用を考慮する ③小児に投与する場合は，小児の家族性高コレステロール血症の治療に十分な知識及び経験を持つ医師のもとで，本剤の投与が適切と判断される患者についてのみ適用を考慮する ④女性では冠動脈疾患の発症は男性と比べて遅いと報告されていることも踏まえ，女児に対する本剤投与の要否については，リスク・ベネフィットを考慮し特に慎重に判断する．なお，国内臨床試験において女児に対する使用経験はない

用法・用量 ①高コレステロール血症：成人：1日1回1～2mg(適宜増減)．LDL-コレステロール値の低下が不十分な場合には増量できるが，最大投与量は1日4mgまで ②家族性高コレステロール血症：(1)成人：1日1回1～2mg(適宜増減)．LDL-コレステロール値の低下が不十分な場合には増量できるが，最大投与量は1日4mgまで (2)(4mgを除く)小児：10歳以上の小児には1日1回1mg(適宜増減)．LDL-コレステロール値の低下が不十分な場合には増量できるが，最大投与量は1日2mgまで

用法・用量に関連する使用上の注意 ①肝障害のある成人に投与する場合には，開始投与量を1日1mgとし，最大投与量は1日2mgまでとする．また，肝障害のある小児に投与する場合

には，1日1mgを投与する　②投与量（全身曝露量）の増加に伴い，横紋筋融解症関連有害事象が発現するので，4mgに増量する場合には，CK（CPK）上昇，ミオグロビン尿，筋肉痛及び脱力感等の横紋筋融解症前駆症状に注意する（成人海外臨床試験において8mg以上の投与は横紋筋融解症及び関連有害事象の発現により中止されている）

禁忌・原則禁忌となる特定患者集団　妊婦又は妊娠している可能性のある女性及び授乳婦

使用上の注意

禁忌　①本剤の成分に対し過敏症の既往歴のある患者　②重篤な肝障害又は胆道閉塞のある患者　③シクロスポリンを投与中の患者　④妊婦又は妊娠している可能性のある女性及び授乳婦

相互作用概要　CYPによりほとんど代謝されない（CYP2C9でわずかに代謝される）

薬物動態

血中濃度　①単回経口投与：健康成人男性6例に2mgを空腹時及び食後単回経口投与時の未変化体の薬物動態パラメータ（空腹時，食後の順）はTmax0.8，1.8hr，Cmax26.1，16.8ng/mL，AUC58.8，54.3ng・hr/mL　②反復経口投与：健康成人男性6例に1日1回朝食後4mgを7日間反復経口投与時の薬物動態パラメータ（投与1日目，7日目の順）は，Tmax1.7，1.1hr，Cmax55.6，59.5ng/mL，Cmin1.4，2.2ng/mL，AUC174，221ng・hr/mL，$T_{1/2}$10.5，11.6hrで，反復投与による変動は小さく，$T_{1/2}$は約11時間　**吸収**　①食事の影響：未変化体の薬物動態に対する食事の影響は，食後単回投与では空腹時単回投与に比べTmaxの遅延とCmaxの低下がみられたが，食後投与と空腹時投与でAUCに大きな差は認められなかった　**分布**　①蛋白結合率：血漿蛋白結合率は高く，ヒト血漿及び4%ヒト血清アルブミンで99.5～99.6%，0.06%ヒトα1酸性糖蛋白で94.3～94.9%（*in vitro*）　**代謝**　①代謝経路：体内でラクトン体への環化，側鎖のβ酸化，キノリン環の水酸化及びグルクロン酸あるいはタウリン抱合化等により代謝された（ラット，ウサギ，イヌ）　②血中及び尿中代謝物：健康成人男性に投与時，血液中では未変化体及び主代謝物であるラクトン体が認められ，その他の代謝物としてはプロパン酸誘導体，8位水酸化体が僅かに認められた．尿中では未変化体，ラクトン体，デヒドロラクトン体，8位水酸化体及びこれらの抱合体がいずれも僅かに認められた　③代謝酵素：ヒト肝ミクロゾームを用いた代謝試験においてわずかに代謝され，主にCYP2C9により8位水酸化体を生じた（*in vitro*）　**排泄**　①排泄経路：主たる排泄経路は糞中排泄（ラット，イヌ）　②排泄率：健康成人男性各6例に2mg，4mgを単回経口投与時，尿中排泄率は低く，未変化体で0.6%未満，ラクトン体で1.3%未満，合計でも2%未満．また，健康成人男性6例に4mgを1日1回7日間反復経口投与時，未変化体及びラクトン体の尿中排泄量は初回から7回目の投与まで増加を示さず，投与終了とともに速やかに減少　**特定の背景を有する患者**　①腎機能障害患者：腎機能障害（血清クレアチニン基準値上限の1.5倍以上3倍以下）を有する高コレステロール血症患者6例と腎機能が正常な高コレステロール血症患者6例に2mgを1日1回7日間反復経口投与時，腎機能障害患者の投与7日目の血漿中濃度は腎機能正常者に比しCmaxで1.7倍，AUCで1.9倍　②肝機能障害患者：⑴肝硬変患者：外国人肝硬変患者12例と外国人健康成人6例に2mgを単回経口投与時，血漿中濃度は健康成人に比しChild-Pugh grade Aの患者ではCmaxで1.3倍，AUCで1.6倍，Child-Pugh grade Bの患者ではCmaxで2.7倍，AUCで3.9倍　⑵肝機能障害患者（脂肪肝）：肝機能障害患者（脂肪肝）6例と肝機能正常者6例に1日1回2mgを7日間反復経口投与時，薬物動態への影響は少なかった　③小児：小児家族性高コレステロール血症患者（男児）各7例に1mg又は2mgを1日1回朝食前に52週間反復経口投与時の8週時又は12週時における投与1時間後の血漿中未変化体の濃度は1mg投与群22.79±11.34ng/mL，2mg投与群32.17±17.65ng/mL　④高齢者：高齢者6例と非高齢者5例に1日1回2mgを5日間反復経口投与時，両群の薬物動態パラメータに差は認められなかった　**薬物相互作用**　①臨床試験：⑴シクロスポリン：健康成人男性6例に1日1回ピタバスタチンカルシウムとして2mgを6日間反復経口投与し，6日目の投与1時間前にシクロスポリン2mg/kgを単回経口投与時，ピタバスタチンの血漿中濃度はCmaxで6.6倍，AUCで4.6倍に上昇　⑵エリスロマイシン：外国人健康成人18例に1日4回エリスロマイシン500mgを6日間反復経口投与し，4日目の朝にピタバスタチンとして4mgを併用投与時，単独投与と比しピタバスタチンの血漿中濃度はCmaxで3.6倍，AUCで2.8倍に上昇　⑶リファンピシン：外国人健康成人18例に1日1回リファンピシン600mgを15日間反復経口投与し，11～15日目に1日1回ピタバスタチンとして4mgを併用投与時，単独投与と比しピタバスタチンの血漿中濃度はCmaxで2.0倍，AUCで1.3倍に上昇　⑷フィブラート系薬剤：外国人健康成人24例に1日1回ピタバスタチンカルシウムとして4mgを6日間反復経口投与し，8日目からフェノフィブラート又はゲムフィブロジルを7日間併用投与時，ピタバスタチンの血漿中濃度（AUC）はフェノフィブラートで1.2倍，ゲムフィブロジルで1.4倍に上昇　②*In vitro*試験：CYP分子種のモデル基質に対する阻害試験では，CYP2C9の基質のトルブタミド，CYP3A4の基質のテストステロンの代謝に影響しなかった．また，ピタバスタチンの肝臓への取り込みに有機アニオントランスポーターOATP1B1（OATP-C/OATP2）が関与しており，シクロスポリン，エリスロマイシン及びリファンピシンによって取り込みが阻害された

その他の管理的事項

投与期間制限　該当しない

保険給付上の注意　該当しない

資料

IF　リバロ錠1mg・2mg・4mg・OD錠1mg・2mg・4mg　2020年4月改訂（第29版）

ビタミンA油
Vitamin A Oil

概要

薬効分類　264　鎮痛，鎮痒，収斂，消炎剤

原薬の規制区分　該当しない

原薬の外観・性状　黄色～黄褐色の澄明又は僅かに混濁した油液で，においはないか，又は僅かに特異なにおいがある．空気又は光によって分解する

製剤

貯法・保存条件　気密容器，遮光した容器にほとんど全満するか，又は空気を「窒素」で置換して保存

人全血液
Whole Human Blood

概要

薬効分類　634　血液製剤類

原薬の規制区分　該当しない

原薬の外観・性状　濃赤色の液で，静置するとき，赤血球の沈層と黄色の液層とに分かれ，主として白血球からなる灰色の層が沈層の表面に見られることがある．液層は，脂肪により混濁することがあり，また，ヘモグロビンによる弱い着色を

認めることがある

先発医薬品等

注 人全血液-LR「日赤」(日赤)
照射人全血液-LR「日赤」(日赤)

製剤

規制区分 注 (特生)(処)

製剤の性状 注 濃赤色の液剤であり，静置するとき，赤血球の沈層と黄色の液層とに分かれる．液層は，脂肪により混濁することがあり，また，ヘモグロビンによる弱い着色を認めることがある

有効期間又は使用期限 採血後21日間とする

貯法・保存条件 2～6℃で貯蔵

薬剤取扱い上の留意点 記録の保存：本剤は特定生物由来製品に該当することから，本剤を使用した場合はその名称(販売名)，製造番号，使用年月日，患者の氏名・住所等を記録し，少なくとも20年間保存する

治療

効能・効果 一般の輸血適応症

用法・用量 ろ過装置を具備した輸血用器具を用いて，静脈内に必要量を輸注

用法・用量に関連する使用上の注意 ①輸血用器具：生物学的製剤基準・通則44に規定する輸血に適当と認められた器具であって，そのままただちに使用でき，かつ，1回限りの使用で使い捨てるものをいう ②輸血速度：成人の場合は，通常，最初の10～15分間は1分間に1mL程度で行い，その後は1分間に5mL程度で行う．また，うっ血性心不全が認められない低出生体重児の場合，通常，1～2mL/kg(体重)/時間の速度を目安とする．なお，輸血中は患者の様子を適宜観察する

使用上の注意

警告 ①**照射製剤** 放射線を照射しない製剤よりも保存に伴い上清中のカリウム濃度が増加することが認められており(添付文書参照)，放射線を照射した赤血球製剤を急速輸血及び人工心肺の充填液として使用した際に一時的な心停止を起こした症例がまれに(0.1%未満)報告されている．胎児，低出生体重児，新生児，腎障害患者，高カリウム血症の患者及び急速大量輸血を必要とする患者等は高カリウム血症の出現・増悪をきたす場合があるので，照射日を確認して速やかに使用する等の対処を行う ②**未照射製剤** 輸血1～2週間後に発熱，紅斑が出現し，引き続き下痢，肝機能障害，顆粒球減少症等を伴う移植片対宿主病(GVHD：graft versus host disease)による死亡例がまれに(0.1%未満)報告されている．GVHD発症の危険性が高いと判断される患者に輸血する場合は，あらかじめ本剤に15～50Gyの放射線を照射する(なお，放射線を照射した場合には，照射しない本剤より保存中に上清中のカリウム濃度の増加が認められるので，高カリウム血症をきたす可能性の高い患者では照射後速やかに使用する) ③次の点について留意して輸血療法を行う：(1)輸血について十分な知識・経験をもつ医師のもとで使用する (2)輸血に際しては副作用発現時に救急処置をとれる準備をあらかじめしておく

過量投与 ［過量輸血］ 過量輸血により容量負荷となり，心不全，チアノーゼ，呼吸困難，肺水腫等が現れることがある(輸血関連循環過負荷，TACO：transfusion associated circulatory overload)．これらの症状が現れた場合にはただちに輸血を中止し，適切な処置を行う

資料

添付文書 人全血液-LR「日赤」 2016年4月改訂(第5版)

人免疫グロブリン
Human Normal Immunoglobulin

概要

薬効分類 634 血液製剤類

分子式 資料なし

分子量 約16万

原薬の規制区分 該当しない

原薬の外観・性状 無色～黄褐色澄明の液である

原薬の吸湿性 該当しない

原薬の融点・沸点・凝固点 該当しない

原薬の酸塩基解離定数 該当しない

先発医薬品等

注 ガンマグロブリン筋注450mg/3mL・1500mg/10mL「ニチヤク」(日本製薬＝武田)
グロブリン筋注450mg/3mL・1500mg/10mL「JB」(日本血液製剤機構)

国際誕生年月 該当しない

海外での発売状況 輸出は行っていない

製剤

規制区分 注 (特生)(処)

製剤の性状 注 無色ないし黄褐色の澄明な液剤

有効期間又は使用期限 検定合格日から2年

貯法・保存条件 凍結を避け10℃以下に保存

薬剤取扱い上の留意点 記録の保存：本剤は特定生物由来製品に該当することから，本剤を使用した場合は，医薬品名(販売名)，その製造番号又は製造記号(ロット番号)，使用年月日，使用した患者の氏名，住所等を記録し，少なくとも20年間保存する

患者向け資料等 くすりのしおり

溶液及び溶解時のpH 6.4～7.2

浸透圧比 約1～2(対生食)

調製時の注意 該当しない

薬理作用

分類 血漿分画製剤

作用部位・作用機序 作用部位：血中及び感染病巣局所と考えられる 作用機序：血中及び感染病巣局所で各種病原体と結合し，免疫殺菌作用，免疫食菌作用，毒素及びウイルスの中和作用などを発現する

治療

効能・効果 ①無又は低ガンマグロブリン血症 ②次のウイルス性疾患の予防及び症状の軽減：麻疹，A型肝炎，ポリオ

用法・用量 効能①：1回100～300mg/kg，毎月1回筋注(適宜増減) 効能②：1回15～50mg/kg筋注(適宜増減)

使用上の注意

禁忌 本剤の成分に対しショックの既往歴のある患者

薬物動態

健康成人に投与した結果，投与後4日目頃に血中抗体活性は最高となり，その血中半減期は約24日

その他の管理的事項

投与期間制限 該当しない

保険給付上の注意 該当しない

資料

IF グロブリン筋注450mg/3mL・1500mg/10mL「JB」 2020年2月改訂(第10版)

ヒドララジン塩酸塩
ヒドララジン塩酸塩錠
ヒドララジン塩酸塩散
注射用ヒドララジン塩酸塩
Hydralazine Hydrochloride

概要

薬効分類 214 血圧降下剤

構造式

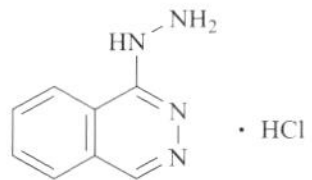

分子式 $C_8H_8N_4 \cdot HCl$

分子量 196.64

原薬の規制区分 該当しない

原薬の外観・性状 白色の結晶性の粉末で，においはなく，味は苦い．水にやや溶けやすく，エタノール(95)に溶けにくく，ジエチルエーテルにほとんど溶けない．1.0gを水50mLに溶かした液のpHは3.5～4.5である

原薬の吸湿性 平衡水分率は，51%RH：0.8%，89%RH：1.6%

原薬の融点・沸点・凝固点 融点：約275℃（分解）

原薬の酸塩基解離定数 pKa＝7.1（水）

先発医薬品等

散 10%アプレゾリン散「SUN」（サンファーマ＝田辺三菱）

錠 アプレゾリン錠10mg・25mg・50mg（サンファーマ＝田辺三菱）

注射用 アプレゾリン注射用20mg（サンファーマ＝田辺三菱）

国際誕生年月 1952年3月

海外での発売状況 スイスなど

製剤

規制区分 **散** **錠** **注** ㊈

製剤の性状 **散** 白色～帯黄白色の散剤 **錠** 白色の糖衣錠 **注** 白色～微黄色の粉末又は塊で，においはなく，味は苦い

有効期間又は使用期限 3年

貯法・保存条件 **散** **錠** 防湿，室温保存 **注** 室温保存

薬剤取扱い上の留意点 **散** **錠** 降圧作用に基づくめまいなどが現れ，自動車の運転等危険を伴う機械の操作に支障を来すことがあるので注意すること **散** ①諸種金属との接触により変色することがあるので金属器具との接触は避けること ②ケイ酸アルミニウム，水酸化アルミニウムゲル，炭酸水素ナトリウム等の金属塩，並びにビタミンC末，アセチルサリチル酸等と配合した場合，変色することがある

患者向け資料等 くすりのしおり

溶液及び溶解時のpH **注** 3.5～5.0

浸透圧比 **注** 約1（20mg/1mL生食），約0.6（20mg/1mL注射用水）（対生食）

薬理作用

分類 ヒドララジン誘導体

作用部位・作用機序 降圧作用については，まだ十分に解明されていないが，末梢細動脈の血管平滑筋に直接作用し，血管を拡張することが主作用であると考えられている

同効薬 ブドララジン

治療

効能・効果 **散** **錠** 本態性高血圧症，妊娠高血圧症候群による高血圧

注射用 高血圧性緊急症（子癇，高血圧性脳症等）

用法・用量 **散** **錠** ヒドララジン塩酸塩として最初1日30～40mgを3～4回に分服し，血圧値をみながら漸次増量．維持量は各個人により異なるが，1回20～50mg，1日30～200mg（適宜増減）

注射用 ヒドララジン塩酸塩として1回20mg筋注又は徐々に静注（適宜増減）

使用上の注意

禁忌 ①虚血性心疾患のある患者［反射性交感神経亢進により，心臓の仕事量が増加し，症状を悪化させるおそれがある］ ②大動脈弁狭窄，僧帽弁狭窄及び拡張不全（肥大型心筋症，収縮性心膜炎，心タンポナーデ等）による心不全のある患者［反射性交感神経亢進作用及び血管拡張作用により，症状を悪化させるおそれがある］ ③高度の頻脈及び高心拍出性心不全（甲状腺中毒症等）のある患者［反射性交感神経亢進作用及び血管拡張作用により，症状を悪化させるおそれがある］ ④肺高血圧症による右心不全のある患者［反射性交感神経亢進作用及び血管拡張作用により，症状を悪化させるおそれがある］ ⑤解離性大動脈瘤のある患者［反射性交感神経亢進作用及び血管拡張作用により，症状を悪化させるおそれがある］ ⑥頭蓋内出血急性期の患者［血管拡張作用により，頭蓋内出血を悪化させるおそれがある］ ⑦本剤に対し過敏症の既往歴のある患者

過量投与 **散** **錠** ①徴候・症状：主要な症状は心血管系障害（頻脈，心悸亢進，低血圧，心筋虚血，不整脈，狭心症，循環虚脱，ショック等）である．他に乏尿，無尿，意識障害，振戦，痙攣，低体温，嘔吐，全身潮紅，発汗等 ②処置：⑴薬物の除去・不活性化：催吐，胃内容物吸引，胃洗浄，活性炭投与 ⑵各症状に対する処置：㈦低血圧：両下肢挙上．ショックには血漿増量剤投与．できれば昇圧剤使用は差し控えるが，昇圧剤必要時には，不整脈の誘発・悪化作用の少ない薬剤（フェニレフリン，メトキサミン等）を使用 ㈫心律動障害：不整脈の種類・症状に応じて処置 ㈬乏尿：血圧及び腎灌流を正常値に調節することで通常腎機能は回復

薬物動態

血中濃度 **錠** 健常人に25mg錠を1回経口投与時，血漿中ヒドララジン濃度は約1時間後に最高値に達し，以後速やかに低下 **注射用** 健常人に約20mg静注時の消失半減期は約2.3時間 **代謝・排泄** 外国人データ：主代謝物は芳香環の水酸化体とそのグルクロン酸抱合体，N-アセチル抱合体．ヒト代謝経路ではN-アセチル化が重要で，アセチル化能が生体内利用率に影響を及ぼすと考えられる．^{14}C-標識体を経口投与あるいは静注時の尿中排泄率にはほとんど差がなく，尿中50～80%，糞中3～12%

その他の管理的事項

投与期間制限 該当しない

保険給付上の注意 該当しない

資料

IF 10%アプレゾリン散「SUN」・錠10mg・25mg・50mg 2020年5月改訂（第7版）

アプレゾリン注射用20mg 2016年11月改訂（第6版）

ヒドロキシエチルセルロース
Hydroxyethylcellulose

概要

原薬の規制区分 該当しない

原薬の外観・性状 白色～帯黄白色の粉末又は粒である．エタノール(95)にほとんど溶けない．水を加えるとき，粘稠性のある液となる．pH:5.5～8.5

原薬の吸湿性 吸湿性である

製剤

貯法・保存条件 気密容器

溶液及び溶解時のpH 5.5～8.5

ヒドロキシジン塩酸塩
Hydroxyzine Hydrochloride

概要

薬効分類 117 精神神経用剤

構造式

・2HCl 及び鏡像異性体

分子式 $C_{21}H_{27}ClN_2O_2$・2HCl

分子量 447.83

原薬の規制区分 該当しない

原薬の外観・性状 白色の結晶性の粉末で，においはなく，味は苦い．水に極めて溶けやすく，メタノール，エタノール(95)又は酢酸(100)に溶けやすく，無水酢酸に極めて溶けにくく，ジエチルエーテルにほとんど溶けない．1.0gを水20mLに溶かした液のpHは1.3～2.5である

原薬の吸湿性 潮解性がある

原薬の融点・沸点・凝固点 融点：約200℃(分解)

原薬の酸塩基解離定数 $pKa_1=2.13$，$pKa_2=7.13$

先発医薬品等

錠 アタラックス錠10mg・25mg(ファイザー)

注 アタラックス-P注射液(25mg/ml)・(50mg/ml)(ファイザー)

国際誕生年月 1956年4月

海外での発売状況 米

製剤

規制区分 **錠** **注** ㊕

製剤の性状 **10mg錠** 白色の糖衣錠 **25mg錠** 桃色の糖衣錠 **注** 無色透明の液

有効期間又は使用期限 **錠** 4年 **注** 5年

貯法・保存条件 室温保存

薬剤取扱い上の留意点 眠気を催すことがあるので，本剤投与中の患者には自動車の運転等危険を伴う機械類の操作には従事させないよう注意すること

患者向け資料等 **錠** くすりのしおり

溶液及び溶解時のpH **注** 3.0～5.0

浸透圧比 **注(25mg/mL)** 約0.8 **注(50mg/mL)** 約1.0

調製時の注意 該当しない

薬理作用

分類 抗アレルギー性緩和精神安定剤

作用部位・作用機序 中枢抑制作用：視床，視床下部，大脳辺縁系などに作用し，中枢抑制作用を示すものと考えられている 抗アレルギー作用：抗ヒスタミン作用(H_1受容体拮抗作用)については，標的細胞のヒスタミン受容体においてヒスタミンと競合し，ヒスタミンが受容体に結合するのを阻害する

同効薬 ベンゾジアゼピン系の抗不安薬及び抗ヒスタミン薬

治療

効能・効果 **錠** ①蕁麻疹，皮膚疾患に伴うそう痒(湿疹・皮膚炎，皮膚そう痒症) ②神経症における不安・緊張・抑うつ **注** ①神経症における不安・緊張・抑うつ ②麻酔前投薬 ③術前・術後の悪心・嘔吐の防止

用法・用量 **錠** 皮膚科領域には1日30～60mgを2～3回に分服，神経症における不安・緊張・抑うつには1日75～150mgを3～4回に分服(適宜増減)

注 ①静注：1回25～50mg，必要に応じ4～6時間ごとに静注，又は点滴静注(適宜増減)．1回の静注量は100mgを超えてはならず，25mg/分以上の速度で注入しない ②筋注：1回50～100mg，必要に応じ4～6時間ごと(適宜増減)

禁忌・原則禁忌となる特定患者集団 妊婦又は妊娠している可能性のある婦人

使用上の注意

禁忌 ①本剤の成分，セチリジン，ピペラジン誘導体，アミノフィリン，エチレンジアミンに対し過敏症の既往歴のある患者 ②ポルフィリン症の患者 ③妊婦又は妊娠している可能性のある女性

相互作用概要 *in vitro*試験において，主としてCYP3A4/CYP3A5及びアルコール脱水素酵素で代謝されることが報告されている

過量投与 ①症状：過度の鎮静，また，まれに振戦，痙攣，低血圧，意識レベルの低下，嘔気・嘔吐等が現れることがある ②処置：アドレナリンは昇圧作用を逆転させるおそれがあるので投与しないことが望ましい

薬物動態

血中濃度 ①単回投与：(1)経口：ヒドロキシジン塩酸塩を健康成人7人に0.7mg/kg単回投与(シロップ液)時，投与後1時間の血中濃度は42.6ng/mL，2時間で70.0ng/mL，24時間で13.6ng/mLで，その消失半減期は20.0時間(高速液体クロマトグラフ法)(外国人データ) (2)注射：ヒドロキシジン塩酸塩100mgを成人患者に筋注時，血中濃度は投与後30分で約90ng/mL，2時間で約110ng/mL，以後漸減し，24時間では約40ng/mLで，最高血中濃度到達時間は約2時間(ガスクロマトグラフィー)(外国人データ) **分布** ①血液－脳関門通過性：通過する ②胎児への移行性：通過する．但し，ヒドロキシジン塩酸塩注射の成績により，分娩前投与で新生児のapgar指数に特に影響を与えないと考えられる **代謝** ①代謝経路：ヒドロキシジンは肝で代謝される ②代謝に関与する酵素：主としてCYP3A4/CYP3A5及びアルコール脱水素酵素で代謝される ③代謝物の活性の有無：ヒトの主要代謝物として，中枢抑制作用がなく抗ヒスタミン作用をもつ活性物質セチリジンがあるが，代謝過程等の詳細については明らかでない **特定の背景を有する患者** ①腎機能障害患者：ヒドロキシジンを腎機能障害患者に投与し，体内薬物動態を検討した報告はない．但し，次の結果より，腎機能障害患者ではヒドロキシジンの活性代謝産物であるセチリジンの投与時に，セチリジンの$t_{1/2}$を延長させること等が報告されているので，腎機能障害患者への投与は，ヒドロキシジンの作用が延長する可能性がある．セチリジン10mgを，健康成人(Normal，Group Ⅰ)，腎機能障害患者(Mild，Group Ⅱ，Moderate，Group Ⅲ)に投与し，体内動態を検討した結果，健康成人に比較し，腎機能障害患者では，分布容積Vd/Fには差がみられないが，$t_{1/2}$は延長し，総クリアランスTBC/Fは低値となった(外国人データ) ②肝機能障害患者：ヒドロキシジン塩酸塩0.7mg/kg(シロップ液)を原発性胆汁性肝硬変の患者8人に単回投与時，$t_{1/2}$の平均値は36.6±13.1hrで，健康成人の$t_{1/2}$ 20.0±4.1hrに比較して延長．また，ヒドロキシジンの活性代謝産物であるセチリジンの$t_{1/2}$も同患者群では健康成人の$t_{1/2}$ 11.4±3.1hrと比較し25.0±8.2hrに延長(外国人データ) ③高齢者：ヒドロキシジン塩酸塩を高齢健康者9名(平均69.5歳)に0.7mg/kg(平均49mg)単回経口投与時，加齢による分布容積の増加から半減期の延長が認められた(外国人データ)

その他の管理的事項

投与期間制限 該当しない

保険給付上の注意 該当しない

資料

IF アタラックス錠10mg・25mg 2019年3月改訂(第6版)
アタラックス-P注射液(25mg/ml)・(50mg/ml) 2019年3月改訂(第8版)

ヒ

ヒドロキシジンパモ酸塩
Hydroxyzine Pamoate

概要

薬効分類 117 精神神経用剤

構造式

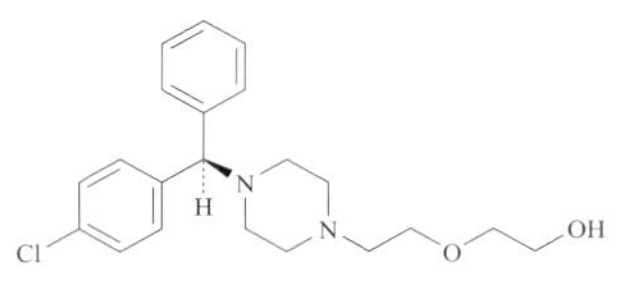

及び鏡像異性体

分子式 $C_{21}H_{27}ClN_2O_2 \cdot C_{23}H_{16}O_6$

分子量 763.27

原薬の規制区分 該当しない

原薬の外観・性状 淡黄色の結晶性の粉末で，においはなく，味は僅かに苦い．*N,N*-ジメチルホルムアミドに溶けやすく，アセトンに溶けにくく，水，メタノール，エタノール(95)又はジエチルエーテルにほとんど溶けない

原薬の吸湿性 吸湿性なし

原薬の融点・沸点・凝固点 融点：196～204℃(分解)

原薬の酸塩基解離定数 $pKa_1=2.13$，$pKa_2=7.13$

先発医薬品等

散 アタラックス-P散10%(ファイザー)

カ アタラックス-Pカプセル25mg・50mg(ファイザー)

シ アタラックス-Pシロップ0.5%(ファイザー)

シロップ用 アタラックス-Pドライシロップ2.5%(ファイザー)

後発医薬品

錠 25mg

国際誕生年月 1958年5月

海外での発売状況 米，台湾

製剤

規制区分 **散** **カ** **シ** **シロップ用** ㊕

製剤の性状 **散** 黄色の散剤 **25mgカ** 緑色/淡緑色の硬カプセル剤 **50mgカ** 緑色/白色の硬カプセル剤 **シ** 淡橙色の懸濁性シロップ剤 **シロップ用** 黄緑色の細粒

有効期間又は使用期限 **散** **カ** **シロップ用** 5年 **シ** 3年

貯法・保存条件 **散** **カ** **シ** 室温保存 **シロップ用** 遮光・室温保存

薬剤取扱い上の留意点 眠気を催すことがあるので，本剤投与中の患者には自動車の運転等危険を伴う機械類の操作には従事させないよう注意すること

患者向け資料等 くすりのしおり

溶液及び溶解時のpH **シ** 4.4 **シロップ用** 5.0(蒸留水に溶解した時)

調製時の注意 **シ** 懸濁性シロップ剤であるので，服用時はよく振り混ぜてから使用すること．ただし，再懸濁性は良好である **シロップ用** 懸濁性シロップ剤となるので，服用時はよく振り混ぜてから使用すること

薬理作用

分類 抗アレルギー性緩和精神安定剤

作用部位・作用機序 中枢抑制作用：視床，視床下部，大脳辺縁系などに作用し，中枢抑制作用を示すものと考えられている 抗アレルギー作用：抗ヒスタミン作用(H_1受容体拮抗作用)については，標的細胞のヒスタミン受容体においてヒスタミンと競合し，ヒスタミンが受容体に結合するのを阻害する

同効薬 ベンゾジアゼピン系の抗不安薬及び抗ヒスタミン薬

治療

効能・効果 蕁麻疹，皮膚疾患に伴うそう痒(湿疹・皮膚炎，皮膚そう痒症)，神経症における不安・緊張・抑うつ

用法・用量 ヒドロキシジンパモ酸塩として皮膚科領域には1日85～128mg(ヒドロキシジン塩酸塩として50～75mg)2～3回に分服，神経症における不安・緊張・抑うつには1日128～255mg(ヒドロキシジン塩酸塩として75～150mg)3～4回に分服(適宜増減)

禁忌・原則禁忌となる特定患者集団 妊婦又は妊娠している可能性のある女性

使用上の注意

禁忌 ①本剤の成分，セチリジン，ピペラジン誘導体，アミノフィリン，エチレンジアミンに対し過敏症の既往歴のある患者 ②ポルフィリン症の患者 ③妊婦又は妊娠している可能性のある女性

相互作用概要 *in vitro*試験において，主としてCYP3A4/CYP3A5及びアルコール脱水素酵素で代謝されることが報告されている

過量投与 ①症状：過度の鎮静，また，まれに振戦，痙攣，低血圧，意識レベルの低下，嘔気・嘔吐等が現れることがある ②処置：アドレナリンは昇圧作用を逆転させるおそれがあるので投与しないことが望ましい

薬物動態

ヒドロキシジン塩酸塩参照

その他の管理的事項

投与期間制限 該当しない

保険給付上の注意 該当しない

資料

IF アタラックス-P散10%・カプセル25mg・50mg・ドライシロップ2.5% 2019年3月改訂(第6版)

アタラックス-Pシロップ0.5% 2020年3月改訂(第7版)

ヒドロキシプロピルセルロース
Hydroxypropylcellulose

概要

原薬の規制区分 該当しない

原薬の外観・性状 白色～帯黄白色の粉末である．水又はエタノール(95)を加えるとき，粘稠性のある液となる．1.0gを新たに煮沸した熱湯100mLに均一に分散し，マグネチックスターラーでかき混ぜながら冷却した液のpHは5.0～8.0である

低置換度ヒドロキシプロピルセルロース
Low Substituted Hydroxypropylcellulose

概要

原薬の規制区分 該当しない

原薬の外観・性状 白色～帯黄白色の粉末又は粒である．エタノール(99.5)にほとんど溶けない．水酸化ナトリウム溶液(1→10)に溶け，粘稠性のある液となる．水，炭酸ナトリウム試液又は2mol/L塩酸試液を加えるとき，膨潤する．1.0gに新たに煮沸して冷却した水100mLを加え，振り混ぜた液のpHは5.0～7.5である

ヒドロキソコバラミン酢酸塩
Hydroxocobalamin Acetate

[概要]
薬効分類　313　ビタミンB剤(ビタミンB_1剤を除く.)
構造式

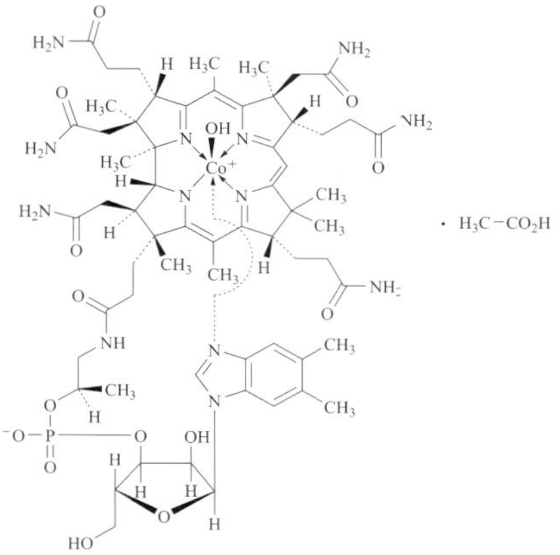

分子式　$C_{62}H_{89}CoN_{13}O_{15}P \cdot C_2H_4O_2$
分子量　1406.41
略語・慣用名　OH-B_{12}(ヒドロキソコバラミン)
ステム　不明
原薬の規制区分　該当しない
原薬の外観・性状　暗赤色の結晶又は粉末で，においはない．水又はメタノールに溶けやすく，エタノール(95)に溶けにくく，ジエチルエーテルにほとんど溶けない
原薬の吸湿性　吸湿性である
原薬の酸塩基解離定数　該当資料なし
先発医薬品等
[注]　フレスミンS注射液1000μg(エイワイファーマ＝陽進堂)
マスブロン注1mg(扶桑)
国際誕生年月　不明
海外での発売状況　該当資料なし

[製剤]
規制区分　[注]　[処]
製剤の性状　[注]　赤色澄明な水溶液
有効期間又は使用期限　5年6カ月
貯法・保存条件　室温保存
薬剤取扱い上の留意点　特になし
患者向け資料等　くすりのしおり
溶液及び溶解時のpH　4.6～5.2
浸透圧比　約1(対生食)
安定なpH域　4.3(NaCl含有の0.05M酢酸緩衝液)

[薬理作用]
分類　ビタミンB_{12}製剤
作用部位・作用機序　生化学的作用：メチルマロニルCoAとサクシニルCoA間の異性化反応に関与し，また，核酸合成，メチル基転移，アミノ酸・蛋白代謝並びに糖質・脂質代謝に関与するとされている　血液に対する作用：核酸合成に関与する他，ヘム合成の前段階としてのメチルマロニルCoAからサクシニルCoAへの転換反応に関与している
同効薬　コバマミド，シアノコバラミン，メコバラミン

[治療]
効能・効果　①ビタミンB_{12}欠乏症の予防及び治療　②ビタミンB_{12}の需要が増大し，食事からの摂取が不十分な際の補給(消耗性疾患，甲状腺機能亢進症，妊産婦，授乳婦等)　③巨赤芽球性貧血　④広節裂頭条虫症　⑤悪性貧血に伴う神経障害　⑥吸収不全症候群(スプルー等)　⑦次の疾患のうち，ビタミンB_{12}の欠乏又は代謝障害が関与すると推定される場合：栄養性及び妊娠性貧血．胃切除後の貧血．肝障害に伴う貧血．放射線による白血球減少症．神経痛．末梢神経炎，末梢神経麻痺．筋肉痛，関節痛．なお効能⑦に対して効果がないのに月余にわたって漫然と使用すべきでない．また，効能③～⑥及び胃切除後の貧血に使用する場合，内服では吸収が悪いので，やむを得ぬ場合以外は注射によることが望ましい
用法・用量　ヒドロキソコバラミンとして1回1000μgまで，筋注又は静注(適宜増減)

[その他の管理的事項]
投与期間制限　該当しない
保険給付上の注意　該当しない

[資料]
IF　フレスミンS注射液1000μg　2016年1月改訂(第2版)

ヒドロクロロチアジド
Hydrochlorothiazide

[概要]
薬効分類　213　利尿剤，214　血圧降下剤
構造式

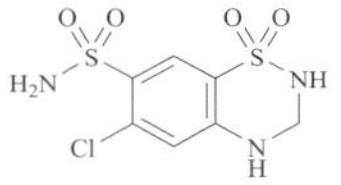

分子式　$C_7H_8ClN_3O_4S_2$
分子量　297.74
ステム　不明
原薬の規制区分　該当しない
原薬の外観・性状　白色の結晶又は結晶性の粉末で，においはなく，味は僅かに苦い．アセトンに溶けやすく，アセトニトリルにやや溶けにくく，水又はエタノール(95)に極めて溶けにくく，ジエチルエーテルにほとんど溶けない．水酸化ナトリウム試液に溶ける
原薬の吸湿性　該当資料なし
原薬の融点・沸点・凝固点　融点：約267℃(分解)
原薬の酸塩基解離定数　pKa_1＝8.6(スルホンアミノ基，滴定法)，pKa_2＝9.9(アミノ基，滴定法)
後発医薬品
[錠]　12.5mg・25mg・OD錠12.5mg
国際誕生年月　1959年1月
海外での発売状況　該当資料なし

[製剤]
規制区分　[錠]　[口腔内崩壊錠]　[処]
製剤の性状　[錠]　白色の素錠　[口腔内崩壊錠]　淡黄色の割線入りの口腔内崩壊錠
有効期間又は使用期限　[25mg錠]　[口腔内崩壊錠]　3年　[12.5mg錠]　4年
貯法・保存条件　[錠]　遮光・室温保存　[口腔内崩壊錠]　室温保存
薬剤取扱い上の留意点　降圧作用に基づくめまい，ふらつきが現れることがあるので，高所作業，自動車の運転等危険を伴う機械を操作する際には注意させること
患者向け資料等　患者向医薬品ガイド，くすりのしおり，その他の患者向け資材
溶液及び溶解時のpH　該当しない
浸透圧比　該当しない
安定なpH域　該当しない
調製時の注意　該当しない

[薬理作用]
分類　チアジド系降圧利尿剤

ヒ

作用部位・作用機序　腎遠位曲尿細管におけるNa^+とCl^-の再吸収を抑制し，水の排泄を促進させる．炭酸脱水酵素阻害作用も有する．降圧作用は，初期には循環血流量の低下により，長期的には末梢血管の拡張によると考えられている

同効薬　トリクロルメチアジド，ベンチルヒドロクロロチアジド

治療

効能・効果　高血圧症(本態性，腎性等)，悪性高血圧，心性浮腫(うっ血性心不全)，腎性浮腫，肝性浮腫，月経前緊張症，薬剤(副腎皮質ホルモン，フェニルブタゾン等)による浮腫

用法・用量　1回25～100mg，1日1～2回(適宜増減)．高血圧症に用いる場合には少量から開始して徐々に増量する．悪性高血圧に用いる場合は，他の降圧剤と併用する

使用上の注意

禁忌　①無尿の患者［効果が期待できない］　②急性腎不全の患者［腎機能をさらに悪化させるおそれがある］　③体液中のナトリウム・カリウムが明らかに減少している患者［低ナトリウム血症，低カリウム血症等の電解質失調を悪化させるおそれがある］　④チアジド系薬剤又はその類似化合物(たとえばクロルタリドン等のスルホンアミド誘導体)に対する過敏症の既往歴のある患者　⑤デスモプレシン酢酸塩水和物(男性における夜間多尿による夜間頻尿)を投与中の患者

その他の管理的事項

投与期間制限　該当しない

保険給付上の注意　該当しない

資料

IF　ヒドロクロロチアジド錠12.5mg・25mg・OD錠12.5mg「トーワ」　2020年2月改訂(第16版)

ヒドロコタルニン塩酸塩水和物
Hydrocotarnine Hydrochloride Hydrate

概要

構造式

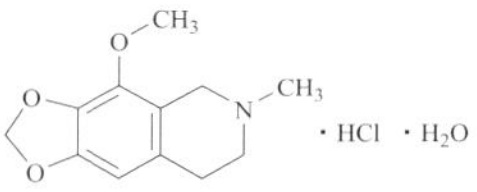

・HCl　・H_2O

分子式　$C_{12}H_{15}NO_3 \cdot HCl \cdot H_2O$

分子量　275.73

原薬の規制区分　該当しない

原薬の外観・性状　白色～微黄色の結晶又は結晶性の粉末である．水に溶けやすく，エタノール(95)又は酢酸(100)にやや溶けにくく，無水酢酸に溶けにくい．1.0gを水20mLに溶かした液のpHは4.0～6.0である

ヒドロコルチゾン
Hydrocortisone

概要

薬効分類　245　副腎ホルモン剤

構造式

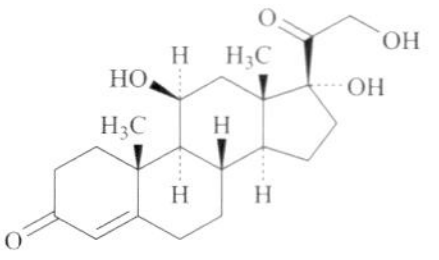

分子式　$C_{21}H_{30}O_5$

分子量　362.46

ステム　プレドニゾロン誘導体以外の副腎皮質ステロイド類：cort

原薬の規制区分　該当しない

原薬の外観・性状　白色の結晶性の粉末である．メタノール又はエタノール(99.5)にやや溶けにくく，水に極めて溶けにくい．結晶多形が認められる

原薬の吸湿性　該当資料なし

原薬の融点・沸点・凝固点　融点：212～220℃(分解)

原薬の酸塩基解離定数　該当資料なし

先発医薬品等

錠 コートリル錠10mg(ファイザー)

国際誕生年月　1952年12月

海外での発売状況　米，ロシアなど

製剤

規制区分　**錠**　㊥

製剤の性状　**錠** 白色の割線入り素錠

有効期間又は使用期限　4年

貯法・保存条件　室温保存(アルミピロー開封後は防湿保存)

薬剤取扱い上の留意点　アルミピロー開封後は湿気を避けて保存

患者向け資料等　患者向医薬品ガイド，くすりのしおり

薬理作用

分類　副腎皮質ホルモン

作用部位・作用機序　抗炎症・抗アレルギー作用，蛋白異化(分解)作用，糖新生作用(血糖上昇作用)，脂肪代謝に及ぼす作用，塩類代謝作用

同効薬　コルチゾン酢酸エステル，フルドロコルチゾン酢酸エステル，デキサメタゾン，ベタメタゾン，プレドニゾロンなど

治療

効能・効果　①慢性副腎皮質機能不全(原発性，続発性，下垂体性，医原性)，急性副腎皮質機能不全(副腎クリーゼ)，副腎性器症候群，亜急性甲状腺炎，甲状腺疾患に伴う悪性眼球突出症，ACTH単独欠損症　②関節リウマチ，若年性関節リウマチ(スチル病を含む)，リウマチ熱(リウマチ性心炎を含む)　③エリテマトーデス(全身性及び慢性円板状)，全身性血管炎(高安動脈炎，結節性多発動脈炎，顕微鏡的多発血管炎，多発血管炎性肉芽腫症を含む)，多発性筋炎(皮膚筋炎)，強皮症　④ネフローゼ及びネフローゼ症候群　⑤気管支喘息，薬剤その他の化学物質によるアレルギー・中毒(薬疹，中毒疹を含む)，血清病　⑥重症感染症(化学療法と併用する)　⑦溶血性貧血(免疫性又は免疫性機序の疑われるもの)，白血病(急性白血病，慢性骨髄性白血病の急性転化，慢性リンパ性白血病)(皮膚白血病を含む)，顆粒球減少症(本態性，続発性)，紫斑病(血小板減少性及び血小板非減少性)，再生不良性貧血8．限局性腸炎，潰瘍性大腸炎　⑨重症消耗性疾患の全身状態の改善(癌末期，スプルーを含む)　⑩慢性肝炎(活動型，急性再燃型，胆汁うっ滞型)(但し，一般的治療に反応せず肝機能の著しい異常が持続する難治性のものに限る)，肝硬変(活動型，

難治性腹水を伴うもの，胆汁うっ滞を伴うもの） ⑪サルコイドーシス（ただし，両側肺門リンパ節腫脹のみの場合を除く） ⑫肺結核（粟粒結核，重症結核に限る）（抗結核剤と併用する），結核性胸膜炎（抗結核剤と併用する），結核性腹膜炎（抗結核剤と併用する），結核性心嚢炎（抗結核剤と併用する） ⑬脳脊髄炎（脳炎，脊髄炎を含む）（ただし，一次性脳炎の場合は頭蓋内圧亢進症状がみられ，かつ他剤で効果が不十分なときに短期間用いる），末梢神経炎（ギランバレー症候群を含む），筋強直症，多発性硬化症（視束脊髄炎を含む），小舞踏病，顔面神経麻痺，脊髄蜘網膜炎 ⑭悪性リンパ腫（リンパ肉腫症，細網肉腫症，ホジキン病，皮膚細網症，菌状息肉症）及び類似疾患（近縁疾患），好酸性肉芽腫，乳癌の再発転移 ⑮特発性低血糖症 ⑯原因不明の発熱 ⑰副腎摘除，副腎皮質機能不全患者に対する外科的侵襲 ⑱蛇毒・昆虫毒（重症の虫さされを含む） ⑲卵管整形術後の癒着防止 ⑳★湿疹・皮膚炎群（急性湿疹，亜急性湿疹，慢性湿疹，接触皮膚炎，貨幣状湿疹，自家感作性皮膚炎，アトピー皮膚炎，乳・幼・小児湿疹，ビダール苔癬，その他の神経皮膚炎，脂漏性皮膚炎，進行性指掌角皮症，その他の手指の皮膚炎，陰部あるいは肛門湿疹，耳介及び外耳道の湿疹・皮膚炎，鼻前庭及び鼻翼周辺の湿疹・皮膚炎など）（但し，重症例以外は極力投与しないこと），★痒疹群（小児ストロフルス，蕁麻疹様苔癬，固定蕁麻疹を含む）（重症例に限る），蕁麻疹（慢性例を除く）（重症例に限る），★乾癬及び類症［尋常性乾癬（重症例），関節症性乾癬，乾癬性紅皮症，膿疱性乾癬，稽留性肢端皮膚炎，疱疹状膿痂疹，ライター症候群］，★掌蹠膿疱症（重症例に限る），成年性浮腫性硬化症，紅斑症（★多形滲出性紅斑，結節性紅斑）（但し，多形滲出性紅斑の場合は重症例に限る），ウェーバークリスチャン病，粘膜皮膚眼症候群（開口部びらん性外皮症，スチブンス・ジョンソン病，皮膚口内炎，フックス症候群，ベーチェット病（眼症状のない場合），リップシュッツ急性陰門潰瘍），★円形脱毛症（悪性型に限る），天疱瘡群（尋常性天疱瘡，落葉状天疱瘡，Senear-Usher症候群，増殖性天疱瘡），デューリング疱疹状皮膚炎（類天疱瘡，妊娠性疱疹を含む），★紅皮症（ヘブラ紅色粃糠疹を含む），顔面播種状粟粒狼瘡（重症例に限る），アレルギー性血管炎及びその類症（急性痘瘡様苔癬状粃糠疹を含む） ㉑内眼・視神経・眼窩・眼筋の炎症性疾患の対症療法（ブドウ膜炎，網脈絡膜炎，網膜血管炎，視神経炎，眼窩炎性偽腫瘍，眼窩漏斗尖端部症候群，眼筋麻痺），外眼部及び前眼部の炎症性疾患の対症療法で点眼が不適当又は不十分な場合（眼瞼炎，結膜炎，角膜炎，強膜炎，虹彩毛様体炎） ㉒急性・慢性中耳炎，滲出性中耳炎・耳管狭窄症，メニエル病及びメニエル症候群，急性感音性難聴，アレルギー性鼻炎，花粉症（枯草熱），進行性壊疽性鼻炎，食道の炎症（腐蝕性食道炎，直達鏡使用後）及び食道拡張術後，耳鼻咽喉科領域の手術後の後療法 ㉓難治性口内炎及び舌炎（局所療法で治癒しないもの）

★ 外用剤を用いても効果が不十分な場合あるいは十分な効果を期待し得ないと推定される場合にのみ用いる

用法・用量 1日10～120mg，1～4回に分服（適宜増減）

使用上の注意

禁忌 ①本剤の成分に対し過敏症の既往歴のある患者 ②デスモプレシン酢酸塩水和物（男性における夜間多尿による夜間頻尿）を投与中の患者 ③次の薬剤を投与しないこと：生ワクチン又は弱毒生ワクチン

相互作用概要 主にCYP3A4により代謝される

その他の管理的事項

投与期間制限 該当しない

保険給付上の注意 該当しない

資料

IF コートリル錠10mg 2020年3月改訂（第8版）

ヒドロコルチゾンコハク酸エステル
Hydrocortisone Succinate

概要

構造式

分子式 $C_{25}H_{34}O_8$

分子量 462.53

原薬の規制区分 該当しない

原薬の外観・性状 白色の結晶性の粉末である．メタノールに極めて溶けやすく，エタノール(99.5)に溶けやすく，水にほとんど溶けない．結晶多形が認められる

ヒドロコルチゾンコハク酸エステルナトリウム
Hydrocortisone Sodium Succinate

概要

薬効分類 245 副腎ホルモン剤

構造式

分子式 $C_{25}H_{33}NaO_8$

分子量 484.51

ステム プレドニゾロン誘導体以外の副腎皮質ステロイド類：cort

原薬の規制区分 該当しない

原薬の外観・性状 白色の粉末又は塊である．水，メタノール又はエタノール(95)に溶けやすい．光によって徐々に着色する．結晶多形が認められる

原薬の吸湿性 吸湿性である

原薬の融点・沸点・凝固点 融点（分解点）：169.0～171.2℃

原薬の酸塩基解離定数 該当資料なし

先発医薬品等

注射用 ソル・コーテフ注射用100mg・静注用250mg・500mg・1000mg（ファイザー）

後発医薬品

注射用 100mg・300mg・500mg・1g

国際誕生年月 1955年4月

海外での発売状況 米，英，独，豪など

製剤

規制区分 ㊕

製剤の性状 **100mg注射用** 白色の粉末又は塊で，添付溶解液で溶かした注射液は，無色又は微黄色澄明 **250・500・1000mg静注用** 白色の粉末で，バイアル上下部を混和し溶かした注射液は無色又は微黄色澄明

有効期間又は使用期限 **100mg注射用** 3年 **250・500・1000mg静注用** 5年

貯法・保存条件 室温保存

薬剤取扱い上の留意点 外箱から取り出した後は，光を避けて保存

溶液及び溶解時のpH 7.0～8.0

浸透圧比 100mg注射用 約1(対生食) 250・500・1000mg静注用 約2(対生食)

調製時の注意 添付の溶解液を用いて用時溶解すること．溶解した液を輸液と混合して使用する場合には，5%ブドウ糖注射液，生理食塩液等を使用すること．なおその際，pHの変動等により白沈又は黄沈を生じることがあるので，輸液等と混合する場合には注意すること．また，数種薬剤と混合して使用する場合には，特に注意する必要がある

薬理作用

分類 副腎皮質ホルモン

作用部位・作用機序 細胞内の受容体を介してDNAに働き，遺伝子の転写を調節することにより，作用を発揮する

同効薬 コルチゾン，プレドニゾロン，メチルプレドニゾロン，トリアムシノロン，デキサメタゾン，ベタメタゾンなど

治療

効能・効果 100mg 300mg ( )内文字は投与法(注参照)を示す

①内科・小児科領域：(1)内分泌疾患：急性副腎皮質機能不全(副腎クリーゼ)〔(ア)(イ)(ウ)〕，甲状腺中毒症(甲状腺(中毒性)クリーゼ)〔(ア)(イ)＊(ウ)〕，慢性副腎皮質機能不全(原発性，続発性，下垂体性，医原性)〔(ウ)〕，ACTH単独欠損症〔＊(ウ)〕 (2)膠原病：リウマチ熱(リウマチ性心炎を含む)，エリテマトーデス(全身性及び慢性円板状)〔＊(ア)＊(イ)(ウ)〕 (3)アレルギー性疾患：気管支喘息〔(コ)(セ)〕，喘息発作重積状態，アナフィラキシーショック〔(ア)(イ)〕，喘息性気管支炎(小児喘息性気管支炎を含む)〔＊(ウ)(コ)〕，薬剤その他の化学的物質によるアレルギー・中毒(薬疹，中毒疹を含む)〔＊(ア)＊(イ)＊(ウ)〕，蕁麻疹(慢性例を除く)(重症例に限る)〔＊(イ)＊(ウ)〕 (4)神経疾患：脳脊髄炎(脳炎，脊髄炎を含む)(ただし，一次性脳炎の場合は頭蓋内圧亢進症状がみられ，かつ他剤で効果が不十分なときに短期間用いる)，重症筋無力症，多発性硬化症(視束脊髄炎を含む)〔(ア)(イ)＊(ウ)，脊髄腔内注入(サクシゾンのみ)〕，末梢神経炎(ギランバレー症候群を含む)〔＊(ア)＊(イ)＊(ウ)，脊髄腔内注入(サクシゾンのみ)〕，小舞踏病，顔面神経麻痺，脊髄蜘網膜炎〔＊(ウ)〕，脊髄浮腫〔(ア)(カ)〕 (5)消化器疾患：限局性腸炎，潰瘍性大腸炎〔＊(ア)＊(イ)＊(ウ)(ク)〕 (6)呼吸器疾患：びまん性間質性肺炎(肺線維症)(放射線肺臓炎を含む)〔＊(ア)＊(イ)(コ)〕 (7)重症感染症：重症感染症(化学療法と併用する)〔(ア)(イ)＊(ウ)〕 (8)新陳代謝疾患：特発性低血糖症〔(ア)(イ)＊(ウ)〕 (9)その他の内科的疾患：重症消耗性疾患の全身状態の改善(癌末期，スプルーを含む)〔＊(ア)＊(イ)＊(ウ)〕，悪性リンパ腫(リンパ肉腫症，細網肉腫症，ホジキン病，皮膚細網症，菌状息肉症)及び類似疾患(近縁疾患)，好酸性肉芽腫〔(ア)(イ)＊(ウ)，脊髄腔内注入(サクシゾンのみ)〕，乳癌の再発転移〔＊(ウ)〕 ②外科領域：副腎摘除〔(ア)(イ)(ウ)〕，臓器・組織移植，副腎皮質機能不全患者に対する外科的侵襲〔＊(ウ)〕，侵襲後肺水腫〔(ア)(コ)〕，外科的ショック及び外科的ショック様状態，脳浮腫，輸血による副作用，気管支痙攣(術中)〔(ア)〕，手術後の腹膜癒着防止〔(キ)(ソル・コーテフのみ)〕，蛇毒・昆虫毒(重症の虫さされを含む)〔＊(ウ)〕 ③整形外科領域：関節リウマチ，若年性関節リウマチ(スチル病を含む)〔(ウ)(エ)〕，リウマチ性多発筋痛〔(ウ)〕，強直性脊椎炎(リウマチ性脊椎炎)〔(ウ)〕，強直性脊椎炎(リウマチ性脊椎炎)に伴う四肢関節炎〔(エ)〕 ④泌尿器科領域：前立腺癌(他の療法が無効の場合)，陰茎硬結〔＊(ウ)〕 ⑤眼科領域：眼科領域の術後炎症〔＊(ア)＊(ウ)，(ケ)(ソル・コーテフのみ)〕 ⑥皮膚科領域：湿疹・皮膚炎群(急性湿疹，亜急性湿疹，慢性湿疹，接触皮膚炎，貨幣状湿疹，自家感作性皮膚炎，アトピー皮膚炎，乳・幼・小児湿疹，ビダール苔癬，その他の神経皮膚炎，脂漏性皮膚炎，進行性指掌角皮症，その他の手指の皮膚炎，陰部あるいは肛門湿疹，耳介及び外耳道の湿疹・皮膚炎，鼻前庭及び鼻翼周辺の湿疹・皮膚炎等)(ただし，重症例以外は極力投与しない)〔★＊(ウ)〕，乾癬及び類症〔尋常性乾癬(重症例)，関節症性乾癬，乾癬性紅皮症，膿疱性乾癬，稽留性肢端皮膚炎，疱疹状膿痂疹，ライター症候群〕〔★＊(イ)★＊(ウ)〕，紅斑症(★多形滲出性紅斑，結節性紅斑)(ただし，多形滲出性紅斑の場合は重症例に限る)〔＊(ウ)〕，ウェーバークリスチャン病，粘膜皮膚眼症候群〔開口部びらん性外皮症，スチブンス・ジョンソン病，皮膚口内炎，フックス症候群，ベーチェット病(眼症状のない場合)，リップシュッツ急性陰門潰瘍〕，天疱瘡群(尋常性天疱瘡，落葉状天疱瘡，Senear-Usher症候群，増殖性天疱瘡)，デューリング疱疹状皮膚炎(類天疱瘡，妊娠性疱疹を含む)〔＊(イ)＊(ウ)〕，帯状疱疹(重症例に限る)〔＊(ウ)〕，潰瘍性慢性膿皮症〔＊(ウ)〕，紅皮症(ヘブラ紅色粃糠疹を含む)〔★＊(イ)★＊(ウ)〕 ⑦耳鼻咽喉科領域：メニエル病及びメニエル症候群，急性感音性難聴〔(ア)(イ)(ウ)〕，喉頭炎・喉頭浮腫〔(ア)(イ)(ウ)(コ)(シ)〕，食道の炎症(腐蝕性食道炎，直達鏡使用後)及び食道拡張術後〔(ア)(イ)(ウ)(コ)(ス)〕，アレルギー性鼻炎，花粉症(枯草熱)〔(ウ)(コ)(サ)〕，嗅覚障害〔＊(ア)＊(イ)＊(ウ)(コ)(サ)〕，難治性口内炎及び舌炎(局所療法で治癒しないもの)〔(オ)〕 ⑧口腔外科領域：口腔外科領域手術後の後療法〔(ア)(イ)(ウ)〕

注)投与法：(ア)静注 (イ)点滴静注 (ウ)筋注 (エ)関節腔内注射 (オ)軟組織内注射 (カ)硬膜外注射 (キ)腹腔内注入 (ク)注腸 (ケ)結膜下注射 (コ)ネブライザー (サ)鼻腔内注入 (シ)喉頭・気管注入 (ス)食道注入 (セ)静注又は点静注

＊：次の場合のみ用いる：(1)静注及び点静注：経口投与不能時，緊急時及び筋注不適な場合にのみ用いる (2)筋注：経口投与不能な場合にのみ用いる

★：外用剤を用いても効果が不十分な場合あるいは十分な効果を期待し得ないと推定される場合のみ用いる

250mg 500mg 1000mg ①急性循環不全(出血性ショック，外傷性ショック)及びショック様状態における救急 ②(250mg・500mg)気管支喘息

用法・用量 100mg 300mg ヒドロコルチゾンとして ①静注，点滴静注，筋注：1回50～100mgを1日1～4回，緊急時1回100～200mg(適宜増減) ②関節腔内注射：1回5～25mg，原則として投与間隔2週間以上(適宜増減) ③軟組織内注射：1回12.5～25mg，原則として投与間隔2週間以上(適宜増減) ④硬膜外注射：1回12.5～50mg，原則として投与間隔2週間以上(適宜増減) ⑤脊髄腔内注入：1回10～25mg(適宜増減) ⑥腹腔内注入：1回40mg(適宜増減) ⑦注腸：1回50～100mg(適宜増減) ⑧結膜下注射：1回20～50mg/mL溶液0.2～0.5mL(適宜増減) ⑨ネブライザー，鼻腔内注入，喉頭・気管注入：1回10～15mg，1日1～3回(適宜増減) ⑩食道注入：1回25mg(適宜増減)．サクシゾンは用法①～⑤，⑦，⑨，⑩のみ，ソル・コーテフは用法①～④，⑥～⑩のみ

(ソル・コーテフ注射用100mg)気管支喘息における静脈内注射又は点滴静脈内注射の用法・用量(ヒドロコルチゾンとして)は次の通りである：(1)成人：ヒドロコルチゾンとして初回投与量100～500mgを緩徐に静注又は点滴静注．症状が改善しない場合には，1回50～200mgを4～6時間毎に緩徐に追加投与(適宜増減) (2)2歳以上の小児：ヒドロコルチゾンとして初回投与量5～7mg/kgを緩徐に静注又は点滴静注．症状が改善しない場合には，1回5～7mg/kgを6時間毎に緩徐に追加投与(適宜増減) (3)2歳未満の小児：ヒドロコルチゾンとして初回投与量5mg/kgを緩徐に静注又は点滴静注．症状が改善しない場合には，1回5mg/kgを6～8時間毎に緩徐に追加投与(適宜増減)

250mg 500mg 1000mg 効能①：ヒドロコルチゾンとして1回250～1000mgを緩徐に静注又は点滴静注．なお，症状が改善しない場合には，適宜追加投与 効能②：(1)成人：ヒドロコルチゾンとして初回投与量100～500mgを緩徐に静注又は点滴静注．症状が改善しない場合には，1回50～200mgを4～6時間毎に緩徐に追加投与(適宜増減) (2)2歳以上の小児：ヒドロコルチゾンとして初回投与量5～7mg/kgを緩徐に静

注又は点滴静注．症状が改善しない場合には，1回5～7mg/kgを6時間毎に緩徐に追加投与（適宜増減） (3)2歳未満の小児：ヒドロコルチゾンとして初回投与量5mg/kgを緩徐に静注又は点滴静注．症状が改善しない場合には，1回5mg/kgを6～8時間毎に緩徐に追加投与（適宜増減）

使用上の注意

禁忌 **100mg** ①次の患者又は部位には投与しない：(1)本剤の成分に対し過敏症の既往歴のある患者 (2)デスモプレシン酢酸塩水和物（男性における夜間多尿による夜間頻尿）を投与中の患者 (3)感染症のある関節腔内又は腱周囲［免疫機能を抑制し，宿主防御能を低下させるので，感染症を悪化させるおそれがある］ (4)動揺関節の関節腔内［関節の不安定化が起こり，症状を悪化させるおそれがある］ ②次の薬剤を投与しない：生ワクチン又は弱毒生ワクチン

250mg **500mg** **1000mg** ①次の患者には投与しない：(1)本剤の成分に対し過敏症の既往歴のある患者 (2)デスモプレシン酢酸塩水和物（男性における夜間多尿による夜間頻尿）を投与中の患者 ②次の薬剤を投与しないこと：生ワクチン又は弱毒生ワクチン

薬物動態

血中濃度 1回1mg/kg筋注後30～60分で最高値，1回100mg静注後の生物学的半減期約100分［日本人のデータではない］ **排泄** 主としてグルクロン酸抱合型で尿中排泄 **参考** ①分布：ラットに^{3}H-ヒドロコルチゾンコハク酸エステルナトリウム投与15分後の体内分布は，副腎を除くと肝が最も高く，次いで血清，腎，肺，脾，脳，筋肉の順 ②代謝：体内で速やかに加水分解，ヒドロコルチゾンコハク酸エステル及びヒドロコルチゾンとして平衡が保たれ存在（ラット）．生物学的作用・代謝等は，ヒドロコルチゾンとほぼ同様

その他の管理的事項

投与期間制限 該当しない

保険給付上の注意 該当しない

資料

IF ソル・コーテフ注射用100mg 2020年4月改訂（第13版）
ソル・コーテフ静注用250mg・500mg・1000mg 2020年3月改訂（第13版）

ヒドロコルチゾン酢酸エステル
Hydrocortisone Acetate

概要

構造式

分子式 $C_{23}H_{32}O_6$

分子量 404.50

原薬の規制区分 該当しない

原薬の外観・性状 白色の結晶又は結晶性の粉末である．ジメチルスルホキシドに溶けやすく，メタノール又はエタノール(95)に溶けにくく，水にほとんど溶けない．結晶多形が認められる

治療

効能・効果† 外眼部及び前眼部の炎症性疾患の対症療法（眼瞼炎，結膜炎，角膜炎，強膜炎，上強膜炎，前眼部ブドウ膜炎，術後炎症）

ヒドロコルチゾン・ジフェンヒドラミン軟膏
Hydrocortisone and Diphenhydramine Ointment

概要

原薬の規制区分 該当しない

原薬の外観・性状 白色～微黄色である

製剤

貯法・保存条件 気密容器，遮光保存

ヒドロコルチゾン酪酸エステル
Hydrocortisone Butyrate

概要

薬効分類 264 鎮痛，鎮痒，収斂，消炎剤

構造式

分子式 $C_{25}H_{36}O_6$

分子量 432.55

略語・慣用名 HCB，HB，H17B

ステム プレドニゾロン誘導体以外の副腎皮質ステロイド類：cort

原薬の規制区分 該当しない

原薬の外観・性状 白色の粉末で，においはない．クロロホルムに溶けやすく，メタノールにやや溶けやすく，エタノール(99.5)にやや溶けにくく，水にほとんど溶けない

原薬の吸湿性 該当資料なし

原薬の融点・沸点・凝固点 融点：約200℃（分解）

原薬の酸塩基解離定数 解離しないのでpKaは存在しない

先発医薬品等

軟 ロコイド軟膏0.1%（鳥居）

クリーム ロコイドクリーム0.1%（鳥居）

国際誕生年月 不明

海外での発売状況 米，英を含む数十カ国

製剤

製剤の性状 **軟** 白色～微黄色の全質均等の（白色ワセリンを主体とする）軟膏で，においはない **クリーム** 白色のクリームで，においはない

有効期間又は使用期限 **軟** 4年 **クリーム** 3年

貯法・保存条件 気密容器，室温保存

薬剤取扱い上の留意点 眼科用として角膜，結膜には使用しない．患者に化粧下，ひげそり後などに使用することのないよう注意する

患者向け資料等 くすりのしおり

溶液及び溶解時のpH **クリーム** 3.5～4.0(1→4)

浸透圧比 該当しない

安定なpH域 該当しない

調製時の注意 該当しない

薬理作用

分類 外用合成副腎皮質ホルモン剤

作用部位・作用機序 作用部位：皮膚 作用機序：血管透過性亢進抑制作用，受動皮膚アナフィラキシー（PCA）反応抑制作用，カラゲニン足浮腫抑制作用，滲出及び肉芽形成に対する作用，血管収縮作用

同効薬　アルクロメタゾンプロピオン酸エステル，トリアムシノロンアセトニド，クロベタゾン酪酸エステルなど

治療

効能・効果　湿疹・皮膚炎群(進行性指掌角皮症，ビダール苔癬，脂漏性皮膚炎を含む)，痒疹群(蕁麻疹様苔癬，ストロフルス，固定蕁麻疹を含む)，乾癬，掌蹠膿疱症

用法・用量　1日1～数回塗布(適宜増減)

使用上の注意

禁忌　①細菌・真菌・スピロヘータ・ウイルス皮膚感染症，及び動物性皮膚疾患(疥癬，けじらみ等)［感染症及び動物性皮膚疾患症状を悪化させることがある］　②本剤に対して過敏症の既往歴のある患者　③鼓膜に穿孔のある湿疹性外耳道炎［穿孔部位の治癒が遅れるおそれがある．また，感染のおそれがある］　④潰瘍(ベーチェット病は除く)，第2度深在性以上の熱傷・凍傷［皮膚の再生が抑制され，治癒が著しく遅れるおそれがある．また，感染のおそれがある］

薬物動態

［ヒト］^{14}C-Hydrocortisone 17-butyrateクリームを正常人及び腋臭症患者の腋窩皮膚に密封塗布し，オートラジオグラフィ検索で，短時間で角質層に良好な沈着がみられ，経時的に増強．除去後24時間でも皮層貯留．有棘層及び皮膚付属器への沈着は軽度　**(参考)動物**　①ラットに^{14}C-Hydrocortisone 17-butyrate(^{14}C-H-17B)を皮下注時，ほぼ全身に分布し，投与30分後では肝臓，次いで腎臓，膵臓，小腸，心臓，肺，顎下腺，大腿筋の順．投与1時間後には，小腸，肝臓で高く，心臓，顎下腺を除いて最高値．その後時間経過とともに減少し，特定臓器への蓄積傾向は認められなかった　②ラットに^{14}C-H-17Bを皮下注射後24時間以内に約70％相当が胆汁から排泄，投与後24時間以内に38％が，48時間以内に62％が糞中に排泄．尿中には48時間以内に9.5％が排泄　③ラットに^{14}C-H-17Bクリームを健常皮膚に塗布後，ラジオオートグラムを作成したところ，投与部位以外にはフィルムを感光させるほどの放射能は認められなかった　④本剤の分解をBritton緩衝液，牛血清，ラット肝臓ホモジネートで検討した結果，Britton緩衝液，牛血清では，Hydrocortisone21-butyrateと，Hydrocortisoneを認め，ラット肝臓ホモジネートではHydrocortisoneは認めたが，Hydrocortisone21-butyrateはほとんど認められなかった(*in vitro*)

その他の管理的事項

投与期間制限　該当しない

保険給付上の注意　該当しない

資料

IF　ロコイド軟膏0.1％・クリーム0.1％　2012年7月改訂(第4版)

ヒドロコルチゾンリン酸エステルナトリウム
Hydrocortisone Sodium Phosphate

概要

薬効分類　245　副腎ホルモン剤

構造式

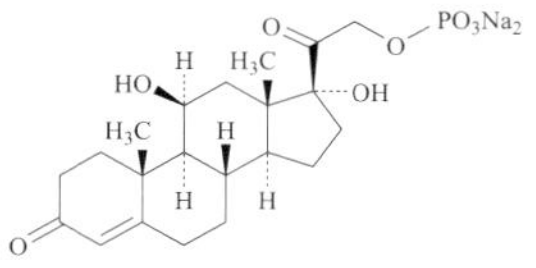

分子式　$C_{21}H_{29}Na_2O_8P$

分子量　486.40

ステム　プレドニゾロン誘導体以外の副腎皮質ステロイド類：cort

原薬の規制区分　該当しない

原薬の外観・性状　白色～淡黄色の粉末である．水に溶けやすく，メタノールにやや溶けにくく，エタノール(95)に極めて溶けにくい．結晶多形が認められる．1.0gを水100mLに溶かした液のpHは7.5～9.5である

原薬の吸湿性　吸湿性である

先発医薬品等

注 水溶性ハイドロコートン注射液100mg・500mg(日医工)

後発医薬品

注 100mg・500mg

国際誕生年月　不明

海外での発売状況　米，英

製剤

規制区分　注 ㊈

製剤の性状　注 無色～淡黄色澄明の水性注射剤

有効期間又は使用期限　3年

貯法・保存条件　凍結を避け遮光・室温保存

薬剤取扱い上の留意点　通常，淡黄色を帯びているが，これは原末(ヒドロコルチゾンリン酸エステルナトリウム)自体の呈色によるものである．バイアルの外面を滅菌することが必要な場合，高圧蒸気滅菌法等を用いないこと(高熱による変質を避けるため)

患者向け資料等　くすりのしおり

溶液及び溶解時のpH　7.5～8.5

浸透圧比　約2(対生食)

調製時の注意　開封後は微生物等の異物混入のおそれがあるので，なるべく速やかに使用すること

薬理作用

分類　副腎皮質ホルモン

作用部位・作用機序　副腎皮質ホルモン剤の高用量投与による抗ショック作用の作用機序としては，心拍出量の増加，抹消血管抵抗の減少，心筋収縮力の増強，微小循環の改善，リソゾーム膜の安定化等があげられている

同効薬　ヒドロコルチゾンコハク酸エステルナトリウム，デキサメタゾンリン酸エステルナトリウムなど

治療

効能・効果　外科的ショック及びショック様状態における救急，又は術中・術後のショック

用法・用量　1日1回又は数回，1回ヒドロコルチゾンとして100～1000mgを静注又は点滴静注

使用上の注意

禁忌　①本剤の成分に対し過敏症の既往歴のある患者　②デスモプレシン酢酸塩水和物(男性における夜間多尿による夜間頻尿)を投与中の患者

その他の管理的事項

投与期間制限　該当しない

保険給付上の注意　該当しない

資料

IF　水溶性ハイドロコートン注射液100mg・500mg　2019年9月改訂(第6版)

ピブメシリナム塩酸塩
ピブメシリナム塩酸塩錠
Pivmecillinam Hydrochloride

概要

薬効分類　612　主としてグラム陰性菌に作用するもの

構造式

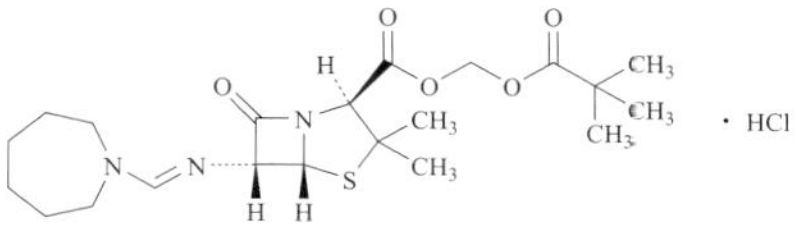

分子式　$C_{21}H_{33}N_3O_5S \cdot HCl$

分子量　476.03

原薬の規制区分　該当しない

原薬の外観・性状　白色～帯黄白色の結晶性の粉末である．メタノール又は酢酸(100)に極めて溶けやすく，水又はエタノール(99.5)に溶けやすく，アセトニトリルにやや溶けやすい

ヒプロメロース
Hypromellose

概要

原薬の規制区分　該当しない

原薬の外観・性状　白色～帯黄白色の粉末又は粒である．エタノール(99.5)にほとんど溶けない．水を加えるとき，膨潤し，澄明又は僅かに混濁した粘稠性のある液となる．pH:5.0～8.0

ヒプロメロース酢酸エステルコハク酸エステル
Hypromellose Acetate Succinate

概要

原薬の規制区分　該当しない

原薬の外観・性状　白色～帯黄白色の粉末又は粒である．水又はエタノール(99.5)にほとんど溶けない．水酸化ナトリウム試液に溶ける

原薬の吸湿性　吸湿性である

ヒプロメロースフタル酸エステル
Hypromellose Phthalate

概要

原薬の規制区分　該当しない

原薬の外観・性状　白色の粉末又は粒である．水，アセトニトリル又はエタノール(99.5)にほとんど溶けない．メタノール/ジクロロメタン混液(1：1)又はエタノール(99.5)/アセトン混液(1：1)を加えるとき，粘稠性のある液となる．水酸化ナトリウム試液に溶ける

ピペミド酸水和物
Pipemidic Acid Hydrate

概要

薬効分類　624　合成抗菌剤

構造式

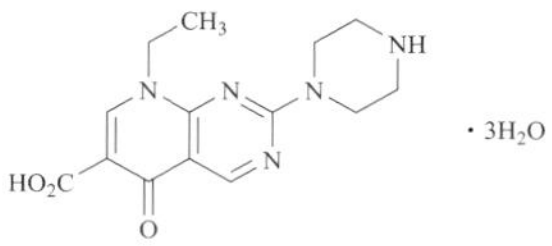

分子式　$C_{14}H_{17}N_5O_3 \cdot 3H_2O$

分子量　357.36

略語・慣用名　PPA

原薬の規制区分　該当しない

原薬の外観・性状　微黄色の結晶性の粉末である．酢酸(100)に溶けやすく，水に極めて溶けにくく，メタノール又はエタノール(99.5)にほとんど溶けない．水酸化ナトリウム試液に溶ける．光によって徐々に着色する

原薬の吸湿性　無水物は吸湿性である

原薬の融点・沸点・凝固点　融点：約250℃(分解)

原薬の酸塩基解離定数　pKa_1＝5.57(カルボキシル基，吸光度法)，pKa_2＝8.71(ピペラジン環，吸光度法)

先発医薬品等

錠 ドルコール錠250mg(日医工)

後発医薬品

錠 250mg

国際誕生年月　1979年4月

海外での発売状況　スペイン，インドネシア，台湾

製剤

規制区分　錠 ㊄

製剤の性状　錠 類白色のフィルムコート錠

有効期間又は使用期限　3年

貯法・保存条件　室温保存

患者向け資料等　くすりのしおり

溶液及び溶解時のpH　該当しない

浸透圧比　該当しない

安定なpH域　該当しない

調製時の注意　該当しない

薬理作用

分類　ピリドピリミジン誘導体抗菌性化学療法剤

作用部位・作用機序　細菌のDNA複製を阻害し，殺菌的に作用する

同効薬　エノキサシン，ノルフロキサシン，オフロキサシン，シプロフロキサシン，ロメフロキサシン，トスフロキサシン，フレロキサシン，レボフロキサシン，スパルフロキサシン

治療

効能・効果　〈適応菌種〉ピペミド酸に感性の大腸菌，赤痢菌，シトロバクター属，クレブシエラ属，エンテロバクター属，プロテウス属，腸炎ビブリオ，緑膿菌 〈適応症〉膀胱炎，腎盂腎炎，前立腺炎(急性症，慢性症)，感染性腸炎，中耳炎，副鼻腔炎

効能・効果に関連する使用上の注意　感染性腸炎，副鼻腔炎への使用にあたっては，「抗微生物薬適正使用の手引き」を参照し，抗菌薬投与の必要性を判断した上で，投与が適切と判断される場合に投与する

用法・用量　ピペミド酸として1日，膀胱炎，腎盂腎炎，前立腺炎(急性症，慢性症)には500～2000mg，感染性腸炎，中耳炎，副鼻腔炎には1500～2000mg，3～4回に分服(適宜増減)

用法・用量に関連する使用上の注意　使用にあたっては，耐性菌の発現等を防ぐため，原則として感受性を確認し，疾病の治療上必要な最小限の期間の投与にとどめる

ヒ

禁忌・原則禁忌となる特定患者集団　妊婦又は妊娠している可能性のある婦人，小児

使用上の注意

禁忌　①本剤の成分に対し過敏症の既往歴のある患者　②妊婦又は妊娠している可能性のある婦人　③小児

相互作用概要　CYP1A2の阻害作用を有する

薬物動態

血漿中濃度　健康成人に1回500mg投与時のCmaxは，1時間後4.4μg/mL，半減期はデータなし．なお，投与6時間後には0.9μg/mLに低下　**血清蛋白結合率**　27～35％(*in vitro*，ヒト血清，限外ろ過法)　**組織内移行**　胆嚢腫瘍等の患者に1回1000mg経口投与時の胆汁中濃度は，3～7時間後ピーク2.9～20.6μg/mL．また，前立腺液，耳漏，鼻汁，乳汁，上顎洞粘膜等へも移行　**主な代謝産物及び代謝経路**　体内ではほとんど代謝されず，未変化体のまま主として尿中へ排泄　**排泄経路及び排泄率**　①排泄経路：主として尿中　②排泄率：健康成人に500mgを1回経口投与時の尿中濃度は2～4時間尿にピーク平均約1100μg/mLで，24時間までの尿中累積回収率は平均88％．また，1回1000mg経口投与後0～24時間に採取した糞便中の平均濃度は約1100μg/g　**相互作用**　健康成人にテオフィリン400mg/日と本剤1.5g/日を併用投与5日目には，テオフィリン単独投与に比べ，テオフィリンの最高血中濃度，血中濃度曲線下面積はそれぞれ1.6，1.8倍に増加

その他の管理的事項

投与期間制限　該当しない

保険給付上の注意　該当しない

資料

IF　ドルコール錠250mg　2019年10月改訂(第3版)

ピペラシリン水和物
Piperacillin Hydrate

概要

構造式

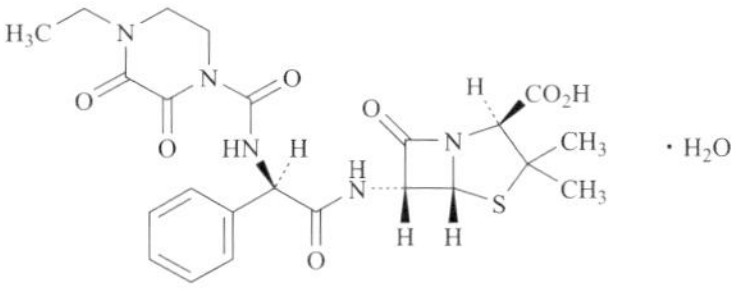

分子式　$C_{23}H_{27}N_5O_7S \cdot H_2O$

分子量　535.57

原薬の規制区分　該当しない

原薬の外観・性状　白色の結晶性の粉末である．メタノールに溶けやすく，エタノール(99.5)又はジメチルスルホキシドにやや溶けやすく，水に極めて溶けにくい

原薬の融点・沸点・凝固点　融点：153～164℃(分解)

ピペラシリンナトリウム
注射用ピペラシリンナトリウム
Piperacillin Sodium

概要

薬効分類　613　主としてグラム陽性・陰性菌に作用するもの

構造式

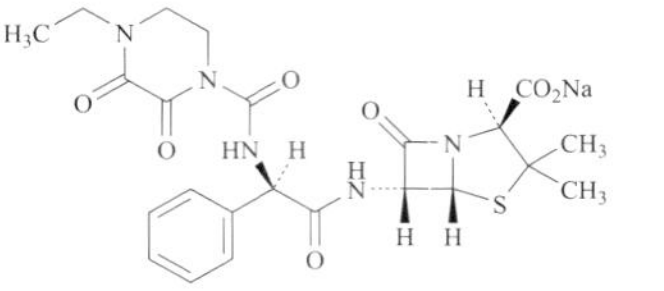

分子式　$C_{23}H_{26}N_5NaO_7S$

分子量　539.54

略語・慣用名　PIPC

ステム　6-アミノペニシラン酸系抗生物質：-cillin

原薬の規制区分　該当しない

原薬の外観・性状　白色の粉末又は塊である．水に極めて溶けやすく，メタノール又はエタノール(95)に溶けやすく，アセトニトリルにほとんど溶けない．1.0gを水4mLに溶かした液のpHは5.0～7.0である

原薬の吸湿性　バイアル中で開封下25℃，75％RHで2日間保存するとき，経時的に含湿度は上昇するが，湿潤は認められなかった．含湿度：1.0％以下

原薬の融点・沸点・凝固点　融点：179～182℃(分解)

原薬の酸塩基解離定数　pKa＝2.3

先発医薬品等

注射用　ペントシリン注射用1g・2g(富士フイルム富山化学)

キット　ピペラシリンナトリウム点滴静注用バッグ1g・2g「NP」(ニプロ)
ペントシリン静注用1g・2gバッグ(富士フイルム富山化学)

後発医薬品

注射用　1g・2g

国際誕生年月　1979年5月

海外での発売状況　43カ国

製剤

規制区分　**注射用**　**静注用**　㉄

製剤の性状　**注射用**　**静注用**　白色の粉末又は塊

有効期間又は使用期限　3年

貯法・保存条件　室温保存

患者向け資料等　くすりのしおり

溶液及び溶解時のpH　**注射用**　5.0～7.0　**静注用**　4.5～8.0

浸透圧比　約2(1g/4mL注射用水)，約1(2g/100mL生食，4g/100mL生食，4g/100mL 5％ブドウ糖注射液)，約3(1g/0.5w/v％リドカイン注射液)

調製時の注意　溶解後は速やかに使用すること．なお，やむを得ず保存を必要とする場合でも冷蔵庫中(約5℃)に保存し，24時間以内に使用すること．アミノグリコシド系抗生物質(トブラマイシン等)と配合すると，アミノグリコシド系抗生物質の活性低下をきたすので，併用する場合にはそれぞれ別経路で投与すること　**静注用**　使用にあたっては完全に溶解したことを確認すること．寒冷期には溶解液を体温程度に温めて使用すること

薬理作用

分類　ペニシリン系抗生物質

作用部位・作用機序　グラム陽性菌及びグラム陰性菌に対し，他のβ-ラクタム系抗生物質と同様に細菌細胞壁を構成するペプチドグリカンの架橋酵素群(ペニシリン結合蛋白：PBP)と結合し，不活化することにより抗菌力を発揮する．ピペラシリンは，最小発育阻止濃度又はそれに近い濃度で殺菌的に

作用する

同効薬　注射用ペニシリン系抗生物質

治療

効能・効果　〈適応菌種〉ピペラシリンに感性のブドウ球菌属，レンサ球菌属，肺炎球菌，腸球菌属，大腸菌，シトロバクター属，肺炎桿菌，エンテロバクター属，セラチア属，プロテウス属，モルガネラ・モルガニー，プロビデンシア属，インフルエンザ菌，緑膿菌，バクテロイデス属，プレボテラ属（プレボテラ・ビビアを除く）〈適応症〉敗血症，急性気管支炎，肺炎，肺膿瘍，膿胸，慢性呼吸器病変の二次感染，膀胱炎，腎盂腎炎，胆嚢炎，胆管炎，バルトリン腺炎，子宮内感染，子宮付属器炎，子宮旁結合織炎，化膿性髄膜炎

効能・効果に関連する使用上の注意　急性気管支炎への使用にあたっては，「抗微生物薬適正使用の手引き」を参照し，抗菌薬投与の必要性を判断した上で，投与が適切と判断される場合に投与する

用法・用量　**注射用**　1日2～4g（力価），2～4回に分けて静注するが筋注もできる．なお，難治性又は重症感染症には症状に応じて，1回4g（力価）を1日4回まで増量して静注．小児には1日50～125mg（力価）/kg，2～4回に分けて静注．なお，難治性又は重症感染症には症状に応じて，1日300mg（力価）/kgまで増量して3回に分けて静注．ただし，1回投与量の上限は成人における1回4g（力価）を超えないものとする．※投与に際して：⑴静注は注射用水，生理食塩液又はブドウ糖注射液に溶解し緩徐に行う　⑵点滴による静注に際しては，1～4g（力価）を100～500mLの補液に溶解し用いる．筋注に際しては，1g（力価）をリドカイン注射液（0.5w/v%）3mLに溶解し注射する．なお，点滴静注にあたっては，注射用水を使用しない（溶液が等張にならないため）

キット　1日2～4g（力価），2～4回に分けて静注．なお，難治性又は重症感染症には症状に応じて，1回4g（力価）を1日4回まで増量して静注．小児には，1日50～125mg（力価）/kg，2～4回に分けて静注．なお，難治性又は重症感染症には症状に応じて，1日300mg（力価）/kgまで増量して3回に分けて静注．ただし，1回投与量の上限は成人における1回4g（力価）を超えない．投与に際しては，用時　添付の生理食塩液に溶解し，静脈内に点滴投与．※溶解操作方法：バッグ製品の外袋及びカバーシートに記載の「溶解操作方法」を参照

用法・用量に関連する使用上の注意　①高度の腎障害のある患者には，投与量・投与間隔の適切な調節をする等，慎重に投与する　②使用にあたっては，耐性菌の発現等を防ぐため，原則として感受性を確認し，疾病の治療上必要な最小限の期間の投与にとどめる

使用上の注意

禁忌　①本剤の成分に対し過敏症の既往歴のある患者　②伝染性単核球症の患者［ペニシリン系抗生物質の投与で発疹が出現しやすいという報告がある］

薬物動態

血中濃度　①健康成人に1g（4例），2g（3例）静注時の15分値（μg/mL）は59.1，130，1g（3例）筋注時30分後に最高37.7，半減期はいずれも平均0.7時間．1g（7例）を30分，2g（4例）を1時間点滴静注時の$T_{1/2}$(hr)は0.78±0.145，0.79±0.11，Cmax（μg/mL）60.2±4.91，85.8±1.7．AUC（μg・hr/mL）47.9±5.41，111.6±4.3　②成人患者（98例）に4gを1日4回点滴静注時の薬物動態パラメータは，AUCτ（μg・hr/mL）688.4±313.0，Cmax（μg/mL）297.3±59.8，$t_{1/2\alpha}$(hr)0.6±0.1，$t_{1/2\beta}$(hr)1.7±0.6　③小児患者に100mg/kgを1日3回点滴静注時の薬物動態パラメータ[AUCτ（μg・hr/mL），Cmax（μg/mL），$t_{1/2\alpha}$(hr)，$t_{1/2\beta}$(hr)の順]は，2歳未満（10例）[350.7±44.9，231.7±25.1，0.7±0.1，3.8±0.0]，2歳以上6歳未満（9例）[322.3±32.7，211.2±7.3，0.6±0.1，3.8±0.0]，6歳以上12歳未満（1例）[555.4，247.7，1.1，3.8]，12歳以上16歳未満（1例）[375.0，240.8，0.7，3.3]　**組織内移行**　胆石症及び胆道感染症患者に2g静注90分後の胆嚢内胆汁中濃度は平均795.6μg/mLで高値，胆嚢組織内濃度は平均31.2μg/g．胆石症患者に1回2g30分点滴静注，投与終了後2時間後の胆嚢内胆汁中濃度及び胆嚢組織内濃度は胆嚢管開存患者（7例）で330～2280μg/mL（平均1042μg/mL），9.4～203μg/mL（平均60μg/mL），閉塞患者（8例）で0.7～34μg/mL（平均13.9μg/mL），2.5～33μg/mL（平均16.5μg/mL）．子宮各組織（子宮内膜，子宮筋層，子宮頸部，子宮腟部，卵管，卵巣）内濃度は，2g静注15～40分後には最高25～40.8μg/g，1回2g点滴静注時，65～75分後に最高33.2～45.1μg/mL．骨盤死腔液中濃度は投与後105分に最高41.9μg/mL，点滴静注140分後に最高35.7μg/mL．臍帯血，羊水中には良好に移行，母乳中にはわずかに移行が認められた．胸水，喀痰，唾液，髄液内等にも良好に移行　**蛋白結合率**　21.2%（ヒト血清，薬剤濃度：25μg/mL，遠心限外ろ過法），血清蛋白との結合は可逆的　**代謝**　ヒト血漿，尿中にピペラシリン（PIPC）の活性代謝物である脱エチル体（DEt-PIPC）が認められている　**排泄**　1回1gを30分点滴静注時，未変化体の24時間累積尿中回収率の平均は，健康な非高齢者（20～40歳，7例）で56.2%，高齢者（65歳以上，Ccr＞40mL/分7例）で57.7%．1回1g筋注6時間までの排泄率は平均69.1%　**腎機能障害者の血中濃度**　外国人（静注用データ）：血中濃度半減期は腎機能の低下とともに延長し，高度障害患者では正常者の約4倍に延長．腎機能障害の程度別の血中半減期：正常（Ccr＞80：18例）1.04時間，軽度（80＞Ccr＞40：13例）1.7時間，（40＞Ccr＞20：11例）2.45時間，中等度（20＞Ccr＞10：7例）2.77時間，高度（Ccr＜10：18例）4.12時間　**透析時の血中濃度**　血液透析中の慢性腎不全患者（8例）に2g静注での非透析時，透析時の血中半減期（時間）は7.62，2.37，24時間後血中濃度（μg/mL）は30.6，11，血中残存率（投与1時間後の血中濃度を100とした場合の値，%）6時間後では55.2，25.5，24時間後では14，4.7　**高齢者の血中濃度**　高齢者（65歳以上，Ccr＞40mL，7例），健康な非高齢者（20～40歳，7例）に1回1g30分点滴静注時，CL（mL/min）は247±37.3，352±36.8，$T_{1/2}$(hr)は1.1±0.155，0.78±0.145，Cmax（μg/mL）65.5±8.39，60.2±4.91，AUC（μg・hr/mL）68.9±10.4，47.9±5.41．高齢者では非高齢者と比較し総クリアランスが70%低下，消失半減期は0.3時間延長

その他の管理的事項

投与期間制限　該当しない

保険給付上の注意　該当しない

資料

IF　ペントシリン注射用1g・2g・静注用1g・2gバッグ　2020年4月改訂（第19版）

ピペラジンアジピン酸塩
Piperazine Adipate

概要

構造式

(piperazine) · HO_2C–(CH₂)₄–CO_2H

分子式　$C_4H_{10}N_2 \cdot C_6H_{10}O_4$

分子量　232.28

原薬の規制区分　該当しない

原薬の外観・性状　白色の結晶性の粉末で，においはなく，僅かに酸味がある．水又は酢酸（100）にやや溶けやすく，エタノール（95），アセトン又はジエチルエーテルにほとんど溶けない．1.0gを水20mLに溶かした液のpHは5.0～6.0である

原薬の融点・沸点・凝固点　融点：約250℃（分解）

ヒ

ピペラジンリン酸塩水和物
ピペラジンリン酸塩錠
Piperazine Phosphate Hydrate

概要

構造式

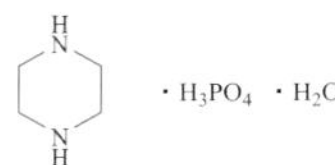

分子式　$C_4H_{10}N_2 \cdot H_3PO_4 \cdot H_2O$

分子量　202.15

原薬の規制区分　該当しない

原薬の外観・性状　白色の結晶又は結晶性の粉末で，においはなく，僅かに酸味がある．ギ酸にやや溶けやすく，水にやや溶けにくく，酢酸(100)に極めて溶けにくく，メタノール，エタノール(95)又はジエチルエーテルにほとんど溶けない．希塩酸に溶ける．1.0gを水100mLに溶かした液のpHは6.0～6.5である

原薬の融点・沸点・凝固点　融点：約222℃(分解)

ビペリデン塩酸塩
Biperiden Hydrochloride

概要

薬効分類　116　抗パーキンソン剤

構造式

分子式　$C_{21}H_{29}NO \cdot HCl$

分子量　347.92

原薬の規制区分　劇(ただし，1錠中ビペリデンとして2mg以下を含有するもの及び注射剤以外の製剤であってビペリデンとして1%以下を含有するものを除く)

原薬の外観・性状　白色～帯褐黄白色の結晶性の粉末である．ギ酸に溶けやすく，水，メタノール又はエタノール(95)に溶けにくく，ジエチルエーテルにほとんど溶けない

原薬の吸湿性　該当資料なし

原薬の融点・沸点・凝固点　融点：約270℃(分解)

原薬の酸塩基解離定数　該当資料なし

先発医薬品等
- 細　アキネトン細粒1%(大日本住友)
- 錠　アキネトン錠1mg(大日本住友)
- 注　アキネトン注射液5mg(大日本住友)

後発医薬品
- 散　1%
- 細　1%
- 錠　1mg・2mg
- 注　0.5%

国際誕生年月　不明

海外での発売状況　米，英，仏，独，豪など

製剤

規制区分　細　錠　処

製剤の性状　細　白色の細粒　錠　白色の割線入り素錠

有効期間又は使用期限　3年

貯法・保存条件　細　気密容器，室温保存　散　錠　遮光・室温保存

薬剤取扱い上の留意点　眠気，調節障害及び注意力・集中力・反射機能等の低下が起こることがあるので，本剤投与中の患者には自動車の運転など危険を伴う機械の操作には従事させないよう注意すること

患者向け資料等　くすりのしおり

薬理作用

分類　合成抗コリン性抗パーキンソン剤

作用部位・作用機序　中枢神経系において，アセチルコリンレセプターと競合的に拮抗し，抗コリン作用を示す．線状体のドパミン含量の低下に伴って相対的に優位となったアセチルコリン系の機能を遮断する

同効薬　トリヘキシフェニジル塩酸塩，レボドパ，アマンタジン塩酸塩，セレギリン塩酸塩，マザチコール塩酸塩，ブロモクリプチンメシル酸塩，タリペキソール塩酸塩など

治療

効能・効果　特発性パーキンソニズム，その他のパーキンソニズム(脳炎後，動脈硬化性，中毒性)，向精神薬投与によるパーキンソニズム・ジスキネジア(遅発性を除く)・アカシジア

効能・効果に関連する使用上の注意　抗パーキンソン剤はフェノチアジン系薬剤，ブチロフェノン系薬剤，レセルピン誘導体等による口周部等の不随意運動(遅発性ジスキネジア)を通常軽減しない．場合によっては，このような症状を増悪顕性化させることがある

用法・用量　散　細　錠　ビペリデン塩酸塩として1回1mg1日2回からはじめ，その後漸増し，1日3～6mgを分服(適宜増減)　注　乳酸ビペリデンとして5～10mg筋注(適宜増減)．特殊な場合にのみ同量を5mgにつき約3分かけて徐々に静注(適宜増減)

使用上の注意

禁忌　①閉塞隅角緑内障の患者［抗コリン作用により眼圧が上昇し，症状を悪化させることがある］　②本剤の成分に対し過敏症の患者　③重症筋無力症の患者［本剤の抗コリン作用により症状が悪化するおそれがある］

過量投与　①症状：主な症状は抗コリン作用に基づくものである．口渇，体温上昇，頻脈，不整脈，尿閉，興奮，幻覚，妄想，錯乱，痙攣，呼吸抑制等が現れることがある　②処置：中枢神経興奮症状に対してはジアゼパム，短時間作用型のバルビツール酸系薬剤の投与を行う．抗コリン作用を有する抗精神病薬は症状を悪化させることがあるので投与しない

薬物動態

血漿中濃度(健康成人(外国人)，4mg1回投与)：経口投与1.5時間後Cmax5.1ng/mL，β相半減期は18.4時間．5分以上かけて静注時(6例)のCmaxはデータなし，半減期はα相1.5±0.2時間，β相24.3±3.9時間

その他の管理的事項

投与期間制限　該当しない

保険給付上の注意　該当しない

資料

IF　アキネトン細粒1%・錠1mg　2019年7月改訂(第16版)

ビホナゾール
Bifonazole

[概要]
薬効分類 265 寄生性皮ふ疾患用剤
構造式

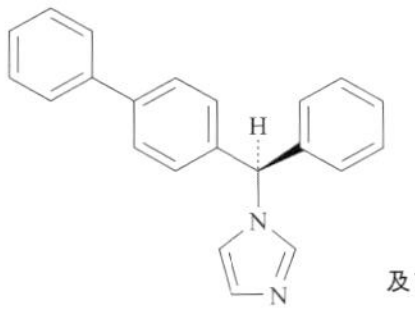
及び鏡像異性体

分子式 $C_{22}H_{18}N_2$
分子量 310.39
ステム イミダゾール系抗真菌剤：-zole
原薬の規制区分 [劇](ただし，1%以下を含有する外用剤を除く)
原薬の外観・性状 白色～微黄色の粉末で，におい及び味はない．ジクロロメタンに溶けやすく，メタノールにやや溶けやすく，エタノール(95)にやや溶けにくく，ジエチルエーテルに溶けにくく，水にほとんど溶けない．本品のメタノール溶液(1→100)は旋光性を示さない
原薬の吸湿性 35℃/56%，76%及び89%RHの各条件下に4週間保存したが，いずれも重量変化を示さず，吸湿性は認められない
原薬の融点・沸点・凝固点 融点：147～151℃
原薬の酸塩基解離定数 pKa＝5.6
先発医薬品等
[クリーム] マイコスポールクリーム1%(バイエル)
[外用液] マイコスポール外用液1%(バイエル)
後発医薬品
[クリーム] 1%
[外用液] 1%
国際誕生年月 1982年11月
海外での発売状況 [クリーム] ギリシャなど11カ国 [外用液] ギリシャなど4カ国

[製剤]
製剤の性状 [クリーム] 白色の均一なクリーム剤で，僅かに特異なにおいがある [外用液] 無色～淡黄色澄明の液剤で，特異なにおいがある
有効期間又は使用期限 [クリーム] 3年6カ月 [外用液] 3年
貯法・保存条件 [クリーム] 室温保存 [外用液] 室温，遮光した気密容器に保存
薬剤取扱い上の留意点 [外用液] ①火気を避けて保存 ②低温(約3℃以下)で凝固するので注意すること ③合成樹脂を軟化したり，塗料を溶かすことがあるので注意すること
患者向け資料等 くすりのしおり
溶液及び溶解時のpH [クリーム] 5.0～7.0 [外用液] 5.5～7.5
浸透圧比 該当資料なし
安定なpH域 該当資料なし
調製時の注意 該当しない

[薬理作用]
分類 イミダゾール系抗真菌剤
作用部位・作用機序 ①直接的真菌細胞膜障害作用(高濃度域)：真菌細胞の膜リン脂質と特異的親和性をもって結合し，膜流動性を高めることによって膜透過性に変化を与える．この透過性の変化は，細胞構成成分の細胞外への遊出を著しく亢進させるため，細胞内環境の変化が起こり，必須の細胞構成成分(核酸等)の分解を促進させる．一方，菌体外から細胞内への必須代謝基質(アミノ酸，グルコース，リン酸塩等)の取り込みも強く阻害する ②エルゴステロール合成阻害作用(低濃度域)：真菌細胞膜の構造・機能の維持に重要な役割を果たすエルゴステロールの合成を阻害することにより，膜透過性を亢進させ膜障害を引き起こす．これはエルゴステロール合成経路のうち，ヒドロキシメチルグルタリル-CoAからメバロン酸を合成するリダクターゼ，及び24－メチレンジヒドロラノステロールの脱メチル化に必要な一種のヘムタンパクであるチトクロームP450の働きを阻害することによる
同効薬 クロトリマゾール，テルビナフィン塩酸塩，ブテナフィン塩酸塩

[治療]
効能・効果 次の皮膚真菌症の治療：①白癬：足部白癬，体部白癬，股部白癬 ②カンジダ症：指間びらん症，間擦疹，皮膚カンジダ症 ③癜風
用法・用量 1日1回患部に塗布

[使用上の注意]
禁忌 本剤の成分に対し過敏症の既往歴のある患者

[薬物動態]
皮膚浸透性(外国人) ①健康成人の背部無傷皮膚表面100cm²に^{14}C-ビホナゾール1%クリーム500mgを塗布後テープ剥離法(15回剥離)で皮膚(角質層)を採取(剥離1～5回目：層1，6～10回目：層2，11～15回目：層3)時の経時的推移曲線下面積は261.442(層1)，45.769(層2)，23.162(層3)MBq・時と良好な浸透性 ②健康成人の無傷皮膚表面20cm²に^{14}C-ビホナゾール1%液0.15mLを塗布(12時間密封包帯)後の濃度(μg/cm³)は角質層200～1000，有棘層約20，乳頭層5～10，網状層約2 **吸収・排泄(外国人)** 健康成人の無傷皮膚(臍上部)及び炎症皮膚(液：背部の急性湿疹，クリーム：大腿部の慢性湿疹)表面200cm²に^{14}C-ビホナゾール1%クリーム1.52g又は液1.56mLを塗布，6時間密封包帯後，洗浄時の最高血中濃度(ng/mL)は無傷皮膚では液で約10時間後約1.6，クリームで約9.5時間後約1，炎症皮膚では液で約5時間後約8，クリームで約8時間後3.4．皮膚吸収率は無傷皮膚では液で約0.8%，クリームで約0.6%，炎症皮膚では液で3.6%，クリームで2.4%．5日目までの排泄は無傷皮膚で尿中へ液で約0.4%，クリームで約0.3%，糞便中へ液で約0.3%，クリームで約0.25%，炎症皮膚では尿中へ液で約1.7%，クリームで約1%，糞便中へクリームで約1.2% **皮膚刺激性** パッチテスト研究班の基準に基づき，健康成人で傍脊椎側の無傷皮膚表面に1%クリーム，液，基剤を用いた単純パッチテスト及び光パッチテストの結果では，皮膚刺激指数及び光毒指数はいずれも5以下で，皮膚刺激性は認められない

[その他の管理的事項]
投与期間制限 該当しない
保険給付上の注意 該当しない

[資料]
IF マイコスポールクリーム1%・外用液1% 2019年6月改訂(第5版)

ヒ

ピマリシン
Pimaricin

別名：ナタマイシン

概要

薬効分類　131　眼科用剤

構造式

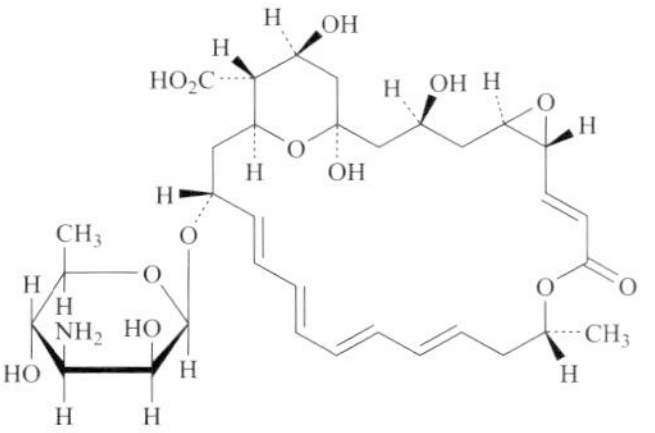

分子式　$C_{33}H_{47}NO_{13}$

分子量　665.73

略語・慣用名　PMR

原薬の規制区分　該当しない

原薬の外観・性状　白色～黄白色の結晶性の粉末である．メタノール又は酢酸(100)に溶けにくく，水又はエタノール(99.5)にほとんど溶けない

原薬の吸湿性　該当資料なし

原薬の酸塩基解離定数　該当資料なし

先発医薬品等

[眼軟膏] ピマリシン眼軟膏1%「センジュ」(千寿＝武田)

[点眼液] ピマリシン点眼液5%「センジュ」(千寿＝武田)

国際誕生年月　不明

製剤

規制区分　[眼軟膏]　[点眼液]　[処]

製剤の性状　[眼軟膏] 微黄色～淡黄色の眼軟膏　[点眼液] 振り混ぜるとき，微黄乳白色～淡黄乳白色の水性懸濁点眼剤

有効期間又は使用期限　[眼軟膏] 3年　[点眼液] 2年

貯法・保存条件　室温保存

患者向け資料等　くすりのしおり

溶液及び溶解時のpH　[点眼液] 6.5～7.5

調製時の注意　[点眼液] よく振り混ぜてから使用すること

薬理作用

分類　ポリエン系抗真菌剤

作用部位・作用機序　真菌の細胞膜に存在するエルゴステロールと結合することにより，真菌細胞の膜透過性が変化し，必須の細胞質成分が漏出して真菌細胞が死滅すると考えられている．なお，細菌は細胞膜にステロール類を欠くため，作用を受けないと考えられる．作用は殺菌的

同効薬　なし

治療

効能・効果　角膜真菌症

用法・用量　[眼軟膏] 1日4～5回塗布．適宜回数を増減

[点眼液] 用時よく振り混ぜ1回1～2滴，1日6～8回点眼．適宜回数を増減

使用上の注意

禁忌　本剤の成分に対し過敏症の既往歴のある患者

薬物動態

参考：眼内移行(ウサギ)：5%点眼液0.05mLを点眼時，正常眼では点眼30分後に結膜に，角膜上皮剥離眼では結膜及び角膜に大量分布．結膜では，正常眼，角膜上皮剥離眼とも30分後にそれぞれ最高値約96，約81(μg/g)，以降漸減．角膜では正常眼で6時間後及び10時間後にわずかに分布，角膜上皮剥離眼では点眼30分後に最高値約39(μg/g)，以降漸減．強膜，外眼筋には正常眼及び角膜上皮剥離眼ともわずかに移行．1%眼軟膏100mgを，正常眼及び角膜上皮剥離眼に点眼で，角膜では正常眼においてほとんど移行が認められていないが，上皮剥離眼において移行が認められており，移行量は点眼2時間後に最高値．結膜では正常眼及び角膜上皮剥離眼ともに移行，点眼1時間後に最高値

その他の管理的事項

投与期間制限　該当しない

保険給付上の注意　該当しない

資料

IF　ピマリシン眼軟膏1%「センジュ」　2019年5月改訂(第4版)
　ピマリシン点眼液5%「センジュ」　2019年5月改訂(第4版)

ヒメクロモン
Hymecromone

概要

薬効分類　236　利胆剤

構造式

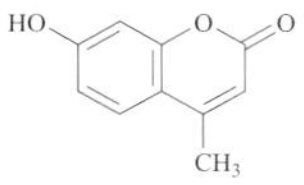

分子式　$C_{10}H_{8}O_{3}$

分子量　176.17

原薬の規制区分　該当しない

原薬の外観・性状　白色の結晶又は結晶性の粉末で，におい及び味はない．*N,N*-ジメチルホルムアミドに溶けやすく，エタノール(95)，エタノール(99.5)又はアセトンにやや溶けにくく，ジエチルエーテルに溶けにくく，水にほとんど溶けない

原薬の融点・沸点・凝固点　融点：187～191℃

ピモジド
Pimozide

概要

構造式

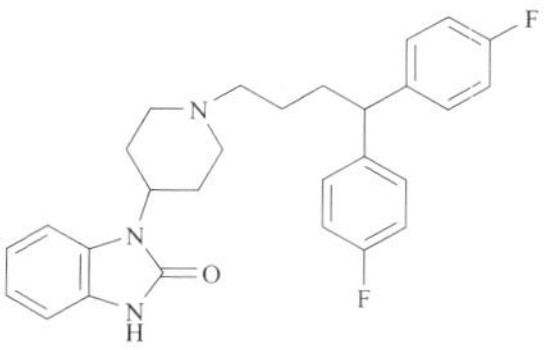

分子式　$C_{28}H_{29}F_{2}N_{3}O$

分子量　461.55

原薬の規制区分　[劇](ただし，1錠中ピモジドとして3mg以下を含有するものを除く)

原薬の外観・性状　白色～微黄白色の粉末である．酢酸(100)に溶けやすく，メタノール又はエタノール(99.5)に溶けにくく，水にほとんど溶けない

製剤

貯法・保存条件　室温保存

治療

効能・効果†　①統合失調症　②小児の自閉性障害，精神遅滞に伴う次の症状：(1)動き，情動，意欲，対人関係等にみられる異常行動　(2)睡眠，食事，排泄，言語等にみられる病的症状　(3)常同症等がみられる精神症状

沈降精製百日せきワクチン
Adsorbed Purified Pertussis Vaccine

概要
原薬の規制区分 劇
原薬の外観・性状 振り混ぜるとき，均等に白濁する

沈降精製百日せきジフテリア破傷風混合ワクチン
Adsorbed Diphtheria-Purified Pertussis-Tetanus Combined Vaccine

概要
薬効分類 636 混合生物学的製剤
分子式 該当しない
略語・慣用名 慣用名：DPTワクチン，三種混合ワクチン
ステム 該当しない
原薬の規制区分 劇
原薬の外観・性状 振り混ぜるとき，均等に白濁する
原薬の吸湿性 該当しない
原薬の融点・沸点・凝固点 該当しない
原薬の酸塩基解離定数 該当しない
先発医薬品等
注 トリビック(阪大微研＝田辺三菱)
国際誕生年月 2006年6月
製剤
規制区分 注 生物 劇 処
製剤の性状 注 不溶性で，振り混ぜるとき均等に白濁する液剤
有効期間又は使用期限 検定合格日から2年
貯法・保存条件 遮光して，10℃以下に凍結を避けて保存
薬剤取扱い上の留意点 誤って凍結させたものは，品質が変化しているおそれがあるので，使用してはならない
患者向け資料等 患者向医薬品ガイド
溶液及び溶解時のpH 5.4～7.4
浸透圧比 1.0±0.3(対生食)
調製時の注意 冷蔵庫から取り出し室温に戻してから，振り混ぜ均等にして使用すること．沈降しやすいので，吸引に際してはそのつどよく振り混ぜること
薬理作用
分類 ワクチン・トキソイド混合製剤
作用部位・作用機序 百日せき，ジフテリア及び破傷風を予防するためには，生体内にあらかじめ各々の感染防御抗原に対する血中抗体が一定(発症防御レベル)以上産生されている必要がある．百日せきは罹患小児の回復期血清で，抗PT抗体及び抗FHA抗体量をELISA法により測定した結果から，両抗体とも少なくとも10EU(ELISA単位)/mL以上が血中に存在すればよいとの報告がある．ジフテリアに対する発症防御は，0.1IU(国際単位)/mLの抗毒素(抗体)が，また破傷風に対する発症防御は，0.01IU/mLの抗毒素がそれぞれ血中に存在すればよいとの報告がある
治療
効能・効果 百日せき，ジフテリア及び破傷風の予防
用法・用量 ①初回免疫：1回0.5mL，3～8週間の間隔で3回皮下注 ②追加免疫：第1回の追加免疫は，初回免疫後6カ月以上の間隔をおいて，0.5mLを1回皮下注．以後の追加免疫は，1回0.5mL皮下注
用法・用量に関連する使用上の注意 ①接種対象者・接種時期：第1期の予防接種に使用する場合，生後3月から90月までの間にある者に行うが，初回免疫については，標準として生後3月から12月までの者に，追加免疫については，標準として初回免疫終了後12カ月から18カ月を経過した者に接種する．なお，被接種者が保育所，幼稚園等の集団生活に入る場合には，その前に接種を完了することが望ましい．以後の小児への追加免疫においては，標準として11歳以上13歳未満の者に0.5mLを1回接種する．また，成人への追加免疫は，通常，1回0.5mLを接種する ②同時接種：医師が必要と認めた場合には，他のワクチンと同時に接種することができる(なお，本剤を他のワクチンと混合して接種してはならない)
使用上の注意
禁忌 ［接種不適当者］ 被接種者が次のいずれかに該当すると認められる場合には，接種を行ってはならない：①明らかな発熱を呈している者 ②重篤な急性疾患にかかっていることが明らかな者 ③本剤の成分によってアナフィラキシーを呈したことがあることが明らかな者 ④前記に掲げる者のほか，予防接種を行うことが不適当な状態にある者
その他の管理的事項
投与期間制限 該当しない
保険給付上の注意 薬価基準適用外
資料
IF トリビック 2018年9月改訂(第5版)

ピラジナミド
Pyrazinamide

概要
薬効分類 622 抗結核剤
構造式

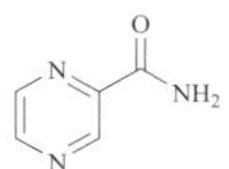

分子式 $C_5H_5N_3O$
分子量 123.11
略語・慣用名 PZA
ステム 不明
原薬の規制区分 該当しない
原薬の外観・性状 白色の結晶又は結晶性の粉末である．水又はメタノールにやや溶けにくく，エタノール(99.5)又は無水酢酸に溶けにくい
原薬の吸湿性 該当資料なし
原薬の融点・沸点・凝固点 融点：188～193℃
原薬の酸塩基解離定数 該当資料なし
先発医薬品等
末 ピラマイド原末(アルフレッサファーマ)
国際誕生年月 不明
海外での発売状況 仏，独など
製剤
規制区分 末 処
製剤の性状 末 白色の結晶又は結晶性の粉末
有効期間又は使用期限 3年6カ月
貯法・保存条件 室温保存
薬剤取扱い上の留意点 該当しない
患者向け資料等 くすりのしおり
溶液及び溶解時のpH 5.0～7.0(水溶液(1→100))
浸透圧比 該当しない
安定なpH域 該当しない
調製時の注意 該当しない
薬理作用
分類 結核化学療法剤
作用部位・作用機序 現在のところ不明である．しかしピラジ

ン酸，及びヒドロキシピラジン酸が薬効(抗菌活性)を担う本体と考えられており，例えば抗酸菌のピラジナミダーゼ(2-ピラジン酸を生じるデアミナーゼと5-ヒドロキシピラジン酸を産生するキサンチンオキシダーゼ)の活性と抗酸菌のピラジナミドに対する感受性が相関するとの報告もある．また，マクロファージ内で産生されたピラジン酸がトラップされ，細胞内のpHを結核菌に毒性のあるレベルまでpHをさげるとも考えられている

同効薬　イソニアジド，イソニアジドメタンスルホン酸ナトリウム水和物，パラアミノサリチル酸カルシウム水和物，アルミノパラアミノサリチル酸カルシウム水和物，エタンブトール塩酸塩，リファンピシン，エンビオマイシン硫酸塩，エチオナミド，サイクロセリンなど

治療

効能・効果　〈適応菌種〉本剤に感性の結核菌　〈適応症〉肺結核及びその他の結核症

用法・用量　1日1.5～2g，1～3回に分服(適宜増減)．他の抗結核薬と併用する

用法・用量に関連する使用上の注意　使用にあたっては，原則として感受性を確認し，疾病の治療上必要な最小限の期間の投与にとどめる(耐性菌の発現等を防ぐ)

使用上の注意

禁忌　肝障害のある患者［副作用として肝障害の頻度が高く，症状が悪化するおそれがある］

薬物動態

吸収・排泄　経口投与による腸管吸収は速やかで，血中には未変化体及び加水分解代謝産物のピラジン酸の形で現れる．健康成人に1回40mg/kg投与時，通常2～5時間で最高血中濃度30～35μg/mL，24時間後もわずかに認められる．尿中にはほとんどがピラジン酸として排泄される

その他の管理的事項

投与期間制限　該当しない

保険給付上の注意　該当しない

資料

IF　ピラマイド原末　2019年3月作成(第1版)

ピラルビシン
Pirarubicin

概要

薬効分類　423　抗腫瘍性抗生物質製剤

構造式

分子式　$C_{32}H_{37}NO_{12}$

分子量　627.64

略語・慣用名　THP

ステム　アントラサイクリン系抗悪性腫瘍剤：-rubicin

原薬の規制区分　(毒)(ただし，1バイアル中ピラルビシンとして20mg力価以下を含有するものは(劇))

原薬の外観・性状　赤橙色の結晶性の粉末である．クロロホルムにやや溶けやすく，アセトニトリル，メタノール又はエタノール(99.5)に極めて溶けにくく，水にほとんど溶けない

原薬の吸湿性　100%RH，7日後の水分増加率は約8%で，吸湿性は少ない

原薬の融点・沸点・凝固点　融点：173～178℃(発泡分解を伴うため，明確な融点は示さない)

原薬の酸塩基解離定数　pKa＝7.5(50～80%ジメチルホルムアミド水溶液中での測定値から外挿法)

先発医薬品等

注射用　テラルビシン注射用10mg・20mg(MeijiSeika)
ピノルビン注射用10mg・20mg・30mg(マイクロバイオ＝日本化薬)

国際誕生年月　1988年3月

海外での発売状況　〔塩酸塩〕中国

製剤

規制区分　**注射用**　(劇)(処)

製剤の性状　**注射用**〔塩酸塩〕赤橙色の固形物又は粉末でにおいはほとんどない

有効期間又は使用期限　2年

貯法・保存条件　冷所保存

薬剤取扱い上の留意点　皮膚に付着した場合は直ちに石鹸を使ってよく洗うこと．眼に入った場合は流水で十分に洗眼すること

患者向け資料等　くすりのしおり

溶液及び溶解時のpH　5.0～6.5(2mg/mL注射用水)

浸透圧比　約0.5(2mg/mL注射用水)，約1.7(2mg/mL 5%ブドウ糖注射液)，約1.5(2mg/mL生食)(対生食)

安定なpH域　pH6付近が最も安定であり，酸性側(pH5以下)及びアルカリ性側(pH8以上)で経時的に力価が低下する

調製時の注意　溶解時のpHにより力価の低下及び濁りを生じることがあるので，他の薬剤との混注を避け，ブドウ糖注射液，注射用水又は生理食塩液等に溶解して投与すること

薬理作用

分類　アントラサイクリン系抗悪性腫瘍抗生物質

作用部位・作用機序　作用部位：DNA，RNA　作用機序：癌細胞へ速やかに取り込まれ，核画分に移行して核酸合成を阻害し，細胞に障害を与える．細胞分裂のG^2期で細胞回転を止めて癌細胞を致死させると考えられる

同効薬　ドキソルビシン塩酸塩，エピルビシン塩酸塩など

治療

効能・効果　次の疾患の自覚的・他覚的症状の寛解ならびに改善：頭頸部癌，乳癌，胃癌，尿路上皮癌(膀胱癌，腎盂・尿管腫瘍)，卵巣癌，子宮癌，急性白血病，悪性リンパ腫

用法・用量　疾患別に次の方法に準じて行う(適宜増減)：①静注：次の標準的用法による療法を選択し，1クール内容を繰り返す．頭頸部癌(III法又はIV法)，乳癌及び胃癌(I法又はIII法)，卵巣癌及び子宮癌(I法)，尿路上皮癌(I法又はII法)，急性白血病(V法)，悪性リンパ腫(I法又はIV法)．I法(3～4週1回法)：1日1回40～60mg(25～40mg/m^2)(力価)，3～4週間休薬．II法(3～4週2回法)：1日1回30～40mg(20～25mg/m^2)(力価)2日間連日，3～4週間休薬．III法(週1回法)：1日1回20～40mg(14～25mg/m^2)(力価)1週間間隔で2～3回，3～4週間休薬．IV法(連日法)：1日1回10～20mg(7～14mg/m^2)(力価)3～5日間連日，3～4週間休薬．V法(連日法)：1日1回10～30mg(7～20mg/m^2)(力価)5日間連続，骨髄機能が回復するまで休薬　②動注(頭頸部癌，膀胱癌)：1日1回10～20mg(7～14mg/m^2)(力価)を連日又は隔日に5～10回　③膀胱内注入(膀胱癌)：カテーテルを用いて導尿後，1日1回15～30mg(力価)を500～1000μg(力価)/mLの溶液として週3回，各1～2時間膀胱内把持．これを1クールとし，2～3クール繰り返す

用法・用量に関連する使用上の注意　ピラルビシンとして10mg(力価)あたり5mL以上の5%ブドウ糖注射液，注射用水又は生理食塩液を加えて溶解する

使用上の注意

禁忌　①心機能異常又はその既往歴のある患者［心筋障害が現

れることがある］ ②本剤に対し重篤な過敏症の既往歴のある患者 ③他のアントラサイクリン系薬剤等，心毒性を有する薬剤による前治療が限界量（ドキソルビシン塩酸塩では総投与量が体表面積あたり500mg/m^2，ダウノルビシン塩酸塩では総投与量が体重あたり25mg/kg等）に達している患者［心筋障害が現れることがある］

薬物動態

血中濃度 ①静注：癌患者5例に30mg/m^2をワンショット静注時，1分後の血漿中濃度は0.52±0.28μg/mLで，投与後急速に低下したが，8時間以上にわたり6～11ng/mLを持続した．血漿中濃度半減期α相0.89分，β相0.46時間，γ相14.2時間 ②膀胱内注入：癌患者に20mg（0.5mg/mL）を膀胱内に投与した症例において血中には本剤はほとんど検出されなかった

蛋白結合 限外ろ過法により測定したヒト血清蛋白との結合率は本剤濃度10，25，50及び100μg/mLで，それぞれ76.2，33.9，38.3及び19%（*in vitro*）

その他の管理的事項

投与期間制限 該当しない

保険給付上の注意 該当しない

資料

IF ピノルビン注射用10mg・20mg・30mg 2018年6月改訂（第13版）

ピランテルパモ酸塩
Pyrantel Pamoate

概要

薬効分類 642 駆虫剤

構造式

分子式 $C_{11}H_{14}N_2S \cdot C_{23}H_{16}O_6$

分子量 594.68

ステム 該当資料なし

原薬の規制区分 該当しない

原薬の外観・性状 淡黄色～黄色の結晶性粉末で，におい及び味はない．*N,N*-ジメチルホルムアミドにやや溶けにくく，メタノール又はエタノール（95）に極めて溶けにくく，水，酢酸エチル又はジエチルエーテルにほとんど溶けない

原薬の吸湿性 該当資料なし

原薬の融点・沸点・凝固点 融点：256～264℃（分解）

原薬の酸塩基解離定数 該当資料なし

先発医薬品等

錠 コンバントリン錠100mg（佐藤製薬）

シロップ用 コンバントリンドライシロップ100mg（佐藤製薬）

国際誕生年月 1970年9月

海外での発売状況 該当しない

製剤

規制区分 **錠** **シロップ用** ㊇

製剤の性状 **錠** 淡黄色の素錠 **シロップ用** 橙色の細粒．ヨーグルト様風味

有効期間又は使用期限 3年

貯法・保存条件 遮光・室温保存

患者向け資料等 くすりのしおり

溶液及び溶解時のpH **シロップ用** 5.0～6.0（1g/4mL）

浸透圧比 該当資料なし

安定なpH域 該当資料なし

調製時の注意 該当資料なし

薬理作用

分類 広域駆虫剤

作用部位・作用機序 虫体の神経接合部位に作用し，脱分極神経遮断を起こし，痙攣性の麻痺を生じる．また，コリンエステラーゼ抑制作用を有し，本薬の共存下では1/100量のアセチルコリンにより回虫は拘縮を示す．鉤虫，回虫，蟯虫，東洋毛様線虫に有用であるが，鞭虫には無効である

同効薬 該当しない

治療

効能・効果 回虫，鉤虫，ぎょう虫，東洋毛様線虫の駆除

用法・用量 1回ピランテルとして10mg/kg．概算服用量：50kg以上500mg，40kg400mg，30kg300mg，20kg200mg，10kg100mg．食事に関係なく投与でき，下剤を使用する必要はない．ドライシロップはそのままでも服用できる．なお，投与は1回のみである

使用上の注意

禁忌 ①本剤の成分に対し過敏症の既往歴のある患者 ②ピペラジン系駆虫薬を投与中の患者

薬物動態

健常成人5例に500mg（ピランテルとして）を経口投与時の排泄率は，糞中に4例で60～65%，1例で93%，尿中には全例1～3%，いずれも大部分が48時間以内に排泄された．（参考：外国人）経口投与3時間後の血中にピランテル関連物質として0.2～1.1μg/mLが検出されたが，そのほとんどは代謝物と考えられ，5時間以内にほぼ消失した

その他の管理的事項

投与期間制限 該当しない

保険給付上の注意 該当しない

資料

IF コンバントリン錠100mg・ドライシロップ100mg 2014年8月改訂（第3版）

ピリドキサールリン酸エステル水和物
Pyridoxal Phosphate Hydrate

概要

薬効分類 313 ビタミンB剤（ビタミンB_1剤を除く）

構造式

分子式 $C_8H_{10}NO_6P \cdot H_2O$

分子量 265.16

略語・慣用名 PAL-P，PLP

ステム 不明

原薬の規制区分 該当しない

原薬の外観・性状 微黄白色～淡黄色の結晶性の粉末である．水に溶けにくく，エタノール（99.5）にほとんど溶けない．希塩酸又は水酸化ナトリウム試液に溶ける．0.1gを水200mLに溶かした液のpHは3.0～3.5である．光によって淡紅色となる

原薬の吸湿性 該当資料なし

原薬の酸塩基解離定数 該当資料なし

先発医薬品等

錠 ピドキサール錠10mg・20mg・30mg（太陽ファルマ）

ヒ

注 ピドキサール注10mg・30mg(太陽ファルマ)
ピリドキサール注10mg「イセイ」(コーアイセイ)

後発医薬品
錠 10mg・20mg・30mg
注 30mg

国際誕生年月 不明
海外での発売状況 該当しない

製剤

規制区分 **注** ㊋
製剤の性状 **錠** 白色糖衣錠(腸溶錠) **注** 微黄色澄明液
有効期間又は使用期限 **錠** 3年 **注** 2年
貯法・保存条件 **錠** 室温保存 **注** 遮光・室温保存
薬剤取扱い上の留意点 該当しない
患者向け資料等 **錠** くすりのしおり
溶液及び溶解時のpH **注** 6.0～7.0
浸透圧比 **10mg注** 約1, **30mg注** 約3(対生食)
調製時の注意 **注** 本剤は微黄澄明液であるが, 他剤と配合することにより, pHが上昇すれば黄色が強くなり, 低下すれば透明になる

薬理作用

分類 ビタミンB_6製剤
作用部位・作用機序 ビタミンB_6は生体内で補酵素として蛋白質代謝のほか, 炭水化物や脂質代謝にも関与する. 生体内において実際にビタミンB_6としてこれらの作用をするのは主にピリドキサールリン酸エステルであることが明らかにされている. ピリドキサールリン酸エステルは補酵素として数多くの酵素に関与しているが, 代表的なものとして, アミノ基転移酵素, キヌレニン分解酵素, アミノ酸脱炭酸酵素, 脱水素酵素, モノアミン酸化酵素, ヒスタミン分解酵素等があげられている
同効薬 ピリドキシン, ピリドキサミンなど

治療

効能・効果 ①ビタミンB_6欠乏症の予防及び治療(薬物投与によるものを含む. たとえばイソニアジド) ②ビタミンB_6の需要が増大し食事からの摂取が不十分な際の補給(消耗性疾患, 妊産婦, 授乳婦等) ③ビタミンB_6依存症(ビタミンB_6反応性貧血等) ④次の疾患のうち, ビタミンB_6の欠乏又は代謝障害が関与すると推定される場合：口角炎, 口唇炎, 舌炎, 口内炎, 急・慢性湿疹, 脂漏性湿疹, 接触皮膚炎, アトピー皮膚炎, 尋常性ざ瘡, 末梢神経炎, 放射線障害(宿酔). なお, 効能④に対して効果がないのに月余にわたって漫然と使用すべきでない
用法・用量 **散** **錠** ピリドキサールリン酸エステル水和物として1日10～60mg, 1～3回に分服(適宜増減). 極めてまれであるが, 依存症の場合には, より大量を用いる必要のある場合もある
注 ピリドキサールリン酸エステル水和物として1日5～60mg, 1～2回に分けて皮下, 筋注又は静注(適宜増減). 極めてまれであるが, 依存症の場合には, より大量を用いる必要のある場合もある
用法・用量に関連する使用上の注意 ①依存症に大量を用いる必要のある場合は観察を十分に行いながら投与する. 特に新生児, 乳幼児への投与は少量から徐々に増量し, 症状に適合した投与量に到達させる ②**注** 添加物としてベンジルアルコールを含有するので, 新生児(低出生体重児)等に大量に用いる場合は他のベンジルアルコールを含有しない製剤の使用を考慮する

薬物動態

錠 腎障害の認められない患者各3例に10, 30mgを単回経口投与時の血中総ビタミンB_6濃度(ng/mL)推移は, 投与前14, 12, 投与1時間後98, 236, 2時間後257, 値なし, 4時間後106, 361, 6時間後96, 218 **注** 健康人及び腎障害の認められない消化器疾患患者6例に10mg皮下注射時, 血中総ビタミンB_6濃度の平均は投与前10ng/mLに対し投与30分後には363ng/mLに上昇し, 6時間後でも90ng/mLを示した. 同様に, 腎障害の認められない諸種疾患患者3例に30mg皮下注射時, 血中総ビタミンB_6濃度の平均は投与前7ng/mLに対し投与1時間後には510ng/mLに上昇し, 6時間後でも229ng/mLを示した

その他の管理的事項

投与期間制限 該当しない
保険給付上の注意 該当しない

資料

IF ピドキサール錠10mg・20mg・30mg 2019年1月改訂(第4版)
ピドキサール注10mg・30mg 2019年1月改訂(第3版)

ピリドキシン塩酸塩
ピリドキシン塩酸塩注射液
Pyridoxine Hydrochloride

別名：ビタミンB_6

概要

薬効分類 313 ビタミンB剤(ビタミンB_1剤を除く.)
構造式

分子式 $C_8H_{11}NO_3 \cdot HCl$
分子量 205.64
ステム 該当しない
原薬の規制区分 該当しない
原薬の外観・性状 白色～微黄色の結晶性の粉末である. 水に溶けやすく, エタノール(99.5)に溶けにくく, 無水酢酸, 酢酸(100)にほとんど溶けない. 光によって徐々に変化する. 1.0gを水50mLに溶かした液のpHは2.5～3.5である
原薬の吸湿性 該当資料なし
原薬の融点・沸点・凝固点 融点：約206℃(分解)
原薬の酸塩基解離定数 該当資料なし
先発医薬品等
散 ビタミンB_6散10%「マルイシ」(丸石)
注 ビーシックス注「フソー」-10mg・30mg(扶桑)
ピリドキシン塩酸塩注射液10mg「日医工」(日医工)
後発医薬品
錠 30mg
国際誕生年月 不明
海外での発売状況 該当しない

製剤

規制区分 **注** ㊋
製剤の性状 **錠** 片面に割線のある白色の円形素錠 **注** 無色～微黄色澄明, 光によって徐々に変化, 無痛性
有効期間又は使用期限 **錠** 4年 **注** 3年
貯法・保存条件 遮光・室温保存
薬剤取扱い上の留意点 特になし
患者向け資料等 くすりのしおり
溶液及び溶解時のpH **注** 3.0～6.0
浸透圧比 **10mg注** 1.5～1.8 **30mg注** 2.0～2.5
調製時の注意 **注** アルカリ溶液, 鉄塩, 酸化剤との混合には注意を要する

薬理作用

分類 ビタミンB_6製剤
作用部位・作用機序 ピリドキシン(ビタミンB_6)は生体内では

主としてピリドキサールリン酸(ビタミンB_6の補酵素型)となって直接代謝過程に関与し，なかでもアミノ酸デカルボキシラーゼ，トランスアミナーゼ，デアミナーゼ，モノアミンオキシダーゼ等のアミノ酸・蛋白代謝酵素群の補酵素として各種アミノ酸・蛋白の分解・生合成に重要な役割を果たしている．またビタミンB_6は脂肪の代謝にも関与し，特に不飽和脂肪酸の生体内利用にはビタミンB_6が必要とされている．ビタミンB_6が欠乏すると，ヒトでは脂漏性又はペラグラ様の皮膚障害や血液系・神経系の障害が起こる

同効薬　ピリドキサールリン酸製剤

治療

効能・効果　①ビタミンB_6欠乏症の予防及び治療(薬物投与によるものを含む．たとえばイソニアジド)　②ビタミンB_6の需要が増大し，食事からの摂取が不十分な際の補給(消耗性疾患，妊産婦，授乳婦等)　③ビタミンB_6依存症(ビタミンB_6反応性貧血等)　④次の疾患のうちビタミンB_6の欠乏又は代謝障害が関与すると推定される場合：(1)口角炎，口唇炎，舌炎　(2)急・慢性湿疹，脂漏性湿疹，接触皮膚炎　(3)末梢神経炎　(4)放射線障害(宿酔)．なお，効能④に対して，効果がないのに月余にわたって漫然と使用すべきでない

用法・用量　末 散 錠 ピリドキシン塩酸塩として1日量10～100mg(適宜増減)．極めてまれであるが，依存症の場合には，より大量を用いる必要のある場合もある

注 ピリドキシン塩酸塩として1日量10～100mgを1～2回に分けて皮下・筋注又は静注(適宜増減)．極めてまれであるが，依存症の場合には，より大量を用いる必要のある場合もある

用法・用量に関連する使用上の注意　①依存症に大量を用いる必要のある場合は観察を十分に行いながら投与する．特に新生児，乳幼児への投与は少量から徐々に増量し，症状に適合した投与量に到達させる　②注 添加物としてベンジルアルコールを含有するので，新生児(低出生体重児)等に大量に用いる場合は他のベンジルアルコールを含有しない製剤の使用を考慮する

薬物動態

散 本剤を錠剤(裸錠)化し，健常成人男子(10名)に経口投与時の結果は次の通り：**血中濃度**　60mgを経口投与時，全血総B_6濃度は1時間後971ng/mLの最高濃度，24時間後においても61.8ng/mLと服用前値の約5倍の値を持続　**代謝及び排泄**　60mgを経口投与し3時間尿，24時間尿を採取し排泄B_6各型を測定時，3時間までに17.0±8mg，24時間までに総量39.0±10.4mg，平均78.9%が尿中に排泄．なおその成分比(%)は4-ピリドキシン酸90%，ピリドキシン8%，ピリドキサール2%

その他の管理的事項

投与期間制限　該当しない

保険給付上の注意　該当しない

資料

IF　ビタミンB_6錠30mg「F」 2018年4月改訂(第6版)
ビーシックス注「フソー」-10mg・30mg　2012年5月改訂(第6版)

ピリドスチグミン臭化物
Pyridostigmine Bromide

概要

薬効分類　123　自律神経剤

構造式

分子式　$C_9H_{13}BrN_2O_2$

分子量　261.12

ステム　アセチルコリンエステラーゼ阻害剤：-stigmine

原薬の規制区分　毒(ただし，1錠中60mg以下を含有するものは劇)

原薬の外観・性状　白色の結晶性の粉末で，においはないか，又は僅かに特異なにおいがある．水に極めて溶けやすく，エタノール(95)又は酢酸(100)に溶けやすく，ジエチルエーテルにほとんど溶けない．1.0gを水10mLに溶かした液のpHは4.0～6.0である．潮解性である

原薬の吸湿性　潮解性である

原薬の融点・沸点・凝固点　融点：153～157℃

原薬の酸塩基解離定数　pKa＝1.046(4級アミン，吸光度法)

先発医薬品等

錠 メスチノン錠60mg(共和薬品)

国際誕生年月　1953年12月

海外での発売状況　米など

製剤

規制区分　錠 劇 処

製剤の性状　錠 だいだい色の糖衣錠

有効期間又は使用期限　3年

貯法・保存条件　遮光・室温保存．吸湿注意

薬剤取扱い上の留意点　該当資料なし

患者向け資料等　くすりのしおり

溶液及び溶解時のpH　4.0～6.0(1.0gを水10mLに溶かした液)

浸透圧比　該当資料なし

安定なpH域　該当資料なし

調製時の注意　該当しない

薬理作用

分類　カルバミン酸誘導体抗コリンエステラーゼ剤

作用部位・作用機序　主に神経筋接合部のコリンエステラーゼ活性を可逆的に阻害してアセチルコリンの分解を抑制する結果，間接的にアセチルコリンの作用を増強するとともに，自らもアセチルコリン様作用を呈する

同効薬　ネオスチグミン臭化物，ジスチグミン臭化物，アンベノニウム塩化物，エドロホニウム塩化物

治療

効能・効果　重症筋無力症

用法・用量　1日180mg，3回に分服．ただし，医師の監督下に，症状に応じて，適宜，用量及び服用回数を増減する

使用上の注意

禁忌　①本剤の成分に対し過敏症の既往歴のある患者　②消化管又は尿路の器質的閉塞のある患者［ぜん動運動を亢進させ，また排尿筋を収縮させるおそれがある］　③迷走神経緊張症の患者［迷走神経を興奮させるおそれがある］　④脱分極性筋弛緩剤(スキサメトニウム塩化物水和物)を投与中の患者

過量投与　過量投与により，コリン作動性クリーゼ(腹痛，下痢，発汗，流涎，縮瞳，線維性攣縮，徐脈等)が起こるおそれがある．このような場合には，ただちに中止し，アトロピン1～2mgを静注する．また，必要に応じて陽圧人工呼吸，気管切開等により気道を確保し，症状改善がみられるまで慎重に観

ヒ

察する

薬物動態

外国人における成績(参考)：健康成人11例に60mgを単回経口投与時の血中半減期は約200分であった．腎機能障害を有する患者4例に静注時，腎機能障害のない患者5例と比べ半減期は約3.4倍に延長し，クリアランス値は約1/4に減少した．重症筋無力症患者5例に経口投与時，投与後24時間の尿中未変化体総排泄率は2～16%であった

その他の管理的事項

投与期間制限　該当しない

保険給付上の注意　該当しない

資料

IF　メスチノン錠60mg　2018年6月改訂(第8版)

ピルシカイニド塩酸塩水和物
ピルシカイニド塩酸塩カプセル
Pilsicainide Hydrochloride Hydrate

概要

薬効分類　212　不整脈用剤

構造式

・HCl　・1/2 H_2O

分子式　$C_{17}H_{24}N_2O$・HCl・½H_2O

分子量　317.85

ステム　プロカインアミド及びリドカイン系のクラスⅠ抗不整脈薬：-cain-

原薬の規制区分　㊣

原薬の外観・性状　白色の結晶又は結晶性の粉末である．酢酸(100)に極めて溶けやすく，水，メタノール又はエタノール(99.5)に溶けやすい．0.1mol/L塩酸試液に溶ける．1.0gを水50mLに溶かした液のpHは5.3～6.1である

原薬の吸湿性　認められない

原薬の融点・沸点・凝固点　融点：210.5～213.5℃(あらかじめ浴液を160℃に加熱しておく)

原薬の酸塩基解離定数　pKa＝10.1～10.3(滴定法)

先発医薬品等

カ サンリズムカプセル25mg・50mg(第一三共)

注 サンリズム注射液50(第一三共)

後発医薬品

カ 25mg・50mg

国際誕生年月　1991年3月

海外での発売状況　**カ** 韓国

製剤

規制区分　**カ**　**注**　㊣　㊈

製剤の性状　**25mgカ** 淡青色不透明/白色不透明の硬カプセル剤　**50mgカ** 青色不透明/白色不透明の硬カプセル剤　**注** 無色澄明の液

有効期間又は使用期限　**カ** 5年　**注** 3年

貯法・保存条件　室温保存

薬剤取扱い上の留意点　**カ** めまい等が現れることがあるので，自動車の運転等，危険を伴う機械の操作に従事する際には注意するよう患者に十分に説明すること

患者向け資料等　**カ** 患者向医薬品ガイド，くすりのしおり　**注** くすりのしおり

溶液及び溶解時のpH　**注** 4.8～6.5

浸透圧比　**注** 約1(対生食)

調製時の注意　該当しない

薬理作用

分類　Vaughan Williams分類Ⅰc群抗不整脈剤

作用部位・作用機序　心筋細胞のNaチャンネル抑制作用により，細胞膜の活動電位の最大脱分極速度(Vmax)を抑制し，刺激の伝導速度を抑制することにより抗不整脈作用を示す

同効薬　キニジン硫酸塩水和物，ジソピラミド，プロカインアミド塩酸塩，シベンゾリンコハク酸塩，ピルメノール塩酸塩水和物，アプリンジン塩酸塩，メキシレチン塩酸塩，リドカイン塩酸塩，フレカイニド酢酸塩，プロパフェノン塩酸塩

治療

効能・効果　**錠**　**カ** 次の状態で他の抗不整脈薬が使用できないか，又は無効の場合：頻脈性不整脈

注 緊急治療を要する頻脈性不整脈(上室性及び心室性)

用法・用量　**錠**　**カ** 1日150mg，3回に分服(適宜増減)．重症又は効果不十分な場合には，1日225mgまで増量できる

注 期外収縮には1回0.75mg/kg，頻拍には1回1.0mg/kgを必要に応じて生理食塩液又は5%ブドウ糖注射液等で希釈し，血圧ならびに心電図監視下に10分間で徐々に静注．適宜減量

用法・用量に関連する使用上の注意　**錠**　**カ** 腎機能障害のある患者に対しては，投与量を減量するか，投与間隔をあけて使用する．特に，透析を必要とする腎不全患者では，1日25mgから開始する等，患者の状態を観察しながら慎重に投与する

注 ①急速に静注した場合には，血中濃度が急激に上昇するので，投与に際しては投与時間を厳守する　②投与により効果を認めたものの，その後再発した場合には，初回用量が最大用量1.0mg/kg(頻拍)あるいは0.75mg/kg(期外収縮)の半量以下の場合を除き，再投与は行わない．なお，再投与する際は1日総投与量として1回最大用量を超えない

使用上の注意

禁忌　①うっ血性心不全のある患者［不整脈(心室頻拍，心室細動等)の誘発又は増悪，陰性変力作用による心不全の悪化をきたすおそれが高い］　②高度の房室ブロック，高度の洞房ブロックのある患者［刺激伝導抑制作用により，これらの障害をさらに悪化させるおそれがある］

過量投与　①兆候・症状：経口剤で過量投与，高度の腎機能障害により，血中濃度が上昇した場合，刺激伝導障害(著明なQRS幅の増大等)，心停止，心不全，心室細動，心室頻拍(Torsades de pointesを含む)，洞停止，徐脈，ショック，失神，血圧低下等の循環器障害，構語障害等の精神・神経障害を引き起こすことがある　②処置等：過量投与による兆候・症状がみられた場合にはただちに中止し，次の処置を考慮する等，適切な対症療法を行う：⑴体外ペーシングや直流除細動　⑵血液透析による除去［血液透析による除去率は最大約30%と報告されている］

薬物動態

血中濃度　①**カ** 健常成人に25，50mg単回経口投与時，消化管からの吸収は良好で，血漿中濃度推移(25，50，100mg投与の順，投与量は用法・用量参照)はCmax(μg/mL)1.61±0.01時間後0.150±0.002，1.22±0.18時間後0.356±0.027，1.06±0.18時間後0.650±0.029，半減期(hr)4.4±0.39，4.8±0.34，4.9±0.37，AUC(μg・hr/mL)1.278±0.080，2.975±0.112，5.238±0.307．なお，有効血漿中濃度は0.2～0.9μg/mL　②**注** 健常成人に0.25，0.5，0.75mg/kgを10分間かけて単回静注時，血漿中濃度推移はCmax(μg/mL)0.28±0.06，0.65±0.28，1.10±0.30，$T_{1/2\alpha}$(min)1.99±0.68，3.95±1.54，1.82±1.01，$T_{1/2\beta}$(hr)4.34±1.98，5.74±0.85，4.37±0.48，AUC(μg・hr/mL)0.73±0.33，1.71±0.27，2.88±0.36．(参考)ヒトに1mg/kg投与時(10分間かけて投与)の血漿中濃度は1.74±0.85μg/mL，ラットに1mg/kg反復投与時(無毒性量)のラット血漿中濃度3.12±0.6μg/mLのほぼ1/2

分布(参考：動物)　①**カ** ラットに^{14}C-塩酸ピルジカイニドを経口投与時，主に十二脂腸から吸収．主として肝臓，腎臓に

分布し，脳への分布は少なかった　**②注**　ラットに[14]C-塩酸ピルジカイニドを静注時，主として肝臓，腎臓に分布し，脳への分布は少なかった．また，胎児及び母乳中には母体の血漿中濃度とほぼ同程度又はそれ以上の移行が認められた　**代謝，排泄**　**①力**　健常成人では代謝されにくく，単回経口投与した場合，24時間以内に未変化体75～86%，代謝物2-ヒドロキシメチル体4.5～6.5%が尿中排泄．代謝物2-ヒドロキシメチル体生成に関与するヒト肝チトクロムP450分子種の検討で，CYP2D6により前記の代謝物の生成がわずかに認められた　**②注**　健常成人では代謝されにくく，単回静注で24時間以内に未変化体90%以上が尿中排泄　**腎機能障害患者での体内動態**　**力**　腎排泄型の薬剤で，腎機能障害患者，腎機能低下の高齢者では，腎機能正常例に比べ半減期は，クレアチニンクリアランス(Ccr)が50以上の場合はほぼ同じ，20以上50未満で約2倍，20未満で約5倍に延長．したがって内因性クレアチニンクリアランスを指標とした障害程度に応じ投与間隔をあけるか，症例によって投与量を減じる等，用法・用量を十分に注意する必要がある．腎機能障害患者に50mg単回経口投与時の薬物動態パラメータ(Ccr＞80，80＞Ccr＞50，50＞Ccr＞20，20＞Ccrの順)はCmax(μg/mL)3.1±0.6時間後0.41±0.08，2.7±0.8時間後0.46±0.03，3.1±0.8時間後0.51±0.05，3.8±0.7時間後0.63±0.05，半減期(hr)3.4±0.2，5.7±0.3，9.3±1.1，23.7±2．Vd(L/kg)1.48±0.19，1.46±0.11，1.7±0.15，1.46±0.11，Cltot(mL/min)280±37.5，182.8±11.8，123.4±19.3，38.8±4.6

その他の管理的事項

投与期間制限　該当しない

保険給付上の注意　該当しない

資料

IF　サンリズムカプセル25mg・50mg　2016年12月改訂(第12版)

サンリズム注射液50　2019年5月改訂(第14版)

ピレノキシン
Pirenoxine

概要

薬効分類　131　眼科用剤

構造式

分子式　$C_{16}H_8N_2O_5$

分子量　308.25

ステム　不明

原薬の規制区分　該当しない

原薬の外観・性状　黄褐色の粉末で，においはなく，味は僅かに苦い．ジメチルスルホキシドに極めて溶けにくく，水，アセトニトリル，エタノール(95)，テトラヒドロフラン又はジエチルエーテルにほとんど溶けない

原薬の吸湿性　該当資料なし

原薬の融点・沸点・凝固点　融点：約250℃(分解)

原薬の酸塩基解離定数　該当資料なし

先発医薬品等

点眼液　カタリン点眼用0.005%(千寿＝武田)
カタリンK点眼用0.005%(千寿＝武田)

後発医薬品

点眼液　0.005%

国際誕生年月　不明

海外での発売状況　中国，韓国など

製剤

製剤の性状　**点眼用**　水性懸濁点眼剤．振り混ぜるとき，だいだい色に懸濁

有効期間又は使用期限　3年

貯法・保存条件　気密容器，室温保存

薬剤取扱い上の留意点　金属イオンの混入によって色調が変化するので注意すること．保管の仕方によっては振り混ぜても粒子が分散しにくくなる場合があるので，上向きに保管すること

患者向け資料等　くすりのしおり

溶液及び溶解時のpH　3.4～4.0

浸透圧比　0.9～1.2

薬理作用

分類　ピリドフェノキサゾン系白内障治療剤

作用部位・作用機序　キノン体よりもさらに水晶体の水溶性蛋白との親和性が強く，キノン体が水晶体の水溶性蛋白に結合するのを競合的に阻害して水晶体蛋白の変性を防止する

同効薬　グルタチオン

治療

効能・効果　初期老人性白内障

用法・用量　錠剤又は顆粒を添付溶解液に用時溶解し，1回1～2滴，1日3～5回点眼(溶かし方は添付文書参照)

薬物動態

眼内移行　参考(カタリン)：ウサギに[3]Hでラベルした点眼液1回0.05mL，5分間隔で7回点眼時，房水で2時間後0.0189μgEq/mL，水晶体で4時間後に最高濃度0.003μgEq/g

その他の管理的事項

投与期間制限　該当しない

保険給付上の注意　該当しない

資料

IF　カリーユニ点眼用0.005%　2017年2月改訂(第9版)

ピレンゼピン塩酸塩水和物
Pirenzepine Hydrochloride Hydrate

概要

薬効分類　232　消化性潰瘍用剤

構造式

・2HCl・H_2O

分子式　$C_{19}H_{21}N_5O_2$・2HCl・H_2O

分子量　442.34

ステム　三環系抗潰瘍薬：-zepine

原薬の規制区分　劇(ただし，1個中ピレンゼピンとして25mg以下を含有する内用剤及びピレンゼピンとして10%以下を含有する内用剤を除く)

原薬の外観・性状　白色～微黄色の結晶性の粉末である．水又はギ酸に溶けやすく，メタノールに溶けにくく，エタノール(99.5)に極めて溶けにくい．1gを水10mLに溶かした液のpHは1.0～2.0である．光によって徐々に着色する

原薬の吸湿性　水分：3.5～5.0%(0.3g，容量滴定法，直接滴

ヒ

定）

原薬の融点・沸点・凝固点　融点：約245℃（分解）

原薬の酸塩基解離定数　$pKa_1 = 1.8$（25℃），$pKa_2 = 7.9$（25℃）

後発医薬品

錠 25mg

製剤

製剤の性状　錠 白色の割線入り素錠

有効期間又は使用期限　3年

貯法・保存条件　遮光・室温保存

薬剤取扱い上の留意点　眼の調節障害等を起こすことがあるので，本剤投与中の患者には自動車の運転等危険を伴う機械の操作に注意させること

患者向け資料等　くすりのしおり

溶液及び溶解時のpH　1.0～2.0（1gを水10mLに溶かした液）

薬理作用

分類　ムスカリン受容体拮抗胃炎・消化性潰瘍治療剤

作用部位・作用機序　酸分泌に関連していると思われる胃粘膜のムスカリン受容体に対して選択的に拮抗し，特異的に酸分泌抑制作用を有するとともに胃粘膜血流，粘液，プロスタグランジン等の粘膜防御因子の増強作用により，ストレスなどによって惹起される実験的胃粘膜損傷に対して抑制的に働く

同効薬　シメチジン，ファモチジン，ラニチジン塩酸塩など

治療

効能・効果　細　錠 ①次の疾患の胃粘膜病変（びらん，出血，発赤，付着粘液）ならびに消化器症状の改善：急性胃炎，慢性胃炎の急性増悪期　②胃潰瘍，十二指腸潰瘍

注射用 ①上部消化管出血（消化性潰瘍，急性ストレス潰瘍，急性胃粘膜病変による）　②手術侵襲ストレスによる胃液分泌亢進の抑制　③麻酔前投薬

用法・用量　細　錠 無水物として1回25mg，1日3～4回（適宜増減）

注射用 効能①：無水物として1回20mgを添付溶解液4mLにて溶解し，1日3回緩徐に静注あるいは輸液に混合し，点滴静注（適宜増減）　効能②：無水物として1回20mgを添付溶解液4mLにて溶解し，1日2回緩徐に静注あるいは輸液に混合し，点滴静注（適宜増減）　効能③：無水物として10mgを添付溶解液2mLにて溶解し，1回緩徐に静注（適宜増減）

使用上の注意

禁忌　本剤の成分に対し過敏症の既往歴のある患者

過量投与　細　錠 ①症状：過量投与した場合，抗コリン作用によるとみられる口渇，譫妄，頻脈，イレウス，尿閉等が現れることがある　②処置：通常早期には，活性炭の投与，胃洗浄等を行う．また，必要に応じ，副交感神経興奮薬の投与及び尿閉の場合の導尿等，適切な支持療法を行う

薬物動態

錠 **吸収・代謝・排泄**　健康成人に25mg経口投与2～4時間で最高血中濃度約32ng/mL．半減期は約13時間．吸収率は約26％（外国人データ）．尿中排泄率約10％，24時間で大部分が排泄，連続投与で蓄積性は認められない．健康成人（外国人）に25mg経口投与時，ほとんど代謝されず，血漿，尿及び糞中では大部分が未変化体．健康成人8mg静注時も血漿中では大部分未変化体（外国人データ）．5～30mg静注では未変化体の尿中排泄率は30時間後で約35％，血中半減期は約8時間．食事により血中濃度-時間曲線下面積（AUC）が30％低下（外国人データ）　**蛋白結合率**　約12％（外国人データ）　**分布（参考）**　静注により，消化管内，肝，腎，下垂体，唾液腺，膵，肺に高く（ラット，ヒヒ），中枢神経系及び胎児にはほとんど移行せず（マウス，ヒヒ），乳汁へ移行（ラット）

その他の管理的事項

投与期間制限　該当しない

保険給付上の注意　該当しない

資料

IF　ピレンゼピン塩酸塩錠25mg「サワイ」 2020年4月改訂（第6版）

ピロ亜硫酸ナトリウム
Sodium Pyrosulfite

別名：メタ重亜硫酸ナトリウム

概要

分子式　$Na_2S_2O_5$

分子量　190.11

原薬の規制区分　該当しない

原薬の外観・性状　白色の結晶又は結晶性の粉末で，二酸化硫黄のにおいがある．水に溶けやすく，エタノール（95）に極めて溶けにくく，ジエチルエーテルにほとんど溶けない．本品の水溶液（1→20）は酸性である．空気中で徐々に分解する

原薬の吸湿性　吸湿性である

ピロカルピン塩酸塩
ピロカルピン塩酸塩錠
Pilocarpine Hydrochloride

概要

薬効分類　131　眼科用剤，239　その他の消化器官用薬

構造式

分子式　$C_{11}H_{16}N_2O_2 \cdot HCl$

分子量　244.72

ステム　不明

原薬の規制区分　毒（ただし，製剤は劇）

原薬の外観・性状　無色の結晶又は白色の粉末で，においはなく，味は僅かに苦い．酢酸（100）に極めて溶けやすく，水，メタノール又はエタノール（95）に溶けやすく，無水酢酸にやや溶けやすく，ジエチルエーテルにほとんど溶けない．1.0gを水10mLに溶かした液のpHは3.5～4.5である．光によって変化する

原薬の吸湿性　吸湿性である

原薬の融点・沸点・凝固点　融点：200～203℃

原薬の酸塩基解離定数　該当資料なし

先発医薬品等

顆 サラジェン顆粒0.5％（キッセイ）

錠 サラジェン錠5mg（キッセイ）

点眼液 サンピロ点眼液0.5％・1％・2％・3％・4％（参天）

国際誕生年月　顆　錠 1994年3月

海外での発売状況　顆　錠 米など30カ国　点眼液 発売されていない

製剤

規制区分　顆　錠　点眼液 劇

製剤の性状　顆 白色～微黄白色の顆粒　錠 白色のフィルムコート錠　点眼液 無色澄明の無菌水性点眼剤

有効期間又は使用期限　錠 4年　点眼液 3年

貯法・保存条件　顆 気密容器，遮光・室温保存　錠 気密容器，室温保存（開封後は防湿保存）　点眼液 気密容器，室温保存

薬剤取扱い上の留意点　顆　錠 縮瞳を起こすおそれがあるので，投与中の患者には夜間の自動車の運転及び暗所での危険を伴う機械の操作に注意させること　点眼液 縮瞳（暗黒感）又は調節痙攣が起こるので，本剤投与中の患者には，縮瞳（暗黒感）又は調節痙攣が回復するまで自動車の運転等危険を伴う機械の操作に従事させないよう注意すること

患者向け資料等　くすりのしおり

溶液及び溶解時のpH **0.5・1・2・3%点眼液** 4.5～5.5 **4%点眼液** 4.4～5.4

浸透圧比 **0.5・1%点眼液** 1.2～1.4 **2%点眼液** 1.1～1.3 **3・4%点眼液** 1.3～1.5

薬理作用

分類 副交感神経刺激薬

作用部位・作用機序 **顆** **錠** 唾液腺腺房細胞のムスカリン(M_3)受容体を刺激して，細胞内カルシウムを増加させ，腺腔内への水及び顆粒タンパクの分泌を亢進することにより，唾液分泌を促進する

点眼液 副交感神経支配の瞳孔括約筋に直接作用してこれを収縮させ，縮瞳する．また，毛様体筋を収縮させることにより線維柱帯が広がり，房水流出が促進され，眼圧が下降する．ピロカルピンのこの作用は副交感神経遮断薬(アトロピン等)により拮抗される

同効薬 **顆** **錠** 人工唾液，セビメリン塩酸塩水和物 **点眼液** ジスチグミン臭化物

治療

効能・効果 **顆** **錠** ①頭頸部の放射線治療に伴う口腔乾燥症状の改善 ②シェーグレン症候群患者の口腔乾燥症状の改善

点眼液 緑内障，診断又は治療を目的とする縮瞳

用法・用量 **顆** **錠** 1回5mg，1日3回食後

点眼液 0.5～4%液を1日3～5回，1回1～2滴点眼

用法・用量に関連する使用上の注意 **顆** **錠** 投与は空腹時を避け，食後30分以内とする

使用上の注意

禁忌 **顆** **錠** ①重篤な虚血性心疾患(心筋梗塞，狭心症等)のある患者［冠状動脈硬化に伴う狭窄所見を冠状動脈攣縮により増強し，虚血性心疾患の病態を悪化させるおそれがある］ ②気管支喘息及び慢性閉塞性肺疾患の患者［気道抵抗や気管支平滑筋の緊張増大及び気管支粘液分泌亢進のため，症状を悪化させるおそれがある］ ③消化管及び膀胱頸部に閉塞のある患者［消化管又は膀胱筋を収縮又は緊張させ，症状を悪化させるおそれがある］ ④てんかんのある患者［てんかん発作を起こすおそれがある］ ⑤パーキンソニズム又はパーキンソン病の患者［パーキンソニズム又はパーキンソン病の症状を悪化させるおそれがある］ ⑥虹彩炎の患者［縮瞳が症状を悪化させるおそれがある］ ⑦本剤の成分に対し過敏症の既往歴のある患者

点眼液 虹彩炎の患者［縮瞳により虹彩の癒着を起こす可能性があり，また炎症を悪化させるおそれがある］

相互作用概要 主代謝経路は，血漿中のエステラーゼによる加水分解と，CYP2A6による酸化である

過量投与 **顆** **錠** 過量投与された場合は，呼吸及び体循環を維持するためにアトロピン投与(皮下あるいは静注)等の適切な処置を行うべきである．また，重篤な心機能低下あるいは気管支収縮がみられた場合には，エピネフリン投与(皮下あるいは筋肉内)を考慮する．なお，本剤は透析によって除去できるかどうかは不明

薬物動態

錠 **血漿中濃度** ①健康成人男性に本剤5mgを1錠空腹時に経口投与した際の薬物動態パラメータ(n=28，平均値±標準偏差)は，$AUC_{0\text{-}24}$(ng・hr/mL)72.32±36.22，Cmax(ng/mL)26.78±9.72，Tmax(hr)0.920±0.297，$t_{1/2}$(hr)1.586±0.397 ②健康成人男性8例に5mgを食直後に単回経口投与時，血漿中濃度推移及び薬物動態パラメータは空腹時とほぼ同様であり，食事摂取による大きな影響は認められなかった．(空腹時，食直後の順)Cmax(ng/mL)25.43，22.88，Tmax(hr)1.04，1.34，$T_{1/2}$(hr)1.68，1.44，$AUC_{0\text{-}inf}$(ng・hr/mL)88.14，80.39 ③成人肝機能正常者6例及び肝機能低下者12例(Child-Pugh分類A：9例，B：3例)に5mgを単回経口投与時，正常者に比べ肝機能低下者のCmax，$AUC_{0\text{-}inf}$は増加し，経口クリアランス(CLtot/F)は低下．(肝機能正常者，肝機能低下者の順)Cmax(ng/mL)25.0，33.1，Tmax(hr)1.00，0.89，$T_{1/2}$(hr)1.27，2.09，$AUC_{0\text{-}inf}$(ng・hr/mL)57.50，108.42(外国人のデータ) ④血液透析を受けていない成人腎機能低下者8例に5mgを単回経口投与時，クレアチニンクリアランスと各薬物動態パラメータとの間に有意な相関は認められなかった(外国人のデータ) **代謝・排泄** 健康成人男性に5mgを食直後に単回経口投与時，48時間までにピロカルピン，ピロカルピン酸及び3α-ヒドロキシ体としてそれぞれ投与量の約25%，26%及び20%，計約71%が尿中に排泄され，この大部分が投与後8時間までに排泄された．本剤のピロカルピン酸への加水分解には主に血漿中のエステラーゼ，3α-ヒドロキシ体への酸化にはCYP2A6の寄与が*in vitro*試験により推定されている．ヒト肝ミクロソームを用いた*in vitro*試験で，CYP2A6に対して競合阻害を示し，Ki値は4.08μM

点眼液 **房水中濃度** 外国人：白内障摘出術施行中患者で，2%点眼液を2滴点眼後房水を採取，房水中の本剤の濃度を測定．点眼から房水採取までの時間はほとんどの症例で点眼6～26分後，どの測定時点でも濃度は5μg/mLを超えず，検討した71眼の平均濃度は1.67μg/mL．なお，この値より推定された房水中への平均移行率は約0.03% **適用部位における代謝** 参考(家兎)：家兎への点眼では，角膜でエステラーゼによる加水分解を受け，pilocarpic acidへと代謝されるが，有色家兎ではこの代謝速度が白色家兎に比べ102倍近く速い

その他の管理的事項

投与期間制限 該当しない

保険給付上の注意 該当しない

資料

IF サラジェン顆粒0.5%・錠5mg 2019年7月改訂(第9版)
サンピロ点眼液0.5%・1%・2%・3%・4% 2017年5月改訂(第8版)

ピロキシカム
Piroxicam

概要

薬効分類 114 解熱鎮痛消炎剤，264 鎮痛，鎮痒，収斂，消炎剤

構造式

分子式 $C_{15}H_{13}N_3O_4S$

分子量 331.35

ステム イソキシカム系抗炎症薬：-icam

原薬の規制区分 劇(ただし，1個中20mg以下を含有する内用剤及び坐剤，0.5%以下を含有する外用剤を除く)

原薬の外観・性状 白色～淡黄色の結晶性の粉末である．アセトニトリル又はエタノール(99.5)に溶けにくく，水にほとんど溶けない．結晶多形が認められる

原薬の吸湿性 37℃，19日間保存するとき，90～100%RHにおいても，吸湿増量はほとんどなく，吸湿性は認められなかった

原薬の融点・沸点・凝固点 融点：約200℃(分解)

原薬の酸塩基解離定数 pKa＝1.8(ピリジル基：吸光度法)，5.1(エノール性水酸基：吸光度法)

先発医薬品等

カ バキソカプセル10・20(富士フイルム富山化学)

軟 バキソ軟膏0.5%(富士フイルム富山化学)
フェルデン軟膏0.5%(ファイザー)

後発医薬品
カ 10mg・20mg
国際誕生年月 1978年11月
海外での発売状況 仏など，(経皮吸収剤)世界59カ国で承認，48カ国で発売

製剤

製剤の性状 **カ** 不透明な淡かっ色の硬カプセル剤 **軟** 淡黄色澄色のゲル状軟膏
有効期間又は使用期限 **カ** 4年 **軟** 3年
貯法・保存条件 室温保存
薬剤取扱い上の留意点 **軟** 眼及び粘膜に使用しないこと，密封包帯法で使用しないこと
患者向け資料等 くすりのしおり

薬理作用

分類 オキシカム系酸性非ステロイド性消炎鎮痛剤
作用部位・作用機序 アラキドン酸代謝におけるシクロオキシゲナーゼの活性を阻害し，炎症，疼痛に関与するプロスタグランジンの生合成を抑制することとよるものと考えられている
同効薬 **カ** インドール酢酸系，プロピオン酸系非ステロイド性消炎鎮痛剤など **軟** インドメタシン，ケトプロフェン，フェルビナクなど

治療

効能・効果 **カ** 次の疾患ならびに症状の消炎，鎮痛：関節リウマチ，変形性関節症，腰痛症，肩関節周囲炎，頸肩腕症候群 **軟** 次の疾患ならびに症状の消炎・鎮痛：変形性関節症，肩関節周囲炎，腱・腱鞘炎，腱周囲炎，上腕骨上顆炎(テニス肘等)，筋肉痛(筋・筋膜炎等)，外傷後の腫脹・疼痛
効能・効果に関連する使用上の注意 **カ** ①腰痛症，肩関節周囲炎，頸肩腕症候群に対し用いる場合には，慢性期のみに投与する ②他の非ステロイド性消炎鎮痛剤の治療効果が不十分と考えられる患者のみに投与する
用法・用量 **カ** 1日1回20mg食後(適宜減量)
軟 1日数回患部に塗擦
用法・用量に関連する使用上の注意 **カ** ①1日最大20mgまでの投与とする ②投与に際しては，その必要性を明確に把握し，少なくとも投与後2週間を目処に治療継続の再評価を行い，漫然と投与し続けることのないよう注意する(外国において，本剤が，他の非ステロイド性消炎鎮痛剤に比較して，胃腸障害及び重篤な皮膚障害の発現率が高いとの報告がされている)
禁忌・原則禁忌となる特定患者集団 **カ** 妊娠末期の患者

使用上の注意

禁忌 **カ** ①リトナビルを投与中の患者 ②消化性潰瘍のある患者［消化性潰瘍を悪化させることがある］ ③重篤な血液の異常のある患者［血液の異常を悪化させることがある］ ④重篤な肝障害のある患者［肝障害を悪化させることがある］ ⑤重篤な腎障害のある患者［プロスタグランジン合成阻害作用により，腎血流量低下及び水，ナトリウムの貯留が起こるため，腎障害を悪化させることがある］ ⑥重篤な心機能不全のある患者［プロスタグランジン合成阻害作用により，水，ナトリウムの貯留が起こるため，心機能障害を悪化させることがある］ ⑦重篤な高血圧症のある患者［プロスタグランジン合成阻害作用により，水，ナトリウムの貯留が起こるため，高血圧症を悪化させることがある］ ⑧妊娠末期の患者 ⑨本剤の成分に対し過敏症の既往歴のある患者 ⑩アスピリン喘息(非ステロイド性消炎鎮痛剤等による喘息発作の誘発)又はその既往歴のある患者［重篤な喘息発作を誘発又は再発させることがある］
軟 ①本剤の成分に対し過敏症の既往歴のある患者 ②アスピリン喘息(非ステロイド性消炎鎮痛剤等による喘息発作の誘発)又はその既往歴のある患者［重篤な喘息発作を誘発又は再発させるおそれがある］
相互作用概要 主としてCYP2C9で代謝される
過量投与 **カ** ①非ステロイド性消炎鎮痛剤の過量投与時の一般的な徴候・症状，処置は次の通り：(1)徴候・症状：嗜眠，傾眠，悪心・嘔吐，心窩部痛 (2)処置：催吐，胃洗浄，活性炭投与，浸透圧性下剤投与，その他症状に応じた支持療法及び対症療法 ②蛋白結合率が高いため，透析による除去は有用ではないと考えられる

薬物動態

血中濃度 ①**カ** 健康成人6名に1回経口投与2.8～4.3時間後に最高血中濃度，半減期は約1.5日．また，健康成人6名に1日1回20mgを10日間連続経口投与時の血中濃度は漸次増加し投与後7日間でプラトーに達する ②**坐** 坐剤とカプセル各20mgを各9名に，直腸内投与，経口投与時の血中濃度推移を比べると，経口投与の濃度上昇がやや早かった．濃度推移(直腸内，経口の順)は(1)Tmax(hr)：4.9±0.5，5.8±0.6，(2)Cmax(μg/mL)：2.65±0.21，2.64±0.09，(3)$T_{1/2}$(hr)：47.6±3，48±2.9，(4)AUC(μg・hr/mL)：163.4±11.1，180.4±15.2 **吸収** **軟** 健康成人8名の背部に軟膏3gを8時間塗擦時の最高血中濃度は，146.8ng/mL(23時間後) **組織内移行** **坐** 関節疾患及び腰部疾患患者に坐剤(20mg)を1回直腸内投与時，各組織中の最高濃度とその到達時間は，関節液中2.15μg/mL(12時間後)，滑膜中1.42μg/g(8時間後)，筋肉中1.01μg/g(6時間後)で，最高血中濃度3.27μg/mL(6時間後)に対する割合は各々66%，43%，31% **蛋白結合率** **カ** **坐** ヒトにおける本剤の血漿蛋白結合率は99.8% **組織内分布** **軟** 変形性関節症患者の膝関節部に塗擦時，関節液中に高濃度に分布．整形外科的疾患患者に塗擦時，適用部位の各組織に速やかに浸透し，2～24時間後の皮膚，皮下脂肪及び筋肉の各組織内未変化体濃度は，血漿中よりも高濃度 **代謝・排泄** ①**カ** 健康成人に1日1回20mgを10日間連続経口投与時の未変化体及びその代謝物の尿中排泄率は8日目から1日約40%でほぼ一定値，その大部分は5'-ヒドロキシ体及びその抱合体 ②**坐** 健康成人に坐剤20mgを1回直腸内投与時の未変化体及びその代謝物の尿中への排泄率は，投与144時間までで25.3%．その大部分は5'-ヒドロキシピロキシカム及びその抱合体で，経口投与時と同様の代謝・排泄パターン ③**軟** 6名に軟膏3gを8時間塗擦時，8日目までの未変化体及びその代謝物の尿中累積排泄率は約3.4%．その大部分は5'-ヒドロキシピロキシカム及びその抱合体で，経口投与時と類似の代謝を受けて排泄

その他の管理的事項

投与期間制限 該当しない
保険給付上の注意 該当しない

資料

IF バキソカプセル10・20 2019年6月改訂(第11版)
バキソ軟膏0.5% 2019年4月改訂(第6版)

ピロキシリン
Pyroxylin

概要

原薬の規制区分 該当しない
原薬の外観・性状 白色で，綿状又はフレーク状である．アセトンに溶けやすく，ジエチルエーテルに極めて溶けにくい．熱及び光によって分解し，亜硝酸ガスを発生する

ピロールニトリン
Pyrrolnitrin

概要
構造式

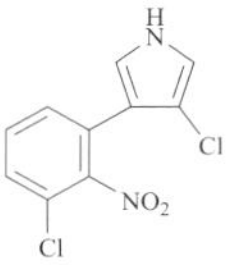

分子式　$C_{10}H_6Cl_2N_2O_2$
分子量　257.07
原薬の規制区分　該当しない
原薬の外観・性状　黄色～黄褐色の結晶又は結晶性の粉末である．メタノール又はエタノール(95)に溶けやすく，水にほとんど溶けない
原薬の融点・沸点・凝固点　融点：124～128℃

ビンクリスチン硫酸塩
Vincristine Sulfate

概要
薬効分類　424　抗腫瘍性植物成分製剤
構造式

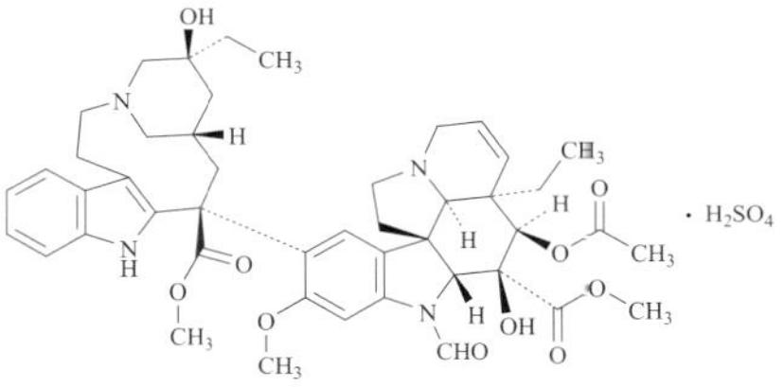

分子式　$C_{46}H_{56}N_4O_{10} \cdot H_2SO_4$
分子量　923.04
略語・慣用名　VCR，LCR　別名：Leurocristine
ステム　ビンカアルカロイド：vin-
原薬の規制区分　毒(ただし，製剤は劇)
原薬の外観・性状　白色～淡黄白色の粉末である．水に極めて溶けやすく，エタノール(99.5)にほとんど溶けない．10mgを水10mLに溶かした液のpHは3.5～4.5である
原薬の吸湿性　吸湿性である
原薬の融点・沸点・凝固点　融点：200～220℃(分解点)
原薬の酸塩基解離定数　pKa＝5.0，7.4(30%DMF溶液中)
先発医薬品等
　注射用　オンコビン注射用1mg(日本化薬)
国際誕生年月　1962年8月
海外での発売状況　米，英，仏を含む66カ国

製剤
規制区分　注射用　劇 処
製剤の性状　注射用　白色～微黄白色の凍結乾燥製剤
有効期間又は使用期限　3年
貯法・保存条件　冷所保存
薬剤取扱い上の留意点　調製にあたり，注射用水，生理食塩液又は5%ブドウ糖注射液以外の溶解液の使用は望ましくない
患者向け資料等　患者向医薬品ガイド，くすりのしおり
溶液及び溶解時のpH　4.0～6.0
浸透圧比　約1(1mg/10mL生理食塩液)(対生食)
安定なpH域　3.5～5.5

薬理作用
分類　ビンカアルカロイド系抗悪性腫瘍剤
作用部位・作用機序　作用機序の詳細はまだ明らかにされていないが，紡錘体を形成している微小管のチュブリンに結合することにより，細胞周期を分裂中期で停止させると考えられている
同効薬　ビンブラスチン硫酸塩，ビンデシン硫酸塩

治療
効能・効果　①白血病(急性白血病，慢性白血病の急性転化時を含む)　②悪性リンパ腫(細網肉腫，リンパ肉腫，ホジキン病)　③小児腫瘍(神経芽腫，ウイルムス腫瘍，横紋筋肉腫，睾丸胎児性癌，血管肉腫等)　④次の悪性腫瘍に対する他の抗悪性腫瘍剤との併用療法：(1)多発性骨髄腫　(2)悪性星細胞腫，乏突起膠腫成分を有する神経膠腫　⑤褐色細胞腫
用法・用量　効能①～③：成人0.02～0.05mg/kg，小児0.05～0.1mg/kgを週1回静注．ただし，副作用を避けるため，1回量2mgを超えない　効能④(1)：ドキソルビシン塩酸塩，デキサメタゾンリン酸エステルナトリウムとの併用において，標準的なビンクリスチン硫酸塩の投与量及び投与方法は，1日量0.4mgを24時間持続静注．これを4日間連続で行い，その後17～24日間休薬する．これを1クールとし，投与を繰り返す　効能④(2)：ビンクリスチン硫酸塩として1.4mg/m^2(体表面積)を2回静注．1回目の投与の3週間後に2回目の投与を行い，6～8週を1クールとし，投与を繰り返す．ただし，副作用を避けるため，1回量2mgを超えない　効能⑤：シクロホスファミド水和物，ダカルバジンとの併用において，成人ビンクリスチン硫酸塩として，1日1回1.4mg/m^2(体表面積)を静注し，少なくとも20日間休薬．これを1クールとし，投与繰り返す．ただし，副作用を避けるため，1回量2mgを超えない(適宜減量)
用法・用量に関連する使用上の注意　①外国では体重10kg以下の小児への初期投与量を0.05mg/kg週1回静注すべきであるとされている　②ドキソルビシン塩酸塩，デキサメタゾンリン酸エステルナトリウムとの併用において，24時間持続静注を実施する場合は，中心静脈カテーテルを留置して投与する　③悪性星細胞腫，乏突起膠腫成分を有する神経膠腫に対する他の抗悪性腫瘍剤との併用療法(プロカルバジン塩酸塩，ニムスチン塩酸塩，ビンクリスチン硫酸塩)においては，併用薬剤の添付文書及び関連文献(「抗がん剤報告書：プロカルバジン塩酸塩(脳腫瘍)」，「抗がん剤報告書：ビンクリスチン硫酸塩(脳腫瘍)」等)を熟読する　④褐色細胞腫患者において，本剤を含む化学療法実施後に高血圧クリーゼを含む血圧変動が報告されていることから，本剤を含む化学療法実施前にα遮断薬等を投与する

使用上の注意

> **警告**　本剤を含むがん化学療法は，緊急時に十分対応できる医療施設において，がん化学療法に十分な知識・経験をもつ医師のもとで，本療法が適切と判断される症例についてのみ実施する．適応患者の選択にあたっては，各併用薬剤の添付文書を参照して十分注意する．また，治療開始に先立ち，患者又はその家族に有効性及び危険性を十分説明し，同意を得てから投与する

禁忌　①次の患者には投与しない：(1)本剤の成分に対し重篤な過敏症の既往歴のある患者　(2)脱髄性シャルコー・マリー・トゥース病の患者　②次の部位には投与しない：髄腔内
相互作用概要　CYP3Aが関与するとされている
過量投与　過量投与により，重篤又は致死的な結果をもたらすとの報告がある．支持療法として次の処置を考慮する：①抗利尿ホルモン不適合分泌症候群(SIADH)の予防［水分摂取の制限及びヘンレ係蹄や遠位尿細管に作用する利尿剤の投与］　②抗痙攣剤の投与　③イレウスを予防するための浣腸及び下剤の使用［症例によっては腸管減圧を行う］　④循環

ヒ

器系機能のモニタリング ⑤血球検査を毎日行い，必要であれば輸血を行う：ホリナート(ロイコボリン)を本剤の致死量が投与されたマウスに使用したところ有効であったとの報告がある．また，ホリナートがヒトにおいても本剤の過量投与の治療に有益であったとする症例報告もある．ホリナート100mgを3時間ごとに8回投与し，その後は6時間ごとに少なくとも8回投与することが推奨されている．ホリナートの投与は支持療法と併せて行う．本剤は透析液中にほとんど流入せず体外除去のための血液透析は有効ではない

薬物動態

血中濃度(外国人データ) 急性骨髄性白血病及び悪性リンパ腫各2例に2mg静注後，ラジオイムノアッセイ法で測定時，血中濃度が投与直後から急速に低下するα期(半減期0.077±0.034時間)，比較的緩やかに低下するβ期(半減期2.27±1.5時間)，さらに非常に緩徐な低下を示すγ期(半減期85±68.9時間)の3相性で推移，消失速度定数は0.085±0.075hr^{-1} **分布(外国人データ)** 急性骨髄性白血病及び悪性リンパ腫各2例に2mgを静注後，ラジオイムノアッセイ法で測定時の薬物速度論的パラメータは分布容積8.42±3.17L/kg，血清クリアランス0.106±0.061L/kg/hr．参考：ラットに^{3}H-ビンクリスチン硫酸塩1mg/kgを静注時，脾，甲状腺，副腎，大腸，小腸には血中の20～70倍が分布，次いで肺，腎，肝，骨髄(血中の7～20倍)が高く，脂肪細胞，眼球，脳では低値(血中の0.2～1倍) **代謝** 主要代謝部位は肝臓．肝チトクロムP450 3Aが関与するとされている **排泄(外国人データ)** 悪性リンパ腫4例に，^{3}H-ビンクリスチン硫酸塩2mg(1.48×106Bq/mg)静注した後，72時間以内に糞中に約69%，尿中に約12%が排泄

その他の管理的事項

投与期間制限 該当しない

保険給付上の注意 該当しない

資料

IF オンコビン注射用1mg 2014年9月改訂(第9版)

ピンドロール
Pindolol

概要

薬効分類 212 不整脈用剤，214 血圧降下剤

構造式

及び鏡像異性体

分子式 $C_{14}H_{20}N_2O_2$

分子量 248.32

ステム アドレナリンβ受容体拮抗薬：-olol

原薬の規制区分 ㊕

原薬の外観・性状 白色の結晶性の粉末で，僅かに特異なにおいがある．メタノールにやや溶けにくく，エタノール(95)に溶けにくく，水又はジエチルエーテルにほとんど溶けない．希硫酸又は酢酸(100)に溶ける

原薬の吸湿性 吸湿性なし

原薬の融点・沸点・凝固点 融点：169～173℃

原薬の酸塩基解離定数 pKa＝9.30(メタノール中)

先発医薬品等

錠 カルビスケン錠5mg(アルフレッサファーマ)

後発医薬品

錠 5mg

徐放力 5mg・15mg

国際誕生年月 不明

海外での発売状況 米，英など

製剤

規制区分 **錠** ㊕ ㊇

製剤の性状 **錠** 白色の割線入り素錠

有効期間又は使用期限 **錠** 5年

貯法・保存条件 室温保存．開封後は防湿，遮光保存

薬剤取扱い上の留意点 めまい，ふらつきが現れることがあるので，本剤投与中の患者(特に投与初期)には，自動車の運転等危険を伴う機械の作業に注意させること．手術前24時間は投与しないことが望ましい

患者向け資料等 くすりのしおり

薬理作用

分類 β受容体遮断剤

作用部位・作用機序 交感神経β受容体遮断，内因性交感神経刺激

同効薬 プロプラノロール，メトプロロール，カルテオロール

治療

効能・効果 **錠** ①本態性高血圧症(軽症～中等症) ②狭心症 ③洞性頻脈

徐放力 本態性高血圧症(軽症～中等症)

用法・用量 **錠** 効能①：1回5mg，1日3回(適宜増減) 効能②：1回5mg，1日3回(適宜増減)．効果が不十分な場合は1日30mgまで増量 効能③：1回1～5mg，1日3回(適宜増減)

徐放力 1回1カプセル(15mg)，1日1回朝食後．なお，年齢，体重，症状によっては通常量以下に適宜減量

用法・用量に関連する使用上の注意 褐色細胞腫の患者では，本剤の単独投与により急激に血圧が上昇することがあるので，α遮断剤で初期治療を行った後に本剤を投与し，常にα遮断剤を併用する

禁忌・原則禁忌となる特定患者集団 妊婦又は妊娠している可能性のある婦人

使用上の注意

禁忌 **錠** ①本剤の成分及び他のβ遮断剤に対し過敏症の既往歴のある患者 ②気管支喘息，気管支痙攣のおそれのある患者［喘息等の症状を誘発・悪化させるおそれがある］ ③糖尿病性ケトアシドーシス，代謝性アシドーシスのある患者［本症でみられる心筋収縮力抑制を増強するおそれがある］ ④高度の徐脈(著しい洞性徐脈)，房室ブロック(II，III度)，洞房ブロック，洞不全症候群のある患者［心刺激伝導系を抑制し，症状を悪化させるおそれがある］ ⑤心原性ショック，肺高血圧による右心不全，うっ血性心不全の患者［心筋収縮力を抑制し，症状を悪化させるおそれがある］ ⑥異型狭心症の患者［症状を悪化させるおそれがある］ ⑦低血圧症の患者［降圧作用により症状を悪化させるおそれがある］ ⑧重症の末梢循環障害(壊疽等)のある患者［症状を悪化させるおそれがある］ ⑨未治療の褐色細胞腫の患者 ⑩チオリダジンを投与中の患者［不整脈，QT延長等が現れることがある］ ⑪妊婦又は妊娠している可能性のある婦人

徐放力 ①本剤の成分及び他のβ遮断剤に対し過敏症の既往歴のある患者 ②気管支喘息，気管支痙攣のおそれのある患者［喘息等の症状を誘発・悪化させるおそれがある］ ③糖尿病性ケトアシドーシス，代謝性アシドーシスのある患者［本症でみられる心筋収縮力抑制を増強するおそれがある］ ④高度の徐脈(著しい洞性徐脈)，房室ブロック(II，III度)，洞房ブロック，洞不全症候群のある患者［心刺激伝導系を抑制し，症状を悪化させるおそれがある］ ⑤心原性ショック，肺高血圧による右心不全，うっ血性心不全の患者［心筋収縮力を抑制し，症状を悪化させるおそれがある］ ⑥異型狭心症の患者［症状を悪化させるおそれがある］ ⑦重症の末梢循環障害(壊疽等)のある患者［症状を悪化させるおそれがある］ ⑧未治療の褐色細胞腫の患者 ⑨妊婦又は妊娠している可能性のある婦人 ⑩チオリダジンを投与中の患者［不整脈，QT延長等が現れることがある］

過量投与 過量投与時には通常次のような処置が行われる．過度の徐脈にはアトロピン硫酸塩水和物を静注し，効果不十分な場合にはβ刺激剤（イソプレナリン塩酸塩，オルシプレナリン硫酸塩等）を徐々に静注．低血圧には昇圧剤（アドレナリン，ドパミン等）を投与．心不全にはジギタリス製剤，利尿剤を投与．なお，グルカゴンの静注が有効な場合もある．気管支痙攣にはβ_2刺激剤（サルブタモール硫酸塩等）又はアミノフィリンを静注．これらの処置の間は患者を常に観察下におく

薬物動態

錠 **血中濃度** 健常人に5mg錠1回経口投与後Tmax1.33時間，Cmax33.1ng/mL，AUC_{0-24}239.2ng・hr/mL，$T_{1/2}$3.65時間，吸収率90％以上．肝でファーストパスを受けにくく，バイオアベイラビリティは高い（外国人データ） **代謝・排泄** 主として肝臓で代謝．尿中主代謝産物はグルクロン酸抱合体，硫酸抱合体．尿中未変化体の排泄率は36.1％，尿中総排泄率は約80％（外国人データ）．*in vitro*で代謝酵素CYP2D6の関与が示唆されている

徐放力 **血漿中濃度** 本態性高血圧症入院患者17例に持続性カプセル15mgを1日1回（朝食後），普通錠5mgを1日3回（毎食後）連続7日間クロスオーバーで投与し，各製剤の投与第7日の血漿中濃度を測定．持続性カプセル15mgでは投与6時間後に最高血漿中濃度．持続性カプセル15mg 1日1回投与時の吸収量（AUC）は，普通錠5mg，1日3回投与時とほぼ同様（測定法：HPLC） **排泄** 持続性カプセル15mgを経口投与24時間後までの尿中排泄率は25.4％ **その他** 血漿蛋白結合率50.6±2.5％

その他の管理的事項

投与期間制限 該当しない

保険給付上の注意 該当しない

資料

IF カルビスケン錠5mg 2016年2月改訂（第9版）

ビンブラスチン硫酸塩
注射用ビンブラスチン硫酸塩
Vinblastine Sulfate

概要

薬効分類 424 抗腫瘍性植物成分製剤

構造式

（構造式：HO, CH_3, N, H, NH, O, CH_3, H, OH, N, $\cdot H_2SO_4$）

分子式 $C_{46}H_{58}N_4O_9 \cdot H_2SO_4$

分子量 909.05

略語・慣用名 VLB，VBL

ステム ビンカアルカロイド：vin-

原薬の規制区分 毒（ただし，製剤は劇）

原薬の外観・性状 白色～微黄色の粉末である．水にやや溶けやすく，メタノールにやや溶けにくく，エタノール（99.5）にほとんど溶けない．15mgを水10mLに溶かした液のpHは3.5～5.0である

原薬の吸湿性 吸湿性である

原薬の融点・沸点・凝固点 284～285℃（分解点）

原薬の酸塩基解離定数 pKa＝7.4

先発医薬品等

注射用 エクザール注射用10mg（日本化薬）

国際誕生年月 1961年3月

海外での発売状況 米，英，仏など

製剤

規制区分 **注射用** 劇 処

製剤の性状 **注射用** 白色～微黄色の凍結乾燥製剤

有効期間又は使用期限 3年

貯法・保存条件 遮光・2～8℃で保存

薬剤取扱い上の留意点 調製にあたり，注射用水又は生理食塩液以外の溶解液の使用は望ましくない

患者向け資料等 くすりのしおり

溶液及び溶解時のpH 3.5～5.0（水溶液：1→1000）

浸透圧比 約1（1バイアル/10mL生食で溶解時）（対生食）

薬理作用

分類 ビンカアルカロイド系抗悪性腫瘍剤

作用部位・作用機序 作用機序の詳細はまだ明らかにされていないが，紡錘体を形成している微小管のチュブリンに結合することにより，細胞周期を分裂中期で停止させると考えられている

同効薬 ビンクリスチン硫酸塩，ビンデシン硫酸塩

治療

効能・効果 ①ビンブラスチン硫酸塩通常療法：⑴悪性リンパ腫，絨毛性疾患（絨毛癌，破壊胞状奇胎，胞状奇胎） ⑵再発又は難治性の胚細胞腫瘍（精巣腫瘍，卵巣腫瘍，性腺外腫瘍） ⑶ランゲルハンス細胞組織球症 ②M-VAC療法：尿路上皮癌

用法・用量 〈注射液の調製法〉ビンブラスチン硫酸塩1mg当たり1mLの割合に注射用水又は生理食塩液を加えて溶解 効能①：⑴白血球数を指標とし，初め成人週1回0.1mg/kgを静注．次いで0.05mg/kgずつ増量して，週1回0.3mg/kgを静注（適宜増減） ⑵：確立された標準的な他の抗悪性腫瘍剤との併用療法を行い，1日量0.11mg/kgを1日1回2日間静注し，19～26日間休薬．これを1コースとし，投与を繰り返す ⑶：1回6mg/m^2（体表面積）を，導入療法においては週1回，維持療法においては2～3週に1回，静注（適宜減量） 効能②：メトトレキサート，ドキソルビシン塩酸塩及びシスプラチンとの併用において，通常，ビンブラスチン硫酸塩として，成人1回3mg/m^2（体表面積）を静注．前回の投与によって副作用が現れた場合は，減量するか又は副作用が消失するまで休薬（適宜減量）．標準的な投与量及び投与方法は，メトトレキサート30mg/m^2を1日目に投与した後，2日目にビンブラスチン硫酸塩3mg/m^2，ドキソルビシン塩酸塩30mg（力価）/m^2及びシスプラチン70mg/m^2を静注．15日目及び22日目に，メトトレキサート30mg/m^2及びビンブラスチン硫酸塩3mg/m^2を静注．これを1コースとして4週ごとに繰り返す

用法・用量に関連する使用上の注意 効能①：⑴投与量の決定にあたっては，白血球数を指標として1週間間隔で次のように段階的に増量し，至適投与量に到達させる（増量の目安：投与量は第1回目0.1mg/kg，第2回目0.15mg/kg，第3回目0.2mg/kg，第4回目0.25mg/kg，第5回目0.3mg/kg）．白血球数が3000/μLまで低下した場合は4000/μL以上に回復するまでは投与を延期する．多くの患者における1週間あたりの投与量は0.15～0.2mg/kgになるが，白血球数の減少の程度は一定ではなく，0.1mg/kgの投与で3000/μLまで低下する例もある．維持量としては，約3000/μLの白血球減少を示した投与量より1段階少ない量を1から2週間の間隔で投与する．ただし，白血球数が4000/μL以上に回復するまでは，前回の投与から7日間経過していても次回投与は行ってはならない．1週間1回投与すべき量を分割して少量連日投与しても効果の増強は認められない．一方，1週間1回の投与量の数倍量を分割して連日長期に投与した場合には痙攣，重篤かつ不可逆的

ヒ

中枢神経障害を起こし，死に至った例が報告されているため，前記投与方法を厳格に守る　(2)再発又は難治性の胚細胞腫瘍に対し，確立された標準的な他の抗悪性腫瘍剤との併用療法(VeIP療法(ビンブラスチン硫酸塩，イホスファミド，シスプラチン併用療法))においては，併用薬剤の添付文書も参照する

使用上の注意

警告　本剤を含むがん化学療法は，緊急時に十分対応できる医療施設において，がん化学療法に十分な知識・経験をもつ医師のもとで，本療法が適切と判断される症例についてのみ実施する．適応患者の選択にあたっては，各併用薬剤の添付文書を参照して十分注意する．また，治療開始に先立ち，患者又はその家族に有効性及び危険性を十分説明し，同意を得てから投与する

禁忌　①次の患者には投与しない：本剤の成分に対し重篤な過敏症の既往歴のある患者　②次の部位には投与しない：髄腔内

相互作用概要　CYP3Aが関与するとされている

過量投与　過量投与により，重篤又は致死的な結果をもたらすとの報告がある．支持療法として次の処置を考慮する：①抗利尿ホルモン不適合分泌症候群(SIADH)の予防［水分摂取の制限及びヘンレ係蹄や遠位尿細管に作用する利尿剤の投与］　②抗痙攣剤の投与　③イレウスを予防するための浣腸及び下剤の使用［症例によっては腸管減圧を行う］　④循環器系機能のモニタリング　⑤血球検査を毎日行い，必要であれば輸血を行う．必要に応じ気道確保や人工呼吸器による呼吸管理を行う．血圧，呼吸，体温等のバイタルサイン，血液ガス，血中電解質等を頻回にモニターする．過量投与に対して透析やコレスチラミン投与が有効であるというデータはない

薬物動態

血中濃度(外国人データ)　悪性リンパ腫，悪性黒色腫，サルコイド(類肉腫)各1例に7～14mg(平均10.3mg)静注後，血中濃度が直後から急速に低下するα期(半減期0.062±0.04時間)，比較的緩やかに低下するβ期(半減期1.64±0.34時間)，さらに非常に緩徐な低下を示すγ期(半減期24.8±7.5時間)の3相性で推移．消失速度定数(hr^{-1})0.19±0.058(ラジオイムノアッセイ法．悪性黒色腫，サルコイドは承認外用法)
分布(外国人データ)　悪性リンパ腫，悪性黒色腫，サルコイド(類肉腫)の各1例に7～14mg(平均10.3mg)を静注後，ラジオイムノアッセイ法で測定した薬物速度論的パラメータは分布容積27.3±14.9L/kg，血清クリアランス0.74±0.317L/kg/hr(悪性黒色腫，サルコイドは承認外用法)．参考：ラットに^{3}H-ビンクリスチン硫酸塩を静注2時間後では，肺，肝，脾，腎，骨髄等に，また，24時間後では，脾，肝，胸腺，腸，骨髄等に高く分布　**代謝**　①主要代謝部位：肝臓．肝チトクロムP450 3A4が関与するとされている　②活性代謝物：デスアセチルビンブラスチン(ビンデシン)　**排泄(外国人データ)**　転移性副腎腫患者に^{3}H-ビンクリスチン硫酸塩10mgを静注72時間以内の尿中に約13.6%，糞中に約9.9%が排泄，代謝を受けることが示唆された(副腎腫は承認外用法)

その他の管理的事項

投与期間制限　該当しない
保険給付上の注意　該当しない

資料

IF　エクザール注射用10mg　2014年9月改訂(第9版)

ファモチジン
ファモチジン錠
ファモチジン散
ファモチジン注射液
注射用ファモチジン
Famotidine

概要

薬効分類　232　消化性潰瘍用剤
構造式

分子式　$C_8H_{15}N_7O_2S_3$
分子量　337.45
ステム　シメチジン系のヒスタミンH_2受容体拮抗薬：-tidine
原薬の規制区分　該当しない
原薬の外観・性状　白色～帯黄白色の結晶である．酢酸(100)に溶けやすく，エタノール(95)に溶けにくく，水に極めて溶けにくい．0.5mol/L塩酸試液に溶ける．光によって徐々に着色する
原薬の吸湿性　該当資料なし
原薬の融点・沸点・凝固点　融点：約164℃(分解)
原薬の酸塩基解離定数　pKa＝約7.06(吸光度測定法)
先発医薬品等
散　ガスター散2%・10%(LTL)
錠　ガスター錠10mg・20mg(LTL)
ガスターD錠10mg・20mg(LTL)
注　ガスター注射液10mg・20mg(LTL)
後発医薬品
散　2%・10%
錠　10mg・20mg・OD錠10mg・20mg
注　10mg・20mg
注射用　10mg・20mg
国際誕生年月　1985年1月
海外での発売状況　米など

製剤

規制区分　**注**　㊄
製剤の性状　**2%散** 白色の散剤　**10%散** 白色～微黄白色の散剤　**錠** 白色～微黄白色の糖衣錠　**口腔内崩壊錠** 白色の口腔内崩壊錠　**注** 無色～淡黄色澄明の液
有効期間又は使用期限　**散**　**錠**　**口腔内崩壊錠** 3年　**注** 1.5年
貯法・保存条件　**散**　**錠**　**口腔内崩壊錠** 気密容器，室温保存(**口腔内崩壊錠** 開封後は防湿保存)　**注** 室温保存
薬剤取扱い上の留意点　**口腔内崩壊錠** 高防湿性の内袋により品質保持をはかっている．開封後は防湿保存
患者向け資料等　**散**　**錠**　**口腔内崩壊錠** くすりのしおり
溶液及び溶解時のpH　**注** 5.8～6.2
浸透圧比　**注** 約2(対生食)
調製時の注意　該当しない

薬理作用

分類　H_2受容体拮抗剤
作用部位・作用機序　作用部位：壁細胞(胃酸分泌細胞)のヒスタミンH_2受容体　作用機序：胃粘膜壁細胞のH_2受容体を遮断し，胃酸分泌を抑制することにより，上部消化管出血の止血，誤嚥性肺炎を防止する
同効薬　シメチジン，ラニチジン塩酸塩，ニザチジン，ロキサチジン，ラフチジン

治療

効能・効果　**散**　**錠**　**口腔内崩壊錠** ①胃潰瘍，十二指腸潰瘍，

吻合部潰瘍，上部消化管出血（消化性潰瘍，急性ストレス潰瘍，出血性胃炎による），逆流性食道炎，Zollinger-Ellison症候群　②次の疾患の胃粘膜病変（びらん，出血，発赤，浮腫）の改善：急性胃炎，慢性胃炎の急性増悪期

注　注射用 ①上部消化管出血（消化性潰瘍，急性ストレス潰瘍，出血性胃炎による），Zollinger-Ellison症候群　②侵襲ストレス（手術後に集中管理を必要とする大手術，集中治療を必要とする脳血管障害・頭部外傷・多臓器不全・広範囲熱傷）による上部消化管出血の抑制　③麻酔前投薬

用法・用量　散　錠　口腔内崩壊錠 効能①：ファモチジンとして1回20mg1日2回（朝食後，夕食後又は就寝前），又は1回40mg1日1回（就寝前）（適宜増減）．ただし，上部消化管出血の場合には注射剤で治療を開始し，内服可能になった後は内服に切り換える　効能②：ファモチジンとして1回10mg1日2回（朝食後，夕食後又は就寝前）又は1日1回20mg（就寝前）（適宜増減）．ただし，効能②に対しCD錠「YD」は1日1回20mg（就寝前）投与のみ

注　注射用 効能①②：(1)〔「日新」「杏林」を除く〕ファモチジンとして1回20mgを生理食塩液又はブドウ糖注射液20mLで溶解し1日2回（12時間ごと）緩徐に静注，又は輸液に混合して点滴静注，又は，1回20mgを注射用水1～1.5mLに溶解し，1日2回（12時間ごと）筋注（適宜増減）．上部消化管出血及びZollinger-Ellison症候群では，一般的に1週間以内に効果の発現をみるが，内服可能となった後は経口投与に切り換える．侵襲ストレスによる上部消化管出血の抑制では，術後集中管理又は集中治療を必要とする期間（手術侵襲ストレスは3日間程度，その他の侵襲ストレスは7日間程度）の投与とする　(2)〔「日新」「杏林」〕ファモチジンとして1回20mgを1日2回（12時間ごと）緩徐に静注，又は輸液に混合して点滴静注（適宜増減）．上部消化管出血及びZollinger-Ellison症候群では，一般的に1週間以内に効果の発現をみるが，内服可能となった後は経口投与に切り換える．侵襲ストレスによる上部消化管出血の抑制では，術後集中管理又は集中治療を必要とする期間（手術侵襲ストレスは3日間程度，その他の侵襲ストレスは7日間程度）の投与とする　効能③：(1)〔「日新」「杏林」を除く〕ファモチジンとして1回20mgを注射用水1～1.5mLに溶解し，麻酔導入1時間前に筋注．又は，生理食塩液又はブドウ糖注射液20mLに溶解し，麻酔導入1時間前に緩徐に静注　(2)〔「日新」「杏林」〕ファモチジンとして1回20mgを麻酔導入1時間前に緩徐に静注

用法・用量に関連する使用上の注意　散　錠　口腔内崩壊錠
腎機能低下患者への投与法：主として腎臓から未変化体で排泄される．腎機能低下患者に投与すると，腎機能の低下とともに血中未変化体濃度が上昇し，尿中排泄が減少するので，次のような投与法を目安とする　1回20mg1日2回投与を基準とする場合の投与法（Ccr；クレアチニンクリアランスmL/分）：（Ccr＞60）1回20mg1日2回，（60＞Ccr＞30）1回20mg1日1回又は1回10mg1日2回，（30＞Ccr）1回20mg2～3日に1回又は1回10mg1日1回，（透析患者）1回20mg透析後1回又は1回10mg1日1回

注　注射用 腎機能低下患者への投与法：主として腎臓から未変化体で排泄される．腎機能低下患者に投与すると，腎機能の低下とともに血中未変化体濃度が上昇し，尿中排泄が減少するので，次のような投与法を目安とする：1回20mg1日2回投与を基準とする場合の投与法（Ccr；mL/分）：（Ccr＞60）1回20mg1日2回，（60＞Ccr＞30）1回20mg1日1回又は1回10mg1日2回，（30＞Ccr）1回10mg2日に1回又は1回5mg1日1回，（透析患者）1回10mg透析後1回又は1回5mg1日1回

使用上の注意

禁忌　本剤の成分に対し過敏症の既往歴のある患者

薬物動態

血中濃度　①経口：ヒトに10～40mg経口投与時のパラメータ（10mg，20mg，40mgの順．10mgは2回/日試験の初回投与時）は，Tmax(h)2.2，2.8，2.5，Cmax(μg/mL)33，64，97，$t_{1/2}$ (h) 2.63，3.05，3.02，$AUC_{0\text{-}24h}$ (ng・h/mL) 157 ($AUC_{0\text{-}12h}$)，368，588で投与後2～3時間に最高血中濃度．血中消失半減期は約3時間　②注：ヒトに注射液及び注射用を筋注時，両製剤は生物学的に同等であると判断された．ヒトに注射用を20mg筋注時，投与後30分に最高血中濃度，血中消失半減期は，筋肉内，静脈内投与とも2～3時間．薬物動態パラメータ（20mg静注，20mg筋注の順）は，Tmax(h)－，0.411，Cmax(ng/mL)－，265，$t_{1/2}\beta$(h)2.45，2.66，AUC(ng・h/mL)686，771　**代謝**　ヒトに投与時の尿中代謝物はS-oxide体のみで，尿中総排泄量に占めるS-oxide体の割合は経口投与で0.9～3.2%，筋注で2.2～11.0%，静注で5.2～11.3%　**排泄**　投与後24時間までの未変化体の尿中排泄率は，経口投与で21.0～49.0%，筋注で71.0～89.6%，静注で57.8～96.4%

特定の背景を有する患者　腎機能障害患者：注射用20mg静注時のパラメータ（平均Ccr値(mL/min/1.48m^2)が98.9（7例），73.8（9例），49.2（5例），10.3（10例）の順）は，半減期(hr)2.59，2.92，4.72，12.07，AUC(ng・hr/mL)857，909，1424，4503，Ctot(mL/min)412，381，242，84

その他の管理的事項

投与期間制限　該当しない

保険給付上の注意　該当しない

資料

IF　ガスター散2%・10%・錠10mg・20mg　2018年10月改訂（第15版）
ガスターD錠10mg・20mg　2018年10月改訂（第16版）
ガスター注射液10mg・20mg　2018年10月改訂（第14版）

ファロペネムナトリウム水和物
ファロペネムナトリウム錠
シロップ用ファロペネムナトリウム
Faropenem Sodium Hydrate

概要

薬効分類　613　主としてグラム陽性・陰性菌に作用するもの

構造式

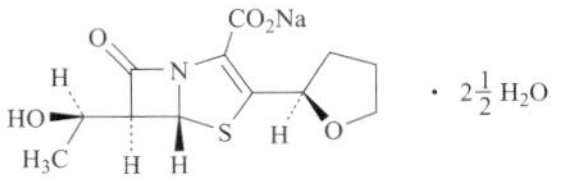

分子式　$C_{12}H_{14}NNaO_5S \cdot 2\frac{1}{2}H_2O$

分子量　352.34

略語・慣用名　FRPM（ファロペネム）

ステム　5員環を修飾したペニシラン酸誘導体抗生物質：-penem

原薬の規制区分　該当しない

原薬の外観・性状　白色～淡黄色の結晶又は結晶性の粉末である．水又はメタノールに溶けやすく，エタノール(95)に溶けにくく，ジエチルエーテルにほとんど溶けない

原薬の吸湿性　25℃，93%RHにおいてほとんど吸湿性は認められない

原薬の融点・沸点・凝固点　融点：日局融点測定法に従い試験するとき，本品の昇温中に結晶水が遊離し，溶解するため，正確な融点は測定できない

原薬の酸塩基解離定数　pKa＝3.5

先発医薬品等

錠　ファロム錠150mg・200mg（マルホ）

シロップ用　ファロムドライシロップ小児用10%（マルホ）

国際誕生年月　1997年4月

海外での発売状況　該当しない

製剤

規制区分 **錠** **シロップ用** ㊕

製剤の性状 **錠** 白色のフィルムコーティング錠 **シロップ用** だいだい色で芳香及び甘味を有する粒状製剤

有効期間又は使用期限 3年

貯法・保存条件 **錠** 室温保存．開封後は防湿保存 **シロップ用** 気密容器，遮光・室温保存．本剤は吸湿しやすいので，開封後は必ず防湿保存

薬剤取扱い上の留意点 **シロップ用** ①用時調製の製剤であるので，調製後の保存は避け，水に溶解後は速やかに使用すること．やむをえず保存を必要とする場合は，冷蔵庫内に保存し，できるかぎり速やかに使用すること ②市販飲料により調製する場合は，用時調製し，速やかに使用すること ③本剤は吸湿しやすいので，調剤後その都度密栓すること(香料の減少や吸湿による主成分の分解により特異臭や，吸湿により塊が発生することがある)

患者向け資料等 患者向医薬品ガイド，くすりのしおり

溶液及び溶解時のpH **シロップ用** 5.0～6.5(本品1.0gを水5mLに溶かしたとき)

調製時の注意 **シロップ用** 用時溶解する

薬理作用

分類 ペネム系抗生物質

作用部位・作用機序 細菌の細胞壁合成阻害により殺菌作用を示す．各種ペニシリン結合タンパク質(PBPs)との親和性は高く，特に細菌の増殖に必須である高分子PBPとの親和性が高い

同効薬 セフェム系抗生物質，ペニシリン系抗生物質

治療

効能・効果 **錠**〈適応菌種〉ファロペネムに感性のブドウ球菌属，レンサ球菌属，肺炎球菌，腸球菌属，モラクセラ(ブランハメラ)・カタラーリス，大腸菌，シトロバクター属，クレブシエラ属，エンテロバクター属，プロテウス・ミラビリス，インフルエンザ菌，ペプトストレプトコッカス属，バクテロイデス属，プレボテラ属，アクネ菌 〈適応症〉表在性皮膚感染症，深在性皮膚感染症，リンパ管・リンパ節炎，慢性膿皮症，ざ瘡(化膿性炎症を伴うもの)，外傷・熱傷及び手術創等の二次感染，乳腺炎，肛門周囲膿瘍，咽頭・喉頭炎，扁桃炎，急性気管支炎，肺炎，肺膿瘍，膀胱炎，腎盂腎炎，前立腺炎(急性症，慢性症)，精巣上体炎(副睾丸炎)，バルトリン腺炎，子宮内感染，子宮付属器炎，涙嚢炎，麦粒腫，瞼板腺炎，角膜炎(角膜潰瘍を含む)，外耳炎，中耳炎，副鼻腔炎，歯周組織炎，歯冠周囲炎，顎炎

シロップ用〈適応菌種〉ファロペネムに感性のブドウ球菌属，レンサ球菌属，肺炎球菌，腸球菌属，モラクセラ(ブランハメラ)・カタラーリス，大腸菌，シトロバクター属，クレブシエラ属，プロテウス・ミラビリス，インフルエンザ菌，百日咳菌 〈適応症〉表在性皮膚感染症，深在性皮膚感染症，リンパ管・リンパ節炎，慢性膿皮症，咽頭・喉頭炎，扁桃炎，急性気管支炎，肺炎，膀胱炎，腎盂腎炎，中耳炎，副鼻腔炎，歯周組織炎，猩紅熱，百日咳

効能・効果に関連する使用上の注意 咽頭・喉頭炎，扁桃炎，急性気管支炎，中耳炎，副鼻腔炎への使用にあたっては，「抗微生物薬適正使用の手引き」を参照し，抗菌薬投与の必要性を判断した上で，本剤の投与が適切と判断される場合に投与する

用法・用量 **錠** ①表在性皮膚感染症，深在性皮膚感染症，リンパ管・リンパ節炎，慢性膿皮症，ざ瘡(化膿性炎症を伴うもの)，外傷・熱傷及び手術創等の二次感染，乳腺炎，肛門周囲膿瘍，咽頭・喉頭炎，扁桃炎，急性気管支炎，膀胱炎(単純性に限る)，バルトリン腺炎，子宮内感染，子宮付属器炎，涙嚢炎，麦粒腫，瞼板腺炎，角膜炎(角膜潰瘍を含む)，外耳炎，歯周組織炎，歯冠周囲炎，顎炎：ファロペネムナトリウムとして1回150～200mg(力価)1日3回(適宜増減) ②肺炎，肺膿瘍，膀胱炎(単純性を除く)，腎盂腎炎，前立腺炎(急性症，慢性症)，精巣上体炎(副睾丸炎)，中耳炎，副鼻腔炎：ファロペネムナトリウムとして1回200～300mg(力価)1日3回(適宜増減)

シロップ用 ファロペネムナトリウムとして用時溶解し，小児1回5mg(力価)/kgを1日3回(適宜増減)．増量の場合1回10mg(力価)/kgを上限とする

用法・用量に関連する使用上の注意 ①使用にあたっては，耐性菌の発現等を防ぐため，原則として感受性を確認し，疾病の治療上必要な最小限の期間の投与にとどめる ②**シロップ用** 患者の状態等によって投与量を増量する場合であっても，1回10mg(力価)/kgを超えないこととし，慎重に行う ③**シロップ用** 年長児への投薬にあたっては，成人での上限用量の1回300mg(力価)，1日3回(1日900mg(力価))を超えないよう留意する

使用上の注意

禁忌 本剤の成分に対し過敏症の既往歴のある患者

薬物動態

血漿中濃度 ①**錠** 健常成人：(1)150，300，600mg(力価)を空腹時単回経口投与後約1～1.5時間にそれぞれ2.4，6.2，7.4μg/mLの最高濃度，その半減期は投与量に依存せず一定で約1時間．腎機能障害患者では血漿中濃度が上昇し半減期が延長，高齢者では半減期が延長 (2)300mg(力価)を食後単回経口投与時，最高血漿中濃度到達時間が空腹時より約1時間遅延，最高血漿中濃度，半減期及び血漿中濃度–時間曲線下面積(AUC)にほとんど差は認められなかった (3)薬物動態パラメータ[健常成人各6例，150，300，600(いずれも空腹時)，300(食後)mg単回経口投与の順]はCmax(μg/mL)0.96±0.46時間後2.36±1.01，1.04±0.4時間後6.24±2.86，1.42±0.49時間後7.37±1.97，2.08±0.49時間後4.25±1.58，半減期(hr)0.76±0.14，0.85±0.23，1.08±0.19，1.01±0.22，AUC(μg・hr/mL)3.95±2.06，11.73±8.31，19.59±6.37，9.75±4.63 (4)市販後臨床試験において，高齢患者(66～90歳)17例に1回150mg(力価)1日3回，4～8日連続経口投与時の最終投与後(食後)の薬物動態パラメータはCmax(μg/mL)1.09±0.43，Tmax(hr)2.29±1.16，$T_{1/2}$(hr)2.42±3.09，AUC(μg・hr/mL)5.03±2.57で，健常成人と比較すると，最高血漿中濃度は低下し，最高血漿中濃度時間及び半減期は延長した ②**シロップ用** 小児患者：(1)5及び10mg/kgを食後経口投与約1時間後に1.3，2.1μg/mLの最高血漿中濃度，その半減期は約1時間 (2)薬動力学的パラメータ[5(12例)，10(11例)mg/kg食後経口投与時の順]はCmax(μg/mL)1.17±0.39時間後1.32±0.72，1.27±0.65時間後2.08±1.28，半減期(hr)1.66±1.12，1.14±0.53，AUC(μg・hr/mL)4.1±2.32，5.89±3.76 **組織内移行** **錠** 成人：患者喀痰，抜歯創滲出液，皮膚組織，扁桃組織，上顎洞粘膜組織，女性器組織，眼瞼皮下組織及び前立腺組織等へ移行．乳汁中へわずかに移行 **代謝** **錠** 成人：吸収された本剤は代謝を受けずに尿中に排泄される他に，腎のDehydropeptidase-I(DHP-I)により代謝後に尿中に排泄．ヒトの血漿及び尿中には抗菌活性をもつ代謝物質は認められていない **排泄** ①**錠** 主として腎から排泄，健常成人(空腹時)に150，300，600mg経口投与時の尿中排泄率(0～24時間)は3.1～6.8%，最高尿中濃度は0～2時間で21.7，57.6，151.5μg/mL，12時間以降はほとんど検出されなかった ②**シロップ用** 主として腎から排泄，小児(食後)に5，10mg/kg経口投与時の尿中排泄率(0～6時間)は3.7，3.1%，最高尿中濃度は5mg/kg投与では2～4時間で27μg/mL，10mg/kgでは0～2時間で41μg/mL

その他の管理的事項

投与期間制限 該当しない

保険給付上の注意 該当しない

資料

IF ファロム錠150mg・200mg・ドライシロップ小児用10% 2019年3月改訂(第23版)

フィトナジオン
Phytonadione

別名：ビタミンK_1

概要

薬効分類　316　ビタミンK剤

構造式

分子式　$C_{31}H_{46}O_2$

分子量　450.70

略語・慣用名　別名・慣用名：フィトメナジオン，フィロキノン

原薬の規制区分　該当しない

原薬の外観・性状　黄色～橙黄色の澄明な粘性の液である．イソオクタンと混和する．エタノール(99.5)にやや溶けやすく，水にほとんど溶けない．光によって徐々に分解し，赤褐色になる

原薬の吸湿性　該当資料なし

原薬の融点・沸点・凝固点　融点：－20℃

原薬の酸塩基解離定数　該当資料なし

先発医薬品等

散 カチーフN散10mg/g(日本製薬＝武田)
錠 カチーフN錠5mg(日本製薬＝武田)
ケーワン錠5mg(エーザイ)

後発医薬品

錠 5mg
注 10mg

国際誕生年月　該当しない

製剤

規制区分　注 ㊇

製剤の性状　散 淡黄色の細粒末　錠 白色～黄みの白色の糖衣錠　注 淡黄色～黄色澄明の水溶性注射液

有効期間又は使用期限　散 5.5年　錠 4年　注 2年

貯法・保存条件　散 錠 室温保存．開封後も遮光保存　注 遮光保存

薬剤取扱い上の留意点　散 調剤に際して，遮光薬包紙を用いるのが望ましい．アルカリ性の薬剤との配合によって，含量が低下することがあるので配合を避けることが望ましい

患者向け資料等　くすりのしおり

溶液及び溶解時のpH　注 5.0～7.0

浸透圧比　約1(対生食)

調製時の注意　該当しない

薬理作用

分類　ビタミンK_1製剤

作用部位・作用機序　血液凝固機転に関与して，凝固因子のうちの第Ⅱ因子(Prothrombin)，第Ⅶ因子，第Ⅸ因子(Plasma thromboplastin component)及び第Ⅹ因子(Stuart-Prower factor)の生成を促進して，血液凝固機能を正常に維持する

同効薬　メナテトレノン

治療

効能・効果　①ビタミンK欠乏症の予防及び治療：各種薬剤(クマリン系抗凝血薬，サリチル酸，抗生物質等)投与中に起こる低プロトロンビン血症，胆道及び胃腸障害に伴うビタミンKの吸収障害，新生児の低プロトロンビン血症，肝障害に伴う低プロトロンビン血症　②ビタミンK欠乏が推定される出血

用法・用量　散 錠 カ フィトナジオンとして1日5～15mg，新生児出血の予防には母体に対し10mg，薬剤投与中に起こる低プロトロンビン血症等には20～50mgを分服(適宜増減)
注 フィトナジオンとして1日5～15mg，新生児出血の予防には母体に対し10mg，薬剤投与中に起こる低プロトロンビン血症等には20～50mgを皮下，筋注又は静注(適宜増減)．新生児出血の予防には生後ただちに1日0.5～2mgを皮下注又は筋注(適宜増減)

使用上の注意

禁忌　注 ①本剤に対し過敏症の既往歴のある患者　②ポリオキシエチレン硬化ヒマシ油を含有する医薬品に対し過敏症の既往歴のある患者

薬物動態

健康成人にビタミンK130mgを食後単回経口投与時，3.5時間で最高血中濃度(174ng/mL)に達し，投与10時間以降は緩徐に減少

その他の管理的事項

投与期間制限　該当しない

保険給付上の注意　該当しない

資料

IF　カチーフN散10mg/g・N錠5mg・10mg　2010年12月作成
ビタミンK_1注10mg　2018年4月改訂(第5版)

フィルグラスチム(遺伝子組換え)
フィルグラスチム(遺伝子組換え)注射液
Filgrastim(Genetical Recombination)

概要

薬効分類　339　その他の血液・体液用薬

構造式

MTPLGPASSL PQSFLLKCLE QVRKIQGDGA ALQEKLCATY KLCHPEELVL
LGHSLGIPWA PLSSCPSQAL QLAGCLSQLH SGLFLYQGLL QALEGISPEL
GPTLDTLQLD VADFATTIWQ QMEELGMAPA LQPTQGAMPA FASAFQRRAG
GVLVASHLQS FLEVSYRVLR HLAQP

分子式　$C_{845}H_{1339}N_{223}O_{243}S_9$

分子量　18798.61

略語・慣用名　慣用名：rhG-CSF

ステム　顆粒球コロニー刺激因子：-grastim

原薬の規制区分　該当しない

原薬の外観・性状　無色澄明の液である．pH：3.7～4.3

原薬の吸湿性　該当しない

原薬の融点・沸点・凝固点　該当しない

原薬の酸塩基解離定数　該当しない

先発医薬品等

注 グラン注射液75・150・M300(協和キリン)
キット グランシリンジ75・150・M300(協和キリン)

後発医薬品

キット 75μg・150μg・300μg

国際誕生年月　1991年10月

海外での発売状況　米，欧，その他各国

製剤

規制区分　注 ㊇

製剤の性状　注 無色澄明の液

有効期間又は使用期限　2年

貯法・保存条件　遮光下，凍結を避け，10℃以下に保存

薬剤取扱い上の留意点　該当しない

患者向け資料等　患者向医薬品ガイド，くすりのしおり

溶液及び溶解時のpH　3.7～4.3

浸透圧比　約1(対生食)

調製時の注意　該当しない

薬理作用

分類 ヒト顆粒球コロニー形成刺激因子(G-CSF)製剤

作用部位・作用機序 好中球前駆細胞から成熟好中球までの細胞に存在する受容体に特異的に結合し，好中球前駆細胞に対しては，その分化・増殖を促進させ，成熟好中球に対しては，その機能を亢進させると推定される

同効薬 ミリモスチム，レノグラスチム(遺伝子組換え)，ナルトグラスチム(遺伝子組換え)，フィルグラスチム(遺伝子組換え)［フィルグラスチム後続1］，フィルグラスチム(遺伝子組換え)［フィルグラスチム後続2］

治療

効能・効果 ①造血幹細胞の末梢血中への動員：⑴同種及び自家末梢血幹細胞採取時のフィルグラスチム(遺伝子組換え)単独投与による動員 ⑵自家末梢血幹細胞採取時のがん化学療法剤投与終了後のフィルグラスチム(遺伝子組換え)投与による動員 ②造血幹細胞移植時の好中球数の増加促進 ③がん化学療法による好中球減少症：⑴急性白血病 ⑵悪性リンパ腫，小細胞肺癌，胚細胞腫瘍(睾丸腫瘍，卵巣腫瘍等)，神経芽細胞腫，小児癌 ⑶その他の癌腫 ④ヒト免疫不全ウイルス(HIV)感染症の治療に支障をきたす好中球減少症 ⑤骨髄異形成症候群に伴う好中球減少症 ⑥再生不良性貧血に伴う好中球減少症 ⑦先天性・特発性好中球減少症

効能・効果に関連する使用上の注意 効能③：胚細胞腫瘍で卵巣腫瘍に該当するものは，未熟奇形腫，未分化胚細胞腫，卵黄嚢腫瘍などである

用法・用量 効能①：⑴同種及び自家末梢血幹細胞採取時の本剤単独投与による動員：成人・小児に400μg/m^{2}を1日1回又は2回に分割し，5日間連日又は末梢血幹細胞採取終了時まで連日皮下投与(適宜減量)．この場合，末梢血幹細胞採取は本剤投与開始後4～6日目に施行する．ただし，末梢血幹細胞採取終了前に白血球数が50000/mm^{3}以上に増加した場合は減量する．減量後，白血球数が75000/mm^{3}に達した場合は中止する ⑵自家末梢血幹細胞採取時のがん化学療法剤投与終了後の本剤投与による動員：成人・小児にがん化学療法剤投与終了翌日又はがん化学療法により好中球数が最低値を経過後，400μg/m^{2}を1日1回又は2回に分割し，末梢血幹細胞採取終了時まで連日皮下投与(適宜減量)．ただし，末梢血幹細胞採取終了前に白血球数が50000/mm^{3}以上に増加した場合は減量する．減量後，白血球数が75000/mm^{3}に達した場合は中止する 効能②：移植翌日ないし5日後から，成人・小児に300μg/m^{2}を1日1回点滴静注(適宜増減)．ただし，好中球数が5000/mm^{3}以上に増加した場合は症状を観察しながら中止する．なお，投与の中止時期の指標である好中球数が緊急時等で確認できない場合には，白血球数の半数を好中球数として推定する 効能③：⑴急性白血病：成人・小児にがん化学療法剤投与終了後(翌日以降)で骨髄中の芽球が十分減少し末梢血液中に芽球が認められない時点から，200μg/m^{2}を1日1回静注(点滴静注を含む)．出血傾向等の問題がない場合は100μg/m^{2}を1日1回皮下投与(適宜増減)．ただし，好中球数が最低値を示す時期を経過後5000/mm^{3}に達した場合は中止する．なお，本剤投与の開始時期及び中止時期の指標である好中球数が緊急時等で確認できない場合には，白血球数の半数を好中球数として推定する ⑵悪性リンパ腫，小細胞肺癌，胚細胞腫瘍(睾丸腫瘍，卵巣腫瘍等)，神経芽細胞腫，小児癌：成人・小児にがん化学療法剤投与終了後(翌日以降)から，50μg/m^{2}を1日1回皮下投与．出血傾向等により皮下投与が困難な場合は100μg/m^{2}を1日1回静注(点滴静注を含む)(適宜増減)．ただし，好中球数が最低値を示す時期を経過後5000/mm^{3}に達した場合は中止する．なお，本剤投与の開始時期及び中止時期の指標である好中球数が緊急時等で確認できない場合には，白血球数の半数を好中球数として推定する ⑶その他の癌腫：成人・小児にがん化学療法により好中球数1000/mm^{3}未満で発熱(原則として38℃以上)あるいは好中球数500/mm^{3}未満が観察された時点から，50μg/m^{2}を1日1回皮下投与．出血傾向等により皮下投与が困難な場合は100μg/m^{2}を1日1回静注(点滴静注を含む)(適宜増減)．また，がん化学療法により好中球数1000/mm^{3}未満で発熱(原則として38℃以上)又は好中球数500/mm^{3}未満が観察され，引き続き同一のがん化学療法を施行する症例に対しては，次回以降のがん化学療法施行時には好中球数1000/mm^{3}未満が観察された時点から，50μg/m^{2}を1日1回皮下投与．出血傾向等により皮下投与が困難な場合は100μg/m^{2}を1日1回静注(点滴静注を含む)．ただし，好中球数が最低値を示す時期を経過後5000/mm^{3}に達した場合は中止する．なお，本剤投与の開始時期及び中止時期の指標である好中球数が緊急時等で確認できない場合には白血球数の半数を好中球数として推定する 効能④：好中球数が1000/mm^{3}未満のとき，成人・小児に200μg/m^{2}1日1回点滴静注(適宜増減)．ただし，投与期間は2週間を目安とするが，好中球数が3000/mm^{3}以上に増加した場合は，症状を観察しながら減量，あるいは中止する 効能⑤：好中球数が1000/mm^{3}未満のとき，成人に100μg/m^{2}1日1回点滴静注(適宜増減)．ただし，好中球数が5000/mm^{3}以上に増加した場合は，症状を観察しながら減量，あるいは中止する 効能⑥：好中球数が1000/mm^{3}未満のとき，成人・小児に400μg/m^{2}1日1回点滴静注(適宜増減)．ただし，好中球数が5000/mm^{3}以上に増加した場合は，症状を観察しながら減量，あるいは中止する 効能⑦：好中球数が1000/mm^{3}未満のとき，成人・小児に50μg/m^{2}1日1回皮下投与(適宜増減)．ただし，好中球数が5000/mm^{3}以上に増加した場合は，症状を観察しながら減量，あるいは中止する

用法・用量に関連する使用上の注意 効能①：自家末梢血幹細胞採取時のがん化学療法剤投与終了後の本剤投与により造血幹細胞を採取する場合，白血球数が最低値を経過後5000～10000/mm^{3}以上への回復期に末梢血幹細胞採取を開始することが望ましい 効能③：⑴がん化学療法剤の投与前24時間以内及び投与終了後24時間以内の本剤の投与は避ける ⑵その他のがん腫に対する用法・用量における同一のがん化学療法とは，抗悪性腫瘍薬の種類及びその用量も同一の化学療法レジメンである ⑶投与により，好中球数が最低値を示す時期を経過後5000/mm^{3}に達した場合は投与を中止するが，好中球数が2000/mm^{3}以上に回復し，感染症が疑われるような症状がなく，本剤に対する反応性から患者の安全が確保できると判断した場合には，本剤の減量あるいは中止を検討する 効能④：投与期間は2週間を目安とし，さらに継続投与が必要な場合でも6週間を限度とする．本剤を6週間を超えて投与した場合の安全性は確立していない．また，本剤を1週間以上投与しても好中球数の増加がみられない場合には投与を中止し，適切な処置を行う

使用上の注意

禁忌 ①本剤の成分又は他の顆粒球コロニー形成刺激因子製剤に過敏症の患者 ②骨髄中の芽球が十分減少していない骨髄性白血病の患者及び末梢血液中に骨髄芽球の認められる骨髄性白血病の患者

薬物動態

血中濃度 ①単回投与：健康成人男性に1.0μg/kgを単回点滴静注又は皮下注時，点滴静注(30分)後の消失半減期は1.40時間，AUCは21.6ng・h/mLで，皮下注後の消失半減期は2.15時間，AUCは11.7ng・h/mL ②反復投与：健康成人男性に6日間連日点滴静注(30分)又は皮下注時，いずれの投与経路においても投与初日と6日目における血漿中濃度推移に著明な差は認められなかった **吸収** ①バイオアベイラビリティ：健康成人男性に1.0μg/kgを皮下注時のバイオアベイラビリティは54% **分布** 雄性ラットに^{125}I-フィルグラスチム5μg/kgを静注又は皮下注時，組織内総放射能濃度は，静注で血漿，副腎，血液，腎，甲状腺，肝，骨髄，気管，脾，下垂体の順に高く，皮下注で甲状腺，腎，胃内容物，血漿，血液，骨髄，膀胱の順に高かった

その他の管理的事項

投与期間制限　該当しない

保険給付上の注意　再生不良性貧血及び先天性好中球減少症の患者に対して用いた場合に限り在宅自己注射指導管理料を算定できる

資料

IF　グラン注射液75・150・M300・シリンジ75・150・M300　2020年4月改訂(第25版)

乾燥弱毒生風しんワクチン
Freeze-dried Live Attenuated Rubella Vaccine

概要

薬効分類　631　ワクチン類

分子式　不明

原薬の規制区分　劇

原薬の外観・性状　溶剤を加えるとき，無色，帯黄色又は帯赤色の澄明な液となる

原薬の吸湿性　該当しない

原薬の融点・沸点・凝固点　該当しない

原薬の酸塩基解離定数　該当資料なし

先発医薬品等

注射用　乾燥弱毒生風しんワクチン「タケダ」(武田)
乾燥弱毒生風しんワクチン「ビケン」(阪大微研＝田辺三菱)

国際誕生年月　不明

海外での発売状況　なし

製剤

規制区分　**注射用**　生物　劇　処

製剤の性状　**注射用**　微赤白色の乾燥製剤である．添付の溶剤0.7mLを加えると，速やかに溶解して帯赤色の澄明な液剤となる

有効期間又は使用期限　検定合格日から2年

貯法・保存条件　遮光・5℃以下に保存

薬剤取扱い上の留意点　本剤のウイルスは日光に弱く，速やかに不活化されるので，溶解の前後にかかわらず光が当たらないよう注意する

溶液及び溶解時のpH　6.8～8.5(0.7mLで溶解時)

浸透圧比　約1(対生食)

薬理作用

分類　ウイルスワクチン類

作用部位・作用機序　あらかじめ本剤の接種により，風しんウイルスに対する液性免疫及び細胞性免疫が獲得されていると，感染したウイルスの増殖は抑制され，発症は阻止される

治療

効能・効果　風しんの予防

用法・用量　1バイアルを注射用水0.7mLで溶解し，その0.5mLを1回皮下注

用法・用量に関連する使用上の注意　①接種対象者：(1)定期の予防接種：(ア)第1期生後12月から24月に至るまでの間にある者　(イ)第2期5歳以上7歳未満の者であって，小学校就学の始期に達する日の1年前の日から当該始期に達する日の前日までの間にある者(小学校就学前の1年間にある者)　(ウ)昭和37年4月2日から昭和54年4月1日までの間に生まれた男性．この対象者は，令和4年3月31日までの適用とする　(2)任意の予防接種：任意接種として，生後12月以上の者であれば，性，年齢に関係なく接種できる．なお，風しん既往の記憶は確かでないことが多く，流行時に罹患した者，及び免疫を持つことが明らかな者以外は接種することが望ましい　②輸血及びガンマグロブリン製剤投与との関係：輸血又はガンマグロブリン製剤の投与を受けた者は，通常，3カ月以上間隔を置いて本剤を接種する．また，ガンマグロブリン製剤の大量療法(200mg/kg以上)を受けた者は，6カ月以上間隔を置いて本剤を接種する　③他の生ワクチン(注射剤)との接種間隔：他の生ワクチン(注射剤)の接種を受けた者は，通常，27日以上間隔を置いて本剤を接種する　④同時接種：医師が必要と認めた場合には，他のワクチンと同時に接種することができる(なお，本剤を他のワクチンと混合して接種してはならない)

禁忌・原則禁忌となる特定患者集団　妊娠していることが明らかな者

使用上の注意

禁忌　[接種不適当者]　被接種者が次のいずれかに該当すると認められる場合には，接種を行ってはならない：①明らかな発熱を呈している者　②重篤な急性疾患にかかっていることが明らかな者　③本剤の成分によってアナフィラキシーを呈したことがあることが明らかな者　④明らかに免疫機能に異常のある疾患のある者及び免疫抑制をきたす治療を受けている者　⑤妊娠していることが明らかな者　⑥前記に掲げる者のほか，予防接種を行うことが不適当な状態にある者

その他の管理的事項

投与期間制限　該当しない

保険給付上の注意　薬価基準適用外

資料

IF　乾燥弱毒生風しんワクチン「タケダ」　2019年2月改訂

フ

フェキソフェナジン塩酸塩
フェキソフェナジン塩酸塩錠
Fexofenadine Hydrochloride

概要

薬効分類　449　その他のアレルギー用薬

構造式

OH　H OH　N　CO_2H　H_3C　CH_3　・HCl

及び鏡像異性体

分子式　$C_{32}H_{39}NO_4$・HCl

分子量　538.12

ステム　不明

原薬の規制区分　該当しない

原薬の外観・性状　白色の結晶性の粉末である．メタノールに極めて溶けやすく，エタノール(99.5)にやや溶けやすく，水に溶けにくい．本品のメタノール溶液(3→100)は旋光性を示さない．結晶多形が認められる

原薬の吸湿性　室温，79%RH以下の条件下では4週間保存しても吸湿性は認められなかった

原薬の融点・沸点・凝固点　融点：199.3℃(自動融点測定装置)

原薬の酸塩基解離定数　pKa＝4.25及び9.53(カルボキシル基及びピペリジノ基のpKaをフェキソフェナジンの塩酸又は水酸化ナトリウム液(25℃)中での溶解度から算出)

先発医薬品等

錠　アレグラ錠30mg・60mg(サノフィ)
アレグラOD錠60mg(サノフィ)

シロップ用　アレグラドライシロップ5%(サノフィ)

後発医薬品

錠 30mg・60mg・OD錠30mg・60mg
シロップ用 5%

国際誕生年月 1996年3月

海外での発売状況 欧米含む100カ国以上

製剤

製剤の性状 **錠** うすいだいだい色のフィルムコート錠 **口腔内崩壊錠** 白色の素錠(口腔内崩壊錠) **シロップ用** 白色の顆粒

有効期間又は使用期限 3年

貯法・保存条件 **錠** **シロップ用** 室温保存 **口腔内崩壊錠** 室温保存(アルミピロー開封後は防湿保存)

薬剤取扱い上の留意点 **口腔内崩壊錠** 自動分包機には適さない(通常の錠剤に比べてやわらかい)

患者向け資料等 くすりのしおり

溶液及び溶解時のpH 該当しない

浸透圧比 該当しない

安定なpH域 該当しない

調製時の注意 **シロップ用** 用時調製の製剤であるので，調製後の保存は避け，水に懸濁後は速やかに使用する

薬理作用

分類 ヒスタミン(H_1)受容体拮抗薬

作用部位・作用機序 主な作用として選択的ヒスタミンH_1受容体拮抗作用を有し，更に炎症性サイトカイン産生抑制作用，好酸球遊走抑制作用及びケミカルメディエーター遊離抑制作用を有する

同効薬 ケトチフェンフマル酸塩，アゼラスチン塩酸塩，オキサトミド，メキタジン，エメダスチンフマル酸塩，エピナスチン塩酸塩，エバスチン，セチリジン塩酸塩，オロパタジン塩酸塩，ベポタスチンベシル酸塩，ロラタジン，レボセチリジン塩酸塩など

治療

効能・効果 アレルギー性鼻炎，蕁麻疹，皮膚疾患(湿疹・皮膚炎，皮膚そう痒症，アトピー性皮膚炎)に伴うそう痒

用法・用量 **錠** **口腔内崩壊錠** 成人と12歳以上の小児には1回60mg，7歳以上12歳未満の小児には1回30mgを1日2回(適宜増減)．ドライシロップは用時懸濁

シロップ用 ①成人：1回60mg1日2回，用時懸濁(適宜増減) ②小児：12歳以上は1回60mg，7歳以上12歳未満は1回30mgを1日2回，用時懸濁(適宜増減)．2歳以上7歳未満は1回30mg，6カ月以上2歳未満は1回15mgを1日2回，用時懸濁

用法・用量に関連する使用上の注意 **口腔内崩壊錠** 口腔内で崩壊するが，口腔の粘膜から吸収されることはないため，唾液又は水で飲み込む

使用上の注意

禁忌 本剤の成分に対し過敏症の既往歴のある患者

過量投与 過量投与に関する報告は限られており，外国での過量服用症例報告には用量が不明な症例が多いが，最も高用量を服用した2例(1800～3600mg)では，症状はないかあるいはめまい，眠気及び口渇が報告されている．過量投与例においては，吸収されずに残っている薬物を通常の方法で除去すること及び，その後の処置は対症的，補助的療法を検討する．なお，血液透析によって除去できない

薬物動態

錠 **口腔内崩壊錠**(成人における承認用量は1回60mg，1日2回．カプセルと円形錠はアレグラ錠60mgと生物学的に同等)

血中濃度 ①成人(60mg)：健康成人男子8例にカプセル60mgを空腹時単回経口投与時，血漿中フェキソフェナジン濃度は速やかに上昇し，投与後2.2時間で最高血漿中濃度248ng/mL．血漿中濃度消失半減期は9.6時間．反復投与時には蓄積傾向はみられなかった．単回投与後のフェキソフェナジンの血漿中濃度パラメータ(60mg，120mgの順)は$AUC_{0-\infty}$(ng・hr/mL)1445±517，3412±969，Tmax(hr)2.2±0.8，1.9±0.7，Cmax(ng/mL)248±112，564±221，$T_{1/2}$(hr)9.6±5.7，13.8±8.9，CL/F(L/hr)44.4±18.2，35.0±9.3 ②小児(30mg，60mg)：小児通年性アレルギー性鼻炎患者に本剤30mg及び60mgを1日2回28日間反復経口投与時の血漿中濃度パラメータ(日本人※1)7～11歳(50例，投与量30mg)，12～15歳(19例，投与量60mg)，外国人※2)7～12歳(14例，投与量30mg)の順)は，$AUC_{0-\infty}$(ng・hr/mL)851±325，1215±269，1091±400，Cmax(ng/mL)150±77，185±77，184±88，$t_{1/2}$(hr)15.8±10.8，12.3±9.2，8.8±3.0，CL/F(L/hr)40.1±14.6，51.6±10.9，29.1±10.5．※1)NONMEMによるベイズ推定 ※2)ノンコンパートメント解析 ③成人(OD錠60mg)：⑴クロスオーバー法により，日本人健康成人男子に，OD錠60mg又は錠60mgをそれぞれ空腹時単回経口投与時，フェキソフェナジンの血漿中濃度及び薬物動態パラメータは，Cmax(ng/mL)，AUC_{0-72}(ng・hr/mL)，tmax(hr)，$t_{1/2}$(hr)の順に，OD錠60mg(水なしで服用)：243±90.3，1650±504，2.0，19.0±47.6．OD錠60mg(水とともに服用)：280±95.8，1820±567，1.5，16.6±19.0．アレグラ錠60mg：278±124，1790±631，2.0，16.6±21.1 ※平均±SD，tmaxは中央値 ⑵OD錠60mgは，水なしで服用又は水とともに服用した場合のいずれにおいても，アレグラ錠60mgと生物学的に同等であることを確認 **吸収・代謝・排泄** 健康成人男子8例にカプセル60mgを単回経口投与後48時間までの尿中フェキソフェナジンの平均累積回収率は11.1%．外国人健康成人男子に^{14}C-塩酸フェキソフェナジン溶液60mgを単回経口投与後11日までの尿及び糞中回収率は91.5%(糞中約80%，尿中約11.5%)で，ほとんどがフェキソフェナジン **蛋白結合率(*in vivo*)** フェキソフェナジンの血漿蛋白結合率は，13～7359ng/mLの濃度範囲で60～82%(69.4±5.9%) **高齢者での体内動態** 外国人データ：65歳以上の健康高齢者20例にカプセル80mgを単回投与時のフェキソフェナジンの$AUC_{0-\infty}$は2906ng・hr/mL，Cmax418ng/mL，$T_{1/2}$15.2hr．これらの値は健康若年者値のそれぞれ1.6，1.6，1.1倍．忍容性は良好 **腎機能障害患者における体内動態(外国人データ)** 成人の腎機能障害患者29例にカプセル80mgを単回投与時，クレアチニンクリアランス(mL/分)41～80及び11～40の患者，10以下の透析患者におけるフェキソフェナジンのCmaxは健常者に比べ，それぞれ1.5倍，1.7倍，1.5倍高く，平均消失半減期はそれぞれ1.6倍，1.8倍，1.4倍長かった．忍容性は良好 **肝機能障害患者における体内動態(外国人データ)** 成人の肝機能障害患者17例(アルコール性肝硬変10例，ウイルス肝炎5例，その他2例)にカプセル80mgを単回投与時，肝機能障害患者におけるフェキソフェナジンの薬物動態は，被験者間の分散も大きく，肝障害の程度による体内動態の差はみられなかった．Child-Pugh分類でB又はC1患者のフェキソフェナジンの$AUC_{0-\infty}$は2176ng・時/mL，Cmax281ng/mL，$T_{1/2}$16時間．これらの値は若年健康者値のそれぞれ1.2，1.1，1.2倍．忍容性は良好 **食事の影響(外国人データ)** 健康成人男子22例にクロスオーバー法で，空腹時及び食後(高脂肪食)に錠120mgを単回経口投与時，空腹時に比べ食後投与時の$AUC_{0-\infty}$及びCmaxはそれぞれ15%及び14%減少．日本人でも，クロスオーバー法ではないが，円形錠を食後投与時の$AUC_{0-\infty}$及びCmaxから外国人と同様の食事の影響を推察 **薬物相互作用** 健康成人男子：併用により血漿中フェキソフェナジン濃度が約2倍に上昇した場合でもQTc等の心電図を含め安全性に問題はみられなかった．Cmaxが承認用量投与時の10倍以上となる条件下でも同様に心電図への影響はなく，有害事象の増加も認められず，薬物相互作用による血漿中フェキソフェナジン濃度の上昇に起因する安全性への影響はないと考えられた：①エリスロマイシン：18例に本剤円形錠1回120mg1日2回とエリスロマイシン1回300mg1日4回7日間併用して反復経口投与時，血漿中フェキソフェナジンのCmaxは本剤単独投与時の約2倍に上昇．一方，血漿中エリスロマイシン濃度には，併用による影響はなかった．海外における同様の試験(19例)でも，血漿中フェキソフェナジン濃度は同程度上昇．この血漿中フェキソフェナジン濃度上昇の機序は動物試験から，P

糖蛋白阻害によるフェキソフェナジンのクリアランス低下及び吸収率増加に起因すると推定 ②ケトコナゾール：23例に本剤カプセル1回120mg1日2回とケトコナゾール錠400mg1日1回7日間併用して反復経口投与時，血漿中フェキソフェナジン濃度は本剤単独投与時の約2倍に上昇，血漿中ケトコナゾール濃度には，併用による影響はなかった(外国人データ)．血漿中フェキソフェナジン濃度上昇の機序はエリスロマイシンと同様と推定 ③オメプラゾール：23例に本剤カプセル120mgの投与11時間前と1時間前にオメプラゾールカプセルをそれぞれ40mg及び20mgを単回投与時，本剤の薬物動態に影響はなかった(外国人データ) ④水酸化アルミニウム・水酸化マグネシウム含有製剤：22例に本剤カプセル120mgの投与15分前に水酸化アルミニウム・水酸化マグネシウム含有製剤を単回投与時，フェキソフェナジンのAUC_{0-30}及びCmaxは本剤単独投与時の約40%減少(外国人データ)．これは水酸化アルミニウム・水酸化マグネシウムがフェキソフェナジンを一時的に吸着することで吸収量が減少することによると推定

シロップ用(アレグラ) **血漿中濃度** ①6カ月～6歳小児(本剤15mg，30mg)：日本人を対象とした小児及び成人の試験での血漿中フェキソフェナジン濃度を用い，母集団薬物動態解析により薬物動態パラメータを推定した．6カ月～1歳の小児に15mg及び2～6歳の小児に30mg(いずれもフェキソフェナジン塩酸塩として)のアレグラドライシロップ5%を投与時の$AUC_{0-\infty}$及びCmaxはそれぞれ1090ng・h/mL及び130ng/mL，ならびに1060ng・h/mL及び157ng/mLであり，いずれも成人に本剤60mgを投与時の$AUC_{0-\infty}$及びCmax(1110ng・h/mL及び175ng/mL)に比べて大きな差はみられなかった．血漿中濃度パラメータは，$AUC_{0-\infty}$(ng・h/mL)，Cmax(ng/mL)，CL/F(L/h)の順に，6カ月-1歳(15mg，55例)1090(46.2)，130(40.9)，15.6(29.9)，2-6歳(30mg，80例)1060(24.3)，157(29.3)，29.9(24.0)，7-11歳(30mg，173例)710(19.8)，114(22.4)，43.9(19.8)，12-15歳(60mg，97例)1150(23.0)，189(19.4)，54.5(21.0)，成人(60mg，109例)1110(28.2)，175(18.1)，57.8(24.9) ※平均(変動係数%) ②7～15歳小児(本剤30mg，60mg)：小児の通年性アレルギー性鼻炎患者に本剤錠30mg(7～11歳：50例)及び60mg(12～15歳：19例)を1日2回28日間反復経口投与時，最終回投与時のフェキソフェナジンの$AUC_{0-\infty}$はそれぞれ851ng・hr/mL及び1215ng・hr/mL，Cmaxは150ng/mL及び185ng/mLであった．血漿中濃度パラメータは，$AUC_{0-\infty}$(ng・hr/mL)，Cmax(ng/mL)，$t_{1/2}$(hr)，CL/F(L/hr)の順に，日本人小児患者※1)(7-11歳，30mg，50例)851±325，150±77，15.8±10.8，40.1±14.6，日本人小児患者※1)(12-15歳，60mg，19例)1215±269，185±77，12.3±9.2，51.6±10.9，外国人小児患者※2)(参考)(7-12歳，30mg，14例)1091±400，184±88，8.8±3.0，29.1±10.5 各パラメータの算出方法：※1)NONMEMによるベイズ推定 ※2)ノンコンパートメント解析 ③成人：(アレグラドライシロップ5%とアレグラ錠30mgとの生物学的同等性)：クロスオーバー法により，日本人健康成人男子にアレグラドライシロップ5%0.6g(フェキソフェナジン塩酸塩として30mg)又はアレグラ錠30mg1錠をそれぞれ空腹時単回経口投与時，フェキソフェナジン血漿中濃度及び薬物動態パラメータは次のとおりであり，生物学的に同等であることが確認された．Cmax(ng/mL)，AUC_{0-48}(ng・hr/mL)，tmax(hr)，$t_{1/2}$(hr)の順に，アレグラドライシロップ5%(72例)128±61.5，773±271，1.50，9.34±3.29，アレグラ錠30mg(71例)127±57.7，783±271，2.00，9.90±3.81(平均±SD，tmaxは中央値) ④成人(本剤60mg)：健康成人男子8例に本剤カプセル60mgを空腹時単回経口投与時，血漿中フェキソフェナジン濃度は，すみやかに上昇し，投与後2.2時間で最高血漿中濃度248ng/mLに達した．血漿中濃度消失半減期は9.6時間であった．反復投与時には蓄積傾向はみられなかった．血漿中濃度パラメータは，$AUC_{0-\infty}$(ng・hr/mL)，tmax(hr)，Cmax(ng/mL)，$t_{1/2}$(hr)，CL/F(L/h)の順に，60mg投与群1445±517，2.2±0.8，248±112，9.6±5.7，44.4±18.2，120mg投与群3412±969，1.9±0.7，564±221，13.8±8.9，35.0±9.3

その他の管理的事項

投与期間制限 該当しない

保険給付上の注意 該当しない

資料

IF アレグラ錠30mg・60mg・OD錠60mg・ドライシロップ5% 2015年12月改訂(第22版)

フェニトイン
フェニトイン錠
フェニトイン散
Phenytoin

概要

薬効分類 113 抗てんかん剤

構造式

分子式 $C_{15}H_{12}N_2O_2$

分子量 252.27

略語・慣用名 別名：ジフェニルヒダントイン，PHT

ステム ヒダントイン抗痙攣薬：-toin

原薬の規制区分 ㊙(ただし，1個中フェニトインとして0.1g以下を含有するものを除く)

原薬の外観・性状 白色の結晶性の粉末又は粒で，におい及び味はない．エタノール(95)又はアセトンにやや溶けにくく，ジエチルエーテルに溶けにくく，水にほとんど溶けない．水酸化ナトリウム試液に溶ける

原薬の吸湿性 認められていない

原薬の融点・沸点・凝固点 融点：約296℃(分解)

原薬の酸塩基解離定数 pKa＝8.3

先発医薬品等

散 アレビアチン散10%(大日本住友)
ヒダントール散10%(藤永＝第一三共)

錠 アレビアチン錠25mg・100mg(大日本住友)
ヒダントール錠25mg・100mg(藤永＝第一三共)

国際誕生年月 不明

海外での発売状況 米，英など

製剤

規制区分 **散** ㊙㊚ **錠** ㊚

製剤の性状 **散** 白色の散剤 **25mg錠** 白色の素錠 **100mg錠** 白色の割線入り素錠

有効期間又は使用期限 3年

貯法・保存条件 室温保存

薬剤取扱い上の留意点 注意力・集中力・反射運動能力等の低下が起こることがあるので，本剤投与中の患者には自動車の運転など危険を伴う機械の操作に従事させないよう注意すること

患者向け資料等 くすりのしおり

溶液及び溶解時のpH 該当しない

浸透圧比 該当しない

安定なpH域 該当しない

調製時の注意 該当しない

薬理作用

分類　ヒダントイン誘導体系抗てんかん薬

作用部位・作用機序　作用部位：大脳皮質運動領域　作用機序：フェニトインはマウス，ラット等の最小電撃けいれん閾値やペンテトラゾールけいれん閾値に対してほとんど作用を及ぼさないが，最大電撃けいれんに対してそのパターンを変える作用があり，最大電撃けいれんの強直相を強く抑制する．また，神経膜を安定化し，シナプスにおけるpost-tetanic potentiation（PTP）を抑制する．これらのことから，抗けいれん作用として，けいれん閾値を上昇させることによってもたらされるのではなく，発作焦点からのてんかん発射のひろがりを阻止することによるものと考えられている

同効薬　エトトイン，フェノバルビタール，プリミドン，カルバマゼピン，ゾニサミドほか

治療

効能・効果　**散**　**錠**　①てんかんの痙攣発作：強直間代発作（全般痙攣発作，大発作），焦点発作（ジャクソン型発作を含む）　②自律神経発作　③精神運動発作

用法・用量　**散**　**錠**　フェニトインとして1日200～300mg，学童100～300mg，幼児50～200mg，乳児20～100mg，食後3回に分服（適宜増減）

用法・用量に関連する使用上の注意　**散**　**錠**　眼振，構音障害，運動失調，眼筋麻痺等の症状は過量投与の徴候であることが多いので，このような症状が現れた場合には，至適有効量まで徐々に減量する．用量調整をより適切に行うためには，血中濃度測定を行うことが望ましい

使用上の注意

禁忌　①本剤の成分又はヒダントイン系化合物に対して過敏症の患者　②タダラフィル（肺高血圧症を適応とする場合），アスナプレビル，ダクラタスビル，バニプレビル，マシテンタン，エルバスビル，グラゾプレビル，チカグレロル，アルテメテル・ルメファントリン，ダクラタスビル・アスナプレビル・ベクラブビル，ダルナビル・コビシスタット，リルピビリン，リルピビリン・テノホビル　ジソプロキシル・エムトリシタビン，リルピビリン・テノホビル　アラフェナミド・エムトリシタビン，エルビテグラビル・コビシスタット・エムトリシタビン・テノホビル　アラフェナミド，エルビテグラビル・コビシスタット・エムトリシタビン・テノホビル　ジソプロキシル，ソホスブビル・ベルパタスビル，ソホスブビル，レジパスビル・ソホスブビル，ドルテグラビル・リルピビリンを投与中の患者

相互作用概要　主としてCYP2C9及び一部CYP2C19で代謝される．また，CYP3A，CYP2B6及びP糖蛋白の誘導作用を有する

過量投与　①症状：主な初期症状は，眼振，構音障害，運動失調，眼筋麻痺等である．その他の徴候として，振戦，過度の緊張亢進，嗜眠，言語障害，嘔気，嘔吐がみられる．重症の場合は，昏睡状態，血圧低下になり，呼吸障害，血管系の抑制により死亡することがある　②処置：特異的解毒剤は知られていないので，人工呼吸，酸素吸入，昇圧剤の投与等，適切な処置を行う．また，フェニトインは血漿蛋白と完全には結合していないので，重症の場合は，血液透析を考慮する

薬物動態

血漿中濃度　健康成人12例，1回100mg経口投与（錠・散の順）：Tmax（hr）4.2±0.3，3.9±0.3，Cmax（μg/mL）1.87±0.11，2±0.1，$t_{1/2}$（hr）13.9±1.7，13.9±1.5　**血漿蛋白結合率**　約90%（*in vitro*，ヒト血漿，約20μg/mL，限外ろ過法）　**主な代謝産物及び代謝経路**　主として肝臓でフェニル基の一つが水酸化され，5-（p-hydroxyphenyl）-5-phenylhydantoin（HPPH）が生成後，大部分はグルクロン酸抱合される　**排泄経路及び排泄率**　健康成人：①排泄経路：主として尿中　②排泄率：1錠（フェニトインとして100mg）1回投与後6日間の排泄率は，尿中に総HPPHとして96.9～99%，フェニトインとして0.4～0.7%，糞中に総HPPHとしてtrace～1.2%，フェニトインとして0.5%　**有効血中濃度**　てんかんの重症度や症例によって違いはあるが，一般に成人の強直間代発作に対する目安は10～20μg/mL　**代謝酵素**　チトクロムP450分子種：主としてCYP2C9及び一部CYP2C19　**投与量と血中濃度との関係**　定常状態における血中濃度と投与量の関係はMichaelis-Menten式[C=Km・D/（Dmax-D）]を用いた曲線で近似され，有効血中濃度付近では，投与量の増減が血中濃度に及ぼす影響は極めて大きい[C：定常状態血中濃度（μg/mL），D：投与量（mg/kg/日），Dmax：1日に代謝しうる最大投与量（mg/kg/日），Km：1/2Dmaxに対応する血中濃度（μg/mL）]．定数Dmax，Kmの個人差は大きく，さらに成人に比較して年少児ほどDmaxの値は大きくなる．このため，患者の血中フェニトイン濃度を測定し，至適投与量の検討ないしは中毒症状発現防止に役立てられる　**その他**　フェニトインは薬物代謝酵素CYP3A，CYP2B6及びP糖蛋白の誘導作用を有する

その他の管理的事項

投与期間制限　該当しない

保険給付上の注意　該当しない

資料

IF　アレビアチン散10%・錠25mg・100mg　2019年6月改訂（第22版）

注射用フェニトインナトリウム
Phenytoin Sodium for Injection

概要

薬効分類　113　抗てんかん剤

構造式

H N ONa N O

分子式　$C_{15}H_{11}N_2NaO_2$

分子量　274.25

略語・慣用名　別名：ジフェニルヒダントイン，PHT

ステム　ヒダントイン抗痙攣薬：-toin

原薬の規制区分　㊙（ただし，1アンプル中フェニトインとして0.1g以下を含有するものを除く）

原薬の外観・性状　白色の結晶又は結晶性の粉末で，においはない．水又はエタノール（95）にやや溶けやすく，クロロホルム又はジエチルエーテルにほとんど溶けない．1.0gを水20mLに溶かした液のpHは約12である．水溶液は放置するとき，徐々に二酸化炭素を吸収してフェニトインの結晶を析出する

先発医薬品等

注　アレビアチン注250mg（大日本住友）

国際誕生年月　不明

海外での発売状況　英など

製剤

規制区分　**注**　㊙ ㊕

製剤の性状　**注**　無色澄明の液

有効期間又は使用期限　3年

貯法・保存条件　室温保存

薬剤取扱い上の留意点　注意力・集中力・反射運動能力等の低下が起こることがあるので，本剤投与中の患者には自動車の運転など危険を伴う機械の操作に従事させないよう注意すること

患者向け資料等　くすりのしおり

溶液及び溶解時のpH　約12

浸透圧比　約29(対生食)
調製時の注意　強アルカリ性であるので他剤とは配合できない．また，pHが低下するとフェニトインの結晶を析出する

治療

効能・効果　①てんかん様痙攣発作が長時間引き続いて起こる場合(てんかん発作重積症)　②経口投与が不可能で，かつ，痙攣発作の出現が濃厚に疑われる場合(特に意識障害，術中，術後)　③急速にてんかん様痙攣発作の抑制が必要な場合
用法・用量　フェニトインナトリウムとして有効投与量は，発作の程度，患者の耐薬性等により異なるが，成人には125～250mgを1分間50mgを超えない速度で徐々に静注．発作が抑制できないとき30分後さらに100～150mgを追加投与するか，他の対策を考慮．小児には成人量を基準として，体重により決定．痙攣が消失し，意識が回復すれば経口投与に切り換える
用法・用量に関連する使用上の注意　①眼振，構音障害，運動失調，眼筋麻痺等が現れた場合は過量になっているので，ただちに中止する．また，意識障害，血圧降下，呼吸障害が現れた場合には，ただちに人工呼吸，酸素吸入，昇圧剤の投与等，適切な処置を行う．用量調整をより適切に行うためには，血中濃度測定を行うことが望ましい　②急速に静注した場合，心停止，一過性の血圧降下，呼吸抑制等の循環・呼吸障害を起こすことがあるので，1分間1mLを超えない速度で徐々に注射する．また，衰弱の著しい患者，高齢者，心疾患のある患者ではこれらの副作用が発現しやすいので，注射速度をさらに遅くする等，注意する

使用上の注意

禁忌　①本剤の成分又はヒダントイン系化合物に対して過敏症の患者　②洞性徐脈，高度の刺激伝導障害のある患者［心停止を起こすことがある］　③タダラフィル(肺高血圧症を適応とする場合)，アスナプレビル，ダクラタスビル，バニプレビル，マシテンタン，エルバスビル，グラゾプレビル，チカグレロル，アルテメテル・ルメファントリン，ダクラタスビル・アスナプレビル・ベクラブビル，ダルナビル・コビシスタット，リルピビリン，リルピビリン・テノホビル　ジソプロキシル・エムトリシタビン，リルピビリン・テノホビル　アラフェナミド・エムトリシタビン，エルビテグラビル・コビシスタット・エムトリシタビン・テノホビル　アラフェナミド，エルビテグラビル・コビシスタット・エムトリシタビン・テノホビル　ジソプロキシル，ソホスブビル・ベルパタスビル，ソホスブビル，レジパスビル・ソホスブビル，ドルテグラビル・リルピビリンを投与中の患者
相互作用概要　主としてCYP2C9及び一部CYP2C19で代謝される．また，CYP3A，CYP2B6及びP糖蛋白の誘導作用を有する
過量投与　①症状：主な初期症状は，眼振，構音障害，運動失調，眼筋麻痺等である．その他の徴候として，振戦，過度の緊張亢進，嗜眠，言語障害，嘔気，嘔吐がみられる．重症の場合は，昏睡状態，血圧低下になり，呼吸障害，血管系の抑制により死亡することがある　②処置：特異的解毒剤は知られていないので，人工呼吸，酸素吸入，昇圧剤の投与等，適切な処置を行う．また，フェニトインは血漿蛋白と完全には結合していないので，重症の場合は，血液透析を考慮する

薬物動態

血漿中濃度　250mg又は125mgを1回静注後のCmaxデータなし，$t_{1/2}$約10hr　**血漿蛋白結合率**　約90%(*in vitro*，ヒト血漿，約20μg/mL，限外ろ過法)　**主な代謝産物及び代謝経路**　主として肝臓でフェニル基の一つが水酸化され，5-(p-hydroxyphenyl)-5-phenylhydantoin(HPPH)が生成後，大部分はグルクロン酸抱合される　**排泄経路及び排泄率**　健康成人：①排泄経路：主として尿中　②排泄率：250mg1回静注時の尿中排泄率は，総HPPHとして24時間以内に54～58%，最終的に82.4～93%，フェニトインとして0.4～0.7%　**代謝酵素**　チトクロムP450分子種：主としてCYP2C9及び一部CYP2C19　**その他**　フェニトインは薬物代謝酵素CYP3A，CYP2B6及びP糖蛋白の誘導作用を有する

その他の管理的事項

投与期間制限　該当しない
保険給付上の注意　該当しない

資料

IF　アレビアチン注250mg　2019年6月改訂(第20版)

L-フェニルアラニン
L-Phenylalanine

概要

構造式

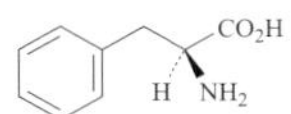

分子式　$C_9H_{11}NO_2$
分子量　165.19
原薬の規制区分　該当しない
原薬の外観・性状　白色の結晶又は結晶性の粉末で，においはないか，又は僅かに特異なにおいがあり，味は僅かに苦い．ギ酸に溶けやすく，水にやや溶けにくく，エタノール(95)にほとんど溶けない．希塩酸に溶ける．0.20gを水20mLに溶かした液のpHは5.3～6.3である

フェニルブタゾン
Phenylbutazone

概要

構造式

分子式　$C_{19}H_{20}N_2O_2$
分子量　308.37
原薬の規制区分　㊣
原薬の外観・性状　白色～微黄白色の結晶性の粉末で，においはなく，味は初めないが，後に僅かに苦い．アセトンに溶けやすく，エタノール(95)又はジエチルエーテルにやや溶けやすく，水にほとんど溶けない．水酸化ナトリウム試液に溶ける
原薬の融点・沸点・凝固点　融点：104～107℃

フェニレフリン塩酸塩
Phenylephrine Hydrochloride

[概要]
薬効分類 131 眼科用剤，216 血管収縮剤
構造式

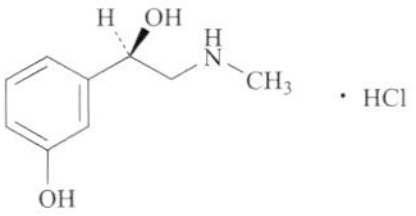

分子式 $C_9H_{13}NO_2 \cdot HCl$
分子量 203.67
ステム 交感神経刺激薬，フェネチル誘導体：-frine
原薬の規制区分 [劇](ただし，1個中フェニレフリンとして5mg以下を含有する内用剤，1容器中フェニレフリンとして5mg以下を含有する内用液剤，フェニレフリンとして5%以下を含有する外用剤，フェニレフリンとして0.1%以下を含有する吸入剤，1個中フェニレフリンとして5mg以下を含有する坐剤を除く)
原薬の外観・性状 白色の結晶又は結晶性の粉末で，においはなく，味は苦い．水に極めて溶けやすく，エタノール(95)に溶けやすく，ジエチルエーテルにほとんど溶けない．1.0gを水100mLに溶かした液のpHは4.5～5.5である
原薬の吸湿性 該当資料なし
原薬の融点・沸点・凝固点 融点：140～145℃
原薬の酸塩基解離定数 該当資料なし
先発医薬品等
[注] ネオシネジンコーワ注1mg・5mg(興和)
[点眼液] ネオシネジンコーワ5%点眼液(興和)
国際誕生年月 不明
海外での発売状況 該当しない

[製剤]
規制区分 [注] [劇] [処]
製剤の性状 [注] 無色澄明の水性注射剤 [点眼液] 無色澄明の無菌水性点眼剤
有効期間又は使用期限 [注] [点眼液] 3年
貯法・保存条件 [注] 遮光・室温保存 [点眼液] 密栓，遮光・室温保存．開封後は酸化をうけやすいので，密栓し，遮光して保存
薬剤取扱い上の留意点 [点眼液] 本剤を投与した患者には散瞳が回復するまで自動車の運転等危険を伴う機械の操作に従事させないよう注意すること．また，サングラスを着用するなど太陽光や強い光を直接見ないよう注意すること
患者向け資料等 [点眼液] くすりのしおり
溶液及び溶解時のpH [1mg注] 4.0～6.0 [5mg注] 3.5～6.0 [点眼液] 4.0～6.0
浸透圧比 [注] 約1
調製時の注意 該当しない

[薬理作用]
分類 選択的α_1受容体刺激剤
作用部位・作用機序 交感神経末梢刺激による末梢血管の収縮によって昇圧作用を示す [点眼液] 瞳孔散大筋の収縮作用により散瞳効果を示す

[治療]
効能・効果 [注] ①各種疾患もしくは状態に伴う急性低血圧又はショック時の補助治療 ②発作性上室頻拍 ③局所麻酔時の作用延長
[点眼液] 診断又は治療を目的とする散瞳
用法・用量 [注] ①皮下注及び筋注：1回2～5mgを皮下注又は筋注(適宜増減)．なお，その範囲は1～10mg，初回量は5mgを超えない．また，反復投与を行う場合には，10～15分おきに行う ②静注：1回0.2mgを注射液そのまま，又は約10mLの生理食塩液，リンゲル液もしくは5%ブドウ糖液等に混入して静注(適宜増減)．なお，その範囲は0.1～0.5mg．また反復投与を行う場合には，10～15分おきに行う ③点滴静注：100mLの血液，リンゲル液又は5%ブドウ糖液等に対し，0.5～1mgの割合で混入し，血圧を測定しながら滴数を加減して点滴静注 ④局麻時の作用延長：20mLの局所麻酔剤に対して1mgの割合で混入して使用
[点眼液] 1回1～2滴点眼

[使用上の注意]
禁忌 ①本剤の成分に対し過敏症の既往歴のある患者 ②[点眼液] 狭隅角や前房が浅い等の眼圧上昇の素因のある患者［急性閉塞隅角緑内障の発作を起こすことがある］
過量投与 [注] ①徴候・症状：心室性期外収縮，一過性の心室性頻拍，頭重感，手足の疼痛，脳出血，頭痛，肺水腫等の症状が現れる ②処置：ただちに投与を中止し，症状に応じて救急処置や一般的維持療法を行う．異常な血圧の上昇や末梢血管収縮には拮抗剤であるα遮断薬(フェントラミン等)の投与を，重症の心室性頻拍性不整脈にはプロプラノロール塩酸塩あるいはリドカインの投与を考慮する

[その他の管理的事項]
投与期間制限 該当しない
保険給付上の注意 該当しない

[資料]
IF ネオシネジンコーワ注1mg・5mg 2020年4月改訂(第8版)
ネオシネジンコーワ5%点眼液 2020年8月改訂(第5版)

フェネチシリンカリウム
Phenethicillin Potassium

[概要]
薬効分類 611 主としてグラム陽性菌に作用するもの
構造式

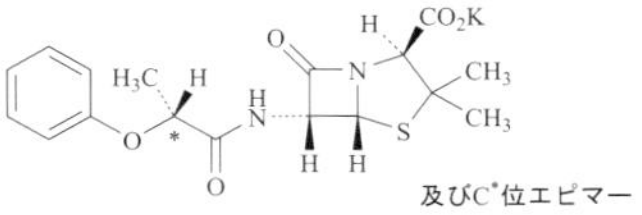

及びC*位エピマー

分子式 $C_{17}H_{19}KN_2O_5S$
分子量 402.51
原薬の規制区分 該当しない
原薬の外観・性状 白色～淡黄白色の結晶性の粉末である．水に溶けやすく，エタノール(99.5)に溶けにくい

フェノバルビタール
フェノバルビタール錠
フェノバルビタール散10%
Phenobarbital

概要

薬効分類 112 催眠鎮静剤，抗不安剤，113 抗てんかん剤

構造式

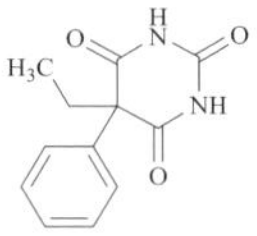

分子式 $C_{12}H_{12}N_2O_3$

分子量 232.24

略語・慣用名 PB

ステム 催眠剤，バルビツール酸誘導体：-barb

原薬の規制区分 [劇](ただし，フェノバルビタール1%以下を含有する外用剤を除く)，[向Ⅲ] [習]

原薬の外観・性状 白色の結晶又は結晶性の粉末である．*N,N*-ジメチルホルムアミドに極めて溶けやすく，エタノール(95)又はアセトンに溶けやすく，アセトニトリルにやや溶けにくく，水に極めて溶けにくい．水酸化ナトリウム試液に溶ける．本品の飽和水溶液のpHは5.0～6.0である

原薬の吸湿性 該当資料なし

原薬の融点・沸点・凝固点 融点：175～179℃

原薬の酸塩基解離定数 pKa_1＝7.3，pKa_2＝11.8

先発医薬品等

[末] フェノバール原末(藤永＝第一三共)
フェノバルビタール「ホエイ」原末(マイラン＝ファイザー)

[散] フェノバール散10%(藤永＝第一三共)
フェノバルビタール散10%「シオエ」(シオエ＝日本新薬)
フェノバルビタール散10%「ホエイ」(マイラン＝ファイザー)
フェノバルビタール散10%「マルイシ」(丸石＝吉田製薬)

[錠] フェノバール錠30mg(藤永＝第一三共)

[内用液] フェノバールエリキシル0.4%(藤永＝第一三共)

[注] フェノバール注射液100mg(藤永＝第一三共)

[注射用] ノーベルバール静注用250mg(ノーベル)

[坐] ルピアール坐剤25・50・100(久光)
ワコビタール坐剤15・30・50・100(高田)

国際誕生年月 不明

海外での発売状況 米，仏，独など

製剤

規制区分 [末] [散] [錠] [内用液] [注] [劇] [向Ⅲ] [習] [処]

製剤の性状 [末] 白色の結晶又は結晶性の粉末で，においはなく，味は苦い [散] 淡紅色の散剤で，においはなく，味はやや苦い [錠] 白色の素錠で，においはなく，味はやや苦い [内用液] 赤色澄明な液で，イチゴ様の芳香と甘味があり，微かに苦い [注] 無色澄明の液体

有効期間又は使用期限 [末] [散] [錠] [内用液] 5年 [注] 2年6カ月

貯法・保存条件 [末] [錠] [注] 室温保存 [散] 遮光・室温保存(光によって徐々に退色(主薬の含量に影響はない)することがあるので，開封後は防湿，遮光して保存) [内用液] 室温保存

薬剤取扱い上の留意点 眠気，注意力・集中力・反射運動能力等の低下が起こることがあるので，本剤投与中の患者には自動車の運転等危険を伴う機械の操作に従事させないよう注意すること [散] 光によって徐々に退色(主薬の含量に影響はない)することがあるので，開封後に湿気を避け，遮光して保存すること [内用液] 水で希釈して冷蔵庫等の低温の場所に保存すると，主薬を析出することがあるので，原則として単独・原液投与が望ましい

患者向け資料等 患者向医薬品ガイド，くすりのしおり

溶液及び溶解時のpH [内用液] 5.2 [注] 7.5～9.4

浸透圧比 [内用液] 浸透圧：9,500mOsm [注] 約19(氷点降下法)

安定なpH域 該当しない

調製時の注意 [内用液] 調剤に際し，炭酸アルカリと混和すると湿潤し，アンチピリン，サリチル酸ナトリウム，テオブロミン，抱水クロラールなどに対し湿度，温度変化で湿潤し，またジギタリス製剤とは変色を起こすので，注意を要する [注] 水によって主薬を析出するので，静脈内注射及び他の注射剤との混合はしないこと

薬理作用

分類 バルビツール酸系催眠・鎮静・抗てんかん薬

作用部位・作用機序 $GABA_A$受容体のサブユニットに存在するバルビツール酸誘導体結合部位に結合することにより，抑制性伝達物質GABAの受容体親和性を高め，Cl^-チャネル開口作用を増強して神経機能抑制作用を促進する

同効薬 フェニトイン

治療

効能・効果 [末] [散] [錠] [内用液] ①不眠症 ②不安緊張状態の鎮静 ③てんかんの痙攣発作：強直間代発作(全般痙攣発作，大発作)，焦点発作(ジャクソン型発作を含む) ④自律神経発作，精神運動発作

[注] ①不安緊張状態の鎮静(緊急に必要な場合) ②てんかんの痙攣発作：強直間代発作(全般痙攣発作，大発作)，焦点発作(ジャクソン型発作を含む) ③自律神経発作，精神運動発作

[注射用] ①新生児痙攣 ②てんかん重積状態

効能・効果に関連する使用上の注意 [注射用] 作用発現が遅く，長時間作用型に属することから，てんかん重積状態の患者では，速効性の薬剤を第一選択とし，本剤は第二選択以降に使用することが望ましい

用法・用量 [末] [散] [錠] [内用液] フェノバルビタールとして1日30～200mg，1～4回に分服(適宜増減)．不眠症の場合は，1回30～200mgを就寝前(適宜増減)

[注] フェノバルビタールとして1回50～200mg，1日1～2回皮下又は筋注(適宜増減)

[注射用] 効能①：(1)初回投与：フェノバルビタールとして20mg/kgを静注．痙攣がコントロールできない場合は，患者の状態に応じ，初回投与量を超えない範囲で用量を調節し追加 (2)維持投与：フェノバルビタールとして2.5～5mg/kg，1日1回静注 効能②：フェノバルビタールとして15～20mg/kgを1日1回静注

用法・用量に関連する使用上の注意 [末] [散] [錠] [内用液] 不眠症には，就寝の直前に服用させる．また，服用して就寝した後，睡眠途中において一時的に起床して仕事等をする可能性があるときは服用させない

[注射用] ①新生児痙攣及びてんかん重積状態：意識障害，血圧低下，呼吸抑制が現れることがあるので，用量調節を適切に行うために，血中濃度測定を行うことが望ましい．また，呼吸抑制が現れた場合には，ただちに人工呼吸等，適切な処置を行う ②新生児痙攣：新生児では，5～10分かけて緩徐に投与する．ただし，患者の状態に応じ，より緩徐に投与することも考慮する．また，追加投与を行う際には，患者の状態を観察し，初回投与から十分な間隔をあけた上で，実施する ③てんかん重積状態：小児及び成人では，10分以上かけて緩徐に投与する．ただし，100mg/分の投与速度を超えない

使用上の注意

禁忌 ①本剤の成分又はバルビツール酸系化合物に対して過敏症の患者 ②急性間欠性ポルフィリン症の患者［ポルフィリン合成が増加し，症状が悪化するおそれがある］ ③ボリコナゾール，タダラフィル(肺高血圧症を適応とする場合)，ア

スナプレビル，ダクラタスビル，バニプレビル，マシテンタン，エルバスビル，グラゾプレビル，チカグレロル，アルテメテル・ルメファントリン，ダクラタスビル・アスナプレビル・ベクラブビル，ダルナビル・コビシスタット，リルピビリン，リルピビリン・テノホビル ジソプロキシル・エムトリシタビン，リルピビリン・テノホビル アラフェナミド・エムトリシタビン，エルビテグラビル・コビシスタット・エムトリシタビン・テノホビル アラフェナミド，エルビテグラビル・コビシスタット・エムトリシタビン・テノホビル ジソプロキシル，ソホスブビル・ベルパタスビル，ドルテグラビル・リルピビリンを投与中の患者　④**内用液** ジスルフィラム，シアナミド，プロカルバジン塩酸塩を投与中の患者

相互作用概要　CYP3A等の誘導作用を有する

過量投与　**末　散　錠　内用液　注　注射用** ①症状：中枢神経系及び心血管系抑制．血中濃度40～45μg/mL以上で眠気，眼振，運動失調が起こり，重症の中毒では昏睡状態となる．呼吸は早期から抑制され，脈拍は弱く，皮膚には冷汗があり，体温は下降する．肺の合併症や腎障害の危険性もある　②処置：**末　散　錠　内用液** 呼吸管理．消化管に薬物が残留している場合は，胃洗浄，活性炭投与を行う．また，炭酸水素ナトリウム投与による尿アルカリ化，利尿剤投与により薬物の排泄を促進させる．重症の場合は，血液透析や血液灌流を考慮する．**注　注射用** 呼吸管理．炭酸水素ナトリウム投与による尿アルカリ化，利尿剤投与により薬物の排泄を促進させる．重症の場合は，血液透析や血液灌流を考慮する

薬物動態

血中濃度　①**末　散　錠　内用液** 健常成人男子5名に120mg空腹時1回経口投与の薬物動態（末，散，30mg錠，エリキシルの順）はTmax（hr）2.4±0.4，1.2±0.2，1.4±0.2，1.0±0.0，Cmax（μg/mL）4.6±0.2，4.8±0.1，5.0±0.2，4.9±0.3，$T_{1/2}$（hr）131.1±15.2，105.9±6.9，119.0±8.3，94.5±7.9，$AUC_{0\text{-}48h}$（hr・μg/mL）175.2±7.9，177.4±5.7，186.6±9.1，176.0±7.9，Kel（1/hr）0.0055±0.0006，0.0067±0.0004，0.0060±0.0005，0.0075±0.0006　②**注** 乳幼児（5カ月～1歳6カ月）5名に10.2mg/kg（平均）筋注後30分には血中濃度の上昇傾向がみられ，4～6時間でpeak level．12時間まではほぼpeak levelに近い値を維持し，以後指数関数的に緩徐に低下　③**注射用** 新生児痙攣に対し，初回投与量20mg/kg，痙攣がコントロールできない場合は同量を追加，維持投与量として1日1回2.5～5mg/kgを静注．その結果，初回投与量17.5～20.8mg/kg，追加投与量20.1mg/kg，維持投与量2.2～5mg/kgであった．初回投与後2時間における血中濃度（9例）は，22.38±2.34μg/mL（18.8～25.8μg/mL），追加投与（初回投与30分後）を実施した1例では42.8μg/mLであった．また，維持投与最終投与前（中止時）の血中濃度（10例）は，27.65±9.46μg/mL（18.7～45.3μg/mL）　**有効血中濃度**　10～25μg/mL（抗痙攣作用として）

その他の管理的事項

投与期間制限　**末　散　錠　内用液** 90日

保険給付上の注意　該当しない

資料

IF　フェノバール原末・散10%・錠30mg・エリキシル0.4%　2019年9月改訂（第13版）
フェノバール注射液100mg　2019年9月改訂（第12版）

フェノフィブラート
フェノフィブラート錠
Fenofibrate

概要

薬効分類　218　高脂血症用剤

構造式

分子式　$C_{20}H_{21}ClO_4$

分子量　360.83

ステム　クロフィブラート誘導体：-fibrate

原薬の規制区分　該当しない

原薬の外観・性状　白色～微黄白色の結晶性の粉末である．エタノール（99.5）にやや溶けやすく，水にほとんど溶けない．結晶多形が認められる

原薬の吸湿性　25℃，40℃で相対湿度10～90%において経時的に重量を測定した結果，重量増加は認められず，吸湿性は認められなかった

原薬の融点・沸点・凝固点　融点：80～83℃

原薬の酸塩基解離定数　該当資料なし

先発医薬品等

錠 トライコア錠53.3mg・80mg（マイランEPD＝帝人ファーマ）
リピディル錠53.3mg・80mg（あすか製薬＝武田＝科研）

後発医薬品

錠 53.3mg・80mg
カ 67mg・100mg

国際誕生年月　1974年11月

海外での発売状況　米，英，仏など世界各国

製剤

規制区分　**錠** ㊕

製剤の性状　**錠** 白色～微黄白色素錠

有効期間又は使用期限　3年

貯法・保存条件　室温保存

薬剤取扱い上の留意点　光により微黄色に変化することがあるので，開封後は遮光して保存すること．開封後は湿気を避けて保存すること

患者向け資料等　くすりのしおり

溶液及び溶解時のpH　該当しない

浸透圧比　該当しない

安定なpH域　該当しない

調製時の注意　該当しない

薬理作用

分類　フィブラート系高脂血症治療剤

作用部位・作用機序　肝臓における核内受容体peroxisome proliferator-activated receptor α（PPARα）を活性化して種々の蛋白質の発現を調節することにより脂質代謝を総合的に改善させ，血清コレステロールと血清トリグリセライドを低下させるとともに，血清HDLコレステロールを上昇させる

同効薬　フィブラート系化合物

治療

効能・効果　高脂血症（家族性を含む）

効能・効果に関連する使用上の注意　①総コレステロールのみが高い高脂血症（IIa型）に対し，第一選択薬とはしない　②カイロミクロンが高い高脂血症（I型）に対する効果は検討されていない

用法・用量　**錠** 1日1回106.6～160mgを食後（適宜減量）．1日160mgを超えない

力 1日1回134〜201mg食後（適宜減量）．1日201mgを超えない

用法・用量に関連する使用上の注意 ①総コレステロール及びトリグリセライドの両方が高い高脂血症（IIb及びIII型）には，1日量を錠剤は106.6mg，カプセルは134mgから開始する．なお，これらの高脂血症患者で，高血圧，喫煙等の虚血性心疾患のリスクファクターを有し，より高い治療目標値を設定する必要のある場合，1日量を錠剤は159.9〜160mg※），カプセルは200〜201mgとする ②トリグリセライドのみが高い高脂血症（IV及びV型）には，1日量を，錠剤は53.3mg，カプセルは67mgにおいても低下効果が認められているので，1日量を53.3mgより開始する ③肝機能検査に異常のある患者又は肝障害の既往歴のある患者には，1日量を53.3mgから開始する ④急激な腎機能の悪化を伴う横紋筋融解症が現れることがあるので，投与にあたっては患者の腎機能を検査し，血清クレアチニン値が2.5mg/dL以上の場合は中止し，血清クレアチニン値が1.5mg/dL以上2.5mg/dL未満の場合，53.3mgから開始するか，投与間隔を延長して使用する⑤本剤はフェノフィブラートの吸収を高めるため，固体分散体化した製剤であり，本剤106.6mg（53.3mg製剤2錠）は微粉化フェノフィブラートカプセル製剤134mgと，また本剤160mg（80mg製剤2錠）は微粉化した製剤200mgと生物学的に同等 ※）159.9mgは53.3mg錠を3錠，160mgは80mg錠を2錠用いる

禁忌・原則禁忌となる特定患者集団 妊婦又は妊娠している可能性のある女性，授乳婦

使用上の注意

禁忌 ①本剤の成分に対して過敏症の既往歴のある患者 ②肝障害のある患者［肝障害を悪化させることがある］ ③血清クレアチニン値が2.5mg/dL以上又はクレアチニンクリアランスが40mL/min未満の腎機能障害のある患者［横紋筋融解症が現れることがある］ ④胆のう疾患のある患者［胆石形成が報告されている］ ⑤妊婦又は妊娠している可能性のある女性，授乳婦

過量投与 過量投与に関する情報は報告されていないため，過量投与時の症状等は不明である．なお，蛋白結合率が高いため，血液透析によって除去できない

薬物動態

錠 **血中濃度** 53.3mg及び80mgは，それぞれ微粉化フェノフィブラートカプセル製剤67mg及び100mgと生物学的に同等．健康成人男性に106.6mg（53.3mg製剤2錠）又は160mg（80mg製剤2錠）を食後単回投与時，活性代謝物であるフェノフィブリン酸の薬物動態パラメータは次の通り[53.3mg×2錠（20例），微粉化製剤67mg×2カプセル（20例），80mg×2錠（19例），微粉化製剤100mg×2カプセル（19例）の順]．Cmax（μg/mL）：3.40±0.94時間後8.993±1.017，4.30±0.73時間後9.186±1.930，3.16±1.01時間後11.796±1.550，4.89±1.88時間後12.256±3.074，AUC_{0-96hr}（μg・hr/mL）：152.24±33.42，155.21±38.18，207.12±42.11，216.68±54.09，半減期（hr）：20.36±3.72，21.01±4.06，22.54±3.24，24.49±4.26 **蛋白結合率** フェノフィブラートの活性代謝産物であるフェノフィブリン酸の血漿蛋白結合率（限外濾過法）は99％ **代謝** ヒト血漿中にはフェノフィブリン酸が存在し，ヒト尿中にはフェノフィブリン酸とその還元体が主にグルクロン酸抱合体として排泄 **排泄** 健康成人男性に160mgに相当する用量を食後単回経口投与時，投与後72時間までに投与量の64％が尿中に排泄．なお，排泄経路は腎臓であることが報告 **薬物相互作用** ヒト肝ミクロソームを用いてフェノフィブリン酸のCYPの阻害について検討した結果，フェノフィブリン酸はCYP1A1，1A2，2A6，2B6，2C19，2D6，2E1，3A4による代謝は阻害しなかったが，CYP2C9による代謝を阻害し，そのIC50は112μM

その他の管理的事項

投与期間制限 該当しない

保険給付上の注意 該当しない

資料

IF リピディル錠53.3mg・80mg 2019年11月改訂（第10版）

フェノール
液状フェノール
消毒用フェノール
Phenol

概要

薬効分類 255 痔疾用剤，261 外皮用殺菌消毒剤

構造式

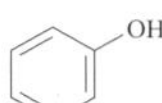

分子式 C_6H_6O

分子量 94.11

略語・慣用名 別名：石炭酸

ステム 不明

原薬の規制区分 劇（ただし，フェノールとして5％以下を含有するものを除く）

原薬の外観・性状 無色〜僅かに赤色の結晶又は結晶性の塊で，特異なにおいがある．エタノール（95）又はジエチルエーテルに極めて溶けやすく，水にやや溶けやすい．10gに水1mLを加えるとき，液状となる．光又は空気によって徐々に赤色を経て暗赤色となる．皮膚を侵して白くする

原薬の吸湿性 該当資料なし

原薬の融点・沸点・凝固点 凝固点：約40℃

原薬の酸塩基解離定数 pKa＝10.0（25℃）

先発医薬品等

注 パオスクレー内痔核内注射用250mg（鳥居）

外用液 フェノール「コザカイ・M」（小堺）
フェノール「司生堂」（司生堂）
フェノール「タイセイ」（大成）
フェノール「東海」（東海製薬）
フェノール「ニッコー」（日興製薬＝丸石）
液状フェノール（小堺）
液状フェノール「ケンエー」（健栄）
液状フェノール「司生堂」（司生堂）
液状フェノール「タイセイ」（大成）
液状フェノール「東海」（東海製薬）
液状フェノール「日医工」（日医工）
液状フェノール「ニッコー」（日興製薬＝丸石）
液状フェノール（山善）
消毒用フェノール「司生堂」（司生堂）

国際誕生年月 不明

海外での発売状況 英，豪

製剤

規制区分 注 処 外用液 劇

製剤の性状 注 微黄色〜黄色の澄明な油液でフェノール臭を有する 外用液 無色又は僅かに赤色を帯びた液で，特異なにおいがある．光又は空気によって徐々に暗赤色となる．皮膚を侵して白くする

有効期間又は使用期限 注 5年

貯法・保存条件 注 室温保存 外用液 気密容器．遮光して室温保存

薬剤取扱い上の留意点 合成ゴム製品，合成樹脂製品，光学器具，鏡器具，塗装カテーテル等には変質するものがあるので，このような器具は長時間浸漬しないこと．金属器具を長時間浸漬する必要がある場合は，腐蝕を防止するために0.5〜

フ

1.0%の亜硝酸ナトリウムを添加すること
患者向け資料等 **外用液** くすりのしおり
調製時の注意 該当しない

薬理作用

分類 殺菌消毒剤
作用部位・作用機序 使用濃度において，栄養型細菌(グラム陽性菌，グラム陰性菌)，結核菌，真菌等には有効であるが，芽胞(炭疽菌，破傷風菌等)及び大部分のウイルスに対する効果は期待できない
同効薬 硫酸アルミニウムカリウム・タンニン酸注射剤

治療

効能・効果 **注** 内痔核
外用液 ①手指・皮膚の消毒 ②医療機器の消毒，手術室・病室・家具・器具・物品等の消毒 ③排泄物の消毒 ④次の疾患の鎮痒：痒疹(小児ストロフルスを含む)，蕁麻疹，虫さされ
用法・用量 **注** 1回5mLを粘膜下に注射し，1部位に対する1回注射量は1〜3mLとする(適宜増減)
外用液 効能①：1.5〜2%溶液 効能②：2〜5%溶液 効能③：3〜5%溶液 効能④：1〜2%溶液又は2〜5%軟膏として用いる

使用上の注意

禁忌 **注** ①肛門(歯状線より下方)［疼痛を伴う］ ②直腸下部の粘膜下以外の部位［びらん・壊死等の症状が現れることがある］
外用液 損傷皮膚及び粘膜［吸収され，中毒症状を起こすおそれがある］

薬物動態

注 **参考** ①ラットに腹腔内又は肛門皮下注で，本剤中のフェノールは投与後6時間以内に大部分が血液中に吸収され，24時間以内に結合型フェノールとしてその大部分が尿中に排泄 ②溶媒のアルモンド油は，ヒトで注射後3週間では投与した局所組織に残留することが認められているが，9カ月及び16カ月後の観察では確認されなかった

その他の管理的事項

投与期間制限 該当しない
保険給付上の注意 該当しない

資料

IF パオスクレー内痔核内注射用250mg 2012年3月改訂(第4版)
添付文書 液状フェノール「ケンエー」 2012年4月改訂(第3版)

フェノール水
消毒用フェノール水
Phenolated Water

概要

薬効分類 261 外皮用殺菌消毒剤
分子式 C_6H_6O(フェノール)
分子量 94.11(フェノール)
原薬の規制区分 該当しない
原薬の外観・性状 無色澄明の液で，フェノールのにおいがある
先発医薬品等
外用液 グリヘノブルーMB(本草)
フェノール水「ケンエー」(健栄)
フェノール水「司生堂」(司生堂)
フェノール水「ニッコー」(日興製薬＝丸石)
消毒用フェノール水「司生堂」(司生堂)

製剤

製剤の性状 **液** 無色澄明の液で，フェノールのにおいがある
有効期間又は使用期限 3年
貯法・保存条件 室温保存
薬剤取扱い上の留意点 金属器具を長時間浸漬する必要がある場合は，腐蝕を防止するために0.5〜1.0%の亜硝酸ナトリウムを添加すること．合成ゴム製品，合成樹脂製品，光学器具，鏡器具，塗装カテーテル等には変質するものがあるので，このような器具は長時間浸漬しないこと
患者向け資料等 くすりのしおり

薬理作用

分類 殺菌消毒剤
作用部位・作用機序 使用濃度においてグラム陽性菌，グラム陰性菌，結核菌には有効であるが，芽胞(炭疽菌，破傷風菌等)及び大部分のウイルスに対する効果は期待できない

治療

効能・効果 **注** 内痔核**外用液** ①手指・皮膚の消毒②医療機器の消毒，手術室・病室・家具・器具・物品等の消毒③次の疾患の鎮痒：痒疹(小児ストロフルスを含む)，蕁麻疹，虫さされ
用法・用量 **注** 1回5mLを粘膜下に注射し，1部位に対する1回注射量は1〜3mLとする(適宜増減)
外用液 効能①：1.5〜2%溶液 効能②：2〜5%溶液 効能③：1〜2%溶液又は2〜5%軟膏として用いる

使用上の注意

禁忌 損傷皮膚及び粘膜［吸収され，中毒症状を起こすおそれがある］

資料

添付文書 フェノール水「ニッコー」 2015年5月改訂(第2版)

フェノール・亜鉛華リニメント
Phenol and Zinc Oxide Liniment

概要

薬効分類 264 鎮痛，鎮痒，収斂，消炎剤
原薬の規制区分 該当しない
原薬の外観・性状 白色ののり状で，僅かにフェノールのにおいがある
先発医薬品等
カチリ「ホエイ」(マイラン＝ファイザー＝ニプロ)
カチリ「ヨシダ」(吉田製薬)
フェノール・亜鉛華リニメント「JG」(日本ジェネリック)
フェノール・亜鉛華リニメント「ニッコー」(日興製薬＝丸石)
フェノール・亜鉛華リニメント〈ハチ〉(東洋製化＝健栄)

製剤

製剤の性状 白色ののり状で，僅かにフェノールのにおいがあるリニメント剤
有効期間又は使用期限 5年
貯法・保存条件 気密容器，室温保存
薬剤取扱い上の留意点 経日的に分離を起こしたり，粘度が変化することがあるが，このような場合には軟膏ベラ等でよくかき混ぜて使用すること

薬理作用

作用部位・作用機序 皮膚炎に防腐，消毒，鎮痒の各作用を有するリニメントとして繁用される．フェノール(2%)の防腐，消毒，鎮痒作用と酸化亜鉛の収れん作用のほか，皮膚面に塗

擦すると水分が蒸発してトラガントの薄膜が残り，皮膚を保護する作用を有する

[治療]

効能・効果　皮膚そう痒症，汗疹，蕁麻疹，小児ストロフルス，虫さされ

用法・用量　1日1～数回患部に塗布(適宜増減)

[使用上の注意]

禁忌　びらん・潰瘍・結痂・損傷皮膚及び粘膜

[その他の管理的事項]

投与期間制限　該当しない

保険給付上の注意　該当しない

[資料]

IF　カチリ「ホエイ」 2014年7月改訂(第4版)

歯科用フェノール・カンフル
Dental Phenol with Camphor

[概要]

薬効分類　273　歯科用鎮痛鎮静剤(根管及び齲窩消毒剤を含む.)

原薬の規制区分　[劇]

原薬の外観・性状　無色～淡赤色の液で，特異なにおいがある

先発医薬品等

[歯科用] キャンフェニック「ネオ」(ネオ)
村上キャンフェニック(アグサジャパン)

国際誕生年月　該当しない

海外での発売状況　該当資料なし

[製剤]

規制区分　[歯科用] [劇]

製剤の性状　無色～淡赤色の液で，特異なにおいがある

有効期間又は使用期限　5年

貯法・保存条件　遮光・密栓して室温保存

薬剤取扱い上の留意点　軟組織に対し局所作用を現すおそれがあるので，口腔粘膜等へ付着させないよう配慮すること．軟組織に付着した場合は直ちに拭きとり，エタノール，グリセリン，植物油で清拭するか又は多量の水で洗う等適切な処置を行うこと

[薬理作用]

分類　消毒・鎮痛剤

作用部位・作用機序　フェノールの腐食作用及び鎮痛作用とカンフルの局所刺激作用との相乗作用による知覚鈍麻の効果とともに，カンフルはフェノールの局所毒性を減少する目的で配合されるが，フェノールの鎮痛，消毒作用は多少低下する

[治療]

効能・効果　う窩及び根管の消毒，歯髄炎の鎮痛鎮静

用法・用量　う窩及び根管の処置後，適量を滅菌小綿球又は綿繊維に浸潤させて窩内あるいは根管内に挿入し，仮封する

[その他の管理的事項]

投与期間制限　該当しない

保険給付上の注意　該当しない

[資料]

IF　フェノール・カンフル歯科用消毒液「昭和」 2017年1月改訂(第2版)

フェノールスルホンフタレイン
フェノールスルホンフタレイン注射液
Phenolsulfonphthalein

[概要]

薬効分類　722　機能検査用試薬

構造式

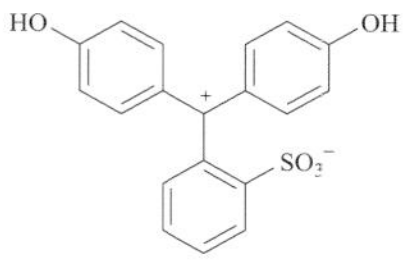

分子式　$C_{19}H_{14}O_5S$

分子量　354.38

略語・慣用名　PSP　別名・慣用名：Phenol red

ステム　不明

原薬の規制区分　該当しない

原薬の外観・性状　鮮赤色～暗赤色の結晶性の粉末である．水又はエタノール(95)に極めて溶けにくい．水酸化ナトリウム試液に溶ける

原薬の吸湿性　該当資料なし

原薬の酸塩基解離定数　該当資料なし

先発医薬品等

[注] フェノールスルホンフタレイン注0.6%「AFP」(アルフレッサファーマ)

国際誕生年月　不明

海外での発売状況　米，欧，中国

[製剤]

規制区分　[注] [処]

製剤の性状　[注] だいだい黄色～赤色澄明の液

有効期間又は使用期限　3年

貯法・保存条件　室温保存

患者向け資料等　くすりのしおり

溶液及び溶解時のpH　6.0～7.6

浸透圧比　約1(対生食)

調製時の注意　該当しない

[薬理作用]

分類　腎機能検査薬

作用部位・作用機序　静脈又は筋肉内に注射すると，体内で酸化分解を受けることなく，大部分が腎臓の近位尿細管から尿中に速やかに排泄される．腎障害があると尿中への排泄が遅延する．したがって，フェノールスルホンフタレインが尿中に最初に排泄される時間と，一定時間内でのフェノールスルホンフタレイン排泄量を測定することで，腎機能を検査することができる

同効薬　インジゴカルミン，パラアミノ馬尿酸ナトリウム

[治療]

効能・効果　腎機能検査

用法・用量　排尿後，水300～500mLを飲ませ，30分後に注射液1mL(6mg)を肘静脈注又は筋注．小児用量例(体重20kg以上)6mg，(10～20kg)4mg，(5～10kg)3mg，(3～5kg)2mg．測定法は添付文書参照

[使用上の注意]

禁忌　本剤の成分に対し過敏症の既往歴のある患者

[薬物動態]

血漿蛋白結合　血液中に入った本剤は赤血球中には入らず，血漿中に存在．血漿中では大部分が血漿蛋白，特にアルブミンと結合し，静注された80%は血漿蛋白と結合　**排泄**　血漿蛋白との結合は非常に離れやすく，腎から速やかに排泄．排泄比率は糸球体で6%，尿細管で94%と考えられる

その他の管理的事項
投与期間制限　該当しない
保険給付上の注意　該当しない
資料
IF　フェノールスルホンフタレイン注0.6%「AFP」 2019年3月作成(第1版)

フェルビナク
フェルビナクテープ
フェルビナクパップ
Felbinac

概要
薬効分類　264　鎮痛，鎮痒，収斂，消炎剤
構造式

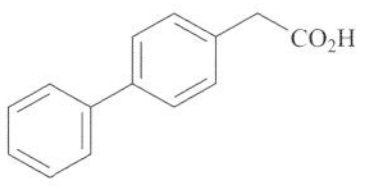

分子式　$C_{14}H_{12}O_2$
分子量　212.24
ステム　イブフェナック系抗炎症薬：-ac
原薬の規制区分　[劇](ただし，3%以下を含有する外用剤及び1枚中70mg以下を含有する貼付剤を除く)
原薬の外観・性状　白色～微黄白色の結晶又は結晶性の粉末である．メタノール又はアセトンにやや溶けやすく，エタノール(95)にやや溶けにくく，水にほとんど溶けない
原薬の吸湿性　認められない
原薬の融点・沸点・凝固点　融点：163～166℃
原薬の酸塩基解離定数　pKa＝3.9
先発医薬品等
[軟] ナパゲルン軟膏3%(帝國製薬)
[クリーム] ナパゲルンクリーム3%(帝國製薬)
[外用液] ナパゲルンローション3%(帝國製薬)
[貼] セルタッチテープ70(帝國製薬)
セルタッチパップ70・140(帝國製薬)
後発医薬品
[軟] 3%
[外用液] 3%
[噴] 3%
[貼] テープ35mg・70mg・パップ70mg・140mg
国際誕生年月　1986年9月
製剤
製剤の性状　[軟] 無色～帯微黄色澄明のゲル状軟膏剤　[クリーム] 白色のクリーム剤　[外用液] 僅かに粘性を有するごく僅かに白濁した液剤　[貼(パップ)] 白色～淡黄色の膏体を不織布に展延し，膏体表面をプラスチックフィルムで被覆した外用貼付剤　[貼(テープ)] 白色半透明の膏体を支持体で支持し，膏体面をライナーで被覆した貼付剤
有効期間又は使用期限　3年
貯法・保存条件　[軟] [外用液] 室温保存．火気を避けて保管　[クリーム] 室温保存　[貼] 気密容器．遮光・室温保存．開封後は袋の口を閉じて保存
薬剤取扱い上の留意点　[軟] [クリーム] [外用液] 使用のつど必ずキャップをきちんと閉めて保存すること　[貼] 使用後はチャックをしめて保管すること
患者向け資料等　くすりのしおり
溶液及び溶解時のpH　[軟] [外用液] 6.8～8.0　[クリーム] 7.0～8.0　[貼(パップ)] 6.5～8.0
調製時の注意　該当しない
薬理作用
分類　非ステロイド系鎮痛消炎剤
作用部位・作用機序　プロスタグランジン生合成抑制作用(*in vitro*)：モルモット肺より抽出したプロスタグランジン合成酵素のシクロオキシゲナーゼに対し，インドメタシンの1/2，アスピリンの10倍の阻害作用が認められる(IC50＝0.61μg/mL)　抗プロスタグランジン作用(*in vitro*)：プロスタグランジンE_1によるスナネズミ結腸の収縮に対し，抑制作用を示す
同効薬　インドメタシン，ケトプロフェンなど
治療
効能・効果　次の疾患ならびに症状の鎮痛・消炎：変形性関節症，筋・筋膜性腰痛症，肩関節周囲炎，腱・腱鞘炎，腱周囲炎，上腕骨上顆炎(テニス肘等)，筋肉痛，外傷後の腫脹・疼痛　※ただし，筋・筋膜性腰痛症は貼付剤を除く
用法・用量　1日数回(貼付剤は2回)患部に塗布，塗擦，貼付，噴霧
使用上の注意
禁忌　[軟] [クリーム] [外用液] ①本剤の成分に対し過敏症の既往歴のある患者　②アスピリン喘息(非ステロイド性消炎鎮痛剤等による喘息発作の誘発)又はその既往歴のある患者[喘息発作を誘発するおそれがある]
[貼] ①本剤又は他のフェルビナク製剤に対して過敏症の既往歴のある患者　②アスピリン喘息(非ステロイド性消炎鎮痛剤等による喘息発作の誘発)又はその既往歴のある患者［喘息発作を誘発するおそれがある］
薬物動態
血清中濃度　①[軟] 10g(300mg)を健常成人男子6例の背部に単回塗擦8時間後に薬剤を除去時の血清中濃度は，塗擦後24時間目に平均最高血中濃度411ng/mL，48時間目に90ng/mLまで減少．1回3.3gを1日3回(297mg/日)，5日間反復して健常成人男子6例の背部(同一部位)に塗擦し，各日の3回目の塗擦4時間後に薬剤を除去時の血清中濃度は，2日目以降平均血中濃度約100～300ng/mL，最終塗擦終了後64時間目に48ng/mLまで減少　②[外用液] 10mL(300mg)を健常成人男子5例の背部に単回塗布8時間後に薬剤を除去時の血清中濃度は，塗布後24時間目に平均最高血中濃度414ng/mL，48時間目に65ng/mLまで減少　③[貼] 4枚(280mg)を健常成人男子5例の背部に12時間単回貼付時の平均血清中濃度はTmax11.2±0.8hr，Cmax835±127ng/mL，AUC17±2.6μg・hr/mL，$T_{1/2}$ 6.82±0.33hr　**尿中排泄**　尿中に代謝物として主にフェルビナク抱合体ならびに4'-OH-フェルビナク及びその抱合体．[軟] 単回塗擦後48時間目までのこれらの平均総排泄量は，9.86mg(塗擦量の3.29%)であり，そのうち未変化体の排泄量は0.21mg．また，5日間反復塗擦時の塗擦期間中の各日のこれらの平均排泄量は1.88～4.33mg(塗擦1日量の0.63～1.46%)．[外用液] 単回塗布後48時間目までのこれらの平均総排泄量は，10.79mg(塗布量の3.6%)．[貼] 72時間後までのこれらの累積排泄量は，18.4mg(フェルビナク換算値，貼付量の6.6%)であり，そのうち未変化体の排泄量は約0.3mg　**組織移行性**　①[軟] 関節液の貯留を認める変形性膝関節症患者2例に，3gを単回塗擦6時間後の血清中未変化体濃度は28～37ng/mL，滑液中濃度は10～15ng/mL．当該患者は塗擦6時間後に手術が施行されたが，各組織中の未変化体濃度は，塗擦部皮膚，皮下脂肪，筋肉及び滑膜で血清より高値　②[外用液] 参考：3%^{14}C-フェルビナクローション0.3mL(9mg)を雄性ラットの剃毛した正常腹部皮膚に単回塗布，塗布部位皮膚中，筋肉中濃度は，血清中濃度よりも高く，それぞれ塗布後0.5時間目，6時間目に最高値，塗布後0～96時間のAUCは，それぞれ5.6mg eqhr/g，40.3μg eqhr/g　③[貼](参考)：0.5%^{14}C-フェルビナク3×4cmを雄性ラットの剃毛した正常背部皮膚に24時間貼付時，ほとんどの組織で放射能濃度は8時間後最高値．特に貼付部皮膚で高濃度(219μg/g)，血液，血漿，肝臓，腎臓及び貼付部位筋肉等にも高濃度．また，同

様の実験をカラゲニン足浮腫ラットでは，1，3及び6時間後の炎症部位の滲出液中放射能濃度は非貼付部位のそれの約90〜130倍の値

その他の管理的事項

投与期間制限　該当しない

保険給付上の注意　該当しない

資料

IF　ナパゲルン軟膏3%・クリーム3%・ローション3%　2019年8月改訂(第14版)
セルタッチパップ70・140・テープ70　2019年6月改訂(第12版)

フェロジピン フェロジピン錠 Felodipine

概要

薬効分類　214　血圧降下剤

構造式

及び鏡像異性体

分子式　$C_{18}H_{19}Cl_2NO_4$

分子量　384.25

ステム　ニフェジピン系カルシウムチャネル拮抗薬：-dipine

原薬の規制区分　毒(ただし，1錠中5mg以下を含有するものは劇)

原薬の外観・性状　微黄白色〜淡黄白色の結晶又は結晶性の粉末である．メタノール又はエタノール(99.5)に溶けやすく，水にほとんど溶けない．本品のメタノール溶液(1→20)は旋光性を示さない

原薬の吸湿性　相対湿度100%の環境下においても吸湿性は認められない

原薬の融点・沸点・凝固点　融点：143〜146℃

原薬の酸塩基解離定数　pH1.3〜pH12.9の範囲において，酸解離定数は認められない

先発医薬品等

錠 スプレンジール錠2.5mg・5mg(アストラゼネカ)

後発医薬品

錠 2.5mg・5mg

国際誕生年月　1987年3月

海外での発売状況　米，英，独など80カ国以上

製剤

規制区分　錠 劇 処

製剤の性状　2.5mg錠 うすいだいだい色のフィルムコート錠　5mg錠 黄色のフィルムコート錠

有効期間又は使用期限　3年

貯法・保存条件　室温保存

薬剤取扱い上の留意点　降圧作用に基づくめまい等があらわれることがあるので，高所作業，自動車の運転等を伴う機械を操作する際には注意させること

患者向け資料等　くすりのしおり

調製時の注意　該当しない

薬理作用

分類　ジヒドロピリジン系Ca拮抗薬

作用部位・作用機序　血管平滑筋のカルシウムチャネルを阻害することにより，末梢血管を拡張して降圧作用をもたらす．本剤の血管に対する選択性は心筋に比べ約100倍高い

同効薬　ニフェジピン，ニルバジピン，ニソルジピン，ニトレンジピン，アムロジピンなど

治療

効能・効果　高血圧症

用法・用量　1回2.5〜5mg，1日2回朝夕(適宜増減)．効果不十分な場合には，1回10mg，1日2回まで増量できる

禁忌・原則禁忌となる特定患者集団　妊婦又は妊娠している可能性のある婦人

使用上の注意

禁忌　①妊婦又は妊娠している可能性のある婦人［動物実験で催奇形作用が報告されている］　②心原性ショックの患者［血圧低下により症状が悪化するおそれがある］　③本剤の成分に対し過敏症の既往歴のある患者

相互作用概要　主としてCYP3A4で代謝される

過量投与　過量投与により著明な低血圧，ときに徐脈を伴う過度の末梢血管拡張を起こす可能性がある．重篤な低血圧が発現した場合には補液等の対症療法を行う．また，徐脈に対してはアトロピン硫酸塩水和物の静脈内投与を考慮する．なお，血液透析によって除去できない

薬物動態

血中濃度　速やかに，ほぼ完全に吸収される．健常成人(各6例)に2.5mg，5mg及び10mgを単回経口投与時，血漿中未変化体濃度は投与後1〜1.4時間に最高，消失半減期は1.9〜2.7時間．薬物動態パラメータ(2.5mg，5mg，10mgの順)はCmax(ng/mL)2.4±1.1，7.3±4.3，12.2±3.4，Tmax(hr)1.2±0.3，1.0±1.0，1.4±0.6，半減期(hr)1.9±0.3，2.3±0.3，2.7±0.3，AUC_{0-72}(ng・hr/mL)7.7±5.7，14.1±7.7，48.6±13.7．健常成人に5mgを1日2回15日間連続経口投与時，1回目及び最終投与時の未変化体の薬物動態学的パラメータに差はなかった．各回投与直前の血漿中未変化体濃度は投与回数とともに上昇したが，投与8日目以降定常状態．**参考；外国人データ**　単回経口投与及び静注後の未変化体のAUCの比較から求めた生物学的利用率は約16%と，初回通過効果を大きく受ける　**血漿蛋白質との結合**　血漿蛋白質との結合率は99%以上　**代謝・排泄**　血漿中には未変化体のほか，ピリジン体，ピリジン体のメチル及びエチルモノジアシド体，フェロジピンのメチルモノジアシド体の4種の代謝物．尿中には6.5〜8.8%がピリジン体のメチル及びエチルモノアシド体として排泄され，未変化体は検出されなかった．**参考；外国人データ**　単回経口投与及び静注時の尿中総放射能回収率にほとんど差はなく，経口投与時では投与後72時間までに尿中に約62%，糞中に約10%

その他の管理的事項

投与期間制限　該当しない

保険給付上の注意　該当しない

資料

IF　スプレンジール錠2.5mg・5mg　2020年4月改訂(第13版)

フ

フェンタニルクエン酸塩
Fentanyl Citrate

概要

薬効分類 821 合成麻薬

構造式

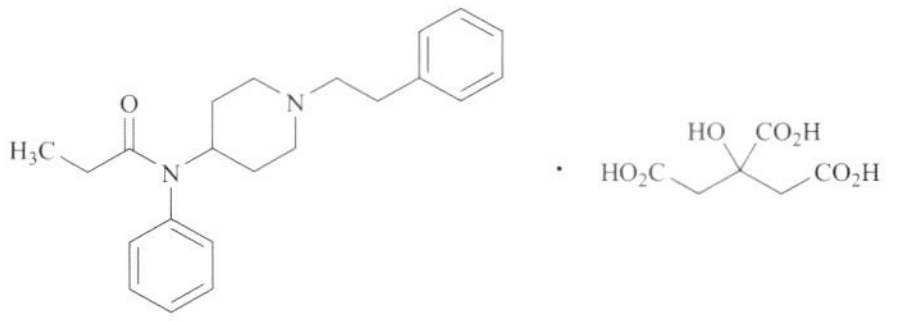

分子式 $C_{22}H_{28}N_2O \cdot C_6H_8O_7$

分子量 528.59

ステム フェンタニル系麻薬性鎮痛薬：-fentanil

原薬の規制区分 毒(ただし，製剤は劇)，麻

原薬の外観・性状 白色の結晶又は結晶性の粉末である．メタノール又は酢酸(100)に溶けやすく，水又はエタノール(95)にやや溶けにくく，ジエチルエーテルに極めて溶けにくい．0.10gを水10mLに溶かした液のpHは3.0～5.0である

原薬の吸湿性 該当資料なし

原薬の融点・沸点・凝固点 融点：150～154℃

原薬の酸塩基解離定数 pKa＝8.43

先発医薬品等

錠 アブストラル舌下錠100μg・200μg・400μg(協和キリン＝久光)

口内錠 イーフェンバッカル錠50μg・100μg・200μg・400μg・600μg・800μg(帝國製薬＝大鵬薬品)

注 フェンタニル注射液0.1mg・0.25mg「第一三共」(第一三共プロファーマ＝第一三共)

貼 フェントステープ0.5mg・1mg・2mg・4mg・6mg・8mg(久光＝協和キリン)

後発医薬品

注 0.005％

貼 1mg・2mg・4mg・6mg・8mg

国際誕生年月 不明

海外での発売状況 **舌下錠** 欧米その他の各国 **バッカル錠** 欧米など48カ国 **注** 北米，EUなど **貼** 発売されていない

製剤

規制区分 劇 麻 処

製剤の性状 **100μg舌下錠** 白色の素錠 **200μg舌下錠** まだらをもつごくうすい黄色の素錠 **400μg舌下錠** まだらをもつごくうすい帯黄赤色の素錠 **バッカル錠** 発泡性を有する白色の円形平板錠(バッカル錠) **注** 無色澄明の液 **貼** 白色の四隅が丸い四角形の粘着テープ剤で，膏体面は，透明のライナーで覆われている

有効期間又は使用期限 **舌下錠** 4年 **バッカル錠** **貼** 3年 **注** 5年

貯法・保存条件 **舌下錠** 室温保存(開封後防湿保存) **バッカル錠** **注** **貼** 室温保存

薬剤取扱い上の留意点 連用により薬物依存を生じることがあるので，観察を十分に行い，慎重に使用すること．眠気，めまいが起こることがあるので，本剤投与中の患者には自動車の運転等危険を伴う機械の操作に従事させないよう注意すること **舌下錠** 200μg錠及び400μg錠は錠剤表面にまだらが認められ，多少の色調幅があるが，使用色素によるものであり，品質に影響はない．本剤は吸湿により硬度が低下するため，アルミニウム袋開封後は，開封口を閉じて保存すること．本剤は通常の錠剤に比べて硬度が低いため，衝撃による欠けや割れが生じることがあるので，取り扱いに注意すること．誤用防止のため，含量の異なる本剤を同時に交付しないこと．誤用防止のため，本剤の使用を中止した場合，用量調節後に使用しなくなった含量の薬剤がある場合，又は本剤開始により使用しなくなった他のフェンタニル速放性製剤がある場合には，未使用製剤を病院又は薬局に返却するよう患者等に指導すること **バッカル錠** 吸湿性を有するため，ブリスターシートは必ず使用直前に開封すること．割ったり，噛んだり，舐めたりして使用しないこと．また，割れている場合も使用しないこと．口内乾燥が認められる患者では，必要に応じて少量の水で口内を湿らせた後に本剤を使用してもよい．本剤が溶けるまで，上顎臼歯の歯茎と頬との間に置いておくこと．また，30分経っても本剤の一部が口腔内に残っている場合，水等で嚥下してもよい．本剤を連続して使用する場合は，口腔内の影響を考慮し，左右の上顎臼歯の歯茎と頬との間を交互に使用することを推奨する．途中で口腔内から出してしまった場合，残った薬剤は決して放置せず，多量の流水で溶かすなどにより，安全に処分するよう指導すること **貼** 貼付部位：体毛のない部位に貼付することが望ましいが，体毛のある部位に貼付する場合は，創傷しないようにハサミを用いて除毛すること．本剤の吸収に影響を及ぼすため，カミソリや除毛剤等は使用しないこと．貼付部位の皮膚を拭い，清潔にしてから本剤を貼付すること．清潔にする場合には，本剤の吸収に影響を及ぼすため，石鹸，アルコール，ローション等は使用しないこと．また，貼付部位の水分は十分に取り除くこと．皮膚刺激を避けるため，毎回貼付部位を変えることが望ましい．活動性皮膚疾患，創傷面等がみられる部位及び放射線照射部位は避けて貼付すること 貼付時：本剤を使用するまでは包装袋を開封せず，開封後は速やかに貼付すること．包装袋は手で破り開封し，本剤を取り出すこと．手で破ることが困難な場合は，ハサミ等で包装袋の端に切り込みを入れ，そこから手で破り本剤を取り出すこと．本剤をハサミ等で切って使用しないこと

患者向け資料等 **舌下錠** **バッカル錠** 患者向医薬品ガイド，くすりのしおり **注** くすりのしおり **貼** 患者向医薬品ガイド，くすりのしおり，患者向け指導箋

溶液及び溶解時のpH **注** 4.5～6.5

浸透圧比 **注** 約0.01(対生食)

薬理作用

分類 アヘンアルカロイド系鎮痛薬

作用部位・作用機序 μオピオイド受容体に選択的に結合し，脊髄後角からの侵害刺激の上行性伝達を直接的に抑制するとともに中脳から脊髄後角に下行する疼痛抑制系を賦活することにより鎮痛作用を発現すると考えられている．また，その作用機序はモルヒネに類似するが，鎮痛作用はモルヒネに比べて強いことが知られている

同効薬 フェンタニル，レミフェンタニル塩酸塩，モルヒネ塩酸塩水和物，モルヒネ硫酸塩水和物，オキシコドン塩酸塩水和物など

治療

効能・効果 **口内錠** **舌下錠** 強オピオイド鎮痛剤を定時投与中の癌患者における突出痛の鎮痛

注 ①全身麻酔，全身麻酔における鎮痛 ②局所麻酔における鎮痛の補助 ③激しい疼痛(術後疼痛，癌性疼痛等)に対する鎮痛

貼(フェントス) 非オピオイド鎮痛剤及び弱オピオイド鎮痛剤で治療困難な次における鎮痛(ただし，慢性疼痛は他のオピオイド鎮痛剤から切り替えて使用する場合に限る)：①中等度から高度の疼痛を伴う各種癌 ②中等度から高度の慢性疼痛

貼(フェントス以外) 非オピオイド鎮痛剤及び弱オピオイド鎮痛剤で治療困難な次における鎮痛(ただし，他のオピオイド鎮痛剤から切り替えて使用する場合に限る)：中等度から高度の疼痛を伴う各種癌

効能・効果に関連する使用上の注意 **口内錠** **舌下錠** ①他のオピオイド鎮痛剤が一定期間投与され，忍容性が確認された患者で，かつ強オピオイド鎮痛剤(モルヒネ製剤，オキシコド

ン製剤及びフェンタニル製剤)の定時投与により持続性疼痛が適切に管理されている癌患者における突出痛(一時的に現れる強い痛み)に対してのみ投与する ②**口内錠** 定時投与されている強オピオイド鎮痛剤が低用量の患者(モルヒネ経口剤30mg/日未満又は同等の鎮痛効果を示す用量の他のオピオイド鎮痛剤を定時投与中の患者)における使用経験は限られているため，本剤の必要性を慎重に検討した上で，副作用の発現に十分注意する ③**舌下錠** 定時投与されている強オピオイド鎮痛剤が低用量の患者(モルヒネ経口剤60mg/日未満，オキシコドン経口剤40mg/日未満，フェンタニル経皮吸収型製剤0.6mg/日※)未満，又は同等の鎮痛効果を示す用量の他のオピオイド鎮痛剤を定時投与中の患者)における本剤の使用経験は限られているため，本剤の必要性を慎重に検討した上で，副作用の発現に十分注意する *)定常状態におけるフェンタニルの推定平均吸収量

貼(フェントス) ①オピオイド鎮痛剤の継続的な投与を必要とするがん疼痛及び慢性疼痛の管理にのみ使用する ②他のオピオイド鎮痛剤から切り替えて使用する場合は，他のオピオイド鎮痛剤が一定期間投与され，忍容性が確認された患者に使用する ③(効能①)本剤貼付前にオピオイド鎮痛剤を使用していないがん疼痛患者に対しては，経口オピオイド鎮痛剤に比べ本剤による治療が有益であると考えられる場合(経口投与が困難な患者，経口剤による副作用発現のおそれがある患者，多剤併用等により貼付剤の投与が望まれる患者等)にのみ使用する．本剤は経口オピオイド鎮痛剤に比べ有効成分の血中濃度が徐々に上昇するため，至適用量を決定するまでに時間を要する可能性がある ④(効能②)慢性疼痛の原因となる器質的病変，心理的・社会的要因，依存リスクを含めた包括的な診断を行い，本剤の使用の適否を慎重に判断する

貼(フェントス以外) ①他のオピオイド鎮痛剤が一定期間投与され，忍容性が確認された患者で，かつオピオイド鎮痛剤の継続的な投与を必要とする癌性疼痛及び慢性疼痛の管理にのみ使用する ②慢性疼痛の原因となる器質的病変，心理的・社会的要因，依存リスクを含めた包括的な診断を行い，本剤の使用の適否を慎重に判断する

用法・用量 **口内錠** 1回の突出痛に対して，フェンタニルとして50又は100μgを開始用量とし，上顎臼歯の歯茎と頬の間で溶解させる：①用量調節期に，フェンタニルとして1回50，100，200，400，600，800μgの順に一段階ずつ適宜調節し，至適用量を決定する．なお，用量調節期に1回の突出痛に対してフェンタニルとして1回50～600μgのいずれかの用量で十分な鎮痛効果が得られない場合には，投与から30分後以降に同一用量までを1回のみ追加投与できる ②至適用量決定後の維持期には，1回の突出痛に対して至適用量を1回投与することとし，1回用量の上限はフェンタニルとして800μg．ただし，用量調節期の追加投与を除き，前回の投与から4時間以上の投与間隔をあけ，1日あたり4回以下の突出痛に対する投与にとどめる

舌下錠 1回の突出痛に対して，フェンタニルとして100μgを開始用量として舌下投与：①用量調節期に，症状に応じて，フェンタニルとして1回100，200，300，400，600，800μgの順に一段階ずつ適宜調節し，至適用量を決定．なお，用量調節期に1回の突出痛に対してフェンタニルとして1回100～600μgのいずれかの用量で十分な鎮痛効果が得られない場合には，投与から30分後以降に同一用量までの本剤を1回のみ追加投与できる ②至適用量決定後の維持期には，1回の突出痛に対して至適用量を1回投与することとし，1回用量の上限はフェンタニルとして800μg．ただし，用量調節期の追加投与を除き，前回の投与から2時間以上の投与間隔をあけ，1日あたり4回以下の突出痛に対する投与にとどめる

注 フェンタニルとして通常次の用量を用いる(適宜増減)：①全身麻酔，全身麻酔における鎮痛：〔バランス麻酔に用いる場合〕(1)麻酔導入時：(ア)成人：1.5～8μg/kgを緩徐に静注するか，又はブドウ糖液等に希釈して点滴静注 (イ)小児：1～5μg/kgを緩徐に静注するか，又はブドウ糖液等に希釈して点滴静注 (2)麻酔維持：(ア)成人：ブドウ糖液等に希釈して，次の(a)又は(b)により投与：(a)間欠投与：25～50μgずつ静注 (b)持続投与：0.5～5μg/kg/時で点滴静注 (イ)小児：1～5μg/kgずつ間欠的に静注するか，又はブドウ糖液等に希釈して点滴静注 〔大量フェンタニル麻酔に用いる場合〕(ア)麻酔導入時：(a)成人：20～150μg/kgを緩徐に静注するか，又はブドウ糖液等に希釈して点滴静注 (b)小児：1～5μg/kgを緩徐に静注するか，又はブドウ糖液等に希釈して点滴静注．100μg/kgまで投与できる (イ)麻酔維持：(a)成人：必要に応じて，ブドウ糖液等に希釈し，20～40μg/kg/時で点滴静注 (b)小児：1～5μg/kgずつ間欠的に静注するか，又はブドウ糖液等に希釈して点滴静注 ②局所麻酔における鎮痛の補助：成人には1～3μg/kgを静注(適宜増減) ③激しい疼痛に対する鎮痛：成人：〔静脈内投与の場合〕(1)術後疼痛：1～2μg/kgを緩徐に静注後，1～2μg/kg/時で点滴静注 (2)癌性疼痛：1日0.1～0.3mgから開始し，症状に応じて適宜増量 〔硬膜外投与の場合〕(1)単回投与法：1回25～100μgを硬膜外腔に注入 (2)持続注入法：25～100μg/時で硬膜外腔に持続注入 〔くも膜下投与の場合〕単回投与法：1回5～25μgをくも膜下腔に注入

貼 胸部，腹部，上腕部，大腿部等に貼付し，1日(約24時間)毎に貼り替えて使用する．その後の貼付用量は適宜増減 (1)(フェントス)効能①：本剤貼付前にオピオイド鎮痛剤を使用していない場合，0.5mgより開始．他のオピオイド鎮痛剤から切り替えて使用する場合，本剤貼付前に使用していたオピオイド鎮痛剤の用法及び用量を勘案して，0.5mg，1mg，2mg，4mg，6mgのいずれかの用量を選択する 効能②：他のオピオイド鎮痛剤から切り替えて使用する．本剤貼付前に使用していたオピオイド鎮痛剤の用法及び用量を勘案して，0.5mg，1mg，2mg，4mg，6mgのいずれかの用量を選択する (2)(フェントス以外)オピオイド鎮痛剤から切り替えて使用する．初回貼付用量は本剤貼付前に使用していたオピオイド鎮痛剤の用法・用量を勘案して，1mg，2mg，4mg，6mgのいずれかの用量を選択する

用法・用量に関連する使用上の注意 **口内錠** ①処方時：(1)突出痛の回数や受診可能な頻度等を考慮して，必要最小限の錠数を処方する (2)誤用防止のため，用量の異なる本剤を同時に処方しない ②投与方法：口腔粘膜から吸収させる製剤であるため，噛んだり，舐めたりせずに使用する(口腔粘膜からの吸収が低下し，バイオアベイラビリティが低下する可能性がある) ③開始用量：(1)定時投与中の強オピオイド鎮痛剤としてモルヒネ経口剤30mg/日以上60mg/日未満または同等の鎮痛効果を示す用量の他の強オピオイド鎮痛剤を定時投与中の患者では，1回の突出痛に対してフェンタニルとして50μgから開始することが望ましい (2)すべての患者において開始用量は1回の突出痛に対してフェンタニルとして50または100μgであり，他のフェンタニル速放性製剤から変更する場合でも，必ずフェンタニルとして1回50または100μgから開始する(フェンタニルの含量が同じであっても本剤と吸収が異なるため) ④用量調節と維持：(1)1回の突出痛に対して1回の投与で十分な鎮痛効果が得られるよう，一段階ずつ漸増して，患者ごとに用量調節を行う (2)1回の突出痛に対して本剤の追加投与を必要とする状態が複数回続く場合には，1回用量の増量を検討する (3)1回あたりの投与錠数は4錠(左右の上顎臼歯の歯茎と頬との間に2錠ずつ)までとする．また，用量調節後は同じ用量の規格に切り替えて1回1錠を投与することが望ましい (4)定時投与中のオピオイド鎮痛剤を増量する場合や種類を変更する場合には，副作用に十分注意し，必要に応じて減量を考慮する (5)1回の突出痛に対してフェンタニルとして1回800μgで十分な鎮痛効果が得られない場合には，他の治療法への変更を考慮する (6)1日に4回を超える突出痛の発現が続く場合には，定時投与中の強オピオイド鎮痛剤の増量を検討する **舌下錠** ①処方時：(1)突出痛の回数や受診可能な頻度等を考慮して，必要最小限の錠数を処方す

フ

る (2)誤用防止のため，含量の異なる本剤を同時に処方しない ②投与方法：本剤は舌下の口腔粘膜から吸収させる製剤であるため，なめたり，噛み砕いたりせずに使用する[口腔粘膜からの吸収が低下し，バイオアベイラビリティが低下する可能性がある] ③開始用量：他のフェンタニル速放性製剤から本剤に変更する場合でも，必ずフェンタニルとして1回100μgから投与を開始する[フェンタニルの含量が同じであっても本剤と吸収が異なるため] ④用量調節と維持：(1)1回の突出痛に対して1回の本剤投与で十分な鎮痛効果が得られるよう，一段階ずつ漸増して，患者毎に用量調節を行う (2)1回の突出痛に対して本剤の追加投与を必要とする状態が複数回続く場合には，本剤の1回用量の増量を検討する (3)1回あたりの投与錠数は4錠までとする (4)定時投与中のオピオイド鎮痛剤を増量する場合や種類を変更する場合には，副作用に十分注意し，必要に応じて本剤の減量を考慮する (5)1回の突出痛に対してフェンタニルとして800μgで十分な鎮痛効果が得られない場合には，他の治療法への変更を考慮する (6)1日に4回を超える突出痛の発現が続く場合には，癌に伴う持続性疼痛に使用されているオピオイド鎮痛剤の増量を検討する **注** ①バランス麻酔においては，適宜，全身麻酔剤や筋弛緩剤等を併用する ②大量フェンタニル麻酔の導入時(開心術においては人工心肺開始時まで)には，適切な麻酔深度が得られるよう患者の全身状態を観察しながら補助呼吸下で緩徐に投与する．また，必要に応じて，局所麻酔剤，静脈麻酔剤，吸入麻酔剤，筋弛緩剤等を併用する ③硬膜外投与およびくも膜下投与時には局所麻酔剤等を併用する ④患者の状態(呼吸抑制等)を観察しながら慎重に投与する．特に癌性疼痛に対して追加投与および他のオピオイド製剤から本剤へ変更する場合には，前投与薬剤の投与量，効力比および鎮痛効果の持続時間を考慮して，副作用の発現に注意しながら，適宜用量調節を行う(ガイドライン※)参照) ⑤癌性疼痛に対して初めてオピオイド製剤として本剤を静注する場合には，個人差も踏まえ，通常よりも低用量(ガイドライン※)参照)から開始することを考慮し，鎮痛効果および副作用の発現状況を観察しながら用量調節を行う ※)日本麻酔科学会－麻酔薬および麻酔関連薬使用ガイドライン(抜粋) 3)使用法(フェンタニル注射液について)：(3)激しい疼痛(術後疼痛，癌性疼痛等)に対する鎮痛：(ア)静注：a)術後痛：術後痛に対しては，初回投与量として1～2μg/kgを静注し，引き続き1～2μg/kg/hrで持続静注する．患者の年齢，症状に応じて適宜増減が必要である．患者自己調節鎮痛(PCA)を行う場合は，4～60μg/hrで持続投与を行い，痛みに応じて5～10分以上の間隔で7～50μg(10～20μgを用いることが多い)の単回投与を行う b)癌性疼痛：癌性疼痛に対して，経口モルヒネ製剤から切り替える場合は，1日量の1/300量から開始する．持続静注の維持量は，0.1～3.9mg/dayと個人差が大きいので，0.1～0.3mg/dayから開始し，投与量を滴定する必要がある **貼** ①初回貼付用量：初回貼付用量として，フェントステープ8mgは推奨されない(初回貼付用量として6mgを超える使用経験は少ない)．初回貼付用量を選択する換算は，経口モルヒネ量60mg/日(坐剤の場合30mg/日，注射の場合20mg/日)，経口オキシコドン量40mg/日，フェンタニル経皮吸収型製剤(3日貼付型製剤)4.2mg(25μg/hr：フェンタニル0.6mg/日)，経口コデイン量180mg/日以上に対して本剤2mgへ切り替えるものとして設定している．なお，初回貼付用量は換算に基づく適切な用量を選択し，過量投与にならないよう注意する〈換算(オピオイド鎮痛剤から本剤へ切り替える際の推奨貼付用量)〉(1)癌性疼痛における切り替え：([ ]内は「定常状態における推定平均吸収量(フェンタニルとして)※1)」を表す)：本剤使用前の鎮痛剤が (ア)モルヒネ経口剤(mg/日)＜15またはモルヒネ注射剤/静脈内投与(mg/日)＜5またはオキシコドン経口剤(mg/日)＜10→切り替え貼付用量本剤0.5mg/日[0.15mg/日] (イ)モルヒネ経口剤(mg/日)16～29またはモルヒネ坐剤(mg/日)＜10またはモルヒネ注射剤/静脈内投与(mg/日)6～9またはオキシコドン経口剤(mg/日)11～19またはフェンタニル経皮吸収型製剤(3日貼付型製剤：貼付用量mg)2.1→切り替え貼付用量本剤1mg/日[0.3mg/日] (ウ)モルヒネ経口剤(mg/日)30～89またはモルヒネ坐剤(mg/日)20～40またはモルヒネ注射剤/静脈内投与(mg/日)10～29またはオキシコドン経口剤(mg/日)20～59またはフェンタニル経皮吸収型製剤(3日貼付型製剤：貼付用量mg)4.2→切り替え貼付用量本剤2mg/日[0.6mg/日] (エ)モルヒネ経口剤(mg/日)90～149またはモルヒネ坐剤(mg/日)50～70またはモルヒネ注射剤/静脈内投与(mg/日)30～49またはオキシコドン経口剤(mg/日)60～99またはフェンタニル経皮吸収型製剤(3日貼付型製剤：貼付用量mg)8.4→切り替え貼付用量本剤4mg/日[1.2mg/日] (オ)モルヒネ経口剤(mg/日)150～209またはモルヒネ坐剤(mg/日)80～100またはモルヒネ注射剤/静脈内投与(mg/日)50～69またはオキシコドン経口剤(mg/日)100～139またはフェンタニル経皮吸収型製剤(3日貼付型製剤：貼付用量mg)12.6→切り替え貼付用量本剤6mg/日[1.8mg/日] (2)慢性疼痛における切り替え：([ ]内は「定常状態における推定平均吸収量(フェンタニルとして)※1)」を表す)：本剤使用前の鎮痛剤が (ア)モルヒネ経口剤(mg/日)＜15またはコデイン経口剤(mg/日)＜90→切り替え貼付用量本剤0.5mg/日[0.15mg/日] (イ)モルヒネ経口剤(mg/日)16～29またはフェンタニル経皮吸収型製剤(3日貼付型製剤；貼付用量mg)2.1またはコデイン経口剤(mg/日)91～179→切り替え貼付用量本剤1mg/日[0.3mg/日] (ウ)モルヒネ経口剤(mg/日)30～89またはフェンタニル経皮吸収型製剤(3日貼付型製剤；貼付用量mg)4.2またはコデイン経口剤(mg/日)180～→切り替え貼付用量本剤2mg/日[0.6mg/日] (エ)モルヒネ経口剤(mg/日)90～149またはフェンタニル経皮吸収型製剤(3日貼付型製剤；貼付用量mg)8.4→切り替え貼付用量本剤4mg/日[1.2mg/日] (オ)モルヒネ経口剤(mg/日)150～209またはフェンタニル経皮吸収型製剤(3日貼付型製剤：貼付用量mg)12.6→切り替え貼付用量本剤6mg/日[1.8mg/日] ※1)フェントステープ8mgは，初回貼付用量としては推奨されないが，定常状態における推定平均吸収量は，フェンタニルとして2.4mg/日に相当する ②初回貼付時：本剤初回貼付後少なくとも2日間は増量を行わない．他のオピオイド鎮痛剤から本剤に初めて切り替えた場合，フェンタニルの血中濃度が徐々に上昇するため，鎮痛効果が得られるまで時間を要する．そのため，次の使用方法例を参考に，切り替え前に使用していたオピオイド鎮痛剤の投与を行うことが望ましい(薬物動態参照) 〈使用方法例〉使用していたオピオイド鎮痛剤※2)の投与回数が (1)1日1回：投与12時間後に本剤の貼付を開始する (2)1日2～3回：本剤の貼付開始と同時に1回量を投与する (3)1日4～6回：本剤の貼付開始と同時および4～6時間後に1回量を投与する (4)持続投与：本剤の貼付開始後6時間まで継続して持続投与する ※2)経皮吸収型製剤を除く． 患者により前記の〈使用方法例〉では，十分な鎮痛効果が得られない場合がある．患者の状態を観察し，本剤の鎮痛効果が得られるまで，適時オピオイド鎮痛剤の追加投与(レスキュー)により鎮痛をはかる．1回の追加投与量として，本剤の切り替え前に使用していたオピオイド鎮痛剤が経口剤または坐剤の場合は1日投与量の1/6量を，注射剤の場合は1/12量を目安として投与する．この場合，速効性のオピオイド鎮痛剤を使用することが望ましい ③用量調整と維持：(1)疼痛増強時における処置：本剤貼付中に痛みが増強した場合や疼痛が管理されている患者で突出痛(一時的に現れる強い痛み)が発現した場合には，ただちにオピオイド鎮痛剤の追加投与(レスキュー)により鎮痛をはかる．1回の追加投与量として，本剤の切り替え前に使用していたオピオイド鎮痛剤が経口剤または坐剤の場合は1日投与量の1/6量を，注射剤の場合は1/12量を目安として投与する．この場合，速効性のオピオイド鎮痛剤を使用することが望ましい (2)増量：本剤初回貼付後および増量後少なくとも2日間は増量を行わない[連日の増量を行うことによって呼吸抑制が発現することがある］．鎮痛効果が得られるまで患者毎に用量調整を行う．鎮痛効果が十分得られない場合は，追加投与（レスキュー）された鎮痛剤の1日投与量および疼痛程度を考慮し，0.5mg（0.15mg/日），1mg（0.3mg/日），1.5mg（0.45mg/日）または2mg（0.6mg/日）ずつ増量する．ただし，0.5mgから増量する場合は1mg，1mgから増量する場合は1.5mgまたは2mg，1.5mgから増量する場合は2mg，2.5mgまたは3mgに増量する．なお，1回の貼付用量が24mg（7.2mg/日）を超える場合は，他の方法を考慮する　⑶減量：連用中における急激な減量は，退薬症候が現れることがあるので行わない．副作用等により減量する場合は，十分に観察を行いながら慎重に減量する　⑷使用の継続：慢性疼痛患者において，本剤貼付開始後4週間を経過してもなお期待する効果が得られない場合は，他の適切な治療への変更を検討する．また，定期的に症状および効果を確認し，使用の継続の必要性について検討する　④使用の中止：⑴使用を必要としなくなった場合には，退薬症候の発現を防ぐために徐々に減量する　⑵使用を中止し，他のオピオイド鎮痛剤に変更する場合は，本剤剥離後の血中フェンタニル濃度が50%に減少するのに17時間以上（16.75～45.07時間）かかることから，他のオピオイド鎮痛剤の投与は低用量から開始し，患者の状態を観察しながら適切な鎮痛効果が得られるまで漸増する

使用上の注意

警告　**口内錠**　**舌下錠** 小児が誤って口に入れた場合，過量投与となり死に至るおそれがあることを患者等に説明し，必ず小児の手の届かないところに保管するよう指導する
注 本剤の硬膜外及びくも膜下投与は，これらの投与法に習熟した医師のみにより，本剤の投与が適切と判断される患者についてのみ実施する
貼 本剤貼付部位の温度が上昇するとフェンタニルの吸収量が増加し，過量投与になり，死に至るおそれがある．貼付中は，外部熱源への接触，熱い温度での入浴等を避ける．発熱時には患者の状態を十分に観察し，副作用の発現に注意する

禁忌　**口内錠**　**舌下錠** ①本剤の成分に対し過敏症のある患者　②ナルメフェン塩酸塩水和物を投与中の患者又は投与中止後1週間以内の患者
注 ①（硬膜外投与，くも膜下投与）注射部位又はその周辺に炎症のある患者［硬膜外投与及びくも膜下投与により化膿性髄膜炎症状を起こすことがある］　②（硬膜外投与，くも膜下投与）敗血症の患者［硬膜外投与及びくも膜下投与により敗血症性の髄膜炎を生じるおそれがある］　③（くも膜下投与）中枢神経系疾患（髄膜炎，灰白脊髄炎，脊髄癆等）の患者［くも膜下投与により病状が悪化するおそれがある］　④（くも膜下投与）脊髄・脊椎に結核，脊椎炎及び転移性腫瘍等の活動性疾患のある患者［くも膜下投与により病状が悪化するおそれがある］　⑤筋弛緩剤の使用が禁忌の患者　⑥本剤の成分に対し過敏症の既往歴のある患者　⑦頭部外傷，脳腫瘍等による昏睡状態のような呼吸抑制を起こしやすい患者［フェンタニル投与により重篤な呼吸抑制が起こることがある］　⑧痙攣発作の既往歴のある患者［麻酔導入中に痙攣が起こることがある］　⑨喘息患者［気管支収縮が起こることがある］　⑩ナルメフェン塩酸塩水和物を投与中又は投与中止後1週間以内の患者
貼 ①本剤の成分に対し過敏症のある患者　②ナルメフェン塩酸塩水和物を投与中の患者又は投与中止後1週間以内の患者

相互作用概要　主としてCYP3A4で代謝される

過量投与　**口内錠**　**舌下錠** ①症状：フェンタニルの過量投与時の症状として，薬理作用の増強により重篤な換気低下を示す　②処置：過量投与時には以下の治療を行うことが望ましい：⑴換気低下が起きたら，本剤使用中の場合はただちに口腔内から取り出し，患者をゆり動かしたり，話しかけたりして目をさまさせておく　⑵麻薬拮抗剤（ナロキソン塩酸塩，レバロルファン酒石酸塩等）の投与を行う．患者に退薬症候又は麻薬拮抗剤の副作用が発現しないよう慎重に投与する．なお，麻薬拮抗剤の作用持続時間は本剤の作用時間より短いので，患者のモニタリングを行うか又は患者の反応に応じて，初回投与後は注入速度を調節しながら持続静注する　⑶臨床的に処置可能な状況であれば，患者の気道を確保し，酸素吸入し，呼吸を補助又は管理する．必要があれば咽頭エアウェイ又は気管内チューブを使用する．これらにより，適切な呼吸管理を行う　⑷適切な体温の維持と水分摂取を行う　⑸重度かつ持続的な低血圧が続けば，循環血液量減少の可能性があるため，適切な輸液療法を行う　**注** ①症状：フェンタニルの過量投与時の症状として，薬理作用の増強により重篤な換気低下を示す　②処置：過量投与時には次の治療を行う：⑴換気低下又は無呼吸の場合には酸素吸入を行い，必要に応じて呼吸の補助又はコントロールを行う．必要に応じて麻薬拮抗剤（ナロキソン，レバロルファン等）の投与を行う．呼吸抑制は麻薬拮抗剤の作用より長く続くおそれがあるため，必要に応じて当該麻薬拮抗剤の追加投与を行う　⑵筋強直による呼吸抑制の場合には筋弛緩剤の投与を行い，呼吸の補助又はコントロールを行う　⑶患者を注意深く観察し，保温及び適切な水分摂取を維持する　⑷重度かつ持続的な低血圧が続く場合には，循環血液量減少の可能性を考慮し，循環血液量減少がみられた場合には，適切な輸液療法を行う　**貼** ①症状：フェンタニルの過量投与時の症状として，薬理作用の増強により重篤な換気低下を示す　②処置：過量投与時には次の治療を行うことが望ましい：⑴換気低下が起きたら，ただちに本剤を剥離し，患者をゆり動かしたり，話しかけたりして目をさまさせておく　⑵麻薬拮抗剤（ナロキソン，レバロルファン等）の投与を行う．患者に退薬症候又は麻薬拮抗剤の副作用が発現しないよう慎重に投与する．なお，麻薬拮抗剤の作用持続時間は本剤の作用時間より短いので，患者のモニタリングを行うか又は患者の反応に応じて，初回投与後は注入速度を調節しながら持続静注する　⑶臨床的に処置可能な状況であれば，患者の気道を確保し，酸素吸入し，呼吸を補助又は管理する．必要があれば咽頭エアウェイ又は気管内チューブを使用する．これらにより，適切な呼吸管理を行う　⑷適切な体温の維持と水分摂取を行う　⑸重度かつ持続的な低血圧が続けば，循環血液量減少の可能性があるため，適切な輸液療法を行う

薬物動態

口内錠 **吸収**　①健康成人における血清中濃度：健康成人を対象に，⑴単回バッカル投与（30分で嚥下）時の薬物動態パラメータは，50μg×2，200μg，600μg，800μgの順に（各22例），Cmax（ng/mL）0.357±0.160，0.627±0.292，1.885±0.723，2.336±1.058，$AUC_{0-\infty}$（ng・hr/mL）1.252±0.369※1），2.037±0.671，7.999±2.737，10.441±4.452，tmax（hr）※2）0.585（0.330，2.000），0.670（0.330，2.000），0.670（0.330，2.000），0.670（0.330，3.000），$t_{1/2}$（hr）3.369±2.705※1），3.035±1.636，10.174±5.419，10.487±5.193　※1）21例　※2）中央値（範囲）　錠剤を投与した30分後にも依然錠剤の一部が残存していれば，被験者は嚥下するように指示され，必要に応じて水で嚥下した　⑵嚥下しなかった時の薬物動態パラメータは，100μg（21例），200μg（21例），400μg（22例），800μg（21例）の順に，Cmax（ng/mL）0.45±0.17，0.91±0.22，1.62±0.43，2.99±0.80，$AUC_{0-\infty}$（ng・hr/mL）1.86±0.47（16例），4.21±0.95（19例），9.18±2.24（18例），17.44±3.88（20例），tmax（hr）※2）1.5（0.50，3.00），1.5（0.50，3.00），1.5（0.50，2.00），1.5（0.50，3.00），$t_{1/2}$（hr）2.60±0.940（16例），5.56±3.236（19例），10.44±3.576（18例），10.06±2.954（20例）　※1）中央値（範囲）　錠剤を投与した10分後に薬剤が残っている場合には，薬剤を崩壊させるため投与部位を5分間マッサージし，その後はそのままの状態とした．い

フ

ずれの投与法においても血清中フェンタニル濃度は本剤の用量に依存した増加を示した ②癌性疼痛患者における血清中濃度：癌性突出痛を有する患者を対象に，100，200又は400μgを単回バッカル投与時の薬物動態パラメータは，100μg，200μg，400μgの順に（各6例），Cmax（ng/mL）0.464±0.363，0.939±0.596，1.553±0.665，$AUC_{0\text{-}\infty}$（ng・hr/mL）2.461±1.136，3.429±1.100※1)，7.264±1.758，tmax（hr）※2)0.75（0.5，1）1.25（0.5，1.5）1.50（0.5，2），$t_{1/2}$（hr）7.69±5.67，5.03±1.00※1)，5.25±1.87 ※1)5例 ※2)中央値（範囲）．血清中フェンタニル濃度は健康成人と同様の推移を示した ③バイオアベイラビリティ（外国人のデータ）：バッカル投与時の絶対的バイオアベイラビリティは約65%．総投与量の約50%が口腔粘膜から吸収され，残る半分は嚥下され，その約1/3（総投与量の約1/6）が消化管から吸収されたものと考えられた ④高齢者における薬物動態（外国人のデータ）：61歳以上の高齢患者（4例）にフェンタニル10μg/kgを静注時，50歳未満の患者（5例）に比べて$t_{1/2}$の明らかな延長（高齢：945min，50歳未満：265min），高い血清中フェンタニル濃度，クリアランスの明らかな減少が認められた（高齢：275mL/min，50歳未満：991mL/min） ⑤肝障害患者における薬物動態（外国人のデータ）：肝硬変患者（8例）と肝腎機能の正常な患者（13例）にフェンタニルを静注（5μg/kg）時，フェンタニルの薬物動態パラメータは両者にほとんど差がなかった ⑥腎障害患者における薬物動態（外国人のデータ）：腎不全患者8例にフェンタニル25μg/kgを静注時，フェンタニルの全身クリアランス（CL）と血液尿素窒素値（BUN）には負の相関が認められた．したがって，BUNが高値を示す腎障害患者ではCLが低下し血清中濃度が上昇する可能性がある **分布** ①組織への分布（参考）：[^{14}C]フェンタニル（100μg/kg）をラットに口腔粘膜経由で投与時，投与後5分で全身組織への放射能の移行がみられ，投与後30分ではハーダー氏腺，膵臓，脾臓及び腎臓皮質が高く，次いで褐色脂肪，胸腺，脊髄及び唾液腺が高く，大脳，舌体，心筋，肺及び肝臓もこれらと同程度の放射能濃度．投与後24時間では全身の放射能濃度は減少し，盲腸内容物が高かった他，唾液腺，肝臓及び腎臓皮質に放射能が認められ，その他の組織ではほとんど消失した ②胎児移行性（参考）：妊娠している雌性ヒツジに50，75及び100μgのフェンタニルを静脈内に単回投与時，胎児の血漿中濃度は投与5分後に最大濃度に到達した後，母獣血漿中の約40%の濃度で推移 ③乳汁移行性：分娩中（妊娠37〜41週間）の女性に静注時（総投与量：50〜400μg），分娩後4及び24時間後の乳汁中にわずかではあるが，フェンタニルが移行 ④血漿中蛋白結合率：平衡透析法によって求めたフェンタニルの*in vitro*ヒト血漿蛋白結合率（最終濃度10ng/mL）は84.4%であった **代謝（ヒト，*in vitro*）** フェンタニルは肝臓と小腸粘膜においてCYP3A4によって主としてノルフェンタニルへ代謝される．また，動物試験において，ノルフェンタニルの薬理活性はほとんど認められていない **排泄（外国人データ）** 健康被験者に6.4μg/kgの[^{3}H]フェンタニルを静注時，72時間までに総投与放射能の76±3%が尿中に排泄，投与量の6.4±1.2%が未変化体として排泄．一方，糞中への放射能の累積排泄率は投与量の9%，投与量の1.2±0.3%が未変化体として排泄

舌下錠 **吸収** ①健康成人における血漿中濃度：健康成人に100〜800μgを単回舌下投与時，フェンタニルは投与後速やかに吸収され，tmax（中央値）は0.50〜1.00時間．薬物動態パラメータ（n=12．tmax※)（h），Cmax（ng/mL），$AUC_{0\text{-}\infty}$（ng・h/mL），$t_{1/2}$（h）の順）は，⑴100μg投与群：0.50（0.31-2.00），0.187±0.061，0.974±0.332，5.02±2.58 ⑵200μg投与群：0.87（0.27-4.00），0.302±0.092，1.92±0.53，6.67±2.01 ⑶400μg投与群：1.00（0.50-1.99），0.765±0.288，5.49±1.93，13.5±5.0 ⑷800μg投与群：0.50（0.25-1.00），1.42±0.47，8.95±2.97，10.1±3.4 平均値±標準偏差 ※)中央値（最小値-最大値） ②バイオアベイラビリティ（外国人）：本剤のバイオアベイラビリティは約50% ③肝障害患者における薬物動態（外国人）：肝硬変患者（8例）と肝腎機能の正常な患者（13例）にフェンタニル5μg/kgを静注時の薬物動態は両者でほとんど差がなかった ④腎障害患者における薬物動態（外国人）：血液尿素窒素（BUN）が高値（35〜111mg/dL）を示した腎不全末期患者（8例）にフェンタニル25μg/kgを静注時，クリアランスとBUNに負の相関が認められた **分布** ①体組織への分布（参考：ラット）：雄ラットに^{3}H-フェンタニルクエン酸塩を舌下投与時，肝臓，腎臓，脾臓，膵臓，肺，心臓及び精巣等多くの組織に放射能が認められた ②胎児移行性（参考：ラット）：妊娠ラットに^{3}H-フェンタニルを皮下注時，胎児内放射能濃度は母動物の血液中放射能濃度の約1.5〜2倍であったことが報告されている ③乳汁移行性（外国人）：分娩時にフェンタニルクエン酸塩を静注時，フェンタニルの乳汁移行が確認されたことが報告されている ④血漿蛋白結合率：89.1〜90.0%（*in vitro*，超遠心分離法，5〜20ng/mL） **代謝（参考：ラット，イヌ，*in vitro*）** フェンタニルは主に肝臓で代謝され，主たる代謝物はピペリジン環の酸化的N-脱アルキル化により生じるノルフェンタニル．ヒト肝ミクロソームを用いた検討により，ノルフェンタニルへの代謝には主にCYP3A4が関与していることが報告されている **排泄** 健康成人に100〜800μgを単回舌下投与後72時間までのフェンタニルの尿中排泄率は，投与量の0.89〜1.39%．一方，主代謝物であるノルフェンタニルの尿中排泄率（未変化体換算）は，投与量の27.5〜36.3%

注 **血漿中濃度** 健康男子5例に^{3}H-フェンタニル6.4μg/kgを静注時，血漿中濃度は投与後60分以内に急速に低下し，約98%が消失．その後は徐々に低下．$AUC_{0\text{-}8}$は平均約551ng/mL・min，半減期は平均約3.6時間（外国人データ） **代謝・排泄** 健康男子5例に^{3}H-フェンタニル6.4μg/kgを静注で，72時間以内に約85%が代謝物として尿糞中に排泄，未変化体は8%未満（外国人データ） **薬物代謝酵素** 主に肝臓で代謝され，主代謝物はノルフェンタニル．また，ヒト肝ミクロソームを用いた*in vitro*代謝試験で，CYP3A4によりノルフェンタニルに代謝されるとの報告がある

貼 **血中濃度** ①単回投与（がん疼痛）：がん疼痛患者に2及び4mgを24時間単回貼付時の薬物動態パラメータは2mg（6例），4mg（7例）の順に，tmax（hr）20.1±6.1，20.6±5.9，Cmax（pg/mL）349±96，724±553，$AUC_{0\text{-}\infty}$（pg・hr/mL）15614±5959，31126±15917，$AUC_{0\text{-}24}$（pg・hr/mL）4763±1100，9316±9856（8例），本剤剥離後の$t_{1/2}$（hr）27.09±14.14，37.76±46.60で，$AUC_{0\text{-}24}$，$AUC_{0\text{-}\infty}$及びCmaxの平均値はほぼ貼付用量に比例して増加．tmax及び製剤剥離後の$t_{1/2}$は貼付用量間で著明な差はなかった ②反復投与（がん疼痛）：がん疼痛患者に2及び4mgを10回反復貼付（1回24時間）時の薬物動態パラメータは2mg（7例），4mg（5例）の順に，$AUC_{216\text{-}240}$（pg・hr/mL）19961±9222，34102±14409，本剤剥離後の貼付用量$t_{1/2}$（hr）31.31±9.78，25.73±7.00で，$AUC_{216\text{-}240}$の平均値はほぼ貼付用量に比例して増加．製剤剥離後の$t_{1/2}$は貼付用量間で著明な差はなかった ③用量と血清中濃度との関係：（がん疼痛）本剤を3日間以上同一用量（1〜10mg）で貼付したがん疼痛患者で，最終貼付剥離前の血清中フェンタニル濃度は貼付用量に比例して増加することが示唆（パワーモデル：log(y)=2.46+1.03・log(x)） （慢性疼痛）慢性疼痛患者で，定常状態の血清中フェンタニル濃度は貼付用量（1〜18mg）に比例して増加することが示唆（パワーモデル：log(y)=2.62+1.08・log(x)） **分布** ①組織への分布：[^{14}C]フェンタニルクエン酸塩を含むテープ剤をラット背部皮膚に単回経皮投与時，放射能は全身に広く分布し，放射能濃度は投与部位皮膚が最も高く，小腸，大腸，膀胱，肝臓，ハーダー氏腺，胃，腎臓，顎下腺で高濃度 ②胎児移行性：妊娠ラットに[^{3}H]フェンタニルを単回皮下注時，胎児内放射能濃度は，母動物の血液中放射能濃度の約1.5〜2.0倍高く推移したことが報告されている ③乳汁移行性：分娩時にフェンタニルクエン酸塩を静注時，フェンタニルの乳汁移行が確認されたことが報告されて

いる(外国人データ)　④血漿蛋白結合率：ヒト血漿蛋白結合率は89.1%(*in vitro*, 5ng/mL)　**代謝**　肝臓で主に代謝され，その主代謝物はピペリジン環の酸化的N-脱アルキル化により生じるノルフェンタニル．ヒト肝ミクロゾームを用いた検討で，ノルフェンタニルへの代謝にはCYP3A4が関与していることが報告されている(ラット，*in vitro*)　**排泄**　がん疼痛患者に2及び4mgを10回反復貼付(1回24時間)時，貼付開始後216～240時間(10回目貼付時)の尿中にはフェンタニルが24.88及び60.61μg，ノルフェンタニルは292.36及び550.78μg排泄(排泄量(平均値)はいずれもフェンタニルクエン酸塩の換算量として算出)

その他の管理的事項

投与期間制限　**舌下錠**　**バッカル錠**　14日　**注**　**貼**　30日

保険給付上の注意　該当しない

資料

IF　アブストラル舌下錠100μg・200μg・400μg　2020年3月改訂(第6版)
イーフェンバッカル錠50μg・100μg・200μg・400μg・600μg・800μg　2020年7月改訂(第9版)
フェンタニル注射液0.1mg・0.25mg「第一三共」　2020年5月改訂(第13版)
フェントステープ0.5mg・1mg・2mg・4mg・6mg・8mg　2020年6月改訂(第17版)

フェンブフェン
Fenbufen

概要

構造式

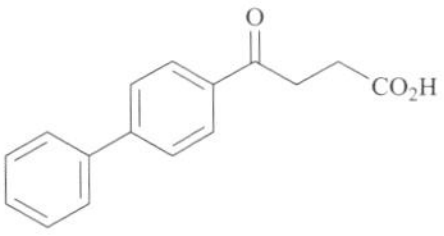

分子式　$C_{16}H_{14}O_3$

分子量　254.28

原薬の規制区分　該当しない

原薬の外観・性状　白色の結晶性の粉末で，味は苦い．アセトンにやや溶けにくく，メタノール，エタノール(95)又はジエチルエーテルに溶けにくく，水にほとんど溶けない

原薬の融点・沸点・凝固点　融点：約188℃(分解)

ブクモロール塩酸塩
Bucumolol Hydrochloride

概要

構造式

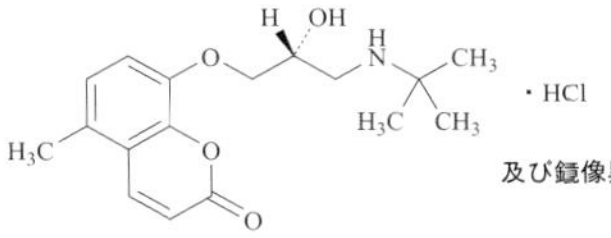

及び鏡像異性体

分子式　$C_{17}H_{23}NO_4 \cdot HCl$

分子量　341.83

原薬の規制区分　劇

原薬の外観・性状　白色の結晶又は結晶性の粉末である．水に溶けやすく，メタノール又はエタノール(95)にやや溶けにくく，酢酸(100)に溶けにくく，ジエチルエーテルにほとんど溶けない

原薬の融点・沸点・凝固点　融点：約228℃(分解)

フシジン酸ナトリウム
Sodium Fusidate

概要

薬効分類　263　化膿性疾患用剤

構造式

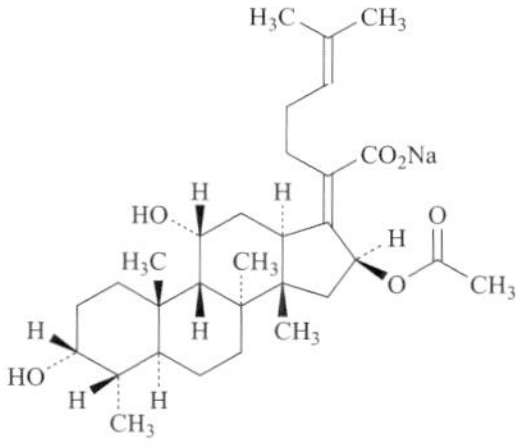

分子式　$C_{31}H_{47}NaO_6$

分子量　538.69

略語・慣用名　FA

ステム　不明

原薬の規制区分　該当しない

原薬の外観・性状　白色の結晶又は結晶性の粉末である．水，メタノール又はエタノール(99.5)に溶けやすい

原薬の吸湿性　僅かに吸湿性がある

原薬の融点・沸点・凝固点　融点：192～193℃(フシジン酸)

原薬の酸塩基解離定数　pKa＝5.35(フシジン酸，水溶液)

先発医薬品等

軟　フシジンレオ軟膏2%(第一三共)

国際誕生年月　不明

海外での発売状況　英，仏，独，豪など

製剤

製剤の性状　**軟**　白色～淡黄色の軟膏

有効期間又は使用期限　3年6カ月

貯法・保存条件　室温保存

薬剤取扱い上の留意点　眼科用に使用しないこと

患者向け資料等　くすりのしおり

溶液及び溶解時のpH　該当資料なし

浸透圧比　該当資料なし

安定なpH域　該当資料なし

調製時の注意　該当しない

薬理作用

分類　抗生物質

作用部位・作用機序　主に蛋白合成阻害作用によって抗菌力を発揮する．すなわち，リボソーム上におけるアミノ酸のタンパク質への転換に抑制的に作用する．なお，その細菌増殖阻止の作用型式は主に静菌的であるとされている

同効薬　クロラムフェニコール，テトラサイクリン塩酸塩，オキシテトラサイクリン塩酸塩・ポリミキシンB硫酸塩，デメチルクロルテトラサイクリン塩酸塩，ゲンタマイシン硫酸塩など

治療

効能・効果　〈適応菌種〉本剤に感性のブドウ球菌属　〈適応症〉表在性皮膚感染症，深在性皮膚感染症，慢性膿皮症，外傷・熱傷及び手術創等の二次感染

用法・用量　患部を清潔にした後，1日数回塗布又は無菌ガーゼに延ばして貼付

フ

用法・用量に関連する使用上の注意 使用にあたっては，原則として感受性を確認し，疾病の治療上必要な最小限の期間の使用にとどめる（耐性菌の発現等を防ぐ）

使用上の注意

禁忌 本剤の成分に対し過敏症の既往歴のある患者

薬物動態

病巣内移行（海外） 手術予定の皮下感染症患者17例（粉瘤（アテローム）13例と指等の感染症4例）に2％軟膏を病巣部の表皮に1日2回塗布し，手術前夜まで継続した．手術で病巣を摘除後の病巣内濃度は，アテロームの4～8日間治療例では0.4～0.96μg/g，指部感染症ではアテロームの場合よりもさらに高く，5日間治療後0.9～1μg/g，十分に皮内に浸透，病巣部で有効濃度に達することが認められている

その他の管理的事項

投与期間制限 該当しない

保険給付上の注意 該当しない

資料

IF フシジンレオ軟膏2％ 2017年3月改訂（第6版）

ブシラミン
ブシラミン錠
Bucillamine

概要

薬効分類 442 刺激療法剤

構造式

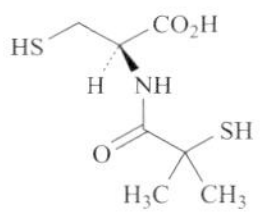

分子式 $C_7H_{13}NO_3S_2$

分子量 223.31

略語・慣用名 Bc，Bu，BUC

ステム 不明

原薬の規制区分 [劇]

原薬の外観・性状 白色の結晶又は結晶性の粉末である．メタノール又はエタノール（95）に溶けやすく，水に溶けにくい

原薬の吸湿性 認められない（37℃，50～91％RHの範囲で7日間保存したが，吸湿性は認められなかった）

原薬の融点・沸点・凝固点 融点：136～140℃

原薬の酸塩基解離定数 pKa_1＝2.91（カルボキシル基），pKa_2＝8.15（スルフヒドリル基），pKa_3＝9.80（スルフヒドリル基）

先発医薬品等

[錠] リマチル錠50mg・100mg（あゆみ製薬）

後発医薬品

[錠] 50mg・100mg

国際誕生年月 1987年6月

海外での発売状況 韓国

製剤

規制区分 [錠] [劇] [処]

製剤の性状 [錠] 白色の糖衣錠

有効期間又は使用期限 3年

貯法・保存条件 高温・高湿を避けて保管

薬剤取扱い上の留意点 特になし

患者向け資料等 患者向医薬品ガイド，くすりのしおり，服薬指導箋

溶液及び溶解時のpH 該当しない

浸透圧比 該当しない

安定なpH域 該当しない

調製時の注意 該当しない

薬理作用

分類 システイン誘導体抗リウマチ剤

作用部位・作用機序 免疫担当細胞に対しては，T細胞増殖抑制作用，サプレッサーT細胞比率の上昇，T細胞の血管内皮細胞への接着抑制並びにB細胞の抗体産生抑制作用等が報告されている．また，関節リウマチの関節組織破壊に中心的役割を担っている滑膜細胞に対しては，関節リウマチ患者由来の培養細胞において，滑膜細胞増殖抑制並びに滑膜細胞からのIL-1β，IL-6の産生抑制作用が認められている．その他，炎症に関わる作用として，マクロファージ遊走阻止作用やコラゲナーゼ活性阻害作用も認められている

同効薬 ペニシラミン，サラゾスルファピリジン，金チオリンゴ酸ナトリウム，オーラノフィン，アクタリット，メトトレキサート，レフルノミドなど

治療

効能・効果 関節リウマチ

用法・用量 消炎鎮痛剤等で十分な効果が得られない場合に使用．1回100mg，1日3回食後．患者の年齢，症状，忍容性，本剤に対する反応等に応じ，また，効果の得られた後には1日100～300mgの範囲で投与．1日最大用量300mg

使用上の注意

禁忌 ①血液障害のある患者及び骨髄機能が低下している患者［骨髄機能低下による重篤な血液障害の報告がある］ ②腎障害のある患者［ネフローゼ症候群等の重篤な腎障害を起こすおそれがある］ ③本剤の成分に対し過敏症の既往歴のある患者

薬物動態

血中濃度 （健常成人男子5例，200mg食後単回経口投与）：Cmax（ng/mL）は313.6±163.4，Tmax（hr）は1，$T_{1/2}$（hr）は1.03，AUC（hr・μg/mL）は0.75 **関節液中への移行** 関節リウマチ患者12例に100mg経口投与時，2時間後の血清中濃度は代謝物SA679（モノメチル体），SA981（ジスルフィド体），未変化体の順に高く，ジメチル体SA672は微量．一方，関節液中濃度はSA981，SA679，未変化体の順に高く，このうちSA981の濃度は血清中よりも高かった **尿中排泄** 健常成人男子5例に200mg食後単回経口投与時，投与24時間後までの未変化体及び代謝物の尿中累積排泄率は42％

その他の管理的事項

投与期間制限 該当しない

保険給付上の注意 該当しない

資料

IF リマチル錠50mg・100mg 2018年5月改訂（第9版）

ブスルファン
Busulfan

概要

薬効分類 421 アルキル化剤

構造式

分子式 $C_6H_{14}O_6S_2$

分子量 246.30

略語・慣用名 BUS

ステム メタンスルホネート系抗悪性腫瘍薬：-sulfan

原薬の規制区分 [劇]

原薬の外観・性状 白色の結晶性の粉末である．ジエチルエー

テルに溶けにくく，エタノール(95)に極めて溶けにくく，水にほとんど溶けない
原薬の吸湿性 該当資料なし
原薬の融点・沸点・凝固点 融点：115～118℃
原薬の酸塩基解離定数 水への溶解度が低いため，適用されない
先発医薬品等
散 マブリン散1%(大原)
注射用 ブスルフェクス点滴静注用60mg(大塚製薬)
国際誕生年月 注射用 1999年2月
海外での発売状況 注射用 米，欧州，豪など

製剤
規制区分 散 注射用 ㊀ ㊁
製剤の性状 散 白色～帯黄白色の粉末 注射用 無色澄明な注射液
有効期間又は使用期限 散 3年 注射用 24カ月
貯法・保存条件 散 室温保存 注射用 2～8℃に保存
薬剤取扱い上の留意点 散 薬品微粉末を吸入しないよう注意すること 注射用 ①調製後，できるだけ速やかに使用する ②細胞毒性を有するため，調製時には手袋，マスク，防護メガネ等を着用し，十分に注意すること．皮膚，粘膜，眼等に本溶液が付着した場合は，直ちに多量の流水でよく洗うこと
患者向け資料等 患者向医薬品ガイド，くすりのしおり
溶液及び溶解時のpH 注射用 水を含まない溶液のため，適用しない
調製時の注意 注射用 ①10倍量の生理食塩液又は5%ブドウ糖液に添加し，十分に混和して使用すること ②希釈後，安定性が低下するので，室温(約25℃)で用時調製し，調製から8時間以内に投与を終了すること ③ポリカーボネート製の容器・シリンジ等及びポリエーテルスルホン製のシリンジフィルターは使用しないこと．なお，調製は無菌条件下で実施すること．また，必ず希釈する液に本剤を加えることとし，本剤を空の点滴バックにいれた後に希釈液を加えるという操作は絶対に行わないこと

薬理作用
分類 アルキルスルホネート系アルキル化剤
作用部位・作用機序 ブスルファンを含むアルキル化剤は細胞内に取り込まれた後に，アルキル化によってDNAや蛋白の間に架橋を形成し，細胞分裂を阻害する．ブスルファンはスルホン酸エステルとして2つのアルキル基($R\text{-}CH^{2+}$)が生体内でアルキル化作用を示す．核酸より細胞内の蛋白のSH基に強く反応するとされている
同効薬 メルカプトプリン水和物，シクロホスファミド水和物，メルファランなど

治療
効能・効果 散 次の疾患の自覚的ならびに他覚的症状の緩解：①慢性骨髄性白血病 ②真性多血症
注射用 ①同種造血幹細胞移植の前治療 ②ユーイング肉腫ファミリー腫瘍，神経芽細胞腫，悪性リンパ腫における自家造血幹細胞移植の前治療
用法・用量 散 効能①：(1)ブスルファンとして初期1日4～6mgを脾臓の縮小をみながら投与し，白血球数が15000/mm^{3}前後に減少すれば1日2mg又はそれ以下に減量，維持療法として週1回又は2週に1回1日2mg(適宜増減) (2)ブスルファンとして最初から1日2mg又はそれ以下を投与し，白血球数ならびに脾臓の縮小をみながら白血球数が15000/mm^{3}前後になるまで投与，維持療法として週1回又は2週に1回1日2mg(適宜増減) 効能②：ブスルファンとして1日2～4mgから投与し血液所見をみながら1日6mgまで漸増，緩解後は減量維持(適宜増減)
注射用 他の抗悪性腫瘍薬との併用において，成人にはA法又はB法，(悪性リンパ腫における自家造血幹細胞移植の前治療除く)小児にはC法を使用する(適宜減量)．①成人：〔A法〕1回0.8mg/kg，2時間かけて点滴静注．6時間毎に1日4回，4日間投与 〔B法〕1回3.2mg/kg，3時間かけて点滴静注．1日1回，4日間投与 ②小児：〔C法〕次の体重別の投与量を2時間かけて点滴静注．6時間毎に1日4回，4日間投与：実体重9kg未満1.0mg/kg，9kg以上16kg未満1.2mg/kg，16kg以上23kg以下1.1mg/kg，23kg超34kg以下0.95mg/kg，34kg超0.8mg/kg
用法・用量に関連する使用上の注意 注射用 ①肥満患者(BMIが25以上)では投与量が過多にならないように，標準体重から換算した投与量を考慮する ②(同種造血幹細胞移植の前治療，ユーイング肉腫ファミリー腫瘍及び神経芽細胞腫における自家造血幹細胞移植の前治療)シクロホスファミド，メルファラン又はフルダラビンとの併用以外での有効性及び安全性は確立されていない
禁忌・原則禁忌となる特定患者集団 注射用 妊婦又は妊娠している可能性のある女性

使用上の注意

警告 注射用 ①造血幹細胞移植の前治療に投与する場合には，緊急時に十分対応できる医療施設において，造血幹細胞移植に十分な知識と経験をもつ医師のもとで，適切と判断される患者にのみ実施する．また，治療開始に先立ち，患者又はその家族に有効性及び危険性を十分説明し，同意を得てから投与する ②小児に投与する場合には，小児のがん化学療法に十分な知識と経験をもつ医師のもとで実施する ③使用にあたっては，本剤及び併用薬剤の添付文書を熟読し，慎重に患者を選択する

禁忌 散 本剤の成分に対し重篤な過敏症の既往歴のある患者
注射用 ①重症感染症を合併している患者［感染症が増悪し致命的となることがある］ ②本剤の成分に対し過敏症の既往歴のある患者 ③妊婦又は妊娠している可能性のある女性
過量投与 注射用 処置：ブスルファンは透析により除去可能であるとの報告があることから，過量投与の場合透析を考慮する

薬物動態
注射用 **血中濃度** ①単回及び反復投与：(1)成人：悪性腫瘍患者に1回0.8mg/kgを6時間毎に1日4回，4日間静注時，血漿中未変化体濃度は，投与時間の経過とともに上昇し，投与終了直前でCmaxが観察され，投与終了後速やかに減少．薬物動態パラメータ(投与1回目(29例)，投与9回目(28例，Cmaxについては29例)の順)はCmax(ng/mL)994±123，1311±192，$t_{1/2}$(hr)2.66±0.40，2.86±0.38，AUC※)(μmol・min/L)1171±220，1242±206，CL/ABW(実体重)(mL/min/kg)2.66±0.44，2.46±0.37，Vz/ABW(L/kg)0.60±0.05，0.60±0.07で，反復投与による薬物動態の変動はみられなかった．他の報告においても，同様の薬物動態パラメータの値が示されている (2)小児：悪性腫瘍又は非悪性腫瘍患者に，1回0.8～1.2mg/kgを6時間毎に1日4回，4日間静注時，血漿中未変化体濃度を用いて算出した薬物動態パラメータ(母集団薬物動態解析で得られた推定値)は次の通り(投与1回目，9回目，13回目の順)で，反復投与による薬物動態の変動はみられなかった(外国人データ)：(1)体重＜9kg(8例，投与量1.0mg/kg)：$t_{1/2}$(hr)2.08±0.242，2.36±0.357，2.35±0.263，AUC(μmol・min/L)1132±263，1270±253，1292±375，CL/ABW(実体重)(mL/min/kg)3.74±0.734，3.30±0.559，3.33±0.742，Vz/ABW※)(L/kg)0.68±0.182，0.68±0.182，0.68±0.182 (2)9kg＜体重＜16kg(14例，投与量1.2mg/kg)：$t_{1/2}$(hr)1.98±0.284，2.18±0.300，2.19±0.409，AUC(μmol・min/L)1152±176，1269±204，1277±248，CL/ABW(実体重)(mL/min/kg)4.31±0.693，3.92±0.658，3.93±0.744，Vz/ABW※)(L/kg)0.73±0.079，0.73±0.079，0.73±0.079 (3)16kg＜体重＜23kg(14例，投与量1.1mg/kg)：$t_{1/2}$(hr)2.27±0.277，2.46±0.385，2.51±0.426，AUC(μmol・min/L)1171±177，1273±234，1301±272，CL/ABW(実体重)(mL/min/kg)3.89±0.524，3.61±0.597，3.56±0.627，Vz/ABW※)(L/kg)0.76±0.066，0.76±0.066，0.76±0.066 (4)

フ

23kg＜体重＜34kg(6例，投与量0.95mg/kg)：$t_{1/2}$(hr)2.27±0.246，2.52±0.291，2.61±0.234，AUC(μmol・min/L)1110±64，1230±97，1281±104，CL/ABW(実体重)(mL/min/kg)3.42±0.108，3.09±0.170，2.97±0.201，Vz/ABW※)(L/kg)0.67±0.069，0.67±0.069，0.67±0.069　(5)体重＞34kg(13例，投与量0.8mg/kg)：$t_{1/2}$(hr)2.67±0.401，2.93±0.513，2.95±0.508，AUC(μmol・min/L)1213±178，1323±177，1338±215，CL/ABW(実体重)(mL/min/kg)2.73±0.398，2.49±0.298，2.49±0.377，Vz/ABW※)(L/kg)0.62±0.053，0.62±0.053，0.62±0.053．※)母集団薬物動態解析時に時期間変動を考慮していないため，いずれの投与回においても同一の値を示した　**代謝**　グルタチオンS-トランスフェラーゼ(GST)によるグルタチオン抱合を第一段階とする代謝あるいは内因性物質との非特異的アルキル化による共有結合生成によって不活化される(外国人データ)

その他の管理的事項
投与期間制限　該当しない
保険給付上の注意　該当しない

資料
IF　マブリン散1%　2018年12月改訂(第7版)
ブスルフェクス点滴静注用60mg　2020年3月改訂(第5版)

ブチルスコポラミン臭化物
Scopolamine Butylbromide

概要
薬効分類　124　鎮けい剤
構造式

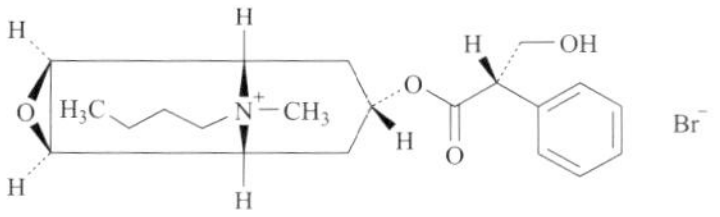

分子式　$C_{21}H_{30}BrNO_4$
分子量　440.37
略語・慣用名　別名：臭化ブチルヒヨスチン，Hyoscine-N-butylbromide
ステム　不明
原薬の規制区分　㊝(ただし，製剤は㊟(ただし，膏剤，坐剤並びに注射剤以外の製剤であって1個中10mg以下を含有するものを除く))
原薬の外観・性状　白色の結晶又は結晶性の粉末である．水に極めて溶けやすく，酢酸(100)に溶けやすく，エタノール(95)にやや溶けやすく，メタノールにやや溶けにくく，無水酢酸に溶けにくく，ジエチルエーテルにほとんど溶けない．1.0gを水10mLに溶かした液のpHは5.5～6.5である
原薬の吸湿性　該当資料なし
原薬の融点・沸点・凝固点　融点：約140℃(分解)
原薬の酸塩基解離定数　該当資料なし
先発医薬品等
錠　ブスコパン錠10mg(サノフィ)
注　ブスコパン注20mg(サノフィ)
後発医薬品
錠　10mg
注　2%
キット　20mg
国際誕生年月　該当資料なし
海外での発売状況　錠　英など102カ国　注　英など65カ国

製剤
規制区分　注　㊟ ㊕
製剤の性状　錠　白色の糖衣錠　注　無色注射液
有効期間又は使用期限　3年
貯法・保存条件　錠　気密容器　注　該当資料なし
薬剤取扱い上の留意点　眼の調節障害，眠気，めまい等を起こすことがあるので，本剤投与中の患者には自動車の運転等危険を伴う機械の操作に従事させないように注意すること　錠　苦味を有するために糖衣を施してあり，粉剤投与は推奨できない．また，粉砕した後の安定性についても検討していない
患者向け資料等　くすりのしおり
溶液及び溶解時のpH　注　3.7～5.5
浸透圧比　注　0.9～1.0
安定なpH域　注　1.22～12.39
調製時の注意　注　アルカリ性注射剤との配合で加水分解が類推されるので注意を要する

薬理作用
分類　第4級アンモニウム塩鎮痙剤
作用部位・作用機序　作用部位：副交感神経支配の腹部中空臓器の壁内神経節　作用機序：副交感神経支配の腹部中空臓器の壁内神経節に作用し，神経刺激伝達を抑制して胃腸管，胆道，泌尿器及び女性生殖器の痙攣を緩解する
同効薬　アトロピン硫酸塩水和物，チメピジウム臭化物水和物，ブトロピウム臭化物ほか

治療
効能・効果　錠　次の疾患における痙攣ならびに運動機能亢進：胃・十二指腸潰瘍，食道痙攣，幽門痙攣，胃炎，腸炎，腸疝痛，痙攣性便秘，機能性下痢，胆嚢・胆管炎，胆石症，胆道ジスキネジー，胆嚢切除後の後遺症，尿路結石症，膀胱炎，月経困難症
注　キット　①次の疾患における痙攣ならびに運動機能亢進：胃・十二指腸潰瘍，食道痙攣，幽門痙攣，胃炎，腸炎，腸疝痛，痙攣性便秘，機能性下痢，胆嚢・胆管炎，胆石症，胆道ジスキネジー，胃・胆嚢切除後の後遺症，尿路結石症，膀胱炎，器具挿入による尿道・膀胱痙攣，月経困難症，分娩時の子宮下部痙攣　②消化管のX線及び内視鏡検査の前処置
用法・用量　錠　1回10～20mg，1日3～5回(適宜増減)
注　キット　1回10～20mg静注，皮下注，筋注(適宜増減)

使用上の注意
禁忌　①出血性大腸炎の患者［腸管出血性大腸菌(O157等)や赤痢菌等の重篤な細菌性下痢患者では，症状の悪化，治療期間の延長をきたすおそれがある］　②閉塞隅角緑内障の患者［抗コリン作用により眼圧が上昇し，症状を悪化させることがある］　③前立腺肥大による排尿障害のある患者［更に尿を出にくくすることがある］　④重篤な心疾患のある患者［心拍数を増加させ，症状を悪化させるおそれがある］　⑤麻痺性イレウスの患者［消化管運動を抑制し，症状を悪化させるおそれがある］　⑥本剤に対し過敏症の既往歴のある患者
過量投与　①症状：過量投与した場合，口渇，眼の調節障害，譫妄，心悸亢進，血圧上昇等を引き起こす可能性がある　②処置：心血管系の症状が発現した場合は標準的な処置，呼吸麻痺の場合は挿管や人工呼吸，尿閉の場合は導尿を必要に応じて考慮する．緑内障の場合は，眼科医等の適切な治療を受ける．また，必要に応じ，副交感神経興奮薬の投与及び適切な支持療法を行う

その他の管理的事項
投与期間制限　該当しない
保険給付上の注意　該当しない

資料
IF　ブスコパン錠10mg　2019年7月改訂(第6版)
ブスコパン注20mg　2019年7月改訂(第8版)

ブテナフィン塩酸塩
ブテナフィン塩酸塩液
ブテナフィン塩酸塩スプレー
ブテナフィン塩酸塩クリーム
Butenafine Hydrochloride

概要
薬効分類 265 寄生性皮ふ疾患用剤
構造式

(構造式: N-メチル-N-(1-ナフチルメチル)-4-tert-ブチルベンジルアミン · HCl)

分子式 $C_{23}H_{27}N \cdot HCl$
分子量 353.93
ステム 不明
原薬の規制区分 該当しない
原薬の外観・性状 白色の結晶又は結晶性の粉末である．ギ酸に極めて溶けやすく，メタノール又はエタノール(99.5)に溶けやすく，水に溶けにくい．0.20gを水100mLに加温して溶かし，冷却した液のpHは3.0〜4.0である
原薬の吸湿性 ほとんど示さない
原薬の融点・沸点・凝固点 融点：約214℃(分解)
原薬の酸塩基解離定数 pKa＝8.7
先発医薬品等
クリーム ボレークリーム1％(久光)
メンタックスクリーム1％(科研)
外用液 ボレー外用液1％(久光)
メンタックス外用液1％(科研)
噴 ボレースプレー1％(久光)
メンタックススプレー1％(科研)
後発医薬品
クリーム 1％
外用液 1％
国際誕生年月 1992年1月
海外での発売状況 米，韓国，台湾，フィリピン
製剤
製剤の性状 クリーム 白色のクリーム状軟膏で，僅かに特異なにおいがある．光により変化する 外用液 噴 無色澄明の液でエタノールようのにおいがある．光により変化する
有効期間又は使用期限 3年
貯法・保存条件 気密容器，遮光・室温保存
薬剤取扱い上の留意点 外用液 噴 火気を避けること
患者向け資料等 くすりのしおり
溶液及び溶解時のpH クリーム 約6.0 外用液 噴 約3.7
調製時の注意 該当しない
薬理作用
分類 ベンジルアミン系抗抗真菌剤
作用部位・作用機序 真菌細胞膜の構成成分であるエルゴステロールの合成を阻害する．作用部位はイミダゾール系薬剤と異なりスクワレンのエポキシ化反応阻害に基づいている
同効薬 ビホナゾール，クロトリマゾール，テルビナフィン，ラノコナゾール，ネチコナゾール，アモロルフィン，リラナフタート，ルリコナゾールなど
治療
効能・効果 次の皮膚真菌症の治療：①白癬：足部白癬，股部白癬，体部白癬 ②癜風
用法・用量 クリーム 外用液 1日1回患部に塗布
噴 1日1回患部に噴霧
使用上の注意
禁忌 本剤の成分に対し過敏症の既往歴のある患者
薬物動態
吸収 健康成人の背部皮膚表面500cm^{2}にクリーム5gを単回投与時の血漿中濃度は，12時間(塗布終了時)で最高4ng/mL，消失半減期23.4時間．7日間反復投与時の12時間後(塗布終了時)の血漿中濃度は，単回投与と類似 **動物における皮膚浸透性(参考)** モルモットに^{14}C-1％ブテナフィン塩酸塩2mgを単回経皮投与(6時間塗布)時の角質層で50μg/g以上の高濃度で，浸透性
その他の管理的事項
投与期間制限 該当しない
保険給付上の注意 該当しない
資料
IF メンタックスクリーム1％・外用液1％・スプレー1％ 2011年5月改訂(第6版)

ブドウ酒
Wine

概要
薬効分類 329 その他の滋養強壮薬
原薬の規制区分 該当しない
原薬の外観・性状 淡黄色又は帯赤紫色〜赤紫色の液で，特異な芳香があり，味は僅かに渋く，やや刺激性である
先発医薬品等
内用液 ブドウ酒(司生堂)
ブドウ酒(中北)
製剤
製剤の性状 液 帯赤紫色〜赤紫色の液で，特異な芳香があり，味は僅かに渋く，やや刺激性である
有効期間又は使用期限 3年
貯法・保存条件 遮光・室温保存．なるべく涼しい所に保管し，開封後はなるべく速やかに使用
薬剤取扱い上の留意点 眠気，注意力・集中力・反射運動能力等の低下が起こることがあるので，本剤投与中の患者には自動車の運転等危険を伴う機械類の操作に従事させないよう十分注意すること．アルコール製剤であるため，投与に際しては注意すること
薬理作用
分類 滋養強壮薬
治療
効能・効果 ①食欲増進，強壮，興奮 ②下痢 ③不眠症 ④無塩食事療法
用法・用量 1回1食匙(15mL)又は1酒杯(60mL)を投与(適宜増減)．リモナーゼ剤や滴剤の佐薬にも用いる
使用上の注意
禁忌 ジスルフィラム，シアナミド，カルモフール，プロカルバジン塩酸塩を投与中の患者
資料
添付文書 ブドウ酒 2017年12月改訂(第6版)

フ

ブドウ糖
精製ブドウ糖
ブドウ糖水和物
ブドウ糖注射液
Glucose
Purified Glucose
Glucose Hydrate

概要

薬効分類 323 糖類剤

構造式

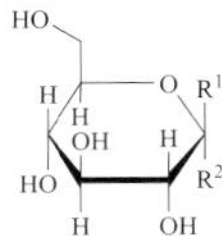

α-D-グルコピラノース：R^1＝H，R^2＝OH
β-D-グルコピラノース：R^1＝OH，R^2＝H

分子式 $C_6H_{12}O_6$

分子量 180.16

略語・慣用名 Glu，慣用名：Tz（ツッカー）

ステム 該当しない

原薬の規制区分 該当しない

原薬の外観・性状 白色の結晶又は結晶性の粉末で，においはなく，味は甘い．水に溶けやすく，エタノール（95）に溶けにくく，ジエチルエーテルにほとんど溶けない

原薬の吸湿性 該当資料なし

原薬の融点・沸点・凝固点 融点（分解点）：146℃

原薬の酸塩基解離定数 該当資料なし

先発医薬品等

末 ブドウ糖（山善）
ブドウ糖「コザカイ・M」（小堺＝吉田製薬）
ブドウ糖「日医工」（日医工）
ブドウ糖「ニッコー」（日興製薬）
ブドウ糖（扶桑）

注 大塚糖液5%・10%・20%・40%・50%・70%（大塚工場＝大塚製薬）
5%・20%・50%ブドウ糖注射液「ニッシン」（日新製薬＝共和クリティケア＝ファイザー＝日本ジェネリック）
小林糖液5%（共和クリティケア）
テルモ糖注5%・10%・50%（テルモ）
糖液注5%・20%・50%「AFP」（アルフレッサファーマ）
20%ブドウ糖注「日医工」（日医工）
光糖液5%・10%・20%・30%・50%（光＝共和クリティケア）
ブドウ糖注射液「AY」5%（エイワイファーマ＝陽進堂）
ブドウ糖注5%・20%「CMX」（ケミックス）
ブドウ糖注5%・20%「NP」（ニプロ）
ブドウ糖注5%・10%・20%・40%・50%PL「フソー」（扶桑）
ブドウ糖注5%・10%バッグ「フソー」（扶桑）
ブドウ糖注射液5%・20%「マイラン」（マイラン＝ファイザー＝沢井）
ブドウ糖注20%PL「Hp」（原沢）

キット 大塚糖液5%TN（大塚工場＝大塚製薬）

後発医薬品

キット 5%・20%・50%

国際誕生年月 不明

海外での発売状況 世界各国

製剤

規制区分 **注** ㊕

製剤の性状 **末** 白色の結晶又は結晶性の粉末 **5・10・20%注** 無色澄明の水性注射剤 **40・50%注** 無色～微黄色澄明の水性注射剤

有効期間又は使用期限 **末** 3年 **5%（250mLソフトバッグ入りを除く）・10%・20%注** 3年 **5%注（250mLソフトバッグ入り）・40・50%注** 2年

貯法・保存条件 室温保存

患者向け資料等 くすりのしおり

溶液及び溶解時のpH **注** 3.5～6.5

浸透圧比 **5%注** 約1 **10%注** 約2 **20%注** 約5 **40%注** 約9 **50%注** 約12（対生食）

調製時の注意 該当しない

薬理作用

分類 栄養補給薬

作用部位・作用機序 経口投与又は静脈内投与されたブドウ糖は，体内でエネルギー源となり代謝される．また，肝，心筋グリコーゲン量を高め，あるいは全身の細胞機能を亢進し，生体の代謝能を増し，また解毒効果がある．生体内でブドウ糖が代謝される場合，カリウムが消費されるので，高カリウム血症の治療にブドウ糖が用いられる

同効薬 マルトース，果糖，キシリトール，ソルビトール製剤

治療

効能・効果 **末** ①経口用剤として使用する場合：⑴経口的栄養補給 ⑵ブドウ糖負荷試験 ②注射用剤として使用する場合：⑴脱水症特に水欠乏時の水補給，薬物・毒物中毒，肝疾患 ⑵循環虚脱，低血糖時の糖質補給，高カリウム血症，心疾患（GIK療法），その他非経口的に水・エネルギー補給を必要とする場合 ⑶注射剤の溶解希釈剤

注 **キット** ①注射剤の溶解希釈剤 ②脱水症特に水欠乏時の水補給，薬物・毒物中毒，肝疾患 ③循環虚脱，低血糖時の糖質補給，高カリウム血症，心疾患（GIK療法），その他非経口的に水・エネルギー補給を必要とする場合．
ただし，キット（シリンジを除く）は効能①のみ．5%製剤は効能①②のみ

用法・用量 **末** 効能①：⑴必要量を粉末あるいは水溶液として経口投与（適宜増減） ⑵1回50～100gを経口投与（適宜増減）
効能②：⑴1回5%液500～1000mLを静注（適宜増減）．点滴静注する場合の速度は，ブドウ糖として0.5g/kg/hr以下 ⑵1回10～50%液20～500mLを静注（適宜増減）．点滴静注する場合の速度は，ブドウ糖として0.5g/kg/hr以下 ⑶適量（適宜増減）

注 **キット** 水補給，薬物・毒物中毒・肝疾患に1回5%液500～1000mL，循環虚脱，低血糖時の糖質補給，高カリウム血症，心疾患（GIK療法），その他非経口的に水・エネルギー補給を必要とする場合，1回10～50%液20～500mLを静注（適宜増減）．点滴静注速度はブドウ糖として0.5g/kg/hr以下とする．注射剤の溶解希釈には適量を用いる．特に50・70%液は経中心静脈栄養等，高カロリー輸液として中心静脈内に持続点滴注入

使用上の注意

禁忌 **末**（経口）ブドウ糖吸収不良の患者［症状が悪化するおそれがある］（注射）低張性脱水症の患者［水分の過剰投与により，低張性脱水状態が進行し，症状が悪化するおそれがある］

注 **キット** 低張性脱水症の患者［本症はナトリウムの欠乏により血清の浸透圧が低張になることによって起こる．このような患者に投与すると，水分量を増加させることになり，症状が悪化するおそれがある］

その他の管理的事項

投与期間制限 該当しない

保険給付上の注意 該当しない

資料

IF ブドウ糖（扶桑） 2015年12月改訂（第4版）
大塚糖液5%・10%・20%・40%・50% 2019年3月改訂（第

9版)

フドステイン フドステイン錠 Fudosteine

概要

薬効分類　223　去たん剤

構造式

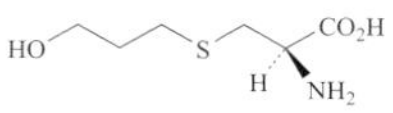

分子式　$C_6H_{13}NO_3S$

分子量　179.24

ステム　ブロムヘキシン系以外の粘液溶解薬：-steine

原薬の規制区分　該当しない

原薬の外観・性状　白色の結晶又は結晶性の粉末である．水に溶けやすく，酢酸(100)に溶けにくく，エタノール(99.5)にほとんど溶けない．6mol/L塩酸試液に溶ける

原薬の吸湿性　25℃，93%RH以下では吸湿は認められず，97%RHで吸湿・潮解性が認められた

原薬の融点・沸点・凝固点　融点：約200℃(分解)

原薬の酸塩基解離定数　$pKa_1=3.1$，$pKa_2=8.8$(滴定法)

先発医薬品等

[錠] クリアナール錠200mg(田辺三菱)
スペリア錠200(久光)

[内用液] クリアナール内用液8%(同仁＝田辺三菱)
スペリア内用液8%(久光)

国際誕生年月　2001年10月

海外での発売状況　発売されていない

製剤

製剤の性状　[錠] 白色のフィルムコーティング錠　[内用液] 褐色の液で，芳香があり，味は甘い

有効期間又は使用期限　3年

貯法・保存条件　室温保存

薬剤取扱い上の留意点　[内用液] 開封後は必ず密栓して保管し，なるべく速やかに使用すること

患者向け資料等　くすりのしおり

溶液及び溶解時のpH　[内用液] 3.5〜4.0

調製時の注意　該当しない

薬理作用

分類　システイン系気道分泌細胞正常化剤

作用部位・作用機序　気道上皮杯細胞の過形成を抑制する．痰のフコース/シアル酸比を正常化することにより痰の粘性や弾性を改善し，線毛により輸送されやすい気道分泌液の状態に再構成する．漿液性分泌を亢進させる．抗炎症作用

同効薬　L-エチルシステイン塩酸塩，カルボシステイン，アンブロキソール塩酸塩，ブロムヘキシン塩酸塩など

治療

効能・効果　次の慢性呼吸器疾患における去痰：気管支喘息，慢性気管支炎，気管支拡張症，肺結核，塵肺症，肺気腫，非定型抗酸菌症，びまん性汎細気管支炎

用法・用量　1回400mg，1日3回食後(適宜増減)

薬物動態

①[錠]　**血漿中濃度**　(1)食後投与と絶食時投与の比較：健康成人男子(9例)に400mgを食後経口投与時の血漿中未変化体濃度は，投与1.17±0.43時間後に最高値5.69±2.14μg/mLに達し，2.7±0.3時間の半減期※1)で消失，$AUC_{0-\infty}$は20.49±4.24μg・hr/mL．絶食時投与(投与12時間前から絶食)の場合，健康成人男子(9例)で投与後0.42±0.13※2)時間後最高値10.19±3.34※2)μg/mLに達し，2.6±0.6時間の半減期※1)で消失，$AUC_{0-\infty}$は23.41±6.03※3)μg・hr/mLで，薬物動態パラメータに食事の影響が認められた　(2)高齢者：健康高齢男子(8例)に400mgを食後経口投与時の血漿中未変化体濃度は，投与後1.94±1.7時間で最高値6.7±3.44μg/mLに達し，2.2±1.1時間の半減期※1)で消失，$AUC_{0-\infty}$は27.01±8.24μg・hr/mLで，健康成人男子と比べ薬物動態パラメータに有意差は認められなかった[※1)最終相の消失半減期，※2)$p<0.01$，※3)$p<0.05$(健康成人男子の食後投与との比較，t検定)]　**代謝・排泄**　400mgを投与後36時間までの尿中排泄率は，健康成人男子(9例)食後では58.7±6.6%[アミノ基のN-アセチル化された代謝物M1 53±6.3%，M1のアルコール部分の酸化されたM2 5.1±1.4%，未変化体0.6±0.2%]，健康成人男子(9例)の絶食時(投与12時間前から絶食)では49.8±5.5%※1)[M1 43±5%※1)，M2 6.2±1.5%※2)，未変化体0.7±0.2%※1)]，健康高齢男子(8例)食後では44.5±5.8%※1)[M1 39.2±5.3%※1)，M2 4.7±2.3%，未変化体0.7±0.2%][※1)$p<0.01$，※2)$p<0.05$(健康成人男子の食後投与との比較，t検定)]．本剤はヒト血漿蛋白とほとんど結合しなかった　②[内用液] **血漿中未変化体濃度**　健康成人男子に400mgを絶食時(投与12時間前より絶食)に投与時の血漿中未変化体濃度は，投与後0.57±0.31時間で最高値12.6±4.14μg/mLに達し，2.9±0.7時間の半減期※)で消失，$AUC_{0-\infty}$は27.63±4.72μg・hr/mL．※)最終相の消失半減期

その他の管理的事項

投与期間制限　該当しない

保険給付上の注意　該当しない

資料

IF　スペリア錠200・内用液8%　2014年2月改訂(第3版)

ブトロピウム臭化物 Butropium Bromide

概要

薬効分類　124　鎮けい剤

構造式

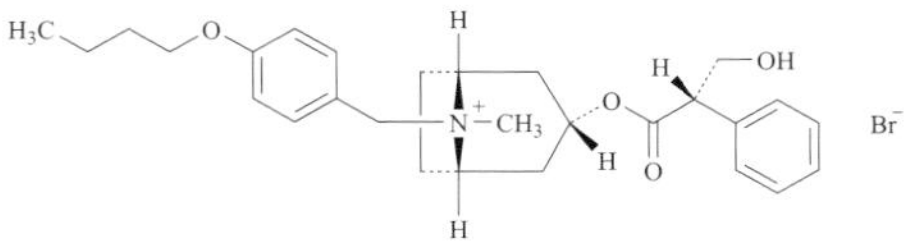

分子式　$C_{28}H_{38}BrNO_4$

分子量　532.51

ステム　アトロピン誘導体：-trop

原薬の規制区分　[毒](ただし，製剤は[劇](ただし，1個中5mg以下を含有するものを除く))

原薬の外観・性状　白色の結晶又は結晶性の粉末である．ギ酸に極めて溶けやすく，メタノールに溶けやすく，エタノール(95)にやや溶けやすく，水に溶けにくく，ジエチルエーテル又は無水酢酸にほとんど溶けない

原薬の吸湿性　吸湿性なし

原薬の融点・沸点・凝固点　約166℃

原薬の酸塩基解離定数　該当資料なし

先発医薬品等

[顆] コリオパン顆粒2%(エーザイ)

[錠] コリオパン錠10mg(エーザイ)

[カ] コリオパンカプセル5mg(エーザイ)

国際誕生年月　該当しない

海外での発売状況　インドネシア，台湾

フ

製剤

規制区分　**顆**　**10mg錠**　㊙

製剤の性状　**顆** 白色～帯黄白色剤皮を施した顆粒剤　**錠** 白色の糖衣錠　**カ** 上下白色の硬カプセル剤

有効期間又は使用期限　3年

貯法・保存条件　**顆** 室温保存．開栓後防湿保存　**錠** 室温保存．PTP包装は外箱開封後遮光保存．バラ包装は開栓後遮光，防湿保存　**カ** 室温保存

薬剤取扱い上の留意点　視調節障害，眠気，めまい等を起こすことがあるので，本剤投与中の患者には自動車の運転等危険を伴う機械の操作に注意させること

患者向け資料等　くすりのしおり

薬理作用

分類　ヒヨスチアミン系副交感神経遮断4級アンモニウム塩

作用部位・作用機序　副交感神経末端のアセチルコリン受容体に作用し，腹部平滑筋の運動を抑制する

同効薬　ブチルスコポラミン臭化物，チメピジウム臭化物水和物

治療

効能・効果　次の疾患における痙攣性疼痛の緩解：胃炎，腸炎，胃潰瘍，十二指腸潰瘍，胆石症，胆嚢症(胆嚢炎，胆嚢・胆道ジスキネジーを含む)

用法・用量　ブトロピウム臭化物として1日30mg，3回に分服(適宜増減)

使用上の注意

禁忌　①閉塞隅角緑内障の患者［抗コリン作用により眼圧が上昇し，症状を悪化させることがある］　②前立腺肥大による排尿障害のある患者［排尿障害を悪化させるおそれがある］　③重篤な心疾患のある患者［心疾患の症状を悪化させるおそれがある］　④麻痺性イレウスの患者［麻痺性イレウスの症状を悪化させるおそれがある］　⑤本剤の成分に対し過敏症の既往歴のある患者

その他の管理的事項

投与期間制限　該当しない

保険給付上の注意　該当しない

資料

IF　コリオパン顆粒2%・錠10mg・カプセル5mg　2019年8月改訂(第9版)

ブナゾシン塩酸塩
Bunazosin Hydrochloride

概要

薬効分類　131　眼科用剤，214　血圧降下剤

構造式

分子式　$C_{19}H_{27}N_5O_3$・HCl

分子量　409.91

ステム　プラゾシン系降圧薬：-azosin

原薬の規制区分　㊙(ただし，1個中ブナゾシンとして6mg以下を含有する内用剤，ブナゾシンとして0.5%以下を含有する内用剤及びブナゾシンとして0.01%以下を含有する点眼剤を除く)

原薬の外観・性状　白色の結晶性の粉末である．ギ酸に極めて溶けやすく，水又はメタノールに溶けにくく，エタノール(99.5)に極めて溶けにくく，ジエチルエーテルにほとんど溶けない

原薬の吸湿性　吸湿平衡を測定したところ90%RH以下の状態では，ほとんど吸湿性を示さなかった

原薬の融点・沸点・凝固点　融点：約273℃(分解)

原薬の酸塩基解離定数　pKa＝7.7(電位差滴定法)

先発医薬品等

錠 デタントール錠0.5mg・1mg(エーザイ)

徐放錠 デタントールR錠3mg・6mg(エーザイ)

点眼液 デタントール0.01%点眼液(参天)

国際誕生年月　1985年4月

海外での発売状況　**錠**　**徐放錠** 独など

製剤

規制区分　**錠**　**徐放錠**　㊈

製剤の性状　**0.5mg錠** 微黄赤色～帯黄赤色の糖衣錠　**1mg錠** 白色の糖衣錠　**徐放錠** 白色のフィルムコート錠　**点眼液** 無色澄明の無菌水性点眼剤

有効期間又は使用期限　3年

貯法・保存条件　**錠** 室温保存．外箱開封後は遮光保存(光により退色することがある)　**徐放錠** 室温保存．PTP包装はアルミ袋開封後，バラ包装は開栓後防湿保存　**点眼液** 気密容器，遮光・室温保存

薬剤取扱い上の留意点　**錠**　**徐放錠** 投与初期又は用量の急増時等に起立性低血圧に基づく立ちくらみ，めまい等が現れることがあるので，高所作業，自動車の運転等危険を伴う作業に従事する人には注意を与えること　**徐放錠** 服用時：かみくだいて服用すると，一過性の血中濃度の上昇に伴って副作用が発生しやすくなるおそれがあるため，かまずに服用させる

患者向け資料等　くすりのしおり

溶液及び溶解時のpH　**点眼液** 5.5～6.5

浸透圧比　**点眼液** 0.9～1.1

薬理作用

分類　α_1受容体遮断剤

作用部位・作用機序　**錠**　**徐放錠** 降圧作用は主として選択的な末梢性α_1交感神経抑制作用による．心血管系のα_1受容体に対するノルアドレナリン結合を選択的に遮断し，血管緊張の緩解により末梢血管抵抗を減少させて降圧作用を示す　**点眼液** 眼局所の交感神経α_1受容体を選択的に遮断し，ぶどう膜強膜流出路からの房水流出を促進することにより眼圧を下降させる

同効薬　**錠**　**徐放錠** プラゾシン塩酸塩，テラゾシン塩酸塩水和物，ドキサゾシンメシル酸塩　**点眼液** ブリンゾラミド，ドルゾラミド塩酸塩

治療

効能・効果　**錠** 本態性高血圧症，腎性高血圧症，褐色細胞腫による高血圧症

徐放錠 高血圧症

点眼液 次の疾患において，他の緑内障治療薬で効果不十分な場合：緑内障，高眼圧症

効能・効果に関連する使用上の注意　**点眼液** 他の緑内障治療薬で十分な眼圧下降効果が得られない場合，又は副作用等により他の緑内障治療薬の使用が継続不可能な場合に使用を検討する

用法・用量　**錠** 1日1.5mgから投与を始め，効果が不十分な場合は1日3～6mgに漸増し，1日2～3回食後に分服(適宜増減)．1日最高投与量12mgまで

徐放錠 1日1回3～9mg．ただし，1日1回3mgから開始し，1日最高投与量9mgまで

点眼液 1回1滴1日2回点眼

使用上の注意

禁忌　本剤の成分に対し過敏症の既往歴のある患者

薬物動態
錠 **徐放錠** **血中濃度** ①**錠** 健康成人男子12名に，2mg(1mg錠を2錠)を食後経口投与時，血漿中未変化体濃度の推移は投与1時間後に最高血漿中濃度(Cmax)22.48ng/mLに達し，以後減少．消失半減期は1.51時間で，血漿中濃度曲線下面積(AUC)は54.68ng・hr/mL．薬物動態パラメータはCmax22.48±2.41ng/mL，Tmax0.96±0.16hr，$AUC_{0-\infty}$ 54.68±5.72ng・hr/mL，MRT(Mean residence time，平均滞留時間)2.6±0.15時間 ②**徐放錠** (1)健康成人における生物学的利用性：健康成人男子(12名)に錠1mg2錠及び徐放錠6mg1錠を経口投与し血漿中濃度推移を比較した結果，徐放錠の相対的生物学的利用率は81.1%で，平均滞留時間(MRT)から持続性をもつことが示された (2)食事効果：健康成人男子(12名)に徐放錠6mg1錠を空腹時及び食後経口投与した結果，食事による影響は認められなかった (3)薬物動態パラメータ(徐放錠6mg食後，徐放錠6mg空腹時，錠2mg食後の順)はCmax(ng/mL)10.19±1.10，11.38±1.32，22.48±2.41，Tmax(hr)5.25±0.54，6.00±0.35，0.96±0.16，AUC(ng・hr/mL)132.73±15.42，123.03±16.50，54.68±5.72(徐放錠はAUC_{0-48h}，錠は$AUC_{0-\infty}$)，R.B.A.(Relative bioavailability 相対的生物学的利用率)(%)81.07±5.98，74.05±5.24，100.00±0.00，MRT(hr)13.02±0.66，12.77±0.66，2.60±0.15 **代謝・排泄** 細粒・錠投与後24時間の未変化体の尿中排泄率は約0.7%で，投与量の大部分が肝で代謝を受けて，代謝物として尿及び糞中排泄されるものと考えられる **腎機能障害患者における体内動態** **徐放錠** 高血圧症患者[腎機能正常(NRF)6名，腎機能障害(IRF)5名]に6mg錠を1日1回8日間反復経口投与時，投与初日ならびに8日目にIRF群ではNRF群と比べ，最高血漿中濃度が上昇．6mg錠の薬物動態パラメータ(NRF群，IRF群の順)：①単回投与：Cmax(ng/mL)10.1±2.0，15.9±1.2，Tmax(hr)3.7±0.3，4.4±1.0，AUC_{0-24}(ng・hr/mL)115.5±20.2，184.1±25.4 ②反復投与：Cmax(ng/mL)10.7±2.3，19.5±1.9，Tmax(hr)6.0±1.4，4.0±1.1，AUC_{0-24}(ng・hr/mL)138.4±32.4，246.4±49.0(① ②はpaired t-test，NRF群，IRF群はStudent's t-test)
点眼液 **血漿中濃度及び尿中排泄** 健康成人：片眼に0.1%点眼液を1滴点眼時，血漿中濃度は点眼後15分，30分，1時間のいずれかの測定時点で6例中4例に定量限界(1ng/mL)をわずかに上回る量(1.1～1.6ng/mL)が検出され，点眼後24時間までに点眼量の2.5%が尿中排泄．また，片眼に0.1%点眼液1日2回，7日間点眼時の血漿中濃度及び尿中排泄率で，反復点眼による蓄積性はみられなかった．(注)製品の濃度は0.01%
動物における眼組織内移行 0.01%^{14}C-ブナゾシン塩酸塩点眼液を白色ウサギに単回点眼で，角膜，結膜，前部強膜，虹彩・毛様体，房水等に高度に分布し，房水では点眼後30分，それ以外の眼組織では点眼後15分に最高濃度の後，速やかに消失．水晶体，硝子体，網脈絡膜への分布はわずか．有色ウサギに単回点眼時，白色ウサギに比べメラニン含有組織の虹彩・毛様体，網脈絡膜に高度に分布し，虹彩・毛様体では点眼後3日目に最高濃度後，緩慢に消失(参考；ウサギ)

その他の管理的事項
投与期間制限 該当しない
保険給付上の注意 該当しない

資料
IF デタントール錠0.5mg・1mg 2018年7月改訂(第7版)
デタントールR錠3mg・6mg 2018年7月改訂(第8版)
デタントール0.01%点眼液 2017年10月改訂(第10版)

ブピバカイン塩酸塩水和物
Bupivacaine Hydrochloride Hydrate

概要
薬効分類 121 局所麻酔剤
構造式

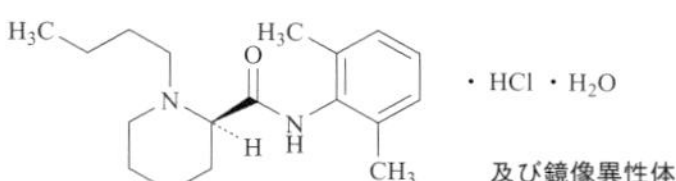

分子式 $C_{18}H_{28}N_2O \cdot HCl \cdot H_2O$
分子量 342.90
ステム 局所麻酔薬：-caine
原薬の規制区分 ㊛
原薬の外観・性状 白色の結晶性の粉末である．酢酸(100)に溶けやすく，水，メタノール又はエタノール(99.5)にやや溶けやすい．0.01mol/L塩酸試液に溶ける．0.5gをエタノール(99.5)/水/5mol/L水酸化ナトリウム試液混液(34：15：1)50mLに溶かした液は旋光性を示さない．1.0gを新たに煮沸して冷却した水100mLに溶かした液のpHは4.5～6.0である
原薬の吸湿性 該当資料なし
原薬の融点・沸点・凝固点 融点：約252℃(分解)
原薬の酸塩基解離定数 pKa＝8.2(25℃)
先発医薬品等
注 マーカイン注0.125%・0.25%・0.5%・注脊麻用0.5%高比重・等比重(アスペン)
国際誕生年月 1966年4月
海外での発売状況 英，独，豪など

製剤
規制区分 **注** ㊛ ㊚
製剤の性状 **注** 無色澄明の液
有効期間又は使用期限 3年
貯法・保存条件 室温保存
薬剤取扱い上の留意点 金属を侵す性質があるので，長時間金属器具(カニューレ，注射針等)に接触させないことが望ましい．なお，金属器具を使用した場合は，使用後十分に水洗すること
溶液及び溶解時のpH 5.0～6.5
浸透圧比 0.8～1.2(対生食)

薬理作用
分類 長時間作用性アミド型局所麻酔薬
作用部位・作用機序 作用部位：局所の神経線維 作用機序：長時間作用性の局所麻酔薬であり，神経膜のナトリウムチャネルをブロックし，神経における活動電位の伝導を可逆的に抑制し，知覚神経及び運動神経を遮断する
同効薬 リドカイン塩酸塩，メピバカイン塩酸塩，ロピバカイン塩酸塩，プロカイン塩酸塩

治療
効能・効果 **硬膜外・伝達麻酔** 0.125%：硬膜外麻酔 0.25%・0.5%：伝達麻酔，硬膜外麻酔
脊椎麻酔 脊椎麻酔(腰椎麻酔)
効能・効果に関連する使用上の注意 **脊椎麻酔** 次に示す等比重製剤，高比重製剤の特性ならびに手術部位及び患者の状態を十分考慮して適宜，製剤を選択する：①等比重製剤：麻酔範囲の広がりが緩徐で，高比重製剤に比べて作用発現時間が遅く，作用持続時間が長い ②高比重製剤：麻酔範囲の広がりが比重に依存しているため手術台の傾斜によりある程度の麻酔範囲の調節が可能である．等比重製剤に比べて作用発現時間が早く，作用持続時間が短い
用法・用量 **硬膜外・伝達麻酔** 麻酔部位，年齢及び全身状態等により，適宜用量を決定．1回2mg/kgまで．参考：麻酔方法別使用量〔注射剤としての用量(ブピバカイン塩酸塩水和物(無水物として)の用量)〕：①**伝達麻酔** (1)三叉神経ブロック：

フ

0.25%1～2mL(2.5～5mg) ⑵星状神経節ブロック：0.25%5～10mL(12.5～25mg) ⑶腕神経叢ブロック(腋窩法)：0.25%20～30mL(50～75mg)，0.5%10～20mL(50～100mg) ⑷肋間神経ブロック：各神経あたり0.25%5mL以下(12.5mg以下)，0.5%5mL以下(25mg以下) ⑸腰部交感神経節ブロック：0.25%5～10mL(12.5～25mg) ②**硬膜外麻酔** ⑴硬膜外麻酔：0.5%15～20mL(75～100mg) ⑵持続硬膜外麻酔：0.25・0.5%最初10mL(25～50mg)次いで3～5～8mL(0.25%は7.5～12.5～20mg，0.5%は15～25～40mg)を4～6時間ごと，この用量は期待する鎮痛効果による分節の数及び患者の年齢による ⑶仙骨麻酔：0.25%15～30mL(37.5～75mg)，0.5%15～20mL(75～100mg) ⑷疼痛疾患の治療：0.125%10mL(12.5mg)

〔血管収縮剤の添加について〕血管収縮剤を添加しなくても十分な作用時間がえられるが，さらに作用時間の延長を望む場合は血管収縮剤を適宜添加する

脊椎麻酔 1回10～20mgを脊髄クモ膜下腔に注入．なお，年齢，身長，麻酔領域，部位，組織，症状，体質に応じ適宜増減するが，1回20mgを超えない

用法・用量に関連する使用上の注意 **脊椎麻酔** 20mgを超えて投与しない(20mgを超えて投与された場合の有効性・安全性が評価されていない)

使用上の注意

禁忌 **硬膜外・伝達麻酔** ①本剤の成分又はアミド型局所麻酔薬に対し過敏症の既往歴のある患者 ②(硬膜外)大量出血やショック状態の患者［過度の血圧低下が起こることがある］ ③(硬膜外)注射部位又はその周辺に炎症のある患者［化膿性髄膜炎症状を起こすことがある］ ④(硬膜外)敗血症の患者［敗血症性の髄膜炎を生じるおそれがある

脊椎麻酔 ①大量出血やショック状態の患者［過度の血圧低下が起こることがある］ ②注射部位又はその周辺に炎症のある患者［化膿性髄膜炎症状を起こすことがある］ ③敗血症の患者［敗血症性の髄膜炎を起こすことがある］ ④本剤の成分又はアミド型局所麻酔剤に対し過敏症の既往歴のある患者 ⑤中枢神経系疾患：髄膜炎，灰白脊髄炎，脊髄ろう等の患者［脊椎麻酔により症状が悪化することがある］ ⑥脊椎に結核，脊椎炎及び転移性腫瘍等の活動性疾患のある患者［脊椎麻酔により症状が悪化することがある］

相互作用概要 主としてCYP3A4で代謝される

過量投与 **硬膜外・伝達麻酔** 局所麻酔薬の過量投与や血管内誤投与又は非常に急速な吸収等による血中濃度の上昇に伴い，中毒が発現する．特に血管内誤投与となった場合には，数分以内に発現することがある．その症状は，主に中枢神経系及び心血管系の症状として現れる．また，腕神経叢ブロックや坐骨神経ブロック等の伝達麻酔や硬膜外麻酔で，人工蘇生術が困難及び死亡に至った報告がある：①徴候，症状：⑴中枢神経系の症状：初期症状として不安，興奮，多弁，口周囲の知覚麻痺，舌のしびれ，ふらつき，聴覚過敏，耳鳴，視覚障害，振戦等が現れる．症状が進行すると意識消失，全身痙攣が現れ，これらの症状に伴い低酸素血症，高炭酸ガス血症が生じるおそれがある．より重篤な場合には呼吸停止をきたすこともある ⑵心血管系の症状：血圧低下，徐脈，心筋収縮力低下，心拍出量低下，刺激伝導系の抑制，心室性頻脈及び心室細動等の心室性不整脈，循環虚脱，心停止等が現れる．これらの心血管系の症状は，鎮静下又は全身麻酔下において，中枢神経系症状を伴わずに発生することがある ②処置：呼吸を維持し，酸素を十分投与することが重要である．必要に応じて人工呼吸を行う．振戦や痙攣が著明であれば，ジアゼパム又は超短時間作用型バルビツール酸製剤(チオペンタールナトリウム等)を投与する．心機能抑制に対しては，カテコールアミン等の昇圧剤を投与する．心停止をきたした場合にはただちに心マッサージ等の蘇生術を開始する **脊椎麻酔** 局所麻酔薬の過量投与や血管内誤投与又は非常に急速な吸収等による血中濃度の上昇に伴い，中毒症状が発現する．特に血管内誤投与となった場合には，数分以内に発現することがある．その症状は，主に中枢神経系及び心血管系の症状として現れる．また，腕神経叢ブロックや坐骨神経ブロック等の伝達麻酔や硬膜外麻酔で，人工蘇生術が困難及び死亡に至った報告がある：①徴候，症状：⑴中枢神経系の症状：初期症状として不安，興奮，多弁，口周囲の知覚麻痺，舌のしびれ，ふらつき，聴覚過敏，耳鳴，視覚障害，振戦等が現れる．症状が進行すると意識消失，全身痙攣が現れ，これらの症状に伴い低酸素血症，高炭酸ガス血症が生じるおそれがある．より重篤な場合には呼吸停止をきたすこともある ⑵心血管系の症状：血圧低下，徐脈，心筋収縮力低下，心拍出量低下，刺激伝導系の抑制，心室性頻脈及び心室細動等の心室性不整脈，循環虚脱，心停止等が現れる．これらの心血管系の症状は，鎮静下又は全身麻酔下において，中枢神経系症状を伴わずに発生することがある ②処置：呼吸を維持し，酸素を十分投与することが重要である．必要に応じて人工呼吸を行う．振戦や痙攣が著明であれば，ジアゼパム又は超短時間作用型バルビツール酸製剤(チオペンタールナトリウム等)を投与する．心機能抑制に対しては，カテコールアミン等の昇圧剤を投与する．心停止をきたした場合にはただちに心マッサージ等の蘇生術を開始する

薬物動態

硬膜外・伝達麻酔 **吸収及び血中動態** 外国人手術患者6例に102mgを硬膜外投与時，血漿中濃度は18±5分後に最高濃度0.73±0.25mg/Lを示した後，7±4.6分(α相)，6±2.4時間(β相)の消失半減期で減少．高齢者に95mgを硬膜外投与時，若齢者に比べ終末相半減期は1.3倍に延長し，総クリアランスは減少(40%) **分布** ①蛋白結合：分娩患者に硬膜外投与後の血漿におけるブピバカイン(濃度；0.1～1.2μg/mL)の蛋白結合率は，約90%．主な結合蛋白は，α1-酸性糖蛋白と血清アルブミン ②胎盤通過性：分娩患者に硬膜外投与時の臍帯静脈血液中濃度/母体静脈血漿中濃度比は，投与量に依存せずほぼ一定で約0.25 ③乳汁への移行：授乳中の外国人患者の胸膜腔に持続注入時，乳汁中未変化体の最高濃度は血液中最高濃度の約1/8 **代謝及び排泄** 外国人患者の腕神経叢に12～23mg/時で24時間持続注入時，血漿中代謝物として，脱ブチル体pipecolyxylidine，4位水酸化体が検出され，未変化体濃度の1/20～1/3．外国人健康人男子に43.4mgを静注後24時間までの尿中に未変化体は6%，脱ブチル体は5% **病態時における薬物動態** 外国人慢性腎不全患者の鎖骨上部神経叢周辺に150mgを投与後のCmax及びAUCは，健康人に比べて有意な差を認めなかった

脊椎麻酔 **吸収及び血液中動態** 外国人成人男子に0.5%等比重液又は高比重液(4mL)を脊髄クモ膜下腔(L3-4)に投与後の血液中未変化体濃度は，投与約2時間後にCmax(約55ng/mL)，その後，約6時間の半減期で減少．高比重液投与時の最高血中濃度到達時間は，等比重液に比べて約0.5時間早まったが，Cmax及びAUCにほとんど差はなかった．血液中動態パラメータ：①0.5%等比重液4mL(11例)：Tmax2.2±0.5hr，Cmax52.8±11.6ng/mL，$T_{1/2}$6.1±2.4hr，$AUC_{0\text{-}8h}$17±4.5μg・min/mL ②0.5%高比重液4mL(11例)：Tmax1.6±0.9hr，Cmax56.2±15.4ng/mL，$T_{1/2}$6.6±3.3hr，$AUC_{0\text{-}8h}$17.3±2μg・min/mL **分布(血漿蛋白結合，胎盤通過性，乳汁への移行)・代謝及び排泄・腎機能障害患者での血漿中動態** 慢性腎不全患者：硬膜外・伝達麻酔参照 **高齢者での血漿中動態** 外国人：高齢手術患者(65歳以上)に静注後の血漿クリアランスは，若年成人に比べて約1/2に低下

その他の管理的事項

投与期間制限 該当しない

保険給付上の注意 該当しない

資料

IF マーカイン注0.125%・0.25%・0.5% 2017年7月改訂(第13版)

ブフェトロール塩酸塩
Bufetolol Hydrochloride

概要

薬効分類　212　不整脈用剤

構造式

$\cdot$ HCl

分子式　$C_{18}H_{29}NO_4 \cdot HCl$

分子量　359.89

ステム　アドレナリンβ受容体拮抗薬：-olol

原薬の規制区分　㊙劇

原薬の外観・性状　白色の結晶又は結晶性の粉末である．水又はメタノールに溶けやすく，エタノール(95)又は酢酸(100)にやや溶けやすく，ジエチルエーテルにほとんど溶けない．本品の水溶液(1→10)は旋光性を示さない

原薬の吸湿性　臨界湿度：74%RH

原薬の融点・沸点・凝固点　融点：153～157℃

原薬の酸塩基解離定数　pKa＝10.C(分配係数法)

先発医薬品等

錠 アドビオール錠5mg(田辺三菱)

国際誕生年月　1974年1月

海外での発売状況　発売されていない

製剤

規制区分　**錠**　劇 処

製剤の性状　**錠** 白色のフィルムコーティング錠

有効期間又は使用期限　5年

貯法・保存条件　遮光・室温保存

薬剤取扱い上の留意点　手術前24時間は投与しないことが望ましい

患者向け資料等　くすりのしおり

溶液及び溶解時のpH　該当しない

浸透圧比　該当しない

安定なpH域　該当しない

調製時の注意　該当しない

薬理作用

分類　β受容体遮断剤

作用部位・作用機序　作用部位：交感神経末端β受容体　作用機序：β受容体でのカテコールアミンとの拮抗作用による

同効薬　プロプラノロール塩酸塩　アルプレノロール塩酸塩，ピンドロール

治療

効能・効果　狭心症，洞性頻脈

用法・用量　1日15mg，3回に分服(適宜増減)

用法・用量に関連する使用上の注意　褐色細胞腫の患者では，本剤の単独投与により急激に血圧が上昇することがあるので，α遮断剤で初期治療を行った後に本剤を投与し，常にα遮断剤を併用する

禁忌・原則禁忌となる特定患者集団　妊婦又は妊娠している可能性のある婦人

使用上の注意

禁忌　①気管支喘息，気管支痙攣のおそれのある患者［気管支平滑筋のβ受容体を遮断し，気管支筋を収縮するため，症状を悪化させるおそれがある］　②糖尿病性ケトアシドーシス，代謝性アシドーシスのある患者［血液のpH低下により，生体でのカテコールアミンの反応性が低下し，心血管系に対して，心筋収縮力の抑制等がみられるおそれがある］　③高度の徐脈(著しい洞性徐脈)，房室ブロック(II，III度)，洞房ブロックのある患者［症状を悪化させるおそれがある］　④心原性ショックの患者［症状を悪化させるおそれがある］　⑤肺高血圧による右心不全のある患者［心拍出量を抑制するため症状を悪化させるおそれがある］　⑥うっ血性心不全の患者［心筋収縮力抑制作用のため，症状を悪化させるおそれがある］　⑦未治療の褐色細胞腫の患者　⑧妊婦又は妊娠している可能性のある婦人

過量投与　①症状：過量投与により，徐脈，心不全，低血圧，気管支痙攣等が現れることがある　②処置：過量投与の場合は，本剤を中止し，患者を慎重に観察する．必要に応じて胃洗浄のほかに次のような処置を行う：(1)徐脈：アトロピン硫酸塩水和物，イソプレナリン等を投与する　(2)心不全，低血圧：強心剤，昇圧剤，輸液等を投与する　(3)気管支痙攣：β_2刺激剤又はアミノフィリンを静注する

薬物動態

健康成人及び神経循環無力症，労作性狭心症，高血圧性心疾患患者に10mg1回経口投与時の血中濃度は1.33±0.36時間後にピーク，見かけの半減期1.48±0.24時間，比較的個人差は少ない．患者に1日7.5～15mgを1週間経口投与時の尿中には未変化体と2種の水酸化体を排泄

その他の管理的事項

投与期間制限　該当しない

保険給付上の注意　該当しない

資料

IF　アドビオール錠5mg　2014年2月改訂(第9版)

フ

ブプラノロール塩酸塩
Bupranolol Hydrochloride

概要

構造式

$\cdot$ HCl

及び鏡像異性体

分子式　$C_{14}H_{22}ClNO_2 \cdot HCl$

分子量　308.24

原薬の規制区分　劇

原薬の外観・性状　白色の結晶性の粉末である．メタノールにやや溶けにくく，水，エタノール(95)又は酢酸(100)に溶けにくく，無水酢酸に極めて溶けにくく，ジエチルエーテルにほとんど溶けない．1.0gを水1000mLに溶かした液のpHは5.2～6.2である

原薬の融点・沸点・凝固点　融点：223～226℃

ブプレノルフィン塩酸塩
Buprenorphine Hydrochloride

概要

薬効分類　114　解熱鎮痛消炎剤

構造式

$\cdot$ HCl

分子式　$C_{29}H_{41}NO_4 \cdot HCl$

分子量 504.10
ステム 該当しない
原薬の規制区分 ㊕ ㊐Ⅱ ㊞
原薬の外観・性状 白色～帯黄白色の結晶又は結晶性の粉末である．メタノール又は酢酸(100)に溶けやすく，水又はエタノール(99.5)にやや溶けにくい．1.0gを水200mLに溶かした液のpHは4.0～6.0である
原薬の吸湿性 臨界相対湿度(飽和溶液法)：約100％
原薬の融点・沸点・凝固点 融点：約268℃(分解)
原薬の酸塩基解離定数 pka_1(＞NH^+-) = 8.06，pka_2(-O^-) = 10.54
先発医薬品等
注 レペタン注0.2mg・0.3mg(大塚製薬)
坐 レペタン坐剤0.2mg・0.4mg(大塚製薬)
後発医薬品
注 0.2mg・0.3mg
国際誕生年月 1977年10月
海外での発売状況 **注** 米，英，仏，独を含む43カ国

製剤

規制区分 **注** **坐** ㊕ ㊐Ⅱ ㊞ ㊛
製剤の性状 **注** 無色澄明な注射液 **坐** 白色不透明な紡すい形の肛門坐剤で，においはないか，又は僅かに特異なにおいがある
有効期間又は使用期限 3年
貯法・保存条件 **注** 室温保存(外箱開封後は遮光保存) **坐** 室温保存
薬剤取扱い上の留意点 医療外使用を防止するため，保管管理には十分注意すること 本剤を投与後，特に起立，歩行時に悪心，嘔吐，めまい，ふらつきなどの症状が現れやすいので，投与後はできる限り安静にするように注意すること．特に，外来患者に投与した場合には十分に安静にした後，安全を確認して帰宅させること．眠気，めまい，ふらつき，注意力・集中力・反射運動能力等の低下が起こることがあるので，本剤投与中の患者には自動車の運転等危険を伴う機械の操作に従事させないよう注意すること
患者向け資料等 くすりのしおり
溶液及び溶解時のpH **注** 3.5～5.0
浸透圧比 **注** 約1(対生食)
調製時の注意 **注** ①原則として他剤との混合注射は避ける ②バルビタール系薬剤(注射液)と同じ注射筒を使用すると沈殿を生ずるので，同じ注射筒で混合しない

薬理作用

分類 オリパビン誘導体中枢性鎮痛薬
作用部位・作用機序 オピオイド受容体に(部分作動薬として)作用し，痛覚伝導系を抑制することにより鎮痛作用を発揮する
同効薬 ペンタゾシン

治療

効能・効果 **注** ①次の疾患ならびに状態における鎮痛：術後，各種癌，心筋梗塞症 ②麻酔補助
坐 次の疾患ならびに状態における鎮痛：術後，各種癌
用法・用量 **注** 効能①：(1)術後，各種癌：1回0.2～0.3mg(4～6μg/kg)筋注(適宜増減)．初回量は0.2mgとすることが望ましい．その後必要に応じて約6～8時間ごとに反復 (2)心筋梗塞症：1回0.2mg徐々に静注(適宜増減) 効能②：0.2～0.4mg(4～8μg/kg)を麻酔導入時に徐々に静注(適宜増減)
坐 次の量を直腸内投与．必要に応じて約8～12時間ごとに反復：①術後：1回0.4mg，術直後の激しい疼痛には注射剤を投与し，その後必要に応じて坐剤を投与 ②各種癌：1回0.2mg又は0.4mg，低用量から開始することが望ましい
禁忌・原則禁忌となる特定患者集団 **注** **坐** 妊婦又は妊娠している可能性のある婦人

使用上の注意

禁忌 ①本剤の成分に対し過敏症の既往歴のある患者 ②重篤な呼吸抑制状態及び肺機能障害のある患者［呼吸抑制が増強されることがある］ ③重篤な肝機能障害のある患者［代謝が遅延し，作用が増強されるおそれがある］ ④頭部傷害，脳に病変のある場合で，意識混濁が危惧される患者［呼吸抑制や頭蓋内圧の上昇をきたすおそれがある］ ⑤頭蓋内圧上昇の患者［頭蓋内圧がさらに上昇するおそれがある］ ⑥妊婦又は妊娠している可能性のある婦人 ⑦**坐** 直腸炎，直腸出血又は著明な痔疾のある患者

薬物動態

血漿中濃度 ①**注** 外国人：術後患者に0.3mg静注及び筋注時の血漿中濃度(ラジオイムノアッセイ法)は，静注では初期段階は極めて急速に減少し初期半減期は約2分，その後は緩慢に減少．筋注では投与後5分以内で最高濃度．両投与経路とも血中濃度推移はほぼ同じ，消失半減期約2～3時間 ②**坐** 術後患者に坐剤0.2mg，0.4mgを直腸内投与時の血漿中濃度Tmaxはいずれも約2時間で筋注に比べ遅い．血漿中濃度は用量反応性 **代謝，排泄** ヒト(成人男子，筋注)：主に肝臓で代謝され，グルクロン酸抱合あるいはN-脱アルキル化を受ける．主排泄経路は胆汁を介した糞中排泄で，糞中へ約70%，残りは尿中排泄 **薬物の肝酸化型代謝に関与するチトクロムP450分子種** 主としてCYP3A4(*in vitro*)

その他の管理的事項

投与期間制限 **注** 30日(在宅における悪性腫瘍の鎮痛療法)
坐 14日(旅程その他の事情を考慮した場合，必要最小限の範囲において，1回30日分を限度として投与可)
保険給付上の注意 該当しない

資料

IF レペタン注0.2mg・0.3mg 2014年12月改訂(第11版)
レペタン坐剤0.2mg・0.4mg 2015年6月改訂(第8版)

ブホルミン塩酸塩
ブホルミン塩酸塩錠
ブホルミン塩酸塩腸溶錠
Buformin Hydrochloride

概要

薬効分類 396 糖尿病用剤
構造式

H_2N–C(=NH)–NH–C(=NH)–NH–$CH_2CH_2CH_2CH_3$ ・HCl

分子式 $C_6H_{15}N_5$・HCl
分子量 193.68
ステム フェンホルミン系血糖降下薬：-formin
原薬の規制区分 ㊕
原薬の外観・性状 白色の結晶性の粉末である．水又はエタノール(99.5)に溶けやすい
原薬の吸湿性 該当資料なし
原薬の融点・沸点・凝固点 融点：175～180℃
原薬の酸塩基解離定数 該当資料なし
後発医薬品
錠 50mg
腸溶錠 50mg
国際誕生年月 不明
海外での発売状況 該当資料なし

製剤

規制区分 **錠** **腸溶錠** ㊕ ㊛
製剤の性状 **錠** 白色の割線入りフィルムコーティング錠 **腸溶錠** 白色の腸溶性フィルムコート錠

有効期間又は使用期限　3年

貯法・保存条件　錠 室温保存　腸溶錠 密閉容器保存

薬剤取扱い上の留意点　低血糖症状を起こすことがあるので，高所作業，自動車の運転等に従事している患者に投与するときには注意すること．また，低血糖症状に関する注意について，患者及びその家族に十分指導すること

患者向け資料等　患者向医薬品ガイド，くすりのしおり

溶液及び溶解時のpH　該当資料なし

浸透圧比　該当資料なし

安定なpH域　該当資料なし

調製時の注意　該当しない

薬理作用

分類　ビグアナイド系血糖降下剤

作用部位・作用機序　グリコーゲン及びブドウ糖を急速に分解して乳酸にする嫌気性解糖系を促進させ，末梢組織の糖摂取能を亢進させるとともに，肝糖原の新生と肝臓からの糖放出を抑制して血糖低下作用を現す

同効薬　メトホルミン塩酸塩

治療

効能・効果　インスリン非依存型糖尿病(ただし，SU剤が効果不十分な場合あるいは副作用等により使用不適当な場合に限る)

用法・用量　SU剤が効果不十分な場合あるいは副作用等により使用不適当な場合にのみ使用する．1日量100mgから開始し，1日2～3回食後に分服．維持量は効果を観察しながら決めるが，1日最高投与量150mg

禁忌・原則禁忌となる特定患者集団　妊婦又は妊娠している可能性のある婦人

使用上の注意

> **警告**　重篤な乳酸アシドーシスを起こすことがあり，死亡に至った例も報告されている．乳酸アシドーシスを起こしやすい患者には投与しない．また，重篤な低血糖症を起こすことがある．用法・用量，使用上の注意に特に留意する

禁忌　①次に示す状態の患者［乳酸アシドーシスを起こしやすい］：(1)乳酸アシドーシスの既往　(2)腎機能障害(軽度障害も含む)　(3)透析患者(腹膜透析も含む)　(4)肝機能障害　(5)ショック，心不全，心筋梗塞，肺塞栓等，心血管系，肺機能に高度の障害のある患者及びその他の低酸素血症を伴いやすい状態　(6)過度のアルコール摂取者　(7)脱水症，脱水状態が懸念される下痢，嘔吐等の胃腸障害のある患者　(8)高齢者　②重症ケトーシス，糖尿病性昏睡又は前昏睡，1型糖尿病の患者［輸液，インスリンによる速やかな高血糖の是正が必須である］　③重症感染症，手術前後，重篤な外傷のある患者［インスリン注射による血糖管理が望まれるので本剤の投与は適さない．また，乳酸アシドーシスを起こしやすい］　④栄養不良状態，飢餓状態，衰弱状態，脳下垂体機能不全又は副腎機能不全の患者［低血糖を起こすおそれがある］　⑤妊婦又は妊娠している可能性のある婦人　⑥本剤の成分又はビグアナイド系薬剤に対し過敏症の既往歴のある患者

過量投与　①症状：乳酸アシドーシスが起こることがある　②処置：アシドーシスの補正(炭酸水素ナトリウム静注等)，輸液(強制利尿)，血液透析等の適切な処置を行う

その他の管理的事項

投与期間制限　該当しない

保険給付上の注意　該当しない

資料

IF　ジベトス錠50mg　2018年6月改訂(第9版)
　　ジベトンS腸溶錠50mg　2018年6月改訂(第4版)

ブメタニド
Bumetanide

概要

構造式

分子式　$C_{17}H_{20}N_2O_5S$

分子量　364.42

原薬の規制区分　該当しない

原薬の外観・性状　白色の結晶又は結晶性の粉末である．ピリジンに溶けやすく，メタノール又はエタノール(95)にやや溶けやすく，ジエチルエーテルに溶けにくく，水にほとんど溶けない．水酸化カリウム試液に溶ける．光によって徐々に着色する

治療

効能・効果†　心性浮腫，腎性浮腫，肝性浮腫，癌性腹水

フラジオマイシン硫酸塩
Fradiomycin Sulfate

別名：ネオマイシン硫酸塩

フ

概要

薬効分類　263　化膿性疾患用剤，276　歯科用抗生物質製剤，612　主としてグラム陰性菌に作用するもの

構造式

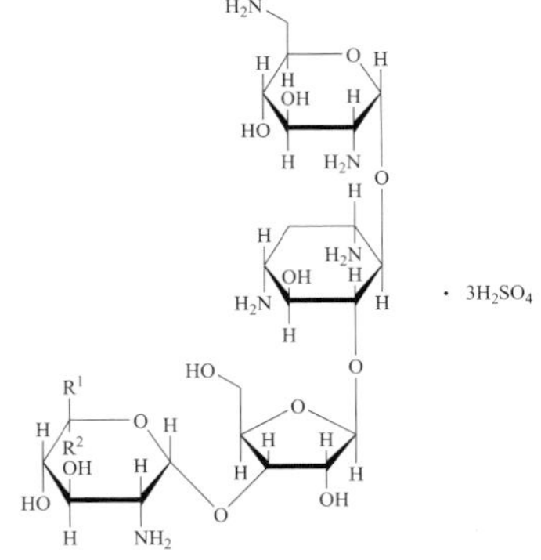

フラジオマイシンB硫酸塩：R^1= H　R^2= CH_2NH_2
フラジオマイシンC硫酸塩：R^1= CH_2NH_2　R^2= H

分子式　$C_{23}H_{46}N_6O_{13}\cdot 3H_2SO_4$

分子量　908.88

略語・慣用名　FRM　別名・慣用名：ソフラマイシン，フラミセチン

ステム　*Streptomyces*属の産生する抗生物質：-mycin

原薬の規制区分　該当しない

原薬の外観・性状　白色～淡黄色の粉末である．水に溶けやすく，エタノール(95)にはほとんど溶けない．1.0gを水10mLに溶かした液のpHは5.0～7.5である

原薬の吸湿性　吸湿性である

原薬の酸塩基解離定数　該当資料なし

先発医薬品等

[貼] ソフラチュール貼付剤10cm・30cm（テイカ製薬）
[歯科用] デンターグル含嗽用散20mg/包（昭和薬化）
国際誕生年月　1953年7月
海外での発売状況　英，独，豪を含む37カ国

製剤

規制区分　[歯科用] [処]
製剤の性状　[貼] 黄白色の軟膏を均等に付着浸透させた目の粗い木綿ガーゼ　[歯科用] 淡紅色の粉末で，スペアミントようの芳香がある．水溶液（0.5→100）は微紅色の透明溶液である
有効期間又は使用期限　2年
貯法・保存条件　[貼] 室温保存（夏季には涼しい場所に保管）
[歯科用] 室温保存
薬剤取扱い上の留意点　[歯科用] ①抜歯後等の口腔内手術創の場合，血餅の形成が阻害されると思われる時期には，はげしい洗口を避けさせること　②含嗽用にのみ使用させること
患者向け資料等　くすりのしおり
溶液及び溶解時のpH　5.0～7.5（1.0gを水10mLに溶かした液）
調製時の注意　[歯科用] 用時水又は微温湯に溶解する　取扱い上の注意：寒冷時溶解しにくい場合には，コップごと微温湯に浸け加温すること．なお，この加温による薬効の変化はない

薬理作用

分類　アミノグリコシド系抗生物質
作用部位・作用機序　細菌細胞のリボゾームの30S subunitと結合し，遺伝情報の誤読をおこさせ，蛋白合成阻害を行う．その作用はStreptomycinよりも強い
同効薬　フシジン酸ナトリウムなど

治療

効能・効果　[貼]〈適応菌種〉フラジオマイシンに感性のブドウ球菌属，レンサ球菌属（肺炎球菌を除く）〈適応症〉外傷・熱傷及び手術創等の二次感染，びらん・潰瘍の二次感染
[歯科用]〈適応菌種〉フラジオマイシン感性菌〈適応症〉抜歯創・口腔手術創の二次感染
用法・用量　[貼] フラジオマイシン1～数枚を直接患部にあて，その上を無菌ガーゼで覆う
[歯科用] 60mg（力価）を用時約500mLの水又は微温湯に溶解し，1日数回に分けて洗口する．症状により適宜増量
用法・用量に関連する使用上の注意　[貼] ①使用にあたっては，耐性菌の発現等を防ぐため，原則として感受性を確認し，疾病の治療上必要な最小限の期間の使用にとどめる　②広範囲な熱傷，潰瘍のある皮膚には長期間連用しない

使用上の注意

禁忌　[貼] ストレプトマイシン，カナマイシン，ゲンタマイシン，フラジオマイシン等のアミノグリコシド系抗生物質及びバシトラシンに対し過敏症の既往歴のある患者
[歯科用] ストレプトマイシン，カナマイシン，ゲンタマイシン，フラジオマイシン等のアミノグリコシド系抗生物質，バシトラシン又はベンゼトニウム塩化物に対し過敏症の既往歴のある患者（本剤は保存剤としてベンゼトニウム塩化物を含有している）

その他の管理的事項

投与期間制限　該当しない
保険給付上の注意　該当しない

資料

IF　ソフラチュール貼付剤10cm・30cm　2017年6月改訂（第6版）
デンターグル含嗽用散20mg/包　2017年1月改訂（第2版）

プラステロン硫酸エステルナトリウム水和物
Prasterone Sodium Sulfate Hydrate

概要

薬効分類　245　副腎ホルモン剤
構造式

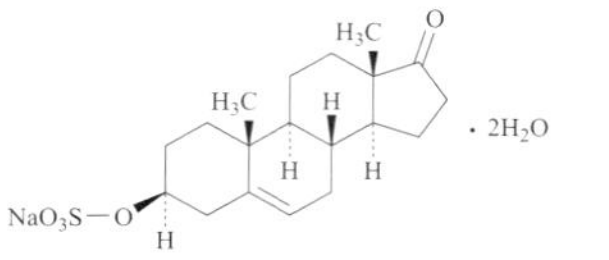

分子式　$C_{19}H_{27}NaO_5S \cdot 2H_2O$
分子量　426.50
略語・慣用名　DHA-S
ステム　男性ホルモン（アンドロゲン）/タンパク質同化作用を示す化合物：-testosterone/-sterone/-ster-あるいは(-)andr-
原薬の規制区分　該当しない
原薬の外観・性状　白色の結晶又は結晶性の粉末で，においはない．メタノールにやや溶けやすく，水又はエタノール（95）にやや溶けにくく，アセトン又はジエチルエーテルにほとんど溶けない．1.0gを水200mLに溶かした液のpHは4.5～6.5である
原薬の吸湿性　該当資料なし
原薬の融点・沸点・凝固点　融点：約160℃（分解，ただし乾燥後）
原薬の酸塩基解離定数　該当資料なし
後発医薬品
[注射用] 200mg
国際誕生年月　該当しない
海外での発売状況　該当しない

製剤

規制区分　[注射用] [処]
製剤の性状　[注射用] 白色多孔質のかたまり又は粉末の用時溶解して用いる凍結乾燥製剤．その表示量100mgに対して水10mLを加えるとすみやかに溶け，その液は無色澄明
有効期間又は使用期限　3年
貯法・保存条件　室温保存
患者向け資料等　くすりのしおり
溶液及び溶解時のpH　5.5～8.0
浸透圧比　約0.6（対生食）
調製時の注意　①溶解には必ず注射用水又は5W/V%ブドウ糖注射液を用いること（注射用水を使用することが望ましい．他の溶解液を使用すると溶解し難いので使用しないこと．特に生理食塩液は塩析により白濁するので使用しないこと）②標準温度（20℃）以下では溶解し難いので，よく振盪し完全に溶解を確認した後使用すること．なお，加温により溶けやすくなるので必要により微温湯（30～40℃）にて加温すること　③溶液状態ではやや不安定であるので，溶解後は直ちに使用すること

薬理作用

分類　子宮頸管熟化剤（DHA-S製剤）
作用部位・作用機序　作用部位：子宮頸部　作用機序：体内でエストラジオールへと代謝されて作用する．子宮頸部に直接作用してその熟化を促進する．臨床的には，妊娠末期子宮頸管熟化不全に用いる
同効薬　該当しない

治療

効能・効果　妊娠末期子宮頸管熟化不全（子宮口開大不全，頸部展退不全，頸部軟化不全）における熟化の促進
効能・効果に関連する使用上の注意　①経腟分娩を目的としているため，帝王切開を予定している妊婦には使用しない　②頸管熟化の状態を診断して，慎重に適応を判断する

用法・用量　妊娠末期の妊婦に1日1回100～200mg，週2～3回静注．100mgを注射用水又は5%ブドウ糖注射液10mLに用時溶解する

使用上の注意

> **警告**　①本剤の使用により，胎児徐脈又は胎児仮死が起こることがあり，胎児死亡に至った症例が報告されている　②投与に際しては妊婦及び胎児の状態を分娩監視装置等により十分に観察するとともに，投与後も同様に十分観察し，異常が認められた場合には適切な処置を行う　③使用にあたっては，添付文書を熟読する

禁忌　①ジノプロストン(PGE_2(膣用剤))を投与中の患者　②本剤の成分に対し過敏症の既往歴のある患者

薬物動態

血中濃度　妊娠末期の妊婦に静注時，主成分であるDHA-Sの消失半減期約2時間　**代謝**　主として胎盤で，プラステロンへ，さらにエストラジオールへと転換　**排泄**　エストロゲン及び17-ケトステロイドとして排泄，48時間でほぼ全量排泄

その他の管理的事項

投与期間制限　該当しない

保険給付上の注意　該当しない

資料

IF　レボスパ静注用200mg　2020年4月改訂（第9版）

プラゼパム
プラゼパム錠
Prazepam

概要

薬効分類　112　催眠鎮静剤，抗不安剤

構造式

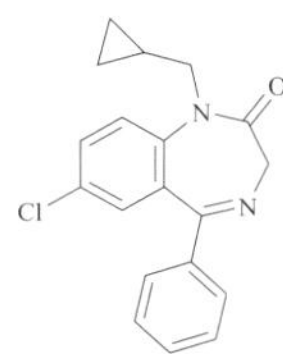

分子式　$C_{19}H_{17}ClN_2O$

分子量　324.80

原薬の規制区分　(向Ⅲ)

原薬の外観・性状　白色～淡黄色の結晶又は結晶性の粉末で，においはない．アセトンに溶けやすく，無水酢酸にやや溶けやすく，エタノール(99.5)又はジエチルエーテルにやや溶けにくく，水にほとんど溶けない

原薬の融点・沸点・凝固点　融点：145～148℃

プラゾシン塩酸塩
Prazosin Hydrochloride

概要

薬効分類　214　血圧降下剤

構造式

分子式　$C_{19}H_{21}N_5O_4 \cdot HCl$

分子量　419.86

ステム　プラゾシン系降圧薬：-azosin

原薬の規制区分　(劇)(ただし，1錠中プラゾシンとして2mg以下を含有するものを除く)

原薬の外観・性状　白色の結晶性の粉末である．メタノールに溶けにくく，エタノール(99.5)に極めて溶けにくく，水にほとんど溶けない．光によって徐々に微黄白色になる

原薬の吸湿性　各種相対湿度層(32～90%，37℃)に11日間放置したときの吸湿増量を測定した結果，ほとんど吸湿性はなく臨界相対湿度は約80%であった

原薬の融点・沸点・凝固点　融点：約270℃(分解)

原薬の酸塩基解離定数　pKa＝6.2

先発医薬品等

錠　ミニプレス錠0.5mg・1mg(ファイザー)

国際誕生年月　1973年3月

海外での発売状況　米，英など

製剤

規制区分　錠　(処)

製剤の性状　**0.5mg錠**　白色の割線入り素錠　**1mg錠**　淡橙色の割線入り素錠

有効期間又は使用期限　4年

貯法・保存条件　室温保存

薬剤取扱い上の留意点　本剤の投与初期又は用量の急増時等に，起立性低血圧に基づくめまい等が現れることがあるので，高所作業，自動車の運転等危険を伴う作業に従事する場合には注意させること

患者向け資料等　くすりのしおり

薬理作用

分類　キナゾリン誘導体α_1受容体遮断剤

作用部位・作用機序　本態性高血圧症，腎性高血圧症適用時：末梢血管にあるα_1受容体を選択的に遮断することにより，末梢血管を拡張させ，全末梢抵抗を減少させる　前立腺肥大症に伴う排尿障害適用時：α_1受容体を選択的に遮断することにより後部尿道・前立腺・膀胱三角部平滑筋を弛緩させ，尿道抵抗を減少させる

同効薬　降圧剤：ブナゾシン塩酸塩，ウラピジル，テラゾシン塩酸塩水和物，ドキサゾシンメシル酸塩　排尿障害治療剤：ウラピジル，テラゾシン塩酸塩水和物，タムスロシン塩酸塩，ナフトピジル

治療

効能・効果　①本態性高血圧症，腎性高血圧症　②前立腺肥大症に伴う排尿障害

用法・用量　プラゾシンとして1日1～1.5mgから始め，効果が不十分な場合は1～2週間の間隔をおいて1.5～6mgまで漸増し1日2～3回に分服(適宜増減)．本態性高血圧症，腎性高血圧症では，まれに1日15mgまで漸増することもある

使用上の注意

禁忌　本剤の成分に対し過敏症の既往歴のある患者

過量投与　①症状：過量投与により低血圧を起こす可能性がある　②処置：低血圧が認められた場合は心血管系機能の維持

フ

を最初に行う．血圧と心拍数を正常に回復するために，患者を臥位に保つ．なお不十分であれば，血漿増量剤を用い，ショックを治療し，必要であれば昇圧剤を用いる．腎機能のモニターを行い，必要であれば適切な処置を行う．本剤は蛋白結合率が高いため，透析による除去は有効ではない．また，2歳の小児がプラゾシンを少なくとも50mg服用した事故では，深い眠気及び反射の低下を招いたが，血圧の低下はみられず，回復は順調であった．その他，次の報告もある．いずれも男性で年齢，投与量(症状，徴候)，〔処置〕，転帰の順：(1)19歳，200mg(頻脈)，〔36時間臥床〕，回復 (2)25歳，150mg(持続勃起)，〔亀頭陰茎海綿体シャント〕，回復 (3)75歳，80mg(嗜眠状態，低血圧)，〔胃洗浄，活性炭，輸液〕，18時間後回復 (4)72歳，120mg(昏睡，低血圧，チェーンストークス型呼吸，呼吸不全，アシドーシス，肺水腫)，〔ドパミン，アンジオテンシン，集中治療室に搬入後換気，膠質輸液，アトロピン〕，48時間後回復

薬物動態

吸収 健常成人6名に2mgを投与時，1.2時間後に最高血中濃度21.1ng/mL，半減期約2時間 **分布** 健常成人6名に2mgを投与時，血中濃度分布容積は平均75.3L，組織移行性は高い **排泄** 健常成人6名に2mgを投与時，24時間までの尿中排泄率2.4% **食事の影響** 健常成人18名に2mgをクロスオーバー法により空腹時又は食後に単回投与時の血中濃度・時間曲線下面積(AUC)に有意差は認められず，本剤の吸収に及ぼす食事の影響は少ないものと考えられる(参考)

その他の管理的事項

投与期間制限 該当しない
保険給付上の注意 該当しない

資料

IF ミニプレス錠0.5mg・1mg 2018年11改訂(第8版)

プラノプロフェン
Pranoprofen

概要

薬効分類 114 解熱鎮痛消炎剤，131 眼科用剤
構造式

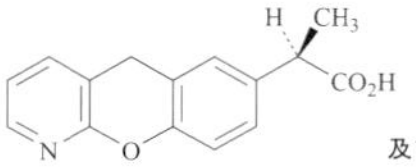

及び鏡像異性体

分子式 $C_{15}H_{13}NO_3$
分子量 255.27
ステム イブプロフェン系抗炎症薬：-profen
原薬の規制区分 [劇](ただし，0.1%以下を含有する点眼剤を除く)
原薬の外観・性状 白色～微黄白色の結晶性の粉末である．*N,N*-ジメチルホルムアミドに溶けやすく，酢酸(100)にやや溶けやすく，メタノールにやや溶けにくく，アセトニトリル，エタノール(95)又は無水酢酸に溶けにくく，ジエチルエーテルに極めて溶けにくく，水にほとんど溶けない．本品の*N,N*-ジメチルホルムアミド溶液(1→30)は旋光性を示さない
原薬の吸湿性 吸湿度：－0.1～0.2%(40℃，60%RH・75%RH・82%RH，4カ月)
原薬の融点・沸点・凝固点 融点：186～190℃
原薬の酸塩基解離定数 pKa_1＝2.4(ベンゾピラノピリジン環，吸光度法)，pKa_2＝3.5(カルボキシル基，滴定法)
先発医薬品等
[錠] ニフラン錠75mg(田辺三菱)
[点眼液] ニフラン点眼液0.1%(千寿＝武田)
後発医薬品
[カ] 75mg
[点眼液] 0.1%
国際誕生年月 1981年6月
海外での発売状況 [錠] 発売されていない [点眼液] 6カ国

製剤

規制区分 [錠] [劇]
製剤の性状 [錠] 白色のフィルムコーティング錠 [点眼液] 無色澄明の水性点眼剤
有効期間又は使用期限 3年
貯法・保存条件 [錠] 遮光・室温保存 [点眼液] 室温保存．外箱開封後は遮光保存
患者向け資料等 くすりのしおり
溶液及び溶解時のpH [点眼液] 7.0～8.0
調製時の注意 該当しない

薬理作用

分類 プロピオン酸系酸性非ステロイド性鎮痛・抗炎症・解熱剤
作用部位・作用機序 アラキドン酸カスケード中のシクロオキシゲナーゼ阻害によるプロスタグランジン生合成抑制作用であると考えられている．抗炎症，鎮痛作用は末梢性で，解熱作用は視床下部の体温調節中枢への作用といわれている
同効薬 [錠] ロキソプロフェンナトリウム，インドメタシン，イブプロフェン，ジクロフェナクナトリウムなど [点眼液] インドメタシン，ジクロフェナクナトリウム，ブロムフェナクナトリウム水和物，ネパフェナク

治療

効能・効果 [錠] [カ] [内用液] ①次の疾患ならびに症状の消炎・鎮痛：関節リウマチ，変形性関節症，腰痛症，頸肩腕症候群，歯根膜炎，痛風発作 ②次の疾患の解熱・鎮痛：急性上気道炎(急性気管支炎を伴う急性上気道炎を含む) ③外傷後，小手術後ならびに抜歯後の消炎・鎮痛
[点眼液] 外眼部及び前眼部の炎症性疾患の対症療法(眼瞼炎，結膜炎，角膜炎，強膜炎，上強膜炎，前眼部ブドウ膜炎，術後炎症)
用法・用量 [錠] [カ] [内用液] 効能①③：プラノプロフェンとして1回75mg，1日3回食後(適宜増減)．頓用には1回75mg．痛風発作には1回150～225mg，1日3回，その後翌日から1回75mg，1日3回食後 効能②：プラノプロフェンとして1回75mg頓用(適宜増減)．原則として1日2回まで，1日最大225mgを限度とする．空腹時の投与は避けさせることが望ましい
[点眼液] 1回1～2滴，1日4回．適宜回数増減
禁忌・原則禁忌となる特定患者集団 [錠] 妊娠末期の婦人

使用上の注意

禁忌 [錠] [カ] [内用液] ①消化性潰瘍のある患者［プロスタグランジン生合成抑制により，胃の血流量が減少し消化性潰瘍が悪化することがある］ ②重篤な血液の異常のある患者［副作用として血液障害が報告されているため血液の異常をさらに悪化させるおそれがある］ ③重篤な肝障害のある患者［副作用として肝機能障害が報告されているため肝障害をさらに悪化させるおそれがある］ ④重篤な腎障害のある患者［腎血流量減少や腎での水及びNa再吸収増加を引き起こし，腎機能を低下させるおそれがある］ ⑤重篤な心機能不全のある患者［腎のプロスタグランジン生合成抑制により，浮腫，循環体液量の増加が起こり，心臓の仕事量が増加するため症状を悪化させるおそれがある］ ⑥重篤な高血圧症の患者［プロスタグランジン合成阻害作用に基づくNa・水分貯留傾向があるため血圧をさらに上昇させるおそれがある］ ⑦本剤の成分に過敏症の既往歴のある患者 ⑧アスピリン喘息(非ステロイド性消炎鎮痛剤等による喘息発作の誘発)又はその既往歴のある患者［重症喘息発作を誘発する］ ⑨妊娠末期の婦人

点眼液 本剤の成分に対し過敏症の既往歴のある患者

薬物動態

錠 **血漿中濃度** 健康成人5人に75mgを食後経口投与時の血漿中未変化体濃度は，投与後1.9時間で最高濃度3.59±1.04μg/mL，以後2相性の消失を示し，3～7時間における消失半減期は1.3時間，最終相における消失半減期は5.4時間，AUCは9.29±0.55μg・hr/mL **代謝・排泄** 健康成人に75mgを経口投与時，肝及び腎等で大部分がグルクロン酸抱合を受け，未変化体及びグルクロン酸抱合体として，それぞれ1.3%及び84%が24時間までの尿中に排泄 **蛋白結合率** 99.5%(75mg経口投与後1及び3時間)

点眼液(参考)眼内移行：ウサギの両眼に0.1%^{14}C-プラノプロフェン点眼液を1回0.01mL，3分間隔で4回点眼30分後の眼組織濃度は，角膜，結膜，前部強膜，外眼筋，前房水，虹彩・毛様体，後部強膜の順に高い．一方，網・脈絡膜，水晶体，血液，肝臓への分布は少なく，硝子体にはほとんど認められていない

その他の管理的事項

投与期間制限 該当しない

保険給付上の注意 該当しない

資料

IF ニフラン錠75mg 2017年10月改訂(第10版)
ニフラン点眼液0.1% 2011年10月改訂(第3版)

プラバスタチンナトリウム
プラバスタチンナトリウム錠
プラバスタチンナトリウム細粒
プラバスタチンナトリウム液
Pravastatin Sodium

概要

薬効分類 218 高脂血症用剤

構造式

分子式 $C_{23}H_{35}NaO_7$

分子量 446.51

ステム HMG-CoA還元酵素阻害薬：-(v)astatin

原薬の規制区分 該当しない

原薬の外観・性状 白色～帯黄白色の粉末又は結晶性の粉末である．水又はメタノールに溶けやすく，エタノール(99.5)にやや溶けやすい．1.0gを新たに煮沸して冷却した水20mLに溶かした液のpHは7.2～8.2である

原薬の吸湿性 吸湿性である

原薬の融点・沸点・凝固点 融点：約176℃(分解)

原薬の酸塩基解離定数 pKa＝4.6(2×10^{-3}mol/L濃度溶液を0.01mol/L塩酸で滴定)

先発医薬品等

細 メバロチン細粒0.5%・1%(第一三共)

錠 メバロチン錠5・10(第一三共)

後発医薬品

錠 5mg・10mg

国際誕生年月 1989年3月

海外での発売状況 米，英，豪など

製剤

規制区分 **細** **錠** ㊙

製剤の性状 **0.5%細** 白色の細粒 **1%細** 微紅色の細粒 **5mg錠** 白色の素錠 **10mg錠** 微紅色の素錠(割線入)

有効期間又は使用期限 **細** 3年 **錠** 3年3カ月

貯法・保存条件 室温保存

薬剤取扱い上の留意点 服用時：メバロン酸の生合成は夜間に亢進することが報告されているので，適用にあたっては，1日1回投与の場合，夕食後投与とすることが望ましい

患者向け資料等 患者向医薬品ガイド，くすりのしおり

溶液及び溶解時のpH 7.2～8.2(1.0gを水20mLに溶かした液)

浸透圧比 該当しない

安定なpH域 該当しない

調製時の注意 該当しない

薬理作用

分類 HMG-CoA還元酵素阻害剤

作用部位・作用機序 コレステロール生合成の律速となるHMG-CoAからメバロン酸の生合成に関与する酵素であるHMG-CoA還元酵素を特異的かつ拮抗的に阻害する．作用部位はコレステロール生合成の場である肝臓，小腸であり，ホルモン産生臓器を含む他の臓器での阻害は非常に弱く，高い臓器選択性が示唆されている．また，プラバスタチンナトリウムは本酵素の基質であるHMG-CoAと類似構造を有するため，HMG-CoAに対する作用は拮抗的である．HMG-CoA還元酵素の阻害以外，蛋白，核酸，脂肪酸の生合成に関与する酵素，薬物代謝に関与する酵素のほか，HMG-CoAlyase，Na^+，K^+-ATPase，aldose reductase，phospholipase A2，5-lipoxygenase，PG-cyclooxygenase 等に影響を与えず，胆汁酸及びその組成にも影響を与えない．プラバスタチンナトリウムのコレステロール合成阻害により，肝細胞内のコレステロール含量が低下するためLDL受容体活性が増強し，血中から肝細胞内へのLDLの取り込みが増加し血清中のLDLコレステロール値が低下する

同効薬 シンバスタチン，フルバスタチンナトリウム，アトルバスタチンカルシウム水和物，ピタバスタチンカルシウム，ロスバスタチンカルシウム

治療

効能・効果 高脂血症，家族性高コレステロール血症

用法・用量 プラバスタチンナトリウムとして1日10mg，1～2回に分服(適宜増減)，重症の場合は1日20mgまで増量できる

禁忌・原則禁忌となる特定患者集団 妊婦又は妊娠している可能性のある婦人・授乳婦

使用上の注意

禁忌 ①本剤の成分に対し過敏症の既往歴のある患者 ②妊婦又は妊娠している可能性のある婦人及び授乳婦

薬物動態

血中濃度 健康成人男子11例に本剤10・20mgを空腹時単回経口投与時，血漿中濃度は投与後速やかに上昇して投与約1時間後にピークとなり，その後緩やかに低下．薬物動態学的パラメータ(10mg，20mgの順)はCmax(ng/mL)16.5±6.9，32.3±16.0，Tmax(hr)1.1±0.5，1.1±0.3，$T_{1/2}$(hr)2.7±1.0，2.5±0.6，AUC_{0-24}(ng・hr/mL)42.8±17.6，81.1±34.8．肝抽出率が高いため食事摂取による肝血流量増加時には肝クリアランスが変動し血漿中濃度が低くでることもあるが，脂質低下作用に影響は認められていない **血清蛋白結合率** 健康成人6例に10mgを経口投与1時間後と2時間後の血液をプールして，限外ろ過法で測定した血清蛋白結合率は53.1%(三共研究所) **代謝(外国人)** 健康成人男子(8例)に^{14}C-プラバスタチンナトリウム(PV)19.2mgを経口単回投与時の尿(0-48時間)及び糞(0-96時間)中で，未変化体は尿中放射能の29%，糞中放射能の47.6%．主な代謝物は3α-iso-異性体で，尿中放射能の10%，糞中放射能の13.9%，6-epi-異性体は尿中放射能の2.8%，糞中放射能の0.7%．3α-iso-異性体

のHMG-CoA還元酵素の阻害活性は弱く(PVの2%の阻害活性)，6-epi-異性体はPVの80%の阻害活性を有するが少量であるため，体内では未変化体が主要な活性体であると考えられる　**薬物代謝酵素**　ヒト肝ミクロソームを用いた*in vitro*代謝試験で安定，チトクロムP450の分子種の3A4(CYP3A4)で代謝を受けなかった(三共研究所)①CYP3A4の代謝を受ける薬剤に対する影響：ヒト肝ミクロソームを用いた*in vitro*試験で，CYP3A4の基質であると報告されているニフェジピン，メキサゾラム，テストステロンの代謝に影響を与えなかった　②CYP3A4を阻害する薬剤の影響：代謝は，CYP3A4を阻害する薬剤(イトラコナゾール，ジルチアゼム)との併用により，有意な影響を受けなかった　③グレープフルーツジュースの影響：グレープフルーツジュースの反復飲用は，本剤の薬物動態に有意な影響を与えなかったとの報告がある　**排泄**　健康成人男子11例に10・20mg空腹時単回投与時，24時間までの累積尿中排泄率は未変化体として10.7～11.8%，代謝物として2.4～2.6%　**連続投与時の蓄積性**　健康成人男子5例に20mg，1日2回7日間連続投与時，朝投与前の血漿中には未変化体及び代謝物は検出されず，尿中排泄パターンや回収率は投与期間中一定　**吸収・分布・排泄(参考：動物)**　主として十二指腸から吸収され(ラット，イヌ)，コレステロール生合成の盛んな肝臓，小腸等に高濃度に分布するが，脳，副腎，生殖器臓器等，他の臓器への分布は極めて低い．また，動物実験(ラット，イヌ，サル)ではいずれも胆汁排泄を経由した糞中排泄が主で(80%以上)，尿中排泄は2～13%と少なく，ヒトの尿中排泄でも同様のことが認められている．主として肝臓で酸化，異性化，抱合(主としてグルタチオン抱合)を受けて代謝されると推定されている

その他の管理的事項

投与期間制限　該当しない

保険給付上の注意　該当しない

資料

IF　メバロチン細粒0.5%・1%・錠5・10　2018年11月改訂(第14版)

フラビンアデニンジヌクレオチドナトリウム
Flavin Adenine Dinucleotide Sodium

概要

薬効分類　131　眼科用剤，313　ビタミンB剤(ビタミンB_1剤を除く.)

構造式

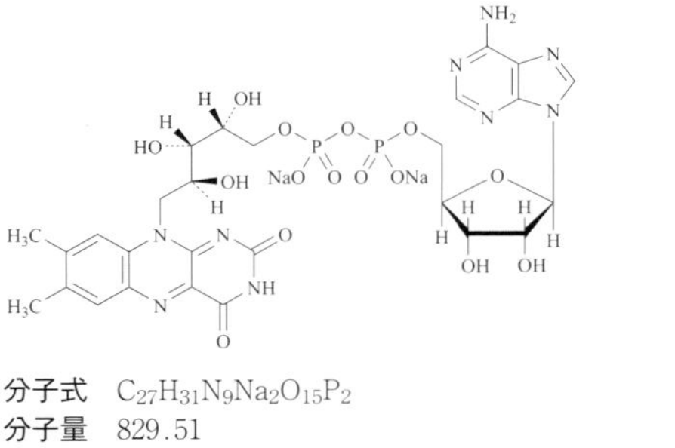

分子式　$C_{27}H_{31}N_9Na_2O_{15}P_2$

分子量　829.51

略語・慣用名　FAD

ステム　不明

原薬の規制区分　該当しない

原薬の外観・性状　橙黄色～淡黄褐色の粉末で，においはないか，又は僅かに特異なにおいがあり，味は僅かに苦い．水に溶けやすく，メタノール，エタノール(95)，エチレングリコール又はジエチルエーテルにほとんど溶けない．光によって分解する．1.0gを水100mLに溶かした液のpHは5.5～6.5である

原薬の吸湿性　吸湿性である

原薬の酸塩基解離定数　$pKa_1 = 1.12 \pm 0.50$，$pKa_2 = 3.25 \pm 0.50$

先発医薬品等

腸溶錠　フラビタン錠5mg・10mg(トーアエイヨー＝アステラス)

シ　フラビタンシロップ0.3%(トーアエイヨー＝アステラス)

注　フラビタン注5mg・注射液10mg・20mg(トーアエイヨー＝アステラス)

眼軟膏　フラビタン眼軟膏0.1%(トーアエイヨー＝アステラス)

点眼液　フラビタン点眼液0.05%(トーアエイヨー＝アステラス)

後発医薬品

腸溶錠　5mg・10mg・15mg

シ　0.3%

注　10mg・20mg・30mg

点眼液　0.05%

国際誕生年月　不明

海外での発売状況　発売されていない

製剤

規制区分　**注**　㊊

製剤の性状　**5mg腸溶錠**　うすいだいだい色の腸溶性フィルムコート錠　**10mg腸溶錠**　だいだい色の腸溶性フィルムコート錠　**シ**　黄色澄明の粘稠性のあるシロップ剤で，さわやかな甘味とオレンジの芳香を有する．また，紫外線下では黄緑色のけい光を発する　**5mg注**　黄色澄明な水性注射液　**10・20mg注射液**　黄色～だいだい黄色澄明な水性注射液　**眼軟膏**　ゲル化炭化水素を基剤とし無菌に製した黄色の眼軟膏　**点眼液**　無菌に製した黄色澄明な点眼液

有効期間又は使用期限　3年

貯法・保存条件　**腸溶錠**　室温保存(光により表面の色素が退色することがあるので，開封後の保管にあたっては，光を避けるよう留意する)　**シ**　**注**　**点眼液**　遮光・室温保存　**眼軟膏**　室温保存

薬剤取扱い上の留意点　**腸溶錠**　光により表面の色素が退色することがあるので，開封後の保管にあたっては，光を避けるよう留意する　**眼軟膏**　**点眼液**　誤って衣服につくと黄色いしみになることがあるので注意する(衣服についた場合は，石けんをつけて水洗いする)

患者向け資料等　**腸溶錠**　**シ**　**眼軟膏**　**点眼液**　くすりのしおり

溶液及び溶解時のpH　**シ**　4.5～5.5　**注**　5.1～6.1　**点眼液**　4.5～6.0

浸透圧比　**注**　**点眼液**　約1(対生食)

調製時の注意　該当しない

薬理作用

分類　補酵素型ビタミンB_2製剤

作用部位・作用機序　FMNとともに各種フラビン酵素の補酵素として細胞内の酸化還元系やミトコンドリアにおける電子伝達系に働き，糖質，脂質，タンパク質等の生体内代謝に広く関与し，重要な役割を果たしている

同効薬　リボフラビン，リボフラビン酪酸エステル，リボフラビンリン酸エステルナトリウム

治療

効能・効果　**腸溶錠**　**シ**　**注**　①ビタミンB_2欠乏症の予防及び治療　②ビタミンB_2の需要が増大し，食事からの摂取が不十分な際の補給(消耗性疾患，妊産婦，授乳婦，激しい肉体労働時等)　③次の疾患のうち，ビタミンB_2の欠乏又は代謝障害が関与すると推定される場合：(1)口角炎，口唇炎，舌炎，口内炎　(2)肛門周囲及び陰部びらん　(3)急・慢性湿疹，脂漏性

湿疹，ペラグラ，尋常性ざ瘡，酒さ，日光皮膚炎 (4)結膜炎，びまん性表層角膜炎，角膜部周擁充血，角膜脈管新生．効能③に対して効果がないのに月余にわたって漫然と使用すべきでない

眼軟膏 **点眼液** 次の疾患のうちビタミンB_2の欠乏又は代謝障害が関与すると推定される場合：角膜炎，眼瞼炎

用法・用量 **腸溶錠** **シ** フラビンアデニンジヌクレオチドとして1日5～45mg，1～3回に分服(適宜増減)

注 フラビンアデニンジヌクレオチドとして1日1～40mg，1～2回に分け，皮下，筋注又は静注(適宜増減)

点眼液 1回1～2滴，1日3～6回点眼(適宜増減)

眼軟膏 0.05～0.3%眼軟膏として1日1～4回眼瞼内に少量ずつ点入(適宜増減)

薬物動態

血中濃度推移 体重10～13kgのビーグル犬に錠をFADとして500mg経口投与時，血中FAD濃度及び血中総ビタミンB_2濃度は6時間後に最高値約15，約20μg/dL，以後漸減(参考)．健常人9例に10mg，20mg静注時の血中総ビタミンB_2濃度(μg/dL)はそれぞれ，15分後最高値約13，約21，3時間後約8，約11

その他の管理的事項

投与期間制限 該当しない

保険給付上の注意 該当しない

資料

IF フラビタン錠5mg・10mg 2017年3月改訂(第8版)
フラビタンシロップ0.3% 2015年10月改訂(第7版)
フラビタン注5mg・注射液10mg・20mg 2016年4月改訂(第6版)
フラビタン眼軟膏0.1% 2015年4月改訂(第7版)
フラビタン点眼液0.05% 2015年7月改訂(第6版)

フラボキサート塩酸塩
Flavoxate Hydrochloride

概要

薬効分類 259 その他の泌尿生殖器官及び肛門用薬

構造式

分子式 $C_{24}H_{25}NO_4$・HCl

分子量 427.92

ステム 不明

原薬の規制区分 劇(ただし，1錠中フラボキサートとして200mg以下を含有するもの及びフラボキサートとして20%以下を含有する顆粒剤を除く)

原薬の外観・性状 白色の結晶又は結晶性の粉末である．酢酸(100)又はクロロホルムにやや溶けにくく，水又はエタノール(95)に溶けにくく，アセトニトリル又はジエチルエーテルにほとんど溶けない

原薬の吸湿性 84%RH，25℃の条件において吸湿性は認められない

原薬の融点・沸点・凝固点 融点：232～234℃(分解)

原薬の酸塩基解離定数 該当資料なし

先発医薬品等

錠 ブラダロン錠200mg(日本新薬)

後発医薬品

錠 200mg

国際誕生年月 不明

海外での発売状況 米，英

製剤

製剤の性状 **顆** 剤皮を施した白色～類白色の顆粒剤で，においはなく，味は初めはないが，後に苦い **錠** 淡黄色のフィルムコーティング錠

有効期間又は使用期限 **顆** 5年 **錠** 3年

貯法・保存条件 室温保存

薬剤取扱い上の留意点 該当しない

患者向け資料等 くすりのしおり

溶液及び溶解時のpH 該当しない

浸透圧比 該当しない

安定なpH域 該当しない

調製時の注意 該当しない

薬理作用

分類 フラボン酸系頻尿治療剤

作用部位・作用機序 膀胱充満時の筋の律動収縮を抑制するとともに，膀胱支配神経(骨盤神経，下腹神経)の興奮による膀胱収縮を緩解する．また，膀胱平滑筋に対しCa^{2+}流入抑制，ホスホジエステラーゼ阻害によるcAMP増加などにより弛緩作用を示す．その作用態度は抗コリン薬やパパベリンとは明らかに異なり，平滑筋に対してはその緊張性を保ち，排尿力を低下することなく，正常排尿力を保持する

同効薬 オキシブチニン塩酸塩，プロピベリン塩酸塩

治療

効能・効果 次の疾患に伴う頻尿，残尿感：神経性頻尿，慢性前立腺炎，慢性膀胱炎

用法・用量 フラボキサート塩酸塩として1回200mg，1日3回(適宜増減)

使用上の注意

禁忌 ①幽門，十二指腸及び腸管が閉塞している患者［弱い副交感神経抑制作用により，腸管運動が抑制される］ ②下部尿路に高度の通過障害のある患者［弱い副交感神経抑制作用があるので，排尿筋を弛緩，膀胱括約筋を収縮させるおそれがある］

薬物動態

血中濃度 健康成人10例に400mgを単回経口投与時，速やかに吸収され，血漿中未変化体濃度は投与約1時間後に最高値に達し，その後，約3時間の半減期で消失．薬物動態パラメータはTmax0.85±0.34hr，Cmax8.02±1.74ng/mL，$AUC_{0\text{-}6h}$ 14.7±3.1ng・hr/mL，$T_{1/2}$2.73±1.52hr **排泄** 健康成人6例に400mgを単回経口投与時，投与7時間後までに未変化体，代謝物(3-methylflavon-8-carboxylic acid)及び代謝物の抱合体が投与量のそれぞれ0.002，6.4及び42.1%尿中に排泄

その他の管理的事項

投与期間制限 該当しない

保険給付上の注意 該当しない

資料

IF ブラダロン顆粒20%・錠200mg 2019年5月改訂(第4版)

プランルカスト水和物
Pranlukast Hydrate

概要

薬効分類　449　その他のアレルギー用薬

構造式

分子式　$C_{27}H_{23}N_5O_4 \cdot ½H_2O$

分子量　490.51

ステム　抗ヒスタミン作用とは異なる作用機序の抗喘息薬又は抗アレルギー薬：-ast，ロイコトリエン受容体拮抗薬：-lukast

原薬の規制区分　該当しない

原薬の外観・性状　白色～淡黄色の結晶性の粉末である．エタノール(99.5)に極めて溶けにくく，水にほとんど溶けない

原薬の吸湿性　無水物は25℃で51%，75%，93%RHの条件下で，吸湿率は1.8～1.9%であった

原薬の融点・沸点・凝固点　融点：約233℃(分解)

原薬の酸塩基解離定数　pKa＝3.42(中和滴定法)

先発医薬品等

カ オノンカプセル112.5mg(小野)

シロップ用 オノンドライシロップ10%(小野)

後発医薬品

錠 112.5mg・225mg

カ 112.5mg・225mg

シロップ用 10%

国際誕生年月　1995年3月

海外での発売状況　韓国

製剤

製剤の性状　**カ** 白色～帯黄白色不透明の硬カプセル剤　**シロップ用** 白色～微黄色の顆粒で，においはなく，味は甘い

有効期間又は使用期限　3年

貯法・保存条件　**カ** 乾燥剤を同封した気密容器，室温保存　**シロップ用** 気密容器，室温保存

薬剤取扱い上の留意点　**シロップ用** 防腐剤は入っておらず，再分散性も悪いので，用時懸濁してすみやかに使用すること

患者向け資料等　患者向医薬品ガイド，くすりのしおり

溶液及び溶解時のpH　該当しない

浸透圧比　該当しない

安定なpH域　該当しない

調製時の注意　**シロップ用** 防腐剤は入っておらず，再分散性も悪いので，用時懸濁してすみやかに使用すること

薬理作用

分類　ロイコトリエン受容体拮抗薬

作用部位・作用機序　気管支喘息の基本的病態形成に深く関与しているロイコトリエンの受容体に選択的に結合してその作用に拮抗し，気道収縮反応，気道の血管透過性亢進，気道粘膜の浮腫及び気道過敏性の亢進を抑制し，気管支喘息患者の臨床症状及び肺機能を改善させる．また，本剤は鼻閉，鼻汁，くしゃみを三大主徴とするアレルギー性鼻炎の特徴的病態の成立に重要な役割を演じていることが示唆されているロイコトリエンの受容体に選択的に結合してその作用に拮抗し，鼻腔通気抵抗上昇，好酸球浸潤を伴う鼻粘膜浮腫，鼻粘膜過敏性を抑制し，更に鼻粘膜過敏性抑制作用を介して間接的に，ヒスタミン，アセチルコリン及びその他の非特異的な刺激によるくしゃみや鼻汁等の臨床症状を改善する

同効薬　ザフィルルカスト，モンテルカストナトリウム

治療

効能・効果　①気管支喘息　②アレルギー性鼻炎

用法・用量　**錠** **カ** プランルカスト水和物として1日450mgを朝夕食後の2回に分服(適宜増減)

シロップ用 プランルカスト水和物として小児に用時懸濁して1日7mg/kgを2回朝夕食後に分服(適宜増減)．1日最高10mg/kgまで．ただし，450mg/日を超えない．体重別1回標準投与量は，12kg以上18kg未満：50mg，18kg以上25kg未満：70mg，25kg以上35kg未満：100mg，35kg以上45kg未満：140mgを1日2回朝夕食後に分服

使用上の注意

禁忌　本剤の成分に対し過敏症の既往歴のある患者

薬物動態

血中濃度　①健康成人：単回経口投与時のパラメータ(カプセル5例，シロップ用6例．以下，カプセル，シロップ用の順)は，Tmax(hr)5.2±1.1，5.17±0.41，Cmax(ng/mL)642.3±151.0，859±650，$AUC_{0-\infty}$(ng・hr/mL)2348.7±471.3，3487±1807，$T_{1/2}$(hr)1.15±0.13，1.48±0.30　②**シロップ用** 小児気管支喘息患者：3～14歳の小児気管支喘息患者22例に本剤70mg/kg/日(プランルカスト水和物として7mg/kg/日)を最長8週間投与し，使用開始1週間以降の任意の時点で投与後1～3時間，4～6時間，8～10時間の血漿中薬物濃度を測定すると，血漿中薬物濃度は1～3時間で最高に達し，その後経時的に減少した．また，7歳未満(幼児期)と7歳以上(学童期)に分けて比較すると，両群の血漿中薬物濃度に差は認められなかった．薬物濃度(ng/mL)の推移は以下のとおり．[1～3時間，4～6時間，8～10時間の順]全例(22例)472±324，305±192，64±27，7歳未満(幼児期)477±114，310±161，68±32，7歳以上(学童期)466±497，299±226，60±22．また，母集団薬物動態(PPK)解析により求めた吸収速度定数(ka)は0.493hr^{-1}，経口クリアランス(CL/F)は1.81L/hr/kg，みかけの分布容積(Vd/F)は1.53L/kgであり，経口クリアランスは小児の方が成人より1.59倍大きかった　**母集団薬物動態(PPK)解析**　**シロップ用** ①小児気管支喘息患者22例と健康成人6例(計175時点)を対象としたPPK解析により求めた吸収速度定数(ka)は0.493hr^{-1}，みかけの分布容積(Vd/F)は1.53L/kg，成人の経口クリアランス(CL/F)は1.14L/hr/kg，小児のCL/Fは1.81L/hr/kgであり，CL/Fは小児の方が成人より1.59倍大きかった　②小児気管支喘息患者22例と小児アレルギー性鼻炎患者76例(計192時点)を対象としたPPK解析の結果，CL/Fに影響を及ぼす共変量として年齢が認められ，3歳，7歳，14歳のCL/Fは，それぞれ1.77，1.47，0.944L/hr/kgと推定された．その他の共変量(性別，気管支喘息の罹患，アレルギー性鼻炎の罹患，気管支喘息とアレルギー性鼻炎の併発，総ビリルビン値の異常，血清クレアチニンの異常，テオフィリンの併用)は，CL/Fに影響を及ぼさなかった　**代謝**　主として肝薬物代謝酵素チトクロムP450(CYP3A4)で代謝(*in vitro*)　**排泄**　**カ** 健康成人に225mg単回経口投与後72時間までに尿中に0.24%，糞中に98.9%排泄．血漿中，尿中及び糞中の主要代謝物は水酸化体で，尿中排泄物の大部分はそのグルクロン酸抱合体　**蛋白結合**　ヒト血清に対する蛋白結合率は99.5～99.8%であり，その主結合蛋白はアルブミンである(*in vitro*，限外ろ過法)　**動物における薬物相互作用(参考：サル)**　カニクイザルでケトコナゾールとの併用により本剤の血中濃度が上昇(Cmaxが2.8倍，AUCが2倍)するとの報告がある

その他の管理的事項

投与期間制限　該当しない

保険給付上の注意　該当しない

資料

IF　オノンカプセル112.5mg　2017年10月改訂(第11版)
オノンドライシロップ10%　2017年10月改訂(第12版)

プリミドン
Primidone

概要

薬効分類 113 抗てんかん剤

構造式

分子式 $C_{12}H_{14}N_2O_2$

分子量 218.25

略語・慣用名 PRM

ステム 不明

原薬の規制区分 該当しない

原薬の外観・性状 白色の結晶性の粉末又は粒で，においはなく，味は僅かに苦い．*N,N*-ジメチルホルムアミドにやや溶けやすく，ピリジンにやや溶けにくく，エタノール(95)に溶けにくく，水に極めて溶けにくく，ジエチルエーテルにほとんど溶けない

原薬の吸湿性 認められない(30℃，40～100%RH)

原薬の融点・沸点・凝固点 融点：279～284℃

原薬の酸塩基解離定数 該当資料なし

先発医薬品等

細 プリミドン細粒99.5%「日医工」(日医工)
錠 プリミドン錠250mg「日医工」(日医工)

国際誕生年月 不明

海外での発売状況 米など

製剤

規制区分 細 錠 ㊕

製剤の性状 細 白色の細粒剤 錠 白色の割線入り素錠

有効期間又は使用期限 3年

貯法・保存条件 細 気密容器，室温保存 錠 室温保存

薬剤取扱い上の留意点 眠気，注意力・集中力・反射運動能力等の低下が起こることがあるので，本剤投与中の患者には自動車の運転など危険を伴う機械の操作に従事させないよう注意すること

患者向け資料等 患者向医薬品ガイド，くすりのしおり

溶液及び溶解時のpH 5.6～6.0(飽和水溶液)

浸透圧比 該当しない

安定なpH域 該当しない

調製時の注意 該当しない

薬理作用

分類 フェノバルビタール類似作用抗てんかん剤

作用部位・作用機序 作用部位：中枢であると考えられる 作用機序：種々の推測がされているが，その本態は現在のところ十分に解明されていない．プリミドンは一部，体内で酸化を受けてフェノバルビタールとフェニルエチルマロンアミドに変化するが，この二つの代謝物も抗けいれん作用を有することから，プリミドンの臨床効果には代謝物の作用も寄与していると考えられている

同効薬 フェノバルビタール，フェニトイン，バルプロ酸ナトリウム，カルバマゼピン，ゾニサミド，クロナゼパムなど

治療

効能・効果 ①てんかんの痙攣発作：強直間代発作(全般痙攣発作，大発作)，焦点発作(ジャクソン型発作を含む) ②精神運動発作 ③小型(運動)発作〔ミオクロニー発作，失立(無動)発作，点頭てんかん(幼児けい縮発作，BNS痙攣等)〕

用法・用量 ①成人：治療初期3日間は1日250mg就寝前服用．以後3日ごとに250mgずつ増量し，症状によって発作の消長を考慮して1日量1500mgまで漸増し，2～3回に分服．必要によっては1日量2000mgまで増量できる ②小児：治療初期3日間は1日125mgを就寝前服用．以後3～4日ごとに125mgずつ増量して次の標準投与量まで漸増し2～3回に分服．2歳以下250～500mg，3～5歳500～750mg，6～15歳750～1000mg．症状によっては発作の消長を考慮してさらに増量してもよい

使用上の注意

禁忌 ①本剤の成分又はバルビツール酸系化合物に対し過敏症の患者 ②急性間欠性ポルフィリン症の患者［ポルフィリン合成が増加し，症状が悪化するおそれがある］

過量投与 ①症状：嗜眠，構音障害，眼振，眼筋麻痺，運動失調，深部腱反射消失，意識消失，呼吸抑制，昏睡，結晶尿等が現れることがある ②処置：特異的な解毒剤は知られていないので，胃洗浄，活性炭や下剤を投与し，尿のアルカリ化，強制利尿により薬物の排泄を促進させる．また，呼吸管理を行う等の適切な処置を行う．重症の場合は血液透析を考慮する

薬物動態

血清中濃度 (健康成人3例，空腹時600mg1回投与．本剤，フェノバルビタール，フェニルエチルマロンアミドの順)：Tmax(hr)は12±0，52±11，36±0，Cmax(μg/mL)は8.99±1.18，0.30±0.05，0.35±0.06，$t_{1/2}$(hr)は19.4±2.2，125±20，26.5±1.0 **血漿蛋白結合率** 約20% **主な代謝産物及び代謝経路** ①主代謝産物：フェノバルビタール(活性あり)，フェニルエチルマロンアミド(活性あり) ②代謝経路：主として肝臓で一部が酸化を受けてフェノバルビタールとフェニルエチルマロンアミドになる **排泄経路及び排泄率(参考)** ①排泄経路：主として尿中 ②排泄率：投与後81時間で，尿中排泄率はプリミドンとして20%，フェノバルビタールとして4%，フェニルエチルマロンアミドとして48%(ウサギ，400mg/kg1回投与) **有効血中濃度** てんかんの重症度や症例によって違いはあるが，一般に本剤は3～12μg/mLが，フェノバルビタールは10～30μg/mLが目安として示されている

その他の管理的事項

投与期間制限 該当しない

保険給付上の注意 該当しない

資料

IF プリミドン細粒99.5%「日医工」・錠250mg「日医工」2019年1月改訂(第6版)

フ

フルオシノニド
Fluocinonide

概要

薬効分類 264 鎮痛，鎮痒，収斂，消炎剤

構造式

分子式 $C_{26}H_{32}F_2O_7$

分子量 494.52

原薬の規制区分 毒(ただし，0.05%以下を含有する外用剤を除く)

原薬の外観・性状 白色の結晶又は結晶性の粉末である．クロロホルムにやや溶けにくく，アセトニトリル，メタノール，

エタノール(95)又は酢酸エチルに溶けにくく，水にほとんど溶けない．結晶多形が認められる

原薬の吸湿性　40℃，75%RHの湿度条件下の試験において，吸湿性を認めなかった

原薬の融点・沸点・凝固点　融点：約300℃(分解)

原薬の酸塩基解離定数　該当資料なし

先発医薬品等

軟 トプシム軟膏0.05%(田辺三菱)
クリーム トプシムクリーム0.05%(田辺三菱)
トプシムEクリーム0.05%(田辺三菱)
外用液 トプシムローション0.05%(田辺三菱)
噴 トプシムスプレー0.0143%(田辺三菱)

後発医薬品

軟 0.05%
クリーム 0.05%
外用ゲル 0.05%

国際誕生年月　不明

海外での発売状況　米，英など

製剤

規制区分　**軟**　**クリーム**　**外用液**　**噴**　㊕

製剤の性状　**軟** 油脂性基剤を使用した白色～微黄色の軟膏で，僅かに特異なにおいがある　**クリーム** FAPG基剤を使用した白色のクリームで，僅かに特異なにおいがある　**外用液** 乳化型の白色のローション剤　**噴** 噴霧液は無色澄明で，僅かに特異なにおいがある

有効期間又は使用期限　**軟** 5年　**クリーム(チューブ)**　**噴** 3年　**クリーム(ポリ容器)**　**外用液** 2年

貯法・保存条件　**軟**　**クリーム** 気密容器，室温保存　**外用液** 室温保存　**噴** 40℃以上となる所に置かないこと

薬剤取扱い上の留意点　**外用液** よく振って使用すること　**噴** (保管及び注意)高圧ガスを使用した可燃性の製品であり，危険なため，次の注意を守ること：①炎や火気の近くで使用しないこと　②火気を使用している室内で大量に使用しないこと　③高温にすると破裂の危険があるため，直射日光の当たる所や火気等の近くなど温度が40℃以上となる所に置かないこと　④火の中に入れないこと　⑤使い切って捨てること．高圧ガス：液化石油ガス

患者向け資料等　くすりのしおり

調製時の注意　該当しない

薬理作用

分類　外用合成副腎皮質ホルモン剤

作用部位・作用機序　コルチコステロイドは，標的細胞の細胞質内に入り，そこに存在するレセプターと結合後，核内に移行して遺伝子を活性化し，合成されたメッセンジャーRNAが細胞質内に特異的蛋白リポコルチンを合成する．細胞膜を形成するリン脂質に含まれるアラキドン酸は，ホスホリパーゼA2(PLA2)により遊離後，代謝を受けて各種のプロスタグランジン，トロンボキサン，ロイコトリエンとなり炎症に関与するが，リポコルチンはこのPLA2を阻害することにより，抗炎症作用を発現するものと考えられている

同効薬　ベタメタゾンなど

治療

効能・効果　①湿疹・皮膚炎群(進行性指掌角皮症，女子顔面黒皮症，ビダール苔癬，放射線皮膚炎，日光皮膚炎を含む)，乾癬　②痒疹群(蕁麻疹様苔癬，ストロフルス，固定蕁麻疹を含む)，掌蹠膿疱症，円形脱毛症(悪性を含む)，尋常性白斑

効能・効果に関連する使用上の注意　皮膚感染を伴う湿疹・皮膚炎には使用しないことを原則とするが，やむを得ず使用する必要がある場合には，あらかじめ適切な抗菌剤(全身適用)，抗真菌剤による治療を行うか，又はこれらとの併用を考慮する

用法・用量　1日1～3回，患部に塗布又は噴霧

使用上の注意

禁忌　①細菌・真菌・スピロヘータ・ウイルス皮膚感染症及び動物性皮膚疾患(疥癬，けじらみ等)［感染症を悪化させるおそれがある］　②本剤の成分に対し過敏症の既往歴のある患者　③鼓膜に穿孔のある湿疹性外耳道炎［穿孔部位の治癒の遅延及び感染のおそれがある］　④潰瘍(ベーチェット病は除く)，第2度深在性以上の熱傷・凍傷［皮膚の再生が抑制され，治癒が遅延するおそれがある］

その他の管理的事項

投与期間制限　該当しない

保険給付上の注意　該当しない

資料

IF　トプシム軟膏・クリーム(旧名称)　2008年4月改訂(第6版)
トプシムローション(旧名称)　2008年4月改訂(第5版)
トプシムスプレーL(旧名称)　2008年4月改訂(第5版)

フルオシノロンアセトニド
Fluocinolone Acetonide

概要

薬効分類　264　鎮痛，鎮痒，収斂，消炎剤

構造式

分子式　$C_{24}H_{30}F_2O_6$

分子量　452.49

ステム　ステロイド医薬品：-olone，局所使用のアセタール基を持つステロイド類：-onide

原薬の規制区分　該当しない

原薬の外観・性状　白色の結晶又は結晶性の粉末である．酢酸(100)又はアセトンに溶けやすく，エタノール(99.5)にやや溶けやすく，メタノールにやや溶けにくく，水にほとんど溶けない．結晶多形が認められる

原薬の吸湿性　該当資料なし

原薬の融点・沸点・凝固点　融点：266～274℃(分解)

原薬の酸塩基解離定数　該当資料なし

先発医薬品等

軟 フルコート軟膏0.025%(田辺三菱)
クリーム フルコートクリーム0.025%(田辺三菱)
外用液 フルコート外用液0.01%(田辺三菱)
噴 フルコートスプレー0.007%(田辺三菱)

後発医薬品

軟 0.025%

国際誕生年月　不明

海外での発売状況　米，台湾

製剤

製剤の性状　**軟** 油脂性基剤を使用した白色～微黄色の軟膏　**クリーム** 親水性基剤を使用した白色のクリーム　**外用液** 無色澄明の粘稠な液で，においはない　**噴** 噴霧液は無色で，僅かに特異なにおいがある

有効期間又は使用期限　**軟** 4年6カ月　**クリーム** 2年　**外用液** 3年6カ月　**噴** 3年

貯法・保存条件　**軟**　**クリーム**　**外用液** 室温保存　**噴** 40℃以上となる所に置かないこと

薬剤取扱い上の留意点　**噴** 使用時：患部まで約10cmの距離で噴射し，同一箇所に連続して3秒以上噴射しないこと　保管

及び注意：高圧ガスを使用した可燃性の製品であり，危険なため，次の注意を守ること：①炎や火気の近くで使用しないこと　②火気を使用している室内で大量に使用しないこと　③高温にすると破裂の危険があるため，直射日光の当たる所や火気等の近くなど温度が40℃以上となる所に置かないこと　④火の中に入れないこと　⑤使い切って捨てること．高圧ガス：液化石油ガス

患者向け資料等　くすりのしおり

溶液及び溶解時のpH　**外用液** 3.0〜6.5

浸透圧比　該当資料なし

安定なpH域　該当資料なし

調製時の注意　該当しない

薬理作用

分類　外用合成副腎皮質ホルモン剤

作用部位・作用機序　ステロイドは細胞内の特異的レセプターと結合した後，核内のDNAと結合して酵素のタンパク質合成速度を制御することにより種々の薬理作用を発揮することが知られている．外用剤としての局所使用では抗炎症作用が中心となり，これは好中球，単球及びマクロファージの炎症部位への遊走を阻害することによると考えられている

同効薬　フルオシノニド，ベタメタゾン吉草酸エステル

治療

効能・効果　湿疹・皮膚炎群(進行性指掌角皮症，女子顔面黒皮症，ビダール苔癬，放射線皮膚炎，日光皮膚炎を含む)，皮膚そう痒症，痒疹群(蕁麻疹様苔癬，ストロフルス，固定蕁麻疹を含む)，虫さされ，乾癬，掌蹠膿疱症，薬疹・中毒疹

用法・用量　1日1〜数回患部に塗布又は噴霧(適宜増減)

使用上の注意

禁忌　①細菌・真菌・スピロヘータ・ウイルス皮膚感染症及び動物性皮膚疾患(疥癬，けじらみ等)［感染症を悪化させるおそれがある］　②本剤の成分に対し過敏症の既往歴のある患者　③鼓膜に穿孔のある湿疹性外耳道炎［穿孔部位の治癒の遅延及び感染のおそれがある］　④潰瘍(ベーチェット病は除く)，第2度深在性以上の熱傷・凍傷［皮膚の再生が抑制され，治癒が遅延するおそれがある］

その他の管理的事項

投与期間制限　該当しない

保険給付上の注意　該当しない

資料

IF　フルコート軟膏0.025%・フルコートクリーム0.025%　2014年4月改訂(第6版)
フルコートソリューション(旧名称)　2008年5月改訂(第4版)
フルコートスプレーL(旧名称)　2008年5月改訂(第4版)

フルオレセインナトリウム
Fluorescein Sodium

概要

薬効分類　729　その他の診断用薬(体外診断用医薬品を除く.)

構造式

分子式　$C_{20}H_{10}Na_2O_5$

分子量　376.27

ステム　不明

原薬の規制区分　該当しない

原薬の外観・性状　橙色の粉末で，におい及び味はない．水，メタノール又はエタノール(95)に溶けやすく，ジエチルエーテルにほとんど溶けない

原薬の吸湿性　吸湿性である

原薬の酸塩基解離定数　該当資料なし

後発医薬品

注 10%

試験紙

国際誕生年月　不明

海外での発売状況　発売されていない

製剤

規制区分　**試験紙** ㊙

製剤の性状　**試験紙** ろ紙片で，フルオレセインナトリウム含有部分は橙赤色を呈している

有効期間又は使用期限　5年

貯法・保存条件　室温保存

薬剤取扱い上の留意点　該当しない

溶液及び溶解時のpH　該当資料なし

浸透圧比　該当資料なし

安定なpH域　該当資料なし

調製時の注意　該当しない

薬理作用

分類　蛍光造影診断用薬

作用部位・作用機序　眼科領域に使用したとき，まばたきにより結膜嚢内に移行して角膜上皮欠損部は黄緑色に染色され，異物の周囲には緑色環が現れる．また左右の結膜嚢から消失していく模様を経時的に比較観察して涙道における通過障害の有無を知ることができる．なお，Applanation Tonometerで眼圧測定の際には，点眼麻酔ののち同様にして染色を行う．このことから，角膜上皮欠損等の診断及び角膜内に侵入した異物の検出，涙器疾患の検査，眼圧測定時並びにハードコンタクトレンズ装用者の検査時に用いられる

同効薬　なし

治療

効能・効果　**注** ぶどう膜・網膜・視神経等の疾患の診断
試験紙 外眼部・前眼部及び涙器疾患の検査・眼圧測定・ハードコンタクトレンズ装着検査等

用法・用量　**注** フルオレセインとして200〜500mgを肘静脈に注射
試験紙 1眼に1枚．滅菌食塩水1滴を試験紙の薬剤含有部に滴下し，これを結膜嚢に接触し，薬物を移行させる

用法・用量に関連する使用上の注意　**注** 静脈内にのみ使用し，髄腔内への使用は重篤な副作用が発現する可能性があるので使用しない

薬物動態

注(外国人データ)　**血中濃度**　健常人に本剤14mg/kgを静注時，フルオレセインの消失半減期($T_{1/2}$)はα相で6.46分，β相で47.4分，γ相で301分．血漿蛋白結合率は約85%　**代謝・排泄**　フルオレセインは静注後，肝臓でグルクロン酸抱合を受け，フルオレセインモノグルクロニドに代謝．健常人にフルオレセインナトリウム0.5mol/Lを静注投与時，大部分が尿中に，一部は胆汁中に排泄

その他の管理的事項

投与期間制限　該当しない

保険給付上の注意　該当しない

資料

IF　フローレス眼検査用試験紙0.7mg　2016年1月改訂(第5版)

フ

フルオロウラシル
Fluorouracil

概要

薬効分類　422　代謝拮抗剤

構造式

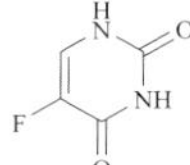

分子式　$C_4H_3FN_2O_2$

分子量　130.08

略語・慣用名　略名：5-FU，FUなど

ステム　ウラシル系抗悪性腫瘍薬：-racil

原薬の規制区分　毒(ただし，5%以下を含有するシロップ剤，注射剤又は軟膏剤，1錠中100mg以下を含有するもの及び1個中200mg以下を含有する坐剤は劇)

原薬の外観・性状　白色の結晶又は結晶性の粉末で，においはない．*N,N*-ジメチルホルムアミドに溶けやすく，水にやや溶けにくく，エタノール(95)に溶けにくく，ジエチルエーテルにほとんど溶けない

原薬の吸湿性　吸湿性はほとんどない(25℃又は37℃，14日，100%RHの保存条件で吸湿性は0.5%)

原薬の融点・沸点・凝固点　融点：約282℃(分解)

原薬の酸塩基解離定数　pKa＝8.01(pH滴定法)

先発医薬品等

注 5-FU注250mg・1000mg(協和キリン)

軟 5-FU軟膏5%協和(協和キリン)

後発医薬品

注 250mg・1,000mg

国際誕生年月　1975年8月

海外での発売状況　米，英など

製剤

規制区分　**注**　**軟**　劇　処

製剤の性状　**注** 無色～微黄色の澄明な注射液　**軟** 白色の親水性軟膏

有効期間又は使用期限　**注** 3年　**軟** 4年

貯法・保存条件　**軟** 室温保存　**注** 2～8℃に保存

薬剤取扱い上の留意点　**注** 細胞障害性のある抗悪性腫瘍剤であり，直接の接触により粘膜の刺激作用，潰瘍，組織の壊死等を起こす可能性があるので，取扱いにあたっては十分な注意が必要：①他の注射剤との混合調製時に，薬液が皮膚や手指等に付着しないように注意する．薬液が付着したら，すぐに石けんを用いて，水で洗い流す　②眼に入ったら直ちに流水でよく洗眼する．　調剤時の留意点：複数の含量規格があるため，製品の表示，色調等に注意し，取り間違いに注意すること　**軟** 細胞障害性のある抗悪性腫瘍剤であり，直接の接触により粘膜の刺激作用，潰瘍，組織の壊死等を起こす可能性があるので，取扱いにあたっては十分な注意が必要である①眼には接触させないこと．粘膜周辺に使用する場合には慎重に行うこと　②手で塗布する場合には塗布後直ちに手を洗うこと　③塗布部はなるべく日光にあたらないようにすること

患者向け資料等　**注** 患者向医薬品ガイド，くすりのしおり　**軟** くすりのしおり

溶液及び溶解時のpH　**注** 8.2～8.6　**軟** 4.5～5.5(約2g/18mL精製水の懸濁液)

浸透圧比　**注** 約4(対生食)

安定なpH域　**注** pH3.0～9.0の範囲では安定性は比較的高い

調製時の注意　該当しない

薬理作用

分類　フッ化ピリミジン系抗悪性腫瘍代謝拮抗剤

作用部位・作用機序　作用部位：腫瘍細胞　作用機序：5-FUの抗腫瘍効果は主としてDNAの合成阻害に基づくと考えられ，腫瘍細胞内に取り込まれた5-FUはウラシルと同じ経路でF-deoxy UMP(FdUMP)に転換される．FdUMPはdeoxy UMP(dUMP)と拮抗してチミジル酸の合成を抑制することにより，DNAの合成が阻害されると考えられている

同効薬　テガフール(テガフール・ウラシル，テガフール・ギメラシル・オテラシル配合剤も含む)，ドキシフルリジン，カペシタビンなど

治療

効能・効果　**錠**[†]次の諸疾患の自覚的及び他覚的症状の緩解　①消化器癌(胃癌，結腸癌，直腸癌等)，乳癌　②子宮頸癌

注 ①次の疾患の自覚的ならびに他覚的症状の緩解：胃癌，肝癌，結腸・直腸癌，乳癌，膵癌，子宮頸癌，子宮体癌，卵巣癌　②次の疾患の自覚的ならびに他覚的症状の緩解(他の抗腫瘍剤又は放射線と併用することが必要である)：食道癌，肺癌，頭頸部腫瘍　③次の悪性腫瘍に対する他の抗悪性腫瘍剤との併用療法：頭頸部癌　④レボホリナート・フルオロウラシル持続静注併用療法：結腸・直腸癌，小腸癌，治癒切除不能な膵癌

軟 皮膚悪性腫瘍(有棘細胞癌，基底細胞癌，皮膚付属器癌，皮膚転移癌，ボーエン病，パジェット病，放射線角化腫，老人性角化腫，紅色肥厚症，皮膚細網症，悪性リンパ腫の皮膚転移)

効能・効果に関連する使用上の注意　**注** 治癒切除不能な膵癌に対して，レボホリナート・フルオロウラシル持続静注併用療法を実施する場合，次の点に注意する：①患者の病期，全身状態，UGT1A1[*)]遺伝子多型等について，「臨床成績」の項の内容を熟知し，本剤の有効性及び安全性を十分に理解した上で，適応患者の選択を行う　②本剤の術後補助化学療法における有効性及び安全性は確立していない　＊)イリノテカン塩酸塩水和物の活性代謝物(SN-38)の主な代謝酵素の一分子種である

用法・用量　**注** ①単独使用の場合(適宜増減)：⑴フルオロウラシルとして1日5～15mg/kgを最初の5日間連日1日1回静注又は点滴静注．以後5～7.5mg/kgを隔日に1日1回静注又は点滴静注　⑵フルオロウラシルとして1日5～15mg/kgを隔日に1日1回静注又は点滴静注　⑶フルオロウラシルとして1日5mg/kgを10～20日間連日1日1回静注又は点滴静注　⑷フルオロウラシルとして1日10～20mg/kgを週1回静注又は点滴静注　⑸フルオロウラシルとして必要に応じて1日5mg/kgを適宜動注　②他の抗腫瘍剤又は放射線と併用する場合：フルオロウラシルとして1日5～10mg/kgを他の抗腫瘍剤又は放射線と併用し，単独で使用する場合に準じ，又は間欠的に週1～2回用いる　③頭頸部癌に対する他の抗悪性腫瘍剤との併用療法の場合(適宜減量)：他の抗悪性腫瘍剤との併用療法において，フルオロウラシルとして1日1000mg/m^2(体表面積)までを，4～5日間連日で持続点滴．投与を繰り返す場合には少なくとも3週間以上の間隔をあけて投与する．本剤単独投与の場合には併用投与時に準じる　④結腸・直腸癌に対するレボホリナート・フルオロウラシル持続静注併用療法(適宜減量)：⑴レボホリナートとして1回100mg/m^2(体表面積)を2時間かけて点滴静注．レボホリナートの点滴静注終了直後にフルオロウラシルとして400mg/m^2(体表面積)を静注，さらにフルオロウラシルとして600mg/m^2(体表面積)を22時間かけて持続静注．これを2日間連続して行い，2週間ごとに繰り返す　⑵レボホリナートとして1回250mg/m^2(体表面積)を2時間かけて点滴静注．レボホリナートの点滴静脈内注射終了直後にフルオロウラシルとして2600mg/m^2(体表面積)を24時間持続静注．1週間ごとに6回繰り返した後，2週間休薬．これを1クールとする　⑶レボホリナートとして1回200mg/m^2(体表面積)を2時間かけて点滴静注．レボホリナートの点滴静注終了直後にフルオロウラシルとして400mg/m^2(体表面積)を静注，さらにフルオロウラシルとして2400～

3000mg/m^2(体表面積)を46時間持続静注．これを2週間ごとに繰り返す　⑤小腸癌及び治癒切除不能な膵癌に対するレボホリナート・フルオロウラシル持続静注併用療法：レボホリナートとして1回200mg/m^2(体表面積)を2時間かけて点滴静注．レボホリナートの点滴静注終了直後にフルオロウラシルとして400mg/m^2(体表面積)を静注，さらにフルオロウラシルとして2400mg/m^2(体表面積)を46時間持続静注．これを2週間ごとに繰り返す(適宜減量)

軟 1日1～2回塗布．閉鎖密封療法(ODT)を行うのが望ましい

用法・用量に関連する使用上の注意　**注** ①頭頸部癌に対して，本剤を含むがん化学療法と放射線照射を併用する場合(特に同時併用する場合)に，重篤な副作用や放射線合併症が発現する可能性があるため，本剤の適切な減量を検討する　②オキサリプラチン，イリノテカン塩酸塩水和物，レボホリナートとの併用療法(FOLFIRINOX法)を行う場合には，次の投与可能条件，減量基準及び減量時の投与量を参考にする：(1) 2クール目以降の投与可能条件：(投与予定日に確認し，当該条件を満たす状態へ回復するまで投与を延期するとともに，「減量基準」及び「減量時の投与量」を参考に，投与再開時に減量する)好中球数1500/mm^3以上，血小板数75000/mm^3以上 (2)減量基準：前回の投与後にいずれかの程度に該当する副作用が発現した場合は，該当する毎に，次の減量方法に従って，投与レベルを1レベル減量する(「減量時の投与量」を参考にする)．また，いずれかの程度に該当する好中球減少又は血小板減少が発現した場合は，以降の本剤急速静脈内投与を中止する．(ア)好中球減少(次のいずれかの条件を満たす場合：(a)2クール目以降の投与可能条件を満たさず投与を延期　(b)500/mm^3未満が7日以上持続　(c)感染症又は下痢を併発し，かつ1000/mm^3未満　(d)発熱性好中球減少症)：イリノテカン塩酸塩水和物を優先的に減量する　ただし，イリノテカン塩酸塩水和物の投与レベルがオキサリプラチンより低い場合は，イリノテカン塩酸塩水和物と同じレベルになるまでオキサリプラチンを減量する　(イ)下痢(発熱(38℃以上)を伴う)：前記に同じ　(ウ)下痢(グレード3*)以上)：本剤持続静注を減量する　(エ)血小板減少(以下のいずれかの条件を満たす場合：(a)2クール目以降の投与可能条件を満たさず投与を延期　(b)50000/mm^3未満)：オキサリプラチンを優先的に減量する．ただし，オキサリプラチンの投与レベルがイリノテカン塩酸塩水和物より低い場合は，オキサリプラチンと同じレベルになるまでイリノテカン塩酸塩水和物を減量する　(オ)総ビリルビン上昇(2.0mg/dL超3.0mg/dL以下)：イリノテカン塩酸塩水和物を120mg/m^2に減量する．(カ)総ビリルビン上昇(3.0mg/dL超)：イリノテカン塩酸塩水和物を90mg/m^2に減量する　(キ)粘膜炎，手足症候群(いずれもグレード3*)以上)：本剤持続静注を減量手足症候群する　※複数の副作用が発現した場合は，薬剤毎に減量が最大となる基準を適用する　*)CTCAE version 4.0　(3)減量時の投与量(オキサリプラチン85mg/m^2，イリノテカン塩酸塩水和物180mg/m^2，本剤持続静注2400mg/m^2で投与を開始した場合)：(ア)投与レベル1：オキサリプラチン65mg/m^2，イリノテカン塩酸塩水和物150mg/m^2，本剤持続静注1800mg/m^2　(イ)投与レベル2：オキサリプラチン50mg/m^2，イリノテカン塩酸塩水和物120mg/m^2，本剤持続静注1200mg/m^2　(ウ)投与レベル3：オキサリプラチン中止，イリノテカン塩酸塩水和物中止，120mg/m^2中止，本剤持続静注中止

使用上の注意

警告　**注** ①本剤を含むがん化学療法は，緊急時に十分対応できる医療施設において，がん化学療法に十分な知識・経験をもつ医師のもとで，本療法が適切と判断される症例についてのみ実施する．適応患者の選択にあたっては，各併用薬剤の添付文書を参照して十分注意する．また，治療開始に先立ち，患者又はその家族に有効性及び危険性を十分説明し，同意を得てから投与する　②メトトレキサート・フルオロウラシル交代療法，レボホリナート・フルオロウラシル療法：メトトレキサート・フルオロウラシル交代療法，レボホリナート・フルオロウラシル療法は本剤の細胞毒性を増強する療法であり，これらの療法に関連したと考えられる死亡例が認められている．これらの療法は高度の危険性を伴うので，投与中及び投与後の一定期間は患者を医師の監督下に置く．また，緊急時に十分措置できる医療施設及びがん化学療法に十分な経験をもつ医師のもとで，本療法が適切と判断される症例についてのみ行う．なお，本療法の開始にあたっては，各薬剤の添付文書を熟読する　③頭頸部癌に対して，本剤を含むがん化学療法と放射線照射を併用する場合に重篤な副作用や放射線合併症が発現する可能性があるため，放射線照射とがん化学療法の併用治療に十分な知識・経験をもつ医師のもとで実施する　④テガフール・ギメラシル・オテラシルカリウム配合剤との併用により，重篤な血液障害等の副作用が発現するおそれがあるので，併用を行わない

禁忌　**注** ①本剤の成分に対し重篤な過敏症の既往歴のある患者　②テガフール・ギメラシル・オテラシルカリウム配合剤投与中の患者及び中止後7日以内の患者

薬物動態

注 **血中濃度**　癌患者5名に500mg/bodyをone shot静注後の平均血中濃度は，15分で15.3，30分で3.9，60分で0.35μg/mLと推移し，投与後90分には検出限界以下．(参考；持続静注時の血中濃度)60mg/kgを1500mLの電解質輸液で希釈し，48時間かけて末梢静脈から持続点滴静注時，点滴投与中の血中濃度は約6時間で定常状態(約0.6μg/mL)に達し，その後持続的に推移．薬物速度論的パラメータ(参考；オーストラリアでの試験成績)は投与量9～16mg/kgで半減期(min)$T_{1/2}\alpha$は2.1±0.5，$T_{1/2}\beta$は18.9±2.2，CLは776.8±91.3mL/min，Vdは0.38±0.1(L/kg)　**分布・代謝・排泄**　錠参照

軟(参考)　**吸収**　スイスでの試験成績：5%5-FU-6-^{14}Cをヒトの正常部皮膚及び病態皮膚に1.4～1.83mg/cm^2塗布時，72時間後の未吸収放射能は正常皮膚87.7～95.3%，病態皮膚6.2～70.3%で，病態皮膚で吸収が良好　**代謝(ラット)**　背部に5-FU-6-^{14}Cを塗布時の尿中代謝産物は，未変化体が約7.9%，FUPAが約13.5%，FGPA(α-fluoro-β-guanidopropionic acid)が約5.8%，FBAL(α-fluoro-β-alanine)が約66.1%排泄　**排泄**　スイスでの試験成績：5%5-FU-6-^{14}Cをヒトの正常部皮膚及び病態皮膚に1.4～1.83mg/cm^2塗布した結果，72時間後の尿中からの累積回収放射能は正常部皮膚塗布で0.3～1.1%，病態皮膚塗布では15.8～61.2%で皮膚吸収の傾向と相関した尿中排泄が認められた

その他の管理的事項

投与期間制限　該当しない

保険給付上の注意　該当しない

資料

IF　5-FU注250mg・1000mg　2019年7月改訂(第7版)
　5-FU軟膏5%協和　2020年6月改訂(第13版)

フ

フルオロメトロン
Fluorometholone

[概要]
薬効分類 131 眼科用剤
構造式

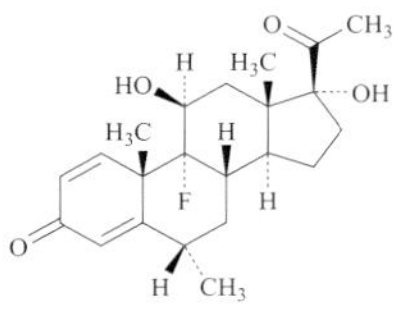

分子式 $C_{22}H_{29}FO_4$
分子量 376.46
略語・慣用名 FML
ステム プレドニゾロン誘導体以外のステロイド：-olone
原薬の規制区分 該当しない
原薬の外観・性状 白色～淡黄白色の結晶性の粉末で，においはない．ピリジンに溶けやすく，メタノール，エタノール(99.5)又はテトラヒドロフランに溶けにくく，水又はジエチルエーテルにほとんど溶けない
原薬の吸湿性 該当資料なし
原薬の融点・沸点・凝固点 融点：約290℃(分解)
原薬の酸塩基解離定数 該当資料なし
先発医薬品等
[点眼液] フルメトロン点眼液0.02%・0.1%(参天)
後発医薬品
[点眼液] 0.02%・0.05%・0.1%
国際誕生年月 不明
海外での発売状況 7カ国

[製剤]
製剤の性状 [点眼液] 水性懸濁点眼剤．振り混ぜるとき，白濁する
有効期間又は使用期限 3年
貯法・保存条件 気密容器，室温保存
薬剤取扱い上の留意点 保管の仕方によっては振りまぜても粒子が分散しにくくなる場合があるので，上向きに保管
患者向け資料等 くすりのしおり，服薬指導箋
溶液及び溶解時のpH 6.8～7.8
浸透圧比 0.9～1.1
調製時の注意 該当しない

[薬理作用]
分類 副腎皮質ホルモン
作用部位・作用機序 マクロファージや白血球などに作用するとリポコルチンが合成され，このリポコルチンがホスホリパーゼA2を阻害し，結果として炎症反応が抑制される．また，フルオロメトロンは，アラキドン酸代謝産物以外のオータコイド(ヒスタミンやブラジキニンなど)の作用も抑制し，抗炎症作用を示す
同効薬 ベタメタゾンリン酸エステルナトリウム，デキサメタゾンメタスルホ安息香酸エステルナトリウム

[治療]
効能・効果 [0.02%] 外眼部の炎症性疾患(眼瞼炎，結膜炎，角膜炎，強膜炎，上強膜炎等)
[0.05%] 外眼部及び前眼部の炎症性疾患の対症療法(眼瞼炎，結膜炎，角膜炎，強膜炎，上強膜炎，前眼部ブドウ膜炎，術後炎症)
[0.1%] 外眼部及び前眼部の炎症性疾患(眼瞼炎，結膜炎，角膜炎，強膜炎，上強膜炎，虹彩炎，虹彩毛様体炎，ブドウ膜炎，術後炎症等)
用法・用量 [0.05%] 用時よく振り混ぜ1回1～2滴，1日3～5回点眼(適宜増減)
[0.02%] [0.1%] 用時よく振り混ぜ1回1～2滴，1日2～4回点眼(適宜増減)

[使用上の注意]
禁忌 本剤の成分に対し過敏症の既往歴のある患者

[薬物動態]
眼組織内移行(参考：家兎) 標識した0.1%フルオロメトロン懸濁液25μLを点眼時の最高眼組織濃度(μg/g)は5分後に角膜1.99，45分後に房水0.16，点眼30分後には，角膜1.544，球結膜0.738，虹彩0.32，強膜0.178，房水0.154．0.02・0.1%液のいずれも眼組織からの消失速度は，デキサメタゾン，プレドニゾロン酢酸エステルに比べて速い

[その他の管理的事項]
投与期間制限 該当しない
保険給付上の注意 該当しない

[資料]
IF フルメトロン点眼液0.02%・0.1% 2017年10月改訂(第10版)

フルコナゾール
フルコナゾールカプセル
フルコナゾール注射液
Fluconazole

[概要]
薬効分類 629 その他の化学療法剤
構造式

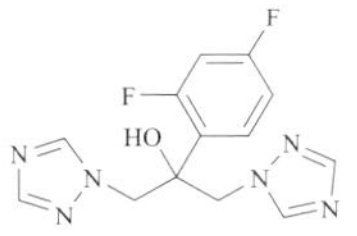

分子式 $C_{13}H_{12}F_2N_6O$
分子量 306.27
略語・慣用名 FLCZ
ステム ミコナゾール系抗真菌剤：-conazole
原薬の規制区分 該当しない
原薬の外観・性状 白色～微黄白色の結晶性の粉末である．エタノール(99.5)にやや溶けやすく，水に溶けにくい．希塩酸に溶ける
原薬の吸湿性 臨界相対湿度：約65%
原薬の融点・沸点・凝固点 融点：137～141℃
原薬の酸塩基解離定数 pKa＝1.81(電位差滴定法)
先発医薬品等
[カ] ジフルカンカプセル50mg・100mg(ファイザー)
[シロップ用] ジフルカンドライシロップ350mg・1400mg(ファイザー)
[注] ジフルカン静注液50mg・100mg・200mg(ファイザー)
後発医薬品
[カ] 50mg・100mg
[注] 0.1%・0.2%
国際誕生年月 1988年3月
海外での発売状況 [カ] 米，英，仏，独，豪を含む124カ国(承認)
[注] 米，英，仏，独，豪を含む103カ国

[製剤]
規制区分 [カ] [シロップ用] [注] [処]
製剤の性状 [50mgカ] 白色の硬カプセル剤 [100mgカ] だいだい色の硬カプセル剤 [シロップ用] 白色～黄色の粉末で，オレンジの芳香を有する [注] 無色透明の水性注射液
有効期間又は使用期限 [注] 3年

貯法・保存条件 **カ** 気密容器，室温保存 **シロップ用** **注** 室温保存
薬剤取扱い上の留意点 **シロップ用** ①調製方法：粉末の固まりがないように，粒子がばらばらになるまで瓶を軽くたたき，24mLの水を瓶に加えよく振り混ぜること ②投与時：十分に振り混ぜてから，正確に1回量を測り取る ③保存時：懸濁液に調製後の保存は，凍結を避け，5℃～30℃で保存し，2週間以内に使用する．処方された服用期間後の残液は，廃棄する (4)薬剤交付時：本剤を懸濁液に調整後，瓶ごと患者に交付し，服用方法，保管方法，残液の廃棄など十分に説明する **注** 注射用アムホテリシンBと并用すると白濁を生ずるので混注を避けること
患者向け資料等 患者向医薬品ガイド，くすりのしおり
溶液及び溶解時のpH **シロップ用** 3.0～5.0（本品1個を水24mLに懸濁した液） **注** 5.0～7.0
浸透圧比 **注** 約1（対生食）
調製時の注意 **シロップ用** 調製方法：粉末の固まりがないように，粒子がばらばらになるまで瓶を軽くたたき，24mLの水を瓶に加えよく振り混ぜること **注** 注射用アムホテリシンBと併用すると白濁を生ずるので混注を避けること

薬理作用
分類 トリアゾール系抗真菌剤
作用部位・作用機序 真菌細胞膜の構成成分であるエルゴステロール生合成経路上のエブリコールの^{14}-C脱メチル化反応を阻害する．脱メチル化反応の触媒であるチトクロームP450とフルコナゾールが結合し，脱メチル化を阻害することによって最終的にエルゴステロールの生合成を阻害し抗真菌作用を示す．また，真菌の酵母型発育相及び菌糸型発育相のいずれに対しても発育抑制を示す．フルコナゾールのエルゴステロール生合成阻害作用は真菌に選択的で，ラット肝細胞のステロール生合成に対する影響は少ない．効果は静菌的である
同効薬 イトリゾール，ボリコナゾール，ホスフルコナゾール，クロトリマゾールなど

治療
効能・効果 ①カンジダ属及びクリプトコッカス属による次の感染症：真菌血症，呼吸器真菌症，消化管真菌症，尿路真菌症，真菌髄膜炎 ②造血幹細胞移植患者における深在性真菌症の予防 ③**カ** カンジダ属に起因する腟炎及び外陰腟炎
用法・用量 ①成人：(1)カンジダ症：50～100mg，1日1回内服又は静注．(2)クリプトコッカス症：50～200mg，1日1回内服又は静注．なお，重症又は難治性真菌感染症には1日400mgまで増量できる (3)造血幹細胞移植患者における深在性真菌症の予防：400mgを1日1回経口/静注 (4)腟炎及び外陰腟炎：150mgを1回経口投与 ②小児：(1)カンジダ症：3mg/kgを1日1回経口/静注 (2)クリプトコッカス症：3～6mg/kgを1日1回経口/静注．なお，重症又は難治性真菌感染症の場合には1日量として12mg/kgまで増量できる (3)造血幹細胞移植患者における深在性真菌症の予防：12mg/kgを1日1回経口/静注（適宜減量） ただし，いずれも1日量として400mgを超えない ③新生児：(1)生後14日まで：小児と同様の用量を72時間ごとに投与する (2)生後15日以降：小児と同様の用量を48時間ごとに投与する
用法・用量に関連する使用上の注意 ①造血幹細胞移植患者における深在性真菌症の予防：(1)好中球減少症が予想される数日前から開始することが望ましい (2)好中球数が1000/mm^{3}を超えてから7日間投与することが望ましい ②カンジダ属に起因する腟炎及び外陰腟炎：本剤の効果判定は投与後4～7日目を目安に行い，効果が認められない場合には，他の薬剤の投与を行う等，適切な処置を行う ③**シロップ用** 懸濁液調製法：本剤は1瓶について24mLの水を加えて懸濁すると，それぞれの濃度は次の通りとなる：（フルコナゾール/瓶→懸濁液の濃度）350mg/瓶→10mg/mL，1400mg/瓶→40mg/mL
禁忌・原則禁忌となる特定患者集団 妊婦又は妊娠している可能性のある患者

使用上の注意
禁忌 ①次の薬剤を投与中の患者：トリアゾラム，エルゴタミン，ジヒドロエルゴタミン，キニジン，ピモジド，アスナプレビル，ダクラタスビル・アスナプレビル・ベクラブビル，アゼルニジピン，オルメサルタン メドキソミル・アゼルニジピン，ロミタピド，ブロナンセリン ②本剤に対して過敏症の既往歴のある患者 ③妊婦又は妊娠している可能性のある患者
相互作用概要 CYP2C9，2C19及び3A4を阻害する
過量投与 ①症状：(1)外国の癌患者での過量投与（フルコナゾール1200～2000mg/日，経口投与）の症例報告では，フルコナゾール1600mg/日投与例において，肝機能検査値上昇がみられた．また，2000mg/日投与例において，中枢神経系障害（錯乱，嗜眠，見当識障害，不眠，悪夢，幻覚），多形性紅斑，悪心・嘔吐，肝機能検査値上昇等がみられたとの報告がある (2)フルコナゾール8200mg経口摂取後，幻覚，妄想行動の症状が現れ，48時間の経過観察が行われた結果，症状は回復したとの報告がある（自殺企図例） ②処置：(1)，(2)とも対症療法を行う．フルコナゾールは，大部分が腎から排泄される．3時間の血液透析により，約50%が血清から除去される

薬物動態
血中濃度 ①健常成人：(1)**カ** 50mg（空腹時，8例），100mg（空腹時，6例），400mg（食後，9例）を健常成人に単回投与後，用量に比例した血漿中濃度が得られ，最高血漿中濃度（Cmax）はそれぞれ0.92，1.88，7.95μg/mL．最高血漿中濃度到達時間（Tmax）は空腹時投与で1.4～1.7時間，血漿中濃度半減期はいずれの用量でも約30時間．消化管からの吸収に優れ，血漿中濃度-時間曲線下面積（AUC）は静注時と近似．患者2例に400mgを1日1回31日間投与時の血清中濃度は投与5日目まで経日的に上昇し，初回投与時の約3倍，以降は定常状態となる (2)**注** 25mg又は50mgを健常成人各8例に単回静注時の血漿中濃度は，用量に比例し，それぞれ0.76，1.33μg/mL（投与後6分値），血漿中濃度半減期はいずれも約30時間．（参考）健常成人に25mg又は50mgを1日1回7日間静注時の血漿中濃度は初回投与時の約2倍 ②小児患者（外国人データ）：小児患者に2～8mg/kgを経口（ドライシロップ）又は静注時，小児におけるクリアランスは，成人のクリアランスの約2倍高い値であった．年齢（症例数，用量※1)）別の薬物動態パラメータは，半減期（時間），$AUC_{0-\infty}$（μg・h/mL）の順に(1)早産児生後24時間以内（4～11例※2)，反復静注6mg/kg（3日間隔））：[1日目：73.6，7日目：53.2，13日目：46.6]，[1日目：271，7日目：490，13日目：360] (2)11日～11ヵ月（9例，単回静注3mg/kg）：23，110 (3)9ヵ月～13歳（14例，単回経口2mg/kg）：25.0※3)，94.7 (4)9ヵ月～13歳（14例，単回経口8mg/kg）：19.5，363 (5)5～15歳（4例，反復静注2mg/kg）：17.4※4)，67.4※4) (6)5～15歳（5例，反復静注4mg/kg）：15.2※4)，139※4) (7)5～15歳（7例，反復静注8mg/kg）：17.6※4)，197※4) (8)平均年齢7歳（11例，反復経口3mg/kg）：15.5※5)，41.6※5) ※1)剤型：静注は静注液，経口はドライシロップ ※2)半減期（1日目：7例，7日目：9例，13日目：4例），AUC_{0-72}（1日目：11例，7日目：10例，13日目：4例） ※3)n=16 ※4)最終投与日の値 ※5)1日目の値 **尿中排泄** ①**カ** 50，100，400mgを健常成人に単回投与時の尿中最高濃度は，それぞれ12.4，38.7，83.2μg/mL（投与後8時間以内）．投与5日目までの未変化体の尿中排泄率はいずれの用量でも約70% ②**注** 25mg又は50mgを健常成人に単回静注後の尿中濃度は用量に対応して増加し，いずれの用量でも投与5日目までの未変化体の尿中排泄率はほぼ70% **組織内移行** 経口投与で，患者の喀痰中，肺組織中，髄液中（**カ** 及び腟分泌物中）への移行は良好．髄液中濃度は血漿中濃度の60～80%．単回経口投与時，投与後24～168時間までの腟分泌物中のフルコナゾール濃度は血漿中濃度の67～92%．静注により患者の髄液中への移行は良好．（参考）髄液中濃度は血漿中濃度の52～62% **代謝** 100mgをヒトに経口投与後の尿中代謝物と

して微量の1,2,4-トリアゾール．投与量の約77%が未変化体として尿中排泄 **蛋白結合率** ヒト血漿蛋白に対する結合率は類似化合物に比べて低く，約10% **腎障害患者に対する用量調節の目安** クレアチニン・クリアランス(mL/分)>50には通常用量，同<50(透析患者を除く)には半量，透析患者には透析終了後に通常用量．なお，カンジダ属に起因する膣炎及び外陰膣炎患者に1回経口投与する場合，用量調整の必要はない

その他の管理的事項

投与期間制限 該当しない

保険給付上の注意 該当しない

資料

IF ジフルカンカプセル50mg・100mg・ドライシロップ350mg・1400mg 2017年7月改訂(第20版)

ジフルカン静注液50mg・100mg・200mg 2018年10月改訂(第12版)

フルジアゼパム
フルジアゼパム錠
Fludiazepam

概要

薬効分類 112 催眠鎮静剤，抗不安剤

構造式

Cl CH₃ O N N F

分子式 $C_{16}H_{12}ClFN_2O$

分子量 302.73

ステム ジアゼパム系抗不安薬・鎮静薬：-azepam

原薬の規制区分 (向Ⅲ)

原薬の外観・性状 白色～淡黄色の結晶又は結晶性の粉末である．クロロホルムに極めて溶けやすく，メタノール，エタノール(95)，酢酸(100)又はジエチルエーテルに溶けやすく，水にほとんど溶けない

原薬の吸湿性 吸湿性なし

原薬の融点・沸点・凝固点 融点：91～94℃

原薬の酸塩基解離定数 pKa＝2.51(非水滴定法)

先発医薬品等

錠 エリスパン錠0.25mg(大日本住友)

国際誕生年月 1980年6月

海外での発売状況 台湾

製剤

規制区分 **錠** (向Ⅲ) (処)

製剤の性状 **錠** 白色の素錠

有効期間又は使用期限 3年

貯法・保存条件 室温保存

薬剤取扱い上の留意点 眠気，注意力・集中力・反射運動能力等の低下が起こることがあるので，本剤投与中の患者には自動車の運転等危険を伴う機械の操作に従事させないよう注意すること

患者向け資料等 患者向医薬品ガイド，くすりのしおり

溶液及び溶解時のpH 該当しない

浸透圧比 該当しない

安定なpH域 該当しない

調製時の注意 該当しない

薬理作用

分類 ベンゾジアゼピン系マイナートランキライザー

作用部位・作用機序 作用部位：大脳辺縁系 作用機序：他のベンゾジアゼピン系薬剤と同様，情動性興奮のもととなる外来インパルスが大脳辺縁系に流れるのを抑制し，大脳辺縁系に存在していると考えられている情動発現中枢に対する調節を行い，抗不安作用を現わすと考えられる．また，エリスパンは大脳辺縁系を介して，自律神経系・内分泌系の高位中枢である視床下部に作用して，自律神経等の安定化作用を現すと考えられる

同効薬 メダゼパム，ジアゼパム，クロルジアゼポキシド，クロチアゼパム

治療

効能・効果 心身症(消化器疾患，高血圧症，心臓神経症，自律神経失調症)における身体症候ならびに不安・緊張・抑うつ及び焦燥，易疲労性，睡眠障害

用法・用量 フルジアゼパムとして1日0.75mg，3回に分服(適宜増減)

使用上の注意

禁忌 ①急性閉塞隅角緑内障の患者［抗コリン作用により眼圧が上昇し，症状を悪化させることがある］ ②重症筋無力症の患者［筋弛緩作用により症状が悪化するおそれがある］

過量投与 過量投与が明白又は疑われた場合の処置としてフルマゼニル(ベンゾジアゼピン受容体拮抗剤)を投与する場合には，使用前にフルマゼニルの使用上の注意(禁忌，慎重投与，相互作用等)を必ず読む

薬物動態

血中濃度 健常成人に1回0.25mgを経口投与時の未変化体の血清中濃度の最高値は1時間目に5.8±0.4ng/mL，生物学的半減期は約23時間 **代謝** ヒトでの主要な代謝体は1-デスメチル体，1-デスメチル-3-ヒドロキシ体 **分布・排泄(参考：ラット)** ^{14}C-フルジアゼパム5mg/kgを1回経口投与時，^{14}C濃度は高い方から肝，腎，血清，脳の順．^{14}C-フルジアゼパム2mg/kgを1回経口投与後48時間までの排泄率は尿中13.9%，糞中69.4%

その他の管理的事項

投与期間制限 30日

保険給付上の注意 該当しない

資料

IF エリスパン錠0.25mg 2019年7月改訂(第11版)

フルシトシン
Flucytosine

概要

薬効分類 629 その他の化学療法剤

構造式

H O N N F NH₂

分子式 $C_4H_4FN_3O$

分子量 129.09

略語・慣用名 5-FC

ステム 不明

原薬の規制区分 (劇)

原薬の外観・性状 白色の結晶性の粉末で，においはない．水にやや溶けにくく，メタノール，エタノール(95)，無水酢酸

又は酢酸(100)に溶けにくく，ジエチルエーテルにほとんど溶けない．0.1mol/L塩酸試液に溶ける．1.0gを水100mLに溶かした液のpHは5.5〜7.5である

原薬の吸湿性　やや吸湿性である

原薬の融点・沸点・凝固点　融点：約295℃(分解)

先発医薬品等

[錠] アンコチル錠500mg(共和薬品)

国際誕生年月　不明

海外での発売状況　該当資料なし

製剤

規制区分　[錠] [劇] [処]

製剤の性状　[錠] 白色の素錠

有効期間又は使用期限　3年

貯法・保存条件　遮光・室温保存．吸湿注意

薬剤取扱い上の留意点　該当資料なし

患者向け資料等　くすりのしおり

溶液及び溶解時のpH　5.5〜7.5(1.0gを水100mLに溶かした液)

浸透圧比　該当資料なし

安定なpH域　該当資料なし

調製時の注意　該当しない

薬理作用

分類　フッ化ピリミジン系抗真菌剤

作用部位・作用機序　真菌細胞膜のシトシン透過酵素を介して真菌細胞内に選択的に取り込まれた後，脱アミノ化されて5-フルオロウラシルとなり，核酸合成系等を阻害し，抗真菌作用を発揮すると考えられる．効果は殺菌的

同効薬　フルコナゾール，イトラコナゾールなど

治療

効能・効果　〈有効菌種〉クリプトコックス，カンジダ，アスペルギルス，ヒアロホーラ，ホンセカエア　〈適応症〉真菌血症，真菌性髄膜炎，真菌性呼吸器感染症，黒色真菌症，尿路真菌症，消化管真菌症

用法・用量　フルシトシンとして1日，尿路及び消化管真菌症には50〜100mg/kg，その他には100〜200mg/kg，4回に分服(適宜増減)

禁忌・原則禁忌となる特定患者集団　妊婦又は妊娠している可能性のある婦人

使用上の注意

> **警告**　テガフール・ギメラシル・オテラシルカリウム配合剤との併用により，重篤な血液障害等の副作用が発現するおそれがあるので，併用を行わない

禁忌　①本剤の成分に対し過敏症の既往歴のある患者　②妊婦又は妊娠している可能性のある婦人　③テガフール・ギメラシル・オテラシルカリウム配合剤投与中の患者及び投与中止後7日以内の患者

薬物動態

日本人の成績　①血中濃度・排泄：健康成人男子12例に1.5g単回経口投与時の血漿中濃度及び各種パラメータはAUC(μg/hr/mL)220.5±7.2，Cmax(μg/mL)35.7±1.9，Tmax(hr)1.1±0.2．尿中濃度は，投与後速やかに上昇し，24時間以内に約90%を排泄　②髄液内濃度(分布)：黒色真菌症患者に200mg/kgを3日間連続経口投与時の最高濃度はそれぞれ，血清中52μg/mL，髄液内40μg/mL，血中から髄液への移行率はおよそ80%　③喀痰中濃度(分布)：肺アスペルギローム患者に錠5gを単回経口投与時，血清及び喀痰中濃度は，投与3時間後にそれぞれ113，16.5μg/mL，投与6時間後にそれぞれ68，26μg/mL　**外国人の成績(参考)**　①腎機能障害患者への投与：健康成人10例及び腎機能障害患者40例に2g単回経口投与時の血清中薬物濃度半減期と血清クレアチニン値の関係は次の通り．血清クレアチニン(mg/dL)0.6〜1.1(健康成人)10例の半減期(hr)は2.89，1〜2(13例)では5.37，1.1〜2.2(8例)では16.8，>4.5(Max15.3)14例では38.6，無尿患者及び腎摘出患者5例では85．クレアチニン・クリアランス値(mL/min)別の投与間隔は，40以上1回25〜50mg/kgでは6時間(1日4回)，20〜40 1回25〜50mg/kgでは12時間(1日2回)，10〜20 1回25〜50mg/kgでは24時間(1日1回)，10以下1回50mg/kgでは24時間以上(定期的血中濃度測定により決める)　②血液透析患者への投与：単回経口投与で，蛋白結合率が5%未満，血液透析により速やかに除かれ，毎透析後25〜50mg/kgを1回投与により治療上有効な血中濃度が得られた報告がある　③代謝：健康成人男子に3.5g単回経口投与時，ほとんど代謝されず98%以上を未変化体として尿中に排泄

その他の管理的事項

投与期間制限　該当しない

保険給付上の注意　該当しない

資料

IF　アンコチル錠500mg　2018年6月改訂(第7版)

フルスルチアミン塩酸塩
Fursultiamine Hydrochloride

概要

薬効分類　312　ビタミンB_1剤

構造式

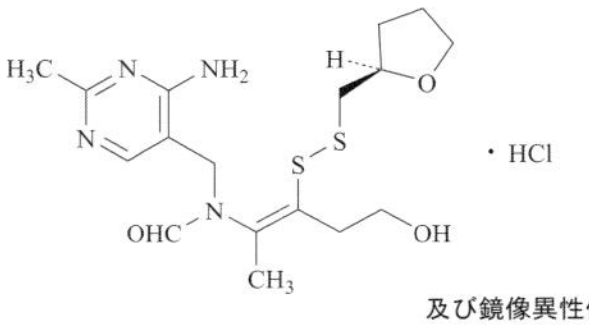
H3C
N
NH2
N
H
O
S
S
・HCl
OHC
N
OH
CH3

及び鏡像異性体

分子式　$C_{17}H_{26}N_4O_3S_2$・HCl

分子量　435.00

略語・慣用名　TTFD・HCl

原薬の規制区分　該当しない

原薬の外観・性状　白色の結晶又は結晶性の粉末で，においはないか，又は僅かに特異なにおいがあり，味は苦い．水，メタノール又はエタノール(95)に溶けやすい．結晶多形が認められる

原薬の吸湿性　60℃，75%RHで7日間保存したとき，水分はイニシャル品と同様約4%で吸湿性は認められなかった

原薬の融点・沸点・凝固点　融点：160〜161℃(分解)

原薬の酸塩基解離定数　pKa＝5.60

先発医薬品等

[錠] 5mg・25mg・50mgアリナミンF糖衣錠(武田テバ薬品＝武田)

[注] アリナミンF5・F10・F25・F50・F100注(武田テバ薬品＝武田)

後発医薬品

[顆] 10%

[錠] 25mg

[注] 10mg・25mg・50mg

国際誕生年月　1960年12月

海外での発売状況　インドネシアなど

製剤

規制区分　[注] [処]

製剤の性状　5・10・25・50mg注 無色澄明な注射液　100mg注 無色〜僅かに帯黄色澄明の注射液

有効期間又は使用期限　21カ月

貯法・保存条件　室温保存．開封後も遮光保存

薬剤取扱い上の留意点　吸引した注射筒に血液を吸引すると，赤血球が凝集するが，この凝集は可逆性で血清中では容易に

解離する

溶液及び溶解時のpH **5・10mg注** 3.0～4.3 **25・50mg注** 3.3～4.3 **100mg注** 2.7～4.3

浸透圧比 **5・10・25・50mg注** 約5(対生食) **100mg注** 約9(対生食)

安定なpH域 **注** 安全なpH域：酸性水溶液中では安定であるが，アルカリ性水溶液では不安定である

薬理作用

分類 ビタミンB_1誘導体

作用部位・作用機序 ビタミンB_1に比べ細胞内によくとりこまれ，多量のビタミンB_1二リン酸(TPP，コカルボキシラーゼ)を生成して，代謝活性をたかめる．ビタミンB_1二リン酸はペントース-リン酸サイクルのトランスケトラーゼ，ピルビン酸とα-ケトグルタル酸を酸化的脱炭酸するピルビン酸脱水素酵素とα-ケトグルタル酸脱水素酵素の補酵素となる．トランスケトラーゼはケトース転移反応を触媒し，三単糖から七単糖までの糖を相互に変換させる．ピルビン酸及びα-ケトグルタル酸の酸化的脱炭酸は，三つの酵素の共役反応により行なわれる．そして，ビタミンB_1二リン酸はその最初の反応を触媒する酵素の補酵素となる．これらのほか，バリン，ロイシン，イソロイシンの分岐型アミノ酸から生じるα-ケトイソバレリン酸，α-ケトイソカプロン酸，α-ケト-β-メチルバレリン酸も類似した反応により，それぞれ対応するアセチルCoAに変換される．これらの反応を触媒する酵素群もビタミンB_1二リン酸を補酵素とする

同効薬 オクトチアミン，チアミンジスルフィド，ビスベンチアミン，ベンフォチアミンなど

治療

効能・効果 ①ビタミンB_1欠乏症の予防及び治療 ②ビタミンB_1の需要が増大し，食事からの摂取が不十分な際の補給(消耗性疾患，甲状腺機能亢進症，妊産婦，授乳婦，激しい肉体労働時等) ③ウェルニッケ脳症 ④脚気衝心 ⑤次の疾患のうちビタミンB_1の欠乏又は代謝障害が関与すると推定される場合：神経痛，筋肉痛・関節痛，末梢神経炎・末梢神経麻痺，心筋代謝障害，便秘等の胃腸運動機能障害，術後腸管麻痺．⑤に対して，効果がないのに月余にわたって漫然と使用すべきでない

用法・用量 **錠** フルスルチアミンとして1日5～100mg(適宜増減)

注 フルスルチアミンとして1日5～100mgを(アリナミンF25・50・100，フルメチ：できるだけ緩徐に(アリナミンF25・50・100：3分間以上の時間をかける方がよい))静注(ビタファント10：皮下，筋注又は静注)(適宜増減)

使用上の注意

禁忌 **注** 本剤の成分に対し過敏症の既往歴のある患者

薬物動態

健康人：**血中濃度** 消化管からの吸収がよく，投与量に比例して速やかに吸収，高い血中ビタミンB_1濃度を持続 **排泄** 経口投与により，尿中ビタミンB_1排泄量は投与量に比例して増加 **体液・組織内移行** リポイド易溶性で組織に対する親和性が強く，血球等によく移行，体内貯留性がよい **代謝** 細胞内で速やかに非酵素的にビタミンB_1に復元後エステル化され，多量の結合型B_1(コカルボキシラーゼ)を生成

その他の管理的事項

投与期間制限 該当しない

保険給付上の注意 該当しない

資料

IF アリナミンF5・10・25・50・100注 2019年2月改訂(第6版)

フルタミド
Flutamide

概要

薬効分類 429 その他の腫瘍用薬

構造式

分子式 $C_{11}H_{11}F_3N_2O_3$

分子量 276.21

原薬の規制区分 ㊞

原薬の外観・性状 淡黄色の結晶性の粉末である．メタノール又はエタノール(95)に溶けやすく，水にほとんど溶けない

原薬の吸湿性 吸湿性はない

原薬の融点・沸点・凝固点 融点：109～113℃

原薬の酸塩基解離定数 該当しない

先発医薬品等

錠 オダイン錠125mg(日本化薬)

後発医薬品

錠 125mg

国際誕生年月 1981年12月

海外での発売状況 米，仏，独

製剤

規制区分 **錠** ㊞ ㊋

製剤の性状 **錠** 淡黄色の素錠

有効期間又は使用期限 3年

貯法・保存条件 遮光・室温保存

患者向け資料等 患者向医薬品ガイド，くすりのしおり

薬理作用

分類 非ステロイド性抗アンドロゲン剤

作用部位・作用機序 主にOH-フルタミドに代謝され前立腺癌組織内に存在するアンドロゲンレセプターに結合し，アンドロゲンの作用を阻害することにより抗腫瘍効果を発揮するものと考えられている

同効薬 クロルマジノン酢酸エステル，ビカルタミド

治療

効能・効果 前立腺癌

用法・用量 1回125mg，1日3回食後(適宜増減)

使用上の注意

警告 ①劇症肝炎等の重篤な肝障害による死亡例が報告されているので，定期的(少なくとも1カ月に1回)に肝機能検査を行う等，患者の状態を十分に観察する ②AST(GOT)，ALT(GPT)，LDH，Al-P，γ-GTP，ビリルビンの上昇等の異常が認められた場合には中止し，適切な処置を行う ③副作用として肝障害が発生する場合があることをあらかじめ患者に説明するとともに，食欲不振，悪心・嘔吐，全身倦怠感，そう痒，発疹，黄疸等が現れた場合には中止し，ただちに受診するよう患者を指導する

禁忌 ①肝障害のある患者［重篤な肝障害に至るおそれがある］ ②本剤に対する過敏症の既往歴のある患者

薬物動態

吸収 経口：前立腺癌患者3例に125mg単回投与時，速やかに吸収され，ほとんどは活性代謝物OH-フルタミドとして血中に存在．2時間後に最高濃度に到達，半減期13.9時間で消失．30～500mg単回投与時，OH-フルタミドのCmax及びAUCは，投与量に依存した線形性．また，1回125mg，1日3回14日間反復投与で，OH-フルタミドは2～4日目以降定常状態 **代謝** 前立腺癌患者の血漿中には血中主代謝物OH-体及び未変化体，

尿中代謝物はほとんどがグルクロン酸抱合体　**排泄**　ヒトでの主排泄経路は尿と考えられるが，排泄率は8.6〜84%と個体差が大きかった

その他の管理的事項

投与期間制限　該当しない

保険給付上の注意　該当しない

資料

IF　オダイン錠125mg　2014年9月改訂(第6版)

フルトプラゼパム フルトプラゼパム錠

Flutoprazepam

概要

薬効分類　112　催眠鎮静剤，抗不安剤

構造式

分子式　$C_{19}H_{16}ClFN_2O$

分子量　342.79

ステム　ジアゼパム系抗不安薬・鎮静薬：-azepam

原薬の規制区分　該当しない

原薬の外観・性状　白色〜淡黄色の結晶又は結晶性の粉末である．酢酸エチルに溶けやすく，エタノール(99.5)又は無水酢酸にやや溶けやすく，水にほとんど溶けない

原薬の吸湿性　吸湿性はない

原薬の融点・沸点・凝固点　融点：118〜122℃

原薬の酸塩基解離定数　pKa＝2.35(室温，ベンゾジアゼピン環，吸光度法)

先発医薬品等

錠 レスタス錠2mg(日本ジェネリック)

国際誕生年月　1986年4月

海外での発売状況　発売されていない

製剤

規制区分　**錠**　㊕

製剤の性状　**錠** 白色の素錠

有効期間又は使用期限　3年

貯法・保存条件　室温保存

薬剤取扱い上の留意点　眠気，注意力・集中力・反射運動能力等の低下が起こることがあるので，本剤投与中の患者には自動車の運転等危険を伴う機械の操作に従事させないように注意すること

患者向け資料等　くすりのしおり

溶液及び溶解時のpH　該当しない

浸透圧比　該当しない

安定なpH域　該当しない

調製時の注意　該当しない

薬理作用

分類　ベンゾジアゼピン系持続性心身安定剤

作用部位・作用機序　中枢薬理作用は他のベンゾジアゼピン系化合物と類似しているが，その作用強度はジアゼパムよりも強く，作用持続も長い

同効薬　メキサゾラム，ロフラゼプ酸エチルなど

治療

効能・効果　①神経症における不安・緊張・抑うつ・易疲労性・睡眠障害　②心身症(高血圧症，胃・十二指腸潰瘍，慢性胃炎，過敏性腸症候群)における身体症候ならびに不安・緊張・抑うつ・易疲労性・睡眠障害

用法・用量　1日2〜4mg，1〜2回に分服(適宜増減)．高齢者には1日4mgまで

使用上の注意

禁忌　①急性閉塞隅角緑内障の患者［抗コリン作用により眼圧が上昇し，症状を悪化させることがある］　②重症筋無力症の患者［筋弛緩作用により症状が悪化するおそれがある］

過量投与　過量投与が明白又は疑われた場合の処置としてフルマゼニル(ベンゾジアゼピン受容体拮抗剤)を投与する場合には，使用前にフルマゼニルの使用上の注意(禁忌，慎重投与，相互作用等)を必ず読む

薬物動態

血中濃度　健常人に経口投与後の血漿中には未変化体はほとんど認められず，主として活性代謝物であるN1位のデスアルキル体，その濃度は投与4〜8時間後に最高値，以後約190時間の半減期で漸減．健常人に連続経口投与後の血漿中のデスアルキル体濃度は投与開始10日目ごろから恒常状態で，神経症，心身症患者への長期連続投与(6〜25カ月間)でも蓄積性は認められなかった　**排泄**　健常人に経口投与後まず3-ヒドロキシ体，次いでデスアルキル-3-ヒドロキシ体を排泄　**参考；動物**　経口投与後，腸管から速やかに吸収されただちに体内各臓器に分布し，ラット，マウスでは特に肝，腎，心等に比較的多く分布．また妊娠ラット及びマウスでは胎仔へも分布．代謝は主として肝でのN1位の脱アルキル化，3位の水酸化，5位フェニル基の水酸化等により起こり，尿中，胆汁中に主としてデスアルキル-3-ヒドロキシ体，デスアルキル-4'-ヒドロキシ体のグルクロン酸抱合体として排泄．経口投与後5日間の総排泄率はラット約97%，マウス約94%

その他の管理的事項

投与期間制限　該当しない

保険給付上の注意　該当しない

資料

IF　レスタス錠2mg　2019年7月改訂(第4版)

フルドロコルチゾン酢酸エステル

Fludrocortisone Acetate

概要

薬効分類　245　副腎ホルモン剤

構造式

分子式　$C_{23}H_{31}FO_6$

分子量　422.49

ステム　プレドニゾロン誘導体以外の副腎皮質ステロイド類：cort

原薬の規制区分　㊙

原薬の外観・性状　白色〜微黄色の結晶又は結晶性の粉末である．アセトンにやや溶けやすく，エタノール(95)にやや溶けにくく，水にほとんど溶けない

原薬の吸湿性　25℃，93%RHに14日間放置したとき，その重量

フ

変化は＋0.2％の増加であった
原薬の融点・沸点・凝固点　融点：約220℃（分解）
原薬の酸塩基解離定数　該当しない
先発医薬品等
錠　フロリネフ錠0.1mg（アスペン）
国際誕生年月　1954年10月
海外での発売状況　米，英，独など

製剤
規制区分　**錠**　(劇)(処)
製剤の性状　**錠**　白色で円形の素錠．においはなく，味は苦い
有効期間又は使用期限　2年
貯法・保存条件　遮光・室温保存
薬剤取扱い上の留意点　該当しない
患者向け資料等　患者向医薬品ガイド，くすりのしおり
溶液及び溶解時のpH　該当しない
浸透圧比　該当しない
安定なpH域　該当しない

薬理作用
分類　鉱質コルチコイド副腎皮質ステロイド
作用部位・作用機序　強力な鉱質コルチコイド作用を有する合成副腎皮質ホルモン．11-デオキシコルチコステロンやアルドステロンと類似の電解質代謝作用を示し，尿細管におけるNaの再吸収促進，Kの排泄促進作用を有する
同効薬　ヒドロコルチゾン，コルチゾン酢酸エステル

治療
効能・効果　塩喪失型先天性副腎皮質過形成症，塩喪失型慢性副腎皮質機能不全（アジソン病）
用法・用量　1日0.02～0.1mg，2～3回に分服（適宜増減）．新生児，乳児には0.025～0.05mgから開始する
用法・用量に関連する使用上の注意　年齢により感受性が変化するので，特に新生児・乳児期から血清電解質，レニン活性，血圧等を定期的に測定し，至適投与量に注意する

使用上の注意
禁忌　本剤の成分に対し過敏症の既往歴のある患者

薬物動態
吸収・排泄　健康成人（1例）に^{3}H-標識化合物（4.2μCi，比放射能87.6mCi/mg）を経口投与後，45分で最高血中濃度，その後半減期約7時間で速やかに消失，48時間後には検出限界以下．尿中に24時間までに28.6％，72時間までに32.2％排泄

その他の管理的事項
投与期間制限　該当しない
保険給付上の注意　該当しない

資料
IF　フロリネフ錠0.1mg　2017年9月改訂（第5版）

フルニトラゼパム
Flunitrazepam

概要
薬効分類　112　催眠鎮静剤，抗不安剤
構造式

分子式　$C_{16}H_{12}FN_3O_3$
分子量　313.28
ステム　ジアゼパム系抗不安薬・鎮静薬：-azepam
原薬の規制区分　(向Ⅱ)(習)
原薬の外観・性状　白色～微黄色の結晶性の粉末である．酢酸（100）に溶けやすく，無水酢酸又はアセトンにやや溶けやすく，エタノール（99.5）又はジエチルエーテルに溶けにくく，水にほとんど溶けない
原薬の吸湿性　25℃，80％RH及び30℃・90％RHに保存して，4週間目まで経時的に重量変化を測定したが，吸湿性は認められなかった
原薬の融点・沸点・凝固点　融点：168～172℃
原薬の酸塩基解離定数　pKa＝2.23（吸光光度法）
先発医薬品等
錠　サイレース錠1mg・2mg（エーザイ）
注　サイレース静注2mg（エーザイ）
後発医薬品
錠　1mg・2mg
国際誕生年月　該当しない
海外での発売状況　独

製剤
規制区分　(向Ⅱ)(習)(処)
製剤の性状　**錠**　淡青色の割線入りフィルムコーティング錠（フィルムコーティング内部（素錠）は青色）　**注**　無色～淡黄色澄明の液
有効期間又は使用期限　3年
貯法・保存条件　**錠**　室温保存　**注**　室温保存．外箱開封後は遮光保存（光により含量が低下する）
薬剤取扱い上の留意点　**錠**　本剤の影響が翌朝以後に及び，眠気，注意力・集中力・反射運動能力等の低下が起こることがあるので，自動車の運転等の危険を伴う機械の操作に従事させないよう注意すること．噛みくだくと色素により口腔内が青色に着色するので，噛まずにすみやかに服用させるように指導すること．本剤および本剤の半割錠は高湿下で保存することにより，錠剤の青みが増すことが確認されている．一包化後，高湿下で保管することにより他剤への色移りが起こる可能性があるため，湿度の影響を避けて保管するように指導すること
患者向け資料等　くすりのしおり
溶液及び溶解時のpH　**注**　3.5～5.5（本剤に等容量の水を加えた液）
浸透圧比　**注**　約25（本剤に等容量の水を加えた時）（対生食）
調製時の注意　**注**　用時注射用蒸留水にて2倍以上に希釈調製する

薬理作用
分類　ベンゾジアゼピン系睡眠・麻酔導入剤
作用部位・作用機序　作用部位：大脳辺縁系及び視床下部　作用機序：抑制性のGABAニューロンのシナプス後膜に存在するベンゾジアゼピン受容体にアゴニストとして高い親和性で結合し，GABA親和性を増大させることにより，GABAニューロンの作用を特異的に増強すると考えられている
同効薬　エスタゾラム，フルラゼパム塩酸塩，ジアゼパム，トリアゾラム，ニトラゼパム，ニメタゼパム

治療
効能・効果　**錠**　不眠症，麻酔前投薬
注　全身麻酔の導入，局所麻酔時の鎮静
用法・用量　**錠**　1回0.5～2mg就寝前又は手術前（適宜増減）．なお，高齢者には1回1mgまで
注　注射用水で2倍以上に希釈調製し，できるだけ緩徐に（1mgを1分以上かけて）静注．全身麻酔の導入0.02～0.03mg/kg，局所麻酔時の鎮静0.01～0.03mg/kg，必要に応じて初回量の半量～同量を追加（適宜増減）
用法・用量に関連する使用上の注意　**錠**　不眠症には，就寝の直前に服用させる．また，服用して就寝した後，睡眠途中において一時的に起床して仕事等をする可能性があるときは服用させない

使用上の注意

禁忌 ①本剤の成分に対し過敏症の既往歴のある患者 ②急性閉塞隅角緑内障の患者［抗コリン作用により眼圧が上昇し，症状を悪化させることがある］ ③重症筋無力症の患者［重症筋無力症の症状を悪化させるおそれがある］

過量投与 **錠** ①過量投与が明白又は疑われた場合の処置としてフルマゼニル(ベンゾジアゼピン受容体拮抗剤)を投与する場合には，使用前にフルマゼニルの使用上の注意(禁忌，慎重投与，相互作用等)を必ず読む ②症状：うとうと状態から昏睡等の中枢神経抑制作用に基づく症状 ③処置：胃洗浄，活性炭による吸着，フルマゼニルの投与 **注** ①過量投与が明白又は疑われた場合の処置としてフルマゼニル(ベンゾジアゼピン受容体拮抗剤)を投与する場合には，使用前にフルマゼニルの使用上の注意(禁忌，慎重投与，相互作用等)を必ず読む ②症状：昏睡等の中枢神経抑制作用に基づく症状 ③処置：フルマゼニルの投与

薬物動態

血中濃度 ①**錠** (1)単回投与試験：健康成人男子に，2mgを絶食下単回経口投与時の薬物動態パラメータ(48例)は，Cmax(ng/mL)21.7±6.73，tmax(hr)0.75(0.5-6.0)，AUC_{0-72h}(ng・hr/mL)203±34.0，$t_{1/2}$(hr)21.2±4.90 tmaxは中央値(最小値-最大値) (2)反復投与試験：健康成人男子5名に，2mgを1日1回7日間反復経口投与時 投与後3日から5日で定常状態に達し，その最高血中濃度は単回投与時の約1.3倍 ②**注** 健康成人男子5名に2mgを静注時，未変化体の血中濃度は3相性で減少を示し，各相の平均半減期はそれぞれ8分，2時間，及び24時間，投与後4時間以降は緩徐な消失を示した．2mgを5名に単回静注時の薬物動態パラメータはCmax47.5±5.3ng/mL，$T_{1/2}\pi$ 8min，$T_{1/2}\alpha$ 2hr，$T_{1/2}\beta$ 24hr，AUC_{0-24} 232.8±28.3ng・hr/mL **尿中排泄** **錠** 健康成人男子5名に4mg※)を経口投与後，72時間までの尿中に還元体として8.6%，開環体及び水酸化体4.7%排泄．※)4mg単回経口投与は承認外用量

その他の管理的事項

投与期間制限 **錠** 30日

保険給付上の注意 該当しない

資料

IF サイレース錠1mg・2mg 2019年8月改訂(第9版)
サイレース静注2mg 2019年8月改訂(第8版)

フルフェナジンエナント酸エステル
Fluphenazine Enanthate

概要

構造式

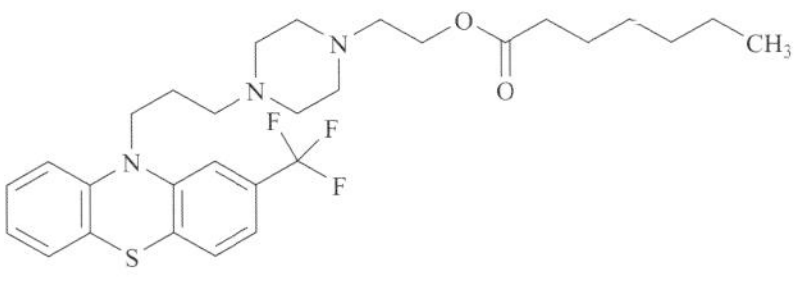

分子式 $C_{29}H_{38}F_3N_3O_2S$

分子量 549.69

原薬の規制区分 毒(ただし，製剤は劇(ただし，1個中フルフェナジンとして1mg以下を含有する錠剤を除く))

原薬の外観・性状 淡黄色～帯黄橙色の粘稠な液で，通例，澄明であるが，結晶を生じて不透明となることがある．メタノール又はジエチルエーテルに溶けやすく，エタノール(95)又は酢酸(100)にやや溶けやすく，水にほとんど溶けない

フルボキサミンマレイン酸塩
フルボキサミンマレイン酸塩錠
Fluvoxamine Maleate

概要

薬効分類 117 精神神経用剤

構造式

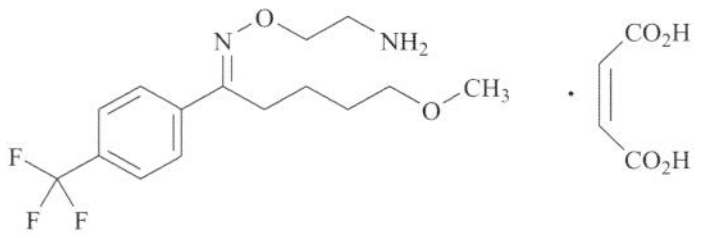

分子式 $C_{15}H_{21}F_3N_2O_2 \cdot C_4H_4O_4$

分子量 434.41

ステム 不明

原薬の規制区分 該当しない

原薬の外観・性状 白色の結晶性の粉末である．エタノール(99.5)に溶けやすく，水にやや溶けにくい

原薬の吸湿性 加湿条件下(25℃，93%RH，7日間)で吸湿性を示さなかった

原薬の融点・沸点・凝固点 融点：120～124℃

原薬の酸塩基解離定数 $pKa_1=1.8$，$pKa_2=6.1$，$pKa_3=8.5$

先発医薬品等

錠 デプロメール錠25・50・75(MeijiSeika)
ルボックス錠25・50・75(アッヴィ)

後発医薬品

錠 25mg・50mg・75mg

国際誕生年月 1983年7月

海外での発売状況 米，英，仏，独を含む110カ国以上

製剤

規制区分 **錠** 処

製剤の性状 **錠** 黄色，円形のフィルムコート錠

有効期間又は使用期限 3年

貯法・保存条件 室温保存

薬剤取扱い上の留意点 眠気，意識レベルの低下・意識消失等の意識障害が起こることがあるので，本剤投与中の患者には，自動車の運転等危険を伴う機械の操作に従事させないよう注意すること．有効成分のフルボキサミンマレイン酸塩には，苦味があり，舌のしびれ感が現れることがあるので粉砕は行わないこと．また，粉砕時には飛散による眼粘膜刺激性も懸念される

患者向け資料等 患者向医薬品ガイド，くすりのしおり，患者向指導箋

溶液及び溶解時のpH 4.1(1%水溶液)

薬理作用

分類 選択的セロトニン再取り込み阻害剤(SSRI)

作用部位・作用機序 セロトニンの再取り込みを選択的に阻害する．ノルアドレナリン及びドパミン取り込み阻害に対する選択性をIC_{50}の比で表すとそれぞれ130及び160と，他の抗うつ薬とは明確に異なっている(ラット脳シナプトソーム)．なお，各種神経伝達物質受容体にはほとんど親和性を示さず，モノアミン酸化酵素阻害作用も示さなかった

同効薬 パロキセチン塩酸塩水和物，塩酸セルトラリン，ミルナシプラン塩酸塩，イミプラミン塩酸塩，アミトリプチリン塩酸塩，トラゾドン塩酸塩，ミルタザピン，デュロキセチン塩酸塩，エスシタロプラムシュウ酸塩など

治療

効能・効果 うつ病・うつ状態，強迫性障害，社会不安障害

効能・効果に関連する使用上の注意 ①効能共通：抗うつ剤の投与により，24歳以下の患者で，自殺念慮，自殺企図のリスクが増加するとの報告があるため，投与にあたっては，リスクとベネフィットを考慮する ②うつ病・うつ状態：18歳未

フ

満の大うつ病性障害患者に投与する際には適応を慎重に検討する　③社会不安障害：社会不安障害の診断は，DSM※等の適切な診断基準に基づき慎重に実施し，基準を満たす場合にのみ投与する　※DSM：American Psychiatric Association（米国精神医学会）のDiagnostic and Statistical Manual of Mental Disorders（精神疾患の診断・統計マニュアル）　④強迫性障害（小児）：強迫性障害（小児）に投与する場合は，保護者又はそれに代わる適切な者等に自殺念慮や自殺企図があらわれるリスク等について十分説明を行い，医師と緊密に連絡を取り合うよう指導する

用法・用量　①成人（うつ病・うつ状態，強迫性障害，社会不安障害）：1日50mgを初期用量とし，1日150mgまで増量，1日2回分服（適宜増減）②（ルボックス，デプロメールのみ）小児（強迫性障害）：8歳以上の小児には，1日1回25mg，就寝前から開始．その後1週間以上の間隔をあけて1日50mgを1日2回，朝及び就寝前．1日150mgを超えない範囲で適宜増減するが，増量は1週間以上の間隔をあけて1日用量として25mgずつ行う

用法・用量に関連する使用上の注意　投与量は必要最小限となるよう，患者ごとに慎重に観察しながら調節する

使用上の注意

禁忌　①本剤の成分に対し過敏症の既往歴のある患者　②モノアミン酸化酵素（MAO）阻害剤（セレギリン塩酸塩，ラサギリンメシル酸塩，サフィナミドメシル酸塩）を投与中あるいは投与中止後2週間以内の患者　③ピモジド，チザニジン塩酸塩，ラメルテオンを投与中の患者

相互作用概要　代謝にはCYP2D6が関与していると考えられている．また，CYP1A2，CYP2C9，CYP2C19，CYP2D6，CYP3A4を阻害し，特にCYP1A2，CYP2C19の阻害作用は強いと考えられている

過量投与　①症状：特徴的な症状は，悪心・嘔吐・下痢等の胃腸症状，眠気及びめまいである．その他に頻脈・徐脈・低血圧等の循環器症状，肝機能障害，痙攣及び昏睡がみられる　②処置：特異的な解毒剤は知られていない．活性炭の投与が推奨される．強制排尿や透析はほとんど無効である

薬物動態

血中濃度　①成人：健康成人男子（n＝6）に1回25～200mgを単回経口投与時の血清中濃度は，約4～5時間後に最高値に達し，半減期約9～14時間で低下．薬物動態パラメータ（25mg，50mg，100mg，200mgの順）はTmax（hr）5.17±1.47，4.67±1.37，3.50±1.22，4.67±1.51，Cmax（ng/mL）9.14±3.97，17.25±3.03，43.77±15.49，91.81±16.67，$t_{1/2}$（hr）8.91±1.25，9.83±2.23，11.84±2.38，14.11±4.13，$AUC_{0-\infty}$（ng・hr/mL）133±51，302±69，804±322，2020±655．また，健康成人男子（n＝5）に75mgを1日1回反復経口投与時の血清中濃度は投与3日目でほぼ定常状態　**分布**　平衡透析法により測定したヒト血清蛋白との結合率は，0.1μg/mLと0.5μg/mLの濃度で約81％（外国人データ，*in vitro*）　**代謝**　肝臓で代謝され，肝薬物代謝酵素CYP2D6が関与していると考えられている　**排泄**　肝臓で酸化的に脱メチル化されて薬理活性を持たない代謝物となり，尿中に排泄．健康成人男子に^{14}C-フルボキサミン1mg（n＝1）又は5mg（n＝5）を経口投与時，投与後約70時間までの尿中累積放射能排泄率は，平均約94％（外国人データ）　**特定の背景を有する患者**　小児：強迫性障害又はその他の精神疾患患者に25mg/日を開始用量とし，6～11歳の患者には50～200mg/日，12～17歳の患者には50～300mg/日を1日2回反復経口投与時の薬物動態パラメータ（Cmax（ng/mL），AUC_{0-12}（ng・hr/mL），CL/F（L/hr）の順）は次の通り：(1)6～11歳の男性：50mg/日（9例）33.0±11.9，295.1±125.4，72.0±27.7　100mg/日（8例）114.5±57.9，1104.7±651.7，43.8±22.9　200mg/日（7例）347.9±183.0，3640.6±2086.2，26.4±14.5　(2)6～11歳の女性：50mg/日（7例）86.0±25.9，876.0±305.9，23.8±10.1　100mg/日（7例）357.5±165.0，3529.9±1551.4，15.0±13.6　200mg/日（3例）859.7±284.9，8876.3±3274.0，9.0±3.2　(3)12～17歳の男性：50mg/日（9例）27.3±13.0，257.3±138.9，100.4±72.9　100mg/日（9例）75.8±52.1，748.0±520.9，80.0±64.8　200mg/日（9例）248.3±124.5，2536.6±1347.3，48.0±47.1　300mg/日（6例）436.8±210.7，4508.4±2377.8，33.6±22.1　(4)12～17歳の女性：50mg/日（9例）22.4±14.6，202.5±137.9，144.7±130.1　100mg/日（8例）64.3±43.7，644.7±456.5，132.1±186.4　200mg/日（8例）216.1±150.3，2250.0±1610.9，67.7±81.4　300mg/日（7例）296.4±213.6，3169.3±2474.8，81.4±111.0　定常状態におけるフルボキサミンの曝露量は，6～11歳の女性患者で高かった（外国人データ）

その他の管理的事項

投与期間制限　該当しない

保険給付上の注意　該当しない

資料

IF　ルボックス錠25・50・75　2020年4月改訂（第34版）

フルラゼパム塩酸塩
Flurazepam Hydrochloride

概要

薬効分類　112　催眠鎮静剤，抗不安剤

構造式

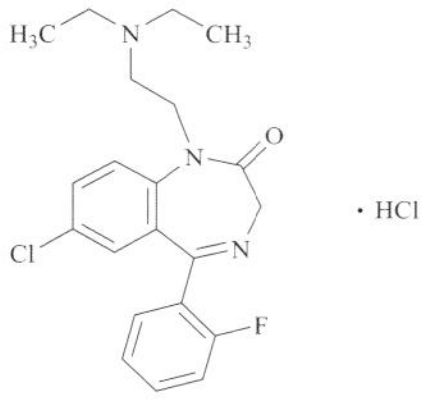

分子式　$C_{21}H_{23}ClFN_3O$・HCl

分子量　424.34

ステム　ジアゼパム系抗不安薬・鎮静薬：-azepam

原薬の規制区分　[劇]（ただし，1カプセル中フルラゼパムとして15mg以下を含有するものを除く），[向Ⅲ] [習]

原薬の外観・性状　白色～帯黄白色の結晶又は結晶性の粉末である．水，エタノール（95），エタノール（99.5）又は酢酸（100）に溶けやすい．1.0gを水20mLに溶かした液のpHは5.0～6.0である

原薬の吸湿性　25℃，71％RH以上における吸湿による重量の増加率（W/W％）を求めた結果，吸湿性が認められた

原薬の融点・沸点・凝固点　融点：約197℃（分解）

原薬の酸塩基解離定数　pKa_1＝約1.5，pKa_2＝約8.5

先発医薬品等

[カ] ダルメートカプセル15（共和薬品）

国際誕生年月　1962年

海外での発売状況　該当資料なし

製剤

規制区分　[カ] [向Ⅲ] [習] [処]

製剤の性状　[カ] 濃青色/白色の硬カプセル剤

有効期間又は使用期限　5年

貯法・保存条件　遮光・室温保存．吸湿注意

薬剤取扱い上の留意点　本剤の影響が翌朝以後に及び，眠気，注意力・集中力・反射運動能力等の低下が起こることがあるので，自動車の運転等の危険を伴う機械の操作に従事させないよう注意すること

患者向け資料等　患者向医薬品ガイド，くすりのしおり

溶液及び溶解時のpH 5.0～6.0(1.0gを水20mLに溶かした液)

薬理作用

分類 ベンゾジアゼピン系睡眠薬

作用部位・作用機序 抑制性のGABAニューロンのシナプス後膜に存在するベンゾジアゼピン受容体にアゴニストとして高い親和性で結合し，GABA親和性を増大させることによりGABAニューロンの作用を特異的に増強すると考えられている

同効薬 ベンゾジアゼピン系睡眠薬(クアゼパム，フルニトラゼパム，ニトラゼパム)

治療

効能・効果 不眠症，麻酔前投薬

用法・用量 1回10～30mg，就寝前又は手術前(適宜増減)

用法・用量に関連する使用上の注意 不眠症には，就寝の直前に服用させる．また，服用して就寝した後，睡眠途中において一時的に起床して仕事等をする可能性があるときは服用させない

使用上の注意

禁忌 ①本剤の成分又はベンゾジアゼピン系薬剤に対し過敏症の既往歴のある患者 ②急性閉塞隅角緑内障の患者［抗コリン作用により眼圧が上昇し，症状を悪化させることがある］ ③重症筋無力症の患者［重症筋無力症の症状を悪化させるおそれがある］ ④リトナビルを投与中の患者

過量投与 過量投与が明白又は疑われた場合の処置としてフルマゼニル(ベンゾジアゼピン受容体拮抗剤)を投与する場合には，使用前にフルマゼニルの使用上の注意(禁忌，慎重投与，相互作用等)を必ず読む

薬物動態

吸収 健常成人男子6例に30mgを経口投与時，速やかに吸収され，未変化体の血清中濃度は約1時間後に最高0.82～1.7ng/mLに達し，半減期は平均5.9時間(2.3～12時間)であった．また，薬理活性のある代謝物デスアルキルフルラゼパムは投与後1～8時間で最高濃度(11～25ng/mL)に達し，その半減期は平均23.6時間(14.5～42.0時間)であった．(参考)外国人でのデータ健常成人10例における本剤の主代謝物であるデスアルキルフルラゼパムの半減期は平均72時間(40～103時間)であった **代謝・排泄** 健常成人男子に30mgを経口投与時，48時間までに投与量の32～59%が大部分代謝物として尿中に排泄された．尿中の主代謝物は，ハイドロキシエチル体で総排泄量の86%を占めた

その他の管理的事項

投与期間制限 30日

保険給付上の注意 該当しない

資料

IF ダルメートカプセル15 2019年8月改訂(第6版)

プルラン
Pullulan

概要

構造式

分子式 $(C_{18}H_{30}O_{15})_n$

原薬の規制区分 該当しない

原薬の外観・性状 白色の粉末である．水に溶けやすく，エタノール(99.5)にほとんど溶けない．1.0gを新たに煮沸して冷却した水10mLに溶かした液のpHは4.5～6.5である

フルルビプロフェン
Flurbiprofen

概要

薬効分類 114 解熱鎮痛消炎剤，264 鎮痛，鎮痒，収斂，消炎剤

構造式

及び鏡像異性体

分子式 $C_{15}H_{13}FO_2$

分子量 244.26

ステム イブプロフェン系抗炎症薬：-profen

原薬の規制区分 毒(ただし，1錠中40mg以下を含有するもの及び8%以下を含有する顆粒剤は劇)

原薬の外観・性状 白色の結晶性の粉末で，僅かに刺激性のにおいがある．メタノール，エタノール(95)，アセトン又はジエチルエーテルに溶けやすく，アセトニトリルにやや溶けやすく，水にほとんど溶けない．本品のエタノール(95)溶液(1→50)は旋光性を示さない

原薬の吸湿性 極めて低い

原薬の融点・沸点・凝固点 融点：114～117℃

原薬の酸塩基解離定数 pKa＝3.78

先発医薬品等

顆 フロベン顆粒8%(科研)

錠 フロベン錠40(科研)

貼 アドフィードパップ40mg(リードケミカル＝科研)
ゼポラステープ20mg・40mg(三笠)
ゼポラスパップ40mg・80mg(三笠)
フルルバンパップ40mg(大協＝科研＝三笠)
ヤクバンテープ20mg・40mg・60mg(トクホン＝大正製薬)

後発医薬品

貼 テープ20mg・40mg

国際誕生年月 1976年8月

海外での発売状況 英など

製剤

規制区分 顆 錠 劇

製剤の性状 顆 白色の顆粒剤 錠 白色の糖衣錠 貼 ほのかなハッカの芳香を有する淡黄色の膏体を支持体に均一に展延したプラスター剤で，膏体面をライナーで被覆したもの

有効期間又は使用期限 3年

貯法・保存条件 顆 錠 室温保存 貼 室温・遮光した気密容器に保存

薬剤取扱い上の留意点 顆 錠 食道に停留し崩壊すると，食道潰瘍を起こすおそれがあるので，多めの水で服用させ，特に就寝直前の服用等には注意すること 貼 高温，直射日光を避けて保管すること．開封後は開封口を閉じて保管する事

患者向け資料等 くすりのしおり

浸透圧比 該当資料なし

安定なpH域 該当資料なし

調製時の注意 該当しない

薬理作用

分類 フェニルアルカン酸系消炎鎮痛剤

フ

作用部位・作用機序 アラキドン酸からプロスタグランジン(PG)類への変換をつかさどる酵素シクロオキシゲナーゼ(COX)を阻害することによってPGの生成を阻害し，PGによる炎症・発熱・痛覚過敏作用などを抑制する

同効薬 イブプロフェン，ケトプロフェン，ナプロキセン，プラノプロフェン，チアプロフェン酸，オキサプロジン，ロキソプロフェンナトリウム水和物，アルミノプロフェン，ザルトプロフェンなど

治療

効能・効果 **顆** **錠** ①次の疾患ならびに症状の鎮痛・消炎：関節リウマチ，変形性関節症，腰痛症，歯髄炎，歯根膜炎 ②抜歯ならびに歯科領域における小手術後の鎮痛・消炎

貼 次の疾患ならびに症状の鎮痛・消炎：変形性関節症，肩関節周囲炎，腱・腱鞘炎，腱周囲炎，上腕骨上顆炎(テニス肘等)，筋肉痛，外傷後の腫脹・疼痛

用法・用量 **顆** **錠** フルルビプロフェンとして1回40mg，1日3回食後(適宜増減)．頓用には1回40～80mg

貼 1日2回貼付

禁忌・原則禁忌となる特定患者集団 **顆** **錠** 妊娠後期の婦人

使用上の注意

禁忌 **顆** **錠** ①消化性潰瘍のある患者［プロスタグランジン合成阻害作用による胃粘膜防御能の低下により，消化性潰瘍を悪化させることがある］ ②重篤な血液の異常のある患者［副作用として血液障害が現れることがあるので，血液の異常をさらに悪化させるおそれがある］ ③重篤な肝障害のある患者［副作用として肝機能異常が現れることがあるので，肝障害をさらに悪化させるおそれがある］ ④重篤な腎障害のある患者［プロスタグランジン合成阻害作用による腎血流量の低下等により，腎障害をさらに悪化させるおそれがある］ ⑤重篤な心機能不全のある患者［プロスタグランジン合成阻害作用による水・ナトリウム貯留傾向があるため，心機能不全がさらに悪化するおそれがある］ ⑥重篤な高血圧症のある患者［プロスタグランジン合成阻害作用による水・ナトリウム貯留傾向があるため，血圧をさらに上昇させるおそれがある］ ⑦本剤の成分に対し過敏症の既往歴のある患者 ⑧アスピリン喘息(非ステロイド性消炎鎮痛剤等による喘息発作の誘発)又はその既往歴のある患者［喘息発作を誘発することがある］ ⑨エノキサシン水和物，ロメフロキサシン，ノルフロキサシン，プルリフロキサシンを投与中の患者 ⑩妊娠後期の婦人

貼 ①本剤又は他のフルルビプロフェン製剤に対して過敏症の既往歴のある患者 ②アスピリン喘息(非ステロイド性消炎鎮痛剤等による喘息発作の誘発)又はその既往歴のある患者［喘息発作を誘発することがある］

相互作用概要 主としてCYP2C9によって代謝される

薬物動態

顆 **錠** **吸収** 健康成人10例にフルルビプロフェン40mg錠を単回経口投与時のCmaxは5.6±0.5μg/mL，Tmaxは1.4±0.2時間，$T_{1/2}$は2.7±0.2時間であった．顆粒剤についてもほぼ同様 **代謝・排泄** 健康成人に40mgを単回経口投与で，尿中には投与後24時間以内に未変化体，3種類の代謝物(4'-ヒドロキシ体，3',4'-ジヒドロキシ体及び3'-ヒドロキシ-4'-メトキシ体)及びこれらの抱合体として約73%が排泄

貼 **血中濃度** ①健康成人10例に単回貼付(14時間)時の最高血中濃度到達時間は13.8±1.3時間，最高血中濃度は38.5±5.9ng/mL，半減期は10.4±0.8時間 ②健康成人で反復貼付(1日2回，29日間)時の血中濃度は，4日目以降に定常状態，剥離48時間後には血中から消失し，蓄積性は認められなかった **組織内移行** 変形性膝関節症等の患者に適用した場合の薬物組織移行性を，同量(40mg)経口投与時と比較した結果，滑膜中濃度はやや低いが，皮下脂肪，筋肉内濃度はほぼ近似した傾向が認められた **代謝・排泄** 健康成人で単回貼付(14時間)時の72時間までの尿中総排泄量は1.94%で，代謝物は経口投与時とほぼ同一

その他の管理的事項

投与期間制限 該当しない

保険給付上の注意 該当しない

資料

IF フロベン顆粒8%・錠40 2019年6月改訂(第10版)
ヤクバンテープ20mg・40mg・60mg 2019年4月改訂(第4版)

ブレオマイシン塩酸塩
Bleomycin Hydrochloride

概要

薬効分類 423 抗腫瘍性抗生物質製剤

構造式

ブレオマイシン酸塩酸塩 : R= OH
ブレオマイシン A_1塩酸塩
ブレオマイシンデメチル-A_2塩酸塩
ブレオマイシン A_2塩酸塩
ブレオマイシン $A_{2'-a}$塩酸塩
ブレオマイシン $A_{2'-b}$塩酸塩
ブレオマイシン A_5塩酸塩
ブレオマイシン B_1塩酸塩 : R= NH_2
ブレオマイシン B_2塩酸塩
ブレオマイシン B_4塩酸塩

分子式 $C_{55}H_{84}ClN_{17}O_{21}S_3$・HCl(BLM-$A_2$)

分子量 1451.00(ブレオマイシンA_2)

略語・慣用名 BLM

ステム *Streptomyces*属の産生する抗生物質：-mycin

原薬の規制区分 劇

原薬の外観・性状 白色～黄白色の粉末である．水に溶けやすく，エタノール(95)に溶けにくい．0.10gを水20mLに溶かした液のpHは4.5～6.0である

原薬の吸湿性 吸湿性である．臨界相対湿度：55%RH(30℃)

原薬の融点・沸点・凝固点 一定の融点を示さない

原薬の酸塩基解離定数 pKa＝2.7，4.7，7.4，＞11.5(ブレオマイシンB_2)

先発医薬品等

注射用 ブレオ注射用5mg・15mg(日本化薬)

国際誕生年月 1968年12月

海外での発売状況 46カ国，(ブレオマイシン硫酸塩として)米，英，仏，独など18カ国

製剤

規制区分　**注射用**　劇 処

製剤の性状　**注射用**　白色～帯黄白色の凍結乾燥注射剤

有効期間又は使用期限　3年

貯法・保存条件　2～8℃で保存

薬剤取扱い上の留意点　溶解後は，できるだけ速やかに使用すること

患者向け資料等　くすりのしおり

溶液及び溶解時のpH　4.5～6.5(5mg/mL注射用蒸留水溶液)

浸透圧比　約1(1バイアル/5mL生食)(対生食)

安定なpH域　5付近

薬理作用

分類　抗腫瘍性抗生物質

作用部位・作用機序　DNA合成阻害及びDNA鎖切断作用．ブレオマイシンのDNA鎖切断作用は，鉄イオンの添加により促進され，反応系からの酸素の除去により阻害される．現在までのところ，ブレオマイシンのDNA鎖切断作用の機序は次のように考えられている．ブレオマイシンと二価鉄イオンとがキレートし，二価鉄ブレオマイシン錯体となる．この二価鉄ブレオマイシン錯体は，DNAと結合した状態で酸素を活性化し，活性化された酸素によってDNAが切断される

同効薬　ブレオマイシン硫酸塩，ペプロマイシン硫酸塩

治療

効能・効果　皮膚癌，頭頸部癌(上顎癌，舌癌，口唇癌，咽頭癌，喉頭癌，口腔癌等)，肺癌(特に原発性及び転移性扁平上皮癌)，食道癌，悪性リンパ腫，子宮頸癌，神経膠腫，甲状腺癌，胚細胞腫瘍(精巣腫瘍，卵巣腫瘍，性腺外腫瘍)

用法・用量　①静注：15～30mg(力価)を生理食塩液又はブドウ糖液等の適当な静脈用注射液約5～20mLに溶解し，緩徐に静注．発熱の著しい場合は1回量を5mg(力価)又はそれ以下とする　②筋注・皮下注：15～30mg(力価)を生理食塩液等の適当な溶解液約5mLに溶解し，筋注又は皮下注．患部の周辺に皮下注する場合は1mg(力価)/mL以下の濃度とする　③動注：5～15mg(力価)を生理食塩液又はブドウ糖液等の適当な注射液に溶解し，シングルショット又は連続的に注射　④注射の頻度：1週2回を原則とし，症状に応じて1日1回(連日)ないし1週1回に適宜増減　⑤総投与量：腫瘍の消失を目標とし，300mg(力価)以下とする．ただし，胚細胞腫瘍に対し，確立された標準的な他の抗癌剤との併用療法にあっては360mg(力価)以下とする　⑥小児への投与：小児の胚細胞腫瘍，悪性リンパ腫に対して，1回10～20mg(力価)/m^2(体表面積)を1～4週間ごとに静注．ただし，1回量として成人の最大用量(30mg)を超えない

用法・用量に関連する使用上の注意　①胚細胞腫瘍に対し，確立された標準的な他の抗癌剤との併用療法における本剤の投与頻度は，原則として週1回とする　②副作用発現の個人差が著しく，比較的少量の投与でも副作用が現れることがあるので，使用上の注意に十分留意する．なお，投与にあたっては，患者の状態・症状に応じて低用量から開始する　③総投与量は300mg(力価)を超えないようにする．なお，経路を重複して投与した場合，結果的に投与量が増加することに留意する(再評価時の結果では，間質性肺炎又は肺線維症等の肺症状は，総投与量150mg(力価)以下6.5%，総投与量151～300mg(力価)10.2%，総投与量301mg(力価)以上18.8%と総投与量の増加に伴い発現率の増加が認められた)　④胚細胞腫瘍に対し，確立された標準的な他の抗癌剤との併用療法を適用することにより，やむを得ず300mg(力価)を超える場合には，間質性肺炎又は肺線維症等の肺症状の発現率が高まる可能性があるので注意する　⑤胚細胞腫瘍に対し，確立された標準的な他の抗癌剤との併用療法〔BEP療法(ブレオマイシン塩酸塩，エトポシド，シスプラチン併用療法)〕においては，併用薬剤の添付文書も参照する　⑥ペプロマイシンを投与された患者に対するブレオマイシンの投与量は，原則として投与されたペプロマイシン量とブレオマイシン量の和でもって総投与量とする

使用上の注意

警告　①投与により間質性肺炎・肺線維症等の重篤な肺症状を呈することがあり，ときに致命的な経過をたどることがあるので，本剤の投与が適切と判断される症例についてのみ投与し，投与中及び投与終了後の一定期間(およそ2カ月位)は患者を医師の監督下におく．特に60歳以上の高齢者及び肺に基礎疾患を有する患者への投与に際しては，使用上の注意に十分留意する．労作性呼吸困難，発熱，咳，捻髪音(ラ音)，胸部レントゲン異常陰影，$A\text{-}aDo_2$・Pao_2・DLcoの異常等の初期症状が現れた場合にはただちに中止し，適切な処置を行う　②本剤を含む抗癌剤併用療法は，緊急時に十分対応できる医療施設において，がん化学療法に十分な経験をもつ医師のもとで，本療法が適切と判断される症例についてのみ実施する．また，各併用薬剤の添付文書を参照して適応患者の選択に十分注意する

禁忌　①重篤な肺機能障害，胸部レントゲン写真上びまん性の線維化病変及び著明な病変を呈する患者［肺機能障害，線維化病変等が増悪することがある］　②本剤の成分及び類似化合物(ペプロマイシン)に対する過敏症の既往歴のある患者　③重篤な腎機能障害のある患者［排泄機能が低下し，間質性肺炎・肺線維症等の重篤な肺症状を起こすことがある］　④重篤な心疾患のある患者［循環機能が低下し，間質性肺炎・肺線維症等の重篤な肺症状を起こすことがある］　⑤胸部及びその周辺部への放射線照射を受けている患者

薬物動態

薬物動態・代謝　体内動態は特徴的で，主成分のブレオマイシンA_2は皮膚によく分布．各組織に分布したブレオマイシンの生物活性は，皮膚，肺，腎及び膀胱では活性型であるが，肝，脾等の他の臓器では不活化されており，これらの結果から本薬が皮膚癌，頭頸部癌に特に効果を示し造血器障害のないことが証明された．成人に15mgを静注時，血中濃度は直後に3μg/mL，1時間後に<0.5μg/mL．筋注では最高血中濃度は静注時の約1/3で，以後ゆるやかに減少．尿中排泄は24時間までに静注で38.3%，筋注で19.2%．陰茎癌患者3例に15mgを静注後30～37分後に手術をするとき，血中濃度0.69～0.94μg/mL，腫瘍内濃度0.08～0.49μg/mLが認められ，睾丸腫瘍患者1例で総量300mg静注，7日後に手術時，皮膚に430μg/g，腫瘍内に4μg/gが認められた．未変化体としての尿中排泄率は68%．全身クリアランス1.1mL/min/kg，分布容積0.27L/kg，血中消失半減期3.1時間

その他の管理的事項

投与期間制限　該当しない

保険給付上の注意　該当しない

資料

IF　ブレオ注射用5mg・15mg　2015年11月改訂(第7版)

ブレオマイシン硫酸塩
Bleomycin Sulfate

概要

薬効分類　423　抗腫瘍性抗生物質製剤

構造式

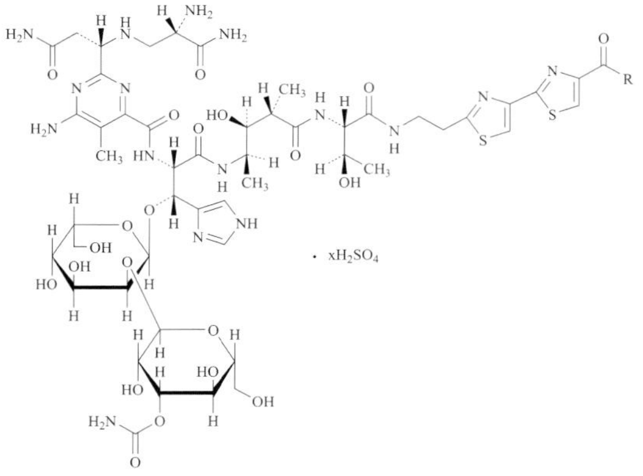

・xH_2SO_4

ブレオマイシン酸硫酸塩　: R=　OH
ブレオマイシン A_1硫酸塩　: R=
ブレオマイシンデメチル-A_2硫酸塩 : R=
ブレオマイシン A_2硫酸塩　: R=　X^-
ブレオマイシン $A_{2'-a}$硫酸塩　: R=
ブレオマイシン $A_{2'-b}$硫酸塩　: R=
ブレオマイシン A_5硫酸塩　: R=
ブレオマイシン B_1'硫酸塩　: R=　NH_2
ブレオマイシン B_2硫酸塩　: R=
ブレオマイシン B_4硫酸塩　: R=

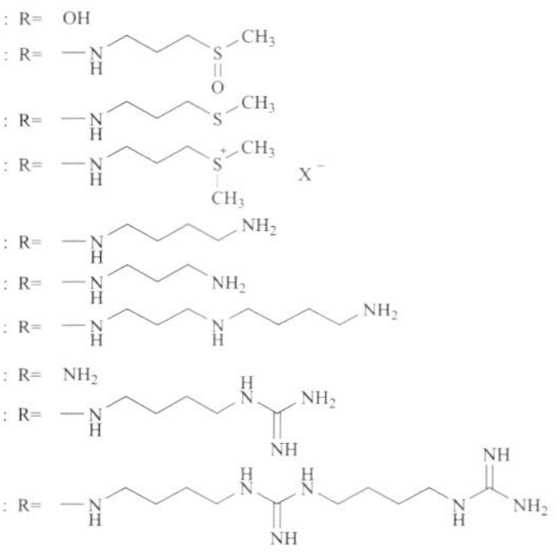

分子式　$C_{55}H_{84}ClN_{17}O_{21}S_3 \cdot 2H_2SO_4$（ブレオマイシン$A_2$硫酸塩）

分子量　1451.00（ブレオマイシンA_2）

略語・慣用名　BLM-S

ステム　*Streptomyces*属の産生する抗生物質：-mycin

原薬の規制区分　㊜

原薬の外観・性状　白色～黄白色の粉末である．水に溶けやすく，エタノール(95)に極めて溶けにくい．10mgを水20mLに溶かした液のpHは4.5～6.0である

原薬の吸湿性　吸湿性である．臨界相対湿度：約64％RH（30℃）

原薬の融点・沸点・凝固点　一定の融点を示さない

原薬の酸塩基解離定数　pKa＝2.7，4.7，7.5

先発医薬品等

軟　ブレオS軟膏5mg/g（日本化薬）

国際誕生年月　該当しない

海外での発売状況　該当しない

製剤

規制区分　**軟**　㊜ ㊈

製剤の性状　**軟**　無色～微黄色半透明の軟膏で，においはないか又は僅かに特異なにおいがある

有効期間又は使用期限　2年

貯法・保存条件　室温保存

薬剤取扱い上の留意点　本剤使用後は，手指をよく洗うよう注意すること

患者向け資料等　患者向医薬品ガイド，くすりのしおり

溶液及び溶解時のpH　4.5～6.0（5mg/mL）．強酸性，強アルカリ性では不安定

安定なpH域　1.4～9.0

調製時の注意　該当しない

薬理作用

分類　抗腫瘍性抗生物質外用剤

作用部位・作用機序　細胞内にとりこまれたブレオマイシンは，2-mercaptoethanol，dithio-threitol，glutathione等のSH化合物と反応したDNAと反応する．このようにブレオマイシンと反応したDNAは低分子のDNAに切断され易くなり，DNAaseで容易に切断される．ブレオマイシン中で細胞を培養し，そのDNAを調べると高分子のDNAの分画は消失している．この結果，生活細胞のチミジンのDNAへのとりこみはブレオマイシンで阻害される．又更に低濃度のブレオマイシンで細胞分裂阻害が起る．ブレオマイシンはDNAのTmを上昇させる抗生物質としてはactinomycin D，nogalamycin，daunomycin，cinerbin，pluramycin，anthramycin及びphleomycinなどが報告されているが，これらのTmを上昇させる抗生物質の作用様式はDNAの構造上の安定性を増してDNAの複製及び転写を阻害するところにある．他方ブレオマイシン-A_2はDNAと結合し，DNAの二重らせん構造を解いてしまうことから，ブレオマイシン-A_2の一次作用点はDNA部分と推定される．その結果大腸菌，ヒラー細胞との混合培養でDNA合成を阻害し，有糸分裂を阻害するのに続いて，拡大したヒラ細胞が出現するものと考えられる

同効薬　フルオロウラシル軟膏

治療

効能・効果　皮膚悪性腫瘍

用法・用量　1日1回Occlusive Dressing Therapy（ODT：閉鎖密封療法）．ODTが困難な場合には1日2～3回単純塗布．患部$100cm^2$につき1～2.5g（ブレオマイシン硫酸塩として5～12.5mg（力価））を標準とする

用法・用量に関連する使用上の注意　①副作用発現の個人差が著しく，比較的少量の投与でも副作用が現れることがあるので，使用上の注意に十分留意する．なお，投与にあたっては，患者の状態・症状に応じて低用量から開始する　②軟膏剤であるが，他のブレオマイシン注射剤の用法・用量に関連する使用上の注意として次の記載がなされているので過量にならぬよう十分注意する．ペプロマイシンを投与された患者に対するブレオマイシンの投与量は，原則として投与されたペプロマイシン量とブレオマイシン量の和でもって総投与量とする

使用上の注意

警告　投与により間質性肺炎・肺線維症等の重篤な肺症状を呈することがあり，ときに致命的な経過をたどることがあるので，本剤の投与が適切と判断される症例についてのみ投与し，投与中及び投与終了後の一定期間（およそ2カ月位）は患者を医師の監督下におく．高齢者及び肺に基礎疾患を有する患者への投与に際しては，使用上の注意に十分留意する．労作性呼吸困難，発熱，咳，捻髪音（ラ音），胸部レントゲン異常陰影，$A\text{-}aD_{O_2}$・Pa_{O_2}・DLcoの異常等の初期症状が現れた場合にはただちに中止し，適切な処置を行う

禁忌　①重篤な肺機能障害，胸部レントゲン写真上びまん性の線維化病変及び著明な病変を呈する患者［肺機能障害，線維化病変等が増悪することがある］　②本剤の成分及び類似化合物（ペプロマイシン）に対する過敏症の既往歴のある患者　③重篤な腎機能障害のある患者［排泄機能が低下し，間質性肺炎・肺線維症等の重篤な肺症状を起こすことがある］　④重篤な心疾患のある患者［循環機能が低下し，間質性肺炎・肺線維症等の重篤な肺症状を起こすことがある］　⑤胸部及びその周辺部への放射線照射を受けている患者

薬物動態

経皮吸収及び尿中排泄：健常皮膚，皮膚潰瘍，尋常性乾癬，Bowen病（多発性及び単発性），陰部Paget病，基底細胞癌，有

棘細胞癌，悪性黒色腫，皮膚白血病等の皮膚に1%軟膏密封療法を24時間施行し，尿中排泄の測定では，健常皮膚からの経皮吸収はほとんど認められなかった

その他の管理的事項

投与期間制限 該当しない

保険給付上の注意 該当しない

資料

IF ブレオS軟膏5mg/g 2015年7月改訂（第6版）

フレカイニド酢酸塩
フレカイニド酢酸塩錠
Flecainide Acetate

概要

薬効分類 212 不整脈用剤

構造式

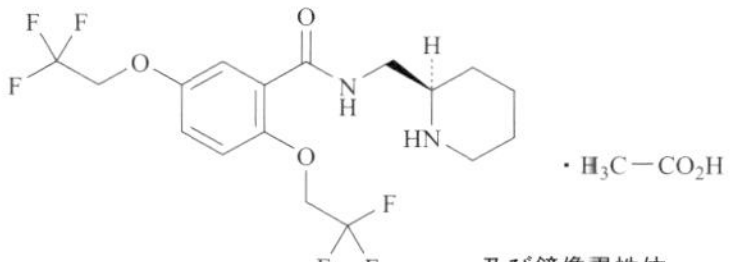

及び鏡像異性体

分子式 $C_{17}H_{20}F_6N_2O_3 \cdot C_2H_4O_2$

分子量 474.39

ステム プロカインアミド及びリドカイン系のクラスⅠ抗不整脈薬：-cain-

原薬の規制区分 ㊙劇

原薬の外観・性状 白色の結晶性の粉末で，僅かに特異なにおい又は僅かに酢酸様のにおいがある．メタノール，エタノール(95)又は酢酸(100)に溶けやすく，水にやや溶けにくい．本品のメタノール溶液(1→25)に旋光性を示さない．0.5gを水20mLに溶かした液のpHは6.7～7.1である

原薬の吸湿性 認められない

原薬の融点・沸点・凝固点 融点：約150℃(分解)

原薬の酸塩基解離定数 pKa＝9.35(吸光光度法)

先発医薬品等

細 タンボコール細粒10%(エーザイ)

錠 タンボコール錠50mg・100mg(エーザイ)

注 タンボコール静注50mg(エーザイ)

後発医薬品

錠 50mg・100mg

国際誕生年月 1982年6月

海外での発売状況 **細** **錠** 米，英，仏，独など **注** 南アフリカ，豪

製剤

規制区分 **細** **錠** **注** 劇 処

製剤の性状 **細** 白色の細粒剤 **錠** 白色の素錠．僅かに酢酸様の特異臭 **注** 無色澄明の液

有効期間又は使用期限 **細** **錠** 3年 **注** 4年

貯法・保存条件 **細** **注** 室温保存 **錠** 室温保存．バラ包装は，開栓後防湿保存(湿気により変色することがある)

薬剤取扱い上の留意点 該当しない

患者向け資料等 くすりのしおり

溶液及び溶解時のpH **注** 5.3～5.9

浸透圧比 **注** 約1(対生食)

調製時の注意 該当しない

薬理作用

分類 Vaughan Williams分類Ⅰc群抗不整脈剤

作用部位・作用機序 心筋細胞に作用し，Naチャネルの抑制作用により活動電位最大立ち上がり速度(Vmax)を抑制し，興奮伝導を遅延する

同効薬 ジソピラミド，ジソピラミドリン酸塩，メキシレチン塩酸塩，アプリンジン塩酸塩，プロパフェノン塩酸塩，シベンゾリンコハク酸塩，ピルシカイニド塩酸塩水和物

治療

効能・効果 **細** **錠** 次の状態で他の抗不整脈薬が使用できないか，又は無効の場合：①成人：頻脈性不整脈(発作性心房細動・粗動，心室性) ②小児：頻脈性不整脈(発作性心房細動・粗動，発作性上室性，心室性)

注 緊急治療を要する次の不整脈：頻脈性不整脈(症候性の発作性心房細動・粗動，発作性上室性頻拍，心室頻拍，及び医師が生命に関わると判定した重症の心室性期外収縮)

効能・効果に関連する使用上の注意 **細** **錠** 小児等に使用する場合，小児等の不整脈治療に熟練した医師が監督する．基礎心疾患のある心房粗動及び心室頻拍では，有益性がリスクを上回ると判断される場合にのみ投与する

用法・用量 **細** **錠** ①成人：(1)頻脈性不整脈(発作性心房細動・粗動)：1日100mgから開始し，効果が不十分な場合は200mgまで増量し，2回に分服(適宜減量) (2)頻脈性不整脈(心室性)：1日100mgから開始し，効果が不十分な場合は200mgまで増量し，2回に分服(適宜増減) ②小児：頻脈性不整脈(発作性心房細動・粗動，発作性上室性，心室性)：6カ月以上の乳児，幼児及び小児には1日50～100mg/m^2(体表面積)を，1日2～3回に分服(適宜増減)．ただし，1日最高用量は200mg/m^{2}とする．6カ月未満の乳児には1日50mg/m^2(体表面積)を，1日2～3回に分服(適宜増減)．ただし，1日最高用量は200mg/m^{2}とする

注 1回1～2mg/kgを必要に応じてブドウ糖液で希釈し，血圧及び心電図監視下10分間かけて静注．総投与量は1回150mgまで

用法・用量に関連する使用上の注意 **注** 投与により効果を認めたものの，その後再発した場合には，初回用量が本剤としての最大用量2mg/kg(体重75kg以上の場合は150mg)の半量以下の場合を除き，再投与は行わない．なお，再投与する際も1日総投与量として2mg/kg(体重75kg以上の場合は150mg)を超えない

禁忌・原則禁忌となる特定患者集団 妊婦又は妊娠している可能性のある婦人

使用上の注意

禁忌 ①うっ血性心不全のある患者［陰性変力作用を有し，心不全症状をさらに悪化させることがある］ ②高度の房室ブロック，高度の洞房ブロックのある患者［房室伝導，洞房伝導を抑制する作用を有し，刺激伝導をさらに悪化させることがある］ ③心筋梗塞後の無症候性心室性期外収縮あるいは非持続型心室頻拍のある患者［突然死に関する臨床試験(CAST)の結果，このような患者では本薬の経口剤の投与により死亡率が増加するとの報告がある］ ④妊婦又は妊娠している可能性のある婦人 ⑤リトナビルを投与中の患者 ⑥ミラベグロンを投与中患者 ⑦テラプレビルを投与中の患者

相互作用概要 主としてCYP2D6で代謝される

過量投与 **細** **錠** ①徴候・症状：過量投与時に心電図諸計測値の延長，心拍数や心収縮性の減少，伝導障害，致死的不整脈，痙攣，低血圧，呼吸不全による死亡等の報告がある ②処置：現状で本剤の過量投与に対する特別な処置法はない．なお，次の処置法を考慮する：(1)消化器から未吸収薬の除去 (2)ドパミン，ドブタミン，イソプレナリン等の強心薬投与 (3)IABP等の補助循環 (4)ペーシングや電気的除細動．本剤は半減期が長いので，前記の処置はできるだけ長時間持続する必要がある．なお，血液透析は無効である **注** ①徴候・症状：本剤の経口剤において，過量投与時に心電図諸計測値の延長，心拍数や心収縮性の減少，伝導障害，致死的不整脈，痙攣，低血圧，呼吸不全による死亡等の報告がある ②処置：現状で過量投与に対する特別な処置法はない．なお，次

フ

の処置法を考慮する：(1)ドパミン，ドブタミン，イソプレナリン等の強心薬投与　(2)IABP等の補助循環　(3)ペーシングや電気的除細動．半減期が長いので，前記の処置はできるだけ長時間持続する必要がある．なお，血液透析は無効である

薬物動態

細　錠　血中濃度　①血中濃度(健康成人男子)：(1)50mg又は100mg(各6例)単回経口投与時，消化管からの吸収は良好で投与後2～3時間で最高値，半減期約11時間で消失．血漿中濃度はほぼ投与量公比に比例して上昇．不整脈患者でもほぼ同様．10名に50mg又は100mgを1日2回食後に7日間反復投与時，血漿中濃度は4日目に初回投与時の約2倍でほぼ定常状態．50mg，100mg各投与量ごとの薬物動態パラメータは分布容積10.1±0.78，9.4±0.34L/kg，クリアランス(CL)11.2±1.21，10.2±1.16mL/min/kg，$T_{1/2}$10.8±0.96，11±0.78hr，$AUC_{0-\infty}$1253±176.3，2843±234.6ng・hr/mL，Cmax95±13.5，202±9.6ng/mL　(2)健康成人男子16名に，細粒0.5g及び錠50mgをクロスオーバー法により絶食下単回経口投与時の薬物動態パラメータ[Cmax(ng/mL)，tmax(hr)，AUC_{0-48h}(ng・hr/mL)，$t_{1/2}$(hr)の順]は，細粒10%0.5gでは[97.0±19.0，1.5(1-3)，1360±419，11.8±2.44]，錠50mg[100±29.5，1.5(1.4)，1350±488，11.6±2.29](Mean±S.D.，ただしtmaxは中央値(最小値-最大値))．錠50mgに対する細粒10%0.5g投与時のAUC及びCmaxの幾何平均値の比の90%信頼区間は，生物学的同等性の基準である0.80～1.25の範囲内で，両剤の生物学的同等性が確認された　②母乳摂取中止時の血中濃度：発作性上室性頻拍の新生児1名において，25mgを6時間ごとに経口投与(40mg/kg/日※))した際の投与2時間後の血清中濃度を，母乳摂取下及び非摂取下で比較すると，母乳摂取下では990ng/mLであったが，母乳非摂取下では1824ng/mLに上昇したとの報告がある　※)40mg/kg/日の投与は承認外用量　③TDM：有効血漿中濃度200～1000ng/mL，測定頻度月1回，代謝に関与する主なP450分子種CYP2D6　**代謝**　主代謝経路はメタ位のO-脱アルキル化とその代謝物のグルクロン酸抱合．他にピペリジン環の酸化的ラクタム生成．O-脱アルキル化反応には主にP450分子種のCYP2D6が関与　**排泄**　(健康成人)単回経口投与時，24時間までの未変化体尿中排泄率は投与量の約30%．(外国健康成人)^{14}C-フレカイニド酢酸塩を経口投与時，約86%(フレカイニドとして約40%)が6日以内に尿中排泄，約5%が糞中排泄

注　血中濃度　健康成人男子3名に1mg/kgを5分間(承認用量は1～2mg/kg，10分間で定速静注)又は2mg/kgを10分間定速静注時，血漿中未変化体濃度は投与量に応じて線形に推移し，AUCも投与量にほぼ比例して増加．血漿中未変化体濃度推移は消失半減期2.4～2.6分及び8.6～9.3時間の2相性．単回定速静注時の薬物動態パラメータ(1mg/kg5min，2mg/kg10minの順)はCmax(ng/mL)1395±186，1644±534，AUC(ng・hr/mL)1765±228，4211±456，$T_{1/2}\lambda 1$(min)2.4±0.1，2.6±0.7，$T_{1/2}\lambda z$(hr)8.6±1.4，9.3±1.0，CL(mL/min/kg)9.7±1.2，8.1±0.8　**代謝**　主代謝経路はメタ位のO-脱アルキル化とその代謝物のグルクロン酸抱合．他にピペリジン環の酸化的ラクタム生成．O-脱アルキル化反応には主にP450分子種のCYP2D6が関与　**尿中排泄**　健康成人男子に0.5～2mg/kgを5分間(承認用量は1～2mg/kg，10分間で定速静注)又は10分間定速静注時，投与後72時間までに未変化体及び主代謝物の総尿中排泄率はいずれの投与量でも約50%．総尿中排泄量のうち約2/3が未変化体であり，投与量にかかわらず未変化体と主代謝物の比率はほぼ一定

その他の管理的事項

投与期間制限　該当しない

保険給付上の注意　該当しない

資料

IF　タンボコール細粒10%・錠50mg・100mg　2015年6月改訂(第12版)
タンボコール静注50mg　2019年5月改訂(第11版)

プレドニゾロン
プレドニゾロン錠
Prednisolone

概要

薬効分類　245　副腎ホルモン剤，264　鎮痛，鎮痒，収斂，消炎剤

構造式

分子式　$C_{21}H_{28}O_5$

分子量　360.44

ステム　プレドニゾン及びプレドニゾロン誘導体：pred，ステロイド医薬品：-olone

原薬の規制区分　該当しない

原薬の外観・性状　白色の結晶性の粉末である．メタノール又はエタノール(95)にやや溶けやすく，酢酸エチルに溶けにくく，水に極めて溶けにくい．結晶多形が認められる

原薬の吸湿性　該当資料なし

原薬の融点・沸点・凝固点　融点：約235℃(分解)

原薬の酸塩基解離定数　該当しない

先発医薬品等

散　プレドニゾロン散「タケダ」1%(武田テバ薬品＝武田)

錠　プレドニゾロン錠「タケダ」5mg(武田テバ薬品＝武田)
プレドニゾロン錠1mg・5mg(旭化成)(旭化成ファーマ)
プレドニゾロン錠1mg・5mg「ファイザー」(マイラン＝ファイザー)
プレドニゾロン錠2.5mg・5mg「NP」(ニプロ)
プレドニゾロン錠5mg「YD」(陽進堂)
プレドニゾロン錠5mg「トーワ」(東和薬品)
プレドニゾロン錠5mg「ミタ」(キョーリンリメディオ＝杏林＝コーアイセイ)
プレドニン錠5mg(シオノギファーマ＝塩野義)

クリーム　プレドニゾロンクリーム0.5%「YD」(陽進堂)
プレドニゾロンクリーム0.5%「タツミ」(辰巳)
プレドニゾロンクリーム0.5%「テイコク」(帝國製薬＝日医工)

後発医薬品

軟　0.5%

国際誕生年月　該当しない

海外での発売状況　米，英など

製剤

規制区分　**散**　**錠**　㊈

製剤の性状　**散**　白色の粉末で，においはなく，味は苦い　**錠**　片面割線入りの白色の素錠

有効期間又は使用期限　**散**　5年6カ月　**錠**　5年

貯法・保存条件　**散**　**錠**

患者向け資料等　患者向医薬品ガイド，くすりのしおり

薬理作用

分類　合成副腎皮質ホルモン

作用部位・作用機序　抗炎症作用，抗アレルギー作用，免疫抑制作用のほか，広範囲にわたる代謝作用を有する

同効薬　メチルプレドニゾロン，ベタメタゾン，デキサメタゾンなど

治療

効能・効果　**散**　**錠**　①慢性副腎皮質機能不全(原発性，続発性，下垂体性，医原性)，急性副腎皮質機能不全(副腎クリーゼ)，副腎性器症候群，亜急性甲状腺炎，甲状腺中毒症(甲状腺(中

毒性)クリーゼ)，甲状腺疾患に伴う悪性眼球突出症，ACTH単独欠損症　②関節リウマチ，若年性関節リウマチ(スチル病を含む)，リウマチ熱(リウマチ性心炎を含む)，リウマチ性多発筋痛　③エリテマトーデス(全身性及び慢性円板状)，全身性血管炎(高安動脈炎，結節性多発動脈炎，顕微鏡的多発血管炎，多発血管炎性肉芽腫症を含む)，多発性筋炎(皮膚筋炎)，強皮症　④川崎病の急性期(重症であり，冠動脈障害の発生の危険がある場合)　⑤ネフローゼ及びネフローゼ症候群　⑥うっ血性心不全　⑦気管支喘息，喘息性気管支炎(小児喘息性気管支炎を含む)，薬剤その他の化学物質によるアレルギー・中毒(薬疹，中毒疹を含む)　血清病　⑧重症感染症(化学療法と併用する)　⑨溶血性貧血(免疫性又は免疫性機序の疑われるもの)，白血病(急性白血病，慢性骨髄性白血病の急性転化，慢性リンパ性白血病)(皮膚白血病を含む)，顆粒球減少症(本態性，続発性)，紫斑病(血小板減少性及び血小板非減少性)，再生不良性貧血，凝固因子の障害による出血性素因　⑩限局性腸炎，潰瘍性大腸炎　⑪重症消耗性疾患の全身状態の改善(癌末期，スプルーを含む)　⑫劇症肝炎(臨床的に重症とみなされるものを含む)，胆汁うっ滞型急性肝炎，慢性肝炎(活動型，急性再燃型，胆汁うっ滞型)(但し，一般的治療に反応せず肝機能の著しい異常が持続する難治性のものに限る)，肝硬変(活動型，難治性腹水を伴うもの，胆汁うっ滞を伴うもの)　⑬サルコイドーシス(ただし，両側肺門リンパ節腫脹のみの場合を除く)，びまん性間質性肺炎(肺線維症)(放射線肺臓炎を含む)　⑭肺結核(粟粒結核，重症結核に限る)(抗結核剤と併用する)，結核性髄膜炎(抗結核剤と併用する)，結核性胸膜炎(抗結核剤と併用する)，結核性腹膜炎(抗結核剤と併用する)，結核性心嚢炎(抗結核剤と併用する)　⑮脳脊髄炎(脳炎，脊髄炎を含む)(ただし，一次性脳炎の場合は頭蓋内圧亢進症状がみられ，かつ他剤で効果が不十分なときに短期間用いる)，末梢神経炎(ギランバレー症候群を含む)，筋強直症，重症筋無力症，多発性硬化症(視束脊髄炎を含む)，小舞踏病，顔面神経麻痺，脊髄蜘網膜炎，デュシェンヌ型筋ジストロフィー　⑯悪性リンパ腫及び類似疾患(近縁疾患)，多発性骨髄腫，好酸性肉芽腫，乳癌の再発転移　⑰特発性低血糖症　⑱原因不明の発熱　⑲副腎摘除，臓器・組織移植，侵襲後肺水腫，副腎皮質機能不全患者に対する外科的侵襲　⑳蛇毒・昆虫毒(重症の虫さされを含む)　㉑強直性脊椎炎(リウマチ性脊椎炎)　㉒卵管整形術後の癒着防止，副腎皮質機能障害による排卵障害　㉓前立腺癌(他の療法が無効な場合)，陰茎硬結　㉔★湿疹・皮膚炎群(急性湿疹，亜急性湿疹，慢性湿疹，接触皮膚炎，貨幣状湿疹，自家感作性皮膚炎，アトピー皮膚炎，乳・幼・小児湿疹，ビダール苔癬，その他の神経皮膚炎，脂漏性皮膚炎，進行性指掌角皮症，その他の手指の皮膚炎，陰部あるいは肛門湿疹，耳介及び外耳道の湿疹・皮膚炎，鼻前庭及び鼻翼周辺の湿疹・皮膚炎など)(ただし，重症例以外は極力投与しないこと)，★痒疹群(小児ストロフルス，蕁麻疹様苔癬，固定蕁麻疹を含む)(ただし，重症例に限る．また，固定蕁麻疹は局注が望ましい)，蕁麻疹(慢性例を除く)(重症例に限る)，★乾癬及び類症(尋常性乾癬(重症例)，関節症性乾癬，乾癬性紅皮症，膿疱性乾癬，稽留性肢端皮膚炎，疱疹状膿痂疹，ライター症候群)，★掌蹠膿疱症(重症例に限る)，★毛孔性紅色粃糠疹(重症例に限る)，★扁平苔癬(重症例に限る)，成年性浮腫性硬化症，紅斑症(★多形滲出性紅斑，結節性紅斑)(ただし，多形滲出性紅斑の場合は重症例に限る)，IgA血管炎(重症例に限る)，ウェーバークリスチャン病，粘膜皮膚眼症候群(開口部びらん性外皮症，スチブンス・ジョンソン病，皮膚口内炎，フックス症候群，ベーチェット病(眼症状のない場合)，リップシュッツ急性陰門潰瘍)，レイノー病，★円形脱毛症(悪性型に限る)，天疱瘡群(尋常性天疱瘡，落葉状天疱瘡，Senear-Usher症候群，増殖性天疱瘡)，デューリング疱疹状皮膚炎(類天疱瘡，妊娠性疱疹を含む)，先天性表皮水疱症，帯状疱疹(重症例に限る)，★紅皮症(ヘブラ紅色粃糠疹を含む)，顔面播種状粟粒性狼瘡(重症例に限る)，アレルギー性血管炎及びその類症(急性痘瘡様苔癬状粃糠疹を含む)，潰瘍性慢性膿皮症，新生児スクレレーマ　㉕内眼・視神経・眼窩・眼筋の炎症性疾患の対症療法(ブドウ膜炎，網脈絡膜炎，網膜血管炎，視神経炎，眼窩炎性偽腫瘍，眼窩漏斗尖端部症候群，眼筋麻痺)，外眼部及び前眼部の炎症性疾患の対症療法で点眼が不適当又は不十分な場合(眼瞼炎，結膜炎，角膜炎，強膜炎，虹彩毛様体炎)，眼科領域の術後炎症　㉖急性・慢性中耳炎，滲出性中耳炎・耳管狭窄症，メニエル病及びメニエル症候群，急性感音性難聴，血管運動(神経)性鼻炎，アレルギー性鼻炎，花粉症(枯草熱)，副鼻腔炎・鼻茸，進行性壊疽性鼻炎，喉頭炎・喉頭浮腫，食道の炎症(腐蝕性食道炎，直達鏡使用後)及び食道拡張術後，耳鼻咽喉科領域の手術後の後療法，難治性口内炎及び舌炎(局所療法で治癒しないもの)　㉗嗅覚障害，急性・慢性(反復性)唾液腺炎

★　外用剤を用いても効果が不十分な場合あるいは十分な効果を期待し得ないと推定される場合にのみ用いる

軟　クリーム 湿疹・皮膚炎群(進行性指掌角皮症，女子顔面黒皮症，ビダール苔癬，放射線皮膚炎，日光皮膚炎を含む)，皮膚そう痒症，薬疹・中毒疹

用法・用量　**散　錠** プレドニゾロンとして1日5〜60mg，1〜4回に分服(適宜増減)：①悪性リンパ腫に用いる場合，抗悪性腫瘍剤との併用において，1日量として100mg/m^2(体表面積)まで投与可②川崎病の急性期に用いる場合，プレドニゾロンとして1日2mg/kg(最大60mg)を3回に分服

軟　クリーム 1日1〜数回患部に塗布(適宜増減)

用法・用量に関連する使用上の注意　**散　錠** ①投与量，投与スケジュール，漸減中止方法等については，関連学会のガイドライン等，最新の情報を参考に投与する　②川崎病の急性期に用いる場合には，有熱期間は注射剤で治療し，解熱後に本剤に切り替える

使用上の注意

警告　**散　錠** 本剤を含むがん化学療法は，緊急時に十分対応できる医療施設において，がん化学療法に十分な知識・経験を持つ医師のもとで，本療法が適切と判断される患者についてのみ実施する．また，治療開始に先立ち，患者又はその家族に有効性及び危険性を十分説明し，同意を得てから投与する

禁忌　**散　錠** ①本剤の成分に対し過敏症の既往歴のある患者　②デスモプレシン酢酸塩水和物(男性における夜間多尿による夜間頻尿)を投与中の患者

軟　クリーム ①皮膚結核，単純疱疹，水痘，帯状疱疹，種痘疹［感染症を悪化させるおそれがある］　②本剤の成分に対して過敏症の既往歴のある患者　③鼓膜に穿孔のある湿疹性外耳道炎［穿孔部位の治癒が遷延するおそれがあり，また，感染のおそれがある］　④潰瘍(ベーチェット病は除く)，第2度深在性以上の熱傷・凍傷［皮膚の再生が抑制され，治癒が著しく遅れるおそれがある］

その他の管理的事項

投与期間制限　該当しない

保険給付上の注意　該当しない

資料

IF　プレドニゾロン散「タケダ」1%・錠「タケダ」5mg　2016年10月改訂(第11版)

フ

プレドニゾロンコハク酸エステル
Prednisolone Succinate

概要

構造式

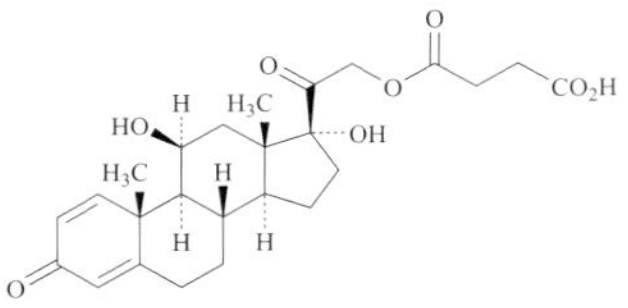

分子式 $C_{25}H_{32}O_8$

分子量 460.52

原薬の規制区分 該当しない

原薬の外観・性状 白色の微細な結晶性の粉末で，においはない．メタノールに溶けやすく，エタノール(95)にやや溶けやすく，水又はジエチルエーテルに極めて溶けにくい

原薬の融点・沸点・凝固点 融点：約205℃(分解)

注射用プレドニゾロンコハク酸エステルナトリウム
Prednisolone Sodium Succinate for Injection

概要

薬効分類 245 副腎ホルモン剤

構造式

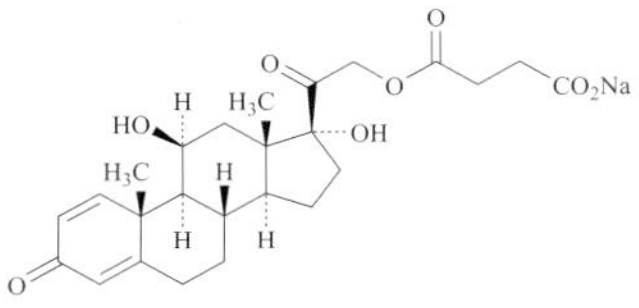

分子式 $C_{25}H_{31}NaO_8$

分子量 482.50

ステム プレドニゾン及びプレドニゾロン誘導体：pred，ステロイド医薬品：-olone

原薬の規制区分 該当しない

原薬の外観・性状 白色の粉末又は多孔質の軽い塊である．水に溶けやすい．1.0gを水40mLに溶かした液のpHは6.5～7.2である

原薬の吸湿性 吸湿性である

原薬の融点・沸点・凝固点 融点：約205℃(分解)(プレドニゾロンコハク酸エステル)

原薬の酸塩基解離定数 該当資料なし

先発医薬品等

注射用 水溶性プレドニン10mg・20mg・50mg(シオノギファーマ＝塩野義)

国際誕生年月 不明

海外での発売状況 該当資料なし

製剤

規制区分 **注射用** ㊙

製剤の性状 **注射用** 白色の粉末又は多孔質の軽い塊

有効期間又は使用期限 3年

貯法・保存条件 遮光・室温保存

患者向け資料等 くすりのしおり

溶液及び溶解時のpH 6.5～7.2(1g/40mL注射用水)

浸透圧比 約0.4(**10mg注射用** 10g/1mL注射用水，**20mg注射用** 20g/2mL注射用水，**50mg注射用** 50g/5mL注射用水)

安定なpH域 6.32～9.28(プレドニゾロンコハク酸エステルナトリウム10mg/1mL(蒸留水))

調製時の注意 調製液は澄明のもののみを用い，調製後速やかに使用すること

薬理作用

分類 合成副腎皮質ホルモン

作用部位・作用機序 抗炎症作用，抗アレルギー作用，免疫抑制作用のほか，広範囲にわたる代謝作用を有する

同効薬 メチルプレドニゾロンコハク酸エステルナトリウム，ヒドロコルチゾンコハク酸エステルナトリウム，デキサメタゾンリン酸エステルナトリウムなど

治療

効能・効果 ( )内文字は投与法(注参照)を示す

①内科・小児科領域：(1)内分泌疾患：慢性副腎皮質機能不全(原発性，続発性，下垂体性，医原性)〔(ウ)〕，急性副腎皮質機能不全(副腎クリーゼ)〔(ア)(イ)(ウ)〕，副腎性器症候群，亜急性甲状腺炎，甲状腺疾患に伴う悪性眼球突出症，ACTH単独欠損症〔＊(ウ)〕，甲状腺中毒症〔甲状腺(中毒性)クリーゼ〕〔(ア)(イ)，＊(ウ)〕 (2)リウマチ性疾患：関節リウマチ，若年性関節リウマチ(スチル病を含む)〔(ウ)(エ)〕，リウマチ熱(リウマチ性心炎を含む)〔＊(ア)＊(イ)(ウ)〕，リウマチ性多発筋痛〔(ウ)〕 (3)膠原病：エリテマトーデス(全身性及び慢性円板状)，全身性血管炎(高安動脈炎，結節性多発動脈炎，顕微鏡的多発血管炎，多発血管炎性肉芽腫症を含む)，多発性筋炎(皮膚筋炎)〔＊(ア)＊(イ)(ウ)〕，強皮症〔＊(ウ)〕 (4)川崎病の急性期(重症であり，冠動脈障害の発生の危険がある場合)〔(ア)〕 (5)腎疾患：ネフローゼ及びネフローゼ症候群〔＊(ア)＊(イ)＊(ウ)〕 (6)心疾患：うっ血性心不全〔＊(ア)＊(イ)＊(ウ)〕 (7)アレルギー疾患：気管支喘息(ただし，筋注は他の投与法では不適当な場合に限る)〔(ア)(イ)(ウ)(タ)〕，喘息性気管支炎(小児喘息性気管支炎を含む)〔＊(ウ)(タ)〕，喘息発作重積状態，アナフィラキシーショック〔(ア)(イ)〕，薬剤その他の化学物質によるアレルギー・中毒(薬疹，中毒疹を含む)〔＊(ア)＊(イ)＊(ウ)〕，血清病〔(ア)(イ)＊(ウ)〕 (8)重症感染症：重症感染症(化学療法と併用する)〔(ア)(イ)＊(ウ)〕 (9)血液疾患：溶血性貧血(免疫性又は免疫性機序の疑われるもの)，白血病(急性白血病，慢性骨髄性白血病の急性転化，慢性リンパ性白血病)(皮膚白血病を含む)，顆粒球減少症(本態性，続発性)，紫斑病(血小板減少性及び血小板非減少性)，再生不良性貧血，凝固因子の障害による出血性素因〔(ア)(イ)＊(ウ)〕，白血病(急性白血病，慢性骨髄性白血病の急性転化，慢性リンパ性白血病)(皮膚白血病を含む)のうち髄膜白血病〔(ク)〕 (10)消化器疾患：限局性腸炎，潰瘍性大腸炎〔＊(ア)＊(イ)＊(ウ)(シ)〕 (11)重症消耗性疾患：重症消耗性疾患の全身状態の改善(癌末期，スプルーを含む)〔＊(ア)＊(イ)＊(ウ)〕 (12)肝疾患：劇症肝炎(臨床的に重症とみなされるものを含む)〔(ア)(イ)＊(ウ)〕，胆汁うっ滞型急性肝炎〔＊(イ)＊(ウ)〕，肝硬変(活動型，難治性腹水を伴うもの，胆汁うっ滞を伴うもの)〔＊(ウ)〕 (13)肺疾患：びまん性間質性肺炎(肺線維症)(放射線肺臓炎を含む)〔＊(ア)(イ)(タ)〕 (14)結核性疾患(抗結核剤と併用する)：結核性髄膜炎〔(ク)〕，結核性胸膜炎〔(ケ)〕 (15)神経疾患：脳脊髄炎(脳炎，脊髄炎を含む)(ただし，一次性脳炎の場合は頭蓋内圧亢進症状がみられ，かつ他剤で効果が不十分なときに短期間用いる)〔(ア)(イ)＊(ウ)(ク)〕，多発性硬化症(視束脊髄炎を含む)〔(ア)(イ)(ウ)(ク)〕，末梢神経炎(ギランバレー症候群を含む)〔＊(ア)＊(イ)＊(ウ)(ク)〕，小舞踏病，顔面神経麻痺，脊髄蜘網膜炎〔＊(ウ)〕 (16)悪性腫瘍：悪性リンパ腫(リンパ肉腫症，細網肉腫症，ホジキン病，皮膚細網症，菌状息肉症)及び類似疾患(近縁疾患)〔(ア)(イ)＊(ウ)(ク)〕，好酸性肉芽腫〔(ア)(イ)＊(ウ)〕，乳癌の再発転移〔＊(ウ)〕 (17)その他の内科的疾患：特発性低血糖症〔(ア)(イ)＊(ウ)〕，原因不明の発熱〔＊(ウ)〕

②外科領域：副腎摘除〔(ア)(イ)(ウ)〕，臓器・組織移植，副腎皮質機能不全患者に対する外科的侵襲，蛇毒・昆虫毒(重症の虫さされを含む)〔＊(ウ)〕，侵襲後肺水腫〔(ア)(タ)〕，外科的ショック及び外科的ショック様状態，脳浮腫，輸血による副作用，気管支痙攣(術中)〔(ア)〕 ③整形外科領域：強直性脊椎炎(リウ

マチ性脊椎炎)〔(ウ)〕, 強直性脊椎炎(リウマチ性脊椎炎)に伴う四肢関節炎, 変形性関節症(炎症症状がはっきり認められる場合), 非感染性慢性関節炎, 痛風性関節炎〔(エ)〕, 関節周囲炎(非感染性のものに限る), 腱周囲炎(非感染性のものに限る)〔(オ)(カ)(キ)〕, 腱炎(非感染性のものに限る)〔(オ)(カ)〕, 腱鞘炎(非感染性のものに限る)〔(カ)〕, 滑液包炎(非感染性のものに限る)〔(カ)〕, 脊髄浮腫〔(ア)〕 ④産婦人科領域：卵管閉塞症(不妊症)に対する通水療法〔(サ)〕, 卵管整形術後の癒着防止〔＊(ウ)(サ)〕, 副腎皮質機能障害による排卵障害〔＊(ウ)〕 ⑤泌尿器科領域：前立腺癌(他の療法が無効な場合)〔＊(ウ)〕, 陰茎硬結〔＊(ウ)(コ)〕 ⑥皮膚科領域：★湿疹・皮膚炎群(急性湿疹, 亜急性湿疹, 慢性湿疹, 接触皮膚炎, 貨幣状湿疹, 自家感作性皮膚炎, アトピー皮膚炎, 乳・幼・小児湿疹, ビダール苔癬, その他の神経皮膚炎, 脂漏性皮膚炎, 進行性指掌角皮症, その他の手指の皮膚炎, 陰部あるいは肛門湿疹, 耳介及び外耳道の湿疹・皮膚炎, 鼻前庭及び鼻翼周辺の湿疹・皮膚炎等)(ただし, 重症例以外は極力投与しない)(ただし, 局注は浸潤, 苔癬化の著しい場合のみ), ★痒疹群(小児ストロフルス, 蕁麻疹様苔癬, 固定蕁麻疹を含む)(ただし, 重症例に限る. また, 固定蕁麻疹は局注が望ましい)〔★＊(ウ)★(コ)〕, 蕁麻疹(慢性例を除く)(重症例に限る), ★乾癬及び類症(関節症性乾癬, 乾癬性紅皮症, 膿疱性乾癬, 稽留性肢端皮膚炎, 疱疹状膿痂疹, ライター症候群), 皮膚粘膜眼症候群〔開口部びらん性外皮症, スチブンス・ジョンソン病, 皮膚口内炎, フックス症候群, ベーチェット病(眼症状のない場合), リップシュッツ急性陰門潰瘍〕, 天疱瘡群(尋常性天疱瘡, 落葉状天疱瘡, Senear-Usher症候群, 増殖性天疱瘡) デューリング疱疹状皮膚炎(類天疱瘡, 妊娠性疱瘡を含む) ★紅皮症(ヘブラ紅色粃糠疹を含む)〔＊(イ)＊(ウ)〕, ★尋常性乾癬(重症例)〔＊(イ)＊(ウ)(コ)〕, ★毛孔性紅色粃糠疹(重症例に限る), 成年性浮腫性硬化症, 紅斑症(★多形滲出性紅斑, 結節性紅斑)(ただし, 多形滲出性紅斑の場合は重症例に限る), レイノー病, 帯状疱疹(重症例に限る), 潰瘍性慢性膿皮症, 新生児スクレレーマ〔＊(ウ)〕, ★円形脱毛症(悪性型に限る), ★早期ケロイド及びケロイド防止〔(コ)〕 ⑦眼科領域：内眼・視神経・眼窩・眼筋の炎症性疾患の対症療法(ブドウ膜炎, 網脈絡膜炎, 網膜血管炎, 視神経炎, 眼窩炎性偽腫瘍, 眼窩漏斗尖端部症候群, 眼筋麻痺)〔＊(ア)＊(ウ)(ス)(セ)(ソ)〕, 外眼部及び前眼部の炎症性疾患の対症療法で点眼が不適当又は不十分な場合(眼瞼炎, 結膜炎, 角膜炎, 強膜炎, 虹彩毛様体炎)〔＊(ア)＊(ウ)(ス)(セ)〕, 眼科領域の術後炎症〔＊(ア)＊(ウ)(ス)(ソ)〕 ⑧耳鼻咽喉科領域：急性・慢性中耳炎〔＊(ア)＊(イ)＊(ウ)(ニ)〕, 滲出性中耳炎・耳管狭窄症〔＊(ア)＊(イ)＊(ウ)(ニ)(ヌ)〕, 急性感音性難聴, 口腔外科領域手術後の後療法〔(ア)(イ)(ウ)〕, 血管運動(神経)性鼻炎, アレルギー性鼻炎, 花粉症(枯草熱)〔(ウ)(タ)(チ)(テ)〕, 副鼻腔炎・鼻茸〔(ウ)(タ)(チ)(ツ)(ト)〕, 進行性壊疽性鼻炎〔(ア)(イ)(ウ)(タ)(チ)(ツ)(ナ)〕, 喉頭炎・喉頭浮腫〔(ア)(イ)(ウ)(タ)(ナ)〕, 喉頭ポリープ・結節〔＊(ア)＊(イ)＊(ウ)(タ)(ナ)〕, 食道の炎症(腐蝕性食道炎, 直達鏡使用後)及び食道拡張術後〔(ア)(イ)(ウ)(タ)(ネ)〕, 耳鼻咽喉科領域の手術後の後療法〔(ア)(イ)(ウ)(オ)(コ)(タ)(チ)(ツ)(テ)(ナ)(ニ)(ネ)〕, 難治性口内炎及び舌炎(局所療法で治癒しないもの)〔(オ)〕, 嗅覚障害〔＊(ア)＊(イ)＊(ウ)(タ)(チ)〕, 急性・慢性(反復性)唾液腺炎〔＊(ア)＊(イ)＊(ウ)(ノ)〕

注)投与法：(ア)静注 (イ)点静注 (ウ)筋注 (エ)関節腔内注射 (オ)軟組織内注射 (カ)腱鞘内注射 (キ)滑液嚢内注入 (ク)脊髄腔内注入 (ケ)胸腔内注入 (コ)局所皮内注射 (サ)卵管腔内注入 (シ)注腸 (ス)結膜下注射 (セ)球後注射 (ソ)点眼 (タ)ネブライザー (チ)鼻腔内注入 (ツ)副鼻腔内注入 (テ)鼻甲介内注射 (ト)鼻茸内注射 (ナ)喉頭・気管内注入 (ニ)中耳腔内注入 (ヌ)耳管内注入 (ネ)食道注入 (ノ)唾液腺内注入

＊)次の場合のみ用いる：(1)静注及び点静注：経口投与不能時, 緊急時及び筋注不適な場合にのみ用いる (2)筋注：経口投与不能な場合にのみ用いる

★)外用剤を用いても効果が不十分な場合あるいは十分な効果を期待し得ないと推定される場合のみ用いる

効能・効果に関連する使用上の注意 川崎病の急性期に用いる場合には, 次の点に注意する：①静注用免疫グロブリン不応例又は静注用免疫グロブリン不応予測例に投与する ②発病後7日以内に投与を開始することが望ましい

用法・用量 ①静注：(1)プレドニゾロンとして1回10～50mg, 3～6時間ごと(適宜増減) (2)川崎病の急性期に用いる場合, プレドニゾロンとして1日2mg/kg(最大60mg)を3回に分割 ②点滴静注：プレドニゾロンとして1回20～100mg, 1日1～2回(適宜増減) ③筋注：プレドニゾロンとして1回10～50mg, 3～6時間ごと(適宜増減) ④関節腔内注射, 軟組織内注射, 腱鞘内注射, 滑液嚢内注入：プレドニゾロンとして1回4～30mg, 原則として投与間隔2週間以上(適宜増減) ⑤脊髄腔内注入：プレドニゾロンとして1回5mg, 週2～3回(適宜増減) ⑥胸腔内注入：プレドニゾロンとして1回5～25mg, 週1～2回(適宜増減) ⑦局所皮内注射：プレドニゾロンとして1回0.1～0.4mgずつ4mgまで, 週1回(適宜増減) ⑧卵管腔内注入：プレドニゾロンとして1回2～5mg(適宜増減) ⑨注腸：プレドニゾロンとして1回2～30mg(適宜増減) ⑩結膜下注射：プレドニゾロンとして1回2.5～10mg, 液量0.2～0.5mL(適宜増減) ⑪球後注射：プレドニゾロンとして1回5～20mg, 液量0.5～1mL(適宜増減) ⑫点眼：プレドニゾロンとして1回1.2～5mg/mL溶液1～2滴, 1日3～8回(適宜増減) ⑬ネブライザー, 鼻腔内注入, 副鼻腔内注入, 喉頭・気管注入, 中耳腔内注入, 耳管内注入：プレドニゾロンとして1回2～10mg, 1日1～3回(適宜増減) ⑭鼻甲介内注射, 鼻茸内注射：プレドニゾロンとして1回4～30mg(適宜増減) ⑮食道注入：プレドニゾロンとして1回2.5～5mg(適宜増減) ⑯唾液腺管内注入：プレドニゾロンとして1回1～2mg(適宜増減)

用法・用量に関連する使用上の注意 水溶性プレドニン 投与量, 投与スケジュール, 漸減中止方法等については, 関連学会のガイドライン等, 最新の情報を参考に投与する

使用上の注意

禁忌 ①本剤の成分に対し過敏症の既往歴のある患者 ②感染症のある関節腔内, 滑液嚢内, 腱鞘内又は腱周囲［免疫機能抑制作用により, 感染症が増悪することがある］ ③動揺関節の関節腔内［関節症状が増悪することがある］ ④デスモプレシン酢酸塩水和物(男性における夜間多尿による夜間頻尿)を投与中の患者

薬物動態

血中濃度 ①健康成人：プレドニゾロンコハク酸エステル20mgを単回筋注で, 血清中プレドニゾロンコハク酸エステル濃度は投与5分後に86μg/dLの最高値, その後急速に減少し, 半減期は約30分. プレドニゾロンコハク酸エステルは血中で徐々にプレドニゾロンに転換され, プレドニゾロンの最高値はプレドニゾロンコハク酸エステルの約30分後で, 36μg/dL(測定法：RIA) ②腎機能障害患者(外国人データ)：プレドニゾロンコハク酸エステルナトリウム20mgを静注時の薬物動態パラメータ[健康成人(12例), 透析患者(7例)の順]は, Cmax(ng/mL)481±81, 535±56, $T_{1/2}$(hr)3.17±0.44, 4.74±0.99[※1], AUC(ng・hr/mL)2578±621, 3982±981[※2], VDss(L)26.7±3.6, 26.5±1.6, CLt(mL/min)102±23, 66±17[※2][※1)健康成人と有意差ありp＜0.05, ※2)健康成人と有意差ありp＜0.01；Wilcoxon test](測定法：RIA) **代謝** プレドニゾロンの一部はC-6位が代謝され6β-水酸化体になる. その主代謝酵素はチトクロムP450 3A4

その他の管理的事項

投与期間制限 該当しない

保険給付上の注意 該当しない

資料

IF 水溶性プレドニン10mg・20mg・50mg 2015年4月改訂(第15版)

フ

プレドニゾロン酢酸エステル
Prednisolone Acetate

概要
薬効分類　131　眼科用剤
構造式

分子式　$C_{23}H_{30}O_6$
分子量　402.48
ステム　プレドニゾン及びプレドニゾロン誘導体：pred，ステロイド医薬品：-olone
原薬の規制区分　該当しない
原薬の外観・性状　白色の結晶性の粉末である．メタノール又はエタノール(99.5)に溶けにくく，水にほとんど溶けない．結晶多形が認められる
原薬の吸湿性　該当資料なし
原薬の融点・沸点・凝固点　融点：約235℃(分解)
原薬の酸塩基解離定数　該当資料なし
先発医薬品等
眼軟膏 プレドニン眼軟膏(シオノギファーマ＝塩野義)
後発医薬品
眼軟膏 0.25%
国際誕生年月　不明
海外での発売状況　発売されていない

製剤
製剤の性状　**眼軟膏** 白色～微帯黄白色のなめらかな，均一な半固体(軟膏，無菌製剤)
有効期間又は使用期限　5年
貯法・保存条件　室温保存(高温条件下で軟膏基剤中の低融点物質(液体)が滲出すること(Bleeding現象)がある)
薬剤取扱い上の留意点　高温条件下で軟膏基剤中の低融点物質(液体)が滲出すること(Bleeding現象)がある
患者向け資料等　くすりのしおり
溶液及び溶解時のpH　**眼軟膏** 5.3～7.0
調製時の注意　該当しない

薬理作用
分類　合成副腎皮質ホルモン
作用部位・作用機序　抗炎症作用，抗アレルギー作用を示す
同効薬　眼科用合成副腎皮質ホルモン剤

治療
効能・効果　外眼部及び前眼部の炎症性疾患の対症療法(眼瞼炎，結膜炎，角膜炎，強膜炎，上強膜炎，前眼部ブドウ膜炎，術後炎症)
用法・用量　1日数回塗布又は1回1～2滴点眼(適宜増減)．点眼液は使用前によく振り混ぜる

使用上の注意
禁忌　本剤の成分に対し過敏症の既往歴のある患者

その他の管理的事項
投与期間制限　該当しない
保険給付上の注意　該当しない

資料
IF　プレドニン眼軟膏　2019年12月改訂(第8版)

プレドニゾロンリン酸エステルナトリウム
Prednisolone Sodium Phosphate

概要
薬効分類　245　副腎ホルモン剤
構造式

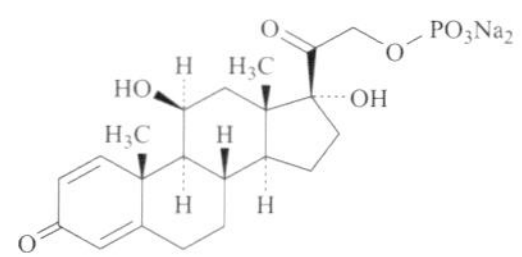

分子式　$C_{21}H_{27}Na_2O_8P$
分子量　484.39
ステム　プレドニゾン及びプレドニゾロン誘導体：pred，ステロイド医薬品：-olone
原薬の規制区分　該当しない
原薬の外観・性状　白色～微黄色の粉末である．水に溶けやすく，メタノールにやや溶けやすく，エタノール(99.5)にほとんど溶けない．1.0gを水100mLに溶かした液のpHは7.5～9.0である
原薬の吸湿性　吸湿性である
原薬の酸塩基解離定数　該当資料なし
後発医薬品
注腸 20mg
国際誕生年月　不明
海外での発売状況　該当しない

製剤
規制区分　**注腸** ㊙
製剤の性状　**注腸** 無色澄明の液で，僅かに粘性がある
有効期間又は使用期限　3年
貯法・保存条件　室温保存
薬剤取扱い上の留意点　光に不安定なため，アルミ袋開封後は速やかに使用すること．直腸粘膜を傷つけるおそれがあるので，慎重に挿入すること．使用方法等は添付文書等参照
患者向け資料等　患者向医薬品ガイド，くすりのしおり，使用方法指導箋
溶液及び溶解時のpH　7.0～8.0

薬理作用
分類　副腎皮質ホルモン
作用部位・作用機序　抗炎症作用，抗アレルギー作用，免疫抑制作用のほか，広範囲にわたる代謝作用を有する
同効薬　ベタメタゾンリン酸エステルナトリウム，プレドニゾロンコハク酸エステルナトリウムなど

治療
効能・効果　限局性腸炎，潰瘍性大腸炎
用法・用量　プレドニゾロンリン酸エステルとして1回20mg注腸(直腸内注入)(適宜増減)．使用方法の詳細は添付文書参照

使用上の注意
禁忌　本剤の成分に対し過敏症の既往歴のある患者

薬物動態
健康成人36例に本剤1本(プレドニゾロンリン酸エステルとして20mg)を絶食単回注腸投与時の血漿中未変化体濃度は，$AUC_{0\text{-}24}$954.16±347.52ng・hr/mL，Cmax158.61±49.36ng/mL，Tmax2.10±0.63hr，$t_{1/2}$2.50±0.26hr

その他の管理的事項
投与期間制限　該当しない
保険給付上の注意　該当しない

資料
IF　プレドネマ注腸20mg　2020年8月改訂(第14版)

プロカイン塩酸塩
プロカイン塩酸塩注射液
Procaine Hydrochloride

概要

薬効分類 121 局所麻酔剤

構造式

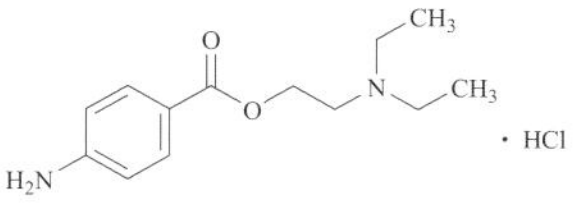

分子式 $C_{13}H_{20}N_2O_2$・HCl

分子量 272.77

ステム 局所麻酔薬：-caine

原薬の規制区分 ㊇(ただし，塩酸プロカイン0.2%以下を含有するもの及びプロカインとして5%以下を含有する外用剤及び坐剤を除く)

原薬の外観・性状 白色の結晶又は結晶性の粉末である．水に極めて溶けやすく，エタノール(95)にやや溶けやすく，ジエチルエーテルにほとんど溶けない．1.0gを水20mLに溶かした液のpHは5.0〜6.0である

原薬の吸湿性 該当資料なし

原薬の融点・沸点・凝固点 融点：155〜158℃

原薬の酸塩基解離定数 該当資料なし

先発医薬品等

注 1%・2%塩酸プロカイン注射液「ニッシン」(日新製薬)
塩プロ1%注「小林」(共和クリティケア)
プロカイン塩酸塩注0.5%「トーワ」1mL・2mL(東和薬品)
プロカイン塩酸塩注射液0.5%「日医工」(日医工)
プロカニン注0.5%・1%(光)
ロカイン注1%・2%(扶桑＝アルフレッサファーマ)

国際誕生年月 不明

海外での発売状況 発売されていない

製剤

規制区分 **注** ㊇ ㊈

製剤の性状 **注** 無色澄明の水性注射液

有効期間又は使用期限 3年

貯法・保存条件 室温保存

患者向け資料等 くすりのしおり

溶液及び溶解時のpH **注** 3.3〜6.0

浸透圧比 **1%注** 1.1〜1.3 **2%注** 1.4〜1.6

調製時の注意 該当しない

薬理作用

分類 安息香酸エステル系局所麻酔剤

作用部位・作用機序 感覚・求心神経線維のNa^+チャネルを遮断し，活動電位の伝導を抑制することにより局所麻酔作用を発現する．粘膜への浸透性が悪いので表面麻酔としては無効である．代謝産物が血管拡張作用を有し，プロカインの血中への吸収を促進するため，必要に応じて血管収縮薬であるアドレナリンを添加して使用する

同効薬 リドカイン，メピバカイン塩酸塩

治療

効能・効果 ①(0.5%注)浸潤麻酔 ②(1%注)伝達麻酔 ③(2%注)硬膜外麻酔，伝達麻酔

用法・用量 ①(0.5%注)浸潤麻酔：(基準最高用量：1回1000mg)1回1000mgの範囲内(適宜増減)．必要に応じアドレナリン(通常濃度1：10万〜20万)を添加 ②(1%注)伝達麻酔：10〜400mg(適宜増減)．必要に応じアドレナリン(通常濃度1：10万〜20万)を添加 ③(2%注)：⑴硬膜外麻酔：(基準最高用量：1回600mg)300〜400mg(適宜増減) ⑵伝達麻酔：10〜400mg(適宜増減)．必要に応じアドレナリン(通常濃度1：10万〜20万)を添加

使用上の注意

禁忌 **脊椎麻酔** ①重篤な出血やショック状態の患者［症状が悪化するおそれがある］ ②注射部位又はその周辺に炎症のある患者［吸収が高まり，効果が急激に発現するおそれがある］ ③敗血症の患者［敗血症性の髄膜炎が起こるおそれがある］ ④本剤又は安息香酸エステル(コカインを除く)系局所麻酔薬に対し，過敏症の既往歴のある患者

浸潤・伝達(脊椎麻酔を除く)・硬膜外麻酔 ①次の患者には投与しない：⑴重篤な出血やショック状態の患者(硬膜外麻酔)［症状が悪化するおそれがある］ ⑵注射部位又はその周辺の炎症のある患者(硬膜外麻酔)［吸収が高まり，効果が急激に発現するおそれがある］ ⑶敗血症の患者(硬膜外麻酔)［敗血症性の髄膜炎が起こるおそれがある］ ⑷メトヘモグロビン血症の患者［症状が悪化するおそれがある］ ⑸本剤の成分又は安息香酸エステル(コカインを除く)系局所麻酔薬に対し，過敏症の既往歴のある患者 ②次の患者に投与する場合には，血管収縮剤(アドレナリン，ノルアドレナリン)を添加しない：⑴血管収縮薬に対し過敏症の既往歴のある患者 ⑵高血圧，動脈硬化のある患者［急激に血圧が上昇し，脳出血が起こるおそれがある］ ⑶心不全のある患者［血管収縮，心臓刺激の結果，症状が悪化するおそれがある］ ⑷甲状腺機能亢進のある患者［血管収縮剤に対して反応しやすく，心悸亢進，胸痛等が起こるおそれがある］ ⑸糖尿病の患者［血糖値が上昇するおそれがある］ ⑹血管痙攣のある患者［阻血状態をきたし，局所壊死が起こるおそれがある］ ⑺〔伝達(脊椎麻酔を除く)〕耳，指趾又は陰茎の麻酔［阻血状態をきたし，局所壊死が起こるおそれがある］

その他の管理的事項

投与期間制限 該当しない

保険給付上の注意 該当しない

資料

IF ロカイン注1%・2% 2014年9月改訂(第5版)

プロカインアミド塩酸塩
プロカインアミド塩酸塩錠
プロカインアミド塩酸塩注射液
Procainamide Hydrochloride

概要

薬効分類 212 不整脈用剤

構造式

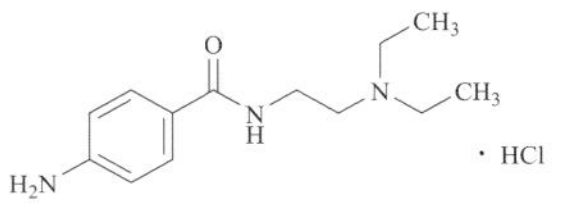

分子式 $C_{13}H_{21}N_3O$・HCl

分子量 271.79

略語・慣用名 慣用名：プロカインアミド，PA

ステム プロカインアミド及びリドカイン系のクラスⅠ抗不整脈薬：-cain-

原薬の規制区分 該当しない

原薬の外観・性状 白色〜淡黄色の結晶性の粉末である．水に極めて溶けやすく，エタノール(99.5)にやや溶けやすい．1.0gを水10mLに溶かした液のpHは5.0〜6.5である

原薬の吸湿性 吸湿性である

原薬の融点・沸点・凝固点 融点：165〜169℃

原薬の酸塩基解離定数　該当資料なし
先発医薬品等
錠 アミサリン錠125mg・250mg（アルフレッサファーマ）
注 アミサリン注100mg・200mg（アルフレッサファーマ）
国際誕生年月　1950年
海外での発売状況　欧米，アジア，アフリカなど世界各国

製剤

規制区分　**錠**　**注**　㊙
製剤の性状　**錠** 白色～淡黄白色のフィルムコーティング錠　**注** 無色～淡黄色澄明の液
有効期間又は使用期限　**錠** 3年　**注** 5年
貯法・保存条件　**錠** 室温保存．吸湿注意　**注** 室温保存
薬剤取扱い上の留意点　**錠** 主成分は潮解性を示すので，アルミラップ開封後の保管及び投薬調剤（特に夏季高温多湿時のPTP包装から取り出しての調剤）の場合は，吸湿に注意すること　**注** 酸化されやすいため，アンプルをあけ空気が入ると，液は黄色～コハク色に変化する．短時間内では軽度の着色で効力に影響はないが，長時間空気にさらしてはならない
患者向け資料等　くすりのしおり
溶液及び溶解時のpH　**注** 4.0～6.0
浸透圧比　**注** 約2（対生食）
調製時の注意　該当しない

薬理作用

分類　Vaughan Williams分類Ⅰa群抗不整脈剤
作用部位・作用機序　Na^+チャネル遮断作用により，心筋細胞のNa^+チャネルからのNa^+の細胞内流入を抑制するため，活動電位の立ち上がり速度及び振幅（0相脱分極）が減弱し，刺激伝導が抑制される．また，活動電位持続時間は延長し，有効不応期が延長することでリエントリー性不整脈を主とした異常伝導による不整脈が抑えられる
同効薬　クラスⅠa：ジソピラミド，プロパフェノン塩酸塩，シベンゾリンコハク酸塩　クラスⅠb：メキシレチン塩酸塩，リドカイン塩酸塩　クラスⅠc：フレカイニド酢酸塩，ピルシカイニド塩酸塩水和物など（Vaughan Williamsらの分類による）

治療

効能・効果　**錠** 期外収縮（上室性，心室性），急性心筋梗塞における心室性不整脈の予防，新鮮心房細動，発作性頻拍（上室性，心室性）の治療及び予防，発作性心房細動の予防，電気ショック療法との併用及びその後の洞調律の維持，手術及び麻酔に伴う不整脈の予防，陳旧性心房細動
注 期外収縮（上室性，心室性），発作性頻拍（上室性，心室性），手術及び麻酔に伴う不整脈，新鮮心房細動，陳旧性心房細動，（静注のみ）心房粗動
用法・用量　**錠** 1回0.25～0.5g，3～6時間ごと（適宜増減）
注 急を要する場合に用いる：①筋注：1回0.5gを4～6時間ごと（適宜増減）　②静注：1回0.2～1gを50～100mg/分で投与（適宜増減）．正常洞調律に返った場合，中毒症状が現れた場合，あるいは注入総量が1gに達した場合には中止

使用上の注意

禁忌　①刺激伝導障害（房室ブロック，洞房ブロック，脚ブロック等）のある患者［刺激伝導抑制作用により，これらの障害がさらに悪化するおそれがある］　②重篤なうっ血性心不全のある患者［不整脈（心室頻拍，心室細動等）が発現又は増悪するおそれが極めて高い］　③モキシフロキサシン塩酸塩，バルデナフィル塩酸塩水和物，アミオダロン塩酸塩（注射剤），トレミフェンクエン酸塩を投与中の患者　④重症筋無力症の患者［筋力低下が亢進するおそれがある］　⑤本剤の成分に対し過敏症の既往歴のある患者
過量投与　①兆候・症状：過量投与により，刺激伝導障害（著明なQRS幅の増大，QTの延長等），心室細動，心室頻拍，心不全の悪化，血圧低下等を引き起こすことがある　②処置等：過量投与による兆候・症状がみられた場合には，ただちに中止し，次の処置を考慮する等適切な対症療法を行う：⑴**錠** 胃洗浄　⑵体外ペーシングや直流除細動．なお，本剤の血液透析による除去率は約30％と報告されている

薬物動態

経口投与後，良好に吸収．肝臓で一部が活性代謝物N-アセチルプロカインアミド（NAPA）となり，この代謝速度は肝N-アセチルトランスフェレースの活性（rapid or slow acetylator）により個人差がある．プロカインアミド（PA）及びNAPAのいずれも主として腎臓から排泄．なお，NAPAはPAと同等の抗不整脈作用をもつ　**吸収**　（参考：外国）静注及び経口投与での血漿中未変化体濃度の測定で，生物学的利用率は75～90％　**血中濃度**　①血清中濃度の推移：健康成人4例に500mgを単回経口投与後0.8±0.15時間で最高血清中濃度1.76±0.28μg/mL，以後β半減期2.35±0.65時間で一相性に消失．Vdは2.35±0.58L/kg，Clは800±130mL/分．NAPAは，投与後約1時間で最高血清中濃度，3時間後にはPA濃度を上回り，平均5時間の半減期で一相性に消失．また，心室性期外収縮を頻発する患者と健康成人との間でPA薬物動態パラメータに有意な差はなかった　②心機能低下患者での血中濃度の推移：上室性あるいは心室性頻拍の患者12例（全員がrapid acetylator）に500mgを1日4回1週間連続経口投与後の血中薬物動態（PA，NAPAの順）は，軽度心機能低下群7例（NYHAⅡ度以下，かつ心胸郭比54％以下）ではCmax（μg/mL）は1.29±0.66時間後6.6±1，2.48±0.08時間後4±1.9，半減期は2.66±0.2hr，7.94±4.23時間，AUC（hr・μg/mL）は20.8±4.09，27.05±13.61．一方，重度心機能低下群5例（NYHAⅢ度以上，かつ心胸郭比55％以上）ではCmaxは1.31±0.49時間後6±1.4，4.49±3.76時間後6.2±1.5，半減期は4.59±1.38時間，13.73±7.43時間で，重度心機能低下群では軽度心機能低下群に比べ半減期は約1.7倍．AUCは23.95±6.49，53.21±28.41．心室性期外収縮を頻発する患者6例に500mg静注時の血清中PAは投与直後最高値，半減期はα相0.17±0.04時間，β相2.2±0.5時間の二相性で消失．Vdは2.93±0.97，Clは684±124　③有効血漿中濃度（参考：外国）：4～10μg/mL　④血漿蛋白結合率（参考：外国）：15％
分布　（参考：動物実験）イヌに1.25mg静注で，腎，肝，肺等の大部分の臓器における薬物濃度は血漿中濃度よりも高かった　**排泄**　（参考：外国）健康成人又は心疾患患者に^{14}C-プロカインアミドを500～1000mg単回経口投与後24時間までに尿中へ31～56％が未変化体として，7～24％がNAPAとして排泄．健康成人に^{3}H-標識体500mgを静注後48時間までに尿中へ平均67％が未変化体として，12％がNAPAとして排泄　**腎機能障害患者，透析患者での体内動態**　PA及び活性代謝物NAPAの血液透析による除去率は約30％．（参考：外国）血中濃度消失半減期が腎機能正常者の3.2時間に対し，腎機能障害患者では6.6～11時間と延長

その他の管理的事項

投与期間制限　該当しない
保険給付上の注意　該当しない

資料

IF　アミサリン錠125mg・50mg　2019年3月作成（第1版）
アミサリン注100mg・200mg　2019年3月作成（第1版）

プロカテロール塩酸塩水和物
Procaterol Hydrochloride Hydrate

概要

薬効分類 225 気管支拡張剤

構造式

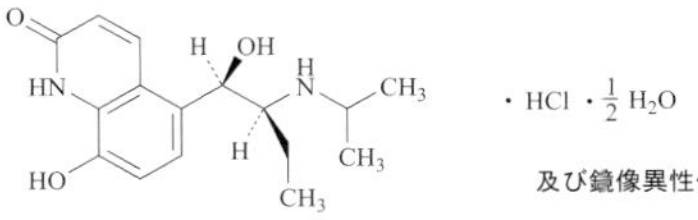

・HCl・$\frac{1}{2}$ H_2O

及び鏡像異性体

分子式 $C_{16}H_{22}N_2O_3$・HCl・½H_2O

分子量 335.83

ステム フェネチルアミン系気管支拡張剤：-terol

原薬の規制区分 ㊕(ただし，1個中プロカテロールとして0.05mg以下を含有するもの，プロカテロールとして0.01%以下を含有する内用剤及びプロカテロールとして0.4%以下を含有する吸入剤を除く)

原薬の外観・性状 白色〜微黄白色の結晶又は結晶性の粉末である．水，ギ酸又はメタノールにやや溶けやすく，エタノール(95)に溶けにくく，ジエチルエーテルにほとんど溶けない．1.0gを水100mLに溶かした液のpHは4.0〜5.0である．光によって徐々に着色する．本品の水溶液(1→20)は旋光性を示さない

原薬の吸湿性 ほとんど示さない．臨界相対湿度：ほぼ100%

原薬の融点・沸点・凝固点 融点：約195℃(分解)

原薬の酸塩基解離定数 pKa_1＝7.35 pKa_2＝9.37

先発医薬品等

顆 メプチン顆粒0.01%(大塚製薬)
錠 メプチンミニ錠25μg・50μg(大塚製薬)
シ メプチンシロップ5μg/mL(大塚製薬)
シロップ用 メプチンドライシロップ0.005%(大塚製薬)
吸入 メプチン吸入液ユニット0.3mL・0.5mL(大塚製薬)
メプチン吸入液0.01%(大塚製薬)
メプチンキッドエアー5μg吸入100回(大塚製薬)
メプチンエアー10μg吸入100回(大塚製薬)
メプチンスイングヘラー10μg吸入100回(大塚製薬)

後発医薬品

錠 0.025mg・0.05mg
シ 0.0005%
シロップ用 0.01%

国際誕生年月 1980年10月

海外での発売状況 中国など

製剤

規制区分 吸入 ㊋

製剤の性状 顆 白色の顆粒で，においはなく，味は甘い 錠 片面割線入りの白色の素錠 シ 無色澄明のやや粘稠な液で，オレンジの芳香を有し，味は甘い シロップ用 白色の粒又は粉末でにおいはなく，味は甘い エアゾール エアゾール容器にカウンター付きアクチュエーターを装着した吸入型エアゾール剤 吸入用末 防湿キャップが半透明及び青色で，本体が白色，プッシュボタンが青色のカウンターを有するプラスチック製の粉末吸入器に充填された吸入粉末剤．内容物は白色の粉末 吸入液 無色澄明の液で，においはない

有効期間又は使用期限 36カ月

貯法・保存条件 顆 シ シロップ用 室温保存(小分け後は遮光保存) 錠 室温保存(アルミピロー開封後は防湿・遮光保存) エアゾール 室温保存 吸入用末(スイングヘラー) 室温保存(アルミピロー開封後は防湿保存) 吸入液 室温保存(アルミピロー開封，小分け後は遮光保存)

薬剤取扱い上の留意点 シロップ用 湿気により凝集及び着色するおそれがあるので，使用の都度密栓すること エアゾール 吸入用末 使用方法等は添付文書等参照．空になった容器は火中に投じないこと 吸入液 開栓後は汚染防止のため，清潔に取り扱うこと．容器内に他の薬剤や異物が混入しないよう注意すること．用時必要量のみを取り出して使用し，いったん取り出した薬液はもとの容器に戻さないこと．ネブライザーに残った薬液は使用しないこと．ベンジルペニシリンカリウムと配合すると白濁を生じるので配合を避けること 吸入液(ユニット) 患者には製品添付の「メプチン吸入液ユニット0.3mL・0.5mLの使用方法」(説明書)を渡し，使用方法を指導すること．目には入れないこと．使用直前に開封し，1回で使い切ること．ネブライザーに残った薬液は使用しないこと．光を避けて保管すること

患者向け資料等 患者向医薬品ガイド，くすりのしおり

溶液及び溶解時のpH シ 3.5〜4.5 吸入液 3.0〜4.0

調製時の注意 吸入液 ベンジルペニシリンカリウムと配合すると白濁を生じるので配合を避けること

薬理作用

分類 気管支拡張β_2刺激剤

作用部位・作用機序 気管支平滑筋のβ_2受容体を選択的に刺激し，気管支拡張作用を発現する

同効薬 顆 錠 シ シロップ用 イソプレナリン塩酸塩，オルシプレナリン硫酸塩，テルブタリン硫酸塩，サルブタモール硫酸塩，トリメトキノール塩酸塩水和物，クレンブテロール塩酸塩，ホルモテロールフマル酸塩水和物など 吸入 イソプレナリン塩酸塩，オルシプレナリン硫酸塩，サルブタモール硫酸塩，トリメトキノール塩酸塩水和物，フェノテロールなど

治療

効能・効果 顆 錠 シ シロップ用 次の疾患の気道閉塞性障害に基づく呼吸困難等，諸症状の緩解：気管支喘息，慢性気管支炎，肺気腫，急性気管支炎，(50μg錠を除く)喘息様気管支炎

エアゾール 吸入液 吸入用末 次の疾患の気道閉塞性障害に基づく諸症状の緩解：気管支喘息，慢性気管支炎，肺気腫

効能・効果に関連する使用上の注意 顆 錠 シ シロップ用 気管支喘息：気管支喘息治療における長期管理の基本は，吸入ステロイド剤等の抗炎症剤の使用であり，吸入ステロイド剤等により症状の改善が得られない場合，あるいは患者の重症度から吸入ステロイド剤等との併用による治療が適切と判断された場合にのみ，本剤と吸入ステロイド剤等を併用して使用する

エアゾール 吸入用末 喘息発作に対する対症療法剤であるので，本剤の使用は発作発現時に限る

用法・用量 顆 錠 シ シロップ用 プロカテロール塩酸塩水和物として1回50μg，1日1回就寝前ないしは1日2回朝及び就寝前(適宜増減)．小児では6歳以上1回25μg，1日1回就寝前ないしは1日2回朝及び就寝前(適宜増減)．6歳未満1回1.25μg/kg，1日2回朝及び就寝前ないしは1日3回朝，昼及び就寝前(適宜増減)．〔シロップ用〕用時溶解．参考：6歳未満の体重別1回投与量換算表は各添付文書参照

エアゾール 吸入用末 プロカテロール塩酸塩水和物として1回20μg，小児10μg(適宜増減)

吸入液 プロカテロール塩酸塩水和物として1回30〜50μg，小児10〜30μgを深呼吸しながらネブライザーを用いて吸入(適宜増減)

用法・用量に関連する使用上の注意 エアゾール 吸入用末 成人1回2吸入(小児用4吸入)，小児1回1吸入(小児用2吸入)の用法・用量を守り，1日4回〔原則として成人8吸入(小児用16吸入)，小児4吸入(小児用8吸入)〕までとする

使用上の注意

禁忌 本剤の成分に対し過敏症の既往歴のある患者

過量投与 顆 錠 シ シロップ用 ①症状：過量投与により，頻脈，頻脈性不整脈，血圧低下，神経過敏，振戦，低カリウム血症，高血糖，乳酸アシドーシス等が現れることがある ②処置：重篤な頻脈性不整脈発現時にはβ遮断剤(プロプラ

フ

ノロール塩酸塩等)が有効な場合があるが，気道抵抗を上昇させるおそれがあるので，喘息患者等への投与には十分注意する

[吸入] 症状：過度の使用により心室性不整脈(心室頻拍，心室細動等)，心停止等の重篤な副作用が発現する危険性がある．過量投与により，頻脈，低カリウム血症，高血糖，乳酸アシドーシスが現れることがある

[吸入液] 症状：過度の使用により心室性不整脈(心室頻拍，心室細動等)，心停止等の重篤な副作用が発現する危険性がある．過量投与により，頻脈，頻脈性不整脈，血圧低下，神経過敏，振戦，低カリウム血症，高血糖，乳酸アシドーシス等があらわれることがある

薬物動態

血中濃度 ①錠：健康成人男性8例に50μgを経口投与時の薬物動態パラメータはtmax(hr)1.44±0.82，Cmax(pg/mL)136.4±62.9，$t_{1/2}$(hr)3.83±0.93，AUC_{∞}(pg・hr/mL)690.2±262.9 ②シロップ，シロップ用：健常成人男子44例にドライシロップ0.005%あるいはシロップ5μg/mLを100μg絶食下経口投与時の血漿中濃度推移及び薬物動態パラメータ(ドライシロップ，シロップの順)はtmax(hr)1.3±0.7，1.3±0.7，Cmax(pg/mL)298±111，263±104，半減期(時間)4.2±1.7，4.1±1.8，AUC_{13h}(pg・時/mL)1207±338，1151±288．両製剤は生物学的に同等 ③エアゾール：健康成人男性6例にエアー4吸入(40μg)投与時，投与後15分で128pg/mLの血漿中濃度を示し，その後減衰 **代謝** デスイソプロピルプロカテロールの生成には，主としてCYP3A4分子種が関与する(*in vitro*)．ヒトにおける主要な代謝経路はグルクロン酸抱合体への抱合反応と考えられた **排泄** ①錠：50μgを経口投与時の投与後24時間までの累積尿中プロカテロール排泄率は15.7%．また，グルクロン酸抱合体の排泄率は23.6%．尿中にはその他の代謝物としてデスイソプロピルプロカテロールが0.48%排泄 ②エアゾール：エアー4吸入(40μg)投与時の投与後24時間までの累積尿中プロカテロール排泄率は投与量の14.36% 注)エアゾールは参考として添加物が異なるメプチンエアー(クロロフルオロカーボン類(特定フロン)等を含有)の成績

その他の管理的事項

投与期間制限 該当しない

保険給付上の注意 該当しない

資料

IF メプチン顆粒0.01%・ミニ錠25μg・錠50μg・シロップ5μg/mL・ドライシロップ0.005% 2019年10月改訂(第18版)
メプチンエアー10μg吸入100回・キッドエアー5μg吸入100回・スイングヘラー10μg吸入100回・吸入液0.01%・吸入液ユニット0.3mL・0.5mL 2019年10月改訂(第18版)

プロカルバジン塩酸塩
Procarbazine Hydrochloride

概要

薬効分類 429 その他の腫瘍用薬

構造式

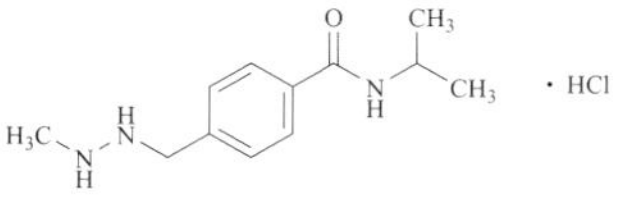

分子式 $C_{12}H_{19}N_3O$・HCl

分子量 257.76

ステム 不明

原薬の規制区分 [劇]

原薬の外観・性状 白色～帯淡黄白色の結晶又は結晶性の粉末である．水に溶けやすく，エタノール(99.5)に溶けにくい．希塩酸に溶ける．0.10gを水10mLに溶かした液のpHは3.0～5.0である

原薬の吸湿性 吸湿性はほとんどない

原薬の融点・沸点・凝固点 融点：約223℃(分解)

原薬の酸塩基解離定数 pKa＝6.8

先発医薬品等

[カ] 塩酸プロカルバジンカプセル50mg「TYP」(太陽ファルマ)

国際誕生年月 不明

製剤

規制区分 [カ] [劇] [処]

製剤の性状 [カ] 淡黄色の硬カプセル

有効期間又は使用期限 3年

貯法・保存条件 遮光・室温保存．吸湿注意

薬剤取扱い上の留意点 該当しない

患者向け資料等 患者向医薬品ガイド，くすりのしおり

溶液及び溶解時のpH 3.0～5.0(0.10gを水10mLに溶かした液)

浸透圧比 該当しない

安定なpH域 該当しない

調製時の注意 該当しない

薬理作用

分類 メチルヒドラジン誘導体抗悪性腫瘍剤

作用部位・作用機序 腫瘍細胞増殖抑制は，プロカルバジン塩酸塩の核酸(DNA，RNA)及び蛋白合成阻害作用によると考えられている

同効薬 なし

治療

効能・効果 ①悪性リンパ腫(ホジキン病，細網肉腫，リンパ肉腫) ②次の悪性腫瘍に対する他の抗悪性腫瘍剤との併用療法：悪性星細胞腫，乏突起膠腫成分を有する神経膠腫

用法・用量 効能①：プロカルバジンとして1日50～100mgを1～2回に分服から開始．その後約1週間以内に漸増し，1日150～300mgを3回に分服．臨床効果が明らかになるまで連日投与．悪性リンパ腫の寛解導入までに要する総投与量はプロカルバジンとして5～7g 効能②：プロカルバジンとして1日量60～75mg/m^{2}を14日間経口投与し，これを6～8週ごとに繰り返す．体表面積より算出されたプロカルバジンの1日量が75mg未満の場合，50mg(1カプセル)，75mg以上125mg未満となった場合は100mg(2カプセル)，125mg以上175mg未満となった場合は150mg(3カプセル)を1日1～3回に分割して投与

用法・用量に関連する使用上の注意 悪性星細胞腫，乏突起膠腫成分を有する神経膠腫に対する他の抗悪性腫瘍剤との併用療法(プロカルバジン塩酸塩，ニムスチン塩酸塩，ビンクリスチン硫酸塩)においては，併用薬剤の添付文書及び関連文献(「抗がん剤報告書：塩酸プロカルバジン(脳腫瘍)」，「抗がん剤報告書：硫酸ビンクリスチン(脳腫瘍)」等)を熟読する

使用上の注意

警告 本剤を含むがん化学療法は，緊急時に十分対応できる医療施設において，がん化学療法に十分な知識・経験をもつ医師のもとで，本療法が適切と判断される症例についてのみ実施する．適応患者の選択にあたっては，各併用薬剤の添付文書を参照して十分注意する．また，治療開始に先立ち，患者又はその家族に有効性及び危険性を十分説明し，同意を得てから投与する

禁忌 ①本剤の成分に対し重篤な過敏症の既往歴のある患者 ②アルコール(飲酒)を摂取中の患者

薬物動態

(外国人の成績(参考)) **血中濃度** 肝・腎機能正常な患者2

例に^{14}C-プロカルバジン30mgを絶食後単回経口投与時の血漿中濃度は60分後に最高約0.6μg/mL. 腸管からほぼ完全に吸収されると示唆 **代謝** 患者5例に^{14}C-プロカルバジン250mg単回静注時, 未変化体は半減期約7分で急速に分解, 酸化物であるアゾ誘導体の濃度が急上昇, さらにテレフタル酸イソプロピルアミドとなり, 尿中に排泄 **排泄** 肝・腎機能正常な患者3例に^{14}C-プロカルバジン25～30mg単回静注後24時間までの尿中排泄率67.4～70.5%(平均68%), 3日までの糞中排泄率3.9～9.3%(平均7%)

その他の管理的事項

投与期間制限 該当しない

保険給付上の注意 該当しない

資料

IF 塩酸プロカルバジンカプセル50mg「TYP」 2019年11月改訂(第6版)

プログルミド
Proglumide

概要

構造式

及び鏡像異性体

分子式 $C_{18}H_{26}N_2O_4$

分子量 334.41

原薬の規制区分 該当しない

原薬の外観・性状 白色の結晶又は結晶性の粉末である. メタノールに溶けやすく, エタノール(95)にやや溶けやすく, ジエチルエーテルに溶けにくく, 水に極めて溶けにくい. 本品のメタノール溶液(1→10)は旋光性を示さない

治療

効能・効果† ①次の疾患の胃粘膜病変(びらん, 出血, 発赤, 浮腫)の改善：急性胃炎, 慢性胃炎の急性増悪期 ②胃潰瘍

プロクロルペラジンマレイン酸塩
プロクロルペラジンマレイン酸塩錠
Prochlorperazine Maleate

概要

薬効分類 117 精神神経用剤

構造式

分子式 $C_{20}H_{24}ClN_3S \cdot 2C_4H_4O_4$

分子量 606.09

ステム 不明

原薬の規制区分 該当しない

原薬の外観・性状 白色～淡黄色の粉末で, においはなく, 味は僅かに苦い. 酢酸(100)に溶けにくく, 水又はエタノール(95)に極めて溶けにくく, ジエチルエーテルにほとんど溶けない. 光によって徐々に赤色を帯びる

原薬の吸湿性 該当資料なし

原薬の融点・沸点・凝固点 融点：195～203℃(分解)

原薬の酸塩基解離定数 pKa_1＝約3.73(塩基), pKa_2＝約8.1(塩基)

先発医薬品等

錠 ノバミン錠5mg(共和薬品)

注 ノバミン筋注5mg(共和薬品)

国際誕生年月 不明

海外での発売状況 **錠** イタリア, カナダなど **注** カナダ, ニュージーランドなど

製剤

規制区分 **錠** **注** ㊇

製剤の性状 **錠** 微帯黄白色のフィルムコーティングを施した錠剤 **注** 無色～ほとんど無色澄明の液

有効期間又は使用期限 **錠** 5年 **注** 4年

貯法・保存条件 **錠** 気密容器, 遮光・室温保存(光によって徐々に赤色を帯びるので注意) **注** 遮光・室温保存(光により分解変色する. 着色の認められるものは使用しない)

薬剤取扱い上の留意点 眠気, 注意力・集中力・反射運動能力等の低下が起こることがあるので, 本剤投与中の患者には自動車の運転等危険を伴う機械の操作に従事させないように注意すること **注** ①ときに接触皮膚炎等の過敏症状を起こすことがあるので, 直接の接触を極力避け, 付着のおそれのあるときはよく洗浄すること ②注射により起立性低血圧が現れることがあるので, 注射方法について十分注意し, その注射速度はできるだけ遅くすること

患者向け資料等 くすりのしおり

溶液及び溶解時のpH **注** 5.0～6.0

浸透圧比 **注** 約1(対生食)

調製時の注意 該当しない

薬理作用

分類 フェノチアジン系抗精神病薬

作用部位・作用機序 ①抗精神病作用：脳内のドパミン, アドレナリン及びセロトニン神経系のシナプス後受容体を遮断することによって, 抗精神病作用を示すと考えられている ②制吐作用：延髄の化学受容体引き金帯(chemoreceptor trigger zone：CTZ)に存在するドパミン受容体を遮断することによって制吐作用を示す ③鎮静作用：脳内ノルアドレナリン受容体遮断作用によるとされている

同効薬 クロルプロマジン塩酸塩, プロペリシアジン, レボメプロマジンマレイン酸塩, ハロペリドール, ゾテピンなど

治療

効能・効果 ①術前・術後等の悪心・嘔吐 ②(**錠** のみ)統合失調症

用法・用量 **錠** プロクロルペラジンとして1日5～20mg, 精神科領域には1日15～45mg, 分服(適宜増減). 参考：幼児・小児には1回2.5mg1日1～3回, 特に体重15kg以下の幼児・小児では1日7.5mgを超えないよう注意する. 生後6カ月未満の乳児への使用は避けることが望ましい

注 プロクロルペラジンとして1日1回5mg(適宜増減), 小児0.1mg/kgを筋注. 生後6カ月未満の乳児への使用は避けることが望ましい

使用上の注意

禁忌 ①昏睡状態, 循環虚脱状態にある患者［これらの状態を悪化させるおそれがある］ ②バルビツール酸誘導体・麻酔剤等の中枢神経抑制剤の強い影響下にある患者［中枢神経抑制剤の作用を延長し増強させる］ ③アドレナリンを投与中の患者(アドレナリンをアナフィラキシーの救急治療に使用する場合を除く) ④フェノチアジン系化合物及びその類似化合物に対し過敏症の患者

過量投与 ①徴候, 症状：傾眠から昏睡までの中枢神経系の抑

フ

制，血圧降下と錐体外路症状である．その他，激越と情緒不安，痙攣，口渇，腸閉塞，心電図変化及び不整脈等が現れる可能性がある　②処置：本質的には対症療法かつ補助療法である．**錠** 早期の胃洗浄は有効である

薬物動態

代謝・排泄　肝臓でS-オキシド，3位と7位の水酸化物，そのグルクロン酸抱合体，N-脱メチル体等に代謝され，尿中，糞中に排泄

その他の管理的事項

投与期間制限　該当しない
保険給付上の注意　該当しない

資料

IF　ノバミン錠5mg　2018年4月改訂(第14版)
　　ノバミン筋注5mg　2018年4月改訂(第12版)

プロゲステロン
プロゲステロン注射液
Progesterone

概要

薬効分類　247　卵胞ホルモン及び黄体ホルモン剤
構造式

分子式　$C_{21}H_{30}O_2$
分子量　314.46
ステム　ステロイド，プロゲストーゲン：-gest
原薬の規制区分　該当しない
原薬の外観・性状　白色の結晶又は結晶性の粉末である．メタノール又はエタノール(99.5)にやや溶けやすく，水にほとんど溶けない．結晶多形が認められる
原薬の吸湿性　該当資料なし
原薬の融点・沸点・凝固点　融点：128～133℃又は120～122℃
原薬の酸塩基解離定数　該当資料なし
先発医薬品等
　注 プロゲステロン筋注25mg・50mg「F」(富士製薬)
　　プロゲホルモン筋注用10mg・25mg(持田)
　腟用 ウトロゲスタン腟用カプセル200mg(富士製薬)
　　ルティナス腟錠100mg(フェリング)
　　ルテウム腟用坐剤400mg(あすか製薬＝武田)
　　ワンクリノン腟用ゲル90mg(メルクバイオファーマ)
海外での発売状況　**腟錠** 米，英，独など36カ国　**腟坐剤** 英など22カ国　**腟用ゲル** 欧米を含む101カ国

製剤

規制区分　㊄
製剤の性状　**注** 無色～微黄色澄明の液　**腟錠** 白色の腟錠　**腟用カプセル** 淡黄色の楕円球状の軟カプセル剤で，内容物は白色の粘稠な懸濁状油性液又は半固形物　**腟坐剤** 白色～微黄色の紡錘形の腟用坐剤　**腟用ゲル** 白色のなめらかなゲル剤で，脂肪様のにおいがある
有効期間又は使用期限　**注** 5年　**腟用** 3年
貯法・保存条件　**注** **腟用カプセル** 遮光・室温保存　**腟錠** **腟用ゲル** 室温保存　**腟坐剤** 25℃以下
薬剤取扱い上の留意点　**腟錠** **腟用ゲル** 投与時は添付されている専用のアプリケータを用いて腟内に直接挿入すること　**腟坐剤** 本剤は一度溶けた場合に品質が劣化することがあるので，涼しい場所(25℃以下)で保管し，一度溶けた製剤は使用しないよう患者に指導すること
患者向け資料等　**腟用** 患者向医薬品ガイド，くすりのしおり
溶液及び溶解時のpH　該当資料なし
浸透圧比　該当資料なし
安定なpH域　該当資料なし

薬理作用

分類　黄体ホルモン剤
作用部位・作用機序　①子宮内膜に対する作用：エストロゲンにより肥厚増殖した子宮内膜に作用して，腺の拡張，分泌能の亢進，血管の新生拡張などのいわゆる分泌相を形成する．この状態で妊娠が成立しなければ，黄体機能の衰退に伴い，分泌相内膜の剥脱とともに月経が発来する　②子宮筋に対する作用：子宮筋の自発性収縮を抑制するとともに子宮筋のオキシトシン感受性を低下させ，絨毛血行を良好にして子宮の安静を保つ作用を有する　③妊娠維持作用(ウサギ，ラット)：妊娠動物の黄体を剔除すると流産が惹起されることや，妊娠初期の卵巣剔除動物にプロゲステロンを投与すると妊娠が維持されることから，プロゲステロンは着床から胎児にいたる全過程で重要な役割を果たしていると考えられている　④性中枢に対する作用(ウサギ，ラット，ニワトリ，サル)：排卵を抑制することは古くから明らかにされており，妊娠時に排卵が起こらないのはプロゲステロンにより下垂体性ゴナドトロピンが抑制されることによると考えられている．一方，排卵前日にプロゲステロンを投与すると排卵が促進されることも認められており，プロゲステロンには投与時期により性中枢抑制作用と促進作用の相反する作用を有することが認められている
同効薬　ジドロゲステロン，クロルマジノン酢酸エステル，メドロキシプロゲステロン酢酸エステル，ヒドロキシプロゲステロンカプロン酸エステル

治療

効能・効果　**注** 無月経，月経困難症，機能性子宮出血，黄体機能不全による不妊症，切迫流早産，習慣性流早産
　腟用 生殖補助医療における黄体補充
用法・用量　**注** 1日10～50mg，1～2回に分け筋注
　腟錠 **腟坐剤** **腟ゲル** 1回〔腟錠〕100mgを1日2～3回，〔腟坐剤〕400mgを1日2回，〔腟ゲル〕90mgを1日1回，採卵日(又はホルモン補充周期下での凍結胚移植ではエストロゲン投与により子宮内膜が十分な厚さになった時点)から最長10週間(又は妊娠12週まで)腟内投与
　腟カ 1回200mgを1日3回，胚移植2～7日前より経腟投与．妊娠が確認できた場合は，胚移植後9週(妊娠11週)まで投与を継続
禁忌・原則禁忌となる特定患者集団　**注** 妊婦又は妊娠している可能性のある女性

使用上の注意

禁忌　**注** ①効能共通：(1)重篤な肝障害・肝疾患のある患者　(2)妊娠ヘルペスの既往歴のある患者［妊娠ヘルペスが再発するおそれがある］　②無月経，月経困難症，機能性子宮出血，黄体機能不全による不妊症：妊婦又は妊娠している可能性のある女性
　腟用 ①本剤の成分に対し過敏症の既往歴のある患者　②診断未確定の性器出血のある患者［病因を見逃すおそれがある］　③稽留流産又は子宮外妊娠の患者［妊娠維持作用により死亡している胎児の排出が困難になるおそれがある］　④重度の肝機能障害のある患者　⑤乳癌又は生殖器癌の既往歴又は疑いがある患者［症状が悪化するおそれがある］　⑥動脈又は静脈の血栓塞栓症あるいは重度の血栓性静脈炎の患者又は既往歴のある患者　⑦ポルフィリン症の患者［症状が悪化するおそれがある］
過量投与　**腟用** 傾眠状態が現れることがある

薬物動態

注 **血中濃度**　100mg油性注射液を卵胞期の女性8人と閉経後の女性4人に筋注時，血中のプロゲステロン濃度は急速に上昇，投与後4時間から8時間後に最高値(平均68ng/mL)，以後漸減して48時間後までは持続するが，72時間後にはほとんど血中から消失．また，50mg，25mg，10mg筋注時も同様のパターンを示し，最高血中濃度はそれぞれ50ng/mL，28ng/mL，7ng/mL(外国人データ)

腟錠 **血中濃度**　閉経前の健康外国人女性(白人，ヒスパニック)12例に1錠を1日2回又は1日3回単日投与及び5日間連日投与．単日投与で，1日2回及び1日3回投与時のCmaxはそれぞれ17.0ng/mL並びに19.8ng/mL．連日投与で，投与開始後約1日で定常状態に達し，いずれの投与方法でも投与5日目の血清中プロゲステロン濃度は10ng/mL以上．体外受精・胚移植又は卵細胞質内精子注入法を受ける日本人女性108例に，採卵日翌日から1錠を1日2回又は1日3回腟内に最大10週間投与した結果，評価可能な94例における投与5日目の血清中プロゲステロン濃度(平均値±標準偏差)は74.1±48.9ng/mL **分布**　プロゲステロンは血中で主にアルブミン又はコルチコステロイド結合グロブリン(CBG)に結合しており，ヒト血清タンパク結合率は95～98%(*in vitro*) **代謝**　プロゲステロンは50%が肝臓でプレグナンジオールあるいはプレグナノロンに代謝され，グルクロン酸抱合体及び硫酸抱合体として血液中に存在．胆汁中へ排泄されたプロゲステロン代謝物の一部は胆汁中で脱抱合を，消化管では還元，脱水酸化，エピマー化を受ける **排泄**　プロゲステロン代謝物の約50～60%は腎を経由して排泄され，10%は胆汁を経由して排泄．胆汁中に排泄されたプロゲステロン代謝物の一部は腸肝循環し，一部はそのまま糞中に排泄

腟坐剤 **血中濃度**　①単回投与：閉経前の日本人健康成人女性に400mgを単回経腟投与時の薬物動態パラメータはAUC_{0-72}(ng・hr/mL)267.4±152.4，Cmax(ng/mL)10.7±3.2，Tmax(hr)9.8±7.8，$t_{1/2}$(hr)11.2±4.0　②反復投与：閉経前の日本人健康成人女性に，800mg(1回400mgを1日2回)を5日間反復経腟投与時，1日目と5日目の薬物動態パラメータ[$AUC_{0-\tau}$(ng・hr/mL)，Cmax(ng/mL)の順]は，1日目[92.1±23.8，11.1±3.6]，5日目[146.8±43.9，15.6±4.4] **分布**　ヒト血清中のプロゲステロンはおよそ17%がコルチコステロイド結合グロブリン(CBG)に，80%がアルブミンに結合し，2.5%が非結合型で存在(外国人データ) **代謝**　プロゲステロンはヒトにおいて速やかに代謝され，代謝クリアランスは60L/day/kg(外国人データ)．プロゲステロンの代謝物としては，5α-pregnane-3α，20α-diol(allopregnanediol)，5α-pregnane-3β，20α-diol，3α-hydroxy-5β-pregnan-20-one(pregnanolone)などがある **排泄**　ヒトに[^{14}C]プロゲステロンを静注時の尿及び糞中への排泄率は，それぞれ46～59%及び8～17%．胆汁中への放射能の排泄率は約30%(外国人データ)

腟用ゲル **吸収**　閉経後の健康外国人女性30例に45，90又は180mgを単回投与後のCmaxはそれぞれの投与群で8.6，11.2及び13.4ng/mL．体外受精－胚移植を受ける日本人女性123例に，採卵日から90mgを1日1回腟内に連日投与2週後の朝投与7時間後の血清中濃度を測定した結果，薬物動態の評価可能な非妊娠例76例における血清中プロゲステロン濃度(平均値±標準偏差)は7.74±3.21ng/mL **分布**　血中プロゲステロンの大部分は血漿蛋白(95～98%)と結合し，主にアルブミン及びコルチゾール結合グロブリンと結合 **代謝**　プロゲステロンは主に肝臓でプレグナンジオール及びプレグナノロンに代謝され，さらにグルクロン酸及び硫酸抱合体に代謝 **排泄**　プロゲステロン代謝物は尿中及び糞中などに排泄．プロゲステロンを非経口投与時の主排泄経路は尿中(約50%)．また，糞中排泄は約10%

その他の管理的事項

投与期間制限　該当しない

保険給付上の注意　**腟用**　薬価基準適用外

資料

IF　プロゲホルモン筋注用10mg・25mg　2020年3月改訂(第4版)
ルティナス腟錠100mg　2014年9月作成(第1版)
ウトロゲスタン腟用カプセル200mg　2016年1月作成(第1版)
ルテウム腟用坐剤400mg　2017年12月改訂(第2版)
ワンクリノン腟用ゲル90mg　2019年4月改訂(第4版)

フロセミド
フロセミド錠
フロセミド注射液
Furosemide

概要

薬効分類　213　利尿剤

構造式

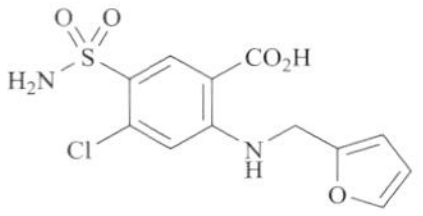

分子式　$C_{12}H_{11}ClN_2O_5S$

分子量　330.74

ステム　フロセミド型の利尿薬：-semide

原薬の規制区分　該当しない

原薬の外観・性状　白色の結晶又は結晶性の粉末である．*N,N*-ジメチルホルムアミドに溶けやすく，メタノールにやや溶けやすく，エタノール(99.5)にやや溶けにくく，アセトニトリル又は酢酸(100)に溶けにくく，水にほとんど溶けない．希水酸化ナトリウム試液に溶ける．光によって徐々に着色する

原薬の吸湿性　該当資料なし

原薬の融点・沸点・凝固点　融点：約205℃(分解)

原薬の酸塩基解離定数　pKa＝3.9±0.1

先発医薬品等

錠　ラシックス錠10mg・20mg・40mg(サノフィ＝日医工)
注　ラシックス注20mg・100mg(サノフィ＝日医工)

後発医薬品

細　4%
錠　10mg・20mg・40mg
注　20mg

国際誕生年月　1961年1月

海外での発売状況　米，英，仏，独，豪を含む約110カ国

製剤

規制区分　**細**　**錠**　**注**　㊇

製剤の性状　**細**　白色の散剤　**10mg錠**　微赤色の素錠　**20・40mg錠**　白色の素錠　**注**　褐色アンプル入りの無色澄明な液体

有効期間又は使用期限　3年

貯法・保存条件　**細**　**錠**　遮光・室温保存　**注**　遮光・室温保存．低温(8℃以下)で保存する時結晶を析出することがあるが，この場合には室温で溶解してから使用する．品質には何ら影響はない

薬剤取扱い上の留意点　降圧作用に基づくめまい，ふらつきが現れることがあるので，高所作業，自動車の運転等危険を伴う機械を操作する際には注意させること　**細**　**錠**　夜間の休息がとくに必要な患者には，夜間の排尿を避けるため，昼間

に投与することが望ましい
患者向け資料等　患者向医薬品ガイド，くすりのしおり
溶液及び溶解時のpH　**注** 8.6～9.6
浸透圧比　**注** 約1(対0.9%生食)
安定なpH域　該当資料なし
薬理作用
分類　アントラニル酸誘導体ループ利尿剤
作用部位・作用機序　利尿作用の作用機序は腎尿細管全域(近位，遠位尿細管及びヘンレ係蹄)におけるNa，Clの再吸収抑制作用に基づくことが認められている(イヌ)
同効薬　ピレタニド，ブメタニドなど
治療
効能・効果　**細**　**錠** 高血圧症(本態性，腎性等)，悪性高血圧，心性浮腫(うっ血性心不全)，腎性浮腫，肝性浮腫，月経前緊張症，末梢血管障害による浮腫，尿路結石排出促進
徐放力 本態性高血圧症
注　**キット** ①(ラシックス100mgを除く)高血圧症(本態性，腎性等)，悪性高血圧，心性浮腫(うっ血性心不全)，腎性浮腫，肝性浮腫，脳浮腫，尿路結石排出促進　②(ラシックス100mg，「日医工」のみ)急性又は慢性腎不全による乏尿
用法・用量　**細**　**錠** フロセミドとして1日1回40～80mg，連日又は隔日投与(適宜増減)．腎機能不全等の場合にはさらに大量に用いることもある．ただし，悪性高血圧に用いる場合は，通常，他の降圧剤と併用
徐放力 フロセミドとして1回40mg，1日1～2回(適宜増減)
注　**キット** 効能①：フロセミドとして1日1回20mg，静注又は筋注(適宜増減)．腎機能不全等の場合にはさらに大量を用いることもある．ただし，悪性高血圧に用いる場合は，通常，他の降圧剤と併用する　効能②：フロセミドとして20～40mg静注し，利尿反応のないことを確認後，100mg静注．投与後2時間以内に1時間あたり約40mL以上の尿量が得られない場合には用量を漸増し，その後症状により適宜増減．ただし，1回投与量500mgまで，1日量1000mgまで．投与速度は4mg/分以下
使用上の注意
禁忌　**細**　**錠**　**徐放力**　**20mg注** ①無尿の患者［本剤の効果が期待できない］　②肝性昏睡の患者［低カリウム血症によるアルカローシスの増悪により肝性昏睡が悪化するおそれがある］　③体液中のナトリウム，カリウムが明らかに減少している患者［電解質失調を起こすおそれがある］　④スルフォンアミド誘導体に対し過敏症の既往歴のある患者　⑤デスモプレシン酢酸塩水和物(男性における夜間多尿による夜間頻尿)を投与中の患者
100mg注 ①無尿の患者［本剤の効果が期待できない］　②腎毒性物質又は肝毒性物質による中毒の結果起きた腎不全の患者［症状を悪化させるおそれがある］　③肝性昏睡を伴う腎不全の患者［低カリウム血症によるアルカローシスの増悪により肝性昏睡が悪化するおそれがある］　④体液中のナトリウム，カリウムが明らかに減少している患者［電解質失調を起こすおそれがある］　⑤著しい循環血液量の減少あるいは血圧の低下している患者［脱水，血栓塞栓症，ショックを起こすおそれがある］　⑥スルフォンアミド誘導体に対し過敏症の既往歴のある患者　⑦デスモプレシン酢酸塩水和物(男性における夜間多尿による夜間頻尿)を投与中の患者
過量投与　①徴候，症状：電解質及び体液喪失により血圧低下，心電図異常，血栓症，急性腎不全，せん妄状態等を起こす可能性がある　②処置：(1)**細**　**錠** 胃洗浄，活性炭により本剤の吸収を制限する　(2)患者の状態を観察しながら水分及び電解質の補充を行う．本剤は血液透析によって除去できない
薬物動態
血中濃度　健康成人3例に40mg錠経口投与後，Cmaxは0.9μg/mL，Tmaxは1～2時間，$T_{1/2}$は0.35時間．健康成人6名を2群に分け，徐放力と錠各40mgを単純盲検交叉法による両剤の血中濃度曲線下面積(0～24時間)では，徐放カプセルは普通錠の約1/2，24時間尿量は等しい．健康成人(外国人)に40mgを静注後，約0.5時間の半減期で血中から消失，10日間にわたる完全なbalance studyの結果，5日以内に100%の回収率を得，12%が糞便中から検出．100mg注を腎不全者(Ccrが10mL/分以下，外国人)に1日1000mgを7日間毎日静注時，血清中の最高濃度及び最低濃度の上昇はみられず，腎不全者に大量反復投与しても蓄積されないことを示す　**代謝・排泄(外国人)** 化学的に安定な物質で，主に未変化体として排泄されるが，一部代謝され，その主なものはグルクロン酸抱合体　**蛋白結合率(外国人)**　蛋白結合率は本剤の血中濃度，血清アルブミン濃度(血清総蛋白)に左右される．健康成人では91～99%で，主にアルブミンと結合
その他の管理的事項
投与期間制限　該当しない
保険給付上の注意　該当しない
資料
IF　ラシックス細粒4%・錠10mg・20mg・40mg　2019年12月改訂(第11版)
ラシックス注20mg・100mg　2019年12月改訂(第9版)

プロタミン硫酸塩
プロタミン硫酸塩注射液
Protamine Sulfate

概要
薬効分類　339　その他の血液・体液用薬
ステム　不明
原薬の規制区分　該当しない
原薬の外観・性状　白色の粉末である．水にやや溶けにくい．1.0gを水100mLに溶かした液のpHは6.5～7.5である
原薬の吸湿性　該当資料なし
原薬の酸塩基解離定数　該当資料なし
先発医薬品等
注 プロタミン硫酸塩静注100mg「モチダ」(持田)
国際誕生年月　該当資料なし
海外での発売状況　該当資料なし
製剤
規制区分　**注** [処]
製剤の性状　**注** 無色の水性注射液で，僅かににおいがある
有効期間又は使用期限　3年
貯法・保存条件　室温保存
薬剤取扱い上の留意点　①軽度の抗凝血作用があるので，ヘパリン及びデキストラン硫酸の中和量を超えて過量に投与しないこと　②血液透析，人工心肺による血液体外循環終了時にヘパリン及びデキストラン硫酸を本剤で中和する場合，反跳性の出血が現れることがあるが本剤を少量追加することにより防ぐことができる
溶液及び溶解時のpH　5.0～7.0
浸透圧比　約0.8(対0.9%生食)
薬理作用
分類　ヘパリン拮抗剤
作用部位・作用機序　血液中でヘパリン及びヘパリン様物質と結合して生理学的不活性物質を形成することにより，ヘパリンの血液凝集阻止作用と拮抗する．このため，ヘパリン使用の中和剤として用いられる
同効薬　該当資料なし
治療
効能・効果　ヘパリン過量投与時の中和，血液透析・人工心肺・選択的脳灌流冷却法等の血液体外循環後のヘパリン作用の中

和

用法・用量　ヘパリン1000単位に対して10～15mgを投与．ヘパリンの中和に要する硫酸プロタミン量は，投与したヘパリン量及びヘパリン投与後の時間経過により異なるので，本剤の投与量はプロタミンによる中和試験により決める．投与に際しては，1回につき50mgを超えない量を生理食塩液又は5%ブドウ糖注射液100～200mLに希釈し，10分間以上かけて徐々に静注

使用上の注意

禁忌　本剤の成分に対し過敏症の既往歴のある患者

薬物動態

吸収，分布及び排泄　参考：^{3}H-標識した硫酸プロタミンを家兎に静注後約2分の半減期で急速に血中から減少，約30%は投与後2時間でも存在．また，投与後2～3時間後に屠殺時の各臓器における放射活性は腎に最も高く，肝，肺及び胆汁中にも多く分布．脳にはほとんど認められなかった

その他の管理的事項

投与期間制限　該当しない

保険給付上の注意　該当しない

資料

IF　プロタミン硫酸塩静注100mg「モチダ」 2016年1月改訂（第4版）

プロチオナミド
Prothionamide

概要

構造式

分子式　$C_9H_{12}N_2S$

分子量　180.27

原薬の規制区分　該当しない

原薬の外観・性状　黄色の結晶又は結晶性の粉末で，僅かに特異なにおいがある．メタノール又は酢酸(100)に溶けやすく，エタノール(95)にやや溶けやすく，ジエチルエーテルに溶けにくく，水にほとんど溶けない．希塩酸及び希硫酸に溶ける

原薬の融点・沸点・凝固点　融点：142～145℃

ブロチゾラム
ブロチゾラム錠
Brotizolam

概要

薬効分類　112　催眠鎮静剤，抗不安剤

構造式

分子式　$C_{15}H_{10}BrClN_4S$

分子量　393.69

ステム　ジアゼパム誘導体(-azepam)の関連物質：-izolam

原薬の規制区分　向Ⅲ 習

原薬の外観・性状　白色～微黄色の結晶性の粉末である．メタノールにやや溶けにくく，アセトニトリル又はエタノール(99.5)に溶けにくく，水にほとんど溶けない

原薬の吸湿性　認めない（25℃，75%RH，25℃，86%RH，25℃，95%RH，30日）

原薬の融点・沸点・凝固点　融点：208～212℃

原薬の酸塩基解離定数　pKa＝2.1（25℃，吸光度測定法）

先発医薬品等

錠　レンドルミン錠0.25mg（日本ベーリンガー）
　　レンドルミンD錠0.25mg（日本ベーリンガー）

後発医薬品

錠　0.25mg・OD錠0.25mg

国際誕生年月　1983年5月

海外での発売状況　日本を含む12カ国

製剤

規制区分　錠　口腔内崩壊錠　向Ⅲ 習 処

製剤の性状　錠 白色の素錠（割線入）　口腔内崩壊錠 白色の口腔内崩壊錠（割線入）

有効期間又は使用期限　3年

貯法・保存条件　気密容器，遮光保存

薬剤取扱い上の留意点　本剤の影響が翌朝以後に及び，眠気，注意力・集中力・反射運動能力等の低下が起こることがあるので，自動車の運転等の危険を伴う機械の操作に従事させないよう注意すること

患者向け資料等　くすりのしおり

溶液及び溶解時のpH　該当資料なし

浸透圧比　該当資料なし

安定なpH域　該当資料なし

薬理作用

分類　チエノトリアゾロジアゼピン系睡眠導入剤

作用部位・作用機序　中枢神経系の代表的抑制性伝達物質であるGABAを介して情動を司る視床下部や大脳辺縁系を抑制する（ラット）．その結果，自律神経系その他の部位からの余剰刺激は遮断され，催眠，鎮静，抗不安等の中枢神経作用を現す．ベンゾジアゼピン受容体に対する親和性を検討したところ，ブロチゾラムはベンゾジアゼピン受容体のサブタイプであるベンゾジアゼピンTypeⅡ受容体よりもベンゾジアゼピンTypeⅠ受容体に高い親和性を示した(*in vitro*)

同効薬　ロルメタゼパムなど

治療

効能・効果　不眠症，麻酔前投薬

用法・用量　①不眠症：1回0.25mg就寝前（適宜増減）　②麻酔前投薬：手術前夜1回0.25mg就寝前，麻酔前1回0.5mg（適宜増減）

用法・用量に関連する使用上の注意　不眠症には，就寝の直前に服用させる．また，服用して就寝した後，睡眠途中において一時的に起床して仕事等をする可能性があるときは服用させない

使用上の注意

禁忌　①急性閉塞隅角緑内障の患者［抗コリン作用により眼圧が上昇し，症状を悪化させることがある］　②重症筋無力症のある患者［重症筋無力症を悪化させるおそれがある］

相互作用概要　主としてCYP3A4で代謝される

過量投与　過量投与が明白又は疑われた場合の処置としてフルマゼニル（ベンゾジアゼピン受容体拮抗剤）を投与する場合には，使用前にフルマゼニルの使用上の注意（禁忌，慎重投与，相互作用等）を必ず読む

薬物動態

吸収・代謝・排泄　健康成人に経口投与後，速やかに吸収，普通錠約1.5時間，口腔内崩壊錠約1～1.5時間で最高血漿中

濃度，血漿中濃度消失半減期約7時間．(外国人)健康成人に経口投与時，主として薬物代謝酵素CYP3A4で代謝され，主代謝物は，メチル基の水酸化体，ジアゼピン環の水酸化体で，96時間までに尿中に64.9%，糞中に21.6%排泄 **分布** 参考：経口投与後，速やかに全身に分布，その濃度は消化管，肝臓，副腎，腎臓，甲状腺で高い．血液-脳関門及び胎盤を通過．乳汁中濃度は血漿中濃度にほぼ平行して推移(ラット)

その他の管理的事項

投与期間制限 30日

保険給付上の注意 該当しない

資料

IF レンドルミン錠0.25mg・D錠0.25mg 2019年7月改訂(第16版)

プロチレリン
Protirelin

概要

薬効分類 722 機能検査用試薬

構造式

分子式 $C_{16}H_{22}N_6O_4$

分子量 362.38

略語・慣用名 TRH

原薬の規制区分 該当しない

原薬の外観・性状 白色の粉末である．水，メタノール，エタノール(95)又は酢酸(100)に溶けやすい．0.20gを水10mLに溶かした液のpHは7.5〜8.5である

原薬の吸湿性 吸湿性である

原薬の融点・沸点・凝固点 融点：鮮明な融点を示さない

原薬の酸塩基解離定数 $pK_1=6.23$

先発医薬品等

注 TRH注0.5mg「タナベ」(ニプロES)

国際誕生年月 不明

海外での発売状況 該当しない

製剤

規制区分 **注** ㊃

製剤の性状 **注** 無色澄明の液

有効期間又は使用期限 48カ月

貯法・保存条件 冷所保存

溶液及び溶解時のpH **注** 5.5〜6.5

浸透圧比 約1(対生食)

調製時の注意 該当しない

薬理作用

分類 TSH・プロラクチン分泌ホルモン剤

作用部位・作用機序 下垂体TSH産生細胞及びプロラクチン産生細胞を特異的に刺激し，TSH及びプロラクチンの産生・分泌を促進する

同効薬 プロチレリン酒石酸塩水和物

治療

効能・効果 ①下垂体TSH分泌機能検査：正常反応は個々の施設によって設定されるべきであるが，通常，正常人では投与後30分で血中TSH値がピークに達し，ラジオイムノアッセイによる血中のそれは10μU/mL以上になる．しかし，投与後30分の血中TSH値のみで十分な判定ができないと考えられる場合は，投与後経時的に測定し，判定することが望ましい．なお，皮下注射時の血中TSH反応は，静注時のそれより低いと考えられるので判定にあたってはこの点を考慮することが望ましい ②下垂体プロラクチン分泌機能検査：正常反応は個々の施設によって設定されるべきであるが，通常，正常人では投与後15〜30分までに血中プロラクチン値がピークに達し，ラジオイムノアッセイによる血中のそれは20ng/mL以上になる．しかし，投与後30分までの血中プロラクチン値のみで十分な判定ができないと考えられる場合は，投与後経時的に測定し，判定することが望ましい

用法・用量 ①下垂体TSH分泌機能検査：1回0.5mg(1mL)皮下注又は静注 ②下垂体プロラクチン分泌機能検査：1回0.1〜0.5mg(0.2〜1mL)静注．①②とも，静注の場合は，生理食塩液，ブドウ糖注射液あるいは注射用水5〜10mLに混ぜて徐々に注射する

薬物動態

外国人：健康成人に400μgを静注時の血中半減期は約5分，60分後にはほとんど消失．尿中への排泄は静注90分後までに，投与量の5.5%が排泄される

その他の管理的事項

投与期間制限 該当しない

保険給付上の注意 該当しない

資料

IF TRH注0.5mg「タナベ」 2017年10月改訂(第7版)

プロチレリン酒石酸塩水和物
Protirelin Tartrate Hydrate

概要

薬効分類 119 その他の中枢神経系用薬，722 機能検査用試薬

構造式

分子式 $C_{16}H_{22}N_6O_4 \cdot C_4H_6O_6 \cdot H_2O$

分子量 530.49

略語・慣用名 TRH-T

原薬の規制区分 該当しない

原薬の外観・性状 白色〜微帯黄白色の結晶又は結晶性の粉末である．水に溶けやすく，酢酸(100)にやや溶けにくく，エタノール(95)又はジエチルエーテルにほとんど溶けない．1.0gを水100mLに溶かした液のpHは3.0〜4.0である

原薬の吸湿性 23℃，10〜93%RHで，3週間保存しても，ほとんど重量変化を示さなかった

原薬の融点・沸点・凝固点 融点：約187℃(分解)

原薬の酸塩基解離定数 $pKa_1=4.2$(酒石酸)，$pKa_2=6.2$(imidazolium)

先発医薬品等

注 ヒルトニン0.5mg・1mg・2mg注射液(武田テバ薬品＝武田)

後発医薬品

注 0.5mg・1mg・2mg

国際誕生年月 1977年6月

製剤

規制区分 **注** ㊃

製剤の性状 **注** 無色澄明の注射剤

有効期間又は使用期限　0.5mg注 4年　1・2mg注 3年
貯法・保存条件　室温保存
患者向け資料等　くすりのしおり
溶液及び溶解時のpH　注 5.5～6.5
浸透圧比　約1（対生食）

薬理作用

分類　TSH・プロラクチン分泌ホルモン剤
作用部位・作用機序　遷延性意識障害：①中脳－辺縁系ドパミンニューロン終末部位である側坐核におけるドーパミン遊離を促進する（ラット）　②ペントバルビタールの大脳皮質，海馬及び視床下部へのコリン取り込み抑制に拮抗する（ラット）　③ペントバルビタールの脳内グルコース利用率低下作用に拮抗する（ラット）　④視床下部及び脳幹に作用して，脳波賦活作用を示す（ネコ）　脊髄小脳変性症：①小脳内ノルアドレナリンの代謝回転を促進する（Rolling mouse Nagoya）　②間脳（視床背内側核，外側膝状体，上丘），脳幹（黒質，縫線核，前庭核），小脳核の低下したグルコース代謝を正常化する（Rolling mouse Nagoya）　③小脳サイクリックヌクレオチド（c-GMP，c-AMP）を増加する（ラット）　④脊髄運動ニューロンの膜に対する直接作用により前根を脱分極させ，単シナプス性の亢進を示す（ラット）　下垂体TSH分泌機能検査に関連する作用部位，作用機序：下垂体前葉に作用し，下垂体からTSH分泌を促進する
同効薬　該当しない

治療

効能・効果　①次の疾患に伴う昏睡，半昏睡を除く遷延性意識障害：⑴頭部外傷　⑵くも膜下出血，ただし，意識障害固定期間3週以内　②脊髄小脳変性症における運動失調の改善　③（0.5mg）下垂体TSH分泌機能検査：⑴採血時間：注射前と注射後30分に採血するが，必要に応じて，さらに経時的に採血する　⑵測定方法：TSH測定キットを使用し，ラジオイムノアッセイ法により測定する　⑶正常範囲：血中TSHの正常範囲はラジオイムノアッセイの操作法及び判定基準により若干異なるので，施設ごとに設定すべきであるが，通常，正常人では本剤投与後30分でピークに達し，血中TSH値は10μU/mL以上になる．また，投与前の血中TSH値は5μU/mL以下である
用法・用量　効能①（ただし，昏睡，半昏睡を除く）：次の用量を1日1回10日間静注又は点滴静注．静注の場合は，生理食塩液，ブドウ糖注射液又は注射用水5～10mLに希釈して，徐々に注射：⑴頭部外傷：プロチレリンとして1回0.5～2mg　⑵くも膜下出血（ただし，意識障害固定期間3週以内）：プロチレリンとして1回2mg　効能②：1日1回プロチレリンとして0.5～2mgを筋注又は静注，重症例にはプロチレリンとして2mgを注射．2～3週間連日注射した後，2～3週間の休薬期間をおく．以後，これを反復するか，週2～3回の間欠注射．静注の場合は，生理食塩液，ブドウ糖注射液又は注射用水5～10mLに希釈して，徐々に注射　効能③：プロチレリンとして1回0.5mgを静注又は皮下注．静注の場合は，生理食塩液あるいは注射用水5～10mLに希釈して，徐々に注射

薬物動態

点滴静注時の血中濃度　健康成人にプロチレリンとして0.5，2mg（各4例）を120分間で点滴静注時，投与開始15分後に0.5mg投与で663pg/mL（投与前値は126pg/mL），2mg投与で3150pg/mL（投与前値は101pg/mL），点滴中はほぼ同値を持続するが，終了後急速に低下．0.5，2mg投与時の血中濃度半減期はそれぞれ約18分，約9分　**静注時の血中濃度**　健康成人10例にプロチレリンとして2mg静注時，投与5分後に最高値16660pg/mL，30分後に1003pg/mL，120分後に19.3pg/mLと速やかに低下．血中濃度半減期4.5分　**筋注時の血中濃度**　健康成人5例にプロチレリンとして2mg筋注時，投与5分後に最高値8940pg/mL，以後漸減，120分後でも283pg/mL，比較的長時間高値を持続．血中濃度半減期19.6分

その他の管理的事項

投与期間制限　該当しない
保険給付上の注意　該当しない

資料

IF　ヒルトニン0.5mg・1mg・2mg注射液　2016年10月改訂（第5版）

プロテイン銀
プロテイン銀液
Silver Protein

概要

原薬の規制区分　該当しない
原薬の外観・性状　薄い黄褐色～褐色の粉末で，においはない．1gは水2mLに徐々に溶け，エタノール（95），ジエチルエーテル又はクロロホルムにほとんど溶けない．1.0gを水10mLに溶かした液のpHは7.0～8.5である．光によって変化する
原薬の吸湿性　やや吸湿性である

プロパフェノン塩酸塩
プロパフェノン塩酸塩錠
Propafenone Hydrochloride

概要

薬効分類　212　不整脈用剤
構造式

・HCl
及び鏡像異性体

分子式　$C_{21}H_{27}NO_3 \cdot HCl$
分子量　377.90
ステム　プロパフェノン誘導体不整脈用剤：-afenone
原薬の規制区分　劇
原薬の外観・性状　白色の結晶又は結晶性の粉末である．ギ酸に溶けやすく，メタノールにやや溶けにくく，水又はエタノール（99.5）に溶けにくい．本品のメタノール溶液（1→100）は旋光性を示さない
原薬の吸湿性　示さない
原薬の融点・沸点・凝固点　融点：172～175℃
原薬の酸塩基解離定数　pKa＝9.56（測定温度20℃）
先発医薬品等
　錠　プロノン錠100mg・150mg（トーアエイヨー＝アステラス）
後発医薬品
　錠　100mg・150mg
国際誕生年月　不明
海外での発売状況　米，英，仏

製剤

規制区分　錠　劇　処
製剤の性状　錠　白色のフィルムコーティング錠
有効期間又は使用期限　3年
貯法・保存条件　気密容器，室温保存
薬剤取扱い上の留意点　めまい等が現れることがあるので，自

フ

動車の運転等，危険を伴う機械の操作に従事する際には注意するよう患者に十分に説明すること
患者向け資料等　患者向医薬品ガイド，くすりのしおり
溶液及び溶解時のpH　5.40～6.01．水溶液のpHは弱酸性であり，濃度が高くなるほど低くなる傾向がある
浸透圧比　該当しない
安定なpH域　該当しない
調製時の注意　該当しない

薬理作用

分類　Vaughan Williams分類Ⅰ群抗不整脈剤
作用部位・作用機序　作用部位：心筋細胞のNaチャネル　作用機序：心筋細胞のNaチャネル抑制作用，心室細動閾値上昇作用並びに房室結節内及び心室内興奮伝導抑制作用，心筋の有効不応期延長作用を示すことにより抗不整脈作用をもたらす
同効薬　フレカイニド酢酸塩，ピルシカイニド塩酸塩水和物，ジソピラミド，プロカインアミド塩酸塩，シベンゾリンコハク酸塩，ピルメノール塩酸塩水和物，アプリンジン塩酸塩，メキシレチン塩酸塩

治療

効能・効果　次の状態で他の抗不整脈薬が使用できないか又は無効の場合：頻脈性不整脈
用法・用量　1回150mg，1日3回（適宜増減）．100mg錠は高齢者等への初期用量等，用量調節用に用いる

使用上の注意

禁忌　①うっ血性心不全のある患者［心機能抑制作用があるため，心不全を悪化させる可能性がある］　②高度の房室ブロック，高度の洞房ブロックのある患者［刺激伝導障害を悪化させ，完全房室ブロックや高度の徐脈に陥る可能性がある］　③リトナビル，ミラベグロン，テラプレビル又はアスナプレビルを投与中の患者
相互作用概要　主としてCYP2D6，CYP3A4及びCYP1A2で代謝される

薬物動態

血中濃度　健常成人への100，200及び300mg経口投与で，消化管からの吸収は良好，最高血中濃度は1～2時間後．半減期は投与量による変化は認められず2～3時間．本剤は肝代謝性の薬剤であり，また，その代謝能には飽和現象が認められ，血漿中未変化体濃度は非線形な薬物動態を示す．このため300mg投与時の血漿中未変化体のCmax，AUCは，100mg投与時の約10倍と投与量の増減により大きく変動する．したがって，肝機能障害のある患者，重篤な腎機能障害のある患者，心機能低下のある患者，高齢者に投与する場合は，少量から開始する等，投与量には十分注意する必要がある　**代謝，排泄**　健常成人に150mg経口投与48時間後の尿中に未変化体0.06%，代謝物22.56%排泄．尿中主代謝物は5-ヒドロキシプロパフェノンの抱合体

その他の管理的事項

投与期間制限　該当しない
保険給付上の注意　本剤を投与している頻脈性不整脈の患者に対して，薬物血中濃度を測定して計画的な治療管理を行った場合，「特定薬剤治療管理料」が認められている

資料

IF　プロノン錠100mg・150mg　2015年12月改訂（第16版）

プロパンテリン臭化物
Propantheline Bromide

概要

薬効分類　123　自律神経剤
構造式

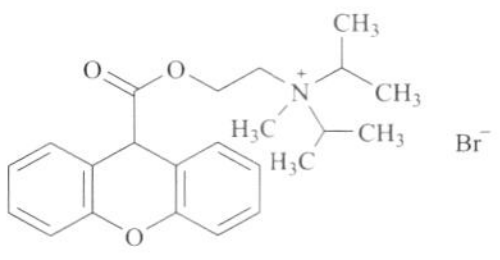

分子式　$C_{23}H_{30}BrNO_3$
分子量　448.39
ステム　該当しない
原薬の規制区分　該当しない
原薬の外観・性状　白色～帯黄白色の結晶性の粉末で，においはなく，味は極めて苦い．水，エタノール（95），酢酸（100）又はクロロホルムに極めて溶けやすく，無水酢酸にやや溶けやすく，ジエチルエーテルにほとんど溶けない．1.0gを水50mLに溶かした液のpHは5.0～6.0である
原薬の吸湿性　該当資料なし
原薬の融点・沸点・凝固点　融点：約161℃（分解，ただし乾燥後）
原薬の酸塩基解離定数　該当資料なし
先発医薬品等
錠　プロ・バンサイン錠15mg（ファイザー）
国際誕生年月　1953年1月
海外での発売状況　該当資料なし

製剤

製剤の性状　**錠**　黄味のある淡赤色の糖衣錠
有効期間又は使用期限　3年
貯法・保存条件　2～8℃で保存
薬剤取扱い上の留意点　眼の調節障害，眠気を起こすことがあるので，本剤投与中の患者には，自動車の運転等危険を伴う機械の操作に従事させないよう注意すること
患者向け資料等　くすりのしおり
溶液及び溶解時のpH　5.0～6.0（1.0gを水50mLに溶かした液）

薬理作用

分類　4級アンモニウム塩系抗コリン性鎮痙剤
作用部位・作用機序　代表的な合成副交感神経遮断薬で，副交感神経支配器官である平滑筋，心筋，分泌腺等においてアセチルコリンの作用を競合的に遮断する
同効薬　ブチルスコポラミン臭化物，ブトロピウム臭化物など

治療

効能・効果　次の疾患における分泌・運動亢進ならびに疼痛：①胃・十二指腸潰瘍，胃酸過多症，幽門痙攣，胃炎，腸炎，過敏大腸症（イリタブルコロン），膵炎，胆道ジスキネジー　②夜尿症又は遺尿症　③多汗症
用法・用量　1回15mg，1日3～4回（適宜増減）

使用上の注意

禁忌　①閉塞隅角緑内障の患者［抗コリン作用により眼圧が上昇し，症状を悪化させることがある］　②前立腺肥大による排尿障害のある患者［症状を悪化させるおそれがある］　③重篤な心疾患のある患者［心悸亢進を起こすおそれがある］　④麻痺性イレウスのある患者［閉塞状態を悪化させるおそれがある］

その他の管理的事項

投与期間制限　該当しない
保険給付上の注意　該当しない

資料

IF　プロ・バンサイン錠15mg　2019年10月改訂（第6版）

プロピベリン塩酸塩
プロピベリン塩酸塩錠
Propiverine Hydrochloride

概要
薬効分類 259 その他の泌尿生殖器官及び肛門用薬
構造式

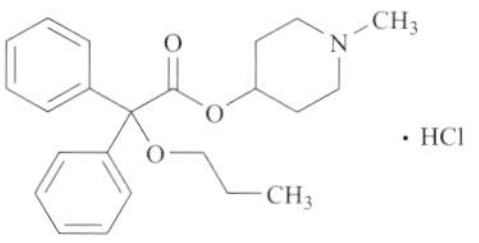

・HCl

分子式 $C_{23}H_{29}NO_3$・HCl
分子量 403.94
ステム パパベリン作用を持つ鎮痙薬：-verine
原薬の規制区分 ㊙(ただし，1個中プロピベリンとして18.20mg以下を含有する内用剤を除く)
原薬の外観・性状 白色の結晶又は結晶性の粉末である．水又はエタノール(99.5)にやや溶けやすい
原薬の吸湿性 25℃，22〜94%RHで10日間保存し，吸湿平衡測定法により測定した結果，吸湿性は認められなかった
原薬の融点・沸点・凝固点 融点：213〜218℃
原薬の酸塩基解離定数 pKa＝8.57(0.1mol/L NaOHによる滴定法)
先発医薬品等
細 バップフォー細粒2%(大鵬薬品)
錠 バップフォー錠10・20(大鵬薬品)
後発医薬品
錠 10mg・20mg
国際誕生年月 1981年10月
海外での発売状況 英，独など

製剤
規制区分 細 錠 ㊑
製剤の性状 細 白色の細粒剤 錠 白色の扁平球状のフィルムコーティング錠
有効期間又は使用期限 3年
貯法・保存条件 気密容器，室温保存
薬剤取扱い上の留意点 眼調節障害，眠気，めまいが現れることがあるので，本剤投与中の患者には自動車の運転等，危険を伴う機械の操作に従事させないよう十分に注意すること 細 主薬が包材に吸着する場合があるので，再分包は避けること．服用する際は，苦味が残ることがあるので，水等で速やかに服用すること
患者向け資料等 くすりのしおり
溶液及び溶解時のpH 5.09(1%水溶液)
浸透圧比 該当資料なし
安定なpH域 該当資料なし

薬理作用
分類 尿失禁・頻尿治療抗コリン剤
作用部位・作用機序 作用部位：膀胱平滑筋(骨盤神経遠心路末梢側) 作用機序：摘出膀胱においてアセチルコリン及び塩化カリウム収縮を抑制し，ムスカリン受容体への結合親和性を有し，アトロピンで抑制されない経壁電気刺激収縮の抑制作用を示す．また，骨盤神経の切断末梢端刺激による膀胱収縮が抑制されることより，本剤の作用は膀胱平滑筋側にあることが示唆される．一方，主代謝物M-1はカルシウム拮抗作用を，M-2は抗コリン作用を有する．本剤は抗コリン作用及びカルシウム拮抗作用を有し，排尿運動抑制作用を示すと推定される
同効薬 フラボキサート塩酸塩，デキシブチニン塩酸塩，コハク酸ソリフェナシン，酒石酸トルテロジン，イミダフェナシン

治療
効能・効果 ①次の疾患又は状態における頻尿，尿失禁：神経因性膀胱，神経性頻尿，不安定膀胱，膀胱刺激状態(慢性膀胱炎，慢性前立腺炎) ②過活動膀胱における尿意切迫感，頻尿及び切迫性尿失禁
効能・効果に関連する使用上の注意 ①適用する際，十分な問診により臨床症状を確認するとともに，類似の症状を呈する疾患(尿路感染症，尿路結石，膀胱癌や前立腺癌等の下部尿路における新生物等)があることに留意し，尿検査等により除外診断を実施する．なお，必要に応じて専門的な検査も考慮する ②下部尿路閉塞疾患(前立腺肥大症等)を合併している患者では，それに対する治療を優先させる
用法・用量 1日1回20mg食後(適宜増減)．効果不十分の場合は，20mgを1日2回まで増量できる
用法・用量に関連する使用上の注意 1日1回20mg投与で効果不十分であり，かつ安全性に問題がない場合に増量を検討する

使用上の注意
禁忌 ①幽門，十二指腸又は腸管が閉塞している患者［胃腸の平滑筋の収縮及び運動が抑制され，症状が悪化するおそれがある］ ②胃アトニー又は腸アトニーのある患者［抗コリン作用により症状が悪化するおそれがある］ ③尿閉を有する患者［抗コリン作用により排尿時の膀胱収縮が抑制され，症状が悪化するおそれがある］ ④閉塞隅角緑内障の患者［抗コリン作用により眼圧が上昇し，症状が悪化するおそれがある］ ⑤重症筋無力症の患者［抗コリン作用により症状が悪化するおそれがある］ ⑥重篤な心疾患の患者［期外収縮等が報告されており，症状が悪化するおそれがある］
過量投与 ①症状：せん妄，興奮，全身痙攣，歩行障害，言語障害，散瞳，麻痺性イレウス，尿閉，頻脈，血圧上昇，全身紅潮，肝機能障害等 ②処置：胃洗浄し，次にアトロピン過量投与の場合と同様の処置を行う．たとえば，ネオスチグミン(抗コリン症状に対して)，抗不安剤，補液等の対症療法を行う

薬物動態
血中濃度 健康成人男子に20mgを経口投与し，血漿中の未変化体及び代謝物を測定①単回投与：単回投与における未変化体とその主代謝物である1-メチル-4-ピペリジル ジフェニルプロポキシ酢酸 N-オキシド(本剤のN-オキシド体，以下M-1)及び1-メチル-4-ピペリジル ベンジル酸 N-オキシド(M-1の脱プロピル体，以下M-2)の血漿中濃度(16例．錠剤未変化体，錠剤M-1，錠剤M-2，細粒剤未変化体，細粒剤M-1，細粒剤M-2の順，mean±S.D.)は，Tmax(hr)1.67±0.52，1.04±0.40，1.69±0.48，1.69±0.79，0.98±0.31，2.13±1.02，Cmax(ng/mL)52.42±17.32，682.41±151.02，9.50±2.23，56.08 ± 27.55，685.04 ± 144.64，10.02 ± 3.43，$AUC_{0\text{-}48hr}$(ng・hr/mL)559.97±167.17，5540.65±1349.29，117.88±23.33，589.43±244.33，5390.68±1444.51，131.61±28.03，$T_{1/2}$(hr)14.78±3.12[※1)]，9.60±1.12，10.07±1.95[※2)]，13.87±2.04[※1)]，9.39±1.12，10.41±2.12[※3)] ※1)は15例，※2)は5例，※3)は9例 ②反復投与：1日1回7日間反復投与における未変化体の血漿中濃度(Cmax及びCmin)は4日目まで漸次上昇し，以降4〜7日の投与期間中はほぼ一定した値を示し，投与終了後の半減期は約25時間．一方，主代謝物であるM-1の血漿中濃度(Cmin)は未変化体同様の推移を示し，投与終了後の半減期は約14時間 **代謝** プロピベリン塩酸塩から主代謝物M-1への代謝には主としてCYP3A4が関与(*in vitro*)．また，プロピベリン塩酸塩は治療時の血漿中濃度ではCYP1A，CYP2C9，CYP2C19，CYP2D6及びCYP3A4を阻害しなかった(*in vitro*) **排泄** 健康成人男子に20mgを単回経口投与時の0〜48時間尿には代謝物であるM-1，M-2及び2，2-ジフェニル-5-メチル-1，4-ジオキサン-3-オンなどが主に排泄され，それらの尿中総排泄量は投与量の約16%

フ

その他の管理的事項
投与期間制限　該当しない
保険給付上の注意　該当しない
資料
IF　バップフォー細粒2%・錠10・20　2019年9月改訂(第6版)

プロピルチオウラシル
プロピルチオウラシル錠
Propylthiouracil

概要
薬効分類　243　甲状腺，副甲状腺ホルモン剤
構造式

分子式　$C_7H_{10}N_2OS$
分子量　170.23
略語・慣用名　PTU
原薬の規制区分　該当しない
原薬の外観・性状　白色の粉末で，においはなく，味は苦い．エタノール(95)にやや溶けにくく，水又はジエチルエーテルに極めて溶けにくい．水酸化ナトリウム試液又はアンモニア試液に溶ける
原薬の吸湿性　該当資料なし
原薬の融点・沸点・凝固点　融点：218～221℃
原薬の酸塩基解離定数　pKa＝7.8(USP-DI)
先発医薬品等
錠　チウラジール錠50mg(ニプロES)
　プロパジール錠50mg(あすか製薬＝武田)
国際誕生年月　不明
海外での発売状況　発売されていない
製剤
規制区分　**錠**　㊄
製剤の性状　**錠**　白色フィルムコーティング錠(割線入り)
有効期間又は使用期限　5年
貯法・保存条件　遮光した密閉容器，室温保存
患者向け資料等　くすりのしおり
薬理作用
分類　抗甲状腺剤
作用部位・作用機序　①甲状腺内でIodotyrosineからIodothyronineを生成する縮合反応を阻害するとともに，甲状腺に取り込まれたヨウ素のThyroglobulinのThyrocil残基への結合を阻害する(ラット)　②末梢でThyroxineのTriiodothyronineへの脱ヨード化反応を抑制する(ラット)
同効薬　チアマゾール
治療
効能・効果　甲状腺機能亢進症
用法・用量　①初期量：1日300mgを3～4回に分服，症状が重症のとき1日400～600mg，機能亢進症状がほぼ消失したら1～4週間ごとに漸減し，維持量1日50～100mgを1～2回に分服(適宜増減)　②小児初期量：1日5歳以上～10歳未満100～200mg，10歳以上～15歳未満200～300mgを2～4回に分服，機能亢進症状がほぼ消失したら1～4週間ごとに漸減し，維持量1日50～100mgを1～2回に分服(適宜増減)　③妊婦初期量：1日150～300mgを3～4回に分服，機能亢進症状がほぼ消失したら1～4週間ごとに漸減し，維持量1日50～100mgを1～2回に分服(適宜増減)．正常妊娠時の甲状腺機能検査値を低下しないよう，2週間ごとに検査し，必要最低限量を投与する
使用上の注意
禁忌　①本剤に対し過敏症の既往歴のある患者　②本剤使用後肝機能が悪化した患者［本剤使用後肝機能が悪化した例で，継続投与中，劇症肝炎が発生したことがある］
過量投与　甲状腺腫，甲状腺機能低下が現れることがある
薬物動態
健康成人男子6例，バセドウ病患者7例に200mg経口投与したところ，最高血中濃度は両群とも1時間後に5.3±1.4μg/mL，4.8±2.4μg/mL，血中半減期は健康成人75±19min，バセドウ病患者73±13minで，いずれのパラメータも両群間に有意差は認められなかった
その他の管理的事項
投与期間制限　該当しない
保険給付上の注意　該当しない
資料
IF　プロパジール錠50mg　2015年10月改訂(第6版)

プロピレングリコール
Propylene Glycol

概要
薬効分類　713　溶解剤
構造式
及び鏡像異性体

分子式　$C_3H_8O_2$
分子量　76.09
略語・慣用名　PG
原薬の規制区分　該当しない
原薬の外観・性状　無色澄明の粘稠性のある液で，においはなく，味は僅かに苦い．水，メタノール，エタノール(95)又はピリジンと混和する．ジエチルエーテルに溶けやすい
原薬の吸湿性　吸湿性である
先発医薬品等
外用液　プロピレングリコール(司生堂)
　プロピレングリコール(日興製薬)
　プロピレングリコール(丸石)
製剤
有効期間又は使用期限　3年
貯法・保存条件　吸湿注意．火気を避けて室温保存
薬剤取扱い上の留意点　火気厳禁．第4類，第三石油類，水溶性，危険等級Ⅲ
薬理作用
分類　溶解補助剤，軟膏基剤
治療
効能・用法　①注射剤，内用剤等の溶解補助剤として調剤に用いる　②軟膏基剤として調剤に用いる
資料
添付文書　プロピレングリコール　2014年9月改訂(第2版)

プロブコール
プロブコール錠
プロブコール細粒
Probucol

概要

薬効分類 218 高脂血症用剤
構造式

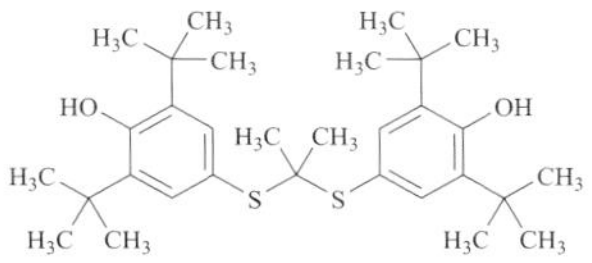

分子式 $C_{31}H_{48}O_2S_2$
分子量 516.84
ステム 不明
原薬の規制区分 該当しない
原薬の外観・性状 白色の結晶性の粉末である．テトラヒドロフランに極めて溶けやすく，エタノール(99.5)に溶けやすく，メタノールにやや溶けやすく，水にほとんど溶けない．光によって徐々に淡黄色となる
原薬の吸湿性 吸湿性はない
原薬の融点・沸点・凝固点 融点：125～128℃
原薬の酸塩基解離定数 pKa＝約13.5(紫外吸収スペクトログラフィー，室温)
先発医薬品等
[細] シンレスタール細粒50%(アルフレッサファーマ)
[錠] シンレスタール錠250mg(アルフレッサファーマ)
ロレルコ錠250mg(大塚製薬)
後発医薬品
[錠] 250mg
国際誕生年月 1977年2月
海外での発売状況 スペイン，メキシコなど

製剤

規制区分 [細] [錠] [処]
製剤の性状 [細] 白色～微黄白色の細粒 [錠] 白色～微黄白色のフィルムコーティング錠
有効期間又は使用期限 3年
貯法・保存条件 [細(H.S.)] [錠] 室温保存 [細(バラ)] 遮光・室温保存
薬剤取扱い上の留意点 該当資料なし
患者向け資料等 くすりのしおり
溶液及び溶解時のpH 該当しない
浸透圧比 該当しない
安定なpH域 該当しない
調製時の注意 該当しない

薬理作用

分類 高脂血症治療剤
作用部位・作用機序 ①血清総コレステロール低下：コレステロールの胆汁中への異化排泄促進作用が主で，また，コレステロール合成の初期段階の抑制作用を有する ②黄色腫退縮並びに動脈硬化退縮：血清総コレステロール低下作用，HDLを介する末梢組織より肝臓へのコレステロール逆転送の促進作用及びLDLの酸化抑制にもとづくマクロファージの泡沫化抑制作用が考えられている
同効薬 プラバスタチンナトリウム，アトルバスタチンカルシウム水和物，フルバスタチンナトリウム，シンバスタチン，ピタバスタチンカルシウム，ロスバスタチンカルシウム，ベザフィブラート，フェノフィブラート，ニコモール，エラスターゼ，エゼチミブ，クリノフィブラート，クロフィブラート，コレスチミド，コレスチラミン，ガンマオリザノールなど

治療

効能・効果 高脂血症(家族性高コレステロール血症，黄色腫を含む)
用法・用量 プロブコールとして1日500mg，食後2回に分服(適宜増減)．家族性高コレステロール血症の場合は1日1000mgまで増量できる
禁忌・原則禁忌となる特定患者集団 妊婦又は妊娠している可能性のある婦人

使用上の注意

禁忌 ①本剤の成分に対し過敏症の既往歴のある患者 ②重篤な心室性不整脈(多源性心室性期外収縮の多発)のある患者［より重篤な心室性不整脈(Torsades de pointes)を起こすおそれがある］ ③妊婦又は妊娠している可能性のある婦人

薬物動態

血中濃度 健康成人に1回250mg食後経口投与時，投与後18時間で最高値(約5μg/mL)に達し，生物学的半減期50～62時間であった．1日750mg，10日間連続経口投与では，開始後192時間で最高(12μg/mL)に達し，生物学的半減期98時間であった **分布** 参考(動物実験)ラットに^{14}C-プロブコールを経口投与時，ほぼ全身に分布し，単回投与(100mg/kg)の場合，肝，副腎，褐色脂肪に血漿中濃度の3～10倍，また反復投与(1日1回100mg/kg，21日間)時，褐色脂肪，副腎，肝，脂肪に血漿中濃度の10～46倍移行した．中枢，生殖腺，眼への移行は少なく(単回投与で血漿中濃度の1/7～1/20，反復投与で同じく1～1/2)，反復投与で各組織からの消失はやや緩慢．イヌやサルでもほぼ同様の分布を示した **代謝** (参考：外国)健康成人に^{14}C-プロブコールを経口投与時，尿中に代謝産物ジフェノキノン体等が認められたが，血漿中及び糞中はほとんどが未変化体であった **排泄** (参考：外国)健康成人に^{14}C-プロブコールを経口投与時，96時間までに糞中に84%，尿中に1.9%排泄された

その他の管理的事項

投与期間制限 該当しない
保険給付上の注意 該当しない

資料

IF シンレスタール細粒50%・錠250mg 2019年3月作成(第1版)

プロプラノロール塩酸塩
プロプラノロール塩酸塩錠
Propranolol Hydrochloride

概要

薬効分類 212 不整脈用剤，214 血圧降下剤
構造式

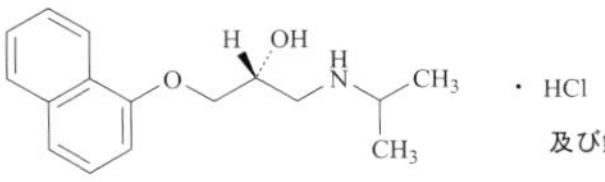

及び鏡像異性体

分子式 $C_{16}H_{21}NO_2 \cdot HCl$
分子量 295.80
ステム アドレナリンβ受容体拮抗薬：-olol
原薬の規制区分 [劇]
原薬の外観・性状 白色の結晶性の粉末である．メタノールに溶けやすく，水又は酢酸(100)にやや溶けやすく，エタノール(99.5)にやや溶けにくい．本品のメタノール溶液(1→40)は旋光性を示さない．光によって徐々に帯黄白色～淡褐色になる．0.5gを水50mLに溶かした液のpHは5.0～6.0である

フ

原薬の吸湿性　37℃，70％RHの条件で1カ月放置した場合，吸湿量は0.1％以下である
原薬の融点・沸点・凝固点　融点：163～166℃
原薬の酸塩基解離定数　pKa＝9.45
先発医薬品等
錠 インデラル錠10mg（アストラゼネカ）
シ ヘマンジオルシロップ小児用0.375％（マルホ）
注 インデラル注射液2mg（アストラゼネカ）
後発医薬品
錠 10mg
徐放力 60mg
海外での発売状況　**注** 米，英

製剤

規制区分　**錠**　**注**　㊕ ㊇
製剤の性状　**錠** 割線のある白色・円形の素錠　**注** 無色透明の静脈内水性注射剤
有効期間又は使用期限　**錠** 3年　**注** 5年
貯法・保存条件　遮光・室温保存
薬剤取扱い上の留意点　めまい，ふらつきが現れることがあるので，本剤投与中の患者（特に投与初期）には，自動車の運転等危険を伴う機械の作業に注意させること
患者向け資料等　**錠** 患者向医薬品ガイド，くすりのしおり
溶液及び溶解時のpH　**注** 2.8～3.5
浸透圧比　**注** 約0.04（対生食）（本剤2mLを生理食塩液20mLに溶解した場合の浸透圧比は約0.92，5％ブドウ糖注射液20mLに溶解した場合の浸透圧比は約0.96である）
安定なpH域　2.8～3.5
調製時の注意　**注** 生食又は5％ブドウ糖注射液以外の薬剤との配合は勧められない

薬理作用

分類　交感神経β受容体遮断剤
作用部位・作用機序　交感神経β受容体においてカテコールアミンと競合的に拮抗し，β受容体遮断作用を示すことによって，抗狭心症作用，抗不整脈作用を発揮するものと考えられる
同効薬　**錠** アテノロール，メトプロロール酒石酸塩，ピンドロールなど　**注** エスモロール，ランジオロール

治療

効能・効果　**錠** ①本態性高血圧症（軽症～中等症）　②狭心症　③褐色細胞腫手術時　④期外収縮（上室性，心室性），発作性頻拍の予防，頻拍性心房細動（徐脈効果），洞性頻脈，新鮮心房細動，発作性心房細動の予防　⑤片頭痛発作の発症抑制　⑥右心室流出路狭窄による低酸素発作の発症抑制　**徐放力** 本態性高血圧症（軽症～中等症），狭心症　**シ** 乳児血管腫　**注** ①狭心症　②期外収縮（上室性，心室性），発作性頻拍（上室性，心室性），頻拍性心房細動（徐脈効果），麻酔に伴う不整脈，新鮮心房細動，洞性頻脈　③褐色細胞腫手術時
効能・効果に関連する使用上の注意　**錠** ①期外収縮（上室性，心室性），発作性頻拍の予防，頻拍性心房細動（徐脈効果），洞性頻脈，新鮮心房細動，発作性心房細動の予防：小児等に，期外収縮（上室性，心室性），発作性頻拍の予防，頻拍性心房細動（徐脈効果），洞性頻脈，新鮮心房細動，発作性心房細動の予防を目的に本剤を使用する場合，小児等の不整脈治療に熟練した医師が監督する．基礎心疾患のある場合は，有益性がリスクを上回ると判断される場合にのみ投与する　②片頭痛発作の発症抑制：片頭痛発作の急性期治療のみでは日常生活に支障をきたしている患者にのみ投与する　③右心室流出路狭窄による低酸素発作の発症抑制：ファロー四徴症等を原疾患とする右心室流出路狭窄による低酸素発作を起こす患者に投与する
シ ①本剤についての十分な知識と乳児血管腫の治療経験を持つ医師が，有益性が危険性を上回ると判断した場合にのみ投与する　②原則として，全身治療が必要な増殖期の乳児血管腫に使用する

用法・用量　**錠** ①本態性高血圧症（軽症～中等症）：成人1日30～60mgより投与を始め，効果不十分な場合は120mgまで漸増し，1日3回に分服（適宜増減）　②狭心症，褐色細胞腫手術時：成人1日30mgより投与を始め，効果が不十分な場合は60mg，90mgと漸増し，1日3回に分服（適宜増減）　③期外収縮（上室性，心室性），発作性頻拍の予防，頻拍性心房細動（徐脈効果），洞性頻脈，新鮮心房細動，発作性心房細動の予防：⑴成人：1日30mgより投与を始め，効果が不十分な場合は60mg，90mgと漸増し，1日3回に分服（適宜増減）　⑵小児：1日0.5～2mg/kgを，低用量から開始し，1日3～4回に分服（適宜増減）．効果不十分な場合には1日4mg/kgまで増量することができるが，1日投与量として90mgを超えない　④片頭痛発作の発症抑制：成人1日20～30mgより投与をはじめ，効果が不十分な場合は60mgまで漸増し，1日2回あるいは3回に分服　⑤右心室流出路狭窄による低酸素発作の発症抑制：乳幼児には1日0.5～2mg/kgを，低用量から開始し，1日3～4回に分服（適宜増減）．効果不十分な場合には1日4mg/kgまで増量することができる
徐放力 1日60mg未満の経口投与で効果が不十分な場合　①本態性高血圧症（軽症～中等症）：1日1回60mg．症状により1日1回120mgまで増量できる　②狭心症：1日1回60mg
シ プロプラノロールとして1日1mg/kg～3mg/kgを2回に分け，空腹時を避けて経口投与．投与は1日1mg/kgから開始し，2日以上の間隔をあけて1mg/kgずつ増量し，1日3mg/kgで維持（適宜減量）
注 1回2～10mg，麻酔時には1～5mgを徐々に静注（適宜増減）
用法・用量に関連する使用上の注意　①**錠**　**徐放力**　**注** 褐色細胞腫の患者では，投与により急激に血圧が上昇することがあるので単独で投与しない．褐色細胞腫の患者に投与する場合には，α遮断剤で初期治療を行った後に投与し，常にα遮断剤を併用する　②**シ** ⑴次を参考に，1日投与量を2回に分け，9時間以上あけて投与する．また，患者の体重に応じ，投与量を調整する：〈参考〉製剤としての1日投与量（1日2回分割投与）プロプラノロールとしての1日投与量〔1mg/kg，2mg/kg，3mg/kg〕は，体重2kg〔0.5mL，1.1mL，1.6mL〕，体重3kg〔0.8mL，1.6mL，2.4mL〕，体重4kg〔1.1mL，2.1mL，3.2mL〕，体重5kg〔1.3mL，2.7mL，4.0mL〕，体重6kg〔1.6mL，3.2mL，4.8mL〕，体重7kg〔1.9mL，3.7mL，5.6mL〕，体重8kg〔2.1mL，4.3mL，6.4mL〕，体重9kg〔2.4mL，4.8mL，7.2mL〕，体重10kg〔2.7mL，5.3mL，8.0mL〕　⑵低血糖を起こすおそれがあるため，空腹時の投与を避け，授乳中・食事中又は直後に投与する．食事を十分に摂取していない，又は嘔吐している場合は投与しない

使用上の注意

禁忌　**錠**　**注** ①本剤の成分に対し過敏症の既往歴のある患者　②気管支喘息，気管支痙攣のおそれのある患者［気管支を収縮し，喘息症状が誘発又は悪化するおそれがある］　③糖尿病性ケトアシドーシス，代謝性アシドーシスのある患者［アシドーシスによる心筋収縮力の抑制を増強するおそれがある］　④高度又は症状を呈する徐脈，房室ブロック（II，III度），洞房ブロック，洞不全症候群のある患者［これらの症状が悪化するおそれがある］　⑤心原性ショックの患者［心機能を抑制し，症状が悪化するおそれがある］　⑥肺高血圧による右心不全のある患者［心機能を抑制し，症状が悪化するおそれがある］　⑦うっ血性心不全のある患者［心機能を抑制し，症状が悪化するおそれがある］　⑧低血圧症の患者［心機能を抑制し，症状が悪化するおそれがある］　⑨長期間絶食状態の患者［低血糖症状を起こしやすく，かつその症状をマスクし，発見を遅らせる危険性がある］　⑩重度の末梢循環障害のある患者（壊疽等）［症状が悪化するおそれがある］　⑪未治療の褐色細胞腫の患者　⑫異型狭心症の患者［症状が悪化するおそれがある］　⑬リザトリプタン安息香酸塩を投与中の患者

小児用シ ①本剤の成分に対し過敏症の既往歴のある患者 ②気管支喘息，気管支痙攣のおそれのある患者［気管支を収縮し，喘息症状が誘発又は悪化するおそれがある］ ③低血糖の患者［低血糖を悪化させやすく，その症状をマスクし，発見を遅らせる危険性がある］ ④重度の徐脈，房室ブロック（II，III度），洞房ブロック，洞不全症候群のある患者［これらの症状が悪化するおそれがある］ ⑤心原性ショックの患者［心機能を抑制し，症状が悪化するおそれがある］ ⑥コントロール不良の心不全のある患者［心機能を抑制し，症状が悪化するおそれがある］ ⑦重度の低血圧症の患者［心機能を抑制し，症状が悪化するおそれがある］ ⑧重度の末梢循環障害のある患者（レイノー症候群，壊疽等）［症状が悪化するおそれがある］ ⑨褐色細胞腫の患者［血圧が急激に上昇するおそれがある］ ⑩異型狭心症の患者［症状が悪化するおそれがある］

相互作用概要 主としてCYP2D6，CYP1A2，CYP2C19で代謝される

過量投与 錠 注 過度の徐脈をきたした場合は，まず硫酸アトロピン（1～2mg）を静注し，さらに必要に応じてβ_1刺激剤であるドブタミン（毎分2.5～10μg/kgを静注）を投与する．グルカゴン（10mgを静注）が有効であったとの報告もある．気管支痙攣は高用量のβ_2作動薬（静注及び吸入−患者の反応に応じて投与量を増減）により消失させることができる．アミノフィリン（静注），イプラトロピウム（吸入）も考慮する．グルカゴン（1～2mgを静注）が気管支拡張を促すという報告がある．重度である場合には，酸素又は人工換気が必要である

小児用シ ①徴候，症状：(1)心血管症状：心拍数の減少及び低血圧が起こることがある．より重度では，房室ブロック，心室内伝導遅延及びうっ血性心不全が発現する場合がある (2)気管支痙攣：特に喘息を有する患者においては，気管支痙攣が発現する場合がある (3)低血糖：低血糖が発現することがある．さらに，本剤は低血糖症の症状（頻脈，振戦等）をマスクする可能性がある．また，低血糖性痙攣が起こることがある ②処置：ただちに投与を中止し，バイタルサイン，全身状態及び血糖値をモニタリングする．低血圧には静脈内輸液を，徐脈にはアトロピンを投与する．静脈内輸液で改善されない場合は，グルカゴン投与，カテコールアミン類による処置を検討する．気管支痙攣にはイソプロテレノール及びアミノフィリンの使用を考慮する

薬物動態

錠 徐放カ 注 **血中濃度** ①錠 健康男子（10名）に20mgを5時間ごとに3回反復経口投与したところ，投与後1.5時間に最高血中濃度42.9±19.3ng/mLが認められ，$T_{1/2}$は3.9±0.5hrであった．20mgを1日3回8日間連日経口投与した場合も，血中濃度曲線に変化はみられなかった ②注 健康男子（アメリカ：5名）に10mgを1mg/分の速度で静注時，Cmax100～200ng/mL，$T_{1/2}$平均2.34hr **代謝** 主に肝臓で行われ，健康男子に経口投与したところ，尿中にナフトキシ乳酸，グルクロン酸抱合体，4-ヒドロキシ体等の代謝物が認められた．また，健康男子に徐放剤を経口投与時の24時間尿中排泄では，未変化体はほとんどみられず，普通剤と同様の代謝体が認められた．（アメリカ）健康人に静注後の血漿中に4-ヒドロキシ体と4-ヒドロキシ体のグルクロン酸抱合体が少量認められた **分布** 脳内移行が脳手術を必要とした患者で示されている（イギリス） **排泄** 患者に^{14}C-プロプラノロールを経口投与したところ，ほとんどが48時間以内に尿中に排泄され，糞便中には約1～4%が排泄された．また患者に静注したところ，尿中にほとんど，糞便中には1～4%排泄された（イギリス）．なお，期外収縮と高血圧を合併する授乳婦に経口投与で母乳中へ移行が示されている（アメリカ）

シ **血中濃度** ①国内の乳児血管腫患者に，本剤をプロプラノロールとして3mg/kg/日の用量で1日2回反復経口投与時，12週間後の投与2時間後の血漿中濃度（平均値±標準偏差）は，生後35～90日齢では72.4±42.4ng/mL（11例），生後91～150日齢では93.2±48.0ng/mL（20例） ②外国の乳児血管腫患者に，本剤をプロプラノロールとして3mg/kg/日の用量で1日2回反復経口投与時，4週間後又は12週間後の投与2時間後の血漿中濃度（平均値±標準偏差）は，それぞれ71.7±28.1ng/mL（8例）及び73.6±41.9ng/mL（11例） **分布** 血漿タンパク結合率は93.6%で，主に血漿中のα_1-酸性糖蛋白質と結合．分布容積は3.6L/kg．血液脳関門及び胎盤を通過し，母乳にも分布 **代謝** 主として肝臓で代謝され，主に芳香族水酸化（主に4-水酸化），N-脱アルキル化後にさらに側鎖の酸化，及び直接的なグルクロン酸抱合の3つの経路で代謝．主な最終代謝物は，プロプラノロールのグルクロン酸抱合体，ナフトキシ乳酸，4-ヒドロキシプロプラノロールのグルクロン酸及び硫酸抱合体 **排泄** 健康成人では，経口投与された^{14}C-プロプラノロールの大部分が48時間以内に代謝され，尿中に排泄．未変化体として尿中に排泄されるのは，投与量の1%未満（外国人データ）

その他の管理的事項

投与期間制限 該当しない

保険給付上の注意 該当しない

資料

IF インデラル錠10mg 2016年4月改訂（第15版）
インデラル注射液2mg 2016年4月改訂（第11版）

フロプロピオン
フロプロピオンカプセル
Flopropione

概要

薬効分類 124 鎮けい剤

構造式

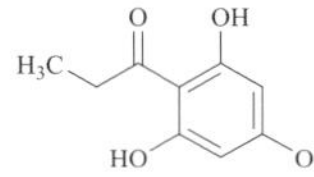

分子式 $C_9H_{10}O_4$

分子量 182.17

略語・慣用名 THPP

ステム 不明

原薬の規制区分 該当しない

原薬の外観・性状 白色～微黄褐色の結晶性の粉末である．*N,N*-ジメチルホルムアミドに極めて溶けやすく，メタノール又はエタノール（99.5）に溶けやすく，水にほとんど溶けない

原薬の吸湿性 該当資料なし

原薬の融点・沸点・凝固点 融点：177～181℃

原薬の酸塩基解離定数 pKa＝7.3（吸光度法，水酸基）

先発医薬品等

錠 コスパノン錠40mg・80mg（エーザイ）

カ コスパノンカプセル40mg（エーザイ）

国際誕生年月 不明

海外での発売状況 ドミニカ共和国，台湾

製剤

製剤の性状 錠 白色の糖衣錠 カ 暗赤色/淡黄褐色の硬カプセル

有効期間又は使用期限 3年

貯法・保存条件 錠 室温保存．PTP包装は外箱開封後，バラ包装は開栓後遮光保存（変色することがある） カ 室温保存．PTP包装はアルミ袋開封後，バラ包装は開栓後防湿保存（カ

プセル内容物が変色することがある）
薬剤取扱い上の留意点　該当資料なし
患者向け資料等　くすりのしおり
調製時の注意　該当しない

薬理作用

分類　膵胆道・尿路系鎮痙剤
作用部位・作用機序　作用部位：末梢性であり特に十二指腸周辺部への作用が強い　作用機序：COMT（Catechol-o-methyl-transferase）阻害によるアドレナリン作動性作用と，抗セロトニン作用
同効薬　ブチルスコポラミン臭化物，ブトロピウム臭化物

治療

効能・効果　次の疾患に伴う鎮痙効果：①肝胆道疾患（胆道ジスキネジー，胆石症，胆嚢炎，胆管炎，胆嚢摘出後遺症）　②膵疾患（膵炎）　③尿路結石
用法・用量　**錠** 効能①②：1回40～80mg，1日3回食後，効能③：1回80mg，1日3回食後（適宜増減）
カ 1回40～80mg，1日3回

薬物動態

健康成人男子12名に240mg（承認外用量）経口投与時の血漿中の未変化体は，1時間後で最高約9μg/mL，以後経時的に低下し，24時間後にはほとんど血漿中から消失した

その他の管理的事項

投与期間制限　該当しない
保険給付上の注意　該当しない

資料

IF　コスパノン錠40mg・80mg・カプセル40mg　2018年7月改訂（第8版）

プロベネシド
プロベネシド錠
Probenecid

概要

薬効分類　394　痛風治療剤
構造式

H_3C　CO_2H　N　S　O　O　H_3C

分子式　$C_{13}H_{19}NO_4S$
分子量　285.36
ステム　不明
原薬の規制区分　該当しない
原薬の外観・性状　白色の結晶又は結晶性の粉末で，においはなく，味は初め僅かに苦く，後に不快な苦みになる．エタノール（99.5）にやや溶けにくく，水にほとんど溶けない．水酸化ナトリウム試液又はアンモニア試液に溶ける
原薬の吸湿性　該当資料なし
原薬の融点・沸点・凝固点　融点：198～200℃
原薬の酸塩基解離定数　pKa＝3.4（水溶液中），5.8（メタノール溶液中）
先発医薬品等
錠 ベネシッド錠250mg（科研）
国際誕生年月　不明
海外での発売状況　米，仏，豪など（承認）

製剤

規制区分　**錠**　㊇
製剤の性状　**錠** 白色～帯黄白色のフィルムコーティング錠で，においおよび味はない
有効期間又は使用期限　3年
貯法・保存条件　室温保存
薬剤取扱い上の留意点　該当しない
患者向け資料等　くすりのしおり
溶液及び溶解時のpH　該当しない
浸透圧比　該当しない
安定なpH域　該当しない
調製時の注意　該当しない

薬理作用

分類　尿酸排泄促進薬
作用部位・作用機序　腎尿細管における尿酸再吸収を抑制してその尿酸排泄を促進し，血清尿酸値を低下させる．その結果，尿酸プールが減少して尿酸沈着が抑制される．継続投与により沈着尿酸塩の減少もみられる．また，ペニシリン，パラアミノサリチル酸など多くの薬物や薬物代謝物の尿細管分泌を阻害し，これらの薬物の血中濃度を増加させる作用を持つ
同効薬　ベンズブロマロン，アロプリノールなど

治療

効能・効果　①痛風　②ペニシリン，パラアミノサリチル酸の血中濃度維持
用法・用量　効能①：1日0.5～2g分服，維持量1日1～2g，2～4回に分服（適宜増減）　効能②：1日1～2g，4回に分服（適宜増減）
禁忌・原則禁忌となる特定患者集団　2歳未満の乳児

使用上の注意

禁忌　①腎臓結石症又は高度の腎障害のある患者［尿中尿酸排泄量の増大によりこれらの症状を悪化させるおそれがある．なお，本剤は慢性腎不全（特に糸球体ろ過値30mL/分以下）の患者には無効とされている］　②血液障害のある患者［血液障害が悪化するおそれがある］　③本剤の成分に対し過敏症の既往歴のある患者　④2歳未満の乳児［安全性が確立していない］
過量投与　過量投与により，昏睡や中枢神経系が刺激され痙攣，呼吸不全を引き起こすことがある

薬物動態

血中濃度　健常成人6名に朝食2時間後2g経口投与時，吸収は速やかで最高血漿中濃度到達時間は1～5時間．さらに健常成人3名に2g経口投与した場合の血漿中半減期は6～12時間（外国人データ）　**排泄**　健常成人2名に^{14}C-標識プロベネシド2gを経口投与時，投与後48時間以内で約40％がグルクロン酸抱合体として尿中に排泄，未変化体の排泄は少ない（＜4％）．他の代謝物は，n-プロピル側鎖の2位（7.2～12.5％）及び末端（1.6～3.7％）が水酸化された誘導体，及びカルボキシ体（6.2～9.2％），N-脱プロピル体（4.6～8％）であり，これらは大部分を遊離の形で排泄される（外国人データ）

その他の管理的事項

投与期間制限　該当しない
保険給付上の注意　該当しない

資料

IF　ベネシッド錠250mg　2011年7月改訂（第5版）

ブロマゼパム
Bromazepam

概要

薬効分類 112 催眠鎮静剤，抗不安剤

構造式

分子式 $C_{14}H_{10}BrN_3O$

分子量 316.15

ステム ジアゼパム系抗不安薬・鎮静薬：-azepam

原薬の規制区分 向Ⅲ

原薬の外観・性状 白色〜淡黄白色の結晶又は結晶性の粉末である．酢酸(100)に溶けやすく，メタノール，エタノール(99.5)又はアセトンに溶けにくく，水にほとんど溶けない

原薬の吸湿性 認めない

原薬の融点・沸点・凝固点 融点：約245℃(分解)

原薬の酸塩基解離定数 $pKa_1=2.9$，$pKa_2=11.0$

先発医薬品等

細 レキソタン細粒1%(アスペン)

錠 ブロマゼパム錠1mg「サンド」(サンド)
　レキソタン錠1・2・5(アスペン)

坐 ブロマゼパム坐剤3mg「サンド」(サンド)

後発医薬品

細 1%

錠 2mg・3mg・5mg

国際誕生年月 1973年9月

海外での発売状況 該当資料なし

製剤

規制区分 細 錠 坐 向Ⅲ 処

製剤の性状 細 白色の細粒剤 1・2mg錠 白色の割線入り素錠 5mg錠 淡黄赤色の割線入り素錠 坐 乳白色をした紡錘状の坐剤

有効期間又は使用期限 細 錠 5年 坐 3年

貯法・保存条件 細 室温保存，開封後遮光保存 錠 室温保存 坐 冷所保存

薬剤取扱い上の留意点 眠気，注意力・集中力・反射運動能力等の低下が起こることがあるので，本剤投与中の患者には自動車の運転等危険を伴う機械の操作に従事させないよう注意すること

患者向け資料等 くすりのしおり

溶液及び溶解時のpH 該当しない

浸透圧比 該当しない

安定なpH域 該当しない

調製時の注意 該当しない

薬理作用

分類 ベンゾジアゼピン系精神神経用剤

作用部位・作用機序 作用部位：γ-amino-butylic-acid(GABA)ニューロン 作用機序：抑制性のGABAニューロンのシナプス後膜に存在するベンゾジアゼピン受容体にアゴニストとして高い親和性で結合し，GABAニューロンの作用を特異的に増強すると考えられている

同効薬 ジアゼパム，クロキサゾラム

治療

効能・効果 細 錠 ①神経症における不安・緊張・抑うつ及び強迫・恐怖 ②うつ病における不安・緊張 ③心身症(高血圧症，消化器疾患，自律神経失調症)における身体症候ならびに不安・緊張・抑うつ及び睡眠障害 ④麻酔前投薬

坐 麻酔前投薬

用法・用量 細 錠 効能①②：ブロマゼパムとして1日6〜15mg，2〜3回に分服(適宜増減) 効能③：ブロマゼパムとして1日3〜6mg，2〜3回に分服(適宜増減) 効能④：ブロマゼパムとして5mgを就寝前又は手術前(適宜増減)

坐 ブロマゼパムとして1回3mg術前夜又は麻酔前直腸内投与

使用上の注意

禁忌 ①本剤の成分に対し過敏症の既往歴のある患者 ②急性閉塞隅角緑内障の患者［抗コリン作用により眼圧が上昇し，症状を悪化させることがある］ ③重症筋無力症の患者［重症筋無力症の症状を悪化させるおそれがある］

過量投与 細 錠 ①過量投与が明白又は疑われた場合の処置としてフルマゼニル(ベンゾジアゼピン受容体拮抗剤)を投与する場合には，使用前にフルマゼニルの使用上の注意(禁忌，慎重投与，相互作用等)を必ず読む ②症状：うとうと状態から昏睡までの中枢神経抑制作用に基づく症状 処置：症状に応じて催吐，胃洗浄，活性炭による吸着，フルマゼニルの投与 坐 過量投与が明白又は疑われた場合の処置としてフルマゼニル(ベンゾジアゼピン受容体拮抗剤)を投与する場合には，使用前にフルマゼニルの使用上の注意(禁忌，慎重投与，相互作用等)を必ず読む

薬物動態

細 錠 **日本人の成績** 健康成人に5mg単回経口投与時の未変化体の血中濃度は1時間後に最高，72時間以内に70〜80%が尿中排泄，大部分は2-(2-amino-5-bromo-3-hydroxybenzoyl)pyridine **外国人の成績** 参考：健康男子成人10例に6mg単回経口投与時，未変化体は約1.5時間後最高血中濃度88ng/mLで半減期は約20時間．健康成人10例に12mg(12mg単回投与は承認用量外)単回経口投与時，72時間以内に約70%が尿中排泄，その大部分は3-hydroxy-bromazepam及び2-(2-amino-5-bromo-3-hydroxybenzoyl)pyridine

坐 健康成人に3mg坐剤投与約3時間後に最高血中濃度，5mg錠剤とほぼ同等のbioavailability

その他の管理的事項

投与期間制限 細 錠 30日 坐 14日

保険給付上の注意 該当しない

資料

IF レキソタン細粒1%・錠1・2・5 2019年9月改訂(第13版)
　ブロマゼパム坐剤3mg「サンド」 2020年4月改訂(第12版)

ブロムフェナクナトリウム水和物
ブロムフェナクナトリウム点眼液
Bromfenac Sodium Hydrate

概要

薬効分類 131 眼科用剤

構造式

分子式 $C_{15}H_{11}BrNNaO_3 \cdot 1\frac{1}{2}H_2O$

分子量 383.17

ステム イブフェナック系抗炎症薬：-ac

原薬の規制区分 毒(ただし，1mL中ブロムフェナクとして0.872mg以下を含有する点眼剤を除く)

原薬の外観・性状 黄色〜橙色の結晶性の粉末である．水に溶けやすく，メタノールにやや溶けやすく，エタノール(99.5)

フ

に溶けにくい．炭酸水素ナトリウム溶液(21→2500)に溶ける．1.0gを水20mLに溶かした液のpHは8.4～10.2である
原薬の吸湿性 非吸湿性である
原薬の融点・沸点・凝固点 融点：284～286℃(分解)
原薬の酸塩基解離定数 pKa＝4.29
先発医薬品等
点眼液 ブロナック点眼液0.1％(千寿＝武田)
後発医薬品
点眼液 0.1％
国際誕生年月 1997年7月
海外での発売状況 中国，ベトナム，ロシア

製剤

規制区分 該当しない
製剤の性状 点眼液 黄色澄明な液
有効期間又は使用期限 2年
貯法・保存条件 室温保存
薬剤取扱い上の留意点 該当しない
患者向け資料等 くすりのしおり
溶液及び溶解時のpH 8.0～8.6
調製時の注意 該当しない

薬理作用

分類 非ステロイド性抗炎症剤
作用部位・作用機序 シクロオキシゲナーゼを阻害し，プロスタグランジン(PG)E_2をはじめとするPG系の炎症メディエーターの生成を抑制する
同効薬 ジクロフェナクナトリウム，ネパフェナク，プロノプロフェン

治療

効能・効果 外眼部及び前眼部の炎症性疾患の対症療法(眼瞼炎，結膜炎，強膜炎(上強膜炎を含む)，術後炎症)
用法・用量 1回1～2滴，1日2回点眼

使用上の注意

禁忌 本剤の成分に対し過敏症の既往歴のある患者

薬物動態

(参考) 眼内移行(ウサギ)：両眼に0.1％^{14}C-ブロムフェナクナトリウム水和物点眼液0.05mLを1回点眼し，15，30分，1，2，4，8，12，24，48，72時間後に測定した試験では，角膜，結膜及び前部強膜に高値．点眼後72時間では，水晶体を除くすべての眼組織で検出限界(0.1ng eq./g or mL)以下

その他の管理的事項

投与期間制限 該当しない
保険給付上の注意 該当しない

資料

IF ブロナック点眼液0.1％ 2020年1月改訂(第9版)

ブロムヘキシン塩酸塩
Bromhexine Hydrochloride

概要

薬効分類 223 去たん剤
構造式

分子式 $C_{14}H_{20}Br_2N_2 \cdot HCl$
分子量 412.59
ステム ブロムヘキシン系粘液溶解薬：-exine
原薬の規制区分 該当しない
原薬の外観・性状 白色の結晶又は結晶性の粉末である．ギ酸に溶けやすく，メタノールにやや溶けにくく，水又はエタノール(95)に溶けにくい．本品の飽和水溶液のpHは3.0～5.0である
原薬の吸湿性 吸湿性なし
原薬の融点・沸点・凝固点 融点：約239℃(分解)
原薬の酸塩基解離定数 該当資料なし
先発医薬品等
錠 ビソルボン錠4mg(サノフィ)
注 ビソルボン注4mg(サノフィ)
吸入 ビソルボン吸入液0.2％(サノフィ)
後発医薬品
錠 4mg
シ 0.08％
注 0.2％
吸入 0.2％
国際誕生年月 不明
海外での発売状況 細 錠 独を含む66カ国以上 注 5カ国以上 吸入 独を含む30カ国以上

製剤

規制区分 注 (処)
製剤の性状 細 白色の細粒．味は甘くのち僅かに苦い 錠 白色の素錠 注 褐色アンプル入りの無色注射液 吸入 無色澄明の液
有効期間又は使用期限 3年
貯法・保存条件 細 気密容器，遮光保存，開封後湿気に注意 錠 気密容器，遮光保存 吸入 気密容器，遮光保存，開栓後汚染に注意 注 遮光保存
薬剤取扱い上の留意点 吸入 アレベール，アセチルシステインナトリウム液等との配合で白濁を生じるため，これらの薬剤との配合は避ける．吸入用にのみ使用し，内服用として使用しない
患者向け資料等 くすりのしおり
溶液及び溶解時のpH 注 2.2～3.2 吸入 2.5～3.5
浸透圧比 注 0.9～1.0
調製時の注意 該当しない

薬理作用

分類 去痰剤
作用部位・作用機序 作用部位：気道(気道粘膜) 作用機序：気管支粘膜及び粘膜下気管腺の分泌を活性化し，漿液性分泌を増加させる．気道粘膜の杯細胞及び気管腺において粘液溶解作用を示す．また，線毛運動を亢進させる
同効薬 アンブロキソール塩酸塩

治療

効能・効果 細 錠 シ 吸入 次の疾患の去痰：急性気管支炎，慢性気管支炎，肺結核，塵肺症，手術後
注 ①内服困難な場合における次の疾患ならびに状態の去痰：肺結核，塵肺症，手術後 ②気管支造影後の造影剤の排泄の促進
用法・用量 細 錠 シ ブロムヘキシン塩酸塩として1回4mg，1日3回(適宜増減)
注 ブロムヘキシン塩酸塩として1回4～8mg，1日1～2回筋注又は静注(適宜増減)
吸入 ブロムヘキシン塩酸塩として1回4mg相当を生理食塩液等で約2.5倍に希釈し，1日3回ネブライザーを用いて吸入(適宜増減)

使用上の注意

禁忌 本剤の成分に対し過敏症の既往歴のある患者

薬物動態

①細 錠 注 ⑴吸収・代謝・排泄：健康成人に8mg経口投与後，速やかに吸収，最高血中濃度は1時間後7.3ng/mL．血中濃度半減期は約1.7時間．主代謝産物はシクロヘキシル環の水酸化体とその閉環体，尿中には主としてグルクロン酸抱合体として排泄(外国人)．健康成人に経口投与後120時間で尿

中に88%，糞中に4%，静注後24時間で尿中に77%，糞中に5%排泄 (2)分布(参考)：経口投与後，各臓器へ分布，特に肺，肝，副腎皮質，眼窩内涙腺，腎及び血液に高濃度(ラット)．胎児へはほとんど移行しなかった(マウス)．静注後，5分で肺，肝，眼窩内涙腺，腎，脂肪組織，脳下垂体，松果体に高濃度(ラット) ②**吸入** 吸収・分布・代謝・排泄(参考)：^{14}C-標識ブロムヘキシン塩酸塩を吸入直後に血中に低濃度の放射能が検出，8時間で最高，その後ゆっくりと低下(ラット)．吸入5分後では食道の濃度が最も高く，気管の濃度がそれに次ぎ，その他胃内の濃度が高かった．30分後には食道及び気管の濃度は半分以下に減衰，胃内濃度は最高，8時間後には大腸内濃度が最高(ラット)．尿中主代謝産物はシクロヘキシル環の水酸化体及びN-脱メチル化体(ワサギ)．72時間後までの尿糞中総排泄は，糞中への排泄がやや多いが，両者の比は1：1に近かった．この成績は経口投与時と，ほぼ同様(ラット)

その他の管理的事項

投与期間制限 該当しない

保険給付上の注意 該当しない

資料

IF ビソルボン細粒2%・錠4mg 2017年7月改訂(第7版)
ビソルボン注4mg 2017年7月改訂(第7版)
ビソルボン吸入液0.2% 2017年7月改訂(第6版)

プロメタジン塩酸塩
Promethazine Hydrochloride

概要

薬効分類 116 抗パーキンソン剤，441 抗ヒスタミン剤

構造式

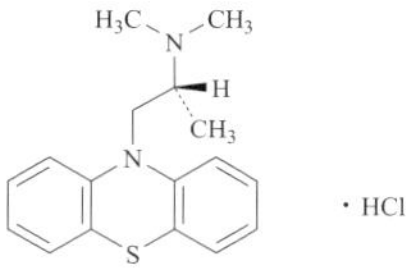

H_3C–N–CH_3 … ・HCl 及び鏡像異性体

分子式 $C_{17}H_{20}N_2S \cdot HCl$

分子量 320.88

原薬の規制区分 ㊖(ただし，1個中プロメタジンとして25mg以下を含有するもの，プロメタジンとして5%以下を含有する外用剤，1容器中プロメタジンとして25mg以下を含有する内用液剤を除く)

原薬の外観・性状 白色～淡黄色の粉末である．水に極めて溶けやすく，エタノール(95)又は酢酸(100)に溶けやすく，無水酢酸にやや溶けにくく，ジエチルエーテルにほとんど溶けない．光によって徐々に着色する．本品の水溶液(1→25)は旋光性を示さない．1.0gを水10mLに溶かした液のpHは4.0～5.5である

原薬の吸湿性 湿った空気中で放置すると青色に変わるが，吸湿性はない

原薬の融点・沸点・凝固点 融点：約223℃(分解)

原薬の酸塩基解離定数 pKa＝9.75(電位差滴定法)

先発医薬品等

散 ヒベルナ散10%(田辺三菱＝吉富薬品)
細 ピレチア細粒10%(高田)
錠 ヒベルナ糖衣錠5mg・25mg(田辺三菱＝吉富薬品)
ピレチア錠(5mg)・(25mg)(高田)
注 ヒベルナ注25mg(田辺三菱＝吉富薬品)

国際誕生年月 不明

海外での発売状況 米，英，豪など

製剤

規制区分 **注** ㊄

製剤の性状 **錠** だいだい色の糖衣錠 **注** 無色澄明の水性の液剤

有効期間又は使用期限 **5mg錠** **注** 5年 **25mg錠** 3年

貯法・保存条件 **錠** 室温保存 **注** 遮光・室温保存

薬剤取扱い上の留意点 眠気を催すことがあるので，本剤投与中の患者には自動車の運転等危険を伴う機械の操作に従事させないように十分注意すること

患者向け資料等 くすりのしおり

溶液及び溶解時のpH **注** 5.2～6.2

浸透圧比 **注** 約1(対生食)

調製時の注意 該当しない

薬理作用

分類 フェノチアジン系抗ヒスタミン剤

作用部位・作用機序 抗ヒスタミン作用：プロメタジンは，ヒスタミン受容体と結合して不活性複合体を作ることにより遊離ヒスタミンが組織細胞と結合するのを防ぎ，鼻閉，鼻汁を改善する 抗コリン作用：抗コリン作動薬の作用部位は線条体におけるコリン作動性終末であり，受容体へのアセチルコリンの取り込みを阻害することによるとされている

同効薬 抗ヒスタミン剤(ジフェンヒドラミン塩酸塩，クロルフェニラミンマレイン酸塩など)，抗パーキンソン剤(トリヘキシフェニジル塩酸塩，プロフェナミン塩酸塩，ビペリデン塩酸塩など)

治療

効能・効果 ①振戦麻痺，パーキンソニズム ②麻酔前投薬，人工(薬物)冬眠 ③感冒等，上気道炎に伴うくしゃみ・鼻汁・咳嗽 ④アレルギー性鼻炎，枯草熱，血管運動性浮腫 ⑤皮膚疾患に伴うそう痒(湿疹・皮膚炎，皮膚そう痒症，薬疹，中毒疹)，蕁麻疹 ⑥動揺病

効能・効果に関連する使用上の注意 パーキンソン用剤は，フェノチアジン系化合物，ブチロフェノン系化合物等による口周部等の不随意運動(遅発性ジスキネジア)を通常軽減しない．場合によっては，このような症状を増悪，顕性化させることがある

用法・用量 **散** **細** **錠** プロメタジン塩酸塩として1回5～25mg，1日1～3回(適宜増減)．振戦麻痺，パーキンソニズムには1日25～200mgを適宜分服(適宜増減)
注 プロメタジン塩酸塩として1回5～50mg皮下又は筋注(適宜増減)

禁忌・原則禁忌となる特定患者集団 2歳未満の乳幼児

使用上の注意

禁忌 **散** **細** **錠** ①フェノチアジン系化合物及びその類似化合物に対し過敏症の既往歴のある患者 ②昏睡状態の患者［昏睡状態を悪化させるおそれがある］ ③バルビツール酸誘導体・麻酔剤等の中枢神経抑制剤の強い影響下にある患者［中枢神経抑制剤の作用を延長し増強させる］ ④閉塞隅角緑内障の患者［抗コリン作用により眼圧が上昇し，症状を悪化させることがある］ ⑤前立腺肥大等，下部尿路に閉塞性疾患のある患者［排尿困難を悪化させることがある］ ⑥2歳未満の乳幼児

過量投与 **錠** ①徴候，症状：傾眠，意識消失等の中枢神経抑制，低血圧，口渇，瞳孔散大，呼吸障害，錐体外路症状等である．その他，幻覚，痙攣等の中枢神経興奮作用が現れることがある ②処置：本質的には対症療法かつ補助療法である．アドレナリンはさらに血圧低下を引き起こすおそれがあるので使用しない
注 ①症状：傾眠，意識消失等の中枢神経抑制，低血圧，口渇，瞳孔散大，呼吸障害，錐体外路症状等である．その他，幻覚，痙攣等の中枢神経興奮作用が現れることがある ②処置：本質的には対症療法かつ補助療法である．アドレナリンはさらに血圧低下を引き起こすおそれがあるので使用しない

フ

薬物動態
散 細 錠 外国人データ：**吸収** ①血漿中濃度：健康成人に経口投与時の薬物動態パラメータ(25mg，50mgの順．各6例)は，Cmax(ng/mL)11.2±2.6，39.2±8.2，Tmax(hr)2.7±0.6，2.5±0.6，$AUC_{0\text{-}24}$(ng・hr/mL)111.7±17.2，333.3±45.9，$T_{1/2}$(hr)12.7±2.4，13.7±2.1 ②吸収率：80％以上 ③生物学的利用率：25％ **代謝，排泄** ①肝臓で主にプロメタジンスルホキシド，デスメチルプロメタジンに代謝．尿中には主として未変化体とプロメタジンスルホキシドが排泄 ②肝での初回通過効果：有 ③肝代謝に関与するチトクロムP450の分子種は，主にチトクロムP450 2D6 **その他** 蛋白結合率：76～80％
注 血中濃度 外国人データ：健康成人(6人)に50mg筋注時のCmax (ng / mL) 48.26 ± 12.26，Tmax (hr) 3 ± 1.26，$AUC_{0\text{-}24h}$(ng・hr/mL)627.13±156.69，$T_{1/2}$(hr)9.76±3.41 **代謝** ヒト肝ミクロソームの*in vitro*実験でプロメタジンはN-脱メチル化体，フェノチアジン骨格の水酸化体及びS-酸化体に代謝 **チトクロムP450の分子種** CYP2D6
その他の管理的事項
投与期間制限 該当しない
保険給付上の注意 該当しない
資料
IF ヒベルナ糖衣錠5mg・25mg 2012年7月改訂(第2版)
ヒベルナ注25mg 2009年6月改訂(第1版)

フロモキセフナトリウム
注射用フロモキセフナトリウム
Flomoxef Sodium

概要
薬効分類 613 主としてグラム陽性・陰性菌に作用するもの
構造式

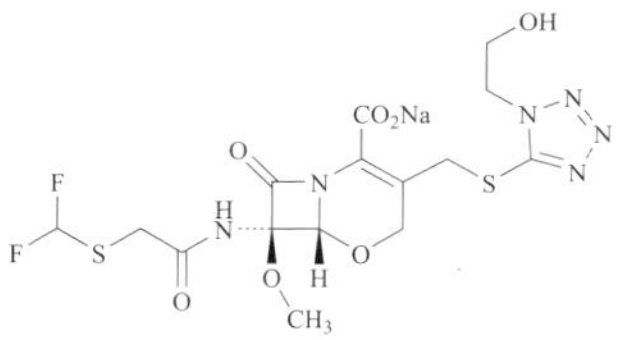

分子式 $C_{15}H_{17}F_2N_6NaO_7S_2$
分子量 518.45
略語・慣用名 FMOX
ステム オキサセファロスポラン酸誘導体系抗生物質：-oxef
原薬の規制区分 該当しない
原薬の外観・性状 白色～淡黄白色の粉末又は塊である．水に極めて溶けやすく，メタノールに溶けやすく，エタノール(99.5)にやや溶けにくい．0.5gを水5mLに溶かした液のpHは4.0～5.5である
原薬の吸湿性 臨界相対湿度：約60％RH
原薬の融点・沸点・凝固点 融点：100～150℃(分解)
原薬の酸塩基解離定数 pKa＝2.74(電位差滴定法)，pKa＝2.68(紫外可視吸光度測定法)(カルボキシル基)
先発医薬品等
注射用 フルマリン静注用0.5g・1g(塩野義)
キット フルマリンキット静注用1g(塩野義)
国際誕生年月 1988年3月
海外での発売状況 韓国，中国，台湾
製剤
規制区分 **注射用** **キット** ㊫
製剤の性状 **注射用** **キット** 白色～淡黄白色の軽質の塊又は粉末
有効期間又は使用期限 2年
貯法・保存条件 室温保存
薬剤取扱い上の留意点 **注射用** 調製後は速やかに使用する．なお，やむを得ず保存を必要とする場合でも，室温保存では6時間以内に，冷蔵庫保存では24時間以内に使用
患者向け資料等 くすりのしおり
溶液及び溶解時のpH **注射用** 4.0～5.5(100mg/mL水溶液) **キット** 4.0～6.0(1g/100mL生食)
浸透圧比 **注射用** 約2(1g/10mL水溶液) **キット** 約1(1g/100mL生食)
調製時の注意 点滴静注を行う場合，注射用水を用いると溶液が等張とならないため用いないこと
薬理作用
分類 オキサセフェム系抗生物質
作用部位・作用機序 セフェム系抗生物質と同様，細菌の細胞壁合成阻害による．FMOXはブドウ球菌必須のムレイン架橋酵素(PBP)であるPBP-2及び3，*E.coli*の細胞伸長時に必要なPBP-1A及び1Bを低濃度で同時に抑え，PBP-3にも結合親和性を示す．必須のムレイン架橋酵素を低濃度で同時に抑えるβラクタム剤は殺菌力にすぐれていることが知られており，FMOXはグラム陽性，陰性菌ともに，強い殺菌力を示す
同効薬 セフェム系注射用抗生物質
治療
効能・効果 〈適応菌種〉フロモキセフに感性のブドウ球菌属，レンサ球菌属，肺炎球菌，淋菌，モラクセラ(ブランハメラ)・カタラーリス，大腸菌，クレブシエラ属，プロテウス属，モルガネラ・モルガニー，プロビデンシア属，インフルエンザ菌，ペプトストレプトコッカス属，バクテロイデス属，プレボテラ属(プレボテラ・ビビアを除く) 〈適応症〉敗血症，感染性心内膜炎，外傷・熱傷及び手術創等の二次感染，咽頭・喉頭炎，扁桃炎，急性気管支炎，慢性呼吸器病変の二次感染，膀胱炎，腎盂腎炎，前立腺炎(急性症，慢性症)，尿道炎，腹膜炎，腹腔内膿瘍，胆嚢炎，胆管炎，バルトリン腺炎，子宮内感染，子宮付属器炎，子宮旁結合織炎，中耳炎，副鼻腔炎
効能・効果に関連する使用上の注意 咽頭・喉頭炎，扁桃炎，急性気管支炎，中耳炎，副鼻腔炎への使用にあたっては，「抗微生物薬適正使用の手引き」を参照し，抗菌薬投与の必要性を判断した上で，本剤の投与が適切と判断される場合に投与する
用法・用量 1日1～2g(力価)を2回に分け，小児には1日60～80mg(力価)/kgを3～4回に分け，未熟児，新生児には1回20mg(力価)/kgを生後3日までは1日2～3回，4日以降は1日3～4回，静注用(バイアル)は静注又は点滴静注(適宜増減)，キットは点滴静注(適宜増減)．難治性又は重症感染症には1日4g(力価)まで増量し2～4回に，未熟児，新生児，小児では1日150mg(力価)/kgまで増量し3～4回に，分注．注射液の調製法は添付文書参照
用法・用量に関連する使用上の注意 ①使用にあたっては，耐性菌の発現等を防ぐため，原則として感受性を確認し，疾病の治療上必要な最小限の期間の投与にとどめる ②低出生体重児(未熟児)・新生児では在胎週数，投与時の体重を考慮する
使用上の注意
禁忌 本剤の成分に対し過敏症の既往歴のある患者
薬物動態
血中濃度 血清中濃度及び薬物動態パラメータ(平均値)：①健康成人(bioassay測定法)：静注[0.5g(4例)，1g(22例)の順]ではC5min(μg/mL：5分後の血清中濃度)39.4，126.2，$T_{1/2}\beta$(min)46.3，49.6．1時間点滴静注[0.5g(4例)，1g(25例)，2g(10例)の順]ではCmax(μg/mL)19.6，44，89.5，$T_{1/2}\beta$(min)73.4，49.2，40 ②腎機能正常小児(bioassay測定法)：静注[20mg/kg(26例；7.8歳)，40mg/kg(10例；5.8歳)の順]で

はC15min(μg/mL：15分後の血清中濃度)49.5，89.6，$T_{1/2}\beta$(min)48，73.8．30分点滴静注[20mg/kg(12例：8.6歳)，40mg/kg(6例：8.7歳)の順]ではCmax(μg/mL)52，119.2，$T_{1/2}\beta$(min)48.6，61.2　③低出生体重児(未熟児)，新生児(bioassay測定法)：低出生体重児(未熟児)[0～3日齢(6例)，4～7日齢(6例)，8～28日齢(7例)の順]に20mg/kg静注ではC15min(μg/mL：15分後の血漿中濃度)54，54.6，55.5，$T_{1/2}\beta$(hr)4.28，2.27，3.02．新生児[0～3日齢(14例)，4～7日齢(14例)，8～28日齢(24例)の順]に20mg/kg静注ではC15min(μg/mL：15分後の血漿中濃度)54.4，51.4，50.7，$T_{1/2}\beta$(hr)2.99，2.32，1.79　④腎機能障害患者(bioassay，HPLC測定法)：腎機能の低下に伴い，血中半減期が延長，尿中排泄が遅延．腎機能障害患者には投与量ならびに投与間隔の適切な調節が必要．1g静注時のβ半減期(時間)は，Ccr＜5(3例)9.62，5＜Ccr＜20(4例)6.95，20＜Ccr＜40(10例)2.48，40＜Ccr＜70(10例)1.57，70＜Ccr(6例)1.31　⑤血液透析患者(bioassay測定法)：1g静注時[非透析時(5例)，血液透析時(5例)の順]，血清中濃度(μg/mL)は4時間後64.2，20.1，8時間後54.7，18，24時間後28.4，8.35，$T_{1/2}\beta$(hr)17.4，2.3　**分布**　胆汁，喀痰，腹腔内滲出液，骨盤死腔滲出液，胆嚢，子宮，子宮付属器，中耳粘膜，肺組織等へ移行．産婦(5例)に1g静注後の母乳中濃度は平均0.5μg/mL以下　**代謝**　生体内でわずかに代謝を受けるが，大部分(12時間で80～90%)は未変化体として尿中に排泄．24時間までの尿中回収率は活性代謝物のoxide体が0.1～0.3%，非活性代謝物のhydroxyethyltetrazolethiol(HTT)が10～23%　**排泄**　主として腎から排泄．健康成人での0.5g(4例)，1g(4例)静注あるいは1g(13例)，2g(10例)1時間，0.5g(3例)，1g(4例)，2g(4例)2時間点滴静注後の尿中排泄率は，投与量に関係なく，2時間までに平均50～70%，12時間までに平均80～90%　**その他**　血清蛋白結合率(限外ろ過法)：35%

その他の管理的事項

投与期間制限　該当しない

保険給付上の注意　該当しない

資料

IF　フルマリン静注用0.5g・1g・キット静注用1g　2019年7月改訂(第9版)

ブロモクリプチンメシル酸塩
Bromocriptine Mesilate

概要

薬効分類　116　抗パーキンソン剤

構造式

分子式　$C_{32}H_{40}BrN_5O_5 \cdot CH_4O_3S$

分子量　750.70

原薬の規制区分　毒(ただし，1錠中ブロモクリプチンとして2.5mg以下を含有しているものは劇)

原薬の外観・性状　白色～微帯黄白色又は微帯褐白色の結晶性の粉末で，においはないか，又は僅かに特異なにおいがある．酢酸(100)に極めて溶けやすく，メタノールに溶けやすく，エタノール(95)にやや溶けにくく，無水酢酸，ジクロロメタン又はクロロホルムに極めて溶けにくく，水又はジエチルエーテルにほとんど溶けない．光によって徐々に着色する

原薬の吸湿性　示さない

原薬の融点・沸点・凝固点　融点：175～188℃(分解)

原薬の酸塩基解離定数　pKa＝4.86(メチルセロソルブ中，滴定法)

先発医薬品等

錠　パーロデル錠2.5mg(サンファーマ＝田辺三菱)

後発医薬品

錠　2.5mg

国際誕生年月　1975年11月

海外での発売状況　豪，韓国，シンガポールなど

製剤

規制区分　錠　劇 処

製剤の性状　錠　白色の片面割線入りの素錠

有効期間又は使用期限　3年

貯法・保存条件　遮光・室温保存．開封後は遮光し，防湿保存

薬剤取扱い上の留意点　著しい血圧下降，前兆のない突発的睡眠，傾眠が現れることがあるので，自動車の運転等危険を伴う機械の操作には従事させないよう注意すること

患者向け資料等　患者向医薬品ガイド，くすりのしおり

溶液及び溶解時のpH　該当しない

浸透圧比　該当しない

安定なpH域　該当しない

薬理作用

分類　持続性ドパミン作動薬

作用部位・作用機序　間脳下垂体系及び黒質線条体ドパミン受容体にアゴニストとして作用し，ドパミン作動効果を発現する．ブロモクリプチンは大きく分けて3種類の一見関連のない疾患に効能・効果を有しているが，すべてドパミン受容体刺激により改善が期待できる疾患である．ブロモクリプチンが下垂体系ドパミン受容体に作用するとプロラクチン(PRL)や成長ホルモン(GH)の過剰分泌が抑制され，プロラクチン関連疾患，末端肥大症・下垂体巨人症に効果がみられ，また，ドパミン作動効果が黒質線条体ドパミン受容体に及ぶと，抗パーキンソン効果が現れる

同効薬　抗パーキンソン剤(レボドパ，ドロキシドパ，トリヘキシフェニジル塩酸塩，ビペリデン塩酸塩，セレギリン塩酸塩，アマンタジン塩酸塩など)，ドパミン受容体刺激剤(ペルゴリドメシル酸塩，カベルゴリン，タリペキソール塩酸塩など)

治療

効能・効果　①産褥性乳汁分泌抑制，乳汁漏出症　②高プロラクチン血性排卵障害　③高プロラクチン血性下垂体腺腫(外科的処置を必要としない場合に限る)　④末端肥大症，下垂体性巨人症　⑤パーキンソン症候群

用法・用量　効能①～③：ブロモクリプチンとして1日1回2.5mg夕食直後，効果をみながら1日5～7.5mgまで漸増し食直後2～3回に分服(適宜増減)　効能④：ブロモクリプチンとして1日2.5～7.5mg，食直後2～3回に分服(適宜増減)　効能⑤：ブリモクリプチンとして1日1回1.25mg又は2.5mgを朝食直後服用から始め，1又は2週ごとに1日量として2.5mgずつ増量し，維持量(標準1日15～22.5mg)を定める(適宜増減)．1日量は5mgの場合は朝食及び夕食直後に，7.5mg以上の場合は毎食直後に分服

使用上の注意

禁忌　①本剤の成分又は麦角アルカロイドに対し過敏症の既往歴のある患者　②妊娠高血圧症候群の患者［産褥期における痙攣，脳血管障害，心臓発作，高血圧が発現するリスクが高い］　③産褥期高血圧の患者　④心エコー検査により，心臓弁尖肥厚，心臓弁可動制限及びこれらに伴う狭窄等の心臓弁膜の病変が確認された患者及びその既往のある患者〔症状を悪化させるおそれがある〕

相互作用概要　CYP3A4で代謝され，またこれを阻害する

過量投与　①徴候，症状：悪心，嘔吐，めまい，低血圧，起立性低血圧，頻脈，傾眠，嗜眠，昏睡，幻覚，発熱等　②処置：一般的処置法（催吐，胃洗浄，活性炭，塩類下剤等）及び対症療法が用いられる

薬物動態

血中濃度　健常人7名に2.5mg 1回経口投与時のTmaxは2.7時間，Cmaxは250.4pg/mL，$AUC_{0\text{-}36}$は1630.9pg・hr/mL，$T_{1/2}$は2.86時間　**代謝（外国人）**　肝臓で代謝され，主代謝経路はペプチド部分のプロリン部位の酸化とそれに続くグルクロン酸抱合体　**排泄（外国人）**　健常人に^{14}Cブロモクリプチン2.5mg 1回経口投与後120時間までの尿中排泄率2.4%，糞中排泄率84.6%

その他の管理的事項

投与期間制限　該当しない

保険給付上の注意　該当しない

資料

IF　パーロデル錠2.5mg　2019年8月（第8版）

ブロモバレリル尿素
Bromovalerylurea

別名：ブロムワレリル尿素

概要

薬効分類　112　催眠鎮静剤，抗不安剤

構造式

及び鏡像異性体

分子式　$C_6H_{11}BrN_2O_2$

分子量　223.07

原薬の規制区分　(劇)（ただし，催眠剤以外の製剤であって1個中0.5g以下を含有するものを除く），(習)

原薬の外観・性状　無色又は白色の結晶又は結晶性の粉末で，においはなく，味は僅かに苦い．エタノール(95)にやや溶けやすく，ジエチルエーテルにやや溶けにくく，水に極めて溶けにくい．硫酸，硝酸又は塩酸に溶けるが，これに水を加えるとき，沈殿を生じる．水酸化ナトリウム試液に溶ける

原薬の吸湿性　吸湿性はほとんどなし

原薬の融点・沸点・凝固点　融点：151～155℃

原薬の酸塩基解離定数　該当資料なし

先発医薬品等

末　ブロバリン原末（日本新薬）
ブロムワレリル尿素「JG」（日本ジェネリック）
ブロムワレリル尿素「三恵」（三恵）
ブロムワレリル尿素「ホエイ」（マイラン＝ファイザー）
ブロモバレリル尿素原末「マルイシ」（丸石＝ニプロ）

国際誕生年月　不明

海外での発売状況　該当資料なし

製剤

規制区分　末　(劇)　(習)

製剤の性状　末　無色又は白色の結晶又は結晶性の粉末で，においはなく，味は僅かに苦い

有効期間又は使用期限　5年

貯法・保存条件　室温保存

薬剤取扱い上の留意点　不眠症には，就寝の直前に服用させること．また，服用して就寝した後，睡眠途中において一時的に起床して仕事等をする可能性があるときは服用させないこと．本剤投与中の患者には，自動車の運転等危険を伴う機械の操作に従事させないよう注意すること

患者向け資料等　くすりのしおり

溶液及び溶解時のpH　1.5gに水30mLを加え，5分間振り混ぜてろ過するとき，液は中性である

薬理作用

分類　非ベンゾジアゼピン系・非バルビツール酸系催眠・鎮静剤

作用部位・作用機序　大脳皮質の機能を抑制するとともに上行性脳幹網様体賦活系を抑制して催眠・鎮静作用を現す

同効薬　アモバルビタール，バルビタールなど

治療

効能・効果　不眠症，不安緊張状態の鎮静

用法・用量　①不眠症：1日1回0.5～0.8g就寝前又は就寝時（適宜増減）　②不安緊張状態の鎮静：1日0.6～1g，3回に分服（適宜増減）

用法・用量に関連する使用上の注意　不眠症には，就寝の直前に服用させる．また，服用して就寝した後，睡眠途中において一時的に起床して仕事等をする可能性があるときは服用させない

使用上の注意

禁忌　本剤に対し過敏症の患者

過量投与　①徴候，症状：服用量の増加に伴い，麻酔深度が深くなり，覚醒までの時間も長くなる．急性中毒症状としては，中枢神経症状（四肢の不全麻痺，深部反射消失，呼吸抑制等）が主なものであり，覚醒後に幻視，全身痙攣発作，神経炎，神経痛等が起こる場合がある　②処置：通常，次のような処置が行われる：(1)未吸収のものを除去：催吐，胃内容物の吸引，胃洗浄，必要に応じ活性炭投与を行う　(2)排泄促進：留置カテーテルによる導尿を行い，フロセミド40～80mgを静注し，利尿反応をみながら反復投与する　(3)呼吸管理：気道の確保．必要に応じ気管内挿管，人工呼吸，酸素吸入を行う　(4)対症療法：昇圧剤，強心剤，呼吸興奮剤等の投与．重症の場合は血液透析，血液灌流を行う

薬物動態

0.3～0.6gを経口投与時の効果発現時間は投与後20～30分で，3～4時間持続．脳その他の組織に分布し，一定時間後肝で分解，無機ブロム体及び有機性ブロム化合物に代謝，尿に排泄

その他の管理的事項

投与期間制限　該当しない

保険給付上の注意　該当しない

資料

IF　ブロバリン原末　2019年6月改訂（第4版）

L-プロリン
L-Proline

概要

構造式

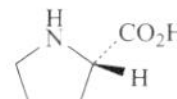

分子式　$C_5H_9NO_2$

分子量　115.13

原薬の規制区分　該当しない

原薬の外観・性状　白色の結晶又は結晶性の粉末で，味は僅かに甘い．水又はギ酸に極めて溶けやすく，エタノール(99.5)に溶けにくい．潮解性である．1.0gを水10mLに溶かした液のpHは5.9～6.9である

ベカナマイシン硫酸塩
Bekanamycin Sulfate

概要

薬効分類　613　主としてグラム陽性・陰性菌に作用するもの

構造式

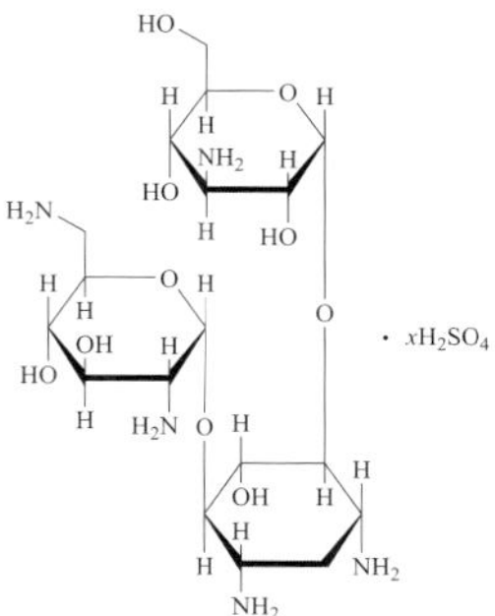

原薬の規制区分　該当しない

原薬の外観・性状　白色の粉末である．水に溶けやすく，エタノール(99.5)にほとんど溶けない．0.50gを水10mLに溶かした液のpHは6.0～8.5である

ベクロメタゾンプロピオン酸エステル
Beclometasone Dipropionate

概要

薬効分類　132　耳鼻科用剤，229　その他の呼吸器官用薬，245　副腎ホルモン剤

構造式

分子式　$C_{28}H_{37}ClO_7$

分子量　521.04

略語・慣用名　略名：BDP

ステム　プレドニン及びプレドニゾロン誘導体：-methasone

原薬の規制区分　該当しない

原薬の外観・性状　白色～微黄色の粉末である．メタノールにやや溶けやすく，エタノール(99.5)にやや溶けにくく，水にほとんど溶けない．結晶多形が認められる

原薬の吸湿性　臨界相対湿度：83.0％RH

原薬の融点・沸点・凝固点　融点：約208℃(分解)

原薬の酸塩基解離定数　該当資料なし

先発医薬品等

外用末　サルコートカプセル外用50μg(帝人ファーマ)

吸入　キュバール50・100エアゾール(大日本住友)

噴　リノコートパウダースプレー鼻用25μg(帝人ファーマ)

後発医薬品

噴　1.50mg0.9087g

点鼻液　8.5mg8.5g・9.375mg7.5g

国際誕生年月　不明

海外での発売状況　**吸入**　米，英ほか

製剤

規制区分　**吸入**　**噴(鼻用)**　**点鼻液**　㊇

製剤の性状　**外用末(口腔用)**　帯微青白色/青色の硬カプセル剤　**吸入**　定量バルブ付き吸入用エアゾール剤．内容物は無色の液で，噴霧するとき微細な霧状となる．用時，作動により一定量の薬液が噴霧される　**噴(鼻用カプセル)**　白色/青色の硬カプセル剤　**噴(鼻用スプレー)**　一体型多回噴霧器(カウンター付)で，内容物は白色～帯黄白色の粉末で，におい及び味はほとんどない

有効期間又は使用期限　3年

貯法・保存条件　**外用末(口腔用)**　室温，遮光した気密容器保存　**吸入**　室温保存　**噴(鼻用)**　遮光した気密容器，室温保存

薬剤取扱い上の留意点　**外用末(口腔用)**　①PTP包装からカプセルを取り出した場合には吸湿に注意　②室内散光によりカプセルの色が僅かに退色する場合があるが，内容物に影響はない　**噴(鼻用カプセル)**　①処方する際は，必ず専用の小型噴霧器「パブライザー」と添付の使用説明書及び携帯袋を渡し，使用方法を指導する　②噴霧する前に鼻をかんでから使用させる　③カプセルは，服用しても効果がないことを指導する　④カプセルが湿るとうまく噴霧できないことがあるので，乾いた手で扱わせる　⑤噴霧後は，カプセルを取り出し廃棄させる　⑥吸湿性が高いので，使用する直前にPTP包装からカプセルを取り出し使用させる　⑦保管する際は，高温・多湿に注意させる　⑧室内散光によりカプセルの色が僅かに退色する場合があるが，内容物に影響はない　**噴(鼻用スプレー)**　①患者には添付の保管袋及び使用説明書を渡し，使用方法を十分指導すること　②噴霧する前に鼻をかんでから使用させる　③ノズル上部の残量計の表示が赤になったら，次の薬を使用させる　④使用後は，噴霧器の先端ノズル部を拭いてから保管する　⑤防湿のためアルミ包装を施しているので，開封後は，添付の保管袋に入れて，高温，多湿を避けて保存させる　⑥アルミ包装開封後，長期間経過したものは，使用させない

患者向け資料等　くすりのしおり

溶液及び溶解時のpH　該当しない

浸透圧比　該当しない

安定なpH域　該当しない

薬理作用

分類　副腎皮質ホルモン

作用部位・作用機序　**外用末**　作用部位：口腔粘膜で局所性に発揮する　作用機序：抗炎症作用によるものとされている　**吸入**　作用部位：気道局所，肺　作用機序：合成ハロゲン化グルココルチコステロイドであり，薬理作用として抗炎症作用及び気道抵抗増大抑制作用を有する．作用機序として，気管支及び肺においてグルココルチコイド受容体と結合し，気道の慢性炎症を抑制することが考えられている　**噴(鼻用)**　作用部位：鼻粘膜　作用機序：抗炎症作用と誘発反応防御作用によるものとされる

同効薬　**外用末**　トリアムシノロンアセトニド，デキサメタゾン　**吸入**　フルチカゾンプロピオン酸エステル，ブデソニド，シクレソニド，モメタゾンフランカルボン酸エステルほか　**噴(鼻用)**　クロモグリク酸ナトリウム，ケトチフェンフマル酸塩，フルチカゾンプロピオン酸エステル，フルチカゾンフランカルボン酸エステル，モメタゾンフランカルボン酸エステル水和物，デキサメタゾンシペシル酸エステルなど

治療

効能・効果　**吸入**　気管支喘息

外用末(口腔用)　びらん又は潰瘍を伴う難治性口内炎

噴(鼻用)　アレルギー性鼻炎，血管運動性鼻炎

点鼻液　アレルギー性鼻炎，血管運動性鼻炎

効能・効果に関連する使用上の注意　**吸入**　投与開始前には，患者の喘息症状を比較的安定な状態にしておく．特に，喘息発作重積状態又は喘息の急激な悪化状態のときには原則として本剤は使用しない

用法・用量 **吸入** 1回100μg(小児50μg), 1日2回噴霧吸入(適宜増減). なお, 1日最大投与量は800μg(小児200μg)を限度とする

外用末(口腔用) 1回1カプセル, 1日2～3回, 専用の小型噴霧器を用いて患部に均一に噴霧(適宜増減)

噴(鼻用) ①カプセル：1回1カプセル, 1日2回朝, 夜(起床時, 就寝時)に小型噴霧器を用いて鼻腔内に噴霧吸入(適宜増減) ②スプレー：1日2回, 朝, 夕(起床時, 就寝時)に噴霧吸入(適宜増減)

点鼻液 こう鼻後十分な呼吸を行わせ, 吸気の際に1側鼻孔より1回噴霧(50μg)し, この際他側の鼻孔は指で閉鎖する. 次いで他側鼻孔に同様の操作を行う. 1回1操作(両鼻孔で100μg), 1日4回(小児1日2回)(適宜増減). なお, 1日最大投与量は800μg(小児400μg)を限度とする. 症状の緩解がみられた場合は, その後の経過を観察しながら減量

用法・用量に関連する使用上の注意 **外用末(口腔用)** 約3週間使用しても効果が認められない場合は, 中止する

使用上の注意

禁忌 **吸入** ①有効な抗菌剤の存在しない感染症, 全身の真菌症の患者［症状を増悪するおそれがある］ ②本剤の成分に対して過敏症の既往歴のある患者 ③デスモプレシン酢酸塩水和物(男性における夜間多尿による夜間頻尿)を投与中の患者

外用末(口腔用) 本剤の成分に対して過敏症の既往歴のある患者

点鼻液 **噴(鼻用)** ①有効な抗菌剤の存在しない感染症・全身の真菌症の患者［症状を増悪するおそれがある］ ②本剤の成分に対して過敏症の既往歴のある患者

過量投与 ①症状：過量投与により, 下垂体・副腎皮質系機能抑制が現れることがある. この抑制が長期にわたった場合, 副腎皮質ステロイド剤を全身投与した場合と同様な症状が現れることがある. ②処置：全身性ステロイド療法を中止する手順で本剤を徐々に減量する

薬物動態

吸入 **血中濃度** 気管支喘息患者(外国人)8例, 1日2回2週間反復噴霧吸入投与(定常状態)時の血清中総ベクロメタゾン量. 1日用量200μg, 400μg, 800μgの順：Tmax(hr)1.1±0.4, 1, 1.1±0.4, Cmax(pg/mL)197±84, 539±238, 953±359, 半減期(hr)5.1±3.6, 4.3±0.7, 4.1±0.8, 最終測定可能時点までのAUC(pg・hr/mL)792±180, 2113±804, 3999±1562 **分布** 肺への分布：投与量の約40%(気管支喘息患者, ^{99m}Tcで標識した本剤50μg1回噴霧吸入投与後のシンチグラフィー)(外国人データ) **代謝** 主な代謝物：17-モノプロピオン酸ベクロメタゾン, ベクロメタゾン(外国人データ) **排泄** 排泄経路：尿中及び糞便中 **特定の背景を有する患者** 小児：小児気管支喘息患者5例, 200μg1回噴霧吸入投与時の血漿中17-モノプロピオン酸ベクロメタゾン量：Tmax(時間)0.5±0.0, Cmax(pg/mL)825±453, 半減期(hr)2.1±0.7, 最終測定可能時点までのAUC(pg・hr/mL)1659±850

外用末(口腔用) **分布** 口腔内分布・付着滞留性：ラットの口腔内に標識化した主薬^{3}H-ベクロメタゾンプロピオン酸エステルを含む本剤(5mg, ベクロメタゾンプロピオン酸エステルとして1.25μg)を噴霧し, その口腔内分布をミクロオートラジオグラフィーにより経時的に検討した結果, 適用局所の口腔粘膜に製剤がしばらくの間付着滞留し, 角質化上皮の主薬量を高レベルに維持することにより, 下層である重層扁平上皮, 結合組織及び筋層へ主薬をよく浸透させ, これら組織での主薬の持続が認められた

噴(鼻用)(参考)**鼻腔内分布・付着滞留性** ^{3}Hで標識した主薬ベクロメタゾンプロピオン酸エステル及び付着性基剤ヒドロキシプロピルセルロースを含む本剤を用いて鼻腔内分布及び付着滞留性を検討し, 次の結果を得た：⑴麻酔ウサギの鼻腔内に投与時, 投与5分後には鼻腔前部の前鼻甲介に主として分布し, 120分後には鼻腔内全域に分布 ⑵麻酔ウサギの鼻腔内に投与時, 5分, 120分, 240分後の投与量に対する放射能残存率は76.4%, 41.0%, 12.7%

その他の管理的事項

投与期間制限 該当しない

保険給付上の注意 該当しない

資料

IF サルコートカプセル外用50μg 2009年10月改訂(第2版)
キュバール50エアゾールキュバール・100エアゾール 2020年11月改訂(第20版)
リノコートカプセル鼻用50μg・パウダースプレー鼻用25μg 2012年6月改訂(第5版)

ベザフィブラート
ベザフィブラート徐放錠
Bezafibrate

概要

薬効分類 218 高脂血症用剤

構造式

分子式 $C_{19}H_{20}ClNO_4$

分子量 361.82

ステム クロフィブラート誘導体：-fibrate

原薬の規制区分 該当しない

原薬の外観・性状 白色の結晶性の粉末である. *N,N*-ジメチルホルムアミドに溶けやすく, メタノールにやや溶けやすく, エタノール(99.5)にやや溶けにくく, 水にほとんど溶けない

原薬の吸湿性 25℃, 90%RH放置条件下でも吸湿性を示さない

原薬の融点・沸点・凝固点 融点：181～186℃

原薬の酸塩基解離定数 pKa＝3.40(溶解度法)

先発医薬品等

徐放錠 ベザトールSR錠100mg・200mg(キッセイ)

後発医薬品

徐放錠 100mg・200mg

国際誕生年月 1978年7月

海外での発売状況 英, 仏, 独など

製剤

規制区分 **徐放錠** ㊈

製剤の性状 **徐放錠** 白色のフィルムコート錠

有効期間又は使用期限 3年

貯法・保存条件 室温保存(開封後は防湿保存)

薬剤取扱い上の留意点 徐放錠であるので, 割ったり, 砕いたりしないでそのまま服用させること

患者向け資料等 くすりのしおり

薬理作用

分類 フィブラート系高脂血症治療剤

作用部位・作用機序 脂質生合成に対する作用：アセチルCoAからメバロン酸に至るコレステロール生合成過程を抑制し(ラット, ヒト), アセチルCoAカルボキシラーゼ活性を抑制しトリグリセリドの生合成を抑制する(ラット) リポ蛋白代謝に対する作用：LPL(リポ蛋白リパーゼ)活性及びHTGL(肝性トリグリセリドリパーゼ)活性を亢進し, リポ蛋白の代謝を促進する(ヒト). また, LDLレセプターの活性を亢進し, LDLの代謝を促進する(ヒト)

同効薬　クロフィブラート，クリノフィブラート，フェノフィブラート，ペマフィブラート

治療

効能・効果　高脂血症(家族性を含む)

用法・用量　1日400mg，朝夕2回食後に分服．腎機能障害のある患者及び高齢者に対しては適宜減量

用法・用量に関連する使用上の注意　主として腎臓を経て尿中に排泄されるので，腎機能障害のある患者への投与には十分注意する必要がある．投与にあたっては，次の投与量の目安の血清クレアチニン値に応じて減量する．また，高齢者では，加齢により腎機能の低下を認める一方で，筋肉量の低下から血清クレアチニン値の上昇が軽微であるため，次の投与量の目安のクレアチニンクリアランスに応じた投与量の調節を行う．なお，投与量はクレアチニンクリアランスの実測値から設定することが望ましいが，患者の身体状況等を勘案し，実測することが困難である場合には，たとえばクレアチニンクリアランスと高い相関性が得られる次の安田の推定式を用いる等により，用量の設定を行う

男性：(176－年齢)×体重/(100×血清クレアチニン値)

女性：(158－年齢)×体重/(100×血清クレアチニン値)

投与量の目安〔血清クレアチニン値(Scr)，クレアチニンクリアランス(Ccr)〕：①Scr＜1.5mg/dLで60mL/分＜Ccrのとき400mg/日(200mg×2)　②1.5mg/dL＜Scr＜2.0mg/dLで50mL/分＜Ccr＜60mL/分のとき200mg/日(200mg×1)

禁忌・原則禁忌となる特定患者集団　妊婦又は妊娠している可能性のある婦人

使用上の注意

禁忌　①人工透析患者(腹膜透析を含む)［横紋筋融解症が現れやすい］　②腎不全等の重篤な腎疾患のある患者［横紋筋融解症が現れやすい］　③血清クレアチニン値が2.0mg/dL以上の患者［横紋筋融解症が現れやすい］　④本剤の成分に対し過敏症の既往歴のある患者　⑤妊婦又は妊娠している可能性のある婦人

薬物動態

健康成人男子：**血中濃度**　①単回投与：10名に200mgの単回投与で，Tmax4.5±0.5時間，Cmax3.45±0.32μg/mL，AUC17.97±1.22μg・hr/mL，$T_{1/2}$2.98±0.54時間　②連続投与：6名に1回200mg，1日2回，7日間連続投与時，2日後に定常状態となり安定　**代謝**　尿中に未変化体及び代謝物(グルクロン酸抱合体及び水酸化体)，血清中はほとんど未変化体　**排泄**　400mgを単回投与後48時間までに尿中に69.1%排泄，そのほとんどは24時間以内

その他の管理的事項

投与期間制限　該当しない

保険給付上の注意　該当しない

資料

IF　ベザトールSR錠100mg・200mg　2020年8月改訂(第9版)

ベタキソロール塩酸塩
Betaxolol Hydrochloride

概要

薬効分類　131　眼科用剤，214　血圧降下剤

構造式

・HCl

及び鏡像異性体

分子式　$C_{18}H_{29}NO_3$・HCl

分子量　343.89

ステム　アドレナリンβ受容体拮抗薬：-olol

原薬の規制区分　劇(ただし，1個中ベタキソロールとして8.94mg以下を含有する内用剤及びベタキソロールとして0.5%以下を含有する点眼剤を除く)

原薬の外観・性状　白色の結晶又は結晶性の粉末である．水に極めて溶けやすく，メタノール，エタノール(99.5)又は酢酸(100)に溶けやすい．1.0gを水50mLに溶かした液のpHは4.5～6.5である．本品の水溶液(1→100)は旋光性を示さない

原薬の吸湿性　相対湿度が高い場合(25℃，97%RH)吸湿性を示した

原薬の融点・沸点・凝固点　融点：114～117℃

原薬の酸塩基解離定数　pKa＝9.5

先発医薬品等

錠　ケルロング錠5mg・10mg(サノフィ)

点眼液　ベトプティック点眼液0.5%(ノバルティス)
ベトプティック　エス懸濁性点眼液0.5%(ノバルティス)

後発医薬品

錠　5mg・10mg

点眼液　0.5%

国際誕生年月　1982年5月

海外での発売状況　**錠**　約40カ国(米，仏，独を含む70数カ国で承認)　**点眼液**　米，英，仏，独など

製剤

規制区分　**錠**　処

製剤の性状　**錠**　白色のフィルムコーティング錠(割線入り)　**点眼液(水性)**　無色～微黄色澄明の無菌水性点眼液　**点眼液(懸濁性)**　白色～灰白色の無菌懸濁性点眼液

有効期間又は使用期限　**錠**　**点眼液(懸濁性)**　3年　**点眼液(水性)**　2年

貯法・保存条件　室温保存

薬剤取扱い上の留意点　**錠**　降圧作用に基づくめまい等が現れることがあるので高所作業，自動車の運転等危険を伴う機械を操作する際には注意させること．手術前48時間は投与しないことが望ましい

患者向け資料等　くすりのしおり

溶液及び溶解時のpH　**点眼液(水性)**　6.1～7.7　**点眼液(懸濁性)**　7.0～7.8

浸透圧比　**点眼液(水性)**　0.85～1.25(0.9%塩化ナトリウム液に対する比)　**点眼液(懸濁性)**　0.9～1.2(0.9%塩化ナトリウム液に対する比)

安定なpH域　該当しない

調製時の注意　該当しない

薬理作用

分類　血管拡張性β_1遮断剤

作用部位・作用機序　主として心臓のβ_1受容体への競合的拮抗作用に伴う心拍数，心拍出量の低下，血管拡張作用に伴う総末梢血管抵抗の低下　**点眼液**　作用部位：眼部交感神経系のβ受容体　作用機序：β_1受容体遮断作用により房水産生を抑制し眼圧を下降させることが示唆されている

同効薬　**錠**　メトプロロール酒石酸塩，アテノロール，ビソプロロールフマル酸塩，アセブトロール塩酸塩など　**点眼液**　チモロールマレイン酸塩，イソプロピルウノプロストン，ラタノプロスト，トラボプロスト，ドルゾラミド，カルテオロール塩酸塩，ニプラジロールなど

治療

効能・効果　**錠**　①本態性高血圧症(軽症～中等症)　②腎実質性高血圧症　③狭心症

点眼液　緑内障，高眼圧症

用法・用量　**錠**　効能①：1日1回5～10mg(適宜増減)．1日最高20mgまで　効能②：1日1回5mg(適宜増減)．1日最高10mgまで　効能③：1日1回10mg(適宜増減)．1日最高20mgまで

点眼液　1回1滴，1日2回点眼(適宜増減)

用法・用量に関連する使用上の注意　**錠** 褐色細胞腫の患者では，本剤の単独投与により急激に血圧が上昇するおそれがあるので，α遮断剤で初期治療を行った後に本剤を投与し，常にα遮断剤を併用する

禁忌・原則禁忌となる特定患者集団　妊婦又は妊娠している可能性のある女性

使用上の注意

禁忌　**錠** ①本剤の成分に対し過敏症の既往歴のある患者　②糖尿病性ケトアシドーシス，代謝性アシドーシスのある患者［アシドーシスに基づく心収縮力の抑制を増強させるおそれがある］　③高度の徐脈（著しい洞性徐脈），房室ブロック（II，III度），洞房ブロックのある患者［症状を悪化させるおそれがある］　④心原性ショックのある患者［心機能を抑制し，症状を悪化させるおそれがある］　⑤肺高血圧による右心不全のある患者［心機能を抑制し，症状を悪化させるおそれがある］　⑥うっ血性心不全のある患者［心機能を抑制し，症状を悪化させるおそれがある］　⑦未治療の褐色細胞腫の患者　⑧妊婦又は妊娠している可能性のある女性

点眼液 ①本剤の成分に対し過敏症の既往歴のある患者　②コントロール不十分な心不全のある患者　③妊婦又は妊娠している可能性のある女性

過量投与　**錠** ①症状：過量投与時に予測される症状は，低血圧，徐脈，心不全，気管支痙攣，房室ブロック，低血糖等である　②措置：本剤を中止し，患者を慎重に観察する．胃洗浄のほかに必要に応じて適切な処置を行う．血液透析又は腹膜透析では十分に除去することはできない：(1)低血圧：交感神経刺激作用のあるドパミン，ドブタミン，ノルアドレナリン等の昇圧剤を投与する．別のβ遮断剤の過量投与例においてグルカゴンが有効であったとの報告がある　(2)徐脈：アトロピン硫酸塩水和物を投与し，さらに必要に応じてβ_1刺激剤であるドブタミンを投与する．迷走神経遮断に対して反応のない場合にはイソプロテレノールを慎重に投与する．それでも効果のみられない場合，経静脈ペースメーカーを考慮する．グルカゴンが有効であったとの報告もある　(3)急性心不全：ただちにジギタリス，利尿剤，酸素吸入等の標準的治療を開始する　(4)気管支痙攣：β_2作動薬を用いる．ほかに，アミノフィリンの投与を検討する　(5)房室ブロック（II度又はIII度）：イソプロテレノール又は心臓ペースメーカーを用いる　(6)低血糖：ブドウ糖を投与する

薬物動態

錠 **血中濃度**　①5mgを1回経口投与後の血漿中未変化体濃度（健常成人（6例），本態性高血圧症患者（5例），腎機能障害高血圧症患者（6例）の順）は，Cmax（ng/mL）11.4±2.2，9.8±0.8，17.0±6.8，tmax（hr）5.0±1.9，3.6±0.9，5.7±1.5，$t_{1/2}$（hr）12.9±4.7，17.2±7.5，18.8±4.2，$AUC_{0-\infty}$（ng・hr/mL）232±45，267±118，482±248．また，腎機能低下を伴う高血圧症患者に5mgを7日間反復経口投与後4日目にほぼ定常状態　②健常成人に150μg/kgを経口及び静注し，AUC_{0-48h}から求めたバイオアベイラビリティは89%（イギリス）　③健常成人に20mgを食前又は朝食30分後に経口投与時の最高濃度及び消失半減期に有意差は認められず，食事の影響はなかった（フランス）　**代謝・排泄**　①健常成人での主な代謝経路はイソプロピルアミノプロポキシ基のN-脱アルキル化と，シクロプロピルメトキシエチル基のO-脱アルキル化及びこれに続く酸化　②健常成人に10mg及び20mg経口投与72時間後までの尿中排泄率55～58%，うち未変化体26～27%　③本態性高血圧症患者に5mgを経口投与48時間後までの尿中未変化体排泄率約16%　④参考（動物（ラット）のデータ）：^{14}C-塩酸ベタキソロールを哺乳ラットに5mg/kg経口投与時の乳汁中濃度は投与後3時間で最高到達後，血中濃度に比べ緩徐に低下．投与後24時間の乳汁中濃度（0.15μg/g）は血中濃度の約5倍

点眼液 **血中濃度**　健康成人両眼に0.5%点眼液を1回1滴，1日2回15日間点眼し，点眼1，8，15日における点眼前，点眼30分，及び2時間後の血漿中β_1，β_2受容体遮断活性をRadioligand binding法で測定時，ベースライン値との間に差は認められなかった．また，健康成人両眼に0.5%点眼液を1滴ずつ点眼し，点眼1時間後の血漿中濃度を測定時，検出限界（2ng/mL）以下　**分布**　①白色家兎の両結膜嚢内に0.5%ベタキソロール塩酸塩50μLを点眼して眼内組織濃度を測定時，角膜内，虹彩/毛様体，前房水，水晶体の順に高く，いずれも30～45分後に最高となり，60分後には水晶体を除く他の組織では最高値と比べて著しく減少し，以後緩やかに低下　②有色家兎に^{3}H-ベタキソロール0.5%点眼液を点眼時の網膜及び脈絡膜の組織内最大平均濃度（μmol/L）はそれぞれ単回点眼で2.45，6.90，1日2回，9回点眼で2.47，17.5

その他の管理的事項

投与期間制限　該当しない

保険給付上の注意　該当しない

資料

IF　ケルロング錠5mg・10mg　2019年2月改訂（第12版）
　ベトプティック点眼液0.5%　2020年7月改訂（第16版）
　ベトプティックエス懸濁性点眼液0.5%　2020年7月改訂（第15版）

ベタネコール塩化物
Bethanechol Chloride

概要

薬効分類　123　自律神経剤

構造式

$H_2N-C(=O)-O-CH(CH_3)-CH_2-N^+(CH_3)_3$　Cl^-

及び鏡像異性体

分子式　$C_7H_{17}ClN_2O_2$

分子量　196.68

略語・慣用名　別名：カルバミルメチルコリン

ステム　不明

原薬の規制区分　毒（ただし，製剤は劇（ただし，1錠又は1包中ベタネコールとして5mg以下を含有するものを除く））

原薬の外観・性状　無色又は白色の結晶又は結晶性の粉末である．水に極めて溶けやすく，酢酸（100）に溶けやすく，エタノール（99.5）にやや溶けにくい．本品の水溶液（1→10）は旋光性を示さない

原薬の吸湿性　吸湿性である

原薬の融点・沸点・凝固点　融点：217～221℃（乾燥後）

原薬の酸塩基解離定数　該当資料なし

先発医薬品等

散 ベサコリン散5%（サンノーバ＝エーザイ）

国際誕生年月　該当しない

海外での発売状況　米，英，独など

製剤

規制区分　**散** 劇

製剤の性状　**散** 白色の散剤

有効期間又は使用期限　3年

貯法・保存条件　室温保存．開栓後は防湿保存

薬剤取扱い上の留意点　該当しない

患者向け資料等　くすりのしおり

溶液及び溶解時のpH　4.8～5.2（1gに水40mLを加えて溶かした液）

浸透圧比　該当しない

安定なpH域　該当しない

調製時の注意　該当しない

[薬理作用]
分類　アセチルコリン誘導体副交感神経亢進剤
作用部位・作用機序　①消化管運動亢進作用：節後副交感神経刺激によるムスカリン様作用により，胃腸の運動と緊張を高め，胃液の分泌を促進することが確認されている（ヒト，イヌ）　②尿管平滑筋収縮作用：膀胱の排尿筋を収縮させ，膀胱内圧を高めると同時に，膀胱頸部を緩解することによって，排尿効果を促進することが確認されている（ヒト，イヌ）
同効薬　ジスチグミン臭化物
[治療]
効能・効果　①消化管機能低下のみられる次の疾患：慢性胃炎，迷走神経切断後，手術後及び分娩後の腸管麻痺，麻痺性イレウス　②手術後，分娩後及び神経因性膀胱等の低緊張性膀胱による排尿困難（尿閉）
用法・用量　ベタネコール塩化物として1日30～50mg，3～4回に分服（適宜増減）
禁忌・原則禁忌となる特定患者集団　妊婦又は妊娠している可能性のある婦人
[使用上の注意]
禁忌　①甲状腺機能亢進症の患者［心房細動の危険性を増加させるおそれがある］　②気管支喘息の患者［気管支喘息の症状を悪化させるおそれがある］　③消化管及び膀胱頸部に閉塞のある患者［消化管の通過障害，排尿障害を起こすおそれがある］　④消化性潰瘍の患者［消化性潰瘍を悪化させるおそれがある］　⑤妊婦又は妊娠している可能性のある婦人　⑥冠動脈閉塞のある患者［冠血流量を減少させ，心疾患の症状を悪化させるおそれがある］　⑦強度の徐脈のある患者［徐脈を悪化させるおそれがある］　⑧てんかんのある患者［てんかん発作を起こすおそれがある］　⑨パーキンソニズムのある患者［パーキンソニズムの症状を悪化させるおそれがある］
[その他の管理的事項]
投与期間制限　該当しない
保険給付上の注意　該当しない
[資料]
IF　ベサコリン散5%　2015年4月改訂（第7版）

ベタヒスチンメシル酸塩
ベタヒスチンメシル酸塩錠
Betahistine Mesilate

[概要]
薬効分類　133　鎮暈剤
構造式

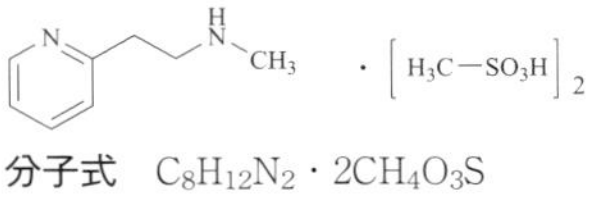

分子式　$C_8H_{12}N_2 \cdot 2CH_4O_3S$
分子量　328.41
ステム　不明
原薬の規制区分　該当しない
原薬の外観・性状　白色の結晶又は結晶性の粉末である．水に極めて溶けやすく，酢酸（100）に溶けやすく，エタノール（99.5）にやや溶けにくい．希塩酸に溶ける
原薬の吸湿性　吸湿性である．臨界湿度：約22%（37℃）
原薬の融点・沸点・凝固点　融点：110～114℃（乾燥後）
原薬の酸塩基解離定数　pKa＝3.20，9.62
先発医薬品等
[錠] メリスロン錠6mg・12mg（エーザイ）
後発医薬品
[錠] 6mg・12mg
国際誕生年月　該当しない
海外での発売状況　中国，インド，香港，タイ，ミャンマーなど
[製剤]
規制区分　[錠] [処]
製剤の性状　[6mg錠] 白色の素錠　[12mg錠] 白色の割線入り素錠
有効期間又は使用期限　3年
貯法・保存条件　室温保存．バラ包装は開栓後防湿保存
薬剤取扱い上の留意点　該当しない
患者向け資料等　くすりのしおり
溶液及び溶解時のpH　約2.2（水1→10）
浸透圧比　該当しない
安定なpH域　該当しない
[薬理作用]
分類　ピリジン化合物
作用部位・作用機序　作用部位：内耳の毛細管前括約筋，脳血管　作用機序：ヒスタミン類似作用による末梢血管拡張作用
同効薬　ジフェンヒドラミンサリチル酸塩・ジプロフィリン配合剤，ジフェニドール塩酸塩，*dl*-イソプレナリン塩酸塩
[治療]
効能・効果　次の疾患に伴うめまい，めまい感：メニエール病，メニエール症候群，眩暈症
用法・用量　1回6～12mg，1日3回食後（適宜増減）
[その他の管理的事項]
投与期間制限　該当しない
保険給付上の注意　該当しない
[資料]
IF　メリスロン錠6mg・12mg　2015年9月改訂（第8版）

ベタミプロン
Betamipron

[概要]
構造式

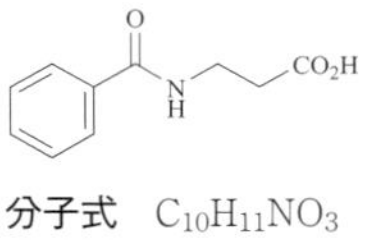

分子式　$C_{10}H_{11}NO_3$
分子量　193.20
略語・慣用名　BP
ステム　不明
原薬の規制区分　該当しない
原薬の外観・性状　白色の結晶又は結晶性の粉末である．メタノールに溶けやすく，エタノール（99.5）にやや溶けやすく，水に溶けにくい．水酸化ナトリウム試液に溶ける．0.25gを水100mLに加温して溶かし，冷却した液のpHは3.0～3.4である
原薬の吸湿性　吸湿性はない
原薬の融点・沸点・凝固点　融点：132～135℃
原薬の酸塩基解離定数　pKa＝4.4
[製剤]
薬剤取扱い上の留意点　パニペネム・ベタミプロン参照
溶液及び溶解時のpH　3.0～3.4（1→400）
[薬理作用]
分類　有機アニオン輸送系阻害剤
作用部位・作用機序　パニペネムの腎皮質への取り込みを抑制

し，腎毒性を著明に軽減する

治療

効能・効果 〈適応菌種〉パニペネムに感性のブドウ球菌属，レンサ球菌属，肺炎球菌，腸球菌属，モラクセラ(ブランハメラ)・カタラーリス，大腸菌，シトロバクター属，クレブシエラ属，エンテロバクター属，セラチア属，プロテウス属，モルガネラ・モルガニー，プロビデンシア属，インフルエンザ菌，シュードモナス属，緑膿菌，バークホルデリア・セパシア，ペプトストレプトコッカス属，バクテロイデス属，プレボテラ属 〈適応症〉敗血症，感染性心内膜炎，深在性皮膚感染症，リンパ管・リンパ節炎，外傷・熱傷及び手術創等の二次感染，肛門周囲膿瘍，骨髄炎，関節炎，咽頭・喉頭炎，扁桃炎(扁桃周囲炎，扁桃周囲膿瘍を含む)，急性気管支炎，肺炎，肺膿瘍，膿胸，慢性呼吸器病変の二次感染，膀胱炎，腎盂腎炎，前立腺炎(急性症，慢性症)，精巣上体炎(副睾丸炎)，腹膜炎，腹腔内膿瘍，胆嚢炎，胆管炎，肝膿瘍，バルトリン腺炎，子宮内感染，子宮付属器炎，子宮旁結合織炎，化膿性髄膜炎，眼窩感染，眼内炎(全眼球炎を含む)，中耳炎，副鼻腔炎，化膿性唾液腺炎，顎骨周辺の蜂巣炎，顎炎

効能・効果に関連する使用上の注意 咽頭・喉頭炎，扁桃炎(扁桃周囲炎，扁桃周囲膿瘍を含む)，急性気管支炎，副鼻腔炎への使用にあたっては，「抗微生物薬適正使用の手引き」を参照し，抗菌薬投与の必要性を判断した上で，本剤の投与が適切と判断される場合に投与する

用法・用量 パニペネムとして1日1g(力価)を2回に分け，小児には1日30～60mg(力価)/kgを3回に分け，30分以上かけて点滴静注(適宜増減)．重症又は難治性感染症には1日2g(力価)まで増量し2回に分け，1回1g(力価)を60分以上で投与．小児には1日100mg(力価)/kgまで増量し3～4回に分注，上限1日2g(力価)まで．注射液の調製法は0.25g及び0.5gを通常100mL以上の生理食塩液，5%ブドウ糖注射液等に溶解する．ただし，注射用水は溶液が等張とならないので使用しない

用法・用量に関連する使用上の注意 使用にあたっては，原則として感受性を確認し，疾病の治療上必要な最小限の期間の投与にとどめる(耐性菌の発現等を防ぐため)

資料

IF カルベニン点滴用0.25g・0.5g 2019年5月改訂(第10版)

ベタメタゾン
ベタメタゾン錠
Betamethasone

概要

薬効分類 245 副腎ホルモン剤

構造式

分子式 $C_{22}H_{29}FO_5$

分子量 392.46

ステム プレドニン及びプレドニゾロン誘導体：-methasone

原薬の規制区分 該当しない

原薬の外観・性状 白色～微黄白色の結晶性の粉末である．メタノール，エタノール(95)又はアセトンにやや溶けにくく，水にほとんど溶けない．結晶多形が認められる

原薬の吸湿性 該当資料なし

原薬の融点・沸点・凝固点 融点：約240℃(分解)

原薬の酸塩基解離定数 該当資料なし

先発医薬品等

散 リンデロン散0.1%(シオノギファーマ＝塩野義)

錠 リンデロン錠0.5mg(シオノギファーマ＝塩野義)

シ リンデロンシロップ0.01%(シオノギファーマ＝塩野義)

坐 リンデロン坐剤0.5mg・1.0mg(シオノギファーマ＝塩野義)

後発医薬品

散 0.1%

錠 0.5mg

国際誕生年月 不明

海外での発売状況 該当資料なし

製剤

規制区分 散 錠 シ 坐 ㊕

製剤の性状 散 白色の粉末 錠 白色の円形の素錠 シ だいだい色のほとんど澄明の液 坐 不透明なにぶい微黄白色，涙滴形の軟カプセル剤で，表面は潤滑剤によるろうようの曇りがあり，内容物は，白色～微黄色の乳濁した油状の液

有効期間又は使用期限 散 錠 シ 5年 坐 3年

貯法・保存条件 散 錠 室温保存 シ 坐 気密容器，遮光・室温保存

薬剤取扱い上の留意点 該当資料なし

患者向け資料等 散 錠 シ 患者向医薬品ガイド，くすりのしおり 坐 くすりのしおり，患者使用説明書

溶液及び溶解時のpH シ 2.5～3.5

薬理作用

分類 合成糖質副腎皮質ホルモン剤

作用部位・作用機序 抗炎症作用，抗アレルギー作用，免疫抑制作用のほか，広範囲にわたる代謝作用を有する

同効薬 プレドニゾロン，ヒドロコルチゾン，メチルプレドニゾロン，デキサメタゾンなど

治療

効能・効果 散 錠 シ ①内科・小児科領域：(1)慢性副腎皮質機能不全(原発性，続発性，下垂体性，医原性)，急性副腎皮質機能不全(副腎クリーゼ)，副腎性器症候群，亜急性甲状腺炎，甲状腺中毒症〔甲状腺(中毒性)クリーゼ〕，甲状腺疾患に伴う悪性眼球突出症，ACTH単独欠損症，下垂体抑制試験 (2)関節リウマチ，若年性関節リウマチ(スチル病を含む)，リウマチ熱(リウマチ性心炎を含む)，リウマチ性多発筋痛 (3)エリテマトーデス(全身性及び慢性円板状)，全身性血管炎(高安動脈炎，結節性多発動脈炎，顕微鏡的多発血管炎，多発血管炎性肉芽腫症を含む)，多発性筋炎(皮膚筋炎)，強皮症 (4)ネフローゼ及びネフローゼ症候群 (5)うっ血性心不全 (6)気管支喘息，喘息性気管支炎(小児喘息性気管支炎を含む)，薬剤その他の化学物質によるアレルギー・中毒(薬疹，中毒疹を含む)，血清病 (7)重症感染症(化学療法と併用する) (8)溶血性貧血(免疫性又は免疫性機序の疑われるもの)，白血病(急性白血病，慢性骨髄性白血病の急性転化，慢性リンパ性白血病，皮膚白血病を含む)，顆粒球減少症(本態性，続発性)，紫斑病(血小板減少性及び血小板非減少性)，再生不良性貧血，凝固因子の障害による出血性素因 (9)限局性腸炎，潰瘍性大腸炎 (10)重症消耗性疾患の全身状態の改善(癌末期，スプルーを含む) (11)劇症肝炎(臨床的に重症とみなされるものを含む)，胆汁うっ滞型急性肝炎，慢性肝炎(活動型，急性再燃型，胆汁うっ滞型，一般的治療に反応せず肝機能の著しい異常が持続する難治性のものに限る)，肝硬変(活動型，難治性腹水を伴うもの，胆汁うっ滞を伴うもの) (12)サルコイドーシス(両側肺門リンパ節腫脹のみの場合を除く)，びまん性間質性肺炎(肺線維症，放射線肺臓炎を含む) (13)肺結核(粟粒結核，重症結核に限る)・結核性髄膜炎・結核性胸膜炎・結核性腹膜炎・結核性心嚢炎(いずれも抗結核剤と併用する) (14)脳脊髄炎(脳炎，脊髄炎を含む．一次性脳炎の場合は頭蓋内圧亢進症状がみられ，かつ他剤で効果が不十分なときに短期間用い

る)，末梢神経炎(ギランバレー症候群を含む)，筋強直症，重症筋無力症，多発性硬化症(視束脊髄炎を含む)，小舞踏病，顔面神経麻痺，脊髄蜘網膜炎 ⒂悪性リンパ腫(リンパ肉腫症，細網肉腫症，ホジキン病，皮膚細網症，菌状息肉症)及び類似疾患(近縁疾患)，好酸性肉芽腫，乳癌の再発転移 ⒃特発性低血糖症，原因不明の発熱 ②外科領域：副腎摘除，臓器・組織移植，侵襲後肺水腫，副腎皮質機能不全患者に対する外科的侵襲，蛇毒，昆虫毒(重症の虫さされを含む) ③整形外科領域：強直性脊椎炎(リウマチ性脊椎炎) ④産婦人科領域：卵管整形術後の癒着防止，副腎皮質機能障害による排卵障害 ⑤泌尿器科領域：前立腺癌(他の療法が無効な場合)，陰茎硬結 ⑥皮膚科領域〔※印の効能・効果は外用剤で効果が不十分，あるいは十分な効果が期待できないと推定される場合のみ用いる〕※湿疹・皮膚炎群(急性湿疹，亜急性湿疹，慢性湿疹，接触皮膚炎，貨幣状湿疹，自家感作性皮膚炎，アトピー皮膚炎，乳・幼・小児湿疹，ビダール苔癬，その他の神経皮膚炎，脂漏性皮膚炎，進行性指掌角皮症，その他の手指の皮膚炎，陰部あるいは肛門湿疹，耳介及び外耳道の湿疹・皮膚炎，鼻前庭及び鼻翼周辺の湿疹・皮膚炎等．重症例以外は極力投与しない)，※痒疹群(小児ストロフルス，蕁麻疹様苔癬，固定蕁麻疹を含む．重症例に限る．また，固定蕁麻疹は局所皮内注射が望ましい)，蕁麻疹(慢性例を除く．重症例に限る)，※乾癬及び類症〔尋常性乾癬(重症例に限る)，関節症性乾癬，乾癬性紅皮症，膿疱性乾癬，稽留性肢端皮膚炎，疱疹状膿痂疹，ライター症候群〕，※類乾癬(重症例に限る)，※掌蹠膿疱症(重症例に限る)，※毛孔性紅色粃糠疹(重症例に限る)，※扁平苔癬(重症例に限る)，成年性浮腫性硬化症，紅斑症〔※多形滲出性紅斑(重症例に限る)，結節性紅斑〕，アナフィラクトイド紫斑(単純型，シェーンライン型，ヘノッホ型．重症例に限る)，ウェーバークリスチャン病，皮膚粘膜眼症候群〔開口部びらん性外皮症，スチブンス・ジョンソン病，皮膚口内炎，フックス症候群，ベーチェット病(眼症状のない場合)，リップシュッツ急性陰門潰瘍〕，レイノー病，※円形脱毛症(悪性型に限る)，天疱瘡群(尋常性天疱瘡，落葉状天疱瘡，Senear-Usher症候群，増殖性天疱瘡)，デューリング疱疹状皮膚炎(類天疱瘡，妊娠性疱疹を含む)，先天性表皮水疱症，帯状疱疹(重症例に限る)，※紅皮症(ヘブラ紅色粃糠疹を含む)，顔面播種状粟粒性狼瘡(重症例に限る)，アレルギー性血管炎及びその類症(急性痘瘡様苔癬状粃糠疹を含む)，潰瘍性慢性膿皮症，新生児スクレレーマ ⑦眼科領域：内眼・視神経・眼窩・眼筋の炎症性疾患の対症療法(ブドウ膜炎，網脈絡膜炎，網膜血管炎，視神経炎，眼窩炎性偽腫瘍，眼窩漏斗尖端部症候群，眼筋麻痺)，外眼部及び前眼部の炎症性疾患の対症療法で点眼が不適当又は不十分な場合(眼瞼炎，結膜炎，角膜炎，強膜炎，虹彩毛様体炎)，眼科領域の術後炎症 ⑧耳鼻咽喉科領域：急性・慢性中耳炎，滲出性中耳炎・耳管狭窄症，メニエル病及びメニエル症候群，急性感音性難聴，血管運動(神経)性鼻炎，アレルギー性鼻炎，花粉症(枯草熱)，副鼻腔炎・鼻茸，進行性壊疽性鼻炎，喉頭炎・喉頭浮腫，喉頭ポリープ・結節，食道の炎症(腐食性食道炎，直達鏡使用後)及び食道拡張術後，耳鼻咽喉科領域の手術後の後療法，難治性口内炎及び舌炎(局所療法で治癒しないもの)，嗅覚障害，急性・慢性(反復性)唾液腺炎

坐 潰瘍性大腸炎(直腸炎型)

用法・用量 **散** **錠** **シ** ベタメタゾンとして1日0.5～8mg，小児(シロップ)0.15～4mg，1～4回に分服(適宜増減)

坐 ベタメタゾンとして初期投与量1日0.5～2mg，1～2回に分けて直腸内に挿入(適宜増減)．以後，症状をみながら漸減

使用上の注意

禁忌 ①本剤の成分に対し過敏症の既往歴のある患者 ②デスモプレシン酢酸塩水和物(男性における夜間多尿による夜間頻尿)を投与中の患者

薬物動態

血中濃度 健康成人10例に1.0mg又は1.5mgを単回経口投与時，血清中ベタメタゾン濃度は2時間後に最高に達し，半減期は180～220分で漸減，24時間後には血清中から消失．最高血清中濃度(平均値±標準誤差)は1.0mg投与時345±40ng/dL，1.5mg投与時650±211ng/dL(測定法：RIA) **分布** 血漿蛋白結合率：64±6%(平均値±標準偏差)(外国人データ) **代謝** ①代謝物：健康者及び治療量のステロイドを投与中の喘息患者等に^{3}H-標識ベタメタゾンを経口投与時，尿中に主として未変化体，11-デヒドロ体，6β-水酸化体，20-ジヒドロ体，6β-水酸化-20-ジヒドロ体及び他に少量の11-デヒドロ-20-ジヒドロ体，6β-水酸化-17-オキソ体が存在．尿中に排泄された総放射活性の約70%がグルクロン酸抱合体，15～30%が非抱合体．Δ4-3-ケト体は還元されない(外国人データ) ②代謝酵素：ベタメタゾンの一部はC-6位が代謝され6β-水酸化体になる．その主な代謝酵素はCYP3A4 **排泄** 健康者及び治療量のステロイドを投与中の喘息患者等に^{3}H-標識ベタメタゾンを経口投与時，48時間で総放射活性の約70%が尿中に排泄(外国人データ) **特定の背景を有する患者** 慢性肝疾患患者：慢性活動性肝炎患者3例及び肝硬変患者5例に1.0mg又は1.5mgを単回経口投与時，血清中ベタメタゾン濃度は極めて緩徐に減少，24時間後にもなお血中に残存(測定法：RIA)

その他の管理的事項

投与期間制限 該当しない

保険給付上の注意 該当しない

資料

IF リンデロン散0.1%・錠0.5mg・シロップ0.01% 2020年9月改訂(第19版)
リンデロン坐剤0.5mg・1.0mg 2019年9月改訂(第14版)

ベタメタゾン吉草酸エステル
Betamethasone Valerate

概要

薬効分類 264 鎮痛，鎮痒，収斂，消炎剤

構造式

分子式 $C_{27}H_{37}FO_6$

分子量 476.58

ステム プレドニン及びプレドニゾロン誘導体：-methasone

原薬の規制区分 該当しない

原薬の外観・性状 白色の結晶性の粉末で，においはない．クロロホルムに溶けやすく，エタノール(95)にやや溶けやすく，メタノールにやや溶けにくく，ジエチルエーテルに溶けにくく，水にほとんど溶けない

原薬の吸湿性 該当資料なし

原薬の融点・沸点・凝固点 融点：約190℃(分解)

原薬の酸塩基解離定数 該当資料なし

先発医薬品等

軟 ベトネベート軟膏0.12%(GSK＝第一三共)
リンデロン-V軟膏0.12%(シオノギファーマ＝塩野義)

クリーム ベトネベートクリーム0.12%(GSK＝第一三共)
リンデロン-Vクリーム0.12%(シオノギファーマ＝塩野義)

外用液 リンデロン-Vローション(シオノギファーマ＝塩野

義）

後発医薬品

軟 0.12%

クリーム 0.12%

外用液 0.12%

国際誕生年月 不明

海外での発売状況 仏，独など

製剤

製剤の性状 **軟** 白色～微黄色，半透明のなめらかな半固体 **クリーム** 白色のなめらかな半固体 **外用液** 白色のローション剤

有効期間又は使用期限 **軟** **クリーム** 4年 **外用液** 3年

貯法・保存条件 気密容器，遮光・室温保存

薬剤取扱い上の留意点 **軟** **クリーム** **外用液** ①眼科用として使用しない ②化粧下，ひげそり後等に使用することのないよう注意する **軟** 高温条件下で軟膏基剤中の低融点物質(液体)が滲出すること(Bleeding現象)がある **クリーム** 低温あるいは高温条件下で外観が変化(粒状あるいは分離)することがある **外用液** ①高温条件下で粘度が変化することがあるので室温に保存する ②よく振って使用する

患者向け資料等 くすりのしおり

薬理作用

分類 皮膚外用合成副腎皮質ホルモン

作用部位・作用機序 単量体のステロイドとその受容体が複合体を形成することで，NFκBやAP-1と呼ばれるサイトカイン産生の誘導や細胞接着分子の発現等を調節している細胞内転写因子の機能を抑制することで，2量体の受容体と結合した場合，リポコルチン等の誘導を介して，炎症を制御すると考えられている．免疫抑制作用に関しては，リンパ球に対する直接的な機能抑制，アポトーシスの誘導によると考えられている

同効薬 皮膚外用合成副腎皮質ホルモン

治療

効能・効果 **軟** **クリーム** 湿疹，皮膚炎群(進行性指掌角皮症，女子顔面黒皮症，ビダール苔癬，放射線皮膚炎，日光皮膚炎を含む)，皮膚そう痒症，痒疹群(蕁麻疹様苔癬，ストロフルス，固定蕁麻疹を含む)，虫さされ，乾癬，掌蹠膿疱症，扁平苔癬，光沢苔癬，毛孔性紅色粃糠疹，ジベルバラ色粃糠疹，紅斑症(多形滲出性紅斑，結節性紅斑，ダリエ遠心性環状紅斑)，紅皮症(悪性リンパ腫による紅皮症を含む)，慢性円板状エリテマトーデス，薬疹・中毒疹，円形脱毛症(悪性を含む)，熱傷(瘢痕，ケロイドを含む)，凍瘡，天疱瘡群，ジューリング疱疹状皮膚炎(類天疱瘡を含む)，痔核，鼓室形成手術・内耳開窓術・中耳根治手術の術創

外用液 湿疹・皮膚炎群(進行性指掌角皮症，女子顔面黒皮症，ビダール苔癬，放射線皮膚炎，日光皮膚炎を含む)，乾癬，皮膚そう痒症，鼓室形成手術・内耳開窓術・中耳根治手術の術創，進行性壊疽性鼻炎

効能・効果に関連する使用上の注意 皮膚感染を伴う湿疹・皮膚炎には使用しないことを原則とするが，やむを得ず使用する必要がある場合には，あらかじめ適切な抗菌剤(全身適用)，抗真菌剤による治療を行うか，又はこれらとの併用を考慮する

用法・用量 1日1～数回患部に塗布(適宜増減)

使用上の注意

禁忌 ①細菌・真菌・スピロヘータ・ウイルス皮膚感染症及び動物性皮膚疾患(疥癬，けじらみ等)［これらの疾患が増悪するおそれがある］ ②本剤の成分に対し過敏症の既往歴のある患者 ③鼓膜に穿孔のある湿疹性外耳道炎［穿孔部位の治癒の遅延及び感染のおそれがある］ ④潰瘍(ベーチェット病は除く)，第2度深在性以上の熱傷・凍傷［皮膚の再生が抑制され，治癒が遅延するおそれがある］

薬物動態

吸収 正常なヒト腋窩皮膚に0.15% ^{3}H-標識ベタメタゾン吉草酸エステルクリームを30分，1時間，2時間，4時間，8時間密封法(ODT)により塗布後，薬剤を除去し，オートラジオグラフ法により経表皮吸収及び経皮膚付属器官吸収を検討時，共に吸収が良好．経表皮吸収及び経皮付属器官吸収[密封(ODT)時間：30分，1時間，2時間，4時間，8時間の順]は，角質層－，＋，＋，－，＋，マルピギー層－，＋，＋，++，＋，毛嚢壁(外側)＋，＋，++，++，++，毛嚢壁(内側)－，＋，＋，＋，++，皮脂腺？，＋，＋，++，++，アポクリン腺細胞＋，＋，＋，++，++，アポクリン腺腔－，－，－，++，－．判定基準は，？：存在不明，－：認められない，＋：認められた，++：著明に認められた **排泄** 乾癬患者2例及び天疱瘡患者1例に0.1% ^{3}H-標識ベタメタゾン吉草酸エステル軟膏を密封法(ODT)により塗布した場合，7日間の尿中回収率は塗布量の2.0～18.5%(外国人データ)．疾患別尿中回収率(7日間)は，乾癬(体表の50%に1日20mg密封法)2%，乾癬(体表の50%に1日25mg 2日間密封法)8.7%，天疱瘡(体表の20%に1日10mg 3日間密封法)18.5%(塗布量はベタメタゾン換算量)

その他の管理的事項

投与期間制限 該当しない

保険給付上の注意 該当しない

資料

IF リンデロン-V軟膏0.12%・クリーム0.12%・ローション 2020年4月改訂(第12版)

ベタメタゾン吉草酸エステル・ゲンタマイシン硫酸塩軟膏
ベタメタゾン吉草酸エステル・ゲンタマイシン硫酸塩クリーム
Betamethasone Valerate and Gentamicin Sulfate Ointment

概要

薬効分類 264 鎮痛，鎮痒，収斂，消炎剤

分子式 ［ベタメタゾン吉草酸エステル］$C_{27}H_{37}FO_6$ ［ゲンタマイシン硫酸塩］$C_1=C_{21}H_{43}N_5O_7 \cdot xH_2SO_4$，$C_2=C_{20}H_{41}N_5O_7 \cdot xH_2SO_4$，$C_{1a}=C_{19}H_{39}N_5O_7 \cdot xH_2SO_4$(ゲンタマイシンはゲンタマイシン$C_1$，$C_{1a}$及び$C_2$の混合物である)

分子量 ［ベタメタゾン吉草酸エステル］476.58 ［ゲンタマイシン硫酸塩］$C_1=477.60$，$C_2=463.57$ $C_{1a}=449.54$(ゲンタマイシンはゲンタマイシンC_1，C_{1a}及びC_2の混合物である)

ステム [ベタメタゾン吉草酸エステル]プレドニンおよびプレドニゾロン誘導体：-methasone [ゲンタマイシン硫酸塩] *Micromonospora*が産生する抗生物質：-micin

原薬の規制区分 [ゲンタマイシン硫酸塩]㊙

原薬の外観・性状 ［ベタメタゾン吉草酸エステル］白色の結晶性の粉末で，においはない．クロロホルムに溶けやすく，エタノール(95)にやや溶けやすく，メタノールにやや溶けにくく，ジエチルエーテルに溶けにくく，水にほとんど溶けない ［ゲンタマイシン硫酸塩］白色～淡黄白色の粉末である．水に極めて溶けやすく，エタノール(99.5)にほとんど溶けない 0.2gを水5mLに溶かした液のpHは3.5～5.5である

原薬の吸湿性 ［ベタメタゾン吉草酸エステル］該当資料なし ［ゲンタマイシン硫酸塩］吸湿性である

原薬の融点・沸点・凝固点 ［ベタメタゾン吉草酸エステル］融点：約190℃(分解) ［ゲンタマイシン硫酸塩］C_1塩基：94～100℃，C_2塩基：107～124℃，C_1-C_2混合(7：3)：102～108℃，C混合物硫酸塩：218～237℃

原薬の酸塩基解離定数 該当資料なし

先発医薬品等

軟 デキサンVG軟膏0.12%(富士製薬＝日医工)
デルモゾールG軟膏(岩城＝日本ジェネリック)
ベトノバールG軟膏0.12%(佐藤製薬)

リンデロン-VG軟膏0.12%(シオノギファーマ＝塩野義)
ルリクールVG軟膏0.12%(東和薬品)

クリーム デルモゾールGクリーム(岩城＝日本ジェネリック)
ベトノバールGクリーム0.12%(佐藤製薬)
リンデロン-VGクリーム0.12%(シオノギファーマ＝塩野義)

外用液 デルモゾールGローション(岩城＝日本ジェネリック)
リンデロン-VGローション(シオノギファーマ＝塩野義)

国際誕生年月 不明

海外での発売状況 イタリア

製剤

製剤の性状 **軟** 白色～微黄色の半透明のなめらかな半固体 **クリーム** 白色のなめらかな半固体 **外用液** 白色のローション剤

有効期間又は使用期限 3年

貯法・保存条件 気密容器，遮光・室温保存

薬剤取扱い上の留意点 **軟** **クリーム** **外用液** ①眼科用として使用しない ②化粧下，ひげそり後等に使用することのないよう注意する **軟** 高温条件下で軟膏基剤中の低融点物質(液体)が滲出すること(Bleeding現象)がある **クリーム** 低温あるいは高温条件下で外観が変化(粒状あるいは分離)することがある **外用液** よく振って使用する．高温条件下で粘度が変化することがあるので室温に保存する

患者向け資料等 くすりのしおり

溶液及び溶解時のpH **軟** 4.0～7.0 **クリーム** **外用液** 4.0～6.0

薬理作用

分類 皮膚外用合成副腎皮質ホルモン・アミノグリコシド系抗生物質配合剤

作用部位・作用機序 作用部位：投与部の皮膚 作用機序：コルチコステロイドは，標的細胞のレセプターと結合後核内に移行して遺伝子を活性化し，合成されたmRNAが細胞質内に特異的蛋白リポコルチンを合成する．細胞膜リン脂質に含まれるアラキドン酸は，ホスホリパーゼA_2(PLA_2)により遊離後，代謝を受けて各種プロスタグランジン，トロンボキサン，ロイコトリエンとなり，炎症に関与するが，リポコルチンはこのPLA_2を阻害することにより，抗炎症作用を発現するものと考えられている

同効薬 皮膚外用合成副腎皮質ホルモン・アミノグリコシド系抗生物質

治療

効能・効果 **軟** **クリーム** 〈適応菌種〉ゲンタマイシン感性菌 〈適応症〉①湿潤，びらん，結痂を伴うか，又は二次感染を併発している次の疾患：湿疹・皮膚炎群(進行性指掌角皮症，脂漏性皮膚炎を含む)，乾癬，掌蹠膿疱症 ②外傷・熱傷及び手術創等の二次感染

外用液 〈適応菌種〉ゲンタマイシン感性菌 〈適応症〉湿潤，びらん，結痂を伴うか，又は二次感染を併発している次の疾患：湿疹・皮膚炎群(進行性指掌角皮症，脂漏性皮膚炎を含む)，乾癬，掌蹠膿疱症

用法・用量 1日1～数回塗布(適宜増減)

使用上の注意

禁忌 ①ゲンタマイシン耐性菌又は非感性菌による皮膚感染のある場合[皮膚感染が増悪するおそれがある] ②真菌・スピロヘータ・ウイルス皮膚感染症及び動物性皮膚疾患(疥癬，けじらみ等)[これらの疾患が増悪するおそれがある] ③本剤の成分に対し過敏症の既往歴のある患者 ④鼓膜に穿孔のある湿疹性外耳道炎[穿孔部位の治癒の遅延及び感染のおそれがある] ⑤潰瘍(ベーチェット病は除く)，第2度深在性以上の熱傷・凍傷[皮膚の再生が抑制され，治癒が遅延するおそれがある] ⑥ストレプトマイシン，カナマイシン，ゲンタマイシン，フラジオマイシン等のアミノグリコシド系抗生物質又はバシトラシンに対し過敏症の既往歴のある患者

その他の管理的事項

投与期間制限 該当しない

保険給付上の注意 該当しない

資料

IF リンデロン-VG軟膏0.12%・クリーム0.12%・ローション 2019年4月改訂(第13版)

ベタメタゾンジプロピオン酸エステル
Betamethasone Dipropionate

概要

薬効分類 264 鎮痛，鎮痒，収斂，消炎剤

構造式

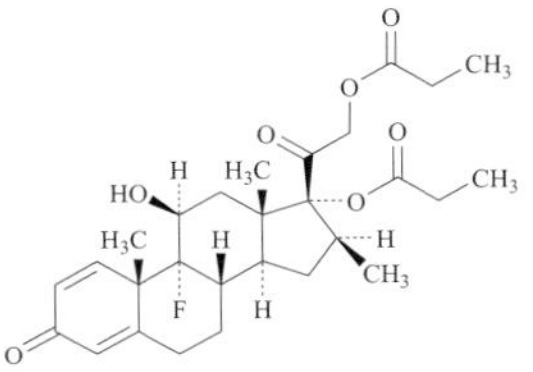

分子式 $C_{28}H_{37}FO_7$

分子量 504.59

ステム プレドニン及びプレドニゾロン誘導体：-methasone

原薬の規制区分 劇

原薬の外観・性状 白色～微黄白色の結晶性の粉末で，においはない．アセトン又はクロロホルムに溶けやすく，メタノール又はエタノール(99.5)にやや溶けやすく，水にほとんど溶けない．光によって徐々に変化する

原薬の吸湿性 該当資料なし

原薬の融点・沸点・凝固点 融点：176～180℃

原薬の酸塩基解離定数 該当資料なし

先発医薬品等

軟 リンデロン-DP軟膏(シオノギファーマ＝塩野義)

クリーム リンデロン-DPクリーム(シオノギファーマ＝塩野義)

外用液 リンデロン-DPゾル(シオノギファーマ＝塩野義)

後発医薬品

軟 0.064%

クリーム 0.064%

外用液 0.064%

国際誕生年月 不明

海外での発売状況 米など

製剤

規制区分 **軟** **クリーム** **外用液** 劇

製剤の性状 **軟** 白色～微黄色の半透明のなめらかな半固体 **クリーム** 白色のなめらかな半固体 **外用液** 無色澄明の粘稠な液

有効期間又は使用期限 **軟** **クリーム** 5年 **外用液** 3年

貯法・保存条件 気密容器，遮光・室温保存

薬剤取扱い上の留意点 **軟** **クリーム** **外用液** ①眼科用として使用しない ②化粧下，ひげそり後等に使用することのないよう注意する **軟** 高温条件下で軟膏基剤中の低融点物質(液体)が滲出すること(Bleeding現象)がある **クリーム** 低温あるいは高温条件下で外観が変化(粒状あるいは分離)することがある **外用液** 火気に近づけないこと

患者向け資料等 くすりのしおり

薬理作用

分類　皮膚外用合成副腎皮質ホルモン

作用部位・作用機序　単量体のステロイドとその受容体が複合体を形成することで，NFκBやAP-1と呼ばれるサイトカイン産生の誘導や細胞接着分子の発現等を調節している細胞内転写因子の機能を抑制することで，2量体の受容体と結合した場合，リポコルチン等の誘導を介して，炎症を制御すると考えられている．免疫抑制作用に関しては，リンパ球に対する直接的な機能抑制，アポトーシスの誘導によると考えられている

同効薬　皮膚外用合成副腎皮質ホルモン

治療

効能・効果　湿疹・皮膚炎群(進行性指掌角皮症，ビダール苔癬を含む)，乾癬，掌蹠膿疱症，紅皮症，薬疹・中毒疹，虫さされ，痒疹群(蕁麻疹様苔癬，ストロフルス，固定蕁麻疹を含む)，紅斑症(多形滲出性紅斑，ダリエ遠心性環状紅斑，遠心性丘疹性紅斑)，慢性円板状エリテマトーデス，扁平紅色苔癬，毛孔性紅色粃糠疹，特発性色素性紫斑(マヨッキー紫斑，シャンバーク病，紫斑性色素性苔癬様皮膚炎)，肥厚性瘢痕・ケロイド，肉芽腫症(サルコイドーシス，環状肉芽腫)，悪性リンパ腫(菌状息肉症を含む)，皮膚アミロイドーシス，天疱瘡群(ヘイリーヘイリー病を含む)，類天疱瘡(ジューリング疱疹状皮膚炎を含む)，円形脱毛症

効能・効果に関連する使用上の注意　皮膚感染を伴う湿疹・皮膚炎には使用しないことを原則とするが，やむを得ず使用する必要がある場合には，あらかじめ適切な抗菌剤(全身適用)，抗真菌剤による治療を行うか，又はこれらとの併用を考慮する

用法・用量　1日1～数回塗布(適宜増減)

使用上の注意

禁忌　①細菌・真菌・スピロヘータ・ウイルス皮膚感染症及び動物性皮膚疾患(疥癬，けじらみ等)［これらの疾患が増悪するおそれがある］　②本剤の成分に対し過敏症の既往歴のある患者　③鼓膜に穿孔のある湿疹性外耳道炎［穿孔部位の治癒の遅延及び感染のおそれがある］　④潰瘍(ベーチェット病は除く)，第2度深在性以上の熱傷・凍傷［皮膚の再生が抑制され，治癒が遅延するおそれがある］

薬物動態

吸収　ラットに^{3}H-標識ベタメタゾンジプロピオン酸エステル軟膏，クリームを密封法(ODT)により塗布時，24時間後の表皮における塗布量に対する残存率は，角質層の有無により著しく異なり，角質層除去皮膚では9～14%であったのに対して，健常皮膚では90～95%　**代謝**　ラットにおいて速やかに代謝され，胆汁中及び尿中に未変化体は少なかった．主代謝物として確認されているのはベタメタゾン17-プロピオン酸エステル，ベタメタゾン及びそれぞれの6β位が水酸化されたものの4種類　**排泄**　ラットにおいて尿中よりも糞中への排泄が主である．これはかなりの部分が胆汁中に排泄されるためである．また，塗布量に対する糞中及び尿中への合計排泄率は，角質層除去皮膚の場合，24時間以内に50～64%，72時間以内に85～87%であるが，健常皮膚の場合，24時間以内にわずか1.4～3.5%

その他の管理的事項

投与期間制限　該当しない

保険給付上の注意　該当しない

資料

IF　リンデロン-DP軟膏・クリーム・ゾル　2020年3月改訂(第15版)

ベタメタゾンリン酸エステルナトリウム
Betamethasone Sodium Phosphate

概要

薬効分類　131　眼科用剤，132　耳鼻科用剤，245　副腎ホルモン剤

構造式

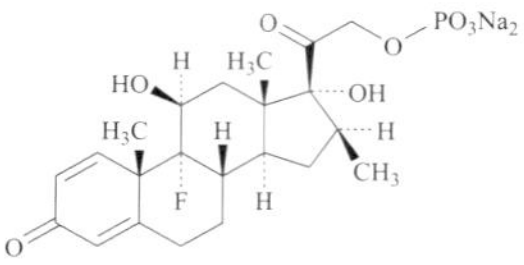

分子式　$C_{22}H_{28}FNa_2O_8P$

分子量　516.40

ステム　プレドニン及びプレドニゾロン誘導体：-methasone

原薬の規制区分　該当しない

原薬の外観・性状　白色～微黄白色の結晶性の粉末又は塊で，においはない．水に溶けやすく，メタノールにやや溶けにくく，エタノール(95)に溶けにくく，ジエチルエーテルにほとんど溶けない．0.10gを水20mLに溶かした液のpHは7.5～9.0である

原薬の吸湿性　吸湿性である

原薬の融点・沸点・凝固点　融点：約213℃(分解)

原薬の酸塩基解離定数　該当資料なし

先発医薬品等

注　リンデロン注2mg(0.4%)・4mg(0.4%)・20mg(0.4%)・20mg(2%)・100mg(2%)(シオノギファーマ＝塩野義)

液　リンデロン点眼・点耳・点鼻液0.1%(シオノギファーマ＝塩野義)

点眼液　リンデロン点眼液0.01%(シオノギファーマ＝塩野義)

後発医薬品

注　2mg・4mg・20mg

注腸　1.975mg・3.95mg

液　0.1%

国際誕生年月　不明

海外での発売状況　該当資料なし

製剤

規制区分　**注**　㊕

製剤の性状　**注**　無色澄明の液　**液**　**点眼液**　無色澄明の液(無菌製剤)

有効期間又は使用期限　**0.4%注**　**点眼液**　3年　**2%注**　2年　**液**　5年

貯法・保存条件　**0.4%注**　遮光・2～8℃で保存　**2%注**　遮光・凍結を避け冷所保存　**液**　遮光・室温保存(使用の都度密栓)　**点眼液**　気密容器，遮光・室温保存(使用の都度密栓)

患者向け資料等　くすりのしおり

溶液及び溶解時のpH　**注**　7.3～8.3　**液**　**点眼液**　7.5～8.5

浸透圧比　**注**　約1　**液**　**点眼液**　約0.8

調製時の注意　該当しない

薬理作用

分類　合成糖質副腎皮質ホルモン剤

作用部位・作用機序　抗炎症作用，抗アレルギー作用を示す　作用機序：ライソゾーム膜の安定化，循環動態の改善，心血管作動物質の産生阻止，代謝系の改善及びショック肺発生の予防等が考えられる

同効薬　プレドニゾロンコハク酸エステルナトリウム，メチルプレドニゾロンコハク酸エステルナトリウム，デキサメタゾンリン酸エステルナトリウムなど

治療

効能・効果　**0.4%注**　( )内文字は投与法(注参照)を示す：①内科・小児科領域：⑴内分泌疾患：慢性副腎皮質機能不全(原発

性，続発性，下垂体性，医原性）〔(ウ)〕，急性副腎皮質機能不全（副腎クリーゼ）〔(ア)(イ)(ウ)〕，副腎性器症候群，亜急性甲状腺炎，甲状腺疾患に伴う悪性眼球突出症〔※(ウ)〕，甲状腺中毒症〔甲状腺（中毒性）クリーゼ〕〔(ア)(イ)※(ウ)〕 (2)リウマチ性疾患：関節リウマチ，若年性関節リウマチ（スチル病を含む）〔(ウ)(エ)〕，リウマチ熱（リウマチ性心炎を含む）〔※(ア)※(イ)(ウ)〕，リウマチ性多発筋痛〔(ウ)〕 (3)膠原病：エリテマトーデス（全身性及び慢性円板状），全身性血管炎（高安動脈炎，結節性多発動脈炎，顕微鏡的多発血管炎，多発血管炎性肉芽腫症を含む），多発性筋炎（皮膚筋炎）〔※(ア)※(イ)(ウ)〕，強皮症〔※(ウ)〕 (4)腎疾患：ネフローゼ及びネフローゼ症候群〔※(ア)※(イ)※(ウ)〕 (5)心疾患：うっ血性心不全〔※(ア)※(イ)※(ウ)〕 (6)アレルギー疾患：気管支喘息（ただし，筋注は他の投与法では不適当な場合に限る）〔(ア)(イ)(ウ)(ソ)〕，喘息性気管支炎（小児喘息性気管支炎を含む）〔※(ウ)(ソ)〕，喘息発作重積状態，アナフィラキシーショック〔(ア)(イ)〕，薬剤その他の化学物質によるアレルギー・中毒（薬疹，中毒疹を含む）〔※(ア)※(イ)※(ウ)〕，血清病〔(ア)(イ)※(ウ)〕 (7)重症感染症：重症感染症（化学療法と併用する）〔(ア)(イ)※(ウ)〕 (8)血液疾患：溶血性貧血（免疫性又は免疫性機序の疑われるもの），白血病（急性白血病，慢性骨髄性白血病の急性転化，慢性リンパ性白血病）（皮膚白血病を含む），顆粒球減少症（本態性，続発性），紫斑病（血小板減少性及び血小板非減少性），再生不良性貧血，凝固因子の障害による出血性素因〔(ア)(イ)※(ウ)〕，髄膜白血病〔(ク)〕 (9)消化器疾患：限局性腸炎，潰瘍性大腸炎〔※(ア)※(イ)※(ウ)(サ)〕 (10)重症消耗性疾患：重症消耗性疾患の全身状態の改善（癌末期，スプルーを含む）〔※(ア)※(イ)※(ウ)〕 (11)肝疾患：劇症肝炎（臨床的に重症とみなされるものを含む）〔(ア)(イ)※(ウ)〕，胆汁うっ滞型急性肝炎〔※(イ)※(ウ)〕，肝硬変（活動型，難治性腹水を伴うもの，胆汁うっ滞を伴うもの）〔※(ウ)〕 (12)肺疾患：びまん性間質性肺炎（肺線維症）（放射線肺臓炎を含む）〔※(ア)※(イ)(ソ)〕 (13)結核性疾患（抗結核剤と併用する）：結核性髄膜炎〔(ク)〕，結核性胸膜炎〔(ケ)〕 (14)神経疾患：脳脊髄炎（脳炎，脊髄炎を含む）（ただし，一次性脳炎の場合は頭蓋内圧亢進症状がみられ，かつ他剤で効果が不十分なときに短期間用いる），重症筋無力症，多発性硬化症（視束脊髄炎を含む）〔(ア)(イ)※(ウ)(ク)〕，末梢神経炎（ギランバレー症候群を含む）〔※(ア)※(イ)※(ウ)(ク)〕，小舞踏病，顔面神経麻痺，脊髄蜘網膜炎〔※(ウ)〕 (15)悪性腫瘍：悪性リンパ腫（リンパ肉腫症，細網肉腫症，ホジキン病，皮膚細網症，菌状息肉症）及び類似疾患（近縁疾患）〔(ア)(イ)※(ウ)(ク)〕，好酸性肉芽腫〔(ア)(イ)※(ウ)〕，乳癌の再発転移〔※(ウ)〕 (16)その他の内科的疾患：特発性低血糖症〔(ア)(イ)※(ウ)〕，原因不明の発熱〔※(ウ)〕 ②外科領域：副腎摘除〔(ア)(イ)(ウ)〕，臓器・組織移植，副腎皮質機能不全患者に対する外科的侵襲，蛇毒・昆虫毒（重症の虫さされを含む）〔※(ウ)〕，侵襲後肺水腫〔(ア)(ソ)〕，外科的ショック及び外科的ショック様状態，脳浮腫，輸血による副作用，気管支痙攣（術中）〔(ア)〕 ③整形外科領域：強直性脊椎炎（リウマチ性脊椎炎）〔(ウ)〕，強直性脊椎炎（リウマチ性脊椎炎）に伴う四肢関節炎，変形性関節症（炎症症状がはっきり認められる場合），外傷後関節炎，非感染性慢性関節炎，痛風性関節炎〔(エ)〕，関節周囲炎（非感染性のものに限る），腱周囲炎（非感染性のものに限る）〔(オ)(カ)(キ)〕，腱炎（非感染性のものに限る）〔(オ)(カ)〕，腱鞘炎（非感染性のものに限る）〔(カ)〕，滑液包炎（非感染性のものに限る）〔(キ)〕，椎間板ヘルニアにおける神経根炎（根性坐骨神経痛を含む）〔硬膜外注射（リンデロンを除く）〕 ④産婦人科領域：卵管閉塞症（不妊症）に対する通水療法〔(コ)〕，卵管整形術後の癒着防止〔※(ウ)(コ)〕，副腎皮質機能障害による排卵障害〔※(ウ)〕，（リンデロン注2mg・4mgのみ）早産が予期される場合における，母体投与による胎児肺成熟を介した新生児呼吸窮迫症候群の発症抑制〔(ウ)〕 ⑤泌尿器科領域：前立腺癌（他の療法が無効な場合）〔※(ウ)〕，陰茎硬結〔※(ウ)〕 ⑥皮膚科領域：★湿疹・皮膚炎群（急性湿疹，亜急性湿疹，慢性湿疹，接触皮膚炎，貨幣状湿疹，自家感作性皮膚炎，アトピー皮膚炎，乳・幼・小児湿疹，ビダール苔癬，その他の神経皮膚炎，脂漏性皮膚炎，進行性指掌角皮症，その他の手指の皮膚炎，陰部あるいは肛門湿疹，耳介及び外耳道の湿疹・皮膚炎，鼻前庭及び鼻翼周辺の湿疹・皮膚炎等）（ただし，重症例以外は極力投与しない）（ただし，局注は浸潤，苔癬化の著しい場合のみ），★痒疹群（小児ストロフルス，蕁麻疹様苔癬，固定蕁麻疹を含む）（ただし，重症例に限る．また，固定蕁麻疹は局注が望ましい）〔※(ウ)〕，★類乾癬（重症例に限る），★掌蹠膿疱症（重症例に限る），★毛孔性紅色粃糠疹（重症例に限る），成年性浮腫性硬化症，紅斑症〔★多形滲出性紅斑（重症例に限る），結節性紅斑〕，レイノー病，先天性表皮水疱症，帯状疱疹（重症例に限る），顔面播種状粟粒性狼瘡（重症例に限る），潰瘍性慢性膿皮症，新生児スクレレーマ〔※(ウ)〕，蕁麻疹（慢性例を除く）（重症例に限る），★乾癬及び類症（関節症性乾癬，乾癬性紅皮症，膿疱性乾癬，稽留性肢端皮膚炎，疱疹状膿痂疹，ライター症候群），アナフィラクトイド紫斑（単純型，シェーンライン型，ヘノッホ型）（重症例に限る），ウェーバークリスチャン病，皮膚粘膜眼症候群〔開口部びらん性外皮症，スチブンス・ジョンソン病，皮膚口内炎，フックス症候群，ベーチェット病（眼症状のない場合），リップシュッツ急性陰門潰瘍〕，天疱瘡群（尋常性天疱瘡，落葉状天疱瘡，Senear－Usher症候群，増殖性天疱瘡），デューリング疱疹状皮膚炎（類天疱瘡，妊娠性疱瘡を含む），★紅皮症（ヘブラ紅色粃糠疹を含む）〔※(イ)※(ウ)〕，★乾癬及び類症〔尋常性乾癬（重症例）〕〔※(イ)※(ウ)〕，★円形脱毛症（悪性型に限る），★早期ケロイド及びケロイド防止 ⑦眼科領域：内眼・視神経・眼窩・眼筋の炎症性疾患の対症療法（ブドウ膜炎，網脈絡膜炎，網膜血管炎，視神経炎，眼窩炎性偽腫瘍，眼窩漏斗尖端部症候群，眼筋麻痺）〔※(ア)※(ウ)(シ)(ス)(セ)〕，外眼部及び前眼部の炎症性疾患の対症療法で点眼が不適当又は不十分な場合（眼瞼炎，結膜炎，角膜炎，強膜炎，虹彩毛様体炎）〔※(ア)※(ウ)(シ)(ス)〕，眼科領域の術後炎症〔※(ア)※(ウ)(シ)(セ)〕 ⑧耳鼻咽喉科領域：急性・慢性中耳炎〔※(ア)※(イ)※(ウ)(ナ)〕，滲出性中耳炎・耳管狭窄症〔※(ア)※(イ)※(ウ)(ナ)(ニ)〕，メニエル病及びメニエル症候群，急性感音性難聴，口腔外科領域手術後の後療法〔(ア)(イ)(ウ)〕，血管運動（神経）性鼻炎，アレルギー性鼻炎，花粉症（枯草熱）〔(ウ)(ソ)(タ)(ツ)〕，副鼻腔炎・鼻茸〔(ウ)(ソ)(タ)(チ)(テ)〕，進行性壊疽性鼻炎〔(ア)(イ)(ウ)(ソ)(タ)(チ)(ト)〕，喉頭炎・喉頭浮腫〔(ア)(イ)(ウ)(ソ)(ト)〕，喉頭ポリープ・結節〔※(ア)※(イ)※(ウ)(ソ)(ト)〕，食道の炎症（腐蝕性食道炎，直達鏡使用後）及び食道拡張術後〔(ア)(イ)(ウ)(ソ)(ヌ)〕，耳鼻咽喉科領域の手術後の後療法〔(ア)(イ)(ウ)(オ)(ソ)(タ)(チ)(ツ)(ト)(ナ)(ヌ)〕，難治性口内炎及び舌炎（局所療法で治癒しないもの）〔(オ)〕，嗅覚障害〔※(ア)※(イ)※(ウ)(ソ)(タ)〕，急性・慢性（反復性）唾液腺炎〔※(ア)※(イ)※(ウ)(ネ)〕 注）投与法：(ア)静注(イ)点静注(ウ)筋注(エ)関節腔内注射(オ)軟組織内注射(カ)腱鞘内注射(キ)滑液嚢内注入(ク)脊髄腔内注入(ケ)胸腔内注入(コ)卵管腔内注入(サ)注腸(シ)結膜下注射(ス)球後注射(セ)点眼(ソ)ネブライザー(タ)鼻腔内注入(チ)副鼻腔内注入(ツ)鼻甲介内注射(テ)鼻茸内注射(ト)喉頭・気管内注入(ナ)中耳腔内注入(ニ)耳管内注入(ヌ)食道注入(ネ)唾液腺管内注入※）次の場合のみ用いる：(1)静注及び点静注：経口投与不能時，緊急時及び筋注不適な場合にのみ用いる (2)筋注：経口投与不能な場合にのみ用いる ★）外用剤を用いても効果が不十分な場合あるいは十分な効果を期待し得ないと推定される場合のみ用いる

2%注 出血性ショックにおける救急，又は術中・術後のショック

点眼液 **点眼・点耳・点鼻液** ①眼科：外眼部及び前眼部の炎症性疾患の対症療法（眼瞼炎，結膜炎，角膜炎，強膜炎，上強膜炎，前眼部ブドウ膜炎，術後炎症） ②**点眼・点耳・点鼻液** 耳鼻科：外耳・中耳（耳管を含む）又は上気道の炎症性・アレルギー性疾患（外耳炎，中耳炎，アレルギー性鼻炎等），術後処置

注腸 限局性腸炎，潰瘍性大腸炎

効能・効果に関連する使用上の注意 **0.4%注**（リンデロン注2mg・4mg）母体投与による新生児呼吸窮迫症候群の発症抑制に用いる場合，高次医療施設での周産期管理が可能な状況

において投与する

用法・用量 **0.4%注** ベタメタゾンとして①静注・筋注：1回2〜8mg，3〜6時間ごと（適宜増減）．（リンデロン注）母体投与による新生児呼吸窮迫症候群の発症抑制に用いる場合，早産が予期される妊娠34週までの妊婦に対し，1回12mgを24時間ごとに計2回，筋注　②点滴静注：1回2〜10mg，1日1〜2回（適宜増減）　③関節腔内注射，軟組織内注射，腱鞘内注射，滑液嚢内注入：1回1〜5mg，原則として投与間隔2週間以上（適宜増減）　④脊髄腔内注入，胸腔内注入：1回1〜5mg，週1〜3回（適宜増減）　⑤卵管腔内注入：1回0.4〜1mg（適宜増減）　⑥注腸：1回0.4〜6mg（適宜増減）　⑦結膜下注射：1回0.4〜2mg，液量0.2〜0.5mL（適宜増減）　⑧球後注射：1回0.8〜4mg，液量0.5〜1mL（適宜増減）　⑨点眼：1回0.25〜1mg/mL溶液1〜2滴，1日3〜8回（適宜増減）　⑩ネブライザー，鼻腔内注入，副鼻腔内注入，喉頭・気管注入，中耳腔内注入，耳管内注入：1回0.1〜2mg，1日1〜3回（適宜増減）　⑪鼻甲介内注射，鼻茸内注射：1回1〜5mg（適宜増減）　⑫食道注入：1回1〜2mg（適宜増減）　⑬唾液腺管内注入：1回0.5〜1mg（適宜増減）　⑭硬膜外注射（リンデロンを除く）：1回2〜10mg，原則として投与間隔2週間以上（適宜増減）

2%注 ベタメタゾンとして1回0.5〜4mg/kg静注．なお，症状が改善しない場合には，適宜追加投与

点眼液　**点眼・点耳・点鼻液**〔眼科用〕1日3〜4回，1〜2滴点眼（適宜増減）．〔耳鼻科用〕1日1〜数回，点耳，点鼻，耳浴，ネブライザー又はタンポンで使用するか，又は注入（適宜増減）

注腸 ベタメタゾンとして1回1.5〜6mg直腸内注入（適宜増減）

用法・用量に関連する使用上の注意 **0.4%注**（リンデロン注2mg・4mg）母体投与による新生児呼吸窮迫症候群の発症抑制に用いる場合，投与から出産までの最適期間は投与開始後24時間以上7日間以内である．また，それ以降に本剤を繰り返し投与した際の有効性と安全性は確立されていないので，児の娩出時期を考慮して投与時期を決定する

使用上の注意

禁忌 **0.4%注** ①本剤の成分に対し過敏症の既往歴のある患者　②感染症のある関節腔内，滑液嚢内，腱鞘内又は腱周囲［免疫機能抑制作用により，感染症が増悪することがある］　③動揺関節の関節腔内［関節症状が増悪することがある］　④デスモプレシン酢酸塩水和物（男性における夜間多尿による夜間頻尿）を投与中の患者

2%注　**注腸** ①本剤の成分に対し過敏症の既往歴のある患者　②デスモプレシン酢酸塩水和物（男性における夜間多尿による夜間頻尿）を投与中の患者

点眼・点耳・点鼻液 本剤の成分に対し過敏症の既往歴のある患者

薬物動態

0.4%注 **血中濃度**　①健康成人3例に8mg単回静注時，1時間後95.5±12.5ng/mLで，その後極めて徐々に減少（測定法：RIA）　②健康成人8例に8mg静注時，$T_{1/2}$は5.6±0.9hr，$AUC_{0-\infty}$は46.3±8.6μg・min/mL（測定法：HPLC）（外国人）　**分布**　脳腫瘍患者5例に8mg静注時，脳脊髄液中濃度は1時間後で血中濃度の1/10〜1/20，6時間後では1/2〜1/3（測定法：RIA）　**代謝**　一部はC-6位が代謝され6β-水酸化体になる．主な代謝酵素はチトクロムP450 3A4　**排泄**　健康成人10例に8mg静注時，24時間までの尿中に4.8±1.8%排泄（測定法：HPLC）（外国人）　**その他**　血漿蛋白結合率64.6%（測定法：HPLC）（外国人）

2%注（代謝を除きHPLC測定法）　**吸収**　①血漿中濃度：脳外科手術患者（5例）にベタメタゾン100mg相当の本剤を静注直後に高い血漿中濃度を示したが，その後急速に減少し，1時間後には690±480ng/mL，2時間後には40±40ng/mL．一方，遊離型ベタメタゾンの血漿中濃度は極めて徐々に減少し，1時間後には1230±160ng/mL，2時間後には940±110ng/mL，3時間後には790±40ng/mL　②薬物動態パラメータ：健康成人8例に10.6mgを静注時，ベタメタゾンの$T_{1/2}$は5.6±0.8hr，$AUC_{0-\infty}$は46.3±8.6μg・min/mL（外国人）　**代謝**　C-6位水酸化反応の主な代謝酵素はチトクロムP450 3A4　**排泄**　脳外科手術患者にベタメタゾン100mg相当の本剤を静注6時間までの尿中に遊離ベタメタゾン及びベタメタゾングルクロン酸抱合体はほぼ同量排泄され，両方を併せた累積尿中排泄率は約5%　**その他**　血漿蛋白結合率：64±6%（外国人）

点眼液 **血漿中濃度**　眼科手術後の患者14例に0.01%液を1回1滴点眼時の血漿中濃度をラジオイムノアッセイで測定．血漿中濃度は点眼30分後に12±8pg/mL，1時間後は70±27pg/mL，2時間後60±54pg/mLを示し，3時間以降は検出されなかった

点眼・点耳・点鼻液 **血漿中濃度**　眼科手術後の患者11例に0.1%液を1回1滴点眼時の血漿中濃度をラジオイムノアッセイで測定．血漿中濃度は点眼30分後に467±138pg/mL，1時間後は479±109pg/mL，2時間後478±150pg/mL，以後漸減し，6時間後は235±61pg/mL

その他の管理的事項

投与期間制限　該当しない

保険給付上の注意　該当しない

資料

IF　リンデロン注20mg（2%）・100mg（2%）　2020年9月改訂（第13版）

リンデロン点眼・点耳・点鼻液0.1%　2020年7月改訂（第12版）

リンデロン点眼液0.01%　2019年4月改訂（第10版）

ペチジン塩酸塩
ペチジン塩酸塩注射液
Pethidine Hydrochloride

概要

薬効分類　821　合成麻薬

構造式

分子式　$C_{15}H_{21}NO_2 \cdot HCl$

分子量　283.79

略語・慣用名　別名：オペリジン

原薬の規制区分　㊏

原薬の外観・性状　白色の結晶性の粉末である．水又は酢酸(100)に極めて溶けやすく，エタノール(95)に溶けやすく，無水酢酸にやや溶けにくく，ジエチルエーテルにほとんど溶けない．1.0gを水20mLに溶かした液のpHは3.8〜5.8である

原薬の吸湿性　該当資料なし

原薬の融点・沸点・凝固点　融点：187〜189℃

原薬の酸塩基解離定数　pKa＝8.7

先発医薬品等

注 ペチジン塩酸塩注射液35mg・50mg「タケダ」（武田）

国際誕生年月　不明

海外での発売状況　米，英など

製剤

規制区分　**注**　㊏ ㊅

製剤の性状　**注** 無色澄明の液で，光によって変化する

貯法・保存条件 気密容器，室温保存．開封後も遮光保存すること

薬剤取扱い上の留意点 連用により薬物依存を生じることがあるので，観察を十分に行い，慎重に投与すること．眠気，眩暈が起こることがあるので，本剤投与中の患者には自動車の運転等危険を伴う機械の操作に従事させないよう注意すること

溶液及び溶解時のpH [注] 4.0～6.0

浸透圧比 [注] 約1(対生食)

調製時の注意 [注] 光によって変化する

薬理作用

分類 アトロピン類似化合物の合成麻薬

作用部位・作用機序 μとκ受容体に結合する．中等度か強度の疼痛に有効であるが，作用時間はモルヒネより短い．コデインが効く範囲を超えた疼痛に対して有効である．モルヒネ様の中枢性鎮痛作用を示し，また，アトロピン様の向神経性鎮静作用とパパベリン様の向筋肉性鎮痙作用を示す．呼吸抑制，便秘発現などの作用が弱く，また，耐性，嗜癖の形成もモルヒネほど著明ではない

同効薬 麻薬性鎮痛剤(モルヒネ塩酸塩注射液等)，非麻薬性鎮痛・鎮痙剤など

治療

効能・効果 ①激しい疼痛時における鎮痛・鎮静・鎮痙 ②[注] 麻酔前投薬，麻酔の補助，無痛分娩

用法・用量 [末] 1回50mg，1日150mg(適宜増減)

[注] ①激しい疼痛時における鎮痛・鎮静・鎮痙：1回35～50mg皮下又は筋注(適宜増減)．必要に応じて3～4時間ごとに追加．特に急を要する場合には，緩徐に静注 ②麻酔前投薬：麻酔の30～90分前に50～100mg皮下又は筋注(適宜増減) ③全身麻酔の補助：5％ブドウ糖注射液又は生理食塩液で10mg/mLに希釈して10～15mgずつ間欠的に静注(適宜増減)．投与量は場合により50mgまで増量することもある ④無痛分娩：子宮口二横指開大～全開時に70～100mg皮下又は筋注(適宜増減)．必要に応じて3～4時間ごとに35～70mgずつ1～2回追加．この場合，母体及び胎児の呼吸抑制を防ぐため100mgに対しレバロルファン酒石酸塩1mgの投与比率で混合注射する

使用上の注意

禁忌 ①重篤な呼吸抑制のある患者［呼吸抑制を増強する］ ②重篤な肝障害のある患者［昏睡に陥ることがある］ ③慢性肺疾患に続発する心不全のある患者［呼吸抑制や循環不全を増強する］ ④痙攣状態(てんかん重積症，破傷風，ストリキニーネ中毒)にある患者［脊髄の刺激効果が現れる］ ⑤急性アルコール中毒の患者［呼吸抑制を増強する］ ⑥既往に本剤に対する過敏症のある患者 ⑦モノアミン酸化酵素阻害剤を投与中の患者 ⑧ナルメフェン塩酸塩水和物を投与中又は投与中止後1週間以内の患者

過量投与 ①徴候・症状：呼吸抑制，意識不明，痙攣，錯乱，血圧低下，重篤な脱力感，重篤なめまい，嗜眠，心拍数の減少，神経過敏，不安，縮瞳，皮膚冷感等を起こすことがある ②処置：過量投与時には次の治療を行うことが望ましい：(1)中止し，気道確保，補助呼吸及び呼吸調節により適切な呼吸管理を行う (2)麻薬拮抗剤投与を行い，患者に退薬症候又は麻薬拮抗剤の副作用が発現しないよう慎重に投与する (3)必要に応じて補液，昇圧剤等の投与又は他の補助療法を行う

薬物動態

参考：健康成人6例に50mgを経口投与時，血中濃度は投与2時間後に最高(約0.14μg/mLserum)に達し，以後約3.5時間の半減期で減少．主として肝臓で代謝され，吸収量の約50％が初回通過効果を受ける．加水分解及びN-脱メチル化が主要代謝経路であるが，約1/3はN-脱メチル化された誘導体として尿中へ排泄．未変化体の尿中排泄は極めて少ない．(外国人)健康成人6例に約50mg(26mg/m^2・体表面積)を静注1分後の血清中濃度は0.52μg/mL，α相及びβ相の半減期は，それぞれ4.2分，3.9時間．また，筋注1時間後に最高血中濃度(約0.2μg/mLserum)に達し，以後3.3時間の半減期で減少．体内で加水分解及びN-脱メチル化を受け，尿中への未変化体の排泄は極めて少ない

その他の管理的事項

投与期間制限 14日

保険給付上の注意 該当しない

資料

IF ペチジン塩酸塩注射液35mg・50mg「タケダ」 2020年2月改訂(第7版)

ベニジピン塩酸塩
ベニジピン塩酸塩錠
Benidipine Hydrochloride

概要

薬効分類 217 血管拡張剤

構造式

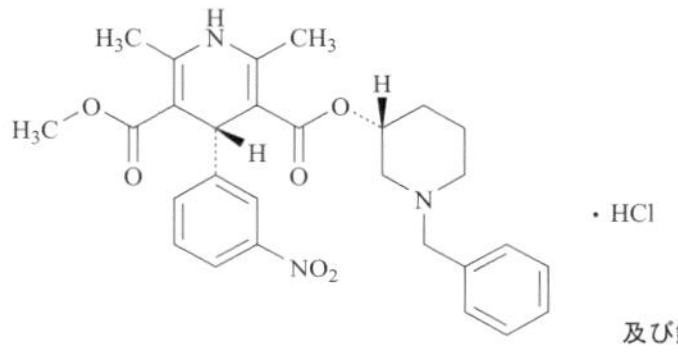

及び鏡像異性体

分子式 $C_{28}H_{31}N_3O_6$・HCl

分子量 542.02

ステム ニフェジピン系カルシウムチャネル拮抗薬：-dipine

原薬の規制区分 [毒](ただし，1個中ベニジピンとして7.46mg以下又は0.37％以下を含有する内用剤は[劇])

原薬の外観・性状 黄色の結晶性の粉末である．ギ酸に極めて溶けやすく，メタノールにやや溶けやすく，エタノール(99.5)にやや溶けにくく，水にほとんど溶けない．本品のメタノール溶液(1→100)は旋光性を示さない

原薬の吸湿性 吸湿性は低く，92.5％RH・25℃，25日で吸湿量は1.10％であった

原薬の融点・沸点・凝固点 融点：約200℃(分解)

原薬の酸塩基解離定数 pKa'＝7.34

先発医薬品等

[錠] コニール錠2・4・8(協和キリン)

後発医薬品

[錠] 2mg・4mg・8mg

国際誕生年月 1991年10月

海外での発売状況 韓国，フィリピン，中国，トルコ，台湾

製剤

規制区分 [錠] [劇] [処]

製剤の性状 [錠] 黄色のフィルムコーティング錠(4mg・8mg錠割線入)

有効期間又は使用期限 3年

貯法・保存条件 室温保存

薬剤取扱い上の留意点 降圧作用に基づくめまい等が現れることがあるので高所作業，自動車の運転等危険を伴う機械を操作する際には注意させること．4mg製剤，8mg製剤(割線入り錠剤)は，錠剤半切機には適用できないことがある(均等に二分割できない場合がある)

患者向け資料等 くすりのしおり

薬理作用

分類 ジヒドロピリジン系Ca拮抗薬

作用部位・作用機序 細胞膜の膜電位依存性Caチャネルの

DHP結合部位に結合することによって細胞内へのCa流入を抑制し，冠血管や末梢血管を拡張させる．なお，細胞膜への移行性が高く，主として細胞膜内を通ってDHP結合部位に結合すると推定されており，更に摘出血管収縮抑制作用及びDHP結合部位親和性等の検討によりDHP結合部位への結合性が強く，また解離速度も非常に遅いことが確認されており，薬物血中濃度とほとんど相関せずに作用の持続性を示す

同効薬 ニフェジピン，アムロジピン，ニカルジピンなどのジヒドロピリジン系Ca拮抗薬

治療

効能・効果 ①高血圧症，腎実質性高血圧症 ②狭心症

用法・用量 効能①：1日1回2～4mg朝食後（適宜増減）．効果不十分な場合には1日1回8mgまで増量できる．重症高血圧症には1日1回4～8mg朝食後 効能②：1回4mg，1日2回朝夕食後（適宜増減）

禁忌・原則禁忌となる特定患者集団 妊婦・妊娠している可能性のある婦人

使用上の注意

禁忌 ①心原性ショックの患者［症状が悪化するおそれがある］ ②妊婦又は妊娠している可能性のある婦人

相互作用概要 主としてCYP3A4で代謝される

過量投与 過量投与により過度の血圧低下を起こすおそれがある．著しい血圧低下が認められた場合には下肢の挙上，輸液投与，昇圧剤投与等の適切な処置を行う．なお，本剤は蛋白結合率が高いため，透析による除去は有用ではない

薬物動態

吸収 （薬物速度論的パラメータ）健常成人男子6名に空腹時単回経口投与時の血漿中未変化体濃度の推移は2mg，4mg，8mg投与でCmax（ng/mL）はそれぞれ0.55±0.41，2.25±0.84，3.89±1.65，Tmax（hr）はそれぞれ1.1±0.5，0.8±0.3，0.8±0.3，$T_{1/2}$（hr）は4mgで1.7±0.7，8mgで0.97±0.34，$AUC_{0-\infty}$（ng・hr/mL）はそれぞれ1.04±1.26，3.94±0.96，6.7±2.73 **分布** ①体組織への分布（参考：ラット）：^{14}C-塩酸ベニジピン1mg/kgを経口投与時，消化管内容物を除き，肝臓，腎臓，副腎，顎下腺，肺，下垂体，膵臓の順に移行が認められ，脳，脊髄，精巣への移行は少なかった ②移行性（参考）：^{14}C-塩酸ベニジピン1mg/kgを妊娠ラットに経口投与時，胎児への移行性が認められ，その総量は母体血漿中の1/3以下．^{14}C-塩酸ベニジピン1mg/kgを授乳ラットに経口投与時，乳汁中濃度は血漿中濃度とほぼ同様に推移 ③蛋白結合率：*in vitro*（ヒト血清）で，98.46～98.93％（1～100000ng/mL，^{3}H-塩酸ベニジピン），*in vivo*（ヒト血漿：英国）で75％（^{14}C-塩酸ベニジピン8mg経口投与1時間後採血），76％（^{14}C-塩酸ベニジピン8mg経口投与2時間後採血） **代謝** ヒトの血漿中，尿中に検出された代謝物及び動物での代謝研究から，ヒトにおける代謝反応は主として3位側鎖のベンジル基の脱離（N-脱アルキル化），3位の1-ベンジル-3-ピペリジルエステル及び5位のメチルエステルの加水分解，ジヒドロピリジン環の酸化，2位のメチル基の酸化と考えられる．なお，本剤は主としてCYP3A4で代謝される **排泄（参考：英国）** 健常成人男子5名に^{14}C-塩酸ベニジピン8mgを単回経口投与時，累積放射能排泄率は投与後48時間までに尿中に約35％，糞中には約36％が排泄，投与後120時間では尿中で約36％，糞中で約59％が排泄

その他の管理的事項

投与期間制限 該当しない

保険給付上の注意 該当しない

資料

IF コニール錠2・4・8 2019年7月改訂（第12版）

ヘパリンカルシウム
Heparin Calcium

概要

薬効分類 333 血液凝固阻止剤

構造式

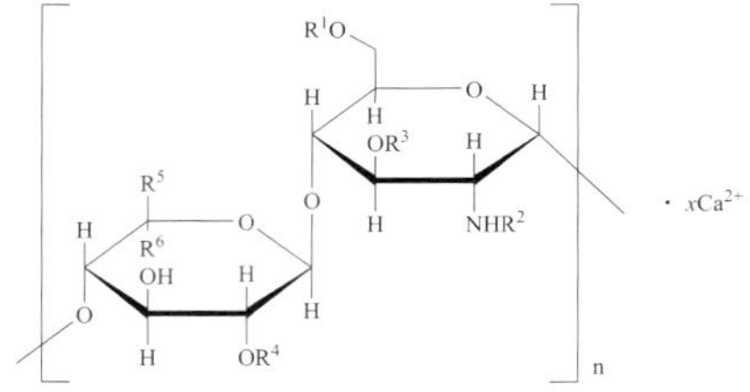

$R^1, R^3, R^4 = SO_3^-$ 又は H
$R^2 = SO_3^-$ 又は $-COCH_3$
$R^5 = CO_2^-$，$R^6 = H$
又は
$R^5 = H$，$R^6 = CO_2^-$

分子量 5000～20000くらいの広い分布を示す

ステム ヘパリン誘導体：-parin

原薬の規制区分 該当しない

原薬の外観・性状 白色～帯灰褐色の粉末又は粒である．水に溶けやすく，エタノール（99.5）にほとんど溶けない．1.0gを水100mLに溶かした液のpHは6.0～8.0である

原薬の吸湿性 吸湿性である

原薬の酸塩基解離定数 該当資料なし

後発医薬品

注 10,000単位・20,000単位・50,000単位・100,000単位

キット 5,000単位

国際誕生年月 該当しない

製剤

規制区分 **注** 生物 処

製剤の性状 **注** 無色～淡黄色澄明な注射液

有効期間又は使用期限 3年

貯法・保存条件 遮光・室温保存

薬剤取扱い上の留意点 特になし

患者向け資料等 くすりのしおり

溶液及び溶解時のpH 6.0～7.5

浸透圧比 **注** 約1（対生食） **皮下注** 約2（対生食）

調製時の注意 防腐剤を使用していないので雑菌の混入などに注意すること．抗ヒスタミン剤は，本剤と試験管内で混合すると反応し沈殿を生じることがあるので，混注は避けること．またアルギン酸塩，クエン酸塩，リン酸塩，硫酸塩，炭酸塩などとは難溶性の塩をつくるため濁る．その他，多くの有機酸塩とも配合変化を起こしやすい

薬理作用

分類 血液凝固阻止剤

作用部位・作用機序 体内でCaイオンと置換することなく，より生理的な作用様式での抗凝血作用を現す

同効薬 ヘパリンナトリウム，ダルテパリンナトリウム，パルナパリンナトリウム，レビパリンナトリウムなど

治療

効能・効果 **注** ①血液体外循環時における灌流血液の凝固防止（人工腎臓及び人工心肺等） ②汎発性血管内血液凝固症候群の治療 ③血管カテーテル挿入時の血液凝固の防止 ④輸血及び血液検査の際の血液凝固の防止 ⑤血栓塞栓症（静脈血栓症，心筋梗塞症，肺塞栓症，脳塞栓症，四肢動脈血栓塞栓症，手術中・術後の血栓塞栓症等）の治療及び予防

皮下注用 ①汎発性血管内血液凝固症候群の治療 ②血栓塞栓症（静脈血栓症，心筋梗塞症，肺塞栓症，脳塞栓症，四肢動脈血栓塞栓症，手術中・術後の血栓塞栓症等）の治療及び予防

用法・用量 **注** 次の各投与法によって投与されるが，それらは症例又は適応領域，目的によって決定される．投与後，全血凝固時間(Lee-White法)又は全血活性化部分トロンボプラスチン時間(WBAPTT)が正常値の2～3倍になるように年齢・症状に応じて適宜用量をコントロールする ①体外循環時(血液透析・人工心肺)：(1)人工腎：各患者の適切な使用量を透析前に各々のヘパリン感受性試験の結果に基づいて算出するが，全身ヘパリン化法では初め1000～3000単位，透析開始後，500～1500単位/時を持続的に，又は1時間ごとに500～1500単位を間欠的に追加投与．局所ヘパリン化法では1500～2500単位/時を持続注入し，体内灌流時にプロタミン硫酸塩で中和する (2)人工心肺：術式・方法によって多少異なるが，人工心肺灌流時には150～300単位/kgを投与し，さらに体外循環時間の延長とともに必要に応じて適宜追加．体外循環後は術後出血を防止し，ヘパリンの作用を中和するためにプロタミン硫酸塩を用いる ②点滴静注法：10000～30000単位を5%ブドウ糖注射液，生理食塩液，リンゲル液1000mLで希釈し，最初1分間30滴前後の速度で，続いて全血凝固時間又はWBAPTTが投与前の2～3倍になれば1分間20滴前後の速度で，点滴静注 ③間欠静注法：1回5000～10000単位を4～8時間ごとに静注．注射開始3時間後から，2～4時間ごとに全血凝固時間又はWBAPTTを測定し，投与前の2～3倍になるようにコントロール ④輸血及び血液検査の際の血液凝固防止法：輸血には血液100mLに対し400～500単位．血液検査には血液20～30mLに対して100単位

皮下注用 次の各投与法によって投与されるが，それらは症例又は適応領域，目的によって決定される．投与後，全血凝固時間(Lee-White法)又は全血活性化部分トロンボプラスチン時間(WBAPTT)が正常値の2～3倍になるように年齢・症状に応じて適宜用量をコントロールする：①初回に15000～20000単位，続いて維持量として1回10000～15000単位を1日2回，12時間間隔で皮下注 ②手術後又は心筋梗塞等に続発する静脈血栓症の予防には，5000単位を12時間ごとに7～10日間皮下注

薬物動態

(健康成人)①**注** 本剤35単位/kgを静注時，血漿中ヘパリン濃度は15分後に最高値，2時間後にはほぼ前値に復した ②**皮下注用** 本剤250単位/kgを腹部に皮下注時，血漿中ヘパリン濃度は4時間後に最高値，12時間後にも認められ，24時間後には前値に復した

その他の管理的事項

投与期間制限 該当しない

保険給付上の注意 該当しない

資料

IF ヘパリンCa注射液2万単位/20mL・5万単位/50mL・10万単位/100mL・皮下注2万単位/0.8mL「サワイ」 2016年2月改訂(第12版)

ヘパリンナトリウム
ヘパリンナトリウム注射液
透析用ヘパリンナトリウム液
ロック用ヘパリンナトリウム液
Heparin Sodium

概要

薬効分類 333 血液凝固阻止剤

構造式

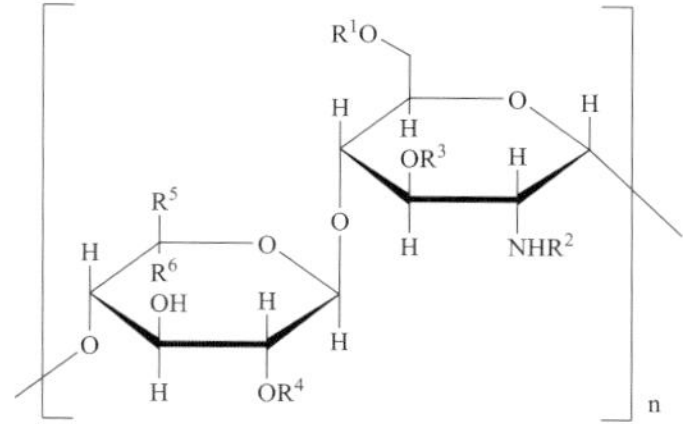

$R^1, R^3, R^4 = SO_3Na$ 又は H

$R^2 = SO_3Na$ 又は $-C(=O)CH_3$

$R^5 = CO_2Na$，$R^6 = H$

又は

$R^5 = H$，$R^6 = CO_2Na$

分子式 二糖類を構成単位とする多糖体であり，nが一定していない為分子式では示されない

分子量 5000～20000

ステム ヘパリン誘導体：-parin

原薬の規制区分 該当しない

原薬の外観・性状 白色～帯灰褐色の粉末又は粒で，においはない．水にやや溶けやすく，エタノール(95)又はジエチルエーテルにほとんど溶けない．1.0gを水100mLに溶かした液のpHは6.0～8.0である

原薬の吸湿性 吸湿性である

原薬の酸塩基解離定数 該当資料なし

先発医薬品等

注 ヘパリンNa注5千単位/5mL・1万単位/10mL「モチダ」(持田)

ヘパリンナトリウム注1万単位/10mL・5万単位/50mL・10万単位/100mL「AY」(エイワイファーマ＝陽進堂)

ヘパリンナトリウム注N5千単位/5mL・1万単位/10mL「AY」(エイワイファーマ＝陽進堂)

ヘパリンナトリウム注1万単位/10mL・5万単位/50mL「ニプロ」(ニプロ)

キット ヘパフラッシュ10単位/mLシリンジ5mL・10mL

ヘパフラッシュ100単位/mLシリンジ5mL・10mL(テルモ)

ヘパリンNaロック用10単位/mLシリンジ5mL・10mL「ニプロ」(ニプロ)

ヘパリンNaロック用100単位/mLシリンジ5mL・10mL「ニプロ」(ニプロ)

ヘパリンNa透析用カテーテルロック用1,000単位/mLシリンジ5mL「ニプロ」(ニプロ)

軟 ヘパリンZ軟膏500単位/g(ゼリア)

後発医薬品

注 3,000単位・4,000単位・5,000単位

キット 50単位・100単位・500単位・1,000単位・3,000単位・4,000単位・5,000単位・7,000単位・10,000単位

国際誕生年月 不明

海外での発売状況 米，豪など

製剤

規制区分 **注** **透析用注** (生物) (処)

製剤の性状 **注** 無色～淡黄色澄明の水性注射液

へ

有効期間又は使用期限 3年
貯法・保存条件 **注** 室温保存(外箱開封後は遮光保存)
薬剤取扱い上の留意点 外来透析患者では，穿刺部の止血を確認してから帰宅させること
溶液及び溶解時のpH 5.5～8.0(溶液)
浸透圧比 約0.8(対0.9%生食)
調製時の注意 抗ヒスタミン剤は本剤と試験管内で混合すると反応し沈殿を生じることがあるので，混注は避けること

薬理作用

分類 血液凝固阻止剤
作用部位・作用機序 抗血栓作用：正常状態及びellagic acidによる実験的な過凝固状態のラットにヘパリンを投与した後，下大静脈にプラチナ線を挿入し，実験的血栓を作成して，その血栓量を測定した．両状態において，ヘパリン投与群は非投与群に比較して生成された血栓量は有意に少なかった
同効薬 ヘパリンカルシウム，ダルテパリンナトリウム，パルナパリンナトリウム，レビパリンナトリウム

治療

効能・効果 **注** ①汎発性血管内血液凝固症候群の治療 ②血液透析・人工心肺その他の体外循環装置使用時の血液凝固の防止 ③血管カテーテル挿入時の血液凝固の防止 ④輸血及び血液検査の際の血液凝固の防止 ⑤血栓塞栓症(静脈血栓症，心筋梗塞症，肺塞栓症，脳塞栓症，四肢動脈血栓塞栓症，手術中・術後の血栓塞栓症等)の治療及び予防
透析用注 血液透析(その他の)体外循環装置使用時の血液凝固の防止
キット 静脈内留置ルート内の血液凝固の防止
透析用キット 血液透析の体外循環装置使用時の血液凝固の防止
軟 肥厚性瘢痕・ケロイドの治療と予防，血栓性静脈炎(痔核を含む)，血行障害に基づく疼痛と炎症性疾患(注射後の硬結ならびに疼痛)，外傷(打撲，捻挫，挫傷)後の腫脹・血腫・腱鞘炎・筋肉痛・関節炎
効能・効果に関連する使用上の注意 **キット** 静脈内留置ルート内の血液凝固防止(ヘパリンロック)の目的以外に使用しない
透析用キット 血液透析の体外循環装置使用時の血液凝固防止の目的以外に使用しない
用法・用量 **注** 投与法は症例又は適応領域，目的によって決定される．本剤投与後，全血凝固時間(Lee-White法)又は全血活性化部分トロンボプラスチン時間(WBAPTT)が正常値の2～3倍になるように用量をコントロール ①点滴静注法：10000～30000単位を5%ブドウ糖注射液，生理食塩液，リンゲル液1000mLで希釈し，最初1分間30滴前後の速度で，続いて全血凝固時間又はWBAPTTが投与前の2～3倍になれば1分間20滴前後の速度で，点滴静注 ②間欠静注法：1回5000～10000単位を4～8時間ごとに静注．注射開始3時間後から，2～4時間ごとに全血凝固時間又はWBAPTTを測定し，投与前の2～3倍になるようにコントロール ③皮下注・筋注法：1回5000単位を4時間ごとに皮下注又は筋注 ④体外循環時(血液透析・人工心肺)における使用法：(1)人工腎では各患者の適切な使用量を透析前に各々のヘパリン感受性試験の結果に基づいて算出するが，全身ヘパリン化法の場合，透析開始に先だって，1000～3000単位を投与し，透析開始後は500～1500単位/時を持続的に，又は1時間ごとに500～1500単位を間欠的に追加．局所ヘパリン化法の場合は1500～2500単位/時を持続注入し，体内灌流時にプロタミン硫酸塩で中和する (2)術式・方式によって多少異なるが，人工心肺灌流時には，150～300単位/kgを投与し，さらに体外循環時間の延長とともに必要に応じて適宜追加．体外循環後は，術後出血を防止し，ヘパリンの作用を中和するためにプロタミン硫酸塩を用いる ⑤輸血及び血液検査の際の血液凝固防止法：輸血には血液100mLに対し400～500単位，血液検査には血液20～30mLに対し100単位を用いる
透析用注 人工腎では各患者の適切な使用量を透析前に各々のヘパリン感受性試験の結果に基づいて算出するが，全身ヘパリン化法の場合，通常透析開始に先だって，1000～3000単位を投与し，透析開始後は，1時間あたり500～1500単位を持続的に，又は1時間ごとに500～1500単位を間欠的に追加する．局所ヘパリン化法の場合は，1時間あたり1500～2500単位を持続注入し，体内灌流時にプロタミン硫酸塩で中和する
キット 静脈内留置ルート内を充填するのに十分な量を注入
透析用キット 次の投与方法によって投与されるが，それらは症例又は適応領域，目的によって決定される．本剤投与後，全血凝固時間(Lee-White法)又は全血活性化部分トロンボプラスチン時間(WBAPTT)が正常値の2～3倍になるように年齢，症状に応じて適宜用量をコントロールする．体外循環時(血液透析)における使用法：人工腎では各患者の適切な使用量を透析前に各々のヘパリン感受性試験の結果に基づいて算出するが，全身ヘパリン化法の場合，透析開始に先だって，1000～3000単位を投与し，透析開始後は，1時間あたり500～1500単位を持続的に，又は1時間ごとに500～1500単位を間欠的に追加する．局所ヘパリン化法の場合は，1時間あたり1500～2500単位を持続注入し，体内灌流時にプロタミン硫酸塩で中和する
軟 1日1～数回塗擦又はガーゼ等にのばして貼付
用法・用量に関連する使用上の注意 **キット** 10単位/mL製剤は通常6時間までの，100単位/mL製剤は12時間までを標準とし最長24時間までの静脈内留置ルート内の血液凝固防止(ヘパリンロック)に用いる

使用上の注意

禁忌 **軟** ①出血性血液疾患(血友病，血小板減少症，紫斑病等)のある患者［出血傾向を増強するおそれがある］ ②僅少な出血でも重大な結果を来すことが予想される患者［出血傾向を増強するおそれがある］ ③次の部位には使用しない：(1)潰瘍，びらん面［潰瘍，びらんを悪化させるおそれがある］ (2)眼［異常な刺激痛を起こすおそれがある］

薬物動態

注 **血中濃度** ①静注：健康成人6名に5000単位を静注し，血中濃度の時間的推移を合成基質S-2222を用いて測定時，急速にヘパリン濃度は上昇し，投与後10分より次第に減少して，投与後40分にはおよそ半減 ②点滴静注：健康成人男子5名に50単位/kgを5%ブドウ糖液250mLに溶解後，3時間かけて点滴静注し，経時的にヘパリン血中濃度推移を測定(合成基質S-2222法)．投与終了時(投与開始3時間後)に最高(0.35±0.09単位/mL)に達し，投与終了後は急速に減少，投与終了3時間後には消失．また，100単位/kgについても同様の方法で検討時，同様の推移パターンを示し，2倍以上の血中濃度(0.85±0.21単位/mL)を示した **分布** イヌに，^{35}Sで標識したヘパリンを静注時，総投与量の15～55%が組織内に移行し，肝臓，皮膚，筋肉，腎臓などに広く分布 **排泄** イヌに，^{35}Sで標識したヘパリンを静注時，投与後3～4時間で40%が，投与後96時間で90%が尿中に排泄

その他の管理的事項

投与期間制限 該当しない
保険給付上の注意 該当しない

資料

IF ヘパリンNa注5千単位/5mL・1万単位/10mL「モチダ」2020年3月改訂(第6版)

ペプロマイシン硫酸塩
注射用ペプロマイシン硫酸塩
Peplomycin Sulfate

概要

薬効分類　423　抗腫瘍性抗生物質製剤

構造式

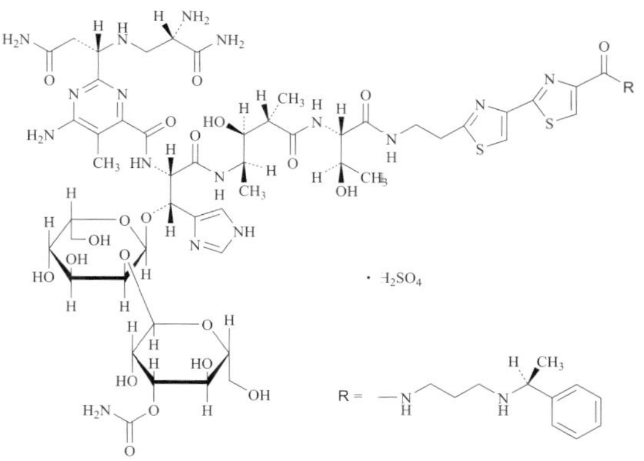

分子式　$C_{61}H_{88}N_{18}O_{21}S_2 \cdot H_2SO_4$

分子量　1571.67

略語・慣用名　PEP

ステム　*Streptomyces*属の産生する抗生物質：-mycin

原薬の規制区分　[劇]

原薬の外観・性状　白色～淡黄白色の粉末である．水に溶けやすく，エタノール(95)にほとんど溶けない．0.10gを水20mLに溶かした液のpHは4.5～6.0である

原薬の吸湿性　相対湿度が高いほど吸湿する

原薬の融点・沸点・凝固点　融点：196～198℃の間で徐々に着色しながら分解する

原薬の酸塩基解離定数　pKa＝2.9，4.8，7.4，9.0

先発医薬品等

[注射用] ペプレオ注射用5mg・10mg(日本化薬)

国際誕生年月　該当しない

海外での発売状況　該当しない

製剤

規制区分　[注射用] [劇] [処]

製剤の性状　[注射用] 白色の軽質の塊又は粉末の凍結乾燥注射剤

有効期間又は使用期限　2年

貯法・保存条件　直射日光を避け，室温保存

薬剤取扱い上の留意点　溶解後は，できるだけ速やかに使用すること

患者向け資料等　くすりのしおり

溶液及び溶解時のpH　4.5～6.0(5mg/mL注射用水)

浸透圧比　約1(生理食塩液5mLに溶解した液の対生食比)

安定なpH域　5付近

薬理作用

分類　抗腫瘍性抗生物質

作用部位・作用機序　DNA合成阻害作用及びDNA鎖切断作用で，その強さはブレオマイシンと同等である．抗腫瘍効果は用量依存性である

同効薬　ブレオマイシン塩酸塩，ブレオマイシン硫酸塩

治療

効能・効果　皮膚癌，頭頸部悪性腫瘍(上顎癌，舌癌・その他の口腔癌，咽頭癌，喉頭癌)，肺癌(扁平上皮癌)，前立腺癌，悪性リンパ腫

用法・用量　①静注：5～10mg(力価)を生理食塩液又はブドウ糖液等の適当な静脈用注射液約5～20mLに溶解し，緩徐に静注　②筋注：5～10mg(力価)を生理食塩液等の適当な溶解液約5mLに溶解し筋注　③動注：5～10mg(力価)をヘパリン等の血液凝固阻止剤を加えた生理食塩液等の適当な動脈用注射液3～25mLに溶解し，ワンショット動注又は持続動注　④注射の頻度：1週2～3回投与とし，症状に応じて1日1回連日投与から週1回投与まで適宜増減．標準週間投与量20～30mg(力価)　⑤総投与量：腫瘍の消失を目標とし150mg(力価)以下

用法・用量に関連する使用上の注意　①副作用発現の個人差が著しく，比較的少量の投与でも副作用が現れることがあるので，使用上の注意に十分留意する．なお，投与にあたっては，患者の状態・症状に応じて低用量から開始することとし，週間投与量についても過量にならぬよう十分注意する　②90mg(力価)までに明らかな制癌効果の認められない場合には，原則としてそれ以上の投与は行わないようにする　③総投与量は150mg(力価)を超えないようにする．なお，経路を重複して投与した場合，結果的に投与量が増加することに留意する　④ブレオマイシンを投与された患者に対するペプロマイシンの投与量は，原則として投与されたブレオマイシン量とペプロマイシン量の和でもって総投与量とする

使用上の注意

> **警告**　投与により間質性肺炎・肺線維症等の重篤な肺症状を呈することがあり，ときに致命的な経過をたどることがあるので，本剤の投与が適切と判断される症例についてのみ投与し，投与中及び投与終了後の一定期間(およそ2カ月位)は患者を医師の監督下におく．特に60歳以上の高齢者及び肺に基礎疾患を有する患者への投与に際しては，使用上の注意に十分留意する．労作性呼吸困難，発熱，咳，捻髪音(ラ音)，胸部レントゲン異常陰影，A-aDo2・Pao2・DLcoの異常等の初期症状が現れた場合にはただちに中止し，適切な処置を行う

禁忌　①重篤な肺機能障害，胸部レントゲン写真上びまん性の線維化病変及び著明な病変を呈する患者［肺機能障害，線維化病変等が増悪することがある］　②本剤の成分及び類似化合物(ブレオマイシン)に対する過敏症の既往歴のある患者　③重篤な腎機能障害のある患者［排泄機能が低下し，間質性肺炎・肺線維症等の重篤な肺症状を起こすことがある］　④重篤な心疾患のある患者［循環機能が低下し，間質性肺炎・肺線維症等の重篤な肺症状を起こすことがある］　⑤胸部及びその周辺部への放射線照射を受けている患者

薬物動態

血中濃度　癌患者各4例にクロスオーバーさせてペプロマイシン10mg及びブレオマイシン15mgを静注又は筋注して得られる血中濃度は，ペプロマイシンがやや高い血中濃度が得られるが，消失傾向は全く同じ　**尿中回収**　同じ癌患者の尿中排泄は両剤とも速やか

その他の管理的事項

投与期間制限　該当しない

保険給付上の注意　該当しない

資料

IF　ペプレオ注射用5mg・10mg　2018年8月改訂(第6版)

ベポタスチンベシル酸塩
ベポタスチンベシル酸塩錠
Bepotastine Besilate

概要

薬効分類 449 その他のアレルギー用薬

構造式

分子式 $C_{21}H_{25}ClN_2O_3 \cdot C_6H_6O_3S$

分子量 547.06

ステム 抗ヒスタミン薬：-astine

原薬の規制区分 該当しない

原薬の外観・性状 白色～微黄白色の結晶又は結晶性の粉末である．酢酸(100)に極めて溶けやすく，水又はエタノール(99.5)にやや溶けにくい．1gを水100mLに溶かした液のpHは約3.8である

原薬の吸湿性 認められない(25℃，33％RH～93％RHの保存条件で，1～14日間にわたって検討したが，いずれの条件においても吸湿性は認められなかった)

原薬の融点・沸点・凝固点 融点：159～163℃

原薬の酸塩基解離定数 pK_1＝3.81(吸光度法)，pK_2＝4.23(滴定法)，pK_3＝9.27(滴定法)

先発医薬品等

錠 タリオン錠5mg・10mg(田辺三菱)
タリオンOD錠5mg・10mg(田辺三菱)

後発医薬品

錠 5mg・10mg・OD錠5mg・10mg

国際誕生年月 2000年7月

海外での発売状況 韓国，中国，インドネシア

製剤

製剤の性状 **錠** 白色のフィルムコーティング錠(10mg錠は割線入り) **口腔内崩壊錠** 白色の素錠(口腔内崩壊錠)

有効期間又は使用期限 **錠** 3年6カ月 **口腔内崩壊錠** 3年

貯法・保存条件 室温保存，開封後は防湿保存

薬剤取扱い上の留意点 眠気を催すことがあるので，本剤投与中の患者には自動車の運転等危険を伴う機械を操作する際には注意させること

患者向け資料等 患者向医薬品ガイド，くすりのしおり

溶液及び溶解時のpH 約3.8(1gを水100mLに溶かした液)

浸透圧比 該当しない

安定なpH域 該当しない

調製時の注意 該当しない

薬理作用

分類 選択的ヒスタミンH_1受容体拮抗剤

作用部位・作用機序 アレルギー性鼻炎及び慢性蕁麻疹などで主なアレルギー反応として考えられているⅠ型アレルギー反応の抑制作用(ラット，モルモット)と，アレルギー性炎症において特有に認められる炎症部位への好酸球浸潤の抑制作用(ラット，モルモット，マウス)をあわせ持つ．その機序は血管透過性亢進及び平滑筋収縮に関与するヒスタミンに対する拮抗作用，並びに好酸球機能の活性化に関与するインターロイキン-5の産生抑制作用と考えられる

同効薬 ロラタジン，オロパタジン塩酸塩，フェキソフェナジン塩酸塩，セチリジン塩酸塩，レボセチリジン塩酸塩，エバスチン，アゼラスチン塩酸塩，エピナスチン塩酸塩，エメダスチンフマル酸塩，オキサトミド，ケトチフェンフマル酸塩などのヒスタミンH_1受容体拮抗剤

治療

効能・効果 ①成人：⑴アレルギー性鼻炎 ⑵蕁麻疹，皮膚疾患に伴うそう痒(湿疹・皮膚炎，痒疹，皮膚そう痒症) ②小児：アレルギー性鼻炎，蕁麻疹，皮膚疾患(湿疹・皮膚炎，皮膚そう痒症)に伴うそう痒

用法・用量 ①成人：1回10mg，1日2回(適宜増減) ②7歳以上の小児：1回10mg，1日2回

用法・用量に関連する使用上の注意 **口腔内崩壊錠** 口腔内で速やかに崩壊することから唾液のみ(水なし)でも服用可能であるが，口腔粘膜からの吸収により効果発現を期待する製剤ではないため，崩壊後は唾液又は水で飲み込む

使用上の注意

禁忌 本剤の成分に対し過敏症の既往歴のある患者

薬物動態

血漿中濃度 **口腔内崩壊錠** 健康成人男子にOD錠10mg，普通錠10mgを単回経口投与時，ベポタスチンの薬物動態パラメータ(OD錠※)，普通錠の順)は，Tmax(hr)1.0±0.4，1.1±0.4，Cmax(ng/mL)98.1±24.2，91.1±16.5，$AUC_{0\text{-}10hr}$(ng・hr/mL)369.4±58.5，351.9±48.1，$t_{1/2}$(hr)2.5±0.3，2.4±0.3で，OD錠は普通錠と生物学的に同等 ※21例 ※)水で服用**普通錠** ①成人：⑴6例に普通錠2.5～40mgを単回経口投与時のベポタスチンの薬物速度論的パラメータ(2.5，5，10，20，40mg投与の順)はTmax(hr)0.8±0.1，1.2±0.2，1.2±0.2，1.5±0.3，1.6±0.3，Cmax(ng/mL)22.4±2.1，46.2±4.0，101.3±3.5，199.5±13.1，393.6±23.7，$AUC_{0\text{-}\infty}$(ng・hr/mL)113.7±7.0，203.6±6.7，438.6±29.1，879.7±60.6，1916.4±81.1，$T_{1/2}$(hr)3.3±0.3，2.5±0.1，2.4±0.1，2.3±0.1，2.9±0.2 ⑵6例に普通錠20mg1日2回7日間の反復投与時，蓄積性は認められず，投与開始2日目には血漿中濃度推移はほぼ定常状態(最終投与後のCmax138.4±9.6ng/mL)．血漿中ベポタスチン濃度に及ぼす食事の影響はほとんど認められなかった ②小児：7～15歳の小児通年性アレルギー性鼻炎患者及び小児アトピー性皮膚炎患者に10mgを1日2回2週間反復投与した時の投与後1～3時間及び投与後9～11時間の血漿中ベポタスチン濃度は，⑴通年性アレルギー性鼻炎患者：C1-3hr92.0±56.1ng/mL(62例)，C9-11hr8.2±4.0ng/mL(43例) ⑵アトピー性皮膚炎患者：C9-11hr8.3±4.1ng/mL(106例) **代謝・排泄** 普通錠：血漿及び尿中に代謝物はほとんど認められず，投与後24時間までに75～90％が未変化体(ベポタスチン)として尿中に排泄 **血漿蛋白結合率** 普通錠：健康成人男子に10mgを単回経口投与時の血漿蛋白結合率は，1時間後55.9％，2時間後55％ **腎機能障害患者での血漿中濃度** 普通錠：腎機能障害患者(クレアチニンクリアランス6～70mL/min)に5mg投与時，腎機能正常者に比べ腎機能低下に伴い最高血漿中濃度は若干上昇，AUCは明らかに上昇．腎機能障害患者に反復経口投与時の定常状態における最高血漿中濃度は腎機能正常者に比べ1.2～1.8倍の増加が予測された．腎機能障害患者ごとの薬物動態パラメータ(腎機能正常者(5例；クレアチニンクリアランス＞70mL/min)，軽度腎機能障害患者(5例；51～70mL/min)，中等度又は高度腎機能障害患者(6例；6～50mL/min)の順)は，Tmax(hr)1.2±0.4，1.0±0.0，3.3±1.0，Cmax(ng/mL)55.1±16.8，61.0±10.8，66.3±7.7，$T_{1/2}$(hr)2.9±0.5，3.1±0.6，8.5±3.6，$AUC_{0\text{-}\infty}$(ng・hr/mL)241.1±50.6，304±61.7，969.1±398.3 **高齢者での血漿中濃度** 普通錠：高齢者(クレアチニンクリアランス61.7～126.7mL/min，10例)に10mgを1日2回3日間反復経口投与で，最終投与後の最高血漿中濃度は103.8±13.2ng/mL

その他の管理的事項

投与期間制限 該当しない

保険給付上の注意 該当しない

資料

IF タリオン錠5mg・10mg・OD錠5mg・10mg 2018年1月改訂(第13版)

ペミロラストカリウム
ペミロラストカリウム錠
シロップ用ペミロラストカリウム
ペミロラストカリウム点眼液
Pemirolast Potassium

概要

薬効分類 131 眼科用剤，449 その他のアレルギー用薬

構造式

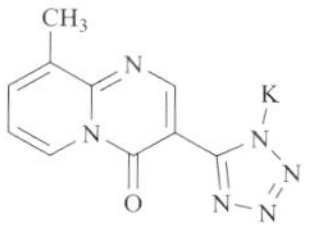

分子式 $C_{10}H_7KN_6O$

分子量 266.30

ステム 抗ヒスタミン作用とは異なる作用機序の抗喘息薬又は抗アレルギー薬：-ast

原薬の規制区分 該当しない

原薬の外観・性状 淡黄色の結晶性の粉末である．水に溶けやすく，メタノールに溶けにくく，エタノール(99.5)に極めて溶けにくい．水酸化カリウム試液に溶ける

原薬の吸湿性 25℃における臨界相対湿度(C.R.H.)は57～65%に，40℃におけるC.R.H.は53～67%に存在する

原薬の融点・沸点・凝固点 融点：約322℃(分解)

原薬の酸塩基解離定数 pKa＝5.0(テトラゾール基，吸光度法)

先発医薬品等

錠 アレギサール錠5mg・10mg(ニプロES)
ペミラストン錠5mg・10mg(アルフレッサファーマ)

シロップ用 アレギサールドライシロップ0.5%(ニプロES)
ペミラストンドライシロップ0.5%(アルフレッサファーマ)

点眼液 アレギサール点眼液0.1%(参天)
ペミラストン点眼液0.1%(アルフレッサファーマ)

後発医薬品

錠 5mg・10mg

シロップ用 0.5%

点眼液 0.1%

国際誕生年月 1991年1月

海外での発売状況 **錠** **シロップ用** 韓国 **点眼液** 米など

製剤

製剤の性状 **5mg錠** 微黄白色～帯黄白色の素錠(割線入り)．においなし．僅かに苦い **10mg錠** 帯黄白色の素錠(割線入り)．においなし．僅かに苦い **シロップ用** 白色～微黄白色のシロップ(粒状)．においなし．甘い **点眼液** 無色澄明の無菌水性点眼液

有効期間又は使用期限 3年

貯法・保存条件 **錠** **シロップ用** 遮光・室温保存 **点眼液** 気密容器，室温保存

患者向け資料等 くすりのしおり

溶液及び溶解時のpH **シロップ用** 7.0～8.0(1→10) **点眼液** 7.5～8.5

浸透圧比 **点眼液** 0.7～0.9

調製時の注意 **シロップ用** 他剤と配合し液剤とした場合には，pHの変化により沈殿が生じることがあるので配合を避けること．pHの低い薬剤との配合では，配合直後より徐々に白濁物の析出が認められる

薬理作用

分類 アレルギー性疾患治療剤(メディエーター遊離抑制薬)

作用部位・作用機序 マスト細胞等からのケミカルメディエーター遊離を抑制する：①イノシトールリン脂質代謝抑制作用(*in vitro*)：細胞内情報伝達機構の初期段階に作用し，抗原刺激によるイノシトール3リン酸，1,2-ジアシルグリセロール，ホスファチジン酸の産生を抑制する．また，同時にアラキドン酸遊離も阻害する(ラット腹腔マスト細胞，RBL-2H3細胞) ②細胞外Ca^{2+}の流入と，細胞内貯蔵部位からのCa^{2+}の遊離を阻害する(ラット腹腔マスト細胞)(*in vitro*) ③ホスホジエステラーゼ阻害作用により，細胞内c-AMP濃度を上昇させる(ラット肺組織及び腹腔浸出細胞)(*in vitro*)

同効薬 メディエーター遊離抑制薬：クロモグリク酸ナトリウム(DSCG)，トラニラスト，アンレキサノクス，レピリナスト，イブジラスト，タザノラスト ヒスタミンH_1-拮抗薬：ケトチフェン，アゼラスチン，オキサトミド，メキタジン，エメダスチン，エピナスチン，エバスチン，セチリジン，ベポタスチン，フェキソフェナジン，オロパタジン トロンボキサン阻害薬：オザグレル，セラトロダスト，ラマトロバン ロイコトリエン拮抗薬：プランルカスト，ザフィルルカスト，モンテルカスト Th_2サイトカイン阻害薬：スプラタスト

治療

効能・効果 **錠** **シロップ用** ①気管支喘息 ②アレルギー性鼻炎

点眼液 アレルギー性結膜炎，春季カタル

用法・用量 **錠** 効能①：ペミロラストカリウムとして成人及び11歳以上の小児1回10mg，5歳以上11歳未満5mg，1日2回，朝食後及び夕食後(又は就寝前)(適宜増減) 効能②：ペミロラストカリウムとして1回5mg，1日2回，朝食後及び夕食後(又は就寝前)(適宜増減)

シロップ用 効能①：ペミロラストカリウムとして小児に1回0.2mg/kg，1日2回，朝食後及び就寝前，用時溶解して服用(適宜増減)．年齢別標準1回量：11歳以上10mg，5歳以上11歳未満5mg，1歳以上5歳未満2.5mg 効能②：ペミロラストカリウムとして小児に1回0.1mg/kg，1日2回，朝食後及び就寝前，用時溶解して服用(適宜増減)．年齢別標準1回量：11歳以上5mg，5歳以上11歳未満2.5mg，1歳以上5歳未満1.25mg

点眼液 1回1滴，1日2回(朝夕)点眼

禁忌・原則禁忌となる特定患者集団 **錠** **シロップ用** 妊婦・妊娠している可能性のある婦人

使用上の注意

禁忌 **錠** **シロップ用** ①妊婦又は妊娠している可能性のある婦人 ②本剤の成分に対し過敏症の既往歴のある患者

薬物動態

錠 **シロップ用** **血漿中濃度** ①**錠** 健常成人3名にそれぞれ5，10mgを空腹時単回経口投与時のCmax(ng/mL)は416，723，Tmax(hr)1，1.7，$T_{1/2}$(hr)4.31，4.74，AUC(ng・hr/mL)2279，5020 ②**シロップ用** 小児気管支喘息児6名(7～13歳)に0.2mg/kgを単回経口投与時のCmax(ng/mL)は682，Tmax(hr)1.5，$T_{1/2}$(hr)4.12，AUC(ng・hr/mL)5278 **代謝・排泄** ①**錠** 健常成人3名に10mgを空腹時単回経口投与時，尿中代謝物の大部分はグルクロン酸抱合体．尿中排泄は，投与後12時間までに71.6%，投与後24時間までに83.5% ②**シロップ用** 気管支喘息児3名に0.2mg/kgを単回経口投与時，尿中代謝物の大部分はグルクロン酸抱合体．尿中排泄は，投与後12時間までに71.3%

点眼液 **血中濃度** (健常成人男子)：①1日点眼試験：5名に0.1%及び0.5%点眼液を1回2滴，1日4回点眼時，Cmax(ng/mL)は0.1%点眼液で2.8±0.7，0.5%点眼液で，9.7±2.2，Tmax(hr)は1 ②1週間連続点眼試験：6名に0.5%点眼液の1週間連続点眼試験(1回2滴，1日4回点眼)で，点眼1日目と7日目の血漿中ペミロラスト濃度変化には類似性が認められ，蓄積性は認められなかった．最終点眼の35時間後には，ペミロラストは検出限界(1ng/mL)以下 **代謝・排泄** (健常成人男子)：①1日点眼試験：5名に0.1%及び0.5%点眼液を1回2滴，1日4回点眼時，0.1%点眼液では点眼日の24時間尿には，52.4±19.6μgが検出されたが，点眼翌日の24時間尿では検出限界(1ng/mL)以下 ②1週間連続点眼試験：6名に0.5%点眼液を

1日4回，1週間連続点眼時，点眼1日目，4日目，7日目(点眼終了日)の24時間尿のペミロラスト排泄量には特に変動は認められず，点眼終了日の排泄量は286±54μgで，点眼終了翌日の24時間尿は54.5±8.6μgとなり，翌々日では1例を除いて検出されなかった　**眼内移行**　(参考：ウサギ)0.1％点眼液50μL点眼時の眼組織中のペミロラスト濃度は，結膜，角膜及び前部強膜等の外眼部では内眼部に比べ高値．角膜及び前部強膜でのペミロラスト濃度は経時的に低下，結膜では滞留性があり，点眼24時間後でも十分薬効を期待できる濃度を維持．房水及び虹彩・毛様体では点眼30分後に，網脈絡膜では15〜30分後に最大，8時間以後では痕跡程度．水晶体，硝子体への移行はわずか．血漿では，点眼15分後にわずかに検出，4時間後では検出限界以下

その他の管理的事項

投与期間制限　該当しない

保険給付上の注意　該当しない

資料

IF　アレギサール錠5mg・10mg・ドライシロップ0.5％　2017年10月改訂(第12版)
アレギサール点眼液0.1％　2018年5月改訂(第7版)

ベラパミル塩酸塩
ベラパミル塩酸塩錠
ベラパミル塩酸塩注射液
Verapamil Hydrochloride

概要

薬効分類　212　不整脈用剤，217　血管拡張剤

構造式

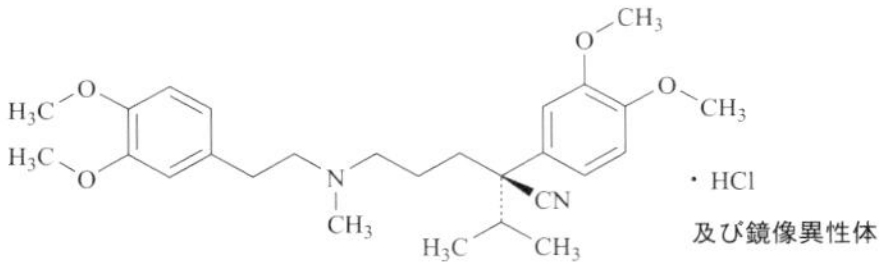

・HCl
及び鏡像異性体

分子式　$C_{27}H_{38}N_2O_4$・HCl

分子量　491.06

略語・慣用名　別名：塩酸イプロベラトリル

ステム　冠拡張剤，ベラパミル誘導体：-pamil

原薬の規制区分　劇(ただし，1個中ベラパミルとして40mg以下を含有する内用剤を除く)

原薬の外観・性状　白色の結晶性の粉末である．メタノール又は酢酸(100)に溶けやすく，エタノール(95)又は無水酢酸にやや溶けやすく，水にやや溶けにくい．1.0gを新たに煮沸して冷却した水20mLに加温して溶かし，冷却した液のpHは4.5〜6.5である

原薬の吸湿性　示さない

原薬の融点・沸点・凝固点　融点：141〜145℃

原薬の酸塩基解離定数　pKa＝8.89(25℃，イオン強度0.01)液−液分配法

先発医薬品等

錠　ワソラン錠40mg(エーザイ＝マイランEPD)

注　ワソラン静注5mg(エーザイ)

後発医薬品

錠　40mg

注　0.25％

国際誕生年月　該当しない

海外での発売状況　米，英，仏，独など96カ国

製剤

規制区分　**錠**　処　**注**　劇 処

製剤の性状　**錠**　黄緑色の糖衣錠　**注**　無色澄明の液

有効期間又は使用期限　3年

貯法・保存条件　**錠**　室温保存．バラ包装は開栓後遮光・防湿保存(光により変色することがある．なお，PTPはUVカットフィルムを使用している)　**注**　室温保存(光により含量が低下することがあるので，容器は褐色アンプルを使用している)

薬剤取扱い上の留意点　該当しない

患者向け資料等　くすりのしおり

溶液及び溶解時のpH　**注**　4.5〜6.5

浸透圧比　**注**　約1(対0.9％生食)

調製時の注意　**注**　アルカリ性(pH7.38以上)で白濁するので，アルカリ性薬剤との配合には注意を要する

薬理作用

分類　Ca^{2+}拮抗虚血性心疾患・不整脈治療薬

作用部位・作用機序　作用部位：心筋，刺激伝導系，血管平滑筋　作用機序：細胞外液Ca^{2+}の細胞内流入阻止に基づくCa^{2+}拮抗作用である

同効薬　**錠**　ジルチアゼム塩酸塩，ニフェジピン，ジピリダモール　**注**　ジルチアゼム塩酸塩，プロプラノロール塩酸塩

治療

効能・効果　**錠**　①成人：(1)頻脈性不整脈(心房細動・粗動，発作性上室性頻拍)　(2)狭心症，心筋梗塞(急性期を除く)，その他の虚血性心疾患　③小児：頻脈性不整脈(心房細動・粗動，発作性上室性頻拍)

注　頻脈性不整脈(発作性上室性頻拍，発作性心房細動，発作性心房粗動)

効能・効果に関連する使用上の注意　**錠**　小児等に使用する場合，小児等の不整脈治療に熟練した医師が監督する．基礎心疾患のある場合は，有益性がリスクを上回ると判断される場合にのみ投与する

用法・用量　**錠**　効能①：(1)1回40〜80mg(1〜2錠)，1日3回(適宜減量)　(2)1回40〜80mg(1〜2錠)，1日3回(適宜増減)　効能②：小児には1日3〜6mg/kg(ただし，1日240mgを超えない)を，1日3回に分服(適宜減量)

注　①成人：1回5mg，必要に応じて生理食塩液又はブドウ糖注射液で希釈し，5分以上かけて徐々に静注(適宜増減)②小児：1回0.1〜0.2mg/kg(ただし，1回5mgを超えない)を，必要に応じて生理食塩水又はブドウ糖注射液で希釈し，5分以上かけて徐々に静注(適宜増減)

禁忌・原則禁忌となる特定患者集団　**錠**　妊婦又は妊娠している可能性のある婦人

使用上の注意

警告　**注**　①小児等に使用する場合，小児等の不整脈治療に熟練した医師が監督する．基礎心疾患のある場合は，有益性がリスクを上回ると判断される場合にのみ投与する　②新生児及び乳児に使用する際には，生命に危険があり，他の治療で効果がない場合にのみ投与する

禁忌　**錠**　①重篤なうっ血性心不全のある患者［陰性変力作用を有し，心不全症状をさらに悪化させることがある］　②第II度以上の房室ブロック，洞房ブロックのある患者［房室結節，洞結節を抑制する作用を有し，刺激伝導をさらに悪化させることがある］　③妊婦又は妊娠している可能性のある婦人　④本剤の成分に対し過敏症の既往歴のある患者

注　①重篤な低血圧あるいは心原性ショックのある患者［陰性変力作用ならびに血管拡張作用を有し，血圧をさらに低下させることがある］　②高度の徐脈，洞房ブロック，房室ブロック(第II，III度)のある患者［房室結節，洞結節を抑制する作用を有し，刺激伝導をさらに悪化させることがある］　③重篤なうっ血性心不全のある患者［陰性変力作用を有し，心不全症状をさらに悪化させることがある］　④急性心筋梗塞のある患者［陰性変力作用を有し，急性心筋梗塞時の心機能

をさらに悪化させることがある］ ⑤重篤な心筋症のある患者［陰性変力作用を有し，心機能をさらに悪化させることがある］ ⑥β遮断剤の静注を受けている患者 ⑦本剤の成分に対し過敏症の既往歴のある患者

相互作用概要 主としてCYP3A4で代謝される．また，P糖蛋白の基質であるとともに，P糖蛋白に対して阻害作用を有する

過量投与 ①徴候・症状：過量投与により，ショック，著明な血圧低下，心不全の悪化，完全房室ブロック等が認められたとの報告がある ②処置：⑴ショックや心不全の悪化の場合：本剤を中止し，昇圧剤，強心薬，輸液等の投与やIABP等の補助循環の適用を考慮する ⑵心停止や完全房室ブロックの場合：本剤を中止し，アトロピン硫酸塩水和物，イソプレナリン等の投与や心臓ペーシングの適用を考慮する

薬物動態

錠 **血中濃度** 健康成人男子10名に80mg単回経口投与時のTmaxは2.2±0.2時間で，Cmaxは86.2±8.1ng/mL，以後比較的速やかに減少．投与後24時間までのAUCは450.9±37.3ng・hr/mL **代謝** 代謝酵素は主にCYP3A4で，主要代謝物はN-脱メチル化されたノルベラパミル

注 **血中濃度** 健康成人男子に2.5mg（2名），5mg（3名），10mg（承認外用量．3名）単回静注時の血漿中濃度は急速に低下し，投与後15分以内に最高濃度の1/2～1/4に低下．静注（4～5分間）後の薬物動態パラメータ（2.5mg，5mg，10mgの順）は，$t_{1/2}\alpha$（min）2.2，1.0±0.2，2.1±0.4，$t_{1/2}\beta$（min）26.2，32.3±13.8，30.3±7.9，$t_{1/2}\gamma$（hr）4.2，4.0±0.7，4.0±0.1．AUC（ng・hr/mL）93.9，140.6±2.4，278.5±19.8．ベラパミル及び代謝物の尿中排泄率は，24時間までに23.7% **代謝** 代謝酵素は主にCYP3A4で，主要代謝物はN-脱メチル化されたノルベラパミル

その他の管理的事項

投与期間制限 該当しない

保険給付上の注意 該当しない

資料

IF ワソラン錠40mg 2017年2月改訂（第4版）
ワソラン静注5mg 2020年6月改訂（第11版）

ベラプロストナトリウム
ベラプロストナトリウム錠
Beraprost Sodium

概要

薬効分類 219 その他の循環器官用薬，339 その他の血液・体液用薬

構造式

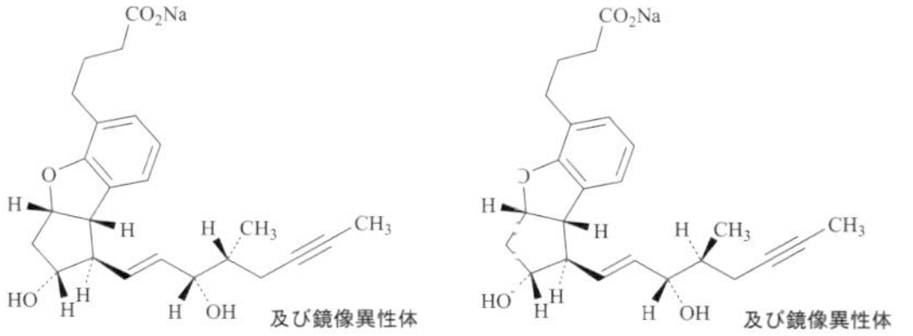

分子式 $C_{24}H_{29}NaO_5$

分子量 420.47

ステム プロスタグランジン類：-prost

原薬の規制区分 毒（ただし，1個中ベラプロストとして56.86μg以下を含有するものは劇）

原薬の外観・性状 白色の粉末である．メタノールに極めて溶けやすく，水又はエタノール（99.5）に溶けやすい．本品の水溶液（1→200）は旋光性を示さない

原薬の吸湿性 吸湿性である

原薬の酸塩基解離定数 pKa＝4.3

先発医薬品等

錠 ドルナー錠20μg（東レ＝アステラス）
プロサイリン錠20（科研）

徐放錠 ケアロードLA錠60μg（東レ＝アステラス）
ベラサスLA錠60μg（科研）

後発医薬品

錠 20μg・40μg

国際誕生年月 1992年1月

海外での発売状況 錠 韓国，フィリピン，タイ，中国，インドネシア

製剤

規制区分 錠 徐放錠 劇 処

製剤の性状 錠 白色～淡黄白色のフィルムコーティング錠 徐放錠 白色～黄みの白色の素錠

有効期間又は使用期限 3年

貯法・保存条件 錠 室温保存 徐放錠 気密容器，遮光・室温保存

薬剤取扱い上の留意点 意識障害等が現れることがあるので，本剤投与中の患者には自動車の運転等危険を伴う機械を操作する際には注意するよう患者に十分に説明すること 徐放錠 光と湿気を避けるために，遮光し，気密容器に保存すること

患者向け資料等 患者向医薬品ガイド，くすりのしおり

溶液及び溶解時のpH 8.0～8.2（水溶液）

浸透圧比 該当しない

安定なpH域 該当しない

調製時の注意 該当しない

薬理作用

分類 プロスタサイクリン誘導体

作用部位・作用機序 作用部位：血小板，血管平滑筋 作用機序：プロスタサイクリンと同様に血小板及び血管平滑筋のプロスタサイクリン受容体を介して，アデニレートシクラーゼを活性化し，細胞内cAMP濃度上昇，Ca^{2+}流入抑制及びトロンボキサンA_2生成抑制等により，抗血小板作用，血管拡張作用等を示す．また，細胞内のcAMPを上昇させることによって，血管平滑筋細胞増殖を抑制する

同効薬 慢性動脈閉塞症に伴う潰瘍，疼痛及び冷感の改善：サルポグレラート塩酸塩，チクロピジン塩酸塩，シロスタゾールなど 原発性肺高血圧症：エポプロステノールナトリウム，ボセンタン水和物，アンブリセンタン，シルデナフィル，タダラフィル

治療

効能・効果 錠 ①慢性動脈閉塞症に伴う潰瘍，疼痛及び冷感の改善 ②原発性肺高血圧症

徐放錠 肺動脈性肺高血圧症

効能・効果に関連する使用上の注意 錠 原発性肺高血圧症：①原発性肺高血圧症と診断された患者にのみ使用する ②経口投与であるため，重症度の高い患者等では効果が得られにくい場合がある．循環動態あるいは臨床症状の改善がみられない場合は，注射剤や他の治療に切り替える等，適切な処置を行う

徐放錠 ①原発性肺高血圧症及び膠原病に伴う肺高血圧症以外の肺動脈性肺高血圧症における有効性・安全性は確立していない ②肺高血圧症のWHO機能分類クラスIV*）の患者における有効性・安全性は確立していない．また，重症度の高い患者等では効果が得られにくい場合がある．循環動態あるいは臨床症状の改善がみられない場合は，注射剤や他の治療に切り替える等，適切な処置を行う

*）WHO機能分類はNYHA（New York Heart Association）心機能分類を肺高血圧症に準用したものである

用法・用量 錠 効能①：1日120μgを食後3回に分服 効能②：

1日60μgを食後3回に分服から開始し，症状(副作用)を十分観察しながら漸次増量．増量する場合は，投与回数を1日3～4回とし，最高用量を1日180μgとする

徐放錠 1日120μgを朝夕食後2回に分服から開始し，症状(副作用)を十分観察しながら漸次増量．なお，用量は患者の症状，忍容性等に応じ適宜増減するが，最大1日360μgまでとし，朝夕食後2回に分服

用法・用量に関連する使用上の注意 **錠** 原発性肺高血圧症：原発性肺高血圧症は薬物療法に対する忍容性が患者によって異なることが知られており，投与にあたっては，少量から開始し，増量する場合は患者の状態を十分に観察しながら行う

徐放錠 肺動脈性肺高血圧症は薬物療法に対する忍容性が患者によって異なることが知られており，投与にあたっては，少量から開始し，増量する場合は患者の状態を十分に観察しながら行う

禁忌・原則禁忌となる特定患者集団 妊婦又は妊娠している可能性のある婦人

使用上の注意

禁忌 ①出血している患者(血友病，毛細血管脆弱症，上部消化管出血，尿路出血，喀血，眼底出血等)［出血を増大するおそれがある］ ②妊婦又は妊娠している可能性のある婦人

薬物動態

錠 **血漿中濃度** 健康成人8人に100μg※)を単回経口投与時の薬物動態パラメータは，Tmax1.42hr，Cmax0.44ng/mL，半減期1.11hr．また，普通錠50μg※)を1日3回10日間連続経口投与では，最高血漿中未変化体濃度0.3～0.5ng/mL．反復投与による蓄積性は認められなかった．健康成人に40μgを食後経口単回投与時の薬物動態パラメーターは，Cmax(pg/mL)228.4±94.6，Tmax(h)1.3±0.6，AUC_{0-6}(pg・h/mL)462±144(n=12，平均値±SD) **代謝・排泄** 健康成人12人に50μg※)単回経口投与時，24時間後までの尿中未変化体排泄量2.8μg，β-酸化体5.4μg．未変化体及びβ-酸化体は，グルクロン酸抱合体としても排泄．なお，排泄量中，遊離体の割合はそれぞれ14%，70%．また，CYP2C8によって添加量の約3%とわずかに代謝されたが(*in vitro*)，他のCYP分子種(1A2，2A6，2B6，2C9，2C19，2D6，2E1，3A4，4A11)では代謝されなかった(*in vitro*)．CYP分子種(1A2，2A6，2C8，2C9，2C19，2D6，3A4)のいずれに対しても阻害を認めず(*in vitro*)，また，CYP分子種(1A2，2C9，2C19，3A4)のいずれに対しても，その活性を誘導しなかった(*in vitro*) **腎機能障害患者** 腎機能正常者，中等度腎機能障害患者及び高度腎機能障害患者を対象に40μgを食後単回投与時の薬物動態パラメーター(Cmax(pg/mL)，Tmax(h)，$t_{1/2}$(h)，AUC_{0-24}(pg・h/mL)の順．8例)は，腎機能正常者(Scr<1.3mg/dL)：141.28±76.98，2.77±1.50，1.46±0.30*，404.15±185.75 中等度腎機能障害患者(1.3<Scr<2.5mg/dL)：132.33±85.70，2.02±0.85，1.27±0.62，308.18±117.71 高度腎機能障害患者(Scr>2.5mg/dL)：148.55±60.13，3.15±2.16，1.55±0.39*，682.83±189.27であり，腎機能正常者と比較し，高度腎機能障害患者でAUC_{0-24}が増加する傾向が認められた Scr：血清クレアチニン ＊7例 ※)承認用法・用量とは異なる

徐放錠 **血漿中濃度** ①単回投与：健康成人各12例に徐放錠120μg又は180μgを食後経口単回投与時の薬物動態パラメータ(120μg，180μgの順)は，Cmax(pg/mL)178.5±74.3，264.5±112.9，Tmax(h)3.2±1.0，3.9±1.1，AUC_{0-48}(pg・h/mL)1076±322，1989±847，MRT_{0-48}(h)8.38±2.69，10.70±1.60 ②反復投与：健康成人に徐放錠240μgを朝夕食後2回に分けて7日間経口投与時の薬物動態パラメータ(1日目，7日目の順)は，Cmax(pg/mL)170.4±63.1，214.7±89.1，Tmax(h)4.2±2.6，3.0±1.0，AUC_{0-12}(pg・h/mL)810±295，1225±343で，血漿中濃度は投与3日目に定常状態，蓄積性は認められなかった **代謝** ヒトにおいて主にβ-酸化，15位水酸基の酸化及び13位二重結合の水素化，グルクロン酸抱合により代謝された．CYP2C8によって添加量の約3%とわずかに代謝されたが(*in vitro*)，他のCYP分子種(1A2，2A6，2B6，2C9，2C19，2D6，2E1，3A4，4A11)では代謝されなかった(*in vitro*)．CYP分子種(1A2，2A6，2C8，2C9，2C19，2D6，3A4)のいずれに対しても阻害を認めず(*in vitro*)，また，CYP分子種(1A2，2C9，2C19，3A4)のいずれに対しても，その活性を誘導しなかった(*in vitro*) **排泄** 健康成人に120μg又は180μgを食後経口単回投与時，48時間後までの尿中未変化体排泄率はそれぞれ0.87%，0.93% **腎機能障害患者** 腎機能正常者，軽度腎機能障害患者，中等度腎機能障害患者及び重度腎機能障害患者を対象に120μgを空腹時経口単回投与時の薬物動態パラメーターは次の通りであり，腎機能正常者と比較し，腎機能障害患者でCmax及びAUC_{0-48}が増加する傾向が認められた．Cmax(pg/mL)，Tmax(h)，$t_{1/2}$(h)，AUC_{0-48}(pg・h/mL)の順に，(1)腎機能正常者(eGFR>90mL/min/1.73m^2)：84.917±22.933，3.3±3.4，14.73±9.45，977.802±226.339 (2)軽度腎機能障害患者(60<eGFR<90mL/min/1.73m^2)：119.800±36.428，3.8±3.3，8.02±4.50，1252.389±427.457 (3)中等度腎機能障害患者(30<eGFR<60mL/min/1.73m^2)：190.583±137.329，4.2±1.6，13.76±5.45，1862.457±964.327 (4)重度腎機能障害患者(15<eGFR<30mL/min/1.73m^2)：240.167±110.512，3.7±0.5，18.82±17.15，1766.488±806.401 ※eGFR：推算糸球体濾過量n=6，平均値±SD

その他の管理的事項

投与期間制限 該当しない

保険給付上の注意 閉塞性血栓血管炎(TAO)及び原発性肺高血圧症は，特定疾患治療研究事業の対象疾患とされており，各都道府県から特定疾患医療受給者証の交付を受けている患者に対しては，難病医療費の公費負担制度が適用される

資料

IF ドルナー錠20μg 2015年7月改訂(第12版)
ケアロードLA錠60μg 2015年7月改訂(第9版)

ペルフェナジン
ペルフェナジン錠
Perphenazine

概要

薬効分類 117 精神神経用剤

構造式

OH N N N Cl S

分子式 $C_{21}H_{26}ClN_3OS$

分子量 403.97

ステム 不明

原薬の規制区分 ㊙(ただし，1錠中ペルフェナジンとして20mg以下を含有するものを除く)

原薬の外観・性状 白色～淡黄色の結晶又は結晶性の粉末で，においはなく，味は苦い．メタノール又はエタノール(95)に溶けやすく，酢酸(100)にやや溶けやすく，ジエチルエーテルにやや溶けにくく，水にほとんど溶けない．希塩酸に溶ける．光によって徐々に着色する

原薬の吸湿性 該当資料なし

原薬の融点・沸点・凝固点 融点：95～100℃

原薬の酸塩基解離定数　pKa＝7.80
先発医薬品等
散 トリラホン散1%(共和薬品)
錠 トリラホン錠2mg・4mg・8mg(共和薬品)
国際誕生年月　不明
海外での発売状況　該当資料なし

製剤

規制区分　散 劇 処　錠 処
製剤の性状　散 白色の散剤　錠 灰色の糖衣錠
有効期間又は使用期限　3年
貯法・保存条件　気密容器，遮光・室温保存
薬剤取扱い上の留意点　眠気，注意力・集中力・反射運動能力等の低下が起こることがあるので，本剤投与中の患者には自動車の運転等危険を伴う機械の操作に従事させないように注意すること
患者向け資料等　くすりのしおり

薬理作用

分類　フェノチアジン系抗精神病薬
作用部位・作用機序　ドパミンD_2受容体を抑制することにより，統合失調症における陽性症状を改善する
同効薬　フルフェナジン，プロクロルペラジン，クロルプロマジン塩酸塩，レボメプロマジン，プロペリシアジン，ハロペリドール，ブロムペリドール，スルピリド，チアプリド塩酸塩など

治療

効能・効果　統合失調症，術前・術後の悪心・嘔吐，メニエル症候群(眩暈，耳鳴)
用法・用量　散 錠 ペルフェナジンとして1日6〜24mgを分服，精神科領域には1日6〜48mg(適宜増減)

使用上の注意

禁忌　①昏睡状態，循環虚脱状態の患者［これらの状態を悪化させるおそれがある］　②バルビツール酸誘導体・麻酔剤等の中枢神経抑制剤の強い影響下にある患者［中枢神経抑制剤の作用を延長し増強させる］　③アドレナリンを投与中の患者(アドレナリンをアナフィラキシーの救急治療に使用する場合を除く)　④フェノチアジン系化合物及びその類似化合物に対し過敏症の患者
相互作用概要　主に肝代謝酵素CYP2D6で代謝される
過量投与　①症状：傾眠から昏睡までの中枢神経系の抑制，血圧低下と錐体外路症状である．その他，激越と情緒不安，痙攣，口渇，腸閉塞，心電図変化及び不整脈等が現れる可能性がある　②処置：本質的には対症療法かつ補助療法である．内服では早期の胃洗浄は有効である

薬物動態

血中濃度　(参考：外国人データ)本剤は遺伝的多型を有する薬物代謝酵素CYP2D6(チトクロムP450分子種の一つ)により代謝．CYP2D6の遺伝的欠損者における血清中濃度は，正常者の約2倍高いという報告事例もある．その報告事例で，2〜24mg/manの経口投与で，欠損者と正常者の定常状態における血清中濃度範囲は0.5〜12nmol/L

その他の管理的事項

投与期間制限　該当しない
保険給付上の注意　該当しない

資料

IF　トリラホン散1%・錠2mg・4mg・8mg　2019年1月改訂(第5版)

ペルフェナジンマレイン酸塩
ペルフェナジンマレイン酸塩錠
Perphenazine Maleate

概要

薬効分類　117　精神神経用剤
構造式

分子式　$C_{21}H_{26}ClN_3OS \cdot 2C_4H_4O_4$
分子量　636.11
略語・慣用名　PPZ
ステム　不明
原薬の規制区分　劇(ただし，1錠中ペルフェナジンとして20mg以下を含有するものを除く)
原薬の外観・性状　白色〜淡黄色の粉末で，においはない．酢酸(100)にやや溶けにくく，水又はエタノール(95)に溶けにくく，クロロホルムにほとんど溶けない．希塩酸に溶ける．光によって徐々に着色する
原薬の吸湿性　該当資料なし
原薬の融点・沸点・凝固点　融点：約175℃(分解)
原薬の酸塩基解離定数　該当資料なし
先発医薬品等
散 ピーゼットシー散1%(田辺三菱＝吉富薬品)
錠 ピーゼットシー糖衣錠2mg・4mg・8mg(田辺三菱＝吉富薬品)
注 ピーゼットシー筋注2mg(田辺三菱＝吉富薬品)
国際誕生年月　不明
海外での発売状況　該当しない

製剤

規制区分　錠 処
製剤の性状　2mg錠 白色の糖衣錠　4mg錠 淡青色の糖衣錠　8mg錠 青色の糖衣錠
有効期間又は使用期限　5年
貯法・保存条件　遮光・室温保存
薬剤取扱い上の留意点　眠気，注意力・集中力・反射運動能力等の低下が起こることがあるので，本剤投与中の患者には自動車の運転等危険を伴う機械の操作に従事させないように注意すること
患者向け資料等　患者向医薬品ガイド，くすりのしおり
溶液及び溶解時のpH　該当しない
浸透圧比　該当しない
安定なpH域　該当しない
調製時の注意　該当しない

薬理作用

分類　フェノチアジン系精神神経安定剤
作用部位・作用機序　作用部位：中枢神経系，特に視床下部
作用機序：まだ完全に明らかにされていないが，中枢神経系におけるドパミン作動性，ノルアドレナリン作動性あるいはセロトニン作動性神経等に対する抑制作用によると考えられている
同効薬　フェノチアジン系薬剤

治療

効能・効果　統合失調症，術前・術後の悪心・嘔吐，メニエル症候群(眩暈，耳鳴)
用法・用量　ペルフェナジンとして1日6〜24mgを分服，精神科領域には1日6〜48mg(適宜増減)

使用上の注意

禁忌　①昏睡状態，循環虚脱状態の患者［これらの状態を悪化させるおそれがある］　②バルビツール酸誘導体・麻酔剤等の中枢神経抑制剤の強い影響下にある患者［中枢神経抑制剤の作用を延長し増強させる］　③アドレナリンを投与中の患者(アドレナリンをアナフィラキシーの救急治療に使用する場合を除く)　④フェノチアジン系化合物及びその類似化合物に対し過敏症の患者

相互作用概要　主に肝代謝酵素CYP2D6で代謝される

過量投与　①症状：傾眠から昏睡までの中枢神経系の抑制，血圧低下と錐体外路症状である．その他，激越と情緒不安，痙攣，口渇，腸閉塞，心電図変化及び不整脈等が現れる可能性がある　②処置：本質的には対症療法かつ補助療法である．内服では早期の胃洗浄は有効である

薬物動態

血中濃度　(参考；外国人データ)本剤は遺伝的多型を有する薬物代謝酵素CYP2D6(チトクロムP450分子種の一つ)により代謝．CYP2D6の遺伝的欠損者における血清中濃度は，正常者の約2倍高いという報告事例もある．その報告事例で，2〜24mg/manの経口投与で，欠損者と正常者の定常状態における血清中濃度範囲は0.5〜12nmol/L

その他の管理的事項

投与期間制限　該当しない

保険給付上の注意　該当しない

資料

IF　ピーゼットシー糖衣錠2mg・4mg・8mg　2020年7月改訂(第12版)

薬剤取扱い上の留意点　該当資料なし

患者向け資料等　くすりのしおり

溶液及び溶解時のpH　該当しない

浸透圧比　該当しない

安定なpH域　該当しない

調製時の注意　該当しない

薬理作用

分類　整腸剤

作用部位・作用機序　腸内有害細菌(赤痢菌，チフス菌，ブドウ球菌，有害大腸菌など)に対して殺菌作用を示す．赤痢菌では抗生物質耐性菌に対しても有効である．腸内でインドール，スカトールなどの有害アミンの生成酵素に拮抗し，腸内腐敗・発酵を抑制する．そのほか胆汁分泌作用，腸内細菌叢を正常に保持し，腸管内の病原菌の増殖を抑える作用などが認められている

同効薬　ベルベリン硫酸塩水和物，タンニン酸アルブミン，ロペラミド塩酸塩

治療

効能・効果　下痢症

用法・用量　ベルベリン塩化物として1日150〜300mg，3回に分服(適宜増減)

使用上の注意

禁忌　出血性大腸炎の患者［腸管出血性大腸菌(O157等)や赤痢菌等の重篤な細菌性下痢患者では，症状の悪化，治療期間の延長をきたすおそれがある］

その他の管理的事項

投与期間制限　該当しない

保険給付上の注意　該当しない

資料

IF　キョウベリン錠100　2014年10月改訂(第7版)

ベルベリン塩化物水和物
Berberine Chloride Hydrate

概要

薬効分類　231　止しゃ剤，整腸剤

構造式

H_3C O　O CH_3　N^+　$Cl^- \cdot xH_2O$

分子式　$C_{20}H_{18}ClNO_4 \cdot xH_2O$

分子量　371.81(無水物)

ステム　アルカロイド及び有機塩基：-ine

原薬の規制区分　該当しない

原薬の外観・性状　黄色の結晶又は結晶性の粉末で，においはないか，又は僅かに特異なにおいがあり，味は極めて苦い．メタノールにやや溶けにくく，エタノール(95)に溶けにくく，水に極めて溶けにくい

原薬の吸湿性　該当資料なし

原薬の酸塩基解離定数　該当資料なし

後発医薬品

錠 100mg

国際誕生年月　不明

海外での発売状況　該当しない

製剤

製剤の性状　**錠** 片面割線を有する黄色のフィルムコーティング錠

有効期間又は使用期限　3年

貯法・保存条件　遮光・室温保存

ベンザルコニウム塩化物
ベンザルコニウム塩化物液
濃ベンザルコニウム塩化物液50
Benzalkonium Chloride

概要

薬効分類　261　外皮用殺菌消毒剤，732　防疫用殺菌消毒剤

分子式　$[C_6H_5CH_2N(CH_3)_2R]Cl$　$R = C_8H_{17} \sim C_{18}H_{37}$

分子量　354.01

略語・慣用名　慣用名：逆性石けん

原薬の規制区分　該当しない

原薬の外観・性状　白色〜黄白色の粉末又は無色〜淡黄色のゼラチン状の小片，ゼリー様の流動体若しくは塊で，特異なにおいがある．水又はエタノール(95)に極めて溶けやすく，ジエチルエーテルにほとんど溶けない．本品の水溶液は振ると強く泡立つ

原薬の吸湿性　該当資料なし

原薬の酸塩基解離定数　該当資料なし

先発医薬品等

外用液　インスベン液0.1(吉田製薬)
ウエッシュクリーン(ニプロ)
ウエルパス手指消毒液0.2%(丸石＝アルフレッサファーマ)
ALクレミール(サンケミファ)
クレミール消毒液10%(サンケミファ)
塩化ベンザルコニウム液「タカスギ」10%(高杉)
塩化ベンザルコニウム液(山善)
塩化ベンザルコニウム液(10W/V%)恵美須(恵美須)

塩化ベンザルコニウム液(10%)・(50%)「東海」(東海製薬)
塩化ベンザルコニウム液10w/v%「日医工」(日医工)
オスバン消毒液0.025%・0.05%・0.1%・10%(日本製薬＝武田)
オスバンラビング(日本製薬＝武田)
オロナイン外用液10%(大塚工場＝大塚製薬)
カネパス(兼一)
逆性石ケン液0.01・0.02・0.025・0.05「ヨシダ」・0.1・0.2・10「ヨシダ」(吉田製薬)
逆性石ケンA液0.1「ヨシダ」(吉田製薬)
逆性石ケン液10%「三恵」(三恵)
逆性石鹸消毒液10%「シオエ」(シオエ＝日本新薬)
サラヤ塩化ベンザルコニウム10%液(サラヤ)
ザルコニン液0.01・0.02・0.025・0.05・0.1・0.2・10(健栄)
ザルコニンA液0.1・N消毒液0.1(健栄)
ザルコラブ(ヤクハン＝日医工)
ヂアミトール消毒用液10W/V%(丸石)
トリゾンラブ消毒液0.2%(小堺＝岩城)
トリゾン消毒液10%「YI」(小堺＝岩城)
ネオザルコニンG消毒液0.1(健栄)
パームアレン(関東化学)
ハンドコール(日興製薬)
ビオシラビング消毒液0.2w/v%(シオエ＝日本新薬)
ベルコムローション(吉田製薬)
ベンザルコニウム塩化物消毒液0.025・0.05・0.1W/V%「日医工」(日医工)
ベンザルコニウム塩化物消毒液0.025%「ヨシダ」(吉田製薬)
ベンザルコニウム塩化物消毒用液10%「NP」(ニプロ)
ベンザルコニウム塩化物消毒液10%「カネイチ」(兼一)
ベンザルコニウム塩化物消毒液10w/v%「昭和」(昭和製薬)
ベンザルコニウム塩化物液10W/V%「タイセイ」(大成)
ベンザルコニウム塩化物液10%「東豊」(東豊)
ベンザルコニウム塩化物消毒液10W/V%「ニッコー」(日興製薬＝中北)
ベンザルコニウム塩化物消毒液10%〈ハチ〉(東洋製化＝小野)
ベンザルコニウム塩化物ラビング消毒用液0.2W/V%「ファイザー」(マイラン＝ファイザー)
ベンザルコニウム塩化物消毒用液10W/V%「ファイザー」(マイラン＝ファイザー)
ベンザルコニウム塩化物消毒液10%「メタル」(中北)
ベンゼットラブ消毒液0.2%(東洋製化＝日本化薬)
ラビネット消毒液0.2%(健栄)
リナパス消毒液0.2%(中北)
0.025・0.05W/V%・0.1W/V%・0.2W/V%ヂアミトール水(日興製薬＝丸石)
0.1W/V%ヂアミトール水E(日興製薬＝丸石)
塩化ベンザルコニウム液(50W/V%)「カナダ」(金田直)
逆性石ケン液50「ヨシダ」(吉田製薬)
50%塩化ベンザルコニウム液「ヤクハン」(ヤクハン＝日医工)
ヂアミトール消毒用液50W/V%(丸石)

外用 ザルコニン0.025%綿棒12・16(健栄)
ザルコニン0.025%綿球14・20(健栄)

後発医薬品
外用液 0.02%・0.05%・0.1%・10%

国際誕生年月 不明

製剤

製剤の性状 **液** 無色～淡黄色澄明の液で，特異なにおいがある
有効期間又は使用期限 3年
貯法・保存条件 気密容器・室温保存
薬剤取扱い上の留意点 開封時及び開封後は，微生物による汚染に注意すること
溶液及び溶解時のpH 該当資料なし
浸透圧比 該当資料なし
安定なpH域 該当資料なし
調製時の注意 一般に各種陰イオンと配合禁忌が多い

薬理作用

分類 第四級アンモニウム塩
作用部位・作用機序 陰電荷を帯びる細菌に陽電荷を帯びる本剤が菌体表面に吸着・集積され，菌体たん白を変性する
同効薬 ベンゼトニウム塩化物

治療

効能・効果 **0.01%液** ①手術部位(手術野)の粘膜の消毒，皮膚・粘膜の創傷部位の消毒 ②感染皮膚面の消毒 ③結膜嚢の洗浄・消毒
0.02%液 ①手術部位(手術野)の粘膜の消毒，皮膚・粘膜の創傷部位の消毒 ②感染皮膚面の消毒 ③腟洗浄 ④結膜嚢の洗浄・消毒 ※効能②は逆性石ケン液0.02「ヨシダ」，ザルコニンのみ
0.025%液 ①手術部位(手術野)の粘膜の消毒，皮膚・粘膜の創傷部位の消毒 ②感染皮膚面の消毒 ③腟洗浄 ④結膜嚢の洗浄・消毒
0.05%液 ①手指・皮膚の消毒 ②手術部位(手術野)の粘膜の消毒，皮膚・粘膜の創傷部位の消毒 ③感染皮膚面の消毒 ④手術室・病室・家具・器具・物品等の消毒 ⑤腟洗浄 ⑥結膜嚢の洗浄・消毒
0.1%液 **0.2%液** **10%液** **50%液** ①手指・皮膚の消毒 ②手術部位(手術野)の皮膚の消毒 ③手術部位(手術野)の粘膜の消毒，皮膚・粘膜の創傷部位の消毒 ④感染皮膚面の消毒 ⑤医療機器の消毒 ⑥手術室・病室・家具・器具・物品等の消毒 ⑦腟洗浄 ⑧結膜嚢の洗浄・消毒 ※ザルコニンG，ネオザルコニンGは効能①②⑤⑥のみ
0.1%エタノール液 ①医療機器の消毒 ②手術室・病室・家具・器具・物品等の消毒 ③手指・皮膚の消毒 ④手術部位(手術野)の皮膚の消毒
0.2%エタノール液 **ゲル** **ローション** **噴** 医療施設における医師，看護婦等の医療従事者の手指消毒
歯科用 医療機器の殺菌・消毒
外用 手術部位(手術野)の粘膜の消毒，皮膚・粘膜の創傷部位の消毒

用法・用量 **0.01%液** 0.01%溶液を用いる
0.02%液 効能①④：0.01～0.02%溶液を用いる 効能②：0.01%溶液を用いる 効能③：希釈せずに用いる
0.025%液 効能①④：0.01～0.025%溶液を用いる 効能②：0.01%溶液を用いる 効能③：0.02～0.025%溶液を用いる
0.05%液 効能①：石けんで十分に洗浄し，水で石けん分を十分に洗い落とした後，0.05%溶液に浸して洗い，滅菌ガーゼあるいは布片で清拭する．術前の手洗の場合には，5～10分間ブラッシングする 効能②：0.01～0.025%溶液を用いる 効能③：0.01%溶液を用いる 効能④：0.05%溶液を布片で塗布・清拭するか，又は噴霧 効能⑤：0.02～0.05%溶液を用いる 効能⑥：0.01～0.05%溶液を用いる
0.1%液 **0.2%液** 効能①：石けんで十分に洗浄し，水で石けん分を十分に洗い落とした後，0.05～0.1%溶液に浸して洗い，滅菌ガーゼあるいは布片で清拭する．術前の手洗の場合には，5～10分間ブラッシング 効能②：手術前局所皮膚面を0.1%溶液で約5分間洗い，その後0.2%溶液を塗布 効能③：0.01～0.025%溶液を用いる 効能④：0.01%溶液を用いる

効能⑤：0.1%溶液に10分間浸漬するか，又は厳密に消毒する際は，器具をあらかじめ2%炭酸ナトリウム水溶液で洗い，その後ベンザルコニウム塩化物0.1%溶液中で15分間煮沸　効能⑥0.05～0.1%（製品により0.2%）溶液を布片で塗布・清拭するか，又は噴霧　効能⑦：0.02～0.05%溶液を用いる　効能⑧：0.01～0.05%溶液を用いる

10%液 効能①：石けんで十分に洗浄し，水で石けん分を十分に洗い落とした後，0.05～0.1%（本剤の100～200倍）溶液に浸して洗い，滅菌ガーゼあるいは布片で清拭する．術前の手洗の場合には，5～10分間ブラッシング　効能②：手術前局所皮膚面を0.1%（本剤の100倍）溶液で5分間洗い，その後0.2%（本剤の50倍）溶液を塗布　効能③：0.01～0.025%（本剤の400～1000倍）溶液を用いる　効能④：0.01%（本剤の1000倍）溶液を用いる　効能⑤：0.1%（本剤の100倍）溶液に10分間浸漬するか，又は厳密に消毒する際は，器具をあらかじめ2%炭酸ナトリウム水溶液で洗い，その後0.1%（本剤の100倍）溶液中で15分間煮沸　効能⑥：0.05～0.2%（本剤の50～200倍）溶液を布片で塗布・清拭するか，又は噴霧　効能⑦：0.02～0.05%（本剤の200～500倍）溶液を用いる　効能⑧：0.01～0.05%（本剤の200～1000倍）溶液を用いる

50%液 効能①：石けんで十分に洗浄し，水で石けん分を十分に洗い落とした後，0.05～0.1%（本剤の500～1000倍）溶液に浸して洗い，滅菌ガーゼあるいは布片で清拭する．術前の手洗いの場合には，5～10分間ブラッシング　効能②：手術前局所皮膚面を0.1%（本剤の500倍）溶液で5分間洗い，その後0.2%（本剤の250倍）溶液を塗布　効能③：0.01～0.025%（本剤の2000～5000倍）溶液を用いる　効能④：0.01%（本剤の5000倍）溶液を用いる　効能⑤：0.1%（本剤の500倍）溶液に10分間浸漬するか，又は厳密に消毒する際は，器具をあらかじめ2%炭酸ナトリウム水溶液で洗い，その後0.1%（本剤の500倍）溶液中で15分間煮沸　効能⑥：0.05～0.2%（本剤の250～1000倍）溶液を布片で塗布・清拭するか，又は噴霧　効能⑦：0.02～0.05%（本剤の1000～2500倍）溶液を用いる　効能⑧：0.01～0.05%（本剤の1000～5000倍）溶液を用いる

0.1%エタノール液 効能①：0.1%溶液に10分間浸漬するか，又は厳密に消毒する際は，器具をあらかじめ2%炭酸ナトリウム水溶液で洗い，その後，ベンザルコニウム塩化物0.1%溶液中で15分間煮沸する　効能②：0.05～0.2%溶液を布片で塗布・清拭するか，又は噴霧　効能③：石けんで十分に洗浄し，水で石けん分を十分に洗い落とした後，ベンザルコニウム塩化物0.05～0.1%溶液に浸して洗い，滅菌ガーゼあるいは布片で清拭する．術前の手洗の場合には，5～10分間ブラッシング　効能④：手術前局所皮膚面を0.1%溶液で約5分間洗い，その後0.2%溶液を塗布

0.2%エタノール液　ローション ①医療従事者の通常の手指消毒の場合：約3mLを1回手掌にとり，乾燥するまで摩擦する．ただし，血清，膿汁等の有機物が付着している場合は，十分に洗い落とした後，本剤による消毒を行う　②術前・術後の術者の手指消毒の場合：手指及び前腕部を石けんでよく洗浄し，水で石けん分を十分洗い落とした後，約3mLを手掌にとり，乾燥するまで摩擦し，さらにこの本剤による消毒を2回繰り返す

ゲル ①医療従事者の通常の手指消毒の場合：適量（1～3g）を1回手掌にとり，乾燥するまで摩擦する．ただし，血清，膿汁等の有機物が付着している場合は，十分に洗い落とした後，本剤による消毒を行う　②術前・術後の術者の手指消毒の場合：手指及び前腕部を石けんでよく洗浄し，水で石けん分を十分洗い落とした後，適量（1～3g）を手掌にとり，乾燥するまで摩擦し，さらにこの本剤による消毒を2回繰り返す

噴 ①医療従事者の通常の手指消毒の場合：適量を手掌にとり手掌全体にまんべんなく塗布した後，乾燥するまで摩擦する．ただし，血清，膿汁等の有機物が付着している場合は，十分に洗い落とした後，本剤による消毒を行う　②術前・術後の術者の手指消毒の場合：手指及び前腕部を石けんでよく洗浄し，水で石けん分を十分洗い落とした後，本剤適量を手掌にとり手掌全体にまんべんなく塗布した後，乾燥するまで摩擦し，さらにこの本剤による消毒を2回繰り返す

歯科用 ①歯科用小器具の消毒の場合：10分間浸漬　②高度に汚染された器具の厳密な消毒を行う場合：あらかじめ2%炭酸ナトリウム水溶液で洗い，その後，本剤中で15分間煮沸

外用 本剤をそのまま用いる

使用上の注意

禁忌 **0.2%エタノール液** 損傷皮膚及び粘膜［エタノールを含有するので，損傷皮膚及び粘膜への使用により，刺激作用を有する］

ゲル 損傷皮膚及び粘膜［エタノールを含有するので，損傷皮膚及び粘膜への使用により，刺激作用を有する］

その他の管理的事項

投与期間制限　該当しない

保険給付上の注意　該当しない

資料

IF　ザルコニン液0.01・0.02・0.025・0.05・0.1・0.2　2004年2月改訂（第4版）

ベンジルアルコール
Benzyl Alcohol

概要

構造式

OH

分子式　C_7H_8O

分子量　108.14

原薬の規制区分　該当しない

原薬の外観・性状　無色澄明の油状の液である．エタノール（95），脂肪油又は精油と混和する．水にやや溶けやすい

ベンジルペニシリンカリウム
注射用ベンジルペニシリンカリウム
Benzylpenicillin Potassium

別名：ペニシリンGカリウム

概要

薬効分類　611　主としてグラム陽性菌に作用するもの

構造式

H　CO_2K　O　N　CH_3　H N　S　CH_3　O　H　H

分子式　$C_{16}H_{17}KN_2O_4S$

分子量　372.48

略語・慣用名　PCG

ステム　6-アミノペニシラン酸系抗生物質：-cillin

原薬の規制区分　該当しない

原薬の外観・性状　白色の結晶又は結晶性の粉末である．水に極めて溶けやすく，エタノール（99.5）に溶けにくい．1.0gを水100mLに溶かした液のpHは5.0～7.5である

原薬の吸湿性　中等度の吸湿性をもつ

原薬の融点・沸点・凝固点　融点：214～217℃（分解）
原薬の酸塩基解離定数　pKa＝2.76
先発医薬品等
　注射用 注射用ペニシリンGカリウム20万単位・100万単位（MeijiSeika）
国際誕生年月　不明
海外での発売状況　米，英，仏，独など

製剤

規制区分　**注射用** (処)
製剤の性状　**注射用** 白色の結晶又は結晶性の粉末
有効期間又は使用期限　3年
貯法・保存条件　室温保存
薬剤取扱い上の留意点　溶解後は速やかに使用すること
患者向け資料等　くすりのしおり
溶液及び溶解時のpH　5.0～7.5（1.0×10^5単位/10mL（水））
浸透圧比　約1（10万単位/mL注射用水）
調製時の注意　筋注の場合，溶解には通常生食又は注射用水を使用する．点滴静注の場合，溶解には通常生食又はブドウ糖注射液等を使用する

薬理作用

分類　ペニシリン系抗生物質
作用部位・作用機序　細菌細胞壁のペプチドグリカン合成阻害であり，生育中の菌に対して殺菌的に作用する．耐性ブドウ球菌などの産生するペニシリナーゼにより容易に不活化される
同効薬　アンピシリン（ナトリウム，水和物），アモキシシリン水和物など

治療

効能・効果　〈適応菌種〉ベンジルペニシリンに感性のブドウ球菌属，レンサ球菌属，肺炎球菌，腸球菌属，淋菌，髄膜炎菌，ジフテリア菌，炭疽菌，放線菌，破傷風菌，ガス壊疽菌群，回帰熱ボレリア，ワイル病レプトスピラ，鼠咬症スピリルム，梅毒トレポネーマ　〈適応症〉敗血症，感染性心内膜炎，表在性皮膚感染症，深在性皮膚感染症，リンパ管・リンパ節炎，乳腺炎，咽頭・喉頭炎，扁桃炎，急性気管支炎，肺炎，肺膿瘍，膿胸，慢性呼吸器病変の二次感染，淋菌感染症，化膿性髄膜炎，中耳炎，副鼻腔炎，猩紅熱，炭疽，ジフテリア（抗毒素併用），鼠咬症，破傷風（抗毒素併用），ガス壊疽（抗毒素併用），放線菌症，回帰熱，ワイル病，梅毒
効能・効果に関連する使用上の注意　咽頭・喉頭炎，扁桃炎，急性気管支炎，中耳炎，副鼻腔炎への使用にあたっては，「抗微生物薬適正使用の手引き」を参照し，抗菌薬投与の必要性を判断した上で，本剤の投与が適切と判断される場合に投与する
用法・用量　①化膿性髄膜炎・感染性心内膜炎・梅毒を除く感染症：ベンジルペニシリンとして1回30～60万単位，1日2～4回筋注（適宜増減）　②化膿性髄膜炎：ベンジルペニシリンとして1回400万単位を1日6回，点滴静注（適宜減量）　③感染性心内膜炎：ベンジルペニシリンとして1回400万単位を1日6回，点滴静注．なお，年齢，症状により適宜増減するが，1回500万単位，1日3000万単位を超えない　④梅毒：ベンジルペニシリンとして1回300～400万単位を1日6回，点滴静注（適宜減量）．注射液の調製法：⑴筋注の場合，溶解には通常，生理食塩液又は注射用水を使用する　⑵点滴静注の場合，溶解には通常，生理食塩液又はブドウ糖注射液等を使用する
用法・用量に関連する使用上の注意　①使用にあたっては，耐性菌の発現等を防ぐため，原則として感受性を確認し，疾病の治療上必要な最小限の期間の投与にとどめる　②高度の腎障害のある患者には，投与量・投与間隔の適切な調節をする等，慎重に投与する　③化膿性髄膜炎，感染性心内膜炎，梅毒への適用については，国内外の各種ガイドライン等，最新の情報を参考にして投与する　④小児に対する用法・用量は確立していないので，小児に投与する場合は，国内外の各種ガイドライン等を参考にして，患者の状態を十分に観察しながら慎重に投与する

使用上の注意

禁忌　本剤の成分に対し過敏症の既往歴のある患者

薬物動態

血中濃度　健常成人（24名）に40万単位を筋注時，血中濃度のピークは15分後に平均値5.73単位/mL，以後漸減，3時間後には0.25単位/mL　**排泄**　健常成人（21名）に40万単位を筋注後3時間までの平均尿中排泄率は49.3%　**組織内移行**　ウサギに2万単位/kgを筋注1時間後の各臓器への移行は腎＞胆汁＞血液＞子宮・卵巣＞副腎＞骨髄＞肺＞肝の順に高値を示した

その他の管理的事項

投与期間制限　該当しない
保険給付上の注意　該当しない

資料

IF　注射用ペニシリンGカリウム20万単位・100万単位　2019年4月改訂（第10版）

ベンジルペニシリンベンザチン水和物
Benzylpenicillin Benzathine Hydrate

概要

薬効分類　611　主としてグラム陽性菌に作用するもの
構造式

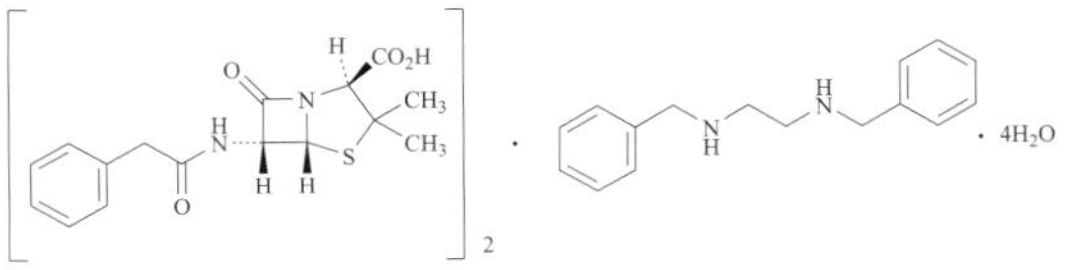

分子式　$(C_{16}H_{18}N_2O_4S)_2 \cdot C_{16}H_{20}N_2 \cdot 4H_2O$
分子量　981.18
略語・慣用名　PCG（ベンジルペニシリン）
ステム　6-アミノペニシラン酸系抗生物質：-cillin
原薬の規制区分　該当しない
原薬の外観・性状　白色の結晶性の粉末である．メタノール又はエタノール（99.5）に溶けにくく，水にほとんど溶けない
原薬の吸湿性　臨界相対湿度：37℃－88%（参考値）
原薬の融点・沸点・凝固点　融点：123～124℃（分解）
原薬の酸塩基解離定数　該当資料なし
先発医薬品等
　顆 バイシリンG顆粒40万単位（MSD）
国際誕生年月　不明

製剤

規制区分　**顆** (処)
製剤の性状　**顆** うすい赤色の顆粒剤．芳香
有効期間又は使用期限　2年
貯法・保存条件　気密容器，室温保存
患者向け資料等　くすりのしおり
溶液及び溶解時のpH　4.0～7.5（飽和水溶液）
浸透圧比　該当しない
安定なpH域　該当しない
調製時の注意　該当しない

薬理作用

分類　ペニシリン系抗生物質
作用部位・作用機序　作用部位：細菌の細胞壁　作用機序：血中で活性体であるペニシリンGとなって作用する．薬理作用は，主としてペプチド転移酵素反応の阻害による．ペニシリン系抗生物質がペプチド転移酵素反応を阻害する理由としては，その構造がペプチドグリカンのD-Ala-D-Ala末端と類似しているために，基質の代わりに，これらの抗生物質が酵素

の活性中心と結合するためと考えられている．β-ラクタム環のCO-N結合は反応性に富むが，これがD-Ala-D-AlaのCO-N結合に相当しており，β-ラクタム環のCO-N結合が開裂し，ペプチド転移酵素と結合し，ペニシロイル酵素をつくることが推定されている．作用は殺菌的

同効薬　経口ペニシリン系抗生物質

治療

効能・効果　〈適応菌種〉ベンジルペニシリンに感性のレンサ球菌属，肺炎球菌，梅毒トレポネーマ　〈適応症〉リンパ管・リンパ節炎，咽頭・喉頭炎，扁桃炎，急性気管支炎，肺炎，慢性呼吸器病変の二次感染，梅毒，中耳炎，副鼻腔炎，猩紅熱，リウマチ熱の発症予防

効能・効果に関連する使用上の注意　咽頭・喉頭炎，扁桃炎，急性気管支炎，中耳炎，副鼻腔炎への使用にあたっては，「抗微生物薬適正使用の手引き」を参照し，抗菌薬投与の必要性を判断した上で，本剤の投与が適切と判断される場合に投与する

用法・用量　1回40万単位1日2～4回，梅毒には1日3～4回（適宜増減）

用法・用量に関連する使用上の注意　①腎障害患者：高度の腎障害のある患者には，投与量・投与間隔の適切な調節をする等，慎重に投与する　②使用にあたっては，耐性菌の発現等を防ぐため，原則として感受性を確認し，疾病の治療上必要な最小限の期間の投与にとどめる

使用上の注意

禁忌　本剤の成分に対し過敏症の既往歴のある患者

薬物動態

血中濃度　健常成人12例に40万単位経口投与時の血中濃度のピークは2時間後にあり，その平均値は0.17単位/mL，8時間後には0.02単位/mL　**排泄**　健常成人12例に40万単位経口投与時，8時間までの平均尿中排泄率は14.5%

その他の管理的事項

投与期間制限　該当しない

保険給付上の注意　該当しない

資料

IF　バイシリンG顆粒40万単位　2019年3月改訂（第14版）

ベンズブロマロン
Benzbromarone

概要

薬効分類　394　痛風治療剤

構造式

CH_3　Br　O　OH　Br

分子式　$C_{17}H_{12}Br_2O_3$

分子量　424.08

ステム　抗不整脈薬：-arone

原薬の規制区分　㊙

原薬の外観・性状　白色～淡黄色の結晶性の粉末である．*N,N*-ジメチルホルムアミドに極めて溶けやすく，アセトンに溶けやすく，エタノール(99.5)にやや溶けにくく，水にほとんど溶けない．希水酸化ナトリウム試液に溶ける

原薬の吸湿性　示さない

原薬の融点・沸点・凝固点　融点：149～153℃

原薬の酸塩基解離定数　pKa＝5.17（溶解度法）

先発医薬品等

錠　ユリノーム錠25mg・50mg（トーアエイヨー＝鳥居）

後発医薬品

細　10%

錠　25mg・50mg

国際誕生年月　1970年10月

海外での発売状況　独，台湾，スペイン，オランダ，中国ほか数カ国

製剤

規制区分　**錠**　㊙ ㊕

製剤の性状　**25mg錠**　白色の裸錠（割線入り）　**50mg錠**　白色～淡黄色の裸錠（割線入り）

有効期間又は使用期限　5年

貯法・保存条件　気密容器，遮光保存

薬剤取扱い上の留意点　該当しない

患者向け資料等　患者向医薬品ガイド，くすりのしおり

溶液及び溶解時のpH　該当資料なし

浸透圧比　該当資料なし

安定なpH域　該当資料なし

調製時の注意　該当資料なし

薬理作用

分類　ベンゾフラン誘導体高尿酸血症改善剤

作用部位・作用機序　作用部位：腎尿細管　作用機序：腎尿細管における尿酸の分泌後の再吸収を選択的に阻害することによって尿酸の排泄を促進させ，血清尿酸値の低下作用を示す

同効薬　アロプリノール，フェブキソスタット，プロベネシド，ブコローム

治療

効能・効果　次の場合における高尿酸血症の改善：①痛風　②高尿酸血症を伴う高血圧症

用法・用量　効能①：1日1回25又は50mg，以後維持量として1回50mgを1日1～3回（適宜増減）　効能②：1回50mg，1日1～3回（適宜増減）

禁忌・原則禁忌となる特定患者集団　妊婦又は妊娠している可能性のある婦人

使用上の注意

> **警告**　①劇症肝炎等の重篤な肝障害が主に投与開始6カ月以内に発現し，死亡等の重篤な転帰に至る例も報告されているので，投与開始後少なくとも6カ月間は必ず，定期的に肝機能検査を行う．また，患者の状態を十分観察し，肝機能検査値の異常，黄疸が認められた場合には中止し，適切な処置を行う　②副作用として肝障害が発生する場合があることをあらかじめ患者に説明するとともに，食欲不振，悪心・嘔吐，全身倦怠感，腹痛，下痢，発熱，尿濃染，眼球結膜黄染等が現れた場合には中止し，ただちに受診するよう患者に注意を行う

禁忌　①肝障害のある患者［肝障害を悪化させることがある］　②腎結石を伴う患者，高度の腎機能障害のある患者［尿中尿酸排泄量の増大により，これらの症状を悪化させるおそれがある．また，効果が期待できないことがある］　③妊婦又は妊娠している可能性のある婦人　④本剤の成分に対し過敏症の既往歴のある患者

相互作用概要　主としてCYP2C9によって代謝される．また，CYP2C9の阻害作用を有する

薬物動態

錠　**血漿中濃度**　健康成人男子6名に50mg錠2錠（ベンズブロマロンとして100mg）を空腹時単回経口投与時の未変化体及び6-ヒドロキシ体の薬物動態パラメータは次の通り：Cmax（μg/mL）2.3±0.8，1.7±0.4，Tmax（hr）2.7±1，4.8±1.3，$AUC_{0-\infty}$（μg・hr/mL）15.9±3.3，39.9±4.4，$T_{1/2}$（hr）5.4±1.9，18±2.9（通常，成人における本剤の1回投与量は25mg又は50mg）　**代謝・排泄**　①ヒトにおける成績：(1)健康成人男子6名に50mg錠2錠（ベンズブロマロンとして100mg）を空腹

時単回経口投与時の血漿中及び尿中の主要代謝物は6-ヒドロキシ体．尿中6-ヒドロキシ体濃度は，投与0～24時間で平均約0.54μg/mLであり，投与後72時間までの6-ヒドロキシ体の尿中排泄率は約1.2%．また，投与後72時間まで，尿中に未変化体はほとんど検出されなかった　2)外国人患者にベンズブロマロン製剤100mgを経口投与後，胆汁中に2種類のヒドロキシ体が検出されたとの報告がある　②*in vitro*試験の成績：ヒトP450発現系ミクロソームを用いた試験で，本剤は主にCYP2C9によって代謝された．ヒト肝ミクロソームを用いた阻害実験の結果，本剤は主にCYP2C9を阻害した．(注)通常，成人における本剤の1回投与量は25mg又は50mgである

その他の管理的事項

投与期間制限　該当しない

保険給付上の注意　該当しない

資料

IF　ユリノーム錠25mg・50mg　2020年4月改訂(第5版)

ベンゼトニウム塩化物
ベンゼトニウム塩化物液
Benzethonium Chloride

概要

薬効分類　261　外皮用殺菌消毒剤，279　その他の歯科口腔用薬

構造式

H_3C, CH_3, N^+, Cl^-, H_3C, H_3C, H_3C, H_3C, CH_3, O, O

分子式　$C_{27}H_{42}ClNO_2$

分子量　448.08

略語・慣用名　逆性石けん

ステム　第四級アンモニウム化合物：-ium，-onium

原薬の規制区分　該当しない

原薬の外観・性状　無色又は白色の結晶で，においはない．エタノール(95)に極めて溶けやすく，水に溶けやすく，ジエチルエーテルにほとんど溶けない．本品の水溶液は振ると強く泡立つ

原薬の吸湿性　該当資料なし

原薬の融点・沸点・凝固点　融点：158～164℃(乾燥後)

原薬の酸塩基解離定数　該当資料なし

先発医薬品等

外用液　エンゼトニン液0.01・0.02・0.025・0.05・0.1(吉田製薬)
ハイアミン液10%(アルフレッサファーマ)
ベゼトン液0.02・0.025・0.05・0.1・0.2(健栄)

歯科用　ネオステリングリーンうがい液0.2%(日本歯科)
ベンゼトニウム塩化物うがい液0.2%「KYS」(協和新薬＝昭和薬化)

国際誕生年月　不明

海外での発売状況　米

製剤

製剤の性状　**液**　無色澄明の液で，においはない．振ると強く泡立つ

有効期間又は使用期限　**外用液**(10%)4年，(10%を除く)3年

貯法・保存条件　**外用液(10%を除く)**　気密容器，遮光・室温保存　**10%外用液**　密栓遮光

薬剤取扱い上の留意点　経口投与しないこと．血清，膿汁等の有機性物質は殺菌作用を減弱させるので，これらが付着している医療器具等に用いる場合は，十分に洗い落してから使用すること．皮革製品の消毒に使用すると，変質させることがあるので使用しないこと

患者向け資料等　くすりのしおり

溶液及び溶解時のpH　**10%外用液**　8.7～9.6

浸透圧比　特になし

安定なpH域　特になし

調製時の注意　繊維，布(綿，ガーゼ，ウール，レーヨン等)は本剤の成分であるベンゼトニウム塩化物を吸着するので，これらを溶液に浸漬して用いる場合には，有効濃度以下とならないように注意すること

薬理作用

分類　第四級アンモニウム塩系殺菌消毒剤

作用部位・作用機序　陰電荷を帯びる細菌に陽電荷を帯びる本剤が菌体表面に吸着・集積され，菌体たん白を変性する

同効薬　ベンザルコニウム塩化物など

治療

効能・効果　**0.01%液**　①手術部位(手術野)の粘膜の消毒，皮膚・粘膜の創傷部位の消毒　②感染皮膚面の消毒

0.02%液　①手術部位(手術野)の粘膜の消毒，皮膚・粘膜の創傷部位の消毒　②感染皮膚面の消毒　③結膜嚢の洗浄・消毒

0.025%液　①手術部位(手術野)の粘膜の消毒，皮膚・粘膜の創傷部位の消毒　②感染皮膚面の消毒　③腟洗浄　④結膜嚢の洗浄・消毒

0.05%液　①手指・皮膚の消毒　②手術部位(手術野)の粘膜の消毒，皮膚・粘膜の創傷部位の消毒　③感染皮膚面の消毒　④手術室・病室・家具・器具・物品等の消毒　⑤腟洗浄　⑥結膜嚢の洗浄・消毒

0.1%液　**0.2%液**　**10%液**　①手指・皮膚の消毒　②手術部位(手術野)の皮膚の消毒　③手術部位(手術野)の粘膜の消毒，皮膚・粘膜の創傷部位の消毒　④感染皮膚面の消毒　⑤医療用具の消毒　⑥手術室・病室・家具・器具・物品等の消毒　⑦腟洗浄　⑧結膜嚢の洗浄・消毒

歯科用　①口腔内の消毒　②抜歯創の感染予防

用法・用量　**0.01%液**　0.01%溶液を用いる

0.02%液　効能①：0.01～0.02%溶液を用いる　効能②：0.01%溶液を用いる　効能③：0.02%溶液を用いる

0.025%液　効能①：0.01～0.025%溶液を用いる　効能②：0.01%溶液を用いる　効能③：0.025%溶液を用いる　効能④：0.02%溶液を用いる

0.05%液　効能①：石けんで十分に洗浄し，水で石けん分を十分に洗い落とした後，0.05%溶液に浸して洗い，滅菌ガーゼあるいは布片で清拭する．術前の手洗の場合には，5～10分間ブラッシング　効能②：0.01～0.025%溶液を用いる　効能③：0.01%溶液を用いる　効能④：0.05%溶液を布片で塗布・清拭するか，又は噴霧　効能⑤：0.025%溶液を用いる　効能⑥：0.02%溶液を用いる

0.1%液　**0.2%液**　効能①：石けんで十分に洗浄し，水で石けん分を十分に洗い落とした後，0.05～0.1%溶液に浸して洗い，滅菌ガーゼあるいは布片で清拭する．術前の手洗の場合には，5～10分間ブラッシング　効能②：手術前局所皮膚面を0.1%溶液で約5分間洗い，その後0.2%溶液を塗布　効能③：0.01～0.025%溶液を用いる　効能④：0.01%溶液を用いる　効能⑤：0.1%溶液に10分間浸漬するか，又は厳密に消毒する際は，器具をあらかじめ2%炭酸ナトリウム水溶液で洗い，その後塩化ベンゼトニウム0.1%溶液中で15分間煮沸　効能⑥：0.05～0.1%(**0.2%液**　0.2%)溶液を布片で塗布・清拭するか，又は噴霧　効能⑦：0.025%溶液を用いる　効能⑧：0.02%溶液を用いる

10%液　効能①：石けんで十分に洗浄し，水で石けん分を十分に洗い落とした後，0.05～0.1%(本剤の100～200倍)溶液に浸して洗い，滅菌ガーゼあるいは布片で清拭．術前の手洗の場合には，5～10分間ブラッシング　効能②：手術前局所皮膚

面を0.1％（本剤の100倍）溶液で，5分間洗い，その後0.2％（本剤の50倍）溶液を塗布　効能③：0.01～0.025％（本剤の400～1000倍）溶液を用いる　効能④：0.01％（本剤の1000倍）溶液を用いる　効能⑤：0.1％（本剤の100倍）溶液に10分間浸漬するか，又は厳密に消毒する際は，器具をあらかじめ2％炭酸ナトリウム水溶液で洗い，その後0.1％（本剤の100倍）溶液中で15分間煮沸　効能⑥：0.05～0.2％（本剤の50～200倍）溶液を布片で塗布・清拭するか，又は噴霧　効能⑦：0.025％（本剤の400倍）溶液を用いる　効能⑧：0.02％（本剤の500倍）溶液を用いる

歯科用 効能①：0.004％（50倍希釈）溶液として洗口　効能②：0.01～0.02％（10～20倍希釈）溶液として洗浄

その他の管理的事項

投与期間制限　該当しない

保険給付上の注意　該当しない

資料

IF　ベゼトン液0.02・0.025・0.05・0.1・0.2　2010年2月改訂（第2版）
ハイアミン液10％　2019年3月作成（第1版）

ベンセラジド塩酸塩
Benserazide Hydrochloride

概要

構造式

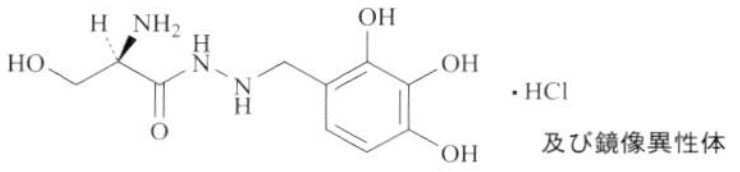

分子式　$C_{10}H_{15}N_3O_5$・HCl

分子量　293.70

原薬の規制区分　該当しない

原薬の外観・性状　白色～灰白色の結晶性の粉末である．水又はギ酸に溶けやすく，メタノールにやや溶けやすく，エタノール（95）に極めて溶けにくい．0.1mol/L塩酸試液に溶ける．1.0gを水100mLに溶かした液のpHは4.0～5.0である．光によって徐々に着色する．本品の水溶液（1→100）は旋光性を示さない

原薬の吸湿性　吸湿性である

原薬の融点・沸点・凝固点　融点：約145℃（分解）

原薬の酸塩基解離定数　$pKa_1$1＝約7.1（帰属：$-NH_3^+$　測定法：滴定法），pKa_2＝約9.3（帰属：フェノール性-OH　測定法：滴定法）

先発医薬品等

錠　イーシー・ドパール配合錠（協和キリン）
ネオドパゾール配合錠（アルフレッサファーマ）
マドパー配合錠（太陽ファルマ）

薬理作用

作用部位・作用機序　レボドパと併用することにより脳及び血中でのレボドパ濃度はレボドパ単独投与に比し著明に増加し，また臨床上副作用の原因になると考えられるカテコールアミン（主にドパミン）濃度は減少した

治療

効能・効果　パーキンソン病，パーキンソン症候群

用法・用量　①レボドパ未投与例の場合：初回1日1～3錠を1～3回に分けて食後服用，2～3日ごとに1日1～2錠ずつ漸増，維持量1日3～6錠（適宜増減）　②レボドパ投与例の場合：初回1日量は投与中のレボドパ量の約1/5に相当するレボドパ量（本剤1錠中100mg）に切り換え1～3回に分けて食後服用，漸増もしくは漸減，維持量1日3～6錠（適宜増減）

使用上の注意

禁忌　①閉塞隅角緑内障の患者［眼圧上昇を起こし，症状が悪化するおそれがある］　②本剤の成分に対し過敏症の既往歴のある患者

過量投与　過量投与により，異常な不随意運動，混乱，不眠，まれに嘔気，嘔吐，不整脈等が起こるおそれがある．このような場合には，呼吸器や心機能を観察しながら胃洗浄等の適切な処置を行う

資料

IF　イーシー・ドパール配合錠　2020年1月改訂（第17版）

ペンタゾシン
Pentazocine

概要

薬効分類　114　解熱鎮痛消炎剤

構造式

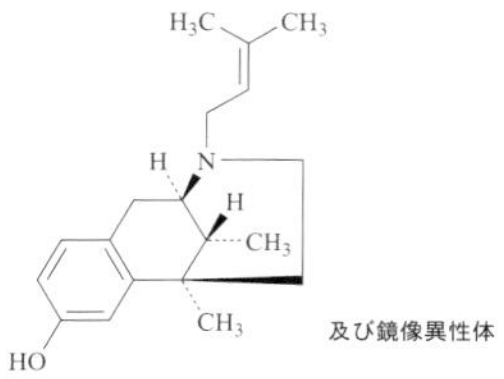

分子式　$C_{19}H_{27}NO$

分子量　285.42

ステム　6,7-ベンゾモルファン系麻薬拮抗剤/アゴニスト：-azocine

原薬の規制区分　[劇] [向Ⅱ] [習]

原薬の外観・性状　白色～微黄白色の結晶性の粉末で，においはない．酢酸（100）又はクロロホルムに溶けやすく，エタノール（95）にやや溶けやすく，ジエチルエーテルにやや溶けにくく，水にほとんど溶けない

原薬の吸湿性　吸湿性はない

原薬の融点・沸点・凝固点　融点：150～158℃

原薬の酸塩基解離定数　pKa_1＝8.0，pKa_2＝9.7

先発医薬品等

錠　ソセゴン錠25mg（丸石）
注　ソセゴン注射液15mg・30mg（丸石）

後発医薬品

注　15mg・30mg

国際誕生年月　不明

海外での発売状況　米，英，独など39カ国以上

製剤

規制区分　注　[劇] [向Ⅱ] [習] [処]

製剤の性状　注　無色澄明の液

有効期間又は使用期限　5年

貯法・保存条件　室温保存

薬剤取扱い上の留意点　眠気，めまい，ふらつき等が現れることがあるので，本剤投与中の患者には自動車の運転等危険を伴う機械の操作には従事させないよう注意すること．本剤の依存性に基づく医療外使用の事例が報告されているので，保存管理に十分注意すること

患者向け資料等　くすりのしおり

溶液及び溶解時のpH　注　3.5～5.5

浸透圧比　注　約1（対生食）

調製時の注意　バルビタール系薬剤（注射液）と同じ注射筒で使用すると沈澱を生ずるので，同じ注射筒で混ぜないこと

薬理作用

分類 ベンゾモルファン系非麻薬性鎮痛薬

作用部位・作用機序 作用部位は大脳支質と考えられ，麻薬と同様に中枢神経系におけるオピオイド受容体に結合することにより神経伝達系を抑制し，鎮痛効果を発現する．本剤はκ受容体作動薬で，μ受容体遮断薬としての作用も併せ持っていることから，それ自身鎮痛作用を有し，モルヒネ様の諸作用に拮抗する性質を有する麻薬拮抗型鎮痛剤である

同効薬 モルヒネ塩酸塩水和物，モルヒネ硫酸塩水和物，ブプレノルフィン塩酸塩など

治療

効能・効果 **錠** 各種癌における鎮痛

注 ①(**15mg注** のみ)次の疾患ならびに状態における鎮痛：各種癌，術後，心筋梗塞，胃・十二指腸潰瘍，腎・尿路結石，閉塞性動脈炎，胃・尿管・膀胱検査器具使用時 ②麻酔前投薬及び麻酔補助

用法・用量 **錠** ペンタゾシンとして1回25～50mg(適宜増減)．必要に応じ追加投与する場合には3～5時間の間隔をおく

注 効能①：ペンタゾシンとして1回15mg，筋注又は皮下注し，その後必要に応じて，3～4時間ごとに反復注射(適宜増減) 効能②：ペンタゾシンとして30～60mg，筋注・皮下注又は静注(適宜増減)

使用上の注意

> **警告** **錠** 注射しない［ナロキソンが添加されているため，水に溶解して注射投与しても効果なく，麻薬依存患者では禁断症状を誘発し，また肺塞栓，血管閉塞，潰瘍，膿瘍を引き起こす等，重度で致死的な事態を生じることがある］

禁忌 **錠** ①ペンタゾシン又はナロキソンに対し過敏症の既往歴のある患者 ②頭部傷害がある患者又は頭蓋内圧が上昇している患者［頭蓋内圧が上昇することがある］ ③重篤な呼吸抑制状態にある患者及び全身状態が著しく悪化している患者［呼吸抑制を増強することがある］

注 ①本剤の成分に対し過敏症の既往歴のある患者 ②頭部傷害がある患者又は頭蓋内圧が上昇している患者［頭蓋内圧が上昇することがある］ ③重篤な呼吸抑制状態にある患者及び全身状態が著しく悪化している患者［呼吸抑制を増強することがある］

過量投与 **錠** 外国において薬物嗜癖の病歴を有する患者が，術後疼痛のため処方された本剤を過量服用(ペンタゾシンとして1g)し，死亡(肝不全)したとの報告がある

注 ①症状：傾眠，呼吸抑制，血圧低下等を起こすことがあり，重症の場合には，循環不全，昏睡，痙攣等を起こすことがある ②処置：十分な呼吸維持と循環器系の補助療法を行う．痙攣に対する治療は必須であり，中枢神経抑制作用に対してはナロキソン投与を行う

薬物動態

錠 **血漿中濃度** 健康成人男子6例に塩酸ペンタゾシン錠(ペンタゾシンとして50mg)を経口投与時，Tmax2時間，Cmax19～86ng/mL，消失半減期98～192分 **代謝・排泄** 健康成人男性6例に本剤(ペンタゾシンとして50mg含有)を経口投与し，経時的に24時間，尿中のペンタゾシン及びその代謝物濃度を検討した．経口投与後の吸収は良く，尿中には主としてペンタゾシンと代謝物の抱合型として排泄され，投与後24時間までの総排泄率は投与量の70.4% **血漿蛋白結合率** 健康成人(20例)及び脳神経外科手術後の患者(22例)でのペンタゾシンの血漿蛋白結合率を検討した結果，それぞれ61.1%及び65.8% **肝障害患者・高齢者の血中濃度** 肝硬変患者と健康成人において，ペンタゾシン0.4mg/kgを経口投与した結果，肝硬変患者では健康成人と比較してペンタゾシンの血中クリアランスは約1/2に低下して半減期は約1.7倍に延長し，生物学的利用率は約3.8倍に増加した．また，若年(22～48歳)の健康成人(8例)・術後患者(1例)及び高齢(60～90歳)の術後患者(5例)・疼痛患者(3例)にペンタゾシンをそれぞれ30mg，80mg，30～60mgを静注した結果，高齢層では若年層と比較して総クリアランスは約1/2に低下し，半減期は約1.6倍に延長した．肝障害患者及び高齢者に本剤を投与するときは，投与量，投与間隔の適切な調節が必要である

注 **血中濃度** 16～63歳の整形外科もしくは婦人科の手術患者30名に，0.5mg/kg・1mg/kgを筋注(臀筋内)もしくは0.5mg/kgを静注時の最高血中濃度及び半減期，AUCは次の通り．(Cmax※)(μg/mL)，Tmax(min)，$t_{1/2}$※)(h)，AUC※)(μg・h/mL)の順)(ア)筋注0.5mg/kg：0.15±0.04，約10，1.28±0.71，0.23±0.13(イ)筋注1.0mg/kg：0.28±0.09，30，2.02±0.50，0.87±0.47(ウ)静注0.5mg/kg：2.07±1.20，投与直後，0.73±0.60，0.28±0.16 ※)平均±標準偏差 **代謝・排泄** 海外における検討によれば，ペンタゾシンを人に投与後の尿中には未変化体と代謝産物としてcis-アルコール体及びtrans-カルボン酸体とその抱合体が認められる．健康成人男子にペンタゾシンを静注して，その生体内代謝を検討した成績によれば，投与後32時間尿中に投与量の8.4～24.0%が未変化体で排泄されることが認められている **血漿蛋白結合率** 健康成人(20例)及び脳神経外科手術後の患者(22例)でのペンタゾシンの血漿蛋白結合率を検討した結果，それぞれ61.1%及び65.8% **高齢者の血中濃度** 若年(22～48歳)の健康成人(8例)，術後患者(1例)及び高齢(60～90歳)の術後患者(5例)，疼痛患者(3例)にそれぞれ30mg，80mg，45～60mg，30mgを静注時，高齢者では健康成人と比較して総クリアランスが約1/2に低下し，消失半減期は約1.6倍に延長した．高齢者に本剤を投与する場合には，投与量，投与間隔の適切な調節が必要である

その他の管理的事項

保険給付上の注意 該当しない

資料

IF ソセゴン注射液15mg・30mg 2020年6月改訂(第2版)

ペントキシベリンクエン酸塩
Pentoxyverine Citrate

概要

薬効分類 222 鎮咳剤

構造式

分子式 $C_{20}H_{31}NO_3 \cdot C_6H_8O_7$

分子量 525.59

略語・慣用名 別名：カルベタペンタンクエン酸塩，カルベタペンテンクエン酸塩

ステム パパベリン作用を持つ鎮痙薬：-verine

原薬の規制区分 ㋖(ただし，注射剤以外の製剤であって1個中ペントキシベリンとして15mg以下を含有するもの及びペントキシベリンとして0.05%以下を含有するシロップ剤を除く)

原薬の外観・性状 白色の結晶性の粉末である．酢酸(100)に極めて溶けやすく，水又はエタノール(95)に溶けやすく，ジエチルエーテルにほとんど溶けない

原薬の吸湿性 該当資料なし

原薬の融点・沸点・凝固点 融点：92～95℃

原薬の酸塩基解離定数 該当資料なし

後発医薬品

錠 15mg

国際誕生年月 不明

海外での発売状況　該当しない

製剤

製剤の性状　**錠**　白色の糖衣錠

有効期間又は使用期限　3年

貯法・保存条件　防湿保存

患者向け資料等　くすりのしおり

溶液及び溶解時のpH　該当しない

浸透圧比　該当しない

安定なpH域　該当しない

調製時の注意　該当しない

薬理作用

分類　非麻薬性中枢性鎮咳薬

作用部位・作用機序　咳嗽中枢抑制作用を有し，無麻酔モルモットでSO_2混合気体吸入による咳反射を抑制する．モルモット摘出回腸を用いた実験でアセチルコリンによる収縮に対して競合的拮抗を示し，高濃度でBa^{2+}による収縮も抑制する

治療

効能・効果　次の疾患に伴う咳嗽：感冒，喘息性(様)気管支炎，気管支喘息，急性気管支炎，慢性気管支炎，肺結核，上気道炎(咽喉頭炎，鼻カタル)

用法・用量　ペントキシベリンクエン酸塩として1日15～120mg，2～3回に分服(適宜増減)

使用上の注意

禁忌　閉塞隅角緑内障の患者［抗コリン作用により眼圧が上昇し，症状を悪化させることがある］

その他の管理的事項

投与期間制限　該当しない

保険給付上の注意　該当しない

資料

IF　ペントキシベリンクエン酸塩錠「ツルハラ」 2019年9月改訂(第7版)

ベントナイト
Bentonite

概要

原薬の規制区分　該当しない

原薬の外観・性状　白色～淡黄褐色の微細な粉末で，においはなく，味は僅かに土様である．水，エタノール(95)又はジエチルエーテルにほとんど溶けない．水に入れると膨潤する．1.0gに水50mLを加え，振り混ぜて懸濁した液のpHは9.0～10.5である

ペントバルビタールカルシウム
ペントバルビタールカルシウム錠
Pentobarbital Calcium

概要

薬効分類　112　催眠鎮静剤，抗不安剤

構造式

及び鏡像異性体

分子式　$C_{22}H_{34}CaN_4O_6$

分子量　490.61

ステム　催眠剤，バルビツール酸誘導体：-barb

原薬の規制区分　劇 向Ⅱ 習

原薬の外観・性状　白色の粉末である．水にやや溶けにくく，エタノール(95)に溶けにくく，アセトニトリルにほとんど溶けない．本品の水溶液(1→100)は旋光性を示さない

原薬の吸湿性　吸湿性でない

原薬の酸塩基解離定数　pKa＝8.11

先発医薬品等

錠　ラボナ錠50mg(田辺三菱)

国際誕生年月　不明

製剤

規制区分　**錠**　劇 向Ⅱ 習 処

製剤の性状　**錠**　白色のフィルムコーティング錠

有効期間又は使用期限　36カ月

貯法・保存条件　室温保存．開封後は防湿保存

薬剤取扱い上の留意点　連用により薬物依存を生じることがあるので，漫然とした継続投与による長期使用を避けること．本剤投与中の患者には，自動車の運転等，危険を伴う機械の操作に従事させないよう注意すること

患者向け資料等　患者向医薬品ガイド，くすりのしおり

薬理作用

分類　短時間作用型バルビツール酸誘導体

作用部位・作用機序　バルビツール酸誘導体としての共通の作用機序により鎮静，催眠作用を現す．すなわち，$GABA_A$受容体のサブユニットに存在するバルビツール酸誘導体結合部位に結合することにより，抑制性伝達物質GABAの受容体親和性をたかめ，Cl^-チャネル開口作用を増強して神経機能抑制作用を促進する．バルビツール酸誘導体はその作用時間によって分類されるが，本剤は短時間作用型に属する

同効薬　アモバルビタール，セコバルビタール

治療

効能・効果　不眠症，麻酔前投薬，不安緊張状態の鎮静，持続睡眠療法における睡眠調節

用法・用量　不眠症には1回50～100mg就寝前，麻酔前投薬には手術前夜100～200mg，手術前1～2時間に100mg，不安緊張状態の鎮静には1回25～50mg1日2～3回(適宜増減)

用法・用量に関連する使用上の注意　不眠症には，就寝の直前に服用させる．また，服用して就寝した後，睡眠途中において一時的に起床して仕事等をする可能性があるときは服用させない

使用上の注意

禁忌　①バルビツール酸系化合物に対し過敏症の患者　②急性間歇性ポルフィリン症の患者［酵素誘導によりポルフィリン合成を促進し，症状を悪化させるおそれがある］

過量投与　①徴候・症状：バルビツレートの急性中毒症状としては，中枢神経系及び呼吸器系の抑制があり，チェーン・ストークス呼吸，瞳孔縮小(重度な中毒時には麻痺性の拡張)，乏尿，頻脈，低血圧，体温低下，昏睡等の症状が現れるおそれがある　②処置：呼吸，循環，バイタルサインのチェック等の全身管理を実施する．催吐，胃洗浄，活性炭の投与を状況に応じて考慮する．呼吸管理には必要により気管内挿管や人工呼吸器の使用を考慮する．循環管理には乳酸リンゲル等の輸液，改善されない低血圧には塩酸ドパミン等の使用を考慮する．血液透析，血液灌流が有効であったとの報告もある

薬物動態

健康成人男子(外国人10例)にナトリウム塩100mgを経口投与時，大部分は速やかに吸収され，投与1時間後に最高血中濃度1.37±0.06μg/mLserum，半減期は15～48時間

その他の管理的事項

投与期間制限　14日

保険給付上の注意　該当しない

[資料]
IF　ラボナ錠50mg　2019年4月改訂(第7版)

ペンブトロール硫酸塩
Penbutolol Sulfate

[概要]
薬効分類　214　血圧降下剤
構造式

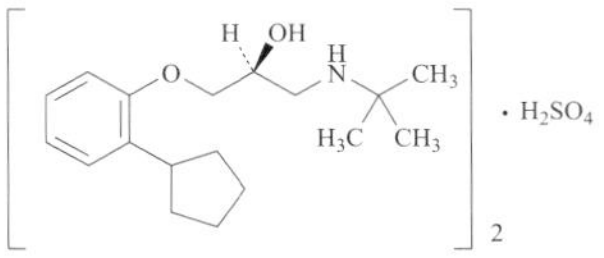

分子式　$(C_{18}H_{29}NO_2)_2 \cdot H_2SO_4$
分子量　680.94
原薬の規制区分　[劇](ただし，1個中ペンブトロールとして20mg以下を含有する内用剤を除く)
原薬の外観・性状　白色の結晶性の粉末である．酢酸(100)に極めて溶けやすく，メタノールに溶けやすく，エタノール(95)にやや溶けにくく，水に溶けにくく，無水酢酸又はジエチルエーテルにほとんど溶けない
原薬の融点・沸点・凝固点　融点：213～217℃

ホウ酸
Boric Acid

[概要]
薬効分類　131　眼科用剤
分子式　H_3BO_3
分子量　61.83
原薬の規制区分　該当しない
原薬の外観・性状　無色又は白色の結晶又は結晶性の粉末で，においはなく，僅かに特異な味がある．温湯，熱エタノール(95)又はグリセリンに溶けやすく，水又はエタノール(95)にやや溶けやすく，ジエチルエーテルにほとんど溶けない．1.0gを水20mLに溶かした液のpHは3.5～4.1である
先発医薬品等
[外用末] ホウ酸原末「マルイシ」(丸石)
ホウ酸「NikP」(日医工)
ホウ酸恵美須(恵美須)
ホウ酸「カナダ」(金田直)
ホウ酸「ケンエー」(健栄)
ホウ酸「司生堂」(司生堂)
ホウ酸「東海」(東海製薬)
ホウ酸「メタル」(中北)
ホウ酸(山善)
ホウ酸「ヨシダ」(吉田製薬)

[製剤]
貯法・保存条件　密閉容器，室温保存

[治療]
効能・効果　結膜嚢の洗浄・消毒
用法・用量　2%以下の濃度で用いる

[資料]
添付文書　ホウ酸「ケンエー」 2000年4月作成(第1版)

ホウ砂
Sodium Borate

[概要]
薬効分類　131　眼科用剤
分子式　$Na_2B_4O_7 \cdot 10H_2O$
分子量　381.37
原薬の規制区分　該当しない
原薬の外観・性状　無色若しくは白色の結晶又は白色の結晶性の粉末で，においはなく，僅かに特異な塩味がある．グリセリンに溶けやすく，水にやや溶けやすく，エタノール(95)，エタノール(99.5)又はジエチルエーテルにほとんど溶けない．乾燥空気中に放置するとき，風解し，白色の粉末で覆われる．1.0gを水20mLに溶かした液のpHは9.1～9.6である
先発医薬品等
[外用末] ホウ砂(小堺)
ホウ砂「カナダ」(金田直)
ホウ砂「ケンエー」(健栄)
ホウ砂「司生堂」(司生堂)

[製剤]
貯法・保存条件　気密容器，室温保存
薬剤取扱い上の留意点　長期保存により固化することがある
患者向け資料等　くすりのしおり

[治療]
効能・効果　結膜嚢の洗浄・消毒
用法・用量　1%以下の濃度で用いる

[資料]
添付文書　ホウ砂「ケンエー」 2000年4月作成(第1版)

抱水クロラール
Chloral Hydrate

[概要]
薬効分類　112　催眠鎮静剤，抗不安剤
構造式

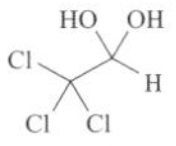

分子式　$C_2H_3Cl_3O_2$
分子量　165.40
原薬の規制区分　[劇] [習]
原薬の外観・性状　無色の結晶で，刺激性のにおいがあり，味は刺激性でやや苦い．水に極めて溶けやすく，エタノール(95)又はジエチルエーテルに溶けやすい．空気中で徐々に揮散する
原薬の吸湿性　該当資料なし
原薬の融点・沸点・凝固点　融点：57℃，98℃でクロラールと水に分解する
原薬の酸塩基解離定数　pKa＝10.04
先発医薬品等
[坐] エスクレ坐剤「250」・「500」(久光)
[注腸] エスクレ注腸用キット「500」(久光)
国際誕生年月　不明
海外での発売状況　発売されていない

[製剤]
規制区分　[坐] [注腸] [習] [処]
製剤の性状　[坐] 微淡黄色透明のレクタルカプセル坐剤　[注腸] 無色澄明液を含有するキット製剤
有効期間又は使用期限　[坐] 3年

貯法・保存条件　**坐** 防湿・冷暗所保存　**注腸** 室温保存
患者向け資料等　くすりのしおり
調製時の注意　該当しない

薬理作用

分類　催眠・鎮静・抗痙攣剤
作用部位・作用機序　中枢神経系(大脳皮質)に作用し，中枢抑制・催眠作用並びに抗けいれん作用を現す．抱水クロラールは，生体内でトリクロロエタノールに変化し，これが活性物質として中枢抑制作用を示すが，抱水クロラール自身にも中枢抑制作用があり，投与直後の作用は抱水クロラールによるもので，その後の作用はトリクロロエタノールによるものとされている
同効薬　トリクロホスナトリウム

治療

効能・効果　理学検査時における鎮静・催眠，静注が困難な痙攣重積状態
用法・用量　抱水クロラールとして小児では30～50mg/kgを標準とし，直腸内に挿入する(適宜増減)．総量1.5gを超えないようにする(坐剤の挿入については添付文書参照)

使用上の注意

禁忌　**坐** ①本剤の成分(ゼラチン等)に対して過敏症の既往歴のある患者［本剤のカプセルの主成分はゼラチンである．ワクチン類に安定剤として含まれるゼラチンに対し過敏症の患者に，投与したところ過敏症が発現したとの報告がある．また，投与によりショック様症状を起こした患者の血中にゼラチン特異抗体を検出したとの報告がある］　②トリクロホスナトリウムに対して過敏症の既往歴のある患者［生体内でトリクロルエタノールとなる］
注腸 ①本剤の成分又はトリクロホスナトリウムに対して過敏症の既往歴のある患者［抱水クロラールは，生体内でトリクロルエタノールとなる］　②急性間欠性ポルフィリン症の患者［ポルフィリン症の症状を悪化させる］
過量投与　①徴候，症状：呼吸抑制，徐脈，血圧低下が認められることがある　②処置：呼吸，脈拍，血圧，経皮的動脈血酸素飽和度の監視を行うとともに，気道の確保等の適切な処置を行う．血液透析，血液灌流が有効であったとの報告もある

その他の管理的事項

投与期間制限　該当しない
保険給付上の注意　該当しない

資料

IF　エスクレ坐剤「250」・「500」 2017年10月改訂(第5版)
エスクレ注腸用キット「500」 2017年3月改訂(第4版)

ボグリボース
ボグリボース錠
Voglibose

概要

薬効分類　396　糖尿病用剤
構造式

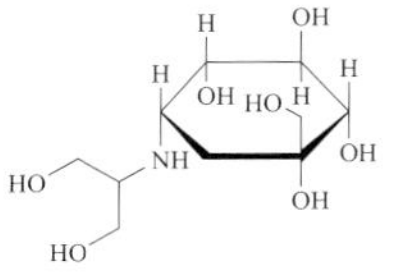

分子式　$C_{10}H_{21}NO_7$
分子量　267.28
ステム　スルホンアミド誘導体以外の血糖降下剤：-gli-
原薬の規制区分　該当しない
原薬の外観・性状　白色の結晶又は結晶性の粉末である．水に極めて溶けやすく，酢酸(100)に溶けやすく，メタノールに溶けにくく，エタノール(99.5)に極めて溶けにくい．0.1mol/L塩酸試液に溶ける．1.0gを水10mLに溶かした液のpHは9.8～10.4である
原薬の吸湿性　25℃，75%RH及び84%RHの条件下で7日間保存したとき，吸湿性は認められなかった．25℃・93%RHの条件下では，7日間で7%の吸湿が認められた
原薬の融点・沸点・凝固点　融点：163～168℃
原薬の酸塩基解離定数　pKa＝7.06(イミノ基，25℃)
先発医薬品等
錠 ベイスン錠0.2・0.3(武田テバ薬品＝武田)
ベイスンOD錠0.2・0.3(武田テバ薬品＝武田)
後発医薬品
錠 0.2mg・0.3mg・OD錠0.2mg・0.3mg
内用フィルム 0.2mg・0.3mg
国際誕生年月　1994年7月
海外での発売状況　中国，韓国，タイ，フィリピンなど

製剤

規制区分　**錠**　**口腔内崩壊錠**　㊕
製剤の性状　**0.2mg錠** 白色～帯黄白色の割線入りの素錠　**0.3mg錠** 白色～帯黄白色の素錠　**0.2mg口腔内崩壊錠** 帯黄白色の割線入り素錠(口腔内崩壊錠)　**0.3mg口腔内崩壊錠** 微黄色の素錠(口腔内崩壊錠)
有効期間又は使用期限　3年
貯法・保存条件　**錠** 室温保存　**口腔内崩壊錠** 室温保存，開封後も防湿保存(本品は高防湿性の内袋により品質保持をはかっている)
薬剤取扱い上の留意点　低血糖症状を起こすことがあるので，糖尿病患者又は耐糖能異常を有する者に対し低血糖症状及びその対処方法について十分説明する．また，高所作業，自動車の運転等に従事している糖尿病患者又は耐糖能異常を有する者に投与するときには注意する
患者向け資料等　患者向医薬品ガイド，くすりのしおり
溶液及び溶解時のpH　9.8～10.4(1.0gを水10mLに溶かした液)
浸透圧比　該当しない
安定なpH域　該当しない
調製時の注意　該当しない

薬理作用

分類　αグルコシダーゼ阻害食後過血糖改善剤
作用部位・作用機序　腸管において二糖類から単糖への分解を担う二糖類水解酵素(αグルコシダーゼ)を阻害し，糖質の消化・吸収を遅延させることにより食後の過血糖を改善する
同効薬　アカルボース，ミグリトール

治療

効能・効果　①糖尿病の食後過血糖の改善(ただし，食事療法・運動療法を行っている患者で十分な効果が得られない場合，又は食事療法・運動療法に加えて経口血糖降下剤もしくはインスリン製剤を使用している患者で十分な効果が得られない場合に限る)　②**0.2mg錠** 耐糖能異常における2型糖尿病の発症抑制(ただし，食事療法・運動療法を十分に行っても改善されない場合に限る)．なお，保険給付については保険給付上の注意参照
効能・効果に関連する使用上の注意　①効能：適用はあらかじめ糖尿病治療及び糖尿病発症抑制の基本である食事療法，運動療法を十分に行ったうえで効果が不十分な場合に限り考慮する　②糖尿病の食後過血糖の改善：(1)糖尿病治療の基本である食事療法・運動療法のみを行っている患者では，投与の際の食後血糖2時間値は200mg/dL以上を示す場合に限る　(2)食事療法，運動療法に加えて経口血糖降下剤又はインスリン製剤を使用している患者では，投与の際の空腹時血糖値は

140mg/dL以上を目安とする　③耐糖能異常における2型糖尿病の発症抑制：適用は，耐糖能異常（空腹時血糖が126mg/dL未満かつ75g経口ブドウ糖負荷試験の血糖2時間値が140～199mg/dL）と判断され，糖尿病発症抑制の基本である食事療法・運動療法を3～6カ月間行っても改善されず，かつ高血圧症，脂質異常症（高トリグリセリド血症，低HDLコレステロール血症等），肥満（Body Mass Index：BMI 25kg/m^{2}以上），2親等以内の糖尿病家族歴のいずれかを有する場合に限定する

用法・用量　効能①：1回0.2mg，1日3回食直前．効果不十分な場合には，経過を十分に観察しながら1回0.3mgまで増量できる　効能②：1回0.2mg，1日3回食直前

用法・用量に関連する使用上の注意　高齢者では，低用量（例えば1回量0.1mg）から投与を開始するとともに，血糖値及び消化器症状の発現に留意するなど，経過を十分に観察しながら慎重に投与する

使用上の注意

禁忌　①重症ケトーシス，糖尿病性昏睡又は前昏睡の患者［輸液及びインスリンによる速やかな高血糖の是正が必須となるので本剤は適さない］　②重症感染症，手術前後，重篤な外傷のある患者［インスリン注射による血糖管理が望まれるので本剤は適さない］　③本剤の成分に対する過敏症の既往歴のある患者

薬物動態

血中濃度　①単回投与：健康成人男子（10名）に2mgを単回投与時，血漿中にボグリボースは検出されない　②反復投与：健康成人男子（6名）に1回0.2mg1日3回，7日間反復投与時，血漿中にボグリボースは検出されない　**分布**　ラットに[^{14}C]ボグリボース1mg/kg単回投与した試験で胎児及び乳汁中への移行が認められている　**排泄**　①健康成人男子（6名）に1回0.2mg1日3回，7日間反復投与時，尿中にボグリボースは検出されない　②ラットに[^{14}C]ボグリボース1mg/kg単回投与した試験で尿，糞への排泄率はそれぞれ約5%，98%

その他の管理的事項

投与期間制限　該当しない

保険給付上の注意　耐糖能異常における2型糖尿病の発症抑制（ただし，食事療法及び運動療法を十分に行っても改善されない場合に限る．）を目的に使用する場合，保険適用上の取扱いを以下のとおりとすること　①耐糖能異常（空腹時血糖が126mg/dL未満かつ75g経口ブドウ糖負荷試験の血糖2時間値が140～199mg/dL）と判断され，糖尿病発症抑制の基本である食事療法及び運動療法を3～6カ月間行っても改善されず，かつ高血圧症，脂質異常症（高トリグリセリド血症，低HDLコレステロール血症等）のいずれかを基礎疾患として有する患者を対象とする場合に限り，保険適用されるものとする　②診療報酬明細書の摘要欄には，耐糖能異常と判断した根拠（判断した年月日とその結果），食事療法及び運動療法を3～6カ月間行っても改善されなかった旨及び高血圧症又は脂質異常症の診断名を記載する

資料

IF　ベイスン錠0.2・0.3・OD錠0.2・0.3　2017年9月改訂（第10版）

ホスホマイシンカルシウム水和物
シロップ用ホスホマイシンカルシウム
Fosfomycin Calcium Hydrate

概要

薬効分類　613　主としてグラム陽性・陰性菌に作用するもの

構造式

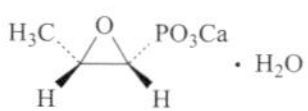

分子式　$C_3H_5CaO_4P \cdot H_2O$

分子量　194.14

略語・慣用名　FOM

ステム　*Streptomyces*属の産生する抗生物質：-mycin

原薬の規制区分　該当しない

原薬の外観・性状　白色の結晶性の粉末である．水に溶けにくく，メタノール又はエタノール（99.5）にほとんど溶けない

原薬の吸湿性　非常に吸湿しにくい（臨界湿度91%RH以上）

原薬の融点・沸点・凝固点　融点（分解点）：270℃まで変化は認められない

原薬の酸塩基解離定数　pKa＝5.7

先発医薬品等

錠　ホスミシン錠250・500（MeijiSeika）

カ　ホスホマイシンカルシウムカプセル250mg・500mg「日医工」（日医工）

シロップ用　ホスホマイシンカルシウムドライシロップ40%「日医工」（日医工）
ホスミシンドライシロップ200・400（MeijiSeika）

国際誕生年月　不明

海外での発売状況　ベトナム

製剤

規制区分　錠　シロップ用　㊇

製剤の性状　錠　白色の素錠　シロップ用　白色の細粒で，芳香を有し，味は甘い

有効期間又は使用期限　3年

貯法・保存条件　室温保存

薬剤取扱い上の留意点　該当資料なし

患者向け資料等　くすりのしおり

溶液及び溶解時のpH　該当しない

浸透圧比　該当しない

安定なpH域　該当しない

薬理作用

分類　ホスホマイシン系抗生物質

作用部位・作用機序　細胞質膜の能動輸送系によってホスホマイシンが効率的に菌体内に取込まれ，細胞壁peptidoglycanの生合成を初期段階で阻害することにより抗菌作用を示す．グラム陽性菌・陰性菌に対し殺菌的に作用する．緑膿菌，プロテウス属，モルガネラ・モルガニー，プロビデンシア・レットゲリ，セラチア属，サルモネラ属，赤痢菌，カンピロバクター属及びホスホマイシンに感性のブドウ球菌属，大腸菌に抗菌作用を示す

同効薬　合成ペニシリン系抗生剤（アンピシリン，アモキシシリンなど），セフェム系抗生剤（セファレキシン，セファクロルなど）

治療

効能・効果　錠　カ　シロップ用〈適応菌種〉ホスホマイシンに感性のブドウ球菌属，大腸菌，赤痢菌，サルモネラ属，セラチア属，プロテウス属，モルガネラ・モルガニー，プロビデンシア・レットゲリ，緑膿菌，カンピロバクター属　〈適応症〉深在性皮膚感染症，膀胱炎，腎盂腎炎，感染性腸炎，涙嚢炎，麦粒腫，瞼板腺炎，中耳炎，副鼻腔炎

効能・効果に関連する使用上の注意　感染性腸炎，中耳炎，副

ホ

鼻腔炎への使用にあたっては，「抗微生物薬適正使用の手引き」を参照し，抗菌薬投与の必要性を判断した上で，投与が適切と判断される場合に投与する

用法・用量 **錠** **カ** ホスホマイシンとして1日2〜3g(力価)，小児40〜120mg(力価)/kg，3〜4回に分服(適宜増減)
シロップ用 ホスホマイシンとして小児1日40〜120mg(力価)/kg，3〜4回に分服(適宜増減)

用法・用量に関連する使用上の注意 使用にあたっては，耐性菌の発現等を防ぐため，原則として感受性を確認し，疾病の治療上必要な最小限の期間の投与にとどめる

薬物動態

血中濃度 内服(クロスオーバー法)：(1)**錠** **カ** 健康成人(20例)に，錠又はカプセル1gを1回経口投与時のピークは2.5時間後に5.36，5.19μg/mL，6時間後に2.68，2.32μg/mL，10時間後に1.54，1.42μg/mL，以後半減期4.35，4.55時間で漸減，錠とカプセルは生物学的に同等 (2)**シロップ用** 小児(5例)に20%又は40%ドライシロップを1回40mg/kg経口投与時，1時間後3.39，2.95μg/mL，ピークは3時間後5.34，6.4μg/mL，6時間後2.55，2.06μg/mL **蛋白結合** 平衡透析法により測定したヒト血清蛋白との結合率は2.16% **代謝・排泄** 体内で代謝されずに，大部分が未変化体のまま尿中に排泄．小児(5例)にクロスオーバー法で20%又は40%ドライシロップを1回40mg/kg経口投与後6時間までの尿中排泄率は9.6，9.53%．健康成人3例にホスホマイシンナトリウム1，2gを1，2時間で点滴静注時，点滴終了後10〜11時間までの尿中排泄率95〜99%．(参考)健康成人(3例)に，錠と生物学的同等性が確認されているカプセル1g経口投与後24時間までの尿中回収率は28.4%

その他の管理的事項

投与期間制限 該当しない
保険給付上の注意 該当しない

資料

IF ホスミシン錠250・500・ドライシロップ200・400 2018年4月改訂(第12版)

ホスホマイシンナトリウム
注射用ホスホマイシンナトリウム
Fosfomycin Sodium

概要

薬効分類 132 耳鼻科用剤，613 主としてグラム陽性・陰性菌に作用するもの
構造式

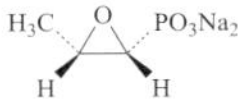

分子式 $C_3H_5Na_2O_4P$
分子量 182.02
略語・慣用名 FOM
ステム *Streptomyces*属の産生する抗生物質：-mycin
原薬の規制区分 該当しない
原薬の外観・性状 白色の結晶性の粉末である．水に極めて溶けやすく，メタノールにやや溶けにくく，エタノール(99.5)にほとんど溶けない．0.70gを水10mLに溶かした液のpHは8.5〜10.5である
原薬の吸湿性 吸湿性は強く，臨界湿度は20〜31%RH
原薬の融点・沸点・凝固点 融点(分解点)：300℃まで変化を認めない
原薬の酸塩基解離定数 pKa＝6.0

先発医薬品等
注射用 ホスホマイシンNa静注用0.5g・1g・2g「NP」(ニプロ)
ホスホマイシンNa静注用0.5g・1g・2g「タカタ」(高田)
ホスホマイシンナトリウム静注用0.5g・1g・2g「日医工」(日医工)
ホスミシンS静注用0.5g・1g・2g(MeijiSeika)
キット ホスミシンSバッグ1g・2g点滴静注用(MeijiSeika)
耳科用液 ホスミシンS耳科用3%(MeijiSeika)

国際誕生年月 該当しない
海外での発売状況 **注射用** 6カ国 **耳科用** ベトナム

製剤

規制区分 **注射用** **キット** **耳科用** ㊙
製剤の性状 **注射用** **キット(上室)** 白色の結晶性の粉末 **耳科用** 白色の結晶性の粉末(無菌)で，水に極めて溶けやすい．添付の溶解液(無菌)で溶解後はpH約7.5の無色澄明な液である
有効期間又は使用期限 **注射用** 3年 **キット** **耳科用** 2年
貯法・保存条件 **注射用** **キット** 密封容器，室温保存 **耳科用** 室温保存
薬剤取扱い上の留意点 **注射用** 本剤の溶解時に溶解熱を発生し温かくなることがあるが，品質に影響はない **耳科用** ①点耳用のみに使用する ②眼科用に使用しない ③使用する際の薬液の温度が低いと，めまい感を起こす可能性が高いので，使用時には，できるだけ体温に近い状態で使用する ④調製後は，室温で2週間以上保存したものは使用しない
患者向け資料等 くすりのしおり
溶液及び溶解時のpH **注射用** 6.5〜8.5(1.0g/20mL水) **1gキット** 7.5〜7.6 **2gキット** 7.4〜7.5 **耳科用** 約7.5
浸透圧比 **注射用** 約1(20mg/mL注射用水)，約3(50mg/mL注射用水)，約2(20mg/mL 5%ブドウ糖注射液)，約4(50mg/mL 5%ブドウ糖注射液) **キット** 約2(10mg・20mg/mL 5%ブドウ糖注射液)

薬理作用

分類 ホスホマイシン系抗生物質
作用部位・作用機序 細胞質膜の能動輸送系によってホスホマイシンが効率的に菌体内に取込まれ，細胞壁peptidoglycanの生合成を初期段階で阻害することにより抗菌作用を示す．ホスホマイシンは，グラム陽性菌，陰性菌に対し殺菌的に作用する．特に緑膿菌，プロテウス属，モルガネラ・モルガニー，セラチア・マルセッセンス及び多剤耐性の黄色ブドウ球菌，大腸菌に優れた抗菌作用を示す
同効薬 **注射用** スルベニシリンナトリウム **耳科用** クロラムフェニコール，セフメノキシム塩酸塩

治療

効能・効果 **注射用** **キット** 〈適応菌種〉ホスホマイシンに感性のブドウ球菌属，大腸菌，セラチア属，プロテウス属，モルガネラ・モルガニー，プロビデンシア・レットゲリ，緑膿菌 〈適応症〉敗血症，急性気管支炎，肺炎，肺膿瘍，膿胸，慢性呼吸器病変の二次感染，膀胱炎，腎盂腎炎，腹膜炎，バルトリン腺炎，子宮内感染，子宮付属器炎，子宮旁結合織炎
耳科用液 〈適応菌種〉ホスホマイシンに感性のブドウ球菌属，プロテウス属，緑膿菌 〈適応症〉外耳炎，中耳炎
効能・効果に関連する使用上の注意 **注射用** **キット** 急性気管支炎への使用にあたっては，「抗微生物薬適正使用の手引き」を参照し，抗菌薬投与の必要性を判断した上で，投与が適切と判断される場合に投与する
耳科用液 中耳炎への使用にあたっては，「抗微生物薬適正使用の手引き」を参照し，抗菌薬投与の必要性を判断した上で，本剤の投与が適切と判断される場合に投与する
用法・用量 **注射用** ①点滴静注：ホスホマイシンとして1日2〜4g(力価)，小児100〜200mg(力価)/kgを2回に分け，補液100〜500mLに溶解し，キットは連通針を介し，添付の溶解液(注

射用水100mL）に溶解し，バッグは溶解液（下室：5%ブドウ糖注射液100mL）に溶解して，1～2時間かけて点滴静注（適宜増減）．キットの溶解操作方法は添付文書参照　②静注：ホスホマイシンとして1日2～4g（力価），小児100～200mg（力価）/kgを2～4回に分け，5分以上かけてゆっくり静注（適宜増減）．溶解には注射用水又はブドウ糖注射液を用い，1～2g（力価）を20mLに溶解する

耳科用液 添付の溶解液で溶解し，ホスホマイシンナトリウムとして30mg（力価）/mL溶液10滴（約0.5mL）1日2回点耳．適宜回数を増減．難治性あるいは遷延性の重症例では，1日4回まで増加（点耳後約10分間の耳浴を行う）

用法・用量に関連する使用上の注意 使用にあたっては，耐性菌の発現等を防ぐため，原則として感受性を確認し，疾病の治療上必要な最小限の期間の投与にとどめる

使用上の注意

禁忌 **注射用** ①ホスホマイシンに対して過敏症の既往歴のある患者　②**バッグ** 低張性脱水症の患者［電解質を含まない糖液を投与すると脱水が増悪することがある．溶解液はブドウ糖注射液（5%）である］

耳科用液 本剤の成分に対して過敏症の既往歴のある患者

薬物動態

血中濃度 ①**注射用** **キット** (1)成人：成人患者6例に1g/20mLを5分間で静注，30分後の血清中濃度Cmaxは74μg/mL，半減期は1.7時間．健康成人3例に1g/200mLを1時間点滴静注後のCmaxは87.3μg/mL，半減期1.5時間．健康成人3例に2g/300mLを1時間又は2時間で点滴静注時のそれぞれのCmaxは157.3μg/mL，98.3μg/mL，各半減期は1.8時間，1.7時間　(2)小児：学童期小児4例（体重20～37kg，平均28kg）に1gを4分間静注，30分～1時間後の血清中濃度は93.8～107μg/mL，半減期は平均1.3時間　②**耳科用液** ホスホマイシンナトリウムの300μg/mL（0.03%）溶液0.5mLを慢性化膿性中耳炎の患者5例に点耳し，10分間耳浴後の耳漏中濃度は耳浴終了後10～120分にわたり，ホスホマイシン20μg/mL以上，半減期は約0.9時間（注：1バイアルを添付の溶解液に溶解時の濃度は3%）．慢性化膿性中耳炎急性増悪症患者3例に，耳科用液（30mg/mL）0.5mL点耳し，10分間耳浴後の血清中濃度は，耳浴終了後30～60分で0.01～0.084μg/mLで，血清中への移行はわずか　**蛋白結合** 平衡透析法により測定したヒト血清蛋白との結合率は2.16%　**喀痰中濃度（静注用）** 呼吸器疾患患者5例に1g静注後の喀痰中濃度のピークは3時間後，平均7μg/mL　**代謝・排泄** 体内で代謝されずに，大部分が未変化体のまま尿中に排泄．健康成人3例にホスホマイシンナトリウム1，2gを1，2時間で点滴静注時，点滴終了後10～11時間までの尿中排泄率95～99%　**耳漏中濃度** 耳科用の0.03%溶液（本剤1バイアルを添付の溶解液に溶解時の濃度は3%）0.5mLを慢性化膿性中耳炎患者5例に点耳し，10分間耳浴後の耳漏中濃度は，耳浴終了後10～120分にわたり20μg/mL以上．耳漏中の半減期は約0.9時間

その他の管理的事項

投与期間制限 該当しない

保険給付上の注意 該当しない

資料

IF　ホスミシンS静注用0.5g・1g・2g・Sバッグ点滴静注用1g・2g　2018年4月改訂（第7版）
ホスミシンS耳科用3%　2014年8月改訂（第3版）

乾燥ボツリヌスウマ抗毒素
Freeze-dried Botulism Antitoxin, Equine

概要

薬効分類 633　抗毒素類及び抗レプトスピラ血清類

原薬の規制区分 ㊊

原薬の外観・性状 溶剤を加えるとき，無色～黄褐色の澄明又は僅かに白濁した液となる

ポビドン
Povidone

概要

構造式

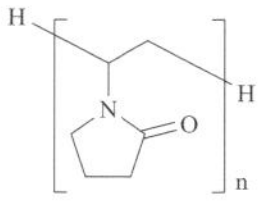

分子式 $(C_6H_9NO)_n$

原薬の規制区分 該当しない

原薬の外観・性状 白色又は僅かに黄味を帯びた細かい粉末で，においはないか，又は僅かに特異なにおいがある．水，メタノール又はエタノール（99.5）に溶けやすい．1.0gを水20mLに溶かした液のpHは，表示のK値が30以下のものについては3.0～5.0であり，表示のK値が30を超えるものについては4.0～7.0である

原薬の吸湿性 吸湿性である

ポビドンヨード
Povidone-Iodine

概要

薬効分類 226　含嗽剤，261　外支用殺菌消毒剤

構造式

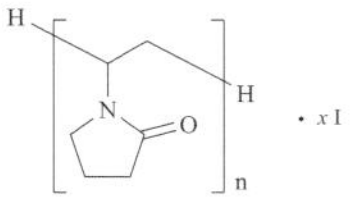

分子式 $(C_6H_9NO)_n \cdot xI$

略語・慣用名 PVP-I

ステム ヨウ素含有化合物（造影剤以外）：iod-

原薬の規制区分 該当しない

原薬の外観・性状 暗赤褐色の粉末で，僅かに特異なにおいがある．水又はエタノール（99.5）に溶けやすい．1.0gを水100mLに溶かした液のpHは1.5～3.5である

原薬の吸湿性 該当資料なし

原薬の酸塩基解離定数 該当資料なし

先発医薬品等

含嗽 イソジンガーグル液7%（ムンディファーマ＝塩野義）

クリーム 産婦人科用イソジンクリーム5%（ムンディファーマ＝塩野義）

外用液 イソジンスクラブ液7.5%（ムンディファーマ＝塩野義）

ホ

イソジン液10%(ムンディファーマ＝塩野義)
イソジンフィールド液10%(ムンディファーマ＝塩野義)
イソジンパーム液0.5%(ムンディファーマ＝塩野義)

外用ゲル イソジンゲル10%(ムンディファーマ＝塩野義)

外用 イオダイン10%綿棒12・16・27(健栄)
イオダイン10%綿球14・20・30・40(健栄)
ポビドンヨード10%消毒用綿球20「ハクゾウ」(ハクゾウ)
ポビドンヨード液10%綿棒12・16・27「ケンエー」(健栄)
ポビドンヨード液10%綿球14・20・30・40「ケンエー」(健栄)
ポビドンヨード液10%綿棒8・12・20「LT」(リバテープ)
ポビドンヨードエタノール液10%綿棒8「LT」(リバテープ)
ポピヨドンフィールド10%綿棒(吉田製薬)
ポピヨドン10%綿棒12・16・20(吉田製薬)

後発医薬品
含嗽 7%
外用液 7.5%・10%
外用ゲル 10%

国際誕生年月 不明

海外での発売状況 米，英，独など

製剤

製剤の性状 **含嗽** 黒褐色・澄明の液で，特異な芳香がある **クリーム** ステアリン酸，ステアリルアルコール，白色ワセリン及びプロピレングリコールを基剤とした，水中油型の茶褐色の乳剤性軟膏剤で，僅かに特異なにおいがある **外用ゲル** 褐色の水溶性軟膏剤で，僅かに特異なにおいがある **外用液** 界面活性剤を含有する黒褐色の液剤で，特異なにおいがある．無菌製剤である(開栓までの無菌を保証) **外用(綿球)** 暗赤褐色でほぼ球状の固体である．本品の絞り液は暗赤褐色の液である．滅菌製剤である

有効期間又は使用期限 3年

貯法・保存条件 直射日光を避け，室温保存

薬剤取扱い上の留意点 **含嗽** ①含嗽用だけに使用させる ②用時希釈して使用させる ③抜歯後等の口腔創傷の場合，血餅の形成が阻害されると考えられる時期には，はげしい洗口を避けさせる ④眼に入らないように注意すること．入った場合には，水でよく洗い流す ⑤銀を含有する補綴物等が変色することがある ⑥用時希釈し，希釈後は早目に使用する ⑦衣類に付いた場合は水で容易に洗い落とせる．また，チオ硫酸ナトリウム溶液で脱色できる．使用方法等は添付文書等参照

患者向け資料等 くすりのしおり

溶液及び溶解時のpH **含嗽** 1.5～3.0 **外用液** 3.0～5.5

調製時の注意 **含嗽** 用時15～30倍(2～4mLを約60mLの水)に希釈する

薬理作用

分類 ポリビニルピロリドン(PVP)・ヨウ素複合体，殺菌消毒剤

作用部位・作用機序 水溶液中のポビドンヨードはヨウ素を遊離し，その遊離ヨウ素(I_2)が水を酸化してH_2OI^+が生じる．H_2OI^+は細菌及びウイルス表面の膜タンパク(-SHグループ，チロシン，ヒスチジン)と反応することにより，細菌及びウイルスを死滅させると推定される

同効薬 ヨウ素製剤，クロルヘキシジングルコン酸塩，ベンザルコニウム塩化物，ベンゼトニウム塩化物

治療

効能・効果 **外用液**〔7.5%〕手指・皮膚の消毒，手術部位(手術野)の皮膚の消毒
外用液〔10%〕**外用** 手術部位(手術野)の皮膚の消毒，手術部位(手術野)の粘膜の消毒，皮膚・粘膜の創傷部位の消毒，熱傷皮膚面の消毒，感染皮膚面の消毒
外用液〔エタノール0.5%〕手指の消毒
外用液〔エタノール10%〕手術部位(手術野)の皮膚の消毒
外用ゲル 皮膚・粘膜の創傷部位の消毒，熱傷皮膚面の消毒
クリーム〔産婦人科用〕分娩時，産婦の外陰部及び外陰部周囲ならびに腟の消毒．腟検査における腟の消毒
含嗽 咽頭炎，扁桃炎，口内炎，抜歯創を含む口腔創傷の感染予防，口腔内の消毒

用法・用量 **外用液**〔7.5%〕①手指・皮膚の消毒：少量の水で摩擦し，よく泡立たせた後，流水で洗う ②手術部位(手術野)の皮膚の消毒：塗布，又は少量の水で摩擦し，泡立たせた後，滅菌ガーゼでぬぐう
外用液〔10%〕〔エタノール10%〕**外用ゲル** **外用** 患部に塗布
外用液〔エタノール0.5%〕手掌に取り，乾燥するまで摩擦．必要に応じ，同様の消毒を繰り返す
クリーム〔産婦人科用〕外陰部及び外陰部周囲ならびに腟内に塗布又は注入(用時よく振とうする)
含嗽 2～4mLを水約60mLに希釈し1日数回うがい

使用上の注意

禁忌 **含嗽** **外用液**〔10%〕**外用ゲル** **外用** 本剤又はヨウ素に対し過敏症の既往歴のある患者
クリーム〔産婦人科用〕①本剤又はヨウ素に対し過敏症の既往歴のある患者 ②甲状腺機能に異常のある患者［血中ヨウ素の調節ができず，甲状腺ホルモン関連物質に影響を与えるおそれがある］

薬物動態

クリーム **産婦人科用** ①総ヨウ素及び甲状腺ホルモン関連物質の動態：(1)妊娠定期検診時に連回適用時の総ヨウ素値，トリヨードチロニン(T_3)値，チロキシン(T_4)値及び甲状腺刺激ホルモン(TSH)値は妊娠による影響のほか特に異常は認められなかった (2)腟検査時に適用時の総ヨウ素値，T_3値，T_4値，TSH値は適用前後で異常は認められなかった (3)分娩時に適用後，15～45分に血中の総ヨウ素値，蛋白結合ヨウ素値(PBI)，無機ヨウ素値のわずかな上昇，2時間後には適用前値と同程度まで下降．T_3値，T_4値には大きな変動は認められなかった ②乳汁移行：産褥3日に適用時のヨウ素の乳汁中移行は，6時間後に総ヨウ素として189μg/dLの最高濃度(平均値)，48時間後に適用前値と同程度まで下降(日本人の母乳中のヨウ素含有量は3.3～700μg/dLの範囲内)

その他の管理的事項

投与期間制限 該当しない

保険給付上の注意 該当しない

資料

IF イソジンガーグル液7% 2019年7月改訂(第11版)
産婦人科用イソジンクリーム5% 2017年2月改訂(第6版)
イソジンゲル10% 2017年2月改訂(第6版)
イソジン液10% 2017年2月改訂(第6版)
イオダイン10%綿球14・20・30 2007年5月作成(第1版)

ホマトロピン臭化水素酸塩
Homatropine Hydrobromide

概要

薬効分類 131 眼科用剤

構造式

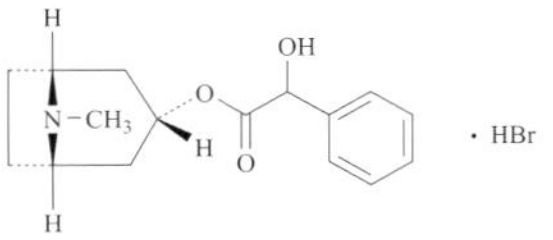

分子式 $C_{16}H_{21}NO_3$・HBr

分子量 356.25

原薬の規制区分 毒(ただし，製剤は劇)

原薬の外観・性状 白色の結晶又は結晶性の粉末で，においはない．水に溶けやすく，エタノール(95)にやや溶けにくく，酢酸(100)に溶けにくく，無水酢酸に極めて溶けにくく，ジエチルエーテルにほとんど溶けない．光によって変化する

原薬の融点・沸点・凝固点 融点：約214℃(分解)

ホモクロルシクリジン塩酸塩
Homochlorcyclizine Hydrochloride

概要

薬効分類 441 抗ヒスタミン剤

構造式

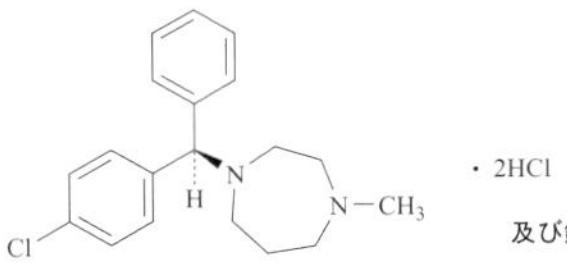

及び鏡像異性体

分子式 $C_{19}H_{23}ClN_2$・2HCl

分子量 387.77

ステム ジフェニルメチルピペラジン誘導体：-izine

原薬の規制区分 劇(ただし，1錠中ホモクロルシクリジンとして10mg以下を含有するものを除く)

原薬の外観・性状 白色～微褐色の結晶又は粉末である．水に極めて溶けやすく，酢酸(100)に溶けやすく，エタノール(99.5)に溶けにくく，アセトニトリル又は無水酢酸に極めて溶けにくい．0.1mol/L塩酸試液に溶ける．光によって僅かに着色する．本品の水溶液(1→10)は旋光性を示さない

原薬の吸湿性 吸湿性である

原薬の融点・沸点・凝固点 融点：約227℃(分解)

原薬の酸塩基解離定数 該当資料なし

後発医薬品

錠 10mg

国際誕生年月 不明

海外での発売状況 該当しない

製剤

製剤の性状 錠 白色の糖衣錠

有効期間又は使用期限 3年

貯法・保存条件 気密容器(吸湿性のため湿気に注意すること)

薬剤取扱い上の留意点 眠気を催すことがあるので，本剤投与中の患者には，自動車の運転等危険を伴う機械の操作には従事させないように十分注意すること

患者向け資料等 くすりのしおり

溶液及び溶解時のpH 該当しない

浸透圧比 該当しない

安定なpH域 該当しない

薬理作用

分類 抗ブラディキニン性抗ヒスタミン剤

作用部位・作用機序 ヒスタミン，セロトニン，アセチルコリン拮抗作用に加え，ブラジキニンあるいはSRS-A(slow reacting substance of anaphylaxis)に対しても拮抗作用を有し，湿疹，蕁麻疹に伴うそう痒感やアレルギー性鼻炎の症状を改善する

治療

効能・効果 皮膚疾患に伴うそう痒(湿疹・皮膚炎，皮膚そう痒症，薬疹，中毒疹，小児ストロフルス)，蕁麻疹，アレルギー性鼻炎

用法・用量 1回10～20mg，1日3回(適宜増減)

使用上の注意

禁忌 ①閉塞隅角緑内障の患者［抗コリン作用により眼圧が上昇し，症状を悪化させることがある］ ②前立腺肥大等下部尿路に閉塞性疾患のある患者［抗コリン作用により排尿困難，尿閉等が現れるおそれがある］

薬物動態

健常成人(外国人)に^{3}H，^{14}C-ジリノレオイルグリセロホスホコリン1gを経口投与時，両者の放射活性の90%以上が小腸から吸収．経口投与されたホスファチジルコリンの50%はリゾレシチンとして吸収され，他の50%はグリセロホスホコリン又はホスホコリンに異化されて門脈を経て吸収されると考えられる．全血及びリポ蛋白分画の観察では，リゾレシチンとグリセロホスホコリンの大部分は小腸粘膜内で再エステル化され，ホスファチジルコリンとして血液中に取り込まれる．^{3}H及び^{14}Cの糞便中，尿中の放射活性は2±0.7%と4.5±1.5%，6±0.8%と1.2±0.4%

その他の管理的事項

投与期間制限 該当しない

保険給付上の注意 該当しない

資料

IF ホモクロルシクリジン塩酸塩錠10mg「ツルハラ」 2019年9月改訂(第4版)

ポラプレジンク
ポラプレジンク顆粒
Polaprezinc

概要

薬効分類 232 消化性潰瘍用剤

構造式

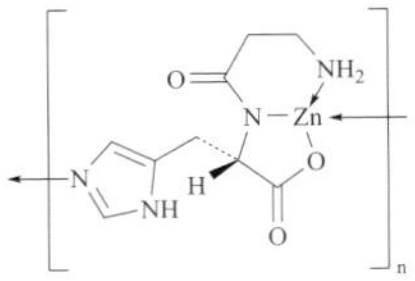

分子式 $(C_9H_{12}N_4O_3Zn)_n$

ステム 不明

原薬の規制区分 該当しない

原薬の外観・性状 白色～微黄白色の結晶性の粉末である．水，メタノール又はエタノール(99.5)にほとんど溶けない．希塩酸に溶ける

原薬の吸湿性 相対湿度30～90%の条件下で7日間放置した結果，吸湿度はそれぞれの条件下において放置後1日でほぼ平衡に達し，相対湿度の増加に伴い，吸湿度は二次曲線的に増

加した
原薬の融点・沸点・凝固点　260〜270℃で徐々に黄褐色に変化し，さらに320℃まで加熱すると，褐色は濃くなるが，溶融しない
原薬の酸塩基解離定数　測定できない
先発医薬品等
顆　プロマック顆粒15%（ゼリア）
錠　プロマックD錠75（ゼリア）
後発医薬品
顆　15%
錠　OD錠75mg
国際誕生年月　1994年7月
海外での発売状況　韓国
製剤
規制区分　該当しない
製剤の性状　**顆**　微黄白色の棒状の顆粒　**錠**　白色〜微黄白色の素錠（口腔内崩壊錠）
有効期間又は使用期限　**顆**　3年1カ月　**錠**　3年
貯法・保存条件　室温保存，開封後は湿気を避けて保存すること
薬剤取扱い上の留意点　該当しない
患者向け資料等　くすりのしおり
溶液及び溶解時のpH　該当しない
浸透圧比　該当しない
安定なpH域　該当しない
調製時の注意　該当資料なし
薬理作用
分類　亜鉛含有胃潰瘍治療剤
作用部位・作用機序　胃粘膜損傷部位に対する親和性が高く，長時間付着し，酸分泌機能に関与することなく，抗酸化作用，膜安定化作用により直接細胞保護作用．さらに，創傷治癒促進作用により組織修復作用をもたらすと推察
同効薬　スクラルファート，テプレノン，セトラキサート塩酸塩，レバミピド，ベネキサート塩酸塩ベータデクス，エカベトナトリウム水和物
治療
効能・効果　胃潰瘍
用法・用量　ポラプレジンクとして1回75mg，1日2回朝食後及び就寝前（適宜増減）
用法・用量に関連する使用上の注意　**口腔内崩壊錠**　口腔内で崩壊するが，口腔粘膜から吸収されることはないため，唾液，又は水で飲み込む
禁忌・原則禁忌となる特定患者集団　該当しない
薬物動態
血漿中濃度　①単回投与（絶食下）：健常成人男子19名に顆粒又はD錠（水で服用）75mgを単回経口投与時，血漿中亜鉛濃度の推移（顆粒，D錠の順）は$AUC_{0\text{-}12}$（μg・hr/mL）16.85±2.96，16.31±2.63，Cmax（μg/mL）2.42±0.41，2.33±0.38，Tmax（hr）1.84±0.50，1.47±0.61．また，健常成人男子20名に顆粒又はD錠（水なしで服用）75mgを単回経口投与時，血漿中亜鉛濃度の推移（顆粒，D錠の順）は$AUC_{0\text{-}12}$（μg・hr/mL）17.20±2.33，16.56±2.29，Cmax（μg/mL）2.33±0.28，2.19±0.29，Tmax（hr）1.95±1.00，2.30±1.03で，顆粒とD錠は生物学的に同等であることが確認されている　②連続投与：健常成人男子6名に顆粒を反復経口投与（1日目：150mg朝食後，2〜6日目：150mgを1日3回毎食後，7日目：150mg朝絶食下投与）時の血漿中亜鉛濃度推移は添付文書参照（注：本データは通常1回用量（75mg）又は1日用量（150mg）を超えたもの）　**胃粘膜への分布（参考；動物）**　ラット酢酸潰瘍で，潰瘍部位の亜鉛濃度は単回経口投与後12時間まで投与前値（内因性亜鉛濃度）に比べ高値　**代謝**　吸収過程で亜鉛とL-カルノシンに解離し，L-カルノシンはさらにL-ヒスチジン及びβ-アラニンに代謝される．これらアミノ酸及び吸収された亜鉛は，それぞれ内因性の代謝系に従って挙動すると考えられた．本剤投与時，本剤由来の亜鉛は主に糞中に排泄　**排泄**　亜鉛の排泄（健常人）①尿中排泄：本剤投与による亜鉛の尿中排泄率（非投与時の内因性尿中亜鉛量を差し引いて算出）は150mg単回投与で，絶食時0.47%，食後0.12%．1回150mg1日3回7日間連続投与で，1日の尿中亜鉛排泄率は0.21〜0.46%　②糞中排泄：1回300mg絶食下経口投与による糞中亜鉛の累積排泄率は投与後24時間までで41.4%，投与後48時間までで58.8%．投与後24時間までの累積で，糞中排泄亜鉛量は，投与前の約2倍であったが，亜鉛の吸収率は低いことから，未吸収の亜鉛によるものと考えられる
その他の管理的事項
投与期間制限　該当しない
保険給付上の注意　該当しない
資料
IF　プロマック顆粒15%・D錠75　2020年3月改訂（第15版）

ボリコナゾール
ボリコナゾール錠
注射用ボリコナゾール
Voriconazole

概要
薬効分類　617　主としてカビに作用するもの
構造式

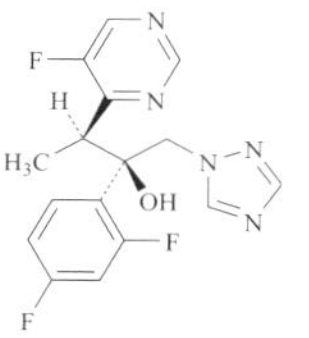

分子式　$C_{16}H_{14}F_3N_5O$
分子量　349.31
略語・慣用名　VRCZ
ステム　ミコナゾール系抗真菌剤：-conazole
原薬の規制区分　㊜
原薬の外観・性状　白色の結晶性の粉末である．メタノール，アセトニトリルに溶けやすく，エタノール（99.5）にやや溶けやすく，水に極めて溶けにくい．1mol/L塩酸試液に溶ける
原薬の吸湿性　吸湿性はない
原薬の融点・沸点・凝固点　融解開始点：約130℃
原薬の酸塩基解離定数　pKa＝1.63（1,2,4-トリアゾール環のプロトン化/プロトン化に由来）
先発医薬品等
錠　ブイフェンド錠50mg・200mg（ファイザー）
シロップ用　ブイフェンドドライシロップ2800mg（ファイザー）
注射用　ブイフェンド200mg静注用（ファイザー）
後発医薬品
錠　50mg・100mg・200mg
国際誕生年月　2002年3月
海外での発売状況　米，英，仏，独など109カ国と地域
製剤
規制区分　**錠**　**シロップ用**　**注射用**　㊜ ㊙
製剤の性状　**錠**　白色のフィルムコート錠　**シロップ用**　白色の粉末又は塊．懸濁後は，白色の懸濁した液，オレンジ様のにおい　**注射用**　白色の固形物で，白色の粉末を含むことがある
有効期間又は使用期限　3年

貯法・保存条件 錠 注射用 室温保存 シロップ用 2～8℃で保存．懸濁液に調製後は，凍結を避け，30℃以下で保存し，2週間以内に使用すること．処方された服用期間後の残液は，廃棄すること

薬剤取扱い上の留意点 錠 シロップ用 注射用 視神経炎，視神経乳頭浮腫等の眼障害が現れ，本剤投与中止後も羞明，霧視，視覚障害等の症状が持続することがあるので，本剤を投与する患者にはあらかじめ説明し，必要に応じて眼科専門医を受診するよう指導すること．光線過敏性反応が現れることがあるので，本剤投与中は長袖の衣服，帽子等の着用により日光の照射を避け，日焼け止め効果の高いサンスクリーンの使用により紫外線の照射を避けること．本剤投与中に光線過敏性反応が発現した場合は，本剤の投与を中止すること．やむを得ず投与を継続する場合は，皮膚科医を定期的に受診するよう指導し，前癌病変の早期発見に留意すること シロップ用 投与時十分に振り混ぜてから，正確に1回量を測り取ること．懸濁液に調製後は，凍結を避け，30℃以下で保存し，2週間以内に使用すること．処方された服用期間後の残液は，廃棄すること 注射用 内容が減圧になっているので，容易に注射用水19mLを注入することができる．万一，通常の操作で溶解液が入らない場合は，外気が入っている可能性があるので使用しないこと

患者向け資料等 錠 シロップ用 患者向医薬品ガイド，くすりのしおり 注射用 患者向医薬品ガイド

溶液及び溶解時のpH 注射用 5.5～7.0（19mL注射用水にて溶解した濃度10mg/mLの溶液）

浸透圧比 注射用 約2（19mL注射用水にて溶解した濃度10mg/mLの溶液）（対生食）

調製時の注意 シロップ用 固まりがないように，粒子がばらばらになるまで瓶を軽くたたき 46mLの水を瓶に加えよく振り混ぜること．濃度は40mg/mLとなる．懸濁液に調製後は，凍結を避け，30℃以下で保存し，2週間以内に使用すること．処方された服用期間後の残液は，廃棄すること 注射用 注射用水19mLに溶解し，必要量の溶解液を配合変化がないことが確認されている輸液に加えて希釈して用いる

薬理作用

分類 アゾール系深在性真菌症治療剤

作用部位・作用機序 真菌細胞において，膜成分のエルゴステロールの生合成に必須な酵素である真菌チトクロムP450（CYP）依存14-α-ステロールデメチラーゼを阻害することにより抗真菌作用を示す．また，本剤のエルゴステロール生合成阻害作用は真菌に選択的で，ラット肝細胞でのステロール生合成に対する影響は少ない．また，カンジダ属，アスペルギルス属，フサリウム属及びスケドスポリウム属を含む酵母や糸状菌に対する*in vitro*活性を有する．アスペルギルス属に対しては殺菌的，カンジダ属に対しては静菌的な作用を有する

同効薬 ホスフルコナゾール，フルコナゾールなど

治療

効能・効果 ①次の重症又は難治性真菌感染症：(1)侵襲性アスペルギルス症，肺アスペルギローマ，慢性壊死性肺アスペルギルス症 (2)カンジダ血症，食道カンジダ症※，カンジダ腹膜炎，気管支・肺カンジダ症 (3)クリプトコックス髄膜炎，肺クリプトコックス症 (4)フサリウム症 (5)スケドスポリウム症 ②造血幹細胞移植患者における深在性真菌症の予防 ※）食道カンジダ症は錠 シロップ用 のみ

効能・効果に関連する使用上の注意 ①カンジダ感染の治療については，他の抗真菌剤が無効あるいは忍容性に問題があると考えられる場合に本剤の使用を考慮する ②造血幹細胞移植患者における深在性真菌症の予防における本剤の使用については，真菌感染に高リスクの患者（好中球数が500/mm^{3}未満に減少することが予測される患者等）を対象に行う

用法・用量 錠 シロップ用 ①成人（体重40kg以上）：初日に1回300mgを1日2回，2日目以降は1回150mg又は1回200mgを1日2回食間．なお，患者の状態に応じて，又は効果不十分の場合には増量できるが，初日の上限は1回400mg1日2回，2日目以降の上限は1回300mg1日2回まで ②成人（体重40kg未満）：初日は1回150mgを1日2回，2日目以降は1回100mgを1日2回食間．なお，患者の状態に応じて，又は効果不十分の場合には2日目以降は1回150mg1日2回まで増量できる ③小児（2歳以上12歳未満及び12歳以上で体重50kg未満）：ボリコナゾール注射剤による投与を行った後，1回9mg/kgを1日2回食間．なお，患者の状態に応じて，又は効果不十分の場合には1mg/kgずつ増量し，忍容性が不十分の場合には1mg/kgずつ減量（最大投与量として350mgを用いた場合は50mgずつ減量）．ただし，1回350mg1日2回を上限とする ④小児（12歳以上で体重50kg以上）：ボリコナゾール注射剤による投与を行った後，1回200mgを1日2回食間．なお，患者の状態に応じて，又は効果不十分の場合には1回300mg1日2回まで増量できる 注射用 ①成人：初日は1回6mg/kgを1日2回，2日目以降は1回3mg/kg又は1回4mg/kgを1日2回点滴静注 ②小児（2歳以上12歳未満及び12歳以上で体重50kg未満）：初日は1回9mg/kgを1日2回，2日目以降は1回8mg/kgを1日2回点滴静注．なお，患者の状態に応じて，又は効果不十分の場合には1mg/kgずつ増量し，忍容性が不十分の場合には1mg/kgずつ減量 ③小児（12歳以上で体重50kg以上）：初日は1回6mg/kgを1日2回，2日目以降は1回4mg/kgを1日2回点滴静注

用法・用量に関連する使用上の注意 ①注射剤からボリコナゾールの投与を開始した成人患者において，経口投与可能であると医師が判断した場合は，錠剤又はドライシロップに切り替えることができる ②小児においては，注射剤からボリコナゾールの投与を開始する．患者の状態に応じて，経口投与可能であると医師が判断した場合に，錠剤又はドライシロップに切り替えることができるが，投与開始から1週間未満で注射剤から経口剤に変更した際の有効性及び安全性は検討されていないため慎重に判断する．（錠 シロップ用 なお，ボリコナゾール注射剤では食道カンジダ症の適応はないため，小児の食道カンジダ症に対する本剤の使用は推奨されない）③腎機能障害のある患者で注射剤の投与ができない成人患者に対しては，錠剤又はドライシロップを使用する ④軽度～中等度の肝機能低下（Child Pugh分類クラスA，Bの肝硬変に相当）がある患者では投与初日は通常用量とし，2日目以降の投与量を通常の半量とする ⑤投与期間中は血中濃度をモニタリングすることが望ましい ⑥小児で用量を増減する時には，患者の状態を十分に観察し，効果及び副作用の発現を考慮して，必要最小限の増量又は減量にとどめる．ただし，原則として，投与開始後及び増量後，少なくとも3日間は増量しない ⑦シロップ用 懸濁液調製法：1瓶について46mLの水を加えて懸濁すると濃度は40mg/mLとなる ⑧造血幹細胞移植患者における深在性真菌症の予防については，好中球数が500/mm^{3}以上に回復する，又は免疫抑制剤の投与終了等，適切な時期に投与を終了する〔臨床試験において，180日を超えた投与の有効性及び安全性は検討されていない〕

禁忌・原則禁忌となる特定患者集団 妊婦又は妊娠している可能性のある患者

使用上の注意

> **警告** ①本剤による治療にあたっては，感染症の治療に十分な知識と経験をもつ医師又はその指導のもとで，重症又は難治性の真菌感染症患者を対象に行う ②重篤な肝障害が現れることがあるので，投与にあたっては，観察を十分に行い，肝機能検査を定期的に行う．異常が認められた場合には中止し，適切な処置を行う ③羞明，霧視，視覚障害等の症状が現れ，投与中止後も症状が持続することがある．投与中及び中止後もこれらの症状が回復するまでは，自動車の運転等，危険を伴う機械の操作には従事させないように十分注意する

禁忌 ①次の薬剤を投与中の患者：リファンピシン，リファブ

ホ

チン，エファビレンツ，リトナビル，カルバマゼピン，長時間作用型バルビツール酸誘導体，ピモジド，キニジン硫酸塩水和物，イバブラジン塩酸塩，麦角アルカロイド(エルゴタミン酒石酸塩・無水カフェイン・イソプロピルアンチピリン，ジヒドロエルゴタミンメシル酸塩，エルゴメトリンマレイン酸塩，メチルエルゴメトリンマレイン酸塩)，トリアゾラム，チカグレロル，アスナプレビル，ロミタピドメシル酸塩，ブロナンセリン，スボレキサント，リバーロキサバン，リオシグアト，アゼルニジピン，オルメサルタン　メドキソミル・アゼルニジピン，ベネトクラクス(用量漸増期)　②本剤の成分に対して過敏症の既往歴のある患者　③妊婦又は妊娠している可能性のある患者

相互作用概要　CYP2C19，2C9及び3A4で代謝される．また，CYP2C19，2C9及び3A4の阻害作用を有する(*in vitro*)．CYP3Aに対する阻害作用は強い

過量投与　①外国で健康成人に本剤(錠剤)を1600mg単回投与した際，視覚異常，色視症，頭痛，浮動性めまい，幻覚，不眠症，羞明等が認められた　②⑴本剤に対する解毒剤は明らかでないため，本剤の過量投与時には，患者の臨床状態を観察する等，一般的な支持療法及び対症療法を行う　⑵**錠　シロップ用**　必要に応じて，胃洗浄等を行う等，未吸収の薬剤を除去する

薬物動態

血漿中濃度　①健康成人における単回投与時の血漿中濃度：⑴**錠　シロップ用**　日本人健康成人男性(各6例)に，100，200，300及び400mgを空腹時に単回経口投与時，消失半減期は用量に依存して延長，AUC及びCmaxは用量に対して非線形の増加(投与量(mg)，Cmax(μg/mL)，Tmax(h)，AUC(μg・h/mL)，$t_{1/2}$(h)の順)：(ア)100：0.39(54)，1.2(33)，1.82(101)，4.8(42)(イ)200：0.91(41)，1.6(44)，5.12(70)，6.1(41)(ウ)300：1.80(8)，1.3(23)，11.58(41)，6.8(31)(エ)400：2.88(26)，2.0(0)，31.01(62)，11.9(51)(平均値，( )内は%CV)　⑵**注射用**　日本人健康成人男性(各6例)に，1.5，3，6mg/kg単回点滴静注時，点滴終了直後のボリコナゾールの血漿中濃度の平均値はそれぞれ0.89，2.11，4.53μg/mL，消失半減期の平均値はそれぞれ3.2，4.4，6.4時間．AUCの平均値は2.39，6.41，18.14μg・hr/mLで，用量に対して非線形の増加　②健康成人における反復投与時の血漿中濃度：主にCYP2C19により代謝される．CYP2C19には遺伝子多型が存在するため，遺伝子のタイプにより標準的(EM：Extensive Metabolizer)，やや低い(HEM：Heterozygous Extensive Metabolizer)，低い(PM：Poor Metabolizer)酵素活性を有する被験者に分けて解析した：⑴**錠　シロップ用**　日本人健康成人男性に，1回200mg1日2回反復投与(負荷投与：初日に1回400mg1日2回)時，EM及びHEMで2日目，PMで3日目にほぼ定常状態．投与7日目の薬物動態パラメータは次の通り(CYP2C19遺伝子型，例数，Cmax(μg/mL)，AUCτ(μg・h/mL)，Tmax(h)，$t_{1/2}$(h)の順)：(ア)EM：5，2.15(30)，12.02(45)，1.4(39)，6.1(15)(イ)HEM：5，3.36(24)，20.01(37)，1.6(68)，6.1(14)(ウ)PM：10，6.87(14)，65.05(17)，1.6(47)，9.0(12)(平均値，( )内は%CV)　⑵**注射用**　健康成人男性に，反復投与初日に負荷用量としてを6mg/kg1日2回点滴静注した後，3又は4mg/kg1日2回を10日間反復点滴静注時，本剤の血漿中濃度は反復投与の開始後速やかに定常状態．投与10日目の薬物動態パラメータは次の通り(投与量(mg)別．CYP2C19遺伝子型，例数，Cinf※)(μg/mL)，AUCτ(μg・h/mL)，$t_{1/2}$(h)の順)：(ア)3mg/kg：(a)EM：2，2.83，11.42，6.6(b)HEM：2，3.86，28.83，6.3(c)PM：2，5.53，46.29，8.3(イ)4mg/kg：(a)EM：2，4.52，18.86，6.1(b)HEM：4，5.7，37.34，5.3　※)点滴終了直後の血漿中濃度　③小児患者における反復投与時の血漿中濃度：⑴**錠　シロップ用**　日本人小児患者(3～14歳，18例)に1回8mg/kg1日2回(負荷投与：初日に1回9mg/kg1日2回)を7日間静注後，ドライシロップとして1回9mg/kg1日2回を7日間反復経口投与時の血漿中濃度[Cmax(μg/mL)※1)，AUCτ(μg・h/mL)※1)，Tmax(h)※2)の順]は，EM(6例)[5.49(2.03-11.0)，31.2(10.0-80.8)，1.5(0.95-3.8)]，HEM(10例)[7.66(4.45-18.3)，49.3(14.5-156)，1.1(0.92-2.2)]，PM(2例)[12.3(11.6，13.0)，99.1(84.0，117)，1.0(0.95，1.1)]，全例(18例)[7.22(2.03-18.3)，45.8(10.0-156)，1.0(0.92-3.8)]．なお，12歳以上15歳未満で体重50kg以上の小児1例には，成人と同様に1回4mg/kg1日2回(負荷投与：初日に1回6mg/kg1日2回)を7日間静注後，1回200mg1日2回を7日間反復経口投与　※1)幾何平均値(範囲)又は幾何平均値(個々の値)　※2)中央値(範囲)又は中央値(個々の値)．最終投与後のCmax，AUCτの幾何平均値(範囲)はそれぞれ7.22(2.03～18.3)μg/mL，45.8(10.0～156)μg・h/mL　⑵**注射用**　日本人小児患者(3～14歳，20例)に，反復投与初日に負荷用量として9mg/kgを1日2回点滴静注後，8mg/kgを1日2回6日間点滴静注時の血漿中濃度[Cmax(μg/mL)※)，AUCτ(μg・h/mL)※)の順]は，EM(8例)[5.32(2.32-8.31)，36.0(14.2-70.0)]，HEM(10例)[8.12(4.62-12.5)，56.4(23.0-103)]，PM(2例)[15.7(12.6，19.6)，127.5(91.8，177)]，全例(20例)[7.32(2.32-19.6)，51.1(14.2-177)]．なお，12歳以上15歳未満で体重50kg以上の小児2例には，成人と同様に反復投与初日に負荷用量として6mg/kgを1日2回点滴静注後，4mg/kgを1日2回6日間点滴静注　※)幾何平均値(範囲)又は幾何平均値(個々の値)　最終投与後のCmax，AUCτの幾何平均値(範囲)はそれぞれ7.32(2.32～19.6)μg/mL，51.1(14.2～177)μg・h/mL　※CYP2C19遺伝子型は次の遺伝子型より予測される表現型→EM：CYP2C19※1/※1又はCYP2C19※1/※17　HEM：CYP2C19※1/※2又はCYP2C19※1/※3　PM：CYP2C19※2/※2，CYP2C19※2/※3又はCYP2C19※3/※3　**生物学的利用率**　ポピュレーションファーマコキネティクス解析から，日本人及び外国人における健康成人男性のボリコナゾールの生物学的利用率は96%と推定．国内臨床第III相試験における患者の生物学的利用率は，ほぼ100%　**食事の影響　錠　シロップ用**　外国データ：外国人健康成人男性(37例)において高脂肪食(約1000kcal)を取った直後に200mg1日2回7日間反復投与時の定常状態におけるCmax，AUCτは空腹時投与と比較し，錠剤ではそれぞれ34%，24%低下し，ドライシロップではそれぞれ58%及び37%低下した．Tmaxは食事により錠剤では1.4時間遅延し，ドライシロップでは1.5時間遅延した　**分布**　日本人及び外国人健康成人のボリコナゾールの定常状態における分布容積は4.6L/kgと推定された　**組織内移行**　外国データ：投与後1～10時間の血漿中ボリコナゾール濃度に対する髄液中ボリコナゾール濃度の比は0.22～1.0(中央値0.46)　**蛋白結合率**　ヒト血漿蛋白に対する結合率は58%　**代謝**　*In vitro*試験で，CYP2C19，CYP2C9及びCYP3A4によって代謝される．主要代謝物はN-オキシド　**排泄**　肝代謝により消失し，単回投与後96時間までに尿中に未変化体として投与量の2%未満が排泄される　**特別な集団における薬物動態**　①肝機能の低下した被験者(外国データ)：健康成人にボリコナゾール1回200mg1日2回(負荷投与1回400mg1日2回)及び中等度の肝機能低下者(Child Pugh分類クラスB)に1回100mg1日2回(負荷投与1回200mg1日2回)を反復投与時の最終投与後のAUCτは両群で同じ．このとき血漿中ボリコナゾール濃度は，健康成人では投与2日目にはほぼ定常状態に達したが，中等度肝機能低下者では6日目まで定常状態に達しなかった　②腎機能の低下した被験者(外国データ)：中等度の腎機能低下患者(クレアチニンクリアランス30～50mL/min)にボリコナゾールを反復静注(1回6mg/kg1日2回の負荷投与後，3mg/kg5.5日間投与)時，腎機能が正常な被験者と比べAUC及びCmaxに有意差は認められなかった　③**注射用**　SBECD(スルホブチルエーテルβ-シクロデキストリンナトリウム(添加物))：SBECDは未変化体として尿中に排泄され，全身クリアランスは糸球体ろ過速度と一致した．反復投与により，腎機能が正常な被験者において

SBECDの蓄積はみられなかったが，中等度(クレアチニンクリアランス：30～50mL/min)の腎機能低下者では蓄積がみられ，AUCτ，Cmaxは腎機能が正常な被験者と比較してそれぞれ約5，1.5倍上昇　④血液透析：4時間の血液透析により血漿中ボリコナゾールの8％及びSBECD量(注射用)の46％が除去された

その他の管理的事項

投与期間制限　該当しない

保険給付上の注意　該当しない

資料

IF　ブイフェンド錠50mg・200mg・ドライシロップ2800mg・200mg静注用　2020年4月改訂(第19版)

ポリスチレンスルホン酸カルシウム
Calcium Polystyrene Sulfonate

概要

薬効分類　219　その他の循環器官用薬

ステム　不明

原薬の規制区分　該当しない

原薬の外観・性状　微黄白色～淡黄色の粉末で，におい及び味はない．水，エタノール(95)又はジエチルエーテルにほとんど溶けない

原薬の吸湿性　インタビューフォーム参照

原薬の酸塩基解離定数　該当資料なし

先発医薬品等

末　カリエード散(東洋製化＝小野)
カリメート散(興和)
ポリスチレンスルホン酸Ca「杏林」原末(キョーリンリメディオ＝杏林)
ポリスチレンスルホン酸Ca「フソー」原末(扶桑)
ポリスチレンスルホン酸Ca「NP」原末(ニプロ)

シロップ用　カリメートドライシロップ92.59％(興和)

内用液　カリメート経口液20％(興和)

後発医薬品

散　96.7％

顆　89.29％

内用ゼリー　20％25g

国際誕生年月　不明

海外での発売状況　散　9カ国

製剤

製剤の性状　末　微黄白色～淡黄色の粉末散剤　シロップ用　微黄白色～淡黄色の顆粒状ドライシロップ剤　内用液(ノンフレーバー製剤)　微黄白色～淡黄色の粘稠な懸濁剤．ノンフレーバー製剤，オレンジフレーバー製剤，アップルフレーバー製剤がある

有効期間又は使用期限　散　5年　シロップ用　内用液　3年

貯法・保存条件　室温保存．散　シロップ用　開封後は防湿保存

薬剤取扱い上の留意点　経口：消化管への蓄積を避けるため，便秘を起こさせないように注意する　注腸：投与後は，腸管への残留を避けるため，必ず本剤を排泄させること．特に自然排泄が困難な患者においては，適切な方法を用いて本剤を腸管から取り除く　末　そのまま服用すると湿潤熱により熱く感じることがあるために水に懸濁し服用する　シロップ用　調剤時には水に懸濁しない(服用時に水に懸濁させる)　内用液　①開封後は速やかに服用し，残液は廃棄すること　②高温になる所には保管しないこと

患者向け資料等　患者向医薬品ガイド，くすりのしおり

溶液及び溶解時のpH　内用液　3.8～4.8

調製時の注意　カルシウム塩と反応する物質との配合は避ける

薬理作用

分類　Ca型陽イオン交換樹脂(Ca型レジン)

作用部位・作用機序　作用部位：腸管(主として下部結腸付近)
作用機序：経口投与あるいは注腸後，消化・吸収されることなく，腸管内，特に結腸付近で，本剤のカルシウムイオンと腸管内のカリウムイオンが交換され，ポリスチレンスルホン酸樹脂としては何ら変化を受けることなしに，そのまま糞便中に排泄される．その結果腸管内のカリウムは体外へ除去される

同効薬　ポリスチレンスルホン酸ナトリウム(Na型レジン)

治療

効能・効果　急性及び慢性腎不全に伴う高カリウム血症

用法・用量　末　散　顆　シロップ用　ポリスチレンスルホン酸カルシウムとして1日15～30g(カリエードプラス散は3～6包)，2～3回に分服(適宜増減)．その1回量を水30～50mLに懸濁し服用

内用液　ポリスチレンスルホン酸カルシウムとして1日15～30g，2～3回に分服(適宜増減)

内用ゼリー　1日ゼリー75～150g，2～3回に分服(適宜増減)

末(注腸)　末を1回30g，水又は2％メチルセルロース溶液100mLに懸濁して注腸．体温程度に加温した懸濁液を注腸し30分から1時間腸管内に放置．液が漏れてくるようであれば枕で臀部挙上するか，しばらくの間，膝胸位を取らせる．水又は2％メチルセルロース溶液に代えて5％ブドウ糖溶液を用いてもよい

使用上の注意

禁忌　腸閉塞の患者［腸管穿孔を起こすおそれがある］

薬物動態

吸収　吸収されないと考えられる(家兎 *in vitro*)．ただし，5μm以下の微粒子は粘膜を経由して吸収され，細網内皮系組織等に沈着することが仔牛による実験で報告されているので，本剤は5μm以下の微粒子を0.1％以下に規制している　**排泄**　1g/kg及び3g/kg投与群における経過時間ごとの糞便排泄率を測定時，両投与群とも経口投与後24時間で75％以上，72時間で90％以上が糞便中に排泄(ラット)

その他の管理的事項

投与期間制限　該当しない

保険給付上の注意　該当しない

資料

IF　カリメート散・ドライシロップ92.59％・経口液20％　2020年4月改訂(第19版)

ポリスチレンスルホン酸ナトリウム
Sodium Polystyrene Sulfonate

概要

薬効分類　219　その他の循環器官用薬

分子量　該当しない

ステム　該当しない

原薬の規制区分　該当しない

原薬の外観・性状　黄褐色の粉末で，におい及び味はない．水，エタノール(95)，アセトン又はジエチルエーテルにほとんど溶けない

原薬の吸湿性　吸湿性である

原薬の酸塩基解離定数　該当資料なし

先発医薬品等

末　ケイキサレート散(鳥居)

シロップ用　ケイキサレートドライシロップ76％(鳥居)

後発医薬品

末

ホ

国際誕生年月　1955年10月
海外での発売状況　米，英を含む約50カ国(承認)

製剤

製剤の性状　**末** 黄褐色の粉末で，におい及び味はない　**シロップ用** 淡黄褐色～黄褐色の顆粒で芳香がある
有効期間又は使用期限　**末** 5年　**シロップ用** 3年
貯法・保存条件　気密容器
薬剤取扱い上の留意点　①有効成分ポリスチレンスルホン酸ナトリウムとして，ケイキサレート散1包は，ケイキサレートドライシロップ76%2包に相当する　②ケイキサレートドライシロップ76%は内服専用剤であるため，注腸投与しないこと
患者向け資料等　くすりのしおり
溶液及び溶解時のpH　該当資料なし
浸透圧比　該当資料なし
安定なpH域　該当資料なし

薬理作用

分類　高カリウム血症改善陽イオン交換樹脂
作用部位・作用機序　ポリスチレンスルホン酸ナトリウムは吸収されず，胃腸管を通過するにしたがって腸液の陽イオンと交換するが，特に下部結腸においてカリウムイオン濃度は高く最もよく交換する．したがって，ポリスチレンスルホン酸ナトリウムは経口投与のみならず注腸投与(ケイキサレート散のみ)においても十分な効果が得られる．反応終了後，ポリスチレンスルホン酸ナトリウムは糞便とともに排泄され，体内の過剰のカリウムが除去される
同効薬　ポリスチレンスルホン酸カルシウム製剤

治療

効能・効果　急性及び慢性腎不全による高カリウム血症
用法・用量　**経口** 製剤量として1日〔末〕30g，〔DS〕39.24g，2～3回に分け，1回量を水50～150mLに懸濁して服用(適宜増減)
注腸 1回30g，水又は2%メチルセルロース溶液100mLに懸濁して注腸(適宜増減)

薬物動態

吸収・排泄(参考；動物)　①腸管からの吸収：ラットの小腸を用いた反転腸管による吸収実験で，ポリスチレンスルホン酸ナトリウム及びそのアルカリ分解物の吸収は認められなかった　②糞便中への排泄：ラットにポリスチレンスルホン酸ナトリウムを1.1g/匹経口投与後の糞便中排泄量は24時間後に75.4%，48時間後に95.1%

その他の管理的事項

投与期間制限　該当しない
保険給付上の注意　該当しない

資料

IF　ケイキサレート散・ドライシロップ76%　2013年2月改訂(第6版)

ポリソルベート80
Polysorbate 80

概要

原薬の規制区分　該当しない
原薬の外観・性状　無色～帯褐黄色の澄明又は僅かに乳濁した油状の液である．水，メタノール，エタノール(99.5)又は酢酸エチルと混和する．脂肪油又は流動パラフィンにほとんど溶けない

ホリナートカルシウム水和物
Calcium Folinate Hydrate

別名：ホリナートカルシウム
ロイコボリンカルシウム

概要

薬効分類　392　解毒剤
構造式

分子式　$C_{20}H_{21}CaN_7O_7 \cdot xH_2O$
分子量　511.50(無水物)
略語・慣用名　LV，CF　別名：ホリン酸カルシウム
ステム　不明
原薬の規制区分　該当しない
原薬の外観・性状　白色～淡黄色の結晶性の粉末である．水にやや溶けにくく，メタノール又はエタノール(99.5)にほとんど溶けない．1.25gに新たに煮沸して冷却した水50mLを加え，必要ならば40℃に加温して溶かした液のpHは6.8～8.0である
原薬の吸湿性　該当資料なし
原薬の融点・沸点・凝固点　融点：240～250℃(分解)(ロイコボリン)
原薬の酸塩基解離定数　pKa＝3.1，4.8，10.4(ロイコボリン)
先発医薬品等
錠 ユーゼル錠25mg(大鵬薬品)
ロイコボリン錠5mg・25mg(ファイザー)
注 ロイコボリン注3mg(ファイザー)
後発医薬品
錠 25mg
国際誕生年月　1952年6月

製剤

規制区分　**錠**　**注**　㊕
製剤の性状　**5mg錠** 白色～淡黄色の素錠　**25mg錠** 淡黄白色の素錠　**注** 淡黄色澄明の水溶性注射液
有効期間又は使用期限　**5mg錠** 4年　**25mg錠** 3年　**注** 2年
貯法・保存条件　遮光・室温保存
患者向け資料等　**5mg錠**　**注** くすりのしおり　**25mg錠** 患者向医薬品ガイド，くすりのしおり
溶液及び溶解時のpH　**注** 6.5～8.5(3mg/mL水溶液)
浸透圧比　**注** 約0.1(3mg/mL水溶液)(対生食)

薬理作用

分類　葉酸製剤
作用部位・作用機序　葉酸代謝拮抗剤であるメトトレキサートの毒性を軽減する．メトトレキサートは，2水素葉酸を4水素葉酸に変換させる酵素である2水素葉酸還元酵素(dihydrofolate reductase：DHFR)の働きを阻止し核酸合成を停止させる．一方，メトトレキサートが作用する酵素に関与せず，細胞の葉酸プールに取り込まれ，活性型葉酸(5,10-methylene tetrahydrofolateなど)となり，細胞の核酸合成を再開させるBiochemical Modulationにより，5-FUの抗腫瘍効果を増強する．UFTの主成分であるFTは生体内で5-FUになり，抗腫瘍効果を発揮するが，この5-FUの抗腫瘍効果発現機構のひとつにチミジル酸合成酵素(TS)阻害がある．生体内で5-FUはチミジンホスホリラーゼによりフルオロデオキシウリジン(FdUrd)となり，更にチミジンキナーゼによりフルオロデオキシウリジン一リン酸(FdUMP)となるか，若しくはフルオロウリジン一リン酸(FUMP)からフルオロウリジン二リン酸(FUDP)となり，還元されてFdUMPとなる．このFdUMP

がDNAの合成・修復に必要とされるチミジル酸の生合成を触媒する重要な酵素であるTSと結合するため，TS活性が阻害され，デオキシウリジン一リン酸(dUMP)からチミジル酸へのTSによるメチル化を阻害することにより，チミジン欠乏をきたし，DNA合成を抑制する．このdUMPとTSの結合によるチミジル酸の合成には，基質として5,10-メチレンテトラヒドロ葉酸(5,10-CH2-THF)が必要であるが，LVは生体内で還元され，この5,10-CH2-THFとなる．5,10-CH2-THFが豊富に存在するとFdUMPとTSの結合が更に強固な三元複合体(ternary complex)となり，三元複合体からのTSの解離を遅延させ，かつ三元複合体を安定化させることにより5-FUの抗腫瘍効果を増強する

同効薬 25mg錠 レボホリナートカルシウム

治療

効能・効果 5mg錠 注 葉酸代謝拮抗剤の毒性軽減

25mg錠 ホリナート・テガフール・ウラシル療法：結腸・直腸癌に対するテガフール・ウラシルの抗腫瘍効果の増強

効能・効果に関連する使用上の注意 25mg錠 術後補助療法におけるホリナート・テガフール・ウラシル療法の有効性及び安全性は確立していない

用法・用量 5mg錠 ①メトトレキサート通常療法，CMF療法，メトトレキサート関節リウマチ療法又はM-VAC療法：メトトレキサート通常療法，CMF療法，メトトレキサート関節リウマチ療法又はM-VAC療法でメトトレキサートによると思われる副作用が発現した場合には，通常，ホリナートとして1回10mgを6時間間隔で4回経口投与．なお，メトトレキサートを過剰投与した場合には，投与したメトトレキサートと同量を投与 ②メトトレキサート・フルオロウラシル交代療法：メトトレキサート投与後24時間目からホリナートとして1回15mgを6時間間隔で2～6回(メトトレキサート投与後24，30，36，42，48，54時間目)経口投与(適宜増減)．メトトレキサートによると思われる重篤な副作用が現れた場合には，用量を増加し，投与期間を延長する

25mg錠 ホリナート・テガフール・ウラシル療法：ホリナートとして75mgを，1日3回に分けて(約8時間ごとに)，テガフール・ウラシル配合剤と同時に経口投与．テガフール・ウラシル配合剤の投与量は，1日量として，テガフール300～600mg相当量(300mg/m^2を基準)を1日3回に分けて(約8時間ごとに)，食事の前後1時間を避けて経口投与．以上を28日間連日経口投与し，その後7日間休薬．これを1クールとして投与を繰り返す

注 ①メトトレキサート通常療法，CMF療法，メトトレキサート関節リウマチ療法又はM-VAC療法：メトトレキサート通常療法，CMF療法，メトトレキサート関節リウマチ療法又はM-VAC療法でメトトレキサートによると思われる副作用が発現した場合には，通常，ホリナートとして1回6～12mgを6時間間隔で4回筋注．なお，メトトレキサートを過剰投与した場合には，投与したメトトレキサートと同量を投与 ②メトトレキサート・ホリナート(ロイコボリン)救援療法：メトトレキサート投与終了後，3時間後からホリナートとして15mgを3時間ごとに9回静注，以後6時間ごとに8回静注又は筋注．メトトレキサートによると思われる重篤な副作用が現れた場合には，用量を増加し，投与期間を延長する(適宜増減) ③メトトレキサート・フルオロウラシル交代療法：メトトレキサート投与後24時間目からホリナートとして1回15mgを6時間間隔で2～6回(メトトレキサート投与後24，30，36，42，48，54時間目)静注又は筋注(適宜増減)．メトトレキサートによると思われる重篤な副作用が現れた場合には，用量を増加し，投与期間を延長する

用法・用量に関連する使用上の注意 25mg錠 本療法は食事の影響を受けるので，食事の前後1時間を避けて投与する

禁忌・原則禁忌となる特定患者集団 25mg錠 妊婦又は妊娠している可能性のある婦人

使用上の注意

警告 25mg錠 ①ホリナート・テガフール・ウラシル療法は，テガフール・ウラシル配合剤の細胞毒性を増強する療法であり，本療法に関連したと考えられる死亡例が認められているので，緊急時に十分に措置できる医療施設及びがん化学療法に十分な経験を有する医師のもとで，禁忌，慎重投与の項を参照して適応患者の選択を慎重に行い実施する．なお，本療法の開始にあたっては，両剤の添付文書を熟読のこと ②本療法において重篤な下痢が起こることがあり，その結果，致命的な経過をたどることがあるので，患者の状態を十分観察し，激しい腹痛，下痢等の症状が現れた場合には，ただちに中止し，適切な処置を行う．また，脱水症状が現れた場合には補液等の適切な処置を行う ③本療法において劇症肝炎等の重篤な肝障害，重篤な骨髄抑制が起こることがあり，その結果，致命的な経過をたどることがあるので，定期的(少なくとも1クールに1回以上，特に投与開始から2クールは，各クール開始前及び当該クール中に1回以上)に臨床検査(肝機能検査，血液検査等)を行う等，患者の状態を十分観察し，副作用の早期発見に努める．また，肝障害の前兆又は自覚症状と考えられる食欲不振を伴う倦怠感等の発現に十分に注意し，黄疸(眼球黄染)が現れた場合にはただちに中止し，適切な処置を行う ④本療法とテガフール・ギメラシル・オテラシルカリウム配合剤との併用により，重篤な血液障害等の副作用が発現するおそれがあるので，本療法との併用を行わない

禁忌 5mg錠 注 本剤の成分に対し重篤な過敏症の既往歴のある患者

25mg錠 ①重篤な骨髄抑制のある患者［骨髄抑制の増悪により重症感染症を併発し，致命的となることがある］ ②下痢(水様便)のある患者［下痢が増悪して脱水，電解質異常，循環不全を起こし，致命的となることがある］ ③重篤な感染症を合併している患者［骨髄抑制により感染症が増悪し，致命的となることがある］ ④本剤の成分又はテガフール・ウラシル配合剤の成分に対し重篤な過敏症の既往歴のある患者 ⑤テガフール・ギメラシル・オテラシルカリウム配合剤投与中の患者及び中止後7日以内の患者 ⑥妊婦又は妊娠している可能性のある婦人

薬物動態

5mg錠 注 **血清中濃度** 健常成人に15mg経口投与又は静注時の血清中濃度の最高値は経口で2時間後477ng/mL，静注で5分後3548ng/mL，半減期はともに5時間．また，活性型葉酸(5-methyl tetrahydrofolate)の最高値は経口2時間後216ng/mL，静注1時間後177ng/mL，半減期はともに2.5時間

25mg錠(癌患者) **血中濃度(日本人)** 25mgを経口投与後の血中濃度は，投与1.5～3時間後に最高値(473.6±214ng/mL)，半減期は7時間．活性型葉酸(5-MTHF)は投与0.3～5時間後に最高値(468±193ng/mL)，半減期は3.1時間 **食事の影響** クロスオーバー法で，空腹時及び食後(高脂肪食摂取後)に本剤30mg及びテガフール・ウラシル配合剤(テガフール200mg相当量)を投与時，空腹時に比べて食後投与時のウラシルのAUC，テガフールから変換されたフルオロウラシルのAUCはそれぞれ66%，37%減少し，本剤のAUCは61%上昇．テガフールのAUCには著明な変化は認められなかった

その他の管理的事項

投与期間制限 該当しない

保険給付上の注意 該当しない

資料

IF ロイコボリン錠5mg 2018年10月改訂(第14版)
ロイコボリン錠25mg 2018年10月改訂(第12版)
ロイコボリン注3mg 2020年3月改訂(第12版)

ホ

ポリミキシンB硫酸塩
Polymixin B Sulfate

概要

薬効分類 263 化膿性疾患用剤，612 主としてグラム陰性菌に作用するもの

構造式

R-CH(CH₃)-(CH₂)₄-C(=O)-Dbu-Thr-Dbu-Dbu-Dbu-D-Phe-Leu-Dbu-Dbu-Thr (環状, N^4) · x H_2SO_4

ポリミキシンB_1硫酸塩：R = CH_3　Dbu = H_2N-CH₂CH₂-C(H)(NH_2)-CO_2H

ポリミキシンB_2硫酸塩：R = H　Dbu = H_2N-CH₂CH₂-C(H)(NH_2)-CO_2H

分子式 $C_{55\sim56}H_{96\sim98}N_{16}O_{13} \cdot xH_2SO_4$

略語・慣用名 PL-B

原薬の規制区分 該当しない

原薬の外観・性状 白色の粉末である．水に溶けやすく，エタノール(99.5)にほとんど溶けない．1.0gを水50mLに溶かした液のpHは5.0〜7.0である

原薬の吸湿性 インタビューフォーム参照

原薬の融点・沸点・凝固点 228〜232℃で分解する

原薬の酸塩基解離定数 pKa＝8.9

先発医薬品等

錠 硫酸ポリミキシンB錠25万単位・100万単位「ファイザー」(ファイザー)

外用末 硫酸ポリミキシンB散50万単位・300万単位「ファイザー」(ファイザー)

国際誕生年月 1951年9月

海外での発売状況 該当資料なし

製剤

規制区分 **錠** **外用末** ㊈

製剤の性状 **25万単位錠** 淡橙色素錠 **100万単位錠** 白色フィルムコーティング錠 **外用末** 白色〜黄褐色の粉末の無菌製剤

有効期間又は使用期限 **錠** 3年 **外用末** 5年

貯法・保存条件 室温保存

患者向け資料等 くすりのしおり

溶液及び溶解時のpH 該当しない

浸透圧比 該当しない

安定なpH域 該当しない

調製時の注意 該当しない

薬理作用

分類 ポリペプチド系抗生物質

作用部位・作用機序 作用部位：細菌の外膜 作用機序：主として細菌細胞質膜の透過性に変化を来たすことにより，殺菌的に作用する

治療

効能・効果 **経口用末** **錠** 〈適応症〉白血病治療時の腸管内殺菌

局所用末 〈適応菌種〉ポリミキシンBに感性の大腸菌，肺炎桿菌，エンテロバクター属，緑膿菌 〈適応症〉外傷・熱傷及び手術創等の二次感染，骨髄炎，関節炎，膀胱炎，結膜炎，角膜炎(角膜潰瘍を含む)，中耳炎，副鼻腔炎

効能・効果に関連する使用上の注意 **局所用末** 中耳炎，副鼻腔炎への使用にあたっては，「抗微生物薬適正使用の手引き」を参照し，抗菌薬投与の必要性を判断した上で，本剤の投与が適切と判断される場合に投与する

用法・用量 **経口用末** **錠** 1日300万単位，3回に分服

局所用末 ①外傷・熱傷及び手術創等の二次感染に使用する場合には，50万単位を注射用水又は，生理食塩液5〜50mLに溶解し，その適量を散布．1回の最高投与量は50万単位を超えてはならない ②骨髄炎，関節炎，中耳炎，副鼻腔炎に使用する場合には，50万単位を，注射用水又は生理食塩液10〜50mLに溶解し，その適量を注入，噴霧，もしくは散布．1回の最高投与量は50万単位を超えてはならない ③膀胱炎に使用する場合には，50万単位を滅菌精製水又は生理食塩液10〜500mLに溶解し，その適量を1日1〜2回に分けて，膀胱内に注入又は洗浄．1回の最高投与量は50万単位を超えてはならない ④結膜炎，角膜炎(角膜潰瘍を含む)に使用する場合には，50万単位を注射用水又は生理食塩液20〜50mLに溶解し，その適量を点眼

用法・用量に関連する使用上の注意 **経口用末** **錠** ①使用にあたっては，耐性菌の発現等を防ぐため，原則として感受性を確認し，疾病の治療上必要な最小限の期間の投与にとどめる ②**末** 呼吸麻痺を起こすことがあるので，用法・用量以外の使用(特に静注，腹腔内投与，胸腔内投与)をしてはならない

局所用末 ①使用にあたっては，耐性菌の発現等を防ぐため，原則として感受性を確認し，疾病の治療上必要な最小限の期間の投与にとどめる ②呼吸麻痺を起こすことがあるので，用法・用量以外の使用(特に静注，腹腔内投与，胸腔内投与)をしてはならない

使用上の注意

禁忌 ポリミキシンB又はコリスチンに対し過敏症の既往歴のある患者

薬物動態

消化管吸収 小児患者に1日300万単位を経口投与後の血清中，尿中濃度はいずれも測定限界(0.5単位/mL)以下 **局所吸収** 300万単位を生理食塩液500mLに溶解して，手術部位の洗浄を行った場合の血中移行は痕跡程度ないしは全く認められていない **膀胱吸収** 膀胱内に創面をもち，さらにカテーテルを留置している成人患者に0.01〜0.02%液で膀胱洗浄したとき，血中移行はほとんど認められない

その他の管理的事項

投与期間制限 該当しない

保険給付上の注意 該当しない

資料

IF 硫酸ポリミキシンB錠25万単位「ファイザー」 2020年7月改訂(第6版)
硫酸ポリミキシンB錠100万単位「ファイザー」 2020年7月改訂(第5版)
硫酸ポリミキシンB散50万単位・300万単位「ファイザー」 2019年4月改訂(第7版)

ホルマリン
Formalin

概要

薬効分類 261 外皮用殺菌消毒剤，273 歯科用鎮痛鎮静剤(根管及び齲窩消毒剤を含む．)

原薬の規制区分 ㊀(ただし，ホルマリン石けん液及びホルムアルデヒド1%以下を含有するものを除く)

原薬の外観・性状 無色澄明の液で，そのガスは粘膜を刺激する．水又はエタノール(95)と混和する．長く保存するとき，特に寒冷時に混濁することがある

先発医薬品等

外用液 ホルマリン(小堺＝吉田製薬＝中北＝日興製薬販売)
ホルマリン恵美須(恵美須)
ホルマリン「カナダ」(金田直)
ホルマリン「ケンエー」(健栄)

ホルマリン「タイセイ」(大成)
ホルマリン(山善)

[製剤]

規制区分 [外用液] [劇]

貯法・保存条件 気密容器，遮光・室温保存．火気注意

薬剤取扱い上の留意点 高温であるほど消毒効果が高まるので18℃以上に保つようにすること(ガス消毒の場合は，同時に湿度も75%以上に保つこと)．深部まで消毒剤の到達しにくいもののガス消毒には，真空装置を用いること．消毒後，残留するホルムアルデヒドは適切な方法で除去すること(例えば水洗，アンモニア水の散布，蒸発等)

調製時の注意 アンモニア，水酸化アルカリ，重金属，蛋白質，ヨウ素，易還元性物質は分解されるので配合しないこと

[薬理作用]

分類 外用殺菌消毒剤

[治療]

効能・効果 ①医療用具の消毒，手術室・病室・家具・器具・物品等の消毒 ②歯科領域における感染根管の消毒

用法・用量 ①歯科用：原液にクレゾール等を加えて用いる ②その他：使用対象により，次のいずれかの方法を用いる：(1)ホルムアルデヒド1～5%溶液による浸漬，又は清拭を行い，2時間以上放置する (2)ガス消毒法：気密容器中あるいは密閉環境内において，容積1m^{3}に対しホルマリン15mL以上(ホルムアルデヒドとして6g以上)を水40mL以上とともに噴霧又は蒸発させ，7～24時間又はそれ以上放置する．蒸発を速めるためには，ホルマリン15mL以上を希釈(5～10%)し加熱沸騰させる方法，ホルマリン15mL以上に対し水40mL以上及び過マンガン酸カリウム18～20gを加える方法等を用いる

[資料]

添付文書 ホルマリン「ケンエー」 2016年11月改訂(第4版)

ホルマリン水
Formalin Water

[概要]

原薬の規制区分 該当しない

原薬の外観・性状 無色澄明の液で，僅かにホルムアルデヒドのにおいがある．ほとんど中性である

ホルモテロールフマル酸塩水和物
Formoterol Fumarate Hydrate

[概要]

薬効分類 225 気管支拡張剤

構造式

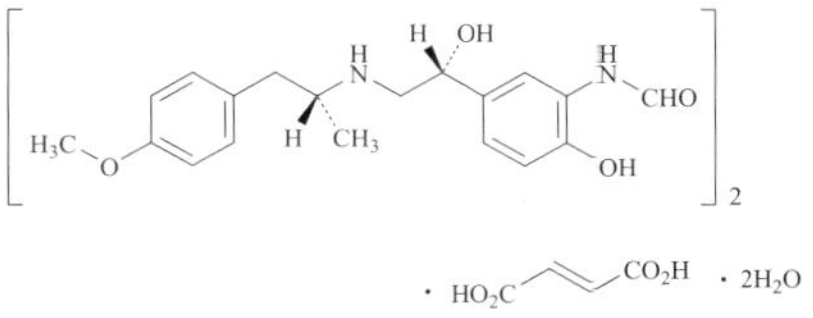

及び鏡像異性体

分子式 $(C_{19}H_{24}N_2O_4)_2 \cdot C_4H_4O_4 \cdot 2H_2O$

分子量 840.91

ステム フェネチルアミン系気管支拡張剤：-terol

原薬の規制区分 [劇](ただし，1個中ホルモテロールとして40μg以下を含有する内用剤，ホルモテロールとして0.004%以下を含有する内用剤及びホルモテロールとして9μg以下を含有する吸入剤を除く)

原薬の外観・性状 白色～帯黄白色の結晶性の粉末である．酢酸(100)に溶けやすく，メタノールにやや溶けやすく，水又はエタノール(95)に極めて溶けにくく，ジエチルエーテルにほとんど溶けない．本品のメタノール溶液(1→100)は旋光性を示さない

原薬の吸湿性 僅かに吸湿性を示す

原薬の融点・沸点・凝固点 融点：約138℃(分解)

原薬の酸塩基解離定数 pKa1＝7.9，pKa2＝9.2

先発医薬品等

[吸入] オーキシス9μgタービュヘイラー28吸入・60吸入(アストラゼネカ＝MeijiSeika)

国際誕生年月 1996年10月

海外での発売状況 約90カ国(承認)

[製剤]

規制区分 [吸入] [処]

製剤の性状 [吸入] 本体白色，回転グリップ青緑色の合成樹脂製の吸入器(タービュヘイラー)に充てんされた吸入剤．内容物は白色～微黄白色の粒

有効期間又は使用期限 2年

貯法・保存条件 室温保存

薬剤取扱い上の留意点 口腔内への吸入投与のみに使用する．使用方法等は添付文書等参照．投与にあたって，吸入器の操作法，吸入法等を十分に説明すること

患者向け資料等 患者向医薬品ガイド，くすりのしおり

溶液及び溶解時のpH 該当しない

浸透圧比 該当しない

安定なpH域 該当しない

調製時の注意 該当しない

[薬理作用]

分類 選択的β_2受容体刺激剤

作用部位・作用機序 作用部位：肺・気管 作用機序：一般的にβ受容体刺激剤は，気管支平滑筋に存在するβ_2受容体を刺激し，Gs-アデニル酸シクラーゼ-cAMP経路を活性化し，平滑筋の緊張を低下させる．これにより，気管を拡張させる等の薬理作用を有すると考えられている．ホルモテロールは選択的なβ_2受容体刺激剤で，迅速かつ持続的な気管支平滑筋弛緩作用を示す

同効薬 チオトロピウム臭化物水和物，サルメテロールキシナホ酸塩，インダカテロールマレイン酸塩

[治療]

効能・効果 慢性閉塞性肺疾患(慢性気管支炎，肺気腫)の気道閉塞性障害に基づく諸症状の緩解

効能・効果に関連する使用上の注意 慢性閉塞性肺疾患の症状の長期管理に用いる．慢性閉塞性肺疾患の急性増悪の治療を目的として使用する薬剤ではない

用法・用量 1回1吸入(9μg)，1日2回

用法・用量に関連する使用上の注意 患者に対し，過度の使用により不整脈，心停止等の重篤な副作用が発現する危険性があることを理解させ，用法・用量を超えて使用しないよう注意を与える

[使用上の注意]

禁忌 本剤の成分に対して過敏症の既往歴のある患者

相互作用概要 主としてグルクロン酸抱合を受ける

過量投与 過量投与により，動悸，頻脈，不整脈，振戦，頭痛及び筋痙攣等，β刺激剤の薬理学的作用による全身作用が発現する可能性がある．また，重篤な症状として，血圧低下，代謝性アシドーシス，低カリウム血症，高血糖，心室性不整脈あるいは心停止等が発現する可能性がある．このような症状がみられた場合には中止し，適切な処置を行う

[薬物動態]

日本人における成績 健康成人男子8例に4.5～36μgを単回

吸入投与時の投与後24時間までの尿中ホルモテロール排泄率は，吸入量の約10%　※承認用量は1回9μg，1日2回　**外国人における成績**　①血漿中濃度(健康成人への単回投与)：健康成人に54μgを活性炭の経口併用投与下で単回吸入投与時，ホルモテロールは速やかに吸収され，投与後10分以内に最高血漿中濃度(幾何平均266 pmol/L)に達した．終末相の半減期は8.5時間　※承認用量は1回9μg，1日2回　②分布：健康成人15例に54μgを単回吸入投与時の肺内到達率は43%．また，ホルモテロール27μgを単回静注時の定常状態分布容積は約5L/kg．ヒト血漿蛋白質との結合率(*in vitro*試験)は約50%　③代謝・排泄：健康成人に^{3}H標識ホルモテロール37μgを経口投与後ただちに^{3}H標識ホルモテロール16μgを静脈内持続注入(30分)時，投与後168時間までに投与放射能の62%が尿中に，24%が糞中に排泄．血漿及び尿中の主代謝物はホルモテロールのグルクロン酸抱合体であった．尿中にはO-脱メチル化体のグルクロン酸抱合体も認められた　④代謝酵素：ホルモテロールのO-脱メチル化反応には，主としてCYP2D6及びCYP2C分子種が関与する(*in vitro*)

その他の管理的事項

投与期間制限　該当しない

保険給付上の注意　該当しない

資料

IF　オーキシス9μgタービュヘイラー28吸入・60吸入　2016年8月改訂(第9版)

マイトマイシンC
注射用マイトマイシンC
Mitomycin C

概要

薬効分類 423 抗腫瘍性抗生物質製剤

構造式

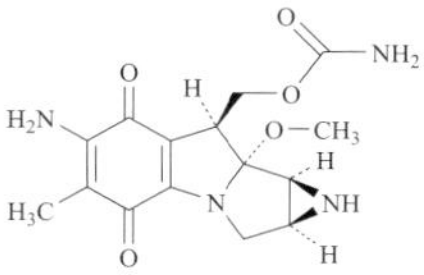

分子式 $C_{15}H_{18}N_4O_5$

分子量 334.33

略語・慣用名 MMC, MITなど

ステム *Streptomyces*属の産生する抗生物質：-mycin

原薬の規制区分 毒(ただし，1個又は1バイアル中マイトマイシンC 2mg力価以下を含有するものは劇)

原薬の外観・性状 青紫色の結晶又は結晶性の粉末である．*N,N*-ジメチルアセトアミドに溶けやすく，水又はメタノールに溶けにくく，エタノール(99.5)に極めて溶けにくい

原薬の吸湿性 吸湿性なし

原薬の融点・沸点・凝固点 加熱すると240℃付近で結晶形不変のまま徐々に暗褐色に変色する．300℃でも融解しない

原薬の酸塩基解離定数 pKa＝3.2

先発医薬品等

注射用 マイトマイシン注用2mg・10mg(協和キリン)

国際誕生年月 1963年12月

海外での発売状況 米，英，仏，独，豪など諸外国

製剤

規制区分 **2mg注射用** 劇 処 **10mg注射用** 毒 処

製剤の性状 **注射用** 青紫色の粉末

有効期間又は使用期限 4年

貯法・保存条件 室温保存

薬剤取扱い上の留意点 細胞障害性のある抗悪性腫瘍剤であり，直接の接触により粘膜の刺激作用 潰瘍，組織の壊死等を起こす可能性があるので，取扱いにあたっては十分な注意が必要である：①他の注射剤との混合調製時に，薬液が皮膚や手指等に付着しないように注意する 薬液が付着したら，すぐに石けんを用いて，水で洗い流す 洗浄後に刺激又は疼痛が続く場合は，医師の診察を受ける必要がある ②眼に入ったら，直ちに流水でよく洗眼する．洗眼後，刺激，疼痛，腫脹，流涙又は羞明が続く場合は，眼科を受診する

患者向け資料等 くすりのしおり

溶液及び溶解時のpH 5.5〜8.5

浸透圧比 約1

安定なpH域 pH7〜8近辺ではやや安定であるが，pHが低くなるにつれてその安定性は低下する

調製時の注意 pHの低い溶解液を使用する場合には力価の低下を来す恐れがあるので，溶解後速やかに使用することが望ましい．また，pHの低い注射剤との配合は避けることが望ましい

薬理作用

分類 抗腫瘍性抗生物質

作用部位・作用機序 腫瘍細胞のDNAと結合し，二重鎖DNAへの架橋形成を介してDNAの複製を阻害し抗腫瘍効果を示すと考えられている．なお，DNA合成前期(G1)後半からDNA合成期(S)前半の細胞は本剤に高い感受性を示すことが確認されている

同効薬 なし

治療

効能・効果 次の疾患の自覚的ならびに他覚的症状の緩解：慢性リンパ性白血病，慢性骨髄性白血病，胃癌，結腸・直腸癌，肺癌，膵癌，肝癌，子宮頸癌，子宮体癌，乳癌，頭頸部腫瘍，膀胱腫瘍

用法・用量 2mg(力価)あたり，5mLの割合に注射用水を加えて溶解：①間欠投与法：1日4〜6mg(力価)，週1〜2回静注(適宜増減) ②連日投与法：1日2mg(力価)，連日静注(適宜増減) ③大量間欠投与法：1日10〜30mg(力価)，1〜3週間以上の間隔で静注(適宜増減) ④他の抗悪性腫瘍剤との併用：1日2〜4mg(力価)，週1〜2回他の抗悪性腫瘍剤と併用して投与(適宜増減)．また，①〜④は必要に応じて，動注，髄腔内又は胸・腹腔内に1日2〜10mg(力価)を適宜注入 ⑤膀胱腫瘍の場合：再発予防には1日1回あるいは隔日に4〜10mg(力価)膀胱内に注入，治療には1日1回10〜40mg(力価)膀胱内に注入(適宜増減)

使用上の注意

禁忌 本剤の成分に対し重篤な過敏症の既往歴のある患者

薬物動態

血中濃度 癌患者にone shot静注時の薬物速度論的パラメータ(10mg/body，20mg/body，30mg/bodyの順)は$T_{1/2\alpha}$(min) 1.3，4.7，5.2，$T_{1/2\beta}$(min) 32.9，41.2，50.2，$AUC_{0-\infty}$(μg/mL・min)10，42.8，98.9．(参考)米国の臨床試験成績(8mg/m^2，15mg/m^2の順)CL(mL/min/kg)4.94，7.27，Vd(mL/kg)V1208.7，V262，V1209.4，V2525.2 **分布** ①体組織への分布(マウス)：担癌マウスに8mg/kgを静注5分後の主要組織内濃度は肺＞皮膚＞腎臓＞筋肉＞心臓＞小腸＞脾臓＞腫瘍＞胃＞肝臓の順での分布 ②蛋白結合率(平衡透析法)：添加濃度(μg/mL)0.1，1，10各々での血漿蛋白結合率(%)は12.8，9.4，8.4 **代謝(米国での*in vitro*データ)** 主として肝臓・腎臓で代謝され，還元型(OH体)を経て活性化，もしくは不活性化されると推定されている **排泄** 癌患者に10〜30mg/bodyをone shot静注後4時間までに尿中へ排泄された未変化体は4.3〜8.8%

その他の管理的事項

投与期間制限 設けられていない．ただし，本剤の性格及び在宅における投与手技が確立しているとは言いがたい現状を考慮すると，在宅での投薬の可否も含め，長期投与は考えがたい．どうしても在宅での投与が必要な場合は，薬剤投与後の副作用発現等を考慮し，癌化学療法に熟練した医師等による投薬が必要と考えられる

保険給付上の注意 該当しない

資料

IF マイトマイシン注用2mg・10mg 2019年7月改訂(第10版)

マクロゴール400
Macrogol 400

別名：ポリエチレングリコール400

概要

薬効分類 712 軟膏基剤

分子式 エチレンオキシドと水との付加重合体で，$HOCH_2(CH_2OCH_2)_nCH_2OH$で表され，$n$は7〜9

原薬の規制区分 該当しない

原薬の外観・性状 無色澄明の粘稠性のある液で，においはないか，又は僅かに特異なにおいがある．水，メタノール，エタノール(95)又はピリジンと混和する．ジエチルエーテルにやや溶けやすい．1.0gを水20mLに溶かした液のpHは4.0〜7.0である

原薬の吸湿性 やや吸湿性である

マ

原薬の融点・沸点・凝固点　凝固点：4～8℃
先発医薬品等
　外用液　マクロゴール400(司生堂)
　　マクロゴール400(東豊＝吉田製薬)
　　マクロゴール400(日興製薬)
　　マクロゴール400(丸石)
製剤
有効期間又は使用期限　3年
貯法・保存条件　室温保存
薬剤取扱い上の留意点　火気厳禁．第4類，第四石油類，危険等級Ⅲ
患者向け資料等　くすりのしおり
薬理作用
分類　軟膏・坐剤基剤
治療
効能・用法　軟膏剤，坐剤の基剤として調剤に用いる
資料
添付文書　マクロゴール400　2015年4月改訂(第2版)

マクロゴール1500
Macrogol 1500
別名：ポリエチレングリコール1500

概要
薬効分類　712　軟膏基剤
分子式　エチレンオキシドと水との付加重合体で，$HOCH_2(CH_2OCH_2)_nCH_2OH$で表され，$n$が5～6及び28～36の等量混合物
原薬の規制区分　該当しない
原薬の外観・性状　白色の滑らかなワセリン様の固体で，においはないか，又は僅かに特異なにおいがある．水，ピリジン又はジフェニルエーテルに極めて溶けやすく，メタノールに溶けやすく，エタノール(95)にやや溶けにくく，エタノール(99.5)に極めて溶けにくく，ジエチルエーテルにほとんど溶けない．1.0gを水20mLに溶かした液のpHは4.0～7.0である
原薬の融点・沸点・凝固点　凝固点：37～41℃
先発医薬品等
　外用末　マクロゴール1500(司生堂)
　　マクロゴール1500(日興製薬)
製剤
有効期間又は使用期限　3年
貯法・保存条件　室温保存
薬理作用
分類　軟膏基剤
治療
効能・用法　軟膏基剤として調剤に用いる
資料
添付文書　マクロゴール1500　2015年7月改訂(第4版)

マクロゴール4000
Macrogol 4000
別名：ポリエチレングリコール4000

概要
薬効分類　712　軟膏基剤
分子式　エチレンオキシドと水との付加重合体で，$HOCH_2(CH_2OCH_2)_nCH_2OH$で表され，$n$は59～84
原薬の規制区分　該当しない
原薬の外観・性状　白色のパラフィン様の塊，薄片又は粉末で，においはないか，又は僅かに特異なにおいがある．水に極めて溶けやすく，メタノール又はピリジンに溶けやすく，エタノール(99.5)又はジエチルエーテルにほとんど溶けない．1.0gを水20mLに溶かした液のpHは4.0～7.5である
原薬の融点・沸点・凝固点　凝固点：53～57℃
先発医薬品等
　外用末　マクロゴール4000(司生堂)
　　マクロゴール4000(東豊＝吉田製薬)
　　マクロゴール4000(丸石)
製剤
有効期間又は使用期限　3年
貯法・保存条件　室温保存
患者向け資料等　くすりのしおり
薬理作用
分類　軟膏基剤
治療
効能・用法　軟膏基剤として調剤に用いる
資料
添付文書　マクロゴール4000　2014年12月改訂(第2版)

マクロゴール6000
Macrogol 6000
別名：ポリエチレングリコール6000

概要
薬効分類　712　軟膏基剤
分子式　エチレンオキシドと水との付加重合体で，$HOCH_2(CH_2OCH_2)_nCH_2OH$で表され，$n$は165～210
原薬の規制区分　該当しない
原薬の外観・性状　白色のパラフィン様の塊，薄片又は粉末で，においはないか，又は僅かに特異なにおいがある．水に極めて溶けやすく，ピリジンに溶けやすく，メタノール，エタノール(95)，エタノール(99.5)又はジエチルエーテルにほとんど溶けない．1.0gを水20mLに溶かした液のpHは4.5～7.5である
原薬の融点・沸点・凝固点　凝固点：56～61℃
先発医薬品等
　外用末　マクロゴール6000(司生堂)
製剤
有効期間又は使用期限　3年
貯法・保存条件　室温保存
薬理作用
分類　軟膏基剤
治療
効能・用法　軟膏基剤として調剤に用いる
資料
添付文書　マクロゴール6000　2011年3月作成(第1版)

マクロゴール20000
Macrogol 20000

別名：ポリエチレングリコール20000

概要

分子式　エチレンオキシドと水との付加重合体で，$HOCH_2(CH_2OCH_2)_nCH_2OH$で表され，$n$は340～570

原薬の規制区分　該当しない

原薬の外観・性状　白色のパラフィン様の薄片又は粉末で，においはないか，又は僅かに特異なにおいがある．水又はピリジンに溶けやすく，メタノール，エタノール(95)，石油ベンジン又はマクロゴール400にほとんど溶けない．1.0gを水20mLに溶かした液のpHは4.5～7.5である

原薬の融点・沸点・凝固点　凝固点　56～64℃

マクロゴール軟膏
Macrogol Ointment

別名：ポリエチレングリコール軟膏

概要

薬効分類　712　軟膏基剤

分子式　該当資料なし

原薬の規制区分　該当しない

原薬の外観・性状　白色で，僅かに特異なにおいがある

先発医薬品等

軟　ソルバノン(マイラン＝ファイザー)
ソルベース(陽進堂)
マクロゴール軟膏(司生堂)
マクロゴール軟膏(東豊)
マクロゴール軟膏(日興製薬＝丸石＝健栄)
マクロゴール軟膏「ヨシダ」(吉田製薬)

国際誕生年月　該当しない

製剤

製剤の性状　軟　白色で，僅かに特異なにおいがある．約52℃で融ける

有効期間又は使用期限　5年(ソルバノン)

貯法・保存条件　気密容器，室温保存

調製時の注意　金属製ではさび，プラスチック製では溶解軟化するので容器の選定に注意を要する

薬理作用

分類　軟膏基剤

作用部位・作用機序　該当資料なし

治療

効能・用法　①軟膏基剤として調剤に用いる　②皮膚保護剤として用いる

その他の管理的事項

投与期間制限　該当しない

保険給付上の注意　該当しない

資料

IF　ソルバノン　2013年1月改訂(第4版)

乾燥弱毒生麻しんワクチン
Freeze-dried Live Attenuated Measles Vaccine

概要

薬効分類　631　ワクチン類

原薬の規制区分　㊕

原薬の外観・性状　溶剤を加えるとき，無色，帯黄色又は帯赤色の澄明な液となる

原薬の吸湿性　該当しない

原薬の融点・沸点・凝固点　該当しない

原薬の酸塩基解離定数　該当資料なし

先発医薬品等

注射用　乾燥弱毒生麻しんワクチン「タケダ」(武田)
「ビケンCAM」(阪大微研＝田辺三菱)

国際誕生年月　不明

海外での発売状況　なし

製剤

規制区分　注射用　(生物)(劇)(処)

製剤の性状　注射用　微赤白色の乾燥製剤である．添付の溶剤0.7mLを加えると，速やかに溶解して帯赤色の澄明な液剤となる

有効期間又は使用期限　検定合格日から1年

貯法・保存条件　遮光・5℃以下に保存

薬剤取扱い上の留意点　①溶解時に内容をよく調べ，沈殿及び異物の混入，その他の異常を認めたものは使用しない　②本剤の溶解は接種直前に行い，一度溶解したものは直ちに使用　③本剤のウイルスは日光に弱く，速やかに不活化されるので，溶解の前後にかかわらず光が当たらないよう注意する

患者向け資料等　患者向医薬品ガイド

溶液及び溶解時のpH　6.8～8.5

浸透圧比　約1(対生食)

調製時の注意　添付の溶剤0.7mLで溶解し，通常，その0.5mLを使用する

薬理作用

分類　弱毒生ワクチン

作用部位・作用機序　麻しんウイルスは経気道的に侵入，感染し，局所の粘膜上皮及び所属リンパ組織で増殖後，ウイルス血症を起こして全身の標的器官に運ばれ，麻しんを発症すると考えられている．あらかじめ本剤の接種により，麻しんウイルスに対する液性免疫及び細胞性免疫が獲得されていると，感染したウイルスの増殖は抑制され，発症は阻止される

同効薬　なし

治療

効能・効果　麻しんの予防

用法・用量　溶剤(注射用水)0.7mLで溶解し，その0.5mLを1回皮下注

用法・用量に関連する使用上の注意　①接種対象者：(1)定期の予防接種：(ア)第1期：生後12月から24月に至るまでの間にある者　(イ)第2期：5歳以上7歳未満の者であって，小学校就学の始期に達する日の1年前の日から当該始期に達する日の前日までの間にある者(小学校就学前の1年間にある者)　(2)任意の予防接種：任意接種として，性，年齢に関係なく接種できる　②輸血及びガンマグロブリン製剤投与との関係：輸血又はガンマグロブリン製剤の投与を受けた者は，通常，3カ月以上間隔を置いて本剤を接種する．また，ガンマグロブリン製剤の大量療法(200mg/kg以上)を受けた者は，6カ月以上間隔を置いて本剤を接種する　③他の生ワクチン(注射剤)との接種間隔：他の生ワクチン(注射剤)の接種を受けた者は，通常，27日以上間隔を置いて本剤を接種する　④同時接種：医師が必要と認めた場合には，他のワクチンと同時に接種することができる(なお，本剤を他のワクチンと混合して接種してはならない)

禁忌・原則禁忌となる特定患者集団　妊娠していることが明ら

かな者

使用上の注意

禁忌　［接種不適当者］ 被接種者が次のいずれかに該当すると認められる場合には，接種を行ってはならない：①明らかな発熱を呈している者　②重篤な急性疾患にかかっていることが明らかな者　③本剤の成分によってアナフィラキシーを呈したことがあることが明らかな者　④明らかに免疫機能に異常のある疾患を有する者及び免疫抑制をきたす治療を受けている者　⑤妊娠していることが明らかな者　⑥前記に掲げる者のほか，予防接種を行うことが不適当な状態にある者

その他の管理的事項

投与期間制限　該当しない

保険給付上の注意　薬価基準適用外

資料

IF　乾燥弱毒生麻しんワクチン「タケダ」 2020年4月改訂

マニジピン塩酸塩
マニジピン塩酸塩錠
Manidipine Hydrochloride

概要

薬効分類　214　血圧降下剤

構造式

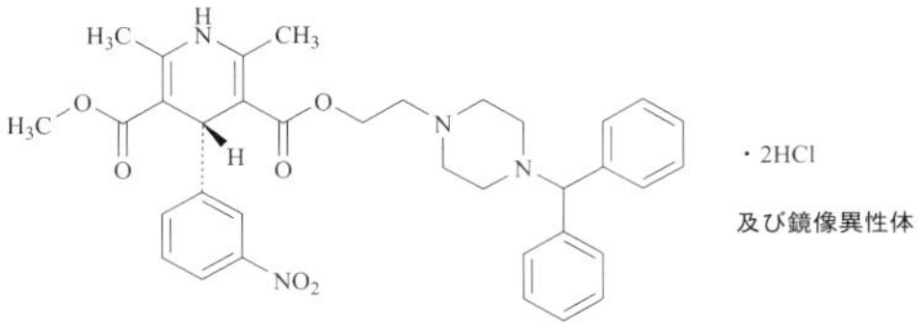

分子式　$C_{35}H_{38}N_4O_6$・2HCl

分子量　683.62

ステム　ニフェジピン系カルシウムチャネル拮抗薬：-dipine

原薬の規制区分　[劇]

原薬の外観・性状　白色～微黄色の結晶又は結晶性の粉末である．ジメチルスルホキシドに溶けやすく，メタノールにやや溶けにくく，エタノール(99.5)に溶けにくく，水にほとんど溶けない．本品のジメチルスルホキシド溶液(1→100)は旋光性を示さない．光により僅かに帯褐黄白色になる

原薬の吸湿性　40℃，RH75%，85%及び93%で1カ月間放置したとき，試料重量はそれぞれ0.2%，0.5%及び1.2%増加し，僅かに吸湿性を示した

原薬の融点・沸点・凝固点　融点：約207℃(分解)

原薬の酸塩基解離定数　pKa_1＝2.46，pKa_2＝6.28(参考)

先発医薬品等

[錠] カルスロット錠5・10・20(武田テバ薬品＝武田)

後発医薬品

[錠] 5mg・10mg・20mg

国際誕生年月　1990年6月

海外での発売状況　仏，独など

製剤

規制区分　[錠] [劇] [処]

製剤の性状　5mg錠 黄白色の割線入りの素錠　10mg錠 淡黄色の割線入りの素錠　20mg錠 うすいだいだい黄色の割線入りの素錠

有効期間又は使用期限　4年

貯法・保存条件　室温保存．開封後も遮光保存

薬剤取扱い上の留意点　降圧作用に基づくめまい等が現れることがあるので，高所作業，自動車の運転等危険を伴う機械を操作する際には注意させること

患者向け資料等　くすりのしおり

薬理作用

分類　ジヒドロピリジン系Ca拮抗薬

作用部位・作用機序　主として血管平滑筋における膜電位依存性カルシウムチャネルに作用してCa^{2+}流入を抑制して，血管平滑筋を弛緩し，血管を拡張することによりもたらされると考えられる

同効薬　ニフェジピン，ニカルジピン塩酸塩など

治療

効能・効果　高血圧症

用法・用量　1日1回10～20mg朝食後．1日5mgから開始し，必要に応じ漸次増量

禁忌・原則禁忌となる特定患者集団　妊婦又は妊娠している可能性のある女性

使用上の注意

禁忌　妊婦又は妊娠している可能性のある女性

薬物動態

血中濃度　腎機能正常の本態性高血圧症患者(7例)に1回20mgを朝食後経口投与時，血中には未変化体及び非活性の代謝物が検出．未変化体の薬物動態パラメータはTmax3.6±1.4h，Cmax7.1±3.5ng/mL，$T_{1/2\alpha}$1.52±0.27h，$T_{1/2\beta}$7.25±2.32h，AUC42.9±18.5ng・h/mL　**排泄**　腎機能正常の本態性高血圧症患者(14例)及び腎機能障害患者(10例)に1日1回20mgを朝食後8日間反復経口投与時，尿中には未変化体は検出されず，すべて代謝物であり，投与後24時間までのピリジン骨格を有する代謝物の尿中排泄率は合計で2～5%

特定の背景を有する患者　腎機能障害患者：腎機能障害患者10例に1日1回20mgを朝食後8日間反復経口投与時でも，血中濃度推移は腎機能正常の本態性高血圧患者とほぼ同様

その他の管理的事項

投与期間制限　該当しない

保険給付上の注意　該当しない

資料

IF　カルスロット錠5・10・20　2016年10月改訂(第5版)

マプロチリン塩酸塩
Maprotiline Hydrochloride

概要

薬効分類　117　精神神経用剤

構造式

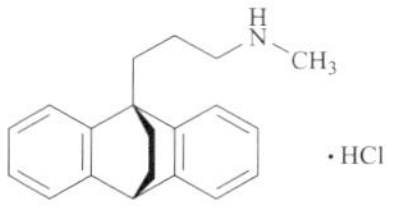

分子式　$C_{20}H_{23}N$・HCl

分子量　313.86

原薬の規制区分　[劇](ただし，1個中マプロチリンとして50mg以下を含有する内用剤を除く)

原薬の外観・性状　白色の結晶性の粉末である．メタノール又は酢酸(100)にやや溶けやすく，エタノール(99.5)にやや溶けにくく，水に溶けにくい．結晶多形が認められる

原薬の吸湿性　吸湿性はほとんどなかった(各種の相対湿度(31.8～100%)の恒温器に入れ，40℃で2週間保存)

原薬の融点・沸点・凝固点　融点：約244℃(分解)

原薬の酸塩基解離定数　pKa＝約9.7(滴定法)

先発医薬品等

[錠] ルジオミール錠10mg・25mg(サンファーマ＝田辺三菱)

後発医薬品
錠 10mg・25mg・50mg
国際誕生年月 1972年10月
海外での発売状況 ロシア，サウジアラビア，ベネズエラなど
製剤
規制区分 錠 ㊕
製剤の性状 10mg錠 白色のフィルムコート錠 25mg錠 淡黄色のフィルムコート錠
有効期間又は使用期限 3年
貯法・保存条件 室温保存
薬剤取扱い上の留意点 めまい，眠気等が起こることがあるので，本剤投与中の患者には，自動車の運転等危険を伴う機械の操作に従事させないよう注意すること
患者向け資料等 患者向医薬品ガイド，くすりのしおり
溶液及び溶解時のpH 5.0～7.0(5mg/mL水溶液)
安定なpH域 2～8(40℃，2週間．ただしpH9以上では塩基が析出する)
薬理作用
分類 四環系抗うつ剤
作用部位・作用機序 作用部位：中枢神経 作用機序：主として神経終末へのcatecholamine取り込み阻害作用によるcatecholaminergic activityの増強が抗うつ効果に結びついていると考えられている
同効薬 三環系抗うつ剤(イミプラミン塩酸塩，クロミプラミン塩酸塩，アミトリプチリン塩酸塩など)，四環系抗うつ剤(ミアンセリン塩酸塩など)
治療
効能・効果 うつ病・うつ状態
効能・効果に関連する使用上の注意 抗うつ剤の投与により，24歳以下の患者で，自殺念慮，自殺企図のリスクが増加するとの報告があるため，投与にあたっては，リスクとベネフィットを考慮する
用法・用量 1日30～75mgを2～3回に分服，又は1日1回夕食後あるいは就寝前に投与できる(適宜増減)
使用上の注意
禁忌 ①閉塞隅角緑内障の患者［抗コリン作用により眼圧が上昇し，症状を悪化させることがある］ ②本剤の成分に対し過敏症の患者 ③心筋梗塞の回復初期の患者［症状を悪化させるおそれがある］ ④てんかん等の痙攣性疾患又はこれらの既往歴のある患者［痙攣を起こすことがある］ ⑤尿閉(前立腺疾患等)のある患者［抗コリン作用により症状が悪化することがある］ ⑥MAO阻害剤の投与を受けている患者［発汗，不穏，全身痙攣，異常高熱，昏睡等が現れるおそれがある］
相互作用概要 主としてCYP2D6が関与している
過量投与 ①徴候・症状：最初の徴候・症状は通常服用1～2時間後に現れる：(1)中枢神経系：昏睡，痙攣，意識障害，嗜眠状態，運動失調，情動不安 (2)心血管系：低血圧，頻脈，不整脈，伝導障害，ショック，心不全，非常にまれにQT延長，トルサード・ド・ポアン，心停止 (3)その他：呼吸抑制，異常高熱等 ②処置：特異的な解毒剤は知られていない．催吐もしくは胃洗浄により薬物の排除をはかる．また，コリンエステラーゼ阻害剤(ネオスチグミン等)は痙攣の危険性を増大させるおそれがあるので，マプロチリンの過量服用時の治療には不適である．必要に応じて，次のような処置を行う．症状が重篤な場合には，少なくとも48時間は心モニターを継続し，また約12時間は痙攣発作の発現に対して特に注意する：(1)呼吸抑制：人工呼吸 (2)低血圧，循環虚脱：血漿増量剤の投与．炭酸水素ナトリウム静注(アシドーシスがある場合)．ドパミン又はドブタミンの点滴静注(心筋機能の低下がみられる場合) (3)不整脈：炭酸水素ナトリウムの静注によるアシドーシス是正．カリウム剤投与による血清低カリウム値の補正．徐脈性不整脈又はAVブロックが現れた場合にはペースメーカーの挿入 (4)痙攣：ジアゼパムの静注(ただし，ジアゼパムによる呼吸抑制，低血圧，昏睡の悪化に注意)
薬物動態
血中濃度 25及び75mgを1回経口投与，約6～12時間で最高，その後ゆっくりと減衰．生物学的半減期は個人差が大きく(19～73時間)，平均値は25mg投与で約46時間，75mg投与で約45時間(健常人)．30及び75mg/日を分服あるいは1日1回投与後2週間以内に定常状態で，その平均値は両投与法に差はなく，分割投与例では31.3及び76.9ng/mL，1日1回投与例では31.7及び70.6ng/mL(うつ病患者) **代謝・排泄** (外国人データ)^{3}H-マプロチリンを経口投与後48時間以内に尿中へ30%，96時間以内に尿中へ48%，糞中へ13%排泄．尿中排泄物は90%以上が代謝物で，うち75%はグルクロン酸抱合体．代謝産物としてN-脱メチル化体，側鎖及び環の水酸化体等の12種を同定(健常人) **乳汁中への移行** (外国人データ)健康な出産後の婦人に単回あるいは連続経口投与時の母乳中濃度は全血中濃度の推移に近似し，定常状態の母乳中の全血中濃度に対する比は一定で，平均約1.37
その他の管理的事項
投与期間制限 該当しない
保険給付上の注意 該当しない
資料
IF ルジオミール錠10mg・25mg 2019年7月改訂(第6版)

乾燥まむしウマ抗毒素
Freeze-dried Mamushi Antivenom, Equine

概要
薬効分類 633 抗毒素類及び抗レプトスピラ血清類
ステム 該当しない
原薬の規制区分 ㊙
原薬の外観・性状 溶剤を加えるとき，無色～淡黄褐色の澄明又は僅かに白濁した液となる
原薬の吸湿性 該当しない
原薬の融点・沸点・凝固点 該当資料なし
原薬の酸塩基解離定数 該当資料なし
国際誕生年月 不明
海外での発売状況 販売されていない
製剤
規制区分 生物 劇 処
製剤の性状 注射用 白色ないし淡黄色の乾燥製剤である．添付の溶剤を加えると，無色ないし淡黄褐色の澄明又は僅かにに白濁した液剤となる
有効期間又は使用期限 10年
貯法・保存条件 遮光・10℃以下に凍結を避け保存
薬剤取扱い上の留意点 溶剤が凍結すると容器が破損することがある
溶液及び溶解時のpH 6.8～7.4
浸透圧比 約1(対生食)
調製時の注意 溶解は使用直前に行うこと．保存剤を含有していないので，溶解後はただちに使用し，残液を保存して再使用することは厳に避けること
薬理作用
分類 抗毒素
作用部位・作用機序 まむし毒素と特異的に結合することにより，まむし毒素の生物活性を中和する
治療
効能・効果 まむし咬傷の治療
用法・用量 溶剤(注射用水)20mLで完全に溶解して使用する．なるべく早期に約6000単位(約20mL)を咬傷局所を避けた筋肉内(皮下)又は静脈内に注射するか，あるいは生食等で希釈

マ

して点滴静注．なお，症状が軽減しないときは2～3時間後に3000～6000単位（10～20mL）を追加注射する

用法・用量に関連する使用上の注意　ウマ血清過敏症試験を行い，反応陰性あるいは軽微の場合は，本剤の1mLを皮下注して30分間反応を観察し，異常のない場合には，所要量を次のとおり注射する：(1)筋肉内（皮下）又は静脈内に注射する場合には，ゆっくり時間をかけて注射する．ショックは5～10分の間に発現することが多いがその間は勿論，さらに30分後まで血圧を測定する．著しい血圧降下がおこったら，直ちにエピネフリンの注射等，適切な処置を行う　(2)点滴静注する場合は，生理食塩液等で10～20倍に希釈して1分間1～2mL位の速さで注射し，血圧測定その他の観察を続ける

その他の管理的事項

投与期間制限　該当しない

保険給付上の注意　該当しない

資料

IF　乾燥まむし抗毒素「KMB」 2020年7月改訂（第12版）

マルトース水和物
Maltose Hydrate

概要

薬効分類　323　糖類剤

構造式

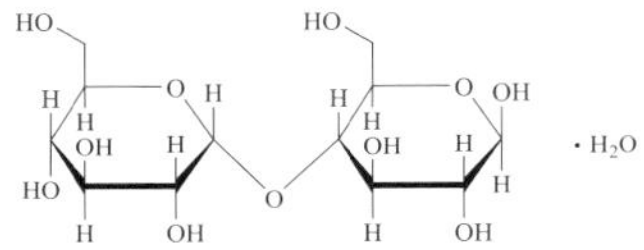

分子式　$C_{12}H_{22}O_{11} \cdot H_2O$

分子量　360.31

略語・慣用名　麦芽糖

ステム　該当しない

原薬の規制区分　該当しない

原薬の外観・性状　白色の結晶又は結晶性の粉末で，味は甘い．水に溶けやすく，エタノール（95）に極めて溶けにくく，ジエチルエーテルにほとんど溶けない．1.0gを水10mLに溶かした液のpHは4.5～6.5である

原薬の吸湿性　該当資料なし

原薬の酸塩基解離定数　該当資料なし

先発医薬品等

注 マドロス輸液10%（扶桑）
マルトース輸液10%「フソー」（扶桑）
マルトス輸液10%（大塚工場＝大塚製薬）

国際誕生年月　不明

海外での発売状況　該当しない

製剤

規制区分　**注** ㊇

製剤の性状　**注** 無色澄明の注射液

有効期間又は使用期限　**注**（250mLソフトバッグ入り）2年，（500mLソフトバッグ入り）3年

貯法・保存条件　室温保存

溶液及び溶解時のpH　約4.7（製造直後の平均実測値），4.0～6.0（規格値）

浸透圧比　約1（対生食）

調製時の注意　該当しない

薬理作用

分類　糖質補給用剤

作用部位・作用機序　作用部位：全身　作用機序：マルトースは静脈内に投与されると，インスリンの関与をうけず，そのまま細胞内に入り，αグルコシダーゼ（マルターゼ）の作用により2分子のブドウ糖になり代謝されることが知られている．最近の知見では，静脈内に投与されたマルトースの大部分は，腎尿細管に存在するマルターゼによりブドウ糖に分解され，ブドウ糖として再吸収されてエネルギー源になると考えられている

同効薬　ブドウ糖，果糖，キシリトール，ソルビトール

治療

効能・効果　糖尿病及び術中・術後で非経口的に水・エネルギー補給を必要とする場合

用法・用量　1回500～1000mLを徐々に点滴静注．投与速度はマルトースとして1時間あたり0.3g/kg以下（体重50kgとして10%液500mLを4時間以上）（適宜増減）

薬物動態

血中濃度　健常成人男子8名に0.3g/kg/hrで3時間静注終了時に201mg/dLに達した後，指数関数的に減少　**代謝**　腎糸球体でろ過された本剤の大部分は，近位尿細管の管腔側上皮細胞に存在するマルターゼによりブドウ糖に分解後，再吸収され，エネルギー源になると考えられている　**尿中排泄**　健常成人男子8名に0.3g/kg/hrで3時間静注時の8時間後までの尿中排泄率は，総糖質として24.3%（マルトース8.9%，ブドウ糖15.4%）．尿中へのブドウ糖及びマルトース排泄には血中マルトースの閾値濃度が存在し，本試験では血中マルトース濃度が53mg/dL

その他の管理的事項

投与期間制限　該当しない

保険給付上の注意　該当しない

資料

IF　マルトス輸液10%　2011年4月改訂（第7版）

D-マンニトール
D-マンニトール注射液
D-Mannitol

概要

薬効分類　219　その他の循環器官用薬

構造式

HO H H OH / HO ... OH / HO H H OH

分子式　$C_6H_{14}O_6$

分子量　182.17

ステム　該当資料なし

原薬の規制区分　該当しない

原薬の外観・性状　白色の結晶，粉末又は粒で，味は甘く，冷感がある．水に溶けやすく，エタノール（99.5）にほとんど溶けない．水酸化ナトリウム試液に溶ける．結晶多形が認められる

原薬の吸湿性　該当資料なし

原薬の融点・沸点・凝固点　融点：165～170℃

原薬の酸塩基解離定数　該当資料なし

先発医薬品等

注 20%マンニットール注射液「YD」（陽進堂）
マンニットT注15%（テルモ）

国際誕生年月　該当資料なし

海外での発売状況　該当しない

製剤

規制区分　**注** ㊇

製剤の性状 [注] 無色澄明の液で，味は甘い．結晶を析出することがある

有効期間又は使用期限 3年

貯法・保存条件 室温保存

薬剤取扱い上の留意点 過飽和のため結晶を析出することがある．結晶が析出した場合は，湯煎にて加温溶解して使用する．なお，加温溶解することで品質が変化することはない．加温溶解後は，体温程度まで温度を下げてから使用する（本剤の飽和溶解温度は約27.5℃）

溶液及び溶解時のpH 4.5～7.0

浸透圧比 約5（対生食）

調製時の注意 該当しない

薬理作用

分類 脳圧降下・浸透圧利尿剤

作用部位・作用機序 マンニトールは，浸透圧利尿薬である．糸球体で自由にろ過され，尿細管で再吸収されず，薬理学的には不活性である．血漿浸透圧を上昇させて組織から血漿中へ水を拡散させ，循環血液量を増加させるので，糸球体ろ過量が増加して利尿作用を現す．脳圧降下薬としても利用される

同効薬 浸透圧利尿剤（濃グリセリン・果糖）

治療

効能・効果 術中・術後・外傷後及び薬物中毒時の急性腎不全の予防及び治療する場合，脳圧降下及び脳容積の縮小を必要とする場合，眼内圧降下を必要とする場合

用法・用量 1回1～3g/kg，15～20%高張液として点滴静注（適宜増減）．1日量200gまで（投与速度100mL/3～10分）

使用上の注意

禁忌 急性頭蓋内血腫のある患者［急性頭蓋内血腫を疑われる患者に，頭蓋内血腫の存在を確認することなく投与した場合，脳圧により一時止血していたものが，頭蓋内圧の減少とともに再び出血し始めることもあるので，出血源を処理し，再出血のおそれのないことを確認しない限り，投与しない］

過量投与 ①症状：排泄の亢進による急激な脱水症状が現れることがある．また，急性腎不全が現れることがある ②処置：脱水症状の場合には，細胞外液補充液の投与を行う．また，急性腎不全の場合には，排泄が減少することがあるので，このようなときには限外ろ過や血液透析等の適切な処置を行う

薬物動態

（参考）雑種成猫5匹に0.667mL/kg/minの速度で静注を行うと，マンニトール血中濃度は投与時間中急速に上昇し，投与15分（終了直後）に最高血中濃度（11.21±0.54mg/mL）に達した．消失半減期は60.23±13.38分であった

その他の管理的事項

投与期間制限 該当しない

保険給付上の注意 該当しない

資料

IF 20%マンニットール注射液「YD」 2020年6月改訂（第4版）

ミグリトール
ミグリトール錠
Miglitol

概要

薬効分類 396 糖尿病用剤

構造式

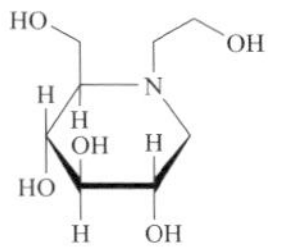

分子式 $C_8H_{17}NO_5$

分子量 207.22

ステム スルホンアミド誘導体以外の血糖降下剤：-gli-

原薬の規制区分 該当しない

原薬の外観・性状 白色～微帯黄白色の結晶性の粉末である．水に溶けやすく，エタノール（99.5）にほとんど溶けない

原薬の吸湿性 認められない（臨界相対湿度90%RH以上）

原薬の融点・沸点・凝固点 融点：144～147℃

原薬の酸塩基解離定数 pKa＝5.9

先発医薬品等

[錠] セイブル錠25mg・50mg・75mg（三和化学）
セイブルOD錠25mg・50mg・75mg（三和化学）

後発医薬品

[錠] 25mg・50mg・75mg・OD錠25mg・50mg・75mg

国際誕生年月 1996年7月

海外での発売状況 米，仏，独など

製剤

規制区分 [錠] [処]

製剤の性状 [25mg錠] 淡黄色両面割線入り楕円形のフィルムコート錠 [50・75mg錠] 白色両面割線入り楕円形のフィルムコート錠 [口腔内崩壊錠] 白色の素錠

有効期間又は使用期限 3年

貯法・保存条件 気密容器，室温保存

薬剤取扱い上の留意点 低血糖症状を起こすことがあるので，高所作業，自動車の運転等に従事している患者に投与するときには注意すること [錠] 分包したとき高湿度により硬度低下が認められたため，無包装状態または分包の場合には，湿気を避けて保存すること [口腔内崩壊錠] 開封後も防湿保存すること（本剤はアルミ袋により品質保持をはかっている）

患者向け資料等 患者向医薬品ガイド，くすりのしおり，患者指導用小冊子，患者指導箋

溶液及び溶解時のpH 該当しない

浸透圧比 該当しない

安定なpH域 該当しない

調製時の注意 該当しない

薬理作用

分類 αグルコシダーゼ阻害剤

作用部位・作用機序 小腸粘膜上皮細胞の刷子縁膜において二糖類から単糖への分解を担う二糖類水解酵素（αグルコシダーゼ）を阻害し，糖質の消化・吸収を遅延させることにより食後の過血糖を改善する

同効薬 アカルボース，ボグリボース

治療

効能・効果 糖尿病の食後過血糖の改善（ただし，食事療法・運動療法を行っている患者で十分な効果が得られない場合，又は食事療法・運動療法に加えてスルホニルウレア剤，ビグアナイド系薬剤もしくはインスリン製剤を使用している患者で十分な効果が得られない場合に限る）

効能・効果に関連する使用上の注意 ①糖尿病治療の基本であ

ミ

る食事療法・運動療法のみを行っている患者では，投与の際の食後血糖1又は2時間値は200mg/dL以上を示す場合に限る　②食事療法，運動療法に加えて経口血糖降下剤又はインスリン製剤を使用している患者では，投与の際の空腹時血糖値は140mg/dL以上を目安とする

用法・用量　1回50mg，1日3回毎食直前．なお，効果不十分な場合には，経過を十分に観察しながら1回量を75mgまで増量できる

用法・用量に関連する使用上の注意　高齢者には低用量(例えば1回量25mg)から投与を開始するなど慎重に投与する

禁忌・原則禁忌となる特定患者集団　妊婦又は妊娠している可能性のある女性

使用上の注意

禁忌　①重症ケトーシス，糖尿病性昏睡又は前昏睡の患者［輸液及びインスリンによる速やかな高血糖の是正が必須となるので本剤の投与は適さない］　②重症感染症，手術前後，重篤な外傷のある患者［インスリン注射による血糖管理が望まれるので本剤の投与は適さない］　③本剤の成分に対する過敏症の既往歴のある患者　④妊婦又は妊娠している可能性のある女性

薬物動態

血中濃度　①単回投与：健康成人男性(6例又は12例)に空腹時25，50，100mgを単回経口投与時，血漿中ミグリトールの薬物動態学的パラメータは，(ｱ)25mg，50mg投与時(各6例，平均±標準偏差)：Tmax(h)1.83±0.26，2.42±0.66，Cmax(μg/mL)0.875±0.167，1.156±0.351，$T_{1/2}$(h)1.97±0.26，2.2±0.53，尿中排泄率(% of Dose)86.2±5.3，70.7±10.8，(ｲ)50mg，100mg投与時(各12例，平均±標準偏差)：Tmax(h)2.58±0.67，2.58±0.51，Cmax(μg/mL)1.313±0.424，1.96±0.464，$T_{1/2}$(h)1.97±0.34，2.03±0.26，尿中排泄率(% of Dose)76.8±22.7，51.6±9.6．用量とCmaxは比例関係を示さなかった．また，健康成人男性(6例)に空腹時又は食直前に100mgを単回経口投与時，食直前投与の血漿中ミグリトールは空腹時投与と同じ半減期(約2時間)で消失したが，Cmax及びAUCは低下　②反復投与：健康成人男性(12例)に50又は100mgを1日3回8日間(8日目は朝1回)反復経口投与時，ミグリトールの血漿中濃度は3～4日目でほぼ定常状態に達し，反復投与による蓄積性はなかった．また，健康成人及び2型糖尿病患者(各12例)に100mgを1日3回7日間反復経口投与時，健康成人と2型糖尿病患者の血漿中ミグリトール濃度推移は一致し，2型糖尿病患者の反復投与による血漿中ミグリトール濃度推移の変化はなかった(外国人データ)　**代謝**　①代謝経路：体内において代謝を受けず，未変化体のまま主に腎臓から排泄される　②チトクロームP450系への影響：ヒトチトクロームP450分子種(CYP1A1，CYP1A2，CYP2A6，CYP2B6，CYP2C8，CYP2C9，CYP2C19，CYP2D6，CYP2E1，CYP3A4)の代謝活性を阻害しなかった．また，ラットに30，100，300mg/kg/dayを反復投与時，肝重量，肝重量比，チトクロームP450量，アニリン水酸化活性及びアミノピリンN-脱メチル化活性は変化しなかった　**排泄**　健康成人男性(6例又は12例)に空腹時25，50，100mgを単回経口投与時の尿中排泄率(% of Dose，平均±標準偏差)は，(ｱ)25mg，50mg投与時(各6例)：86.2±5.3，70.7±10.8，(ｲ)50mg，100mg投与時(各12例)：76.8±22.7，51.6±9.6．尿中排泄率は用量増加に伴い低下．また，健康成人男性(6例)に空腹時又は食直前100mgを単回経口投与時，尿中排泄率は空腹時が約50%，食直前が約30%．健康成人男性(12例)に50又は100mgを1日3回8日間(8日目は朝1回)反復経口投与時，ミグリトールの累積排泄率は3～4日以降ほぼ一定　**特定の背景を有する患者**　①腎機能障害患者：腎機能障害患者に25mgを1日3回7日間反復経口投与時のパラメータ(幾何平均値，(　)内は幾何標準偏差)は(クレアチニンクリアランス(mL/min)＞60(7例)，＞30to＜60(6例)，＜30(6例)の順)，Cmax(μg/mL)投与1日目：1.02(1.19)，1.18(1.28)，1.33(1.38)，7日目：1.25(1.26)，1.37(1.32)，3.05(1.32)，$T_{1/2}$(h)投与1日目：3.5(1.54)，5.5(1.47)，11.5(1.55)，7日目：3.2(1.37)，5.4(1.25)，12.5(1.6)で，腎機能低下に伴い$T_{1/2}$が延長．また，クレアチニンクリアランスが30mL/min未満の患者では反復投与によりCmaxが増加(外国人データ)．また，血液透析患者(3例)に50mgを1日3回7日間反復経口投与時，投与2，5及び7日目の透析前後で血漿中濃度が7.37～28.4μg/mLから1.62～4.50μg/mLに低下(除去率：平均80.0～81.8%)(外国人データ)　**薬物相互作用**　①グリベンクラミド：健康成人男性(6例)にグリベンクラミド5mg1日1回及び本剤100mg(漸増)あるいはプラセボ1日3回をクロスオーバー法にて7日間併用投与時，グリベンクラミドの$AUC_{0\text{-}9h}$及びCmaxがプラセボと比較して，それぞれ25及び17%低下(外国人データ)．また，2型糖尿病患者(26例)にグリベンクラミド3.5mg1日1回及び本剤100mgあるいはプラセボ1日3回を7日間併用投与時，プラセボと比較してグリベンクラミドの$AUC_{0\text{-}12h}$が12%低下し，Cmaxが10%増加(外国人データ)　②メトホルミン：健康成人男性(12例)に本剤100mgあるいはプラセボ1日3回をクロスオーバー法にて7日間反復投与時に，メトホルミン1000mgを単回投与時，メトホルミンの$AUC_{0\text{-}9h}$及びCmaxがプラセボと比較して，それぞれ12及び13%低下(外国人データ)　③ジゴキシン：健康成人男性(12例)にジゴキシン0.3mg1日1回反復投与時の定常状態において本剤50及び100mgを1日3回7日間併用投与時，単独使用時と比較しジゴキシンのCminは19及び28%低下し，尿中排泄量は19及び33%低下(外国人データ)．また，2型糖尿病患者(27例)にジゴキシン0.2mg1日1回反復投与時に，本剤100mgあるいはプラセボ1日3回を14日間併用投与時，プラセボと比較してジゴキシンのCminに影響を及ぼさなかった(外国人データ)．参考：ジゴキシンの血漿中濃度・薬物動態パラメータ等(ジゴキシン単独投与，ミグリトール50mg併用期，ミグリトール100mg併用期各10例の順，幾何平均値，(　)内は幾何標準偏差)Cmin(ng/mL)0.813(1.25)，0.662(1.41)，0.586(1.35)，尿中排泄量(μg/24h)251.2(1.16)，202.6(1.3)，169.5(1.26)，腎クリアランス(mL/min/kg)2.965(1.29)，2.938(1.36)，2.775(1.39)　④プロプラノロール：健康成人男性(10例)にプロプラノロール40mg1日3回反復投与時に本剤50及び100mgを1日3回7日間投与時，単独使用時と比較しプロプラノロールのAUCは50及び100mgでそれぞれ30及び40%低下．血糖値，心電図及び心拍出量には併用による影響が認められなかった(外国人データ)　⑤ラニチジン：健康成人男性(12例)にラニチジン150mgを1日2回反復投与時に本剤100mg1日3回をクロスオーバー法にて7日間投与時，単独使用時と比較しラニチジンのAUC及びCmaxがそれぞれ40及び47%に低下．一方，ミグリトールのAUC及びCmaxには影響が認められなかった(外国人データ)　⑥ピオグリタゾン及びその他薬剤：健康成人男性(16例)にピオグリタゾン30mgを1日1回8日間反復投与後，さらに本剤50mg1日3回併用で5日間反復投与時，ピオグリタゾン単独投与時に対する併用時のピオグリタゾン未変化体及び活性代謝物を含めた活性化合物合計のAUCの比はそれぞれ0.975，0.992，Cmaxの比はそれぞれ0.955，0.977で，ピオグリタゾンのAUC及びCmaxに影響は認められなかった．その他，本剤とニフェジピン，ワルファリン，フェニトインとの薬物相互作用試験でも薬物動態学的相互作用は認められなかった．また，制酸剤(マーロックス)との薬物相互作用試験においても，本剤の薬物動態に併用による影響は認められなかった

その他の管理的事項

投与期間制限　該当しない

保険給付上の注意　該当しない

資料

IF　セイブル錠25mg・50mg・75mg・OD錠25mg・50mg・75mg　2020年8月改訂(第18版)

ミグレニン
Migrenin

概要

原薬の規制区分 ㊞(ただし，1個中0.5g以下を含有するものを除く)

原薬の外観・性状 白色の粉末又は結晶性の粉末で，においはなく，味は苦い．水に極めて溶けやすく，エタノール(95)又はクロロホルムに溶けやすく，ジエチルエーテルに溶けにくい．1.0gを水10mLに溶かした液のpHは3.0～4.0である．湿気及び光によって変化する

原薬の融点・沸点・凝固点 融点：104～110℃

治療

効能・効果† 頭痛

ミクロノマイシン硫酸塩
Micronomicin Sulfate

概要

薬効分類 131 眼科用剤

構造式

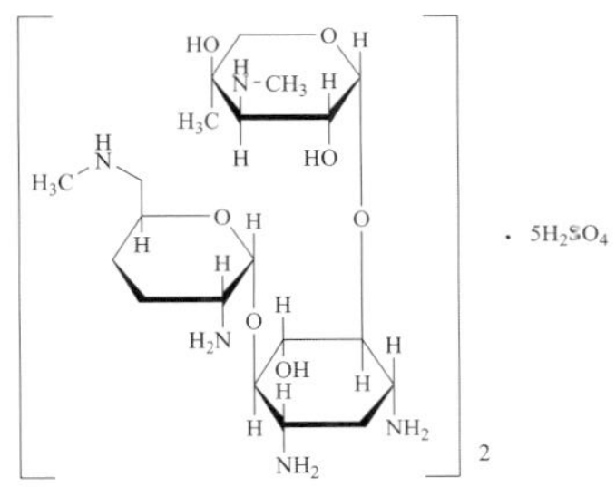

分子式 $(C_{20}H_{41}N_5O_7)_2 \cdot 5H_2SO_4$

分子量 1417.53

原薬の規制区分 ㊞

原薬の外観・性状 白色～淡黄白色の粉末である．水に極めて溶けやすく，エチレングリコールにやや溶けにくく，メタノール又はエタノール(99.5)にほとんど溶けない．1.0gを水10mLに溶かした液のpHは3.5～5.5である

原薬の吸湿性 吸湿性である

ミコナゾール
Miconazole

概要

薬効分類 629 その他の化学療法剤

構造式

及び鏡像異性体

分子式 $C_{18}H_{14}Cl_4N_2O$

分子量 416.13

略語・慣用名 MCZ

ステム ミコナゾール系抗真菌剤：-conazole

原薬の規制区分 ㊞(ただし，ミコナゾールとして2%以下を含有する外用剤及びゲル剤，1個中ミコナゾールとして100mg以下を含有する坐剤を除く)

原薬の外観・性状 白色～微黄白色の結晶性の粉末である．メタノール，エタノール(95)又は酢酸(100)に溶けやすく，ジエチルエーテルにやや溶けやすく，水にほとんど溶けない．本品のメタノール溶液(1→20)は旋光性を示さない

原薬の吸湿性 認められない

原薬の融点・沸点・凝固点 融点：84～87℃

原薬の酸塩基解離定数 該当しない

先発医薬品等

内用ゲル フロリードゲル経口用2%(持田＝昭和薬化)

注 フロリードF注200mg(持田)

外用錠 オラビ錠口腔用50mg(そーせい＝富士フイルム富山化学)

国際誕生年月 不明

海外での発売状況 (ミコナゾール)英ほか複数国，口腔用錠 米，仏，伊(販売)

製剤

規制区分 内用ゲル 口腔用錠 ㊄ 注 ㊞ ㊄

製剤の性状 内用ゲル 白色～微黄白色の糊状のゲル剤で，味は僅かに甘い 注 無色澄明の水性注射液 口腔用錠 白色～微黄色の口腔内(局所)錠

有効期間又は使用期限 内用ゲル 口腔用錠 3年 注 5年

貯法・保存条件 内用ゲル 高温を避けて室温保存 注 口腔用錠 室温保存

薬剤取扱い上の留意点 内用ゲル ①眼科用として，角膜，結膜には投与しない ②投与後は含嗽，食物摂取を控えさせる ③義歯装着患者では十分な効果が得られにくい場合があるので，よく義歯を洗浄し，義歯にも塗布させる 注 他剤との配合後は速やかに使用することが望ましい 口腔用錠 湿度の影響を受けやすいのでボトル包装品のまま交付する．付着方法は，刻印(L)のない面(曲面)を，上顎歯肉に置き，30秒間上唇の上から指で軽く押しながら本剤を保持し上顎歯肉に付着する．その後，数分間は舌で本剤を触らないようにする．いったん付着したら徐々に溶解するので，そのままにしておく．次に本剤を使用する場合には，反対側の歯肉に付着する．その際は，前回の製剤が残っていたら，取り除いてから使用する．本剤が口腔内にあるとき，飲食は通常どおり行ってよいが，本剤が歯肉に付着するのを妨げるおそれがある行為(ガムを噛む等)は避ける

患者向け資料等 内用ゲル くすりのしおり 口腔用錠 患者向医薬品ガイド，くすりのしおり，患者用説明書

溶液及び溶解時のpH 注 3.9～4.9

浸透圧比 注 0.05～0.20(対生食)

薬理作用

分類 フェネチルイミダゾール系抗真菌剤

作用部位・作用機序 低濃度では主として真菌の膜系(細胞膜及び細胞壁)に作用して，膜透過性の変化を起こし，高濃度では細胞の壊死性変化をもたらして殺菌的に作用するものと考えられている

同効薬 内用ゲル アムホテリシンB，ナイスタチン 注 アムホテリシンB，フルシトシン，フルコナゾール，イトラコナゾール，ミカファンギン 口腔用錠 イトラコナゾール，アムホテリシンB，クロトリマゾール

治療

効能・効果 内用ゲル カンジダ属による次の感染症：口腔カンジダ症，食道カンジダ症

注 クリプトコックス，カンジダ，アスペルギルス，コクシジオイデスのうち本剤感性菌による次の感染症：真菌血症，肺

真菌症，消化管真菌症，尿路真菌症，真菌髄膜炎
口腔用錠 カンジダ属による口腔咽頭カンジダ症

用法・用量 **内用ゲル** ミコナゾールとして1日200～400mgを食後及び就寝前の4回に分け投与：①口腔カンジダ症：口腔内にまんべんなく塗布．病巣が広範囲に存在する場合は，口腔内にできるだけ長く含んだ後，嚥下 ②食道カンジダ症：口腔内に含んだ後，少量ずつ嚥下
注 ①点滴静注：ミコナゾールとして200mgあたり200mL以上の生理食塩液又は5%ブドウ糖注射液で希釈し，初回200mgから開始し，以後1回200～400mg，1日1～3回，30～60分以上かける（適宜増減）．輸液量が制限される場合には200mgあたり50mL以上で希釈．髄膜炎の場合は髄腔内注入を併用する ②髄腔内注入：ミコナゾールとして1日1回5～20mg，1～7日ごと（適宜増減）
口腔用錠 1日1回1錠，上顎歯肉（犬歯窩）に付着して用いる

用法・用量に関連する使用上の注意 **内用ゲル** 投与期間は原則として14日間とする．なお，7日間投与しても症状の改善がみられない場合には中止し，他の適切な療法に切り替える
注 ①希釈せずに急速に注射した場合，一過性の頻脈又は不整脈が現れるおそれがあるので，使用にあたっては用法・用量を厳守する ②髄腔内注入は確定診断がなされた真菌髄膜炎のみに行う．投与に際しては観察を十分に行い，投与部位，投与速度，投与間隔等に十分注意する
口腔用錠 ①口腔粘膜に付着して用いる錠剤であるため，そのまま飲み込んだり，なめたり，噛み砕いたりせずに使用する ②投与期間は原則として14日間とする

禁忌・原則禁忌となる特定患者集団 妊婦又は妊娠している可能性のある女性

使用上の注意

禁忌 ①本剤の成分に対し過敏症の既往歴のある患者 ②ワルファリンカリウム，ピモジド，キニジン，トリアゾラム，シンバスタチン，アゼルニジピン，オルメサルタン メドキソミル・アゼルニジピン，ニソルジピン，ブロナンセリン，エルゴタミン酒石酸塩・無水カフェイン・イソプロピルアンチピリン，ジヒドロエルゴタミンメシル酸塩，リバーロキサバン，アスナプレビル，ロミタピドメシル酸塩，ルラシドン塩酸塩を投与中の患者 ③妊婦又は妊娠している可能性のある女性

相互作用概要 CYP3A及びCYP2C9と親和性を有する

過量投与 **内用ゲル** 過量投与にみられる主な症状は嘔吐，下痢である．このような場合には適切な対症療法を施し，経過観察を十分に行う **注** 過量投与にみられる主な症状は不整脈，痙攣，下痢，嘔吐である．このような場合には適切な対症療法を施し，経過観察を十分に行う

薬物動態

①**内用ゲル** (1)口腔内残存濃度：健常成人男子10例に2%ゲル5gを舌上に塗布後6時間でも舌上付着液中に平均28.7μg/mL．経時的血漿中濃度測定では，いずれも検出限界以下 (2)血漿中濃度（参考）：雄ラットに^{14}C-ミコナゾールを10mg/kg経口投与2時間以降の血漿中濃度推移は，同用量を雄ラットに静注時とほぼ一致していたが，血漿中未変化体濃度は経口投与1時間後で静注時の1/16以下だったことから，ミコナゾールは肝における初回通過効果による代謝を受けやすいと示唆
②**口腔用錠** 健康成人12例を対象に，1錠を1回，上顎歯肉に付着し，唾液中，舌背付着液中及び血漿中のミコナゾール濃度を経時的に測定した時の薬物動態パラメータ[Cmax（μg/mL），tmax（hour），$AUC_{0\text{-}24h}$（μg・h／mL）の順]は，唾液（12例）[345.98±201.84，14.08±6.27，2628.07±1106.24]，舌背付着液（12例）[2506.35±3420.37，16.50±6.83，23339.95±21903.32]，血漿（12例）[[2.12±1.03]×10^{-3}，18.10±6.22，[24.84±12.41]×10^{-3}] 平均値±標準偏差 ③**注** 深在性真菌症患者に200～600mg/時点滴静注時の血中濃度は，点滴終了時0.96～3.5μg/mL，以後漸減して7～8時間後で点滴終了時の1/4以下（承認1回用量は，点滴静注の場合，200～400mg）

その他の管理的事項

投与期間制限 該当しない
保険給付上の注意 該当しない

資料

IF フロリードゲル経口用2% 2017年10月改訂（第7版）
フロリードF注200mg 2017年10月改訂（第8版）
オラビ錠口腔用50mg 2019年2月改訂（第2版）

ミコナゾール硝酸塩
Miconazole Nitrate

概要

薬効分類 252 生殖器官用剤（性病予防剤を含む．），265 寄生性皮ふ疾患用剤
構造式

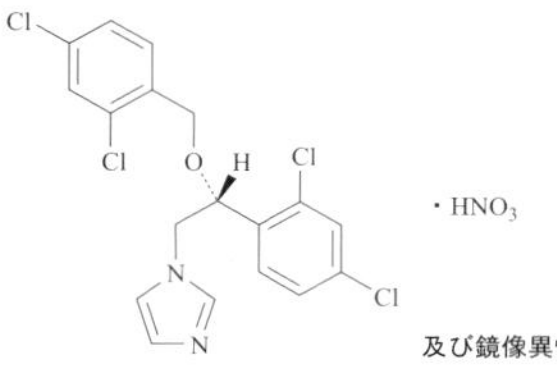

・HNO_3

及び鏡像異性体

分子式 $C_{18}H_{14}Cl_4N_2O \cdot HNO_3$
分子量 479.14
略語・慣用名 MCZ
ステム ミコナゾール系抗真菌剤：-conazole
原薬の規制区分 劇（ただし，ミコナゾールとして2%以下を含有する外用剤及びゲル剤，1個中ミコナゾールとして100mg以下を含有する坐剤を除く）
原薬の外観・性状 白色の結晶性の粉末である．*N,N*-ジメチルホルムアミドに溶けやすく，メタノールにやや溶けにくく，エタノール(95)，アセトン又は酢酸(100)に溶けにくく，水又はジエチルエーテルに極めて溶けにくい
原薬の吸湿性 認められない
原薬の融点・沸点・凝固点 融点：約180℃（分解）
原薬の酸塩基解離定数 該当資料なし
先発医薬品等
膣用 フロリード膣坐剤100mg（持田）
クリーム フロリードDクリーム1%（持田）
後発医薬品
クリーム 1%
国際誕生年月 **クリーム** 1971年8月 **膣用** 1973年7月
海外での発売状況 米，英，仏，独など

製剤

製剤の性状 **クリーム** 白色の均一なクリーム剤で僅かに特異なにおいがある **膣用** 白色の膣坐剤
有効期間又は使用期限 5年
貯法・保存条件 **クリーム** 室温保存 **膣用** 冷所保存
薬剤取扱い上の留意点 該当なし
患者向け資料等 くすりのしおり
調製時の注意 該当しない

薬理作用

分類 フェネチルイミダゾール系抗真菌剤
作用部位・作用機序 低濃度では主として膜系（細胞膜並びに細胞壁）に作用して，細胞の膜透過性を変化させることにより抗菌作用を示す．また，高濃度では細胞の壊死性変化をもたらし，殺菌的に作用する
同効薬 **クリーム** クロトリマゾール，ケトコナゾール，イソコナゾール硝酸塩，オキシコナゾール硝酸塩，スルコナゾール

硝酸塩，ミコナゾール　**腟用** クロトリマゾール，イソコナゾール硝酸塩，オキシコナゾール硝酸塩，ミコナゾール

治療

効能・効果　**クリーム** 次の皮膚真菌症の治療：①白癬：体部白癬(斑状小水疱性白癬，頑癬)，股部白癬(頑癬)，足部白癬(汗疱状白癬)　②カンジダ症：指間びらん症，間擦疹，乳児寄生菌性紅斑，爪囲炎，外陰カンジダ症，皮膚カンジダ症　③癜風

腟用 カンジダに起因する腟炎及び外陰腟炎

用法・用量　**クリーム** 1日2～3回塗布

腟用 1日1回1個，腟深部に挿入．一般に6日間投与で真菌学的効果(一次効果)及び自・他覚症状の改善が得られるが，菌の再出現防止のためには，14日間投与することが望ましい

使用上の注意

禁忌　本剤の成分に対し過敏症の既往歴のある患者

相互作用概要　CYP3A及びCYP2C9と親和性を有する

薬物動態

①**クリーム** 1%クリームを健常人の正常皮膚に14日間連日塗布ならびに足部白癬患者の障害皮膚に7日間連日塗布で，皮膚からの吸収はほとんど認められない．1%ローションを足部白癬患者及び足カンジダ症患者の障害皮膚に1日2～3回，連日7日間塗布しても血中への移行は測定限界(15μg/mL)以下　②**腟用** 健康な婦人に腟坐剤を経腟投与しても，腟からの吸収はほとんど認められない

その他の管理的事項

投与期間制限　該当しない

保険給付上の注意　該当しない

資料

IF　フロリードDクリーム1%　2017年5月(第2版)
フロリード腟坐剤100mg　2016年12月改訂(第4版)

ミゾリビン
ミゾリビン錠
Mizoribine

概要

薬効分類　399　他に分類されない代謝性医薬品

構造式

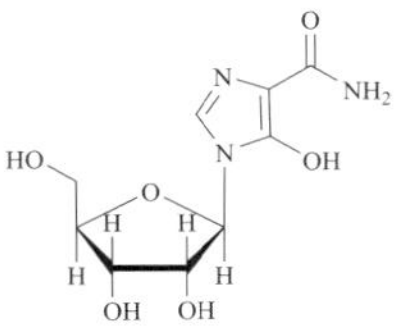

分子式　$C_9H_{13}N_3O_6$

分子量　259.22

ステム　ピラゾフリン系リボフラニル誘導体：-ribine

原薬の規制区分　該当しない

原薬の外観・性状　白色～帯黄白色の結晶性の粉末である．水に溶けやすく，メタノール又はエタノール(99.5)にほとんど溶けない

原薬の吸湿性　40～86%RHの条件下では吸湿を認めなかったが，92%ではやや吸湿を認め，約20日で恒量となった

原薬の融点・沸点・凝固点　融点：約198℃(分解)

原薬の酸塩基解離定数　$pK_1 = 1.4$，$pK_2 = 6.75$

先発医薬品等

錠 ブレディニン錠25・50(旭化成ファーマ)
ブレディニンOD錠25・50(旭化成ファーマ)

後発医薬品

錠 25mg・50mg

国際誕生年月　1984年2月

海外での発売状況　韓国，中国

製剤

規制区分　**錠**　**口腔内崩壊錠**　㊕

製剤の性状　**25mg錠** 白色フィルムコーティング錠　**50mg錠** 白色フィルムコーティング錠(片面割線入り)　**25mg口腔内崩壊錠** 白色素錠　**50mg口腔内崩壊錠** 白色素錠(片面割線入り)

有効期間又は使用期限　3年

貯法・保存条件　室温保存(アルミピロー開封後，湿気を避けて保存)

薬剤取扱い上の留意点　アルミピロー開封後，防湿保存．**錠** 湿気により変色することがある　**口腔内崩壊錠** 湿気により硬度低下や変色することがある．自動分包機には適さない

患者向け資料等　くすりのしおり

溶液及び溶解時のpH　3.5～4.5(1→100水溶液)

浸透圧比　該当しない

安定なpH域　該当しない

調製時の注意　該当しない

薬理作用

分類　イミダゾール系免疫抑制剤

作用部位・作用機序　リンパ球細胞内でモノリン酸体にリン酸化された後，プリン合成系のイノシン酸からグアニル酸に至るde novo経路において，IMPデヒドロゲナーゼを特異的に競合阻害することによりGMP合成を阻害．細胞周期のS期においてDNAの合成を抑制し，Tリンパ球及びBリンパ球の分裂・増殖を阻害することにより細胞性免疫及び液性免疫ともに抑制．リンパ球以外の細胞では経路も利用できるため，ミゾリビンの本作用の影響が少ない．なお，本剤は高分子核酸中にはとり込まれることなく作用する

同効薬　アザチオプリン，ミコフェノール酸モフェチル，メトトレキサート，レフルノミド，シクロスポリン，タクロリムス水和物，グスペリムス塩酸塩，シクロホスファミド

治療

効能・効果　①腎移植における拒否反応の抑制　②原発性糸球体疾患を原因とするネフローゼ症候群(副腎皮質ホルモン剤のみでは治療困難な場合に限る．また，頻回再発型のネフローゼ症候群を除く)　③ループス腎炎(持続性蛋白尿，ネフローゼ症候群又は腎機能低下が認められ，副腎皮質ホルモン剤のみでは治療困難な場合に限る)　④関節リウマチ(過去の治療において，非ステロイド性抗炎症剤，さらに他の抗リウマチ薬の少なくとも1剤により十分な効果の得られない場合に限る)

用法・用量　効能①：1日量として，初期量2～3mg/kg，維持量1～3mg/kg，1～3回に分服．しかし，耐薬量及び有効量は患者によって異なるので，最適の治療効果を得るために用量の注意深い増減が必要である　効能②③：1回50mg，1日3回．ただし，腎機能の程度により減量等を考慮する．なお，本剤の使用以前に副腎皮質ホルモン剤が維持投与されている場合には，その維持用量に本剤を上乗せして用いる．症状により副腎皮質ホルモン剤の用量は適宜減量　効能④：1回50mg，1日3回(適宜増減)．ただし，腎機能の程度により減量等を考慮する

用法・用量に関連する使用上の注意　主として腎臓から排泄されるため，腎障害のある患者では排泄が遅延し，骨髄機能抑制等の重篤な副作用が起こることがあるので，腎機能(血清クレアチニン値等)及び年齢，体重等を考慮し，低用量から開始する等，用量に留意して，患者の状態を十分に観察しながら慎重に投与する

禁忌・原則禁忌となる特定患者集団　妊婦又は妊娠している可能性のある婦人

使用上の注意
禁忌 ①本剤に対し重篤な過敏症の既往歴のある患者 ②白血球数3000/mm^{3}以下の患者［骨髄機能抑制を増悪させ，重篤な感染症，出血傾向等が発現するおそれがある］ ③妊婦又は妊娠している可能性のある婦人

薬物動態
吸収 ①腎機能を良好に維持している腎移植患者に100mg経口投与時の最高血中濃度は2時間後2.38μg/mL，血中半減期2.2時間 ②関節リウマチ患者に50mg又は100mg経口投与時，血中濃度に用量依存性．1日150mg又は300mg※1）を4週間連続投与での蓄積性は認められなかった **排泄** ①腎機能の良好維持腎移植患者に100mg経口投与後の尿中排泄率は6時間まで約80%．腎機能障害患者では排泄が遅延（投与量の減量等，考慮が必要）．また，無尿状態の慢性腎不全患者2例に200mg※2）経口投与2時間後から5時間の血液透析で，血中濃度は下降 ②クレアチニンクリアランス（Ccr）と血中からの消失速度定数は高度に相関．腎移植患者（19名），腎不全患者（3名）での血中消失速度定数と腎機能から得たCcr（mL/min）と[$T_{1/2}$(hr)]の関係は，80[2.36]，60[3.13]，40[4.64]，20[8.98]．なお，クレアチニンクリアランスを血清クレアチニン値，年齢及び体重から換算する計算式の一例を示す．クレアチニンクリアランス=体重×（1－m×年齢）÷血清クレアチニン値．L=（女）1.8，（男）2.305；m=（女）0.007，（男）0.0104 ③関節リウマチ患者に50mg，100mg※1）経口投与後，24時間までの尿中排泄率約30～80% **参考** ①分布：ラットに単回経口投与後，腎及び胃に最も高濃度．肝，膀胱，小腸，脾，胸腺にも血中より高濃度，脳移行はほとんどなかった．21日間連続投与による組織蓄積傾向も認められなかった．妊娠ラットに経口投与後，子宮，卵巣，胎盤，少量ながら胎児へ移行．また分娩後のラットで乳汁移行 ②代謝：ラットに経口投与し，血漿，尿を同位体逆希釈分析法の測定で，代謝物は認められなかった ※1）関節リウマチに対する承認用量は，成人1回ミゾリビンとして50mgを1日3回（適宜増減） ※2）腎移植における拒否反応の抑制に対する承認用量は，1日量として，初期量としてミゾリビン2～3mg/kg相当量，維持量として1～3mg/kg相当量を1～3回に分服

その他の管理的事項
投与期間制限 該当しない
保険給付上の注意 該当しない

資料
IF ブレディニン錠25・50・OD錠25・50 2018年8月改訂（第10版）

ミチグリニドカルシウム水和物 ミチグリニドカルシウム錠
Mitiglinide Calcium Hydrate

概要
薬効分類 396 糖尿病用剤
構造式

Ca^{2+} · $2H_2O$

分子式 $C_{38}H_{48}CaN_2O_6 \cdot 2H_2O$
分子量 704.91
ステム グリニド系（インスリン分泌促進薬）：-glinide
原薬の規制区分 該当しない
原薬の外観・性状 白色の粉末である．メタノール又はエタノール（99.5）に溶けやすく，水に溶けにくい．結晶多形が認められる
原薬の吸湿性 25℃，93%RHにおいて吸湿性は認められない
原薬の融点・沸点・凝固点 融点：約201℃（第1法：結晶水脱離後の脱水物）
原薬の酸塩基解離定数 pKa＝4.43（カルボキシル基）
先発医薬品等
錠 グルファスト錠5mg・10mg（キッセイ＝武田）
グルファストOD錠5mg・10mg（キッセイ）
後発医薬品
錠 OD錠5mg・10mg
国際誕生年月 2004年1月
海外での発売状況 日本を含め8カ国

製剤
規制区分 **錠** **口腔内崩壊錠** ㊕
製剤の性状 **5mg錠** 白色の素錠 **10mg錠** 白色の素錠（割線入り） **5mg口腔内崩壊錠** 微黄白色の素錠 **10mg口腔内崩壊錠** 微黄白色の素錠（割線入り）
有効期間又は使用期限 3年
貯法・保存条件 気密容器，室温保存（**口腔内崩壊錠** 開封後防湿保存）
薬剤取扱い上の留意点 ときに低血糖症状を起こすことがあるので，高所作業，自動車の運転等に従事している患者に投与するときには注意すること．低血糖症状が認められた場合にはショ糖，ブドウ糖，又は十分量のブドウ糖を含む清涼飲料水等を摂取すること．ただし，αグルコシダーゼ阻害剤との併用により低血糖症状が認められた場合には，αグルコシダーゼ阻害剤が二糖類の消化・吸収を遅延するので，ショ糖ではなく，ブドウ糖を投与するなど適切な処置を行うこと．なお，患者に対し低血糖症状及びその対処方法について十分説明すること
患者向け資料等 患者向医薬品ガイド，くすりのしおり
溶液及び溶解時のpH 該当しない
浸透圧比 該当しない
安定なpH域 該当しない
調製時の注意 該当しない

薬理作用
分類 速効型インスリン分泌促進薬
作用部位・作用機序 膵β細胞のATP感受性K^+チャネル（K_{ATP}チャネル）を構成するスルホニル尿素受容体（SUR1）に選択的に結合する．ミチグリニドとSUR1との結合によりK_{ATP}チャネルが閉鎖される．K_{ATP}チャネルの閉鎖により細胞膜が脱分極を起こす．細胞膜の脱分極により電位依存性Ca^{2+}チャネルが開口し，細胞内にCa^{2+}が流入する．細胞内のCa^{2+}濃度が上昇してインスリン分泌顆粒を刺激し，インスリンが分泌される
同効薬 ナテグリニド，レパグリニド

治療
効能・効果 2型糖尿病
効能・効果に関連する使用上の注意 ①適用においては，あらかじめ糖尿病治療の基本である食事療法，運動療法を十分に行った上で効果が不十分な場合に限り考慮する ②投与する際は，空腹時血糖が126mg/dL以上，又は食後血糖1又は2時間値が200mg/dL以上を示す場合に限る
用法・用量 1回10mgを1日3回毎食直前（適宜増減）
用法・用量に関連する使用上の注意 ①食後投与では速やかな吸収が得られず効果が減弱する．効果的に食後の血糖上昇を抑制するため，投与は毎食直前（5分以内）とする．また，投与後速やかに薬効を発現するため，食前30分投与では食前15分に血中インスリン値が上昇し食事開始時の血糖値が低下することが報告されており，食事開始前に低血糖を誘発する可能性がある ②高齢者では，状況に応じて低用量（1回量5mg）

から投与を開始することが望ましい

禁忌・原則禁忌となる特定患者集団　妊婦又は妊娠している可能性のある女性

使用上の注意

禁忌　①重症ケトーシス，糖尿病性昏睡又は前昏睡，1型糖尿病の患者［輸液及びインスリンによる速やかな高血糖の是正が必須となるので本剤の投与は適さない］　②重症感染症，手術前後，重篤な外傷のある患者［インスリンによる血糖管理が望まれるので本剤の投与は適さない］　③本剤の成分に対し過敏症の既往歴のある患者　④妊婦又は妊娠している可能性のある女性

薬物動態

血中濃度　①単回投与：健康成人男性に5，10及び20mg(錠)を食直前単回経口投与時，投与後0.23～0.28時間で最高血漿中濃度(Cmax)に達し，半減期($t_{1/2}$)は約1.2時間．薬物動態パラメータ[5(8例)，10(8例)，20(7例)mg投与の順]はCmax(ng/mL)が650.3，1390.7，2903.2．Tmax(hr)が0.28，0.23，0.25，$T_{1/2}$(hr)が1.24，1.19，1.22　②反復投与：健康成人男性に1回10mg(錠)を1日3回7日間反復経口投与時，血漿中未変化体濃度推移において1及び7日目でのCLtot/F，$AUC_{0\text{-}inf}$及び$AUC_{0\text{-}5hr}$に有意な差が認められた．しかし，1日目投与時と7日目のこれらパラメータの平均値の差は10%程度と僅かで，この90%信頼区間も約±20%の範囲内にあることから特に問題とはならないと考えられた．また，Cmax及びVdssにはいずれも有意な差は認められず，7日間の反復投与においても本薬の体内動態はほとんど変化しないと考えられた　③生物学的同等性試験(錠，OD錠)：健康成人男性に10mg(OD錠，水なし又は水で服用)又は10mg(錠，水で服用)を空腹時単回経口投与時，両製剤は生物学的に同等．薬物動態パラメータ(OD錠を水なしで服用)[10mgOD錠(水なしで服用)，10mg錠(水で服用)(各28例)の順]はCmax(ng/mL)626.0，692.0，$AUC_{0\text{-}5hr}$(ng・hr/mL)1209，1194，Tmax(hr)0.50，0.50，$T_{1/2}$(hr)1.28，1.23．健康成人男子における空腹時単回投与時の薬物動態パラメータ(OD錠を水で服用)[10mgOD錠(水で服用)，10mg錠(水で服用)(各28例)の順]はCmax(ng/mL)679.5，733.4，$AUC_{0\text{-}5hr}$(ng・hr/mL)1124，1107，Tmax(hr)0.44，0.50，$T_{1/2}$(hr)1.31，1.25　**吸収**　①食事の影響：健康成人男性に5mg(錠)を食後経口投与時，食直前に比し最高血漿中濃度(Cmax)の低下及び最高血漿中濃度到達時間(Tmax)の遅延が認められた．薬物動態パラメータ(食直前，食後(各6例)の順)はCmax(ng/mL)384.9，143.5，Tmax(hr)0.29，2.08，$T_{1/2}$(hr)1.42，1.26，$AUC_{0\text{-}24hr}$(ng・hr/mL)472，444　**代謝**　健康成人男性に5，10及び20mg(錠)を食直前単回経口投与時，24時間までに投与量の約54～74%が尿中に排泄，そのほとんどがグルクロン酸抱合体代謝物で，ミチグリニドは1%未満．健康成人男性に[^{14}C]標識ミチグリニドカルシウム水和物11mg溶液を食直前単回経口投与時，投与0.5及び4時間後の血漿中放射能は主にミチグリニド由来で，ミチグリニドのグルクロン酸抱合体はミチグリニドの約1/3から1/6量が存在し，ヒドロキシ体代謝物はさらに少なかった(外国人データ)．ミチグリニドカルシウム水和物は，ヒトにおいて肝臓及び腎臓で代謝され，グルクロン酸抱合体は主に薬物代謝酵素のUGT1A9及び1A3により，ヒドロキシ体は主にCYP2C9により生成されることが*in vitro*試験により確認されている　**排泄**　健康成人男性に[^{14}C]標識ミチグリニドカルシウム水和物11mg溶液を食直前単回経口投与時，放射能の約93%は尿中に，約6%は糞中に排泄(外国人データ)

特定の背景を有する患者　①腎機能障害者：成人腎機能正常者，腎機能低下者及び慢性腎不全患者(投与前日の平均クレアチニンクリアランス値はそれぞれ113.75，37.01及び3.431mL/min)10mg(錠)を食直前単回経口投与時，クレアチニンクリアランスの低下に伴い半減期($t_{1/2}$)は延長したが，その他の主要パラメータ(Cmax，$AUC_{0\text{-}inf}$及びCLtot/F)とクレアチニンクリアランスとの間に，有意な相関は認められなかった．腎機能正常者，腎機能低下者，慢性腎不全患者における薬物動態パラメータ[腎機能正常者(Ccrが91mL/分以上，8例)，腎機能低下者(Ccrが31～50mL/分，7例)，慢性腎不全患者(Ccrが30mL/分以下で透析を実施中，8例)の順]はCmax(ng/mL)1275.3，1643.9，764.7，Tmax(hr)0.69，0.29，0.41，$T_{1/2}$(hr)1.48，3.22，11.7，$AUC_{0\text{-}inf}$(ng・hr/mL)1517，2132，1741，CLtot/F(mL/min/kg)1.64，1.37，1.7，Vdss/F(L/kg)0.16，0.20，0.86　②高齢者：高齢者(65歳以上)及び非高齢者(20～35歳)に10mg(錠)を朝食直前(5分以内)単回経口投与時，高齢者ではCmaxが非高齢者に比べてやや低かったが，その他のパラメータに差は認められなかった　**薬物相互作用**　①ミチグリニドカルシウム水和物の薬物動態に及ぼす影響：ボグリボース，ピオグリタゾン塩酸塩，メトホルミン塩酸塩及びシタグリプチンリン酸塩水和物の併用投与によるミチグリニドカルシウム水和物の薬物動態に変化はなかった　②併用薬の薬物動態に及ぼす影響：ピオグリタゾン塩酸塩，メトホルミン塩酸塩及びシタグリプチンリン酸塩水和物の薬物動態に対するミチグリニドカルシウム水和物の影響は認められなかった

その他の管理的事項

投与期間制限　該当しない

保険給付上の注意　該当しない

資料

IF　グルファスト錠5mg・10mg・OD錠5mg・10mg　2018年6月改訂(第13版)

ミデカマイシン
Midecamycin

概要

構造式

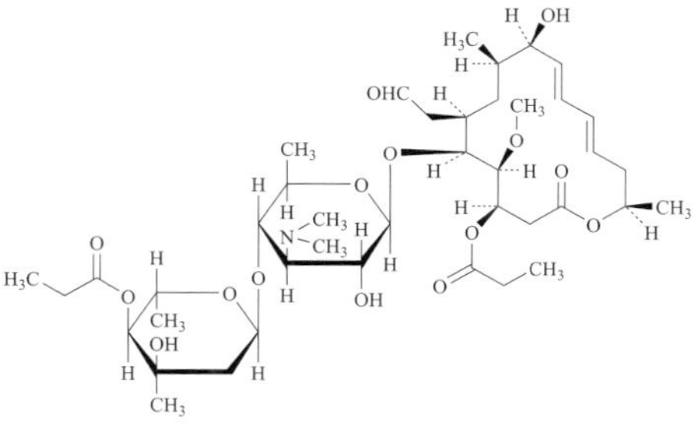

分子式　$C_{41}H_{67}NO_{15}$

分子量　813.97

原薬の規制区分　該当しない

原薬の外観・性状　白色の結晶性の粉末である．メタノールに極めて溶けやすく，エタノール(95)に溶けやすく，水に極めて溶けにくい

原薬の融点・沸点・凝固点　融点：153～158℃

ミデカマイシン酢酸エステル
Midecamycin Acetate

概要

構造式

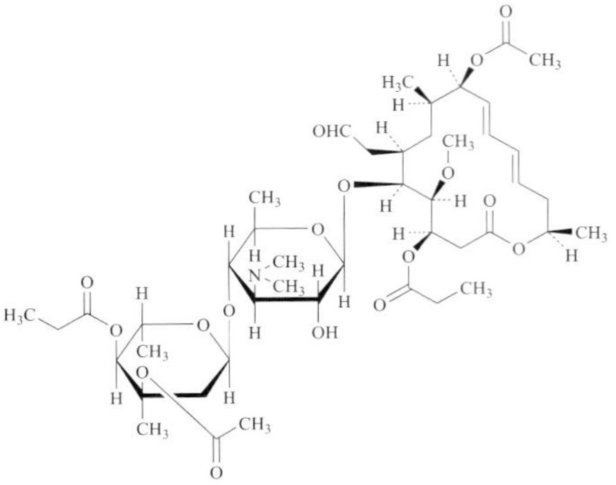

分子式　$C_{45}H_{71}NO_{17}$

分子量　898.04

原薬の規制区分　該当しない

原薬の外観・性状　白色の結晶又は結晶性の粉末である．メタノールにやや溶けにくく，エタノール(95)に溶けにくく，水にほとんど溶けない

ミノサイクリン塩酸塩
ミノサイクリン塩酸塩錠
ミノサイクリン塩酸塩顆粒
注射用ミノサイクリン塩酸塩
Minocycline Hydrochloride

概要

薬効分類　276　歯科用抗生物質製剤，615　主としてグラム陽性・陰性菌，リケッチア，クラミジアに作用するもの

構造式

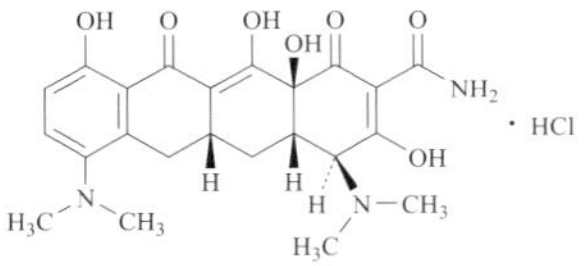

分子式　$C_{23}H_{27}N_3O_7 \cdot HCl$

分子量　493.94

略語・慣用名　MINO

ステム　テトラサイクリン系の抗生物質：-cycline

原薬の規制区分　該当しない

原薬の外観・性状　黄色の結晶性の粉末である．*N*,*N*-ジメチルホルムアミドに溶けやすく，メタノールにやや溶けやすく，水にやや溶けにくく，エタノール(95)に溶けにくい．1.0gを水100mLに溶かした液のpHは3.5～4.5である

原薬の吸湿性　臨界湿度：37℃，約75%RH

原薬の融点・沸点・凝固点　210～216℃(分解点)

原薬の酸塩基解離定数　pKa(T)＝2.8，pKa(P)＝7.8，pKa(A)＝5.0，pKa(D)＝9.5

先発医薬品等

顆　ミノサイクリン塩酸塩顆粒2%「サワイ」(沢井)
　ミノマイシン顆粒2%(ファイザー)

錠　ミノマイシン錠50mg(ファイザー)

カ　ミノマイシンカプセル50mg・100mg(ファイザー)

注射用　ミノマイシン点滴静注用100mg(ファイザー)

歯科用　ペリオクリン歯科用軟膏(サンスター)

後発医薬品

錠　50mg・100mg

カ　100mg

注射用　100mg

歯科用　2%

国際誕生年月　1961年8月

海外での発売状況　中国など

製剤

規制区分　**顆**　**錠**　**カ**　**注射用**　**歯科用**　㉄

製剤の性状　**顆** オレンジの香りと甘味のある淡橙色の顆粒　**錠** 黄色～暗黄色のフィルムコーティング錠　**カ** 薄いベージュ色の硬カプセル剤　**注射用** 黄色～黄褐色の粉末又は薄片で，用時溶解して用いる注射剤　**歯科用** 淡黄色の軟膏で，においはなく，味は苦い．シリンジに充填したキット製品

有効期間又は使用期限　**顆**　**錠**　**カ**　**注射用** 3年　**歯科用** 2年

貯法・保存条件　**顆**　**錠**　**注射用** 遮光・室温保存(**錠** 開封後は防湿保存)　**カ** 室温保存．開封後は防湿保存　**歯科用** 遮光・冷所保存

薬剤取扱い上の留意点　**顆**　**錠**　**カ**　**注射用** めまい感が現れることがあるので，本剤投与中の患者には自動車の運転等危険を伴う機械の操作及び高所での作業等に従事させないように注意すること　**顆** ①使用のつど必ず密栓して保存　②本剤に水を加えてシロップ状に調製した場合には，直ちに服用することが望ましい　**歯科用** 注入直後の激しい洗口及び飲食は避けること

患者向け資料等　**顆**　**錠**　**カ**　**注射用** 患者向医薬品ガイド，くすりのしおり

溶液及び溶解時のpH　**注射用** 2.0～3.5(10mg/mL水溶液)

浸透圧比　**注射用** 約0.4(20mg/mL注射用蒸留水)(対生食)

調製時の注意　**注射用** 注射用水は等張とならないので使用しないこと．溶解後は速やかに使用すること．なお，やむを得ず保存を必要とする場合でも，12時間以内に点滴静脈内注射を終了すること

薬理作用

分類　テトラサイクリン系抗生物質

作用部位・作用機序　細菌の蛋白合成系において，aminoacyl t-RNAがm-RNA・リボゾーム複合物と結合するのを妨げ，蛋白合成を阻止させることにより抗菌作用を発揮する．また，動物のリボゾームには作用せず，細菌のリボゾームの30Sサブユニットに特異的に作用することから，選択毒性を有すると報告されている

同効薬　ドキシサイクリン塩酸塩水和物，テトラサイクリン塩酸塩など

治療

効能・効果　**顆**〈適応菌種〉ミノサイクリンに感性のブドウ球菌属，レンサ球菌属，肺炎球菌，腸球菌属，炭疽菌，大腸菌，シトロバクター属，クレブシエラ属，エンテロバクター属，リケッチア属(オリエンチア・ツツガムシ)，クラミジア属，肺炎マイコプラズマ(マイコプラズマ・ニューモニエ)〈適応症〉表在性皮膚感染症，深在性皮膚感染症，リンパ管・リンパ節炎，慢性膿皮症，骨髄炎，咽頭・喉頭炎，扁桃炎，急性気管支炎，肺炎，慢性呼吸器病変の二次感染，涙嚢炎，麦粒腫，中耳炎，副鼻腔炎，化膿性唾液腺炎，歯周組織炎，感染性口内炎，猩紅熱，炭疽，つつが虫病，オウム病

錠　**カ**〈適応菌種〉ミノサイクリンに感性のブドウ球菌属，レンサ球菌属，肺炎球菌，腸球菌属，淋菌，炭疽菌，大腸菌，赤痢菌，シトロバクター属，クレブシエラ属，エンテロバクター属，プロテウス属，モルガネラ・モルガニー，プロビデンシア属，緑膿菌，梅毒トレポネーマ，リケッチア属(オリエンチア・ツツガムシ)，クラミジア属，肺炎マイコプラズマ

(マイコプラズマ・ニューモニエ) 〈適応症〉表在性皮膚感染症，深在性皮膚感染症，リンパ管・リンパ節炎，慢性膿皮症，外傷・熱傷及び手術創等の二次感染，乳腺炎，骨髄炎，咽頭・喉頭炎，扁桃炎(扁桃周囲炎を含む)，急性気管支炎，肺炎，肺膿瘍，慢性呼吸器病変の二次感染，膀胱炎，腎盂腎炎，前立腺炎(急性症，慢性症)，精巣上体炎(副睾丸炎)，尿道炎，淋菌感染症，梅毒，腹膜炎，感染性腸炎，外陰炎，細菌性腟炎，子宮内感染，涙嚢炎，麦粒腫，外耳炎，中耳炎，副鼻腔炎，化膿性唾液腺炎，歯周組織炎，歯冠周囲炎，上顎洞炎，顎炎，炭疽，つつが虫病，オウム病

注射用 〈適応菌種〉ミノサイクリンに感性の黄色ブドウ球菌，レンサ球菌属，肺炎球菌，腸球菌属，モラクセラ・ラクナータ(モラー・アクセンフェルト菌)，炭疽菌，大腸菌，クレブシエラ属，エンテロバクター属，インフルエンザ菌，シュードモナス・フルオレッセンス，緑膿菌，バークホルデリア・セパシア，ステノトロホモナス(ザントモナス)・マルトフィリア，アシネトバクター属，フラボバクテリウム属，レジオネラ・ニューモフィラ，リケッチア属(オリエンチア・ツツガムシ)，クラミジア属，肺炎マイコプラズマ(マイコプラズマ・ニューモニエ) 〈適応症〉敗血症，深在性皮膚感染症，慢性膿皮症，扁桃炎，急性気管支炎，肺炎，慢性呼吸器病変の二次感染，膀胱炎，腎盂腎炎，腹膜炎，炭疽，つつが虫病，オウム病

歯科用 〈適応菌種〉ミノサイクリンに感性のアクチノバチラス・アクチノミセテムコミタンス，エイケネラ・コローデンス，カプノサイトファーガ属，プレボテラ属，ポルフィロモナス・ジンジバリス，フソバクテリウム・ヌクレアタム 〈適応症〉歯周組織炎．区分「I010」の歯周疾患の処置時の歯周ポケット内への薬剤注入については，特定薬剤料として別に算定できる場合があるので，保険給付上の注意参照

効能・効果に関連する使用上の注意 ①**錠** **カ** 咽頭・喉頭炎，扁桃炎(扁桃周囲炎を含む)，急性気管支炎，感染性腸炎，中耳炎，副鼻腔炎，**顆** 咽頭・喉頭炎，扁桃炎，急性気管支炎，中耳炎，副鼻腔炎，**注射用** 扁桃炎，急性気管支炎への使用にあたっては，「抗微生物薬適正使用の手引き」を参照し，抗菌薬投与の必要性を判断した上で，投与が適切と判断される場合に投与する ②胎児に一過性の骨発育不全，歯牙の着色・エナメル質形成不全を起こすことがある．また，動物実験(ラット)で胎児毒性が認められているので，妊婦又は妊娠している可能性のある婦人には治療上の有益性が危険性を上回ると判断される場合にのみ投与する ③小児(特に歯牙形成期にある8歳未満の小児)に投与した場合，歯牙の着色・エナメル質形成不全，また，一過性の骨発育不全を起こすことがあるので，他の薬剤が使用できないか，無効の場合にのみ適用を考慮する

用法・用量 **顆** 小児にはミノサイクリン塩酸塩として1日2～4mg(力価)/kg，12時間ごとあるいは24時間ごとに粉末のまま投与(適宜増減)．用時水を加えてシロップ状にして用いることもできる

錠 **カ** ミノサイクリンとして初回投与量100～200mg(力価)，以後12時間ごとあるいは24時間ごとに100mg(力価)(適宜増減)

注射用 点滴静注は，内服不能の患者及び救急の場合に行い，内服が可能になれば内用剤に切り換える．ミノサイクリン塩酸塩として初回100～200mg(力価)，以後12ないし24時間ごとに100mg(力価)を補液に溶かし，30分～2時間かけて点滴静注．注射液調製法(各添付文書参照)：(ミノマイシン)100mg(力価)及び200mg(力価)あたり100～500mLの糖液，電解質液又はアミノ酸製剤等に溶解する．ただし，注射用水は等張とならないので使用しない

歯科用 1週1回，患部歯周ポケット内に充満する量を注入

用法・用量に関連する使用上の注意 ①使用にあたっては，耐性菌の発現等を防ぐため，原則として感受性を確認し，疾病の治療上必要な最小限の期間の投与にとどめる ②**顆** **錠** **カ** **注射用** 炭疽の発症及び進展抑制には，類薬であるドキシサイクリンについて米国疾病管理センター(CDC)が，60日間の投与を推奨している

使用上の注意

禁忌 **顆** **錠** **カ** **注射用** テトラサイクリン系薬剤に対し過敏症の既往歴のある患者

歯科用 テトラサイクリン系抗生物質に対し過敏症の既往歴がある患者

過量投与 **顆** **錠** **カ** 大量投与により肝障害(黄疸，脂肪肝等)が現れることがあるので，観察を十分に行い，異常が認められた場合には，中止する等，適切な処置を行う **注射用** 静脈内大量投与により肝障害(黄疸，脂肪肝等)が現れることがあるので，観察を十分に行い，異常が認められた場合には，中止する等，適切な処置を行う

薬物動態

顆 **錠** **カ** **注射用** **吸収・排泄** ①**錠**(cross-over法)：100mg(100mg錠1錠，50mg錠2錠)を健常成人男子10例に空腹時単回経口投与時の最高血中濃度は2時間後1.2μg/mL．8時間後0.47μg/mL ②**カ** 200mgを健常成人に空腹時単回経口投与4時間後の最高血中濃度1.96μg/mL．血中濃度半減期9.5時間，投与24時間後の血中濃度は0.52μg/mL．尿中排泄率は8時間までに2.3%，24時間までに5.7% ③**顆** 4～11歳の小児4例に4mg/kg，空腹時単回経口投与3時間後に最高血中濃度2.3μg/mL，血中半減期約10時間，12時間後1μg/mL．尿中排泄率12時間後11.2% ④**注射用** 100mg及び200mgを500mLの補液に溶解し，健常成人に2時間で点滴静注終了直後に最高血中濃度1.6及び4.4μg/mL．200mg投与時の血中半減期6時間．尿中排泄率6時間で約2%，12時間で約4%．参考：動物実験(イヌ)で，4mg/kgを単回静注時の排泄比率は，168時間までの累積量で尿中13.5%，糞便中86.5% **胆汁及び組織への移行** ①**カ** 100mg，200mgを肝機能正常で，胆嚢摘除後に総胆管ドレナージをほどこした患者(各用量に対して各1例)に単回経口投与時の胆汁中の最高濃度は4時間後13.9，30.3μg/mLで，それぞれの血中濃度の24倍，12.4倍．200mgを皮膚疾患患者，口腔内感染症患者，子宮摘出患者に単回経口投与後の皮膚組織，口蓋扁桃組織，咽頭扁桃組織及び上顎洞粘膜組織，子宮付属器への移行は血中濃度と同等かそれ以上 ②**注射用** 100mgを100mLの補液に溶解し，胆道疾患を有する成人患者5例に1時間かけて単回点滴静注時，2時間後に最高血中濃度1.59μg/mL，4時間後に最高胆汁中濃度6.7μg/mLで，胆汁中濃度は血中濃度の4.2倍 **腎障害患者における排泄** 100mgを中等度の腎障害患者3例(クレアチニンクリアランス42～64.6mL/分)に2時間点滴静注を24時間ごとに3日間連続投与(総投与量300mg)時，血中に蓄積する傾向は認められていない．外国人の腎障害患者(クレアチニンクリアランス5mL/分以下)に200mgを単回静注時，腎機能の低下に伴う尿中排泄率の低下が認められるが，血中濃度半減期は健常人の約1.2倍．腎障害患者の血中濃度曲線下面積は，健常人のそれと比較して有意差を認めていない

歯科用 **歯周ポケット内濃度** 患者の歯周ポケット内に1歯あたり1.3mg投与時，歯周ポケット内ミノサイクリン濃度は投与後長時間認められ，168時間で0.1μg/mL **血清中濃度** 健康成人に10mgを1回経口投与時，最高血清中ミノサイクリン濃度は2時間後0.19μg/mL，歯周炎患者の歯周ポケット内に10mg週1回4週投与時，第1回目，第4回目投与とも投与後4時間で約0.1μg/mL，第4回目投与直前には検出されなかった

その他の管理的事項

投与期間制限 該当しない

保険給付上の注意 **歯科用** 区分「I 010」の歯周疾患処置を算定する歯周ポケット内への特定薬剤の注入とは，次に該当する場合をいう．なお，用法用量に従い使用した場合に限り特定薬剤料として別に算定する．イ．歯周基本治療の後の歯周病検査の結果，期待された臨床症状の改善がみられず，かつ，歯周ポケットが4ミリメートル以上の部位に対して，十分な

ミ

薬効が期待できる場合において，計画的に1月間薬剤注入を行った場合　ロ．イの薬剤注入後，再度の歯周病検査の結果，臨床症状の改善はあるが，歯周ポケットが4ミリメートル未満に改善されない場合であって，更に1月間継続して薬剤注入を行った場合　ハ．歯周疾患による急性症状時に症状の緩解を目的として，歯周ポケット内へ薬剤注入を行った場合

資料

IF　ミノマイシン顆粒2%　2020年2月改訂(第18版)
ミノマイシン錠50mg・カプセル50mg・100mg　2020年2月改訂(第18版)
ミノマイシン点滴静注用100mg　2020年2月改訂(第18版)
ペリオフィール歯科用軟膏2%　2017年1月改訂(第7版)

ミョウバン水
Alum Solution

概要

原薬の規制区分　該当しない

原薬の外観・性状　無色澄明の液で，ハッカ油のにおいがあり，味は渋い

ムピロシンカルシウム水和物
ムピロシンカルシウム軟膏
Mupirocin Calcium Hydrate

概要

薬効分類　611　主としてグラム陽性菌に作用するもの

構造式

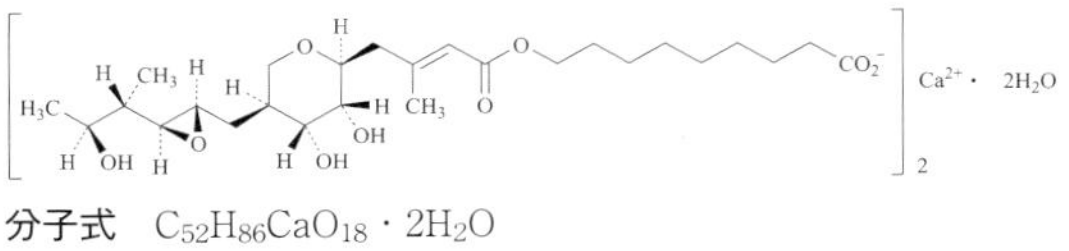

分子式　$C_{52}H_{86}CaO_{18} \cdot 2H_2O$

分子量　1075.34

略語・慣用名　MUP

原薬の規制区分　該当しない

原薬の外観・性状　白色の粉末で，味は苦い．メタノールに溶けやすく，水又はエタノール(95)に溶けにくく，ジエチルエーテルにほとんど溶けない

原薬の吸湿性　90%RHの状態で6カ月間放置した結果，吸湿性は認められなかった

原薬の融点・沸点・凝固点　融点：132～139℃

原薬の酸塩基解離定数　pKa＝4.9(25℃)

先発医薬品等

[軟] バクトロバン鼻腔用軟膏2%(GSK)

国際誕生年月　1985年3月

海外での発売状況　米，英，仏，独，豪など

製剤

規制区分　[軟] [処]

製剤の性状　[軟] 白色～微黄色の軟膏剤で僅かに特異なにおいがある

有効期間又は使用期限　3年

貯法・保存条件　室温保存(高温を避けて保存)

薬剤取扱い上の留意点　患者には添付の使用説明書を渡し，使用方法を指導する

患者向け資料等　くすりのしおり

薬理作用

分類　鼻腔内MRSA除菌剤

作用部位・作用機序　細菌の蛋白合成の初期段階において，イソロイシル-tRNA合成酵素-イソロイシン-AMP複合体の生成を阻害する．その結果，細菌のリボゾームにおけるペプチド合成を阻害し，細菌内での蛋白合成を抑制することによって抗菌活性を示す．作用は殺菌的

同効薬　バンコマイシン塩酸塩，テイコプラニン，アルベカシン硫酸塩

治療

効能・効果　〈適応菌種〉ムピロシンに感性のメチシリン耐性黄色ブドウ球菌(MRSA)〈適応症〉次の患者及び個人の保菌する鼻腔内のメチシリン耐性黄色ブドウ球菌(MRSA)の除菌：①MRSA感染症発症の危険性の高い免疫機能の低下状態にある患者(易感染患者)　②易感染患者から隔離することが困難な入院患者　③易感染患者に接する医療従事者．保険給付上の注意については保険給付上の注意参照

用法・用量　1日3回鼻腔内塗布

用法・用量に関連する使用上の注意　使用にあたっては，耐性菌の発現等を防ぐため，原則として感受性を確認し，必要な最小限の期間(3日間程度)の投与にとどめ，漫然と長期にわたり投与しない

使用上の注意

禁忌　本剤の成分に対して過敏症の既往歴のある者

薬物動態

健康成人5例の両鼻腔内に1回各0.1gずつ1日3回，3日間連続塗布で，ムピロシン及び主代謝物であるmonic acidは血清中及び尿中から検出されず，鼻腔内粘膜から極めて吸収されにくいことを確認

その他の管理的事項

投与期間制限　該当しないが，投薬量は予見できる必要期間に従うこと

保険給付上の注意　「効能・効果」のうち『MRSA感染症発症の危険性の高い免疫機能の低下状態にある患者(易感染患者)』および『易感染患者から隔離することが困難な入院患者』の鼻腔内のMRSA除菌を目的として使用した場合にのみ薬剤給付される．『易感染患者に接する医療従事者』の鼻腔内MRSAの除菌に使用する場合には，薬剤給付の対象とならない

資料

IF　バクトロバン鼻腔用軟膏2%　2018年3月改訂(第7版)

メキシレチン塩酸塩
Mexiletine Hydrochloride

概要

薬効分類　190　その他の神経系及び感覚器官用医薬品，212　不整脈用剤

構造式

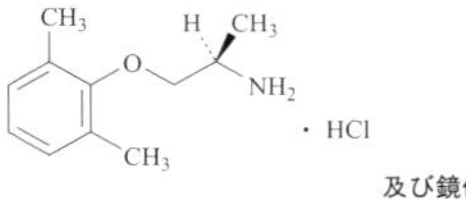

及び鏡像異性体

分子式　$C_{11}H_{17}NO \cdot HCl$

分子量　215.72

原薬の規制区分　[劇]

原薬の外観・性状　白色の粉末である．水又はエタノール(95)に溶けやすく，アセトニトリルに溶けにくい．0.01mol/L塩酸試液に溶ける．本品の水溶液(1→20)は旋光性を示さない．

結晶多形が認められる．1.0gを水10mLに溶かした液のpHは3.8〜5.8である

原薬の吸湿性 臨界相対湿度：25℃，95%RH

原薬の融点・沸点・凝固点 融点：200〜204℃

原薬の酸塩基解離定数 pKa＝9.06(25℃，電位差滴定法)

先発医薬品等

[カ] メキシチールカプセル50mg・100mg(太陽ファルマ)

[注] メキシチール点滴静注125mg(太陽ファルマ)

後発医薬品

[錠] 50mg・100mg

[カ] 50mg・100mg

国際誕生年月 1976年4月

海外での発売状況 発売されていない

製剤

規制区分 [カ] [注] [劇] [処]

製剤の性状 **50mg[カ]** ごくうすい黄褐色不透明/うすい黄赤色不透明の硬カプセル剤 **100mg[カ]** 白色不透明/うすい黄赤色不透明の硬カプセル剤 [注] 無色澄明の液

有効期間又は使用期限 [カ] 3年 [注] 3年6カ月

貯法・保存条件 [カ] 気密容器，遮光保存 [注] 特に定められていない

薬剤取扱い上の留意点 [カ] 本剤投与中の患者には自動車の運転等危険を伴う機械の操作に従事させないよう注意すること．食道に停留し，崩壊すると食道潰瘍を起こすことがあるので，多めの水で服用させ，特に就寝直前の服用等には注意すること

患者向け資料等 くすりのしおり，患者指導箋

溶液及び溶解時のpH [注] 5.0〜6.5

浸透圧比 [注] 0.9〜1.1

安定なpH域 [注] 該当資料なし

調製時の注意 [注] 静脈内1回投与法及びシリンジポンプを用いる場合は，1管を必要に応じて生食又はブドウ糖液等に希釈する．微量調整用の自動点滴装置又は微量調整用の輸液セットを用いる場合は，必要に応じて生食又はブドウ糖液等500mLに希釈する

薬理作用

分類 不整脈治療剤・糖尿病性神経障害治療剤

作用部位・作用機序 頻脈性不整脈(心室性)に対する作用機序：心筋細胞膜活動電位の第0相最大立ち上がり速度(Vmax)を抑制し，不整脈の原因となるリエントリーを消失させる．また，活動電位第4相勾配を減少させ異所性刺激生成を抑制する 糖尿病性神経障害に伴う自覚症状(自発痛，しびれ感)の改善に対する作用機序：神経細胞膜のNaチャネルを遮断し，傷害された小径有髄線維と無髄線維の再生過程における異常発火を抑制する．また，Naチャネル遮断作用に加え，中枢神経系(脊髄レベル)における，痛みの伝達物質であるサブスタンスPの遊離抑制作用，上位中枢からの内因性オピオイドを介する下行性疼痛抑制神経の賦活により脊髄後角ニューロンの過剰興奮を抑制する．これらの機序により，痛みの閾値を上昇させ，鎮痛効果を発現する

同効薬 [錠] キニジン硫酸塩水和物，プロカインアミド塩酸塩，アジマリン，ジソピラミド，リドカイン塩酸塩，アプリンジン塩酸塩，ピルシカイニド塩酸塩水和物，プロプラノロール塩酸塩など [注] リドカイン

治療

効能・効果 [錠] [カ] ①頻脈性不整脈(心室性) ②糖尿病性神経障害に伴う自覚症状(自発痛，しびれ感)の改善

[注] 頻脈性不整脈(心室性)

用法・用量 [錠] [カ] 効能①：1日300mgから始め，効果が不十分な場合は450mgまで増量し，1日3回食後分服(適宜増減) 効能②：1日300mg，1日3回食後分服

[注] ①静注1回法：1回125mg(2〜3mg/kg)を必要に応じて生理食塩液又はブドウ糖液等に希釈し，心電図の監視下に臨床症状の観察，血圧測定を頻回に行いながら5〜10分間かけ徐々に静注(適宜増減) ②点滴静注法：静注1回投与が有効で，効果の持続を期待する場合に，心電図の連続監視下に臨床症状の観察，血圧測定を頻回に行いながら，次のいずれかの方法で点滴静注(適宜増減)：(1)シリンジポンプ使用：125mgを必要に応じて生理食塩液又はブドウ糖液等に希釈し，0.4〜0.6mg/kg/時 (2)微量調整用の自動点滴装置又は輸液セット使用：125mgを必要に応じて生理食塩液又はブドウ糖液等500mLに希釈し，0.4〜0.6mg/kg/時(体重50kgの場合1.3〜2mL/分に相当)

用法・用量に関連する使用上の注意 [錠] [カ] ①頻脈性不整脈(心室性)に投与する場合：1日用量450mgを超えて投与する場合，副作用発現の可能性が増大するので注意する ②糖尿病性神経障害に伴う自覚症状(自発痛，しびれ感)の改善を目的として投与する場合：(1)2週間投与しても効果が認められない場合には中止する (2)1日300mgの用量を超えて投与しない

使用上の注意

禁忌 [錠] [カ] ①本剤の成分に対し過敏症の既往歴のある患者 ②重篤な刺激伝導障害(ペースメーカー未使用のII〜III度房室ブロック等)のある患者［刺激伝導障害の悪化，心停止をきたすことがある］

[注] 重篤な刺激伝導障害(ペースメーカー未使用のII〜III度房室ブロック等)のある患者［刺激伝導障害の悪化，心停止をきたすことがある］

相互作用概要 主としてCYP1A2及びCYP2D6で代謝される

過量投与 [錠] [カ] ①症状：過量服用の結果，副作用の項に記載した悪心，眠気，徐脈，低血圧，痙攣，錯乱等の症状の他に，知覚異常及び心停止が現れたとの報告があるので注意する．また，症状に応じ適切な処置を行う ②処置方法：(1)一般的な対症療法が望ましいが，過量服用の可能性のある場合は必要に応じ胃洗浄を行う (2)徐脈，低血圧が重篤な場合，必要に応じアトロピンを使用する等，適切な処置を行う (3)痙攣等が現れた場合には，ただちに中止し，ベンゾジアゼピン系薬剤等の投与，人工呼吸，酸素吸入等必要に応じて適切な処置を行う [注] ①症状：過量投与の結果，副作用に記載した悪心，眠気，徐脈，低血圧，痙攣，錯乱，心停止等の症状の他に，知覚異常，意識障害，不穏，妄想，心室細動，呼吸停止が現れたとの報告があるので注意する．また，症状に応じ適切な処置を行う ②処置方法：(1)徐脈，低血圧が重篤な場合，必要に応じアトロピンを使用する等，適切な処置を行う (2)痙攣等が現れた場合には，ただちに中止し，ベンゾジアゼピン系薬剤等の投与，人工呼吸，酸素吸入等，必要に応じて適切な処置を行う

薬物動態

[カ] ①吸収・代謝・排泄：健康成人及び不整脈患者に経口投与後，消化管からの吸収は良好で肝初回通過効果をほとんど受けず，約3〜4時間後最高血漿中濃度．不整脈患者及び糖尿病性神経障害患者に経口投与時，半減期約10時間．健康成人(外国人)で主代謝産物はメキシレチンの2-ヒドロキシメチル体と4-ヒドロキシ体，主に肝臓のチトクロムP450のCYP2D6及びCYP1A2で代謝を受ける．尿中排泄は24時間で60%，96時間で82%，1回投与時の未変化体尿中排泄率(24時間)は約5〜6% ②腎障害患者に対する投与(外国人)：メキシレチン1回50mgを1日3回10日間投与時の定常状態での薬物動態は次の通り：コントロール群(クレアチニンクリアランス(Ccr：mL/min)＞75．9例)，腎不全患者群(Ccr=10〜30．7例)，腎不全患者群(Ccr＜10．8例)の順に，8日目の血漿中濃度(μg/mL)は0.14±0.15，0.19±0.1，0.31±0.15，血中濃度半減期(hr)は10.35±3.2，13.76±3.76，15.69±4.96

[注] **代謝・排泄** 健康成人(外国人)での主代謝産物：カプセル参照，静注後96時間で尿中排泄75%．心室性不整脈患者に1回静注時の半減期10.2〜11.5時間，未変化体尿中排泄率(24時間)約11% **分布(参考)** 経口・静注時，消化管の他に肝，腎，肺，唾液腺，脾，副腎に分布し，血液-脳関門を通過(ラ

ット）．胎児及び乳汁中にわずかに移行（ラット）

その他の管理的事項

投与期間制限　該当しない

保険給付上の注意　該当しない

資料

IF　メキシチールカプセル50mg・100mg　2019年10月改訂（第11版）
メキシチール点滴静注125mg　2019年10月改訂（第8版）

メキタジン
メキタジン錠
Mequitazine

概要

薬効分類　441　抗ヒスタミン剤

構造式

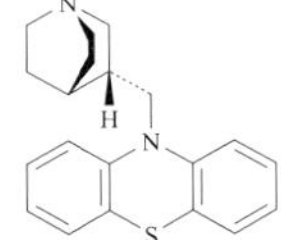

及び鏡像異性体

分子式　$C_{20}H_{22}N_2S$

分子量　322.47

ステム　不明

原薬の規制区分　劇（ただし，1個中メキタジン3mg以下を含有する内用剤及びメキタジン0.6％以下を含有する内用剤を除く）

原薬の外観・性状　白色の結晶又は結晶性の粉末である．メタノール又は酢酸（100）に溶けやすく，エタノール（95）にやや溶けやすく，水にほとんど溶けない．本品のメタノール溶液（1→50）は旋光性を示さない．光によって徐々に着色する

原薬の吸湿性　非吸湿性である

原薬の融点・沸点・凝固点　融点：146～150℃

原薬の酸塩基解離定数　pKa＝10～12

先発医薬品等

細　ゼスラン小児用細粒0.6％（旭化成ファーマ）
ニポラジン小児用細粒0.6％（アルフレッサファーマ）

錠　ゼスラン錠3mg（旭化成ファーマ）
ニポラジン錠3mg（アルフレッサファーマ）

シ　ゼスラン小児用シロップ0.03％（旭化成ファーマ）
ニポラジン小児用シロップ0.03％（アルフレッサファーマ）

後発医薬品

錠　3mg

国際誕生年月　1970年1月

海外での発売状況　英，仏，独など

製剤

製剤の性状　細　白色～微黄白色の散剤（細粒）で，芳香があり，味は甘い　錠　白色の割線入り錠剤　シ　無色～微黄色の澄明な濃稠の液で，芳香があり，味は甘い

有効期間又は使用期限　細　シ　3年　錠　5年

貯法・保存条件　細　錠　シ　気密容器，遮光・室温保存

薬剤取扱い上の留意点　細　シ　本剤の投与により眠気を催すことがあるので，保護者に対し注意を与えること．また，高年齢の小児に対し本剤投与中には危険を伴う機械操作や遊戯などを行わないよう十分注意を与えること　錠　眠気を催すことがあるので，本剤投与中の患者には自動車の運転等危険を伴う機械操作には従事させないよう十分注意すること　シ　強い光にあたると着色することがあるので，他の容器に分割して使用する場合には，取扱いに注意すること　②他剤との配合についてはできるだけ避けることが望ましいが，やむを得ず配合する場合には，配合変化を起こすことがあるので注意すること

患者向け資料等　くすりのしおり

溶液及び溶解時のpH　シ　5.6～6.1

調製時の注意　該当しない

薬理作用

分類　フェノチアジン系持続性抗ヒスタミン剤

作用部位・作用機序　作用部位は特定できない．抗原抗体反応に伴って起こる肥満細胞からのヒスタミンやロイコトリエンC4・D4などのケミカルメディエーターの遊離を抑制するとともに，これらの作用に拮抗することにより，アレルギー症状を緩和する

同効薬　ケトチフェンフマル酸塩，アゼラスチン塩酸塩，オキサトミド，アンレキサノクス，クロモグリク酸ナトリウム，トラニラスト，レピリナスト，イブジラスト，ペミロラストカリウム，タザノラスト，オザグレル塩酸塩水和物，エピナスチン塩酸塩，フェキソフェナジン塩酸塩，セチリジン塩酸塩，ベポタスチンベシル酸塩，エメダスチンフマル酸塩，オロパタジン塩酸塩，ロラタジン，ジフェンヒドラミン塩酸塩，プロメタジン塩酸塩，アリメマジン酒石酸塩，クロルフェニラミンマレイン酸塩，シプロヘプタジン塩酸塩水和物，ホモクロルシクリジン塩酸塩，クレマスチンフマル酸塩など

治療

効能・効果　気管支喘息，アレルギー性鼻炎，蕁麻疹，皮膚疾患に伴うそう痒（湿疹・皮膚炎，皮膚そう痒症）

用法・用量　細　錠　①気管支喘息：メキタジンとして1回6mg　②アレルギー性鼻炎，蕁麻疹，皮膚疾患に伴うそう痒（湿疹・皮膚炎・皮膚そう痒症）：メキタジンとして1回3mg，1日2回（適宜増減）

小児用細　シ　シロップ用　①気管支喘息：小児1回0.12mg/kg　②アレルギー性鼻炎，蕁麻疹，皮膚疾患に伴うそう痒（湿疹・皮膚炎・皮膚そう痒症）：メキタジンとして小児1回0.06mg/kg，1日2回（適宜増減）．年齢別の標準1回投与量は，気管支喘息：1～2歳未満（8～12kg未満）1.2mg，2～4歳未満（12～17kg未満）1.8mg，4～7歳未満（17～25kg未満）2.4mg，7～11歳未満（25～40kg未満）3.6mg，11～16歳未満（40kg以上）6mg．アレルギー性鼻炎，蕁麻疹，皮膚疾患に伴うそう痒：1～2歳未満（8～12kg未満）0.6mg，2～4歳未満（12～17kg未満）0.9mg，4～7歳未満（17～25kg未満）1.2mg，7～11歳未満（25～40kg未満）1.8mg，11～16歳未満（40kg以上）3mg

使用上の注意

禁忌　①本剤の成分，フェノチアジン系化合物及びその類似化合物に対し過敏症の既往歴のある患者　②閉塞隅角緑内障の患者［抗コリン作用により眼圧が上昇し，症状を悪化させることがある］　③細　錠　前立腺肥大等下部尿路に閉塞性疾患のある患者．小児用細　シ　シロップ用　下部尿路に閉塞性疾患のある患者［抗コリン作用により排尿困難等を起こすことがある］

過量投与　①徴候，症状：誤って過量服用したときに眠気，悪心，嘔吐，軽度の抗コリン作用性障害がみられる　②処置：通常，早期には催吐，胃洗浄を行う．必要に応じ補助呼吸又は人工呼吸，抗痙攣剤を投与する

薬物動態

血中濃度　①単回投与：健常人に3mg（4例）又は6mg（4例）を食後1回経口投与時の薬動力学的パラメータ（3mg，6mgの順）はCmax（ng/mL）2±0.1，5.36±0.23，Tmax（hr）6.7±0.62，6.74±0.91，$AUC_{0-\infty}$（ng・hr/mL）99.4±29.16，252.38±14.6，$T_{1/2}(\alpha)$（hr）5.43±0.71，6.65±1.61，$T_{1/2}(\beta)$（hr）32.7±3.2，38.6±3.7．小児患者7例に0.12mg/kg食後1回経口投与時の薬動力学的パラメータは，Cmax5.10±

0.41ng/mL，Tmax4.86±0.40hr，AUC_{0-24}67.04±8.56ng・hr/mL，$T_{1/2}(\alpha)$5.81±1.19hr，$T_{1/2}(\beta)$23.3±3.59hr．Cmax，Tmax，AUC_{0-24}は実測値，$T_{1/2}(\alpha)$，(β)は2-コンパートメントモデルから算出　②反復投与：健常人に3mg(4例)又は6mg(4例)を1日2回食後反復経口投与時，血中濃度は投与7日目までに定常状態に達し，その血中濃度は単回投与の最高血中濃度の3～4倍，生物学的半減期$T_{1/2}(\beta)$は単回投与時とほぼ同程度　**代謝**　健常人・小児患者に経口投与時，尿から未変化体の他に代謝物として3種の遊離体(SO，NO，モノ水酸化体)，グルクロン酸抱合体　**排泄**　健常人に経口投与時，48時間以内に投与量の約20%が尿中排泄．小児患者に経口投与24時間以内に12.6%尿中排泄．参考：幼若ラット(3週齢)に^{14}C-メキタジン5mg/kg経口投与約4時間後に最高血中濃度0.2μg/mL，その後α相4.2時間，β相27時間の半減期で消失．放射能分布は肺，肝，副腎に高く，肺中の未変化体濃度は血漿中の約50倍(4時間後)．主排泄経路は胆汁を介する糞中排泄で，尿中排泄は約20%

その他の管理的事項

投与期間制限　該当しない

保険給付上の注意　該当しない

資料

IF　ニポラジン小児用細粒0.6%・錠3mg・小児用シロップ0.03%　2019年7月改訂(第17版)

メグルミン
Meglumine

概要

構造式

分子式　$C_7H_{17}NO_5$

分子量　195.21

原薬の規制区分　該当しない

原薬の外観・性状　白色の結晶性の粉末で，においはなく，味は僅かに苦い．水に溶けやすく，エタノール(95)に溶けにくく，ジエチルエーテルにほとんど溶けない．1.0gを水10mLに溶かした液のpHは11.0～12.0である

原薬の融点・沸点・凝固点　融点：128～131℃

メクロフェノキサート塩酸塩
Meclofenoxate Hydrochloride

概要

薬効分類　119　その他の中枢神経系用薬，219　その他の循環器官用薬

構造式

分子式　$C_{12}H_{16}ClNO_3$・HCl

分子量　294.17

ステム　不明

原薬の規制区分　該当しない

原薬の外観・性状　白色の結晶又は結晶性の粉末で，僅かに特異なにおいがあり，味は苦い．水又はエタノール(95)に溶けやすく，無水酢酸にやや溶けにくく，ジエチルエーテルにほとんど溶けない．1.0gを水20mLに溶かした液のpHは3.5～4.5である

原薬の吸湿性　吸湿性が認められる．臨界相対湿度：60%(40℃)

原薬の融点・沸点・凝固点　融点：139～143℃

原薬の酸塩基解離定数　該当資料なし

先発医薬品等

錠 ルシドリール錠100mg(共和薬品)

国際誕生年月　不明

海外での発売状況　該当資料なし

製剤

製剤の性状　錠 白色のフィルムコーティング錠

有効期間又は使用期限　3年

貯法・保存条件　室温保存，開封後は吸湿注意

薬剤取扱い上の留意点　特になし

患者向け資料等　くすりのしおり

溶液及び溶解時のpH　3.5～4.5(1.0gを水20mLに溶かした液)

調製時の注意　該当しない

薬理作用

分類　中枢神経賦活剤

作用部位・作用機序　詳細な作用機序は不明であるが，中枢神経賦活作用や抗低酸素作用を現すことが示されている

同効薬　γ-アミノ酪酸，ジヒドロエルゴトキシンメシル酸塩など

治療

効能・効果　頭部外傷後遺症におけるめまい

用法・用量　1回100～300mg，1日3回(適宜増減)

用法・用量に関連する使用上の注意　4週間投与しても効果が認められない場合は中止する

薬物動態

血漿中濃度　(健康成人，300mg，14日間投与)活性代謝物パラクロルフェノキシ酢酸のTmax2.1hr，Cmax23.2μg/mL，$T_{1/2\beta}$8.4hr　**主な代謝産物及び代謝経路**　(参考；マウス)メクロフェノキサートは体内で加水分解され，パラクロルフェノキシ酢酸(活性あり)及びジメチルアミノエタノール(活性あり)になる　**排泄経路及び排泄率**　①排泄経路：主として尿中　②排泄率：経口投与後24時間までに約85%が代謝物パラクロルフェノキシ酢酸として尿中排泄(健康成人，300mg 1回投与)

その他の管理的事項

投与期間制限　該当しない

保険給付上の注意　該当しない

資料

IF　ルシドリール錠100mg　2018年6月改訂(第3版)

メ

メコバラミン
メコバラミン錠
Mecobalamin

概要

薬効分類 313 ビタミンB剤(ビタミンB_1剤を除く.)

構造式

分子式 $C_{63}H_{91}CoN_{13}O_{14}P$

分子量 1344.38

略語・慣用名 CH_3-B_{12}

ステム 不明

原薬の規制区分 該当しない

原薬の外観・性状 暗赤色の結晶又は結晶性の粉末である．水にやや溶けにくく，エタノール(99.5)に溶けにくく，アセトニトリルにほとんど溶けない．光によって分解する

原薬の吸湿性 吸湿性である

原薬の融点・沸点・凝固点 約200℃で黒変し，約240℃で分解する

原薬の酸塩基解離定数 pKa＝2.7(測定法：紫外可視吸光度測定法)

先発医薬品等

注 メチコバール注射液500μg(エーザイ)

後発医薬品

細 0.1%500mg

錠 0.25mg・0.5mg

力 0.25mg

注 0.5mg

キット 500μg

国際誕生年月 該当しない

海外での発売状況 中国など20カ国以上

製剤

規制区分 注 ㊙

製剤の性状 細 桃赤色の細粒剤 錠 白色の糖衣錠 注 赤色澄明の液体

有効期間又は使用期限 3年

貯法・保存条件 細 室温保存．分包から取り出して調剤しない(光により含量が低下する) 錠 室温保存．PTPシートは遮光・防湿保存(光により含量が低下し，湿気により錠剤は赤味をおびることがある)．バラ包装は，ボトル開栓後又はアルミ袋開封後，遮光・防湿保存(光により含量が低下し，湿気により錠剤は赤味をおびることがある) 注 室温保存．LPEパック(Light Protect Easy open pack)の状態で保存(アンプルのままでは，光で分解し，含量が低下する)

薬剤取扱い上の留意点 細 錠 水銀及びその化合物を取り扱う職業従事者に長期にわたって大量に投与することは避けることが望ましい

患者向け資料等 くすりのしおり

溶液及び溶解時のpH 注 5.3～7.3

浸透圧比 注 約1(対生食)

調製時の注意 該当しない

薬理作用

分類 末梢神経障害治療剤

作用部位・作用機序 作用部位：血液脳関門を通過して神経細胞内小器官へよく移行する 作用機序：ホモシステインからメチオニンを合成するメチオニン合成酵素の補酵素として働き，メチル基転移反応に重要な役割を果たす

同効薬 細 錠 コバマミド 注 コバマミド，ヒドロキソコバラミン酢酸塩

治療

効能・効果 細 錠 力 末梢神経障害

注 キット ①末梢性神経障害 ②ビタミンB_{12}欠乏による巨赤芽球性貧血

効能・効果に関連する使用上の注意 本剤投与で効果が認められない場合，月余にわたって漫然と使用すべきでない

用法・用量 細 錠 力 メコバラミンとして1日1500μg，3回に分服(適宜増減)

注 キット 効能①：メコバラミンとして1日1回500μg，週3回筋注又は静注(適宜増減) 効能②：メコバラミンとして1日1回500μg，週3回筋注又は静注(適宜増減)．約2カ月投与後，維持療法として1～3カ月に1回500μgを投与

薬物動態

細 錠 ①単回投与：健康成人男子8例に120μg，1500μg(承認外用量)を単回経口投与時の薬物動態(120μg群，1500μg群の順)は，Tmax(hr)2.8±0.2，3.6±0.5，Cmax(pg/mL)743±47，972±55，ΔCmax(pg/mL)37±15，255±51，ΔCmax%(%)5.1±2.1，36±7.9，ΔAUC_{0-12}(pg・hr/mL：投与後12時間までの実測値び増加分から台形公式により算出)168±58，2033±510，$T_{1/2}$(hr：投与後24～48時間の平均値から算出)-，12.5で，濃度依存による吸収が観察された．尿中総B_{12}排泄量は投与後8時間までに投与後24時間排泄量の40～80% ②反復投与：健康成人男子に1500μgを12週間反復経口投与し，投与中止後4週間の血清中総B_{12}量の変動率を検討した結果，投与4週間で投与前値の約2倍に達し，以後漸増，12週後には約2.8倍．投与中止4週後でも投与前値の約1.8倍

注 ①単回投与：健康成人男子12名に500μgを単回筋注ならびに静注時の薬物動態(静注，筋注の順)は，Tmax(hr)投与直後～3分，0.9±0.1，ΔCmax(ng/mL)85±8.9，22.4±1.1，ΔAUC_{0-144}(ng・hr/mL)358.6±34.4，204.1±12.9，$T_{1/2}$(hr)27.1±29で，結合飽和率は，両投与群とも投与後144時間までにほぼ同等 ②反復投与：健康成人男子6名に500μgを10日間反復静注時の各投与直前の血清中総B_{12}濃度は，投与日数とともに徐々に増加し，初回投与24時間後値(3.9±1.2ng/mL)に比べ2日目投与後では約1.4倍(5.3±1.8ng/mL)，3日目では約1.7倍(6.8±1.5ng/mL)となり，投与期間中はこの濃度で維持された

その他の管理的事項

投与期間制限 該当しない

保険給付上の注意 該当しない

資料

IF メチコバール細粒0.1%・錠250μg・500μg 2014年4月改訂(第6版)

メチコバール注射液500μg 2012年9月改訂(第4版)

メサラジン
メサラジン徐放錠
Mesalazine

概要

薬効分類 239 その他の消化器官用薬
構造式

H_2N CO_2H OH

分子式 $C_7H_7NO_3$
分子量 153.14
略語・慣用名 慣用名：5-Aminosalicylic acid 別名：メサラミン（Mesalamine） 5-ASA
ステム サリチル酸誘導体：sal
原薬の規制区分 該当しない
原薬の外観・性状 白色，淡灰色又は帯赤白色の結晶又は結晶性の粉末である．水に極めて溶けにくく，エタノール(99.5)にほとんど溶けない．希塩酸に溶ける
原薬の吸湿性 吸湿性は認められない
原薬の融点・沸点・凝固点 融点：270～275℃（分解）
原薬の酸塩基解離定数 $pKa_1=2.6$，$pKa_2=5.8$，$pKa_3=12.0$（電位差滴定法）
先発医薬品等
　顆 ペンタサ顆粒94％(杏林)
　徐放錠 ペンタサ錠250mg・500mg(杏林)
　腸溶錠 アサコール錠400mg(ゼリア)
　　リアルダ錠1200mg(持田)
　坐 ペンタサ坐剤1g(杏林)
　注腸 ペンタサ注腸1g(杏林)
後発医薬品
　顆 50％
　徐放錠 250mg・500mg
　腸溶錠 400mg
　注腸 1g
国際誕生年月 〔ペンタサ〕1986年9月，〔アサコール〕1984年11月，〔リアルダ〕2006年12月
海外での発売状況 〔ペンタサ〕英，仏など100カ国以上 〔アサコール〕米，英，仏，独など60カ国以上 〔リアルダ〕米，英，仏，独など37カ国

製剤

規制区分 ㊚
製剤の性状 **顆** 灰白色～淡灰黄褐色の円柱状の徐放性顆粒 **錠〔ペンタサ〕** 灰白色～淡灰黄色の斑点入りの白色～淡黄色の素錠(放出調節製剤)で，割線を有する **錠〔アサコール〕** 帯赤褐色～褐色のpH依存放出性フィルムコーティング錠 **錠〔リアルダ〕** 赤褐色で楕円形のフィルムコーティング錠 **坐** 白色から淡黄褐色で，表面が斑点状のだ円形の坐剤 **注腸** 白色～微黄色の懸濁液で，放置するとき，白色の沈殿物と無色～微黄色の上澄液に分離し，この沈殿物は穏やかに振り混ぜるとき，再び容易に懸濁状となる
有効期間又は使用期限 **顆** **錠〔ペンタサ〕** **錠〔リアルダ〕** **坐** **注腸** 3年 **錠〔アサコール〕** 4年
貯法・保存条件 **顆** **錠〔ペンタサ〕** **坐** 室温保存 **錠〔アサコール〕** 室温保存，開封後は湿気を避けて保存すること **錠〔リアルダ〕** 冷所保存 **注腸** 遮光した気密容器，室温保存
薬剤取扱い上の留意点 **顆** **錠〔ペンタサ〕** 保存中わずかに着色することがあるが効力に変化にない **錠〔アサコール〕** 自動分包機内での落下により，錠剤に亀裂が入る可能性があるので，取扱いには注意すること **坐** 本剤は開封するとわずかに着色することがあるので，開封後は速やかに使用すること **注腸** アルミ袋開封後は速やかに使用すること
患者向け資料等 **顆** **錠〔ペンタサ〕** **錠〔アサコール〕** **坐** **注腸** くすりのしおり **錠〔リアルダ〕** くすりのしおり，患者用資材
溶液及び溶解時のpH **顆** **錠〔ペンタサ〕** 3.9～4.3（0.1％W/V％） **注腸** 4.4～5.0
浸透圧比 該当しない
安定なpH域 該当しない
調製時の注意 **注腸** よく振り混ぜてから使用すること

薬理作用

分類 アミノサリチル酸製剤
作用部位・作用機序 炎症性細胞から放出される活性酸素を消去し，炎症の進展と組織の障害を抑制，及びロイコトリエンB_4(LTB_4)の生合成を抑制し，炎症性細胞の組織への浸潤を抑制することが考えられる．また，肥満細胞からのヒスタミン遊離抑制作用，血小板活性化因子(PAF)の生合成抑制作用，インターロイキン-1β(IL-1β)の産生抑制作用が一部関与している可能性が推察される
同効薬 サラゾスルファピリジンなど

治療

効能・効果 潰瘍性大腸炎(重症を除く)，(ペンタサ**顆** **錠**のみ)クローン病
効能・効果に関連する使用上の注意 ①**注腸** 脾わん曲部から口側の炎症には効果が期待できない ②**坐** 直腸部の炎症性病変に対して使用する．なお，腸内で到達する範囲は直腸部に限局されるため，S状結腸より口側の炎症には効果が期待できない
用法・用量 **顆** **錠** ①潰瘍性大腸炎：成人1日1500mg，食後3回に分服．寛解期には，必要に応じて1日1回の投与とすることができる）(適宜増減)．1日2250mgを上限とする．ただし，活動期には，必要に応じて1日4000mgを2回に分けて投与することができる．小児1日30～60mg/kg，食後3回に分服(適宜増減)．1日2250mgを上限とする ②クローン病：成人1日1500～3000mg，食後3回に分服(適宜減量)．小児1日40～60mg/kg，食後3回に分服(適宜増減)
腸溶錠 ①〔400mg錠〕1日2400mg，食後3回に分服．寛解期には，必要に応じて1日1回2400mg食後投与可．活動期には，1日3600mg，食後3回に分服(適宜減量) ②〔1200mg錠〕1日1回2400mg食後．活動期は1日1回4800mg食後(適宜減量)
注腸 **坐** 1日1個(1g)を，**注腸** 直腸内注入(適宜減量)，**坐** 直腸内に挿入
用法・用量に関連する使用上の注意 **顆** **錠** ①1日4000mgへの増量は，再燃緩解型で中等症の潰瘍性大腸炎患者(直腸炎型を除く)に対して行うよう考慮する ②1日4000mgを，8週間を超えて投与した際の有効性は確立していないため，患者の病態を十分観察し，漫然と1日4000mgの投与を継続しない ③メサラジン注腸剤又は坐剤と併用する場合には，メサラジンとしての総投与量が増加することを考慮し，特に肝又は腎機能の低下している患者並びに高齢者等への投与に際しては適宜減量するなど，十分に注意する．併用時に異常が認められた場合には，減量又は中止する等の適切な処置を行う
腸溶錠 ①〔400mg錠〕1日3600mgを，8週間を超えて投与した際の有効性は確立していないため，漫然と投与せず，患者の病態を十分観察し，重症度，病変の広がり等に応じて適宜減量を考慮する ②〔1200mg錠〕1日4800mgを投与する場合は，投与開始8週間を目安に有効性を評価し，漫然と継続しない ③メサラジン注腸剤又は坐剤と併用する場合には，メサラジンとしての総投与量が増加することを考慮し，特に肝又は腎機能の低下している患者並びに高齢者等への投与に際しては適宜減量するなど，十分に注意すること．併用時に異常が認められた場合には，減量又は中止するなどの適切な処置を行う

使用上の注意

禁忌 ①重篤な腎障害のある患者 ②重篤な肝障害のある患者 ③本剤の成分に対し過敏症の既往歴のある患者 ④サリチル

酸エステル類又はサリチル酸塩類に対する過敏症の既往歴のある患者［交叉アレルギーを発現するおそれがある］

薬物動態

血中濃度　①錠及び原薬の単回経口投与：健康成人に1000mg（錠250mg 4錠）又はメサラジン原薬1000mgを空腹時単回経口投与時の血漿中未変化体濃度は，それぞれ，Cmax（ng/mL）1448.6±586.4，20733.7±2744，Tmax（hr）2.3±0.5，0.8±0.1，$T_{1/2}$（hr）6.4±0.7，4.5±0.4　②錠1回1000mg，1日3回7日間反復経口投与：健康成人に1000mg（錠250mg 4錠）を1日3回7日間反復経口投与時の血漿中未変化体及び代謝物であるN-アセチルメサラジン（アセチル体）濃度はともに4日間以内に定常状態に達し，体内蓄積傾向は認められなかった　③錠1回2000mg，1日2回6日間反復経口投与：健康成人に2000mg（錠250mg 8錠）を1日2回6日間反復経口投与時の薬物動態パラメータは，⑴未変化体（1日目，6日目の順）：Cmax（ng／mL）7189.5±5093.1，7242.0±3334.5，Tmax（hr）2.8±0.8，3.0±0.9，$T_{1/2}$（hr）6.0±3.8，5.3±1.4，AUC（ng・hr/mL）23065.7±12961.4#，30563.7±10722.4##　⑵アセチル体（1日目，6日目の順）：Cmax（ng/mL）7676.0±4671.4，7385.3±3142.5，Tmax（hr）3.0±0.9，2.8±0.8，$T_{1/2}$（hr）7.9±2.7，5.8±1.4，AUC（ng・hr/mL）44063.7±18400.0#，56552.5±14999.3##　#：$AUC_{0\text{-}24}$　##：$AUC_{0\text{-}72}$．また，血漿中の未変化体及びアセチル体濃度はともに4日間以内に定常状態に達し，体内蓄積傾向は認められなかった　**吸収**　①食事の影響：健康成人に1000mg（錠250mg 4錠）を食後単回経口投与時，空腹時に比べ未変化体及びアセチル体の血漿中濃度推移が低下する傾向を示したが，投与後96時間までの尿中及び糞中への排泄率に差はなかった　**分布**　蛋白結合率はメサラジンで約70%，アセチル体で約88%（*in vitro*）　**代謝**　全身に分布するN-アセチルトランスフェラーゼによって生体内でアセチル体に代謝される　**排泄**　健康成人に1000mg（錠250mg 4錠）を食後単回経口投与時，96時間後の尿中排泄率は28.4%（アセチル体として27.7%）で，糞中排泄率は50.0%（アセチル体として23.5%）．健康成人に2000mg（錠250mg 8錠）を1日2回6日間反復経口投与時，尿中排泄は投与開始後4日間以内に定常状態に達し，体内蓄積傾向は認められず，144時間後までの累積尿中排泄率は34.7%（アセチル体として25.6%）

坐　**血中濃度**　健康成人男性6例に坐剤1gを空腹時単回直腸内投与時，血漿中未変化体及びアセチル体の薬物動態パラメータ[Cmax（ng/mL），tmax※1)（hr），AUC_t（ng・hr/mL）の順]は，未変化体[420±242，8.00※2)（3.00-12.0），5410±4780]，アセチル体[856±497，6.00（1.00-24.0），12500±10800]　※1）中央値及び（範囲）　※2）5例　**排泄**　健康成人男性6例に1gを空腹時単回直腸内投与時，未変化体及びアセチル体の投与後24時間の累積尿中排泄率はそれぞれ0.1%及び14.0%　**その他**　^{153}Smで標識したメサラジン坐剤1gを健康成人8例に直腸内投与時の腸内での到達部位を検討した結果，8例全例で直腸部に限局した（外国人データ）

その他の管理的事項

投与期間制限　該当しない

保険給付上の注意　該当しない

資料

IF　ペンタサ顆粒94%・錠250mg・500mg　2020年2月改訂（第23版）
ペンタサ坐剤1g　2018年11月改訂（第7版）
ペンタサ注腸1g　2018年7月改訂（第16版）
アサコール錠400mg　2018年10月改訂（第9版）
リアルダ錠1200mg　2020年2月改訂（第6版）

メストラノール
Mestranol

概要

構造式

分子式　$C_{21}H_{26}O_2$

分子量　310.43

原薬の規制区分　該当しない

原薬の外観・性状　白色～微黄白色の結晶性の粉末で，においはない．クロロホルムに溶けやすく，エタノール（99.5）にやや溶けにくく，水にほとんど溶けない

原薬の融点・沸点・凝固点　融点：148～154℃

メダゼパム
Medazepam

概要

薬効分類　112　催眠鎮静剤，抗不安剤

構造式

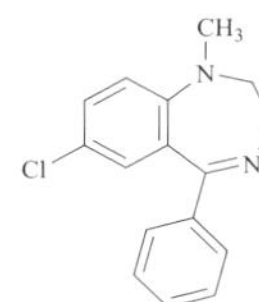

分子式　$C_{16}H_{15}ClN_2$

分子量　270.76

ステム　ジアゼパム系抗不安薬・鎮静薬：-azepam

原薬の規制区分　向Ⅲ

原薬の外観・性状　白色～淡黄色の結晶又は結晶性の粉末である．メタノール，エタノール（99.5），酢酸（100）又はジエチルエーテルに溶けやすく，水にほとんど溶けない．光によって徐々に黄色に着色する

原薬の吸湿性　吸湿性はない

原薬の融点・沸点・凝固点　融点：101～104℃

原薬の酸塩基解離定数　pKa＝約6.2（紫外部吸収スペクトル法）

先発医薬品等

錠　レスミット錠2・5（塩野義＝共和薬品）

国際誕生年月　不明

海外での発売状況　独，ルーマニアなど

製剤

規制区分　**錠**　向Ⅲ　処

製剤の性状　**錠**　白色の糖衣錠

有効期間又は使用期限　5年

貯法・保存条件　室温保存

薬剤取扱い上の留意点　眠気，注意力・集中力・反射運動能力等の低下が起こることがあるので，本剤投与中の患者には自動車の運転等危険を伴う機械の操作に従事させないよう注意すること

患者向け資料等　くすりのしおり

溶液及び溶解時のpH　該当しない

浸透圧比　該当しない

安定なpH域　該当しない
調製時の注意　該当しない
薬理作用
分類　ベンゾジアゼピン系抗精神神経用剤
作用部位・作用機序　作用部位：大脳辺縁系(扁桃核，海馬)，視床下部，脊髄のGABAニューロンシナプス後膜　作用機序：GABAニューロンの機能増強を介して，大脳辺縁系，視床下部の過剰興奮を鎮めることにより，抗不安作用，鎮静・催眠作用，抗痙攣作用，自律神経調整作用などを示す
同効薬　クロルジアゼポキシド，ジアゼパム，オキサゾラム，メキサゾラム，フルトプラゼパム，ロフラゼプ酸エチル，クロチアゼパムなど
治療
効能・効果　①神経症における不安・緊張・抑うつ　②心身症(消化器疾患，循環器疾患，内分泌系疾患，自律神経失調症)における身体症候ならびに不安・緊張・抑うつ
用法・用量　メダゼパムとして1日10～30mg(適宜増減)
使用上の注意
禁忌　①本剤の成分に対し過敏症の既往歴のある患者　②急性閉塞隅角緑内障の患者［抗コリン作用により眼圧が上昇し，症状を悪化させることがある］　③重症筋無力症の患者［重症筋無力症の症状を悪化させるおそれがある］
過量投与　過量投与が明白又は疑われた場合の処置としてフルマゼニル(ベンゾジアゼピン受容体拮抗剤)を投与する場合には，使用前にフルマゼニルの使用上の注意(禁忌，慎重投与，相互作用等)を必ず読む
薬物動態
血漿中濃度　健康成人4例に軽食後2時間10mg単回経口投与(測定法：GLC)時のTmax0.5～1.5hr，Cmax0.14～0.26μg/mL．本剤の主活性代謝物のジアゼパムは0.5時間後から検出され，少なくとも48時間は低い濃度を維持した．同じくN-デスメチルジアゼパムは0.5～9時間後に出現し，24～72時間以上にわたってジアゼパムより血漿中濃度が高かった(外国人データ)　**代謝**　N-脱メチル化によりN-デスメチルメダゼパムを生じる経路と，酸化によりジアゼパムを生成しさらにN-脱メチル化されN-デスメチルジアゼパムを生成する経路がある(外国人データ)　**排泄**　^{14}C-標識メダゼパム30mg(18日間と24日間測定の健康成人2例)1回経口投与後の尿中排泄率は，62.6，55.6%，糞中排泄率は22.1，7.8%であった(外国人データ)
その他の管理的事項
投与期間制限　30日
保険給付上の注意　該当しない
資料
IF　レスミット錠2・5　2019年8月改訂(第15版)

メタンフェタミン塩酸塩
Methamphetamine Hydrochloride

概要
薬効分類　115　興奮剤，覚せい剤
構造式

(構造式：N-CH$_3$, H, CH$_3$ ・HCl)

分子式　$C_{10}H_{15}N \cdot HCl$
分子量　185.69
原薬の規制区分　劇　覚
原薬の外観・性状　無色の結晶又は白色の結晶性の粉末で，においはない．水，エタノール(95)又はクロロホルムに溶けやすく，ジエチルエーテルにほとんど溶けない．1.0gを水10mLに溶かした液のpHは5.0～6.0である
原薬の融点・沸点・凝固点　融点：171～175℃
先発医薬品等
末　ヒロポン(大日本住友)
錠　ヒロポン錠(大日本住友)
製剤
規制区分　末　錠　劇　覚　処
製剤の性状　末　無色の結晶または白色の結晶性の粉末　錠　白色の素錠
貯法・保存条件　末　気密容器，遮光・室温保存　錠　遮光・室温保存
薬剤取扱い上の留意点　本剤投与中の患者には，自動車の運転など危険を伴う機械の操作に従事させないよう注意すること．治療の目的以外に使用しないこと
治療
効能・効果　①次の疾病・症状の改善：ナルコレプシー，各種の昏睡，嗜眠，もうろう状態，インスリンショック，うつ病・うつ状態，統合失調症の遅鈍症　②手術中・手術後の虚脱状態からの回復促進及び麻酔からの覚醒促進　③麻酔剤，睡眠剤の急性中毒の改善
用法・用量　末　錠　1回2.5～5mg，1日10～15mg(適宜増減)
注　1日3～6mg，皮下又は筋注(適宜増減)
使用上の注意
禁忌　①モノアミン酸化酵素阻害剤投与中又は投与後2週間以内の患者　②重篤な高血圧症，動脈硬化症の患者［血圧上昇のおそれがある］　③心疾患のある患者［心収縮力を増強し，心拍出量を増加させるため，症状が悪化するおそれがある］　④甲状腺機能亢進症の患者［心機能亢進状態にあるため，本剤が心機能に対し悪影響を及ぼす可能性がある］　⑤本剤の成分又はアドレナリン作動薬に対し過敏症の患者［過敏症が発現するおそれがある］　⑥不眠症，激越状態にある患者［症状が悪化するおそれがある］　⑦薬物乱用の既往歴のある患者［反復投与により薬物依存を生じるので，乱用のおそれがある］
薬物動態
血漿中濃度　健康成人に重水素標識d-塩酸メタンフェタミン0.125mg/kg(平均約9.2mg)1回経口投与時のTmax3.6±0.63hr，Cmax19.8±2.7ng/mL，$T_{1/2}$8.46±0.71hr(外国人，承認範囲外用量)　**排泄経路及び排泄率**　①排泄経路：主として尿中　②排泄率：尿の液性によって変動し，経口投与後16時間の平均尿中排泄率は，酸性尿では未変化体63%，活性代謝物アンフェタミン6.6%であったが，アルカリ性尿では未変化体1.5%のみが検出された(外国人，13.7mg1回；承認範囲外用量)
資料
添付文書　ヒロポン・ヒロポン錠　2020年4月改訂(第8版)

L－メチオニン
L-Methionine

概要
構造式

(構造式：H_3C-S-, CO_2H, H, NH_2)

分子式　$C_5H_{11}NO_2S$
分子量　149.21
原薬の規制区分　該当しない
原薬の外観・性状　白色の結晶又は結晶性の粉末で，特異なに

メ

おいがある．ギ酸に溶けやすく，水にやや溶けやすく，エタノール(95)に極めて溶けにくい．希塩酸に溶ける．0.5gを水20mLに溶かした液のpHは5.2〜6.2である

治療

効能・効果[†] 薬物中毒

メチクラン
Meticrane

概要

構造式

分子式 $C_{10}H_{13}NO_4S_2$

分子量 275.34

原薬の規制区分 該当しない

原薬の外観・性状 白色の結晶又は結晶性の粉末である．*N,N*-ジメチルホルムアミドに溶けやすく，アセトニトリル又はメタノールに溶けにくく，エタノール(95)に極めて溶けにくく，水にほとんど溶けない

原薬の融点・沸点・凝固点 融点：約234℃(分解)

治療

効能・効果[†] 本態性高血圧症における降圧

メチラポン
Metyrapone

概要

薬効分類 249 その他のホルモン剤(抗ホルモン剤を含む．)，722 機能検査用試薬

構造式

分子式 $C_{14}H_{14}N_2O$

分子量 226.27

ステム 不明

原薬の規制区分 該当しない

原薬の外観・性状 白色〜微黄色の結晶性の粉末で，特異なにおいがあり，味は苦い．メタノール，エタノール(95)，無水酢酸，クロロホルム，ジエチルエーテル又はニトロベンゼンに極めて溶けやすく，水にやや溶けにくい．0.5mol/L硫酸試液に溶ける

原薬の吸湿性 該当資料なし

原薬の融点・沸点・凝固点 融点：50〜54℃

原薬の酸塩基解離定数 該当資料なし

先発医薬品等

カ メトピロンカプセル250mg(セオリア＝武田)

国際誕生年月 1961年6月

海外での発売状況 英，仏を含む10カ国(承認)

製剤

規制区分 カ ㊕

製剤の性状 カ 微帯黄白色〜淡黄色の軟カプセル剤

有効期間又は使用期限 3年

貯法・保存条件 防湿・室温保存

薬剤取扱い上の留意点 めまい，眠気等が現れることがあるので，自動車の運転等危険を伴う機械を操作する際には注意させること

患者向け資料等 くすりのしおり

溶液及び溶解時のpH 該当資料なし

浸透圧比 該当資料なし

安定なpH域 該当資料なし

調製時の注意 該当しない

薬理作用

分類 下垂体ACTH分泌機能検査用薬・副腎皮質ホルモン合成阻害剤

作用部位・作用機序 副腎皮質ステロイドの中の主要な三つ，すなわちコルチゾール(ヒドロコルチゾン)，コルチコステロン及びアルドステロンの生合成の過程において，11β-水酸化酵素を特異的かつ可逆的に阻害する

同効薬 トリロスタン，ミトタン

治療

効能・効果 ①下垂体ACTH分泌予備能の測定 ②クッシング症候群

用法・用量 効能①：1回500〜750mg，1日6回4時間ごと．小児1回15mg/kg，1日6回4時間ごと，1回の最小量は250mgが望ましい．試験法の詳細は添付文書参照 効能②：成人及び小児には，1回250mg〜1g，1日1〜4回(適宜増減)

用法・用量に関連する使用上の注意 ①「下垂体ACTH分泌予備能の測定」に本剤を使用する場合：(1)メチラポン・テストを行う前に全ての副腎皮質ステロイド療法を中止する (2)尿中ステロイドの測定に影響を与える薬剤があるので，メチラポン・テスト実施期間中は，他の薬剤は投与しないことが望ましい．特に，本テストに影響の可能性がある薬剤として次のものが報告されている：フェニトイン，蛋白同化ステロイド，エストロゲン，クロルプロマジン，バルビツール酸誘導体，アミトリプチリン，抗甲状腺ホルモン剤，アルプラゾラム，シプロヘプタジン ②「クッシング症候群」に本剤を使用する場合：血中・尿中コルチゾール値あるいは臨床症状に応じて用量調節を行う

使用上の注意

禁忌 ①本剤の成分に対し過敏症の既往歴のある患者 ②副腎皮質機能不全の患者［急性副腎不全をきたすことがある］

過量投与 ①徴候・症状：主な臨床像は消化器系症状と急性副腎不全の徴候である ②臨床検査所見：低ナトリウム血症，低クロール血症，高カリウム血症．インスリン又は経口糖尿病用剤で治療中の患者は，本剤による急性中毒の徴候と症状が増悪又は変容することがある ③処置：特異的な解毒剤はない．薬剤の排泄と吸収阻害のための一般的方法に加えて，大量のヒドロコルチゾンを生理食塩液及びブドウ糖注射液とともにただちに投与する．血圧，体液及び電解質バランスを数日間モニターする

薬物動態

外国人データ：**血中濃度** 750mgをミルクとともに経口投与時の血中濃度は，1時間後に平均3.7μg/mLとピークに達し，4時間後には平均0.5μg/mLに低下する．600mgを徐々に静注時の半減期20〜26分であり，血中からの消失速度は非常に速い **代謝** 尿中代謝物は，主として遊離型メチラポン，還元型メチラポン及びそれらのグルクロン酸抱合体 **排泄** 主として尿中排泄され，750mgを4時間ごと計4.5gを経口投与時の投与後3日間までの尿中回収量は平均1.97±0.13g

その他の管理的事項

投与期間制限 該当しない

保険給付上の注意 該当しない

資料

IF メトピロンカプセル250mg 2013年10月改訂(第6版)

dl－メチルエフェドリン塩酸塩
dl－メチルエフェドリン塩酸塩散10%
dl-Methylephedrine Hydrochloride

概要

薬効分類　222　鎮咳剤

構造式

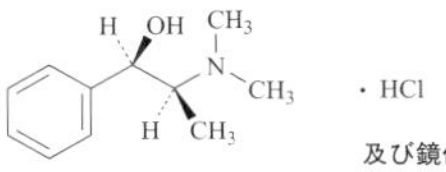

及び鏡像異性体

分子式　$C_{11}H_{17}NO \cdot HCl$

分子量　215.72

ステム　交感神経様作用薬：-drine

原薬の規制区分　[覚原]

原薬の外観・性状　無色の結晶又は白色の結晶性の粉末である．水に溶けやすく，エタノール(99.5)にやや溶けにくく，酢酸(100)に溶けにくく，無水酢酸にほとんど溶けない．本品の水溶液(1→20)は旋光性を示さない．1.0gを水20mLに溶かした液のpHは4.5～6.0である

原薬の吸湿性　該当資料なし

原薬の融点・沸点・凝固点　融点：207～211℃

原薬の酸塩基解離定数　pKa＝9.3(滴定法)

先発医薬品等

[散] *dl*-メチルエフェドリン塩酸塩散10%「三恵」(三恵)
dl-メチルエフェドリン塩酸塩散10%「マルイシ」(丸石)
dl-メチルエフェドリン塩酸塩散10%「メタル」(中北＝吉田製薬＝日興製薬販売)
メチエフ散10%(ニプロES)
メチルエフェドリン散10%「ラソー」(扶桑)

[注] メチエフ注40mg(ニプロES)

国際誕生年月　不明

海外での発売状況　該当しない

製剤

規制区分　[注] [処]

製剤の性状　[散] 白色の粉末　[注] 無色澄明の液

有効期間又は使用期限　[散] 4年6カ月　[注] 3年

貯法・保存条件　[散] 遮光した密閉容器，室温保存　[注] 室温保存

患者向け資料等　[散] くすりのしおり

溶液及び溶解時のpH　[注] 5.5～6.5

浸透圧比　[注] 約1(対生食)

薬理作用

分類　アドレナリン作動性交感神経刺激剤

作用部位・作用機序　アドレナリン作動性の気管支拡張作用と中枢性鎮咳作用を示す

同効薬　エフェドリン塩酸塩

治療

効能・効果　①次の疾患に伴う咳嗽：気管支喘息，感冒，急性気管支炎，慢性気管支炎，肺結核，上気道炎(咽喉頭炎，鼻カタル)　②蕁麻疹，湿疹

用法・用量　[散] メチルエフェドリン塩酸塩として1回25～50mg，1日3回(適宜増減)

[注] メチルエフェドリン塩酸塩として1回40mg皮下注又は筋注(適宜増減)．メチエフは皮下注のみ

使用上の注意

禁忌　カテコールアミン製剤(アドレナリン，イソプレナリン等)を投与中の患者

薬物動態

(参考)健康成人男子3例に*l*-メチルエフェドリン27.1mg水溶液を経口投与時の尿中排泄は24時間までに未変化体63.7～79.7%，N-脱メチル化代謝物として，エフェドリン10～16.9%，ノルエフェドリン1～1.7%(酸性尿の場合)

その他の管理的事項

投与期間制限　該当しない

保険給付上の注意　該当しない

資料

添付文書　メチエフ散10%　2020年1月改訂(第8版)
メチエフ注40mg　2020年1月改訂(第7版)

メチルエルゴメトリンマレイン酸塩
メチルエルゴメトリンマレイン酸塩錠
Methylergometrine Maleate

概要

薬効分類　253　子宮収縮剤

構造式

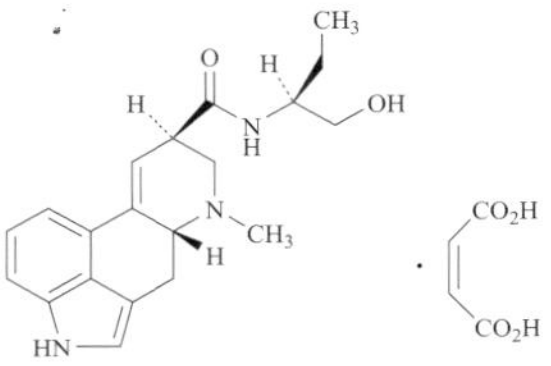

分子式　$C_{20}H_{25}N_3O_2 \cdot C_4H_4O_4$

分子量　455.50

ステム　麦角アルカロイド誘導体：-erg

原薬の規制区分　[劇]

原薬の外観・性状　白色～微黄色の結晶性の粉末で，においはない．水，メタノール又はエタノール(95)に溶けにくく，ジエチルエーテルにほとんど溶けない．光によって徐々に黄色となる

原薬の吸湿性　該当資料なし

原薬の融点・沸点・凝固点　融点：約190℃(分解)

原薬の酸塩基解離定数　該当資料なし

先発医薬品等

[錠] パルタンM錠0.125mg(持田)
メチルエルゴメトリン錠0.125mg「あすか」(あすか製薬＝武田)
メチルエルゴメトリンマレイン酸塩錠0.125mg「F」(富士製薬)

後発医薬品

[注] 0.02%

国際誕生年月　不明

製剤

規制区分　[錠] [注] [劇] [処]

製剤の性状　[錠] 青色の糖衣錠　[注] 無色澄明な水性注射液

有効期間又は使用期限　2年

貯法・保存条件　遮光・室温保存

薬剤取扱い上の留意点　該当資料なし

患者向け資料等　[錠] くすりのしおり

溶液及び溶解時のpH　[注] 2.8～3.8

浸透圧比　[注] 約1(対生食)

調製時の注意　該当しない

薬理作用

分類　子宮収縮止血剤

作用部位・作用機序　子宮平滑筋に選択的に作用して子宮を持続的に収縮させ，子宮血管を圧迫して止血効果を発現する．また，妊娠子宮に対してのみ収縮作用を示し，非妊娠子宮にはほとんど作用しない

同効薬　エルゴメトリンマレイン酸塩

治療

効能・効果　**錠** 子宮収縮の促進ならびに子宮出血の予防及び治療の目的で次の場合に使用する：胎盤娩出後，子宮復古不全，流産，人工妊娠中絶

注 子宮収縮の促進ならびに子宮出血の予防及び治療の目的で次の場合に使用する：胎盤娩出前後，弛緩出血，子宮復古不全，帝王切開術，流産，人工妊娠中絶

用法・用量　**錠** 1回0.125～0.25mg，1日2～4回（適宜増減）

注 1回0.1～0.2mg静注，又は1回0.2mg皮下注，筋注（適宜増減）

用法・用量に関連する使用上の注意　**注** 静注は血圧等に注意しながら徐々に行う（特に麻酔剤，昇圧剤等を併用する場合）

禁忌・原則禁忌となる特定患者集団　妊婦又は妊娠している可能性のある女性

使用上の注意

禁忌　①妊婦又は妊娠している可能性のある女性　②児頭娩出前［子宮収縮作用により子宮破裂，胎児死亡のおそれがある］　③本剤又は麦角アルカロイドに対し過敏症の既往歴のある患者　④重篤な虚血性心疾患又はその既往歴のある患者［冠動脈の攣縮により，狭心症，心筋梗塞が誘発されることがある］　⑤敗血症の患者［血管収縮に対する感受性が増大し，症状が悪化するおそれがある］　⑥HIVプロテアーゼ阻害剤（リトナビル，インジナビル，ネルフィナビル，アタザナビル，ホスアンプレナビル，ダルナビル），エファビレンツ，アゾール系抗真菌薬（イトラコナゾール，ボリコナゾール），コビシスタット，レテルモビル，5-$HT_{1B/1D}$受容体作動薬（スマトリプタン，ゾルミトリプタン，エレトリプタン，リザトリプタン，ナラトリプタン），エルゴタミンを投与中の患者

相互作用概要　主にCYP3A4で代謝される

過量投与　①症状：悪心，嘔吐，腹痛，しびれ感，手足の刺痛感，血圧上昇，血圧低下，呼吸抑制，低体温，痙攣，昏睡等を生じることがある

薬物動態

血中濃度　体重9.0～14.5kgの雄ビーグル犬に0.5mg/匹を経口投与時，血漿中メチルエルゴメトリン濃度は0.7～1.1時間で最高に達し（82～92ng/mL），半減期は1.5～1.8時間

その他の管理的事項

投与期間制限　該当しない

保険給付上の注意　該当しない

資料

IF　パルタンM錠0.125mg　2018年3月改訂（第5版）
パルタンM注0.2mg　2018年3月改訂（第6版）

メチルジゴキシン
Metildigoxin

概要

薬効分類　211　強心剤

構造式

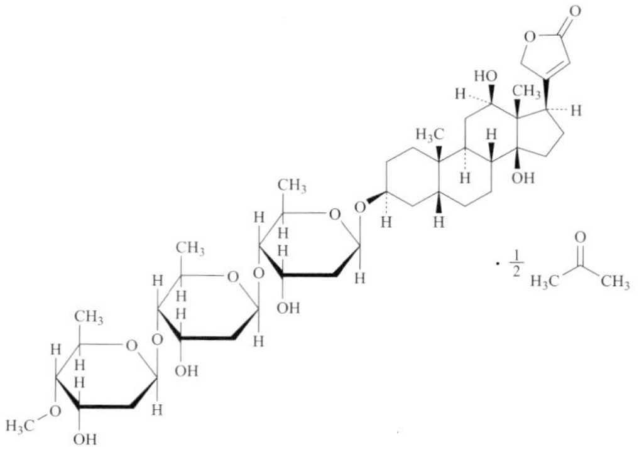

分子式　$C_{42}H_{66}O_{14}\cdot \frac{1}{2}C_3H_6O$

分子量　824.00

略語・慣用名　βMD

原薬の規制区分　毒（ただし，1錠中メチルジゴキシン0.1mg以下を含有するものは劇）

原薬の外観・性状　白色～淡黄白色の結晶性の粉末である．*N,N*-ジメチルホルムアミド，ピリジン又は酢酸(100)に溶けやすく，クロロホルムにやや溶けやすく，メタノールにやや溶けにくく，エタノール(95)又はアセトンに溶けにくく，水に極めて溶けにくい．結晶多形が認められる

原薬の吸湿性　63%RHではまったく吸湿性を示さないが，それ以上の相対湿度では僅かに吸湿性を示す

原薬の融点・沸点・凝固点　融点（分解点）：190～205℃で溶けはじめ褐色を呈し，約208～224℃が融点であり，分解点である

原薬の酸塩基解離定数　該当資料なし

先発医薬品等

錠 メチルジゴキシン錠0.05mg「タイヨー」（武田テバファーマ＝武田）
ラニラピッド錠0.05mg・0.1mg（中外）

後発医薬品

錠 0.1mg

国際誕生年月　1971年8月

海外での発売状況　発売されていない

製剤

規制区分　**錠**　劇 処

製剤の性状　**錠** 白色の素錠（割線入）

有効期間又は使用期限　**0.05mg錠** 3年　**0.1mg錠** 5年

貯法・保存条件　室温保存

薬剤取扱い上の留意点　該当しない

患者向け資料等　くすりのしおり

薬理作用

分類　ジギタリス強心配糖体

作用部位・作用機序　作用部位：心臓　作用機序：①心筋収縮力増強作用（陽性変力作用）　②迷走神経興奮作用　③刺激伝導系抑制作用　④異所性自動能亢進作用　⑤中枢神経系に対する作用　⑥心不全に伴う神経内分泌性異常改善作用

同効薬　ジゴキシン

治療

効能・効果　①次の疾患に基づくうっ血性心不全：先天性心疾患，弁膜疾患，高血圧症，虚血性心疾患（心筋梗塞，狭心症等）　②心房細動・粗動による頻脈，発作性上室性頻拍

用法・用量　①急速飽和療法（飽和量0.6～1.8mg）：初回0.2～0.3mg，以後1回0.2mgを1日3回服用し，十分効果の現れるまで続ける．比較的急速飽和療法，緩徐飽和療法を行うことができる　②維持療法：1日0.1～0.2mg

用法・用量に関連する使用上の注意　飽和療法は過量になりやすいので，緊急を要さない患者には治療開始初期から維持療法による投与も考慮する

使用上の注意

禁忌　①房室ブロック，洞房ブロックのある患者［刺激伝導系を抑制し，これらを悪化させることがある］　②ジギタリス中毒の患者［中毒症状が悪化する］　③閉塞性心筋疾患（特発性肥大性大動脈弁下狭窄等）のある患者［心筋収縮力を増強し，左室流出路の閉塞を悪化させることがある］　④本剤の成分又はジギタリス剤に対し過敏症の既往歴のある患者

相互作用概要　P糖蛋白質の基質である

過量投与　①症状：ジギタリス中毒が起こることがある　②処置：(1)薬物排泄：胃内のメチルジゴキシンの吸収を防止するために活性炭が有効と報告されている　(2)心電図：ただちに心電図による監視を行い，前記のジギタリス中毒特有の不整脈の発現に注意する　(3)重篤な不整脈の治療法：徐脈性不整脈及びブロックにはアトロピン等が用いられる．重篤な頻脈性不整脈が頻発するときは塩化カリウム，リドカイン，プロプラノロール等が用いられる　(4)血清電解質：特に低カリウム血症に注意し，異常があれば補正する．高カリウム血症には，炭酸水素ナトリウム，グルコース・インスリン療法，ポリスチレンスルホン酸ナトリウム等が用いられる　(5)腎機能：メチルジゴキシンは主として腎から排泄されるので腎機能を正常に保つ．血液透析は一般に無効であるとされている

薬物動態

血中濃度　健康成人男子各4例にメチルジゴキシン及びジゴキシンとして各0.25mgを単回経口投与後，各投与群におけるメチルジゴキシン及びジゴキシン合計の血中濃度推移をradioimmunoassay法で測定した結果，メチルジゴキシンの吸収は速やかで，血中濃度はジゴキシン投与群の約2倍の高値を示した．また，メチルジゴキシン0.1mg/日で維持療法中の患者（16例，23回）とジゴキシン0.25mg/日で維持療法中の患者（25例，33回）のメチルジゴキシン及びジゴキシン合計の血中濃度を比較した結果，メチルジゴキシン0.1mg/日維持群では最高2.0ng/mL，最低0.3ng/mL，平均1.20±0.11ng/mL，ジゴキシン0.25mg/日維持群では，最高2.5ng/mL，最低0.5ng/mL，平均1.38±0.12ng/mL　**吸収**　心肺疾患のない成人各5例に12α-^{3}H-methyldigoxin 0.2mgを単回経口投与及び単回静注後，7日目までの尿，糞中排泄量を測定した結果，経口投与時と静注時の排泄パターンがほとんど一致したことから，腸管からほぼ100%吸収されることが示唆（外国人データ）　**代謝**　消化管から吸収された後，主として脱メチル化によりジゴキシンに代謝される．その他の代謝物はdigoxigenin，digoxigenin-bis-digitoxiside 及び digoxigenin-mono-digitoxiside．主な代謝酵素は肝薬物代謝酵素チトクロームP450（CYP）3Aが考えられている　**排泄**　メチルジゴキシン及びジゴキシンは腎排泄を主経路とし，糸球体濾過とP糖蛋白質を介する尿細管分泌により尿中に排泄される．心肺疾患のない成人各5例に12α-^{3}H-methyldigoxin 0.2mgを単回経口投与及び単回静注後，7日目までの尿，糞中排泄量を測定した結果，経口投与では7日間に尿中に52.9%，糞中に31.5%が排泄され，静注では尿中に59.7%，糞中に32.5%が排泄（外国人データ）．また，健康成人3例に^{3}H-β-methyldigoxin 0.3あるいは0.6mgを単回経口投与時，144時間までの蓄積尿中の未変化体は40.6%，ジゴキシンは45.2%（外国人データ）

その他の管理的事項

投与期間制限　該当しない

保険給付上の注意　該当しない

資料

IF　ラニラピッド錠0.05mg・0.1mg　2020年10月改訂（第8版）

メチルセルロース
Methylcellulose

概要

薬効分類　131　眼科用剤

原薬の規制区分　該当しない

原薬の外観・性状　白色～帯黄白色の粉末又は粒である．エタノール(99.5)にほとんど溶けない．水を加えるとき，膨潤し，澄明又は僅かに混濁した粘稠性のある液となる．pH：5.0～8.0

メチルテストステロン
メチルテストステロン錠
Methyltestosterone

概要

構造式

分子式　$C_{20}H_{30}O_2$

分子量　302.45

原薬の規制区分　該当しない

原薬の外観・性状　白色～微黄色の結晶又は結晶性の粉末である．メタノール又はエタノール(95)に溶けやすく，水にほとんど溶けない

原薬の融点・沸点・凝固点　融点：163～168℃

治療

効能・効果†　男子性腺機能不全（類宦官症），造精機能障害による男子不妊症，末期女性性器癌の疼痛緩和，手術不能の乳癌

メチルドパ水和物
メチルドパ錠
Methyldopa Hydrate

概要

薬効分類　214　血圧降下剤

構造式

分子式　$C_{10}H_{13}NO_4 \cdot 1\frac{1}{2}H_2O$

分子量　238.24

略語・慣用名　略名：AMD

ステム　ドパミン受容体作動薬：-dopa

原薬の規制区分　劇（ただし，内用剤を除く）

原薬の外観・性状　白色又は僅かに灰色を帯びた白色の結晶性の粉末である．水，メタノール又は酢酸(100)に溶けにくく，エタノール(95)に極めて溶けにくく，ジエチルエーテルにほとんど溶けない．希塩酸に溶ける

原薬の吸湿性　該当資料なし

メ

原薬の酸塩基解離定数 該当資料なし
先発医薬品等
錠 アルドメット錠125・250(ミノファーゲン)
メチルドパ錠(ツルハラ)125・250(鶴原)
国際誕生年月 1962年4月
海外での発売状況 米，英
製剤
規制区分 **錠** ㊇
製剤の性状 **錠** 白色～帯灰白色のフィルムコーティング錠
有効期間又は使用期限 5年
貯法・保存条件 密閉容器，室温保存
薬剤取扱い上の留意点 投与初期又は増量時に眠気，脱力感等が現れることがあるので，高所作業，自動車の運転等危険を伴う作業に注意させること
患者向け資料等 くすりのしおり
溶液及び溶解時のpH 該当しない
浸透圧比 該当しない
安定なpH域 該当しない
調製時の注意 該当しない
薬理作用
分類 中枢性交感神経抑制剤
作用部位・作用機序 降圧作用は，その代謝物であるα-メチルノルアドレナリンによる中枢のα_2-アドレナリン作働性受容体の刺激，偽神経伝達，血漿レニン活性の低下などに由来するものといわれている．また，芳香族アミノ酸脱炭酸酵素阻害作用により，ノルアドレナリン，アドレナリン，ドパミン，セロトニンなどの組織内濃度を可逆的に低下させることが認められている
同効薬 クロニジン塩酸塩，グアナベンズ酢酸塩など
治療
効能・効果 高血圧症(本態性，腎性等)，悪性高血圧
用法・用量 初期1日250～750mgから始め，適当な降圧効果が得られるまで数日以上の間隔をおいて1日250mgずつ増量，維持量1日250～2000mgで1～3回に分服(適宜増減)
使用上の注意
禁忌 ①急性肝炎，慢性肝炎・肝硬変の活動期の患者［肝機能障害を悪化させることがある］ ②非選択的モノアミン酸化酵素阻害剤を投与中の患者 ③本剤の成分に対し過敏症の既往歴のある患者
過量投与 過量投与により，脳や消化器系の機能不全による反応(鎮静，脱力，徐脈，めまい，ふらつき感，便秘，鼓腸放屁，下痢，嘔気，嘔吐)を伴う急性低血圧が起きることがあるので，心拍数や心拍出量，血液量，電解質バランス，麻痺性イレウス，尿排泄機能及び脳活性に特に注意して管理する．交感神経作用薬(ノルエピネフリン，エピネフリン，酒石酸メタラミノール)による処置も考慮する．メチルドパは透析される
薬物動態
血中濃度 経口投与後の吸収は良好で，健常成人に錠500mg経口投与時，血中濃度は約2.9時間後に最高値3.55μg/mLに達する．血中濃度の生物学的半減期は約2.1時間 **排泄** 本剤及びその代謝物はほとんど腎臓から排泄．腎排泄量は個人差が大きいが，健常成人に経口投与後24時間までの遊離体の平均尿中排泄率16.5%，尿中総排泄率30.2%
その他の管理的事項
投与期間制限 該当しない
保険給付上の注意 該当しない
資料
IF アルドメット錠125・250 2019年4月改訂(第2版)

メチルプレドニゾロン
Methylprednisolone

概要
薬効分類 245 副腎ホルモン剤
構造式

分子式 $C_{22}H_{30}O_5$
分子量 374.47
ステム プレドニゾン及びプレドニゾロン誘導体：pred，ステロイド医薬品：-olone
原薬の規制区分 該当しない
原薬の外観・性状 白色の結晶性の粉末で，においはない．メタノール又はエタノール(99.5)にやや溶けにくく，水にほとんど溶けない
原薬の吸湿性 該当資料なし
原薬の融点・沸点・凝固点 融点：232～240℃(分解)
原薬の酸塩基解離定数 該当資料なし
先発医薬品等
錠 メドロール錠2mg・4mg(ファイザー)
国際誕生年月 1957年10月
海外での発売状況 米を含む99カ国
製剤
規制区分 **錠** ㊇
製剤の性状 **2mg錠** 淡紅色の割線入り素錠 **4mg錠** 白色の割線入り素錠
有効期間又は使用期限 5年
貯法・保存条件 室温保存
患者向け資料等 患者向医薬品ガイド，くすりのしおり
薬理作用
分類 副腎皮質ホルモン
作用部位・作用機序 作用部位：ホルモンレセプター 作用機序：糖質コルチコイド作用
同効薬 プレドニゾロンなどの合成副腎皮質ホルモン
治療
効能・効果 ①内分泌疾患：急性副腎皮質機能不全(副腎クリーゼ)，慢性副腎皮質機能不全(原発性，続発性，下垂体性，医原性)，副腎性器症候群，亜急性甲状腺炎，甲状腺中毒症〔甲状腺(中毒性)クリーゼ〕，甲状腺疾患に伴う悪性眼球突出症，ACTH単独欠損症 ②膠原病：リウマチ熱(リウマチ性心炎を含む)，エリテマトーデス(全身性及び慢性円板状)，多発性筋炎(皮膚筋炎)，全身性血管炎(高安動脈炎，結節性多発動脈炎，顕微鏡的多発血管炎，多発血管炎性肉芽腫症を含む) ③アレルギー性疾患：気管支喘息，喘息性気管支炎(小児喘息性気管支炎を含む)，薬剤その他の化学物質によるアレルギー・中毒(薬疹，中毒疹を含む)，血清病，蕁麻疹(慢性例を除く．重症例に限る)，アレルギー性血管炎及びその類症(急性痘瘡様苔癬状粃糠疹を含む) ④血液疾患：溶血性貧血(免疫性又は免疫性機序の疑われるもの)，白血病(急性白血病，慢性骨髄性白血病の急性転化，慢性リンパ性白血病，皮膚白血病を含む)，顆粒球減少症(本態性，続発性)，紫斑病(血小板減少性及び血小板非減少性)，再生不良性貧血，凝固因子の障害による出血性素因 ⑤神経疾患：脳脊髄炎(脳炎，脊髄炎を含む．ただし，一次性脳炎の場合は頭蓋内圧亢進症状がみられ，かつ他剤で効果が不十分なときに短期間用いる)，末梢神経炎(ギランバレー症候群を含む)，多発性硬化症(視束脊髄炎を含む)，小舞踏病，顔面神経麻痺，脊髄蜘網膜炎 ⑥消化器疾

患：限局性腸炎，潰瘍性大腸炎，劇症肝炎(臨床的に重症とみなされるものを含む)，胆汁うっ滞型急性肝炎，慢性肝炎(活動型，急性再燃型，胆汁うっ滞型．ただし，一般的治療に反応せず肝機能の著しい異常が持続する難治性のものに限る)，肝硬変(活動型，難治性腹水を伴うもの，胆汁うっ滞を伴うもの)　⑦呼吸器疾患：びまん性間質性肺炎(肺線維症，放射線肺臓炎を含む)　⑧結核性疾患：結核性髄膜炎・結核性胸膜炎・結核性腹膜炎(いずれも抗結核剤と併用する)　⑨循環器疾患：ネフローゼ及びネフローゼ症候群，うっ血性心不全　⑩重症感染症(化学療法と併用する)　⑪新陳代謝疾患：特発性低血糖症　⑫その他内科的疾患：サルコイドーシス(ただし，両側肺門リンパ節腫脹のみの場合を除く)，重症消耗性疾患の全身状態の改善(癌末期，スプルーを含む)，悪性リンパ腫(リンパ肉腫症，細網肉腫症，ホジキン病，皮膚細網症，菌状息肉症)及び類似疾患(近縁疾患)，好酸性肉芽腫，乳癌の再発転移　⑬外科：臓器・組織移植，侵襲後肺水腫，副腎皮質機能不全患者に対する外科的侵襲，蛇毒・昆虫毒(重症の虫さされを含む)　⑭整形外科：関節リウマチ，若年性関節リウマチ(スチル病を含む)，リウマチ性多発筋痛　⑮泌尿器科：前立腺癌(他の療法が無効の場合)，陰茎硬結　⑯眼科：内眼・視神経・眼窩・眼筋の炎症性疾患の対症療法(ブドウ膜炎，網脈絡膜炎，網膜血管炎，視神経炎，眼窩炎性偽腫瘍，眼窩漏斗尖端部症候群，眼筋麻痺)，外眼部及び前眼部の炎症性疾患の対症療法で点眼が不適当又は不十分な場合(眼瞼炎，結膜炎，角膜炎，強膜炎，虹彩毛様体炎)，眼科領域の術後炎症　⑰皮膚科：★湿疹・皮膚炎群(急性湿疹，亜急性湿疹，慢性湿疹，接触皮膚炎，貨幣状湿疹，自家感作性皮膚炎，アトピー皮膚炎，乳・幼・小児湿疹，ビダール苔癬，その他の神経皮膚炎，脂漏性皮膚炎，進行性指掌角皮症，その他の手指の皮膚炎，陰部あるいは肛門湿疹，耳介及び外耳道の湿疹・皮膚炎，鼻前庭及び鼻翼周辺の湿疹・皮膚炎等．ただし，重症例以外は極力投与しない)，★痒疹群(小児ストロフルス，蕁麻疹様苔癬，固定蕁麻疹を含む．ただし，重症例に限る．また固定蕁麻疹は局所皮内注射が望ましい)，★乾癬及び類症〔尋常性乾癬(重症例)，関節症性乾癬，乾癬性紅皮症，膿疱性乾癬，稽留性肢端皮膚炎，疱疹状膿痂疹，ライター症候群〕，★掌蹠膿疱症(重症例に限る)，★扁平苔癬(重症例に限る)，成年性浮腫硬化症，紅斑症(★多形滲出性紅斑，結節性紅斑．ただし，多形滲出性紅斑の場合は重症例に限る)，アナフィラクトイド紫斑(単純型，シェーンライン型，ヘノッホ型)，ウェーバークリスチャン病，粘膜皮膚眼症候群〔開口部びらん性外皮症，スチブンス・ジョンソン病，皮膚口内炎，フックス症候群，ベーチェット病(眼症状のない場合)，リップシュッツ急性陰門潰瘍〕，レイノー病，★円形脱毛症(悪性型に限る)，天疱瘡群(尋常性天疱瘡，落葉状天疱瘡，Senear-Usher症候群，増殖性天疱瘡)，デューリング疱疹状皮膚炎(類天疱瘡，妊娠性疱疹を含む)，先天性表皮水疱症，帯状疱疹(重症例に限る)，★紅皮症(ヘブラ紅色粃糠疹を含む)，顔面播種状粟粒性狼瘡(重症例に限る)，潰瘍性慢性膿皮症，強皮症　⑱耳鼻咽喉科：血管運動(神経)性鼻炎，アレルギー性鼻炎，花粉症(枯草熱)，進行性壊疽性鼻炎，耳鼻咽喉科領域の手術後の後療法，難治性口内炎及び舌炎(局所療法で治癒しないもの)．★印の効能に対しては，外用剤を用いても効果が不十分な場合あるいは十分な効果を期待できないと推定される場合にのみ用いる

用法・用量　1日4～48mg，1～4回に分服(適宜増減)

使用上の注意

禁忌　①次の患者には投与しない：(1)本剤の成分に対し過敏症の既往歴のある患者　(2)デスモプレシン酢酸塩水和物(男性における夜間多尿による夜間頻尿)を投与中の患者　②次の薬剤を投与しない：生ワクチン又は弱毒生ワクチン

相互作用概要　主としてCYP3A4で代謝される

薬物動態

血中濃度　40mg単回経口投与2時間後に最高値329ng/mL(20人平均，外国人データ)

その他の管理的事項

投与期間制限　該当しない

保険給付上の注意　該当しない

資料

IF　メドロール錠2mg・4mg　2020年3月改訂(第9版)

メチルプレドニゾロンコハク酸エステル
Methylprednisolone Succinate

概要

薬効分類　245　副腎ホルモン剤

構造式

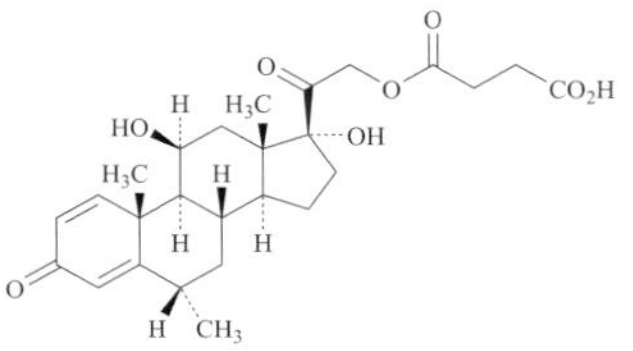

分子式　$C_{26}H_{34}O_8$

分子量　474.54

ステム　プレドニゾン及びプレドニゾロン誘導体：pred，ステロイド医薬品：-olone

原薬の規制区分　該当しない

原薬の外観・性状　白色の結晶又は結晶性の粉末である．メタノールにやや溶けやすく，エタノール(95)にやや溶けにくく，水にほとんど溶けない．結晶多形が認められる

原薬の吸湿性　吸湿性である

原薬の融点・沸点・凝固点　融点：約235℃(分解)

原薬の酸塩基解離定数　該当資料なし

先発医薬品等

注射用　ソル・メドロール静注用40mg・125mg・500mg・1000mg(ファイザー)

後発医薬品

注射用　40mg・125mg・500mg・1g

海外での発売状況　米，英，独など117カ国

製剤

規制区分　**注射用**　㊈

製剤の性状　**注射用**　白色の塊又は粉末で，添付溶解用液で溶かした注射液は無色～微黄色澄明

有効期間又は使用期限　**40mg注射用**　3年　**125・500・1000mg注射用**　5年

貯法・保存条件　室温保存

薬剤取扱い上の留意点　外箱開封後は遮光保存すること

患者向け資料等　患者向医薬品ガイド

溶液及び溶解時のpH　7.0～8.0

浸透圧比　**40mg注射用**　約2(対0.9%生食)　**125・500・1000mg注射用**　約1(対0.9%生食)

調製時の注意　溶解した液を輸液と混合して使用する場合には，5%ブドウ糖注射液，生食等を使用すること．なおその際，本剤はpHの変動等により白沈を生じることがあるので，輸液等と混合する場合には注意すること．また，本剤を数種薬剤と混合して使用する場合には，特に注意する必要がある．

薬理作用

分類　副腎皮質ホルモン

作用部位・作用機序　糖質コルチコイドは細胞膜を通過し，細胞内の受容体との結合を介しDNAに働き，遺伝子の転写を調節することにより作用を発揮．抗炎症蛋白であるリポコル

チン，糖新生に関与する諸酵素等の合成を促進し，あるいは炎症・免疫に関与するサイトカインや接着因子などの産生を抑制することなどが知られている

同効薬 コルチゾン，ヒドロコルチゾン，プレドニゾロン，トリアムシノロン，デキサメタゾン，ベタメタゾンなどの副腎皮質ホルモン製剤

治療

効能・効果 ①急性循環不全(出血性ショック，感染性ショック) ②腎臓移植に伴う免疫反応の抑制 ③受傷後8時間以内の急性脊髄損傷患者(運動機能障害及び感覚機能障害を有する場合)における神経機能障害の改善 ④ネフローゼ症候群 ⑤多発性硬化症の急性増悪 ⑥気管支喘息 ⑦次の悪性腫瘍に対する他の抗悪性腫瘍剤との併用療法：再発又は難治性の悪性リンパ腫 (※ただし，効能⑥は40，125のみ，効能⑦は40，125，500のみ) ⑧治療抵抗性の次のリウマチ性疾患：全身性血管炎(顕微鏡的多発血管炎，ヴェゲナ肉芽腫症，結節性多発動脈炎，Churg-Strauss症候群，大動脈炎症候群等)，全身性エリテマトーデス，多発性筋炎，皮膚筋炎，強皮症，混合性結合組織病，及び難治性リウマチ性疾患

効能・効果に関連する使用上の注意 ①ネフローゼ症候群，治療抵抗性のリウマチ性疾患：原則として，経口副腎皮質ホルモン剤(プレドニゾロン等)による適切な治療で十分な効果がみられない場合に試用する ②気管支喘息：投与にあたっては，最新のガイドラインを参考に，適切と判断される患者に使用する

用法・用量 効能①：(1)出血性ショック：メチルプレドニゾロンとして1回125～2000mgを緩徐に静注又は点滴静注．なお，症状が改善しない場合には適宜追加投与 (2)感染性ショック：メチルプレドニゾロンとして1回1000mgを緩徐に静注又は点滴静注(適宜増減)．なお，症状が改善しない場合には，1000mgを追加投与 効能②：メチルプレドニゾロンとして1日40～1000mgを緩徐に静注又は点滴静注(適宜増減) 効能③：受傷後8時間以内にメチルプレドニゾロンとして30mg/kgを15分間かけて点滴静注，その後45分間休薬し，5.4mg/kg/hrを23時間点滴静注 効能④：(1)成人：メチルプレドニゾロンとして1日500～1000mgを緩徐に静注又は点滴静注 (2)小児：メチルプレドニゾロンとして1日30mg/kg(最大1000mg)を緩徐に静注又は点滴静注 効能⑤：メチルプレドニゾロンとして1日500～1000mgを緩徐に静注又は点滴静注 効能⑥：メチルプレドニゾロンとして初回量40～125mgを緩徐に静注又は点滴静注．その後，症状に応じて，40～80mgを4～6時間ごとに緩徐に追加投与．小児にはメチルプレドニゾロンとして1～1.5mg/kgを緩徐に静注又は点滴静注．その後，症状に応じて，1～1.5mg/kgを4～6時間ごとに緩徐に追加投与 効能⑦：他の抗悪性腫瘍剤との併用においての投与量及び投与方法はメチルプレドニゾロンとして250～500mgを1日1回5日間，緩徐に静注又は点滴静注．これを1コースとして，3～4週ごとに繰り返す 効能⑧：(1)成人：メチルプレドニゾロンとして1日500～1000mgを緩徐に静注又は点滴静注 (2)小児：メチルプレドニゾロンとして1日30mg/kgを緩徐に静注又は点滴静注(適宜増減)．1日1000mgを超えない

用法・用量に関連する使用上の注意 ①ネフローゼ症候群：投与する際は，投与回数や投与スケジュールについて，国内外のガイドライン等の最新の情報を参考に行う ②多発性硬化症の急性増悪：投与する際は，投与回数等について，国内外のガイドライン等の最新の情報を参考に行う ③再発又は難治性の悪性リンパ腫に対する他の抗悪性腫瘍剤との併用療法においては，関連文献(「抗がん剤報告書：シスプラチン(悪性リンパ腫)」等)及び併用薬剤の添付文書を熟読する

使用上の注意

警告 ①本剤を含むがん化学療法は，緊急時に十分対応できる医療施設において，がん化学療法に十分な知識・経験をもつ医師のもとで，本療法が適切と判断される症例についてのみ実施する．適応患者の選択にあたっては，各併用薬剤の添付文書を参照して十分注意する．また，治療開始に先立ち，患者又はその家族に有効性及び危険性を十分説明し，同意を得てから投与する ②血清クレアチニンの高値(>2.0mg/dL)を示す敗血症症候群及び感染性ショックの患者で大量投与により死亡率を増加させたとの報告がある．投与に際しては患者の選択，用法・用量に特に留意する

禁忌 ①次の患者には投与しない：(1)本剤の成分に対し過敏症の既往歴のある患者 (2)デスモプレシン酢酸塩水和物(男性における夜間多尿による夜間頻尿)を投与中の患者 ②次の薬剤を投与しない：生ワクチン又は弱毒生ワクチン

相互作用概要 主としてCYP3A4で代謝される

薬物動態

血中濃度 健康成人(外国人)にメチルプレドニゾロンとして500mg/ヒトを静注時の定常状態で，血漿中メチルプレドニゾロンのAUCは11.3±1.2μg・hr/mL，消失速度定数は0.33±0.02/hr(半減期2.1hr)．メチルプレドニゾロンとして10～3000mg/ヒト投与で血漿中メチルプレドニゾロンのAUCは投与量に比例して増加 **分布(参考)** ラットに^{3}H-メチルプレドニゾロンコハク酸エステルナトリウムをメチルプレドニゾロンとして30mg/kg静注時，5分後にはほとんどの組織に分布，臓器内濃度は肝，腸で最も高く，次いで腎，副腎，血漿，心，膵，脳下垂体，肺，胃の順．24時間後には各組織内濃度は速やかに減少．損傷30分後の脊髄損傷ネコにメチルプレドニゾロンとして30mg/kgを静注時，損傷脊髄濃度は0.5～1時間後に最高値，その後は2相性の消失．ラットで胎児移行 **代謝(参考)** 一般にステロイド骨格の6β水酸化反応はCYP3A4により触媒され，本剤の活性本体メチルプレドニゾロンも6β水酸化体が主要代謝物 **排泄(参考)** ラットに^{3}H-メチルプレドニゾロンコハク酸エステルナトリウムをメチルプレドニゾロンとして30mg/kg静注時，24時間後に尿中へ14.3%，糞中へ67.2%排泄．また，ラットで乳汁移行

その他の管理的事項

投与期間制限 該当しない

保険給付上の注意 該当しない

資料

IF ソル・メドロール静注用40mg・125mg・500mg・1000mg 2020年3月改訂(第16版)

メチルベナクチジウム臭化物
Methylbenactyzium Bromide

概要

構造式

OH O H₃C CH₃ CH₃ Br⁻

分子式 $C_{21}H_{28}BrNO_3$

分子量 422.36

原薬の規制区分 該当しない

原薬の外観・性状 白色の結晶又は結晶性の粉末で，においはなく，味は極めて苦い．水又は酢酸(100)に溶けやすく，エタノール(95)にやや溶けやすく，無水酢酸に溶けにくく，ジエチルエーテルにほとんど溶けない．1.0gを水50mLに溶かした液のpHは5.0～6.0である

原薬の融点・沸点・凝固点 融点：168～172℃

メテノロンエナント酸エステル メテノロンエナント酸エステル注射液

Metenolone Enanthate

概要

薬効分類 244 たん白同化ステロイド剤

構造式

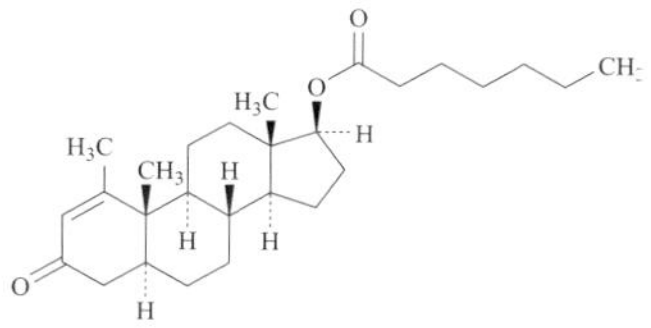

分子式 $C_{27}H_{42}O_3$

分子量 414.62

ステム プレドニゾロン誘導体以外のステロイド：-one

原薬の規制区分 該当しない

原薬の外観・性状 白色の結晶又は結晶性の粉末で，においはない．エタノール(95)，アセトン，1,4-ジオキサン又はクロロホルムに極めて溶けやすく，メタノール，酢酸エチル，ジエチルエーテル，シクロヘキサン，石油エーテル又はトルエンに溶けやすく，ゴマ油にやや溶けやすく，水にほとんど溶けない

原薬の吸湿性 該当資料なし

原薬の融点・沸点・凝固点 融点：67～72℃

原薬の酸塩基解離定数 該当資料なし

国際誕生年月 1962年11月

海外での発売状況 該当しない

製剤

規制区分 **注** ㊀

製剤の性状 **注** 微黄色澄明の油性注射液

有効期間又は使用期限 5年

貯法・保存条件 遮光・室温保存

溶液及び溶解時のpH 該当資料なし

浸透圧比 該当資料なし

安定なpH域 該当資料なし

調製時の注意 該当しない

薬理作用

分類 持続性蛋白同化ステロイド剤

作用部位・作用機序 肝及び各組織において生体内蛋白合成を促進させるとともに，生体における体蛋白の異化を抑制する．また，Ca，Pの組織への沈着を促進させる

同効薬 メテノロン酢酸エステル，ナンドロロンデカン酸エステル，フェニルプロピオン酸ナンドロロン，テストステロン

治療

効能・効果 ①骨粗鬆症 ②次の疾患による著しい消耗状態：慢性腎疾患，悪性腫瘍，手術後，外傷，熱傷 ③次の疾患による骨髄の消耗状態：再生不良性貧血

用法・用量 1回100mg，1～2週間ごとに筋注(適宜増減)

禁忌・原則禁忌となる特定患者集団 妊婦又は妊娠している可能性のある女性

使用上の注意

禁忌 ①アンドロゲン依存性悪性腫瘍(例えば，前立腺癌)及びその疑いのある患者［症状を悪化させるおそれがある］ ②妊婦又は妊娠している可能性のある女性

薬物動態

吸収・排泄 健康人に^{14}C-メテノロンエナント酸エステル100mgを筋注すると，投与後8日目と10日目に最高血中濃度．尿中には21日目までに46.87%～59.08%が排泄，糞便中には，20日目までに11.46%～14.24%が排泄．なお，総排泄量としては21日目までに投与量の59.85%～73.32%が排泄され，尿中排泄量は総排泄量の約80%(外国データ)

その他の管理的事項

投与期間制限 該当しない

保険給付上の注意 該当しない

資料

IF プリモボラン・デポー筋注100mg 2012年3月改訂(第7版)

メテノロン酢酸エステル

Metenolone Acetate

概要

薬効分類 244 たん白同化ステロイド剤

構造式

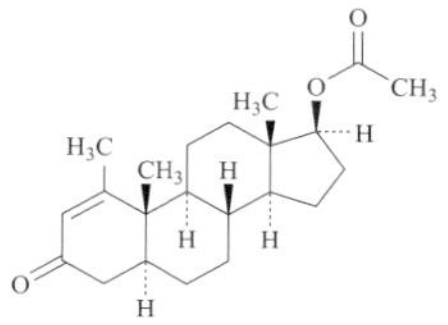

分子式 $C_{22}H_{32}O_3$

分子量 344.49

ステム プレドニゾロン誘導体以外のステロイド：-one

原薬の規制区分 該当しない

原薬の外観・性状 白色～微黄白色の結晶性の粉末で，においはない．アセトン，1,4-ジオキサン又はクロロホルムに溶けやすく，メタノール又はエタノール(95)にやや溶けやすく，ジエチルエーテル又はゴマ油にやや溶けにくく，ヘキサン又は石油エーテルに溶けにくく，水にほとんど溶けない

原薬の吸湿性 該当資料なし

原薬の融点・沸点・凝固点 融点：141～144℃

原薬の酸塩基解離定数 該当資料なし

先発医薬品等

錠 プリモボラン錠5mg(バイエル)

国際誕生年月 1961年4月

製剤

規制区分 **錠** ㊀

製剤の性状 **錠** 白色の素錠

有効期間又は使用期限 60カ月

貯法・保存条件 室温保存

薬剤取扱い上の留意点 外箱開封後は遮光保存すること

患者向け資料等 くすりのしおり

溶液及び溶解時のpH 該当しない

浸透圧比 該当しない

安定なpH域 該当しない

調製時の注意 該当しない

薬理作用

分類 蛋白同化ステロイド剤

作用部位・作用機序 肝及び各組織において生体内蛋白合成を促進させるとともに，生体における体蛋白の異化を抑制する．また，Ca，Pの組織への沈着を促進させる

同効薬 テストステロン

治療

効能・効果 ①骨粗鬆症②次の疾患による著しい消耗状態：慢性腎疾患，悪性腫瘍，外傷，熱傷③次の疾患による骨髄の消耗状態：再生不良性貧血

用法・用量 1日10～20mg，2～3回に分服(適宜増減)

禁忌・原則禁忌となる特定患者集団 妊婦又は妊娠している可能性のある女性

メ

使用上の注意

禁忌 ①アンドロゲン依存性悪性腫瘍(例えば，前立腺癌)及びその疑いのある患者［症状を悪化させるおそれがある］ ②妊婦又は妊娠している可能性のある女性

薬物動態

排泄 健康男子4例に[^{14}C]メテノロン酢酸エステル114mgを1回経口投与で，投与後7～13日以内に尿中に21～47％が，糞便中に14～22％が排泄(外国人データ)

その他の管理的事項

投与期間制限 該当しない

保険給付上の注意 該当しない

資料

IF プリモボラン錠5mg 2020年8月改訂(第9版)

メトキサレン
Methoxsalen

概要

薬効分類 269 その他の外皮用薬

構造式

分子式 $C_{12}H_8O_4$

分子量 216.19

略語・慣用名 慣用名：フロクマリン 8-MOP (8-Methoxypsoralen)

原薬の規制区分 該当しない

原薬の外観・性状 白色～微黄色の結晶又は結晶性の粉末で，におい及び味はない．クロロホルムに溶けやすく，メタノール，エタノール(95)又はジエチルエーテルに溶けにくく，水にほとんど溶けない

原薬の吸湿性 該当資料なし

原薬の融点・沸点・凝固点 融点：145～149℃

原薬の酸塩基解離定数 該当資料なし

先発医薬品等

錠 オクソラレン錠10mg(大正製薬)
軟 オクソラレン軟膏0.3％(大正製薬)
外用液 オクソラレンローション0.3％・1％(大正製薬)

海外での発売状況 米，英，仏，独など

製剤

規制区分 錠 ㊅

製剤の性状 錠 白色の糖衣錠 軟 白色の軟膏で，においはない 外用液 無色透明の液で，特異なにおいがある

有効期間又は使用期限 錠 軟 3年 外用液 5年

貯法・保存条件 錠 軟 室温保存 外用液 遮光・室温保存(火気を避けて保管)

薬剤取扱い上の留意点 軟 外用液 塗布時：指先等患部以外の部位に付着した場合は，エタノール綿又は石ケン等で洗い流すこと

患者向け資料等 くすりのしおり

薬理作用

分類 尋常性白斑治療剤

作用部位・作用機序 皮膚の感受性を増強，特に長波長側の紫外線(320～420nm)に対する感受性を増す．本剤を投与した患者に紫外線を照射すると，皮膚に角質層肥厚と炎症反応が見られ，露光部にメラニンが沈着する．白斑患者に色素沈着や色素過剰沈着を起こす機序は未確定である

同効薬 なし

治療

効能・効果 尋常性白斑

用法・用量 錠 1日20mg，7～12歳10～20mg，6歳以下10mg(適宜増減)．投与2時間後に日光浴あるいは人工紫外線の照射を行う．全身汎発性の白斑には内服療法が望ましい

軟 外用液 白斑部位にのみ適量を塗布し，1～2時間後に日光浴あるいは人工紫外線の照射を行う．同一白斑部位においては週1～3回程度の治療施行が望ましい．限局性の白斑には外用療法が望ましい

用法・用量に関連する使用上の注意 ①紫外線を照射する場合，照射源及び個人差に応じて至適量を個々に把握する必要がある．その目安としては，照射した翌日の治療白斑部位が軽度にピンク色に発赤し，持続する程度が適当である ②特に最初の照射量は，皮膚炎を防止する上からも，最小紅斑量以下から開始することが望ましく，一応の目安として，日光浴の場合は5分から始め，人工紫外線照射の場合は，光源より20～30cmの距離から1分より始め，以後白斑部位の皮膚症状により漸増・漸減して至適量を把握し，照射する ③360nmをピークとする波長に高い活性をもつので，主として360nm付近の波長をもつBlack-lightの照射が望ましい

使用上の注意

> **警告** PUVA療法により皮膚癌が発生したとの報告がある

禁忌 ①皮膚癌又はその既往歴のある患者［皮膚癌が増悪又は再発するおそれがある］ ②ポルフィリン症，紅斑性狼瘡，色素性乾皮症，多形性日光皮膚炎等の光線過敏症を伴う疾患のある患者［光毒性反応が増強される］ ③錠 肝疾患のある患者［肝疾患の悪化例が報告されている］

相互作用概要 CYP2A6の阻害作用を有する

薬物動態

血中濃度 ①外国人(参考)：健常成人に40mgの溶液又はカプセルをクロスオーバー法で単回経口投与時のクロマトグラフィによる血中濃度(各6例，溶液，カプセルの順)はCmax266±146，161±77μg/mL，Tmax1±0.3，2.1±0.7hr，AUC568±334，309±165μg・hr/L ②動物(参考)：Wistar系雄ラットに，^{3}H-メトキサレンを0.5，5mg/kg経口投与時，血中濃度は速やかに高まり，Tmaxはそれぞれ10，30分後，Cmaxは0.13，2μg/mL，その後の消失も速やか **分布** (参考：Wistar系雄ラット)^{3}H-メトキサレンを0.5mg/kg経口投与時，経時的な組織内濃度は，肝と腎に比較的高濃度，他の組織への特異的な移行は認められず，いずれの組織も残留性はみられなかった．皮膚への分布は一定濃度以上が比較的長期間保持される傾向 **代謝・排泄** (参考：Wistar系雄ラット)^{3}H-メトキサレンを400mg/kg経口投与時，主代謝物は，9-O-脱メチル化の後グルクロニドあるいは硫酸抱合体．^{3}H-メトキサレンを0.5mg/kg経口投与後24時間以内に尿中に62.8％，糞中に20.4％排泄．1％^{3}H-メトキサレン0.5mg/kg塗布時経皮吸収は良好，塗布後24時間以内に尿中へ22％，糞中へ6.1％排泄．ヒト肝ミクロソームを用いた*in vitro*試験の結果，メトキサレンはCYP1A1，1A2，2A6等の肝代謝酵素で代謝されることが示された．また，CYP2A6を阻害することが報告されている

その他の管理的事項

投与期間制限 該当しない

保険給付上の注意 該当しない

資料

IF オクソラレン錠10mg 2019年4月改訂(第13版)
オクソラレン軟膏0.3％・ローション1％・0.3％ 2019年4月改訂(第12版)

メトクロプラミド
メトクロプラミド錠
Metoclopramide

概要
薬効分類 239 その他の消化器官用薬
構造式

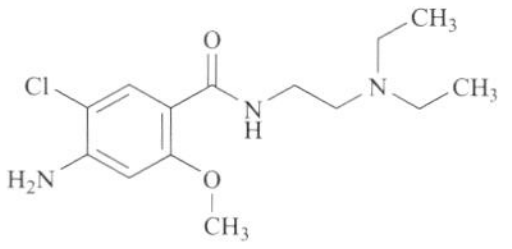

分子式 $C_{14}H_{22}ClN_3O_2$
分子量 299.80
ステム スルピリド誘導体：-pride
原薬の規制区分 劇(ただし，1個中メトクロプラミドとして10mg以下を含有するもの及びメトクロプラミドとして0.1%以下を含有するシロップ剤を除く)
原薬の外観・性状 白色の結晶又は結晶性の粉末で，においはない．酢酸(100)に溶けやすく，メタノール又はクロロホルムにやや溶けやすく，エタノール(95)，無水酢酸又はアセトンにやや溶けにくく，ジエチルエーテルに極めて溶けにくく，水にほとんど溶けない．希塩酸に溶ける
原薬の吸湿性 ほとんど示さない
原薬の融点・沸点・凝固点 融点：146～149℃
原薬の酸塩基解離定数 pKa＝約9.1
先発医薬品等
細 プリンペラン細粒2%(日医工)
錠 プリンペラン錠5(日医工)
シ プリンペランシロップ0.1%(日医工)
注 プリンペラン注射液10mg(日医工)
後発医薬品
細 2%
錠 5mg・10mg
注 0.5%
国際誕生年月 不明
海外での発売状況 米，英，仏など

製剤
規制区分 細 劇
製剤の性状 細 白色の細粒剤 錠 白色のフィルムコーティング錠 シ 無色澄明の液で，特異な芳香がある
有効期間又は使用期限 細 錠 5年 シ 3年
貯法・保存条件 室温保存(シ 使用後密栓)
薬剤取扱い上の留意点 眠気，めまいが現れることがあるので，本剤投与中の患者には自動車の運転等危険を伴う機械の操作に従事させないように注意すること
患者向け資料等 くすりのしおり
溶液及び溶解時のpH シ 2.0～3.0
浸透圧比 該当しない
安定なpH域 該当しない
調製時の注意 シ 懸濁剤と配合すると沈殿を生じることがあるので，用事よく振とうすること

薬理作用
分類 ベンザミド系消化器機能異常治療剤
作用部位・作用機序 作用部位：脳幹の消化管中枢 作用機序：脳幹の消化管中枢に作用して，消化器の機能的反応ないしは運動異常を改善する．また，中枢性嘔吐，末梢性嘔吐のいずれに対しても制吐作用を示す
同効薬 ドンペリドン

治療
効能・効果 ①次の場合における消化器機能異常(悪心・嘔吐・食欲不振・腹部膨満感)：胃炎，胃・十二指腸潰瘍，胆嚢・胆道疾患，腎炎，尿毒症，乳幼児嘔吐，薬剤(制癌剤・抗生物質・抗結核剤・麻酔剤)投与時，胃内・気管内挿管時，放射線照射時，開腹術後 ②X線検査時バリウムの通過促進
用法・用量 細 錠 シ メトクロプラミドとして1日7.67～23.04mg(塩酸メトクロプラミド10～30mg)，小児にはシロップ0.38～0.53mg/kg(塩酸メトクロプラミド0.5～0.7mg/kg)，2～3回に食前分服(適宜増減)
注 メトクロプラミドとして1回7.67mg(塩酸メトクロプラミド10mg)，1日1～2回筋注又は静注(適宜増減)
用法・用量に関連する使用上の注意 細 錠 シ 小児では錐体外路症状が発現しやすいため，過量投与にならないよう注意する

使用上の注意
禁忌 ①本剤の成分に対し過敏症の既往歴のある患者 ②褐色細胞腫の疑いのある患者［急激な昇圧発作を起こすおそれがある］ ③消化管に出血，穿孔又は器質的閉塞のある患者［消化管運動の亢進作用があるため，症状を悪化させるおそれがある］
過量投与 ①徴候，症状：錐体外路症状，意識障害(昏睡)等が現れることがある．また外国において，大量投与によりメトヘモグロビン血症が現れたとの報告がある ②処置：胃洗浄，対症療法及び維持療法を行う．錐体外路症状に対しては，抗パーキンソン剤等を投与する

薬物動態
血中濃度(外国人) 健常人に20mgを経口投与時，消化管から速やかに吸収され約1時間後に最高血中濃度(54ng/mL)，消失半減期4.7時間で減少．健常人に10mgを静注時，二相性に消失しβ相の半減期は5.4時間 **代謝及び排泄(外国人)** ^{14}C-標識メトクロプラミド10mgを経口投与後24時間までに投与量の77.8%が，メトクロプラミド，N-グルクロン酸抱合体及び硫酸抱合体として尿中排泄 **乳汁中移行** 授乳婦に10mgを経口投与時，母乳中へ移行

その他の管理的事項
投与期間制限 該当しない
保険給付上の注意 該当しない

資料
IF プリンペラン細粒2%・錠5 2020年1月改訂(第14版)
プリンペランシロップ0.1% 2020年1月改訂(第9版)

メ

メトトレキサート
メトトレキサート錠
メトトレキサートカプセル
注射用メトトレキサート
Methotrexate

概要
薬効分類 399 他に分類されない代謝性医薬品，422 代謝拮抗剤
構造式

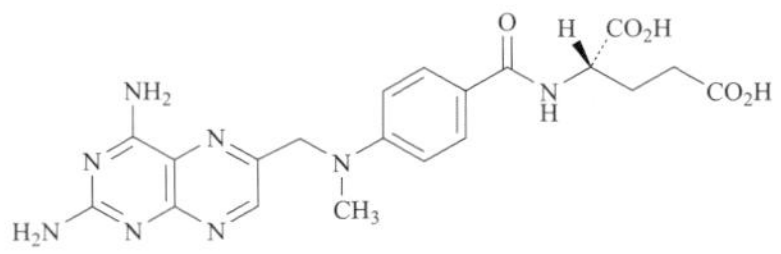

分子式 $C_{20}H_{22}N_8O_5$
分子量 454.44
略語・慣用名 MTX

ステム　葉酸類似体(代謝拮抗薬)：-trexate
原薬の規制区分　㊙
原薬の外観・性状　黄褐色の結晶性の粉末である．ピリジンに溶けにくく，水，アセトニトリル，エタノール(95)又はジエチルエーテルにほとんど溶けない．希水酸化ナトリウム試液又は希炭酸ナトリウム試液に溶ける．光によって徐々に変化する
原薬の吸湿性　該当資料なし
原薬の融点・沸点・凝固点　融点：185～204℃(分解点)
原薬の酸塩基解離定数　pKa＝4.84，5.51
先発医薬品等
錠 メソトレキセート錠2.5mg(ファイザー)
カ リウマトレックスカプセル2mg(ファイザー)
注 メソトレキセート点滴静注液200mg・1000mg(ファイザー)
注射用 注射用メソトレキセート5mg・50mg(ファイザー)
後発医薬品
錠 2mg
カ 2mg
国際誕生年月　1953年12月
海外での発売状況　**錠** 該当なし　**カ** 仏，独など(関節リウマチ)

製剤

規制区分　**錠**　**カ**　**注**　**注射用**　㊙ ㊋
製剤の性状　**2mg錠** 片面に割線のある淡黄色の長円形の素錠　**2.5mg錠** 僅かにまだらをもつ淡黄褐色割線入り素錠　**カ** 黄色の硬カプセル剤　**注** 黄色澄明の水性注射液　**注射用** 淡黄色～黄色の結晶性の粉末又は塊
有効期間又は使用期限　**錠**　**カ**　**注** 3年　**注射用** 4年
貯法・保存条件　**錠**　**注**　**注射用** 遮光・室温保存　**カ** 室温保存
薬剤取扱い上の留意点　該当資料なし
患者向け資料等　**2mg錠** 患者向医薬品ガイド，くすりのしおり，服薬指導箋　**2.5mg錠**　**カ** 患者向医薬品ガイド，くすりのしおり　**注**　**注射用** くすりのしおり
溶液及び溶解時のpH　**注** 8.0～9.0　**注射用** 7.0～9.0(注射用蒸留水で2.5mg/mLに溶解)
浸透圧比　**注** 約0.9(対生食)　**注射用** 約1(注射用蒸留水で2.5mg/mLに溶解したときの生食に対する比)
調製時の注意　**注射用** 防腐剤を含有しないので，調製にあたっては細菌汚染に注意すること．なお，調製後は速やかに使用すること

薬理作用

分類　葉酸代謝拮抗薬・抗リウマチ剤
作用部位・作用機序　①核酸合成に必要な活性葉酸を産生させるdihydrofolate reductase(DHFR)の働きを阻止し，チミジル酸合成及びプリン合成系を阻害して，細胞増殖を抑制する　②*in vitro*でヒト単核細胞の免疫グロブリン産生，マウス脾細胞の抗ヒツジ赤血球抗体産生を抑制．また，マウス脾細胞のDNA合成活性の抑制によりリンパ球増殖抑制作用を有すると考えられた．血管内皮細胞及び滑膜線維芽細胞の増殖を*in vitro*で抑制することから，血管新生や滑膜増生を抑制すると考えられた．炎症部位への好中球の遊走を*in vivo*で抑制．この好中球遊走抑制作用には，メトトレキサートの作用によって線維芽細胞や血管内皮細胞から遊離したアデノシンの好中球に対する細胞接着阻害作用や，強力な好中球遊走活性を有し，リソゾーム酵素の遊離作用も知られているロイコトリエンB4の産生抑制が関与する可能性が考えられる．サイトカインへの作用として，ラットのアジュバント関節炎モデルで亢進したマクロファージのインターロイキン-1(IL-1)産生を経口投与で抑制．IL-1産生の抑制は，臨床的に認められているC-反応性蛋白質などの急性期物質の低下や全身症状の改善に寄与する可能性が考えられる．一方，滑膜組織や軟骨組織の破壊に関与するコラゲナーゼ産生を*in vitro*(ヒト滑膜線維芽細胞)で抑制し，関節リウマチ患者では滑膜組織中コラゲナーゼmRNA発現が抑制された．これらの諸作用により，メトトレキサートは関節リウマチの滑膜病変を沈静化すると共に全身症状を改善する結果，関節リウマチの活動性を低下させるものと推察される
同効薬　**2mg錠**　**カ** サラゾスルファピリジン，ブシラミン，アクタリット，オーラノフィン，金チオリンゴ酸ナトリウム，ペニシラミン，レフルノミドなど　**2.5mg錠**　**注**　**注射用** メルカプトプリン，ビンクリスチン，ドキソルビシン，アクチノマイシンDなど

治療

効能・効果　**2mg錠**　**カ** ①関節リウマチ　②関節症状を伴う若年性特発性関節炎　③局所療法で効果不十分な尋常性乾癬，関節症性乾癬，膿疱性乾癬，乾癬性紅皮症
2.5mg錠 次の疾患の自覚的ならびに他覚的症状の緩解：急性白血病，慢性リンパ性白血病，慢性骨髄性白血病，絨毛性疾患(絨毛癌，破壊胞状奇胎，胞状奇胎)
注　**注射用** ①**5mg**　**50mg** メトトレキサート通常療法：次の疾患の自覚的ならびに他覚的症状の緩解：急性白血病，慢性リンパ性白血病，慢性骨髄性白血病，絨毛性疾患(絨毛癌，破壊胞状奇胎，胞状奇胎)　②**5mg**　**50mg** CMF療法：乳癌　③**50mg**　**200mg**　**1000mg** メトトレキサート・ロイコボリン救援療法：肉腫(骨肉腫，軟部肉腫等)，急性白血病の中枢神経系及び睾丸への浸潤に対する寛解，悪性リンパ腫の中枢神経系への浸潤に対する寛解　④**50mg** メトトレキサート・フルオロウラシル交代療法：胃癌に対するフルオロウラシルの抗腫瘍効果の増強　⑤**5mg**　**50mg** M-VAC療法：尿路上皮癌
効能・効果に関連する使用上の注意　**2mg錠**　**カ** 次のいずれかを満たす尋常性乾癬，関節症性乾癬，膿疱性乾癬，乾癬性紅皮症の患者に投与する：①ステロイド外用剤等で十分な効果が得られず，皮疹が体表面積の10%以上に及ぶ患者　②難治性の皮疹，関節症状又は膿疱を有する患者
用法・用量　**2mg錠**　**カ** 効能①③：1週間単位の投与量を6mgとし，1週間単位の投与量を1回又は2～3回に分服．分服する場合，初日から2日目にかけて12時間間隔．1回又は2回分割投与の場合は残りの6日間，3回分割投与の場合は残りの5日間は休薬．これを1週間ごとに繰り返す．なお，患者の年齢，症状，忍容性及び本剤に対する反応等に応じて適宜増減するが，1週間単位の投与量として16mgを超えないようにする　効能②：1週間単位の投与量を4～10mg/m^{2}とし，1週間単位の投与量を1回又は2～3回に分服．分服する場合，初日から2日目にかけて12時間間隔．1回又は2分服の場合は残りの6日間，3分服の場合は残りの5日間は休薬．これを1週間ごとに繰り返す．なお，患者の年齢，症状，忍容性及び本剤に対する反応等に応じて適宜増減
2.5mg錠 ①白血病：1日5～10mg，小児2.5～5mg，幼児1.25～2.5mg，1週間に3～6日(適宜増減)　②絨毛性疾患：1クールを5日間とし，1日10～30mg(適宜増減)．休薬期間は7～12日間であるが，前回の投与によって副作用が現れた場合は，副作用が消失するまで休薬
注　**注射用** ①**5mg**　**50mg** メトトレキサート通常療法：静脈内，髄腔内又は筋肉内に注射．必要に応じて動脈内又は腫瘍内に注射：⑴急性白血病，慢性リンパ性白血病，慢性骨髄性白血病：1日成人5～10mg，小児2.5～5mg，幼児1.25～2.5mg，1週間に3～6回，白血病の髄膜浸潤による髄膜症状(髄膜白血病)には1回0.2～0.4mg/kgとして髄腔内に2～7日ごとに1回(適宜増減)　⑵絨毛性疾患：1クールを5日間とし，1日10～30mg(適宜増減)．休薬期間は7～12日間であるが，前回の投与によって副作用が現れた場合は，副作用が消失するまで休薬　②**5mg**　**50mg** CMF療法：乳癌：シクロホスファミド及びフルオロウラシルとの併用で，本剤1回40mg/m^{2}静注(適宜増減)．前回の投与によって副作用が現れた場合は，減量又は副作用が消失するまで休薬．標準的な1日投与量及

び投与方法は，シクロホスファミド65mg/m^{2}を14日間連日経口投与，本剤40mg/m^{2}及びフルオロウラシル500mg/m^{2}を第1日目と第8日目にそれぞれ静注．これを1クールとして4週ごとに繰り返す　③**50mg　200mg　1000mg** メトトレキサート・ロイコボリン救援療法：(1)肉腫：1週間1回100～300mg/kg約6時間で点滴静注（適宜増減）　その後ロイコボリンを投与．本剤の投与間隔は1～4週間　(2)急性白血病，悪性リンパ腫：1週間1回30～100mg/kg（有効な脳脊髄液濃度を得るには，1回30mg/kg以上の静注が必要），約6時間で点滴静注（適宜増減）．その後ロイコボリンを投与．本剤の投与間隔1～4週間　(3)ロイコボリンの投与は，本剤投与終了3時間目からロイコボリンとして1回15mgを3時間間隔で9回静注，以後6時間間隔で8回静注又は筋注（適宜増減）　本剤によると思われる重篤な副作用が現れた場合には，ロイコボリンの用量を増加し，投与期間を延長する　④**50mg** メトトレキサート・フルオロウラシル交代療法：1回100mg/m^2(3mg/kg)を静注後，1～3時間後にフルオロウラシル1回600mg/m^2(18mg/kg)を静注又は点滴静注（適宜増減）．その後ロイコボリンを投与．本療法の間隔は1週間．ロイコボリンの投与は，本剤投与後24時間目からロイコボリンとして1回15mgを6時間間隔で2～6回（本剤投与後24，30，36，42，48，54時間目）静注又は筋注あるいは経口投与（適宜増減）．本剤によると思われる重篤な副作用が現れた場合には，ロイコボリンの用量を増加し，投与期間を延長する　⑤**5mg　50mg** M-VAC療法：尿路上皮癌：硫酸ビンブラスチン，塩酸ドキソルビシン及びシスプラチンとの併用で，本剤1回30mg/m^{2}を静注．前回の投与によって副作用が現れた場合は，減量するか又は副作用が消失するまで休薬する．年齢，症状により適宜減量．標準的な投与量及び投与方法は，治療1，15及び22日目に本剤30mg/m^2，治療2，15及び22日目に硫酸ビンブラスチン3mg/m^2，治療2日目に塩酸ドキソルビシン30mg（力価）/m^{2}及びシスプラチン70mg/m^{2}を静注．これを1クールとして4週ごとに繰り返す

用法・用量に関連する使用上の注意　2mg錠　カ 効能①③：(1)4～8週間投与しても十分な効果が得られない場合には1回2～4mgずつ増量する．増量する前には，患者の状態を十分に確認し，増量の可否を慎重に判断する　(2)投与量を増量すると骨髄抑制，感染症，肝機能障害等の副作用の発現の可能性が増加するので，定期的に臨床検査値を確認する等を含め患者の状態を十分に観察する．消化器症状，肝機能障害等の副作用の予防には，葉酸の投与が有効であるとの報告がある　効能②：(1)投与にあたっては，特に副作用の発現に注意し，患者の忍容性及び治療上の効果を基に，個々の患者の状況に応じて，投与量を適切に設定する　(2)成人の方が小児に比べ忍容性が低いとの報告があるので，若年性特発性関節炎の10歳代半ば以上の年齢の患者等の投与量については特に注意する

注　注射用 ①**5mg　50mg** メトトレキサート通常療法〔注射液の調製法〕(1)**5mg** 注射用蒸留水2mLを加えて溶解し，1mL中メトトレキサートとして2.5mgになるように調製する．防腐剤を含有しないので，調製にあたっては細菌汚染に注意する．なお，調製後は速やかに使用する　(2)**50mg** 生理食塩液20mLを加えて溶解し，1mL中メトトレキサートとして2.5mgになるように調製する．高濃度溶液が必要な場合には，注射用蒸留水2mLを加えて溶解し，1mL中メトトレキサートとして25mgになるように調製する．防腐剤を含有しないので，調製にあたっては細菌汚染に注意する．なお，調製後は速やかに使用する　②**5mg　50mg** CMF療法：乳癌〔注射液の調製法〕生理食塩液又は5%ブドウ糖液20mLに溶解して用いる．防腐剤を含有しないので，調製にあたっては細菌汚染に注意する．なお，調製後は速やかに使用する　③**50mg　200mg　1000mg** メトトレキサート・ロイコボリン救援療法〔注射液の調製法〕生理食塩液又は5%ブドウ糖液20mLに溶解して用いる．防腐剤を含有しないので，調製にあたっては細菌汚染に注意する．なお，調製後は速やかに使用する　④**50mg** メトトレキサート・フルオロウラシル交代療法〔注射液の調製法〕生理食塩液又は5%ブドウ糖液250～500mLに溶解して用いる．防腐剤を含有しないので，調製にあたっては細菌汚染に注意する．なお，調製後は速やかに使用する　⑤**5mg　50mg** M-VAC療法：尿路・上皮癌〔注射液の調製法〕注射用蒸留水2mLを加えて溶解し用いるか，あるいは生理食塩液又は5%ブドウ糖液20mLを加え溶解して用いる．防腐剤を含有しないので，調製にあたっては細菌汚染に注意する．なお，調製後は速やかに使用する

禁忌・原則禁忌となる特定患者集団　2mg錠　カ 妊婦又は妊娠している可能性のある婦人・授乳婦

使用上の注意

警告　2mg錠　カ ①投与において，感染症，肺障害，血液障害等の重篤な副作用により，致命的な経過をたどることがあるので，緊急時に十分に措置できる医療施設及び本剤についての十分な知識と適応疾患の治療経験をもつ医師が使用する　②間質性肺炎，肺線維症等の肺障害が発現し，致命的な経過をたどることがあるので，原則として，呼吸器に精通した医師と連携して使用する　③投与に際しては，患者に対して危険性や投与が長期間にわたることを十分説明した後，患者が理解したことを確認した上で投与を開始する　④投与に際しては，副作用の発現の可能性について患者に十分理解させ，次の症状が認められた場合にはただちに連絡するよう注意を与える：発熱，咳嗽・呼吸困難等の呼吸器症状，口内炎，倦怠感　⑤使用が長期間にわたると副作用が強く現れ，遷延性に推移することがあるので，投与は慎重に行う　⑥腎機能が低下している場合には副作用が強く現れることがあるため，本剤投与開始前及び投与中は腎機能検査を行う等，患者の状態を十分観察する

注　注射用 ①**50mg　200mg　1000mg** メトトレキサート・ロイコボリン救援療法，**50mg** メトトレキサート・フルオロウラシル交代療法：メトトレキサート・ロイコボリン救援療法及びメトトレキサート・フルオロウラシル交代療法は高度の危険性を伴うので，投与中及び投与後の一定期間は患者を医師の監督下に置く．また，緊急時に十分に措置できる医療施設及びがん化学療法に十分な経験をもつ医師のもとで，本療法が適切と判断される症例についてのみ行う．なお，本療法の開始にあたっては，添付文書を熟読する　②**5mg　50mg** M-VAC療法：M-VAC療法は毒性を有する薬剤の併用療法であるので，緊急時に十分対応できる医療施設においてがん化学療法に十分な経験をもつ医師のもとで，本療法が適切と判断される症例についてのみ本療法を実施する．また，各併用薬剤の添付文書を参照して適応患者の選択に十分注意する

禁忌　2mg錠　カ ①妊婦又は妊娠している可能性のある婦人［催奇形性を疑う症例報告があり，また，動物実験で胎児死亡及び先天異常が報告されている］　②本剤の成分に対し過敏症の既往歴のある患者　③骨髄抑制のある患者［骨髄抑制を増悪させるおそれがある］　④慢性肝疾患のある患者［副作用が強く現れるおそれがある］　⑤腎障害のある患者［副作用が強く現れるおそれがある］　⑥授乳婦［母乳中への移行が報告されている］　⑦胸水，腹水等のある患者［胸水，腹水等に長期間貯留して毒性が増強されることがある］　⑧活動性結核の患者［症状を悪化させるおそれがある］

2.5mg錠　注　注射用 ①本剤の成分に対し重篤な過敏症の既往歴のある患者　②肝障害のある患者［肝障害を増悪させるおそれがある］　③腎障害のある患者［本剤の排泄遅延により副作用が強く現れるおそれがある］　④胸水，腹水等のある患者［胸水，腹水等に長時間貯留して毒性が増強されることがある］

過量投与　2mg錠　カ ①徴候・症状：外国で週間総用量が20mgを超えると重篤な副作用，特に骨髄抑制の発生率等が有意に上昇するという報告がある．過量投与時に報告された主な症状は血液障害及び消化管障害であった．また，重篤な

メ

副作用を発現し，致命的な経過をたどった症例が報告されている　②処置：過量投与したときは，速やかに本剤の拮抗剤であるホリナートカルシウム（ロイコボリンカルシウム）を投与するとともに，本剤の排泄を促進するために水分補給と尿のアルカリ化を行う．本剤とホリナートカルシウムの投与間隔が長いほど，ホリナートカルシウムの効果が低下することがある　**2.5mg錠** ①徴候・症状：外国で過量投与時に報告された主な症状は血液障害及び消化管障害であった．また，重篤な副作用を発現し，致命的な経過をたどった症例が報告されている　②処置：過量投与した時は，すみやかに拮抗剤であるロイコボリンカルシウムを投与するとともに，本剤の排泄を促進するために水分補給と尿のアルカリ化を行う．本剤とロイコボリンカルシウムの投与間隔が長いほど，ロイコボリンカルシウムの効果が低下することがある　**注**　**注射用** ①徴候・症状：**注** 外国で過量投与時に報告された主な症状は血液障害及び消化管障害であった．また，重篤な副作用を発現し，致命的な経過をたどった症例が報告されている　**注射用** 外国で過量投与時に報告された主な症状は血液障害及び消化管障害であった．また，重篤な副作用を発現し，致命的な経過をたどった症例が報告されている．また，髄腔内への過量投与の主な症状は，頭痛，悪心・嘔吐，痙攣，急性中毒性脳症等の中枢神経症状であり，また頭蓋内圧上昇による小脳ヘルニアを起こし，致命的な経過をたどった症例も報告されている　②処置：**注** 過量投与した時は，すみやかに拮抗剤であるロイコボリンカルシウムを投与するとともに，本剤の排泄を促進するために水分補給と尿のアルカリ化を行う．本剤とロイコボリンカルシウムの投与間隔が長いほど，ロイコボリンカルシウムの効果が低下する　**注射用** 過量投与した時は，すみやかに拮抗剤であるロイコボリンカルシウムを投与するとともに，本剤の排泄を促進するために水分補給と尿のアルカリ化を行う．本剤とロイコボリンカルシウムの投与間隔が長いほど，ロイコボリンカルシウムの効果が低下することがある．また，髄腔内へ過量投与した場合には，ロイコボリンカルシウムの投与，尿のアルカリ化に加え，必要により，支持療法等の適切な処置を行う

薬物動態

カ **血清中濃度**　関節リウマチ患者17名に1週間あたり6mg（1回2mg，12時間間隔で3回投与）を12週間繰り返し投与時の第1週目及び最終週の初回2mg投与時の最高血清中濃度（Cmax）は，投与1～2時間（Tmax）後に平均値0.215μM及び0.252μM．血清中濃度半減期（$T_{1/2}$）はそれぞれ2.4時間及び2.3時間．第1週目及び最終週の第3回目投与時のCmaxは，投与1～2時間（Tmax）後に平均値0.223μM及び0.357μM．$T_{1/2}$はそれぞれ3.2時間及び2.2時間．第1週目と最終週の投与後の血清中濃度を比較した結果から蓄積性はほとんどないと考えられた　**赤血球中濃度**　（参考）長期にわたり平均12.4mg/1回/週（7.5又は15mg/1回/週）内服している関節リウマチ患者の赤血球中濃度は血清中濃度の低下にもかかわらず，経口投与9日後まで0.05～0.34μMの範囲でほぼ一定値　**排泄**（参考）手術不能癌患者2例に^{3}H-メトトレキサートを0.1mg/kg経口投与時の主排泄経路は尿中で，累積尿中排泄率及び累積糞中排泄率はそれぞれ69.5％，8％．分娩1カ月後の絨毛性腫瘍患者1例に22.5mg/日を経口投与時の乳汁中濃度は，投与10時間後に最高濃度5×10^{-9}M．最高血清中濃度は投与6時間後に1.8×10^{-7}M，乳汁中濃度は相当する血清中濃度の約1/12以下．投与後12時間までの乳汁中への分泌量は0.32μgと微量であるが乳汁中へ移行

2.5mg錠　**注**　**注射用** 参考：①**錠**（米国）：悪性腫瘍患者17例に経口投与時の最高血中濃度は2.25，4.5，9mg投与では1時間後，31.5mg投与では2時間後にみられた．投与1時間後の最高血中濃度は5.3×10^{-7}～2.4×10^{-6}mol/Lで，この濃度範囲内での血漿中結合率は約50％．同時測定した尿中排泄率は24時間でほぼ100％．2.25～31.5mgを静注時の尿中排泄率は1時間で43％，6時間で88％，大部分は未変化体　②**注** (1)メトトレキサート通常療法（米国）：腎機能正常な悪性腫瘍患者のべ98例に5，10，25，50mgを単回静注後の血中濃度は，投与1～2時間後をピークに徐々に減少，24時間後でいずれの投与量でも5.5×10^{-8}mol/L以下．同時測定した尿中排泄率は，投与後4時間で平均65％，24時間で平均90％又はそれ以上　(2)メトトレキサート・ロイコボリン救援療法：肝・腎機能，骨髄機能の正常な骨肉腫患者27例にアドリアマイシン，ビンクリスチン及びメトトレキサート・ロイコボリン救援療法を施行．メトトレキサートの投与量は100，150，200，250，300mg/kgあるいは350mg/kgで，いずれも6時間以内の点滴静注時の全投与量（180回）における平均血中濃度（mol/L）は，6時間後1×10^{-5}mol/L以上，72時間後1×10^{-7}mol/L以下．投与量と血中濃度の関係については，投与後6，24，48時間後の血中濃度は投与量に依存して増加するが，72時間後の血中濃度は投与量に関係なく，1×10^{-7}mol/L以下．小児の急性白血病及び悪性リンパ腫等の患者に対してメトトレキサート・ロイコボリン救援療法を施行し，のべ284例の血清中メトトレキサート濃度とのべ43例の髄液中濃度を測定．メトトレキサートの投与量は25～100mg/kgで，これを6時間かけて点滴静注時の血清中濃度（mol/L）は6時間後1.47～2.54×10^{-4}，以後24時間後1.24～8.6×10^{-6}，48時間以後1×10^{-7}まで低下．髄液中濃度（mol/L）は，投与開始6時間後で25～50mg/kg投与群では8.15×10^{-7}，75～100mg/kg群で2.73×10^{-6}，24時間後はそれぞれ4.59×10^{-7}，5.47×10^{-7}．以後漸減し，72時間後にはいずれも1×10^{-7}以下に低下．小児悪性腫瘍患者24例にメトトレキサート・ロイコボリン救援療法としてメトトレキサートの750～9000mg/m^{2}を6時間点滴静注時の血清中濃度を測定．750～1500mg/m^{2}投与群（のべ98回）の投与開始24，48，72時間後のメトトレキサート血清中濃度（mol/L）は，それぞれ1.47×10^{-6}，1.92×10^{-7}，1.26×10^{-7}，2250～3000mg/m^{2}投与群（のべ68回）ではそれぞれ1.37×10^{-6}，1.95×10^{-7}，1.08×10^{-7}，9000mg/m^{2}投与群（のべ13回）ではそれぞれ1.52×10^{-6}，1.54×10^{-6}，0.97×10^{-7}　(3)メトトレキサート・フルオロウラシル交代療法（参考）：胃癌患者2例にメトトレキサート・フルオロウラシル交代療法を施行し，血清中メトトレキサート濃度を測定．投与量はメトトレキサート100mg/m^{2}，フルオロウラシル800mg/m^{2}として，メトトレキサート静注1時間後にフルオロウラシルを1時間かけ点滴静注時，メトトレキサートは投与15分後に平均最高血清中濃度3.3×10^{-5}mol/L，以後漸減し，投与24時間後には血中から消失

その他の管理的事項

投与期間制限　該当しない

保険給付上の注意　該当しない

資料

IF　メトトレキサート錠2mg「あゆみ」　2020年6月改訂（第19版）
メソトレキセート錠2.5mg　2019年2月改訂（第15版）
リウマトレックスカプセル2mg　2019年4月改訂（第21版）
メソトレキセート点滴静注液200mg・1000mg　2018年12月改訂（第18版）
注射用メソトレキセート5mg　2018年12月改訂（第16版）
注射用メソトレキセート50mg　2018年12月改訂（第16版）

メトプロロール酒石酸塩
メトプロロール酒石酸塩錠
Metoprolol Tartrate

概要

薬効分類 212 不整脈用剤，214 血圧降下剤

構造式

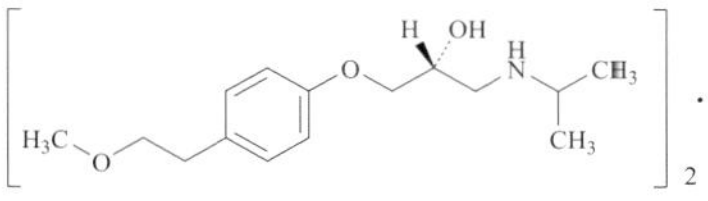

及び鏡像異性体

分子式 $(C_{15}H_{25}NO_3)_2 \cdot C_4H_6O_6$

分子量 684.81

ステム アドレナリンβ受容体拮抗薬：-olol

原薬の規制区分 ㊣劇

原薬の外観・性状 白色の結晶性の粉末である．水に極めて溶けやすく，メタノール，エタノール(95)又は酢酸(100)に溶けやすい．結晶多形が認められる．1.0gを水10mLに溶かした液のpHは6.0～7.0である

原薬の吸湿性 臨界相対湿度：約82％(37℃)

原薬の融点・沸点・凝固点 融点：120～124℃

原薬の酸塩基解離定数 pKa＝約9.7(25℃)

先発医薬品等

錠 セロケン錠20mg(アストラゼネカ)
　ロプレソール錠20mg・40mg(サンファーマ＝田辺三菱)

徐放錠 セロケンL錠120mg(アストラゼネカ)
　ロプレソールSR錠120mg(サンファーマ＝田辺三菱)

後発医薬品

錠 20mg・40mg

国際誕生年月 1975年4月

海外での発売状況 錠 豪，カナダなど

製剤

規制区分 錠 徐放錠 ㊣劇 ㊣処

製剤の性状 錠 白色のフィルムコート錠，ほとんど無味・無臭 徐放錠 淡黄色の長円形をした割線入りのフィルムコート錠

有効期間又は使用期限 3年

貯法・保存条件 錠 室温保存(苛酷条件下(高湿度)では錠剤が膨潤～軟化するおそれがあるので注意する) 徐放錠 室温保存

薬剤取扱い上の留意点 めまい，ふらつきが現れることがあるので，本剤投与中の患者(特に投与初期)には，自動車の運転等危険を伴う機械の作業に注意させること 錠 手術前24時間は投与しないことが望ましい 徐放錠 手術前48時間は投与しないことが望ましい

患者向け資料等 くすりのしおり

安定なpH域 6.0～7.0(7w/v%水溶液)

薬理作用

分類 心臓選択性β受容体遮断剤

作用部位・作用機序 作用部位：心臓β_1受容体 作用機序：(降圧作用)降圧作用機序については，まだ十分に解明されていないが，従来のβ遮断剤と同様，長期投与による心拍出量の減少に適応した末梢血管抵抗の減少，レニン分泌抑制，中枢神経抑制，交感神経末端のシナプス前β受容体遮断作用などが考えられている (抗狭心症作用)狭心症に対するβ-遮断剤の主な作用機序は，狭心痛発作の重要な誘因の一つであるカテコールアミンのβ_1受容体を介する心臓興奮作用を抑制し，心筋収縮能の低下，心拍数・1回拍出量の減少，血圧の低下などにより心仕事量を減じ，酸素需要を節減して酸素需給のバランスを改善するためと考えられている (抗不整脈作用)一般的にβ遮断剤の抗不整脈作用機序は，β遮断作用そのものと膜安定化作用(キニジン様作用)が単独又は同時に作用するためとされている．本剤は膜安定化作用が弱く，その抗不整脈作用にはβ遮断作用が関与しているものと考えられている

同効薬 アテノロール，ビソプロロール

治療

効能・効果 ①本態性高血圧症(軽症～中等症) ②狭心症 ③頻脈性不整脈 ※徐放錠は①のみ

用法・用量 効能①：錠 1日60～120mg，3回に分服(適宜増減)．効果不十分な場合は240mgまで増量できる．徐放錠 1日1回120mg，朝食後(適宜増減) 効能②③：1日60～120mg，2～3回に分服(適宜増減)

用法・用量に関連する使用上の注意 褐色細胞腫の患者では，単独投与により急激に血圧が上昇することがあるので，α遮断剤で初期治療を行った後に本剤を投与し，常にα遮断剤を併用する

禁忌・原則禁忌となる特定患者集団 妊婦又は妊娠している可能性のある婦人

使用上の注意

禁忌 ①本剤の成分及び他のβ遮断剤に対し過敏症の既往歴のある患者 ②糖尿病性ケトアシドーシス，代謝性アシドーシスのある患者［本症でみられる心筋収縮力抑制を増強するおそれがある］ ③高度の徐脈(著しい洞性徐脈)，房室ブロック(II，III度)，洞房ブロック，洞不全症候群のある患者［心刺激伝導系を抑制し，症状を悪化させるおそれがある］ ④心原性ショック，肺高血圧による右心不全，うっ血性心不全の患者［心筋収縮力を抑制し，症状を悪化させるおそれがある］ ⑤錠 低血圧症の患者［降圧作用により症状を悪化させるおそれがある］ ⑥重症の末梢循環障害(壊疽等)のある患者［症状を悪化させるおそれがある］ ⑦未治療の褐色細胞腫の患者 ⑧妊婦又は妊娠している可能性のある婦人

相互作用概要 主としてCYP2D6で代謝される

過量投与 ①徴候・症状：過量投与により，重度の低血圧，洞性徐脈，房室ブロック，心筋梗塞，心不全，心原性ショック，心停止，気管支痙攣，意識障害(又は昏睡)，痙攣，悪心，嘔吐，チアノーゼ等の症状が起こるおそれがある ②処置：(1)過度の徐脈：アトロピンを静注する．効果不十分な場合にはβ-刺激剤(ドブタミン等)を投与する．又は一時的にペースメーカーを使用する (2)過度の低血圧：低血圧には昇圧剤(アドレナリン，ドパミン，ドブタミン等)を投与する (3)心不全：利尿剤，ジギタリス製剤を投与する (4)気管支痙攣：β_2刺激剤(サルブタモール等)又はアミノフィリンを静注する．これらの処置の間は患者を常に観察下におく．また，過度の徐脈，過度の低血圧，心不全の処置には，グルカゴンが有効な場合もある

薬物動態

錠 **血中濃度** 健康成人にメトプロロール酒石酸塩40mgを単回経口投与時の薬物動態パラメータは次の通りである．Tmax(h) 1.9，Cmax(ng/mL) 41.8，$AUC_{0\text{-}\infty}$(ng・h/mL) 241.9，$T_{1/2}$(h) 2.8 **代謝・排泄** メトプロロールは主として肝において代謝され，腎から排泄される．^{3}H-メトプロロールを経口又は静注時のAUCの比は0.38であり，経口投与量の約60%が初回通過効果を受けたものと考えられる．^{3}H-メトプロロールを経口投与時の尿中総排泄率は24時間後で投与量の90%以上であり，未変化体として3～5%が排泄される．なお，メトプロロールの主な代謝酵素はCYP2D6(70～80%)とされている(外国人のデータ)

徐放錠 **血漿中濃度** 健康成人を二群に分け，徐放錠(120mg)を朝食後1日1回，普通錠(40mg)を毎食後1日3回cross over投与時の平均血漿中濃度推移と各々の血漿中濃度より算出した薬物動態パラメーターは次の通りであり，両者のバイオアベイラビリティは同等であった．Cmax(ng/mL)，Tmax(h)，$AUC_{0\text{-}24}$(ng・h/mL)の順に，(1)徐放錠朝食後1日1回服用：135.5±23.2，3.7±0.2，1251.8±270.1 (2)普通錠食後1日3回服用：105.8±15.5，6.7±0.8，1141.3±224.3

(n=12) **食事の影響** 健康成人に徐放錠1錠を投与した時，食後投与でのCmax，AUCは空腹時投与に比べ有意に高く，食事によるバイオアベイラビリティの増加が認められている **分割錠の徐放性** 健康成人に徐放錠1錠とその1/2分割錠を単回投与した時，分割錠投与時のCmax，AUCは1錠投与時のほぼ半分となり，また$T_{1/2}$はほとんど差がなく，非分割錠と同等な徐放特性が認められている **蓄積性** 健康成人に徐放錠を1日1回10日間連続投与し，血漿中濃度を検討した結果，蓄積性は認められていない **代謝・排泄** メトプロロールは主として肝において代謝され，腎から排泄される．^{3}H-メトプロロール50mgを経口投与時の尿中総排泄率は投与量の90%以上(24時間値)であり，未変化体として3～5%が排泄された．なお，メトプロロールの主な代謝酵素はCYP2D6(70～80%)とされている(外国人のデータ)

その他の管理的事項

投与期間制限 該当しない
保険給付上の注意 該当しない

資料

IF ロプレソール錠20mg・40mg 2016年11月改訂(第8版)
ロプレソールSR錠120mg 2020年3月改訂(第7版)

メトホルミン塩酸塩
メトホルミン塩酸塩錠
Metformin Hydrochloride

概要

薬効分類 396 糖尿病用剤
構造式

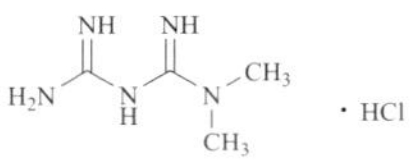

分子式 $C_4H_{11}N_5$・HCl
分子量 165.62
ステム フェンホルミン系血糖降下薬：-formin
原薬の規制区分 [劇]
原薬の外観・性状 白色の結晶又は結晶性の粉末である．水に溶けやすく，酢酸(100)にやや溶けにくく，エタノール(99.5)に溶けにくい
原薬の吸湿性 該当資料なし
原薬の融点・沸点・凝固点 融点：約221℃(分解)
原薬の酸塩基解離定数 pKa＝12.4(第二アミノ基)
先発医薬品等
[錠] グリコラン錠250mg(日本新薬)
メトグルコ錠250mg・500mg(大日本住友)
後発医薬品
[錠] 250mg・500mg
国際誕生年月 1959年3月
海外での発売状況 米，英を含む100カ国以上

製剤

規制区分 [錠] [劇] [処]
製剤の性状 [錠] 白色～帯黄白色の割線入りのフィルムコート錠
有効期間又は使用期限 3年
貯法・保存条件 室温保存
薬剤取扱い上の留意点 低血糖症状を起こすことがあるので，高所作業，自動車の運転等に従事している患者に投与するときには注意すること．錠剤を取り出す時に特異なにおいがすることがある(本剤の原料に由来する成分による)
患者向け資料等 患者向医薬品ガイド，くすりのしおり
溶液及び溶解時のpH 該当資料なし
浸透圧比 該当資料なし
安定なpH域 該当資料なし
調製時の注意 本剤とオルメサルタン メドキソミル製剤等との一包化は避けること．一包化して高温高湿度条件下にて保存した場合，本剤が変色することがある

薬理作用

分類 ビグアナイド系血糖降下剤
作用部位・作用機序 主に肝臓における糖新生を抑制し，膵β細胞のインスリン分泌を介することなく血糖降下作用を示す．また，末梢組織における糖取り込みの促進，小腸における糖吸収の抑制等も知られている．AMPK(Adenosine 5'-monophosphate(AMP)-activated protein kinase)の活性化を介して肝臓における糖新生の抑制及び筋肉での糖利用促進作用(ラット)を示すことが報告されている．また，メトホルミン塩酸塩を服用した2型糖尿病患者の骨格筋においては，AMPKが活性化されることが観察されている
同効薬 ブホルミン塩酸塩

治療

効能・効果 2型糖尿病(ただし，次のいずれかの治療で十分な効果が得られない場合に限る)：(1)食事療法・運動療法のみ (2)食事療法・運動療法に加えてスルホニルウレア剤を使用
用法・用量 ①**グリコラン「SN」「トーワ」** 1日量500mgから開始し，1日2～3回食後に分服．維持量は，効果を観察しながら決めるが，1日最高投与量750mg
②**メトグルコ MT製剤** (1)成人には1日500mgより開始し，1日2～3回食直前又は食後に分服．維持量は効果を観察しながら決めるが，通常1日750～1500mg(適宜増減)．1日最高投与量2250mgまで (2)10歳以上の小児には1日500mgより開始し，1日2～3回に分服，食直前又は食後．維持量は効果を観察しながら決めるが，通常1日500～1500mgとする(適宜増減)．1日最高投与量は2000mg
用法・用量に関連する使用上の注意 ①中等度の腎機能障害のある患者(eGFR 30mL/min/1.73m^2以上60mL/min/1.73m^2未満)では，メトホルミンの血中濃度が上昇し，乳酸アシドーシスの発現リスクが高くなる可能性があるため，次の点に注意する．特に，eGFRが30mL/min/1.73m^2以上45mL/min/1.73m^2未満の患者には，治療上の有益性が危険性を上回ると判断される場合にのみ投与する：(1)投与は，少量より開始する (2)投与中は，より頻回に腎機能(eGFR等)を確認するなど慎重に経過を観察し，投与の適否及び投与量の調節を検討する (3)〔グリコラン〕効果不十分な場合は，メトホルミン塩酸塩として1日最高投与量を750mgまで増量することができるが，効果を観察しながら徐々に増量する．また，投与にあたっては，1日量を1日2～3回に分割投与する (4)〔メトグルコ〕効果不十分な場合は，メトホルミン塩酸塩として1日最高投与量を次の目安まで増量することができるが，効果を観察しながら徐々に増量する．また，投与にあたっては，1日量を1日2～3回分割投与する：推算糸球体濾過量(eGFR)(mL/min/1.73m^2)，1日最高投与量の目安の順に45＜eGFR＜60→1500mg，30＜eGFR＜45→750mg
禁忌・原則禁忌となる特定患者集団 妊婦又は妊娠している可能性のある女性

使用上の注意

> **警告** ①重篤な乳酸アシドーシスを起こすことがあり，死亡に至った例も報告されている．乳酸アシドーシスを起こしやすい患者には投与しない ②腎機能障害又は肝機能障害のある患者，高齢者に投与する場合には，定期的に腎機能や肝機能を確認する等，慎重に投与する．特に75歳以上の高齢者では，本剤投与の適否を慎重に判断する

禁忌 ①次に示す患者[乳酸アシドーシスを起こしやすい]：(1)乳酸アシドーシスの既往のある患者 (2)重度の腎機能障害

(eGFR30mL/min/1.73m^{2}未満)のある患者又は透析患者(腹膜透析を含む) (3)重度の肝機能障害のある患者 (4)心血管系，肺機能に高度の障害(ショック，心不全，心筋梗塞，肺塞栓等)のある患者及びその他の低酸素血症を伴いやすい状態にある患者［嫌気的解糖の亢進により乳酸産生が増加する］ (5)脱水症の患者又は脱水状態が懸念される患者(下痢，嘔吐等の胃腸障害のある患者，経口摂取が困難な患者等) (6)過度のアルコール摂取者 ②重症ケトーシス，糖尿病性昏睡又は前昏睡，1型糖尿病の患者［輸液，インスリンによる速やかな高血糖の是正が必須である］ ③重症感染症，手術前後，重篤な外傷のある患者［インスリン注射による血糖管理が望まれるので本剤の投与は適さない．また，乳酸アシドーシスを起こしやすい］ ④栄養不良状態，飢餓状態，衰弱状態，脳下垂体機能不全又は副腎機能不全の患者［低血糖を起こすおそれがある］ ⑤妊婦又は妊娠している可能性のある女性 ⑥本剤の成分又はビグアナイド系薬剤に対し過敏症の既往歴のある患者

相互作用概要 ほとんど代謝されず，未変化体のまま主にhOCT2を介して尿中に排泄される

過量投与 ①症状：乳酸アシドーシスが起こることがある ②処置：アシドーシスの補正(炭酸水素ナトリウム静注等)，輸液(強制利尿)，血液透析等の適切な処置を行う

薬物動態

グリコラン **血中濃度** 健康成人21例に250mg1錠を空腹時投与の際，薬物動態パラメータは，Tmax(hr)2.36±0.96，Cmax(ng/mL)997±255，$AUC_{0\text{-}24hr}$(ng・hr/mL)6680±1410，$t_{1/2}$(hr)3.61±0.54．血漿中未変化体濃度は投与後約2.4時間で最高値に達し，その後約3.6時間の半減期で消失 **腎機能障害患者** (外国人データ)：腎機能正常者(3例，クレアチニンクリアランス：>90mL/min)，軽度(5例，クレアチニンクリアランス：61～90mL/min)及び中等度(4例，クレアチニンクリアランス：31～60mL/min)の腎機能障害者に850mgを空腹時単回経口投与時の薬物動態パラメータ(腎機能正常者，軽度腎機能障害者，中等度腎機能障害者の順)は，Cmax(μg/mL)1.64±0.50，1.86±0.52，4.12±1.83，$AUC_{0\text{-}\infty}$(ng・hr/mL)11.22±3.19，13.22±2.00，58.30±36.58，$t_{1/2}$(hr)11.2±5.2，17.3±21.2，16.2±7.6，CL_R(mL/min)394.7±83.8，383.6±122.3，108.3±57.2 **薬物相互作用** ①ドルテグラビルとの併用(外国人データ)：健康成人に対し本剤とドルテグラビル50mg/日及び100mg/日を併用して反復投与時，メトホルミンのCmaxがそれぞれ66%及び111%上昇し，AUCがそれぞれ79%及び145%増加した ②バンデタニブとの併用(外国人データ)：健康成人に対し本剤とバンデタニブを併用して単回投与時，メトホルミンのCmax及び$AUC_{0\text{-}\infty}$がそれぞれ50%及び74%増加し，腎クリアランスが52%減少した

メトグルコ **血中濃度** ①単回投与：健康成人男性に空腹時単回経口投与時の薬物動態パラメータ(Tmax(h)，Cmax(ng/mL)，$AUC_{0\text{-}48}$(ng・h/mL)，$T_{1/2}$(h)の順)は，250mg投与群(6例)1.9±1.1，898±168，4861±577，2.9±0.6，500mg投与群(6例)2.3±0.9，1341±329，8019±2347，4.0±1.4，750mg投与群(12例)2.1±0.7，2163±517，11802±2221，4.7±1.7 ②反復投与：健康成人男性に1日3回500mgあるいは750mg(各9例)を6日間反復経口投与時，血漿中メトホルミン濃度は投与2～4日後には定常状態に達し，反復投与による蓄積性はみられなかった **吸収** ①食事の影響：健康成人男性12例に750mgを食後単回経口投与時，空腹時投与に比べてCmaxが約20%低下したが，$AUC_{0\text{-}48}$及び尿中排泄率に差は認められなかった．健康成人男性に500mgを食直前及び食後単回経口投与時の薬物動態パラメータ(Tmax(h)，Cmax(ng/mL)，$AUC_{0\text{-}24}$(ng・h/mL)，$T_{1/2}$(h)の順)は，食直前投与(12例)1.5±0.6，1060±237，6186±1249，4.5±0.8，食後投与(12例)3.4±0.6，1014±162，6486±823，4.0±0.5 ②生物学的利用率：健康成人3例に500mgを単回経口投与時の生物学的利用率は60.6%(外国人データ) **分布** 血漿蛋白結合率：1.1～2.8%(*in vitro*，ヒト血漿，0.1～100μg/mL，限外ろ過法) **代謝** ほとんど代謝されない．メトホルミンは，主要なCYP分子種(CYP1A2，CYP2A6，CYP2B6，CYP2C8，CYP2C9，CYP2C19，CYP2D6，CYP2E1及びCYP3A4)の代謝活性に影響を与えなかった(*in vitro*) **排泄** 未変化体のまま尿中に排泄される．健康成人5例に500mgを単回経口投与時，投与48時間後までの尿中排泄率は投与量の51.6%(外国人データ)．ヒトのトランスポーター発現細胞(hOAT1，hOAT2，hOAT3，hOAT4，hOCT1，hOCT2，hOCT3)を用いて検討した結果，hOCT2が高い輸送能を示したことから，本剤は主にhOCT2を介して尿中に排泄されると考えられた

特定の背景を有する患者 ①腎機能障害患者：グリコラン参照 ②高齢者：健康高齢男性(65歳以上，クレアチニンクリアランス:>60mL/min)及び健康非高齢男性(20歳以上40歳未満，クレアチニンクリアランス:>90mL/min)に500mgを空腹時単回投与時の血漿中メトホルミン薬物動態パラメータ(Tmax(h)，Cmax(ng/mL)，$AUC_{0\text{-}48}$(ng・h/mL)，$T_{1/2}$(h)の順)は，健康高齢者(12例)2.5±1.1，1935±633，14236±3927，4.5±1.0，健康非高齢者(6例)2.9±1.3，1204±367，8907±2325，3.5±0.6 ③小児：小児2型糖尿病患者を対象とした長期投与試験で，本剤を1日2～3回に分割し，500～2000mg/日投与時の血漿中濃度173点を用いて，ポピュレーションPK解析を実施．最終モデルから得られた母集団平均パラメータ(推定値±標準誤差)は，見かけのクリアランスが69.9±3.96L/h，見かけの分布容積が525±52.1L，吸収速度定数が1.98±0.563h-1であり，これらを用いて，小児2型糖尿病患者の薬物動態パラメータ(投与条件：1日3回反復投与後)を推定した結果は次の通り．Tmax(h)，Cmax(ng/mL)，$AUC_{0\text{-}48}$(ng・h/mL)，$T_{1/2}$(h)の順に，250mg(36例)1.5±0.0，521±119，5095±2814，5.4±1.7 500mg(36例)1.5±0.0，1042±237，10191±5629，5.4±1.7 **薬物相互作用** ①シメチジン：健康成人に対し本剤とシメチジンを併用時，シメチジンの薬物動態には影響がみられなかったものの，メトホルミンのCmaxが約60%上昇し，$AUC_{0\text{-}24}$が約40%増加(外国人データ) ②ドルテグラビル：健康成人に対し本剤とドルテグラビル50mg/日及び100mg/日を併用して反復投与時，メトホルミンのCmaxがそれぞれ66%及び111%上昇し，AUCがそれぞれ79%及び145%増加(外国人データ) ③バンデタニブ：健康成人に対し本剤とバンデタニブを併用して単回投与時，メトホルミンのCmax及び$AUC_{0\text{-}\infty}$がそれぞれ50%及び74%増加し，腎クリアランスが52%減少(外国人データ) ④その他の薬剤：2型糖尿病患者に対し本剤とグリベンクラミドを併用時，グリベンクラミドのCmaxが約37%低下し，$AUC_{0\text{-}\infty}$が約22%減少．健康成人に対し本剤とニフェジピンを併用時，メトホルミンのCmaxが約21%上昇し，$AUC_{0\text{-}24}$が約16%増加．フロセミドを併用時，メトホルミンのCmaxが約22%上昇し，フロセミドのCmaxが約31%低下し，$AUC_{0\text{-}36}$が約12%減少．プロプラノロール又はイブプロフェンを併用時は薬物動態パラメータに影響はなかった．いずれの薬剤も併用により薬物動態に臨床的意義のある薬物相互作用はみられなかった(外国人データ)

その他の管理的事項

投与期間制限 該当しない

保険給付上の注意 該当しない

資料

IF メトグルコ錠250mg・500mg 2020年2月改訂(第13版)

メ

メドロキシプロゲステロン酢酸エステル
Medroxyprogesterone Acetate

概要

薬効分類　247　卵胞ホルモン及び黄体ホルモン剤

構造式

分子式　$C_{24}H_{34}O_4$

分子量　386.52

略語・慣用名　MPA

ステム　ステロイド(黄体ホルモン)：-sterone

原薬の規制区分　該当しない

原薬の外観・性状　白色の結晶性の粉末である．アセトンにやや溶けやすく，アセトニトリルにやや溶けにくく，エタノール(99.5)に溶けにくく，水にほとんど溶けない

原薬の吸湿性　ほとんど示さない

原薬の融点・沸点・凝固点　融点：204～209℃

原薬の酸塩基解離定数　該当資料なし

先発医薬品等

錠　ヒスロン錠5(協和キリン)
　ヒスロンH錠200mg(協和キリン)
　プロベラ錠2.5mg(ファイザー)

後発医薬品

錠　2.5mg・5mg・200mg

国際誕生年月　1959年7月

海外での発売状況　**5mg錠**　米，英，仏，独など世界各国　**200mg錠**　英，仏，独など諸外国

製剤

規制区分　**5mg錠**　**200mg錠**　㊈

製剤の性状　**5mg錠**　白色の素錠　**200mg錠**　白色，割線入りの素錠

有効期間又は使用期限　**5mg錠**　5年　**200mg錠**　3年

貯法・保存条件　室温保存

薬剤取扱い上の留意点　該当しない

患者向け資料等　**5mg錠**　くすりのしおり　**200mg錠**　患者向医薬品ガイド，くすりのしおり

溶液及び溶解時のpH　該当しない

浸透圧比　該当しない

安定なpH域　該当しない

調製時の注意　該当しない

薬理作用

分類　黄体ホルモン剤

作用部位・作用機序　**5mg錠**　標的組織：子宮等妊娠・出産に関連する女性臓器　作用機序：標的組織のプロゲステロンレセプターに結合し，黄体ホルモン作用と妊娠維持作用を発現する　**200mg錠**　作用部位：腫瘍細胞　作用機序：DNA合成抑制作用，下垂体・副腎・性腺系への抑制作用及び抗エストロゲン作用などにより抗腫瘍効果を発現すると考えられている

同効薬　**5mg錠**　プロゲステロン製剤，ジドロゲステロン製剤，クロルマジノン酢酸エステル製剤，ノルエチステロン・メストラノール混合製剤，ノルゲストレル・エチニルエストラジオール混合製剤，クロルマジノン酢酸エステル・メストラノール混合製剤など　**200mg錠**　乳癌：タモキシフェンクエン酸塩，メピチオスタン，ゴセレリン酢酸塩など

治療

効能・効果　**2.5mg錠**　**5mg錠**　無月経，月経周期異常(稀発月経，多発月経)，月経量異常(過少月経，過多月経)，機能性子宮出血，黄体機能不全による不妊症，切迫流早産，習慣性流早産
200mg錠　乳癌，子宮体癌(内膜癌)

効能・効果に関連する使用上の注意　**5mg錠**　切迫流早産，習慣性流早産：妊娠維持の目的で投与する場合は，黄体機能不全によると考えられる流早産にとどめる．また，妊娠状態が継続しているか否か確かめる

用法・用量　**2.5mg錠**　**5mg錠**　1日2.5～15mg，1～3回に分服
200mg錠　①乳癌：1日600～1200mgを3回に分服　②子宮体癌：1日400～600mgを2～3回に分服(適宜増減)

禁忌・原則禁忌となる特定患者集団　**200mg錠**　妊婦又は妊娠している可能性のある女性

使用上の注意

> **警告**　**200mg錠**　投与中に重篤な動・静脈血栓症が発現し，死亡に至った報告がある

禁忌　**2.5mg錠**　①脳梗塞，心筋梗塞，血栓静脈炎等の血栓性疾患又はその既往歴のある患者［症状が悪化するおそれがある］　②重篤な肝障害・肝疾患のある患者［症状が悪化するおそれがある］　③診断未確定の性器出血，尿路出血のある患者［病因を見のがすおそれがある］　④稽留流産［妊娠維持作用により子宮内で死亡している胎児の排泄が困難になるおそれがある］　⑤本剤の成分に対し過敏症の既往歴のある患者
5mg錠　①脳梗塞，心筋梗塞，血栓静脈炎等の血栓性疾患又はその既往歴のある患者［血栓症を起こすおそれがある］　②重篤な肝障害・肝疾患のある患者　③診断未確定の性器出血，尿路出血のある患者［病因を見のがすおそれがある］　④稽留流産［妊娠維持作用により子宮内で死亡している胎児の排出が困難になるおそれがある］　⑤本剤の成分に対し過敏症の既往歴のある患者
200mg錠　①血栓症を起こすおそれの高い次の患者：⑴手術後1週間以内の患者　⑵脳梗塞，心筋梗塞，血栓静脈炎等の血栓性疾患又はその既往歴のある患者　⑶動脈硬化症の患者　⑷心臓弁膜症，心房細動，心内膜炎，重篤な心不全等の心疾患のある患者　⑸ホルモン剤(黄体ホルモン，卵胞ホルモン，副腎皮質ホルモン等)を投与されている患者　②妊婦又は妊娠している可能性のある女性　③本剤の成分に対し過敏症の既往歴のある患者　④診断未確定の性器出血，尿路出血，乳房病変のある患者［病因を見のがすおそれがある］　⑤重篤な肝障害のある患者　⑥高カルシウム血症の患者［電解質代謝作用等の関与により症状を増悪させるおそれがある］

薬物動態

血中濃度　**200mg錠**　単回投与：外国人健康成人男性に400mgを単回経口投与時(19名の平均値)，投与後6時間でCmaxは61ng/mLに達し，$AUC_{0\text{-}144}$は4.13μg・h/mL，$AUC_{0\text{-}\infty}$は4.90μg・h/mL　**分布**　①血漿蛋白結合率：^{14}C-MPAのヒト(健康成人女性)血漿蛋白結合率は93.3％(120ng/mL)(*in vitro*)　②体組織への分布：雌性ラットに^{14}C-MPA70mg/kgを単回投与時，回腸，肝臓，白色脂肪，褐色脂肪，乳腺，胃及び副腎に高い放射能が認められた　③胎児への移行：妊娠ラットに^{14}C-MPA70mg/kgを単回投与時，胎児への移行が認められ，胎児の肝，腎及び心臓の放射能濃度は，母体血漿中放射能濃度とほぼ同程度　④乳汁への移行：授乳期のラットに^{14}C-MPA70mg/kgを単回投与時，乳汁中放射能濃度は血漿中放射能濃度の3～8倍高かった　**排泄**　①**5mg錠**　雌性ラット及び雌性イヌに^{14}C-MPA70mg/kgを単回投与時，投与放射能は投与後120時間までにそれぞれ尿中に3.9％，1.8％，糞中に94.7％，92.1％排泄　②**200mg錠**　乳癌患者12例にMPA1200mgを反復経口投与時，尿中への17-O-hydroxycorticosteroids排泄量は正常域の上限をはるかに上回る増加を示し，17-ketosteroidsの排泄量も同様．これは本剤の代謝産物が尿中に排泄された結果と考えられた

その他の管理的事項

投与期間制限　該当しない

保険給付上の注意　該当しない

資料

IF　ヒスロン錠5　2020年11月改訂(第1版)
ヒスロンH錠200mg　2020年11月改訂(第1版)

メトロニダゾール
メトロニダゾール錠
Metronidazole

概要

薬効分類　252　生殖器官用剤(性病予防剤を含む.), 269　その他の外皮用薬, 641　抗原虫剤

構造式

分子式　$C_6H_9N_3O_3$

分子量　171.15

略語・慣用名　MTZ, MNZ

ステム　メトロニダゾール系の抗原虫剤：-nidazole

原薬の規制区分　該当しない

原薬の外観・性状　白色～微黄白色の結晶又は結晶性の粉末である. 酢酸(100)に溶けやすく, エタノール(99.5)又はアセトンにやや溶けにくく, 水に溶けにくい. 希塩酸に溶ける. 光によって黄褐色になる

原薬の吸湿性　吸湿性なし

原薬の融点・沸点・凝固点　融点：159～163℃

原薬の酸塩基解離定数　pKa＝2.6(イミダゾール環)(紫外可視吸光度測定法)

先発医薬品等

錠 フラジール内服錠250mg(シオノギファーマ＝塩野義)
注 アネメトロ点滴静注液500mg(ファイザー)
腟用 フラジール腟錠250mg(富士製薬)
外用ゲル ロゼックスゲル0.75%(マルホ)

国際誕生年月　1959年7月

海外での発売状況　**錠** 米, 豪など　**注** 米　**腟用** 仏, 独など　**外用ゲル** 英

製剤

規制区分　**錠**　**注**　㊄

製剤の性状　**錠** 白色の円形の糖衣錠　**注** 無色～微黄色澄明の注射液　**腟用** 白色円形の錠剤で水によって発泡する　**外用ゲル**：無色～微黄色で異物を含まない単一相, 粘稠で均一な水性ゲル剤. 長期保存により黄褐色に変化することがある

有効期間又は使用期限　**錠** 5年　**注** 36カ月　**腟用**　**外用ゲル** 3年

貯法・保存条件　**錠** 気密容器, 室温保存　**注** 室温保存　**腟用** 気密容器, 遮光・室温保存(発泡錠により湿気を避ける)　**外用ゲル** 室温保存(凍結を避けること)

薬剤取扱い上の留意点　**外用ゲル** 使用中は日光又は日焼けランプ等による紫外線曝露を避けること. 本剤は紫外線照射により不活性体に転換され, 効果が減弱することがある

患者向け資料等　患者向医薬品ガイド, くすりのしおり

溶液及び溶解時のpH　**注** 4.5～6.0　**腟用** 4.0～6.5(1個に水20mLを加えて崩壊させ, 遠心分離した上澄液)　**外用ゲル** 約5

浸透圧比　**注** 約1.0(対生食)

安定なpH域　該当しない

調製時の注意　**注** 調製不要の使い切り製剤. 配合変化を起こす可能性があるので他の薬剤との混注を避けること

薬理作用

分類　抗トリコモナス剤

作用部位・作用機序　作用部位：*Trichomonas vaginalis*のDNA
作用機序：*Trichomonas vaginalis*に対し, 抗原虫作用を示す. 抗原虫及び抗菌作用：メトロニダゾールは原虫又は菌体内の酸化還元系によって還元を受け, ニトロソ化合物(R-NO)に変化する. このR-NOが抗原虫作用及び抗菌作用を示す. また, 反応の途中で生成したヒドロキシラジカルがDNAを切断し, DNAらせん構造の不安定化を招く　**外用ゲル** 皮膚潰瘍部位において臭気物質(プトレシン, カダベリン)を産生する数種類のグラム陽性及びグラム陰性嫌気性菌に対して抗菌作用を発揮する結果, がん性皮膚潰瘍に伴う臭気を軽減する

同効薬　チニダゾール

治療

効能・効果　**錠** ①トリコモナス症(腟トリコモナスによる感染症)　②細菌性腟症：〈適応菌種〉本剤に感性のペプトストレプトコッカス属, バクテロイデス・フラジリス, プレボテラ・ビビア, モビルンカス属, ガードネラ・バジナリス　〈適応症〉細菌性腟症　③ヘリコバクター・ピロリ感染症：〈適応菌種〉本剤に感性のヘリコバクター・ピロリ　〈適応症〉胃潰瘍・十二指腸潰瘍・胃MALTリンパ腫・特発性血小板減少性紫斑病・早期胃癌に対する内視鏡的治療後胃におけるヘリコバクター・ピロリ感染症, ヘリコバクター・ピロリ感染胃炎　④嫌気性菌感染症：〈適応菌種〉本剤に感性のペプトストレプトコッカス属, バクテロイデス属, プレボテラ属, ポルフィロモナス属, フソバクテリウム属, クロストリジウム属, ユーバクテリウム属　〈適応症〉深在性皮膚感染症, 外傷・熱傷及び手術創等の二次感染, 骨髄炎, 肺炎・肺膿瘍, 骨盤内炎症性疾患, 腹膜炎・腹腔内膿瘍, 肝膿瘍, 脳膿瘍　⑤感染性腸炎：〈適応菌種〉本剤に感性のクロストリジウム・ディフィシル　〈適応症〉感染性腸炎(偽膜性大腸炎を含む)　⑥アメーバ赤痢　⑦ランブル鞭毛虫感染症

腟用 ①トリコモナス腟炎　②細菌性腟症：〈適応菌種〉本剤に感性のペプトストレプトコッカス属, バクテロイデス・フラジリス, プレボテラ・ビビア, モビルンカス属, ガードネラ・バジナリス　〈適応症〉細菌性腟症

注 ①嫌気性菌感染症：〈適応菌種〉本剤に感性のペプトストレプトコッカス属, バクテロイデス属, プレボテラ属, ポルフィロモナス属, フソバクテリウム属, クロストリジウム属, ユーバクテリウム属　〈適応症〉敗血症, 深在性皮膚感染症, 外傷・熱傷及び手術創等の二次感染, 骨髄炎, 肺炎・肺膿瘍・膿胸, 骨盤内炎症性疾患, 腹膜炎・腹腔内膿瘍, 胆嚢炎・肝膿瘍, 化膿性髄膜炎, 脳膿瘍　②感染性腸炎：〈適応菌種〉本剤に感性のクロストリジウム・ディフィシル　〈適応症〉感染性腸炎(偽膜性大腸炎を含む)　③アメーバ赤痢

外用ゲル がん性皮膚潰瘍部位の殺菌・臭気の軽減

効能・効果に関連する使用上の注意　**錠** ①感染性腸炎(偽膜性大腸炎を含む)：「抗微生物薬適正使用の手引き」を参照し, 抗菌薬投与の必要性を判断した上で, 本剤の投与が適切と判断される場合に投与する　②ヘリコバクター・ピロリ感染症：(1)プロトンポンプインヒビター(ランソプラゾール, オメプラゾール, ラベプラゾールナトリウム, エソメプラゾール又はボノプラザン), アモキシシリン水和物及びクラリスロマイシン併用による除菌治療が不成功だった患者に適用する　(2)進行期胃MALTリンパ腫に対するヘリコバクター・ピロリ除菌治療の有効性は確立していない　(3)特発性血小板減少性紫斑病に対しては, ガイドライン等を参照し, ヘリコバクター・ピロリ除菌治療が適切と判断される症例にのみ除菌治療を行う　(4)早期胃癌に対する内視鏡的治療後胃以外には, ヘリコバクター・ピロリ除菌治療による胃癌の発症抑制に対する有効性は確立していない　(5)ヘリコバクター・ピロリ感染胃炎に用いる場合は, ヘリコバクター・ピロリが陽性であること及び内視鏡検査によりヘリコバクター・ピロリ感染胃炎

メ

であることを確認する

注 感染性腸炎(偽膜性大腸炎を含む)：「抗微生物薬適正使用の手引き」を参照し，抗菌薬投与の必要性を判断した上で，本剤の投与が適切と判断される場合に投与する

用法・用量 **錠** 効能①：1クールとして1回250mg，1日2回，10日間　効能②：1回250mg1日3回，又は1回500mg1日2回，7日間　効能③(アモキシシリン水和物，クラリスロマイシン及びプロトンポンプインヒビター併用によるヘリコバクター・ピロリの除菌治療が不成功の場合)：メトロニダゾールとして1回250mg，アモキシシリン水和物として1回750mg(力価)及びプロトンポンプインヒビターの3剤を同時に1日2回，7日間　効能④：1回500mg，1日3回又は4回　効能⑤：1回250mg，1日4回又は，1回500mg，1日3回，10～14日間　効能⑥：1回500mg，1日3回，10日間．なお，症状に応じて1回750mgを1日3回　効能⑦：1回250mg，1日3回，5～7日間

腟用 効能①：1クールとして1日1回250mg，10～14日間腟内に挿入　効能②：1日1回250mg，7～10日間腟内に挿入

注 1回500mgを1日3回，20分以上かけて点滴静注．なお，難治性又は重症感染症には症状に応じて1回500mgを1日4回投与できる

外用ゲル 症状及び病巣の広さに応じて適量を使用．潰瘍面を清拭後，1日1～2回ガーゼ等にのばして貼付するか，患部に直接塗布しその上をガーゼ等で保護する

用法・用量に関連する使用上の注意 **錠** ①末梢神経障害，中枢神経障害等の副作用が現れることがあるので，特に10日を超えて投与する場合や1500mg/日以上の高用量投与時には，副作用の発現に十分注意する　②ヘリコバクター・ピロリ感染症に用いる場合，プロトンポンプインヒビターにランソプラゾールとして1回30mg，オメプラゾールとして1回20mg，ラベプラゾールナトリウムとして1回10mg，エソメプラゾールとして1回20mg又はボノプラザンとして1回20mgのいずれか1剤を選択する

腟用 使用にあたっては，耐性菌の発現等を防ぐため，原則として感受性を確認し，疾病の治療上必要な最小限の期間の投与にとどめる

注 ①中枢神経障害，末梢神経障害等の副作用があらわれることがあるので，特に10日を超えて投与する場合は，副作用の発現に十分注意する　②嫌気性菌に対して抗菌活性を有する．したがって，好気性菌等を含む混合感染と診断された場合，又は混合感染が疑われる場合は，適切な薬剤を併用して治療を行う　③クロストリジウム・ディフィシルによる感染性腸炎においては，他の抗菌薬の併用により，治癒の遷延につながる場合があることから，併用の必要性について十分検討する　④血液透析により除去されるため，血液透析を受けている患者に投与する場合は，透析後に投与する

禁忌・原則禁忌となる特定患者集団 **錠** **注** **外用ゲル** 妊娠3カ月以内の女性(**錠** **注** 有益性が危険性を上回ると判断される疾患の場合は除く)

使用上の注意

禁忌 **錠** ①既往に本剤の成分に対する過敏症を起こした患者　②脳，脊髄に器質的疾患のある患者(脳腫瘍の患者を除く)[中枢神経系症状が現れることがある]　③妊娠3カ月以内の女性［有益性が危険性を上回ると判断される疾患の場合は除く］

腟用 既往に本剤の成分に対する過敏症を起こした患者

注 ①本剤の成分に対し過敏症の既往歴のある患者　②脳，脊髄に器質的疾患のある患者(化膿性髄膜炎及び脳膿瘍の患者を除く)［中枢神経系症状が現れることがある］　③妊娠3カ月以内の女性［有益性が危険性を上回ると判断される疾患の場合は除く］

外用ゲル ①本剤の成分に対し過敏症の既往歴のある患者　②脳，脊髄に器質的疾患のある患者(脳・脊髄腫瘍の患者を除く)［中枢神経系症状が現れることがある］　③妊娠3カ月以内の婦人

薬物動態

錠 **血中濃度** 健康女性5例に内服錠250mgを単回経口投与時，血中濃度は2時間後に最高値　**分布** ①腟内への移行：婦人科入院患者1群3～5例に内服錠250mgを単回経口投与時，症例によって多少の変動を認めたが，4時間後まで十分な抗原虫濃度を示した　②胎児への移行：分娩開始初期から内服錠200mgを3時間ごとに投与し，母子の血中濃度を測定時，胎盤関門を通過して胎児に移行することが認められた(外国人データ)　③母乳中への移行：平均年齢22.5歳の母親及び生後5日の新生児10例を選び，母親に内服錠200mgを単回経口投与し，4時間ごとに授乳して母乳中及び新生児の血中への移行を測定．母乳中の平均濃度は投与後4時間目では3.4μg/mL，8時間目では2.2μg/mL，12時間目では1.3μg/mLで母親の血中と同程度に移行したが，新生児の血中濃度は検出限界以下～0.4μg/mLと極めて微量(測定法：polarography)(外国人データ)　④血漿蛋白結合率：平衡透析法にて測定された血漿蛋白結合率は1μg/mLの濃度では8.1%，10μg/mLの濃度では11.2%(外国人データ)　**代謝** 主として肝臓で代謝される．尿中に排泄されたニトロ基を含む代謝物中，未変化のメトロニダゾール及びそのグルクロン酸抱合体が30～40%を占め，1-(2-ヒドロキシエチル)-2-ヒドロキシメチル-5-ニトロイミダゾール(ヒドロキシメトロニダゾール)及びそのグルクロン酸抱合体が主代謝物で40～50%を占めた(外国人データ)．主代謝物であるヒドロキシメトロニダゾールへの代謝にはCYP2A6が関与　**排泄** 健康女性3例に内服錠250mgを単回経口投与時の48時間までの尿中排泄率は，生物学的測定法で9.2%

注 **血中濃度** ①単回投与：日本人健康成人6例に500mgを20分かけて単回点滴静注時のメトロニダゾール及び活性代謝物であるヒドロキシメトロニダゾール[1-(2-hydroxyethyl)-2-hydroxymethyl-5-nitroimidazole]の薬物動態パラメータ[Cmax(μg/mL)，Tmax(h)，AUC_{inf}(μg・h/mL)，$t_{1/2}$(h)，CL(L/h)の順]は，メトロニダゾールでは[13.1(23)，0.32(0.32-1.00)，161(19)，12.4(22)，3.10(19)]，ヒドロキシメトロニダゾールでは[0.678(67)，12.0(12.0-12.0)，27.4(52)，18.8(29)，N/A]　※幾何平均値(変動係数%)　Tmaxは中央値(範囲)，$t_{1/2}$は算術平均値(変動係数%)　N/A：算出していない　②反復投与：日本人健康成人6例に500mgを20分かけて1日4回5日間反復点滴静注時，血漿中メトロニダゾール濃度は投与開始後約3日で定常状態，反復投与開始3～5日目のトラフ濃度は28.0～30.4μg/mL．メトロニダゾールに対するヒドロキシメトロニダゾールの比はCmaxが0.13，$AUC_{0\text{-}6}$が0.15．薬物動態パラメータ[Cmax(μg/mL)，Tmax(h)，$AUC_{0\text{-}6}$(μg・h/mL)，$t_{1/2}$(h)，CL(L/h)の順]は，メトロニダゾールでは[44.5(13)，0.41(0.32-1.00)，206(15)，13.4(17)，2.44(16)]，ヒドロキシメトロニダゾールでは[5.24(32)，1.50(0.00-6.00)，28.3(35)，21.9(18)，N/A]　※幾何平均値(変動係数%)　Tmaxは中央値(範囲)，$t_{1/2}$は算術平均値(変動係数%)　N/A：算出していない　**分布** ①組織・体液中濃度：投与後，唾液，歯肉溝滲出液，腹腔液中及び母乳中に血中と同程度のメトロニダゾール濃度が認められている．また脳膿瘍中，脳脊髄液中及び精漿中に移行するほか，胎盤を通過し，臍帯動脈血から胎児に移行する(外国人データ)．組織中・体液中メトロニダゾール濃度[投与量，採取時間(投与後時間)，組織内濃度又は体液中濃度(μg/g又はμg/mL)，血液中濃度(μg/mL)の順]は，唾液[500mg PO BID/TID，2時間，15.15，14.33]，歯肉溝滲出液[500mg PO BID/TID，2時間，12.86，14.33]，腹腔液[500mg IV SD，58分，7.2，10.7]，腹壁[1000mg IV SD，38分，2.6，25.1]，腹膜脂肪[1000mg IV SD，38分，2.7，25.1]，結腸壁[1000mg IV SD，156分，8.9，19.1]，胎盤[500mg IV SD，40分，3.5※2)，13.5]，胎児※1)[500mg IV SD，40分，9.0※2)，13.5※4)]，臍帯動脈血[500mg IV SD，20分，11.74※3)，13.92]，母乳[400mg PO TID，2時間，15.52，17.46]，母乳[400mg PO TID，8時間，9.07，9.87]，新生児※1)

[400mg PO TID, 4～8時間, 1.62, 9.87※4)], 精漿[250mg PO BID, 2～3時間, 7.0, 8.7], 脳脊髄液[500mg PO BID, 2～8時間, 11.0～13.9, 8.3～15.4], 脳膿瘍[400mg PO TID, 不明, 34.4～35.0, 11.5～35.1], 脳膿瘍[600mg IV TID, 不明, 45.0, 12.5]　※1)母体に投与時の値　※2)μg/mg　※3)帝王切開時の濃度　※4)母体の血液中濃度　PO：経口投与, IV：静脈内投与, SD：単回投与, BID：1日2回投与, TID：1日3回投与　②蛋白結合：血漿蛋白結合率は15%以下(外国人データ)
代謝　主として肝臓で酸化及びグルクロン酸抱合を受け代謝され, 代謝物としてヒドロキシメトロニダゾール, 酸代謝物(1-acetic acid-2-methyl-5-nitroimidazole), 未変化体とヒドロキシメトロニダゾールのグルクロン酸抱合体及び硫酸抱合体が認められている. 主代謝物であるヒドロキシメトロニダゾールへの代謝にはCYP2A6が関与(外国人データ)　**排泄**　健康成人に^{14}C-メトロニダゾールを単回静注時, 投与量の約60%が尿中に, 6%が糞中に排泄(外国人データ)　**特定の背景を有する患者**　①腎機能障害患者：(1)腎機能障害患者(血液透析患者を除く)：腎機能障害患者に点滴静注時, メトロニダゾールの血漿中濃度推移は健康成人と大きく異ならず, メトロニダゾールのAUCに対する腎機能低下の明らかな影響は認められなかった. 血中の酸代謝物は健康成人では認められなかったが, 腎機能障害患者では認められた. ヒドロキシメトロニダゾール及び酸代謝物のAUCは腎機能低下に従って増加する傾向が認められた(外国人データ)　(2)血液透析患者：血液透析を受けている腎機能障害患者4例に, 500mgを30分かけて単回点滴静注時, 投与量の約45%が透析によって除去された(外国人データ)　②肝機能障害患者：健康成人7例及び肝機能障害患者35例に, 500mgを20分かけて単回点滴静注時の薬物動態パラメータ[$t_{1/2}$(h), CL(mL/min/kg), AUC_{0-24}(μg・h/mL)の順](平均値±標準偏差)は, 健康成人(7例)[7.4±2.2, 1.53±0.37, 81.4±27.0], Child-Pugh A(14例)[10.7±2.3, 0.85±0.26, 124.9±42.3], Child-Pugh B(9例)[13.5±5.1, 0.79±0.36, 124.4±25.8], Child-Pugh C(12例)[21.5±12.7, 0.56±0.28, 174.1±52.07]で, 肝機能障害の重症度に従い, メトロニダゾールのCLは減少し, $t_{1/2}$は延長. また肝機能障害患者のAUC_{0-24}は健康成人と比較して有意に増加(外国人データ)

外用ゲル　**血中濃度**　国内第III相臨床試験で, 1日最大30g(メトロニダゾールとして225mg)を7日間潰瘍部位に塗布後の平均最高血漿中濃度は852ng/mL(範囲：136～2872ng/mL), トラフ濃度は投与7日目380±281ng/mL, 14日目510±565ng/mL　**分布**　①組織分布(参考-動物実験)：ラット, ウサギに静注後, 又はマウス, ラットに経口投与後の血中から組織への分布は速やかで, 排泄器官(胃腸管, 腎臓, 膀胱)ならびに肝臓への分布が高かった. 投与24時間後に残存濃度が高かったのは肝臓, 消化管, 腎臓　②胎児への移行(外国人によるデータ)：分娩開始初期から内服錠200mgを3時間ごとに投与して, 母子の血中濃度を測定時, 胎盤関門を通過して胎児に移行　③母乳中への移行(外国人によるデータ)：平均年齢22.5歳の母親及び生後5日の新生児10例を選び, 母親にメトロニダゾール内服錠200mgを経口投与し, 4時間ごとに授乳して母乳中及び新生児の血中への移行を測定. 母乳中の平均濃度は4時間3.4μg/mL, 8時間2.2μg/mL, 12時間1.8μg/mLで母親の血中と同程度に移行したが, 新生児の血中濃度は痕跡～0.4μg/mLと極めて微量(測定法：polarography)　**代謝(外国人によるデータ)**　主として肝臓で代謝. 尿中に排泄されたニトロ基を含む代謝物中, 未変化のメトロニダゾール及びそのグルクロン酸抱合体が30～40%を占め, 1-(2-ヒドロキシエチル)-2-ヒドロキシメチル-5-ニトロイミダゾール及びそのグルクロン酸抱合体が主代謝物で40～50%を占めた　**排泄(参考：動物実験)**　ラット, ウサギに静注後, 又はマウス, ラットに経口投与後の主要な排泄経路は尿中で, ラットにおいてメトロニダゾール及び代謝物の腸肝循環は著明には認められなかった

その他の管理的事項
投与期間制限　該当しない
保険給付上の注意　該当しない

資料
IF　フラジール内服錠250mg　2020年7月改訂(第17版)
　アネメトロ点滴静注液500mg　2020年7月改訂(第9版)
　フラジール膣錠250mg　2015年7月改訂(第2版)
　ロゼックスゲル0.75%　2020年1月改訂(第7版)

メナテトレノン
Menatetrenone

概要
薬効分類　316　ビタミンK剤
構造式

分子式　$C_{31}H_{40}O_2$
分子量　444.65
略語・慣用名　慣用名：ビタミンK_2, メナキノン-4
ステム　アルドステロン拮抗作用を持つスピロノラクトン誘導体：-renone
原薬の規制区分　該当しない
原薬の外観・性状　黄色の結晶, 結晶性の粉末, ろう様の塊又は油状である. ヘキサンに極めて溶けやすく, エタノール(99.5)にやや溶けやすく, 2-プロパノールにやや溶けにくく, メタノールに溶けにくく, 水にほとんど溶けない. 光によって分解し, 着色が強くなる
原薬の吸湿性　吸湿しない
原薬の融点・沸点・凝固点　融点：約37℃
原薬の酸塩基解離定数　解離する基をもたない
先発医薬品等
　カ　グラケーカプセル15mg(エーザイ)
　　ケイツーカプセル5mg(エーザイ)
　シ　ケイツーシロップ0.2%(サンノーバ=エーザイ)
　注　ケイツーN静注10mg(エーザイ)
後発医薬品
　カ　15mg
国際誕生年月　**15mgカ**　1972年6月
海外での発売状況　**5mgカ**　**注**　該当しない　**15mgカ**　タイ, 韓国, ミャンマー, ラオス, カンボジア, ベトナムなど

製剤
規制区分　**注**　㊋
製剤の性状　**5mgカ**　黄赤色不透明/淡黄赤色不透明の硬カプセル剤　**15mgカ**　橙色の軟カプセル剤　**シ**　黄色澄明の液で, オレンジようのにおいを有するシロップ剤　**注**　淡黄色半透明の液
有効期間又は使用期限　3年
貯法・保存条件　**5mgカ**　室温保存. 外箱開封後は遮光保存(光により分解し, 含量が低下する)　**15mgカ**　室温保存. PTP包装はアルミ袋開封後, バラ包装は開栓後, 高温を避け防湿保存(カプセル皮膜の軟化・変色及びPTPへのはりつきが起こることがある)　**シ**　室温保存　**注**　室温保存. LPEパック(Light Protect Easy open pack)の状態で保存(アンプルのままでは, 光で分解し, 含量が低下する)
薬剤取扱い上の留意点　**注**　光により褐変化し分解するため, 点滴投与時には調製及び投与時の室内光に十分注意すること.

保管中の品質の安定性確保のためLPEパックを使用しているので，使用直前にLPEパックから取り出すこと

患者向け資料等 くすりのしおり

溶液及び溶解時のpH **注** 6.0～8.0

浸透圧比 **注** 約3(対生食)

安定なpH域 該当しない

調製時の注意 該当しない

薬理作用

分類 ビタミンK製剤

作用部位・作用機序 ビタミンK_2は，血液凝固因子(プロトロンビン，Ⅶ，Ⅸ，Ⅹ)の蛋白合成過程で，グルタミン酸残基が生理活性を有するγ-カルボキシグルタミン酸に変換する際のカルボキシル化反応に関与する．すなわち，K_2は，正常プロトロンビンなどの肝での合成を促進し，生体の止血機構を賦活して生理的に止血作用を発現する

同効薬 **5mgカ** **シ** **注** フィトナジオン **15mgカ** アレンドロン酸ナトリウム水和物，エチドロン酸二ナトリウム，アルファカルシドール，イプリフラボン，カルシトリオール，ラロキシフェン，リセドロン酸ナトリウム水和物，ミノドロン酸水和物，イバンドロン酸ナトリウム水和物，テリパラチド酢酸塩，エルカトニン，デノスマブ

治療

効能・効果 **5mgカ** ビタミンKの欠乏による次の疾患及び症状：①新生児低プロトロンビン血症 ②分娩時出血 ③抗生物質投与中に起こる低プロトロンビン血症 ④クマリン系殺鼠剤中毒時に起こる低プロトロンビン血症．妊婦に投与する場合の保険診療上の取扱いについては使用上の注意の保険診療上の取扱い参照

15mgカ 骨粗鬆症における骨量・疼痛の改善

シ ①新生児出血症及び新生児低プロトロンビン血症の治療 ②新生児・乳児ビタミンK欠乏性出血症の予防

注 ビタミンKの欠乏による次の疾患及び症状：①胆道閉塞・胆汁分泌不全による低プロトロンビン血症 ②新生児低プロトロンビン血症 ③分娩時出血 ④クマリン系抗凝血薬投与中に起こる低プロトロンビン血症 ⑤クマリン系殺鼠剤中毒時に起こる低プロトロンビン血症

効能・効果に関連する使用上の注意 **5mgカ** **注** ビタミンK拮抗作用を有し，低プロトロンビン血症を生じる殺鼠剤として，ワルファリン，フマリン，クマテトラリル ブロマジオロン，ダイファシノン，クロロファシノン等がある．投与にあたっては抗凝血作用を有する殺鼠剤の中毒であることを血液凝固能検査にて確認する

用法・用量 **5mgカ** 効能①②：妊婦に分娩1週間前から1日20mg連日投与 効能③：1日20mgを朝・夕2回食後分服 効能④：1日40mgを朝・夕2回食後分服．症状，血液凝固能検査結果に応じて適宜増減

15mgカ 1日45mgを食後3回に分服

シ 効能①：1日1回，2mg.症状に応じて6mgまで増量 効能②出生後，哺乳の確立を確かめてから，1回2mg.その後，2回目として生後1週間又は産科退院時のいずれか早い時期，3回目として生後1カ月時にそれぞれ1回2mg

注 効能①③④：1日1回10～20mg静注 効能②：生後ただちに1回1～2mgを静注し，また症状に応じて2～3回反復静注 効能⑤：1日20mg静注．症状，血液凝固能検査結果に応じて，1日40mgまで増量

用法・用量に関連する使用上の注意 **シ** 新生児・乳児ビタミンK欠乏性出血症の予防投与において，1カ月健診時にビタミンK欠乏が想定される症例では，生後1カ月を超えて継続すること等を考慮する

使用上の注意

禁忌 **15mgカ** ワルファリンカリウム投与中の患者

注 本剤の成分に対し過敏症の既往歴のある患者

薬物動態

5mgカ **シ** **注** **血中濃度** ①健康成人男子10名に30mg(6カプセル)を食後経口投与時，最高血漿中濃度(Cmax)は322ng/mL，Cmaxに達する時間(Tmax)は4.9時間．また血漿中濃度-時間曲線下面積(AUC)は1130ng・hr/mL ②健康成人男子にN注を10mg(4名)・30mg(8名)・50mg※)(4名)単回静注後の血漿中未変化体濃度はほぼ投与量公比に比例して上昇．10mg投与開始後6分の平均血漿中濃度は2.76μg/mLで，以後直線的に減少，2時間後には0.57μg/mL．血漿中濃度の消失は2相性を示し，その平均消失半減期はα相が0.71時間，β相が17.52時間．投与後48時間までのAUC値は3.9μg・hr/mL．※)50mg投与は承認外用量

15mgカ **血中濃度** 健康成人男子9名に15mgを食後単回経口投与時，平均血漿中濃度は投与後約1時間のラグタイムの後上昇，投与後約6時間でピークに達した．若年成人及び高齢者各6名に1回15mg1日3回食後に7日間反復経口投与で，初回投与時に比べ最終投与時のCmax，AUCは，若年成人ではほぼ同じ値．一方，高齢者では各々約1.3倍，約1.5倍に上昇．朝投与前の血漿中濃度は投与3日以降上昇しなかった．15mg(9例)を経口投与時の薬物動態パラメータはCmax253.2±82.4ng/mL，Tmax4.72±1.52hr，AUC870.7±149.6ng・hr/mL **食事の影響** ①健康成人男子3名に15mgを一晩絶食後あるいは朝食摂取30分以内に経口投与，一晩絶食後投与では本剤の吸収は低下 ②健康成人男子18名を6名ずつ3群に分け，クロスオーバー法で，脂肪含有量の異なる3種類の食事(脂肪含有量8.8，20，34.9g)摂取30分以内に15mgを経口投与時，本剤の吸収は食事中の脂肪含有量に応じて増大．このうちの12名にさらに高脂肪食(脂肪含有量53.8g)摂取30分以内に15mgを経口投与時の本剤の吸収は脂肪含有量34.9gの食事摂取時と同程度．絶食下(空腹時)あるいは朝食後に15mg経口投与時の薬物動態パラメータ(3例)(絶食下，朝食後の順)はCmax(ng/mL)32.3±18.2，354±165，Tmax(hr)4.3±1.2，3.3±1.5，AUC(ng・hr/mL)165±73.54，1114.5±227.86 ③脂肪含有量の異なる4種類の食事摂取後に15mg経口投与時の薬物動態パラメータ[脂肪含有量；8.8g(18名)，20g(18名)，34.9g(18名)，53.8g(12例)の順]はCmax(ng/mL)133.4±80.5，139.7±43.3，409.4±159.1，297.1±157.8，Tmax(hr)5.3±1.5，4.4±1.3，3±1.5，4.3±1.7，AUC(ng・hr/mL)370.6±194.2，485.2±150.1，1024.4±341.4，991.2±392．ただし53.8g以外は18例．[参考：脂肪含有量8.8gの献立内容，( )内は脂肪のg]ご飯180g(0.9)，味噌汁207g(2.45)，煮物170g(0.18)，温泉卵84g(5.1)，いちごジャムゼリー56g(0.04)，バナナ1本100g(0.1)，合計797g(8.77)

その他の管理的事項

投与期間制限 該当しない

保険給付上の注意 **5mgカ** 保険診療上の取扱い(妊婦に投与する場合について)①分娩の準備状態が開始された以降の時期(おおむね分娩前1週間以内)におけるヘパプラスチンテスト値が110%以下の妊婦に限り保険給付の対象とするものであること ②投与に関連して妊婦に対しスクリーニング的に実施されるヘパプラスチンテストについては保険給付対象外として取り扱うものであること **シ**「新生児・乳児ビタミンK欠乏性出血症の予防」の目的で使用した場合には，保険給付の対象とはならない

資料

IF ケイツーカプセル5mg 2016年1月改訂(第6版)
グラケーカプセル15mg 2016年8月改訂(第9版)
ケイツーシロップ0.2% 2015年12月改訂(第8版)
ケイツーN静注10mg 2019年7月改訂(第9版)

メピチオスタン
Mepitiostane

概要

薬効分類　249　その他のホルモン剤(抗ホルモン剤を含む.)

構造式

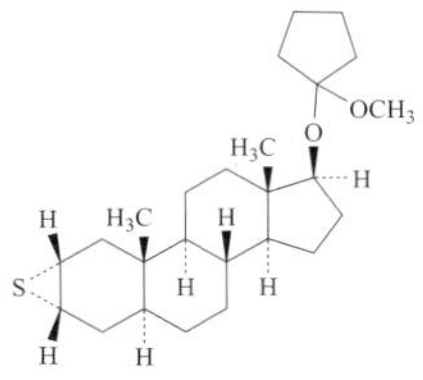

分子式　$C_{25}H_{40}O_2S$

分子量　404.65

ステム　不明

原薬の規制区分　劇

原薬の外観・性状　白色〜微黄色の結晶又は結晶性の粉末である. トリエチルアミン, クロロホルム, ジエチルエーテル又はシクロヘキサンに溶けやすく, ジエチレングリコールジメチルエーテル又は石油エーテルにやや溶けやすく, アセトンにやや溶けにくく, メタノール又はエタノール(99.5)に溶けにくく, 水にほとんど溶けない. 湿った空気中で加水分解する

原薬の吸湿性　湿った空気中で加水分解する

原薬の融点・沸点・凝固点　70℃以上で融解し始め, 約110℃で融解する(分解)

原薬の酸塩基解離定数　該当資料なし

先発医薬品等

カ　チオデロンカプセル5mg(日医工)

国際誕生年月　不明

海外での発売状況　該当しない

製剤

規制区分　カ　劇 処

製剤の性状　カ　淡黄褐色半透明な軟カプセル剤で, においはない

有効期間又は使用期限　2年

貯法・保存条件　気密容器, 遮光・冷所保存

薬剤取扱い上の留意点　該当資料なし

患者向け資料等　くすりのしおり

溶液及び溶解時のpH　該当しない

浸透圧比　該当しない

安定なpH域　該当しない

調製時の注意　該当しない

薬理作用

分類　アンドロスタン系ステロイド

作用部位・作用機序　作用機序(ラット, マウス及び*in vitro*): ①骨髄幹細胞に直接作用し, 骨髄中のCFU-E(赤芽球コロニー形成細胞)を増加させて造血効果を発揮すると考えられる　②メピチオスタンは経口投与された場合, 生体内で代謝されてエピチオスタノールを生ずる. このエピチオスタノールが標的器官(例えば子宮, 膣, 乳腺)のエストロゲン受容体に結合し, エストロゲンとエストロゲン受容体の結合を競合的に阻害し, その結果エストロゲン作用を抑制するものと考えられる

同効薬　透析実施中の腎性貧血：エリスロポエチン製剤

治療

効能・効果　透析施行中の腎性貧血, 乳癌

用法・用量　1日20mg, 2回に分服(適宜増減). なお, 透析施行中の腎性貧血に対しては, 投与開始後3カ月目ごろに効果判定を行い, 有効な場合は継続する. その後, 末梢血液像の改善及び貧血症状の有無等により適宜減量又は休薬する

禁忌・原則禁忌となる特定患者集団　妊婦又は妊娠している可能性のある婦人

使用上の注意

禁忌　①アンドロゲン依存性悪性腫瘍(たとえば前立腺癌, 男子乳癌)及びその疑いのある患者[腫瘍を増悪・顕在化することがある]　②妊婦又は妊娠している可能性のある婦人

薬物動態

血漿中濃度　①健康成人：健康成人男子6例に10mg単回経口投与時の薬物動態パラメータはCmax34.5±7.3ng/mL, Tmax4.2±0.8hr, $AUC_{0-\infty}$183.9±31.0ng・hr/mL(測定法：GC-MS法)　②血液透析患者：血液透析を必要とする腎疾患患者6例に10mgを朝夕2回7日間反復経口投与時, 血漿中濃度は上昇していく傾向はみられず, 蓄積性は認められなかった

分布(参考)　①ラットに^{14}C-標識メピチオスタン5mg/kg単回経口投与時, 心臓, 肺, 肝臓, 腎臓等の主要臓器では投与2〜4時間後にピークに達し24〜48時間後にはほぼ消失. 子宮, 卵巣等の標的器官では消失が緩慢であり24時間後でも強い活性を示したが, 48時間後にはほぼ消失. 1日1回14回反復投与後の時間的推移は単回投与の場合とよく類似しており, 標的器官以外の主要臓器では投与終了24〜48時間後にはほぼ消失し, 蓄積性は認められなかった. 標的器官では48時間後もかなりの活性を示し, その後消失に向かった　②妊娠ラットに投与時, 母動物における濃度に比べわずかであるが胎児に移行し, 胎児各臓器中は投与2〜4時間後にピークに達し, 24時間後にはほぼ消失　③マウスに経口投与時, 新生児への乳汁を介しての移行は, わずかではあるが認められ比較的ゆっくりと消失　**代謝(参考)**　ラットに^{14}C-標識メピチオスタン経口投与時の代謝経路はメピチオスタンのメトキシシクロペンチール基がはずれてエピチオスタノールとなった後, また一部は, エピチオ基の酸化, 脱硫を経てメピチオスタンオレフィンとなり, 次いでメトキシシクロペンチール基がはずれてエピチオスタノールの代謝経路に入ると考えられる　**排泄(参考)**　ラットに単回経口投与時の尿中及び糞中への累積排泄率は, それぞれ約30%, 約67%. 1日1回, 14回反復投与後の場合も1回投与の成績と類似. 本剤は吸収された後, かなりの部分が胆汁中に排泄されるが, このうち再吸収されるものがあり, 腸肝循環が認められた

その他の管理的事項

投与期間制限　該当しない

保険給付上の注意　該当しない

資料

IF　チオデロンカプセル5mg　2019年2月改訂(第11版)

メ

メピバカイン塩酸塩
メピバカイン塩酸塩注射液
Mepivacaine Hydrochloride

概要

薬効分類　121　局所麻酔剤, 271　歯科用局所麻酔剤

構造式

及び鏡像異性体

分子式　$C_{15}H_{22}N_2O \cdot HCl$

分子量　282.81

ステム　局所麻酔薬：-caine

原薬の規制区分　劇(ただし, メピバカインとして5%以下を含

有する外用剤及び1個中メピバカインとして15mg以下を含有する坐剤を除く）

原薬の外観・性状　白色の結晶又は結晶性の粉末である．水又はメタノールに溶けやすく，酢酸(100)にやや溶けやすく，エタノール(99.5)にやや溶けにくい．本品の水溶液(1→10)は旋光性を示さない．0.2gを水10mLに溶かした液のpHは4.0〜5.0である

原薬の吸湿性　やや吸湿性である．25℃，75%RHで6時間後2〜2.5%吸湿し，その後平衡になる．光による変化は少ない

原薬の融点・沸点・凝固点　融点：約256℃(分解)

原薬の酸塩基解離定数　pKa＝7.76(25℃)

先発医薬品等

[注] 0.5%・1%・2%塩酸メピバカイン注「NM」(ナガセ＝ファイザー)

0.5%・1%・塩酸メピバカイン注PB(日新製薬＝日本ジェネリック)

0.5%・1%・2%カルボカイン注(アスペン)

カルボカインアンプル注0.5%・1%・2%(日新製薬＝アスペン)

[歯科用] スキャンドネストカートリッジ3%(日本歯科)

後発医薬品

[キット] 0.5%・1%・2%

国際誕生年月　1956年12月

海外での発売状況　[注] 仏，独など　[歯科用] 米，英，仏，独など40カ国以上

製剤

規制区分　[注] [歯科用] [劇] [処]

製剤の性状　[注] [歯科用] 無色澄明の液

有効期間又は使用期限　3年

貯法・保存条件　室温保存

薬剤取扱い上の留意点　[注] 金属を侵す性質があるので，長時間金属器具(カニューレ，注射針等)に接触させないことが望ましい．なお，金属器具を使用した場合は，使用後十分に水洗する

溶液及び溶解時のpH　[注] [歯科用] 4.5〜6.8

浸透圧比　[0.5%注] 1.0〜1.2(対生食)　[1%注] 1.1〜1.3(対生食)　[2%注] 1.2〜1.4(対生食)　[歯科用] 約1(対生食)

調製時の注意　該当しない

薬理作用

分類　アミド型局所麻酔薬

作用部位・作用機序　作用部位：局所の神経線維　作用機序：神経膜のナトリウムチャネルをブロックし，神経における活動電位の伝導を可逆的に抑制し知覚神経及び運動神経を遮断する局所麻酔薬

同効薬　リドカイン塩酸塩，ブピバカイン塩酸塩，レボブピバカイン塩酸塩，プロピトカイン塩酸塩，ロピバカイン塩酸塩

治療

効能・効果　[注] [キット] 硬膜外麻酔，伝達麻酔，浸潤麻酔

[歯科用] 歯科・口腔外科領域における浸潤麻酔

効能・効果に関連する使用上の注意　[歯科用] ①30分以内の処置に適用する(血管収縮薬配合の局所麻酔剤と比較して作用時間が短い)　②持続性の出血を伴う処置には適用しない(血管収縮薬を含まないので止血作用がない)

用法・用量　[注] [キット] 基準最高用量は1回500mg：①硬膜外麻酔：〔0.5%注〕50〜150mg，〔1%注〕100〜300mg，〔2%注〕200〜400mg(適宜増減)　②伝達麻酔：〔1%注〕50〜200mg，〔2%注〕40〜400mg，指趾神経遮断には〔0.5%注〕20〜40mg，〔1%注〕40〜80mg，〔2%注〕80〜160mg，肋間神経遮断・交感神経遮断には〔0.5%注〕25mg(適宜増減)　③浸潤麻酔：〔0.5%注〕10〜200mg，〔1%注〕20〜400mg，〔2%注〕40〜400mg(適宜増減)

[歯科用] 54mg(適宜増減)．増量する場合は注意する

使用上の注意

禁忌　[注] [キット] ①本剤の成分又はアミド型局所麻酔薬に対し過敏症の既往歴のある患者　②〔硬膜外麻酔〕大量出血やショック状態の患者［過度の血圧低下が起こることがある］　③〔硬膜外麻酔〕注射部位又はその周辺に炎症のある患者［化膿性髄膜炎症状を起こすことがある］　④〔硬膜外麻酔〕敗血症の患者［敗血症性の髄膜炎を生じるおそれがある］

[歯科用] 本剤又はアミド型局所麻酔薬に対し過敏症の既往歴のある患者

過量投与　局所麻酔薬の血中濃度の上昇に伴い，中毒が発現する．特に誤って血管内に投与した場合には，数分以内に発現することがある．その症状は，主に中枢神経系及び心血管系の症状として現れる：①徴候，症状：(1)中枢神経系の症状：初期症状として不安，興奮，多弁，口周囲の知覚麻痺，舌のしびれ，ふらつき，聴覚過敏，耳鳴，視覚障害，振戦等が現れる．症状が進行すると意識消失，全身痙攣が現れ，これらの症状に伴い低酸素血症，高炭酸ガス血症が生じるおそれがある．より重篤な場合には呼吸停止をきたすこともある　(2)心血管系の症状：血圧低下，徐脈，心筋収縮力低下，心拍出量低下，刺激伝導系の抑制，心室性頻脈及び心室細動等の心室性不整脈，循環虚脱，心停止等が現れる　②処置：呼吸を維持し，酸素を十分投与することが重要である．必要に応じて人工呼吸を行う．振戦や痙攣が著明であれば，ジアゼパム又は超短時間作用型バルビツール酸製剤(チオペンタールナトリウム等)を投与する．心機能抑制に対しては，カテコールアミン等の昇圧剤を投与する．心停止をきたした場合にはただちに心マッサージを開始する

薬物動態

[注] **吸収及び血中動態**　外国人患者(5例)に2%メピバカイン液25mL(メピバカイン塩酸塩として500mg)単独あるいはアドレナリンを添加(1：200000)して硬膜外投与．単独群での血漿中濃度は，15分後に最高濃度(4.65μg/mL)を示したが，アドレナリン添加群では最高濃度は低下(36%)及び最高濃度到達時間は遅延　**分布**　メピバカイン2μg/mLの血漿蛋白結合率は78%で，α_1酸性糖蛋白及びアルブミンと結合．血液/血漿中濃度比は約0.9．妊婦にメピバカイン塩酸塩を硬膜外投与時，臍帯静脈血液中濃度と母体血漿中濃度の比は0.5〜0.7で，胎盤を通過　**代謝及び排泄**　メピバカインは主として肝臓で速やかに代謝されて尿中へ排泄．ヒト尿中(外国人)で，芳香環の3位及び4位の水酸化体，N-脱メチル体(pipecolyxylidine)及びそれらの抱合体としての約30%の代謝物が検出．また，尿中未変化体排泄率は4%

その他の管理的事項

投与期間制限　該当しない

保険給付上の注意　[歯科用] 伝達麻酔の適用がない

資料

IF　カルボカインアンプル注0.5%・1%・2%　2017年7月改訂(第12版)

スキャンドネストカートリッジ3%　2018年6月(第8版)

メフェナム酸
Mefenamic Acid

概要

薬効分類　114　解熱鎮痛消炎剤

構造式

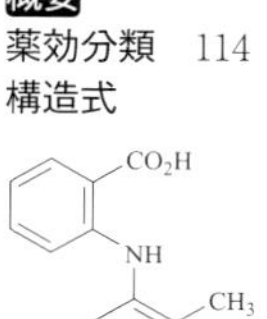

CO_2H
NH
CH_3
CH_3

分子式 $C_{15}H_{15}NO_2$
分子量 241.29
ステム 抗炎症剤，アントラニル酸誘導体：-fenamic acid
原薬の規制区分 該当しない
原薬の外観・性状 白色～淡黄色の粉末で，においはなく，味は初めないが，後に僅かに苦い．ジエチルエーテルにやや溶けにくく，メタノール，エタノール(95)又はクロロホルムに溶けにくく，水にほとんど溶けない．水酸化ナトリウム試液に溶ける
原薬の吸湿性 ほとんどなし
原薬の融点・沸点・凝固点 融点：約225℃(分解)
原薬の酸塩基解離定数 pKa＝4.2
先発医薬品等
散 ポンタール散50％(第一三共)
細 ポンタール細粒98.5％(第一三共)
カ ポンタールカプセル250mg(第一三共)
シ ポンタールシロップ3.25％(第一三共)
国際誕生年月 1962年3月
海外での発売状況 米，英，仏，豪など

製剤

製剤の性状 散 白色～微黄白色の微細な粒を含む粉末 細 微黄白色～淡灰白色の細粒剤 カ 白色(白色～淡黄色の粒を含む粉末入り)の硬カプセル剤 シ 白色の甘い水性懸濁液
有効期間又は使用期限 散 瓶：3年6カ月，缶：5年 細 3年 カ 5年 シ 4年
貯法・保存条件 散 細 直射日光を避け，室温保存 カ 室温保存 シ 密栓，室温保存
薬剤取扱い上の留意点 めまい，眠気が現れることがあるので，本剤投与中の患者には自動車の運転等危険を伴う機械の操作に注意させること カ 食道に停留し崩壊すると，食道潰瘍を起こすことがあるので，多めの水で服用させ，特に就寝直前の服用等には注意させる
患者向け資料等 くすりのしおり
溶液及び溶解時のpH シ 3.5～5.5
浸透圧比 シ 5.6(氷点降下法，生理食塩液の浸透圧：284mOsm/K_8H_2O)
調製時の注意 シ 用時振盪して均一な懸濁液として用いること

薬理作用

分類 アントラニル酸系非ステロイド性抗炎症・鎮痛・解熱剤
作用部位・作用機序 作用機序：プロスタグランジン生合成抑制作用
同効薬 フルフェナム酸アルミニウム，イブプロフェンなど

治療

効能・効果 ①手術後及び外傷後の炎症及び腫脹の緩解 ②次の疾患の消炎，鎮痛，解熱：変形性関節症，腰痛症，症候性神経痛，頭痛(他剤が無効な場合)，副鼻腔炎，月経痛，分娩後疼痛，歯痛 ③次の疾患の解熱・鎮痛：急性上気道炎(急性気管支炎を伴う急性上気道炎を含む) ＊シ は効能③のみ
用法・用量 効能①②：メフェナム酸として初回500mg，その後6時間ごとに250mg(適宜増減) 効能③：メフェナム酸として1回500mg，小児1回6.5mg/kgを標準用量として頓用(適宜増減)，原則として1日2回まで，成人の場合は1日最大1500mgを限度とする．いずれの場合も，空腹時の投与は避けさせることが望ましい
禁忌・原則禁忌となる特定患者集団 妊娠末期の婦人

使用上の注意

禁忌 ①消化性潰瘍のある患者［本剤の直接作用及びプロスタグランジン生合成抑制により，胃の血流量が減少し，消化性潰瘍を悪化させることがある］ ②重篤な血液の異常のある患者［プロスタグランジン生合成抑制による血小板機能障害等の血液異常を悪化させることがある］ ③重篤な肝障害のある患者［重篤な肝障害患者は，肝機能が著しく低下しているため，本剤の代謝が十分に行われず，異常な体内分布を起こすおそれがある．また，肝の代謝機能が過重となり，肝障害を悪化させることがある］ ④重篤な腎障害のある患者［重篤な腎障害患者は，薬物排泄機能が著しく低下しているため，本剤の排泄が十分に行われず，異常な体内分布を起こすおそれがある．また，プロスタグランジン生合成抑制により腎機能が低下するため腎障害を悪化させることがある］ ⑤重篤な心機能不全のある患者［腎のプロスタグランジン生合成抑制により，浮腫，循環体液量の増加が起こり，心臓の仕事量が増加するため症状を悪化させるおそれがある］ ⑥本剤の成分に対し過敏症の既往歴のある患者 ⑦アスピリン喘息(非ステロイド性消炎鎮痛剤等による喘息発作の誘発)又はその既往歴のある患者［気管支拡張作用を低下させ喘息発作を誘発することがある］ ⑧重篤な高血圧症の患者［腎のプロスタグランジン生合成抑制により，水，ナトリウムの貯留が起こり，浮腫，血圧上昇を起こすおそれがある］ ⑨過去に本剤により下痢を起こした患者［本剤に対し耐薬性を失い，下痢を再発することが多い］ ⑩妊娠末期の婦人
過量投与 本剤の過量投与により，痙攣，急性腎不全等が報告されている．過量投与が判明した場合は，胃洗浄，活性炭の投与を施す等，症状に応じて適切な処置を行う

薬物動態

吸収・排泄 ①散 細 (1)吸収：健康成人に1g(メフェナム酸として500mg)1回経口投与時，2時間後に最高血中濃度に達する (2)代謝：主としてCYP2C9により代謝される (3)排泄：健康成人に1g(メフェナム酸として500mg)1回経口投与時，48時間後までに約74％が尿中排泄 ②錠 カ (1)吸収：健康成人に250mgを1回経口投与時，2時間後に最高血中濃度に達する (2)代謝：主としてCYP2C9により代謝される (3)健康成人に250mgを1回経口投与時，48時間後までに約75％が尿中排泄 ③シ (1)吸収：健康成人に15.4mL(メフェナム酸として500mg)を1回経口投与した際には，投薬2時間後に最高血中濃度に達する (2)代謝：主としてCYP2C9により代謝される (3)排泄：健康成人に15.4mL(メフェナム酸として500mg)を1回経口投与した際には，48時間後までに約71％が尿中排泄．6.5mg/kgを小児発熱患者及び健康成人に経口投与し，48時間までの尿中代謝物は，小児と成人の代謝・排泄像とほぼ同じであることが示唆 **血漿蛋白結合率(参考：動物)** ウシ血漿を用いた実験で48％

その他の管理的事項

投与期間制限 該当しない
保険給付上の注意 該当しない

資料

IF ポンタール散50％・細粒98.5％・錠250mg・カプセル250mg 2019年4月改訂(第11版)
ポンタールシロップ3.25％ 2018年6月改訂(第8版)

メフルシド
メフルシド錠
Mefruside

概要

薬効分類 213 利尿剤
構造式

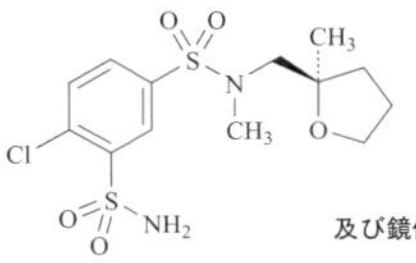

及び鏡像異性体

分子式　$C_{13}H_{19}ClN_2O_5S_2$
分子量　382.88
ステム　不明
原薬の規制区分　該当しない
原薬の外観・性状　白色の結晶性の粉末である．*N,N*-ジメチルホルムアミドに極めて溶けやすく，アセトンに溶けやすく，メタノールにやや溶けやすく，エタノール(95)にやや溶けにくく，水にほとんど溶けない．本品の*N,N*-ジメチルホルムアミド溶液(1→10)は旋光性を示さない
原薬の吸湿性　ほとんど吸湿を認めない
原薬の融点・沸点・凝固点　融点：149～152℃
原薬の酸塩基解離定数　pKa＝8.81±0.03
先発医薬品等
錠 バイカロン錠25mg(田辺三菱)
後発医薬品
錠 25mg
国際誕生年月　1967年4月
海外での発売状況　該当しない

製剤

規制区分　錠 ㊙
製剤の性状　錠 白色の素錠(割線入)
有効期間又は使用期限　5年
貯法・保存条件　室温保存
薬剤取扱い上の留意点　降圧作用に基づくめまい，ふらつきが現れることがあるので，高所作業，自動車の運転等危険を伴う機械を操作する際には注意させること
患者向け資料等　くすりのしおり
調製時の注意　該当しない

薬理作用

分類　ベンゼンスルホンアミド系降圧利尿剤
作用部位・作用機序　降圧作用：Na摂取量によって降圧機序が異なると考えられている．Na高摂取下では主にNa利尿作用によって圧－利尿曲線の傾きを増加させ，降圧作用を示すと考えられる．一方，Na低摂取下では心から糸球体までの血管抵抗の減少に基づく可能性が考えられている．また，水の排泄増加で循環血液量が減少することにより，心拍出量が低下し降圧作用を示すと考えられる　利尿作用：ラットを用いた実験で，ヘンレ係蹄上行脚及び遠位尿細管におけるNa及び水の再吸収を抑制することにより，利尿作用を示すと考えられる
同効薬　トリクロルメチアジド，ヒドロクロロチアジド，フロセミド，トリパミド

治療

効能・効果　①高血圧症(本態性，腎性)　②次の慢性浮腫における利尿：心性浮腫，腎性浮腫，肝性浮腫
用法・用量　1日25～50mg朝1回，又は朝昼の2回に分服(適宜増減)．ただし，高血圧症に用いる場合には少量から開始して徐々に増量する．また，悪性高血圧に用いる場合には，他の降圧剤と併用する

使用上の注意

禁忌　①無尿，急性腎不全の患者［腎機能をさらに悪化させるおそれがある］　②体液中のナトリウム・カリウムが明らかに減少している患者［低ナトリウム血症，低カリウム血症等の電解質失調を悪化させるおそれがある］　③既往にチアジド系薬剤又はその類似化合物(たとえばクロルタリドン等のスルホンアミド誘導体)に対する過敏症を起こした患者［皮疹，光線過敏症が現れるおそれがある］　④肝性昏睡の患者［血中アンモニア濃度を上昇させ症状を悪化させるおそれがある　⑤デスモプレシン酢酸塩水和物(男性における夜間多尿による夜間頻尿)を投与中の患者

薬物動態

(参考：オランダ人)　**血漿中濃度**　健康成人(8例)に25mg(2例)又は50mg(6例)経口投与後の吸収は良好で，Tmaxは25mg投与群で2及び2.5時間後，50mg投与群で1.5～5.5時間後に得られた．$T_{1/2}$は25mg投与群で10.4及び12.5時間，50mg投与群で2.9～11.4時間であった　**代謝**　健康成人に50mg経口投与時の尿中主代謝物は，ラクトン型とそれが開環したヒドロキシカルボン酸型．これら代謝物の排泄半減期は未変化体より遅く，未変化体と同様作用

その他の管理的事項

投与期間制限　該当しない
保険給付上の注意　該当しない

資料

IF　バイカロン錠25mg　2017年10月改訂(第9版)

メフロキン塩酸塩
Mefloquine Hydrochloride

概要

薬効分類　641　抗原虫剤
構造式

・HCl
及び鏡像異性体

分子式　$C_{17}H_{16}F_6N_2O \cdot HCl$
分子量　414.77
原薬の規制区分　該当しない
原薬の外観・性状　白色の結晶又は結晶性の粉末である．メタノールに溶けやすく，エタノール(99.5)にやや溶けやすく，水に溶けにくい．硫酸に溶ける．本品のメタノール溶液(1→20)は旋光性を示さない
原薬の吸湿性　吸湿平衡測定法により検討した結果，4週間後，75%RH以上で僅かに吸湿による重量の増加を認めた．64%RH以下において吸湿性はほとんど認められなかった
原薬の融点・沸点・凝固点　融点：約260℃(分解)
原薬の酸塩基解離定数　pKa＝8.8
先発医薬品等
錠 メファキン「ヒサミツ」錠275(久光)
国際誕生年月　1985年9月
海外での発売状況　米を含む40カ国以上

製剤

規制区分　錠 ㊙
製剤の性状　錠 十字割線を有する白色のフィルムコーティング錠
有効期間又は使用期限　5年
貯法・保存条件　気密容器，室温保存(開封後は防湿保存)
薬剤取扱い上の留意点　本剤の投与により，めまい，平衡感覚障害，精神神経障害が発現することがあるので，投与後少なくとも4週間は自動車の運転等危険を伴う機械の操作に従事させないよう注意すること．また，ジェットコースター等の動きの激しい乗物への乗車を避けさせること．大量の水をもって服用させること．空腹時を避けて服用させること
患者向け資料等　患者向医薬品ガイド，くすりのしおり，患者指導箋
溶液及び溶解時のpH　約5.5(0.1gを水10mLに懸濁した液)

薬理作用

分類　抗マラリア剤
作用部位・作用機序　クロロキンと同様，主として赤血球内の無性型原虫に対して作用する
同効薬　スルファドキシン・ピリメタミン，キニーネ塩酸塩水

和物，キニーネ硫酸塩水和物，キニーネエチル炭酸エステル

治療

効能・効果　マラリア．なお，健康保険等一部限定適用なので使用上の注意の保険給付上の注意参照

効能・効果に関連する使用上の注意　①予防に用いる場合には，マラリアに罹患する可能性が高く　医師が必要と判断した場合に投与を考慮する　②本剤は成人を対象とする

用法・用量　①治療：体重に応じ825～1100mgを2回に分服(30kg以上45kg未満：初回550mg，6～8時間後に275mg．45kg以上：初回550mg，6～8時間後に550mg)．感染地(メフロキン耐性のマラリア流行地域)及び症状によって，体重に応じ1100～1650mgを2～3回に分服(30kg以上45kg未満：初回825mg，6～8時間後に275mg．45kg以上60kg未満：初回825mg，6～8時間後に550mg．60kg以上：初回825mg，6～8時間後に550mg，さらに6～8時間後に275mg)　②予防：体重に応じ206.25～275mgを，マラリア流行地域到着1週間前から開始し，1週間間隔(同じ曜日)で服用．流行地域を離れた後4週間は服用．なお，流行地域での滞在が短い場合であっても，同様に流行地域を離れた後4週間は服用(30kg以上45kg未満：206.25mg．45kg以上：275mg)

用法・用量に関連する使用上の注意　①空腹時を避けて服用させる　②治療において，血液中のマラリア原虫数が投与後2日以内に顕著な減少を示さず，あるいは増加し，臨床症状が不変もしくは悪化の場合には，医師の判断で適切な薬剤に変更する　③予防に用いる場合には，副作用に留意し，投与期間は原則として12週間までとし，その後の継続投与については，副作用の発現等に留意し，定期的に検査を実施する等，慎重に行う

禁忌・原則禁忌となる特定患者集団　低出生体重児，新生児，乳児，妊婦又は妊娠している可能性のある女性

使用上の注意

> **警告**　予防に用いる場合には，現地のマラリア汚染状況も踏まえて，本剤の必要性を慎重に検討する

禁忌　①本剤の成分又はキニーネ等の類似化合物に対して過敏症の既往歴のある患者　②低出生体重児，新生児，乳児　③妊婦又は妊娠している可能性のある女性　④てんかんの患者又はその既往歴のある患者［痙攣を起こすことがある］　⑤精神病の患者又はその既往歴のある患者［精神症状を悪化するおそれがある］　⑥キニーネ投与中の患者　⑦ハロファントリン(国内未承認)投与中の患者

相互作用概要　CYP3Aにより代謝されることが示唆されている

過量投与　過量投与により，前記の副作用が増強して現れる．このような場合は，催吐をさせるか，胃内洗浄を適宜実施する．少なくとも24時間，ECGでの心機能のモニター及び神経精神状態をモニターする．必要に応じ，症候に基づく集中的な，特に心血管系障害への維持療法を行う．嘔吐あるいは下痢等により水分電解質のバランスの異常をきたした場合等には対症療法を行う．血液透析及び血漿交換は分布容積(Vd/F，17.7L/kg)，血漿蛋白結合率(98.3％，ヒト)，ヒト赤血球分配比(1.7)から除去効果は期待できない

薬物動態

血中濃度　健常成人5例に1100mg(275mg錠を4錠)を単回経口投与時，血漿中未変化体濃度は投与後5.2時間(Tmax)に最高濃度(Cmax)1191.1ng/mLを示し，400.1時間の消失半減期($T_{1/2}z$)で減少．血漿中濃度-時間曲線下面積($AUC_{0-\infty}$)は560.3μg・hr/mL，分布容積(Vd/F)は17.7L/kg及び全身クリアランス(CL/F)は0.031L/hr/kg　**排泄**　健常成人に1100mgを単回経口投与後7日までの累積尿中排泄率は2.44％．(参考)マウスに^{14}C-メフロキン塩酸塩を経口投与時，放射能分布は肝臓，肺，腎臓，残存屍体及び胃腸管，特に小腸で高かった

その他の管理的事項

投与期間制限　該当しない

保険給付上の注意　予防目的で使用した場合には，保険給付されない

資料

IF　メファキン「ヒサミツ」錠275　2014年2月改訂(第2版)

メペンゾラート臭化物
Mepenzolate Bromide

概要

薬効分類　123　自律神経剤

構造式

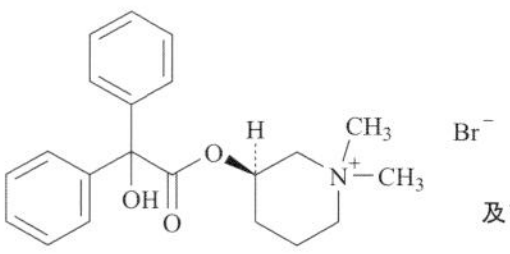

及び鏡像異性体

分子式　$C_{21}H_{26}BrNO_3$

分子量　420.34

ステム　不明

原薬の規制区分　劇(ただし，1錠中7.5mg以下を含有するものを除く)

原薬の外観・性状　白色～淡黄白色の結晶又は結晶性の粉末で，においはなく，味は苦い．ギ酸に極めて溶けやすく，メタノールに溶けやすく，熱湯にやや溶けやすく，水又はエタノール(95)に溶けにくく，無水酢酸に極めて溶けにくく，ジエチルエーテルにほとんど溶けない

原薬の吸湿性　26℃，50～60％RHでほとんど吸湿性を示さないが，26℃，79％RH，96時間で約4％の吸湿性を示す

原薬の融点・沸点・凝固点　融点：約230℃(分解)

原薬の酸塩基解離定数　該当資料なし

先発医薬品等

錠 トランコロン錠7.5mg(アステラス)

後発医薬品

錠 7.5mg

国際誕生年月　不明

海外での発売状況　該当しない

製剤

製剤の性状　錠 淡紅白色のフィルムコーティング錠

有効期間又は使用期限　5年

貯法・保存条件　室温保存

薬剤取扱い上の留意点　視調節障害を起こすことがあるので，本剤投与中の患者には自動車の運転等危険を伴う機械の操作に注意させること

患者向け資料等　くすりのしおり

溶液及び溶解時のpH　該当しない

浸透圧比　該当しない

安定なpH域　該当しない

調製時の注意　該当しない

薬理作用

分類　4級アンモニウム塩系鎮痙剤

作用部位・作用機序　作用部位：上部消化管に対するよりも下部消化管に対してより選択的である　作用機序：副交感神経遮断作用に基づく消化管運動抑制作用

同効薬　臭化メチルアトロピン，臭化ブチルスコポラミン

治療

効能・効果　過敏大腸症(イリタブルコロン)

用法・用量　1回15mg，1日3回(適宜増減)

使用上の注意
禁忌 ①閉塞隅角緑内障の患者［抗コリン作用により眼圧が上昇し，症状を悪化させることがある］ ②前立腺肥大による排尿障害のある患者［排尿筋の弛緩と膀胱括約筋の収縮を起こし，排尿障害を悪化させるおそれがある］ ③重篤な心疾患のある患者［心臓の運動を促進させ，症状を悪化させるおそれがある］ ④麻痺性イレウスのある患者［消化管運動を低下させるため，症状を悪化させるおそれがある］ ⑤本剤の成分に対し過敏症の既往歴のある患者
その他の管理的事項
投与期間制限 該当しない
保険給付上の注意 該当しない
資料
IF トランコロン錠7.5mg 2019年11月改訂(第8版)

メルカプトプリン水和物
Mercaptopurine Hydrate

概要
薬効分類 422 代謝拮抗剤
構造式

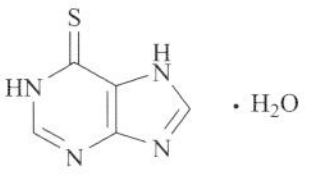

分子式 $C_5H_4N_4S \cdot H_2O$
分子量 170.19
略語・慣用名 6-MP
ステム アルカロイド及び有機塩基：-ine
原薬の規制区分 ㊕
原薬の外観・性状 淡黄色～黄色の結晶又は結晶性の粉末で，においはない．水，アセトン又はジエチルエーテルにほとんど溶けない．水酸化ナトリウム試液又はアンモニア試液に溶ける
原薬の吸湿性 該当資料なし
原薬の融点・沸点・凝固点 融点：313～314℃(分解)
原薬の酸塩基解離定数 pKa＝7.7，11.0(20℃)
先発医薬品等
散 ロイケリン散10%(大原)
海外での発売状況 該当しない
製剤
規制区分 **散** ㊕ ㊈
製剤の性状 **散** 黄白色の粉末
有効期間又は使用期限 3年
貯法・保存条件 室温保存
薬剤取扱い上の留意点 薬品微粉末を吸入しないよう注意する
患者向け資料等 くすりのしおり
溶液及び溶解時のpH 10～11(1%水溶液)
浸透圧比 該当しない
安定なpH域 該当しない
調製時の注意 該当しない
薬理作用
分類 核酸代謝拮抗性白血病治療剤
作用部位・作用機序 細胞増殖に重要な意義をもつ核酸の生合成を阻害する．メルカプトプリンは細胞内でinosinic acidのチオ同族体thioinosinic acid(TIMP)に変換し，このTIMPは主としてinosinic acidからのadenylosuccinic acid及びxanthylic acidへの転換を阻害し，adenine，guanineribonucleotideの生合成を阻害するとされている
同効薬 ブスルファン，メトトレキサート

治療
効能・効果 次の疾患の自覚的ならびに他覚的症状の緩解：急性白血病，慢性骨髄性白血病
用法・用量 メルカプトプリンとして緩解導入量は，1日2～3mg/kgを単独又は他の抗腫瘍剤と併用(適宜増減)．緩解後は緩解導入量を下回る量を単独又は他の抗腫瘍剤と併用
使用上の注意
禁忌 ①本剤の成分に対し重篤な過敏症の既往歴のある患者 ②フェブキソスタット，トピロキソスタットを投与中の患者
その他の管理的事項
投与期間制限 該当しない
保険給付上の注意 該当しない
資料
IF ロイケリン散10% 2019年4月改訂(第12版)

メルファラン
Melphalan

概要
薬効分類 421 アルキル化剤
構造式

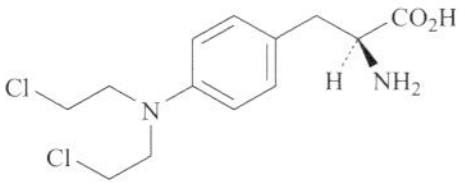

分子式 $C_{13}H_{18}Cl_2N_2O_2$
分子量 305.20
略語・慣用名 L-PAM 別名：L-phenylalanin mustard，Alanine nitrogen mustard，L-sarcolysine
原薬の規制区分 毒
原薬の外観・性状 白色～淡黄白色の結晶性の粉末である．水，メタノール又はエタノール(95)に溶けにくく，ジエチルエーテルにほとんど溶けない．希塩酸又は希水酸化ナトリウム試液に溶ける．光によって徐々に着色する
原薬の吸湿性 該当資料なし
原薬の融点・沸点・凝固点 融点：170.0～176.0℃(分解)
原薬の酸塩基解離定数 pKa＝9.35±0.08(アミノ基)，pKa＝1.56±0.02(3級窒素)
先発医薬品等
錠 アルケラン錠2mg(アスペン)
注射用 アルケラン静注用50mg(アスペン)
国際誕生年月 1963年9月
海外での発売状況 米，英，仏など **注** 英，仏，独など53カ国(承認)
製剤
規制区分 **錠** **注射用** 毒 ㊈
製剤の性状 **錠** 白色のフィルムコート錠 **注射用** 白色～微黄白色の凍結乾燥した塊状になった粉末の注射剤．溶状：無色～微黄色澄明
有効期間又は使用期限 **錠** 24カ月 **注射用** 3年
貯法・保存条件 **錠** 遮光した気密容器，2～8℃で保存 **注射用** 遮光・室温保存
患者向け資料等 **錠** 患者向医薬品ガイド，くすりのしおり **注射用** くすりのしおり
溶液及び溶解時のpH **注射用** 6.0～7.0(専用溶解液10mLに溶解した場合)
調製時の注意 **注射用** 1バイアルに専用溶解液10mLを加え激しく振とうして完全に溶解し，希釈する場合には100mL以上の生理食塩液を用いること 適用上の注意(調製時)：①調製は，本剤の性状および取扱いについて十分な知識のある医師

および薬剤師が直接または医師の監督下のもと行うこと ②室温(約25℃)で用時調製すること ③糖類を含む輸液と配合すると分解しやすいので，希釈するときは日局生理食塩液を使用すること ④溶解後または希釈後に混濁または結晶が認められる場合は使用しないこと ⑤調製後の溶液は，沈殿することがあるので冷蔵しないこと．また，使用後の残液は廃棄すること ⑥溶解後，室温では経時的に安定性が低下するので速やかに投与を開始し，投与量と投与速度を勘案し遅くとも調製から1.5時間以内に投与を終了すること

薬理作用

分類 アルキル化剤

作用部位・作用機序 細胞内に取りこまれた後にDNA鎖間又はDNA鎖内架橋形成あるいはDNA-蛋白架橋形成を通して，抗腫瘍作用や骨髄抑制作用を示すものと考えられる

同効薬 塩酸ナイトロジェンマスタード-N-オキシド，シクロホスファミド，イホスファミド，ブスルファン，ニムスチン，ラニムスチン，チオテパ，カルボコン，ダカルバジン，プロカルバジン

治療

効能・効果 **錠** 次の疾患の自覚的ならびに他覚的症状の寛解：多発性骨髄腫

注射用 次の疾患における造血幹細胞移植時の前処置：白血病，悪性リンパ腫，多発性骨髄腫，小児固形腫瘍

用法・用量 **錠** ①1日1回2～4mg連日 ②1日1回6～10mgを4～10日間(総量40～60mg)，休薬して骨髄機能の回復を待ち(通常2～6週間)，維持量1日2mg ③1日1回6～12mgを4～10日間(総量40～60mg)，休薬して骨髄機能の回復を待ち(通常2～6週間)，同様の投与法を反復する．以上①②③のいずれかで行う．服用中は頻回に血液検査を行い，特に白血球数，血小板数を指標として適宜用量を増減又は休薬する

注射用 造血幹細胞移植時の前処置として次の通り静注．ただし，移植は本剤の投与終了から24時間以上あけて行う．総量及び1日投与量は，患者の状態，併用する薬剤，全身放射線照射併用により適宜減量：①白血病，悪性リンパ腫，多発性骨髄腫：1日1回60mg/m^{2}を3日間投与(3日間総量180mg/m^2)．多発性骨髄腫に対しては1日1回100mg/m^{2}を2日間投与(2日間総量200mg/m^2)も可 ②小児(白血病，小児固形腫瘍)：1日1回70mg/m^{2}を3日間投与(3日間総量210mg/m^2)

用法・用量に関連する使用上の注意 **錠** ①投与により，骨髄抑制が現れるので血液検査を十分に行い，特に白血球数が3000/mm^{3}以下又は血小板数10万/mm^{3}以下に減少した場合は骨髄機能が回復するまで減量又は休薬する ②腎障害のある患者では本剤のクリアランスが低下し，本剤による副作用が増強するおそれがあるので，投与量が過多にならないよう考慮する

注射用 ①肥満患者では投与量が過多にならないように，標準体重に基づいた体表面積から換算した投与量を考慮する ②腎障害のある患者ではクリアランスが低下するおそれがあり，本剤による副作用が増強するおそれがあるので，投与量が過多にならないよう考慮する．なお，減量の目安は確立されていない ③投与前日から投与終了後24時間は，水分補給及び利尿剤の投与を行い十分な尿量を確保する．なお，補液量は2000mL/日以上，確保すべき尿量は100mL/時以上を目安とし，患者の年齢及び状態を勘案し調整する．注射液の調製法及び投与法は添付文書参照

使用上の注意

警告 **注射用** ①投与は，緊急時に十分措置できる医療施設及び造血幹細胞移植に十分な知識と経験をもつ医師のもとで，本剤の投与が適切と判断される症例についてのみ行う ②使用にあたっては，患者又はそれに代わる適切な者に有効性及び危険性を十分に説明し，同意を得てから開始する ③強い骨髄抑制作用を有する薬剤であり，本剤を前処置剤として用いた造血幹細胞移植の施行後，骨髄抑制作用の結果，感染症を発現し死亡した例が認められている．投与後は重度の骨髄抑制状態となり，その結果致命的な感染症及び出血等を引き起こすことがあるので，次につき十分注意する：(1)重症感染症を合併している患者には投与しない (2)投与後は患者の状態を十分に観察し，致命的な感染症の発現を抑制するため，感染症予防のための処置(抗感染症薬の投与等)を行い，必要に応じ無菌管理を行う (3)投与後は輸血及び血液造血因子の投与等，適切な支持療法を行う ④本剤を前処置剤として用いた造血幹細胞移植の施行にあたっては，禁忌，慎重投与，重要な基本的注意を参照し，慎重に患者を選択する．使用にあたっては製品添付文書を熟読する

禁忌 **錠** ①白血球数2000/mm^{3}以下又は血小板数5万/mm^{3}以下に減少した患者［致死的な感染症誘発や出血傾向増大の危険性が高くなる］ ②本剤の成分に対し過敏症の既往歴のある患者

注射用 ①重症感染症を合併している患者［感染症が増悪し致命的となることがある］ ②本剤の成分に対し過敏症の既往歴のある患者

過量投与 **錠** ①徴候，症状：過量の経口投与において，最も起こり得る初期症状は悪心，嘔吐及び下痢である．また，主な副作用は白血球減少，血小板減少及び貧血をきたす骨髄抑制である ②処置：特有の解毒剤を有しておらず，血液透析により除去されないとの報告がある．過量投与が疑われた場合は，輸血，血液造血因子，抗感染症薬の投与等の支持療法を行う．また，必要に応じ無菌管理を考慮し，血液学的検査を頻回に行い，患者の状態を十分観察する

注射用 用法・用量は，患者の成熟リンパ球や骨髄細胞を除去し移植する造血幹細胞を生着させること，及び腫瘍性疾患において体内に残存する腫瘍細胞の除去を目指している．したがって，投与後は重度の骨髄抑制状態となることから，致命的な感染症及び出血等を引き起こすことがあるので，用法・用量に定められている投与量を超えて投与しない ①徴候，症状：投与後は重度の骨髄抑制状態となる．急速に静注すると，嘔気及び嘔吐，下痢，口内炎等の発現が認められる．なお，海外において，卵巣癌*)に対する290mg/m^{2}の単回静注後，嘔吐，下痢，振戦，呼吸困難，QT延長，低ナトリウム血症，高アミラーゼ血症，尿路感染症，重度の骨髄抑制等を発現し，投与6日後に突然死亡(死因：不整脈と推察された)した症例が報告されている〔*)本剤の効能・効果は白血病，悪性リンパ腫，多発性骨髄腫，小児固形腫瘍における造血幹細胞移植時の前処置である〕 ②処置：特有の解毒剤を有しておらず，血液透析により除去されないとの報告がある．過量投与が疑われた場合は，輸血，血液造血因子，抗感染症薬の投与等の支持療法を行う．また，必要に応じ無菌管理を考慮し，血液学的検査を頻回に行い，患者の状態を十分観察する

薬物動態

錠 **外国人での吸収・代謝・排泄** 成人悪性腫瘍患者に^{14}C-標識メルファラン4.4～6.4mg/m^2/日を経口投与後2時間に最高血中濃度後，緩徐に排泄．投与後6日間で，投与量の約30%が尿中に排泄され，また20～50%が糞便中に排泄．(注)アルケラン錠の効能・効果は多発性骨髄腫の自覚的ならびに他覚的症状の寛解である

注射用[外国人の成績．承認用量1回60～100mg/m^2] **血漿中濃度** 多発性骨髄腫又はその他の悪性腫瘍患者に高用量(140～220mg/m^2)静注時の薬物動態を検討した報告では，いずれの報告でも薬物動態パラメータはほぼ同様の値，未変化体は血漿中から$T_{1/2}\alpha$ 6.5～16分，$T_{1/2}\beta$ 41～83分で速やかに二相性に消失．投与24時間後には血漿中未変化体濃度は定量限界(20ng/mL)以下．悪性腫瘍患者に200mg/m^{2}又は140mg/m^{2}を2～20分間で静注時の薬物動態パラメータ(全平均(27例)，[ ]内140mg/m^2(11例)，200mg/m^2(16例)の順)はCmax(μg/mL)-[13.5±5.4，21.1±14.7]，$T_{1/2}\alpha$ (min)8.9±6.7

[8.7±3.9, 9.1±8.2], $T_{1/2}\beta$(min)73.3±46.8[81.1±63.5, 68±32.1], Vc(L)18.5±11.9[16.4±6.2, 19.9±14.6], Vdss(L)40.9±18.4[39.8±20.7, 41.6±17.2], AUC(μg・min/mL)−[505±128, 615±167], CL(mL/min)592±177[522±145, 641±184]. 15歳未満の小児悪性腫瘍患者15例及び15歳以上の成人悪性腫瘍患者11例に140mg/m^{2}を静注時の薬物動態パラメータ(全平均, [ ]内小児患者, 成人患者の順)は$T_{1/2}\beta$(min)41.4±16.5[36.8±17.2, 47.6±13.8], AUC(μg・min/mL)375±137[346±122, 414±151], CL(L/min/m^2)0.415±0.162[0.447±0.17, 0.372±0.146], Vdss(L/m^2)17±6.1[16±5.5, 18.4±6.7]で, 小児と成人の間で有意な違いは認められなかった **代謝** モノヒドロキシ体及びジヒドロキシ体に加水分解. 本剤の加水分解に代謝酵素の関与は認められていない. ヒト血漿中及び尿中に添加時, 未変化体はそれぞれ半減期1.3〜2.5時間(平均1.9±0.4時間)及び1.5〜31.5時間(平均8.9±11.3時間)で消失 **排泄** 悪性腫瘍患者に220mg/m^{2}を静注時, 尿中未変化体排泄率は3.8〜41.8%(平均21.3±17.1%), 総クリアランスは137〜295mL/min/m^2(平均205±66mL/min/m^2) **血漿蛋白結合率** *in vitro*でのヒト血漿蛋白への結合率は0.33〜16.7μmol/Lで約55〜76%. アルブミン及びα_1-酸性糖蛋白との結合が認められた. γ-グロブリンとの結合は認められなかった **腎機能低下患者における薬物動態** 28例の悪性腫瘍患者に70〜200mg/m^{2}静注時, 患者のEDTAクリアランス(CL_{EDTA})と総クリアランス(CL)の間に相関性($CL=217.7+3.68\times CL_{EDTA}$, r=0.5326, p=0.0035)が認められた. 造血幹細胞移植患者, 卵巣癌患者, 多発性骨髄腫患者等で, 腎機能[クレアチニンクリアランス(CL_{CR})又はCL_{EDTA}]と薬物動態パラメータの間に相関性が認められている. なお, CL_{CR}とCL及び腎クリアランスの相関を認めなかったとの報告や, CL_{EDTA}とAUC及びMRTの相関は認めたが, 消失半減期との相関は認めなかったとの報告もある. 多発性骨髄腫に関しては, 腎障害のある患者に対して1日1回100mg/m^{2}を2日間投与後に自家末梢血幹細胞移植を実施した結果, 移植関連死亡は認められず, 移植した幹細胞の生着, 生存期間の延長, 腎障害の改善等の良好な成績が得られた例も報告されている. これらの報告では水分補給や利尿薬投与等による尿量確保の管理に関しては不明確であるが, 腎障害のある患者では十分な尿量確保の管理が特に重要である

その他の管理的事項

投与期間制限 該当しない
保険給付上の注意 該当しない

資料

IF アルケラン錠2mg 2017年2月改訂(第9版)
アルケラン静注用50mg 2017年2月改訂(第9版)

メロペネム水和物
注射用メロペネム
Meropenem Hydrate

概要

薬効分類 613 主としてグラム陽性・陰性菌に作用するもの
構造式

O, H, CON(CH₃)₂, CO₂H, NH, S, HO, H₃C, CH₃, ・3H₂O

分子式 $C_{17}H_{25}N_3O_5S \cdot 3H_2O$
分子量 437.51
略語・慣用名 慣用名：MEPM
ステム 5員環を修飾したペニシラン酸誘導体抗生物質：-penem
原薬の規制区分 該当しない
原薬の外観・性状 白色〜淡黄色の結晶性の粉末である. 水にやや溶けにくく, エタノール(95)又はジエチルエーテルにほとんど溶けない. 炭酸水素ナトリウム試液に溶ける. 0.2gを水20mLに溶かした液のpHは4.0〜6.0である
原薬の吸湿性 吸湿性はほとんどない(50%RH〜94%RH, 1時間〜14日で0.02〜0.11(W/W%))
原薬の融点・沸点・凝固点 融点：約230℃(分解). 約170℃付近から黄色に着色し始め, 230℃付近で黒色となって液化(分解)した
原薬の酸塩基解離定数 $pKa_1=2.9$, $pKa_2=7.4$
先発医薬品等
注射用 メロペン点滴用バイアル0.25g・0.5g(大日本住友)
キット メロペン点滴用キット0.5g(大日本住友)
後発医薬品
注射用 250mg・500mg・1g
キット 500mg・1g
国際誕生年月 1994年8月
海外での発売状況 米, 英など

製剤

規制区分 **注射用** **キット** ㊟
製剤の性状 **注射用** 白色〜淡黄色の結晶性の粉末の注射用製剤
有効期間又は使用期限 **注射用** 3年 **キット** 2年
貯法・保存条件 室温保存
患者向け資料等 くすりのしおり
溶液及び溶解時のpH 6.7〜8.7
浸透圧比 約1(対生食)
調製時の注意 **注射用** 注射用水は等張にならないので使用しないこと

薬理作用

分類 カルバペネム系抗生物質
作用部位・作用機序 ペニシリン結合蛋白(PBPs)に高い親和性を示し, 最近の細胞壁合成(細胞壁ペプチドグリカンの架橋形成)を阻害する
同効薬 イミペネム・シラスタチン, パニペネム・ベタミプロン, ビアペネム, ドリペネム

治療

効能・効果 ①一般感染症：〈適応菌種〉メロペネムに感性のブドウ球菌属, レンサ球菌属, 肺炎球菌, 腸球菌属, 髄膜炎菌, モラクセラ(ブランハメラ)・カタラーリス, 大腸菌, シトロバクター属, クレブシエラ属, エンテロバクター属, セラチア属, プロテウス属, プロビデンシア属, インフルエンザ菌, シュードモナス属, 緑膿菌, バークホルデリア・セパシア, バクテロイデス属, プレボテラ属 〈適応症〉敗血症, 深在性皮膚感染症, リンパ管・リンパ節炎, 外傷・熱傷及び手術創等の二次感染, 肛門周囲膿瘍, 骨髄炎, 関節炎, 扁桃炎(扁桃周囲膿瘍を含む), 肺炎, 肺膿瘍, 膿胸, 慢性呼吸器病変の二次感染, 複雑性膀胱炎, 腎盂腎炎, 腹膜炎, 胆嚢炎, 胆管炎, 肝膿瘍, 子宮内感染, 子宮付属器炎, 子宮旁結合織炎, 化膿性髄膜炎, 眼内炎(全眼球炎を含む), 中耳炎, 副鼻腔炎, 顎骨周辺の蜂巣炎, 顎炎 ②発熱性好中球減少症
効能・効果に関連する使用上の注意 ①扁桃炎(扁桃周囲膿瘍を含む), 中耳炎, 副鼻腔炎への使用にあたっては,「抗微生物薬適正使用の手引き」を参照し, 抗菌薬投与の必要性を判断した上で, 本剤の投与が適切と判断される場合に投与する ②発熱性好中球減少症：⑴次の2条件を満たす症例に投与する：⑴1回の検温で38℃以上の発熱, 又は1時間以上持続する37.5℃以上の発熱 ⑵好中球数が500/mm^{3}未満の場合, 又は1000/mm^{3}未満で500/mm^{3}未満に減少することが予測される

場合 (2)発熱性好中球減少症の患者への使用は，国内外のガイドライン等を参照し，本疾患の治療に十分な経験を持つ医師のもとで，使用が適切と判断される症例についてのみ実施する (3)発熱性好中球減少症の患者への使用にあたっては，投与前に血液培養等の検査を実施する．起炎菌が判明した際には，投与継続の必要性を検討する (4)発熱性好中球減少症の患者への使用にあたっては，投与の開始時期の指標である好中球数が緊急時等で確認できない場合には，白血球数の半数を好中球数として推定する

用法・用量 使用に際しては，開始後3日を目安としてさらに継続投与が必要か判定し，中止又はより適切な他剤に切り替えるべきか検討を行う．効能①：(1)化膿性髄膜炎以外の一般感染症：(ア)成人：1日0.5〜1g(力価)を2〜3回に分け，30分以上かけて点滴静注(適宜増減)．重症・難治性感染症には，1回1g(力価)を上限として1日3g(力価)まで増量することができる (イ)小児：1日30〜60mg(力価)/kgを3回に分け，30分以上かけて点滴静注(適宜増減)．重症・難治性感染症には，1日120mg(力価)/kgまで増量することができる．ただし，成人1日最大用量3g(力価)を超えない (2)化膿性髄膜炎：(ア)成人：1日6g(力価)を3回に分割し，30分以上かけて点滴静注(適宜減量) (イ)小児：1日120mg(力価)/kgを3回に分割し，30分以上かけて点滴静注(適宜減量)．ただし，成人における1日用量6g(力価)を超えない 効能②：1日3g(力価)を3回に分割し，30分以上かけて点滴静注．小児には1日120mg(力価)/kgを3回に分割し，30分以上かけて点滴静注．ただし，成人1日用量3g(力価)を超えない．※注射液の調製法は添付文書参照

用法・用量に関連する使用上の注意 ①腎障害のある患者では，次記を目安に投与量及び投与間隔を調節する等，患者の状態を観察しながら慎重に投与する：≪クレアチニンクリアランス(Ccr)が50mL/min以下の腎障害患者(成人)の投与量，投与間隔の目安≫Ccr26〜50mL/min：1回あたりの投与量を減量せず12時間ごとに投与，Ccr10〜25mL/min：1回あたりの投与量を1/2に減量し12時間ごとに投与，Ccr＜10mL/min：1回あたりの投与量を1/2に減量し24時間ごとに投与．血液透析日には，透析終了後に投与する〔血液透析又は血液ろ過により除去される〕 ②使用にあたっては，耐性菌の発現等を防ぐため，原則として感受性を確認し，疾病の治療上必要な最小限の期間の投与にとどめる

使用上の注意

禁忌 ①本剤の成分に対し過敏症の既往歴のある患者 ②バルプロ酸ナトリウム投与中の患者

薬物動態

血中濃度 健常成人に30分点滴静注時[0.25g，0.5g，1g，2g(各6例)の順]の血漿中濃度は用量依存性，Cmax(μg/mL)15.8，26.9，53.1，131，$T_{1/2}$(hr)0.98，1.03，1.02，0.92，AUC(μg・hr/mL)16.3，33.9，58.0 170，血漿クリアランスCLt(L/hr)16.27，14.88，17.46，12.01，腎クリアランスCLr(L/hr)9.60，9.44，10.50，測定せず．連続投与時の体内動態は単回投与時とほとんど同等で蓄積性は認められなかった．小児一般感染症患者に30分点滴静注時の血漿中濃度を用いて，ポピュレーションPK解析モデルは，クリアランスは0.428±0.0151L/hr/kg，中心コンパートメントの分布容積は0.287±0.0181L/kg，コンパートメント間クリアランスは0.0452±0.0203L/hr/kg，末梢コンパートメントの分布容積は0.0537±0.0127L/kg，クリアランスの個体間変動は15.2%CV(0.0229±0.00812)，血中濃度の個体内変動は32.0%CV(0.0975±0.0214)．また，前記モデルを用いて推定した，小児一般感染症患者(投与条件：30分点滴静注)の薬物動態パラメータ[10mg/kg(6例)，20mg/kg(36例)，40mg/kg(8例)の順]は，Cmax(μg/mL)23.34±0.96，47.65±1.70，97.33±5.22，$T_{1/2}\beta$(hr)0.97±0.03，0.99±0.04，1.01±0.04，$AUC_{0-\infty}$(μg・hr/mL)21.91±2.42，46.83±6.04，101.55±14.29 **排泄** 主として腎排泄，健常成人及び小児一般感染症患者に30分点滴静注後8時間までの尿中排泄率は，健康成人では投与量にかかわらず60〜65%であり，小児一般感染症患者では平均61% **組織内移行** 喀痰，肺組織，胆汁，胆嚢，腹腔内滲出液，髄液等に良好に移行 **腎機能障害時の血中濃度，尿中排泄** 腎機能障害のある患者[クレアチニンクリアランスCcr(mL/min)＞50(4例)，50＞Ccr＞30(4例)，30＞Ccr(5例)の順]に0.5gを30分点滴静注時の$T_{1/2}$(hr)1.54，3.36，5.00，AUC(μg・hr/mL)36.6，74.6，186.8，CLt(L/hr)14.64，7.67，2.99，CLr(L/hr)7.61，2.78，0.92．腎機能の低下に伴い尿中排泄速度が低下．また，海外においても同様の結果が得られている．健康成人及び腎障害のある患者(外国人)[Ccr(mL/min)＞80(6例)，80＞Ccr＞30(10例)，30＞Ccr＞2(10例)，2＞Ccr(6例)の順]に，$T_{1/2}$(hr)1.05，1.93，5.22，9.73，AUC(μg・hr/mL)36，88，179，360，CLt(L/hr)15.30，6.50，3.39，1.52，CLr(L/hr)11.58，4.37，1.24，測定せず．従って，腎障害患者に投与する場合は，投与量，投与間隔の適切な調節が必要である

その他の管理的事項

投与期間制限 該当しない

保険給付上の注意 該当しない

資料

IF メロペン点滴用バイアル0.25g・0.5g・キット0.5g 2019年6月改訂(第16版)

dl−メントール
dl-Menthol

概要

構造式

H OH H CH3 CH3 H H3C 及び鏡像異性体

分子式 $C_{10}H_{20}O$

分子量 156.27

原薬の規制区分 該当しない

原薬の外観・性状 無色の結晶で，特異でそう快な芳香があり，味は初め舌をやくようで，後に清涼となる．エタノール(95)又はジエチルエーテルに極めて溶けやすく，水に極めて溶けにくい．室温で徐々に昇華する

原薬の融点・沸点・凝固点 凝固点：27〜28℃

l−メントール
l-Menthol

概要

薬効分類 714 矯味，矯臭，着色剤，799 他に分類されない治療を主目的としない医薬品

構造式

H OH H CH3 CH3 H H3C

分子式 $C_{10}H_{20}O$

分子量 156.27

原薬の規制区分 該当しない

原薬の外観・性状 無色の結晶で，特異でそう快な芳香があり，

味は初め舌をやくようで，後に清涼となる．エタノール(95)又はジエチルエーテルに極めて溶けやすく，水に極めて溶けにくい．室温で徐々に昇華する

原薬の吸湿性　該当資料なし

原薬の融点・沸点・凝固点　融点(分解点)：42～44℃

原薬の酸塩基解離定数　該当資料なし

先発医薬品等

末 *l*-メントール「カナダ」(金田直)
l-メントール「ケンエー」(健栄)
l-メントール「コザカイ・M」(小堺＝日興製薬販売＝吉田製薬)
l-メントール「司生堂」(司生堂)
l-メントール「日医工」(日医工)
l-メントール〈ハチ〉(東洋製化＝小野)
l-メントール「ホエイ」(マイラン＝ファイザー)
l-メントール「ヨシダ」(吉田製薬＝中北)

内用液 ミンクリア内用散布液0.8%(日本製薬＝あすか製薬＝武田)

国際誕生年月　**内用液** 2010年10月

製剤

規制区分　**内用液** ㊇

製剤の性状　**末** 無色の結晶で，特異でそう快な芳香があり，味は初め舌をやくようで，後に清涼となる．エタノール(95)又はジエチルエーテルに極めて溶けやすく，水に極めて溶けにくい．室温で徐々に昇華する　**内用液** 僅かに白色を帯びた液で，特異でそう快な芳香があり，味は初め舌をやくようで，後に清涼となる

有効期間又は使用期限　**末** 5年　**内用液** 30カ月

貯法・保存条件　**末** 気密容器，冷所保存　**内用液** 室温保存(冷蔵庫等での低温にて長期間保存した場合に，白濁等の外観変化が起こることがあるので，室温で保存．また，白濁等が認められたものは使用しない)

薬剤取扱い上の留意点　**末** 常温で揮発しやすいので，気密容器に入れ，また融点が低いので冷所に保存

患者向け資料等　**末** くすりのしおり

溶液及び溶解時のpH　**内用液** 約5

浸透圧比　該当しない

安定なpH域　該当しない

調製時の注意　**内用液** 内視鏡の鉗子口から他剤と配合することなく単独で投与する

薬理作用

分類　矯味・矯臭剤，蠕動運動抑制剤

作用部位・作用機序　**末** 初め局所を刺激し，熱感，発赤，疼痛などを起こすが，次いで知覚を鈍麻する．このため鎮痛・制痒作用を示す．殺菌・防腐作用がある．少量を内服すると胃粘膜を軽く刺激するとともに，又はその芳香，清涼味により反射的に消化管の運動，分泌，吸収などの諸機能を亢進する．胃粘膜感覚を鈍麻して鎮痛，鎮吐作用を現す

内用液 平滑筋の細胞膜上にある電位依存性L型カルシウムチャネに結合することにより，カルシウムイオンの細胞内への流入が遮断され，膜電位発生を消失させ，平滑筋を弛緩させると考えられている

同効薬　**内用液** 消化管運動を抑制する注射剤(ブチルスコポラミン臭化物，グルカゴン)

治療

効能・効果　**内用液** 上部消化管内視鏡時の胃蠕動運動の抑制
末 芳香・矯臭・矯味の目的で調剤に用いる

効能・効果に関連する使用上の注意　**内用液** 臨床試験成績等を踏まえ，本剤投与が適切と考えられる場合に使用する

用法・用量　**内用液** 本剤20mL(*l*-メントールとして160mg)を内視鏡の鉗子口より胃幽門前庭部に行きわたるように散布する

使用上の注意

禁忌　**内用液** 本剤の成分に対し過敏症の既往歴のある患者

薬物動態

内用液 健康成人男性に*l*-メントールとして160mgを胃内単回投与時の*l*-メントール(年齢46.7±8.0歳)，*l*-メントールグルクロン酸抱合体(年齢46.7±8.0歳)の薬物動態パラメータはそれぞれ，$AUC_{0-\infty}$(ng・hr/mL)52.64±29.15，15639.85±4198.44，Cmax(ng/mL)31.60±27.07，9882.69±3583.10，Tmax(hr)0.40±0.34，0.83±0.26，$t_{1/2}$(hr)1.77±2.03，5.57±1.09

その他の管理的事項

投与期間制限　該当しない

保険給付上の注意　該当しない

資料

IF　*l*-メントール「ホエイ」 2013年1月改訂(第4版)
　ミンクリア内用散布液0.8%　2015年1月改訂(第6版)

モサプリドクエン酸塩水和物
モサプリドクエン酸塩錠
モサプリドクエン酸塩散
Mosapride Citrate Hydrate

概要

薬効分類　239　その他の消化器官用薬

構造式

及び鏡像異性体

分子式　$C_{21}H_{25}ClFN_3O_3 \cdot C_6H_8O_7 \cdot 2H_2O$

分子量　650.05

ステム　スルピリド誘導体：-pride

原薬の規制区分　該当しない

原薬の外観・性状　白色～帯黄白色の結晶性の粉末である．*N,N*-ジメチルホルムアミド又は酢酸(100)に溶けやすく，メタノールにやや溶けにくく，エタノール(99.5)に溶けにくく，水にほとんど溶けない．本品の*N,N*-ジメチルホルムアミド溶液(1→20)は旋光性を示さない

原薬の吸湿性　25℃，11～98%RHで5週間放置し，重量変化を観察した．いずれの相対湿度においても重量変化はなく，吸湿性は認められなかった．なお，低湿度下においても重量減少はなく，結晶水の脱離は認められなかった

原薬の融点・沸点・凝固点　明確な融点は認められない(融解は脱水及び分解をともなって起こるため)

原薬の酸塩基解離定数　pKa＝6.20(中和滴定法)

先発医薬品等

散 ガスモチン散1%(大日本住友)
錠 ガスモチン錠2.5mg・5mg(大日本住友)

後発医薬品

散 1%
錠 2.5mg・5mg

国際誕生年月　1998年6月

海外での発売状況　中国，韓国，タイなど

製剤

製剤の性状　**散** 白色の散剤．においはなく，味は甘い
2.5mg錠 白色のフィルムコート錠　**5mg錠** 白色の割線入りフィルムコート錠

有効期間又は使用期限　3年

貯法・保存条件　気密容器，室温保存

患者向け資料等　患者向医薬品ガイド，くすりのしおり

溶液及び溶解時のpH　該当資料なし
浸透圧比　該当資料なし
安定なpH域　該当資料なし
調製時の注意　該当しない

薬理作用

分類　選択的セロトニン5-HT_4受容体アゴニスト
作用部位・作用機序　作用部位：消化管　作用機序：選択的なセロトニン5-HT_4受容体アゴニストであり，消化管内在神経叢に存在する5-HT_4受容体を刺激し，アセチルコリン遊離の増大を介して上部・下部消化管運動促進作用及び胃排出促進作用を示すと考えられている
同効薬　メトクロプラミド，ドンペリドン，トリメブチンマレイン酸塩，イトプリド塩酸塩など

治療

効能・効果　①慢性胃炎に伴う消化器症状(胸やけ，悪心・嘔吐)　②経口腸管洗浄剤によるバリウム注腸X線造影検査前処置の補助
効能・効果に関連する使用上の注意　経口腸管洗浄剤によるバリウム注腸X線造影検査前処置の補助：塩化ナトリウム，塩化カリウム，炭酸水素ナトリウム及び無水硫酸ナトリウム含有経口腸管洗浄剤(ニフレック配合内用剤)以外の経口腸管洗浄剤との併用による臨床試験は実施されていない
用法・用量　効能①：無水物として1日15mg，食前又は食後3回に分服　効能②：経口腸管洗浄剤の投与開始時に無水物として20mgを経口腸管洗浄剤(約180mL)で投与．また，経口腸管洗浄剤投与終了後，無水物として20mgを少量の水で投与
用法・用量に関連する使用上の注意　慢性胃炎に伴う消化器症状(胸やけ，悪心・嘔吐)：一定期間(通常2週間)投与後，消化器症状の改善について評価し，投与継続の必要性について検討する

薬物動態

血中濃度　①単独投与時(健康成人5例，空腹時5mg1回投与)：Tmax0.8±0.1h，Cmax30.7±2.7ng/mL，$T_{1/2}$2.0±0.2h，$AUC_{0-\infty}$67±8ng・h/mL　②経口腸管洗浄剤併用時[健康成人，空腹時20mg(1回目)投与後，経口腸管洗浄剤(ニフレック配合内用剤)を服用し，1回目の投与から2時間後20mg(2回目)投与]：(1)1回目(24例)：Tmax1.0±0.5h，Cmax116.1±35.1ng/mL，AUC_{0-2}150.3±45.2ng・h/mL　(2)2回目(23例)：Tmax2.5±0.2h，Cmax272.6±80.9ng/mL，AUC_{0-24}848.8±301.4ng・h/mL　**分布**　①血清蛋白結合率：99.0%(*in vitro*，ヒト血清，1μg/mL，限外ろ過法又は平衡透析法)　**代謝**　①主な代謝産物：4-フルオロベンジル基脱離体　②代謝経路：主として肝臓で4-フルオロベンジル基の脱離，これに続くモルホリン環5位の酸化及びベンゼン環3位の水酸化によって代謝される　③代謝酵素：主としてCYP3A4　**排泄**　①排泄経路：尿中，糞便中　②排泄率：投与後48時間までの尿中排泄率は，未変化体として0.1%，主代謝物(4-フルオロベンジル基脱離体)として7.0%(健康成人，空腹時本剤5mg1回投与)　**薬物相互作用**　①エリスロマイシン：本剤15mg/日にエリスロマイシン1200mg/日を併用時，単独投与時に比べモサプリドの最高血漿中濃度は42.1ng/mLから65.7ng/mLに上昇，半減期は1.6時間から2.4時間に延長，AUC_{0-4}は62ng・h/mLから114ng・h/mLに増加(健康成人)

その他の管理的事項

投与期間制限　該当しない
保険給付上の注意　該当しない

資料

IF　ガスモチン散1%・錠2.5mg・5mg　2020年4月改訂(第24版)

モノステアリン酸アルミニウム
Aluminum Monostearate

概要

原薬の規制区分　該当しない
原薬の外観・性状　白色～黄白色の粉末で，においはないか，又は僅かに特異なにおいがある．水，エタノール(95)又はジエチルエーテルにほとんど溶けない

モノステアリン酸グリセリン
Glyceryl Monostearate

概要

原薬の規制区分　該当しない
原薬の外観・性状　白色～淡黄色のろう様の塊，薄片又は粒で，僅かに特異なにおい及び味がある．温エタノール(95)に極めて溶けやすく，クロロホルムにやや溶けやすく，ジエチルエーテルにやや溶けにくく，水又はエタノール(95)にほとんど溶けない．光によって徐々に変化する
原薬の融点・沸点・凝固点　融点：55℃以上

モルヒネ塩酸塩水和物
モルヒネ塩酸塩錠
モルヒネ塩酸塩注射液
Morphine Hydrochloride Hydrate

概要

薬効分類　811　あへんアルカロイド系麻薬
構造式

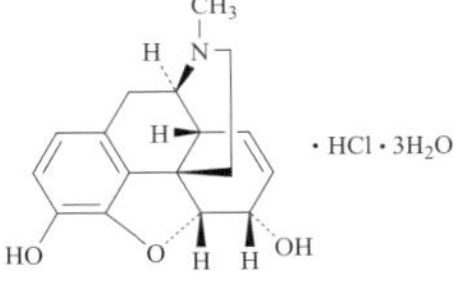

分子式　$C_{17}H_{19}NO_3$・HCl・$3H_2O$
分子量　375.84
ステム　モルフィナン系麻薬拮抗作用薬：-orph-
原薬の規制区分　毒(ただし，製剤は劇)，麻
原薬の外観・性状　白色の結晶又は結晶性の粉末である．ギ酸に溶けやすく，水にやや溶けやすく，メタノールにやや溶けにくく，エタノール(95)に溶けにくい．光によって徐々に黄褐色を帯びる．0.10gを水10mLに溶かした液のpHは4.0～6.0である
原薬の吸湿性　該当資料なし
原薬の融点・沸点・凝固点　融点：約200℃(分解)
原薬の酸塩基解離定数　pKa＝8.0，9.9(20℃)(モルヒネ)
先発医薬品等

- **末** モルヒネ塩酸塩水和物「第一三共」原末(第一三共プロファーマ＝第一三共)
  モルヒネ塩酸塩水和物「タケダ」原末(武田)
- **錠** モルヒネ塩酸塩錠10mg「DSP」(大日本住友)
- **徐放力** パシーフカプセル30mg・60mg・120mg(武田)
- **内用液** オプソ内服液5mg・10mg(大日本住友)
- **注** アンペック注10mg・50mg・200mg(大日本住友)

モルヒネ塩酸塩注射液10mg・50mg・200mg「シオノギ」(シオノギファーマ＝塩野義)
モルヒネ塩酸塩注射液10mg・50mg・200mg「第一三共」(第一三共プロファーマ＝第一三共)
モルヒネ塩酸塩注射液10mg・50mg・200mg「タケダ」(武田)
坐 アンペック坐剤10mg・20mg・30mg(大日本住友)

後発医薬品
キット 1%

国際誕生年月 不明

海外での発売状況 **末** **注** 米，英など

製剤

規制区分 **末** ㊣毒㊣麻㊣処 **錠** **徐放力** **内用液** **注** **坐** ㊣劇㊣麻㊣処

製剤の性状 **末** 白色の結晶又は結晶性の粉末 **錠** 白色の素錠 **徐放力** 白色～帯黄白色の粒を含む淡黄色のカプセル剤 **内用液** 無色澄明の液を充填した分包品 **注** 無色～微黄褐色澄明の液で，光によって徐々に黄褐色を帯びる **坐** 白色～微黄色の紡すい形の坐剤

有効期間又は使用期限 **錠**(PTP包装)3年，(バラ包装)5年 **内用液** **坐** 3年

貯法・保存条件 **末** **注** 室温保存．開封後も遮光保存すること **錠** 気密容器，遮光・室温保存 **徐放力** **内用液** 室温保存 **坐** 気密容器，冷凍を避け，室温保存

薬剤取扱い上の留意点 連用により薬物依存を生じることがあるので，観察を十分に行い，慎重に投与すること．眠気，眩暈が起こることがあるので，本剤投与中の患者には自動車の運転等危険を伴う機械の操作に従事させないよう注意すること **末** **錠** **徐放力** **内用液** **坐** 本剤が不要となった場合には，病院又は薬局へ返却する等の処置について適切に指導すること **徐放力** 持続性製剤であることから，早期に除痛を必要とする場合は，速溶性製剤を用いることが望ましい．徐放性製剤であるため，カプセルの内容物を砕いたり，すりつぶしたりしないで，そのままかまずに服用するように指示すること

患者向け資料等 くすりのしおり

溶液及び溶解時のpH **内用液** 2.3～2.7 **注** 2.5～5.0

浸透圧比 **10・50mg注** 約0.2(対生食) **200mg注** 約0.6

調製時の注意 **注** 低温では結晶が析出することがあるので，このような場合には体温付近まで加温し，溶解後使用する

薬理作用

分類 アヘンアルカロイド

作用部位・作用機序 オピオイド受容体の主としてμ-受容体を介して，脊髄，視床など求心性痛覚伝導路を抑制するとともに，脳幹から脊髄後角に至る下行性痛覚抑制系を賦活することにより鎮痛作用を示す．そのほか，大脳辺縁系に作用して疼痛に伴う不安や恐怖といった情動反応を抑制し，また，大脳皮質における痛覚閾値を上昇させることも作用機序の一部として考えられている

同効薬 アヘンアルカロイド塩酸塩，コデインリン酸塩水和物など

治療

効能・効果 **末** **錠** ①激しい疼痛時における鎮痛・鎮静 ②激しい咳嗽発作における鎮咳 ③激しい下痢症状の改善及び手術後等の腸管ぜん動運動の抑制

徐放力 **内用液** 中等度から高度の疼痛を伴う各種癌における鎮痛

注 ①皮下注・静注：激しい疼痛時における鎮痛・鎮静，激しい咳嗽発作における鎮咳，激しい下痢症状の改善及び手術後等の腸管ぜん動運動の抑制，麻酔前投薬，麻酔の補助，中等度から高度の疼痛を伴う各種癌における鎮痛 ②〔1%製剤：10・50mgのみ〕硬膜外・くも膜下注射：激しい疼痛時における鎮痛，中等度から高度の疼痛を伴う各種癌における鎮痛

キット ①皮下注・静注：中等度から高度の疼痛を伴う各種癌における鎮痛 ②〔50mg製剤のみ〕硬膜外・くも膜下注射：激しい疼痛時における鎮痛，中等度から高度の疼痛を伴う各種癌における鎮痛

坐 激しい疼痛を伴う各種癌における鎮痛

効能・効果に関連する使用上の注意 **徐放力** 本剤は持続性癌疼痛治療剤であり，疼痛増強時や突発性の疼痛が発現した場合の追加投与(レスキュードーズ)には使用しない

用法・用量 **末** **錠** 1回5～10mg，1日15mg(適宜増減)

徐放力 1日1回30～120mg(適宜増減)

内用液 1日30～120mg，6回に分服(適宜増減)

注 ①皮下注・静注：1回5～10mg皮下注(適宜増減)．麻酔補助として静注することもある．中等度から高度の疼痛を伴う各種癌における鎮痛には1回50～200mg持続点滴静注又は持続皮下注(適宜増減) ②硬膜外注射：1回2～6mg硬膜外腔注入(適宜増減)．硬膜外腔持続注入の場合は1日量として2～10mg(適宜増減) ③くも膜下注射：1回0.1～0.5mgくも膜下腔注入(適宜増減)

キット ①皮下注・静注：1回50～200mgを持続静注又は持続皮下注(適宜増減) ②〔50mg製剤のみ〕硬膜外注射：1回2～6mgを硬膜外腔注入(適宜増減)．硬膜外腔持続注入の場合は，1日量として2～10mg(適宜増減) ③〔50mg製剤のみ〕くも膜下注射：1回0.1～0.5mgをくも膜下腔注入(適宜増減)

坐 1日20～120mg，2～4回に分割し直腸内投与．初めてモルヒネ製剤として投与する場合は1回10mgより開始することが望ましい．症状により投与量，投与回数を適宜増減

用法・用量に関連する使用上の注意 **徐放力** ①初回投与：本剤の投与開始前のオピオイド系鎮痛薬による治療の有無を考慮して初回投与量を設定することとし，すでに治療されている場合にはその投与量及び鎮痛効果の持続を考慮して副作用の発現に注意しながら適宜投与量を調節する (1)モルヒネ硫酸塩徐放剤から本剤へ変更する場合：モルヒネ硫酸塩徐放剤の1日投与量と同量を，本剤の1日投与量の目安とする (2)オキシコドン塩酸塩徐放剤から本剤へ変更する場合：オキシコドン塩酸塩徐放剤1日投与量の1.5倍量を，本剤の1日投与量の目安とする (3)経皮フェンタニル貼付剤から本剤へ変更する場合：経皮フェンタニル貼付剤剥離後にフェンタニルの血中濃度が50%に減少するまで17時間以上かかることから，剥離直後の本剤の使用は避け，本剤の使用を開始するまでに，フェンタニルの血中濃度が適切な濃度に低下するまでの時間をあけるとともに，本剤の低用量から投与することを考慮する ②疼痛増強時：本剤服用中に疼痛が増強した場合や鎮痛効果が得られている患者で突発性の疼痛が発現した場合は，ただちにモルヒネ速溶性製剤の追加投与(レスキュードーズ：1日投与量の6分の1量を目安とする)を行い鎮痛を図る ③増量：投与開始後は患者の状態を観察し，適切な鎮痛効果が得られ副作用が最小となるよう用量調節を行うこととし，増量する場合は1日あたり30mg増あるいは30～50%増とする ④減量：連用中における急激な減量は，退薬症候が現れることがあるので行わない．副作用等により減量する場合は，患者の状態を観察しながら慎重に行う ⑤投与の中止：投与を必要としなくなった場合には，退薬症候の発現を防ぐために徐々に減量する

内用液 ①臨時追加投与(レスキュー・ドーズ)として使用する場合：1回量は定時投与中のモルヒネ経口製剤の1日量の1/6量を目安として投与する ②定時投与時：(1)初めてモルヒネ製剤として使用する場合：1回5～10mgから開始し，鎮痛効果及び副作用の発現状況を観察しながら，用量調節を行う (2)定時投与時の投与間隔：1日量を6分割して使用する場合には，4時間ごとの定時に投与する．ただし，深夜の睡眠を妨げないように就寝前は2回分を合わせて投与することもできる (3)他のオピオイド製剤から変更する場合には，前投与薬剤の投与量及び鎮痛効果の持続時間を考慮して，副作用の発現に注意しながら，適宜用量を調節する (4)経皮フェンタニル貼付剤から本剤へ変更する場合には，経皮フェンタニル貼付剤

剥離後にフェンタニルの血中濃度が50%に減少するまで17時間以上かかることから，剥離直後の使用は避け，使用を開始するまでに，フェンタニルの血中濃度が適切な濃度に低下するまでの時間をあけるとともに，低用量から投与することを考慮する (5)減量：連用中における急激な減量は，退薬症候が現れることがあるので行わない．副作用等により減量する場合は，患者の状態を観察しながら慎重に行う (6)中止：投与を必要としなくなった場合には，退薬症候の発現を防ぐために徐々に減量する

注 ①皮下注・静注：(1)200mg注射液(4%製剤)は，10mgあるいは50mg注射液(1%製剤)の4倍濃度であるので，1%製剤から4%製剤への切り替えにあたっては，持続注入器の注入速度，注入量を慎重に設定し，過量投与とならないように注意して使用する (2)200mg注射液(4%製剤)は，皮下注又は静注にのみ使用する(硬膜外及びくも膜下投与には使用しない) ②硬膜外注射：(1)200mg注射液(4%製剤)は硬膜外投与には使用しない (2)オピオイド系鎮痛薬を使用していない患者に対しては，初回投与時には，24時間以内の総投与量が10mgを超えない (3)硬膜外投与で十分な鎮痛効果が得られず，さらに追加投与が必要な場合には，患者の状態(呼吸抑制等)を観察しながら慎重に投与する ③くも膜下注射：(1)200mg注射液(4%製剤)はくも膜下投与には使用せず，原則として10mg注射液(1%製剤)を使用する (2)患者の状態(呼吸抑制等)を観察しながら慎重に投与する (3)原則として追加投与や持続投与は行わないが，他の方法で鎮痛効果が得られない場合には，患者の状態を観察しながら，安全性上問題がないと判断できる場合にのみ，その実施を考慮する

キット ①〔100mg製剤〕皮下注又は静注にのみ使用する(硬膜外及びくも膜下投与には使用しない) ②〔50mg製剤〕(1)硬膜外注射：(ア)オピオイド系鎮痛薬を使用していない患者に対しては，初回投与時には，24時間以内の総投与量が10mgを超えない (イ)硬膜外投与で十分な鎮痛効果が得られず，さらに追加投与が必要な場合には，患者の状態(呼吸抑制等)を観察しながら慎重に投与する (2)くも膜下注射：(ア)くも膜下投与には原則として塩酸モルヒネ注射液10mgを使用する (イ)患者の状態(呼吸抑制等)を観察しながら慎重に投与する (ウ)原則として追加投与や持続投与は行わないが，他の方法で鎮痛効果が得られない場合には，患者の状態を観察しながら，安全性上問題がないと判断できる場合にのみ，その実施を考慮する

使用上の注意

警告 **末** **錠** **徐放力** **内用液** **注** **キット**〔1%注射液，50mgキット〕本剤の硬膜外及びくも膜下投与は，これらの投与法に習熟した医師のみにより，投与が適切と判断される患者についてのみ実施する

禁忌 **末** **錠** **徐放力** **内用液** **注** **キット** ①(1)重篤な呼吸抑制のある患者［呼吸抑制を増強する］ (2)気管支喘息発作中の患者［気道分泌を妨げる］ (3)重篤な肝障害のある患者［昏睡に陥ることがある］ (4)慢性肺疾患に続発する心不全の患者［呼吸抑制や循環不全を増強する］ (5)痙攣状態(てんかん重積症，破傷風，ストリキニーネ中毒)にある患者［脊髄の刺激効果が現れる］ (6)急性アルコール中毒の患者［呼吸抑制を増強する］ (7)アヘンアルカロイドに対し過敏症の患者 (8)出血性大腸炎の患者［腸管出血性大腸菌(O157等)や赤痢菌等の重篤な細菌性下痢のある患者では，症状の悪化，治療期間の延長をきたすおそれがある］ (9)ナルメフェン塩酸塩水和物を投与中又は投与中止後1週間以内の患者 ②硬膜外注射：(1)注射部位又はその周辺に炎症のある患者［化膿性髄膜炎症状を起こすことがある］ (2)敗血症の患者［敗血症性の髄膜炎を生じるおそれがある］ ③くも膜下注射：(1)注射部位又はその周辺に炎症のある患者［化膿性髄膜炎症状を起こすことがある］ (2)敗血症の患者［敗血症性の髄膜炎を生じるおそれがある］ (3)中枢神経系疾患(髄膜炎，灰白脊髄炎，脊髄癆等)の患者［くも膜下投与により病状が悪化するおそれがある］ (4)脊髄・脊椎に結核，脊椎炎及び転移性腫瘍等の活動性疾患のある患者［くも膜下投与により病状が悪化するおそれがある］

坐 ①重篤な呼吸抑制のある患者［呼吸抑制を増強する］ ②気管支喘息発作中の患者［気道分泌を妨げる］ ③重篤な肝障害のある患者［昏睡に陥ることがある］ ④慢性肺疾患に続発する心不全の患者［呼吸抑制や循環不全を増強する］ ⑤痙攣状態(てんかん重積症，破傷風，ストリキニーネ中毒)にある患者［脊髄の刺激効果が現れる］ ⑥急性アルコール中毒の患者［呼吸抑制を増強する］ ⑦本剤の成分及びアヘンアルカロイドに対し過敏症の患者 ⑧ナルメフェン塩酸塩水和物を投与中又は投与中止後1週間以内の患者

過量投与 **末** **錠** **徐放力** **内用液** **注** **キット** ①徴候・症状：呼吸抑制，意識不明，痙攣，錯乱，血圧低下，重篤な脱力感，重篤なめまい，嗜眠，心拍数の減少，神経過敏，不安，縮瞳，皮膚冷感等を起こすことがある ②処置：過量投与時には次の治療を行うことが望ましい：(1)中止し，気道確保，補助呼吸及び呼吸調節により適切な呼吸管理を行う (2)麻薬拮抗剤投与を行い，患者に退薬症候又は麻薬拮抗剤の副作用が発現しないよう慎重に投与する．なお，麻薬拮抗剤の作用持続時間はモルヒネのそれより短いので，患者のモニタリングを行うか又は患者の反応に応じて初回投与後は注入速度を調節しながら持続静注する (3)必要に応じて補液，昇圧剤等の投与又は他の補助療法を行う **坐** ①症状：呼吸抑制，意識不明，痙攣，錯乱，血圧低下，重篤な脱力感，重篤なめまい，嗜眠，心拍数の減少，神経過敏，不安，縮瞳，皮膚冷感等を起こすことがある ②処置：過量投与時には次の治療を行うことが望ましい：(1)中止し，気道確保，補助呼吸及び呼吸調節により適切な呼吸管理を行う (2)麻薬拮抗剤投与を行い，患者に退薬症候又は麻薬拮抗剤の副作用が発現しないよう慎重に投与する．なお，麻薬拮抗剤の作用持続時間はモルヒネのそれより短いので，患者のモニタリングを行うか又は患者の反応に応じて，初回投与後は注入速度を調節しながら持続静注する (3)必要に応じて，補液，昇圧剤等の投与又は他の補助療法を行う

薬物動態

末 **錠** **注** **吸収・排泄・代謝(参考：動物)** モルヒネ塩は胃腸管から吸収，皮下注後容易に血中移行，全身に分布するが，腎，肝，肺，脾の臓器で高く，脳及び筋肉で低い．肝でmorphine-3-glucuronideとなり，一部はN-脱メチル及びO-メチル化を受ける．胆汁から糞便に約10%排泄，残りは尿中排泄

徐放力 **単回投与** 健康成人男子12例(外国人)に30mg，60mg，120mgを絶食下に投与した時の血中濃度の推移(30mg，60mg，120mgの順)は，速放部Cmax(ng/mL)3.50±1.42，8.12±2.83，20.6±10.2，徐放部Cmax(ng/mL)3.99±1.32，6.76±1.70，14.6±5.00，AUC(ng・h/mL)61.1±35.5，145±46.0，275±99.1 **反復投与** 硫酸モルヒネ徐放剤30mg1日2回投与により疼痛がコントロールされている癌患者11例に対し，本剤に切り替え1日1回60mgを5日間投与した時の血中濃度の推移は添付文書参照 **食事の影響** 健康成人男子12例(外国人)に60mgを朝食前絶食下又は高脂肪・高カロリー食(総カロリー927kcal，総脂肪量59g)を摂食5分後に単回経口投与時の血中濃度推移(投与条件：絶食下，食後の順)は，速放部Cmax(ng/mL)7.55±3.98，4.56±1.19，徐放部Cmax(ng/mL)5.96±2.06，6.75±1.61，AUC(ng・h/mL)122±50.7，100±46.8 **代謝** モルヒネは主として肝臓及び消化管粘膜に存在するUDP-glucuronyl transferaseにより代謝され，モルヒネ-3-グルクロニド(活性なし)及びモルヒネ-6-グルクロニド(活性あり)に代謝される **排泄** 既存の経口モルヒネ製剤30mg/日の投与により疼痛治療されている癌患者2例に対し，本剤に切り替え1日1回30mgを5日間投与した時の尿中排泄率は，モルヒネ-3-グルクロニドが64.5～

モ

82.9%，モルヒネ-6-グルクロニドが7.3〜15.7%，モルヒネの未変化体が2.4〜5.8%である

内用液 **血漿中濃度(参考)** 本剤を用いた薬物動態試験は実施されていない．院内製剤として調剤された水溶液の癌患者での薬物動態は次のように報告されている：①単回投与[手術前癌患者5例($T_{1/2}$及び$AUC_{0-\infty}$は4例)，10mg1回投与]：Tmax0.9±0.1hr，Cmax16.6±3.3ng/mL，$T_{1/2}$2.2±0.3hr，$AUC_{0-\infty}$39.6±6.2ng・hr/mL ②反復投与[癌患者5例，1回10mg1日6回反復投与(就寝前の投与を2回分合わせて投与する方法も含む)．定常状態]：Tmax0.5±0.2hr，Cmax19.5±8.1ng/mL，$T_{1/2}$2.9±1.1hr，AUC_{0-4}53.6±14.7ng・hr/mL

主な代謝産物及び代謝経路 モルヒネは肝臓で3位又は6位の水酸基がグルクロン酸抱合を受けモルヒネ-3-グルクロニド(活性なし)又はモルヒネ-6-グルクロニド(活性あり)になる

坐 **血漿中濃度** 癌疼痛患者に10mg(12例)，20mg(8例)，30mg坐剤(5例)を1回1個8時間ごとに1日3回3日以上投与で，Tmax(hr)1.5±0.3，1.3±0.4，1.5±0.6，Cmax(ng/mL)25.8±2.1，35.4±5.7，40.7±7.2，$T_{1/2}$(hr)4.18±0.56，4.47±0.78，6.0±1.6 **主代謝産物及び主代謝経路** モルヒネは肝臓で3位又は6位の水酸基がグルクロン酸抱合を受け，モルヒネ-3-グルクロニド(活性なし)又はモルヒネ-6-グルクロニド(活性あり)になる

その他の管理的事項

投与期間制限 30日

保険給付上の注意 該当しない

資料

IF モルヒネ塩酸塩水和物「タケダ」原末 2020年2月改訂(第6版)
モルヒネ塩酸塩錠10mg「DSP」 2020年2月改訂(第12版)
パシーフカプセル30mg・60mg・120mg 2020年2月改訂(第6版)
オプソ内服液5mg・10mg 2020年2月改訂(第13版)
モルヒネ塩酸塩注射液10mg・50mg・200mg「タケダ」2020年2月改訂(第9版)
アンペック坐剤10mg・20mg・30mg 2020年2月改訂(第18版)

モルヒネ・アトロピン注射液
Morphine and Atropine Injection

概要

原薬の規制区分 毒(ただし，製剤は劇)，麻

治療

効能・効果† 激しい疼痛時における鎮痛・鎮静・鎮痙，激しい咳嗽発作における鎮咳，激しい下痢症状の改善及び手術後等の腸管ぜん動運動の抑制，麻酔前投薬

モルヒネ硫酸塩水和物
Morphine Sulfate Hydrate

概要

薬効分類 811 あへんアルカロイド系麻薬

構造式

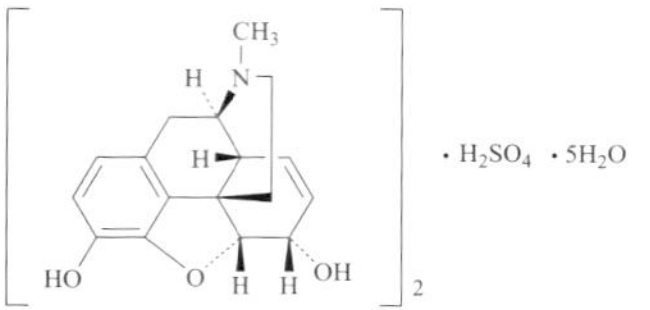

分子式 $(C_{17}H_{19}NO_3)_2・H_2SO_4・5H_2O$

分子量 758.83

ステム モルフィナン系麻薬拮抗作用薬：-orph-

原薬の規制区分 毒(ただし，製剤は劇)，麻

原薬の外観・性状 白色の結晶又は結晶性の粉末である．ギ酸に極めて溶けやすく，水にやや溶けやすく，メタノールに溶けにくく，エタノール(99.5)に極めて溶けにくい．希水酸化ナトリウム試液に溶ける

原薬の吸湿性 吸湿性はない

原薬の融点・沸点・凝固点 融点：280〜290℃(誘拐発泡)(明確な融点及び分解点は測定できない)

原薬の酸塩基解離定数 pKa＝9.87(フェノール性水酸基)，pKb＝6.27(17位窒素原子)

先発医薬品等

徐放錠 MSコンチン錠10mg・30mg・60mg(シオノギファーマ＝塩野義)

徐放カ MSツワイスロンカプセル10mg・30mg・60mg(帝國製薬)

後発医薬品

徐放細 10mg・30mg

国際誕生年月 不明

海外での発売状況 **徐放錠** 米，英など **徐放カ** 英，仏など20数カ国

製剤

規制区分 劇 麻 処

製剤の性状 **2%徐放細** 甘味を有する白色〜淡黄色の細粒 **6%徐放細** 甘味を有する淡赤紫色〜淡青紫色の細粒 **10mg徐放錠** うすい黄褐色の円形のフィルムコーティング錠で，においはない **30mg徐放錠** 青紫〜赤紫色の円形のフィルムコーティング錠で，においはない **60mg徐放錠** 橙色の円形のフィルムコーティング錠で，においはない **10mg徐放カ** 黄色不透明/無色透明の徐放性顆粒を充填した硬カプセル剤 **30mg徐放カ** 淡紅色不透明/無色透明の徐放性顆粒を充填した硬カプセル剤 **60mg徐放カ** 橙色不透明/無色透明の徐放性顆粒を充填した硬カプセル剤

有効期間又は使用期限 **徐放細** **徐放錠** 5年

貯法・保存条件 **2%徐放細** 気密容器，室温保存 **6%徐放細** **30mg徐放錠** 気密容器，遮光・室温保存 **10・60mg徐放錠** **徐放カ** 室温保存

薬剤取扱い上の留意点 連用により薬物依存を生じることがあるので，観察を十分に行い，慎重に投与すること．眠気，眩暈が起こることがあるので，本剤投与中の患者には自動車の運転等危険を伴う機会の操作に従事させないよう注意すること．徐放性の製剤であるため，かみ砕いて服用しないように指示すること．本剤が不要となった場合には，病院又は薬局へ返納するなどの処置について適切に指導すること

患者向け資料等 くすりのしおり

薬理作用

分類 アヘンアルカロイド

作用部位・作用機序 オピオイド受容体の主としてμ受容体を

介して作用を示す．大脳皮質知覚領域の痛覚閾値を上昇させるほか，痛覚伝導路のうち脊髄以上の部位に作用し，脳幹の下降性抑制系の賦活や，視床及び脊髄後角を抑制する

同効薬　モルヒネ塩酸塩水和物，オキシコドン塩酸塩水和物など

治療

効能・効果　激しい疼痛を伴う各種癌における鎮痛

用法・用量　モルヒネ硫酸塩水和物として1日20〜120mg，2回に分服(適宜増減)．初回量は10mgが望ましい

使用上の注意

禁忌　①重篤な呼吸抑制のある患者［呼吸抑制を増強する］ ②気管支喘息発作中の患者［気道分泌を妨げる］ ③重篤な肝障害のある患者［昏睡に陥ることがある］ ④慢性肺疾患に続発する心不全の患者［呼吸抑制や循環不全を増強する］ ⑤痙攣状態(てんかん重積症，破傷風，ストリキニーネ中毒)にある患者［脊髄の刺激効果が現れる］ ⑥急性アルコール中毒の患者［呼吸抑制を増強する］ ⑦アヘンアルカロイドに対し過敏症の患者 ⑧出血性大腸炎の患者［腸管出血性大腸菌(O157等)や赤痢菌等の重篤な細菌性下痢のある患者では，症状の悪化，治療期間の延長をきたすおそれがある］ ⑨ナルメフェン塩酸塩水和物を投与中又は投与中止後1週間以内の患者

過量投与　MSコンチン　MSツワイスロン　モルペス　①徴候・症状：呼吸抑制，意識不明，痙攣，錯乱，血圧低下，重篤な脱力感，重篤な眩暈，嗜眠，心拍数の減少，神経過敏，不安，縮瞳，皮膚冷感等を起こすことがある ②処置：過量投与時には次の治療を行うことが望ましい：(1)中止し，気道確保，補助呼吸及び呼吸調節により適切な呼吸管理を行う (2)麻薬拮抗剤投与を行い，患者に退薬症候又は麻薬拮抗剤の副作用が発現しないよう慎重に投与する．なお，麻薬拮抗剤の作用持続時間はモルヒネのそれより短いので，患者のモニタリングを行うか又は患者の反応に応じて初回投与後は注入速度を調節しながら持続静注する (3)必要に応じて，補液，昇圧剤等の投与又は他の補助療法を行う

薬物動態

MSコンチン　MSツワイスロン　**血漿中濃度**　癌疼痛患者に，徐放錠を1回30mg(10mg×3錠)12時間ごと投与(8例)時と塩酸モルヒネ水溶液1回10mgを4時間ごと3回投与(5例)時の定常状態における薬物動態について比較，検討①速度論的解析可能症例の平均値から血漿中濃度曲線を予測，検討した結果，徐放錠12時間ごと投与は塩酸モルヒネ水溶液4時間ごと投与とほぼ同等 ②徐放錠のモルヒネ消失速度は塩酸モルヒネ水溶液とほぼ一致し，AUCも両者でほぼ同値で，差は認められなかった．吸収速度は徐放錠が遅く，Tmaxは長く，Cmaxは低く(単位量あたり)，徐放性が示された．薬物動態パラメータ(徐放錠，塩酸モルヒネ水溶液の順)はCmax(ng/mL)2.7±0.8時間後29.9±13.3，0.5±0.2時間後19.5±8.1，$AUC_{0\text{-}12}$(ng・hr/mL)165.5±78.3，160.8±44.1(10mg3回投与時のAUCに換算)，吸収半減期(時間)は0.41±0.27，0.12±0.07，消失半減期(時間)は2.58±0.85，2.90±1.14．Cmaxはパラメータから計算した ③徐放錠の吸収は食事による影響をほとんど受けなかった(外国人データ)　**代謝**　モルヒネは主としてグルクロン酸抱合を受け，モルヒネ-3-グルクロナイド及びモルヒネ-6-グルクロナイドに代謝　**排泄**　①徐放錠1回30mg，1日2回投与時の定常状態時でのモルヒネ，モルヒネ-6-グルクロナイド，モルヒネ-3-グルクロナイド及びこれら3者の合計の24時間の全尿中排泄率はそれぞれ2.6±2.6%，4.8±1.8%，21.6±11.2%，29.1±14.1% ②腎不全患者及び血液透析患者で，モルヒネ-6-グルクロナイドの蓄積によると考えられる遷延性の意識障害あるいは遷延性の呼吸抑制が起きたとの報告がある　**その他**　①効果発現時間：1時間30分〜2時間 ②初回通過効果：初回通過効果を受ける．生物学的利用率は22.4% ③血漿蛋白結合率：約35%

その他の管理的事項

投与期間制限　30日

保険給付上の注意　該当しない

資料

IF　モルペス細粒2%・6%　2015年3月改訂(第5版)
MSコンチン錠10mg・30mg・60mg　2020年2月改訂(第12版)
MSツワイスロンカプセル10mg・30mg・60mg　2020年4月改訂(第8版)

モンテルカストナトリウム
モンテルカストナトリウム錠
モンテルカストナトリウムチュアブル錠
モンテルカストナトリウム顆粒
Montelukast Sodium

概要

薬効分類　449　その他のアレルギー用薬

構造式

分子式　$C_{35}H_{35}ClNNaO_3S$

分子量　608.17

ステム　ロイコトリエン受容体拮抗薬：-lukast

原薬の規制区分　該当しない

原薬の外観・性状　白色〜微黄白色の粉末である．メタノール及びエタノール(99.5)に極めて溶けやすく，水に溶けやすい．光によって黄色に変化する．結晶多形が認められる

原薬の吸湿性　吸湿性である

原薬の融点・沸点・凝固点　融点：約115℃(熱分解)

原薬の酸塩基解離定数　pKa＝6.5±0.8

先発医薬品等

細　キプレス細粒4mg(杏林)
シングレア細粒4mg(MSD)

錠　キプレスチュアブル錠5mg(杏林)
キプレス錠5mg・10mg(杏林)
キプレスOD錠10mg(杏林)
シングレアチュアブル錠5mg(MSD)
シングレア錠5mg・10mg(MSD)
シングレアOD錠10mg(MSD)

後発医薬品

細　4mg

錠　5mg・10mg・チュアブル錠5mg・OD錠5mg・10mg

国際誕生年月　1997年7月

海外での発売状況　米，英，仏，独など

製剤

製剤の性状　細　白色の細粒　錠　明るい灰黄色のフィルムコーティング錠　口腔内崩壊錠　白色の口腔内崩壊錠　チュアブル錠　うすい赤色，チェリーのようなにおいの裸錠

有効期間又は使用期限　細　錠　チュアブル錠　3年　口腔内崩壊錠　30カ月

貯法・保存条件　細　口腔内崩壊錠　室温保存　錠　チュアブル錠　遮光・室温保存(開封後は防湿保存)

薬剤取扱い上の留意点　錠　口腔内崩壊錠　チュアブル錠　食

モ

事の有無にかかわらず投与できる **口腔内崩壊錠** ブリスターシートからの取り出しは，裏面のシートを完全に剥がした後，錠剤をていねいに取り出すこと．OD錠は錠剤と比べて性質上柔らかく，割れることがあるので，シートを剥がさずに押し出さないこと．欠けや割れが生じた場合は全量服用すること．吸湿性を有するため，使用直前にブリスターシートから取り出すこと

患者向け資料等 患者向医薬品ガイド，くすりのしおり

溶液及び溶解時のpH 約9.7(1%水溶液)

浸透圧比 該当しない

安定なpH域 該当しない

調製時の注意 **細** モンテルカスト細粒剤4mgをベビーフード(アイスクリーム，にんじん，ごはん，アップルソース)，調製ミルク及び母乳に混ぜ，室温，500～600lxで放置したところスルホキシド体及びシス異性体の増加が認められたが，15分放置後のスルホキシド体は0.7%以下，シス異性体は0.4%未満であり，安全性の確認された分解物量の1/10～1/20の範囲内であった

薬理作用

分類 ロイコトリエン受容体拮抗薬

作用部位・作用機序 作用部位：上下気道，気道平滑筋，肥満細胞，白血球，好酸球，その他 作用機序：①気管支喘息：システイニルロイコトリエン タイプ1 受容体($CysLT_1$受容体)に選択的に結合し，炎症惹起メディエーターであるLTD_4やLTE_4による病態生理学的作用(気管支収縮，血管透過性の亢進，及び粘液分泌促進)を抑制する．この作用機序に基づき，モンテルカストは抗喘息作用として，喘息性炎症の種々の因子を改善する ②アレルギー性鼻炎：アレルギー性鼻炎では，抗原曝露後に，即時相及び遅発相のいずれにおいてもシステイニルロイコトリエンが鼻粘膜から放出される．その放出はアレルギー性鼻炎の症状発現と関連がある．また，システイニルロイコトリエンの鼻腔内投与は鼻腔通気抵抗を上昇させ，鼻閉症状を増悪させることが示されている．モンテルカストはロイコトリエン受容体の作用を遮断することにより，アレルギー性鼻炎症状の緩和に重要な役割を果たすことが示唆されている

同効薬 ロイコトリエン受容体拮抗薬(プランルカスト水和物)

治療

効能・効果 ①気管支喘息 ②(**錠** **口腔内崩壊錠** のみ)アレルギー性鼻炎

用法・用量 **細** 1歳以上6歳未満の小児にはモンテルカストとして1日1回4mg，就寝前

錠 **口腔内崩壊錠** 効能①：モンテルカストとして1日1回10mg，就寝前 効能②：モンテルカストとして1日1回5～10mg，就寝前

チュアブル錠 6歳以上の小児にはモンテルカストとして1日1回5mg，就寝前

用法・用量に関連する使用上の注意 **細** ①体重，年齢，症状等による用量調節をせず，全量を服用する ②光に不安定であるため，開封後ただちに(15分以内に)服用する

錠 **口腔内崩壊錠** ①チュアブル錠と生物学的に同等でなく，チュアブル錠は普通錠及びOD錠と比較してバイオアベイラビリティが高いため，普通錠及びOD錠5mgとチュアブル錠5mgをそれぞれ相互に代用しない ②気管支喘息及びアレルギー性鼻炎を合併し本剤を気管支喘息の治療のために用いる成人患者には，モンテルカストとして10mgを1日1回就寝前に経口投与する

チュアブル錠 ①口中で溶かすか，噛み砕いて服用する ②チュアブル錠は普通錠及びOD錠と生物学的に同等でなく，チュアブル錠は普通錠及びOD錠と比較してバイオアベイラビリティが高いため，チュアブル錠5mgと普通錠及びOD錠5mgをそれぞれ相互に代用しない

使用上の注意

禁忌 本剤の成分に対し過敏症の既往歴のある患者

相互作用概要 主としてCYP2C8/2C9及び3A4で代謝される

薬物動態

血中濃度 ①**錠** (1)国内試験成績：(ｱ)健康成人8例に10mg空腹時単回経口投与時，モンテルカストの血漿中濃度は投与3.9時間後にCmax526ng/mL，$T_{1/2}$4.6時間で消失．Cmax及び$AUC_{0-\infty}$は2～50mgの範囲で投与量に比例して増大．薬物動態パラメータ(2，10，50mgの順)はTmax(hr)2.8±0.9，3.9±1.5，3.6±1.2，Cmax(ng/mL)108±23.1，526±138，2550±1250，$T_{1/2}$(hr)4.34±0.76，4.57±0.39，4.63±0.41，$AUC_{0-\infty}$(ng・hr/mL)753±242，3840±906，19100±7910(ｲ)健康成人8例に10mgを食後投与時，空腹時に比べて$AUC_{0-\infty}$は24%増加(3420±598→4240±1120ng・hr/mL)．Tmax(空腹時：4.0±1.1hr，食後：4.4±1.8hr)及び$T_{1/2}$(空腹時：4.31±0.58hr，食後：4.30±0.35hr)には差がなかった(ｳ)健康成人8例に10mgを1日1回7日間反復経口投与時のCmaxは1日目580±136ng/mL，7日目660±124ng/mL，投与7日目のAUC_{0-24}は投与1日目の$AUC_{0-\infty}$と一致し，連続投与による蓄積性は認められなかった (2)外国試験成績(参考)：(ｱ)健康高齢者(65～73歳)に10mgを単回経口投与2.8時間後にCmax495ng/mL，$T_{1/2}$6.6時間で消失．高齢者の$AUC_{0-\infty}$(3423.2±1344.7ng・hr/mL)は健康非高齢者(20～48歳)の$AUC_{0-\infty}$(3624±1257.8ng・hr/mL)と比較して有意差はなかった(ｲ)軽度から中等度の肝機能障害のある肝硬変患者に10mgを単回経口投与4時間後にCmax313ng/mL，$T_{1/2}$8.6時間で消失．$T_{1/2}$は健康成人の4.7時間に比べて遅くなり，$AUC_{0-\infty}$は41%増加(2248.7±812.1→3167.2±1300.5ng・hr/mL)(ｳ)錠の健康成人における生物学的利用率58～67% ②**チュアブル錠** (1)小児：軽症から中等症の小児気管支喘息患者に5mgを1日1回7日間食後反復経口投与時，1日目は3.1時間後，7日目は4.3時間後にいずれもCmaxに達し，$T_{1/2}$はいずれもおよそ4時間．1日目及び7日目のAUC_{0-24}から，血漿中にモンテルカストがほとんど蓄積しないことを示唆．小児患者及び健康成人における薬物動態パラメータ(小児1日目，7日目，成人1日目，7日目の順．小児7例にチュアブル錠5mg，成人8例にフィルムコーティング錠10mg)はTmax(hr)3.1±1.6，4.3±1.4，5.3±1.0，3.3±1.0，Cmax(ng/mL)630±234，628±222，580±136，660±124，$T_{1/2}$(hr)3.99±0.42，4.08±0.55，4.68±0.41，5.06±0.32，AUC_{0-24}(ng・hr/mL)4170±1000，4910±1260，4470±1120，4680±1030，$AUC_{0-\infty}$(ng・hr/mL)4250±1000，5030±1280，4690±1210，4960±1120(ただし，$T_{1/2}$は調和平均±ジャックナイフ標準偏差，他は平均±標準偏差) (2)成人(参考)：外国試験成績：(ｱ)健康成人に5mgを食後投与で，空腹時に比べてTmax2.3±0.9時間から4.0±1.9時間に遅延．また，Cmaxは48%減少(488±66→256±82ng/mL)，$AUC_{0-\infty}$は13%減少(2730±743→2386±498ng・hr/mL)(ｲ)健康成人16例に10mgチュアブル及びフィルムコーティング錠投与時の薬物動態パラメータ(チュアブル，フィルムコーティング錠の順)はTmax(hr)2.0±0.3，4.0±1.4，Cmax(ng/mL)493.7±83.1，333.4±109.6，$T_{1/2}$(hr)4.8±0.3，4.6±0.6，$AUC_{0-\infty}$(ng・hr/mL)2938.8±583.1，2447.6±779.0(ただし，Tmaxは中央値±標準偏差，他は平均±標準偏差)(ｳ)健常成人に5mgチュアブル及び10mgフィルムコーティング錠を投与時，生物学的利用率はそれぞれ73%及び64% ③**細** (1)1歳以上6歳未満の小児：(ｱ)国内試験成績：軽症から中等症の1歳以上6歳未満小児気管支喘息患者に4mgを1日1回4週間経口投与後のモンテルカスト血漿中濃度(1患者あたり投与後1.0～2.1時間あるいは12.0～20.9時間の1時点)は，健康成人にフィルムコーティング錠10mgあるいは9歳以上14歳未満小児気管支喘息患者にチュアブル錠5mgを経口投与時の平均血漿中濃度推移付近に分布(ｲ)外国試験成績(参考)：(a)6カ月以上2歳未満小児気管支喘息患者に4mgを空腹時単回経口投与時，投与後約2時間に最高血漿中濃度(Cmax)．薬物動態パラメータ(6カ月以上1歳未満小児患者(12例)，1歳小児患者(14例)，6カ月以上2歳未満

小児患者(26例)，健康成人(16例．フィルムコーティング錠10mg空腹時単回経口投与時データ)の順．母集団薬物動態解析法による推定値，[ ]内標準誤差)は，AUC_{pop}(ng・h/mL) 3470.9[499.3]，3039.3[212.5]，3226.6[250.0]，2569.0[165.7]，Cmax(ng/mL)583.5[84.8]，470.1[40.7]，514.4[43.1]，279.0[26.5]，Tmax(h)2.07[0.28]，2.34[0.14]，2.24[0.14]，3.39[0.20]，$t_{1/2}$(h)3.24[0.36]，3.48[0.20]，3.39[0.20]，4.09[0.17]，AUC_{pop}の平均比([ ]内95%信頼区間)1.35[0.97，1.87]，1.18[0.97，1.44]，1.26[1.02，1.54] －(b)2歳以上6歳未満小児気管支喘息患者にチュアブル錠4mgを空腹時単回経口投与時，投与後約2時間にCmax．薬物動態パラメータ(2歳以上6歳未満小児患者(15例)，健康成人(16例．フィルムコーティング錠10mg空腹時単回経口投与時データ)の順．母集団薬物動態解析法による推定値，[ ]内標準誤差)は，AUC_{pop}(ng・h／mL) 2721[164.4]，2595[164.5]，Cmax(ng／mL)471.01[65.27]，283.71[54.35]，Tmax(h)2.07[0.30]，3.36[0.60]，$t_{1/2}$(h)3.17[0.20]，4.09[0.09]，AUC_{pop}の平均比([ ]内90%信頼区間)1.05[0.90，1.22]，－ (2)食事の影響(健康成人)：(ア)国内試験成績(参考)：4mgを食後(和食)単回経口投与時，空腹時に比べ最高血漿中濃度到達時間(Tmax)(平均)は1.6時間から5.0時間に延長，Cmax(平均)は251.6ng／mLから154.2ng／mLに39%減少．$AUC_{0\text{-}\infty}$(平均)は空腹時1449.1ng・h/mL及び食後1444.9ng・h/mL，$t_{1/2}$(平均)は空腹時5.1時間及び食後4.8時間(イ)外国試験成績(参考)：4mgをアップルソースとともに単回経口投与時，本剤単独投与時に比べTmax(平均)は2.1時間から3.4時間に遅延．単独投与時及びアップルソース併用投与時のCmax(平均)はそれぞれ198.8ng/mL及び182.8ng/mL，$AUC_{0\text{-}\infty}$(平均)は1223.1ng・h/mL及び1225.7ng・h/mL **分布** モンテルカストのヒト血漿蛋白結合率99.6%．モンテルカストは生理的な濃度のアルブミン及びα_1-酸性糖蛋白質の両方に99%以上結合 **代謝** ヒトでのモンテルカストの主要代謝物は側鎖メチル基の水酸化体及びベンジル位メチレン基の水酸化体であった．これら代謝物の生成にはそれぞれチトクロムP450(CYP)の分子種であるCYP2C8/2C9及び3A4が関与しており，CYP2C8がモンテルカストの主要代謝酵素であった．さらに側鎖メチル基の水酸化体はカルボン酸体まで酸化的代謝を受けることが確認されている．*in vitro*試験により治療時の血漿中濃度では，モンテルカストはCYP3A4，2C9，1A2，2A6，2C19又は2D6を阻害しないことが示された．また，*in vitro*試験によりモンテルカストはCYP2C8を阻害することが示されたが，*in vivo*においてはモンテルカストは主にCYP2C8で代謝される代表的な薬剤であるロシグリタゾンとの臨床薬物相互作用試験で，CYP2C8を阻害しないことが示された(外国試験成績)．したがって，モンテルカストはCYP2C8で代謝される薬剤(パクリタキセル等)の代謝に影響を及ぼさないと考えられる **排泄(健康成人)** ①国内試験成績 カプセル剤400mgを単回経口投与時，尿中に未変化体は検出されなかった ②外国試験成績(参考)：^{14}C-標識モンテルカストカプセル剤102mgを単回経口投与後5日間の，糞中及び尿中排泄率はそれぞれ約86%及び0.1% **他剤との併用(健康成人での外国試験成績：参考)** ①フェノバルビタール フェノバルビタール100mg(14日間反復)を経口投与時，モンテルカストフィルムコーティング錠10mg(単回)を経口投与で併用するとモンテルカストの$AUC_{0\text{-}\infty}$は約40%減少 ②テオフィリン：モンテルカストカプセル剤を高用量(200mgを1日1回6週間反復あるいは1日3回8日間反復)で経口投与し，テオフィリンの経口投与(250mg単回)あるいは静注(5mg/kg単回)を併用時，血漿中テオフィリン濃度の低下が認められたが，モンテルカストフィルムコーティング錠10mg(10日間反復)経口投与とテオフィリン5mg/kg(単回)静注の併用では血漿中テオフィリン濃度の変化は認められなかった ③プレドニゾン，プレドニゾロン：モンテルカストカプセル剤200mg(6週間反復)とプレドニゾン20mg(単回)を経口投与で併用時，プレドニゾンの$AUC_{0\text{-}\infty}$がプラセボ群と比較して有意に低下したが，同一被験者のモンテルカストカプセル剤200mg投与前後の比較では変化はなく，活性代謝物であるプレドニゾロンの薬物動態も変化はなかった．また，健康成人にモンテルカストカプセル剤200mg(6週間反復)とプレドニゾロン20mg(単回)を静注で併用時，プレドニゾン及びプレドニゾロンの薬物動態はいずれも影響を受けなかった ④経口避妊薬(エチニルエストラジオール35μg/ノルエチンドロン1mg)：モンテルカストカプセル剤100mg(8日間反復)と経口避妊薬(エチニルエストラジオール35μg/ノルエチンドロン1mg単回)を経口投与で併用時，エチニルエストラジオール及びノルエチンドロンの薬物動態はいずれも影響を受けなかった ⑤ジゴキシン：モンテルカストフィルムコーティング錠10mg(7日間反復)とジゴキシン0.5mg(単回)を経口投与で併用時，免疫反応性ジゴキシンの薬物動態は影響を受けなかった ⑥ワルファリン：モンテルカストフィルムコーティング錠10mg(7日間反復)とワルファリン30mg(単回)を経口投与で併用時，ワルファリンの血漿中総薬物濃度は影響を受けなかった．また，プロトロンビン時間への影響もなかった

その他の管理的事項

投与期間制限 該当しない

保険給付上の注意 該当しない

資料

IF シングレア細粒4mg・錠5mg・10mg・OD錠10mg・チュアブル錠5mg 2019年4月改訂(第39版)

モ

薬用石ケン
Medicinal Soap

概要
薬効分類 261 外皮用殺菌消毒剤
原薬の規制区分 該当しない
原薬の外観・性状 白色～淡黄白色の粉末又は粒で，敗油性でない特異なにおいがある．水にやや溶けにくく，エタノール(95)に溶けにくい．本品の水溶液(1→100)はアルカリ性である
製剤
貯法・保存条件 密閉容器

薬用炭
Medicinal Carbon

概要
薬効分類 231 止しゃ剤，整腸剤
分子式 C
略語・慣用名 慣用名：活性炭
ステム 不明
原薬の規制区分 該当しない
原薬の外観・性状 黒色の粉末で，におい及び味はない
原薬の吸湿性 吸湿性を有する
原薬の融点・沸点・凝固点 該当しない
原薬の酸塩基解離定数 該当しない
先発医薬品等
末 薬用炭「日医工」(日医工)
国際誕生年月 不明
海外での発売状況 なし
製剤
製剤の性状 末 黒色の粉末で，におい及び味はない
有効期間又は使用期限 3年
貯法・保存条件 密閉容器，室温保存
薬剤取扱い上の留意点 薬剤の性質上容器内圧がかかっていることがあるので，開封時には注意
患者向け資料等 くすりのしおり
薬理作用
分類 吸着剤
作用部位・作用機序 吸着性を利用して，過酸症及び消化管内発酵による生成ガスの吸収，毒物の吸着に用いる．しかし酵素，ビタミン，鉱物質なども吸着するので消化を妨げることがある．吸着する毒物としては毒物アミン，食品から分解して生成した有機酸，細菌などの産生した代謝物質があり，同様の理由で解毒薬として塩化水銀(Ⅱ)，ストリキニーネ，フェノール，アトロピン，モルヒネ，毒キノコ，フェノールフタレイン中毒などに用いられる
同効薬 なし
治療
効能・効果 下痢症，消化管内の異常発酵による生成ガスの吸着，自家中毒・薬物中毒における吸着及び解毒
用法・用量 1日2～20g，数回に分服(適宜増減)
その他の管理的事項
投与期間制限 該当しない
保険給付上の注意 該当しない
資料
IF 薬用炭「日医工」 2019年1月改訂(第4版)

ユビデカレノン
Ubidecarenone

概要
薬効分類 211 強心剤
構造式

H$_3$C–O, H$_3$C–O, CH$_3$, O, O, [CH$_3$]$_9$, CH$_3$, CH$_3$

分子式 $C_{59}H_{90}O_4$
分子量 863.34
略語・慣用名 別名：Coenzyme Q10，Ubiquinone(50)
ステム アルドステロン拮抗作用を持つスピロノラクトン誘導体：-renone
原薬の規制区分 該当しない
原薬の外観・性状 黄色～橙色の結晶性の粉末で，におい及び味はない．ジエチルエーテルに溶けやすく，エタノール(99.5)に極めて溶けにくく，水にほとんど溶けない．光によって徐々に分解し，着色が強くなる
原薬の吸湿性 吸湿しない
原薬の融点・沸点・凝固点 融点：約48℃
原薬の酸塩基解離定数 解離しない
先発医薬品等
錠 ノイキノン錠5mg・10mg(エーザイ)
ノイキノン糖衣錠10mg(エーザイ)
後発医薬品
顆 1%
錠 5mg・10mg
カ 5mg・10mg
国際誕生年月 該当しない
海外での発売状況 13カ国(承認)
製剤
製剤の性状 顆 橙色の顆粒剤 錠 黄色～橙黄色の素錠 糖衣錠 橙色の糖衣錠 軟カ 微黄赤色～淡黄赤色の軟カプセル剤
有効期間又は使用期限 顆 錠 糖衣錠 3年 軟カ 5年
貯法・保存条件 顆 気密容器，遮光・室温保存 錠 室温保存(ユビデカレノンの融点(約48℃)以上になると，まだら変色を起こすことがある)．PTP包装は外箱開封後，バラ包装は開栓後，遮光保存(変色及び含量が低下することがある) カ 遮光・室温保存
薬剤取扱い上の留意点 該当しない
患者向け資料等 くすりのしおり
溶液及び溶解時のpH 該当しない
浸透圧比 該当しない
安定なpH域 該当しない
調製時の注意 該当しない
薬理作用
分類 コハク酸脱水素酵素の補酵素(補酵素Q_{10})
作用部位・作用機序 作用部位：心筋 作用機序：心筋細胞内のミトコンドリアに取り込まれて，虚血心筋に直接作用し，低酸素状態での心筋エネルギー代謝を改善するとともに酸素の利用効率を改善する
同効薬 アデノシン三リン酸二ナトリウム水和物，タウリン製剤
治療
効能・効果 基礎治療施行中の軽度及び中等度のうっ血性心不全症状
用法・用量 ユビデカレノンとして1回10mg，1日3回食後
薬物動態
①健康成人男子を対象に，クロスオーバー法により錠10mg

あるいは糖衣錠10mgをそれぞれ100mg（承認外用量）単回経口投与時の，血漿中濃度の推移は，両製剤ともに投与後6時間で最高血漿中濃度（外因性CoQ10として約0.5μg/mL）に達し，以後緩やかに低下し，剤形間に統計学的有意差は認められなかった．糖衣錠・錠の薬物動態パラメータ（糖衣錠，錠の順）はTmax（hr）6，6，Cmax（μg/mL）0.51，0.52，AUC（μg・hr/mL）10.5，9.5，$T_{1/2}$（hr）25，19.2　②健康成人男子を対象に，クロスオーバー法によりカプセルあるいは顆粒をそれぞれ100mg（承認外用量）単回経口投与時の血漿中濃度の推移は，両製剤ともに投与後6時間で最高血漿中濃度（外因性CoQ10として0.55～0.7μg/mL）に達し，以後緩やかに低下し，血漿中濃度はカプセルの方が低い傾向にあったが，剤形間に統計学的な有意差は認められなかった．カプセル・顆粒の薬物動態パラメータ（カプセル，顆粒の順）はTmax（hr）6，6，Cmax（μg/mL）0.55，0.7，AUC（μg・hr/mL）11.7，12.1，$T_{1/2}$（hr）32.2，20.7

その他の管理的事項

投与期間制限　該当しない

保険給付上の注意　該当しない

資料

IF　ユビデカレノン顆粒1%「ツルハラ」 2020年4月改訂（第6版）
ノイキノン錠5mg・10mg・糖衣錠10mg　2015年5月改訂（第10版）
ユビデカレノンカプセル5mg「杏林」 2020年4月改訂（第3版）

ヨウ化カリウム
Potassium Iodide

概要

薬効分類　322　無機質製剤

分子式　KI

分子量　166.00

ステム　不明

原薬の規制区分　[劇]（ただし，ヨウ化カリウム10%以下を含有するもの及び1個中ヨウ化カリウム0.35g以下を含有するものを除く）

原薬の外観・性状　無色若しくは白色の結晶又は白色の結晶性の粉末である．水に極めて溶けやすく，エタノール（95）にやや溶けやすく，ジエチルエーテルにほとんど溶けない．湿った空気中で僅かに潮解する

原薬の吸湿性　湿った空気中で僅かに潮解する

原薬の酸塩基解離定数　該当資料なし

先発医薬品等

[末] ヨウ化カリウム「コザカイ・M」（小堺）
ヨウ化カリウム「司生堂」（司生堂）
ヨウ化カリウム「日医工」（日医工）
ヨウ化カリウム「ニッコー」（日興製薬）
ヨウ化カリウム「ホエイ」（マイラン＝ファイザー）
ヨウ化カリウム（山善）
[丸] ヨウ化カリウム丸50mg「日医工」（日医工）
[内用ゼリー] ヨウ化カリウム内服ゼリー16.3mg・32.5mg「日医工」（日医工）

国際誕生年月　不明

海外での発売状況　米など

製剤

規制区分　[末] [劇]

製剤の性状　[末] 無色若しくは白色の結晶又は白色の結晶性の粉末　[丸] 黒かっ色の丸剤

有効期間又は使用期限　[末] 3年　[丸] 5年

貯法・保存条件　[末] 気密容器，遮光・室温保存　[丸] 気密容器，遮光・室温保存．開封後は防湿保存

薬剤取扱い上の留意点　[末] 酸類，酸化剤によりヨウ素を析出するので，水道水中にある遊離塩素には注意を要する

患者向け資料等　くすりのしおり

溶液及び溶解時のpH　該当資料なし

浸透圧比　該当資料なし

安定なpH域　該当資料なし

調製時の注意　該当しない

薬理作用

分類　ヨウ素剤

作用部位・作用機序　ヨウ化カリウムは体内でヨウ化アルカリとして分布し，病的組織においてヨウ素を遊離する．甲状腺機能亢進症では，ヨウ素は3',5'-cyclic AMPを介する甲状腺刺激ホルモンの作用を減弱させ，亢進症状を抑制する．また，ヨウ素は気管支粘膜分泌を促進し去痰作用を現す．さらに，梅毒患者の肉芽組織に対する選択的な作用により，第三期梅毒患者のゴム腫の吸収促進に用いる．放射性ヨウ素の甲状腺濾胞細胞への取込みを低減させる効果は，高濃度の安定ヨウ素との共存により，血中の放射性ヨウ素の甲状腺濾胞細胞への取込みと競合することや細胞内へのヨウ素の取込み抑制効果による

同効薬　なし

治療

効能・効果　①甲状腺腫：(1)[末] ヨード欠乏によるもの　(2)甲状腺機能亢進症を伴うもの　②次の疾患に伴う喀痰喀出困難：慢性気管支炎，喘息　③第三期梅毒　④[日医工] [ホエイ] 放射性ヨウ素による甲状腺の内部被曝の予防・低減

用法・用量　効能①(1)ヨウ素欠乏によるもの：1日0.3～1mg1～3回に分服（適宜増減）　(2)甲状腺機能亢進症を伴うもの：1日5～50mg1～3回に分服（適宜増減）　効能②③：1回0.1～0.5g，1日3～4回（適宜増減）　効能④：13歳以上には1回100mg，3歳以上13歳未満には1回50mg，生後1カ月以上3歳未満には1回32.5mg，新生児には1回16.3mg

用法・用量に関連する使用上の注意　①食直後の経口投与により，胃内容物に吸着されることがあるので，注意する．また，制酸剤，牛乳等との併用は胃障害を軽減させることができる　②[日医工] [ホエイ] 放射性ヨウ素による甲状腺の内部被曝の予防・低減の場合，国等の指示に従い投与する

使用上の注意

禁忌　①本剤の成分又はヨウ素に対し，過敏症の既往歴のある者　②肺結核の患者（放射性ヨウ素による甲状腺の内部被曝の予防・低減の場合を除く）［結核病巣組織に集まりやすく再燃させるおそれがある］

薬物動態

代謝・排泄　摂取したヨウ素の大部分は腎を経て尿中に，少量が糞便中に排泄．また，唾液，胃液，腸液中に少量が，乳汁中にごく少量が分泌される．腎からの排泄はCl^-と同じだが，Cl^-の20倍も速い．投与後24時間以内に65～80%が尿中に現れる

その他の管理的事項

投与期間制限　該当しない

保険給付上の注意　「放射性ヨウ素による甲状腺の内部被曝の予防・低減」に使用した場合，保険給付されない

資料

IF　ヨウ化カリウム・丸50mg「日医工」 2019年3月改訂（第8版）

ヨ

ヨウ化ナトリウム
Sodium Iodide

概要
分子式 NaI
分子量 149.89
原薬の規制区分 該当しない
原薬の外観・性状 無色の結晶又は白色の結晶性の粉末で，においはない．水に極めて溶けやすく，グリセリン又はエタノール(95)に溶けやすい．湿った空気中で潮解する

ヨウ化ナトリウム(^{123}I)カプセル
Sodium Iodide(^{123}I) Capsules

概要
薬効分類 430 放射性医薬品
分子式 $Na^{123}I$
原薬の規制区分 該当しない
原薬の吸湿性 放射性の標識化合物であり微量のため該当資料なし
原薬の酸塩基解離定数 放射性の標識化合物であり微量のため該当資料なし
先発医薬品等
カ ヨードカプセル-123(メジフィジックス)
国際誕生年月 該当資料なし
海外での発売状況 該当資料なし
製剤
規制区分 カ ㊇
製剤の性状 カ だいだい色透明の硬カプセル剤
有効期間又は使用期限 検定日時から24時間
貯法・保存条件 遮光・冷所保存
薬剤取扱い上の留意点 検査前1～2週間は，ヨウ素を含む食物や甲状腺摂取率の検査に影響する薬剤は摂らせないこと
薬理作用
分類 甲状腺疾患診断薬
作用部位・作用機序 ヨウ素は消化管から吸収され，血中へ移行する．血中へ入ったI^-(iodideion)は，甲状腺の上皮細胞によって血中から能動的に取り込まれる．甲状腺はI^-を有機化し，T_3及びT_4に合成する．T_3及びT_4は濾胞腔にcolloidとして貯えられ，上皮細胞のpinocytosisにより再び細胞内に取り込まれ加水分解を受けた後，分泌される．放射性ヨウ素は上記と同じ挙動を示すため，本剤による甲状腺摂取率は甲状腺の機能状態の診断に，また，甲状腺シンチグラフィは甲状腺の形態など甲状腺疾患の診断における良い指標と考えられる
同効薬 ヨウ化ナトリウム(^{131}I)カプセル
治療
効能・効果 ①甲状腺シンチグラフィによる甲状腺疾患の診断 ②甲状腺摂取率による甲状腺機能の検査
用法・用量 検査前1～2週間は，ヨウ素を含む食物やヨウ素-123甲状腺摂取率に影響する薬剤は摂らせないようにする：①甲状腺摂取率の測定：3.7MBqを経口投与し，3～24時間後に1～3回シンチレーションカウンタで計数(適宜増減) ②甲状腺シンチグラフィ：3.7～7.4MBqを経口投与し，3～24時間後に1～2回シンチレーションカメラ又はシンチレーションスキャナで撮影又は走査により，甲状腺シンチグラムをとる(適宜増減)
薬物動態
血中濃度・分布 患者11例で，胃部分布率は3時間までに急速に減少し以後緩やかに減少．血中濃度は3時間まで胃部分布率の低下と逆に上昇傾向，以後は緩やかに減少．投与6時間後で甲状腺に13.2±4.9%取り込まれ，以後24時間まで緩やかな摂取上昇 **排泄** 投与後24時間で，76.1%が排泄
その他の管理的事項
投与期間制限 該当しない
保険給付上の注意 該当しない
資料
IF ヨードカプセル-123 2019年9月改訂(第4版)

ヨウ化ナトリウム(^{131}I)カプセル
ヨウ化ナトリウム(^{131}I)液
Sodium Iodide(^{131}I) Capsules

概要
薬効分類 430 放射性医薬品
分子式 $Na^{131}I$
原薬の規制区分 該当しない
原薬の吸湿性 該当資料なし
原薬の酸塩基解離定数 該当資料なし
先発医薬品等
カ ヨウ化ナトリウムカプセル-1号・3号・5号・30号・50号(富士フイルム富山化学)
ラジオカップ3.7MBq(富士フイルム富山化学)
国際誕生年月 該当資料なし
海外での発売状況 欧米各国
製剤
規制区分 カ ㊇
製剤の性状 **1号カ** 青色/白色の硬カプセル剤 **3号カ** 緑色/白色の硬カプセル剤 **5号カ** 淡橙赤色/白色の硬カプセル剤 **30号カ** だいだい色/淡橙色の硬カプセル剤 **50号カ** 淡橙色/淡橙色の硬カプセル剤
有効期間又は使用期限 検定日から1カ月間
貯法・保存条件 冷所保存．放射線を安全に遮蔽できる貯蔵設備(貯蔵箱)に保存
薬剤取扱い上の留意点 放射性医薬品につき管理区域内でのみ使用すること 前処置：ヨウ素含量の多い薬剤(ヨード造影剤，ルゴール液，ヨードチンキ等)及び飲食物(コンブ，ワカメ等)，甲状腺ホルモン，抗甲状腺剤は，治療あるいは検査に影響を与えるので，本品投与前後の3日～1週間は禁止すること 開封時：本剤は揮散する性質があり，容器内に放射性ヨウ素(I-131)のガスが充満している可能性があるので，容器の蓋を開ける場合はドラフト等で行い，しばらく放置しておく等，取扱いには注意すること 投与後：放射性ヨウ素-131の治療については，「放射性医薬品を投与された患者の退出について」により，投与量，測定線量率，患者毎の積算線量計算に基づく退出基準が示されている
調製時の注意 被曝軽減と取扱いから，カプセルはガラス製バイアルに入れて，鉛容器に梱包されている
薬理作用
分類 甲状腺疾患治療・診断薬
作用部位・作用機序 体内に吸収されると血中へ移行し，甲状腺の上皮細胞により能動的に甲状腺に取り込まれ，甲状腺ホルモンであるチロキシンやトリヨードチロニン合成のために，甲状腺又は甲状腺機能を持つ部位へ集まり，残りの^{131}Iは速やかに腎より排泄される．甲状腺機能亢進症(バセドウ病，甲状腺腫)の患者では，正常者に比べて摂取率が高く，反対に甲状腺機能低下症(粘液水腫)では低くなる．更に甲状腺シンチグラムを撮ることにより甲状腺癌の転移巣を発見することができる．また，選択的に取り込まれた^{131}Iから放射される

β線の効果により，甲状腺機能亢進症や甲状腺癌及びその転移巣の治療が行われる
同効薬　該当しない
治療
効能・効果　ラジオカップ　①甲状腺放射性ヨウ素摂取率測定による甲状腺機能検査　②シンチグラムによる甲状腺疾患の診断　③シンチグラムによる甲状腺癌転移巣の発見
ヨウ化ナトリウム　①甲状腺機能亢進症の治療　②甲状腺癌及び転移巣の治療　③シンチグラムによる甲状腺癌転移巣の発見
用法・用量　ラジオカップ　①甲状腺放射性ヨウ素摂取率の測定：0.185～1.85MBqを経口投与し　一定時間後に甲状腺部の放射能を測定　②シンチグラム：0.74～3.7MBqを投与し，一定時間後にシンチグラムを得る．甲状腺癌転移巣のシンチグラムを得る場合は18.5～370MBq
ヨウ化ナトリウム　①バセドウ病の治療：投与量は(1)甲状腺131I摂取率，(2)推定甲状腺重量，(3)有効半減期等をもとにして，適切な量(期待照射線量30～70Gy)を算定し，投与　②中毒性結節性甲状腺腫の治療：結節の大きさ，機能の程度，症状等により適切な量を投与　③甲状腺癌及び転移巣の治療：1回1.11～7.4GBq.一定の期間後，症状等を観察し，適宜再投与　④シンチグラム：18.5～370MBq.一定時間後に甲状腺癌転移巣のシンチグラムを得る
薬物動態
ラジオカップ　体内で甲状腺ホルモンのチロキシンやトリヨードチロニン合成のために^{131}Iは甲状腺に蓄積．正常甲状腺は24時間後20～30％を摂取，残部は尿中排泄．甲状腺機能亢進症(バセドウ病，甲状腺腫)では正常者に比べ摂取率が高く30～70％程度，甲状腺機能低下症(粘液水腫)では15％以下
その他の管理的事項
投与期間制限　該当しない
保険給付上の注意　該当しない
資料
IF　ヨウ化ナトリウムカプセル-1号・3号・5号・30号・50号 2018年10月改訂(第11版)

ヨウ化人血清アルブミン(^{131}I)注射液
Iodinated(^{131}I) Human Serum Albumin Injection

概要
薬効分類　430　放射性医薬品
原薬の規制区分　該当しない
原薬の外観・性状　無色～淡黄色澄明の液である
製剤
製剤の性状　無色～淡黄色澄明の液である
治療
効能・効果† ①循環血漿量の測定　②循環血液量の測定　③血液循環時間の測定　④心拍出量の測定

ヨウ化ヒプル酸ナトリウム(^{131}I)注射液
Sodium Iodohippurate(^{131}I) Injection

概要
薬効分類　430　放射性医薬品
原薬の規制区分　該当しない
原薬の外観・性状　無色澄明の液で，においはないか，又は保存剤若しくは安定剤によるにおいがある
製剤
製剤の性状　無色澄明の液で，においはないか，又は保存剤若しくは安定剤によるにおいがある

葉酸
葉酸錠
葉酸注射液
Folic Acid

概要
薬効分類　313　ビタミンB剤(ビタミンB_1剤を除く.)
構造式

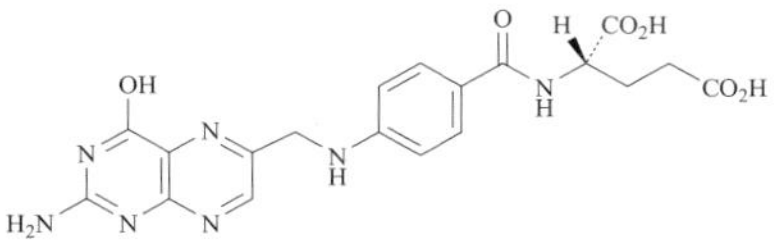

分子式　$C_{19}H_{19}N_7O_6$
分子量　441.40
略語・慣用名　ビタミンB_9，プテロイルグルタミン酸(PGA，pteroylglutamic acid)
原薬の規制区分　該当しない
原薬の外観・性状　黄色～橙黄色の結晶性の粉末で，においはない．水，メタノール，エタノール(95)，ピリジン又はジエチルエーテルにほとんど溶けない．塩酸，硫酸，希水酸化ナトリウム試液又は炭酸ナトリウム十水和物溶液(1→100)に溶け，液は黄色となる．光によって徐々に変化する
原薬の吸湿性　該当資料なし
原薬の融点・沸点・凝固点　明確な融点を示さず，約250℃で炭化する
原薬の酸塩基解離定数　pKa_1：4.65，pKa_2：6.75，pKa_3：9.00
先発医薬品等
散　フォリアミン散100mg/g(日本製薬＝武田)
錠　フォリアミン錠(日本製薬＝武田)
注　フォリアミン注射液(日本製薬＝武田)
国際誕生年月　該当しない
製剤
規制区分　注　㊕
製剤の性状　散　僅かに甘味がある黄色の微粉末　錠　うすいだいだいみの黄色～うすい黄色の素錠　注　黄色～だいだい黄色澄明な注射剤
有効期間又は使用期限　散　注　5.5年　錠　5年
貯法・保存条件　室温保存．開封後も遮光保存
薬剤取扱い上の留意点　服用により，尿がいつもより黄色を帯びることがあるので，あらかじめ知らせておくこと
患者向け資料等　散　錠　くすりのしおり
溶液及び溶解時のpH　注　8.0～11.0
浸透圧比　注　約0.9(対生食)
調製時の注意　該当しない
薬理作用
分類　水溶性ビタミン
作用部位・作用機序　葉酸は生体の組織細胞の発育及び機能を正常に保つのに必要で，特に赤血球の正常な形成に関与し，大赤血球性貧血に対して網状赤血球ならびに赤血球成熟をもたらす．葉酸はウラシルのような中間体からチミンその他の重要なプリン及びピリミジン化合物の生成に補酵素として作用し，チミンはビタミンB_{12}によって核酸及び核蛋白の要素

として不可欠なチミジンに変化する．一方，悪性貧血や大赤血球性貧血に見られる巨赤芽球は核蛋白代謝の異常をきたした初生赤芽球で，葉酸やビタミンB_{12}の欠乏は骨髄成分の成熟停止を起こすといわれている

同効薬　なし

治療

効能・効果　①葉酸欠乏症の予防及び治療　②葉酸の需要が増大し，食事からの摂取が不十分な際の補給(消耗性疾患，妊産婦，授乳婦等)　③吸収不全症候群(スプルー等)　④悪性貧血の補助療法　⑤次の疾患のうち，葉酸の欠乏又は代謝障害が関与すると推定される場合：栄養性貧血，妊娠性貧血，小児貧血，抗痙攣剤・抗マラリア剤投与に起因する貧血　⑥アルコール中毒及び肝疾患に関連する大赤血球性貧血　⑦再生不良性貧血　⑧顆粒球減少症．ただし，効能⑤に対して効果がないのに月余にわたって漫然と使用すべきでない

用法・用量　**散**　**錠**　葉酸として1日5～20mg，小児5～10mg，2～3回に分服(適宜増減)．一般に消化管に吸収障害のある場合，あるいは症状が重篤な場合は注射の方がよい

注　葉酸として1回15mg，1日1回皮下又は筋注(適宜増減)

その他の管理的事項

投与期間制限　該当しない

保険給付上の注意　該当しない

資料

IF　フォリアミン散100mg/g・錠　2008年7月作成(第1版)
フォリアミン注射液　2011年1月作成(第1版)

ヨウ素
Iodine

概要

薬効分類　131　眼科用剤，261　外皮用殺菌消毒剤，269　その他の外皮用薬，279　その他の歯科口腔用薬

分子式　I

分子量　126.90

原薬の規制区分　[劇](ただし，遊離ヨウ素3.2%以下を含有する外用剤を除く)

原薬の外観・性状　灰黒色の板状又は粒状の重い結晶で，金属性の光沢があり，特異なにおいがある．ジエチルエーテルに溶けやすく，エタノール(95)にやや溶けやすく，クロロホルムにやや溶けにくく，水に極めて溶けにくい．ヨウ化カリウム試液に溶ける．常温で揮散する

治療

効能・効果　**外用末**　ヨードチンキ，希ヨードチンキ，複方ヨードグリセリン等の調剤に用いる

液〔点眼・洗眼液〕角膜ヘルペス，洗眼殺菌

外用散　**軟**　褥瘡，皮膚潰瘍(熱傷潰瘍，下腿潰瘍)

外用液　①手術部位(手術野)の皮膚の消毒　②(プレポダインスクラブ)手指・皮膚の消毒　③(プレポダインソリューション)手術部位(手術野)の粘膜の消毒，皮膚・粘膜の創傷部位の消毒，熱傷皮膚面の消毒

歯科用　歯肉(齦)及び髄腔の消毒

ヨードチンキ
Iodine Tincture

概要

薬効分類　261　外皮用殺菌消毒剤

分子式　I

分子量　126.90

原薬の規制区分　[劇]

原薬の外観・性状　暗赤褐色の液で，特異なにおいがある

先発医薬品等

外用液　ヨードチンキ(小堺＝岩城)
ヨードチンキ「ケンエー」(健栄)
ヨードチンキ「司生堂」(司生堂)
ヨードチンキ「昭和」(M)(昭和製薬)
ヨードチンキ「タイセイ」(大成)
ヨードチンキ「東海」(東海製薬)
ヨードチンキ「東豊」(東豊＝吉田製薬)
ヨードチンキ「日医工」(日医工)
ヨードチンキ「ニッコー」(日興製薬)
ヨードチンキ「マルイシ」(丸石)
ヨードチンキ(山善)

後発医薬品

外用液

製剤

規制区分　**外用液**　[劇]

製剤の性状　**外用液**　暗赤褐色の液で，特異なにおいがある

貯法・保存条件　気密容器，室温保存．第2石油類，危険等級Ⅲ，火気厳禁

薬剤取扱い上の留意点　口腔内に使用するときは，患部を乾燥させて塗布すること

調製時の注意　マーキュロクロム液とは沈殿を生じる

薬理作用

分類　外用殺菌消毒剤

作用部位・作用機序　ヨウ素及びエタノールの揮発性，殺菌作用，局所刺激作用により，主として外用殺菌，刺激剤としての薬効を有する．作用は速やかに発揮され持続性を有する

治療

効能・効果　**ヨードチンキ**　①皮膚表面の一般消毒　②創傷・潰瘍の殺菌・消毒　③歯肉及び口腔粘膜の消毒，根管の消毒

ヨーチン　①皮膚表面の一般消毒　②創傷・潰瘍の殺菌・消毒

用法・用量　5～10倍に希釈し，1日2～3回患部及び皮膚に塗布

使用上の注意

禁忌　ヨード過敏症の患者

資料

IF　ヨードチンキ「東豊」　2019年11月改訂

希ヨードチンキ
Dilute Iodine Tincture

概要

薬効分類　261　外皮用殺菌消毒剤

分子式　I

分子量　126.90

原薬の規制区分　該当しない

原薬の外観・性状　暗赤褐色の液で，特異なにおいがある

先発医薬品等

外用液　希ヨードチンキ(小堺＝岩城)
希ヨードチンキ「ケンエー」(健栄)
希ヨードチンキ「司生堂」(司生堂)

希ヨードチンキ「昭和」(M)(昭和製薬)
希ヨードチンキ「タイセイ」(大成)
希ヨードチンキ「東海」(東海製薬)
希ヨードチンキ「東豊」(東豊＝吉田製薬)
希ヨードチンキ「日医工」(日医工)
希ヨードチンキ「ニッコー」(日興製薬＝ファイザー)
希ヨードチンキ「マルイシ」(丸石)
希ヨードチンキ(山善)
三丸希ヨーチン(サンケミファ)

後発医薬品

外用液

製剤

製剤の性状 **外用液** 暗赤褐色の液で，特異なにおいがある

貯法・保存条件 気密容器，室温保存．火気に注意

薬剤取扱い上の留意点 口腔内に使用するときは，患部を乾燥させて塗布すること

調製時の注意 マーキュロクロム液とは沈殿を生じる

薬理作用

分類 外用殺菌消毒剤

作用部位・作用機序 ヨウ素及びエタノールの揮発性，殺菌作用，局所刺激作用により，主として外用殺菌，刺激剤としての薬効を有する．作用は速やかに発揮され持続性を有する

治療

効能・効果 **希ヨードチンキ** ①皮膚表面の一般消毒 ②創傷・潰瘍の殺菌・消毒 ③歯肉及び口腔粘膜の消毒，根管の消毒
希ヨーチン 皮膚表面の一般消毒，創傷・潰瘍の殺菌・消毒

用法・用量 そのまま，又は2～5倍に希釈し，1日2～3回患部及び皮膚に塗布

使用上の注意

禁忌 ヨウ素過敏症の患者

資料

IF 希ヨードチンキ「東豊」 2019年4月改訂

歯科用ヨード・グリセリン
Dental Iodine Glycerin

概要

薬効分類 273 歯科用鎮痛鎮静剤(根管及び齲窩消毒剤を含む．)，279 その他の歯科口腔用薬

原薬の規制区分 ㊗

原薬の外観・性状 暗赤褐色の液で，ヨウ素のにおいがある

原薬の酸塩基解離定数 該当資料なし

先発医薬品等

歯科用 歯科用ヨード・グリセリン「日薬」(日本歯科)
立川歯科用ヨード・グリセリン(山崎帝國堂)
ヨーグリ(アグサジャパン)
ヨード・グリセリン歯科用消毒液「昭和」(昭和薬化)

国際誕生年月 該当しない

海外での発売状況 該当資料なし

製剤

規制区分 **歯科用** ㊗

製剤の性状 **歯科用** 暗赤褐色の液で，ヨウ素のにおいがある

有効期間又は使用期限 5年

貯法・保存条件 密栓して遮光・室温保存

薬剤取扱い上の留意点 衣類に付いた場合は，水で十分に洗い落した後，チオ硫酸ナトリウム溶液を用いれば脱色できる

調製時の注意 該当しない

薬理作用

分類 口腔粘膜・根管消毒剤

作用部位・作用機序 ヨウ素の殺菌，消毒作用と硫酸亜鉛水和物の収れん作用を期待して配合したものである．また，ヨウ化カリウムは水に難溶のヨウ素を溶かす目的に用い，グリセリンはヨウ素の局所刺激を緩和する目的に用いる

治療

効能・効果 口腔粘膜(歯肉)及び根管の消毒

用法・用量 適量を綿球又は綿繊維に付け，局所に貼付

使用上の注意

禁忌 本剤又はヨウ素に対し過敏症の既往歴のある患者

その他の管理的事項

投与期間制限 該当しない

保険給付上の注意 該当しない

資料

IF ヨード・グリセリン歯科用消毒液「昭和」 2017年4月改訂(第3版)

複方ヨード・グリセリン
Compound Iodine Glycerin

概要

薬効分類 239 その他の消化器官用薬，279 その他の歯科口腔用薬

原薬の規制区分 該当しない

原薬の外観・性状 赤褐色粘稠性の液で，特異なにおいがある

先発医薬品等

外用液 複方ヨード・グリセリン「ケンエー」(健栄)
複方ヨード・グリセリン(小堺＝吉田製薬)
複方ヨード・グリセリン「司生堂」(司生堂)
複方ヨード・グリセリン「昭和」(M)(昭和製薬)
複方ヨード・グリセリン「ニッコー」(日興製薬)
複方ヨード・グリセリン「マルイシ」(丸石)
複方ヨード・グリセリン「ヤクハン」(ヤクハン＝日医工)
複方ヨード・グリセリン(山善)
複方ヨードグリセリン「ヨシダ」(吉田製薬)

製剤

製剤の性状 **液** 赤褐色粘稠性の液で，特異なにおいがある

有効期間又は使用期限 3年

貯法・保存条件 遮光・室温保存

患者向け資料等 くすりのしおり

薬理作用

分類 外用殺菌消毒剤

作用部位・作用機序 ハッカの清涼作用，グリセリンの不乾性と甘味による刺激緩和作用，ヨウ素とフェノールの殺菌消毒作用による

治療

効能・効果 咽頭炎，喉頭炎，扁桃炎

用法・用量 塗布

使用上の注意

禁忌 本剤又はヨウ素に対し過敏症の既往歴のある患者

資料

IF 複方ヨード・グリセリン「ヨシダ」 2019年11月改訂

ヨード・サリチル酸・フェノール精
Iodine, Salicylic Acid and Phenol Spirit

概要

原薬の規制区分　該当しない
原薬の外観・性状　暗赤褐色の液で，フェノールのにおいがある

製剤

製剤の性状　暗赤褐色の液で，フェノールのにおいがある
貯法・保存条件　気密容器，遮光保存

ヨードホルム
Iodoform

概要

薬効分類　261　外皮用殺菌消毒剤，279　その他の歯科口腔用薬
構造式

分子式　CHI_3
分子量　393.73
原薬の規制区分　[劇]
原薬の外観・性状　光沢のある黄色の結晶又は結晶性の粉末で，特異なにおいがある．ジエチルエーテルに溶けやすく，エタノール(95)にやや溶けにくく，水にほとんど溶けない．常温で僅かに揮散する
原薬の吸湿性　認められない
原薬の融点・沸点・凝固点　融点：約120℃(分解)
原薬の酸塩基解離定数　該当しない
先発医薬品等
[外用末] ヨードホルム(アグサジャパン)
[貼] タマガワヨードホルムガーゼ(玉川)
ハクゾウヨードホルムガーゼ(ハクゾウ)
国際誕生年月　該当しない
海外での発売状況　該当しない

製剤

規制区分　[外用末]　[劇]
製剤の性状　[外用末] 光沢のある黄色の結晶又は結晶性の粉末で，特異なにおいがある　[貼] 淡黄色のガーゼでヨードホルムのにおいがある
有効期間又は使用期限　[外用末] 4年　[貼] 3年
貯法・保存条件　[外用末] 気密容器，遮光・室温保存　[貼] 遮光・室温保存
薬剤取扱い上の留意点　[貼] 取扱いの際はなるべく消毒済みのはさみ及びピンセットを用いる．使用後は速やかに蓋をして密栓の上，遮光し高温を避けて保存．開封後は速やかに使用

薬理作用

分類　外用殺菌消毒剤
作用部位・作用機序　ヨードホルム自体には，殺菌作用はないが，創傷・潰瘍から出る血液や分泌液に溶け，徐々に分解してヨウ素を遊離することにより，殺菌作用を現す

治療

効能・効果　①創傷・潰瘍の殺菌・消毒　②〔アグサ〕歯牙根管の防腐
用法・用量　効能①：少量の末を1日1回散布．また，消毒性包帯材料として10%のヨードホルムガーゼを用いる　効能②：歯牙の根管充填剤に配合．特にユージノールセメント等に適宜配合し乳歯に充填

使用上の注意

禁忌　[外用末] [貼] ①ヨード過敏症の患者　②腎障害のある患者［本剤の主たる排泄臓器は腎臓であり，腎機能低下患者では血中総ヨウ素濃度が著しく上昇することがある］　③心障害のある患者［経皮吸収により，心毒性を現すことがある］　[歯科用] ヨウ素過敏症の患者

その他の管理的事項

投与期間制限　該当しない
保険給付上の注意　薬価基準適用外

資料

IF　タマガワ ヨードホルムガーゼ　2005年4月改訂(第2版)
添付文書　ヨードホルム「純生」　2005年4月改訂(第2版)

ラウリル硫酸ナトリウム
Sodium Lauryl Sulfate

概要

分子式 $C_{12}H_{25}NaO_4S$ 主としてラウリル硫酸ナトリウムを主成分とするアルキル硫酸ナトリウムの混合物

分子量 288.38

原薬の規制区分 該当しない

原薬の外観・性状 白色～淡黄色の結晶又は粉末で，僅かに特異なにおいがある．エタノール(95)にやや溶けにくい．1gは水10mLに澄明に又は混濁して溶ける

ラウロマクロゴール
Lauromacrogol

概要

原薬の規制区分 該当しない

原薬の外観・性状 無色～淡黄色の澄明な液又は白色のワセリン様若しくはろう状の固体で，特異なにおいがあり，味はやや苦く，僅かに刺激性である．エタノール(95)又はジエチルエーテルに極めて溶けやすい．水に溶けやすいか，又は微細な油滴状となる

ラクツロース
Lactulose

概要

薬効分類 235 下剤，浣腸剤，399 他に分類されない代謝性医薬品

構造式

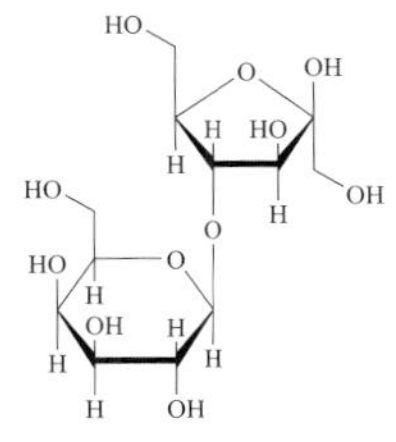

分子式 $C_{12}H_{22}O_{11}$

分子量 342.30

原薬の規制区分 該当しない

原薬の外観・性状 無色～淡黄色澄明の粘性の液で，においはなく，味は甘い．水又はホルムアミドと混和する．2.0gを水15mLに溶かした液のpHは3.5～5.5である

原薬の吸湿性 該当資料なし

原薬の融点・沸点・凝固点 融点：169℃(1℃/分)

原薬の酸塩基解離定数 該当資料なし

先発医薬品等

散 モニラック原末(中外)

シ モニラック・シロップ65%(中外)

ラクツロース・シロップ60%・分包10mL・分包15mL「コーワ」(興和)

後発医薬品

シ 65%

内用ゼリー 40.496%・54.167%12g

国際誕生年月 1964年5月

海外での発売状況 散 英，仏，独など シ 米，英，仏，豪を含む60カ国以上

製剤

製剤の性状 散 白色～微黄色の結晶性の粉末で，においはなく，味は甘い シ 無色～淡黄色澄明の粘性の液で，においはなく，味は僅かに甘い 内用ゼリー〔カロリール〕淡褐色～褐色のゼリーで，特有な芳香，甘味〔ラグノスNF〕無色～淡褐色のゼリー様

有効期間又は使用期限 3年

貯法・保存条件 散 シ シロップ用 気密容器，室温保存 内用ゼリー 室温保存

薬剤取扱い上の留意点 散 着色度が進むことがあるので，高温を避けて保存 シ 着色度が進むことがあるので，高温を避けて保存．防腐剤，安定剤，着色剤を加えず加熱処理して容器に封入してあるので，褐色瓶及びプラスチック容器の製品を一度開封し，長期に使用する場合は冷所に保存．分包製品の使用後残液は廃棄し，保存しない．冷所保存により結晶(乳糖)が析出することがあるが，使用上さしつかえない 内用ゼリー 天然の成分を含有するため，色調に変化がみられることがあるが，服用上さしつかえない．ゼリー様であるため，小児等が誤飲することがないよう注意する

患者向け資料等 くすりのしおり

溶液及び溶解時のpH 散 3.5～5.5(1.0gに水を加えて15mLとするとき) シ 3.5～5.5 内用ゼリー〔カロリール〕3.5～4.2，〔ラグノスNF〕4.1～5.1

薬理作用

分類 腸管機能改善・高アンモニア血症用剤

作用部位・作用機序 ガラクトースとフルクトース各1分子よりなる人工二糖類で，経口投与されると未変化のまま大腸に達し，下部消化管において高繊維食摂取に似た生理的な排便作用を発揮するとともに，腸内細菌により分解され生成した有機酸(乳酸，酢酸など)が腸管運動を亢進させる．また，有機酸の生成は腸管内pHを低下させ，アンモニアの産生・吸収抑制による血中アンモニア濃度低下作用を示す

同効薬 ラクチトール水和物

治療

効能・効果 ①高アンモニア血症に伴う次の症候の改善：精神神経障害，手指振戦，脳波異常 ②産婦人科術後の排ガス・排便の促進 ③小児における便秘の改善 ④(ラグノスNFゼリー)慢性便秘症(器質的疾患による便秘を除く)．ただし，ラクツロース・シロップ「コーワ」は効能①のみ，カロリールゼリー，ラグノスゼリーは効能①②のみ，ラグノスNFゼリーは効能①②④のみ

用法・用量 モニラック原末 効能①：1日19.5～39gを3分服(適宜増減) 効能②：1日19.5～39gを朝夕2回に分服(適宜増減) 効能③：1日0.33～1.3g/kgを3分服(適宜増減)

ラクツロース・シロップ「コーワ」 効能①：1日30～60mLを2～3回に分服(適宜増減)．なお，投与により，下痢が惹起されることがあるので少量から開始して漸増し，1日2～3回の軟便がみられる量を投与

ピアーレシロップ モニラックシロップ 効能①：1日30～60mLを3分服(適宜増減) 効能②：1日30～60mLを朝夕2回に分服(適宜増減) 効能③：1日0.5～2mL/kgを3分服(適宜増減)

カロリールゼリー ラグノスゼリー 効能①：48.1～96.2gを3分服(適宜増減) 効能②：48.1～96.2gを朝夕2回に分服(適宜増減)

ラグノスNFゼリー 効能①：12～24gを1日3回(適宜増減) 効能②：12～36gを1日2回(適宜増減) 効能④：24gを1日2回(適宜増減)．1日最高用量は72gまで

用法・用量に関連する使用上の注意 ラグノスNFゼリー 投与中に下痢が現れるおそれがあるので，症状に応じて減量，休

ラ

薬，中止を考慮し，漫然と継続投与しないよう，定期的に継続投与の必要性を検討する

使用上の注意

禁忌 **モニラック原末** ガラクトース血症の患者［ガラクトース(1%以下)及び乳糖(1%以下)を含有する］

ピアーレシロップ ガラクトース血症の患者［ラクツロースのほか，ガラクトース(11%以下)及び乳糖(6%以下)を含有する］

カロリールゼリー ガラクトース血症の患者［ラクツロースのほか，ガラクトース(8.4%以下)及び乳糖(4.6%以下)を含有する］

薬物動態

モニラックシロップ **血中濃度** 健康成人5例に30mL(ラクツロースとして19.5g)を経口投与時，吸収されたラクツロースは4時間で最高血中濃度(平均56.8μg/mL)，12時間後の血中にはほとんど検出されなかった．また，7〜10歳の健康小児4例に0.5mL/kg(ラクツロースとして325mg/kg)を経口投与時，吸収されたラクツロースは4時間で最高血中濃度(平均85.5μg/mL) **吸収** 健康成人5例に30mL(ラクツロースとして19.5g)を経口投与時，ラクツロースの吸収は極めて微量．また，7〜10歳の健康小児4例に0.5mL/kg(ラクツロースとして325mg/kg)を経口投与時，成人の場合と同様ラクツロースとしての吸収は極めて微量 **排泄** 健康成人5例に30mL(ラクツロースとして19.5g)を経口投与時，尿中排泄は0〜4時間で最高(93.0±30.6mg/4hr)となり，12時間で投与量の0.65%が未変化のまま排泄．また，7〜10歳の健康小児4例に0.5mL/kg(ラクツロースとして325mg/kg)を経口投与時，尿中排泄は0〜4時間で最高(50.9±26.2mg/4hr)となり，12時間で投与量の1.01%が未変化のまま排泄

その他の管理的事項

投与期間制限 該当しない

保険給付上の注意 該当しない

資料

IF モニラック原末 2019年10月改訂(第8版)
ラクツロース・シロップ60%「コーワ」 2020年4月改訂(第15版)
モニラック・シロップ65% 2019年10月改訂(第8版)
カロリール・ゼリー40.496% 2013年2月改訂(第5版)
ラグノスNF経口ゼリー分包12g 2019年2月改訂(第3版)

ラタモキセフナトリウム
Latamoxef Sodium

概要

薬効分類 613 主としてグラム陽性・陰性菌に作用するもの

構造式

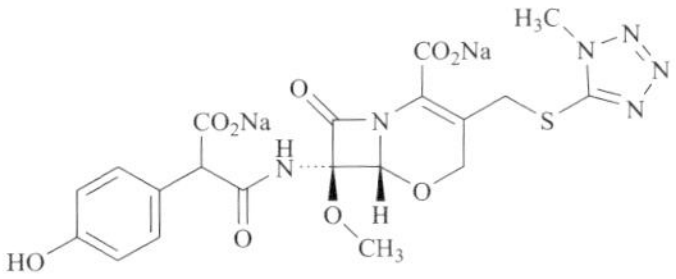

分子式 $C_{20}H_{18}N_6Na_2O_9S$

分子量 564.44

略語・慣用名 LMOX

ステム オキサセファロスポラン酸誘導体系抗生物質：-oxef

原薬の規制区分 該当しない

原薬の外観・性状 白色〜淡黄白色の粉末又は塊である．水に極めて溶けやすく，メタノールに溶けやすく，エタノール(95)に溶けにくい．1.0gを水10mLに溶かした液のpHは5.0〜7.0である

原薬の吸湿性 臨界相対湿度：約67%RH

原薬の融点・沸点・凝固点 融点：80〜95℃(分解)

原薬の酸塩基解離定数 pKa_1=2.50(Δ3-オキサセフェム核の2位カルボキシル基)，pKa_2=3.60(ベンジル位のカルボキシル基)，pKa_3=9.98(フェノール性水酸基)(pH滴定法)

先発医薬品等

注射用 シオマリン静注用1g(塩野義)

国際誕生年月 1981年12月

海外での発売状況 台湾，中国

製剤

規制区分 **注射用** ㊕

製剤の性状 **注射用** 白色〜淡黄白色の軽質の塊又は粉末で，においはなく，水に極めて溶けやすい．(凍結乾燥品)

有効期間又は使用期限 2年

貯法・保存条件 室温保存

薬剤取扱い上の留意点 該当資料なし

患者向け資料等 くすりのしおり

溶液及び溶解時のpH **注射用** 5.0〜7.0(100mg/mL水溶液)

浸透圧比 **注射用** 約2(1g/10mL水溶液)(対生食)

調製時の注意 点滴静注を行う場合，注射用水を用いると溶液が等張とならないため用いない

薬理作用

分類 セフェム系抗生物質

作用部位・作用機序 作用部位：細菌の細胞壁 作用機序：セフェム系抗生物質と同様，細菌の細胞壁合成阻害による．グラム陰性菌の細胞外膜透過性が良く，外膜と細胞質膜との間に存在するβ-lactamaseに対して安定であり，かつ，細胞質膜に存在するムレイン架橋酵素(penicillin binding protein：PBP)に対する結合親和性が高い(大腸菌の場合，菌細胞の伸長時に必要なムレイン架橋酵素である1aと1b及び細胞分裂時の隔壁合成に必要な酵素である3に強い結合親和性を示す)ため，各種グラム陰性菌に対して強い殺菌作用を発揮する

同効薬 セフェム系注射用抗生物質

治療

効能・効果 〈適応菌種〉ラタモキセフに感性の大腸菌，シトロバクター属，クレブシエラ属，エンテロバクター属，セラチア属，プロテウス属，モルガネラ・モルガニー，プロビデンシア属，インフルエンザ菌，バクテロイデス属，プレボテラ属(プレボテラ・ビビアを除く) 〈適応症〉敗血症，急性気管支炎，肺炎，肺膿瘍，膿胸，慢性呼吸器病変の二次感染，膀胱炎，腎盂腎炎，腹膜炎，胆嚢炎，胆管炎，肝膿瘍，子宮内感染，子宮付属器炎，子宮旁結合織炎，化膿性髄膜炎

効能・効果に関連する使用上の注意 急性気管支炎への使用にあたっては，「抗微生物薬適正使用の手引き」を参照し，抗菌薬投与の必要性を判断した上で，本剤の投与が適切と判断される場合に投与する

用法・用量 1日1〜2g(力価)を2回に分けて静注又は点滴静注，小児1日40〜80mg(力価)/kgを2〜4回に分注(適宜増減)．難治性又は重症感染症には1日4g(力価)，小児では1日150mg(力価)/kgまで増量し，2〜4回に分注．注射液の調製法は添付文書参照

用法・用量に関連する使用上の注意 使用にあたっては，耐性菌の発現等を防ぐため，原則として感受性を確認し，疾病の治療上必要な最小限の期間の投与にとどめる

使用上の注意

禁忌 本剤の成分に対し過敏症の既往歴のある患者

薬物動態

血中濃度 (bioassay法)：①健康成人(静注，点滴静注時の血漿中濃度及び薬物動態パラメータ)：(1)0.5g(8例)，1g(12例)を静注時のC15min(投与15分値)44.3±7.5，101.2±13.8μg/mL，$T_{1/2}(\beta)$1.55±0.32，1.64±0.45hr (2)1g(10例)，2g(6例)を1時間点滴静注時のCmax77.2±9.1，133.8±11.8μg/mL，$T_{1/2}(\beta)$2.21±0.28，3.60±1.56hr (3)0.5g(4例)，1g

(4例)を2時間点滴静注時のCmax32.2±1.9, 61.4±6.3μg/mL, $T_{1/2}(\beta)$1.91±0.48, 2.18±0.23hr ②腎機能正常小児(静注, 点滴静注時の血清中濃度及び薬物動態パラメータ):⑴10mg/kg(9例), 20mg/kg(28例)を静注時のC15minは76.0, 96.6μg/mL, $T_{1/2}(\beta)$は83, 103分 ⑵10mg/kg(6例), 20mg/kg(15例)を1時間点滴静注時のCmaxは39.8, 71.4μg/mL, $T_{1/2}(\beta)$は94, 103分 ③腎機能障害患者(静注時の血清中濃度及び薬物動態パラメータ):腎機能の低下に伴い, 血中半減期の延長及び尿中排泄遅延が認められた. したがって, 腎機能障害患者に投与する場合には投与量ならびに投与間隔の適切な調節が必要である. 1g静注時, クレアチニンクリアランス(mL/分)が<5(4例), <5(血液透析施行, 3例), 7.4〜15.4(3例), 29(1例), 40.8〜67.0(6例)で, 血清中濃度(μg/mL)の5分値は240, 測定せず, 222.0, 220.0, 264.8, 1時間値は71.4, 87.7, 73.3, 60.0, 61.0. $T_{1/2}(\beta)$(hr)は12.25, 5.38, 8.03, 3.07, 2.68 ④血液透析患者(透析前又は透析後静注時の血中濃度. 各5例, 透析5時間):3回の透析前後に1g投与しても血中濃度に蓄積性が認められないことから, 血液透析患者には透析前後にそれぞれ1gの投与が望ましいとの報告がある **分布** 胆汁移行については, T字管設置の患者(12例)に1g静注時, 3〜4時間後に平均66μg/mLの最高濃度, 5〜6時間後でも平均48μg/mL. その他髄液, 喀痰, 胆嚢, 腹腔内滲出液, 臍帯血, 羊水, 子宮, 子宮付属器, 骨盤死腔滲出液等の各種体液・組織へ移行. 乳汁中へはほとんど移行しない **代謝** 生体内では代謝されない **排泄** 主として腎から排泄, 健康成人に1回0.5g(8例), 1g(26例)静注後の尿中排泄率は, 2時間まで約50〜60%, 6時間まで約75〜80%, 1回1g(15例), 2g(6例)1時間点滴静注後の尿中排泄率は, 2時間まで約45〜55%, 6時間まで約74〜83%. 健康成人1g(4例)静注時の6〜8時間での尿中濃度は約145μg/mL **その他** 血漿蛋白結合率:限外ろ過法で測定した血漿蛋白結合率は60%

その他の管理的事項

投与期間制限 該当しない

保険給付上の注意 該当しない

資料

IF シオマリン静注用1g 2019年10月改訂(第18版)

ラニチジン塩酸塩
Ranitidine Hydrochloride

概要

薬効分類 232 消化性潰瘍用剤

構造式

$H_3C-N(CH_3)-CH_2$-(フラン環)-$CH_2-S-CH_2CH_2-NH-C(NHCH_3)=C^*H-NO_2$ ・HCl

及びC*位幾何異性体

分子式 $C_{13}H_{22}N_4O_3S\cdot HCl$

分子量 350.86

ステム シメチジン系のヒスタミンH_2受容体拮抗薬:-tidine

原薬の規制区分 ㊍(ただし, 1錠中ラニチジンとして300mg以下を含有するものを除く)

原薬の外観・性状 白色〜微黄色の結晶性又は細粒状の粉末である. 水に極めて溶けやすく, メタノールに溶けやすく, エタノール(99.5)に溶けにくい. 光によって徐々に着色する. 1.0gを水100mLに溶かした液のpHは4.5〜6.0である

原薬の吸湿性 吸湿性である. 臨界相対湿度:69%付近

原薬の融点・沸点・凝固点 融点:約140℃(分解)

原薬の酸塩基解離定数 pKa(三級アミン:$(CH_3)_2N^+HCH_2^-$)=8.38

先発医薬品等

錠 ザンタック錠75・150(GSK)

注 ザンタック注射液50mg・100mg(GSK)

後発医薬品

錠 75mg・150mg

注 2.5%

キット 50mg・100mg

国際誕生年月 1981年9月

海外での発売状況 米, 英など

製剤

規制区分 **注** ㊍ ㊇

製剤の性状 **錠** 白色のフィルムコーティング錠 **注** 無色〜淡黄色澄明の液

有効期間又は使用期限 **錠** 3年 **注** 2年

貯法・保存条件 **錠** 遮光・室温保存. 吸湿注意 **注** 遮光・室温保存

薬剤取扱い上の留意点 **錠** 吸湿性を有するのでPTP包装のまま保存 **注** 経口投与が困難な場合や緊急の場合又は経口投与で効果が不十分と考えられる場合にのみ使用すること. なお, 経口投与が可能となり, かつ経口投与により効果が期待される場合には, 速やかに経口投与に切りかえること

患者向け資料等 くすりのしおり

溶液及び溶解時のpH **注** 6.5〜7.5

浸透圧比 **注** 0.7〜1.0(対生食)

安定なpH域 **注** 1.1〜12.6

調製時の注意 該当しない

薬理作用

分類 H_2受容体拮抗剤

作用部位・作用機序 胃粘膜壁細胞のヒスタミンH_2受容体を選択的に遮断し, 持続的な胃酸分泌抑制作用を示す

同効薬 シメチジン, ファモチジン, ロキサチジン酢酸エステル塩酸塩, ニザチジン, ラフチジン

治療

効能・効果 **錠** ①胃潰瘍, 十二指腸潰瘍, 吻合部潰瘍, Zollinger-Ellison症候群, 逆流性食道炎, 上部消化管出血(消化性潰瘍, 急性ストレス潰瘍, 急性胃粘膜病変による) ②次の疾患の胃粘膜病変(びらん, 出血, 発赤, 浮腫)の改善:急性胃炎, 慢性胃炎の急性増悪期 ③麻酔前投薬

注 **キット** ①上部消化管出血(消化性潰瘍, 急性ストレス潰瘍, 急性胃粘膜病変による) ②侵襲ストレス(手術後に集中管理を必要とする大手術, 集中治療を必要とする脳血管障害・頭部外傷・多臓器不全・広範囲熱傷)による上部消化管出血の抑制 ③麻酔前投薬

用法・用量 **錠** 効能①:ラニチジンとして1回150mg, 1日2回(朝食後, 就寝前), 又は1日1回300mg就寝前(適宜増減). 上部消化管出血には, 通常注射剤で治療を開始し, 内服可能となった後, 経口投与に切り換える 効能②:ラニチジンとして1回75mg, 1日2回(朝食後, 就寝前), 又は1日1回150mg就寝前(適宜増減) 効能③:ラニチジンとして1回150mg, 手術前日就寝前及び手術当日麻酔導入2時間前の2回

注 **キット** 効能①:ラニチジンとして1回50mg, 1日3〜4回静注又は筋注(適宜増減). 一般的に1週間以内に効果の発現をみるが, 内服可能となった後は経口投与に切り換える. 効能②:ラニチジンとして1回100mg, 1日2回輸液に混合して点滴静注(適宜増減). 術後集中管理又は集中治療を必要とする期間(手術侵襲ストレスは3日間程度, その他の侵襲ストレスは7日間程度)の投与とする. 効能③:ラニチジンとして1回50mgを麻酔導入1時間前に静注又は筋注. なお, 手術が長時間に及ぶ場合は6時間間隔で50mg追加. 効能①③とも, 静注では1回50mgを生理食塩液又はブドウ糖注射液で20mLに希釈し, 緩徐に注射. 又は輸液に混合して点滴静注

用法・用量に関連する使用上の注意 **錠** 腎機能低下患者では血中濃度半減期が延長し, 血中濃度が増大するので, 腎機能

ラ

の低下に応じて次のような方法により投与量 投与間隔の調節が必要である：クレアチニンクリアランス（CcrmL/min）＞70で1回150mg1日2回，70＞Ccr＞30で1回75mg1日2回，30＞Ccrで1日1回75mg
注 **キット** 腎機能低下患者では血中濃度半減期が延長し，血中濃度が増大するので，腎機能の低下に応じて次のような方法により投与量，投与間隔の調節が必要である：1回50mgをCcr＞70で1日3～4回，70＞Ccr＞30で1日2回，30＞Ccrで1日1回

使用上の注意
禁忌 本剤の成分に対して過敏症の既往歴のある患者
過量投与 **錠** 外国で1日6gまでの過量投与の報告があるが，特に重大な影響はみられなかった．過量投与した場合，必要に応じて適切な療法を行う **注** 過量投与した場合，必要に応じて適切な療法を行う

薬物動態
血中濃度（健康成人） ①**錠** 1回75mg（12例），150mg（10例），300mg（10例）の順で，Tmax（hr）2.0，2.4，2.4，Cmax（ng/mL）301，469，928で用量依存性．$T_{1/2}$（hr）は2.7，2.5，2.3．$AUC_{0-\infty}$（ng・hr/mL）は1628，2718，5272．Ka（hr^{-1}）は1.4，2.1，1．Kel（hr^{-1}）は各0.3 ②**注**（50mg静注，筋注，100mg1時間点滴静注の順）：Cmaxは1800，15分後534，1760．半減期は1.9，2.5，2.4 **代謝・排泄（健康成人）** ①**錠** ⑴尿中未変化体及び代謝物の排泄率（75mg投与後12時間まで，150mg投与後24時間まで，300mg投与後24時間までの順．各1回経口投与）：未変化体は46.3％，48.9％，46.5％．N-oxide体は5.2％，5.8％，6.3％．S-oxide体は1.5％，1.4％，1.7％．N-desmethyl体は2.5％，1.8％，2％ ⑵1日300mgを14日間反復経口投与でも，血中への蓄積は認められなかった ②**注** 尿中未変化体の排泄率：50mg静注後24時間までで85％，50mg筋注後8時間までで81％，100mg1時間点滴静注後24時間までで89％ **その他の薬物速度論的パラメータ** 血漿蛋白結合率：27～29％（*in vitro*）

その他の管理的事項
投与期間制限 該当しない
保険給付上の注意 該当しない

資料
IF ザンタック錠75・150 2019年5月改訂（第11版）
ザンタック注射液50mg・100mg 2019年5月改訂（第9版）

ラノコナゾール
ラノコナゾール外用液
ラノコナゾール軟膏
ラノコナゾールクリーム
Lanoconazole

概要
薬効分類 265 寄生性皮ふ疾患用剤
構造式

及び鏡像異性体

分子式 $C_{14}H_{10}ClN_3S_2$
分子量 319.83
略語・慣用名 LCZ
ステム ミコナゾール系抗真菌剤：-conazole
原薬の規制区分 該当しない
原薬の外観・性状 白色～微黄色の結晶又は結晶性の粉末である．アセトンにやや溶けやすく，メタノール又はエタノール（99.5）にやや溶けにくく，水にほとんど溶けない．光によって徐々に黄色となる．本品のアセトン溶液（1→25）は旋光性を示さない
原薬の吸湿性 25℃75％RH及び25℃93％RHにおいて吸湿性は認められなかった
原薬の融点・沸点・凝固点 融点：141～146℃
原薬の酸塩基解離定数 pKa＝4.62
先発医薬品等
軟 アスタット軟膏1％（マルホ）
クリーム アスタットクリーム1％（マルホ）
外用液 アスタット外用液1％（マルホ）
後発医薬品
軟 1％
クリーム 1％
外用液 1％
国際誕生年月 1994年7月
海外での発売状況 発売されていない

製剤
製剤の性状 **クリーム** 白色のクリーム剤で，僅かに特異なにおいがある **外用液** 無色澄明の液剤で，特異なにおいがある **軟** 白色の軟膏剤で，においはない
有効期間又は使用期限 3年
貯法・保存条件 室温保存，遮光・気密容器
薬剤取扱い上の留意点 **クリーム** 高温において内容物が漏出する可能性があるため，保管は高温を避けるよう注意すること．また，光により分解するので，容器を変更する場合は，遮光容器を使用すること **外用液** 基剤に有機溶媒（エタノール，メチルエチルケトン）を用いているため，火気を避け，涼しい所に密栓して保管するよう注意すること．また，光により分解するので，容器を変更する場合は遮光容器を使用すること **軟** 高温（40℃以上）にて成分の均一性が損なわれるので，保管は高温を避けるよう注意すること．また，光により分解するので，容器を変更する場合は遮光容器を使用すること
患者向け資料等 くすりのしおり
溶液及び溶解時のpH **クリーム** **外用液** 約6（1→10）
調製時の注意 該当しない

薬理作用
分類 イミダゾール系抗真菌剤
作用部位・作用機序 真菌細胞のエルゴステロール合成阻害作用
同効薬 イミダゾール系抗真菌剤

治療
効能・効果 次の皮膚真菌症の治療：①白癬：足白癬，体部白癬，股部白癬 ②カンジダ症：間擦疹，指間びらん症，爪囲炎 ③癜風
用法・用量 1日1回患部に塗布

使用上の注意
禁忌 本剤の成分に対し過敏症の既往歴のある患者

薬物動態
健常人にクリームを単回又は7日間反復塗布，また，液を単回塗布で，塗布部位からの回収率はいずれも高く，皮膚からの吸収率は低い．また，反復塗布でも血漿中未変化体濃度は低く，蓄積性は低い

その他の管理的事項
投与期間制限 該当しない
保険給付上の注意 該当しない

資料
IF アスタットクリーム1％・外用液1％・軟膏1％ 2019年11月改訂（第8版）

ラフチジン
ラフチジン錠
Lafutidine

概要

薬効分類　232　消化性潰瘍用剤

構造式

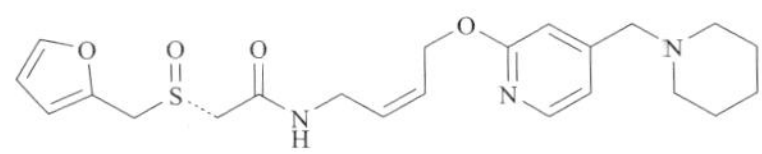

及び鏡像異性体

分子式　$C_{22}H_{29}N_3O_4S$

分子量　431.55

ステム　シメチジン系のヒスタミンH_2受容体拮抗薬：-tidine

原薬の規制区分　該当しない

原薬の外観・性状　白色～微黄白色の結晶性の粉末である．酢酸(100)に溶けやすく，メタノールにやや溶けやすく，エタノール(99.5)にやや溶けにくく，水にほとんど溶けない．本品のメタノール溶液(1→100)は旋光性を示さない．結晶多形が認められる

原薬の吸湿性　認めない

原薬の融点・沸点・凝固点　融点：97～100℃

原薬の酸塩基解離定数　pKa＝8.27(ピペリジン環の解離)

先発医薬品等

錠　プロテカジン錠5・10(大鵬薬品)
プロテカジンOD錠5・10(大鵬薬品)

後発医薬品

錠　5mg・10mg

国際誕生年月　2000年1月

海外での発売状況　韓国

製剤

製剤の性状　**錠**　白色のフィルムコート錠で，においはないか又は僅かに特異なにおいがある　**5mg口腔内崩壊錠**　淡黄白色の扁平球状の素錠　**10mg口腔内崩壊錠**　白色の扁平球状の素錠

有効期間又は使用期限　3年

貯法・保存条件　気密容器，室温保存，**口腔内崩壊錠**　開封後防湿保存

薬剤取扱い上の留意点　**錠**　30℃75%RH，白色蛍光灯(500lx)8時間照射及び16時間遮光の繰り返し保存条件下において，僅かに着色することが認められたため，開封後の保存に注意　**口腔内崩壊錠**　①開封後は湿気を避けて保存　②30℃75%RH，白色蛍光灯(500lx)保存条件下において，僅かに着色が認められたため，開封後の保存に注意

患者向け資料等　くすりのしおり

溶液及び溶解時のpH　該当しない

浸透圧比　該当しない

安定なpH域　該当しない

調製時の注意　該当しない

薬理作用

分類　H_2受容体拮抗剤

作用部位・作用機序　H_2受容体拮抗作用を介して胃酸分泌を抑制し(ヒト，ラット，イヌ)，更に胃粘膜に見出されているカプサイシン感受性知覚神経を介し，胃粘膜血流増加作用(ラット)及び胃粘液増加作用(ヒト　ラット)を示す

同効薬　シメチジン，ファモチジン，ロキサチジン酢酸エステル塩酸塩，ラニチジン塩酸塩，ニザチジン

治療

効能・効果　①胃潰瘍，十二指腸潰瘍，吻合部潰瘍，逆流性食道炎　②次の疾患の胃粘膜病変(びらん，出血，発赤，浮腫)の改善：急性胃炎，慢性胃炎の急性増悪期　③麻酔前投薬

効能・効果に関連する使用上の注意　重症(ロサンゼルス分類Grade C又はD)の逆流性食道炎に対する有効性及び安全性は確立していない

用法・用量　効能①：1回10mgを1日2回朝食後，夕食後又は就寝前(適宜増減)　効能②：1回10mgを1日1回夕食後又は就寝前(適宜増減)　効能③：1回10mgを手術前日就寝前及び手術当日麻酔導入2時間前の2回

用法・用量に関連する使用上の注意　透析患者では非透析時の最高血中濃度が健康人の約2倍に上昇することが報告されているので，低用量から慎重に投与する

使用上の注意

禁忌　本剤の成分に対して過敏症の既往歴のある患者

薬物動態

血中濃度　健康成人男子6例に10mgを空腹時経口投与時の血漿中未変化体濃度は，Tmax0.8±0.1hr，Cmax174±20ng/mL，$T_{1/2}\alpha$ 1.55±0.61hr，$T_{1/2}\beta$ 3.30±0.39hr，$AUC_{0\text{-}24h}$ 793±85ng・hr/mL　**代謝・排泄**　健康成人男子6例に10mgを空腹時経口投与後24時間までの未変化体，代謝物M-4(ピペリジン環が酸化的脱離)，M-7(ピペリジン環が酸化)及びM-9(スルホニル化)の尿中排泄率(%)はそれぞれ10.9±1.5，1.7±0.2，7.5±0.8及び0.3±0.1，尿中総排泄率は約20%．代謝には主としてCYP3A4，一部CYP2D6が関与するとの報告がある(*in vitro*)．蛋白結合率は，3μg/mL(ヒト血漿蛋白結合率は88±1.2%)まで結合の飽和は認められなかった(*in vitro*)　**高齢者及び透析患者の血中濃度**　高齢者では腎機能正常者(Ccr平均88±9.4mL/min)と腎機能低下傾向者(Ccr20～60mL/min，平均45.2±7.8mL/min)で血中動態に差を認めなかった．透析患者では非透析時の血漿中未変化体濃度は健康成人と比べCmaxが約2倍に上昇，$T_{1/2}$が約2倍に延長，AUCが約3倍に増加．なお，本剤は血液透析により7～18%が除去された．10mg投与時の各パラメータ[健康成人6例(参考)，高齢者腎機能正常者5例，高齢者腎機能低下傾向者5例(Ccr=20，34，54，58，60mL/min)，透析患者6例の透析時，非透析時の順]はTmax(hr)0.8±0.1，1.0±0.2，1.1±0.2，2.6±0.5，0.8±0.1，Cmax(ng/mL)174±20，195±17，196±23，226±36，336±40，$T_{1/2}$(hr)3.30±0.39，3.05±0.19，2.93±0.21，4.57±0.24※)，6.71±0.30(4.37±0.45)※)，AUC(ng・hr/mL)793±85，869±65，853±113，853±128※)，2278±306(1264±133)※)．透析患者の透析時は0-6時間まで，その他は0-24時間までの血漿中濃度推移から算出．透析時の$T_{1/2}$は4例から算出　※)透析時(0-6時間値)との比較のため非透析時の0-6時間値を( )内に示した

その他の管理的事項

投与期間制限　該当しない

保険給付上の注意　該当しない

資料

IF　プロテカジン錠5・10・OD錠5・10　2019年9月改訂(第14版)

ラベタロール塩酸塩
ラベタロール塩酸塩錠
Labetalol Hydrochloride

概要
薬効分類 214 血圧降下剤
構造式

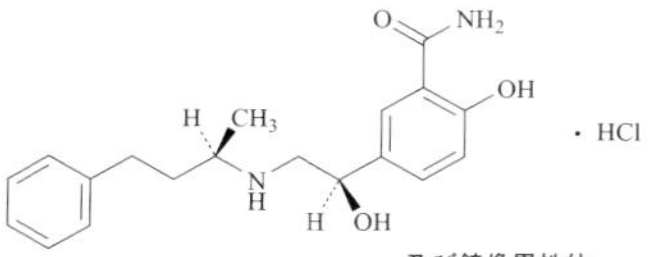

及び鏡像異性体

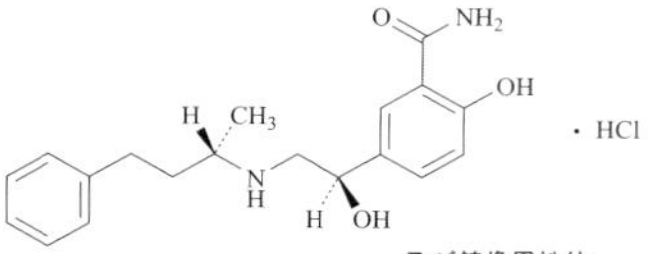

及び鏡像異性体

分子式 $C_{19}H_{24}N_2O_3$・HCl
分子量 364.87
ステム β-アドレナリン受容体拮抗薬：-alol(-olol)
原薬の規制区分 ㊕
原薬の外観・性状 白色の結晶性の粉末である．メタノールに溶けやすく，水又はエタノール(99.5)にやや溶けにくい．0.05mol/L硫酸試液に溶ける．0.5gを水50mLに溶かした液のpHは4.0～5.0である
原薬の吸湿性 40℃，100％RHにおいて，約1％の吸湿が認められた
原薬の融点・沸点・凝固点 融点：約181℃（分解）
原薬の酸塩基解離定数 pKa＝7.57（滴定法）
先発医薬品等
錠 トランデート錠50mg・100mg（アスペン）
後発医薬品
錠 50mg・100mg
国際誕生年月 1977年3月
海外での発売状況 米，英など

製剤
規制区分 錠 ㊕ ㊈
製剤の性状 錠 白色のフィルムコーティング錠
有効期間又は使用期限 3年
貯法・保存条件 気密容器，室温保存
薬剤取扱い上の留意点 めまい，ふらつきが現れることがあるので，本剤投与中の患者（特に投与初期）には，自動車の運転等危険を伴う機械の作業に注意させること．褐色細胞腫の手術時に使用する場合を除き，手術前24時間は投与しないことが望ましい
患者向け資料等 くすりのしおり
溶液及び溶解時のpH 4.0～5.0（1％水溶液）
浸透圧比 該当しない
安定なpH域 該当しない
調製時の注意 該当しない

薬理作用
分類 α，β遮断性降圧剤
作用部位・作用機序 α，β受容体遮断作用：健康成人における検討で，β受容体遮断作用に加えて，α受容体遮断作用を併せ持つことが認められている．また，ネコの摘出脾臓を用いた*in vitro*の実験で本剤のα受容体遮断作用は$α_1$受容体に選択的であることが確認されている　血圧降下作用：成人高血圧症患者に投与した場合，心拍出量にほとんど影響を及ぼさずに全末梢血管抵抗を減少し，血圧を降下させる．なお，心拍数は僅かに減少する．また，早朝の急激な血圧上昇を抑制することが認められている
同効薬 アモスラロール塩酸塩，アロチノロール塩酸塩，カルベジロール，プロプラノロール塩酸塩

治療
効能・効果 本態性高血圧症，褐色細胞腫による高血圧症
用法・用量 1日150mgから始め，効果が不十分な場合には1日450mgまで漸増し，1日3回に分服（適宜増減）

使用上の注意
禁忌 ①糖尿病性ケトアシドーシス，代謝性アシドーシスのある患者［アシドーシスに基づく心収縮力の抑制を増強させるおそれがある］ ②高度の徐脈（著しい洞性徐脈），房室ブロック（II，III度），洞房ブロックのある患者［症状を悪化させるおそれがある］ ③(1)心原性ショックの患者 (2)肺高血圧による右心不全のある患者 (3)うっ血性心不全のある患者［心機能を抑制し，症状を悪化させるおそれがある］ ④本剤の成分に対して過敏症の既往歴のある患者 ⑤気管支喘息，気管支痙攣のおそれのある患者［気管支を収縮させ，症状を誘発又は悪化させるおそれがある］
過量投与 ①徴候，症状：過量投与により，過度の起立性低血圧，徐脈等の重度の心血管系作用が発現する可能性がある．本剤の過量投与後の乏尿性腎不全が報告されている ②処置：下肢を挙上させ患者を仰臥位にし，必要に応じて次のような処置を行う (1)心不全：強心配糖体や利尿薬を投与 (2)気管支痙攣：吸入$β_2$刺激薬を投与 (3)徐脈：アトロピン硫酸塩水和物を静注　血液循環を改善させるため，反応をみながらノルアドレナリン投与を繰り返す．必要に応じて，心臓ペーシングを適用する．なお，透析により血中から除去できるラベタロール塩酸塩は1％以下

薬物動態
血中濃度 健康成人（各5例）に50及び100mgを単回経口投与時のCmax（ng/mL）はそれぞれ0.97時間後21.77，1.22時間後59.73で，用量依存性．半減期（hr）は17.22，17.65．AUC（ng・hr/mL）は198.81，533.98．Ka（hr^{-1}）は2.89，7.52．Kel（hr^{-1}）は0.17，0.15　**体液・組織内移行（参考）** ラットに^{14}C-ラベタロール20mg/kgを経口投与時の組織内濃度は各組織で1.5時間後に最高濃度，以降速やかに減少．1.5時間後の組織内濃度は，特に肝臓と腎臓で高く，脳への移行は低かった．妊娠18日目のラットに^{14}C-ラベタロール20mg/kgを経口投与1.5時間後の胎仔の組織内濃度は母動物血液中濃度の1/3，胎盤の1/4以下　**代謝・排泄（外国人）** 健康成人に^{3}H-ラベタロール200mgを経口投与後24時間までの尿中排泄率は約60％，主代謝産物はo-フェニルグルクロン酸抱合体15％，その他の抱合体45％　**その他の薬物速度論的パラメータ（外国人）** 血漿蛋白結合率：約50％

その他の管理的事項
投与期間制限 該当しない
保険給付上の注意 該当しない

資料
IF トランデート錠50mg・100mg 2020年8月改訂（第12版）

ラベプラゾールナトリウム
Rabeprazole Sodium

概要

薬効分類 232 消化性潰瘍用剤

構造式

及び鏡像異性体

分子式 $C_{18}H_{20}N_3NaO_3S$

分子量 381.42

ステム ベンゾイミダゾール誘導体：-prazole

原薬の規制区分 該当しない

原薬の外観・性状 白色～微黄白色の粉末である．水に極めて溶けやすく，エタノール(99.5)に溶けやすい．0.01mol/L水酸化ナトリウム試液に溶ける．本品の水溶液(1→20)は旋光性を示さない．結晶多形が認められる

原薬の吸湿性 吸湿性である

原薬の融点・沸点・凝固点 融点：225℃(分解)

原薬の酸塩基解離定数 pKa＝約8.8

先発医薬品等

腸溶錠 パリエット錠5mg・10mg・20mg(エーザイ＝EAファーマ)

後発医薬品

錠 5mg

腸溶錠 10mg・20mg

国際誕生年月 1997年10月

海外での発売状況 米，英など

製剤

規制区分 腸溶錠 ㊈

製剤の性状 腸溶錠 淡黄色のフィルムコーティング錠(腸溶錠)

有効期間又は使用期限 3年

貯法・保存条件 5・10mg腸溶錠 室温保存．PTP包装はアルミ袋開封後，バラ包装は開栓後防湿保存(含量が低下することがある) 20mg腸溶錠 室温保存．アルミ袋開封後は防湿保存(含量が低下することがある)

薬剤取扱い上の留意点 腸溶錠であり，服用にあたっては，噛んだり，砕いたりせずに，のみくだすよう注意する

患者向け資料等 患者向医薬品ガイド，くすりのしおり

調製時の注意 該当しない

薬理作用

分類 プロトンポンプインヒビター

作用部位・作用機序 胃酸分泌抑制作用：壁細胞の酸性領域で活性体(スルフェンアミド体)になり，プロトンポンプ(H^+, K^+-ATPase)のSH基を修飾して酵素活性を阻害し，酸分泌を抑制する．更に阻害された酵素活性の回復には，主に作用部位からの薬物の消失あるいはグルタチオンによる活性体の消失が関与しているものと考えられる．その他，グルタチオンによって酵素活性が回復する可能性も推測される ヘリコバクター・ピロリ除菌の補助作用：アモキシシリン水和物，クラリスロマイシン及びアモキシシリン水和物及びメトロニダゾールとの3剤併用療法におけるラベプラゾールナトリウムの役割は胃内pHを上昇させることにより，アモキシシリン水和物及びクラリスロマイシンの抗菌活性を高めることにあると考えられる

同効薬 オメプラゾール，ランソプラゾール，エソメプラゾールマグネシウム水和物，ボノプラザンフマル酸塩

治療

効能・効果 5mg錠 10mg錠 ①胃潰瘍，十二指腸潰瘍，吻合部潰瘍，Zollinger-Ellison症候群 ②逆流性食道炎 ③非びらん性胃食道逆流症 ④(パリエット錠5mg 10mg錠 のみ)低用量アスピリン投与時における胃潰瘍又は十二指腸潰瘍の再発抑制 ⑤次におけるヘリコバクター・ピロリの除菌の補助：胃潰瘍，十二指腸潰瘍，胃MALTリンパ腫，特発性血小板減少性紫斑病，早期胃癌に対する内視鏡的治療後胃，ヘリコバクター・ピロリ感染胃炎

20mg錠 ①胃潰瘍，十二指腸潰瘍，吻合部潰瘍，Zollinger-Ellison症候群 ②逆流性食道炎

効能・効果に関連する使用上の注意 5mg錠 10mg錠 ①効能共通：本剤の投与が胃癌による症状を隠蔽することがあるので，悪性でないことを確認のうえ投与する(胃MALTリンパ腫，早期胃癌に対する内視鏡的治療後胃におけるヘリコバクター・ピロリの除菌の補助を除く) ②非びらん性胃食道逆流症：投与開始2週後を目安として効果を確認し，症状の改善傾向が認められない場合には，酸逆流以外の原因が考えられるため他の適切な治療への変更を検討する ③低用量アスピリン投与時における胃潰瘍又は十二指腸潰瘍の再発抑制：血栓・塞栓の形成抑制のために低用量アスピリンを継続投与している患者を投与対象とし，投与開始に際しては，胃潰瘍又は十二指腸潰瘍の既往を確認する ④ヘリコバクター・ピロリの除菌の補助：(1)進行期胃MALTリンパ腫に対するヘリコバクター・ピロリ除菌治療の有効性は確立していない (2)特発性血小板減少性紫斑病に対しては，ガイドライン等を参照し，ヘリコバクター・ピロリ除菌治療が適切と判断される症例にのみ除菌治療を行う (3)早期胃癌に対する内視鏡的治療後胃以外には，ヘリコバクター・ピロリ除菌治療による胃癌の発症抑制に対する有効性は確立していない (4)ヘリコバクター・ピロリ感染胃炎に用いる際には，ヘリコバクター・ピロリが陽性であること及び内視鏡検査によりヘリコバクター・ピロリ感染胃炎であることを確認する

20mg錠 本剤の投与が胃癌による症状を隠ぺいすることがあるので，悪性でないことを確認の上，投与する

用法・用量 5mg錠 10mg錠 効能①：1回10mg，1日1回．病状により1回20mg，1日1回を投与することができる．なお，通常，胃潰瘍，吻合部潰瘍では8週間まで，十二指腸潰瘍では6週間まで 効能②：治療の場合，1回10mg，1日1回．病状により1回20mg，1日1回．なお，通常，8週間まで．また，プロトンポンプインヒビターによる治療で効果不十分な場合，1回10mg又は1回20mgを1日2回，さらに8週間投与することができる．ただし，1回20mg1日2回投与は重度の粘膜傷害を有する場合に限る．再発・再燃を繰り返す逆流性食道炎の維持療法においては，1回10mg，1日1回 効能③：1回10mg，1日1回．なお，通常，4週間まで 効能④：1回5mg，1日1回．効果不十分の場合は1回10mgを1日1回を投与することできる 効能⑤：本剤1回10mg，アモキシシリン水和物1回750mg(力価)及びクラリスロマイシン1回200mg(力価)の3剤を同時に1日2回，7日間．なお，クラリスロマイシンは，必要に応じて適宜増量．ただし，1回400mg(力価)1日2回を上限とする．プロトンポンプインヒビター，アモキシシリン水和物及びクラリスロマイシンの3剤投与によるヘリコバクター・ピロリの除菌治療が不成功の場合は，これに代わる治療として，本剤1回10mg，アモキシシリン水和物1回750mg(力価)及びメトロニダゾール1回250mgの3剤を同時に1日2回，7日間

20mg錠 効能①：1回10mg，1日1回．病状により1回20mg，1日1回を経口投与することができる．なお，通常，胃潰瘍，吻合部潰瘍では8週間まで，十二指腸潰瘍では6週間までの投与とする 効能②：治療においては，1回10mg，1日1回．病状により1回20mg，1日1回．なお，通常，8週間までの投与とする．また，プロトンポンプインヒビターによる治療で効果不十分な場合，1回10mg又は1回20mgを1日2回，さらに8週間投与できる．ただし，1回20mg1日2回投与は重度の粘膜傷害を有する場合に限る

用法・用量に関連する使用上の注意 効能①：病状が著しい場

ラ

合及び再発性・難治性の場合に1回20mgを1日1回投与できる効能②：病状が著しい場合及び再発性・難治性の場合に1日1回20mgを投与できる（再発・再燃を繰り返す逆流性食道炎の維持療法，プロトンポンプインヒビターによる治療で効果不十分な場合は除く）．また，プロトンポンプインヒビターによる治療で効果不十分な患者に対し1回10mg又は1回20mgを1日2回，さらに8週間投与する場合は，内視鏡検査で逆流性食道炎が治癒していないことを確認する．なお，本剤1回20mgの1日2回投与は，内視鏡検査で重度の粘膜傷害を確認した場合に限る

使用上の注意

禁忌　①本剤の成分に対し過敏症の既往歴のある患者　②アタザナビル硫酸塩，リルピビリン塩酸塩を投与中の患者

相互作用概要　CYP2C19及びCYP3A4の関与が認められている

薬物動態

血中濃度　①単剤投与：健康成人男子に20mgを絶食下又は食後経口投与時の被験者毎に算出した薬物動態パラメータの平均値（絶食下，食後の順）は，Cmax（ng/mL）437±237，453±138，Tmax（hr）3.6±0.9，5.3±1.4，AUC（ng・hr/mL）937±617，901±544，$T_{1/2}$（hr）1.49±0.68，1.07±0.47．また，健康成人男子に5mg，10mg，20mgを絶食下で反復投与した時（投与5日目）の薬物動態パラメータは，Cmax（ng/mL），tmax（hr），AUC_{0-t}（ng・hr/mL），$t_{1/2}$（hr）の順に，⑴5mg群：EM※146±56，3.0（2.0-4.5），236±97，1.8±0.9　PM※252±55，2.5（1.5-5.5），585±137，4.2±0.5　⑵10mg群：EM※383±83，3.3（2.0-5.0），539±200，1.5±0.4　PM※509±64，2.8（2.0-4.5），1230±200，3.8±0.3　⑶20mg群：EM※654±348，4.0（2.5-8.0），994±477，2.3±1.4　PM※822±232，3.3（3.0-6.0），2331±663，3.7±0.3　（Mean＝S.D.，tmaxはMedian（Min-Max），EM 16例，PM 8例）　※肝代謝酵素チトクロムP450 2C19（CYP2C19）表現型は，次の遺伝子型より分類される：EM（extensive metabolizer）：CYP2C19※1/※1，CYP2C19※1/※2又はCYP2C19※1/※3　PM（poor metabolizer）：CYP2C19※2/※2，CYP2C19※2/※3又はCYP2C19※3/※3　②3剤併用投与：健康成人男子に本剤20mg，アモキシシリン水和物750mg，及びクラリスロマイシン400mgを1日2回7日間（計12回）反復経口投与時のラベプラゾールナトリウムの薬物動態パラメータ（EM（15例），PM（4例）の順）は，Cmax（ng/mL）578±293，948±138，tmax（hr）3.0±0.7，2.8±0.5，AUC_{0-12}（ng・hr/mL）934±438，2600±474，$t_{1/2}$（hr）0.72±0.19，1.80±0.32　**吸収**　①食事の影響：健康成人男子に20mgを絶食下又は食後経口投与時，食後投与では絶食下投与に比しtmaxが1.7時間遅延するとともに吸収に個体差が認められている　**代謝**　健康成人男子に10mg，20mgを経口投与時の血漿中の代謝物は，主に非酵素的な還元反応により生成したチオエーテル体．その他に肝代謝酵素チトクロームP450 2C19（CYP2C19）が関与する脱メチル化反応により生成した脱メチル体，3A4（CYP3A4）が関与するスルホン化反応により生成したスルホン体が認められた　**排泄**　健康成人男子に20mgを経口投与時，投与後24時間までに尿中にラベプラゾールナトリウムの未変化体は検出されず，代謝物であるカルボン酸体及びそのグルクロン酸抱合体が投与量の約29～40%，メルカプツール酸抱合体が13～19%排泄　**薬物相互作用**　類薬（オメプラゾール）で肝代謝酵素チトクロームP450 2C19（CYP2C19）への代謝競合により相互作用が認められているジアゼパム，ワルファリン（R-ワルファリン）に対して本剤はこれらの薬剤の血中濃度に影響を与えないことが報告されている．また，類薬（ランソプラゾール）で肝代謝酵素チトクロームP450 1A2（CYP1A2）の誘導により相互作用が認められているテオフィリンに対しても本剤は血中濃度に影響を与えないことが報告されている

その他の管理的事項

投与期間制限　該当しない

保険給付上の注意　該当しない

資料

IF　パリエット錠5mg・10mg・20mg　2020年6月改訂（第26版）

ランソプラゾール
ランソプラゾール腸溶性口腔内崩壊錠
ランソプラゾール腸溶カプセル
Lansoprazole

概要

薬効分類　232　消化性潰瘍用剤

構造式

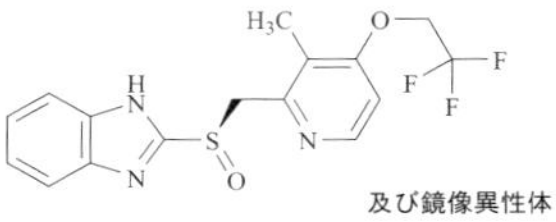

及び鏡像異性体

分子式　$C_{16}H_{14}F_3N_3O_2S$

分子量　369.36

ステム　ベンゾイミダゾール誘導体：-prazole

原薬の規制区分　該当しない

原薬の外観・性状　白色～帯褐白色の結晶性の粉末である．*N,N*-ジメチルホルムアミドに溶けやすく，メタノールにやや溶けやすく，エタノール（99.5）にやや溶けにくく，水にはほとんど溶けない．本品の*N,N*-ジメチルホルムアミド溶液（1→10）は旋光性を示さない．結晶多形が認められる

原薬の吸湿性　25℃，75%RHの条件下に7日間保存したが，吸湿性は認められなかった

原薬の融点・沸点・凝固点　融点：約166℃（分解）

原薬の酸塩基解離定数　pKa＝8.87（吸光度測定法），8.82（溶解度法）（ベンズイミダゾリル基（酸性基）），pKa＝約1.3（ベンズイミダゾリル基（塩基性基））＊，pKa＝約4.5（ピリジル基（塩基性基））＊

＊酸性溶液中で不安定なため，酸に安定な類似化合物を用い推定した

先発医薬品等

腸溶錠　タケプロンOD錠15・30（武田テバ薬品＝武田）

カ　タケプロンカプセル15・30（武田テバ薬品＝武田）

注射用　タケプロン静注用30mg（武田テバ薬品＝武田）

後発医薬品

腸溶錠　OD錠15mg・30mg

カ　15mg・30mg

国際誕生年月　1990年12月

海外での発売状況　**経口**　欧米各国　**注射用**　インドネシアなど

製剤

規制区分　**口腔内崩壊錠**　**カ**　**注射用**　㊇

製剤の性状　**口腔内崩壊錠**　白色～帯黄白色で赤橙色～暗褐色の斑点がある素錠（腸溶性細粒を含む口腔内崩壊錠）　**15mgカ**　白色～僅かに褐色を帯びた白色の腸溶性顆粒を含む白色の硬カプセル剤　**30mgカ**　白色～僅かに褐色を帯びた白色の腸溶性顆粒を含む頭部がうすい橙色の不透明，胴部がうすい黄色の不透明の硬カプセル剤　**注射用**　白色～帯黄白色の塊又は粉末

有効期間又は使用期限　**口腔内崩壊錠**　**注射用**　36カ月　**カ**　42カ月

貯法・保存条件　室温保存

薬剤取扱い上の留意点　**注射用**　溶解後：経時変化を生じることがあるため，溶解後は速やかに使用することとし保存しないこと　配合変化：配合変化による変色，沈殿物を生じるこ

とがあるため，生食又は5%ブドウ糖注射液以外の溶解液，輸液，補液及び他剤との混合はしないこと　投与方法：投与する場合は，専用の経路を用いることとし他剤と共用しないこと．やむを得ず，他剤の輸液経路を用いて側管から投与する場合は，他剤の注入を休止し，本剤を投与する前後に生食又は5%ブドウ糖注射液でフラッシュすること

患者向け資料等　**口腔内崩壊錠**　**カ**　くすりのしおり

溶液及び溶解時のpH　**注射用**　10.6～11.3(生食5mL溶解時)

浸透圧比　**注射用**　約1(生食5mL溶解時)

調製時の注意　**注射用**　配合変化による変色，沈殿物を生じることがあるのため，生食又は5%ブドウ糖注射液以外の溶解液，輸液，補液又は他剤との混合はしないこと

薬理作用

分類　プロトンポンプインヒビター

作用部位・作用機序　胃粘膜壁細胞の酸生成部位へ移行した後，酸による転移反応を経て活性体へと構造変換され，この活性体が酸生成部位に局在してプロトンポンプとしての役割を担っているH^+，K^+-ATPaseのSH基と結合し，酵素活性を抑制することにより，酸分泌を抑制すると考えられる．なお，ヘリコバクター・ピロリ除菌治療におけるランソプラゾールの役割は胃内のpHを上昇させることにより，併用されるアモキシシリン水和物及びクラリスロマイシンの抗菌活性を高めることにあると考えられる

同効薬　オメプラゾール，ラベプラゾールナトリウムなど

治療

効能・効果　**口腔内崩壊錠**　**カ**　①胃潰瘍，十二指腸潰瘍，吻合部潰瘍，Zollinger-Ellison症候群　②逆流性食道炎　③**15mg製剤**　非びらん性胃食道逆流症　④**15mg製剤**　低用量アスピリン投与時における胃潰瘍又は十二指腸潰瘍の再発抑制　⑤**15mg製剤**　非ステロイド性抗炎症薬投与時における胃潰瘍又は十二指腸潰瘍の再発抑制　⑥次におけるヘリコバクター・ピロリの除菌の補助：胃潰瘍，十二指腸潰瘍，胃MALTリンパ腫，特発性血小板減少性紫斑病，早期胃癌に対する内視鏡的治療後胃，ヘリコバクター・ピロリ感染胃炎

注射用　経口投与不可能な次の疾患：出血を伴う胃潰瘍，十二指腸潰瘍，急性ストレス潰瘍及び急性胃粘膜病変

効能・効果に関連する使用上の注意　**口腔内崩壊錠**　**カ**　①低用量アスピリン投与時における胃潰瘍又は十二指腸潰瘍の再発抑制：血栓・塞栓の形成抑制のために低用量のアスピリンを継続投与している患者を投与対象とし，開始に際しては，胃潰瘍又は十二指腸潰瘍の既往を確認する　②非ステロイド性抗炎症薬投与時における胃潰瘍又は十二指腸潰瘍の再発抑制：関節リウマチ，変形性関節症等における疼痛管理等のために非ステロイド性抗炎症薬を長期継続投与している患者を投与対象とし，投与開始に際しては，胃潰瘍又は十二指腸潰瘍の既往を確認する　③ヘリコバクター・ピロリの除菌の補助：(1)進行期胃MALTリンパ腫に対するヘリコバクター・ピロリ除菌治療の有効性は確立していない　(2)特発性血小板減少性紫斑病に対しては，ガイドライン等を参照し，ヘリコバクター・ピロリ除菌治療が適切と判断される症例にのみ除菌治療を行う　(3)早期胃癌に対する内視鏡的治療後胃以外には，ヘリコバクター・ピロリ除菌治療による胃癌の発症抑制に対する有効性は確立していない　(4)ヘリコバクター・ピロリ感染胃炎に用いる際には，ヘリコバクター・ピロリが陽性であること及び内視鏡検査によりヘリコバクター・ピロリ感染胃炎であることを確認する

用法・用量　**口腔内崩壊錠**　**カ**　効能①：1日1回30mg．胃潰瘍，吻合部潰瘍では8週間まで，十二指腸潰瘍では6週間まで　効能②：1日1回30mg．8週間まで．さらに，再発・再燃を繰り返す逆流性食道炎の維持療法においては1日1回15mg，効果不十分な場合1日1回30mg投与できる　効能③：1日1回15mg．4週間まで　効能④⑤：1日1回15mg　効能⑥：本剤1回30mg，アモキシシリン水和物1回750mg(力価)及びクラリスロマイシン1回200mg(力価)の3剤を同時に1日2回，7日間．なお，クラリスロマイシンは，必要に応じて適宜増量．ただし，1回400mg(力価)1日2回を上限とする．プロトンポンプインヒビター，アモキシシリン水和物及びクラリスロマイシンの3剤投与によるヘリコバクター・ピロリの除菌治療が不成功の場合は，これに代わる治療として，本剤1回30mg，アモキシシリン水和物1回750mg(力価)及びメトロニダゾール1回250mgの3剤を同時に1日2回，7日間

注射用　ランソプラゾールとして1回30mg，生理食塩液又は5%ブドウ糖注射液に混合して1日2回点滴静注，あるいは生理食塩液又は5%ブドウ糖注射液20mLに溶解して1日2回緩徐に静注

用法・用量に関連する使用上の注意　**口腔内崩壊錠**　**カ**　①逆流性食道炎：維持療法において，1日1回30mgの投与は，1日1回15mg投与中に再発した例等15mgでは効果が不十分な場合に限る　②非びらん性胃食道逆流症：投与開始2週後を目安として効果を確認し，症状の改善傾向が認められない場合には，酸逆流以外の原因が考えられるため他の適切な治療への変更を考慮する

注射用　①投与開始から3日間までの成績で高い止血効果が認められているので，内服可能となった後は経口投与に切りかえ，漫然と投与しない　②国内臨床試験において，7日間を超える使用経験はない

使用上の注意

禁忌　①本剤の成分に対する過敏症の既往歴のある患者　②アタザナビル硫酸塩，リルピビリン塩酸塩を投与中の患者

相互作用概要　主としてCYP2C19又はCYP3A4で代謝される

薬物動態

口腔内崩壊錠　**カ**　**血中濃度**　①単回投与：健康成人24例にOD錠15mgあるいはカプセル15mgを，また，別の健康成人24例にOD錠30mgあるいはカプセル30mgをそれぞれクロスオーバー法にて，朝絶食下単回経口投与時，血漿中にはランソプラゾールの未変化体が主として検出された．未変化体の血漿中濃度推移及び薬物動態学的パラメータ(口腔内崩壊錠15mg，カプセル15mg，口腔内崩壊錠30mg，カプセル30mgの順)は，$AUC_{0\text{-}24}$(ng・hr／mL)1105.3±1101.4，1136.2±1186.29，2216.5±1270.16，2223.6±1203.07，Cmax(ng/mL)474.1±254.04，442.7±231.71，992.8±384.34，949.2±361.68で，OD錠とカプセルは生物学的に同等であることが確認されている．また，ランソプラゾールとスクラルファート，又は水酸化アルミニウムゲル・水酸化マグネシウムを同時に服用すると，ランソプラゾールの血漿中濃度が低下することが外国で報告されている　②反復投与：健康成人(6例)に1回30mg又は15mg(いずれもカプセル剤)を1日1回7日間朝絶食下反復経口投与時の血清中濃度の推移，尿中排泄率から体内蓄積性はないものと考えられる　③ランソプラゾール，アモキシシリン水和物及びクラリスロマイシン併用時の薬物動態：健康成人(6例)に本剤1回30mg(カプセル剤)，アモキシシリン水和物として1回1000mg(力価)及びクラリスロマイシンとして1回400mg(力価)の3剤を同時経口投与時，ランソプラゾールの未変化体の薬物動態学的パラメータは，絶食下でTmax1.7±0.5hr，Cmax1104±481ng/mL，半減期1.88±1.88hr，AUC5218±6284ng・hr/mL．なお，3剤併用時の3剤各々の血清中濃度は単独投与時の血清中濃度とほぼ同様の推移．また，健康成人(7例)に3剤を同様の用量で同時に1日2回7日間反復経口投与時の薬物動態から，蓄積性はないと考えられる　**排泄**　健康成人(6例)に1回30mg(カプセル剤)を絶食下又は食後，また1回15mg(カプセル剤)を絶食下経口投与時，尿中には代謝物として排泄され，ランソプラゾールの未変化体は検出されなかった．投与後24時間までの尿中排泄率は13.1～23.0%

注　**血中濃度**　本剤の静注における血清中濃度には個体間で差が認められる．CYP2C19の遺伝子タイプにより，本剤が速やかに代謝される群(Extensive Metabolizer：EM)と緩やかに代謝される群(Poor Metabolizer：PM)に分類した健康成

ラ

人男子12例(EM：8例，PM：4例)を対象として，1回30mg1日2回を5日間点滴静注時の血清中濃度(1日目EM，1日目PM，5日目EM，5日目PMの順)は，AUC_{0-12}(ng・hr/mL)4386±1335，10415±1159，4939±1541，12579±1939，Cmax(ng/mL)2262±354，2727±315，2414±406，3134±316，$t_{1/2}$(hr)1.5±0.4，4.0±0.7，1.6±0.5，4.2±1.1　**分布**　ヒト血清蛋白結合率は，0.05～5μg/mLの濃度範囲で約98%(*in vitro*)　**代謝**　主にCYP2C19及びCYP3A4により代謝(*in vitro*)　**排泄**　健康成人男子(9例)に30mgを単回静注時，尿中には代謝物として排泄され，未変化体は認められなかった．投与終了24時間後までの累積尿中排泄率は12～17%

その他の管理的事項

投与期間制限　該当しない

保険給付上の注意　該当しない

資料

IF　タケプロンOD錠15・30・カプセル15・30　2019年5月改訂(第19版)
タケプロン静注用30mg　2019年5月改訂(第8版)

リオチロニンナトリウム
リオチロニンナトリウム錠
Liothyronine Sodium

概要

薬効分類　243　甲状腺，副甲状腺ホルモン剤

構造式

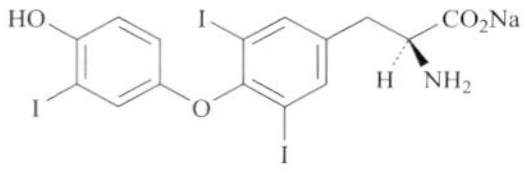

分子式　$C_{15}H_{11}I_3NNaO_4$

分子量　672.96

略語・慣用名　TIT，T_3

原薬の規制区分　劇(ただし，1錠中リオチロニンナトリウム0.005mg以下を含有するものを除く)

原薬の外観・性状　白色～淡褐色の粉末で，においはない。エタノール(95)にやや溶けにくく，水又はジエチルエーテルにほとんど溶けない．水酸化ナトリウム試液又はアンモニア試液に溶ける

原薬の吸湿性　乾燥減量：4.0%以下(0.2g，105℃，2時間)

原薬の融点・沸点・凝固点　融点：236～237℃(分解)(free体)

原薬の酸塩基解離定数　該当資料なし

先発医薬品等

錠　5mcg・25mcgチロナミン錠(武田)

海外での発売状況　スウェーデン，ノルウェー

製剤

規制区分　5mcg錠　処　25mcg錠　劇 処

製剤の性状　5mcg錠 白色の素錠　25mcg錠 白色の割線入りの素錠

有効期間又は使用期限　3年6カ月

貯法・保存条件　室温保存．開封後も遮光保存

患者向け資料等　くすりのしおり

薬理作用

分類　甲状腺ホルモン

作用部位・作用機序　甲状腺ホルモンの作用部位で働くリオチロニン製剤．粘液水腫，クレチン症，甲状腺機能低下症(原発性及び下垂体性)，慢性甲状腺炎，甲状腺腫に有用性が認められている

同効薬　乾燥甲状腺，レボチロキシンナトリウム

治療

効能・効果　①粘液水腫，クレチン症，甲状腺機能低下症(原発性及び下垂体性)　②慢性甲状腺炎，甲状腺腫

用法・用量　初回量1日5～25μgを1～2週間間隔で少しずつ増量し，維持量1日25～75μg(適宜増減)

使用上の注意

禁忌　新鮮な心筋梗塞のある患者［基礎代謝の亢進により心負荷が増大し，病態が悪化することがある］

過量投与　処置：一度に大量服用した場合には，本剤吸収の抑制(状況に応じ催吐・胃洗浄，コレスチラミンや活性炭の投与等)及び対症療法(換気維持のための酸素投与，交感神経興奮症状に対するプロプラノロール等のβ遮断剤の投与，うっ血性心不全に対する強心配糖体の投与や発熱，低血糖及び脱水に対する処置等)を行う

その他の管理的事項

投与期間制限　該当しない

保険給付上の注意　該当しない

資料

IF　5mcg・25mcgチロナミン錠　2019年6月改訂(第4版)

リシノプリル水和物
リシノプリル錠
Lisinopril Hydrate

概要

薬効分類　214　血圧降下剤，217　血管拡張剤

構造式

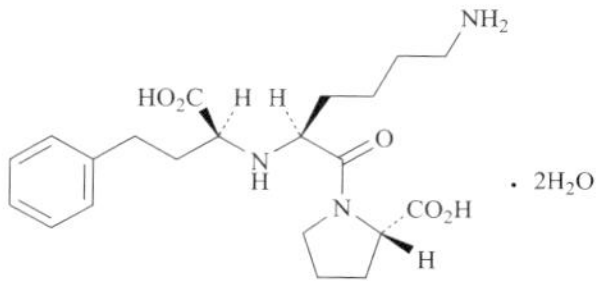

分子式　$C_{21}H_{31}N_3O_5・2H_2O$

分子量　441.52

ステム　アンジオテンシン変換酵素(ACE)阻害薬：-pril

原薬の規制区分　該当しない

原薬の外観・性状　白色の結晶性の粉末で，僅かに特異なにおいがある．水にやや溶けやすく，メタノールにやや溶けにくく，エタノール(99.5)にほとんど溶けない

原薬の吸湿性　吸湿性はないと考えられる

原薬の融点・沸点・凝固点　融点：約160℃(分解)

原薬の酸塩基解離定数　pKa_1＝1.6(プロリンのカルボキシル基)，pKa_2＝3.1(フェニルプロピルのカルボキシル基)，pKa_3＝7.6(リジンのα位のアミノ基)，pKa_4＝10.7(リジンのε位のアミノ基)(中和滴定法)

先発医薬品等

錠　ゼストリル錠5・10・20(アストラゼネカ)
ロンゲス錠5mg・10mg・20mg(共和薬品)

後発医薬品

錠　5mg・10mg・20mg

国際誕生年月　1987年9月

海外での発売状況　独，ルーマニアなど

製剤

規制区分　錠　処

製剤の性状　5・10mg錠 割線のある白色の蝶形の素錠　20mg錠 割線のある淡黄色の蝶形の素錠

有効期間又は使用期限　3年

貯法・保存条件　室温保存

薬剤取扱い上の留意点 降圧作用に基づくめまい，ふらつきが現れることがあるので，高所作業・自動車の運転等危険を伴う機械を操作する際には注意させること．手術前24時間は投与しないことが望ましい

患者向け資料等 くすりのしおり

溶液及び溶解時のpH 該当しない

浸透圧比 該当しない

安定なpH域 該当しない

調製時の注意 該当しない

薬理作用

分類 アンジオテンシン変換酵素(ACE)阻害薬

作用部位・作用機序 高血圧症：アンジオテンシン変換酵素(ACE)と結合して，その活性を阻害することにより強力な昇圧物質であるアンジオテンシンⅡの産生を抑制し，昇圧作用を弱めて降圧作用を示す．同時に血管拡張作用をもつブラジキニンの不活性化酵素(キニナーゼⅡ)を阻害することにより，カリクレイン・キニン・プロスタグランジン系を賦活することが降圧作用の主な機序と考えられている　慢性心不全(軽症～中等症)：ACE活性を阻害し，アンジオテンシンⅡの産生及びアルドステロンの分泌を抑制する．アンジオテンシンⅡ産生抑制の結果，血管は拡張し，末梢血管抵抗が低下して後負荷が軽減する．一方，アルドステロン分泌抑制によりNa・水の貯留が抑制され，循環血液量が減少して前負荷の軽減をもたらす．また，ACE阻害薬はキニナーゼⅡによるブラジキニンの不活化の抑制，更にブラジキニンによるプロスタグランジン生成促進を介して，血管拡張及びNa・水の排泄を促進し，後負荷・前負荷を軽減すると考えられている．ACE阻害薬は前負荷・後負荷の双方を軽減することで血行動態を改善し，肺うっ血や浮腫などのうっ血症状の改善と左室機能の改善をもたらす

同効薬 カプトプリル，エナラプリルマレイン酸塩などのACE阻害薬

治療

効能・効果 ①高血圧症　②次の状態で，ジギタリス製剤，利尿剤等の基礎治療剤を投与しても十分な効果が認められない場合：慢性心不全(軽症～中等症)

用法・用量 効能①：(1)成人：無水物として1日1回10～20mg(適宜増減)．ただし，重症高血圧症又は腎障害を伴う高血圧症の患者では5mgから開始することが望ましい　(2)6歳以上の小児：無水物として1日1回0.07mg/kg(適宜増減)　効能②：ジギタリス製剤，利尿剤等の基礎治療剤と併用する．無水物として1日1回5～10mg(適宜増減)．ただし，腎障害を伴う患者では初回用量として2.5mgから開始することが望ましい

用法・用量に関連する使用上の注意 ①クレアチニンクリアランスが30mL/分以下，又は血清クレアチニンが3mg/dL以上の重篤な腎機能障害のある患者では，投与量を半量にするか，もしくは投与間隔を延ばす等，慎重に投与する(排泄の遅延による過度の血圧低下及び腎機能を悪化させるおそれがある)　②6歳以上の小児に投与する場合には1日20mgを超えない

禁忌・原則禁忌となる特定患者集団 妊婦又は妊娠している可能性のある婦人

使用上の注意

禁忌 ①本剤の成分に対し過敏症の既往歴のある患者　②血管浮腫の既往歴のある患者(アンジオテンシン変換酵素阻害剤等の薬剤による血管浮腫，遺伝性血管浮腫，後天性血管浮腫，特発性血管浮腫等)［高度の呼吸困難を伴う血管浮腫を発現することがある］　③デキストラン硫酸固定化セルロース，トリプトファン固定化ポリビニルアルコール又はポリエチレンテレフタレートを用いた吸着器によるアフェレーシスを施行中の患者［ショックを起こすことがある］　④アクリロニトリルメタリルスルホン酸ナトリウム膜(AN69)を用いた血液透析施行中の患者［アナフィラキシーを発現することがある］　⑤妊婦又は妊娠している可能性のある婦人　⑥アリスキレンを投与中の糖尿病患者(ただし，他の降圧治療を行ってもなお血圧のコントロールが著しく不良の患者を除く)［非致死性脳卒中，腎機能障害，高カリウム血症及び低血圧のリスク増加が報告されている］

過量投与 ①徴候，症状：過量投与時にみられる主な症状は過度の血圧低下であると考えられる　②処置：通常，生理食塩液の静脈内投与等適切な処置を行い血圧を維持する．また，本剤は血液透析により除去される［ただし，アクリロニトリルメタリルスルホン酸ナトリウム膜(AN69)を用いた血液透析を行わない］

薬物動態

血清中濃度 ①健康成人男子(各6例)：10mg単回経口投与(( )内反復経口投与)時の薬物動態のパラメータ(RIA法)はCmax40±16.8(49.8±16.3)ng/mL，Tmax6.7±0.8(6.8±1)hr，$AUC_{0-\infty}$636±209(643±192：定常状態時のAUC_{0-24}に相当)ng・hr/mL，$T_{1/2}(\alpha)$4.5±1.7(4.4±1.7)hr，$T_{1/2}(\beta)$は33.7±10.3(39.2±15.8)hr　②腎機能障害高血圧症患者(1日1回10mg，4～8日間連続経口投与)：腎機能低下高血圧患者(9例)では，腎機能正常高血圧患者(8例)に比べ排泄が遅延し，血中濃度が上昇．薬物動態パラメータ(RIA法，腎機能正常患者，腎機能低下患者の順)はCmax45.1±4.5，91.8±11.9($p<0.01$)ng/mL，Tmax5.5±0.3，7.1±0.4($p<0.01$)hr，$AUC_{0-\infty}$614±52.4，1503.2±228.6($p<0.01$)ng・hr/mL，$T_{1/2}$7.6±0.4，10±1.1hr　③小児高血圧症患者：高血圧の病歴がある6～16歳未満の小児患者29例に0.1～0.2mg/kgを投与時の薬物動態パラメータ(RIA法，幾何平均(95%信頼区間)，外国人によるデータ)は，平均投与量[体重で調整](mg/kg)，Cmax(ng/mL)，AUC_{0-24}(ng・hr/mL)の順に，6-12歳未満(12例)は0.15，44.7(34.0～58.7)，570.3(420.0～774.4)　12-16歳未満(17例)は0.12，43.5(34.6～54.7)，549.8(425.2～711.0)　④高齢慢性心不全患者(RIA法，外国人)：1日1回5mg7日間投与時，血中濃度-時間曲線下面積(AUC)は健康若年者の約2倍．本剤の腎クリアランスはクレアチニンクリアランスと正の相関が認められた．薬物動態パラメータ[各6例．健康若年者(28.7歳)，健康高齢者(76.3歳)，高齢慢性心不全患者(77.8歳)の順]は，クレアチニンクリアランス(mL/min)投与前110.6±11.4，67.2±8.1，31.2±12，投与後110.5±9.8，58±7.2，38.8±10.7，リシノプリルクリアランス(mL/min)47.5±8.3，20.8±5，12.2±3.7，AUC_{0-96}(ng・hr/mL)526.2±77.8，870.4±139.2，1195.9±145.8　**代謝**　外国人：本剤は活性体であり，ほとんど代謝を受けない　**排泄**　①外国人：主排泄経路は腎で，尿中に主に未変化体として排泄　②健康成人男子に5，10，20mg単回経口投与後72時間までの累積尿中排泄率21～27%　③腎クリアランスは健康成人男子で100mL/分　**その他**　血清蛋白結合率は10ng/mL以上で約10%

その他の管理的事項

投与期間制限 該当しない

保険給付上の注意 該当しない

資料

IF　ロンゲス錠5mg・10mg・20mg　2018年4月改訂(第14版)

リ

L－リシン塩酸塩
L-Lysine Hydrochloride

概要

構造式

分子式 $C_6H_{14}N_2O_2 \cdot HCl$
分子量 182.65
原薬の規制区分 該当しない
原薬の外観・性状 白色の粉末で，僅かに特異な味がある．水又はギ酸に溶けやすく，エタノール(95)にほとんど溶けない．結晶多形が認められる．1.0gを水10mLに溶かした液のpHは5.0～6.0である

L－リシン酢酸塩
L-Lysine Acetate

概要

構造式

分子式 $C_6H_{14}N_2O_2 \cdot C_2H_4O_2$
分子量 206.24
原薬の規制区分 該当しない
原薬の外観・性状 白色の結晶又は結晶性の粉末で，特異なにおいがあり，僅かに酸味がある．水に極めて溶けやすく，ギ酸に溶けやすく，エタノール(99.5)にほとんど溶けない．潮解性である．1.0gを水10mLに溶かした液のpHは6.5～7.5である

リスペリドン
リスペリドン錠
リスペリドン細粒
リスペリドン内服液
Risperidone

概要

薬効分類 117 精神神経用剤
構造式

分子式 $C_{23}H_{27}FN_4O_2$
分子量 410.48
ステム リスペリドン誘導体：-peridone
原薬の規制区分 毒(ただし，1錠中3mg以下を含有するもの，1%以下を含有する細粒剤，1mL中1mg以下を含有する内用剤及び1バイアル中50mg以下を含有する注射剤は劇)
原薬の外観・性状 白色～微黄白色の結晶性の粉末である．メタノール又はエタノール(99.5)にやや溶けにくく，2-プロパノールに極めて溶けにくく，水にほとんど溶けない
原薬の吸湿性 示さなかった
原薬の融点・沸点・凝固点 融点：169～173℃
原薬の酸塩基解離定数 $pKa_1 = 8.24$, $pKa_2 = 3.11$
先発医薬品等
細 リスパダール細粒1%(ヤンセン)
錠 リスパダール錠1mg・2mg・3mg(ヤンセン)
リスパダールOD錠0.5mg・1mg・2mg(ヤンセン)
内用液 リスパダール内用液1mg/mL(ヤンセン)
キット リスパダール コンスタ筋注用25mg・37.5mg・50mg(ヤンセン)
後発医薬品
細 1%
錠 0.5mg・1mg・2mg・3mg・OD錠0.5mg・1mg・2mg・3mg
内用液 0.1%
国際誕生年月 1993年6月
海外での発売状況 **経口** 世界120カ国(承認) **注射用** 米，英，独を含む90カ国以上(承認)

製剤

規制区分 **細** **錠** **内用液** **注射用** 劇 処
製剤の性状 **細** 白色の細粒剤 **1mg錠** 白色の割線入りフィルムコーティング錠 **2・3mg錠** 白色のフィルムコーティング錠 **0.5・2mg口腔内崩壊錠** 白色の素錠(口腔内崩壊錠) **1mg口腔内崩壊錠** 白色の割線入り素錠(口腔内崩壊錠) **内用液** 無色澄明の液剤 **注射用** 白色～微黄白色の粉末
有効期間又は使用期限 36カ月
貯法・保存条件 **細** **錠** 室温保存(防湿保管) **口腔内崩壊錠** 室温保存(高温多湿を避けて保管) **内用液** 室温保存(凍結を避けて保管．なお，冷蔵庫等の低温の場所に保管すると結晶析出の可能性があるので，その際は常温にて振とうするなどして溶解する) **注射用** 2～8℃
薬剤取扱い上の留意点 眠気，注意力・集中力・反射運動能力等の低下が起こることがあるので，本剤投与中の患者には自動車の運転等危険を伴う機械の操作に従事させないよう注意すること
患者向け資料等 **細** **錠** **内用液** 患者向医薬品ガイド，くすりのしおり
溶液及び溶解時のpH **内用液** 2.0～4.0 **注射用** 約7
浸透圧比 **注射用** 約1
調製時の注意 **注射用** 専用懸濁用液で用時懸濁して用いる．調製は付属の懸濁液調製器具(アダプター)を用い，薬剤及び専用懸濁用液を常温に戻してから行うこと．本剤を冷蔵庫から取り出した後は25℃以下で保管し，7日以内に調製を行うこと．懸濁後は25℃以下で取り扱い，6時間以内に投与すること．なお，投与直前に激しく振盪し，再懸濁させる

薬理作用

分類 ドパミンD_2受容体拮抗・セロトニン5-HT_2受容体拮抗性抗精神病薬
作用部位・作用機序 主としてドパミンD_2受容体拮抗作用及びセロトニン5-HT_2受容体拮抗作用に基づく，中枢神経系の調節によるものと考えられる
同効薬 ハロペリドール，ブロムペリドール，クロルプロマジン，レボメプロマジン，クロカプラミン塩酸塩水和物，モサプラミン塩酸塩，スルピリド，ネモナプリド，オランザピン，クエチアピンなど

治療

効能・効果 ①統合失調症 ②(**3mg錠** **キット** 除く)小児期の自閉スペクトラム症に伴う易刺激性
効能・効果に関連する使用上の注意 効能②：原則として5歳以上18歳未満の患者に使用する
用法・用量 **細** **錠** **口腔内崩壊錠** **内用液** 効能①：リスペリドンとして1回1mg，1日2回から開始し，徐々に増量．維持量

は通常1日2～6mgを原則として2回に分服(適宜増減)．ただし，1日量は12mgを超えない　効能②：(1)体重15kg以上20kg未満：リスペリドンとして1日1回0.25mgより開始し，4日目より1日0.5mgを1日2回に分服(適宜増減)．増量する場合は1週間以上の間隔をあけて1日量として0.25mgずつ増量．ただし，1日量は1mgを超えない　(2)体重20kg以上：リスペリドンとして1日1回0.5mgより開始し，4日目より1日1mgを1日2回に分服(適宜増減)．増量する場合は1週間以上の間隔をあけて1日量として0.5mgずつ増量．ただし，1日量は，体重20kg以上45kg未満の場合は2.5mg，45kg以上の場合は3mgを超えない

キット 1回25mgを2週間隔で臀部に筋注．なお，初回量は25mgとし，その後，症状により適宜増減するが，1回量は50mgを超えない

用法・用量に関連する使用上の注意　**細**　**錠**　**口腔内崩壊錠**　**内用液** ①活性代謝物はパリペリドンであり，パリペリドンとの併用により作用が増強するおそれがあるため，本剤とパリペリドンを含有する経口製剤との併用は避ける　②**錠**　**口腔内崩壊錠** 0.25mg単位での調節が必要な場合は，内用液又は細粒を使用する

キット ①臀部筋肉内のみに投与し，静脈内には絶対に投与しない(静脈内に投与された場合，肺等の臓器に微小塞栓を誘発するおそれがある)　②投与3週間後より血中濃度が上昇するため，臨床効果は投与3週間後以降に現れると考えられることから，初回投与後3週間は経口抗精神病薬を併用する等，適切な治療を行う．また，増量後3週間についても必要に応じて経口抗精神病薬の併用を考慮する．なお，増量が必要な場合は，少なくとも同一用量で4週間以上投与した後に，原則として12.5mgずつ，患者の症状を十分観察しながら慎重に増量する　③投与中止後も4～6週間は血中濃度が治療域に維持され，消失するまで約8週間かかるため，中止後も一定期間は患者の症状を慎重に観察し，副作用等の発現に十分に注意する　④炎症部位への投与は行わない．また，本剤による治療中に発熱した場合には，患者の状態を十分観察する(リスペリドンマイクロスフェアからの放出が増加し，血中薬物濃度が増加するおそれがある)

使用上の注意

禁忌　①昏睡状態の患者［昏睡状態を悪化させるおそれがある］　②バルビツール酸誘導体等の中枢神経抑制剤の強い影響下にある患者［中枢神経抑制作用が増強されることがある］　③アドレナリン(アドレナリンをアナフィラキシーの救急治療に使用する場合を除く)，(**キット** のみ)クロザピンを投与中の患者　④本剤の成分及びパリペリドンに対し過敏症の既往歴のある患者

相互作用概要　主としてCYP2D6で代謝される．また，一部CYP3A4の関与も示唆される

過量投与　**細**　**錠**　**口腔内崩壊錠**　**内用液** 徴候，症状：一般に報告されている徴候，症状は，本剤の作用が過剰に発現したものであり，傾眠，鎮静，頻脈，低血圧，QT延長，錐体外路症状等である　**キット** ①徴候，症状：一般に報告されている徴候，症状は，本剤の作用が過剰に発現したものであり，傾眠，鎮静，頻脈，低血圧，QT延長，錐体外路症状等である　②処置：処置に際しては，本剤が持効性製剤であることを考慮し，患者が回復するまで十分観察する

薬物動態

細　**錠**　**口腔内崩壊錠**　**内用液** **血中濃度**　①日本人単回投与試験：健康成人に1mg(内用液又は錠)を経口投与時，血漿中未変化体濃度は投与後約1時間で最高値，消失半減期は約4時間．主代謝物9-ヒドロキシリスペリドン(パリペリドン)の血漿中濃度は投与後約3時間で最高値に達した後，約21時間の半減期で消失．血中濃度パラメータ(未変化体，[　]内は主代謝物)は，Cmax(ng/mL)7.26±4.09[5.39±2]，7.01±3.82[5.19±1.87]，Tmax(hr)0.81±0.22[2.67±2.45]，1.13±0.36[3.27±2.54]，AUC(ng・hr/mL)34.84±35.81[116.54±32.04]，35.5±35.67[115.54±30.08]，$t_{1/2}$(hr)3.57±2.16[20.91±3.72]，3.91±3.25[21.69±4.21]，消失速度定数(hr^{-1})0.243±0.096[0.034±0.007]，0.244±0.102[0.033±0.007]　②小児及び青年の精神疾患患者での成績：小児及び青年の精神疾患患者に錠0.01～0.08mg/kg/日を1日2回反復経口投与時の血中濃度パラメータ(体重あたりの用量0.04mg/kg/日で規格化)[Cmax，ss(ng/mL)，Cmin，ss(ng/mL)，AUCτ，ss(ng・hr/mL)，CL/F(mL/min.kg)の順]は，(1)小児(6～11歳)(12例)：(ｱ)未変化体[12.4±9.0，2.06±2.68，87.5±61.5※1)，6.11±4.15※1)]，(ｲ)主代謝物[16.7±6.8，8.98±3.58，152±58，2.52±1.00]　(2)青年(12～16歳)(12例)：(ｱ)未変化体[22.5±23.9，8.61±13.1，190±235※2)，6.51±6.72※2)](ｲ)主代謝物[16.8±8.8，11.7±6.9，172±94，2.37±1.01※1)]　※1)9例　※2)11例．体重あたりの用量0.04mg/kg/日で規格化した血漿中未変化体のCmax，ss及びAUCτ，ssは青年と比較して小児で若干低値であったが，血漿中主代謝物9-ヒドロキシリスペリドンのCmax，ss及びAUCτ，ssは小児と青年で同程度(外国人データ)　**分布**　①体組織への分布(参考：ラット)：^{14}C-リスペリドンの単回投与後の組織内放射能濃度は，ほとんどの組織において投与2時間以内に最高値，その後の消失は血漿中からの消失と同様な傾向．放射能濃度が最も高かった肝臓では血漿中放射能濃度の12～22倍程度，胃，小腸，副腎，腎臓及び各種腺組織等でも高い放射能濃度が認められた．妊娠ラットに^{14}C-リスペリドンを投与時の胎児中放射能濃度は，血漿中濃度の約1/2　②血液－脳関門通過性：健康成人に1mg錠を単回投与し，脳内におけるドパミンD_2及びセロトニン5-HT_2受容体占拠率にを検討時，各受容体に結合親和性を有することが確認された．したがって，リスペリドンは血液－脳関門を通過することが示唆された　③血漿蛋白結合率：リスペリドン約90.0%(*in vitro*，平衡透析法，10ng/mL)，9-ヒドロキシリスペリドン約77.4%(*in vitro*，平衡透析法，50ng/mL)　**代謝**　健康成人に経口投与時，主に肝臓で代謝されると推定され，主代謝物は9-ヒドロキシリスペリドン．初回通過効果の有無及びその割合：あり(割合は不詳)，代謝物の活性の有無：主代謝物9-ヒドロキシリスペリドンの活性は*in vitro*及び*in vivo*の薬理試験においてリスペリドン未変化体とほぼ同程度かやや弱いことが示されている．代謝酵素(チトクロームP450)の分子種：CYP2D6，CYP3A4　**排泄**　健康成人に1mg錠及び2mg錠を経口投与時，投与後72時間までに排泄された尿中未変化体は約2%で，主代謝物の9-ヒドロキシリスペリドンは約20%．外国人データでは，健康成人に^{14}C-リスペリドン1mgを単回経口投与時，投与後7日間までに放射活性の14%が糞中に，69%が尿中に排泄　**特定の背景を有する患者**　高齢者及び腎機能障害患者での成績：健康成人，高齢者，肝機能障害患者及び腎機能障害患者に1mg錠を単回経口投与時，活性成分(リスペリドン＋9-ヒドロキシリスペリドン)の薬物動態は，健康成人と比して，中等度腎機能障害患者(クレアチニンクリアランス：30～60mL/min/1.73m^2)で$t_{1/2}$に35%の延長及びAUCに2.7倍の増大，重度腎機能障害患者(クレアチニンクリアランス：10～29mL/min/1.73m^2)で$t_{1/2}$に55%の延長及びAUCに2.6倍の増大，高齢者で$t_{1/2}$に30%の延長及びAUCに1.4倍の増大が認められた(外国人データ)　**薬物相互作用**　健康成人，健康高齢者又は患者(統合失調症，統合失調感情障害，双極性障害，精神病)を対象とした薬物相互作用の検討結果(外国人データ)　①リスペリドンの薬物動態に対する他剤の影響：(1)カルバマゼピン：統合失調症患者11例にCYP3A4誘導作用を有するカルバマゼピン(400～1000mg/日反復投与)と本剤(6mg/日反復投与)を21日間併用時の活性成分(リスペリドン＋9-ヒドロキシリスペリドン)のCmax及びAUCτは約50%減少　(2)シメチジン及びラニチジン：健康成人12例にCYP3A4及びCYP2D6阻害作用を有するシメチジン(800mg/日反復投与)と本剤(1mg単回投与)を併用時の活性成分のCmax及びAUCはそれぞれ25%及び8%増加．ま

リ

た，ラニチジン(300mg/日反復投与)と併用時，それぞれ36%及び20%増加　(3)パロキセチン：統合失調症患者12例にCYP2D6阻害作用を有するパロキセチン(10，20及び40mg/日反復投与)と本剤(4mg/日反復投与)を併用時，活性成分の定常状態におけるトラフ値がそれぞれ1.3，1.6及び1.8倍上昇　(4)セルトラリン：統合失調症又は統合失調感情障害患者11例にCYP2D6阻害作用を有するセルトラリン(50mg/日反復投与)と本剤(4～6mg/日反復投与)を併用時，活性成分の血漿中濃度に併用薬は影響を及ぼさなかった．また，セルトラリンを100mg/日に増量した患者では，活性成分の定常状態におけるトラフ値が15%上昇し，150mg/日に増量した2例では，それぞれ36%及び52%上昇　(5)フルボキサミン：統合失調症患者11例にCYP3A4及びCYP2D6阻害作用を有するフルボキサミン(100mg/日反復投与)と本剤(3～6mg/日反復投与)を併用時，活性成分の血漿中濃度に併用薬は影響を及ぼさなかった．また，フルボキサミンを200mg/日に増量した患者では，本剤の定常状態におけるトラフ値が86%上昇したが，9-ヒドロキシリスペリドンの血漿中濃度に影響を及ぼさなかった　(6)イトラコナゾール：統合失調症患者19例にCYP3A4阻害作用を有するイトラコナゾール(200mg/日反復投与)と本剤(2～8mg/日反復投与)を併用時の活性成分の定常状態におけるトラフ値は65%上昇　(7)ベラパミル：健康男性成人12例にP糖蛋白阻害作用を有するベラパミル(240mg反復投与)と本剤(1mg単回投与)を併用時の活性成分のCmax及びAUC_∞はそれぞれ1.3倍及び1.4倍増加　(8)その他：統合失調症患者12例にCYP2D6の基質であるアミトリプチリン(50～100mg/日反復投与)と本剤(6mg/日反復投与)を7日間併用時，健康成人18例にCYP3A4阻害作用を有するエリスロマイシン(2000mg/日反復投与)と本剤(1mg単回投与)を併用時，双極性障害患者19例にCYP3A4の基質であるトピラマート(100～400mg/日反復投与)と本剤(1～6mg/日反復投与)を39日間併用時，健康高齢者16例にCYP2D6及びCYP3A4の基質であるガランタミン(8～24mg/日反復投与)と本剤(1mg/日反復投与)を7日間併用時，健康成人24例にCYP2D6及びCYP3A4の基質であるドネペジル(5mg/日反復投与)と本剤(1mg/日反復投与)を14日間併用時，それぞれ活性成分の薬物動態に併用薬の影響は認められなかった　②他剤の薬物動態に対するリスペリドンの影響：健康高齢者18例にジゴキシン(0.125mg/日)と本剤(0.5mg/日)を10日間併用時，双極I型障害患者10例にバルプロ酸(1000mg/日)と本剤(2～4mg/日)を14日間併用時，それぞれの薬剤の薬物動態に併用の影響は認められなかった．精神病患者13例にリチウム(炭酸リチウムとして443～1330mg/日)を反復投与時のリチウムの薬物動態に，リスペリドン以外の他の抗精神病薬併用からリスペリドン(6mg/日反復投与)併用へ変更しても影響はみられなかった．また，同時検討で，リスペリドンはカルバマゼピン，エリスロマイシン，トピラマート，ガランタミン及びドネペジルの血漿中濃度に影響を及ぼさなかった

キット　**血中濃度**　未変化体リスペリドンと主代謝物9-ヒドロキシリスペリドン(パリペリドン)は同程度の薬理作用を有することから，本剤の薬物動態については，両成分を合算した「活性成分」として検討された　①単回投与：統合失調症患者に単回筋注時の血漿中薬物濃度は，極めて低い濃度を投与後3週間維持した(ラグタイム)後，投与後3～4週で上昇し，4～6週でCmaxに到達した(メイン・ピーク)．その後，投与7週以降から低下し，約8週後には定量下限未満となる推移を示した(外国人データ)．本剤単回投与時の個体間変動は活性成分のCmax及びAUCで24～48%(変動係数)であった．また，本剤の放出プロファイルから予測できない血中濃度推移(ラグタイムにおける一過性の高値又はメイン・ピーク後の上昇)を示す症例が認められた．その時の25mg(14例)及び50mg(26例)の活性成分(リスペリドン+9-ヒドロキシリスペリドン)の薬物動態パラメータはそれぞれ，Cmax(ng/mL)16.1±7.12，39.8±15.7，tmax(day)34.7±4.0，32.8±7.1，$AUC_{0\text{-}t}$(ng・hr/mL)5644±2513，11978±4469，AUC(ng・hr/mL)5766±2485，11654±4129※)，$t_{1/2}$(hr)130.81±118.57，95.12±75.74※)　※)n=25　②反復投与：統合失調症患者に本剤を反復筋注時の血漿中薬物濃度は，初回投与後6週(投与4回目)に定常状態．定常状態における血漿中薬物濃度は25～50mgの範囲で用量相関性が認められた．その時の定常状態における活性成分(リスペリドン+9-ヒドロキシリスペリドン)の薬物動態パラメータは，25mg(8例)，37.5mg(9例)，50mg(9例)の順に，Cmax(ng/mL)22.47±7.47，34.15±11.68，43.58±15.37，tmax(day)9.45±4.76，6.59±4.31，9.41±4.46，$AUC\tau$(ng・hr/mL)5898.19±2010.51，9104.88±3169.44，10673.61±3698.31，Cav(ng/mL)17.60±5.96，27.21±9.40，31.87±11.11，$t_{1/2}$(hr)94.34±25.97，99.33±40.37，95.85±36.87(tmaxは，最終投与を0時間として算出，$AUC\tau$は，最終投与後2週間の血漿中濃度-時間曲線下面積，Cavは，最終投与後2週間の平均血漿中濃度)　**分布**　①体組織への分布(参考：イヌ)：イヌに反復筋注時，最終投与後の組織内活性成分濃度は，投与部位の筋肉を除いて最も高かったのは肺で，次いで肝臓，腎臓，リンパ節及び脳の順で高かった

その他の管理的事項

投与期間制限　該当しない

保険給付上の注意　該当しない

資料

IF　リスパダール細粒1%・錠1mg・2mg・3mg・OD錠1mg・2mg・内用液1mg/mL　2020年5月改訂(第19版)
リスパダールコンスタ筋注用25mg・37.5mg・50mg　2020年7月改訂(第12版)

リセドロン酸ナトリウム水和物
リセドロン酸ナトリウム錠
Sodium Risedronate Hydrate

概要

薬効分類　399　他に分類されない代謝性医薬品

構造式

分子式　$C_7H_{10}NNaO_7P_2 \cdot 2\frac{1}{2}H_2O$

分子量　350.13

略語・慣用名　慣用名：リセドロネート

ステム　カルシウム(骨)代謝改善薬：-dronic acid

原薬の規制区分　毒(ただし，製剤は劇)

原薬の外観・性状　白色の結晶性の粉末である．水にやや溶けやすく，エタノール(99.5)にほとんど溶けない．薄めた希水酸化ナトリウム試液(1→20)に溶ける

原薬の吸湿性　25℃，11～97%RHで1カ月間保存し，重量変化を求めた結果，いずれの相対湿度においても重量変化はほとんど認められなかった

原薬の融点・沸点・凝固点　融点は認められず，220℃付近で白色から徐々に微黄色に着色し，240℃付近で黄褐色に着色した

原薬の酸塩基解離定数　$pKa_1=1.6$，$pKa_2=2.2$，$pKa_3=5.9$，$pKa_4=7.1$，$pKa_5=11.7$

先発医薬品等

錠　アクトネル錠2.5mg・17.5mg・75mg(EAファーマ＝エーザイ)
ベネット錠2.5mg・17.5mg・75mg(武田)

後発医薬品
錠 2.5mg・17.5mg・75mg
国際誕生年月 1998年3月
海外での発売状況 欧米主要国を含む77カ国（承認）

製剤

規制区分 **錠** ㊕ ㊎
製剤の性状 **2.5mg錠** 白色～帯黄白色のフィルムコーティング錠 **17.5mg錠** 淡紅色楕円形のフィルムコーティング錠 **75mg錠** 微黄色楕円形のフィルムコーティング錠
有効期間又は使用期限 5年
貯法・保存条件 室温保存
薬剤取扱い上の留意点 該当しない
患者向け資料等 患者向医薬品ガイド，くすりのしおり，**17.5・75mg錠** 患者向服薬指導箋
溶液及び溶解時のpH 4.2（1→100水溶液）
浸透圧比 該当しない
安定なpH域 該当しない
調製時の注意 該当しない

薬理作用

分類 ビスホスホネート系骨吸収抑制剤
作用部位・作用機序 破骨細胞の機能阻害作用を示し，骨吸収を抑制して骨代謝回転を抑制する
同効薬 アレンドロン酸ナトリウム水和物，エチドロン酸二ナトリウム，ミノドロン酸水和物，メナテトレノン，アルファカルシドール，イプリフラボン，カルシトリオール，ラロキシフェン

治療

効能・効果 ①骨粗鬆症 ②**17.5mg錠（「アメル」「テバ」「JG」を除く）** 骨ページェット病
効能・効果に関連する使用上の注意 ①骨粗鬆症：適用にあたっては，日本骨代謝学会の原発性骨粗鬆症の診断基準等を参考に骨粗鬆症と確定診断された患者を対象とする ②骨ページェット病：適用にあたっては，日本骨粗鬆症学会の「骨Paget病の診断と治療ガイドライン」等を参考に骨ページェット病と確定診断された患者を対象とする
用法・用量 **2.5mg錠** リセドロン酸ナトリウムとして2.5mgを1日1回，起床時に十分量（約180mL）の水とともに内服．なお，服用後少なくとも30分は横にならず，水以外の飲食ならびに他の薬剤の経口摂取も避ける
17.5mg錠 効能①：リセドロン酸ナトリウムとして17.5mgを1週間に1回，起床時に十分量（約180mL）の水とともに内服．なお，服用後少なくとも30分は横にならず，水以外の飲食ならびに他の薬剤の経口摂取も避ける 効能②：リセドロン酸ナトリウムとして17.5mgを1日1回，起床時に十分量（約180mL）の水とともに8週間連日内服．なお，服用後少なくとも30分は横にならず，水以外の飲食ならびに他の薬剤の経口摂取も避ける
75mg錠 リセドロン酸ナトリウムとして75mgを月1回，起床時に十分量（約180mL）の水とともに内服．なお，服用後少なくとも30分は横にならず，水以外の飲食ならびに他の薬剤の経口摂取も避ける
用法・用量に関連する使用上の注意 投与にあたっては次の点を患者に指導する：①水以外の飲料（Ca，Mg等の含量の特に高いミネラルウォーターを含む）や食物あるいは他の薬剤と同時に服用すると，本剤の吸収を妨げることがあるので，起床後，最初の飲食前に服用し，かつ服用後少なくとも30分は水以外の飲食を避ける ②食道炎や食道潰瘍が報告されているので，立位あるいは坐位で，十分量（約180mL）の水とともに服用し，服用後30分は横たわらない ③就寝時又は起床前に服用しない ④口腔咽頭刺激の可能性があるので噛まずに，なめずに服用する ⑤食道疾患の症状（嚥下困難又は嚥下痛，胸骨後部の痛み，高度の持続する胸やけ等）が現れた場合には主治医に連絡する ⑥**17.5mg錠** (1)骨粗鬆症：週1回服用する薬剤であり，同一曜日に服用する．また，服用を忘れた場合は，翌日に1錠服用し，その後はあらかじめ定めた曜日に服用する．なお，1日に2錠服用しない (2)骨ページェット病：再治療は少なくとも2カ月間の休薬期間をおき，生化学所見が正常化しない場合及び症状の進行が明らかな場合にのみ行う ⑦**75mg錠** 月1回服用する薬剤であり，原則として毎月同じ日に服用する．また，本剤の服用を忘れた場合は，翌日に1錠服用し，その後はあらかじめ定めた日に服用する
禁忌・原則禁忌となる特定患者集団 妊婦又は妊娠している可能性のある女性

使用上の注意

禁忌 ①食道狭窄又はアカラシア（食道弛緩不能症）等の食道通過を遅延させる障害のある患者［食道通過が遅延することにより，食道局所における副作用発現の危険性が高くなる］ ②本剤の成分あるいは他のビスホスホネート系薬剤に対し過敏症の既往歴のある患者 ③低カルシウム血症の患者［血清カルシウム値が低下し低カルシウム血症の症状が悪化するおそれがある］ ④服用時に立位あるいは坐位を30分以上保てない患者 ⑤妊婦又は妊娠している可能性のある女性 ⑥高度な腎機能障害（クレアチニンクリアランス値：約30mL/分未満）のある患者
過量投与 ①症状：過量投与により血清カルシウムが低下し，低カルシウム血症の症状・徴候が現れる可能性がある ②処置：吸収を抑えるために，多価陽イオンを含有する制酸剤あるいは牛乳を投与する．また，未吸収薬剤を除去するために胃洗浄を考慮する．必要に応じ，カルシウムの静注等の処置を行う

薬物動態

血中濃度 ①単回投与：(1)2.5mg：健康成人男性に2.5mg又は5mgを絶食下単回経口投与時の血漿中濃度パラメータ及び累積尿中排泄率（2.5mg，5mg投与の順．各6例）はtmax（hr）1.67±0.82，1.42±0.92，Cmax（ng/mL）0.96±0.46，2.05±0.83，$AUC_{0\text{-}24}$（ng・hr/mL）2.90±1.54，6.49±3.43，Tmaxから投与8時間後までの消失相半減期$T_{1/2}$（hr）1.52±0.32，1.61±0.31，累積尿中排泄率（%）0.37±0.17，0.43±0.23．また，65歳以上の健康高齢者女性及び男性に5mgを絶食下単回経口投与時の血清中濃度推移及び累積尿中排泄率（高齢者女性（66.8±1.5歳），男性（68.7±4.5歳）の順．各6例）はtmax（hr）1.33±0.75，1.17±0.68，Cmax（ng/mL）5.11±3.28，5.55±5.33，$AUC_{0\text{-}24}$（ng・hr/mL）22.30±14.87，20.54±19.94，tmaxから投与8時間後までの消失相半減期$t_{1/2}$（hr）1.51±0.23，1.75±0.14，累積尿中排泄率（%）1.18±1.06，1.18±0.77で，高齢者のCmax，$AUC_{0\text{-}24}$及び累積尿中排泄率は非高齢者と比較して高かった．なお，高齢者女性と男性との間に差は認められていない (2)17.5mg：健康閉経後女性に17.5mgを絶食下単回投与時の血清中濃度のパラメータ及び投与後72時間までの累積尿中排泄率は，tmax0.90±1.01h，Cmax13.91±8.78ng/mL，$AUC_{0\text{-}t}$45.47±32.35ng・h/mL，$t_{1/2}$（1.5-6h）1.73±0.57h，$t_{1/2}$（12-24h）11.43±2.58h（4例），累積尿中排泄率0.78±0.49% (3)75mg：健康閉経後女性に75mgを絶食下単回経口投与時の血清中濃度のパラメータ及び投与後168時間までの累積尿中排泄率はCmax58.46±36.25ng/mL，$AUC_{0\text{-}4h}$119.54±59.88ng・h/mL，$AUC_{0\text{-}7d}$197.01±112.17ng・h/mL，tmax0.875h，$t_{1/2}$（tmax-6h）1.56±0.40h，累積尿中排泄率0.82±0.47%．※$AUC_{0\text{-}7d}$は投与後7日目までのAUC，$t_{1/2}$（tmax-6h）はtmaxから投与後6時間までの半減期 ②反復投与：骨粗鬆症患者を対象に5mgを1日1回起床時に24週間反復経口投与時，投与24時間後の血清中濃度は投与8週目以降増加する傾向はなく，血清中濃度推移からは蓄積性はないと考えられる **吸収** ①食事の影響：健康成人男性に5mgを単回経口投与時，食後投与では絶食時投与と比較してCmax及び$AUC_{0\text{-}24}$は大きく減少し，本剤の吸収は食事の影響を大きく受けることが示唆されている ②飲料の影響：本剤をジュース，コーヒー又は紅茶に溶解すると，それぞれ38～45%，20%又は68%の割合で不溶性の錯体

リ

を形成することが確認されている(*in vitro*). また, 類薬でオレンジジュースやコーヒーとともに服用時に生物学的利用率が低下することが報告されている **特定の背景を有する患者** ①腎機能障害患者：腎機能の程度が異なる外国人成人21例に30mgを単回経口投与した試験で, クレアチニンクリアランス(CL_{CR})と腎クリアランス(CLr)の間には相関関係が認められ, CL_{CR}の低下にしたがってCLrは低下. この相関関係より高度な腎機能障害(CL_{CR}＜30mL/分)の患者ではCLrが70%以上減少すると推定される

その他の管理的事項
投与期間制限 該当しない
保険給付上の注意 該当しない
資料
IF アクトネル錠2.5mg・17.5mg・75mg 2020年4月改訂(第23版)

治療
効能・効果 **点眼液** 慢性結膜炎
用法・用量 **点眼液** 1回1～2滴, 1日数回点眼
使用上の注意
禁忌 ①本剤の成分に対し過敏症の既往歴のある患者 ②卵白アレルギーのある患者［本剤の成分は卵白由来の蛋白質で, 卵白アレルギーのある患者においてアナフィラキシー・ショックを含む過敏症状の報告がある］
その他の管理的事項
投与期間制限 該当しない
保険給付上の注意 該当しない
資料
IF ムコゾーム点眼液0.5% 2017年10月改訂(第6版)

リゾチーム塩酸塩
Lysozyme Hydrochloride

概要
薬効分類 131 眼科用剤
構造式

Lys-Val-Phe-Gly-Arg-Cys-Glu-Leu-Ala-Ala-Ala-Met-Lys-Arg-His-Gly-Leu-Asp-Asn-Tyr-
Arg-Gly-Tyr-Ser-Leu-Gly-Asn-Trp-Val-Cys-Ala-Ala-Lys-Phe-Glu-Ser-Asn-Phe-Asn-Thr-
Gln-Ala-Thr-Asn-Arg-Asn-Thr-Asp-Gly-Ser-Thr-Asp-Tyr-Gly-Ile-Leu-Gln-Ile-Asn-Ser-
Arg-Trp-Trp-Cys-Asn-Asp-Gly-Arg-Thr-Pro-Gly-Ser-Arg-Asn-Leu-Cys-Asn-Ile-Pro-Cys-
Ser-Ala-Leu-Leu-Ser-Ser-Asp-Ile-Thr-Ala-Ser-Val-Asn-Cys-Ala-Lys-Lys-Ile-Val-Ser-
Asp-Gly-Asn-Gly-Met-Asn-Ala-Trp-Val-Ala-Trp-Arg-Asn-Arg-Cys-Lys-Gly-Thr-Asp-Val-
Gln-Ala-Trp-Ile-Arg-Gly-Cys-Arg-Leu ・xHCl

分子式 $C_{616}H_{963}N_{193}O_{182}S_{10}\cdot xHCl$
ステム 不明
原薬の規制区分 該当しない
原薬の外観・性状 白色の結晶又は結晶性, 若しくは無晶性の粉末である. 水に溶けやすく, エタノール(99.5)にほとんど溶けない. 3gを水200mLに溶かした液のpHは3.0～5.0である
原薬の吸湿性 吸湿性である
原薬の融点・沸点・凝固点 塩基性の蛋白質で融点はない
原薬の酸塩基解離定数 該当資料なし
後発医薬品
点眼液 0.5%
国際誕生年月 不明
海外での発売状況 **点眼液** 発売されていない
製剤
製剤の性状 **点眼液** 無職澄明の水性点眼剤
有効期間又は使用期限 3年
貯法・保存条件 **点眼液** 気密容器, 室温保存
患者向け資料等 くすりのしおり
溶液及び溶解時のpH **点眼液** 4.5～6.0
浸透圧比 **点眼液** 1.0～1.2
調製時の注意 該当しない
薬理作用
分類 消炎酵素剤
作用部位・作用機序 作用部位：結膜 作用機序：結膜の炎症時における組織修復過程を促進
同効薬 消炎酵素薬

リドカイン
リドカイン注射液
Lidocaine

概要
薬効分類 121 局所麻酔剤, 131 眼科用剤, 212 不整脈用剤
構造式

分子式 $C_{14}H_{22}N_2O$
分子量 234.34
ステム 局所麻酔薬：-caine
原薬の規制区分 (劇)(ただし, リドカインとして5%以下を含有する外用剤又は坐剤を除く)
原薬の外観・性状 白色～微黄色の結晶又は結晶性の粉末である. メタノール又はエタノール(95)に極めて溶けやすく, 酢酸(100)又はジエチルエーテルに溶けやすく, 水にほとんど溶けない. 希塩酸に溶ける
原薬の吸湿性 吸湿しない
原薬の融点・沸点・凝固点 融点：66～69℃
原薬の酸塩基解離定数 pKa＝7.9(25℃)
先発医薬品等
注 キシロカイン注射液0.5%・1%・2%(アスペン)
キシロカイン0.5%筋注用溶解液(アスペン)
静注用キシロカイン2%(アスペン)
キシロカイン注ポリアンプ0.5%・1%・2%(アスペン)
リドカイン注「NM」0.5%・1%・2%(ナガセ＝丸石＝ファイザー)
リドカイン静注液2%「タカタ」(高田)
貼 ペンレステープ18mg(日東電工＝マルホ)
ビスカス キシロカインビスカス2%(アスペン)
点眼液 キシロカイン点眼液4%(アスペン)
外用ゼリー キシロカインゼリー2%(アスペン)
外用液 キシロカイン液「4%」(アスペン)
後発医薬品
注 0.5%・1%・2%
キット 0.5%・1%・2%
噴 8%
貼 18mg
ビスカス 2%
外用ゼリー 2%
国際誕生年月 1949年3月
海外での発売状況 英, 仏, 独など

製剤

規制区分 **注** **注射用** ㊍㊉ **噴** **貼** **ビスカス** ㊍

製剤の性状 **注** **注射用** **点眼液** 無色澄明の液 **噴** 無色～微黄色の澄明な液 **貼** 白色半透明の粘着テープ **外用ゼリー** 無色～微黄色澄明の粘性の液 **ビスカス** 無色～微黄色澄明の粘性の液で芳香がある

有効期間又は使用期限 **注** **注射用** **点眼液** **噴** **貼** **外用ゼリー** 3年 **ビスカス** 2年

貯法・保存条件 **注** **注射用** **噴** **貼** **外用ゼリー** **ビスカス** 室温保存 **点眼液** 遮光，凍結を避け15℃以下

薬剤取扱い上の留意点 金属を侵す性質があるので，長時間金属器具（カニューレ，注射針等）に接触させないことが望ましい．なお，金属器具を使用した場合は，使用後十分に水洗すること **注射用** 本剤中のリドカインは塩酸塩であり，アルカリ性注射液（炭酸水素ナトリウム液等）との配合により，リドカインが析出するので配合しないこと **点眼液** 加熱再滅菌して使用したり，希釈して加熱再滅菌のうえ用いることは絶対にしないこと **噴** 気管チューブには噴霧しないこと．ノズルの取扱い等については添付文書等参照

患者向け資料等 **貼** くすりのしおり

溶液及び溶解時のpH **注** **注射用** **点眼液** 5.0～7.0 **噴** 9.0～9.2 **外用ゼリー** 6.2～6.6 **ビスカス** 6.2～6.8

浸透圧比 **注** **注射用** 約1（対生食）

薬理作用

分類 アミド型局所麻酔薬・抗不整脈薬

作用部位・作用機序 作用部位：局所の神経線維 作用機序：神経膜のナトリウムチャネルをブロックし，神経における活動電位の伝導を可逆的に抑制し，知覚神経及び運動神経を遮断する

同効薬 〔局所麻酔〕メピバカイン塩酸塩，ブピバカイン塩酸塩，レボブピバカイン塩酸塩，ロピバカイン塩酸塩，プロカイン塩酸塩，ジブカイン塩酸塩など 〔不整脈用薬〕メキシレチン塩酸塩

治療

効能・効果 **ビスカス** **外用ゼリー** **外用液** **噴** 表面麻酔

〔局所麻酔剤〕**0.5%注・キット** **1%注・キット** **2%注・キット** ①硬膜外麻酔，伝達麻酔，浸潤麻酔 ②上肢手術における静脈内区域麻酔

1%注・キット **2%注・キット** 硬膜外麻酔，伝達麻酔，浸潤麻酔，表面麻酔

〔抗不整脈剤〕**静注用2%注・キット** **点滴用1%** ①期外収縮（心室性，上室性），発作性頻拍（心室性，上室性） ②急性心筋梗塞時及び手術に伴う心室性不整脈の予防

0.5%筋注用溶解液 抗生物質製剤の筋注時の疼痛緩和

点眼液 眼科領域における表面麻酔

貼 ①静脈留置針穿刺時の疼痛緩和 ②伝染性軟属腫摘除時の疼痛緩和 ③皮膚レーザー照射療法時の疼痛緩和

用法・用量 〔局所麻酔剤〕**0.5%注・キット** **1%注・キット** **2%注・キット** 硬膜外・伝達・浸潤麻酔での基準最高用量はリドカイン塩酸塩として1回200mg：①**0.5%注・キット** (1)硬膜外麻酔：25～150mg，交感神経遮断には25～100mg（適宜増減） (2)伝達麻酔：15～200mg，指趾神経遮断には15～50mg，肋間神経遮断には25mgまで（適宜増減） (3)浸潤麻酔：10～200mg（適宜増減） (4)上肢手術における静脈内区域麻酔：200mgまで（適宜増減） ②**1%注・キット** (1)硬膜外麻酔：100～200mg（適宜増減） (2)伝達麻酔：30～200mg，指趾神経遮断には30～100mg，肋間神経遮断には50mgまで（適宜増減） (3)浸潤麻酔：20～200mg（適宜増減） (4)表面麻酔：塗布又は噴霧（適宜増減）③**2%注・キット** (1)硬膜外麻酔：200mg（適宜増減） (2)伝達麻酔：40～200mg，指趾神経遮断には60～120mg（適宜増減） (3)浸潤麻酔：40～200mg（適宜増減） (4)表面麻酔：塗布又は噴霧（適宜増減）

〔抗不整脈剤〕**静注用2%注・キット** 静脈内1回投与法：リドカイン塩酸塩として1回50～100mg（1～2mg/kg）を1～2分間で，緩徐に静注．効果が認められない場合には，5分後に同量を投与．また，効果の持続を期待するときには10～20分間隔で同量を追加投与しても差し支えないが，1時間内の基準最高投与量は300mgとする．静注の効果は，通常10～20分で消失する

点滴用1% 点滴静脈内投与法：静脈内1回投与が有効で，効果の持続を期待する場合に，心電図の連続監視下に点滴静注を行う．リドカイン塩酸塩として1分間に1～2mgの速度で静注．必要な場合には投与速度を増してもよいが，1分間に4mg以上の速度では重篤な副作用が現れるので4mgまでにとどめる．必要に応じて24時間あるいはそれ以上連続投与しても差し支えないが，過量投与を避けるため，心電図の連続監視と頻回の血圧測定が必要である

0.5%筋注用溶解液 抗生物質製剤を筋注する場合の疼痛緩和のための溶解液として用いる．リドカイン塩酸塩として10～15mg．静注には使用しない

ビスカス リドカイン塩酸塩として1回100～300mg（5～15mL：添付の匙でほぼ1～3杯又は注射筒に吸引して使用する）を1日1～3回経口的に投与（適宜増減）使用方法：①内視鏡検査，その他咽喉頭・食道部の麻酔には，本剤を一気に嚥下することなく徐々に飲み込ませる ②口腔内麻酔には，不必要部の麻酔を避ける目的で嚥下させることなく，口腔内に拡げるだけにとどめさせる ③胃部麻酔を目的とする場合（ダンピング症候群，幽門痙攣等）は，速やかに嚥下させ，コップ半分の水で洗い落とさせる

外用液 リドカイン塩酸塩として80～200mg（適宜増減）．使用方法：①耳鼻咽喉科領域：鼻腔内，咽喉に刺激性薬物を塗布する前処置，耳管カテーテル挿入，下甲介切除，鼻中隔矯正，扁桃剔出，咽喉頭鏡検査等の場合，適量（一時に5mL（リドカイン塩酸塩として200mg）以内）を塗布又は噴霧 ②泌尿器科領域：膀胱鏡検査，尿管カテーテル挿入，逆行性腎盂撮影法，凝血除去，結石処置，経尿道式尿道乳頭腫剔除等の場合，本剤を倍量に希釈し，その約10mL（リドカイン塩酸塩として200mg）を尿道内に注入し，男子では陰茎を箝搾子ではさみ，女子には綿栓を施して5～10分間，液を尿道内に貯留させる ③気管支鏡検査：全身麻酔時の挿管には本剤を倍量に希釈し，その適量（10mL（リドカイン塩酸塩として200mg）以内）を噴霧

外用ゼリー リドカイン塩酸塩として尿道麻酔には男子は200～300mg，女子は60～100mg，気管内挿管には適当量を使用する（適宜増減）

噴 リドカインとして8～40mg（1～5回噴霧）（適宜増減）．使用方法：①添付のノズルを装着し，ノズル内に溶液が充満するよう，患部に噴霧する前に火気に注意して，少なくとも5回空噴霧した後に麻酔部位に噴霧する．麻酔部位に噴霧する際には溶液が霧状となるようノズルを強く押す ②ノズルを1回押すごとに溶液0.1mL（リドカインとして8mg含有）が噴霧される．通常1～5回の噴霧（溶液0.1～0.5mL：リドカインとして8～40mg）で十分である．広範な部位を麻酔する場合及び麻酔効果をさらに長時間持続させる場合には，噴霧回数を適宜調節する．ただし一時に25回（リドカインとして200mg）以上の噴霧は避ける ③小児に使用する場合や，扁桃炎等で充血している場合には十分注意して使用する ④残液量が少なくなった場合はチューブの先端が下側になるようにして使用する

点眼液 1～5滴点眼（適宜増減）

貼 効能①：1回1枚，静脈留置針穿刺予定部位に約30分間貼付 効能②：小児には1回2枚までを，伝染性軟属腫摘除予定部位に約1時間貼付 効能③：1回6枚まで，小児には次記枚数までを，レーザー照射予定部位に約1時間貼付．※3歳以下：2枚，4～5歳：3枚，6～7歳：4枚，8～9歳：5枚，10歳以上：6枚

用法・用量に関連する使用上の注意 〔局所麻酔剤〕**0.5%注・キット** **1%注・キット** **2%注・キット** 上肢手術における静脈内区域麻酔：①注入後20分以内は駆血帯を解除しない ②

静脈内区域麻酔には，血管収縮剤（アドレナリン等）を添加しない

貼 ①本剤除去後ただちに処置等を行う ②伝染性軟属腫摘除時の疼痛緩和に使用する場合，本剤を患部に応じた適切な大きさに切って貼付する ③皮膚レーザー照射療法時の疼痛緩和に使用する場合，小児における貼付枚数は，体重，患部の大きさを考慮して，必要最小限にとどめる

使用上の注意

禁忌 〔局所麻酔剤〕**0.5%注・キット 1%注・キット 2%注・キット** ①本剤の成分又はアミド型局所麻酔薬に対し過敏症の既往歴のある患者 ②〔硬膜外麻酔〕大量出血やショック状態の患者［過度の血圧低下が起こることがある］ ③〔硬膜外麻酔〕注射部位又はその周辺に炎症のある患者［化膿性髄膜炎症状を起こすことがある］ ④〔硬膜外麻酔〕敗血症の患者［敗血症性の髄膜炎を生じるおそれがある］

〔抗不整脈剤〕**静注用2%注・キット 点滴用1%** ①重篤な刺激伝導障害（完全房室ブロック等）のある患者［心停止を起こすおそれがある］ ②本剤の成分又はアミド型局所麻酔薬に対し過敏症の既往歴のある患者

0.5%筋注用溶解液 本剤の成分又はアミド型局所麻酔薬に対し過敏症の既往歴のある患者

ビスカス 外用ゼリー 外用液 噴 点眼液 貼 本剤の成分又はアミド型局所麻酔剤に対し過敏症の既往歴のある患者

相互作用概要 主としてCYP1A2及びCYP3A4で代謝される

過量投与 〔局所麻酔剤〕**0.5%注・キット 1%注・キット 2%注・キット** 局所麻酔薬の血中濃度の上昇に伴い，中毒が発現する．特に誤って血管内に投与した場合には，数分以内に発現することがある．その症状は，主に中枢神経系及び心血管系の症状として現れる：①徴候，症状：⑴中枢神経系の症状：初期症状として不安，興奮，多弁，口周囲の知覚麻痺，舌のしびれ，ふらつき，聴覚過敏，耳鳴，視覚障害，振戦等が現れる．症状が進行すると意識消失，全身痙攣が現れ，これらの症状に伴い低酸素血症，高炭酸ガス血症が生じるおそれがある．より重篤な場合には呼吸停止をきたすこともある ⑵心血管系の症状：血圧低下，徐脈，心筋収縮力低下，心拍出量低下，刺激伝導系の抑制，心室性頻脈及び心室細動等の心室性不整脈，循環虚脱，心停止等が現れる ②処置：呼吸を維持し，酸素を十分投与することが重要である．必要に応じて人工呼吸を行う．振戦や痙攣が著明であれば，ジアゼパム又は超短時間作用型バルビツール酸製剤（チオペンタールナトリウム等）を投与する．心機能抑制に対しては，カテコールアミン等の昇圧剤を投与する．心停止をきたした場合にはただちに心マッサージを開始する

〔抗不整脈剤〕**静注用2%注・キット 点滴用1%** ①徴候，症状：⑴中枢神経系の症状：初期症状として不安，興奮，多弁，口周囲の知覚麻痺，舌のしびれ，ふらつき，聴覚過敏，耳鳴，視覚障害，振戦等が現れる．症状が進行すると意識消失，全身痙攣が現れ，これらの症状に伴い低酸素血症，高炭酸ガス血症が生じるおそれがある．より重篤な場合には呼吸停止をきたすこともある ⑵心血管系の症状：血圧低下，徐脈，心筋収縮力低下，心拍出量低下，刺激伝導系の抑制，心室性頻脈及び心室細動等の心室性不整脈，循環虚脱，心停止等が現れる ②処置：呼吸を維持し，酸素を十分投与することが重要である．必要に応じて人工呼吸を行う．振戦や痙攣が著明であれば，ジアゼパム又は超短時間作用型バルビツール酸製剤（チオペンタールナトリウム等）を投与する．心機能抑制に対しては，カテコールアミン等の昇圧剤を投与する．心停止をきたした場合にはただちに心マッサージを開始する

内用ゼリー ビスカス 外用ゼリー 外用液 噴 局所麻酔薬の血中濃度の上昇に伴い，中毒が発現する．その症状は，主に中枢神経系及び心血管系の症状として現れる：①徴候，症状：⑴中枢神経系の症状：初期症状として不安，興奮，多弁，口周囲の知覚麻痺，舌のしびれ，ふらつき，聴覚過敏，耳鳴，視覚障害，振戦等が現れる．症状が進行すると意識消失，全身痙攣が現れ，これらの症状に伴い低酸素血症，高炭酸ガス血症が生じるおそれがある．より重篤な場合には呼吸停止をきたすこともある ⑵心血管系の症状：血圧低下，徐脈，心筋収縮力低下，心拍出量低下，刺激伝導系の抑制，心室性頻脈及び心室細動等の心室性不整脈，循環虚脱，心停止等が現れる ②処置：呼吸を維持し，酸素を十分投与することが重要である．必要に応じて人工呼吸を行う．振戦や痙攣が著明であれば，ジアゼパム又は超短時間作用型バルビツール酸製剤（チオペンタールナトリウム等）を投与する．心機能抑制に対しては，カテコールアミン等の昇圧剤を投与する．心停止をきたした場合にはただちに心マッサージを開始する

貼 局所麻酔剤の血中濃度の上昇に伴い，中毒が発現する．その症状は，主に中枢神経系及び心血管系の徴候，症状として現れる ①徴候・症状：⑴中枢神経系の症状：初期症状として不安，興奮，多弁，口周囲の知覚麻痺，舌のしびれ，ふらつき，聴覚過敏，耳鳴，視覚障害，振戦等が現れる．症状が進行すると意識消失，全身痙攣が現れ，これらの症状に伴い低酸素血症，高炭酸ガス血症が生じるおそれがある．より重篤な場合，呼吸停止を来すこともある ⑵心血管系の症状：血圧低下，徐脈，心筋収縮力低下，心拍出量低下，刺激伝導系の抑制，心室性頻脈及び心室細動等の心室性不整脈，循環虚脱，心停止等が現れる ②処置：過量投与時には次の治療を行うことが望ましい ⑴中枢神経系及び心血管系の症状が起きたらただちに本剤を剥離する ⑵呼吸を維持し，酸素を十分投与することが重要である．必要に応じて人工呼吸を行う．振戦や痙攣が著明であれば，ジアゼパム又は超短時間作用型バルビツール酸製剤（チオペンタールナトリウム等）を投与する．心機能抑制に対しては，カテコールアミン等の昇圧剤を投与する．心停止をきたした場合，ただちに心マッサージを開始する

薬物動態

注 キット 外用液 ビスカス 外用ゼリー 噴 点眼液

吸収及び血中動態 ①**0.5%注 1%注 2%注** ⑴外国人健康成人に2%リドカイン液20mL（リドカイン塩酸塩として400mg）を単独あるいはアドレナリンを添加（1：200000）して硬膜外投与時，アドレナリン添加時の血漿中濃度は，単独投与時に比べ最高濃度は有意に低下，最高濃度到達時間は有意に延長．血漿中濃度パラメータ（本剤単独，アドレナリン添加の順）は動脈血ではCmax（μg/mL）3.7±0.5，2.1±0.4，Tmax（min）12±3，25±4，$AUC_{0\text{-}4h}$（μg・min/mL）274±19，221±71，静脈血ではCmax（μg/mL）2.4±0.6，0.95±0.12，Tmax（min）11±6，102±84，$AUC_{0\text{-}4h}$（μg・min/mL）235±21，102±43 ⑵外国人手術患者（10例）に5%リドカイン液1.5mL（リドカイン塩酸塩として75mg）を脊椎麻酔時，血漿中濃度は投与後約15分で最高（0.32±0.07μg/mL），その後消失 ②**静注用2%注・キット 点滴用1・10%** ⑴外国人健康人にリドカイン塩酸塩25，75，100mgを静注時，血清中濃度は注入直後に最高，いずれも約2時間の半減期で減少．生物学的パラメータ（25，75，100mgの順）はVd（L/kg）3.21±0.45，3.92±0.41，3.34±0.46，$T_{1/2}$（hr）1.8±0.1，2.04±0.17，2.09±0.14，CLtot（mL/min/kg）20.6±2.6，22.5±1.9，18.1±1.9 ⑵外国人患者にリドカイン塩酸塩1mg/kgを静注後，2～3mg/分で点滴静注時，血中濃度は注入終了時に2～6.5μg/mLの最大値，約90分の半減期で減少 ⑶高齢者にリドカイン塩酸塩50mgを静注後の終末相半減期は140分を示し，若齢者の81分に比べて延長 ③**0.5%筋注用溶解液** 外国人患者（30例）にリドカイン塩酸塩200mg筋注時，血漿中濃度は注入後15～30分で最高濃度（約2μg/mL），その後約2時間の半減期で減少 ④**外用液** 咽頭・気管内への投与後の吸収は速く，手術患者（10例）に4%リドカイン液（リドカイン塩酸塩2mg/kg）を咽頭・気管内に投与時，血清中濃度は投与後約10分で最高，その後消失．消化管からの吸収率は高いが，吸収後に肝臓で代謝されるため血中濃度の上昇への寄与は少ない ⑤**ビスカス** 外国人患者（5例）にリドカイン液（500mg）を単回経口投与時，

血漿中濃度は投与後約30分で最高(約1μg/mL)，その後約2時間の消失半減期で減少 ⑥**外用ゼリー** 外国人患者に2%リドカイン液(リドカイン塩酸塩約25mg)を気管内挿管時に使用で，吸収は速く，血中濃度は15分後に最高0.1～0.2μg/mL．消化管からの吸収率は高いが，吸収後に肝臓で代謝されるために血中濃度の上昇への寄与は少ない ⑦**噴** 咽頭・気管内への投与後の吸収は速く，外国人患者に10%リドカイン(100mg)又は5%リドカイン(50mg)溶液を気管内及び咽頭部に噴霧時，血漿中濃度は投与後5～20分に，自発呼吸患者の50mg投与群(6例)では0.55±0.29μg/mL，100mg投与群(5例)では1.03±0.25μg/mL，調節呼吸患者の100mg投与群(5例)では1.6±0.38μg/mLの最高濃度．消化管からの吸収率は高いが，吸収時に肝臓で代謝されるために血中濃度の上昇への寄与は少ない ⑧**点眼液** 眼球結膜・眼瞼結膜から吸収 ⑨**内用ゼリー** 健康成人に本剤10g(リドカイン塩酸塩として200mg)を咽喉頭麻酔を目的として経口投与(本剤5gを2回，1回あたり2.5分ずつ咽頭内に保持した後嚥下)した時，血漿中リドカイン濃度は投与後約60分で184.3±77.9ng/mLの最高に達し，1.9時間の半減期で消失した．また，AUCは492±218ng・hr/mL，クリアランスは513±291L/hr，分布容積は1390±621L ⑩高齢者にリドカイン塩酸塩50mgを静注後の終末相半減期は140分を示し，若齢者の81分に比べて延長
分布 リドカイン2μg/mLの血漿蛋白結合率は約65%で，α1-酸性糖蛋白及びアルブミンと結合．血液/血漿中濃度比は約0.8であることから，血球への分布は少ないと考えられる．妊婦にリドカイン塩酸塩を硬膜外投与時，臍帯静脈血液中濃度と母体血漿中濃度の比は0.5～0.7で，胎盤を通過 **代謝** 主として肝臓でN-脱エチル体monoethyl glycinexylidide(MEGX)に代謝後，glycinexylidide(GX)，2,6-xylidineに代謝され，約70%が4-hydroxy-2,6-xylidineとして尿中に排泄 **排泄** ^{3}H-標識リドカイン250mgを外国人健康人に経口投与24時間後までの尿中排泄率は83.8%，未変化体は2.8% **病態時における薬物動態** 外国人心不全患者及び腎不全患者にリドカイン塩酸塩50mgを静注後の消失半減期は，健康人に比べ有意な変動はなく，肝機能低下患者では約3倍に延長
貼 **血清中濃度** ①健康成人：健康成人男子6例の上肢内側に本剤2枚(リドカインとして36mg)を単回貼付(4時間)時，薬物動態パラメータは，Cmax13.2±14.0(ng/mL)，Tmax6.0(hr)，AUC_{0-28}90.5±53.8(ng・hr/mL)，$T_{1/2}$1.65(hr)．また，貼付開始24時間後の血清中リドカイン濃度は定量限界(2ng/mL)未満であった ※本剤の承認用法・用量と異なる(用法・用量参照) ②伝染性軟属腫患者：6～8歳の小児伝染性軟属腫患者18例の体幹又は四肢に，本剤2枚(リドカインとして36mg)を非分割群12例又は分割群(1枚につき8分割)6例に単回貼付(2時間)した際の血清中リドカイン濃度(ng/mL)は，非分割群[例数，平均±標準偏差，最小値－最大値(中央値)]，分割群[例数，平均±標準偏差，最小値－最大値(中央値)]の順に，貼付後1時間が[6 1.86±3.62，0.000-9.182(0.3580)]，[－，－，－] 2時間(除去直後)が[12，30.15±56.74，0.000-195.7 (5.075)]，[6，12.52 ± 7.99，0.9547-23.37(13.00)] 4時間(除去後2時間)が[6，13.85±9.73，1.457-27.31(12.98)]，[6，10.62±4.87，3.627-17.97(11.33)]．なお，被験者毎の測定ポイントは2点であった ※本剤の承認用法・用量と異なる(用法・用量参照) ③皮膚レーザー照射療法患者：成人の太田母斑，扁平母斑患者12例の顔面母斑患部に，本剤1枚(リドカインとして18mg)又は3枚(リドカインとして54mg)を2時間貼付時の薬物動態パラメータ[Cmax(ng/mL)，Tmax(hr)，AUC_{0-24}(ng・hr/mL)，$T_{1/2}$(hr)の順]に，1枚貼付群(6例)[25.2±22.5，2.2±0.4，112.7±86.4，3.7±0.9]，3枚貼付群(6例)[92.4±68.8，2.2±0.4，395.9±259.0，3.7±1.0] ※本剤の承認用法・用量と異なる(用法・用量参照)．また，成人の太田母斑，扁平母斑，異所性蒙古斑，外傷性色素沈着症患者58例に，本剤1～6枚を1時間貼付時の血清中リドカイン濃度の最大値は144.8ng/mL(顔面3枚貼付，除去直後時)，1歳以上の小児及び成人血管腫患者(単純性血管腫，苺状血管腫，毛細血管拡張症)42例に，本剤1～6枚を1時間貼付時の血清中リドカイン濃度の最大値は小児で322.1ng/mL(1歳，体重11kg，顔面2枚貼付，除去直後時)，成人で206.7ng/mL(52歳，体重46kg，顔面6枚貼付，除去直後時) **排泄** 健康成人男子6例に，本剤2枚(リドカインとして36mg)を単回貼付(4時間)時，除去後24時間(貼付開始後28時間)までのリドカイン未変化体の累積尿中排泄率は，貼付量の0.04% ※本剤の承認用法・用量と異なる(用法・用量参照)

その他の管理的事項
投与期間制限 該当しない
保険給付上の注意 該当しない
資料
IF キシロカイン注射液0.5%・1%・2% 2017年7月改訂(第10版)
静注用キシロカイン2% 2017年7月改訂(第12版)
キシロカイン点眼液4% 2017年7月改訂(第8版)
キシロカインポンプスプレー8% 2017年7月改訂(第10版)
ペンレステープ18mg 2018年10月改訂(第10版)
キシロカインゼリー2% 2017年7月改訂(第7版)
キシロカインビスカス2% 2017年7月改訂(第9版)

リトドリン塩酸塩
リトドリン塩酸塩錠
リトドリン塩酸塩注射液
Ritodrine Hydrochloride

概要
薬効分類 259 その他の泌尿生殖器官及び肛門用薬
構造式

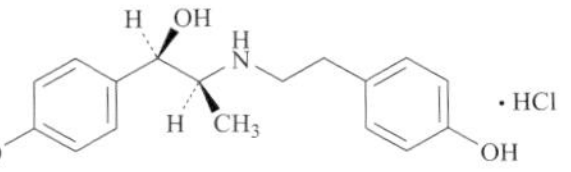

及び鏡像異性体

分子式 $C_{17}H_{21}NO_3$・HCl
分子量 323.81
ステム 交感神経様作用薬：-drine
原薬の規制区分 [劇](ただし，1個中リトドリンとして5mg以下を含有する内用剤を除く)
原薬の外観・性状 白色の結晶性の粉末である．水，メタノール又はエタノール(99.5)に溶けやすい．0.01mol/L塩酸試液に溶ける．本品の水溶液(1→10)は旋光性を示さない．光により徐々に淡黄色となる．1.0gを水50mLに溶かした液のpHは4.5～5.5である
原薬の吸湿性 吸湿性はほとんどない
原薬の融点・沸点・凝固点 融点：約196℃(分解)
原薬の酸塩基解離定数 pKa_1＝9.02，pKa_2＝10.13，pKa_3＝10.77
先発医薬品等
[錠] ウテメリン錠5mg(キッセイ)
[注] ウテメリン注50mg(キッセイ)
後発医薬品
[錠] 5mg
[注] 1%
国際誕生年月 1972年8月
海外での発売状況 該当資料なし
製剤
規制区分 [錠] [処] [注] [劇] [処]

リ

製剤の性状 [錠] 白色のフィルムコート錠 [注] 無色澄明の注射液
有効期間又は使用期限 3年
貯法・保存条件 [錠] 気密容器，遮光・室温保存 [注] 禁凍結，2～8℃
患者向け資料等 くすりのしおり
溶液及び溶解時のpH [注] 4.7～5.5
浸透圧比 [注] 約1(対0.9%生食)
調製時の注意 [注] 電解質溶液の使用は肺水腫防止のため避けること

薬理作用

分類 β受容体刺激剤
作用部位・作用機序 β受容体に対する選択的な刺激効果に基づきc-AMP含量を増加させ，Ca^{2+}の貯蔵部位への取り込みを促進して子宮運動抑制をきたすと考えられるとともに，膜の過分極，膜抵抗減少及びスパイク電位発生抑制をきたし，子宮収縮抑制作用を発揮する
同効薬 切迫流産：ピペリドレート塩酸塩，インクスプリン塩酸塩，ヒト絨毛性性腺刺激ホルモンなど 切迫早産：ピペリドレート塩酸塩，イソクスプリン塩酸塩，硫酸マグネシウム・ブドウ糖など

治療

効能・効果 [錠] 切迫流・早産
[注] 緊急に治療を必要とする切迫流・早産
用法・用量 [錠] 1回5mg，1日3回食後(適宜増減)
[注] 50mgを5%ブドウ糖注射液又は10%マルトース注射液500mLに希釈し，毎分50μgから点滴静注を開始し，子宮収縮抑制状況及び母体心拍数等を観察しながら適宜増減する．子宮収縮の抑制後は症状を観察しながら漸次減量し，毎分50μg以下の速度を維持して収縮の再発がみられないことが確認された場合には中止する．有効用量は毎分50～150μg．なお，注入薬量は毎分200μgを超えないようにする
禁忌・原則禁忌となる特定患者集団 妊娠16週未満の妊婦

使用上の注意

禁忌 ①強度の子宮出血，子癇，前期破水例のうち子宮内感染を合併する症例，常位胎盤早期剥離，子宮内胎児死亡，その他妊娠の継続が危険と判断される患者［妊娠継続が危険と判断される］ ②重篤な甲状腺機能亢進症の患者［症状が増悪するおそれがある］ ③重篤な高血圧症の患者［過度の昇圧が起こるおそれがある］ ④重篤な心疾患の患者［心拍数増加等により症状が増悪するおそれがある］ ⑤重篤な糖尿病の患者［過度の血糖上昇が起こるおそれがある．また，糖尿病性ケトアシドーシスが現れることもある］ ⑥重篤な肺高血圧症の患者［肺水腫が起こるおそれがある］ ⑦妊娠16週未満の妊婦 ⑧本剤の成分に対し重篤な過敏症の既往歴のある患者

薬物動態

血中濃度 ①錠：10mgを健康成人5例に単回投与時の薬物動態パラメータは，Tmax1時間，Cmax9.9ng/mL，AUC29.85ng・時/mL，$T_{1/2}$0.20及び1.36時間 ②注：健康成人5例に100μg/分で1時間点滴静注時の薬物動態パラメータは，Tmax0.67時間，Cmax31.7ng/mL，AUC52.62ng・時/mL，$T_{1/2}$0.15及び4.66時間 **排泄** ①錠：10mgを健康成人に単回投与時，投与後48時間までに投与量の85.5%が尿中に排泄，そのほとんどは投与後12時間以内に排泄 ②注：健康成人に100μg/分で1時間点滴静注時，投与開始から48時間以内に投与量の50%が尿中に排泄，そのほとんどは12時間以内に排泄

その他の管理的事項

投与期間制限 該当しない
保険給付上の注意 該当しない

資料

IF ウテメリン錠5mg 2016年2月改訂(第5版)
ウテメリン注50mg 2015年12月改訂(第6版)

リバビリン
リバビリンカプセル
Ribavirin

概要

薬効分類 625 抗ウイルス剤
構造式

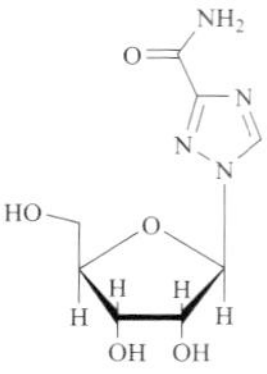

分子式 $C_8H_{12}N_4O_5$
分子量 244.20
ステム 抗ウイルス剤：-vir-
原薬の規制区分 [劇]
原薬の外観・性状 白色の結晶性の粉末である．水又は*N*,*N*-ジメチルホルムアミドに溶けやすく，メタノールに溶けにくく，エタノール(99.5)にほとんど溶けない．結晶多形が認められる
原薬の吸湿性 認められない
原薬の融点・沸点・凝固点 融点：167～171℃
先発医薬品等
[カ] レベトールカプセル200mg(MSD)
後発医薬品
[錠] 200mg
国際誕生年月 1999年5月
海外での発売状況 米，英，仏，独など

製剤

規制区分 [カ] [劇] [処]
製剤の性状 [カ] 白色・不透明の硬カプセル剤
有効期間又は使用期限 [カ] 3年
貯法・保存条件 室温保存
薬剤取扱い上の留意点 投与により，貧血(溶血性貧血等)を起こす可能性があることから，患者に対し貧血に関連する副作用(めまい等)の発現の可能性について十分説明すること．また，定期的に臨床検査を行うなど患者の状態を十分に観察し，異常が認められた場合には減量，休薬等の適切な処置を行うこと．抑うつ，自殺企図が現れることがある．また，躁状態，攻撃的行動が現れ，他害行為に至ることがある．患者の精神状態に十分注意し，不眠，不安，焦燥，興奮，攻撃性，易刺激性等が現れた場合には投与を中止する等，投与継続の可否について慎重に検討すること．また，これらの症状が認められた場合には，投与終了後も観察を継続することが望ましい．抑うつ，自殺企図をはじめ，躁状態，攻撃的行動，不眠，不安，焦燥，興奮，攻撃性，易刺激性等の精神神経症状発現の可能性について患者及びその家族に十分理解させ，これらの症状が現れた場合には直ちに連絡するよう注意を与えること．原体のままの状態で目や皮膚に対する刺激性を有することが報告されており，カプセルをはずして粉末状態で処方することは避けること．また，破損の可能性があるため，PTP包装から取り出して自動分包機にはかけないこと．カプセルをはずして服用することは避けるよう指導すること
患者向け資料等 患者向医薬品ガイド，くすりのしおり
溶液及び溶解時のpH 該当資料なし
浸透圧比 該当資料なし
安定なpH域 該当資料なし
調製時の注意 該当しない

薬理作用

分類 プリンヌクレオシドアナログ

作用部位・作用機序 細胞内でRTP(リバビリン三リン酸)に代謝され，HCV及びBVDV(ウシウイルス性下痢症ウイルス)由来RdRp(RNA依存性RNAポリメラーゼ)によるRNAへのGTPの取込みを抑制し，HCV由来RdRpの基質として認識されRNAに誤って取り込まれることが示された．また，同じRNAウイルスであるポリオウイルスに対してゲノムのRNAに突然変異を誘導することが報告されている．これらの成績から，リバビリンはHCVのゲノムに突然変異を誘導し，ゲノムを不安定にすることにより抗ウイルス作用を示すと考えられた

同効薬 なし

治療

効能・効果 ①インターフェロンアルファ-2b(遺伝子組換え)，ペグインターフェロンアルファ-2b(遺伝子組換え)又はインターフェロンベータとの併用による次のいずれかのC型慢性肝炎におけるウイルス血症の改善：(1)血中HCV RNA量が高値の患者 (2)インターフェロン製剤単独療法で無効の患者又はインターフェロン製剤単独療法後再燃した患者 ②ペグインターフェロンアルファ-2b(遺伝子組換え)との併用によるC型代償性肝硬変におけるウイルス血症の改善 ③ソホスブビルとの併用によるセログループ2(ジェノタイプ2)のC型慢性肝炎又はC型代償性肝硬変におけるウイルス血症の改善

効能・効果に関連する使用上の注意 ①本剤は，C型慢性肝炎におけるウイルス血症の改善に対してはインターフェロンアルファ-2b(遺伝子組換え)，ペグインターフェロンアルファ-2b(遺伝子組換え)又はインターフェロンベータと，C型代償性肝硬変におけるウイルス血症の改善に対してはペグインターフェロンアルファ-2b(遺伝子組換え)と併用する．ただし，セログループ2(ジェノタイプ2)のC型慢性肝炎又はC型代償性肝硬変におけるウイルス血症の改善に対しては，ソホスブビルと併用することができる．C型慢性肝炎又はC型代償性肝硬変におけるウイルス血症の改善に対する本剤の単独療法は無効である ②C型慢性肝炎又はC型代償性肝硬変におけるウイルス血症の改善に対する併用にあたっては，HCV RNAが陽性であること，及び組織像又は肝予備能，血小板数等により慢性肝炎又は代償性肝硬変であることを確認する．なお，血中HCV RNA量が高値のC型慢性肝炎に本剤を用いる場合，血中HCV RNA量がRT-PCR法で105IU/mL以上又はb-DNA法で1Meq/mL以上であることを確認する

用法・用量 効能①：(1)体重60kg以下の場合：1日600mg(朝食後200mg，夕食後400mg) (2)60kgを超え80kg以下の場合：1日800mg(朝食後400mg，夕食後400mg) (3)80kgを超える場合：1日1000mg(朝食後400mg，夕食後600mg)．投与に際しては，患者の状態を考慮し，減量，中止等の適切な処置を行う 効能②：(1)投与開始前のヘモグロビン濃度が14g/dL以上の患者：(ア)体重60kg以下の場合：1日600mg(朝食後200mg，夕食後400mg) (イ)60kgを超え80kg以下の場合：1日800mg(朝食後400mg，夕食後400mg) (ウ)80kgを超える場合：1日1000mg(朝食後400mg，夕食後600mg) (2)投与開始前のヘモグロビン濃度が14g/dL未満の患者：(ア)体重60kg以下の場合：1日400mg(朝食後200mg，夕食後200mg) (イ)60kgを超え80kg以下の場合：1日600mg(朝食後200mg，夕食後400mg) (ウ)80kgを超える場合：1日800mg(朝食後400mg，夕食後400mg)．投与に際しては，患者の状態を考慮し，減量，中止等の適切な処置を行う 効能③：(1)体重60kg以下の場合：1日600mg(朝食後200mg，夕食後400mg) (2)60kgを超え80kg以下の場合：1日800mg(朝食後400mg，夕食後400mg) (3)80kgを超える場合：1日1000mg(朝食後400mg，夕食後600mg)．投与に際しては，患者の状態を考慮し，減量，中止等の適切な処置を行う

用法・用量に関連する使用上の注意 〔1〕ペグインターフェロンアルファ-2b(遺伝子組換え)またはインターフェロンベータとの併用によるC型慢性肝炎におけるウイルス血症の改善の場合：(1)ペグインターフェロンアルファ-2b(遺伝子組換え)は，1回1.5μg/kgを週1回皮下注 (2)インターフェロンベータは，1日600万国際単位で開始し，投与後4週間までは連日，以後週3回静注または点滴静注 〔2〕ペグインターフェロンアルファ-2b(遺伝子組換え)との併用によるC型代償性肝硬変におけるウイルス血症の改善の場合，ペグインターフェロンアルファ-2b(遺伝子組換え)1回1.0μg/kgを週1回皮下注 〔3〕ソホスブビルまたはオムビタスビル水和物・パリタプレビル水和物・リトナビル配合剤と併用する場合の投与開始時の臨床検査値基準，投与期間およびソホスブビルまたはオムビタスビル水和物・パリタプレビル水和物・リトナビル配合剤の用法・用量は，ソホスブビルまたはオムビタスビル水和物・パリタプレビル水和物・リトナビル配合剤の添付文書を確認する 〔4〕投与期間は，臨床効果(HCV RNA，ALT等)および副作用の程度を考慮しながら慎重に決定する．特に好中球数，血小板数，ヘモグロビン濃度の推移に注意し，本剤の減量あるいは中止基準に従う：(1)ペグインターフェロンアルファ-2b(遺伝子組換え)またはインターフェロンベータとの併用によるC型慢性肝炎におけるウイルス血症の改善の場合：(ア)セログループ1(ジェノタイプI(1a)またはII(1b))で血中HCV RNA量が高値の患者における通常の投与期間は48週間である．ペグインターフェロンアルファ-2b(遺伝子組換え)との併用の場合，臨床試験の結果より，中止例では有効性が低下するため，減量・休薬等の処置により可能な限り48週間投与することが望ましい．なお，24週間以上の投与で効果が認められない場合，中止を考慮する (イ)それ以外の患者における通常の投与期間は24週間 (2)ペグインターフェロンアルファ-2b(遺伝子組換え)との併用によるC型代償性肝硬変におけるウイルス血症の改善の場合，通常の投与期間は48週間である．なお，24週間以上の投与で効果が認められない場合，中止を考慮する 〔5〕使用にあたっては，次の臨床検査値(投与前値)を確認することが望ましい (1)C型慢性肝炎におけるウイルス血症の改善：白血球数4000/mm^{3}以上，血小板数100000/mm^{3}以上，ヘモグロビン濃度12g/dL以上 (2)C型代償性肝硬変におけるウイルス血症の改善：好中球数1500/mm^{3}以上，血小板数70000/mm^{3}以上，ヘモグロビン濃度12g/dL以上． 国内臨床試験において，リバビリンとして体重あたり1日13mg/kgを超える量を投与した場合，貧血の発現頻度の増加が認められた．なお，C型慢性肝炎に対し本剤とペグインターフェロンアルファ-2b(遺伝子組換え)の併用に他の抗HCV剤を併用する場合，抗HCV剤の用法関連注意を確認する 〔6〕本剤とペグインターフェロンアルファ-2b(遺伝子組換え)またはインターフェロンベータの併用投与中は，定期的に血液学的検査を実施し，好中球数，血小板数，ヘモグロビン濃度の低下が認められた場合，次を参考にして用量を変更する(重要な基本的注意参照)．なお，C型慢性肝炎に対し本剤とペグインターフェロンアルファ-2b(遺伝子組換え)の併用に他の抗HCV剤を併用する場合，抗HCV剤の用法・用量に関する使用上の注意を参考に本剤またはペグインターフェロンアルファ-2b(遺伝子組換え)の用量を変更する：(1)C型慢性肝炎におけるウイルス血症の改善(ペグインターフェロンアルファ-2b(遺伝子組換え)またはインターフェロンベータ併用時の用量調整)：(a)白血球数1500/mm^{3}未満：本剤は変更なし，ペグインターフェロンアルファ-2b(遺伝子組換え)またはインターフェロンベータ(以下：IFNα-2b，PEG-IFNα-2bまたはIFNβ)は半量に減量 (b)白血球数1000/mm^{3}未満：本剤は中止，IFNα-2b，PEG-IFNα-2bまたはIFNβは中止 (c)好中球数750/mm^{3}未満：本剤は変更なし，IFNα-2b，PEG-IFNα-2bまたはIFNβは半量に減量 (d)好中球数500/mm^{3}未満：本剤は中止，IFNα-2b，PEG-IFNα-2bまたはIFNβは中止 (e)血小板数80000/mm^{3}未満(インターフェロンベータは50000/mm^{3}未満)：本剤は変更なし，IFNα-2b，PEG-IFNα-2bまたはIFNβは半量に減量 (f)血小板数50000/mm^{3}未満

（インターフェロンベータは25000/mm^{3}未満）：本剤は中止, IFNα-2b,PEG-IFNα-2bまたはIFNβは中止　(g)ヘモグロビン濃度(心疾患またはその既往なし)10g/dL未満：本剤は減量(600mg/日→400mg/日,800mg/日→600mg/日,1000mg/日→600mg/日),IFNα-2b,PEG-IFNα-2bまたはIFNβは変更なし　(h)ヘモグロビン濃度(心疾患またはその既往なし)8.5g/dL未満：本剤は中止,IFNα-2b,PEG-IFNα-2bまたはIFNβは中止　(i)ヘモグロビン濃度(心疾患またはその既往あり)10g/dL未満,または投与中,投与前値に比べ2g/dL以上の減少が4週間持続：本剤は減量(600mg/日→400mg/日,800mg/日→600mg/日,1000mg/日→600mg/日),IFNα-2b,PEG-IFNα-2bまたはIFNβは変更なし　(j)ヘモグロビン濃度(心疾患またはその既往あり)8.5g/dL未満,または減量後,4週間経過しても12g/dL未満：本剤は中止,IFNα-2b,PEG-IFNα-2bまたはIFNβは中止　(2)C型代償性肝硬変におけるウイルス血症の改善(ペグインターフェロンアルファ-2b(遺伝子組換え)併用時の用量調整)：(a)好中球数750/mm^{3}未満：本剤は変更なし,ペグインターフェロンアルファ-2b(遺伝子組換え)(以下：PEG-IFNα-2b)は半量に減量　(b)好中球数500/mm^{3}未満：本剤は中止,PEG-IFNα-2bは中止　(c)血小板数50000/mm^{3}未満：本剤は変更なし,PEG-IFNα-2bは半量に減量　(d)血小板数35000/mm^{3}未満：本剤は中止,PEG-IFNα-2bは中止　(e)ヘモグロビン濃度※)(投与開始前のHb濃度が14g/dL以上)10g/dL未満：本剤は減量(600mg/日→400mg/日,800mg/日→600mg/日,1000mg/日→600mg/日), PEG-IFNα-2bは変更なし　(f)ヘモグロビン濃度※)(投与開始前のHb濃度が14g/dL以上)8.5g/dL未満：本剤は中止,PEG-IFNα-2bは中止　(g)ヘモグロビン濃度※)(投与開始前のHb濃度が14g/dL未満)10g/dL未満：本剤は減量(400mg/日→200mg/日,600mg/日→400mg/日,800mg/日→400mg/日),PEG-IFNα-2bは変更なし　(h)ヘモグロビン濃度※)(投与開始前のHb濃度が14g/dL未満)8.5g/dL未満：本剤は中止,PEG-IFNα-2bは中止　※)心疾患またはその既往がある患者に投与する場合には,Hb濃度が10g/dL以上であっても投与前に比べ2g/dL以上の減少が4週間持続する場合は本剤の減量を,Hb濃度が8.5g/dL以上であっても減量後4週間経過しても12g/dL未満の場合には中止を考慮する(慎重投与参照)〔7〕本剤とソホスブビルの併用投与中は,定期的に血液学的検査を実施し,好中球数,血小板数,ヘモグロビン濃度の低下が認められた場合には,次を参考にして用量を変更する.なお,投与を再開する場合には,臨床検査値が次の中止基準を上回ったことを確認する.また,血小板数の減少による投与中止後の本剤の再開は,次を参考にする：(1)セログループ1(ジェノタイプ1)を除くC型慢性肝炎におけるウイルス血症の改善(ソホスブビル併用時の用量調整)：(ア)好中球数500/mm^{3}未満：中止　(イ)血小板数：(a)50000/mm^{3}未満：中止　(b)25000/mm^{3}未満：中止(再開不可)　(ウ)ヘモグロビン濃度(心疾患またはその既往なし)：(a)10g/dL未満：減量(600mg/日→400mg/日,800mg/日→600mg/日,1000mg/日→600mg/日)　(b)8.5g/dL未満：中止　(エ)ヘモグロビン濃度(心疾患またはその既往あり)：(a)10g/dL未満,または投与中,投与前値に比べ2g/dL以上の減少が4週間持続：減量(600mg/日→400mg/日,800mg/日→600mg/日,1000mg/日→600mg/日)　(b)8.5g/dL未満,または減量後,4週間経過しても12g/dL未満：中止　(2)セログループ1(ジェノタイプ1)を除くC型代償性肝硬変におけるウイルス血症の改善(ソホスブビル併用時の用量調整)：(ア)好中球数500/mm^{3}未満：中止　(イ)血小板数：(a)50000/mm^{3}未満：中止　(b)25000/mm^{3}未満：中止(再開不可)　(ウ)ヘモグロビン濃度(心疾患またはその既往なし)：(a)投与開始1～4週時11g/dL未満,投与開始5～12週時10g/dL未満：減量(600mg/日→200mg/日,800mg/日→400mg/日,1000mg/日→400mg/日)　(b)8.5g/dL未満：中止　(エ)ヘモグロビン濃度(心疾患またはその既往あり)：(a)投与開始1～4週時11g/dL未満,または投与中,投与前値に比べ2g/dL以上の減少が4週間持続,投与開始5～12週時10g/dL未満,または投与中,投与前値に比べ2g/dL以上の減少が4週間持続：減量(600mg/日→200mg/日,800mg/日→400mg/日,1000mg/日→400mg/日)　(b)8.5g/dL未満,または減量後,4週間経過しても12g/dL未満：中止〔8〕本剤とオムビタスビル水和物・パリタプレビル水和物・リトナビル配合剤の併用投与中は,定期的に血液学的検査を実施し,好中球数,血小板数,ヘモグロビン濃度の低下が認められた場合には,次を参考にして用量を変更する：セログループ2(ジェノタイプ2)のC型慢性肝炎におけるウイルス血症の改善(オムビタスビル水和物・パリタプレビル水和物・リトナビル配合剤併用時の用量調整)：(1)白血球数：(ア)1500/mm^{3}未満：変更なし　(イ)1000/mm^{3}未満：中止　(2)好中球数：(ア)750/mm^{3}未満：変更なし　(イ)500/mm^{3}未満：中止　(3)血小板数：(ア)80000/mm^{3}未満：変更なし　(イ)50000/mm^{3}未満：中止　(4)ヘモグロビン濃度(心疾患またはその既往なし)：(ア)10g/dL未満：減量(600mg/日→400mg/日,800mg/日→600mg/日,1000mg/日→600mg/日)　(イ)8.5g/dL未満：中止　(5)ヘモグロビン濃度(心疾患またはその既往あり)：(ア)10g/dL未満,または投与中,投与前値に比べ2g/dL以上の減少が4週間持続：減量(600mg/日→400mg/日,800mg/日→600mg/日,1000mg/日→600mg/日)　(イ)8.5g/dL未満,または減量後,4週間経過しても12g/dL未満：中止

禁忌・原則禁忌となる特定患者集団　妊婦,妊娠している可能性のある女性又は授乳中の女性

使用上の注意

警告　①催奇形性が報告されているので,妊婦又は妊娠している可能性のある婦人には投与しない　②催奇形性及び精巣・精子の形態変化等が報告されているので,妊娠する可能性のある女性患者及びパートナーが妊娠する可能性のある男性患者に投与する場合には,避妊をさせる　③精液中への移行が否定できないことから,パートナーが妊婦の男性患者に投与する場合には,使用上の注意を厳守する

禁忌　**レベトール**　①妊婦,妊娠している可能性のある女性又は授乳中の女性［動物実験で催奇形性作用及び胚・胎児致死作用が報告されている］　②本剤の成分又は他のヌクレオシドアナログ(アシクロビル,ガンシクロビル,ビダラビン等)に対し過敏症の既往歴のある患者　③コントロールの困難な心疾患(心筋梗塞,心不全,不整脈等)のある患者［貧血が原因で心疾患が悪化することがある］　④異常ヘモグロビン症(サラセミア,鎌状赤血球性貧血等)の患者［貧血が原因で異常ヘモグロビン症が悪化することがある］　⑤慢性腎不全又はクレアチニンクリアランスが50mL/分以下の腎機能障害のある患者［血中濃度が上昇し,重大な副作用が生じることがある］　⑥重度のうつ病,自殺念慮又は自殺企図等の重度の精神病状態にある患者又はその既往歴のある患者［うつ病が悪化又は再燃することがある］　⑦重篤な肝機能障害患者［肝予備能が低下している可能性があり,重大な副作用が生じることがある］　⑧自己免疫性肝炎の患者［自己免疫性肝炎が悪化することがある］

薬物動態

血中濃度　①単回投与：健康成人男性(6名)に200,400,600,800,1000,1200mgを空腹時単回経口投与時,血漿中未変化体濃度Cmaxは200～800mg,AUC_{0-t}は200～1000mgの用量範囲でそれぞれ線形性が認められ,それ以上の投与量では吸収の頭打ちが示唆された　②反復投与：C型慢性肝炎患者(15名)に400mg(800mg/日)を朝夕食後に1日2回48週間,ペグインターフェロンアルファ-2b(遺伝子組換え)(以下：PEG-IFNα-2b)の1.5μg/kg週1回皮下注との併用で,反復経口投与時の血清中未変化体濃度は次の通り(定常状態(14名※1)),初回投与(15名),累積係数※2)の順：(1)Tmax(hr)：3.00,3.33,－　(2)Cmax(μg/mL)：3.33,0.604,6.53※2)　(3)Cmin(μg/mL)：2.42,0.221,12.2※2)　(4)AUC_{0-12hr}※3)(μg・hr/mL)：32.5,4.02,9.42※2)　(5)$T_{1/2}$(hr)：286,27.1,－　(6)CL/F(L

/hr)：12.7[※2)]，37.8，－　(7)Vd/F(L)：5374[※2)]，1472，－．血清中未変化体濃度は投与開始後8週目までに定常状態に到達し，Cmax，Cmin及び$AUC_{0\text{-}12hr}$に基づく累積係数はそれぞれ6.53，12.2，9.42．定常状態に到達後の消失半減期は286時間　※1)投与期間の途中から朝食後服用量のみ400→200mgに変更し，1日投与量を800→600mgに減量した3症例を含む　※2)前記減量症例を含まない11例の平均　※3)投与間隔間のAUC　③食事の影響：健康成人男女(17名，外国人)に600mgを食後又は空腹時に単回経口投与時，食後投与時ではCmax及びAUCが約70%上昇し，Tmaxの遅延が認められた　④静注時：健康成人男性(6名，外国人)に本剤溶液150mgを急速静注時，血漿中未変化体の全身クリアランス(CL)は40.5L/hr，定常状態における見かけの分布容積(Vss)は241L．同一被験者に400mgを空腹時経口投与でのAUCとの比較により算出した絶対バイオアベイラビリティ(経口投与時のAUC/静注時のAUC)は64%　⑤肝機能障害患者：17名(外国人)に600mgを空腹時単回経口投与の血漿中未変化体濃度のパラメータは次の通り(正常(6名)，軽度(5名)，中等度(7名)，重度(5名)の順)：(1)Tmax(hr)：1.33，1.60，1.29，1.60　(2)Cmax(μg/mL)：0.643，0.886，1.05，1.27　(3)$AUC_{0\text{-}t}$(μg・hr/mL)：15.2，13.0，14.2，18.4．肝機能障害患者では肝機能障害の重症度に応じてCmaxが上昇したが，Tmax及びAUCに明らかな変化は認められなかった　⑥腎機能障害患者：腎機能障害患者18名(外国人)に400mgを空腹時単回経口投与の血漿中未変化体濃度のパラメータは次の通り(クレアチニンクリアランスCLcr(mL/min)：>90，61～90，31～60，10～30(各6名)の順)：(1)Cmax(μg/mL)：0.630，0.821，0.732，1.16　(2)$AUC_{0\text{-}t}$(μg・hr/mL)：9.65，17.5，20.4，31.7　(3)全身クリアランスCL/F(L/hr)：53.2，29.8，24.2，13.0　(4)腎クリアランスCLr(L/hr)：7.74，4.31，2.15，0.696．腎機能障害患者ではクレアチニンクリアランスに応じて全身クリアランス(CL/F)が低下(禁忌参照)．人工透析依存の腎不全患者(6名)に400mgを空腹時単回経口投与で，人工透析クリアランス(CLhd=4.04L/hr)はクレアチニンクリアランスが61～90(mL/min)の腎機能障害患者の腎クリアランス(4.31L/hr)にほぼ相当する値であったが，血漿中未変化体濃度について人工透析による明らかな変化は認められなかった(禁忌参照)．ただし，クレアチニンクリアランスが50mL/分以下の腎機能障害のある患者には投与禁忌　**分布**　①血漿蛋白結合：ヒト血漿蛋白と本剤との結合は全く認められず，非結合率はほぼ100%(*in vitro*)　②血球移行：健康成人男性(6名，外国人)に^{14}C-標識リバビリンカプセル604mgを空腹時単回経口投与時，赤血球中濃度は血液(全血)中濃度の約2倍の値を示したことから，血中成分の大部分は赤血球中に存在していると推察　③組織内分布(参考)：ラットに^{14}C-標識リバビリン溶液20mg/kgを1日1回21日間反復経口投与時，組織中濃度は血球を除くほとんどの組織で投与7日目までに定常状態に到達し，全身組織へ広範に分布．組織中濃度は肝臓で最も高く，次いで腎臓，心臓，筋肉，肺，脾臓，膵臓，腸間膜リンパ節，前立腺，膀胱，骨髄に高濃度に分布　④胎盤・胎児移行(参考)：妊娠ラットに^{14}C-標識リバビリン溶液20mg/kgを単回経口投与時，胎児組織中への移行が認められた　**代謝**　体内からの消失に関わる主要な代謝経路は，ribofuranosyl基の脱離及び3位側鎖(carboxamide)の加水分解で，代謝物として1H-1,2,4-triazole-3-carboxamide(TCONH2)，1-β-D-ribofuranosyl-1H-1,2,4-triazole-3-carboxylic acid(RTCOOH)及び1H-1,2,4-triazole-3-carboxylic acid(TCOOH)が確認されている．本剤の薬効に関与しているもう1つの代謝経路は，ribofuranosyl基5'位のリン酸化であり，代謝物としてリバビリン一リン酸(RMP)，リバビリン二リン酸(RDP)及びリバビリン三リン酸(RTP)が確認されている．これらのリン酸化体は組織細胞中にのみ存在し，細胞外(血漿，尿)には認められない．ヒト肝ミクロソームを用いた*in vitro*代謝実験の結果，前記のいずれの代謝経路でも，チトクロムP450系の介在は否定されている　**排泄**　①尿・糞中排泄：健康成人男性(6名，外国人)に^{14}C-リバビリン標識カプセル604mgを空腹時単回経口投与後14日目までの尿及び糞中排泄率はそれぞれ61%及び12%．同時点までの尿中未変化体排泄率は17%で，尿中に占める割合は約27%　②胆汁中排泄(参考)：ラットに^{14}C-標識リバビリン溶液20mg/kgを単回経口投与後48時間までの胆汁中排泄率は0.8%未満　③母乳中への移行(参考)：授乳中のラットに^{14}C-標識リバビリン溶液20mg/kgを単回経口投与時，母乳/血漿濃度比は0.6～1.3，本剤又は代謝物の母乳への移行性が認められた　**薬物相互作用**　①チトクロムP450系への影響：ヒト肝ミクロソームを用いた*in vitro*阻害実験の結果，CYP3A4，2D6，1A2，2E1，2C9/10の各P450分子種について本剤添加による阻害作用は認められなかった．参考：ラットに本剤溶液を1日1回7日間反復経口投与時，120mg/kgまでの投与量では肝薬物代謝酵素系への誘導作用は認められなかった　②PEG-IFN α-2b併用の影響：C型慢性肝炎患者(12～17名，外国人)を対象とした本剤600～1200mg/日の1日2回経口投与とPEG-IFN α-2b0.35，0.7又は1.4μg/kg週1回皮下注との併用による4週間反復投与試験において，薬物動態学的相互作用を示唆する所見は認められなかった　③水酸化マグネシウム・水酸化アルミニウム併用の影響：健康成人男女(12名，外国人)に本剤600mgを空腹時に単独又は水酸化マグネシウム・水酸化アルミニウム含有製剤と併用で，併用時ではCmax，AUCがそれぞれ3.3%，13.7%減少したが，Tmaxに影響は認められなかった　※承認された1日投与量は，C型慢性肝炎においては600～1000mg，C型代償性肝硬変においては400～1000mg

その他の管理的事項

投与期間制限　該当しない

保険給付上の注意　該当しない

資料

IF　レベトールカプセル200mg　2019年12月改訂(第22版)

リファンピシン
リファンピシンカプセル
Rifampicin

概要

薬効分類　616　主として抗酸菌に作用するもの，623　抗ハンセン病剤

構造式

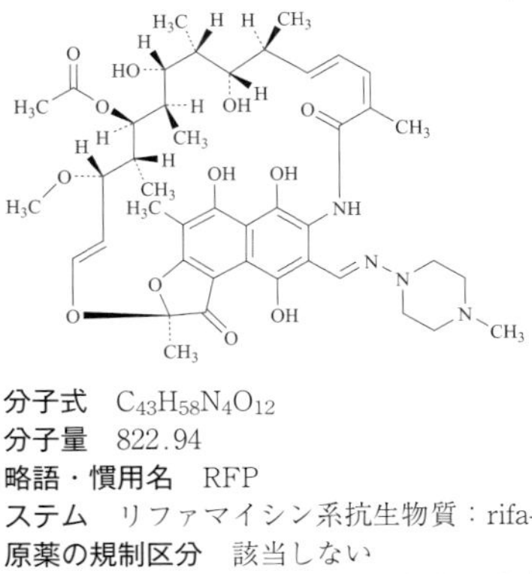

分子式　$C_{43}H_{58}N_4O_{12}$

分子量　822.94

略語・慣用名　RFP

ステム　リファマイシン系抗生物質：rifa-

原薬の規制区分　該当しない

原薬の外観・性状　橙赤色～赤褐色の結晶又は結晶性の粉末である．水，アセトニトリル，メタノール又はエタノール(95)に溶けにくい

原薬の吸湿性　吸湿性はほとんどない
原薬の融点・沸点・凝固点　183～188℃で黒変分解し，明確な融点を示さない
原薬の酸塩基解離定数　$pKa_1=1.7$，$pKa_2=7.9$
先発医薬品等
カ リファジンカプセル150mg(第一三共)
後発医薬品
カ 150mg
国際誕生年月　1968年5月
海外での発売状況　米，英，仏，独，豪など

製剤

規制区分　**カ** ㊇
製剤の性状　**カ** 青色不透明/赤色不透明のカプセル剤
有効期間又は使用期限　3年
貯法・保存条件　室温保存，吸湿注意
薬剤取扱い上の留意点　該当しない
患者向け資料等　患者向医薬品ガイド，くすりのしおり
溶液及び溶解時のpH　該当しない
浸透圧比　該当しない
安定なpH域　該当しない
調製時の注意　該当しない

薬理作用

分類　抗結核・抗ハンセン病抗生物質
作用部位・作用機序　細菌のDNA依存性RNAポリメラーゼに作用し，RNA合成を阻害することにより抗菌作用を示すが，動物細胞のRNAポリメラーゼは阻害しない
同効薬　イソニアジド，イソニアジドメタンスルホン酸ナトリウム水和物，エタンブトール塩酸塩，ピラジナミド，サイクロセリン，パラアミノサリチル酸カルシウム水和物，アルミノパラアミノサリチル酸カルシウム水和物，エチオナミド，エンビオマイシン硫酸塩

治療

効能・効果　〈適応菌種〉本剤に感性のマイコバクテリウム属〈適応症〉肺結核及びその他の結核症，マイコバクテリウム・アビウムコンプレックス(MAC)症を含む非結核性抗酸菌症，ハンセン病
用法・用量　①肺結核及びその他の結核症：1回450mg(力価)，1日1回毎日服用(適宜増減)．ただし，感性併用剤のある場合は週2日服用でもよい．原則として朝食前空腹時服用とし，他の抗結核剤と併用することが望ましい　②MAC症を含む非結核性抗酸菌症：1回450mg(力価)を1日1回毎日服用．原則として朝食前空腹時投与とし，年齢，症状，体重により適宜増減するが，1日最大量は600mg(力価)を超えない　③ハンセン病：1回600mg(力価)を1カ月に1～2回又は1回450mg(力価)を1日1回毎日(適宜増減)．原則として朝食前空腹時服用とし，他の抗ハンセン病剤と併用する
用法・用量に関連する使用上の注意　①肺結核及びその他の結核症に対する本剤の使用にあたっては，耐性菌の発現等を防ぐため，原則として感受性を確認し，疾病の治療上必要な最小限の期間の投与にとどめる　②本剤をMAC症を含む非結核性抗酸菌症に使用する際には，投与開始時期，投与期間，併用薬等について国内外の各種学会ガイドライン等，最新の情報を参考に，投与する

使用上の注意

禁忌　①胆道閉塞症又は重篤な肝障害のある患者［副作用として肝障害が発現することがあり，肝機能をさらに悪化させる］　②タダラフィル(アドシルカ)，マシテンタン，ペマフィブラート，チカグレロル，ボリコナゾール，HIV感染症治療薬(インジナビル硫酸塩エタノール付加物，サキナビルメシル酸塩，ネルフィナビルメシル酸塩，ホスアンプレナビルカルシウム水和物，アタザナビル硫酸塩，リルピビリン塩酸塩，エルビテグラビル・コビシスタット・エムトリシタビン・テノホビル　ジソプロキシルフマル酸塩，エルビテグラビル・コビシスタット・エムトリシタビン・テノホビル　アラフェナミドフマル酸塩)，テラプレビル，シメプレビルナトリウム，ダクラタスビル塩酸塩，アスナプレビル，ダクラタスビル塩酸塩・アスナプレビル・ベクラブビル塩酸塩，バニプレビル，ソホスブビル，レジパスビル　アセトン付加物・ソホスブビル，グレカプレビル水和物・ピブレンタスビル，テノホビル　アラフェナミドフマル酸塩，オムビタスビル水和物・パリタプレビル水和物・リトナビル，エルバスビル，グラゾプレビル水和物，アメナメビル，アルテメテル・ルメファントリン又はプラジカンテルを投与中の患者　③本剤の成分に対し過敏症の既往歴のある患者
相互作用概要　CYP3A4をはじめとする肝薬物代謝酵素，P糖蛋白を誘導する作用がある
過量投与　①徴候・症状：(1)皮膚・唾液・涙液・汗・顔面の橙赤色化(red man syndrome)，嘔気・嘔吐，腹痛，肝肥大，黄疸，AST(GOT)・ALT(GPT)等の上昇，頭痛，顔面又は眼窩周囲浮腫　(2)急性肺水腫，嗜眠，意識障害，痙攣，低血圧，洞頻脈，心室性不整脈，心停止　②処置：胃洗浄，活性炭の投与，強制利尿，血液透析等，必要に応じて適切な処置を行う

薬物動態

血中濃度　健康成人に450mgを朝食前30分に単回経口投与時の薬物動態パラメータ(n=4)は，Tmax(hr)1.90，Cmax(μg/mL)7.99，$t_{1/2}$(hr)2.26　**分布**　喀痰，肺・骨・腎等の各臓器，リンパ液及び脳脊髄液等の体液に広く分布する．また，乳汁，臍帯血及び羊水中へ移行することが認められている　**代謝**　健康成人に450mgを経口投与時，尿中に検出される主な代謝物は，Desacetyl-rifampicin(DA-RFP)，3-Formyl-rifamycin SV及びRFP-glucuronides等であった．DA-RFPは，RFPよりやや劣る抗菌力を示した．なお，RFPは肝薬物代謝酵素チトクロムP450(主にCYP3A4)を誘導する　**排泄**　健康成人1例に450mgを朝食前に単回経口投与時，投与後24時間までに糞便中に約58％，尿中に約30％が排泄．また，胆汁中に排泄されたRFP及びDA-RFPは腸肝循環することが認められている
腎機能障害患者での体内動態　腎機能障害患者4例に300mgを単回経口投与時，投与後1～2時間で最高血中濃度(5.1～6.8μg/mL)に達し，$t_{1/2}$は3.85時間．健康成人と顕著な差は認められなかったが，投与後12時間までの平均尿中回収率は3.1％と健康成人に比べて低かった　**透析患者での体内動態**　慢性腎不全患者3例に300mgを単回経口投与し，投与3時間後に透析を開始した場合，$t_{1/2}$は1.92～2.21時間であり，健康成人と比べて短縮　**肝機能障害患者での体内動態**　参考(海外データ)肝硬変患者に1日600mgを7日間毎日経口投与時，健康成人に比べ，血中濃度の上昇及び半減期の延長が認められている

その他の管理的事項

投与期間制限　該当しない
保険給付上の注意　該当しない

資料

IF　リファジンカプセル150mg　2019年2月改訂(第15版)

リボスタマイシン硫酸塩
Ribostamycin Sulfate

概要

構造式

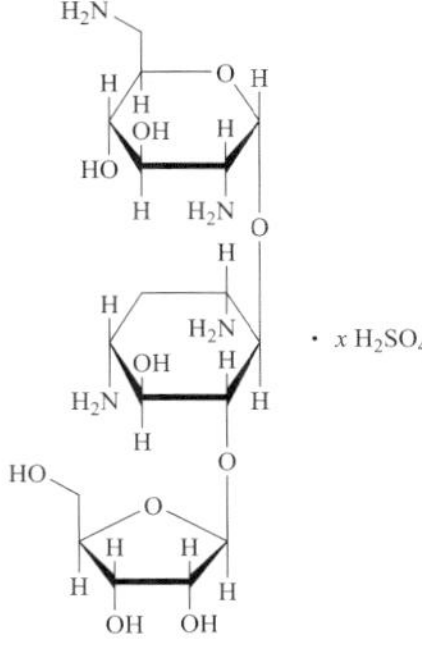

分子式　$C_{17}H_{34}N_4O_{10} \cdot xH_2SO_4$

分子量　454.47(リボスタマイシンとして)

原薬の規制区分　該当しない

原薬の外観・性状　白色〜黄白色の粉末である．水に極めて溶けやすく，エタノール(95)にほとんど溶けない．1.0gを水20mLに溶かした液のpHは6.0〜8.0である

原薬の吸湿性　硫酸塩は43%RHまでは外観変化は認められないが，61%RHで潮解，僅かに変色し，81%RH以上ではかなり変色する．また外観変化に関する臨界吸湿度は43〜50%RHであった

治療

効能・効果†　〈適応菌種〉リボスタマイシンに感性のブドウ球菌属，レンサ球菌属，肺炎球菌，淋菌，大腸菌，肺炎桿菌，プロテウス属　〈適応症〉敗血症，表在性皮膚感染症，深在性皮膚感染症，リンパ管・リンパ節炎，慢性膿皮症，骨髄炎，咽頭・喉頭炎，扁桃炎，急性気管支炎，肺炎，肺膿瘍，膿胸，慢性呼吸器病変の二次感染，膀胱炎，腎盂腎炎，淋菌感染症，腹膜炎，胆嚢炎，涙嚢炎，角膜炎(角膜潰瘍を含む)，中耳炎，副鼻腔炎，顎炎

リボフラビン
リボフラビン散
Riboflavin

別名：ビタミンB_2

概要

構造式

分子式　$C_{17}H_{20}N_4O_6$

分子量　376.36

原薬の規制区分　該当しない

原薬の外観・性状　黄色〜橙黄色の結晶で，僅かににおいがある．水に極めて溶けにくく，エタノール(95)，酢酸(100)又はジエチルエーテルにほとんど溶けない．水酸化ナトリウム試液に溶ける．本品の飽和水溶液は中性である．光によって分解する

原薬の融点・沸点・凝固点　融点：約290℃(分解)

治療

効能・効果†　①ビタミンB_2欠乏症の予防及び治療　②ビタミンB_2の需要が増大し，食事からの摂取が不十分な際の補給(消耗性疾患，妊産婦，授乳婦，激しい肉体労働時等)　③次の疾患のうち，ビタミンB_2の欠乏又は代謝障害が関与すると推定される場合：(1)口角炎，口唇炎，舌炎　(2)肛門周囲及び陰部びらん　(3)急・慢性湿疹，脂漏性湿疹　(4)ペラグラ　(5)尋常性ざ瘡，酒さ　(6)日光皮膚炎　(7)結膜炎　(8)びまん性表層角膜炎．効能③に対して，効果がないのに月余にわたって漫然と使用すべきでない

リボフラビン酪酸エステル
Riboflavin Butyrate

別名：ビタミンB_2酪酸エステル

概要

薬効分類　313　ビタミンB剤(ビタミンB_1剤を除く.)

構造式

分子式　$C_{33}H_{44}N_4O_{10}$

分子量　656.72

原薬の規制区分　該当しない

原薬の外観・性状　橙黄色の結晶又は結晶性の粉末で，僅かに特異なにおいがあり，味は僅かに苦い．メタノール，エタノール(95)又はクロロホルムに溶けやすく，ジエチルエーテルに溶けにくく，水にほとんど溶けない．光によって分解する

原薬の吸湿性　該当資料なし

原薬の融点・沸点・凝固点　融点：146〜150℃

原薬の酸塩基解離定数　該当資料なし

先発医薬品等

細 ハイボン細粒10%・20%(ニプロES)

錠 ハイボン錠20mg・40mg(ニプロES)

後発医薬品

細 10%

錠 20mg

国際誕生年月　1966年6月

海外での発売状況　中国(香港)

製剤

製剤の性状　散 黄色〜淡褐黄色の細粒．僅かに特異な臭気

錠 黄色〜淡褐黄色の素錠(40mg錠 割線入り)

有効期間又は使用期限　細　顆　40mg錠 3年　20mg錠 5年

貯法・保存条件　室温保存

薬剤取扱い上の留意点　該当しない

患者向け資料等　くすりのしおり

調製時の注意　該当しない

薬理作用

分類　ビタミンB_2製剤

作用部位・作用機序　作用部位：主要臓器　作用機序：経口投与後，体内各組織に貯留され，徐々に親薬物(リボフラビン)

に変換されてビタミンB_2作用を示す．また，肝のコレステロール生合成抑制とコレステロール排泄若しくは異化作用促進によりコレステロール上昇抑制作用を示すと考えられる

同効薬　コレスチミド(高コレステロール血症改善剤)，フラビンアデニンジヌクレオチド(ビタミンB_2)

治療

効能・効果　①高コレステロール血症　②ビタミンB_2欠乏症の予防及び治療　③次の疾患のうちビタミンB_2欠乏又は代謝障害が関与すると推定される場合：口角炎，口唇炎，舌炎，脂漏性湿疹，結膜炎，びまん性表層角膜炎　④ビタミンB_2の需要が増大し，食事からの摂取が不十分な際の補給(消耗性疾患，妊産婦，授乳婦，激しい肉体労働時等)．ただし，ハイボン40mg錠は効能①のみ．効能①③に対して，効果がないのに月余にわたって漫然と使用しない

用法・用量　1日5～20mg，高コレステロール血症には1日60～120mg，2～3回に分服(適宜増減)

薬物動態

血中濃度　健康成人(1名)に87mg(リボフラビンとして50mg)を経口投与で，血中リボフラビン濃度は2～4時間をピークとする上昇，24時間後にも投与前よりやや高い値を維持

排泄　健康成人(1名)に87mgを経口投与で，尿中排泄されたリボフラビン量は4時間で負荷量の約0.7％，24時間で約4％

参考　動物における吸収・分布：マウスに^{14}C-酪酸リボフラビンを経口投与で，小腸上半部から吸収され門脈系を経て肝に取り込まれ，肝静脈から各臓器に運ばれた．リンパ系を介するのはわずか．肝臓，腎臓，心臓に著明に取り込まれるが，その他の臓器にもよく取り込まれた

その他の管理的事項

投与期間制限　該当しない

保険給付上の注意　該当しない

資料

IF　ハイボン細粒10％・20％・錠20mg・40mg　2019年10月改訂(第9版)

リボフラビンリン酸エステルナトリウム
リボフラビンリン酸エステルナトリウム注射液
Riboflavin Sodium Phosphate

別名：ビタミンB_2リン酸エステル

概要

薬効分類　313　ビタミンB剤(ビタミンB_1剤を除く．)

構造式

分子式　$C_{17}H_{20}N_4NaO_9P$

分子量　478.33

略語・慣用名　FMN

ステム　不明

原薬の規制区分　該当しない

原薬の外観・性状　黄色～橙黄色の結晶性の粉末で，においはなく，味はやや苦い．水にやや溶けやすく，エタノール(95)，クロロホルム又はジエチルエーテルにほとんど溶けない．光によって分解する．0.20gを水20mLに溶かした液のpHは5.0～6.5である

原薬の吸湿性　極めて吸湿性である

原薬の酸塩基解離定数　該当資料なし

先発医薬品等

注　ビスラーゼ注射液10mg・20mg(トーアエイヨー＝アステラス)
ビタミンB_2注1％「イセイ」(コーアイセイ)
ホスフラン注-5・10mg・20mg(扶桑＝アルフレッサファーマ)
リボフラビン注射液10mg「日医工」(日医工)

国際誕生年月　不明

海外での発売状況　発売されていない

製剤

規制区分　**注**　㊙

製剤の性状　**注**　黄色～だいだい黄色澄明な水性注射液

有効期間又は使用期限　3年

貯法・保存条件　遮光・室温保存

薬剤取扱い上の留意点　長期保存中，液の色が黒味を帯びることがあるが，これは成分中のビタミンB_2が僅かに還元型となるためである

患者向け資料等　くすりのしおり

溶液及び溶解時のpH　5.2～6.2

浸透圧比　約1(対生食)

調製時の注意　該当しない

薬理作用

分類　ビタミンB_2製剤

作用部位・作用機序　作用部位：全身　作用機序：リン酸リボフラビン(FMN)は，大部分がFAD(Flavin adeninedinucleotide)に生合成され，フラビン酵素の補酵素として細胞内の酸化還元系やミトコンドリアにおける電子伝達系に働き，糖質，脂質，タンパク質などの生体内代謝に広く関与している

同効薬　フラビンアデニンジヌクレオチドナトリウム，リボフラビン酪酸エステル

治療

効能・効果　①ビタミンB_2欠乏症の予防及び治療　②ビタミンB_2の需要が増大し，食事からの摂取が不十分な際の補給(消耗性疾患，妊産婦，授乳婦，激しい肉体労働時等)　③次の疾患のうち，ビタミンB_2の欠乏又は代謝障害が関与すると推定される場合：(1)口角炎，口唇炎，舌炎　(2)肛門周囲及び陰部びらん　(3)急・慢性湿疹，脂漏性湿疹，ペラグラ，尋常性ざ瘡，酒さ，日光皮膚炎　(4)結膜炎，びまん性表層角膜炎．効能③に対して，効果がないのに月余にわたって漫然と使用すべきでない

用法・用量　リボフラビンとして1日2～30mgを皮下，筋注又は静注(適宜増減)

その他の管理的事項

投与期間制限　該当しない

保険給付上の注意　該当しない

資料

IF　ビスラーゼ注射液10mg・20mg　2016年4月改訂(第5版)

リマプロスト アルファデクス
Limaprost Alfadex

概要
薬効分類 219 その他の循環器官用薬，339 その他の血液・体液用薬
構造式

分子式 $C_{22}H_{36}O_5 \cdot xC_{36}H_{60}O_{30}$
分子量 380.52（リマプロストとして）
ステム プロスタグランジン類：-prost
原薬の規制区分 劇（ただし，1個中リマプロストとして5μg以下を含有する内用剤を除く）
原薬の外観・性状 白色の粉末である．水に溶けやすく，メタノールに溶けにくく，エタノール（99.5）に極めて溶けにくく，酢酸エチルにほとんど溶けない
原薬の吸湿性 吸湿性である（臨界相対湿度：54%RH（23℃））
原薬の融点・沸点・凝固点 融点：260℃（分解）
原薬の酸塩基解離定数 該当資料なし
先発医薬品等
錠 オパルモン錠5μg（小野）
プロレナール錠5μg（大日本住友）
後発医薬品
錠 5μg
国際誕生年月 1988年1月
海外での発売状況 韓国

製剤
規制区分 錠 処
製剤の性状 錠 白色の素錠
有効期間又は使用期限 3年
貯法・保存条件 乾燥剤を同封した気密容器，室温保存（吸湿性を有するため，アルミピロー又は瓶の開封後は防湿保存）
薬剤取扱い上の留意点 該当しない
患者向け資料等 くすりのしおり
溶液及び溶解時のpH 該当しない
浸透圧比 該当しない
安定なpH域 該当しない

薬理作用
分類 プラスタグランジンE_1誘導体
作用部位・作用機序 作用部位：末梢血管，神経栄養血管，血小板 作用機序：血管平滑筋に直接作用することにより血管拡張作用を示す．また，血小板におけるサイクリックAMP含量を増加することにより血小板凝集抑制作用を示す
同効薬 アルプロスタジル アルファデクス，アルプロスタジル，アルガトロバン，カリジノゲナーゼ，トコフェロールニコチン酸エステル，ニセリトロール，バトロキソビン，ヘプロニカート，ジヒドロエルゴトキシンメシル酸塩，イソクスプリン塩酸塩，イコサペント酸エチル，チクロピジン塩酸塩，シロスタゾール，ベラプロストナトリウム，サルポグレラート塩酸塩（閉塞性血栓血管炎関連）

治療
効能・効果 ①閉塞性血栓血管炎に伴う潰瘍，疼痛及び冷感等の虚血性諸症状の改善 ②後天性の腰部脊柱管狭窄症（SLR試験正常で，両側性の間欠跛行を呈する患者）に伴う自覚症状（下肢疼痛，下肢しびれ）及び歩行能力の改善
用法・用量 効能①：リマプロストとして1日30μg，3回に分服 効能②：リマプロストとして1日15μg，3回に分服
禁忌・原則禁忌となる特定患者集団 妊婦又は妊娠している可能性のある女性

使用上の注意
禁忌 妊婦又は妊娠している可能性のある婦人
過量投与 健康成人に大量投与（30〜40μg/回）したとき，一過性の血圧下降を認めたとの報告がある

薬物動態
血漿中濃度 健康成人40例（$t_{1/2}$及び$AUC_{0-\infty}$は39例）にリマプロストとして5μgを空腹時1回経口投与時：Tmax（h）※1）0.333（0.333-0.833），Cmax（pg/mL）※2）1.55±0.798，$t_{1/2}$（h）※2）0.511±0.286，$AUC_{0-\infty}$（pg・h/mL）※2）0.870±0.332 ※1）中央値（最小値-最大値） ※2）平均値±標準偏差 **吸収率（参考：ラット）** 90〜95% **血漿蛋白結合率** （*in vitro*，ヒト血漿，0.023mM，限外ろ過法）95.8% **主な代謝産物及び代謝経路（参考：ラット）** α鎖のβ酸化，ω鎖末端の酸化，五員環の異性化，C-9位のカルボニル基の還元等を受けて代謝 **排泄経路及び排泄率（参考：ラット）** ①排泄経路：胆汁中及び尿中 ②排泄率：肝クリアランスを受けて，胆汁中に75〜80%が排泄，腸管循環して72時間までに，糞便中に約70%，尿中に約30%排泄 **その他** チトクロムP450分子種（CYP1A2，CYP2C9，CYP2C19，CYP2D6及びCYP3A4）に対し，阻害作用を示さなかった（*in vitro*）

その他の管理的事項
投与期間制限 該当しない
保険給付上の注意 該当しない

資料
IF プロレナール錠5μg 2017年11月改訂（第20版）

硫酸亜鉛水和物
硫酸亜鉛点眼液
Zinc Sulfate Hydrate

概要
薬効分類 131 眼科用剤
分子式 $ZnSO_4 \cdot 7H_2O$
分子量 287.55
ステム 不明
原薬の規制区分 劇
原薬の外観・性状 無色の結晶又は白色の結晶性の粉末である．水に極めて溶けやすく，エタノール（99.5）に極めて溶けにくい．乾燥空気中で風解する．1.0gを水20mLに溶かした液のpHは4.4〜6.0である
原薬の酸塩基解離定数 該当資料なし
後発医薬品
点眼液 0.2%
国際誕生年月 不明
海外での発売状況 該当しない（発売されていない）

製剤
製剤の性状 点眼液 無色澄明，無菌水性点眼剤
有効期間又は使用期限 3年
貯法・保存条件 気密容器，室温保存
薬剤取扱い上の留意点 就寝前には用いないよう指導する
患者向け資料等 くすりのしおり
溶液及び溶解時のpH 4.0〜6.0
浸透圧比 約1

薬理作用
分類 局所収れん剤（眼科用）
作用部位・作用機序 作用部位：角膜及び眼瞼 作用機序：結膜粘膜の表層の組織蛋白と結合して被膜をつくり，病的組織を刺激して細胞の新生を促進する収れん作用，毛細血管壁を

リ

収縮させ，透過性を抑制することによる消炎作用，モラー・アクセンフェルド菌が産生するプロテアーゼの酵素作用の阻害により抗菌作用を現す

同効薬　なし

治療

効能・効果　結膜炎に対する収れん作用．モラー・アクセンフェルド菌による結膜炎，眼瞼炎，角膜潰瘍

用法・用量　1日3～5回，1回1～2滴点眼（適宜増減）

その他の管理的事項

投与期間制限　該当しない

保険給付上の注意　該当しない

資料

IF　サンチンク点眼液0.2％　2017年2月改訂（第4版）

乾燥硫酸アルミニウムカリウム
Dried Aluminum Potassium Sulfate

別名：焼ミョウバン

概要

分子式　$AlK(SO_4)_2$

分子量　258.21

原薬の規制区分　該当しない

原薬の外観・性状　白色の塊又は粉末で，においはなく，味はやや甘く，収れん性がある．熱湯に溶けやすく，エタノール(95)にほとんど溶けない．水に徐々に溶ける

製剤

貯法・保存条件　気密容器

治療

効能・効果[†]　口腔粘膜・皮膚の炎症又は潰瘍の収れん・止血，局所多汗症，臭汗症

硫酸アルミニウムカリウム水和物
Aluminum Potassium Sulfate Hydrate

別名：ミョウバン

概要

薬効分類　264　鎮痛，鎮痒，収斂，消炎剤

分子式　$AlK(SO_4)_2 \cdot 12H_2O$

分子量　474.39

原薬の規制区分　該当しない

原薬の外観・性状　無色～白色の結晶又は粉末で，においはなく，味はやや甘く，強い収れん性がある．水に溶けやすく，エタノール(95)又はジエチルエーテルにほとんど溶けない．本品の水溶液(1→20)は酸性である

先発医薬品等

外用末「純生」ミョウバン（小堺＝日興製薬販売）
　　硫酸アルミニウムカリウム「カナダ」（金田直）

製剤

貯法・保存条件　気密容器

薬剤取扱い上の留意点　誤って吸入しないように注意させること（散布剤として）．眼には使用しないこと（液剤，軟膏剤，パスタ剤として）．含嗽剤として使用する場合には，長期連用を避けること

薬理作用

作用部位・作用機序　アルミニウムイオンはタンパク質と結合してこれを沈殿させるので，収れん薬として作用する．濃厚液は局所を腐食して炎症を起こす．本薬は代表的なアルミニウム可溶性塩で収れん，止血，防腐の作用を有し，内服しても胃腸粘膜から吸収されることなく，粘膜に局所作用を及ぼすに過ぎない

治療

効能・効果　口腔粘膜・皮膚の炎症又は潰瘍の収れん・止血，局所多汗症，臭汗症

用法・用量　①咽喉炎，口内炎等の口腔洗浄に0.3～1％液の含嗽剤として用いる　②止血には原末を散布又は1～5％液を塗布し，鼻止血には飽和水溶液に綿球を浸して用いる　③止汗，防臭（臭汗症）のために2～10％液を塗布する

資料

添付文書　「純生」ミョウバン　2012年4月（第2版）

硫酸カリウム
Potassium Sulfate

概要

分子式　K_2SO_4

分子量　174.26

原薬の規制区分　該当しない

原薬の外観・性状　無色の結晶又は白色の結晶性の粉末で，僅かに塩味及び苦味がある．水にやや溶けやすく，エタノール(95)にほとんど溶けない

硫酸鉄水和物
Ferrous Sulfate Hydrate

概要

薬効分類　322　無機質製剤

分子式　$FeSO_4 \cdot 7H_2O$

分子量　278.01

原薬の規制区分　該当しない

原薬の外観・性状　淡緑色の結晶又は結晶性の粉末で，においはなく，味は収れん性である．水に溶けやすく，エタノール(95)又はジエチルエーテルにほとんど溶けない．乾燥空気中で風解しやすく，湿った空気中で結晶の表面が黄褐色となる

原薬の吸湿性　該当資料なし

原薬の酸塩基解離定数　該当資料なし

先発医薬品等

徐放錠 フェロ・グラデュメット錠105mg（マイランEPD）

国際誕生年月　不明

海外での発売状況　英

製剤

製剤の性状　錠 赤色のフィルム錠

有効期間又は使用期限　3年

貯法・保存条件　室温保存

薬剤取扱い上の留意点　口腔内や食道に停留し，潰瘍形成に至った症例が認められているので，服用にあたっては十分量の水とともに服用し，直ちに飲み下すよう注意させること

患者向け資料等　くすりのしおり

溶液及び溶解時のpH　該当しない

浸透圧比　該当しない

安定なpH域　該当しない

調製時の注意　該当しない

薬理作用
分類 鉄化合物製剤
作用部位・作用機序 吸収された鉄は血漿トランスフェリンによって骨髄やその他の臓器へ運ばれる．移行した鉄はヘモグロビンの成分として利用される
同効薬 クエン酸第一鉄ナトリウム，フマル酸第一鉄，溶性ピロリン酸第二鉄
治療
効能・効果 鉄欠乏性貧血
用法・用量 鉄として1日100～200mg（フェロ・グラデュメットは105～210mg）を1～2回に分け空腹時，又は副作用が強い場合には食直後（適宜増減）
使用上の注意
禁忌 鉄欠乏状態にない患者［鉄過剰症をきたすおそれがある］
過量投与 ①症状：主な症状は胃粘膜刺激による悪心，嘔吐，腹痛，血性下痢，吐血等の消化器症状である．また，頻脈，血圧低下，チアノーゼ等がみられる．重症の場合は，昏睡，ショック，肝壊死，肝不全に至ることがある．徐放錠のため症状が持続することがある ②処置：服用初期には催吐，胃洗浄が有効である．その他に下剤，鉄排泄剤（デフェロキサミン）等の投与を行う．血圧低下や循環虚脱が現れた場合には，昇圧剤，輸液等による対症療法を行う
薬物動態
血清中濃度（本剤を鉄として105mg投与後の血清鉄．健康成人，鉄欠乏性貧血患者の順）：Cmax（μg/dL）は12時間後約200，6～12時間後120～130，半減期はともにデータなし
その他の管理的事項
投与期間制限 該当しない
保険給付上の注意 該当しない
資料
IF フェロ・グラデュメット錠105mg 2019年3月改訂（第6版）

硫酸バリウム
Barium Sulfate

概要
薬効分類 721 X線造影剤
分子式 $BaSO_4$
分子量 233.39
ステム 不明
原薬の規制区分 該当しない
原薬の外観・性状 白色の粉末で，におい及び味はない．水，エタノール（95）又はジエチルエーテルにほとんど溶けない．塩酸，硝酸又は水酸化ナトリウム試液に溶けない
原薬の吸湿性 該当資料なし
原薬の融点・沸点・凝固点 融点：約1600℃
原薬の酸塩基解離定数 該当資料なし
先発医薬品等
散 ウムブラMD（伏見）
ネオバルギンUHD・HD・EHD（カイゲンファーマ）
バリコンクMX（カイゲンファーマ）
バリコンミール（堀井）
バリテスターA240散（伏見）
バリトゲン（伏見）
バリトゲン-デラックス（伏見）
バリトゲンHD・SHD（伏見）
バリトップP・HD（カイゲンファーマ）
バリブライトP・CL・LV（カイゲンファーマ）
硫酸バリウム散97.5%・98.8%「ホリイ」（堀井）
硫酸バリウム散99.1%「共成」（カイゲンファーマ）
硫酸バリウム散99.5%「FSK」（伏見）
内用液 コロンフォート内用懸濁液25%（伏見）
バムスターS200（カイゲンファーマ）
バリトップCT（カイゲンファーマ）
バリトップゾル150（カイゲンファーマ）
バリブライトゾル180（カイゲンファーマ）
後発医薬品
注腸 30%・60%・75%
注腸散 98.1%
国際誕生年月 不明
海外での発売状況 発売されていない
製剤
規制区分 **散** **内用液** **注腸** **注腸散** ㊉
製剤の性状 **散** 白色又は白色に近い粉末で，僅かに甘味と芳香を有する **内用液** 白色の水性懸濁剤で，僅かに芳香と酸味を有する **注腸** 振り混ぜるとき白色の懸濁液で，においはない **注腸散** 白色の粉末で微かな芳香を有する
有効期間又は使用期限 **散** **注腸** **注腸散** 3年 **内用液** 18カ月
貯法・保存条件 **散** 直射日光を避け，室温保存 **内用液** 直射日光を避け，また凍結しないよう室温保存 **注腸** 室温保存，禁凍結 **注腸散** 直射日光を避け，室温保存．防湿
薬剤取扱い上の留意点 **散** 調製した懸濁液は速やかに使用すること．注腸時には体温程度に加温して使用すること **内用液** 経時的に沈降を起こすことがあるので，使用前に強く振って使用すること
患者向け資料等 **注腸** くすりのしおり
溶液及び溶解時のpH **注腸** バリエネマ：約5，バリエネマ300：約5，バリエネマLC：約6，バリエネマHD75%：約5.5 **注腸散** 6～8（懸濁時）
調製時の注意 **散** 100gに対し水18～26mLを加えて200w/v%～240w/v%の濃度の懸濁液を調製 **内用液** 硫酸バリウムは比重4.5で，沈降を起こしやすいため，開栓後速やかに使用することが望ましい **注腸散** 検査部位および検査方法に応じ，適量に適量の水を加えて適当な濃度とし，その適量を注腸する
薬理作用
分類 消化管造影剤
作用部位・作用機序 作用部位：食道・胃・十二指腸 作用機序：硫酸バリウムはX線を吸収する．消化管X線造影検査を行う際に，投与することにより消化管のX線透過性をかえ，そのコントラストにより消化管の病変を診断する
同効薬 **散** アミドトリゾ酸ナトリウムメグルミン **内用液** ガストログラフイン経口・注腸用
治療
効能・効果 **ネオバルギンEHD** **ネオバルギンUHD** **バリコンクMX** **バリコンミール** **バリテスターA** **バリトゲンSHD** **バリトップHD** **バリブライトCL** **散98.8%・99.1%，99.5%** 食道・胃・十二指腸二重造影撮影
バリトップCT コンピュータ断層撮影における上部消化管造影
ネオバルギンHD **バリトゲン** **バリトゲン－デラックス** **バリトゲンHD** **バリトップP** **バリブライトP** **バムスター** **バリトップ120** **バリトップゾル** **バリブライトゾル** **バリブライトR** **散97.5%** 消化管撮影
ネオダルムゾル **バリエネマ** **バロジェクト** **エネマスター** 消化管（大腸）撮影
コロンフォート 腸内容物の標識による大腸コンピューター断層撮像の補助
用法・用量 **散（ネオバルギン（UHD除く），バムスター，バリトゲン，バリトゲン-デラックス，バリトゲンHD，バリトップP，バリブライトP）** **注腸散** 検査部位及び検査方法に応じ，適量に，適量の水を加えて適当な濃度とし，その適量を

リ

経口投与又は注腸．ただし，注腸に使用する製剤の場合は，経口投与してはならない．標準量：①内服：⑴食道50～200％10～150mL ⑵胃・十二指腸（充盈，レリーフ，二重造影）30～200％10～300mL ⑶小腸30～150％100～300mL ②注腸：大腸20～130％200～2000mL

内用液 バロジェクト 散97.5％ 検査部位及び検査方法に応じ，そのまま，又は適量に適量の水を加えて適当な濃度とし，その適量を経口投与又は注腸．ただし，注腸に使用する製剤の場合は経口投与してはならない．標準量：①内服：⑴食道50～200％10～150mL ⑵胃・十二指腸（充盈，レリーフ，二重造影）30～200％10～300mL ⑶小腸30～150％100～300mL ②注腸：大腸20～130％200～2000mL．ただし，ネオダルムゾルは20～79％200～2000mL，バロジェクトは20～100％200～2000mL ただし，適用濃度は各製剤の含有濃度又はそれ以下とする

散（ネオバルギンEHD，ネオバルギンUHD，バリコンクMX，バリコンミール，バリテスターA，バリトゲンSHD，バリトップHD，バリブライトCL） 散98.8％・99.1％・99.5％ 100gに対し水18～26mLを加えて200～240w/v％の濃度の懸濁液とし，その適量を経口投与．標準量：①食道30～50mL ②胃・十二指腸200～230mL（ただし，バリブライトCL，散99.1％は200～300mL）

バリトップCT 1回300mL（硫酸バリウムとして4.5g）を検査前5～20分に経口投与

バリエネマ 1個を直腸内注入

コロンフォート 1回32mL（硫酸バリウムとして8g）を検査前日から毎食後3回経口投与

使用上の注意

禁忌 散 内用液（バリトップCTを除く） 注腸 注腸散 ①消化管の穿孔又はその疑いのある患者［消化管外（腹腔内等）に漏れることにより，バリウム腹膜炎等の重篤な症状を引き起こすおそれがある］ ②消化管に急性出血のある患者［出血部位に穿孔を生ずるおそれがある．また，粘膜損傷部等より硫酸バリウムが血管内に浸入するおそれがある］ ③消化管の閉塞又はその疑いのある患者［穿孔を生ずるおそれがある］ ④全身衰弱の強い患者 ⑤硫酸バリウム製剤に対し，過敏症の既往歴のある患者

バリトップCT ①消化管の穿孔又はその疑いのある患者［消化管外（腹腔内等）に漏れることにより，バリウム腹膜炎等の重篤な症状を引き起こすおそれがある］ ②消化管に急性出血のある患者［出血部位に穿孔を生ずるおそれがある］ ③消化管の閉塞又はその疑いのある患者［イレウス，穿孔等を生ずるおそれがある］

薬物動態

吸収・代謝されず，消化管を通じて糞便とともに，すべて対外に排泄

その他の管理的事項

投与期間制限 該当しない

保険給付上の注意 該当しない

資料

IF バリコンミール 2014年9月改訂（第7版）
バリトゲンHD 2019年9月改訂（第11版）
バリエネマ・300・LC・HD75％ 2018年5月改訂（第6版）
エネマスター注腸散 2018年3月改訂（第9版）

硫酸マグネシウム水和物
硫酸マグネシウム水
硫酸マグネシウム注射液
Magnesium Sulfate Hydrate

概要

薬効分類 124 鎮けい剤，235 下剤，浣腸剤

分子式 $MgSO_4 \cdot 7H_2O$

分子量 246.47

ステム 該当しない

原薬の規制区分 該当しない

原薬の外観・性状 無色又は白色の結晶で，味は苦く，清涼味及び塩味がある．水に極めて溶けやすく，エタノール（95）にほとんど溶けない．希塩酸に溶ける．1.0gを水20mLに溶かした液のpHは5.0～8.2である

原薬の吸湿性 該当資料なし

原薬の酸塩基解離定数 該当資料なし

先発医薬品等

末 硫酸マグネシウム「NikP」（日医工＝岩城）
硫酸マグネシウム「カナダ」（金田直）
硫酸マグネシウム「東海」（東海製薬）
硫酸マグネシウム（山善）

注 硫酸Mg補正液1mEq/mL（大塚工場＝大塚製薬）

国際誕生年月 不明

海外での発売状況 該当しない

製剤

規制区分 **注** ㊕

製剤の性状 **末** 無色又は白色の結晶で，味は苦く，清涼味及び塩味がある **注** 無色澄明の注射液

有効期間又は使用期限 3年

貯法・保存条件 **末** 密閉容器，室温保存 **注** 室温保存

薬剤取扱い上の留意点 **注** 包装内に水滴が認められるものや内容液が着色又は混濁しているものは使用しない．使用に際して，よく混合されるよう注意する．電解質の補正用製剤であるため，必ず希釈して使用する

溶液及び溶解時のpH **注** 約5.8（製造直後の平均実測値），5.5～7.0（規格値）

浸透圧比 **注** 約2（対生食）

調製時の注意 該当しない

薬理作用

分類 補正用電解質製剤・瀉下剤

作用部位・作用機序 内服において腸管粘膜から吸収されにくいことから腸管内で高張液状態となり，腸内水分及び分泌液の吸収を妨げると共に，組織から腸管腔に水分を吸収して貯留させる．そのため，腸壁が刺激され，蠕動運動が亢進して瀉下を招く．効果は吸収量に反比例し，その溶液の浸透圧に比例して大きくなる．筋注又は静注すると，血中のMg^{2+}が増加してCa^{2+}との平衡が破れ，中枢神経の抑制と骨格筋，血管平滑筋及び子宮筋の弛緩が起こる．内服又はゾンデによる直接十二指腸注入によりOddi括約筋の弛緩を介して胆汁排泄を促す

治療

効能・効果 **末** ①経口：便秘症 ②（日医工，山善のみ）注入：胆石症 ③（日医工のみ）注射：⑴低マグネシウム血症 ⑵子癇 ⑶頻脈性不整脈

注 電解質補液の電解質補正

用法・用量 **末** 効能①：1回5～15g，多量の水とともに服用 効能②：25～50％溶液20～50mLを十二指腸ゾンデで注入 効能③：⑴硫酸マグネシウム水和物として，1日2～4gを数回に分けて筋注あるいは極めて徐々に静注し，血中マグネシウム濃度が正常になるまで継続する（適宜増減） ⑵1回10～25％溶液10～20mLを筋注あるいは徐々に静注（適宜増減），

ただし，増量する場合は注意する　(3)10%又は25%溶液を徐々に静注．その際，硫酸マグネシウム水和物として2.5gを超えない

注　電解質補液の電解質の補正用として，体内の水分，電解質の不足に応じて電解質補液に添加して用いる

その他の管理的事項

投与期間制限　該当しない

保険給付上の注意　切迫早産の適応はない

資料

IF　硫酸Mg補正液1mEq/mL　2014年9月改訂（第7版）

添付文書　硫酸マグネシウム「ヤマゼン」M　206年10月改訂（第4版）

リュープロレリン酢酸塩
Leuprorelin Acetate

概要

薬効分類　249　その他のホルモン剤（抗ホルモン剤を含む．）

構造式

His-Trp-Ser-Tyr-D-Leu-Leu-Arg-Pro
CH3
H3C－CO2H

分子式　$C_{59}H_{84}N_{16}O_{12}\cdot C_2H_4O_2$

分子量　1269.45

ステム　黄体形成ホルモン放出ホルモン（LH-RH）誘導体：-relin

原薬の規制区分　[劇]

原薬の外観・性状　白色～帯黄白色の粉末である．水又は酢酸(100)に極めて溶けやすく，メタノールに溶けやすく，エタノール(99.5)にやや溶けにくい．0.10gを水10mLに溶かした液のpHは5.5～7.5である

原薬の吸湿性　吸湿性である

原薬の融点・沸点・凝固点　140℃付近から発泡し始め，170℃付近で融解するものの，発泡するため明確な融点の測定はできなかった

原薬の酸塩基解離定数　$pKa_1=5.9$，$pKa_2=10.0$

先発医薬品等

[注射用] リュープリン注射用1.88mg・3.75mg（武田）

[キット] リュープリン注射用キット1.88mg・3.75mg（武田）
リュープリンSR注射用キット11.25mg（武田）
リュープリンPRO注射用キット22.5mg（武田）

後発医薬品

[キット] 1.88mg・3.75mg

国際誕生年月　1984年7月

海外での発売状況　米，英など

製剤

規制区分　[注射用]　[劇] [処]

製剤の性状　[注射用] 白色の粉末の凍結乾燥製剤

有効期間又は使用期限　3年

貯法・保存条件　室温保存

薬剤取扱い上の留意点　用時調製し，懸濁後は直ちに使用すること．バイアル品の懸濁液の粒子が沈降している場合は，泡立てない程度に揺り動かし粒子をよく再懸濁させて使用すること

溶液及び溶解時のpH　[リュープリン] 6.0～7.5（添付懸濁用液1mLで懸濁した場合）　[リュープリンSR] 6.0～7.1（添付懸濁用液1mLで懸濁した場合）　[リュープリンPRO] 6.0～7.0（添付懸濁用液1mLで懸濁した場合）

浸透圧比　約1（対生食）

調製時の注意　[キット] 注射針を上にしてプランジャーロッドを押して，懸濁用液全量を粉末部に移動させて，泡立てないように注意しながら，十分に懸濁して用いる

薬理作用

分類　LH-RH誘導体

作用部位・作用機序　高活性LH-RH誘導体であるリュープロレリン酢酸塩を反復投与すると，初回投与直後一過性に下垂体-性腺系刺激作用（急性効果）がみられた後，下垂体においては性腺刺激ホルモンの産生・放出が低下する．更に，卵巣及び精巣の性腺刺激ホルモンに対する反応性が低下（desensitization）し，エストラジオール及びテストステロン産生能が低下する（慢性効果）．リュープロレリン酢酸塩のLH放出活性は天然のLH-RHの約100倍であり（*in vitro*），その下垂体-性腺機能抑制作用は天然のLH-RHより強い．リュープロレリン酢酸塩は高活性LH-RH誘導体であり，下垂体-性腺機能抑制作用が強い理由は，リュープロレリン酢酸塩が，LH-RHと比較して蛋白分解酵素に対する抵抗性が高いこと，LH-RHレセプターに対する親和性が高いことによると考えられる．更に，本剤は徐放性製剤であるので，常時血中にリュープロレリン酢酸塩を放出して効果的に卵巣及び精巣の反応性低下をもたらし，下垂体-性腺機能抑制作用を示す

同効薬　ゴセレリン酢酸塩，ブセレリン酢酸塩，酢酸ナファレリン

治療

効能・効果　①子宮内膜症　②過多月経，下腹痛，腰痛及び貧血等を伴う子宮筋腫における筋腫核の縮小及び症状の改善　③閉経前乳癌　④前立腺癌　⑤中枢性思春期早発症　⑥球脊髄性筋萎縮症の進行抑制

※それぞれが有する効能は次の通り

注射用1.88mg：効能①②⑤
注射用3.75mg：効能①②③④⑤
キット1.88mg：効能①②⑤
キット3.75mg：効能①②③④⑤
SRキット11.25mg：効能③④⑥
PROキット22.5mg：効能③④

効能・効果に関連する使用上の注意　①子宮筋腫：本剤による子宮筋腫に対する治療は根治療法ではないことに留意し，手術が適応となる患者の手術までの保存療法ならびに閉経前の保存療法としての適用を原則とする．なお，下腹痛，腰痛に対する効果は，投与初期には認められないので，その間は適当な対症療法を考慮する　②閉経前乳癌：使用開始にあたっては，原則としてホルモン受容体の発現の有無を確認し，ホルモン受容体が陰性と判断された場合には使用しない　③[リュープリンPRO] 患者の治療歴等について，臨床成績の項の内容を熟知し，本剤の有効性及び安全性を十分に理解した上で，適応患者の選択を行う　④球脊髄性筋萎縮症の進行抑制の場合：(1)遺伝子検査により，アンドロゲン受容体遺伝子におけるCAGリピート数の異常延長が確認された患者に投与する　(2)去勢術，薬物療法等により血清テストステロン濃度が去勢レベルに低下している患者では，本剤の効果が期待できないため，投与しない

用法・用量　[リュープリン] バイアル品は1バイアルを添付懸濁用液1mLで泡立てないように注意しながら，十分に懸濁して用いる．キット品の投与に際しては，注射針を上にしてプランジャーロッドを押して，懸濁用液全量を粉末部に移動させ，泡立てないように注意しながら，十分に懸濁して用いる．キット品は投与量の調節が不可能なため，1回当たり全量投与が必要な患者にのみ使用する　効能①：4週に1回3.75mg皮下注．ただし，体重が50kg未満の患者では1.88mgを投与できる．初回は月経周期1～5日目に行う　効能②：4週に1回1.88mg皮下注．ただし，体重の重い患者，子宮腫大が高度の患者では3.75mgを投与．初回は月経周期1～5日目に行う　効能③④：4週に1回3.75mg皮下注　効能⑤：4週に1回30μg/kg皮下注．症状に応じて180μg/kgまで増量できる

リュープリンSR 12週に1回11.25mgを皮下注．投与に際しては，注射針を上にしてプランジャーロッドを押して，懸濁用液全量を粉末部に移動させ，泡立てないように注意しながら，十分に懸濁して用いる

リュープリンPRO 24週に1回22.5mgを皮下注．投与に際しては，注射針を上にしてプランジャーロッドを押して，懸濁用液全量を粉末部に移動させて，泡立てないように注意しながら，十分に懸濁して用いる

用法・用量に関連する使用上の注意 ①**リュープリン** 4週間持続の徐放性製剤であり，4週を超える間隔で投与すると下垂体-性腺系刺激作用により性腺ホルモン濃度が再度上昇し，臨床所見が一過性に悪化するおそれがあるので，4週に1回の用法を遵守する．**リュープリンSR** 12週間持続の徐放性製剤であり，12週を超える間隔で投与すると下垂体-性腺系刺激作用により性腺ホルモン濃度が再度上昇し，臨床所見(疾患)が一過性に悪化するおそれがあるので，12週に1回の用法を遵守する．**リュープリンPRO** 24週間持続の徐放性製剤であり，24週を超える間隔で投与すると下垂体-性腺系刺激作用により性腺ホルモン濃度が再度上昇し，臨床所見が一過性に悪化するおそれがあるので，24週に1回の用法を遵守する ②**リュープリン** 子宮内膜症・子宮筋腫：(1)一般的に投与量の増加に伴って副作用の発現率が高くなる傾向がみられる．投与量の決定にあたっては，用法・用量に示された体重，子宮腫大の程度に留意する (2)治療に際しては妊娠していないことを確認し，必ず月経周期1～5日目から投与を開始する．また，治療期間中は非ホルモン性の避妊をさせる (3)エストロゲン低下作用に基づく骨塩量の低下がみられることがあるので，6カ月を超える投与は原則として行わない(6カ月を超える投与の安全性は確立していない)．なお，やむを得ず長期にわたる投与や再投与が必要な場合には，可能な限り骨塩量の検査を行い慎重に投与する ③閉経前乳癌：(1)治療に際しては妊娠していないことを確認し，また，治療期間中は非ホルモン性の避妊をさせる (2)エストロゲン低下作用に基づく骨塩量の低下がみられることがあるので，長期にわたり投与する場合には，可能な限り骨塩量の検査を行い慎重に投与する ④**リュープリン** 中枢性思春期早発症の場合：キット品の適用にあたっては，患者の体重や症状等から適切と考えられた用量を超えないように注意して使用する ⑤球脊髄性筋萎縮症の進行抑制の場合：本剤は12週間持続の徐放性製剤であり，12週を超える間隔で投与すると下垂体-性腺系刺激作用により性腺ホルモン濃度が再度上昇し，疾患が進行するおそれがあるので，12週に1回の用法を遵守する

禁忌・原則禁忌となる特定患者集団 (子宮内膜症 子宮筋腫，中枢性思春期早発症，閉経前乳癌)妊婦又は妊娠している可能性のある患者・授乳婦

使用上の注意

禁忌 ①本剤の成分又は合成LH-RH，LH-RH誘導体に対して，過敏症の既往歴のある患者 ②(子宮内膜症・子宮筋腫・中枢性思春期早発症・閉経前乳癌)妊婦又は妊娠している可能性のある患者，授乳中の患者 ③(子宮内膜症・子宮筋腫・中枢性思春期早発症)診断のつかない異常性器出血の患者［悪性疾患の可能性がある］

薬物動態

子宮内膜症 ①血中濃度：1.88mg(15例)又は3.75mg(21例)を4週ごとに6回皮下注時の未変化体の血中濃度はほぼ一定．なお，77例に3.75mgを4週ごとに6回皮下注時の未変化体と代謝物M-I(Tyr-D-Leu-Leu-Arg-Pro-NHC_2H_5)とを合せた血中濃度から蓄積性はないと考えられる ②尿中排泄：3.75mgを4週ごとに6回皮下注時の尿中排泄率は，未変化体，M-Iともに初回投与後24時間(8例)1.1%，6回目投与後24時間(7例)1.3% **子宮筋腫** 薬物動態は子宮筋腫と同様のエストロゲン依存性疾患であり患者の年齢層も比較的類似する子宮内膜症における薬物動態と同様と考えられる **閉経前乳癌** ①**リュープリン** 11例に3.75mgを4週ごとに3回皮下注時，2回目及び3回目投与の4週後の未変化体血中濃度は初回投与4週後の血中濃度よりも高値を示さず蓄積性はないと考えられる ②**リュープリンSR** 34例に11.25mgを12週ごとに2回皮下投与(タモキシフェンクエン酸塩20mg/日を併用投与)時の血中濃度(代謝物M-Iを含む)は，投与16週後以降，24週後までほぼ0.2ng/mLで推移 ③**リュープリンPRO** 閉経前乳癌術後患者を対象に，リュープロレリン酢酸塩として22.5mgを単回皮下投与(タモキシフェン20mg/日を併用投与)した時，リュープロレリン未変化体の薬物動態学的パラメータは，Cmax(ng/mL)5.20±1.03 Tmax(h)0.97(0.77，1.40) $AUC_{0\text{-}168days}$(ng・h/mL)560.9±190.5 $T_{1/2}$(h)894.9±277.7 (n=22) 平均値±標準偏差(ただし，Tmaxは中央値(最小値，最大値))．閉経前乳癌術後患者を対象に，リュープロレリン酢酸塩として22.5mgを24週に1回(計2回)皮下投与した時のリュープロレリン未変化体の血中濃度の推移を観察したが，反復投与による蓄積性は認められなかった **前立腺癌** ①**リュープリン** (1)血中濃度：4例に3.75mgを単回皮下注時の血中濃度はほぼ一定．なお，17例に3.75mgを4週ごとに3回皮下注時の血中濃度から蓄積性はないと考えられる (2)尿中排泄：2例に3.75mgを単回皮下注後28日までの尿中累積排泄率は未変化体2.9%，代謝物M-I1.5% ②**リュープリンSR** 10例に12週間持続製剤11.25mg単回皮下注時の血中濃度[代謝物M-I(Tyr-D-Leu-Leu-Arg-Pro-NHC2H5)を含む]は1週間後から約0.2mg/mLでほぼ一定．4週間持続3.75mg製剤投与で抗腫瘍効果が安定して得られている前立腺癌既治療患者51例に12週間持続製剤11.25mgを12週ごとに2回皮下注時の血中濃度(代謝物M-I含む)は，投与24週までほぼ0.2～0.3mg/mLで推移し，蓄積性はないと考えられる ③**リュープリンPRO** 前立腺癌患者(未治療例)を対象に，リュープロレリン酢酸塩として22.5mgを単回皮下投与した時，リュープロレリン未変化体の薬物動態学的パラメータは，Cmax(ng/mL)4.65±0.97，Tmax(h)1.00(0.92，1.05)，$AUC_{0\text{-}168days}$(ng・h/mL)799.5±178.8，$T_{1/2}$(h)927.2±320.7(n=6) 平均値±標準偏差(ただし，Tmaxは中央値(最小値，最大値))．前立腺癌患者(既治療例)を対象に，リュープロレリン酢酸塩として22.5mgを24週に1回(計2回)皮下投与した時のリュープロレリン未変化体の血中濃度の推移を観察したが，反復投与による蓄積性は認められなかった **中枢性思春期早発症** ①血中濃度：6例に30μg/kgを4週ごとに12回皮下注時の初回投与後の未変化体の血中濃度は1時間後に最高値約6ng/mL，2時間後約5ng/mL，1日後約0.1ng/mL．また，以降の未変化体の血中濃度から蓄積性はないと考えられる ②尿中排泄：1例に30μg/kgを単回皮下注後28日までの尿中累積排泄率は未変化体1.8%，代謝物M-I7.1% **球脊髄性筋萎縮症** 球脊髄性筋萎縮症患者(32例)に11.25mgを12週ごとに皮下投与した時の血中濃度(代謝物M-Iを含む)は，3時間後に最高血中濃度(18.699±3.3050ng/mL)に到達して以降，12週後から48週後までの投与前値は0.153～0.213ng/mLで推移

その他の管理的事項

投与期間制限 該当しない

保険給付上の注意 該当しない

資料

IF リュープリン注射用1.88・3.75 2016年10月改訂(第11版)
リュープリンSR注射用キット11.25mg・PRO注射用キット22.5mg 2020年7月改訂(第15版)

リルマザホン塩酸塩水和物
リルマザホン塩酸塩錠
Rilmazafone Hydrochloride Hydrate

概要

薬効分類 112 催眠鎮静剤，抗不安剤

構造式

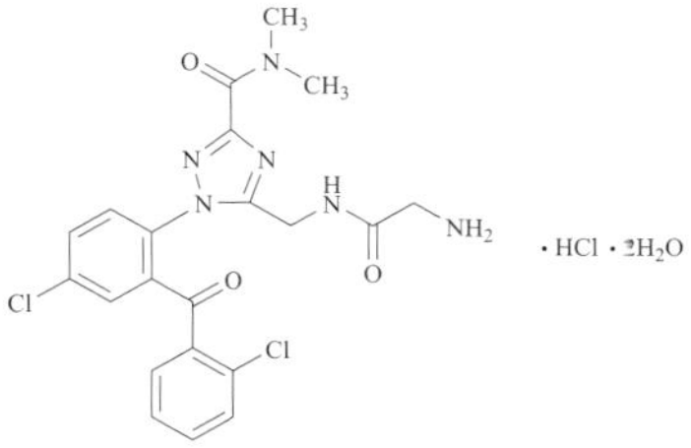

$\cdot HCl \cdot 2H_2O$

分子式 $C_{21}H_{20}Cl_2N_6O_3 \cdot HCl \cdot 2H_2O$

分子量 547.82

ステム アロザフォン誘導体：-zafone

原薬の規制区分 習

原薬の外観・性状 白色～微黄白色の結晶性の粉末である．メタノールに極めて溶けやすく，水にやや溶けやすく，エタノール(99.5)に溶けにくい

原薬の吸湿性 ほとんど吸湿せず，10～90%RHにおいて200時間放置してもほとんど変化を認めない

原薬の融点・沸点・凝固点 融点：約104℃

原薬の酸塩基解離定数 pKa＝7.53(アミノ基，pH測定法)

先発医薬品等

錠 リスミー錠1mg・2mg(共和薬品)

後発医薬品

錠 1mg・2mg

国際誕生年月 1989年3月

海外での発売状況 発売されていない

製剤

規制区分 錠 習 処

製剤の性状 錠 白色の円形の素錠

有効期間又は使用期限 3年

貯法・保存条件 室温保存

薬剤取扱い上の留意点 本剤の影響が翌朝以後に及び，眠気，注意力・集中力・反射運動能力等の低下が起こることがあるので，自動車の運転等危険を伴う機械の操作に従事させないよう注意すること

患者向け資料等 くすりのしおり

溶液及び溶解時のpH 4.43～4.52(0.01g/mL)

浸透圧比 該当しない

安定なpH域 該当しない

調製時の注意 該当しない

薬理作用

分類 ベンゾジアゼピン系睡眠誘導剤

作用部位・作用機序 中枢神経において抑制性に働くGABA神経に作用し，その抑制作用を増強することによって，大脳辺縁系の神経の過剰な活動を抑え，鎮静・催眠作用，抗不安作用等を現す

同効薬 ニトラゼパム，トリアゾラム，ブロチゾラム，ロルメタゼパム，ニメタゼパム，フルニトラゼパム，エチゾラム，エスタゾラム，フルラゼパム塩酸塩，ハロキサゾラム

治療

効能・効果 ①不眠症 ②麻酔前投薬

用法・用量 効能①：1回1～2mg就寝前 効能②：1回2mg就寝前又は手術前(適宜増減)．ともに高齢者には1回2mgまで

用法・用量に関連する使用上の注意 不眠症には，就寝の直前に服用させる．また，服用して就寝した後，睡眠途中において一時的に起床して仕事等をする可能性があるときは服用させない

使用上の注意

禁忌 ①本剤の成分に対し過敏症の既往歴のある患者 ②急性閉塞隅角緑内障の患者［抗コリン作用により眼圧が上昇し，症状を悪化させることがある］ ③重症筋無力症の患者［重症筋無力症の症状を悪化させるおそれがある］

過量投与 本剤の過量投与が明白又は疑われた場合の処置としてフルマゼニル(ベンゾジアゼピン受容体拮抗剤)を投与する場合には，使用前にフルマゼニルの使用上の注意(禁忌，慎重投与，相互作用等)を必ず読む

薬物動態

血漿中濃度(健康成人) ①単回投与(HPLC測定法)：男子4例に2mg空腹時経口投与で，血漿中に未変化体は認められず，活性代謝物は4種．総活性代謝物のCmax7.6±2.5ng/mL，Tmax3.0±0.0hr，$AUC_{0-\infty}$ 122.8±42.0ng・hr/mL，$T_{1/2}$ 10.5±2.6hr ②腎不全患者における血漿中濃度：男子4例に2mg投与群と腎不全患者5例に1mg投与群の血漿中濃度シミュレーションはほぼ同等 ③反復投与：男子に2mg反復投与(22日間)後の血漿中活性代謝物濃度は，初回投与後の測定値から求めた予測血漿中濃度とほぼ等しく，反復投与による薬物動態の変動は認められなかった．活性代謝物のうち，最も遅く生成するM-3の血漿中濃度は投与後3日目に定常状態，中止後3日目には消失 ④食事の影響：2mgを食後又は空腹時投与後，各代謝物の血漿中濃度測定時，両群間に有意差は認められず，食事によって代謝物の血漿中濃度は変動しないことが明らかとなった **分布(参考)** ラットに^{14}C-標識塩酸リルマザホンを3mg/kg単回経口投与時，血漿中濃度は投与2時間後に，肝臓中濃度は投与30分後に最高値で血漿中濃度の24倍．他の臓器(消化管以外)は投与1時間後に最高値，その後徐々に減少．排泄に関与する肝臓・腎臓・腸管を除く他の臓器は，いずれも血漿中濃度とほぼ等しい動きを示し，投与72時間後以降は検出限界以下 **代謝** アミノペプチダーゼによって脱グリシンを受け閉環後，順次M-1，M-2，M-A，M-3活性代謝物に変換．M-1からM-2，M-2からM-Aへの変換にはチトクロムP450 3A4が関与．各活性代謝物はカルボキシエステラーゼによりM-4へ代謝 **排泄** 主にM-4となって尿中に排泄．2mg錠を単回投与後及び22日間反復投与後の24時間までのM-4の尿中排泄率は，それぞれ62.3%，61.5% **その他** 血漿蛋白結合率：M-1 79.3%，M-2 81.2%，M-A 76.8%，M-3 80.8%，M-4 88.9% 各々の構造式は添付文書参照

その他の管理的事項

投与期間制限 該当しない

保険給付上の注意 該当しない

資料

IF リスミー錠1mg・2mg 2019年8月改訂(第16版)

リンゲル液
Ringer's Solution

概要

薬効分類 331 血液代用剤

分子式 該当しない

ステム 該当しない

原薬の規制区分 該当しない

原薬の外観・性状 無色澄明の液で，弱い塩味がある

先発医薬品等

注 リンゲル液「オーツカ」(大塚工場＝大塚製薬)

リンゲル液「フソー」(扶桑)
国際誕生年月 不明
海外での発売状況 該当しない

製剤

規制区分 注 ㊕
製剤の性状 注 無色澄明の水性注射液で，弱い塩味がある
有効期間又は使用期限 5年
貯法・保存条件 室温保存
薬剤取扱い上の留意点 該当しない
溶液及び溶解時のpH 5.0〜7.5
浸透圧比 0.9〜1.1
調製時の注意 該当しない

薬理作用

分類 電解質液
作用部位・作用機序 組織代謝の維持又は生体機能のhomeostasis維持のためには，いわゆる機能的細胞外液量を正常に保っておく必要があると考えられている．例えば，出血性ショック時や外科的侵襲をうけた場合には失血分以上の細胞外液喪失を起こしていることが実験的，臨床的に示されており，このような場合には循環血液量のみならず，減少している組織間液の回復を同時に考慮する必要がある．本剤はNa^+，Cl^-の他にK^+，Ca^{++}を含む等張性の電解質液で，その組成は生理食塩液に比べ細胞外液に近くなっている．しかし，陰イオンとしてはCl^-のみであり，大量投与ではHCO_3^-希釈による代謝性アシドーシスを起こす危険があるが，逆にCl^-欠乏を伴うことの多い代謝性アルカローシスの場合には有用であると考えられる
同効薬 乳酸リンゲル液など

治療

効能・効果 循環血液量及び組織間液の減少時における細胞外液の補給・補正
用法・用量 1回500〜1000mL点滴静注(適宜増減)．投与速度は300〜500mL/時とする

その他の管理的事項

投与期間制限 該当しない
保険給付上の注意 該当しない

資料

IF リンゲル液「フソー」 2011年4月改訂(第4版)

リンコマイシン塩酸塩水和物
リンコマイシン塩酸塩注射液
Lincomycin Hydrochloride Hydrate

概要

薬効分類 611 主としてグラム陽性菌に作用するもの
構造式

分子式 $C_{18}H_{34}N_2O_6S \cdot HCl \cdot H_2O$
分子量 461.01
略語・慣用名 LCM
ステム *Streptomyces*属の産生する抗生物質：-mycin
原薬の規制区分 該当しない
原薬の外観・性状 白色の結晶又は結晶性の粉末である．水又はメタノールに溶けやすく，エタノール(95)にやや溶けにくい．0.10gを水1mLに溶かした液のpHは3.0〜5.5である
原薬の吸湿性 参考：本品は70℃で乾燥した結晶状態では最低6カ月は安定．温度70℃で0.1N塩酸中におけるリンコマイシン塩酸塩水和物の半減期は約40時間
原薬の融点・沸点・凝固点 融点：145〜147℃(分解)
原薬の酸塩基解離定数 pKa＝7.6(free base)
先発医薬品等
カ リンコシンカプセル250mg(ファイザー)
注 リンコシン注射液300mg・600mg・1g・1.5g(ファイザー) リンコマイシン塩酸塩注射液300mg・600mg「トーワ」(東和薬品)
国際誕生年月 1960年1月
海外での発売状況 米，仏，独など

製剤

規制区分 カ 注 ㊕
製剤の性状 カ 濃青色不透明/淡青色不透明の硬カプセル 注 無色澄明の水性注射液
有効期間又は使用期限 4年
貯法・保存条件 室温保存
薬剤取扱い上の留意点 カ 食道に停留し，崩壊すると，まれに食道潰瘍を起こすことがあるので，水又は牛乳で服用させ，とくに就寝直前の服用等には注意すること
患者向け資料等 カ 患者向医薬品ガイド，くすりのしおり
溶液及び溶解時のpH 注 3.0〜5.5
浸透圧比 注 約5(対生食)
調製時の注意 該当資料なし

薬理作用

分類 リンコマイシン系抗生物質
作用部位・作用機序 ブドウ球菌属，レンサ球菌属，肺炎球菌などのグラム陽性菌，嫌気性菌であるペプトコッカス属及びバクテロイデス属に強い抗菌作用を示す 作用機序：細菌のリボゾーム50S Subunitに作用し，ペプチド転移酵素反応を阻止し蛋白合成を阻害する
同効薬 クリンダマイシン塩酸塩，クリンダマイシンリン酸エステル

治療

効能・効果 カ〈適応菌種〉リンコマイシンに感性のブドウ球菌属，レンサ球菌属，肺炎球菌，赤痢菌 〈適応症〉表在性皮膚感染症，深在性皮膚感染症，リンパ管・リンパ節炎，乳腺炎，骨髄炎，咽頭・喉頭炎，扁桃炎，急性気管支炎，肺炎，肺膿瘍，慢性呼吸器病変の二次感染，膀胱炎，腎盂腎炎，感染性腸炎，角膜炎(角膜潰瘍を含む)，中耳炎，副鼻腔炎，猩紅熱
注〈適応菌種〉リンコマイシンに感性のブドウ球菌属，レンサ球菌属，肺炎球菌，ペプトストレプトコッカス属，バクテロイデス属 〈適応症〉敗血症，感染性心内膜炎，表在性皮膚感染症，深在性皮膚感染症，リンパ管・リンパ節炎，乳腺炎，骨髄炎，関節炎，咽頭・喉頭炎，扁桃炎，急性気管支炎，肺炎，肺膿瘍，慢性呼吸器病変の二次感染，膀胱炎，腎盂腎炎，バルトリン腺炎，子宮内感染，子宮付属器炎，子宮旁結合織炎，化膿性髄膜炎，角膜炎(角膜潰瘍を含む)，中耳炎，副鼻腔炎，猩紅熱
効能・効果に関連する使用上の注意 カ 咽頭・喉頭炎，扁桃炎，急性気管支炎，感染性腸炎，中耳炎，副鼻腔炎への使用にあたっては，「抗微生物薬適正使用の手引き」を参照し，抗菌薬投与の必要性を判断した上で，本剤の投与が適切と判断される場合に投与する
注 咽頭・喉頭炎，扁桃炎，急性気管支炎，中耳炎，副鼻腔炎への使用にあたっては，「抗微生物薬適正使用の手引き」を参照し，抗菌薬投与の必要性を判断した上で，本剤の投与が適切と判断される場合に投与する
用法・用量 カ 1日1.5〜2g(力価)，小児20〜30mg(力価)/kg，3〜4回に分服(適宜増減)

注 ①静注：1回600mg(力価)1日2〜3回点滴静注(適宜増減)　②筋注：1回300mg(力価)1日2〜3回，又は1回600mg(力価)1日2回，小児1回10〜15mg(力価)/kg1日2〜3回(適宜増減)

用法・用量に関連する使用上の注意　使用にあたっては，耐性菌の発現等を防ぐため，原則として感受性を確認し，疾病の治療上必要な最小限の期間の投与にとどめる

使用上の注意

禁忌　本剤の成分又はクリンダマイシンに対し過敏症の既往歴のある患者

薬物動態

血中濃度　健康成人(5例)に500mgを1回経口投与4時間後に最高値約2.8μg/mL，6時間後約1.4μg/mL，以後徐々に減少．成人(12例)に600mgを1時間で点滴静注時の最高値は点滴終了時約17μg/mL，点滴終了後急減し，2時間後約5μg/mL，以後徐々に減少．成人(4例)に同量の筋注では最高値は約15分後約14.4μg/mL，2時間後約6.2μg/mLに減少するが，点滴静注に比べて消失カーブは緩やか．3時間後には点滴静注，筋注ともに約1.5μg/mL　**分布**　**注** 喀痰，胸水，胆汁，上顎洞粘膜，子宮等各種の体液，組織に良好に移行　**排泄**　成人に500mgを経口投与後7時間までの尿中回収率は平均8.9%．健康成人に600mgを筋注後8時間までの尿中回収率11〜13.5%

その他の管理的事項

投与期間制限　該当しない

保険給付上の注意　該当しない

資料

IF　リンコシンカプセル250mg　2018年8月改訂(第5版)
リンコシン注射液300mg・600mg・1g・1.5g　2020年4月改訂(第7版)

製剤

有効期間又は使用期限　3年

貯法・保存条件　室温保存

薬理作用

分類　カルシウム剤

作用部位・作用機序　妊娠，授乳，骨カルシウム沈着減少時などカルシウムとリン酸塩の要求が増すときに，カルシウムとリン酸塩の補給源として一般に用いられる．胃腸から吸収される程度はグルコン酸又は乳酸塩に劣るといわれ，カルシウムのみが必要なときはグルコン酸カルシウムや乳酸カルシウムのほうがすぐれている．しかし，食物の強化としてカルシウム及びリン酸塩の双方が必要であるときには本薬が用いられる．食物中のカルシウムとリンの比は1〜2：1が最も適当であるが，本薬におけるこの比は1.3：1である

治療

効能・効果　①次の代謝性骨疾患におけるカルシウム補給：くる病，骨粗鬆症，骨軟化症　②妊娠・授乳時におけるカルシウム補給

用法・用量　1日3g，3回に分服(適宜増減)

使用上の注意

禁忌　①高カルシウム血症の患者　②腎結石のある患者　③重篤な腎不全のある患者

その他の管理的事項

投与期間制限　該当しない

保険給付上の注意　該当しない

資料

添付文書　リン酸水素カルシウム「エビス」　2011年6月作成(第1版)

無水リン酸水素カルシウム
Anhydrous Dibasic Calcium Phosphate

概要

分子式　$CaHPO_4$

分子量　136.06

原薬の規制区分　該当しない

原薬の外観・性状　白色の結晶性の粉末又は粒である．水又はエタノール(99.5)にほとんど溶けない．希塩酸又は希硝酸に溶ける

リン酸水素カルシウム水和物
Dibasic Calcium Phosphate Hydrate

概要

薬効分類　321　カルシウム剤

分子式　$CaHPO_4 \cdot 2H_2O$

分子量　172.09

原薬の規制区分　該当しない

原薬の外観・性状　白色の結晶性の粉末である．水又はエタノール(99.5)にほとんど溶けない．希塩酸又は希硝酸に溶ける

先発医薬品等

末「山善」第二リン灰(山善)
リン酸水素カルシウム「エビス」(日興製薬)
リン酸水素カルシウム「三恵」(三恵)
リン酸水素カルシウム水和物「ヨシダ」(吉田製薬)

リン酸水素ナトリウム水和物
Dibasic Sodium Phosphate Hydrate

概要

分子式　$Na_2HPO_4 \cdot 12H_2O$

分子量　358.14

原薬の規制区分　該当しない

原薬の外観・性状　無色又は白色の結晶で，においはない．水に溶けやすく，エタノール(95)又はジエチルエーテルにほとんど溶けない．温乾燥空気中で風解する．1.0gを水50mLに溶かした液のpHは9.0〜9.4である

リン酸二水素カルシウム水和物
Monobasic Calcium Phosphate Hydrate

概要

分子式　$Ca(H_2PO_4)_2 \cdot H_2O$

分子量　252.07

原薬の規制区分　該当しない

原薬の外観・性状　白色の結晶又は結晶性の粉末で，においはなく，酸味がある．水にやや溶けにくく，エタノール(95)又はジエチルエーテルにほとんど溶けない．希塩酸又は希硝酸に溶ける．やや潮解性である

リ

レセルピン
レセルピン錠
レセルピン散0.1%
レセルピン注射液
Reserpine

概要

構造式

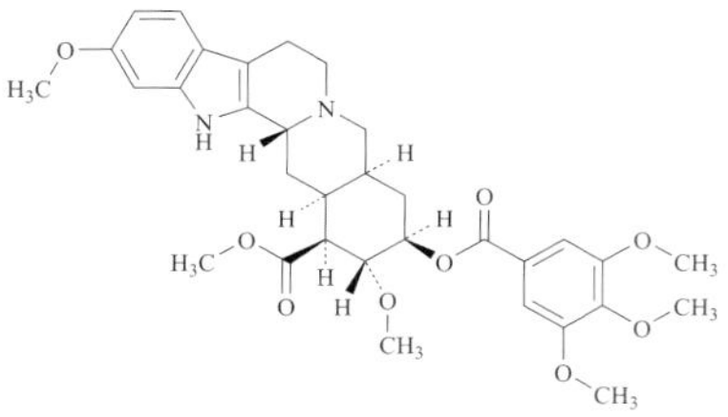

分子式　$C_{33}H_{40}N_2O_9$

分子量　608.68

原薬の規制区分　劇(ただし，注射剤以外の製剤であって，1個中レセルピンとして1mg以下を含有するものを除く)

原薬の外観・性状　白色～淡黄色の結晶又は結晶性の粉末である．酢酸(100)又はクロロホルムに溶けやすく，アセトニトリルに溶けにくく，エタノール(95)に極めて溶けにくく，水又はジエチルエーテルにほとんど溶けない．光によって変化する

原薬の吸湿性　該当資料なし

治療

効能・効果[†]　**散**　**錠**　①高血圧症(本態性，腎性等)，悪性高血圧(他の降圧剤と併用する)　②フェノチアジン系薬物の使用困難な統合失調症

注　①高血圧性緊急症(子癇，高血圧性脳症，脳出血発作等)　②フェノチアジン系薬物の使用困難な統合失調症

レチノール酢酸エステル
Retinol Acetate

別名：ビタミンA酢酸エステル

概要

構造式

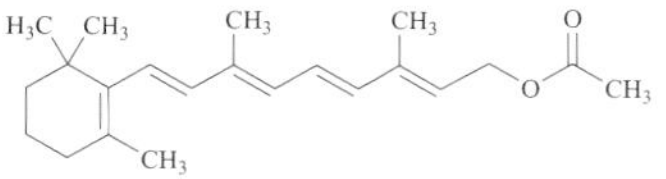

分子式　$C_{22}H_{32}O_2$

分子量　328.49

原薬の規制区分　該当しない

原薬の外観・性状　微黄色～黄赤色の結晶又は軟膏様物質で，敗油性でない僅かに特異なにおいがある．石油エーテルに溶けやすく，エタノール(95)にやや溶けやすく，水にほとんど溶けない．空気又は光によって分解する

レチノールパルミチン酸エステル
Retinol Palmitate

別名：ビタミンAパルミチン酸エステル

概要

薬効分類　311　ビタミンA及びD剤

構造式

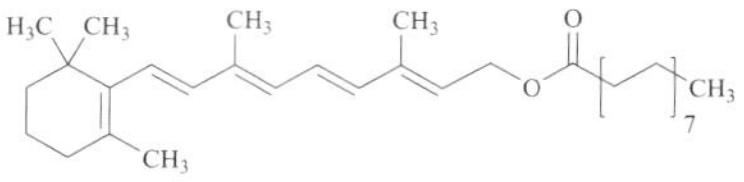

分子式　$C_{36}H_{60}O_2$

分子量　524.86

略語・慣用名　別名：パルミチン酸レチノール

ステム　レチノール誘導体：retin

原薬の規制区分　該当しない

原薬の外観・性状　淡黄色～黄赤色の固体油脂状又は油状の物質で，敗油性でない僅かに特異なにおいがある．石油エーテルに極めて溶けやすく，エタノール(95)に溶けにくく，水にほとんど溶けない．空気又は光によって分解する

原薬の吸湿性　該当資料なし

原薬の融点・沸点・凝固点　融点：28～29℃

原薬の酸塩基解離定数　該当資料なし

先発医薬品等

内用液　チョコラA滴0.1万単位/滴(サンノーバ=エーザイ)

注　チョコラA筋注5万単位(エーザイ)

国際誕生年月　該当しない

海外での発売状況　米

製剤

規制区分　**注**　処

製剤の性状　**散**　淡褐色で甘味がある散剤　**錠**　チョコレート色の糖衣錠　**内用液**　淡黄色のほとんど澄明な液体で，オレンジ油の臭いがあり味は甘い．褐色びんに充填してある　**注**　淡黄色の注射液

有効期間又は使用期限　**散**　**内用液**　**注**　1年　**錠**　27カ月

貯法・保存条件　**散**　**錠**　**内用液**　室温保存．開栓後は遮光，密栓して防湿保存　**注**　室温保存．外箱開封後は遮光保存

薬剤取扱い上の留意点　該当資料なし

患者向け資料等　くすりのしおり

溶液及び溶解時のpH　**内用液**　4.5～5.5　**注**　3.0～5.0

浸透圧比　**注**　約0.9(対生食)

調製時の注意　**散**　酸化されやすいので，酸化性薬品との配合を避けること

薬理作用

分類　ビタミンA剤

作用部位・作用機序　ビタミンAは，網膜の正常機能に必須である．ビタミンAはレチナールの形でオプシン(網膜の赤色素)と結合して暗所でものを見るのに必要なロドプシン(視紅)を形成する．他の型(レチノール，レチノイン酸)は，骨，睾丸，子宮の成長，胚胎発育，上皮組織の成長と分化の調節に必要である．レチノールとレチノイン酸は，生化学反応で補因子として働くと考えられる

同効薬　粉末ビタミンA，ビタミンA油

治療

効能・効果　①ビタミンA欠乏症の予防及び治療(夜盲症，結膜乾燥症，角膜乾燥症，角膜軟化症)　②ビタミンAの需要が増大し，食事からの摂取が不十分な際の補給(妊産婦，授乳婦，乳幼児，消耗性疾患等)　③次の疾患のうち，ビタミンAの欠乏又は代謝障害が関与すると推定される場合：角化性皮膚疾患

用法・用量　**内用液**　ビタミンAとして補給には1日2000～4000ビタミンA単位，治療には1日3000～100000ビタミンA単位(適宜増減)

注 ビタミンAとして1日3000～100000ビタミンA単位筋注（適宜増減）

禁忌・原則禁忌となる特定患者集団 妊娠3カ月以内又は妊娠を希望する婦人へのビタミンA 5000IU/日以上の投与（ビタミンA欠乏症の婦人は除く）

使用上の注意

禁忌 ①注 本剤の成分に対し過敏症の既往歴のある患者 ②レチノイド製剤（エトレチナート，トレチノイン，タミバロテン，ベキサロテン）を投与中の患者 ③妊娠3カ月以内又は妊娠を希望する婦人へのビタミンA 5000IU/日以上の投与（ビタミンA欠乏症の婦人は除く）

過量投与 ①徴候・症状：ビタミンA過剰症はビタミンA摂取後12時間前後で発病する急性過剰症（急性症）とビタミンAを数カ月以上摂取して次第に症状の現われる慢性過剰症（慢性症）とがある：(1)急性症状：ビタミンA摂取後数時間～24時間（約12時間）で現れ，摂取中止後1～2日後に症状は消失し何ら後遺症を残さない．主症状は小児では急性脳水腫に起因し，嘔吐，不眠，嗜眠，興奮のほか大泉門が膨隆して茸状に膨れあがる．乳幼児ではそのほか吐乳，下痢，不機嫌，不安症状，痙攣，水頭症の報告もある．髄膜症はみられない．成人では全身倦怠，悪心，嘔吐，腹痛，めまい，運動鈍化が起こり，嗜眠状態となり，その後全身の皮膚が剥離し回復する．臨床検査成績としては脳脊髄液圧がやや亢進するほか病的所見はみられず，大泉門膨隆程度と脳圧間に必ずしも平行関係はないといわれ，脳波にも異常なく眼底変化はみられない．急性症は成人にはまれで大多数乳幼児である (2)慢性症状：主症状は小児では食欲不振，体重増加停止，便秘，不機嫌，不眠，興奮，ときに肝肥大等の一般症状．中枢神経症状としては頭痛，嘔吐，神経過敏，痙攣，複視，斜視，脳圧亢進，脳水腫等，骨症状は四肢の有痛性長管骨腫脹が特徴的で，骨幹が紡錘状に腫脹し，X線で骨膜増殖，尺骨，蹠骨の限局性皮質性骨肥厚，限局性骨粗鬆症を起こし歩行障害を訴える．成人では最も著明な症状は全身倦怠である．皮膚症状はまず毛髪乾燥，次いで脱毛，脂漏，そう痒症．尋常性ざ瘡，落屑，口唇乾燥亀裂，口角亀裂，舌縁疼痛，水疱形成等，腹部では肝・脾肥大，リンパ節軽度肥大，泌尿器では尿意頻回等が起こり，神経系の障害は小児ほど著明でない．血液では軽い貧血，白血球増多又は減少等が起こるが血液化学や肝機能検査では著しい障害は認められない．血漿中ビタミンA量が上昇しエステル型よりアルコール型ビタミンAの増量が著しく，血清リポイド，アルカリ性ホスファターゼ値が増加する ②処置：ビタミンA摂取を中止することで容易に治癒する．このほかの処置としては下剤服用，必要なら補液を行う（急性症）．出血性素因にはビタミンK使用，罹患肢の固定を行う

その他の管理的事項

投与期間制限 該当しない

保険給付上の注意 該当しない

資料

IF チョコラA滴0.1万単位/滴 2016年8月改訂（第7版）
チョコラA滴0.1万単位/滴 2016年8月改訂（第7版）
チョコラA筋注5万単位 2016年8月改訂（第7版）

レナンピシリン塩酸塩
Lenampicillin Hydrochloride

概要

薬効分類 613 主としてグラム陽性・陰性菌に作用するもの

構造式

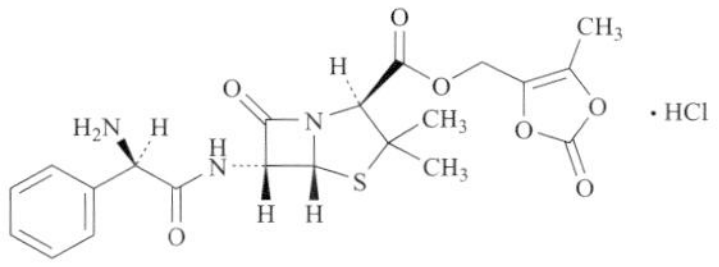

H₂N H
O
H
N
H H
S
CH₃
CH₃
O
O
CH₃
O
O
O
・HCl

分子式 $C_{21}H_{23}N_3O_7S \cdot HCl$

分子量 497.95

原薬の規制区分 該当しない

原薬の外観・性状 白色～淡黄白色の粉末である．水，メタノール又はエタノール(95)に極めて溶けやすく，*N*,*N*-ジメチルホルムアミドに溶けやすい

レノグラスチム（遺伝子組換え）
Lenograstim(Genetical Recombination)

概要

薬効分類 339 その他の血液・体液用薬

構造式

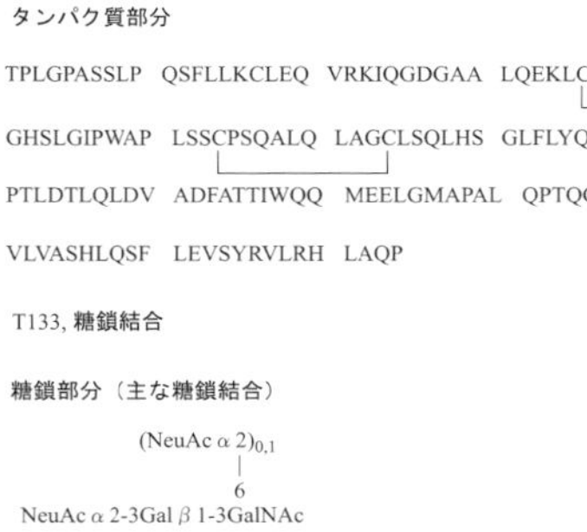

タンパク質部分
TPLGPASSLP QSFLLKCLEQ VRKIQGDGAA LQEKLCATYK LCHPEELVLL
GHSLGIPWAP LSSCPSQALQ LAGCLSQLHS GLFLYQGLLQ ALEGISPELG
PTLDTLQLDV ADFATTIWQQ MEELGMAPAL QPTQGAMPAF ASAFQRRAGG
VLVASHLQSF LEVSYRVLRH LAQP
T133, 糖鎖結合
糖鎖部分（主な糖鎖結合）
(NeuAc α 2)0,1
6
NeuAc α 2-3Gal β 1-3GalNAc

分子式 174個のアミノ酸残基（$C_{840}H_{1330}N_{222}O_{242}S_8$）からなる糖タンパク質

分子量 18667.41（タンパク質部分）

略語・慣用名 慣用名：ヒト顆粒球コロニー形成刺激因子

ステム 顆粒球コロニー刺激因子：-grastim

原薬の規制区分 該当しない

原薬の外観・性状 無色澄明の液である．pH：7.7～8.3

原薬の吸湿性 該当しない

原薬の酸塩基解離定数 該当しない

先発医薬品等

注射用 ノイトロジン注50μg・100μg・250μg（中外）

国際誕生年月 1991年10月

海外での発売状況 英など

製剤

規制区分 注射用 [生物] [処]

製剤の性状 注射用 白色の粉末又は塊

有効期間又は使用期限 3年

貯法・保存条件 室温保存

薬剤取扱い上の留意点 注 点滴静注に際しては，5%ブドウ糖注射液，生理食塩液等に混和する

患者向け資料等 患者向医薬品ガイド，くすりのしおり

溶液及び溶解時のpH 6.0〜7.5
浸透圧比 50μg注：1.0〜1.3，100μg注：1.1〜1.4，250注μg：1.3〜1.6(対生食)
調製時の注意 用時添付溶解液(注射用水)で溶解．他剤との混注を行わないこと

薬理作用

分類 ヒト顆粒球コロニー形成刺激因子(G-CSF)製剤
作用部位・作用機序 ヒト由来の顆粒球コロニー形成刺激因子(G-CSF)と基本的に差異のない構造を有する糖タンパク質の造血因子で，骨髄中の顆粒球系前駆細胞に働き，好中球への分化と増殖を促すと考えられている
同効薬 フィルグラスチム(遺伝子組換え)，ナルトグラスチム(遺伝子組換え)，ペグフィルグラスチム(遺伝子組換え)

治療

効能・効果 ①造血幹細胞の末梢血中への動員：⑴がん化学療法終了後の動員 ⑵自家末梢血幹細胞移植を目的とした本剤単独による動員 ⑶末梢血幹細胞移植ドナーに対する本剤単独での動員 ②造血幹細胞移植時の好中球数の増加促進 ③がん化学療法による好中球減少症：⑴急性骨髄性白血病，急性リンパ性白血病 ⑵悪性リンパ腫，小細胞肺癌，胚細胞腫瘍(睾丸腫瘍，卵巣腫瘍等)，神経芽細胞腫，小児癌 ⑶その他の癌腫 ④骨髄異形成症候群に伴う好中球減少症 ⑤再生不良性貧血に伴う好中球減少症 ⑥先天性・特発性好中球減少症 ⑦ヒト免疫不全ウイルス(HIV)感染症の治療に支障をきたす好中球減少症 ⑧免疫抑制療法(腎移植)に伴う好中球減少症
効能・効果に関連する使用上の注意 ①効能共通：投与は好中球減少症患者又は造血幹細胞の末梢血中への動員を目的とする対象に限定する ②造血幹細胞の末梢血中への動員：⑴自家末梢血幹細胞移植を目的としてがん患者に使用する場合は，対象患者は化学療法や放射線療法に感受性のある悪性腫瘍の患者である ⑵末梢血幹細胞採取が不良な場合は，その後の治療計画の変更を考慮する ⑶本剤単独で末梢血幹細胞を動員する場合，特に末梢血幹細胞移植ドナーへの本剤の使用に際しては，諸検査で異常のみられない健康人を対象とすることを原則とし，脾腫，脳血管障害，虚血性心疾患，血栓症，自己免疫性疾患の合併又は既往を有する対象は避けることが望ましい ③がん化学療法による好中球減少症：胚細胞腫瘍で卵巣腫瘍に該当するものは，未熟奇形腫，未分化胚細胞腫，卵黄嚢腫瘍などである
用法・用量 (効能①：適宜減量，効能②〜⑧は適宜増減)：効能①⑴：成人・小児にがん化学療法剤投与終了後(翌日以降)から，5μg/kgを1日1回又は2回に分けてアフェレーシスが終了する時点まで皮下注．十分な動員効果が期待できないと考えられる場合には1日量の上限を10μg/kgとする．投与中止時期はアフェレーシス終了前に白血球数が50000/mm^{3}以上に増加した場合は減量し，減量後，白血球数が75000/mm^{3}に達した場合は中止する ⑵：成人・小児に10μg/kgを1日1回又は2回に分けて4〜6日間，アフェレーシスが終了する時点まで皮下注．投与中止時期はアフェレーシス終了前に白血球数が50000/mm^{3}以上に増加した場合は減量し，減量後，白血球数が75000/mm^{3}に達した場合は中止する ⑶：成人に10μg/kgを1日1回又は2回に分けて4〜6日間，アフェレーシスが終了する時点まで皮下注．投与中止時期はアフェレーシス終了前に白血球数が50000/mm^{3}以上に増加した場合は減量し，減量後，白血球数が75000/mm^{3}に達した場合は中止する 効能②：成人・小児に移植翌日ないし5日後から，1日1回5μg/kg点滴静注．投与中止時期は好中球数が5000/mm^{3}以上に増加した場合は症状を観察しながら中止する．本剤の中止時期の指標である好中球数が緊急時等で確認できない場合には，白血球数の半数を好中球数として推定する 効能③：本剤の開始時期及び中止時期の指標である好中球数が緊急時等で確認できない場合には，白血球数の半数を好中球数として推定する．⑴：成人・小児にがん化学療法剤投与終了後(翌日以降)で骨髄中の芽球が十分減少し末梢血液中に芽球が認められない時点から1日1回5μg/kg静注(点滴静注を含む)．出血傾向等の問題がない場合1日1回2μg/kg皮下注．投与中止時期は好中球数が最低値を示す時期を経過後5000/mm^{3}に達した場合は中止する ⑵：成人・小児にがん化学療法剤投与終了後(翌日以降)から1日1回2μg/kg皮下注．出血傾向等により皮下注が困難な場合1日1回5μg/kg静注(点滴静注を含む)．投与中止時期は好中球数が最低値を示す時期を経過後5000/mm^{3}に達した場合は中止する ⑶：成人・小児にがん化学療法により好中球数1000/mm^{3}未満で発熱(原則として38℃以上)あるいは好中球数500/mm^{3}未満が観察された時点から，また，がん化学療法により好中球数1000/mm^{3}未満で発熱(原則として38℃以上)あるいは好中球数500/mm^{3}未満が観察され，引き続き同一のがん化学療法を施行する症例に対しては，次回以降のがん化学療法施行時には好中球数1000/mm^{3}未満が観察された時点から1日1回2μg/kg皮下注．出血傾向等により皮下投与が困難な場合1日1回5μg/kg静注(点滴静注を含む)．投与中止時期は好中球数が最低値を示す時期を経過後5000/mm^{3}に達した場合は中止する 効能④：成人に好中球数1000/mm^{3}未満の状態を示した時点から，1日1回5μg/kg静注．投与中止時期は好中球数が5000/mm^{3}以上に増加した場合は症状を観察しながら減量，あるいは中止する 効能⑤⑴成人：好中球数1000/mm^{3}未満の状態を示した時点から，1日1回5μg/kg静注 ⑵小児：好中球数1000/mm^{3}未満の状態を示した時点から1日1回5μg/kg皮下注又は静注．投与中止時期は成人・小児とも好中球数が5000/mm^{3}以上に増加した場合は症状を観察しながら減量，あるいは中止する 効能⑥：成人・小児に好中球数1000/mm^{3}未満の状態を示した時点から，1日1回2μg/kg皮下注又は静注．投与中止時期は好中球数が5000/mm^{3}以上に増加した場合は症状を観察しながら減量，あるいは中止する 効能⑦：成人・小児に好中球数1000/mm^{3}未満の状態を示した時点から，1日1回5μg/kg静注．投与中止時期は投与期間は2週間を目安とするが，好中球数が3000/mm^{3}以上に増加した場合は症状を観察しながら減量，あるいは中止する 効能⑧：成人・小児に好中球数1500/mm^3(白血球数3000/mm^3)未満の状態を示した時点から，1日1回2μg/kg皮下注．投与中止時期は好中球数が5000/mm^{3}以上に増加した場合は症状を観察しながら減量，あるいは中止する
用法・用量に関連する使用上の注意 ①造血幹細胞の末梢血中への動員：⑴がん化学療法終了後の使用により末梢血幹細胞を動員する場合，アフェレーシスは，白血球数が最低値を示す時期に達した後の回復期に1〜3日間連続して施行することを目安とし，末梢血中のCD34+細胞数を確認して行うことが望ましい ⑵本剤単独で末梢血幹細胞を動員する場合，アフェレーシスは，本剤投与開始5日目から1〜3日間連続して施行することを目安とし，末梢血中のCD34+細胞数を確認して行うことが望ましい ⑶本剤単独で末梢血幹細胞を動員する場合，特に末梢血幹細胞移植ドナーへの本剤の使用に際しては，副作用として，骨痛，発熱，頭痛，倦怠感，Al-P上昇，LDH上昇，ALT上昇，AST上昇がみられることがあるので，観察を十分に行い，慎重に投与し，用量・投与期間を適宜調節する ②がん化学療法による好中球減少症：⑴その他のがん腫に対する用法及び用量における，同一のがん化学療法とは，抗悪性腫瘍薬の種類及びその用量も同一の化学療法レジメンである ⑵投与により，好中球数が最低値を示す時期を経過後5000/mm^{3}に達した場合は投与を中止するが，好中球数が2000/mm^{3}以上に回復し，感染症が疑われるような症状がなく，本剤に対する反応性から患者の安全が確保できると判断した場合には，本剤の減量あるいは中止を検討する ⑶がん化学療法剤の投与前24時間以内及び投与終了後24時間以内の本剤の投与は避ける ③ヒト免疫不全ウイルス(HIV)感染症の治療に支障を来す好中球減少症：投与期間は2週間を目安とし，さらに継続投与が必要な場合でも6週間を限度とする．本剤を6週間を超えて投与した場合の安全性は確立し

ていない．また，本剤を1週間以上投与しても好中球数の増加がみられない場合は投与を中止し，適切な処置を取る　④免疫抑制療法(腎移植)に伴う好中球減少症：投与期間中は観察を十分に行い，好中球数2500/mm^3(白血球数5000/mm^3)以上を維持するように投与量を調節する

使用上の注意

禁忌　①本剤又は他の顆粒球コロニー形成刺激因子製剤に過敏症の患者　②骨髄中の芽球が十分減少していない骨髄性白血病患者及び末梢血液中に芽球の認められる骨髄性白血病患者

薬物動態

血中濃度　①単回投与：健康成人男子に静脈(1，10，20，40μg/body)及び皮下(10，20，40μg/body)に単回投与時，皮下注では投与4～6時間後まで上昇し以後穏やかな減少を示したが，静注では投与後速やかに消失し4～8時間後には同一用量の皮下投与群の値以下となり，投与24時間後にはほとんど検出されなくなった．静注時のパラメータ(1μg(4例)，10μg(3例)，20μg(4例)，40μg(3例)の順)は$T_{1/2}$(hr)0.43±0.03，0.53±0.04，1.02±0.07，1.00±0.05，$AUC_{0\text{-}72h}$(pg・hr/mL)]476±236，2436±321，9088=484，23325±811，皮下注時のパラメータ(10μg，20μg，40μgの順．各4例)は$T_{1/2}$(hr)5.44±1.89，4.49±0.81，4.39±0.42，$AUC_{0\text{-}96h}$(pg・hr/mL)824±293，1802±610，6085±890，Cmax(pg/mL)89.9±19.7，151.9±36.9，478.0±66.1．ただし用量10μg/体のAUCは0～72時間　②反復投与：健康成人男子各4例に20μg/bodyを連日5日間静注及び皮下注時，いずれの投与経路においても第1日目と第5日目の血清中濃度はほぼ同様な消失パターンを示し，蓄積性を示唆する所見は得られなかった　**排泄**　健康成人男子に静脈(1，10，20，40μg/body)及び皮下(10，20，40μg/body)に単回投与時，また両経路に反復投与(20μg/body)時，いずれの用法，用量においても尿中濃度は検出限界以下

その他の管理的事項

投与期間制限　該当しない

保険給付上の注意　再生不良性貧血及び先天性好中球減少症の患者に対して用いた場合に限り在宅自己注射指導管理料を算定できる

資料

IF　ノイトロジン注50μg・100μg・250μg　2020年4月改訂(第19版)

レバミピド
レバミピド錠
Rebamipide

概要

薬効分類　131　眼科用剤，232　消化性潰瘍用剤

構造式

及び鏡像異性体

分子式　$C_{19}H_{15}ClN_2O_4$

分子量　370.79

略語・慣用名　一般名としてプロアミピド(proamipide)が使用されたことがある

ステム　該当しない

原薬の規制区分　該当しない

原薬の外観・性状　白色の結晶性の粉末であり，味は苦い．*N,N*-ジメチルホルムアミドにやや溶けやすく，メタノール又はエタノール(99.5)に極めて溶けにくく，水にほとんど溶けない．本品の*N,N*-ジメチルホルムアミド溶液(1→20)は旋光性を示さない

原薬の融点・沸点・凝固点　融点：約291℃(分解)

原薬の酸塩基解離定数　pKa＝3.3(25℃)

先発医薬品等

顆　ムコスタ顆粒20%(大塚製薬)

錠　ムコスタ錠100mg(大塚製薬)

点眼液　ムコスタ点眼液UD2%(大塚製薬)

後発医薬品

顆　20%

錠　100mg・OD錠100mg

国際誕生年月　1990年9月

海外での発売状況　顆　錠　10カ国　点眼液　該当しない

製剤

製剤の性状　顆　白色～微黄白色のフィルムコート顆粒で，においはないか又は僅かに特異なにおいがある　錠　白色のフィルムコート錠　点眼液　白色の無菌水性懸濁点眼剤

有効期間又は使用期限　3年

貯法・保存条件　顆　室温保存(プラスチックボトル製品：湿度の影響を受けやすいので，使用の都度キャップをしっかり締める)　点眼液　室温保存(アルミピロー開封後は遮光して保存)，点眼口を上向きにして保管

薬剤取扱い上の留意点　顆(プラスチックボトル製品)湿度の影響を受けやすいので，使用の都度キャップをしっかり締める　点眼液　保管の仕方によっては振り混ぜても粒子が分散しにくくなる場合があるので，点眼口を上向きにして保管すること．点眼後，一時的に目がかすむことがあるので，機械類の操作や自動車の運転等には注意させること．本剤は懸濁液のため，使用の際には，薬剤を分散させるために，点眼容器の下部を持ち，丸くふくらんだ部分をしっかりはじくこと

患者向け資料等　顆　錠　くすりのしおり　点眼液　患者向医薬品ガイド，くすりのしおり

溶液及び溶解時のpH　点眼液　5.5～6.5

浸透圧比　点眼液　0.9～1.1(対生食)

調製時の注意　該当しない

薬理作用

分類　キノリノン誘導体

作用部位・作用機序　顆　錠　作用部位：胃　作用機序：胃粘膜のPG増加作用・フリーラジカル抑制作用．NSAIDsや*Helicobacter pylori*などによる胃粘膜傷害を抑制する．胃粘膜の炎症を制御し，粘膜機能を改善する

点眼液　作用部位：角膜上皮細胞及び結膜ゴブレット細胞　作用機序：角膜上皮細胞のムチン遺伝子発現を亢進し(*in vitro*)，培養上清中及び細胞内のムチン量を増加させる(*in vitro*)．また，角膜上皮細胞の増殖を促進する(*in vitro*)．結膜ゴブレット細胞数を増加させる(ウサギ)

同効薬　顆　錠　セトラキサート塩酸塩，テプレノン，ゲファルナート，ソファルコンなど　点眼液　ジクアホソルナトリウム

治療

効能・効果　顆　錠　①胃潰瘍　②次の疾患の胃粘膜病変(びらん，出血，発赤，浮腫)の改善：急性胃炎，慢性胃炎の急性増悪期

点眼液　ドライアイ

効能・効果に関連する使用上の注意　点眼液　涙液異常に伴う角結膜上皮障害が認められ，ドライアイと診断された患者に使用する

用法・用量　顆　錠　1回100mg，1日3回．ただし，胃潰瘍には朝夕及び就寝前

点眼液　1回1滴，1日4回

使用上の注意

禁忌　本剤の成分に対し過敏症の既往歴のある患者

レ

薬物動態
顆　錠　**血漿中濃度**　健康成人男子27例に錠又は顆粒20%をレバミピドとして100mg空腹時経口投与での薬物動態パラメータは，錠，顆粒の順で，Tmax(時間)2.4±1.2，2.5±1.1，Cmax(μg/L)216±79，242±118，$T_{1/2}$(時間，12時間までの値から算出)1.9±0.7，2.0±0.7，AUC_{24}(μg/L・hr)874±209，913±337．両製剤は生物学的に同等．健康成人男子6例に150mg経口投与時，食事により吸収の遅延傾向がみられたが，生物学的利用率に影響は認められなかった．腎機能障害患者に100mgを単回経口投与後の薬物動態は健康成人に比べ血漿中濃度が上昇，消失半減期が遅延．透析患者に連続投与時の定常状態の血漿中濃度は単回投与時からの推定血漿中濃度と一致し，蓄積性はないものと考えられた　**代謝**　健康成人男子に600mg経口投与時，尿中排泄の大部分が未変化体．代謝産物として8位水酸化体が確認されたが，その量は投与量の約0.03%．8位水酸化体はCYP3A4によって生成(承認用量は1回100mg，1日3回)　**排泄**　健康成人男子に100mg投与時，約10%尿中排泄　**蛋白結合**　ヒト血漿蛋白結合率を*in vitro*で検討した結果，0.05～5μg/mLの濃度で98.4～98.6%
点眼液　**血漿中濃度**　健康成人に両眼に単回点眼時の血漿中薬物動態パラメータは，tmax※)(時間)(6例)1.50(1.0～4.0)，Cmax(ng/mL)(6例)0.79±0.48，$t_{1/2}$(時間)(4例)11.34±4.76，AUC_{24h}(ng・h/mL)(6例)5.55±2.39　※)tmaxは中央値(範囲)．健康成人に両眼に1日4回，14日間反復点眼時，1日目の1日4回点眼後の最高血漿中濃度は約2.2ng/mL，14日間反復点眼後の最高血漿中濃度は約1.7ng/mL．14日間反復点眼後で血漿中レバミピド濃度の上昇は認められなかった
動物における眼組織移行　(参考：ウサギ)ウサギに1%^{14}C-レバミピド点眼液を単回点眼時，点眼15分後には角膜，結膜及び瞬膜に高い放射能が認められた　**代謝**　レバミピドの代謝物である8位水酸化体は，ヒト肝代謝酵素CYP3A4により生成　**排泄**　健康成人に両眼に単回点眼時のレバミピドの尿中排泄率は，3.95%

その他の管理的事項
投与期間制限　該当しない
保険給付上の注意　該当しない

資料
IF　ムコスタ顆粒20%・錠100mg　2017年2月改訂(第12版)
　ムコスタ点眼液UD2%　2019年12月改訂(第6版)

レバロルファン酒石酸塩
レバロルファン酒石酸塩注射液
Levallorphan Tartrate

概要
薬効分類　221　呼吸促進剤
構造式

分子式　$C_{19}H_{25}NO \cdot C_4H_6O_6$
分子量　433.49
ステム　モルフィナン系麻薬拮抗作用薬：-orphan
原薬の規制区分　該当しない
原薬の外観・性状　白色～微黄色の結晶性の粉末で，においはない．水又は酢酸(100)にやや溶けやすく，エタノール(95)にやや溶けにくく，ジエチルエーテルにほとんど溶けない．0.2gを水20mLに溶かした液のpHは3.3～3.8である
原薬の吸湿性　該当資料なし
原薬の融点・沸点・凝固点　融点：174～178℃
原薬の酸塩基解離定数　pKa＝4.5，6.9
先発医薬品等
注　ロルファン注射液1mg(武田テバ薬品＝武田)
海外での発売状況　発売されていない

製剤
規制区分　**注**　㊕
製剤の性状　**注**　無色澄明の液
有効期間又は使用期限　5年6カ月
貯法・保存条件　室温保存
溶液及び溶解時のpH　3.0～4.5
浸透圧比　約1(対生食)

薬理作用
分類　麻薬拮抗剤
作用部位・作用機序　モルヒネ系薬剤のレセプターにおける競合阻害によるものと考えられる．その作用機転としては，モルヒネ系薬剤によって呼吸中枢の炭酸ガスに対する閾値の上がったものが本剤によって正常近くに下げられることによるものと考えられている．麻薬によって引き起こされる呼吸抑制及び中毒症状を特異的に抑制するが，バルビツレートあるいは麻酔剤による呼吸抑制には効果を示さない
同効薬　ナロキソン塩酸塩

治療
効能・効果　麻薬による呼吸抑制に対する拮抗
用法・用量　麻薬投与前後あるいは投与と同時に皮下，筋注又は静注する．投与される麻薬の種類，用法・用量等に応じて種々の投与法を行うが，一般に次の投与法が適当である
投与量比率：レボルファノール10：本剤1，皮下又は静注．モルヒネ50：本剤1，皮下又は静注．アルファプロジン塩酸塩50：本剤1，皮下又は静注．ペチジン塩酸塩100：本剤1，筋注又は静注　①産科的応用：⑴麻薬投与による母体及び胎児の呼吸抑制の予防：適当な比率で麻薬と同時に皮下あるいは筋注し，以後は必要に応じて30分以上の間隔で各1/2量を投与　⑵分娩時麻薬によって起こる新生児の呼吸抑制の予防(麻薬と併用していない場合)：分娩前5～10分に1～2mg静注　⑶新生児の麻薬による呼吸抑制の治療：分娩後ただちに臍帯静脈に0.05～0.1mg注射　⑷産婦の麻薬による呼吸抑制の治療(④参照)　②補助薬として麻薬を用いた麻酔：⑴麻薬による呼吸抑制の治療：0.5～1.5mg静注　⑵麻薬による呼吸抑制の予防：適当な比率で麻薬とともに，あるいは麻薬投与の4～6分前に静注．投与後の呼吸機能が十分であればさらに投与する必要はないが，長時間にわたる手術あるいは麻酔終了時患者の呼吸機能が不十分であればさらに0.4～0.6mgを1～数回投与　③術前，術後又は内科での麻薬投与時：術前，術後の疼痛緩解のため及び内科患者に麻薬を投与したときに起こる呼吸抑制の予防には必要に応じ，適当な比率で麻薬と同時に皮下あるいは筋注　④麻薬過量投与による呼吸抑制の治療：⑴過剰量が不明の場合：1mg静注し，効果が現れればさらに必要に応じて3分間隔で0.5mgを1～2回投与　⑵麻薬及びその過剰量が分っている場合：適当な比率で静注し，必要があれば次いで3分間隔でその1/2量ずつ1～2回投与

使用上の注意
禁忌　①呼吸抑制が緩徐な患者［無効である］　②バルビツール系薬剤等の非麻薬性中枢神経抑制剤又は病的原因による呼吸抑制のある患者［無効である］　③麻薬依存患者［禁断症状を起こすことがある］

その他の管理的事項
投与期間制限　該当しない
保険給付上の注意　該当しない

資料
IF　ロルファン注射液1mg　2016年10月改訂（第4版）

レボチロキシンナトリウム水和物
レボチロキシンナトリウム錠
Levothyroxine Sodium Hydrate

概要
薬効分類　243　甲状腺，副甲状腺ホルモン剤
構造式

$$HO\text{-}C_6H_2I_2\text{-}O\text{-}C_6H_2I_2\text{-}CH_2\text{-}CH(NH_2)\text{-}CO_2Na \cdot xH_2O$$

分子式　$C_{15}H_{10}I_4NNaO_4 \cdot xH_2O$
分子量　798.85（無水物）
略語・慣用名　T_4
ステム　不明
原薬の規制区分　毒（ただし，製剤は劇）
原薬の外観・性状　微黄白色～淡黄褐色の粉末で，においはない．エタノール（95）に溶けにくく，水又はジエチルエーテルにほとんど溶けない．水酸化ナトリウム試液に溶ける．光によって徐々に着色する
原薬の吸湿性　特に吸湿性ではない
原薬の酸塩基解離定数　該当資料なし
先発医薬品等
散　チラーヂンS散0.01%（あすか製薬＝武田）
錠　チラーヂンS錠12.5μg・25μg・50μg・75μg・100μg（あすか製薬＝武田）
レボチロキシンNa錠25μg・50μg「サンド」（サンド＝富士製薬）
注　チラーヂンS静注液200μg（あすか製薬＝武田）
国際誕生年月　1952年1月
海外での発売状況　**注**　仏

製剤
規制区分　**散**　**錠**　**注**　劇　処
製剤の性状　**散**　白色散剤　**12.5μg錠**　赤色素錠　**25μg錠**　淡赤色素錠（割線入り）　**50μg錠**　白色素錠（割線入り）　**75μg錠**　淡黄色素錠　**100μg錠**　黄色素錠　**注**　無色澄明の水性注射液
有効期間又は使用期限　**散**　**錠**　3年　**注**　2年
貯法・保存条件　**散**　**錠**　遮光・室温保存　**注**　室温・外箱開封後遮光保存
薬剤取扱い上の留意点　該当資料なし
患者向け資料等　くすりのしおり
溶液及び溶解時のpH　**注**　9.0～11.0
浸透圧比　該当しない
安定なpH域　該当しない

薬理作用
分類　甲状腺ホルモン
作用部位・作用機序　作用部位：末梢でT_3に代謝され，全身の臓器組織において多彩な生理作用を発揮する．作用機序：核内に存在する甲状腺ホルモン受容体を介する標的遺伝子の発現調節によって発揮される
同効薬　リオチロニンナトリウム

治療
効能・効果　**散**　乳幼児甲状腺機能低下症
錠　粘液水腫，クレチン病，甲状腺機能低下症（原発性及び下垂体性），甲状腺腫
注　①粘液水腫性昏睡　②甲状腺機能低下症（ただし，レボチロキシンナトリウム経口製剤による治療が適さない場合に限る）
効能・効果に関連する使用上の注意　**注**　効能①：適用にあたっては，甲状腺機能低下症であって，次のいずれかに該当する患者を対象とする：(1)吸収不良・経口投与困難等により，レボチロキシンナトリウム経口製剤による治療が奏効しない患者　(2)胸腹水・心嚢水等がみられ，早急な改善が必要な患者
用法・用量　**散**　レボチロキシンナトリウムとして乳幼児には1日1回10μg/kg（適宜増減）．未熟児には1日1回，1回5μg/kgから開始し8日目から1回10μg/kg（適宜増減）
錠　レボチロキシンナトリウムとして1日1回0.025～0.4mg，一般に投与開始量には0.025～0.1mg，維持量には0.1～0.4mgを投与することが多い（適宜増減）
注　効能①：生理食塩液で希釈し，レボチロキシンナトリウムとして1日目50～400μgを緩徐に静注，2日目以降50～100μgを1日1回緩徐に静注（適宜増減）　効能②：生理食塩液で希釈し，レボチロキシンナトリウムとして25μgから開始し，50～150μgを維持用量として，1日1回緩徐に静注（適宜増減）
用法・用量に関連する使用上の注意　**注**　①1管（1mL）を生理食塩液100mLで希釈して投与する　②経口投与による治療が可能となった場合には，できるだけ速やかにレボチロキシンナトリウム経口製剤に切り替える　③粘液水腫性昏睡：治療開始時の用量は，患者の年齢，合併症，症状等により個別に決定する．通常用量を超える投与が必要な場合は，狭心症等の心疾患の発現リスクが高まるおそれもあることから，患者の状態を観察しながら慎重に投与する．500μgを超えたレボチロキシンナトリウムの静注に関する報告は少ない　④甲状腺機能低下症：(1)本剤による治療開始時に，甲状腺ホルモン製剤による治療を受けていない場合は，甲状腺ホルモンに対する感受性が増大している可能性があるので，25μgから投与を開始する．その際，患者の年齢，合併症等を踏まえて，25μgより低用量からの投与も考慮する．また，患者の状態を観察しながら，徐々に増量する．なお，T_4は半減期が長く，T_3に変換された後に作用が発揮されるため，投与開始及び増量後は1週間を目安に観察して増量の要否を検討する　(2)本剤投与前にレボチロキシンナトリウム経口製剤による治療を受けている場合は，本剤投与前のレボチロキシンナトリウム経口製剤の投与量，本剤の維持用量等を参考に，25μgを超える用量の必要性も考慮して，本剤の開始用量を決定する

使用上の注意
禁忌　①**注**　本剤の成分に対し過敏症の既往歴のある患者　②新鮮な心筋梗塞のある患者［基礎代謝の亢進により心負荷が増大し，病態が悪化することがある］
過量投与　**散**　**錠**　処置：一度に大量服用した場合には，胃腸からの本剤吸収の抑制（状況に応じ催吐・胃洗浄，コレスチラミンや活性炭の投与等）及び対症療法（換気維持のための酸素投与，交感神経興奮症状に対するプロプラノロール等のβ遮断剤の投与，うっ血性心不全に対する強心配糖体の投与や発熱，低血糖及び体液喪失に対する処置等）を行う
注　処置：換気維持のための酸素投与，交感神経興奮症状に対するプロプラノロール等のβ-遮断剤の投与，うっ血性心不全に対する強心配糖体の投与，発熱，低血糖及び体液喪失に対する処置等を行う

薬物動態
注　**血中濃度**　単回投与：健康成人男性8例を対象に，180μgを前腕部に約20分かけて静注時の内因性の血清中チロキシン（T_4）濃度で補正した薬物動態パラメータは，$AUC_{0-\infty}$174.2±62.7μg・hr/dL，Cmax3.23±0.40μg/dL，Tmax0.34±0.03hr，$t_{1/2}$65.22±31.28hr　**分布**　T_4は血中において殆どがthyroxine-binding globulin，transthyretin及びalbuminと結合しており，ヒトにおける遊離型T_4は総T_4の0.02%．雄性ラットに$[^{125}I]T_4$を静注時，放射能は血漿中及び肝臓，腎臓に多く分布し，脳への分布は少なかった．妊娠ラットに$[^{125}I]T_4$

レ

を静注時，放射能移行量は胎児のT_4産生量の1%に満たなかった **代謝** ヒト及び動物におけるT_4の主な代謝は脱ヨード化で，それ以外にグルクロン酸抱合，硫酸抱合，脱アミノ化などを受ける **排泄** 胆管カニューレーションを施したラット及びイヌに$[^{131}I]T_4$を静注時，いずれも投与後24時間までに胆汁中及び尿中に投与した放射能のそれぞれ約20～30%が排泄．授乳期ラットに$[^{131}I]T_4$を腹腔内投与時，放射能の乳汁への排泄は少なかった

その他の管理的事項

投与期間制限 該当しない

保険給付上の注意 注 甲状腺機能低下症の患者に投与する際は，レボチロキシンナトリウム経口製剤による治療が適さない場合に限ること．また，甲状腺機能低下症の患者に対する本製剤の投与開始に当たっては，レボチロキシンナトリウム経口製剤による治療が適さないと判断した理由を診療報酬明細書の摘要欄に記載すること

資料

IF チラーヂンS散0.01%・錠12.5μg・25μg・50μg・75μg・100μg 2019年11改訂(第11版)
チラーヂンS静注液200μg 2020年6月改訂(第2版)

レボドパ
Levodopa

概要

薬効分類 116 抗パーキンソン剤

構造式

CO_2H H NH_2 HO OH

分子式 $C_9H_{11}NO_4$

分子量 197.19

略語・慣用名 L-DOPA

ステム ドパミン受容体作動薬及びドパミン誘導体：-dopa/-opamine

原薬の規制区分 該当しない

原薬の外観・性状 白色又は僅かに灰色を帯びた白色の結晶又は結晶性の粉末で，においはない．ギ酸に溶けやすく，水に溶けにくく，エタノール(95)にほとんど溶けない．希塩酸に溶ける．本品の飽和水溶液のpHは5.0～6.5である

原薬の吸湿性 吸湿性はほとんどなし

原薬の融点・沸点・凝固点 融点：約275℃(分解)

原薬の酸塩基解離定数 $pKa_1=2.1$，$pKa_2=8.9$，$pKa_3=9.9$，$pKa_4=12.2$

先発医薬品等

散 ドパストン散98.5%(大原)
錠 ドパゾール錠200mg(アルフレッサファーマ)
力 ドパストンカプセル250mg(大原)
注 ドパストン静注25mg・50mg(大原)

国際誕生年月 不明

海外での発売状況 米，英，独，豪など 錠 中国，インドなど

製剤

規制区分 散 錠 力 注 ㊕

製剤の性状 散 ほとんど白色・細粒を含む粉末 錠 黄橙色のフィルムコーティング錠 力 淡黄赤色不透明の硬カプセル剤 注 無色澄明の注射液

有効期間又は使用期限 散 3年6カ月 錠 3年 力 注 5年

貯法・保存条件 散 錠 室温保存 力 気密容器，室温保存(開封後は遮光保存) 注 遮光・室温保存

薬剤取扱い上の留意点 前兆のない突発的睡眠，傾眠，調節障害及び注意力・集中力・反射機能等の低下が起こることがあるので，本剤投与中の患者には自動車の運転等，危険を伴う機械の操作には従事させないよう注意すること 注 アルカリ溶液中で分解し，着色(褐色～黒色)するので，アルカリ性注射剤との混合は避けること

患者向け資料等 患者向医薬品ガイド，くすりのしおり

溶液及び溶解時のpH 注 2.5～4.5

浸透圧比 注 約1(対生食)

安定なpH域 該当しない

調製時の注意 注 該当資料なし

薬理作用

分類 ドパミン受容体作動薬

作用部位・作用機序 レボドパ(L-DOPA)はドパミンの前駆物質であり，パーキンソン病・パーキンソン症候群患者において脳内で不足しているドパミンを補う作用がある．ラットに^{14}C-レボドパを投与し，脳内への移行をみると，体内に吸収されたレボドパの一部は血液－脳関門を通過し，脳内で脱炭酸酵素の働きによりドパミンに転換され，パーキンソン氏病・パーキンソン症候群の症状を改善する．パーキンソニズムは中脳黒質の変性，ドパミンニューロンの障害及び黒質・線条体などの錐体外路諸核におけるドパミン減少によると考えられている．レボドパ(L-DOPA)はドパミンの前駆物質として脳に入りパーキンソニズムの主症状，特に寡動～無動，筋強剛などを改善する

同効薬 レボドパ・カルビドパ水和物配合剤，レボドパ・ベンセラジド塩酸塩配合剤，ドパミン受容体作用薬(ペルゴリドメシル酸塩，カベルゴリン，ブロモクリプチンメシル酸塩，タリペキソール塩酸塩，プラミペキソール塩酸塩水和物)など

治療

効能・効果 散 力 注 パーキンソン病，パーキンソン症候群 錠 パーキンソン氏病，パーキンソン症候群に伴う次の諸症状の治療及び予防：寡動～無動，筋強剛，振戦，日常生活動作障害，仮面様顔貌，歩行障害，言語障害，姿勢異常，突進現象，膏様顔，書字障害，精神症状，唾液分泌過剰

用法・用量 散 力 1日250～750mgを1～3回に分けて食直後服用，その後2～3日ごとに1日250mgずつ増量し，症例ごとに最適投与量を定め維持量とする(標準維持量1日1.5～3.5g)(適宜増減)

錠 1日200～600mgを1～3回に分けて食後服用，2～3日ごとに1日200～400mgずつ漸増し，2～4週後に維持量として2000～3600mg(適宜増減)

注 1日25～50mgを1～2回に分けて，そのままゆっくり静注又は生理食塩液もしくはブドウ糖液等に希釈して点滴静注(適宜増減)

使用上の注意

禁忌 ①閉塞隅角緑内障の患者［眼圧上昇を起こし，症状が悪化するおそれがある］ ②本剤の成分に対し過敏症の既往歴のある患者

過量投与 過量投与により，異常な不随意運動，混乱，不眠，まれに嘔気，嘔吐，不整脈等が起こるおそれがある．このような場合には，呼吸器や心機能を観察しながら適切な処置を行う

薬物動態

血中濃度 散 力 パーキンソニズムの患者5例を対象として，本剤1回0.5～1g投与時の血中濃度は，0.5～3時間にピーク(平均2.07μg/mL)を示し，その後比較的急速に減少して，投与6時間後にはほぼ消失．一方，血中ドパミン濃度は2～4時間でピーク(平均1.61μg/mL)を示し，その後徐々に減少するが，6時間後もなお1μg/mL前後の値 **分布・代謝・排泄(参考：動物)** ラットに^{14}C標識レボドパを経口投与し，体組織への分布状態を全身オートラジオグラフィーで観察した結果，投与1時間後には脳内への取り込みが最大となり，尾状核，被

殻への局在が認められている．また，肝臓，腎臓，膵臓，皮膚等にも投与1時間後に最も高い放射能活性が認められている．投与されたレボドパは，ほとんどが尿中にホモバニリン酸(HVA)，3,4-dihydroxyphenylacetic acid(DOPAC)の形で排泄．ラットは^{14}C標識レボドパ投与後24時間までに投与量の85%以上(放射能活性比)が尿中に排泄され，糞中には約5%が排泄

その他の管理的事項

投与期間制限　該当しない

保険給付上の注意　該当しない

資料

IF　ドパストン散98.5%・カプセル250mg　2020年2月改訂(第11版)
ドパゾール錠200mg　2020年2月改訂(第2版)
ドパストン静注25mg・50mg　2020年2月改訂(第13版)

レボフロキサシン水和物
レボフロキサシン錠
レボフロキサシン細粒
レボフロキサシン注射液
レボフロキサシン点眼液
Levofloxacin Hydrate

概要

薬効分類　131　眼科用剤，624　合成抗菌剤

構造式

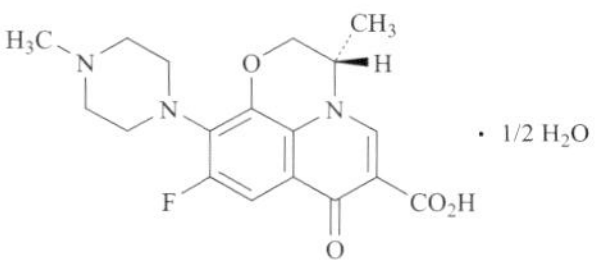

分子式　$C_{18}H_{20}FN_3O_4 \cdot \frac{1}{2}H_2O$

分子量　370.38

略語・慣用名　LVFX

ステム　ナリジクス酸系抗菌薬：-cxacin

原薬の規制区分　該当しない

原薬の外観・性状　淡黄白色～黄白色の結晶又は結晶性の粉末である．酢酸(100)に溶けやすく，水又はメタノールにやや溶けにくく，エタノール(99.5)に溶けにくい．0.1mol/L塩酸試液に溶ける．光によって徐々に暗淡黄白色になる

原薬の吸湿性　11～93%RHにおいて吸湿性は示さなかった

原薬の融点・沸点・凝固点　融点　約226℃(分解)

原薬の酸塩基解離定数　pKa_1＝6.11(カルボキシル基，滴定法)，pKa_2＝8.18(ピペラジンの4位の窒素，滴定法)

先発医薬品等

[細] クラビット細粒10%(第一三共)
[錠] クラビット錠250mg・500mg(第一三共)
[注] クラビット点滴静注500mg/20mL(第一三共)
[キット] クラビット点滴静注バッグ500mg/100mL(第一三共)
[点眼液] クラビット点眼液0.5%・1.5%(参天)

後発医薬品

[細] 10%
[錠] 250mg・500mg・OD錠250mg・500mg・粒状錠250mg・500mg
[内用液] 250mg
[注] 500mg
[キット] 500mg
[点眼液] 0.5%・1.5%

国際誕生年月　1993年10月

海外での発売状況　[細] [錠] [注] [キット] 米，英，仏，独など108カ国　[0.5%点眼液] 米，英，独など　[1.5%点眼液] 米など

製剤

規制区分　[細] [錠] [注] [キット] [点眼液] [処]

製剤の性状　[細] 淡黄白色～黄白色のコーティング細粒　[250mg錠] 黄色のフィルムコーティング錠(楕円形・割線入)　[500mg錠] うすいだいだい色のフィルムコーティング錠(楕円形・割線入)　[注] [キット] 黄色～帯緑黄色の澄明な液　[0.5%点眼液] 微黄色～淡黄色澄明の無菌水性点眼剤　[1.5%点眼液] 微黄色～黄色澄明の無菌水性点眼剤

有効期間又は使用期限　3年

貯法・保存条件　[細(H.S.)] [錠] [内用液] [注] 室温保存　[細(プラスチックボトル)] 遮光・室温保存　[点眼液] 気密容器，遮光・室温保存

薬剤取扱い上の留意点　[細] [錠] [注] [キット] 意識障害等が現れることがあるので，自動車の運転等，危険を伴う機械の操作に従事する際には注意するよう患者に十分に説明すること

患者向け資料等　[細] [錠] [注] [キット] 患者向医薬品ガイド，くすりのしおり　[0.5%点眼液] くすりのしおり，服薬指導箋　[1.5%点眼液] くすりのしおり

溶液及び溶解時のpH　[注] [キット] 3.8～5.8　[0.5%点眼液] 6.2～6.8　[1.5%点眼液] 6.1～6.9

浸透圧比　[注] 約0.9(対生食)　[キット] 1.0～1.2　[点眼液] 1.0～1.1

安定なpH域　該当しない

調製時の注意　[注] 生理食塩液等で希釈することが望ましい．なお，調製後は速やかに使用すること

薬理作用

分類　ニューキノロン系抗菌薬

作用部位・作用機序　細菌のDNAジャイレース及びトポイソメラーゼⅣに作用し，DNA複製を阻害．DNAジャイレース活性とトポイソメラーゼⅣ活性のどちらを強く阻害するかは細菌によって異なる

同効薬　[細] [錠] オフロキサシン，塩酸シプロフロキサシン，トスフロキサシントシル酸塩水和物など　[注] [キット] パズフロキサシンメシル酸塩，シプロフロキサシン，セフトリアキソンナトリウム水和物など　[点眼液] オフロキサシン，ガチフロキサシン，トスフロキサシン，ノルフロキサシン，モキシフロキサシン，ロメフロキサシン

治療

効能・効果　[細] [錠] [口腔内崩壊錠] [粒状錠] [内用液]〈適応菌種〉本剤に感性のブドウ球菌属，レンサ球菌属，肺炎球菌，腸球菌属，淋菌，モラクセラ(ブランハメラ)・カタラーリス，炭疽菌，結核菌，大腸菌，赤痢菌，サルモネラ属，チフス菌，パラチフス菌，シトロバクター属，クレブシエラ属，エンテロバクター属，セラチア属，プロテウス属，モルガネラ・モルガニー，プロビデンシア属，ペスト菌，コレラ菌，インフルエンザ菌，緑膿菌，アシネトバクター属，レジオネラ属，ブルセラ属，野兎病菌，カンピロバクター属，ペプトストレプトコッカス属，アクネ菌，Q熱リケッチア(コクシエラ・ブルネティ)，トラコーマクラミジア(クラミジア・トラコマティス)，肺炎クラミジア(クラミジア・ニューモニエ)，肺炎マイコプラズマ(マイコプラズマ・ニューモニエ)〈適応症〉表在性皮膚感染症，深在性皮膚感染症，リンパ管・リンパ節炎，慢性膿皮症，ざ瘡(化膿性炎症を伴うもの)，外傷・熱傷及び手術創等の二次感染，乳腺炎，肛門周囲膿瘍，咽頭・喉頭炎，扁桃炎(扁桃周囲炎，扁桃周囲膿瘍を含む)，急性気管支炎，肺炎，慢性呼吸器病変の二次感染，膀胱炎，腎盂腎炎，前立腺炎(急性症，慢性症)，精巣上体炎(副睾丸炎)，尿道炎，子宮頸管炎，胆嚢炎，胆管炎，感染性腸炎，腸チフス，パラチフス，コレラ，バルトリン腺炎，子宮内感染，子宮付属器炎，涙嚢炎，麦粒腫，瞼板腺炎，外耳炎，中耳炎，副鼻腔炎，化

膿性唾液腺炎，歯周組織炎，歯冠周囲炎，顎炎，炭疽，ブルセラ症，ペスト，野兎病，肺結核及びその他の結核症，Q熱
注 **キット**〈適応菌種〉レボフロキサシンに感性のブドウ球菌属，レンサ球菌属，肺炎球菌，腸球菌属，モラクセラ(ブランハメラ)・カタラーリス，炭疽菌，大腸菌，チフス菌，パラチフス菌，シトロバクター属，クレブシエラ属，エンテロバクター属，セラチア属，プロテウス属，モルガネラ・モルガニー，プロビデンシア属，ペスト菌，インフルエンザ菌，緑膿菌，アシネトバクター属，レジオネラ属，ブルセラ属，野兎病菌，ペプトストレプトコッカス属，プレボテラ属，Q熱リケッチア(コクシエラ・ブルネティ)，トラコーマクラミジア(クラミジア・トラコマティス)，肺炎クラミジア(クラミジア・ニューモニエ)，肺炎マイコプラズマ(マイコプラズマ・ニューモニエ)〈適応症〉外傷・熱傷及び手術創等の二次感染，肺炎，慢性呼吸器病変の二次感染，膀胱炎，腎盂腎炎，前立腺炎(急性症，慢性症)，精巣上体炎(副睾丸炎)，腹膜炎，胆嚢炎，胆管炎，腸チフス，パラチフス，子宮内感染，子宮付属器炎，炭疽，ブルセラ症，ペスト，野兎病，Q熱
点眼液〈適応菌種〉本剤に感性のブドウ球菌属，レンサ球菌属，肺炎球菌，腸球菌属，ミクロコッカス属，モラクセラ属，コリネバクテリウム属，クレブシエラ属，エンテロバクター属，セラチア属，プロテウス属，モルガネラ・モルガニー，インフルエンザ菌，ヘモフィルス・エジプチウス(コッホ・ウィークス菌)，シュードモナス属，緑膿菌，ステノトロホモナス(ザントモナス)・マルトフィリア，アシネトバクター属，アクネ菌〈適応症〉眼瞼炎，涙嚢炎，麦粒腫，結膜炎，瞼板腺炎，角膜炎(角膜潰瘍を含む)，眼科周術期の無菌化療法

効能・効果に関連する使用上の注意 **内服** 咽頭・喉頭炎，扁桃炎(扁桃周囲炎，扁桃周囲膿瘍を含む)，急性気管支炎，感染性腸炎，副鼻腔炎：「抗微生物薬適正使用の手引き」を参照し，抗菌薬投与の必要性を判断した上で，投与が適切と判断される場合に投与する
点眼液 本剤におけるメチシリン耐性黄色ブドウ球菌(MRSA)に対する有効性は証明されていないので，MRSAによる感染症が明らかであり，臨床症状の改善が認められない場合，速やかに抗MRSA作用の強い薬剤を投与する

用法・用量 **細** **錠・口腔内崩壊錠** **粒状錠** **内用液** レボフロキサシンとして1日1回500mg(適宜減量)．肺結核及びその他の結核症については，原則として他の抗結核薬と併用する．腸チフス，パラチフスにはレボフロキサシンとして1日1回500mg，14日間
注 **キット** レボフロキサシンとして1回500mgを1日1回，約60分間かけて点滴静注
点眼液 1回1滴，1日3回点眼(適宜増減)

用法・用量に関連する使用上の注意 **細** **錠・口腔内崩壊錠** **粒状錠** **内用液** ①効能共通：(1)耐性菌の出現を抑制するため，用量調節時を含め分割投与は避け，必ず1日量を1回で投与する (2)腎機能低下患者では高い血中濃度が持続するので，次の用法及び用量を目安として，必要に応じて投与量を減じ，投与間隔をあけて投与することが望ましい：(1)20＜CLcr(mL/min)＜50の場合：初日500mgを1回，2日目以降250mgを1日1回 (2)CLcr(mL/min)＜20の場合：初日500mgを1回，3日目以降250mgを2日に1回 ②腸チフス，パラチフス：レボフロキサシンとして(注射剤より本剤に切り替えた場合には注射剤の投与期間も含め)14日間投与する ③炭疽：炭疽の発症及び進展の抑制には，欧州医薬品庁(EMA)が60日間の投与を推奨している
注 **キット** ①効能共通：腎機能低下患者では高い血中濃度が持続するので，次の用法・用量を目安として，必要に応じて投与量を減じ，投与間隔をあけて投与することが望ましい：(1)20＜CLcr(mL/min)＜50の場合：初日500mgを1回，2日目以降250mgを1日1回 (2)CLcr(mL/min)＜20の場合：初日500mgを1回，3日目以降250mgを2日に1回 ②腸チフス，パラチフス：レボフロキサシンとして(経口剤に切り替えた場合には経口剤の投与期間も含め)14日間投与する ③炭疽：炭疽の発症及び進展の抑制には，欧州医薬品庁(EMA)が60日間の投与を推奨している．症状が緩解した場合には，経口投与に切り替える

禁忌・原則禁忌となる特定患者集団 **細** **錠** **注** **キット** 妊婦又は妊娠している可能性のある女性，小児等(炭疽等の重篤な疾患に限り，治療上の有益性を考慮して投与)

使用上の注意

禁忌 **細** **錠** **注** **キット** ①効能共通：本剤の成分又はオフロキサシンに対し過敏症の既往歴のある患者 ②炭疽等の重篤な疾患以外：(1)妊婦又は妊娠している可能性のある女性 (2)小児等
点眼液 本剤の成分，オフロキサシン及びキノロン系抗菌剤に対し過敏症の既往歴のある患者

薬物動態

細 **錠** **血中濃度** ①単回投与：健康成人40例に500mgを空腹時単回経口投与時の薬物動態パラメータは，Tmax(hr)：0.99±0.54，Cmax(μg/mL)：8.04±1.98，$T_{1/2}$(hr)：7.89±1.04，AUC_{0-72hr}(μg・hr/mL)：50.86±6.46 ②点滴静注との比較：健康成人に500mgを単回経口投与(40例)又は60分間単回点滴静注(8例)時の薬物動態パラメータは，500mg経口投与(40例)，500mg点滴静注(8例)の順に，Tmax(hr)0.99±0.54，1.00±0.00．Cmax(μg/mL)8.04±1.98，9.79±1.05．$t_{1/2}$(hr)7.89±1.04，8.05±1.54．(ノンコンパートメント解析，n=48，mean±SD)AUC_{0-72hr}(μg・hr/mL)50.86±6.46，51.96±4.96 **分布** ①日本人における成績：患者に500mgを単回経口投与時，口蓋扁桃(投与後2.6～4.1時間で対血漿中濃度比：1.42～1.89)，前立腺(投与後2.9～4.0時間で対血漿中濃度比：0.76～1.58)，耳漏(投与後1～4時間で対血漿中濃度比：0.40～0.88)，上顎洞粘膜(投与後2.3～5.8時間で対血漿中濃度比：0.89～2.29)，鼻汁(投与後1～4時間で対血漿中濃度比：0.11～1.39)で，高い移行性．なお，健康成人又は患者に100mg又は200mgを単回経口投与時，皮膚(投与後0.8～4時間で対血清中濃度比：平均1.1)，唾液(対血清中濃度比：約0.7)，口蓋扁桃(対血清中濃度比：約2)，喀痰(対血清中濃度比：0.8～1.1)，前立腺(投与後1～6時間で対血清中濃度比：0.8～1.9)，前立腺液(投与後1.5時間で対血清中濃度比：約0.6)，胆嚢(対血清中濃度比：0.3～4.2)，房水(投与後2～9時間で対血清中濃度比：0.14～0.31)，涙液(100mg投与で最高濃度0.61μg/mL)，耳漏(投与後2時間で対血清中濃度比：0.6)，上顎洞粘膜(投与後2～6時間で対血清中濃度比：1.1～1.9)，女性性器(100mg投与後3～4時間で0.6～2.1μg/g)に移行性 ②外国人における成績：健康成人又は患者に500mgを単回経口投与時，炎症性滲出液(投与後0.5～24時間で対血漿中濃度比：0.2～1.5)，気管支粘膜(投与後0.5～8時間で対血漿中濃度比：0.9～1.8)，気管支肺胞洗浄液(投与後0.5～8時間で対血漿中濃度比：1.1～3.0)，肺マクロファージ(投与後0.5～24時間で対血漿中濃度比：4.1～18.9)，肺組織(投与後2.28～25.43時間で対血漿中濃度比：1.06～9.98)に移行性 ③血漿蛋白結合率：1～50μg/mLの*in vitro*でのヒト血漿蛋白結合率は約26～36%(限外ろ過法) **代謝** ①尿中代謝物：健康成人に100mgを単回経口投与時，投与後24時間までの累積尿中排泄率は，未変化体が投与量の79.6%，脱メチル体が1.75%，N-オキサイド体が1.63% ②胆汁中代謝物：患者4例に100mgを単回経口投与後2～3.5時間での胆嚢胆汁中グルクロン酸抱合体濃度は0.05～0.44μg/mL，未変化体に対する割合は3.9～25.8%．また，胆管胆汁中にもほぼ同程度のグルクロン酸抱合体が認められた **排泄** 健康成人に500mgを単回経口投与時，投与後0～24時間の尿中濃度は138.8～877.7μg/mLで，投与後72時間までに投与量の83.76%が未変化体として尿中に排泄．主に未変化体の尿中排泄によって体内から消失．また，健康成人男性5例に200mgを食後投与時，糞中には投与後72時間で投与量の3.9%が未変化体として排泄 **特定の背景を有する患者** 腎

機能障害患者：CLcr値により群分けし，500mgを空腹時単回経口投与時，腎機能の低下に伴い血漿中濃度の生物学的半減期の延長，尿中濃度の低下及び尿中排泄率の低下が認められた　**薬物相互作用**　①アルミニウム又はマグネシウム含有の制酸薬等，鉄剤：本剤100mg単回経口投与時に，水酸化アルミニウム(1g)，硫酸鉄(160mg)又は酸化マグネシウム(500mg)を併用投与時，レボフロキサシンのバイオアベイラビリティーは単回投与に比較し，それぞれ56%，81%及び78%に減少．また，Cmaxも有意に低下　②その他の薬剤：(1)シメチジン，プロベネシド：健康成人に，シメチジン400mgを1日2回7日間又はプロベネシド500mgを1日4回7日間投与し，4日目に本剤500mgを空腹時単回経口投与時，シメチジン又はプロベネシドとの併用によりレボフロキサシンの$AUC_{0\text{-}72hr}$はそれぞれ27.0%及び38.2%上昇，$t_{1/2}$はそれぞれ30.5%及び31.8%延長したが，Cmaxに影響はみられなかった(外国人データ)

注　キット　**血中濃度**　①単回投与：健康成人8例に500mgを60分間で単回点滴静注時，血漿中未変化体濃度推移及び薬物動態パラメータは，Tmax(hr)10.0±0.00，Cmax(μg/mL)9.79±1.05，$t_{1/2}$(hr)8.05±1.54，$AUC_{0\text{-}72hr}$(μg・hr/mL)51.96±4.96　②経口投与との比較：健康成人に500mgを60分間で単回点滴静注(8例)時又は単回経口投与(40例)時の薬物動態パラメータはTmax(hr)，Cmax(μg/mL)，$t_{1/2}$(hr)，$AUC_{0\text{-}72hr}$(μg・hr/mL)の順で，500mg点滴静注(n=8)は，1.00±0.00，9.79±1.05，8.05±1.54，51.96±4.96．500mg経口投与(n=40)は，0.99±0.54，8.04±1.98，7.89±1.04，50.86±6.46　**分布**　①日本人における成績：患者に1回500mgを60分間で点滴静注時，喀痰(点滴開始0.5～4時間後で対血漿中濃度比：0.45～1.54，5例)，胆嚢胆汁(点滴開始3時間後で対血漿中濃度比：1.78～2.16，2例)，胆管胆汁(点滴開始3時間後で対血漿中濃度比：1.37～2.31，4例)，膣分泌物(点滴開始3～7時間後で対血漿中濃度比：1.17～2.21，7例)，腹腔内滲出液(点滴開始7～9時間後で対血漿中濃度比：1.35～2.30，3例)に移行性　②外国人における成績：健康成人又は患者に500mgを単回経口投与時　炎症性滲出液(投与後0.5～24時間で対血漿中濃度比：0.2～1.5)，気管支粘膜(投与後0.5～8時間で対血漿中濃度比：0.9～1.8)，気管支肺胞洗浄液(投与後0.5～8時間で対血漿中濃度比：1.1～3.0)，肺マクロファージ(投与後0.5～24時間で対血漿中濃度比：4.1～18.9)，肺組織(投与後2.28～25.43時間で対血漿中濃度比：1.06～9.98)に移行性　③血漿蛋白結合率：健康成人に500mgを単回点滴静注時，*ex vivo*での血漿蛋白結合率は，点滴開始1～12時間後で約29～33%(限外ろ過法)　**代謝**　健康成人に500mgを1日1回7日間反復投与(60分間点滴静注)時，投与量に対する投与後24時間後までの代謝物(脱メチル体及びN-オキサイド体)の尿中排泄率は，いずれも投与量の1%未満　**排泄**　健康成人に500mgを60分間で単回点滴静注時，点滴開始後0～4時間までの平均尿中濃度は513.33μg/mL，投与量に対する投与後72時間までの未変化体の尿中排泄率は93.9%．主に未変化体の尿中排泄により体内から消失　**特定の背景を有する患者**　①腎機能障害患者：母集団薬物動態パラメータを用い，腎機能低下患者に推奨される用法及び用量で7日間反復点滴静注時，腎機能低下患者に血漿中濃度の上昇は認められず，投与7日目の$AUC_{0\text{-}24hr}$は腎機能正常者に500mg1日1回反復点滴静注時と大きな差は認められなかった　②高齢者：健康高齢者(65～79歳)及び健康非高齢者(20～45歳)に500mgを60分間で単回点滴静注時の薬物動態パラメータは，Tmax(hr)，Cmax(μg/mL)，$AUC_{0\text{-}24hr}$(μg・hr/mL)の順で，高齢者群(n=24)は1.00±0.00，11.19±2.26，75.98±11.51，非高齢者群(n=24)は1.00±0.00，9.25±1.94，56.63±10.89　**薬物相互作用**　①シメチジン，プロベネシド：健康成人にシメチジン400mgを1日2回3日間又はプロベネシド500mgを1日4回5日間投与し，シメチジン投与1日目又はプロベネシド投与3日目に本剤500mgを60分間で点滴静注時，シメチジンの併用によって，$AUC_{0\text{-}72hr}$は1.3倍に上昇し，$t_{1/2}$は7.6時間から11.7時間に延長．またプロベネシドの併用によって，$AUC_{0\text{-}72hr}$は1.5倍に上昇し，$t_{1/2}$は7.6時間から12.4時間に延長．一方，Cmax及び累積尿中排泄率(投与後0～72時間)にシメチジン又はプロベネシド併用による大きな差は認められなかった

点眼液　**血中濃度**　①0.5%：健康成人男性(10例)片眼に本剤を1回2滴1日4回2週間連続点眼時，最終日の点眼1時間後の血中濃度は定量下限値(0.01μg/mL)未満　②1.5%：健康成人(8例)両眼に本剤を1日目に単回点眼，2日目より反復(1回1滴，1日8回，7日間)点眼時，8日目(最終日)の最高血漿中濃度は24.1ng/mL，その到達時間は最終点眼後26分　**分布**　①0.5%：(1)有色ウサギに0.5% ^{14}C-標識レボフロキサシン点眼液を1回50μL点眼時，眼球結膜及び眼瞼結膜では点眼後15分で各々最高濃度(Cmax)1433.8，1058.8ng eq./g，角膜及び房水では点眼後30分で各々Cmax6839.5ng eq./g，842.8ng eq./mLを示した後，経時的に減少．メラニン含有組織である虹彩・毛様体及び網膜色素上皮・脈絡膜では点眼後2時間で各々Cmax11514.4，3269.6ng eq./g，その後緩慢に消失　(2)有色ラットに0.5% ^{14}C-標識レボフロキサシン点眼液1回1μLを1日3回1週間点眼時，最終点眼1時間後の角膜，房水及び硝子体における眼組織中濃度はそれぞれ2270.8，267.1，372.0ng eq./g，その後経時的に減少．一方，虹彩・毛様体及び網膜色素上皮・脈絡膜では最終点眼1時間後でそれぞれ185047.6，36549.6ng eq./g，その後緩慢に消失　(3)ビーグル犬に0.3%レボフロキサシン点眼液を1回1滴，1日4回2週間連続点眼時，最終点眼24時間後の眼組織内濃度は，虹彩・毛様体で39.4μg/g，脈絡膜・網膜色素上皮で12.3μg/gで，眼組織のうちメラニン色素を含む組織には高度に分布することが認められた．一方，色素上皮を除く網膜への移行はわずか　②1.5%：白色ウサギの片眼に本剤を50μL単回点眼時，角膜中濃度は投与後15分にCmax(32.5μg/g)を示した後，半減期86分で消失．眼球結膜及び眼瞼結膜中濃度は投与後15分にCmax(共に14.7μg/g)を示し，投与後1時間までやや急速に減少．房水中濃度は投与後30分にCmax(3.1μg/mL)を示した後，半減期71分で消失

その他の管理的事項

投与期間制限　該当しない

保険給付上の注意　該当しない

資料

IF　クラビット細粒10%・錠250mg・500mg　2019年11月改訂(第16版)

クラビット点滴静注500mg/20mL・バッグ500mg/100mL　2019年11月改訂(第10版)

クラビット点眼液0.5%　2017年2月改訂(第11版)

クラビット点眼液1.5%　2017年11月改訂(第8版)

レ

レボホリナートカルシウム水和物
Calcium Levofolinate Hydrate

概要

薬効分類　392　解毒剤

構造式

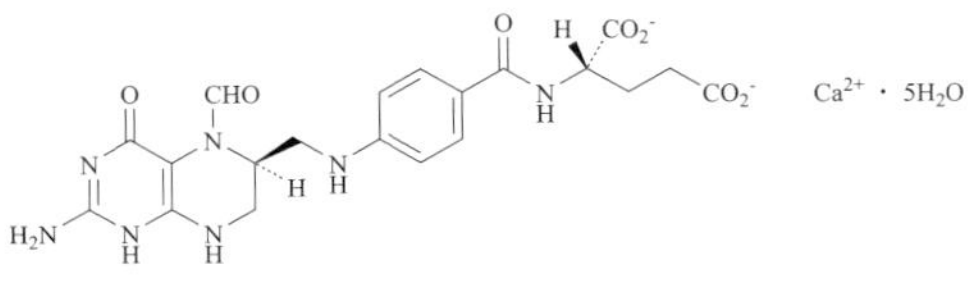

分子式　$C_{20}H_{21}CaN_7O_7 \cdot 5H_2O$

分子量　601.58

略語・慣用名 *l*-LV
ステム 不明
原薬の規制区分 該当しない
原薬の外観・性状 白色～淡黄色の結晶性の粉末である．水にやや溶けにくく，メタノール又はエタノール(99.5)にほとんど溶けない．0.4gに新たに煮沸して冷却した水50mLを加え，必要ならば40℃に加温して溶かした液のpHは7.0～8.5である
原薬の吸湿性 吸湿性である
原薬の融点・沸点・凝固点 融点：約264℃(分解)
原薬の酸塩基解離定数 pKa＝3.1，4.8，10.4
先発医薬品等
注射用 アイソボリン点滴静注用25mg・100mg(ファイザー)
後発医薬品
注射用 25mg・50mg・100mg
国際誕生年月 1952年6月
海外での発売状況 英，仏，独など

製剤
規制区分 **注射用** ㊙
製剤の性状 **注射用** 帯微黄白色～淡黄白色の粉末又は塊
有効期間又は使用期限 3年
貯法・保存条件 室温保存
薬剤取扱い上の留意点 該当資料なし
患者向け資料等 患者向医薬品ガイド，くすりのしおり
溶液及び溶解時のpH 6.8～8.2(10mg/mL注射用水)
浸透圧比 約0.2(5mg/mL注射用水)，約1(5mg/mL生理食塩液，0.5mg/mL生理食塩液)(対生食)
調製時の注意 5%ブドウ糖液，生理食塩液又は電解質維持液等の溶解液を用いて溶解

薬理作用
分類 活性型葉酸製剤
作用部位・作用機序 Biochemical Modulationによりフルオロウラシルの抗腫瘍効果を増強
同効薬 ロイコボリンカルシウム(*dl*-LV)，葉酸，フルオロデオキシウリジン(FdUrd)，フルオロウリジン(FUrd)

治療
効能・効果 ①レボホリナート・フルオロウラシル療法：胃癌(手術不能又は再発)及び結腸・直腸癌に対するフルオロウラシルの抗腫瘍効果の増強 ②レボホリナート・フルオロウラシル持続静注併用療法：結腸・直腸癌，小腸癌及び治癒切除不能な膵癌に対するフルオロウラシルの抗腫瘍効果の増強
用法・用量 ①レボホリナート・フルオロウラシル療法：レボホリナートとして1回250mg/m^{2}を2時間かけて点滴静注．レボホリナートの点滴静注開始1時間後にフルオロウラシルとして1回600mg/m^{2}を3分以内で緩徐に静注．1週間ごとに6回繰り返した後，2週間休薬．これを1クールとする ②結腸・直腸癌に対するレボホリナート・フルオロウラシル持続静注併用療法：(1)レボホリナートとして1回100mg/m^2(体表面積)を2時間かけて点滴静注．レボホリナートの点滴静注終了直後にフルオロウラシルとして400mg/m^2(体表面積)を静注するとともに，フルオロウラシルとして600mg/m^2(体表面積)を22時間かけて持続静注．これを2日間連続して行い，2週間ごとに繰り返す (2)レボホリナートとして1回250mg/m^2(体表面積)を2時間かけて点滴静注．レボホリナートの点滴静注終了直後にフルオロウラシルとして2600mg/m^2(体表面積)を24時間かけて持続静注．1週間ごとに6回繰り返した後，2週間休薬する．これを1クールとする (3)レボホリナートとして1回200mg/m^2(体表面積)を2時間かけて点滴静注．レボホリナートの点滴静注終了直後にフルオロウラシルとして400mg/m^2(体表面積)を静注するとともに，フルオロウラシルとして2400～3000mg/m^2(体表面積)を46時間かけて持続静注．これを2週間ごとに繰り返す ③小腸癌及び治癒切除不能な膵癌に対するレボホリナート・フルオロウラシル持続静注併用療法：レボホリナートとして1回200mg/m^2(体表面積)を2時間かけて点滴静注．レボホリナートの点滴静注終了直後にフルオロウラシルとして400mg/m^2(体表面積)を静脈内注射するとともに，フルオロウラシルとして2400mg/m^2(体表面積)を46時間かけて持続静注．これを2週間ごとに繰り返す
用法・用量に関連する使用上の注意 ①下痢，重篤な口内炎，重篤な白血球減少又は血小板減少のみられた患者では，それらの所見が回復するまで本療法を延期する．本療法を再開する場合には，フルオロウラシルの減量や投与間隔の延長等を考慮する ②注射液の調製法：レボホリナートを投与する際には，25mg製剤の場合は3～5mL，100mg製剤の場合は10～15mLの5%ブドウ糖液，生理食塩液又は電解質維持液等の溶解液を用いてレボホリナートの各バイアル内容物を溶解・採取した後，同一の溶解液を用いて全量を200～500mL(レボホリナートとして約0.75mg/mL)とし点滴静脈内注射する

使用上の注意

> **警告** ①レボホリナート・フルオロウラシル療法及び持続静注併用療法はフルオロウラシルの細胞毒性を増強する療法であり，本療法に関連したと考えられる死亡例が認められている．本療法は高度の危険性を伴うので，緊急時に十分に対応できる医療施設において，がん化学療法に十分な知識・経験を持つ医師のもとで，禁忌，慎重投与の項を参照して適応患者の選択を慎重に行い，本療法が適切と判断される症例についてのみ実施する．適応患者の選択にあたっては，両剤の添付文書を参照して十分注意する．また，治療開始に先立ち，患者又はその家族に有効性及び危険性を十分説明し，同意を得てから施行する ②本療法は重篤な骨髄抑制，激しい下痢等が起こることがあり，その結果，致命的な経過をたどることがあるので，定期的(特に投与初期は頻回)に臨床検査(血液検査，肝機能・腎機能検査等)を行う等，患者の状態を十分観察し，異常が認められた場合には，速やかに適切な処置を行う ③本療法以外の他の化学療法又は放射線照射との併用，前化学療法を受けていた患者に対する安全性は確立していない．重篤な骨髄抑制等の副作用の発現が増強するおそれがあるので，患者の状態を十分観察し，異常が認められた場合には，速やかに適切な処置を行う ④本剤成分又はフルオロウラシルに対し重篤な過敏症の既往歴のある患者には本療法を施行しない ⑤テガフール・ギメラシル・オテラシルカリウム配合剤との併用により，重篤な血液障害等の副作用が発現するおそれがあるので，本療法との併用を行わない

禁忌 ①重篤な骨髄抑制のある患者［骨髄抑制の増悪により重症感染症を併発し，致命的となることがある］ ②下痢のある患者［下痢が増悪して脱水，電解質異常，循環不全を起こし致命的となることがある］ ③重篤な感染症を合併している患者［骨髄抑制により感染症が増悪し，致命的となることがある］ ④多量の腹水，胸水のある患者［重篤な副作用が発現し，致命的となることがある］ ⑤重篤な心疾患又はその既往歴のある患者［症状の増悪又は再発により，致命的となることがある］ ⑥全身状態が悪化している患者［重篤な副作用が発現し，致命的となることがある］ ⑦本剤の成分又はフルオロウラシルに対し重篤な過敏症の既往歴のある患者 ⑧テガフール・ギメラシル・オテラシルカリウム配合剤投与中の患者及び投与中止後7日以内の患者

薬物動態
血中濃度 健康成人にレボホリナート125mg/m^{2}を2時間点滴静注時のレボホリナートの最高血漿中濃度は点滴開始2時間後で7.5μg/mL．また，半減期は0.67時間．癌患者にレボホリナート125，250mg/m^{2}を2時間点滴静注時のレボホリナートの最高血漿中濃度はそれぞれ点滴開始2時間後で9.7，25.9μg/mL．また，半減期は0.92，1.17時間 **代謝** 健康成人及び癌患者にレボホリナートを静注後の血漿中には，代謝物としてS-methyl tetrahydrofolate(S-5-CH_3-THF)が検出．

S-5-CH_3-THFのCmax及びAUCは，2時間点滴静注及び静注の両投与でレボホリナートの投与量に依存して増加 **排泄** 健康成人にレボホリナート125mg/m^2を2時間点滴静注時，レボホリナートあるいはS-5-CH_3-THFとして尿中に排泄され，それぞれの累積尿中排泄率は投与24時間後で投与量の46.4%，31.8%

その他の管理的事項

投与期間制限 該当しない

保険給付上の注意 該当しない

資料

IF アイソボリン点滴静注用25mg・100mg 2019年7月改訂(第21版)

レボメプロマジンマレイン酸塩
Levomepromazine Maleate

概要

薬効分類 117 精神神経用剤

構造式

分子式 $C_{19}H_{24}N_2OS \cdot C_4H_4O_4$

分子量 444.54

略語・慣用名 別名：Methotrimeprazine

ステム 不明

原薬の規制区分 ㊥(ただし，1錠中25mg以下を含有するものを除く)

原薬の外観・性状 白色の結晶又は結晶性の粉末で，においはなく，味は僅かに苦い．酢酸(100)に溶けやすく，クロロホルムにやや溶けやすく，メタノールにやや溶けにくく，エタノール(95)又はアセトンに溶けにくく，水に極めて溶けにくく，ジエチルエーテルにほとんど溶けない

原薬の吸湿性 該当資料なし

原薬の融点・沸点・凝固点 融点：184～190℃(分解)

原薬の酸塩基解離定数 pKa＝9.15(塩基)

先発医薬品等

散 ヒルナミン散50%(共和薬品)
レボトミン散10%・50%(田辺三菱＝吉富薬品)

細 ヒルナミン細粒10%(共和薬品)

顆 レボトミン顆粒10%(田辺三菱＝吉富薬品)

錠 ヒルナミン錠(5mg)・(25mg)・(50mg)(共和薬品)
レボトミン錠5mg・25mg・50mg(田辺三菱＝吉富薬品)

注 ヒルナミン筋注25mg(共和薬品)
レボトミン筋注25mg(田辺三菱＝吉富薬品)

後発医薬品

錠 25mg

国際誕生年月 不明

海外での発売状況 独，イタリアなど

製剤

規制区分 **散 細 顆 50mg錠** ㊥ ㊇ **5・25mg錠** ㊇

製剤の性状 **散** 白色の粉末(散剤) **細** 白色の細粒剤 **顆** 白色の顆粒剤 **錠** 白色の円形の糖衣錠

有効期間又は使用期限 **散 細 錠** 5年 **顆** 3年

貯法・保存条件 **散 細 顆** 気密容器，遮光・室温保存 **錠** 室温保存

薬剤取扱い上の留意点 眠気，注意力・集中力・反射運動能力等の低下が起こることがあるので，本剤投与中の患者には自動車の運転等危険を伴う機械の操作に従事させないように注意すること **散 細 顆** ときに接触皮膚炎等の過敏症状を起こすことがあるので，特に散剤・細粒剤を取り扱うときにはゴム手袋等を使用するなど，直接の接触を極力避け，付着のおそれのあるときはよく洗浄すること **顆** 特殊被膜を施してあるので，調剤時，乳棒で強く混和しないこと

患者向け資料等 くすりのしおり

溶液及び溶解時のpH 該当しない

浸透圧比 該当しない

安定なpH域 該当しない

調製時の注意 該当しない

薬理作用

分類 フェノチアジン系精神神経用剤

作用部位・作用機序 抗精神病作用：脳内のドパミン神経，アドレナリン神経及びセロトニン神経のシナプス後受容体を遮断することによって，抗精神病作用を示すと考えられている 制吐作用：中枢作用として，延髄の化学受容体引き金帯(chemoreceptor trigger zone；CTZ)に存在するドパミン受容体を遮断することによって制吐作用を示す 鎮静作用：脳内ノルアドレナリン遮断作用によるとされている

同効薬 クロルプロマジン塩酸塩，プロクロルペラジンマレイン酸塩，プロペリシアジン，ハロペリドール，ゾテピンなど

治療

効能・効果 統合失調症，躁病，うつ病における不安・緊張

用法・用量 **散 細 顆 錠** レボメプロマジンとして1日25～200mgを分服(適宜増減)

注 レボメプロマジンとして1回25mg筋注(適宜増減)

使用上の注意

禁忌 ①昏睡状態，循環虚脱状態にある患者［これらの状態を悪化させるおそれがある］ ②バルビツール酸誘導体・麻酔剤等の中枢神経抑制剤の強い影響下にある患者［中枢神経抑制剤の作用を延長し増強させる］ ③アドレナリンを投与中の患者(アドレナリンをアナフィラキシーの救急治療に使用する場合を除く) ④フェノチアジン系化合物及びその類似化合物に対し過敏症の患者

過量投与 ①徴候，症状：傾眠から昏睡までの中枢神経系の抑制，血圧低下と錐体外路症状である．その他，激越と情緒不安，痙攣，口渇，腸閉塞，心電図変化及び不整脈等が現れる可能性がある ②処置：本質的には対症療法かつ補助療法である．(**散 細 顆 錠**)早期の胃洗浄は有効である

薬物動態

参考(外国人データ) 健康成人12例にコーティング錠100mgを単回投与時の薬物動態はTmax(hr)1.9(1～5)，Cmax(ng/mL)49.2(24～107)，$T_{1/2}$(hr)14.2(8.9～27)，AUC(ng・hr/mL)372.3(123～1314)，バイオアベイラビリティ(%)21

その他の管理的事項

投与期間制限 該当しない

保険給付上の注意 該当しない

資料

IF ヒルナミン散50%・細粒10%・錠(5mg・25mg・50mg) 2019年4月改訂(第19版)
レボトミン顆粒10% 2020年7月改訂(第10版)

L－ロイシン
L-Leucine

概要
構造式

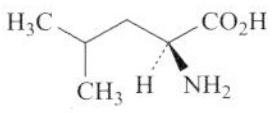

分子式　$C_6H_{13}NO_2$
分子量　131.17
原薬の規制区分　該当しない
原薬の外観・性状　白色の結晶又は結晶性の粉末で，においはないか，又は僅かに特異なにおいがあり，味は僅かに苦い．ギ酸に溶けやすく，水にやや溶けにくく，エタノール(95)にほとんど溶けない．希塩酸に溶ける．1.0gを水100mLに溶かした液のpHは5.5～6.5である

ロキサチジン酢酸エステル塩酸塩
ロキサチジン酢酸エステル塩酸塩徐放錠
ロキサチジン酢酸エステル塩酸塩徐放カプセル
注射用ロキサチジン酢酸エステル塩酸塩
Roxatidine Acetate Hydrochloride

概要
薬効分類　232　消化性潰瘍用剤
構造式

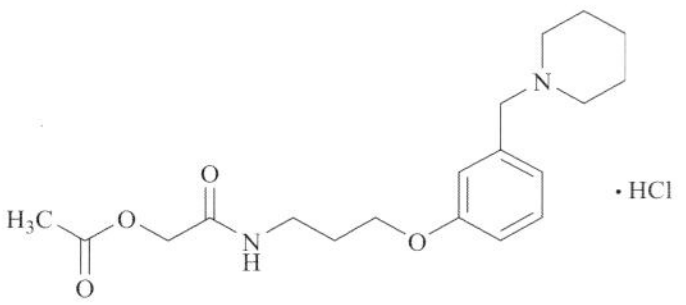

分子式　$C_{19}H_{28}N_2O_4$・HCl
分子量　384.90
ステム　シメチジン系のヒスタミンH_2受容体拮抗薬：-tidine
原薬の規制区分　[劇](ただし，1個中ロキサチジン酢酸エステル塩酸塩として75mg以下を含有する内用剤を除く)
原薬の外観・性状　白色の結晶又は結晶性の粉末である．水に極めて溶けやすく，酢酸(100)に溶けやすく，エタノール(99.5)にやや溶けにくい．1.0gを水20mLに溶かした液のpHは4.0～6.0である
原薬の吸湿性　40℃，75%RHの条件下で6カ月間放置するとき，吸湿性を認めない
原薬の融点・沸点・凝固点　融点：147～151℃(乾燥後)
原薬の酸塩基解離定数　pKa＝9.3
先発医薬品等
[徐放細]　アルタット細粒20%(あすか製薬＝武田)
[徐放カ]　アルタットカプセル37.5mg・75mg(あすか製薬＝武田)
[注射用]　アルタット静注用75mg(あすか製薬＝武田)
後発医薬品
[徐放カ]　37.5mg・75mg
国際誕生年月　1986年7月
海外での発売状況　該当しない

製剤
規制区分　[注射用]　[劇]　[処]
製剤の性状　[徐放細]　白色～微帯黄白色の細粒　[徐放カ]　白色の徐放性顆粒を含む白色の硬カプセル剤　[注射用]　白色の塊又は無晶形の粉末の凍結乾燥製剤
有効期間又は使用期限　3年
貯法・保存条件　[徐放細]　気密容器，室温保存　[徐放カ]　[注射用]　室温保存
薬剤取扱い上の留意点　[徐放細]　湿度の影響を受けやすいので，プラスチック製ボトルについては，使用の都度キャップをしっかり締めること
患者向け資料等　[徐放細]　[徐放カ]　くすりのしおり
溶液及び溶解時のpH　[注射用]　3.5～4.5
浸透圧比　[注射用]　約1(対生食)
安定なpH域　該当しない
調製時の注意　[注]　生食又はブドウ糖注射液20mLを加えて溶解する．点滴静注する場合は，溶解した液を輸液に混合する

薬理作用
分類　H_2受容体拮抗剤
作用部位・作用機序　胃粘膜壁細胞のヒスタミンH_2受容体を選択的に遮断することにより胃酸分泌抑制作用を示す
同効薬　シメチジン，ラニチジン塩酸塩，ファモチジン，ニザチジン，ラフチジン

治療
効能・効果　[徐放細]　[徐放カ]　①胃潰瘍，十二指腸潰瘍，吻合部潰瘍，逆流性食道炎②Zollinger-Ellison症候群③麻酔前投薬④次の疾患の胃粘膜病変(びらん，出血，発赤，浮腫)の改善：急性胃炎，慢性胃炎の急性増悪期
[注射用]　①上部消化管出血(消化性潰瘍，急性ストレス潰瘍，出血性胃炎による)②麻酔前投薬
用法・用量　[徐放細]　[徐放カ]〔成人〕効能①：1回75mg1日2回朝食後，就寝前又は夕食後．また，1日1回150mg就寝前投与もできる(適宜増減)　効能②：1回75mg1日2回朝食後，就寝前又は夕食後(適宜増減)　効能③：1回75mg手術前日就寝前及び手術当日麻酔導入2時間前の2回．また，手術前日就寝前に1回150mg投与もできる　効能④：1日1回75mg就寝前又は夕食後(適宜増減)〔小児〕体重30kg未満では1回37.5mg，体重30kg以上では1回75mg．効能①②：1日2回，朝食後，就寝前又は夕食後(適宜増減)　効能③：手術前日就寝前及び手術当日麻酔導入2時間前の2回　効能④：1日1回就寝前又は夕食後(適宜増減)
[注射用]　75mgを生理食塩液又はブドウ糖注射液20mLで溶解する．効能①：1回75mg1日2回(12時間ごと)緩徐に静注．又は輸液に混合して点滴静注(適宜増減)．一般的に1週間以内に効果の発現をみるが，内服可能となった後は経口投与に切り換える　効能②：1回75mg麻酔導入1時間前に緩徐に静注

薬物動態
[徐放細]　[徐放カ]　**血中濃度**　①生物学的同等性試験：健康成人男性に，1回75mg(細粒及びカプセル)をクロスオーバー法により絶食単回経口投与及び食後単回経口投与して血漿中ロキサチジン濃度を測定した結果は次の通り：(1)絶食時：細粒，カプセルの順に，$AUC_{0\text{-}24}$(ng・hr/mL)2628.05±401.72，2587.18±347.01，Cmax(ng/mL)305.2±47.7，316.4±61.4，Tmax(hr)2.59±0.66，2.50±0.71，$T_{1/2}$(hr)5.71±0.60，5.55±0.81　(n＝16)　(2)食後：細粒，カプセルの順に，$AUC_{0\text{-}24}$(ng・hr/mL)2550.61±502.64，2654.48±630.31，Cmax(ng/mL)293.1±47.1，334.5±80.5，Tmax(hr)3.93±0.26，4.87±2.00，$T_{1/2}$(hr)4.86±0.55，4.32±0.73　(n＝15)．得られた薬物動態パラメータ(AUC，Cmax)について統計解析を行った結果，両剤の生物学的同等性が確認された
②血中濃度(健康成人)：37.5mg，75mg又は150mgを単回経口投与時，最大血漿中濃度到達時間及び血漿中半減期等の薬物動態パラメータ(37.5mg，75mg，150mgの順)は，AUC(ng・hr/mL)1353.15±249.41，2424.47±396.78，5275.24±695.70．Cmax(ng/mL)157.5±20.2，329.0±53.8，628.5±66.7．Tmax(hr)2.38±0.69，2.88±0.35，2.13±0.35．$T_{1/2}$(hr)5.57±0.28，5.03±0.64，5.01±0.43　(n=8)．ま

た，健康成人に50mgを1日2回56日間連続投与時の血漿中薬物動態の解析結果から蓄積性は認められなかった　**分布**　①蛋白結合率：6～11%（平衡透析法，*in vitro*），腎機能障害患者においても同程度　②胎児への移行：帝王切開患者に75mgを手術前2回経口投与時，臍帯血血漿中濃度は母体静脈血漿中濃度の約60%で，羊水への移行量は投与量の0.3%以下　③乳汁への移行：授乳期ラットに$[^{14}C]$ロキサチジン酢酸エステル塩酸塩を経口投与時，乳汁中濃度は血漿中の約2倍であったが，半減期は血漿中と同程度　**代謝**　健康成人に75mgを経口投与時，尿中代謝物は主に脱アセチル体であり，ついで多かったのはカルボン酸誘導体　**排泄**　健康成人に75mgを経口投与時，24時間以内に投与量の約70%が尿中に排泄され，そのうち約80%が脱アセチル体　**特定の背景を有する患者**　①腎機能障害患者：腎機能障害患者に75mgを経口投与時，健康成人と比較して吸収過程に変化はみられなかったが，最大血漿中濃度に到達した後の血漿からの消失は腎機能の低下とともに遅延．したがって腎機能障害患者に本剤を投与する場合には，投与量，投与間隔の適切な調節が必要である．クレアチニンクリアランス（mL/min），$T_{1/2}$，AUC（ng・hr/mL）の比較：90以上の場合3.94±0.34hr，2362±160，60以上90未満の場合5.68±0.51hr，4101±618，30以上60未満の場合7.70±0.49hr，4981±477，30未満の場合12.13±1.13hr，12993±1245　②小児：小児患者（6～14歳）に37.5mg又は75mgを朝食後単回経口投与時，最大血漿中濃度到達時間及び血漿中半減期等の薬物動態パラメータは，投与量37.5mg（12例），75mg（13例）の順に，AUC（ng・hr/mL）2053.64±619.36，3587.48±889.94．Cmax（ng/mL）353.6±131.1，530.2±148.4．Tmax（hr）2.67±1.23，2.92±1.38．$T_{1/2}$（hr）4.62±1.08，4.17±0.89．また，前記小児患者を用法・用量に合わせて再解析した結果は，体重30kg未満（投与量37.5mg，4例，体重26.2±3.5kg），30kg以上（投与量75mg，6例，体重43.1±10.8kg）の順に，AUC（ng・hr/mL）2405.4±478.2，2963.7±725.8．Cmax（ng/mL）445.0±103.1，472.7±141.9．Tmax（hr）2.25±0.50，3.17±0.75．$T_{1/2}$（hr）4.10±0.86，4.12±1.01

注射用　**血中濃度**　健康成人に1回75mgを静注時，最大血漿中濃度は773ng/mL，血漿中半減期は3.36時間．また，健康成人に75mgを1日2回3日間連続静注時の血漿中薬物動態の解析結果から蓄積性は認められなかった　**分布**　①蛋白結合率：6～11%（平衡透析法，*in vitro*），腎機能障害患者においても同程度　②胎児への移行：帝王切開患者に75mgを手術前2回経口投与時，臍帯血血漿中濃度は母体静脈血漿中濃度の約60%で，羊水への移行量は投与量の0.3%以下　**排泄**　健康成人に75mgを静注時，24時間以内に投与量の約67.5%が脱アセチル体として尿中に排泄

その他の管理的事項

投与期間制限　該当しない

保険給付上の注意　該当しない

資料

IF　アルタット細粒20%・カプセル37.5mg・75mg　2020年9月改訂（第12版）
アルタット静注用75mg　2020年9月改訂（第8版）

ロキシスロマイシン
ロキシスロマイシン錠
Roxithromycin

概要

薬効分類　614　主としてグラム陽性菌，マイコプラズマに作用するもの

構造式

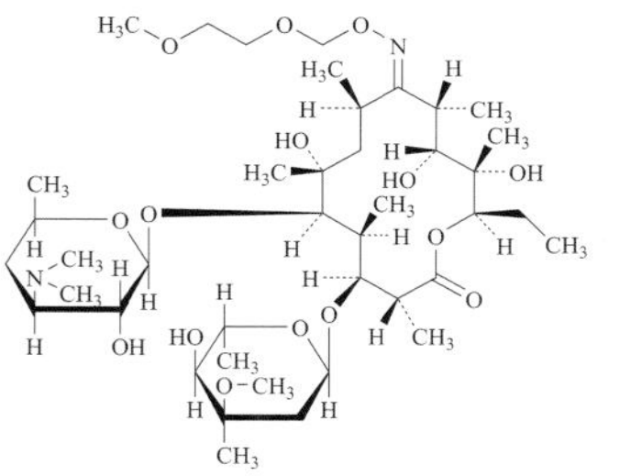

分子式　$C_{41}H_{76}N_2O_{15}$

分子量　837.05

略語・慣用名　RXM

ステム　*Streptomyces*属の産生する抗生物質：-mycin

原薬の規制区分　該当しない

原薬の外観・性状　白色の結晶性の粉末である．エタノール（95）又はアセトンに溶けやすく，メタノールにやや溶けやすく，アセトニトリルにやや溶けにくく，水にほとんど溶けない

原薬の吸湿性　吸湿度は相対湿度と比例関係にあり，100%RHにおける吸湿度は約1.5%

原薬の融点・沸点・凝固点　融点：122～126℃

原薬の酸塩基解離定数　測定困難（酸性で分解するため）

先発医薬品等

錠　ルリッド錠150（サノフィ）

後発医薬品

錠　150mg

国際誕生年月　1986年8月

海外での発売状況　仏，独，豪を含む103カ国

製剤

規制区分　**錠**　㊈

製剤の性状　**錠**　白色のフィルムコート錠

有効期間又は使用期限　3年

貯法・保存条件　室温保存

患者向け資料等　くすりのしおり

薬理作用

分類　マクロライド系抗生物質

作用部位・作用機序　作用部位：細菌のリボゾーム　作用機序：細菌のリボゾームに作用し，タンパク合成を阻害する．また，大腸菌リボゾーム50Sサブユニットと特異的に結合するが30Sサブユニットには受容体部位を持たないことが認められ，ロキシスロマイシンの作用機序は従来のマクロライドと同様にリボゾームに対する結合，特に50Sリボゾームに作用することが確認された．ロキシスロマイシンはブドウ球菌属，レンサ球菌属，肺炎球菌，モラクセラ（ブランハメラ）・カタラーリス，アクネ菌及び肺炎マイコプラズマ（マイコプラズマ・ニューモニエ）に抗菌作用を示し，細菌に対して静菌的又は一部殺菌的である

同効薬　エリスロマイシンステアリン酸塩，ジョサマイシン，アジスロマイシン水和物，クラリスロマイシン

治療

効能・効果　〈適応菌種〉本剤に感性のブドウ球菌属，レンサ球菌属，肺炎球菌，モラクセラ（ブランハメラ）・カタラーリス，

ロ

アクネ菌，肺炎マイコプラズマ(マイコプラズマ・ニューモニエ)〈適応症〉表在性皮膚感染症，深在性皮膚感染症，リンパ管・リンパ節炎，慢性膿皮症，ざ瘡(化膿性炎症を伴うもの)，咽頭・喉頭炎，扁桃炎，急性気管支炎，肺炎，中耳炎，副鼻腔炎，歯周組織炎，歯冠周囲炎，顎炎

効能・効果に関連する使用上の注意　咽頭・喉頭炎，扁桃炎，急性気管支炎，中耳炎，副鼻腔炎：「抗微生物薬適正使用の手引き」を参照し，抗菌薬投与の必要性を判断した上で，本剤の投与が適切と判断される場合に投与する

用法・用量　1日300mg(力価)，2回に分服

使用上の注意

禁忌　①本剤に対し過敏症の既往歴のある患者　②エルゴタミン酒石酸塩・無水カフェイン・イソプロピルアンチピリン，ジヒドロエルゴタミンメシル酸塩を投与中の患者

薬物動態

血中濃度　①単回投与：健康成人男子12例に150mgを空腹時単回経口投与時の血漿中濃度は投与2.5時間後にピーク値6.8μg/mLを示し，消失半減期は6.2時間　②反復投与：健康成人男子6例に150mgを経口で1日2回15日間反復投与時，血漿中濃度及び尿中排泄の推移から蓄積性は認められなかった　**分布**　患者における喀痰，扁桃，上顎洞粘膜，皮膚，歯肉及び顎骨組織への移行性は良好　**代謝**　主に肝で代謝されるが，代謝される割合は少ない．主に薬物代謝酵素CYP3Aにより代謝される　**排泄**　健康成人男子4例に150mgを投与時の検討では，肝から糞中へ排泄されたが，尿中にも排泄．健康成人男子24例に100，150，300及び600mgを経口投与時の尿中排泄率は，投与後48時間で6～8%　**特定の背景を有する患者**　高齢者：高齢者7例(平均78.6歳)に150mgを経口投与時，健康成人男子に比べ高い血中濃度推移，消失半減期の延長等がみられた　**薬物相互作用**　*In vitro*試験で，CYP3Aの弱い阻害作用を示したが，CYP1A2，CYP2C9，CYP2C19及びCYP2D6は阻害しなかった．健康成人10例に，300mgとCYP3Aの基質であるミダゾラムを併用した臨床薬理試験で，ミダゾラムのAUCが1.47倍増加(外国人データ)

その他の管理的事項

投与期間制限　該当しない

保険給付上の注意　該当しない

資料

IF　ルリッド錠150　2018年5月改訂(第12版)

ロキソプロフェンナトリウム水和物
ロキソプロフェンナトリウム錠
Loxoprofen Sodium Hydrate

概要

薬効分類　114　解熱鎮痛消炎剤，264　鎮痛，鎮痒，収斂，消炎剤

構造式

CH_3 / CO_2Na · $2H_2O$ / O

分子式　$C_{15}H_{17}NaO_3 \cdot 2H_2O$

分子量　304.31

ステム　イブプロフェン系抗炎症薬：-profen

原薬の規制区分　㊀(ただし，ロキソプロフェン7%以下を含有する外用剤，1個中ロキソプロフェンとして55.12mg以下を含有するもの，ロキソプロフェンとして9.18%以下を含有する細粒剤及びロキソプロフェンとして0.55%以下を含有する内用液剤を除く)

原薬の外観・性状　白色～帯黄白色の結晶又は結晶性の粉末である．水又はメタノールに極めて溶けやすく，エタノール(95)に溶けやすく，ジエチルエーテルにほとんど溶けない．本品の水溶液(1→20)は旋光性を示さない．1.0gを新たに煮沸して冷却した水20mLに溶かした液のpHは6.5～8.5である

原薬の融点・沸点・凝固点　融点：約197℃(分解)

原薬の酸塩基解離定数　pKa＝4.20

先発医薬品等

細　ロキソニン細粒10%(第一三共)

錠　ロキソニン錠60mg(第一三共)

外用ゲル　ロキソニンゲル1%(第一三共)

貼　ロキソニンテープ50mg・100mg(リードケミカル＝第一三共)

ロキソニンパップ100mg(リードケミカル＝第一三共)

後発医薬品

細　10%

錠　60mg

内用液　0.6%

噴　1%

外用ゲル　1%

貼　テープ50mg・100mg・パップ100mg・200mg

国際誕生年月　1986年3月

海外での発売状況　**細**　**錠**　28カ国　**外用ゲル**　海外では販売していない　**貼**　中国

製剤

製剤の性状　**細**　ごくうすい紅色の細粒　**錠**　ごくうすい紅色の素錠(割線入り)　**外用ゲル**　無色～微黄色透明のゼリー状のゲル剤　**貼(パップ)**　膏体を支持体上に均一に展延し，膏体表面をライナーで被覆した貼付剤．白色～淡黄色(膏体面)でハッカ油の芳香を有する　**貼(テープ)**　膏体を支持体に展延し，膏体面をライナーで被覆した貼付剤．淡褐色～褐色(膏体面)で特異な芳香を有する

有効期間又は使用期限　**細**　**錠**　4年　**外用ゲル**　**貼(テープ)**　3年　**貼(パップ)**　2年6カ月

貯法・保存条件　**細**　**錠**　**外用ゲル**　室温保存　**貼**　遮光した気密容器，室温保存

薬剤取扱い上の留意点　**錠**　錠剤表面に使用色素による赤い斑点がみられることがある　**外用ゲル**　火気に近づけないこと

患者向け資料等　**細**　**錠**　患者向医薬品ガイド，くすりのしおり　**貼**　くすりのしおり

溶液及び溶解時のpH　**外用ゲル**　6.0～7.0

浸透圧比　該当しない

安定なpH域　該当しない

調製時の注意　該当しない

薬理作用

分類　プロピオン酸系非ステロイド性消炎鎮痛剤

作用部位・作用機序　プロスタグランジン生合成抑制作用で，作用点はシクロオキシゲナーゼ．投与後，プロスタグランジン生合成抑制作用の強い活性代謝物trans-OH体(SRS配位)に変換され，作用を示す

同効薬　**細**　**錠**　非ステロイド性消炎鎮痛剤　**外用ゲル**　ジクロフェナクナトリウム軟膏，外皮用インドメタシン製剤，ケトプロフェン外用剤　**貼**　ケトプロフェン貼付剤，インドメタシン貼付剤，フェルビナク貼付剤，ジクロフェナクナトリウム貼付剤，フルルビプロフェン貼付剤

治療

効能・効果　**細**　**錠**　**内用液**　①次の疾患ならびに症状の消炎・鎮痛：関節リウマチ，変形性関節症，腰痛症，肩関節周囲炎，頸肩腕症候群，歯痛　②手術後，外傷後ならびに抜歯後の鎮痛・消炎　③次の疾患の解熱・鎮痛：急性上気道炎(急性気管支炎を伴う急性上気道炎を含む)

貼　**外用ゲル**　**噴**　次の疾患ならびに症状の消炎・鎮痛：変形

性関節症，筋肉痛，外傷後の腫脹・疼痛

用法・用量 **細** **錠** **内用液** 効能①②：無水物として1回60mg1日3回，頓用には1回60～120mg（適宜増減）．また，空腹時の投与は避けさせることが望ましい　効能③：無水物として1回60mgを頓用（適宜増減）．ただし，原則として1日2回までとし，1日最大180mgを限度とする．また，空腹時の投与は避けさせることが望ましい

貼 1日1回，患部に貼付

外用ゲル **噴** 適量を1日数回，患部に塗擦及び噴霧

禁忌・原則禁忌となる特定患者集団 **細** **錠** **内用液** 妊娠末期の婦人

使用上の注意

禁忌 **細** **錠** **内用液** ①消化性潰瘍のある患者［プロスタグランジン生合成抑制により，胃の血流量が減少し消化性潰瘍が悪化することがある］　②重篤な血液の異常のある患者［血小板機能障害を起こし，悪化するおそれがある］　③重篤な肝障害のある患者［副作用として肝障害が報告されており，悪化するおそれがある］　④重篤な腎障害のある患者［急性腎不全，ネフローゼ症候群等の副作用を発現することがある］　⑤重篤な心機能不全のある患者［腎のプロスタグランジン生合成抑制により浮腫，循環体液量の増加が起こり，心臓の仕事量が増加するため症状を悪化させるおそれがある］　⑥本剤の成分に過敏症の既往歴のある患者　⑦アスピリン喘息（非ステロイド性消炎鎮痛剤等による喘息発作の誘発）又はその既往歴のある患者［アスピリン喘息発作を誘発することがある］　⑧妊娠末期の婦人

貼 **外用ゲル** **噴** ①本剤の成分に過敏症の既往歴のある患者　②アスピリン喘息（非ステロイド性消炎鎮痛剤等による喘息発作の誘発）又はその既往歴のある患者［喘息発作を誘発することがある］

薬物動態

細 **錠** **内用液** **吸収・代謝** **細** **錠** 健康成人16例に60mgを1回経口投与後，速やかに吸収され，血中には未変化体のほか，trans-OH体（活性代謝物）の型で存在．薬物動態パラメータ（未変化体，trans-OH体の順）は，Cmax（μg/mL）5.04±0.27，0.85±0.02，Tmax（hr）0.45±0.03，0.79±0.02，$T_{1/2}$（hr）1.22±0.07，1.31±0.05で，最高血漿中濃度到達時間は未変化体で約30分，trans-OH体で約50分，半減期はいずれも約1時間15分　**薬物代謝酵素** **細** **錠** ヒト肝ミクロソームを用いた*in vitro*代謝阻害試験で，最高血漿中濃度の約10倍の濃度（200μmol/L）でもチトクロムP450各分子種（CYP1A1/2，2A6，2B6，2C8/9，2C19，2D6，2E1，3A4）の基質となる種々薬物の代謝に対して影響を与えなかった　**薬物速度論的パラメータ（単回及び連続投与）** **細** **錠** ①吸収速度定数・消失速度定数（16例．未変化体，trans-OH体の順）：吸収速度定数（hr^{-1}）11.21±1.82，3.56±0.21．消失速度定数（hr^{-1}）$\lambda 1$=4.04±0.93及び$\lambda 2$=0.59±0.04，$\lambda 1$=0.99±0.07及び$\lambda 2$=0.54±0.02　②血漿蛋白結合率　ヒト（5例，60mg）で投与1時間後の未変化体，trans-OH体の結合率はそれぞれ97.0%，92.8%　③AUC（16例）：未変化体6.70±0.26μg・hr/mL，trans-OH体2.02±0.05μg・hr/mL　**排泄** **細** **錠** 尿中への排泄は速やかで，大部分が未変化体とtrans-OH体のグルクロン酸抱合体として，投与8時間までに約50%が排泄．投与8時間後までの尿中排泄（% of dose，6例，未変化体，trans-OH体の順）は遊離型2.07±0.29，2.21±0.47，グルクロン酸抱合型21.0±0.4，16.0±0.6　**連続投与時の吸収・排泄** **細** **錠** 健康成人5例に80mg，1日3回5日間連続経口投与時，いずれも1回投与時と大きな差異はなく，蓄積性は認められていない

貼（パップ） **血漿中濃度** 健康な成人男子14例の背部に本剤2枚を1日1回5日間反復投与時の血漿中濃度（ロキソプロフェン，trans-OH体（活性代謝物）の順）に，Css（ng/mL）54.9±19.3，23.5±9.5，$AUC_{0-\infty}$（ng・hr/mL）5281±1704，2278±863，MRT（hr）72.2±4.8，73.1±4.9．ロキソプロフェン及びtrans-OH体は投与開始後速やかに血漿中に検出され，投与期間とともに緩やかに増加，投与後4日～5日目に経口剤投与時と比較して低い濃度で定常状態となり，投与終了後は定量限界未満へと速やかに消失　**尿中排泄** 健康な成人男子14例の背部に本剤2枚を1日1回5日間反復投与時，ロキソプロフェン，trans-OH体及びcis-OH体の1日尿中排泄量は投与開始24時間以降ほぼ一定で，投与開始から投与終了後48時間までの総累積排泄率は2.67%　**組織移行性** 本剤3.5cm^2（^{14}C-ロキソプロフェンを含む）をラット背部皮膚に24時間貼付した時，投与部位直下の骨格筋中放射能濃度は非投与部骨格筋濃度の3.6～24倍高く，trans-OH体（活性代謝物）の生成が確認された　**薬物代謝酵素** ロキソプロフェンナトリウムはヒト肝ミクロソームを用いた*in vitro*代謝阻害試験において，1日1枚投与時の最高血漿中濃度の1000倍以上の濃度（200μM）でもチトクロムP450各分子種（CYP1A1/2，2A6，2B6，2C8/9，2C19，2D6，2E1及び3A4）の基質となる種々薬物の代謝に対して影響を与えなかった

貼（テープ） **外用ゲル** 健康成人男子の背部に，本剤及びパップ100mgを貼付時，両剤の角層中ロキソプロフェン量は同等

その他の管理的事項

投与期間制限　該当しない

保険給付上の注意　該当しない

資料

IF　ロキソニン錠60mg・細粒10%　2018年3月改訂（第10版）
ロキソニンゲル1%　2018年5月改訂（第10版）
ロキソニンパップ100mg・テープ50mg・100mg　2017年8月改訂（第14版）

ロサルタンカリウム
ロサルタンカリウム錠
Losartan Potassium

概要

薬効分類　214　血圧降下剤

構造式

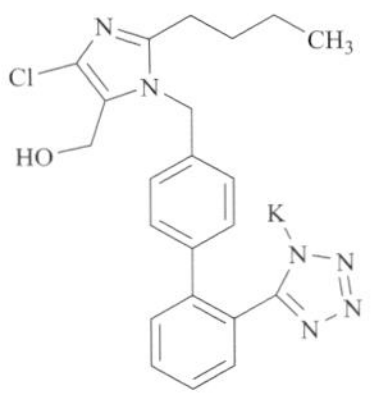

分子式　$C_{22}H_{22}ClKN_6O$

分子量　461.00

ステム　アンジオテンシンⅡ受容体拮抗薬：-sartan

原薬の規制区分　該当しない

原薬の外観・性状　白色の結晶性の粉末である．水に極めて溶けやすく，メタノール又はエタノール（99.5）に溶けやすい

原薬の吸湿性　室温（約22℃），22～90%RH，94.5時間後，76%RHまで吸湿性は認められなかったが，88%RH以上の条件下で24時間後には吸湿・液化した

原薬の融点・沸点・凝固点　融点：262～265℃

原薬の酸塩基解離定数　pKa＝4.3

先発医薬品等

錠 ニューロタン錠25mg・50mg・100mg（MSD）

後発医薬品

錠 25mg・50mg・100mg

国際誕生年月　1994年9月

海外での発売状況 米，英，仏，独を含む100カ国(承認)

製剤

規制区分 **錠** ㊕

製剤の性状 **25mg・50mg錠** 円形・白色のフィルムコーティング錠 **100mg錠** ティアドロップ形・白色のフィルムコーティング錠

有効期間又は使用期限 3年

貯法・保存条件 気密容器，室温保存(開封後防湿保存)

薬剤取扱い上の留意点 降圧作用に基づくめまい，ふらつきが現れることがあるので，高所作業，自動車の運転等危険を伴う機械を操作する際には注意させること．手術前24時間は投与しないことが望ましい

患者向け資料等 患者向医薬品ガイド，くすりのしおり

溶液及び溶解時のpH 7.6～7.8(1%水溶液)

浸透圧比 該当しない

安定なpH域 該当しない

薬理作用

分類 アンジオテンシンⅡ受容体拮抗薬

作用部位・作用機序 経口吸収後カルボン酸体に代謝され，ロサルタンカリウム及びカルボン酸体の両化合物が，昇圧物質アンジオテンシンⅡ(A-Ⅱ)の生理作用を受容体レベルで抑制することにより降圧作用及び腎保護効果を示す

同効薬 カンデサルタンシレキセチル，バルサルタン，テルミサルタン，オルメサルタンメドキソミル，イルベサルタン，アジルサルタン

治療

効能・効果 ①高血圧症 ②高血圧及び蛋白尿を伴う2型糖尿病における糖尿病性腎症

効能・効果に関連する使用上の注意 効能②：高血圧及び蛋白尿(尿中アルブミン/クレアチニン比300mg/g以上)を合併しない患者における本剤の有効性及び安全性は確認されていない

用法・用量 効能①：1日1回25～50mg(適宜増減)．1日100mgまで増量できる 効能②：1日1回50mg．なお，血圧値をみながら1日100mgまで増量できる．ただし，過度の血圧低下を起こすおそれのある患者等では25mgから投与を開始する

用法・用量に関連する使用上の注意 高血圧及び蛋白尿を伴う2型糖尿病における糖尿病性腎症：投与後，血清クレアチニン値が前回の検査値と比較して30%(あるいは1mg/dL)以上増加した場合，及び糸球体濾過値，1/血清クレアチニン値の勾配等で評価した腎機能障害の進展速度が加速された場合は，減量あるいは中止を考慮する

禁忌・原則禁忌となる特定患者集団 妊婦又は妊娠している可能性のある女性

使用上の注意

禁忌 ①本剤の成分に対し過敏症の既往歴のある患者 ②妊婦又は妊娠している可能性のある女性 ③重篤な肝障害のある患者 ④アリスキレンを投与中の糖尿病患者(ただし，他の降圧治療を行ってもなお血圧のコントロールが著しく不良の患者を除く)

相互作用概要 主にCYP2C9により活性代謝物であるカルボン酸体に代謝される

薬物動態

血中濃度 ①単回投与：健康成人に25及び50mgを空腹時1回経口投与時，ロサルタン及びカルボン酸体の血漿中濃度はそれぞれ投与約1時間及び約3時間でピークに達し，半減期は約2時間及び約4時間で，カルボン酸体のAUC(血漿中濃度曲線下面積)はロサルタンの約7倍 ②反復投与：健康成人に100mgを1日1回7日間連続経口投与時の血漿中濃度から，ロサルタン及びカルボン酸体の蓄積性は認められなかった **吸収** 健康成人に100mgを食後及び空腹時に1回経口投与時，吸収速度は食後投与で低下したが，吸収量の減少は僅か **代謝** 健康成人に25，50，100又は200mgを1回経口投与時，速やかに吸収され，主に肝臓において主代謝物であるカルボン酸体(イミダゾール環の5-ヒドロキシメチル基の酸化物)に変換される **排泄** 健康成人に25，50，100又は200mgを1回経口投与時，投与後30時間までのロサルタン及びカルボン酸体の尿中排泄率は各投与量のそれぞれ3.2～4.1%及び6.1～7.9%．健康成人に^{14}C標識ロサルタンカリウムを1回経口投与時，放射能の尿中及び糞中総排泄率はそれぞれ約35及び58%(外国人データ) **特定の背景を有する患者** ①腎障害患者：腎障害を伴う高血圧症患者に，50mgを食後1回経口投与時，血清クレアチニン値の高い群ほどロサルタン並びにカルボン酸体の最高血漿中濃度(Cmax)及びAUCは大きな値を示した．血清クレアチニン値3.0mg/dL以上の群では1.5mg/dL未満の群に比較してロサルタンのCmax及びAUCは2.4及び2.2倍に，カルボン酸体では1.6及び2.0倍の値を示した ②透析患者：高血圧症を伴う透析患者に，50mgを空腹時1回経口投与時，ロサルタンのCmax及びAUCはいずれも増加し，健康成人男子及び高血圧症患者と比較してロサルタンのCmax及びAUCはそれぞれ約2及び3～4倍の値を示した．透析患者に投与時，ロサルタン及びカルボン酸体は透析により血漿中から除去されないことが報告されている(外国人データ) ③高齢者：健康高齢者及び健康非高齢者に，50mgを空腹時1回経口投与時，ロサルタンの吸収速度及び血漿中からの消失に差はみられなかったが，高齢者ではロサルタンのCmax及びAUCは非高齢者の約2倍を示した．一方，高齢者におけるカルボン酸体の平均Cmax及びAUCは，非高齢者に比べてそれぞれ約25及び27%の軽度な増加

その他の管理的事項

投与期間制限 該当しない

保険給付上の注意 該当しない

資料

IF ニューロタン錠25mg・50mg・100mg 2020年9月改訂(第20版)

ロサルタンカリウム・ヒドロクロロチアジド錠
Losartan Potassium and Hydrochlorothiazide Tablets

概要

薬効分類 214 血圧降下剤

分子式 ［ロサルタンカリウム］$C_{22}H_{22}ClKN_6O$，［ヒドロクロロチアジド］$C_7H_8ClN_3O_4S_2$

分子量 ［ロサルタンカリウム］461.00 ［ヒドロクロロチアジド］297.74

ステム ［ロサルタンカリウム］アンジオテンシンⅡ受容体拮抗薬：-sartan ［ヒドロクロロチアジド］チアジド系利尿薬：-tizide(-thiazide)

原薬の規制区分 該当しない

原薬の外観・性状 ［ロサルタンカリウム］白色の結晶性の粉末である．水に極めて溶けやすく，メタノール又はエタノール(99.5)に溶けやすい ［ヒドロクロロチアジド］白色の結晶又は結晶性の粉末で，においはなく，味は僅かに苦い．アセトンに溶けやすく，アセトニトリルにやや溶けにくく，水又はエタノール(95)に極めて溶けにくく，ジエチルエーテルにほとんど溶けない．水酸化ナトリウム試液に溶ける

原薬の吸湿性 ［ロサルタンカリウム］室温(約22℃)，22～90%RH，94.5時間後76%RHまで吸湿性は認められなかったが，88%RH以上で24時間後吸湿・液化した ［ヒドロクロロチアジド］該当資料なし

原薬の融点・沸点・凝固点 ［ロサルタンカリウム］融点：262～265℃ ［ヒドロクロロチアジド］融点：約267℃(分解)

原薬の酸塩基解離定数 ［ロサルタンカリウム］pKa＝4.3 ［ヒドロクロロチアジド］7.9及び9.2

先発医薬品等
錠 プレミネント配合錠LD・HD(MSD)
後発医薬品
錠
国際誕生年月 1995年2月
海外での発売状況 米，英，仏，独を含む97カ国(承認)

製剤

規制区分 **錠** ㊕
製剤の性状 **LD錠** 円形・白色のフィルムコーティング錠 **HD錠** だ円形・白色のフィルムコーティング錠
有効期間又は使用期限 3年
貯法・保存条件 気密容器，室温保存
薬剤取扱い上の留意点 降圧作用に基づくめまい，ふらつきが現れることがあるので，高所作業，自動車の運転等危険を伴う機械を操作する際には注意させること．手術前24時間は投与しないことが望ましい
患者向け資料等 患者向医薬品ガイド，くすりのしおり
溶液及び溶解時のpH ［ロサルタンカリウム］7.6〜7.8(1%水溶液)
浸透圧比 該当しない
安定なpH域 該当しない
調製時の注意 該当しない

薬理作用

分類 アンジオテンシンⅡ受容体拮抗薬・チアジド系利尿薬配合剤
作用部位・作用機序 各項目参照
同効薬 カンデサルタンシレキセチル/ヒドロクロロチアジド配合錠，バルサルタン/ヒドロクロロチアジド配合錠，テルミサルタン/ヒドロクロロチアジド配合錠，イルベサルタン/トリクロルメチアジド配合錠

治療

効能・効果 高血圧症
効能・効果に関連する使用上の注意 過度な血圧低下のおそれ等があり，高血圧治療の第一選択薬としない
用法・用量 1日1回1錠(ロサルタンカリウム/ヒドロクロロチアジドとして50mg/12.5mg，又は100mg/12.5mg)．高血圧治療の第一選択薬として用いない
用法・用量に関連する使用上の注意 原則として，ロサルタンカリウム50mgで効果不十分な場合にロサルタンカリウム/ヒドロクロロチアジドとして50mg/12.5mgの投与を，ロサルタンカリウム100mg又はロサルタンカリウム/ヒドロクロロチアジドとして50mg/12.5mgで効果不十分な場合にロサルタンカリウム/ヒドロクロロチアジドとして100mg/12.5mgの投与を検討する
禁忌・原則禁忌となる特定患者集団 妊婦又は妊娠している可能性のある女性

使用上の注意

禁忌 ①本剤の成分に対し過敏症の既往歴のある患者 ②チアジド系薬剤又はその類似化合物(たとえばクロルタリドン等のスルホンアミド誘導体)に対する過敏症の既往歴のある患者 ③妊婦又は妊娠している可能性のある女性 ④重篤な肝機能障害のある患者 ⑤無尿の患者又は透析患者 ⑥急性腎不全の患者 ⑦体液中のナトリウム・カリウムが明らかに減少している患者［低ナトリウム血症，低カリウム血症等の電解質失調を悪化させるおそれがある］ ⑧アリスキレンを投与中の糖尿病患者(ただし，他の降圧治療を行ってもなお血圧のコントロールが著しく不良の患者を除く) ⑨デスモプレシン酢酸塩水和物(男性における夜間多尿による夜間頻尿)を投与中の患者
相互作用概要 ロサルタンカリウムは主にCYP2C9により活性代謝物であるカルボン酸体に代謝される．ヒドロクロロチアジドは，ほとんど代謝されることなく尿中に排泄される

薬物動態

血中濃度 ①単回投与：⑴健康成人にロサルタンカリウム／ヒドロクロロチアジド50mg/12.5mgを単回経口投与時の薬物動態パラメータ(ロサルタン，カルボン酸体，ヒドロクロロチアジドの順．Cmax，AUCは幾何平均，Tmaxは算術平均，$t_{1/2}$は調和平均)は，Cmax(ng/mL)291.0±96.9，592.9±137.4，95.9±20.9，Tmax(hr)1.4±0.8，3.7±1.2，2.8±0.9，$AUC_{0-\infty}$(ng・hr/mL)504.8±180.2，3674.1±680.2，516.2±89.8，$t_{1/2}$(hr)1.7±0.6，5.8±1.1，7.9±1.2．ロサルタン及びカルボン酸体は，それぞれ投与後1.4及び3.7時間に最高血漿中濃度(Cmax)，消失半減期($t_{1/2}$)1.7及び5.8時間で消失．ヒドロクロロチアジドの血漿中濃度は，投与後2.8時間でCmaxに達し，$t_{1/2}$は7.9時間 ⑵健康成人にロサルタンカリウム／ヒドロクロロチアジド100mg/12.5mgを単回経口投与時，ロサルタン及びカルボン酸体は，それぞれ投与後1.3及び2.5時間にCmax，$t_{1/2}$はそれぞれ2.5及び6.6時間．ヒドロクロロチアジドの血漿中濃度は，投与後2.2時間でCmaxに達し，$t_{1/2}$は8.1時間 ②反復投与：軽症及び中等症の本態性高血圧症患者にロサルタンカリウム／ヒドロクロロチアジド50mg/12.5mgを1日1回14日間反復経口投与時，血漿中ロサルタン，カルボン酸体及びヒドロクロロチアジドのいずれにも蓄積性は認められなかった **吸収** ①食事の影響：⑴健康成人にロサルタンカリウム／ヒドロクロロチアジド50mg/12.5mgを食後投与時，空腹時投与に比べロサルタン，カルボン酸体及びヒドロクロロチアジドのいずれも最高血漿中濃度到達時間(Tmax)が遅延(0.7〜1.7時間)，ロサルタンの血漿中濃度－時間曲線下面積(AUC)は差がなかったものの，カルボン酸体及びヒドロクロロチアジドのAUCがそれぞれ17%及び22%低下したが，臨床上問題とならない程度 ⑵健康成人にロサルタンカリウム／ヒドロクロロチアジド100mg/12.5mgを食後単回経口投与時，空腹時投与に比べてロサルタン，カルボン酸体及びヒドロクロロチアジドのいずれもTmaxが遅延(2.0〜2.8時間)，ロサルタン，カルボン酸体及びヒドロクロロチアジドのAUCがそれぞれ22%，23%及び11%低下したが，臨床上問題とならない程度 **分布** (ヒト)ロサルタン及びカルボン酸体の血漿蛋白結合率は，いずれも99%以上．ヒドロクロロチアジドのヒト血清蛋白結合率は22%．外国人におけるロサルタンの分布容積は34L **代謝** (ヒト)ロサルタンは主としてカルボン酸体へ代謝され，この代謝には主としてCYP2C9が関与．ヒドロクロロチアジドはほとんど代謝されなかった **排泄** 健康成人にロサルタンカリウム／ヒドロクロロチアジド50mg/12.5mgを単回経口投与後48時間までに，ロサルタン，カルボン酸体及びヒドロクロロチアジドが，尿中にそれぞれ投与量の3.7%，7.7%及び66.6%排泄 **特定の背景を有する患者** ①腎機能障害患者：腎機能障害を伴う高血圧症患者(血清クレアチニン値1.5〜2.5mg/dL)にロサルタンカリウム／ヒドロクロロチアジド50mg/12.5mgを1日1回7日間反復経口投与時のロサルタン及びカルボン酸体のCmaxは，腎機能正常患者に比べ1.2倍高く，AUC_{0-24hr}は1.5〜1.7倍高かった．ヒドロクロロチアジドのCmax及びAUC_{0-24hr}は，それぞれ腎機能正常患者の1.4倍及び2.2倍，腎クリアランスは27% ②高齢者：ロサルタンカリウム／ヒドロクロロチアジド50mg/12.5mgを1日1回7日間反復経口投与後のロサルタン及びカルボン酸体の血漿中濃度は，非高齢者と差はなく，ヒドロクロロチアジドの吸収も非高齢者と差がなかった(外国人データ) **薬物相互作用** 健康成人にロサルタンカリウム／ヒドロクロロチアジド50mg/12.5mgを単回経口投与後のロサルタン，カルボン酸体及びヒドロクロロチアジドの血漿中濃度は，各単剤投与後と差がなく，ロサルタンとヒドロクロロチアジドとの薬物動態的な相互作用は認められなかった．海外において，ロサルタンとシメチジン，フェノバルビタール，ワルファリン，ジゴキシン，ケトコナゾール及びエリスロマイシンとの相互作用について検討したが，いずれも臨床上問題となる薬物動態的な相互作用は認められなかった．ロサルタンとリファンピシン(代謝酵素誘導剤)との併用で，ロサルタン及びカルボン酸体

の消失が速くなり，それらのAUCは減少．また，ロサルタンとフルコナゾール（CYP2C9の阻害剤）の併用により，カルボン酸体のCmax及びAUCが減少したが，ロサルタンのAUCは増加

その他の管理的事項

投与期間制限 該当しない

保険給付上の注意 該当しない

資料

IF プレミネント配合錠LD・HD 2020年2月改訂（第20版）

ロスバスタチンカルシウム
ロスバスタチンカルシウム錠
Rosuvastatin Calcium

概要

薬効分類 218 高脂血症用剤

構造式

分子式 $(C_{22}H_{27}FN_3O_6S)_2Ca$

分子量 1001.14

原薬の規制区分 該当しない

原薬の外観・性状 白色の粉末である．アセトニトリルに溶けやすく，メタノールにやや溶けやすく，水又はエタノール（99.5）に溶けにくい

原薬の吸湿性 20±4℃の各種相対湿度条件下で開栓容器に入れて検討した結果，経時的な吸湿性を認めた

原薬の融点・沸点・凝固点 融点：約130℃（分解）

原薬の酸塩基解離定数 pKa＝4.6（電位差滴定法）

先発医薬品等

錠 クレストール錠2.5mg・5mg（アストラゼネカ＝塩野義）
クレストールOD錠2.5mg・5mg（アストラゼネカ＝塩野義）

後発医薬品

錠 2.5mg・5mg・10mg・OD錠2.5mg・5mg・10mg

国際誕生年月 2002年11月

海外での発売状況 欧米など

製剤

規制区分 **錠** **口腔内崩壊錠** ㊎

製剤の性状 **錠** うすい赤みの黄色からくすんだ赤みの黄色のフィルムコーティング錠 **口腔内崩壊錠** 淡黄色の円形の素錠

有効期間又は使用期限 3年

貯法・保存条件 **錠** 室温保存，吸湿注意 **口腔内崩壊錠** 遮光・室温保存，吸湿注意

薬剤取扱い上の留意点 アルミピロー包装開封後は防湿保存

患者向け資料等 患者向医薬品ガイド，くすりのしおり

薬理作用

分類 HMG-CoA還元酵素阻害剤

作用部位・作用機序 肝臓内に能動的に取り込まれ，肝臓でのコレステロール生合成系の律速酵素であるHMG-CoA還元酵素を選択的かつ競合的に阻害し，コレステロール生合成を強力に抑制．その結果，肝臓内のコレステロール含量が低下し，これを補うためLDL受容体の発現が誘導．このLDL受容体を介してコレステロール含有率の高いリポ蛋白であるLDLの肝臓への取り込みが増加し，血中コレステロールが低下．本剤は肝臓では主として能動輸送系を介して取り込まれ，脂質親和性が比較的低いため，能動輸送系をもたない他の臓器には取り込まれにくく，肝特異的なHMG-CoA還元酵素阻害剤と考えられる

同効薬 プラバスタチンナトリウム，シンバスタチン，フルバスタチンナトリウム，アトルバスタチンカルシウム，ピタバスタチンカルシウム

治療

効能・効果 高コレステロール血症，家族性高コレステロール血症

効能・効果に関連する使用上の注意 ①適用の前に十分な検査を実施し，高コレステロール血症，家族性高コレステロール血症であることを確認した上で本剤の適用を考慮する ②家族性高コレステロール血症ホモ接合体については，LDL-アフェレーシス等の非薬物療法の補助として，あるいはそれらの治療法が実施不能な場合に本剤の適用を考慮する

用法・用量 1日1回2.5mgより投与を開始するが，早期にLDL-コレステロール値を低下させる必要がある場合には5mgより投与を開始してもよい（適宜増減）．投与開始後あるいは増量後，4週以降にLDL-コレステロール値の低下が不十分な場合には，漸次10mgまで増量できる．10mgを投与してもLDL-コレステロール値の低下が十分でない，家族性高コレステロール血症患者等の重症患者に限り，さらに増量できるが，1日最大20mgまでとする

用法・用量に関連する使用上の注意 ①クレアチニンクリアランスが30mL/min/1.73m^{2}未満の患者に投与する場合には，2.5mgより投与を開始し，1日最大投与量は5mgとする ②特に20mg投与時においては腎機能に影響が現れるおそれがある．20mg投与開始後12週までの間は原則，月に1回，それ以降は定期的（半年に1回等）に腎機能検査を行う等，観察を十分に行う

禁忌・原則禁忌となる特定患者集団 妊婦又は妊娠している可能性のある女性及び授乳婦

使用上の注意

禁忌 ①本剤の成分に対し過敏症の既往歴のある患者 ②肝機能が低下していると考えられる次のような患者：急性肝炎，慢性肝炎の急性増悪，肝硬変，肝癌，黄疸 ③妊婦又は妊娠している可能性のある女性及び授乳婦 ④シクロスポリンを投与中の患者

相互作用概要 OATP1B1及びBCRPの基質である

薬物動態

血中濃度 ①単回投与後の血漿中濃度：健康成人男性6例に5mgを空腹時に単回経口投与時，血漿中ロスバスタチン濃度は投与後5時間にCmaxを示し，消失半減期（$T_{1/2}$）は20.2±7.8時間．また，Cmax及び$AUC_{0\text{-}24h}$はそれぞれ3.56±1.35ng/mL，31.3±13.6ng・hr/mL（平均値±標準偏差）．なお，ロスバスタチンの体内動態は線形であると考えられている（外国人データ） ②反復投与後の血漿中濃度：健康成人男性6例にロスバスタチンカルシウム10及び20mgを1日1回7日間，空腹時に反復経口投与時，投与後24時間の血漿中ロスバスタチン濃度は徐々に上昇し，反復投与3回目にはほぼ定常状態に到達．定常状態における$AUC_{0\text{-}24h}$は単回投与時の1.2倍で，その値は単回投与での結果からの予測値と同程度．したがって，反復投与による予想以上の蓄積性はないと考えられた．なお，日本人におけるCmax及びAUCは白人の約2倍．健康成人男性におけるロスバスタチンの薬物動態パラメータ（6例．Cmax※1）（ng/mL），Tmax※2）（hr），$AUC_{0\text{-}24h}$※1）（ng・hr/mL），$AUC_{0\text{-}\infty}$※1）（ng・hr/mL），$T_{1/2}$※3）（hr）の順）は，10mg単回：7.87（54.4），5（4-5），74.2（56.0），126（39.3）※4），15.1±5.36※4），10mg反復：9.38（71.5），5（5-5），90.5（67.0），

167(30.0)※5)，18.4±4.62※5)，20mg単回：20.5(54.6)，4(3-5)，171(53.0)，209(50.1)，19.1±5.81，20mg反復：22.1(68.0)，5(5-5)，206(63.9)，248(62.2)，14.8±5.76　③患者における血漿中濃度：高コレステロール血症患者に2.5〜20mgを1日1回6週間反復経口投与し，定常状態の血漿中ロスバスタチン濃度を測定．高コレステロール血症患者の血漿中ロスバスタチン濃度は用量にほぼ比例して増加し，健康成人男性での値(投与後10時間の幾何平均値，10mg：4.06ng/mL，20mg：9.82ng/mL)とほぼ同程度であった．なお，本試験で日本人と白人の結果を比較したところ，日本人における定常状態の血漿中ロスバスタチン濃度は白人の約2倍．高コレステロール血症患者における定常状態の血漿中ロスバスタチン濃度※6)は次の通り(投与量，血漿中ロスバスタチン濃度(ng/mL)の順)：(1)2.5mg(16例)，1.26(72.7)，(2)5mg(12例)，2.62(41.5)，(3)10mg(13例)，4.17(75.5)，(4)20mg(17例)，11.7(50.0)　※1)幾何平均値(変動係数)　※2)中央値(範囲)　※3)平均値±標準偏差　※4)3例　※5)4例　※6)幾何平均値(変動係数)，採血時間：投与後7〜16時間　**生物学的利用率**　健康成人男性10例におけるロスバスタチンの生物学的利用率は29.0%(90%信頼区間：24.1〜34.9)．また，静脈内投与して得られたロスバスタチンの全身クリアランス，腎クリアランスはそれぞれ31.9，11.6L/hrで，ロスバスタチンは主に肝臓による消失を受けると考えられた　**食事の影響(外国人データ)**　健康成人20例に10mgをクロスオーバー法で1日1回14日間，空腹時あるいは食後に経口投与．食後投与時の吸収は空腹時に比べて緩やかであり，Cmaxは食事によって20%低下．しかし，食後投与時の$AUC_{0\text{-}24h}$は空腹時投与の94%で，吸収量への食事の影響はないと考えられた　**投与時間の影響(外国人データ)**　健康成人21例に10mgをクロスオーバー法で1日1回14日間，午前7時あるいは午後6時に経口投与時，血漿中ロスバスタチン濃度推移は両投与時間で同様で，本剤の体内動態は投与時間の影響を受けないと考えられた　**性差及び加齢の影響(外国人データ)**　男性若年者，男性高齢者，女性若年者及び女性高齢者各8例に40mg(承認外用量)を単回経口投与時，男性のCmax及び$AUC_{0\text{-}t}$はそれぞれ女性の82%及び91%であった．また，若年者のCmax及び$AUC_{0\text{-}t}$はそれぞれ高齢者の112%及び106%で，臨床上問題となる性差や加齢の影響はないと考えられた　**代謝・排泄(外国人データ)**　健康成人男性6例に^{14}C-ロスバスタチンカルシウム20mgを単回経口投与時，放射能は主に糞中に排泄され(90.2%)，尿中放射能排泄率は10.4%．また，尿及び糞中に存在する放射能の主成分は未変化体で，それぞれ投与量の4.9%及び76.8%．さらに，尿糞中の主な代謝物は，N-脱メチル体及び5S-ラクトン体．ヒト血漿中にはN-脱メチル体及び5S-ラクトン体が検出されたが，HMG-CoA還元酵素阻害活性体濃度はロスバスタチン濃度と同様の推移を示し，血漿中におけるHMG-CoA還元酵素阻害活性に対する代謝物の寄与はわずかであると考えられた　**肝障害の影響(外国人データ)**　Child-Pugh A(スコア：5〜6)あるいはChild-Pugh B(スコア：7〜9)の肝障害患者各6例に10mgを1日1回14日間反復経口投与し，血漿中ロスバスタチン濃度を測定した．肝障害患者のCmax及び$AUC_{0\text{-}24h}$は健康成人群のそれぞれ1.5〜2.1倍，1.05〜1.2倍で，特に，Child-Pughスコアが8〜9の患者2例における血漿中濃度は，他に比べて高かった　**腎障害の影響(外国人データ)**　重症度の異なる腎障害患者(4〜8例)に20mgを1日1回14日間反復経口投与し，血漿中ロスバスタチン濃度を測定．軽度から中等度の腎障害のある患者では，ロスバスタチンの血漿中濃度に対する影響はほとんど認められなかった．しかし，重度(クレアチニンクリアランス＜30mL/min/1.73m^2)の腎障害のある患者では，健康成人に比べて血漿中濃度が約3倍に上昇　**薬物相互作用**　①本剤が受ける影響：(1)*in vitro*代謝試験：ヒト遊離肝細胞を用いる*in vitro*試験でN-脱メチル体が生成したが，その代謝速度は非常に緩徐．また，N-脱メチル化に関与する主なP450分子種はCYP2C9，CYP2C19，CYP2D6やCYP3A4が関与する可能性も示唆された　(2)臨床試験(外国人データ)：ロスバスタチンの体内動態に及ぼすP450阻害剤の影響を検討するために，フルコナゾール(CYP2C9，CYP2C19の阻害剤)，ケトコナゾール，イトラコナゾール及びエリスロマイシン(以上CYP3A4及びP糖蛋白の阻害剤)との併用試験を実施したが，明らかな相互作用は認められなかった．制酸剤を同時併用投与した場合，ロスバスタチンのCmax及び$AUC_{0\text{-}24h}$はそれぞれ50%，46%まで低下したが，ロスバスタチン投与後2時間に制酸剤を投与した場合には，ロスバスタチンのCmax及び$AUC_{0\text{-}24h}$はそれぞれ非併用時の84%，78%．シクロスポリンを投与されている心臓移植患者にロスバスタチンを併用投与時，ロスバスタチンのCmax及び$AUC_{0\text{-}24h}$は，健康成人に単独で反復投与した時に比べてそれぞれ10.6倍，7.1倍上昇．ゲムフィブロジル(本邦未承認)と併用投与時，ロスバスタチンのCmax及び$AUC_{0\text{-}t}$はそれぞれ2.21倍，1.88倍に増加．ロスバスタチンはトランスポーターOATP-C(OATP-2)を介して肝臓に取り込まれ，シクロスポリンとゲムフィブロジルはその取り込みを阻害することによって，ロスバスタチンの血漿中濃度を増加させると考えられている　②他剤に及ぼす影響：(1)*in vitro*代謝試験：ロスバスタチン(50μg/mL)によるP450(CYP1A2，CYP2C9，CYP2C19，CYP2D6，CYP2E1，CYP3A4)活性の阻害率は10%以下　(2)臨床試験(外国人データ)：ワルファリン(CYP2C9，CYP3A4の基質)あるいはジゴキシンの体内動態に及ぼす影響を検討したが，薬物動態学的相互作用は認められなかった．CYP3A4誘導作用の有無を検討するために，経口避妊薬との併用試験を実施したが，エチニルエストラジオールの血漿中濃度に減少はみられず，ロスバスタチンはCYP3A4に対する誘導作用を示さないと考えられた　**蛋白結合率**　ヒト血漿中におけるロスバスタチンの蛋白結合率は89.0%(日本人)〜88.0%(外国人)，主結合蛋白はアルブミン(*in vitro*)

その他の管理的事項

投与期間制限　該当しない

保険給付上の注意　該当しない

資料

IF　クレストール錠2.5mg・5mg・OD錠2.5mg・5mg　2020年6月改訂(第21版)

ロフラゼプ酸エチル
ロフラゼプ酸エチル錠
Ethyl Loflazepate

概要

薬効分類　112　催眠鎮静剤，抗不安剤

構造式

及び鏡像異性体

分子式　$C_{18}H_{14}ClFN_2O_3$

分子量　360.77

ステム　ジアゼパム系抗不安薬・鎮静薬：-azepam

原薬の規制区分　(向Ⅲ)

原薬の外観・性状　白色の結晶性の粉末である．ジメチルスルホキシドに溶けやすく，アセトニトリルにやや溶けにくく，エタノール(99.5)に溶けにくく，水にほとんど溶けない．本

品のジメチルスルホキシド(1→50)は旋光性を示さない
原薬の吸湿性　加湿条件下(温度25℃)で保存しても，ほとんど吸湿は認められなかった
原薬の融点・沸点・凝固点　融点：約199℃(分解)
原薬の酸塩基解離定数　pKa＝0.5及び11.2
先発医薬品等
細 メイラックス細粒1％(MeijiSeika)
錠 メイラックス錠1mg・2mg(MeijiSeika)
後発医薬品
錠 1mg・2mg
国際誕生年月　1980年11月
海外での発売状況　仏

製剤
規制区分　**細**　**錠**　向Ⅲ　処
製剤の性状　**細** 白色の細粒　**1mg錠** 白色の素錠(割線なし)　**2mg錠** うすいだいだい色の素錠(割線なし)
有効期間又は使用期限　3年
貯法・保存条件　室温保存
薬剤取扱い上の留意点　眠気，注意力・集中力・反射運動能力等の低下が起こることがあるので，本剤投与中の患者には自動車の運転等危険を伴う機械の操作に従事させないよう注意すること
患者向け資料等　患者向医薬品ガイド，くすりのしおり
溶液及び溶解時のpH　該当しない
浸透圧比　該当しない
安定なpH域　該当しない
調製時の注意　該当しない

薬理作用
分類　ベンゾジアゼピン系抗不安剤
作用部位・作用機序　質的にはジアゼパムなどのベンゾジアゼピン系薬剤に共通した中枢神経作用を有しているが，その作用強度や薬理学的プロフィールは他のベンゾジアゼピン系薬剤とは異なっている．鎮静作用，意識水準の低下，筋弛緩作用及び協調運動抑制作用は比較的弱い反面，抗痙攣作用や抗コンフリクト作用が強い
同効薬　ジアゼパム，ロラゼパム，プラゼパム，クロラゼプ酸ニカリウム，フルジアゼパムなど

治療
効能・効果　①神経症における不安・緊張・抑うつ・睡眠障害　②心身症(胃・十二指腸潰瘍，慢性胃炎，過敏性腸症候群，自律神経失調症)における不安・緊張・抑うつ・睡眠障害
用法・用量　ロフラゼプ酸エチルとして1日2mg，1～2回に分服(適宜増減)

使用上の注意
禁忌　①ベンゾジアゼピン系薬剤に対して過敏症の既往歴のある患者　②急性閉塞隅角緑内障の患者［眼圧が上昇し，症状が悪化するおそれがある］　③重症筋無力症のある患者［筋弛緩作用により症状が悪化するおそれがある］
相互作用概要　主にCYP3A4が関与している
過量投与　①症状：過量投与時の主な症状は過度の傾眠で，昏睡を起こすことがある　②処置：呼吸，脈拍，血圧の監視を行うとともに，胃洗浄，輸液，気道の確保等の適切な処置を行う．また，過量投与が明白又は疑われた場合の処置としてフルマゼニル(ベンゾジアゼピン受容体拮抗剤)を投与する場合には，使用前にフルマゼニルの使用上の注意(禁忌，慎重投与，相互作用等)を必ず読む

薬物動態
吸収・代謝　経口投与後速やかに吸収，消化管通過時や肝によって初回通過効果を受け，未変化体は血中から検出されず，活性代謝物M-1(エチルエステル基が加水分解されたカルボン酸体)，M-2(M-1の脱炭酸体)として血中に存在．健康成人5名に錠を2mg経口投与時のCmax(ng/mL)は0.8±0.3時間後182±21.5，$T_{1/2}$122±58(59.2～207)hr．AUC(ng・hr/mL)は4663±393．連続投与時の血漿中濃度は1～3週間程度で定常状態に到達すると考えられており，蓄積性は認められなかった．健康成人20名にクロスオーバー法で，細粒又は錠(各々有効成分2mg含有)を1回経口投与時の薬物動態パラメータ(細粒，錠の順)は，Cmax(ng/mL)は1.2±0.5時間後121±23，1±0.4時間後130±24，$T_{1/2}$110±35hr，110±36hr，AUC(ng・hr/mL)は5770±1327，5970±1474で，細粒と錠の生物学的同等性が証明された　**生物学的利用度**　吸収率：健康成人5名に2mgを経口投与及び静注し，それらのAUC(M-1+M-2)から求めた吸収率は69±8％　**蛋白結合**　(*in vitro*)：限外ろ過法で測定したヒト血清蛋白との結合率はM-1は100ng/mLで＞99％，500ng/mLで96％，M-2は100ng/mLで98.6％，500ng/mLで94.3±6.7％，M-3は100ng/mLで96.7±0.8％　**排泄**　尿中排泄は投与後14日間で50％，主要尿中代謝物は，M-3(M-2の3位水酸化体)の抱合体

その他の管理的事項
投与期間制限　30日
保険給付上の注意　該当しない

資料
IF　メイラックス細粒1％・錠1mg・2mg　2019年7月改訂(第13版)

ロベンザリットナトリウム
Lobenzarit Sodium

概要
構造式

分子式　$C_{14}H_8ClNNa_2O_4$
分子量　335.65
原薬の規制区分　該当しない
原薬の外観・性状　白色～微黄白色の結晶性の粉末である．水にやや溶けやすく，エタノール(99.5)にほとんど溶けない

治療
効能・効果† 　関節リウマチ

ロラゼパム
Lorazepam

概要
薬効分類　112　催眠鎮静剤，抗不安剤
構造式

及び鏡像異性体

分子式　$C_{15}H_{10}Cl_2N_2O_2$
分子量　321.16
ステム　ジアゼパム系抗不安薬・鎮静薬：-azepam

原薬の規制区分 向Ⅲ
原薬の外観・性状 白色の結晶性の粉末で，においはない．エタノール(95)又はアセトンにやや溶けにくく，ジエチルエーテルに溶けにくく，水にほとんど溶けない．光によって徐々に着色する
原薬の吸湿性 該当資料なし
原薬の融点・沸点・凝固点 融点：約165℃
原薬の酸塩基解離定数 pKa_1＝1.3，pKa_2＝11.5
先発医薬品等
錠 ワイパックス錠0.5・1.0(ファイザー)
注 ロラピタ静注2mg(ファイザー)
後発医薬品
錠 0.5mg・1mg
国際誕生年月 1970年10月
海外での発売状況 独，カナダなど

製剤
規制区分 向Ⅲ 処
製剤の性状 0.5mg錠 白色の素錠 1mg錠 白色の素錠(割線入り)
有効期間又は使用期限 3年
貯法・保存条件 遮光・室温保存
薬剤取扱い上の留意点 眠気，注意力・集中力・反射運動能力等の低下が起こることがあるので，本剤投与中の患者には自動車の運転等危険を伴う機械の操作に従事させないよう注意すること
患者向け資料等 くすりのしおり
溶液及び溶解時のpH 該当資料なし
浸透圧比 該当資料なし
安定なpH域 該当資料なし
調製時の注意 該当資料なし

薬理作用
分類 ベンゾジアゼピン系マイナートランキライザー
作用部位・作用機序 部位：大脳辺縁系や視床下部及び脳幹網様体付近 機序：セロトニン代謝の抑制により作用を現すと考えられる
同効薬 ジアゼパム，クロルジアゼポキシド，エチゾラム，オキサゾラム

治療
効能・効果 錠 ①神経症における不安・緊張・抑うつ ②心身症(自律神経失調症，心臓神経症)における身体症候ならびに不安・緊張・抑うつ
注 てんかん重積状態
用法・用量 錠 1日1～3mg，2～3回に分服(適宜増減)
注 ①成人：4mgを静注．投与速度は2mg/分を目安として緩徐に投与．なお，必要に応じて4mgを追加投与するが，初回投与と追加投与の総量として8mgを超えない ②生後3カ月以上の小児：0.05mg/kg(最大4mg)を静注．投与速度は2mg/分を目安として緩徐に投与．なお，必要に応じて0.05mg/kgを追加投与するが，初回投与と追加投与の総量として0.1mg/kgを超えない
用法・用量に関連する使用上の注意 注 ①同量の注射用水，生理食塩液又は5%ブドウ糖注射液で希釈してから投与する ②注意しながら緩徐に投与する(呼吸抑制が現れることがある) ③1回の発作に対して2回を超えて投与した場合の有効性及び安全性は確立していない．2回を超えて投与した時の追加効果は限定的であることから，追加投与しても発作が消失しない場合，他の抗けいれん薬の投与を考慮する

使用上の注意
禁忌 錠 ①急性閉塞隅角緑内障の患者［抗コリン作用により眼圧が上昇し，症状を悪化させることがある］ ②重症筋無力症のある患者［筋弛緩作用により症状が悪化するおそれがある］
注 ①本剤の成分に対し過敏症の既往歴のある患者 ②急性閉塞隅角緑内障の患者［抗コリン作用により眼圧が上昇し，症状を悪化させることがある］ ③重症筋無力症のある患者［筋弛緩作用により症状が悪化するおそれがある］ ④ショックの患者，昏睡の患者，バイタルサインの悪い急性アルコール中毒の患者［副作用として心停止が報告されており，これらの患者の症状を悪化させるおそれがある］
相互作用概要 主にUGT2B7及び2B15によるグルクロン酸抱合によって代謝される
過量投与 錠 過量投与が明白又は疑われた場合の処置としてフルマゼニル(ベンゾジアゼピン受容体拮抗剤)を投与する場合には，使用前にフルマゼニルの使用上の注意(禁忌，慎重投与，相互作用等)を必ず読む
注 ①症状：過量投与にみられる主な症状は，過鎮静，傾眠，錯乱，昏睡，呼吸抑制，循環抑制等である ②処置：過量投与が明白又は疑われた場合の処置としてフルマゼニル(ベンゾジアゼピン受容体拮抗剤)を投与する場合には，使用前にフルマゼニルの使用上の注意(禁忌，慎重投与，相互作用等)を必ず読む

薬物動態
錠 健常成人に1mg経口投与時の未変化体最高血中濃度値は約2時間後，24時間後には消失，半減期約12時間，尿中から大部分がグルクロン酸抱合体として排泄
注 **血漿中濃度** 健康成人男性被験者6例(平均体重：74.1kg)に2mgを約1分間かけて静注時の薬物動態パラメータ［$AUC_{0-\infty}$(ng・h/mL)，$t_{1/2}$(h)，CL(mL/min)，Vd(L)，CLr(mL/min)の順］は，UGT2B15遺伝子型ごとに，※1/※1(3例)［327.3±83.0，12.83±2.02，106.4±27.7，115.0±13.2，0.263±0.111］，※1/※2(1例)［406.0，11.00，82.1，77.9，0.341］，※2/※2(2例)※)［622.5，18.95，55.6，90.4，0.199］，全体(6例)［438.8±171.6，14.57±3.75，85.4±31.2，100.6±20.1，0.255±0.088］ ※)中央値，平均値±標準偏差 **分布(外国人データ)** 血漿蛋白結合率は約87% **代謝・排泄** 主代謝経路は肝臓中のUGT2B7及びUGT2B15によるグルクロン酸抱合．健康男性被験者6例に2mgを約1分間かけて単回静注時，投与72時間後までに投与量の0.3%が未変化体として，60.9%がグルクロン酸抱合体として尿中に排泄．グルクロン酸抱合されたロラゼパムの大部分は尿中に排泄されるが，一部は胆汁中に排泄され腸肝循環を受けることが報告されている **特殊集団における薬物動態．腎機能障害者(外国人データ)** 腎機能正常被験者6例，腎機能障害患者6例(クレアチニンクリアランス(平均値±標準偏差)：22±4mL/min)，維持透析患者4例にそれぞれ1.5mgを単回静注時の薬物動態パラメータ，(1)未変化体［$t_{1/2}$(h)，CL(mL/min)，Vss(L)の順］，(2)グルクロン酸抱合体［$t_{1/2}$(h)，CLm(mL/min)の順］は，腎機能正常被験者(6例)：(1)［16[2]，71[11]，90[10]］，(2)［16[2]，31[5]］，腎機能障害患者(6例)：(1)［20[4]，85[15]，101[10]］，(2)［25[4]，7[1]］，維持透析患者(4例)：(1)［28[7]，82[20]，143[5]］，(2)［36[3]，3.1[0.2]］ 平均値[標準誤差]維持透析患者において，透析の1時間前に静脈内投与されたロラゼパムは，6時間の透析により投与量の約8%が未変化体として，投与量の約40%に相当する量がグルクロン酸抱合体として透析液中に回収された **肝機能障害者(外国人データ)** アルコール性肝硬変患者13例，B型肝炎ウイルス抗原(HBsAg)陽性の急性ウイルス性肝炎患者9例と健康被験者11例(対照群)に2mgを静注時の薬物動態パラメータ，(1)未変化体(総濃度)［$t_{1/2}$(h)，CL(mL/min/kg)，Vd(L/kg)の順］，(2)未変化体(遊離形濃度)［fu(%)，CLf(mL/min/kg)，Vdf(L/kg)の順］は，健康被験者(11例)：(1)［22.1±5.4，0.75±0.23，1.28±0.34］，(2)［6.8±1.8，11.7±4.8，19.9±6.7］，肝硬変患者(13例)：(1)［31.9±9.6，0.81±0.48，2.01±0.82］，(2)［11.4±2.5，10.6±6.7，25.3±8.8］，急性肝炎患者(9例)：(1)［25.0±6.4，0.74±0.34，1.52±0.61］，(2)［9.0±1.9，9.4±4.1，18.1±9.7］ 平均値±標準偏差 **小児** 健康成人被験者及びてんかん重積患者から得られた血漿中濃度データを対象とした本剤の母集団薬物動態解析結果に基づく薬物動態パラメータのベイズ推定値と，それに基づく単回

ロ

投与後の推定曝露量(Cmax及び$AUC_{0-\infty}$)[CL(mL/min/kg), V1(L/kg), Vss(L/kg), $t_{1/2}$(h), Cmax(ng/mL), $AUC_{0-\infty}$(ng・h/mL)の順]は, 3カ月～1歳未満(1例)※1)[1.76, 0.55, 2.28, 14.99, 99, 520], 1～7歳未満(8例)※1)[1.50±0.09, 0.67±0.04, 1.74±0.12, 13.34±0.75, 77±4, 571±51], 7～16歳未満(7例)※1)[1.30±0.21, 0.94±0.22, 1.49±0.12, 13.46±1.74, 59±11, 705±172], 16歳以上(16例)※2)[1.11±0.10, 1.24±0.17, 1.49±0.08, 15.64±1.94, 67±44, 1123±388※1)] ※1)投与量：0.05mg/kg ※2)投与量：4mg (平均値±標準偏差) **高齢者及び性差(外国人データ)** 19～38歳の健康被験者(非高齢群)15例及び60～84歳の健康高齢被験者(高齢群)15例に1.5～3.0mgを5分間かけて静注時の結果は, (1)未変化体(総濃度)[CL(mL/min/kg), Vd(L/kg)], (2)未変化体(遊離形濃度)[fu(%), CLf(mL/min/kg), Vdf(L/kg)]として, 非高齢群男性(6例)体重76.0(69.5-86.4)kg：(1)[1.0(0.52-1.56), 1.07(0.91-1.13)], (2)[10.5(9.5-10.8), 9.63(4.82-16.40), 10.25(8.61-11.88)], 非高齢群女性(9例)体重57.1(48.6-70.0)kg：(1)[0.98(0.71-1.52), 1.14(0.93-1.30)], (2)[10.9(9.1-12.6)9.08(6.01-14.04), 10.52(7.79-11.73)], 高齢群男性(9例)体重82.0(65.5-90.9)kg：(1)[0.80(0.49-1.30), 1.02(0.83-1.21)], (2)[11.6(10.4-12.8), 6.95(3.83-11.38), 8.81(7.13-11.16)], 高齢群女性(6例)体重59.9(45.5-72.7)kg：(1)[0.72(0.58-0.89), 0.95(0.89-1.0)], (2)[11.3(10.5-12.0), 6.42(5.01-7.75), 8.44(8.19-8.84)] 平均値(範囲). 高齢者群では非高齢者群に比べて遊離形濃度のクリアランス(CLf)及び遊離形濃度の分布容積(Vdf)の平均値は, それぞれ28%及び18%小さかった. 性別による薬物動態の違いは認められなかった **薬物相互作用(外国人データ)** ①バルプロ酸：健康成人24例を対象に, バルプロ酸600mg/日の経口反復投与下で本剤2mgを単回静注し(注入時間：2分間), ロラゼパム単独投与と薬物動態を比較した結果, UGT2B15の遺伝子型に関わらずロラゼパムのCLはバルプロ酸の併用により単独投与時と比べて約20%低下 ②リファンピシン：健康成人24例を対象に, リファンピシン600mg/日の経口反復投与下で本剤2mgを単回静注し(注入時間：2分間), ロラゼパム単独投与と薬物動態を検討した結果, UGT2B15の遺伝子型に関わらずロラゼパムのCLは単独投与時の約2.4倍 ③プロベネシド：25～47歳の健康成人男女9例に本剤2mgの単回静注後, あるいは本剤投与の12時間前から6時間ごとにプロベネシド500mgを継続経口投与し, 本剤2mgを併用投与時のロラゼパムの薬物動態について検討した結果, プロベネシド併用下において, ロラゼパムのCLの約45%低下とそれに伴う$t_{1/2}$の延長(131%)がみられた ④経口避妊ステロイド：経口避妊ステロイド(酢酸ノルエチステロン1mg, エチニルエストラジオール50μg)を6カ月以上服薬中の健康女性7例に本剤2mgを単回静注時, 経口避妊ステロイドを服用していない健康女性8例と比べて, ロラゼパムの$t_{1/2}$が57%短縮し, CLは3.7倍

その他の管理的事項

投与期間制限 30日
保険給付上の注意 該当しない

資料

IF ワイパックス錠0.5・1.0 2019年9月改訂(第16版)

黄色ワセリン
Yellow Petrolatum

概要

薬効分類 712 軟膏基剤
分子式 $C_{15}H_{32}$～$C_{20}H_{42}$
略語・慣用名 別名：パラフィン(イソパラフィン)
ステム 不明
原薬の規制区分 該当しない
原薬の外観・性状 黄色の全質均等の軟膏様物質で, におい及び味はない. エタノール(95)に溶けにくく, 水にほとんど溶けない. ジエチルエーテル, 石油ベンジン又はテレビン油に澄明又は僅かに不溶分を残して溶ける. 加温するとき, 黄色の澄明な液となり, この液は僅かに蛍光を発する
原薬の吸湿性 該当資料なし
原薬の融点・沸点・凝固点 融点：38～60℃(第3法)
原薬の酸塩基解離定数 該当しない
先発医薬品等
黄色ワセリン(司生堂)
黄色ワセリン(東海製薬)
黄色ワセリン(小堺)
黄色ワセリン(三恵)
黄色ワセリン(日興製薬＝丸石)
黄色ワセリン(マイラン＝ファイザー)
国際誕生年月 不明
海外での発売状況 該当しない

製剤

製剤の性状 黄色の全質均等の軟膏よう物質で, におい及び味はない. エタノール(95)に溶けにくく, 水にほとんど溶けない. ジエチルエーテル, 石油ベンジンはテレビン油に澄明または僅かに不溶分を残して溶ける. 加温するとき, 黄色の澄明な液となり, この液は僅かに蛍光を発する
有効期間又は使用期限 3年
貯法・保存条件 室温保存
薬剤取扱い上の留意点 該当しない
患者向け資料等 くすりのしおり
溶液及び溶解時のpH 該当資料なし
浸透圧比 該当資料なし
安定なpH域 該当資料なし
調製時の注意 該当しない

薬理作用

分類 軟膏基剤
作用部位・作用機序 皮膚保護・柔軟作用, 痂皮軟化脱落作用, 肉芽形成促進作用がある. 水分の蒸散を防止し, 患部の乾燥を防ぐ
同効薬 白色ワセリン

治療

効能・用法 ①軟膏基剤として調剤に用いる ②皮膚保護剤として用いる

その他の管理的事項

投与期間制限 該当しない
保険給付上の注意 該当しない

資料

IF 黄色ワセリン 2014年12月改訂(第9版)(日興＝丸石)

白色ワセリン
White Petrolatum

概要

薬効分類 712 軟膏基剤
原薬の規制区分 該当しない
原薬の外観・性状 白色～微黄色の全質均等の軟膏様の物質で, におい及び味はない. 水, エタノール(95)又はエタノール(99.5)にほとんど溶けない. ジエチルエーテルに澄明又は僅かに不溶分を残して溶ける. 加温するとき, 澄明な液となる
原薬の吸湿性 該当資料なし

原薬の融点・沸点・凝固点 融点：38～60℃(第3法)
原薬の酸塩基解離定数 該当資料なし
先発医薬品等
　白色ワセリン(小堺＝岩城)
　白色ワセリン(司生堂)
　白色ワセリン(昭和製薬)
　白色ワセリン(東海製薬)
　白色ワセリン(東豊＝中北)
　白色ワセリン(日興製薬＝丸石)
　白色ワセリン「ケンエー」(健栄)
　白色ワセリン(三恵)
　白色ワセリン(シオエ＝日本新薬)
　白色ワセリン(東洋製化＝小野)
　白色ワセリン「日医工」(日医工)
　白色ワセリン(マイラン＝ファイザー)
　白色ワセリン(山善)
　白色ワセリン「ヨシダ」(吉田製薬)
　プロペト(丸石)
国際誕生年月 不明
製剤
製剤の性状 白色～微黄色の全質均等の軟膏ようの物質で，においなび味はない
有効期間又は使用期限 4年
貯法・保存条件 気密容器，室温保存，直射日光・高温を避けて保存
患者向け資料等 くすりのしおり
薬理作用
分類 軟膏基剤
作用部位・作用機序 該当資料なし
治療
効能・用法 ①軟膏基剤として調剤に用いる　②皮膚保護剤として用いる
その他の管理的事項
投与期間制限 該当しない
保険給付上の注意 該当しない
資料
IF　白色ワセリン「ケンエー」 2009年8月作成(第1版)

親水ワセリン
Hydrophilic Petrolatum

概要
薬効分類 712　軟膏基剤
分子式 該当しない
ステム 不明
原薬の規制区分 該当しない
原薬の外観・性状 白色で，僅かに特異なにおいがある．等量の水を混和しても，なお軟膏様の稠度を保つ
原薬の吸湿性 該当資料なし
原薬の融点・沸点・凝固点 該当しない
原薬の酸塩基解離定数 該当しない
先発医薬品等
　親水ワセリン(司生堂)
　親水ワセリン(日興製薬＝丸石＝健栄)
　親水ワセリン「ホエイ」(マイラン＝ファイザー)
国際誕生年月 該当しない
製剤
製剤の性状 白色で，僅かに特異なにおいがある．等量の水を混和しても，なお軟膏ようの稠度を保つ
有効期間又は使用期限 5年
貯法・保存条件 気密容器，室温保存
薬剤取扱い上の留意点 該当しない
患者向け資料等 くすりのしおり
浸透圧比 該当資料なし
安定なpH域 該当資料なし
調製時の注意 該当しない
薬理作用
分類 軟膏基剤
作用部位・作用機序 親水軟膏と同じく，浸透性の強い安定な軟膏基剤で，刺激性も少ない
治療
効能・用法 ①軟膏基剤として調剤に用いる　②皮膚保護剤として用いる
その他の管理的事項
投与期間制限 該当しない
保険給付上の注意 該当しない
資料
IF　親水ワセリン「ホエイ」 2013年1月改訂(第5版)(マイラン＝ファイザー)

ワルファリンカリウム
ワルファリンカリウム錠
Warfarin Potassium

概要
薬効分類 333　血液凝固阻止剤
構造式

及び鏡像異性体

分子式 $C_{19}H_{15}KO_4$
分子量 346.42
ステム 不明
原薬の規制区分 劇(ただし，1錠中ワルファリンとして5mg以下を含有するものを除く)
原薬の外観・性状 白色の結晶性の粉末である．水に極めて溶けやすく，エタノール(95)に溶けやすい．水酸化ナトリウム試液に溶ける．1.0gを水100mLに溶かした液のpHは7.2～8.3である．光によって淡黄色となる．本品の水溶液(1→10)は旋光性を示さない
原薬の吸湿性 該当資料なし
原薬の酸塩基解離定数 該当資料なし
先発医薬品等
　顆 ワーファリン顆粒0.2%(エーザイ)
　錠 ワーファリン錠0.5mg・1mg・5mg(エーザイ)
　　ワルファリンK錠0.5mg・1mg「NP」・2mg「NP」(ニプロ)
　　ワルファリンK錠0.5mg・1mg「テバ」(武田テバファーマ＝武田)
　　ワルファリンK錠0.5mg・1mg「トーワ」(東和薬品)
　　ワルファリンK錠1mg「F」(富士製薬)
　　ワルファリンK錠1mg「日新」(日新製薬)
後発医薬品
　細 0.2%
国際誕生年月 該当しない
海外での発売状況 米，英，豪など各国(warfarin sodiumとして)

ワ

製剤

規制区分 **顆** **錠** ㊅

製剤の性状 **顆** 暗赤色の顆粒剤 **0.5mg錠** 淡黄色，割線入りの素錠 **1mg錠** 白色，割線入りの素錠 **5mg錠** 僅かに赤味をおびた橙色，割線入りの素錠

有効期間又は使用期限 3年

貯法・保存条件 **顆** 室温保存．開栓後遮光保存 **錠** 室温保存．バラ包装は開栓後遮光保存

薬剤取扱い上の留意点 該当しない

患者向け資料等 患者向医薬品ガイド，くすりのしおり

溶液及び溶解時のpH 7.2〜8.3(1.0gを水100mLに溶かした液)

浸透圧比 該当しない

安定なpH域 該当しない

薬理作用

分類 クマリン系抗凝固薬

作用部位・作用機序 ビタミンKの作用に拮抗し肝臓におけるビタミンK依存性血液凝固因子(プロトロンビン，第Ⅶ，第Ⅸ及び第Ⅹ因子)の生合成を抑制して抗凝血効果及び抗血栓効果を発揮する．また，ワルファリン投与によって血中に遊離するPIVKA(Protein induced by Vitamin K absence orantagonist：プロトロンビン前駆体)が増加することにより抗凝血作用及び血栓形成抑制作用を発揮する

同効薬 ヘパリンナトリウム，エノキサパリンナトリウム，ダルテパリンナトリウム，ダナパロイドナトリウム，フォンダパリヌクスナトリウム，アルガトロバン水和物，ダビガトランエテキシラートメタンスルホン酸塩，リバーロキサバン，エドキサバントシル酸塩水和物，アピキサバン

治療

効能・効果 血栓塞栓症(静脈血栓症，心筋梗塞症，肺塞栓症，脳塞栓症，緩徐に進行する脳血栓症等)の治療及び予防

用法・用量 本剤は，血液凝固能検査(プロトロンビン時間及びトロンボテスト)の検査値に基づいて，投与量を決定し，血液凝固能管理を十分に行いつつ使用する薬剤である．初回投与量を1日1回経口投与した後，数日間かけて血液凝固能検査で目標治療域に入るように用量調節し，維持投与量を決定する．ワルファリンに対する感受性には個体差が大きく，同一個人でも変化することがあるため，定期的に血液凝固能検査を行い，維持投与量を必要に応じて調節する．抗凝固効果の発現を急ぐ場合には，初回投与時ヘパリン等の併用を考慮する．成人における初回投与量は1〜5mg1日1回である．小児における維持投与量(mg/kg/日)の目安を次に示す．12カ月未満：0.16mg/kg/日，1歳以上15歳未満：0.04〜0.10mg/kg/日

用法・用量に関連する使用上の注意 ①血液凝固能検査(プロトロンビン時間及びトロンボテスト)等に基づき投与量を決定し，治療域を逸脱しないように，血液凝固能管理を十分に行いつつ使用する ②プロトロンビン時間及びトロンボテストの検査値は，活性(%)以外の表示方法として，一般的にINR(International Normalized Ratio：国際標準比)が用いられている．INRを用いる場合，国内外の学会のガイドライン等，最新の情報を参考にし，年齢，疾患及び併用薬等を勘案して治療域を決定する ③成人における維持投与量は1日1回1〜5mg程度となることが多い

禁忌・原則禁忌となる特定患者集団 妊婦又は妊娠している可能性のある女性

使用上の注意

> **警告** 本剤とカペシタビンとの併用により，本剤の作用が増強し，出血が発現し死亡に至ったとの報告がある．併用する場合には血液凝固能検査を定期的に行い，必要に応じ適切な処置を行う

禁忌 ①出血している患者(血小板減少性紫斑病，血管障害による出血傾向，血友病その他の血液凝固障害，月経期間中，手術時，消化管潰瘍，尿路出血，喀血，流早産・分娩直後等性器出血を伴う妊産褥婦，頭蓋内出血の疑いのある患者等)［本剤を投与するとその作用機序より出血を助長することがあり，ときには致命的になることもある］ ②出血する可能性のある患者(内臓腫瘍，消化管の憩室炎，大腸炎，亜急性細菌性心内膜炎，重症高血圧症，重症糖尿病の患者等)［出血している患者同様に血管や内臓等の障害箇所に出血が起こることがある］ ③重篤な腎障害のある患者 ④重篤な肝障害のある患者 ⑤中枢神経系の手術又は外傷後日の浅い患者［出血を助長することがあり，ときには致命的になることもある］ ⑥本剤の成分に対し過敏症の既往歴のある患者 ⑦妊婦又は妊娠している可能性のある女性 ⑧骨粗鬆症治療用ビタミンK_2(メナテトレノン)製剤を投与中の患者 ⑨イグラチモドを投与中の患者 ⑩ミコナゾール(ゲル剤・注射剤・錠剤)を投与中の患者

相互作用概要 光学異性体のS体は，主としてCYP2C9によって代謝される

過量投与 過量投与による出血には，ビタミンK剤の静注が奏効し，一般的には数時間以内で回復する

薬物動態

血中濃度 ①錠：健康成人男子(*CYP2C9*1/*3*及び**3/*3*遺伝子型を示さない者)に0.5mg，1mg又は5mgを絶食下単回経口投与時の薬物動態パラメータ(0.5mg(24例)，1mg(22例)，5mg(24例)の順)は，Cmax(ng/mL)69±17，135±32，685±173，tmax(hr)(中央値(最小値－最大値))0.50(0.25－2.00)，0.50(0.25－1.00)，0.50(0.25－4.00)．$AUC_{0\text{-}144}$(μg・hr/mL)1734±321，3442±570，21669±3851，$t_{1/2}$(hr)133±42，95±27，55±12で，投与後0.5時間で最高血漿中濃度(Cmax)に到達し，55〜133時間の半減期で消失 ②顆粒：健康成人男子(*CYP2C9*1/*3*及び**3/*3*遺伝子型を示さない者)に顆粒0.2%0.5g又は錠1mgを絶食下単回経口投与時の薬物動態パラメータ(顆粒(24例)，錠(24例)の順)は，Cmax(ng/mL)163±27，157±27，tmax(hr)(中央値(最小値－最大値))0.25(0.25－0.50)，0.25(0.25－2.00)，$AUC_{0\text{-}144}$(ng・hr/mL)3497±476，3366±499，$t_{1/2}$(hr)102±32，106±52で，いずれの製剤を投与した際も，投与後0.25時間で最高血漿中濃度に到達，102〜106時間の半減期で消失する類似した血漿中濃度推移を示した **吸収** 経口投与後，上部消化管より極めて良く吸収される(外国人データ) **分布** 血漿中では97%がアルブミンと結合して存在(外国人データ) **代謝** アセトニル基の還元によるワルファリンアルコールへの変換と6-あるいは7-ヒドロキシワルファリンが主(外国人データ)．本薬の代謝に関与する主な肝薬物代謝酵素CYPの分子種はCYP2C9(光学異性体のS体)で，CYP1A2，CYP3A4(光学異性体のR体)も関与することが報告されている(外国人データ) **排泄** 尿中への未変化体の排泄率は，ごく微量(外国人データ)

その他の管理的事項

投与期間制限 該当しない

保険給付上の注意 該当しない

資料

IF ワーファリン錠0.5mg・1mg・5mg・顆粒0.2% 2020年1月改訂(第24版)

アカメガシワ
Mallotus Bark
MALLOTI CORTEX

アカメガシワ *Mallotus japonicus* Mueller Argoviensis (*Euphorbiaceae*)の樹皮である

性状 板状又は半管状の皮片で，厚さ1～3mm，外面は帯緑灰色～帯褐灰色で，灰白色～褐色の皮目が群をなし，縦しま状の模様として認められる．内面は淡黄褐色～灰褐色で多数の縦線を認めるが，平滑である．折りやすく，切面はやや繊維性である．僅かににおいがあり，味はやや苦く，僅かに収れん性である

貯法 密閉容器

アセンヤク
Gambir
GAMBIR

別名：阿仙薬
ガンビール

Uncaria gambir Roxburgh (*Rubiaceae*)の葉及び若枝から得た水製乾燥エキスである

性状 褐色～暗褐色の砕きやすい塊で，内部の色は淡褐色を呈する．僅かに匂いがあり，味は極めて渋く苦い

貯法 密閉容器

アセンヤク末
Powdered Gambir
GAMBIR PULVERATUM

別名：阿仙薬末
ガンビール末

「アセンヤク」を粉末としたものである

性状 赤褐色～暗褐色を呈し，僅かににおいがあり，味は極めて渋く苦い

貯法 密閉容器

アヘン末
Powdered Opium
OPIUM PULVERATUM

ケシ *Papaver somniferum* Linné (*Papaveraceae*)から得たあへんを均質な粉末としたもの，又はこれにデンプン若しくは「乳糖水和物」を加えたものである

性状 黄褐色～暗褐色の粉末である

貯法 気密容器

アヘン散
Diluted Opium Powder

定量するとき，モルヒネ($C_{17}H_{19}NO_3$：285.34)0.90～1.10%を含む

製法

アヘン末	100g
デンプン又は適当な賦形剤	適量
全量	1000g

以上をとり，散剤の製法により製する．本品には「乳糖水和物」を加えない

性状 淡褐色の粉末である

貯法 気密容器

アヘンチンキ
Opium Tincture

定量するとき，モルヒネ($C_{17}H_{19}NO_3$：285.34)0.93～1.07w/v%を含む

製法

アヘン末	100g
35vol%エタノール	適量
全量	1000mL

以上をとり，チンキ剤の製法により製する．ただし，35vol%エタノールの代わりに「エタノール」，及び「精製水」又は「精製水(容器入り)」適量を用いて製することができる

性状 暗赤褐色の液である．光によって変化する

貯法 気密容器，遮光保存

アヘン・トコン散
Opium Ipecac Powder

別名：ドーフル散

定量するとき，モルヒネ($C_{17}H_{19}NO_3$：285.34)0.90～1.10%を含む

製法

アヘン末	100g
トコン末	100g
デンプン又は適当な賦形剤	適量
全量	1000g

以上をとり，散剤の製法により製する．本品には「乳糖水和物」を加えない

性状 淡褐色の粉末である

貯法 気密容器

アマチャ
Sweet Hydrangea Leaf
HYDRANGEAE DULCIS FOLIUM

別名：甘茶

アマチャ *Hydrangea macrophylla* Seringe var. *thunbergii*

Makino (*Saxifragaceae*) の葉及び枝先を，通例，揉捻したものである

性状　通例，しわがよって縮み，暗緑色～暗黄緑色を呈する．水に浸してしわを伸ばすと，ひ針形～鋭頭卵形で，長さ5～15cm，幅2～10cm，辺縁にきょ歯があり，基部はややくさび状である．両面に粗毛があり，特に葉脈上に多い．細脈は辺縁に達せずに上方に向かって曲がり，互いに連絡し，葉柄は短く葉身の1/5に達しない．僅かににおいがあり，特異な甘味がある

貯法　密閉容器

アマチャ末
Powdered Sweet Hydrangea Leaf
HYDRANGEAE DULCIS FOLIUM PULVERATUM

別名：甘茶末

「アマチャ」を粉末としたものである

性状　暗黄緑色を呈し，僅かににおいがあり，特異な甘味がある

貯法　密閉容器

アラビアゴム
Acacia
GUMMI ARABICUM

Acacia senegal Willdenow 又はその他同属植物 (*Leguminosae*) の幹及び枝から得た分泌物である

性状　無色～淡黄褐色の透明又は多少乳濁した球状塊又は破片で，その外面に多数の割れ目があり，砕きやすく，砕面はガラス様で，しばしば光彩を現す．においがなく，味はないが粘滑性である．粉末1.0gに水2.0mLを加えるとき，ほとんど溶けて，液は酸性を呈する．エタノール(95)にほとんど溶けない

貯法　密閉容器

アラビアゴム末
Powdered Acacia
GUMMI ARABICUM PULVERATUM

「アラビアゴム」を粉末としたものである

性状　白色～淡黄白色を呈し，においはなく，味はないが粘滑性である．1.0gに水2.0mLを加えるとき，ほとんど溶けて，液は酸性を呈する．エタノール(95)にほとんど溶けない

貯法　気密容器

アロエ
Aloe
ALOE

別名：ロカイ

主として*Aloe ferox* Miller又はこれと*Aloe africana* Miller又は*Aloe spicata* Bakerとの雑種 (*Liliaceae*) の葉から得た液汁を乾燥したものである

性状　黒褐色～暗褐色の不整の塊で，外面はときに黄色の粉で覆われ，破砕面は平滑でガラス様である．特異なにおいがあり，味は極めて苦い

貯法　密閉容器

アロエ末
Powdered Aloe
ALOE PULVERATA

別名：ロカイ末

「アロエ」を粉末としたものである

性状　暗褐色～帯黄暗褐色を呈し，特異なにおいがあり，味は極めて苦い

貯法　気密容器

アンソッコウ
Benzoin
BENZOINUM

別名：安息香

Styrax benzoin Dryander又はその他同属植物 (*Styracaceae*) から得た樹脂である

性状　灰褐色～暗赤褐色の不整の塊片で，破砕面には実質中に類白色～淡黄赤色の粒がある．常温では堅くてもろく，熱すれば軟化する．特異な芳香があり，味は僅かに辛くてえぐい

貯法　密閉容器

アンモニア・ウイキョウ精
Foeniculated Ammonia Spirit

製法

アンモニア水	170mL
ウイキョウ油	30mL
エタノール	適量
全量	1000mL

以上をとり，酒精剤の製法により製する．ただし，「アンモニア水」の代わりにアンモニア水(28)，及び「精製水」又は「精製水(容器入り)」適量を用いて製することができる

性状　無色～黄色の液で，特異なにおいがあり，味は僅かに甘く，舌をさすようである

貯法　気密容器

イレイセン
Clematis Root
CLEMATIDIS RADIX

別名：威霊仙

サキシマボタンヅル*Clematis chinensis* Osbeck，*Clematis mandshurica* Ruprecht 又は *Clematis hexapetala* Pallas (*Ranunculaceae*)の根及び根茎である

性状 短い根茎と多数の細長い根からなる．根は長さ10～20cm，径1～2mm，外面は褐色～黒褐色を呈し，細かい縦じわがあり，折りやすく，皮層と中心柱は離れやすい．根の横断面は灰白色～淡黄褐色を呈し，中心柱は淡灰黄色～黄色，ルーペ視するとき，中心柱はほぼ円形で，木部の2～4箇所が僅かに湾入している．根茎は長さ2～4cm，径5～20mm，表面は淡灰褐色～灰褐色で，皮部は脱落し繊維状を呈し，しばしば隆起した節があり，頂端に木質の茎の残基を付ける．弱いにおいがあり，味はほとんどない

貯法 密閉容器

この生薬を含む主な医療用漢方処方 疎経活血湯，二朮湯

インチンコウ
Artemisia Capillaris Flower
ARTEMISIAE CAPILLARIS FLOS

別名：茵蔯蒿
茵陳蒿

カワラヨモギ*Artemisia capillaris* Thunberg (*Compositae*)の頭花である

性状 卵形～球形の長さ1.5～2mm，径約2mmの頭花を主とし，糸状の葉と小花の柄からなる．頭花の外面は淡緑色～淡黄褐色，葉の外面は緑色～緑褐色，柄の外面は緑褐色～暗褐色を呈する．頭花をルーペ視するとき，総ほう片は3～4列に覆瓦状に並び，外片は卵形で鈍頭，内片は楕円形で外片より長く，長さ1.5mm，内片の中央部は竜骨状となり，周辺部は広く薄膜質となる．小花は筒状花で，頭花の周辺部のものは雌性花，中央部は両性花である．そう果は倒卵形で，長さ0.8mmである．質は軽い．特異な弱いにおいがあり，味はやや辛く，僅かに麻痺性である

貯法 密閉容器

この生薬を含む主な医療用漢方処方 茵陳蒿湯，茵陳五苓散

インヨウカク
Epimedium Herb
EPIMEDII HERBA

別名：淫羊藿

Epimedium pubescens Maximowicz，*Epimedium brevicornu* Maximowicz，*Epimedium wushanense* T. S. Ying，ホザキイカリソウ*Epimedium sagittatum* Maximowicz，キバナイカリソウ*Epimedium koreanum* Nakai，イカリソウ*Epimedium grandiflorum* Morren var. *thunbergianum* Nakai又はトキワイカリソウ*Epimedium sempervirens* Nakai (*Berberidaceae*)の地上部である

性状 茎及び1～3回三出複葉からなる．小葉は卵形～広卵形又は卵状ひ針形，長さ3～20cm，幅2～8cmで，基部に長さ15～70mmの小葉柄がある．先端は鋭くとがり，辺縁には長さ0.1～0.2cmの刺毛がある．基部は心形～深心形で，三小葉の側葉では非対称である．表面は緑色～緑褐色でときに艶があり，裏面は淡緑色～淡灰緑褐色を呈し，しばしば有毛で，葉脈が顕著である．質は紙質か又は革質である．葉柄及び茎は円柱形で淡黄褐色～帯紫淡緑褐色を呈し，折りやすい．僅かににおいがあり，味は僅かに苦い

貯法 密閉容器

ウイキョウ
Fennel
FOENICULI FRUCTUS

別名：茴香

ウイキョウ*Foeniculum vulgare* Miller (*Umbelliferae*)の果実である

性状 双懸果で長円柱形を呈し，長さ3.5～8mm，幅1～2.5mmである．外面は灰黄緑色～灰黄色で，互いに密接する2個の分果の各々には5本の隆起線がある．双懸果はしばしば長さ2～10mmの果柄を付ける．特異なにおい及び味がある

貯法 密閉容器

この生薬を含む主な医療用漢方処方 安中散

ウイキョウ末
Powdered Fennel
FOENICULI FRUCTUS PULVERATUS

別名：茴香末

「ウイキョウ」を粉末としたものである

性状 帯緑淡褐色～帯緑褐色を呈し，特異なにおい及び味がある

貯法 気密容器

ウイキョウ油
Fennel Oil
OLEUM FOENICULI

別名：フェンネル油

ウイキョウ*Foeniculum vulgare* Miller (*Umbelliferae*)又は*Illicium verum* Hooker filius (*Illiciaceae*)の果実を水蒸気蒸留して得た精油である

性状 無色～微黄色の液で，特異な芳香があり，味は初め甘く，後に僅かに苦い．エタノール(95)又はジエチルエーテルと混和する．水にほとんど溶けない．寒冷時にはしばしば白色の結晶又は結晶性の固形物を析出する

貯法 気密容器，遮光保存

ウコン
Turmeric
CURCUMAE LONGAE RHIZOMA

別名：鬱金

ウコン*Curcuma longa* Linné (*Zingiberaceae*)の根茎をそのまま又はコルク層を除いたものを，通例，湯通ししたものである

性状　主根茎又は側根茎からなり，主根茎はほぼ卵形体で，径約3cm，長さ約4cm，側根茎は両端鈍頭の円柱形でやや湾曲し，径約1cm，長さ2～6cmでいずれも輪節がある．コルク層を付けたものは黄褐色で艶があり，コルク層を除いたものは暗黄赤色で，表面に黄赤色の粉を付けている．質は堅く折りにくい．横切面は黄褐色～赤褐色を呈し，ろう様の艶がある．特異なにおいがあり，味は僅かに苦く刺激性で，唾液を黄色に染める

貯法　密閉容器

ウコン末
Powdered Turmeric
CURCUMAE LONGAE RHIZOMA PULVERATUM

別名：鬱金末

「ウコン」を粉末としたものである

性状　黄褐色～暗黄褐色を呈し，特異なにおいがあり，味は苦く刺激性があり，唾液を黄色に染める

貯法　密閉容器

ウヤク
Lindera Root
LINDERAE RADIX

別名：烏薬
天台烏薬

テンダイウヤク*Lindera strychnifolia* Fernandez-Villar (*Lauraceae*)の根である

性状　紡錘形又はところどころくびれた連珠状を呈し，長さ10～15cm，径10～25mmである．外面は黄褐色～褐色を呈し，僅かに細根の跡がある．横断面の皮部は褐色，木部は淡黄褐色を呈し，褐色の同心性の輪及び放射状の線がある．質は緻密で堅い．樟脳様のにおいがあり，味は苦い

貯法　密閉容器

この生薬を含む主な医療用漢方処方　芎帰調血飲

ウワウルシ
Bearberry Leaf
UVAE URSI FOLIUM

クマコケモモ*Arctostaphylos uva-ursi* Sprengel (*Ericaceae*)の葉である

性状　倒卵形～へら形を呈し，長さ1～3cm，幅0.5～1.5cm，上面は黄緑色～暗緑色，下面は淡黄緑色である．全縁で鈍頭又は円頭でときにはくぼみ，葉脚はくさび形で，葉柄は極めて短い．葉身は厚く，上面に特異な網状脈がある．折りやすい．弱いにおいがあり，味は僅かに苦く，収れん性である

貯法　密閉容器

ウワウルシ流エキス
Uva Ursi Fluidextract

製法　「ウワウルシ」の粗末をとり，熱「精製水」又は熱「精製水(容器入り)」を用いて流エキス剤の製法により浸出液を製した後，タンニン質の一部を除き，必要ならば低圧(真空)で濃縮し，適量の「精製水」又は「精製水(容器入り)」を加え，規定の含量に調整して製する．本品には適量の「エタノール」を加えることができる

性状　黄褐色～暗赤褐色の液で，味は苦く，収れん性である．水又はエタノール(95)と混和する

貯法　気密容器

温清飲エキス
Unseiin Extract

製法

	1)	2)	3)
トウキ	4g	4g	3g
ジオウ	4g	4g	3g
シャクヤク	3g	4g	3g
センキュウ	3g	4g	3g
オウゴン	3g	3g	1.5g
サンシシ	2g	2g	1.5g
オウレン	1.5g	1.5g	1.5g
オウバク	1.5g	1.5g	1.5g

1)～3)の処方に従い生薬をとり，エキス剤の製法により乾燥エキス又は軟エキスとする

性状　黄褐色～ごく暗い褐色の粉末又は黒褐色の軟エキスで，僅かににおいがあり，味は初め僅かに甘く，辛い

貯法　気密容器

治療

効能・効果　皮膚の色つやが悪く，のぼせるものに用いる：月経不順，月経困難，血の道症，更年期障害，神経症

用法・用量　**オースギ**　**ジュンコウ**　**ツムラ**　1日7.5g，食前または食間2～3回に分服(適宜増減)

クラシエ　1日6g，食前または食間2～3回に分服(適宜増減)

コタロー　1日12g，食前または食間2～3回に分服(適宜増減)

テイコク　1日3回，1回3g食前(適宜増減)

東洋　1日3回，1回2g空腹時(適宜増減)

本草　1日7.5g，食前または食間3回に分服(適宜増減)

エイジツ
Rose Fruit
ROSAE FRUCTUS

別名：営実

ノイバラ*Rosa multiflora* Thunberg(*Rosaceae*)の偽果又は果実である

性状　本品の偽果は球形，楕円球形又は扁球形を呈し，長さ5～9.5mm，径3.5～8mmである．外面は赤色～暗褐色で，滑らかで艶がある．しばしば一端に長さ約10mmの果柄を付け，他端にがく片のとれた五角形のがくの残基がある．内部には周壁に銀白色の毛が密生し，5～10個の成熟した堅果がある．堅果は不整有角性の卵形を呈し，長さ約4mm，径約2mmである．外面は淡黄褐色で，一端は鈍形で他端はややとがる．僅かににおいがあり，花床は甘くて酸味がある．堅果は初め粘液様で，後に渋くて苦く，刺激性がある

貯法　密閉容器

エイジツ末
Powdered Rose Fruit
ROSAE FRUCTUS PULVERATUS

別名：営実末

「エイジツ」を粉末としたものである

性状　灰黄褐色を呈し，僅かににおいがあり，味は僅かに粘液様で，渋くて，苦く，また僅かに酸味がある

貯法　密閉容器

エンゴサク
Corydalis Tuber
CORYDALIS TUBER

別名：延胡索

Corydalis turtschaninovii Besser forma *yanhusuo* Y. H. Chou et C. C. Hsu(*Papaveraceae*)の塊茎を，通例，湯通ししたものである

性状　ほぼ扁球形を呈し，径1～2cmで，一端に茎の跡がある．外面は灰黄色～灰褐色で質は堅く，破砕面は黄色で平滑又は灰黄緑色で粒状である．ほとんどにおいがなく，味は苦い

貯法　密閉容器

この生薬を含む主な医療用漢方処方　安中散

エンゴサク末
Powdered Corydalis Tuber
CORYDALIS TUBER PULVERATUM

別名：延胡索末

「エンゴサク」を粉末としたものである

性状　緑黄色～灰黄色を呈し，ほとんどにおいがなく，味は苦い

貯法　密閉容器

オウギ
Astragalus Root
ASTRAGALI RADIX

別名：黄耆

キバナオウギ*Astragalus membranaceus* Bunge又は*Astragalus mongholicus* Bunge(*Leguminosae*)の根である

性状　ほぼ円柱形を呈し，長さ30～100cm，径0.7～2cmで，ところどころに小さい側根の基部を付け，根頭部の近くはねじれている．外面は淡灰黄色～淡褐黄色で，不規則な粗い縦じわと横長の皮目様の模様がある．折りにくく，折面は繊維性である．横切面をルーペ視するとき，最外層は周皮で，皮部は淡黄白色，木部は淡黄色，形成層付近はやや褐色を帯びる．皮部の厚さは木部の径の約1/3～1/2で，細いものでは木部から皮部にわたって白色の放射組織が認められるが，太いものではしばしば放射状の裂け目となっている．通例，髄は認めない．弱いにおいがあり，味は甘い

貯法　密閉容器

この生薬を含む主な医療用漢方処方　黄耆建中湯，加味帰脾湯，帰脾湯，桂枝加黄耆湯，七物降下湯，十全大補湯，清暑益気湯，清心蓮子飲，大防風湯，当帰飲子，当帰湯，人参養栄湯，半夏白朮天麻湯，防已黄耆湯，補中益気湯

オウゴン
Scutellaria Root
SCUTELLARIAE RADIX

別名：黄芩

コガネバナ*Scutellaria baicalensis* Georgi(*Labiatae*)の周皮を除いた根である

性状　円錐状，円柱状，半管状又は平板状で，長さ5～20cm，径0.5～3cmである．外面は黄褐色を呈し，粗雑で著明な縦じわを認め，ところどころに側根の跡及び褐色の周皮の破片を残す．上端には茎の跡又は茎の残基を付ける．ときに木部の中心部は腐朽し，また，しばしばうつろとなる．質は堅いが折りやすい．折面は繊維性で黄色である．ほとんどにおいがなく，味は僅かに苦い

貯法　密閉容器

この生薬を含む主な医療用漢方処方　温清飲，黄芩湯，黄連解毒湯，乙字湯，荊芥連翹湯，五淋散，柴陥湯，柴胡加竜骨牡蛎湯，柴胡桂枝乾姜湯，柴胡桂枝湯，柴胡清肝湯，柴朴湯，柴苓湯，三黄瀉心湯，三物黄芩湯，潤腸湯，小柴胡湯，小柴胡湯加桔梗石膏，辛夷清肺湯，清上防風湯，清心蓮子飲，清肺湯，大柴胡湯，大柴胡湯去大黄，二朮湯，女神散，半夏瀉心湯，防風通聖散，竜胆瀉肝湯

オウゴン末
Powdered Scutellaria Root
SCUTELLARIAE RADIX PULVERATA

別名：黄芩末

「オウゴン」を粉末としたものである

性状　黄褐色を呈し，ほとんどにおいがなく，味は僅かに苦い

貯法　密閉容器

オウセイ
Polygonatum Rhizome
POLYGONATI RHIZOMA

別名：黄精

ナルコユリ*Polygonatum falcatum* A. Gray，カギクルマバナルコユリ*Polygonatum sibiricum* Redouté，*Polygonatum kingianum* Collett et Hemsley又は*Polygonatum cyrtonema* Hua（*Liliaceae*）の根茎を，通例，蒸したものである

性状　不整の円柱状を呈し，長さ3～10cm，径0.5～3cm，又は不規則な結節塊状を呈し，長さ5～10cm，径2～6cm，ときに分枝する．外面は黄褐色～黒褐色を呈し，上面には中央部がへこんだ円形の地上茎の跡が節状に突出し，下面には根の跡があり，多数の鱗節及び細い縦溝がある．切面は平滑で，角質である．弱いにおいがあり，味は僅かに甘い

貯法　密閉容器

オウバク
Phellodendron Bark
PHELLODENDRI CORTEX

別名：黄柏

キハダ*Phellodendron amurense* Ruprecht又は*Phellodendron chinense* Schneider（*Rutaceae*）の周皮を除いた樹皮である

性状　板状又は巻き込んだ半管状の皮片で，厚さ2～4mmである．外面は灰黄褐色～灰褐色で，多数の皮目の跡があり，内面は黄色～暗黄褐色で，細かい縦線を認めるが平滑である．折面は繊維性で鮮黄色を呈する．弱いにおいがあり，味は極めて苦く，粘液性で，唾液を黄色に染める

貯法　密閉容器

この生薬を含む主な医療用漢方処方　温清飲，黄連解毒湯，荊芥連翹湯，柴胡清肝湯，滋陰降火湯，梔子柏皮湯，七物降下湯，清暑益気湯，半夏白朮天麻湯，竜胆瀉肝湯

オウバク末
Powdered Phellodendron Bark
PHELLODENDRI CORTEX PULVERATUS

別名：黄柏末

「オウバク」を粉末としたものである

性状　鮮黄色～黄色を呈し，弱いにおいがあり，味は極めて苦く，粘液性で，唾液を黄色に染める

貯法　密閉容器

パップ用複方オウバク散
Compound Phellodendron Powder for Cataplasm

製法

オウバク末	660g
サンシシ末	325g
d-又は*dl*-カンフル	10g
dl-又は*l*-メントール	5g
全量	1000g

以上をとり，散剤の製法により製する

性状　黄褐色の粉末で，特異なにおいがある

貯法　気密容器

オウバク・タンナルビン・ビスマス散
Phellodendron, Albumin Tannate and Bismuth Subnitrate Powder

定量するとき，ビスマス（Bi：208.98）として12.9～16.3％を含む

製法

オウバク末	300g
タンニン酸アルブミン	300g
次硝酸ビスマス	200g
ロートエキス	10g
デンプン，乳糖水和物又はこれらの混合物	適量
全量	1000g

以上をとり，散剤の製法により製する．ただし，「ロートエキス」の代わりに，「ロートエキス散」を用いて製することができる

性状　帯褐黄色で味は苦い

貯法　密閉容器

オウヒ
Cherry Bark
PRUNI CORTEX

別名：桜皮

ヤマザクラ*Prunus jamasakura* Siebold ex Koidzumi又はカスミザクラ*Prunus verecunda* Koehne（*Rosaceae*）の樹皮である

性状　板状又は半管状の皮片で，厚さ3～6mm，外面は淡褐色～褐色を呈し，内面は平滑で，灰褐色～褐色を呈する．周皮は脱落していることがある．周皮を付けているものは，外面は粗雑で皮目を認める．内面には多数の細かい縦線がある．横切面は灰褐色～褐色を呈し，繊維性である．僅かに特異なにおいがあり，味は僅かに苦く，収れん性である

貯法　密閉容器

この生薬を含む主な医療用漢方処方　十味敗毒湯

オウレン
Coptis Rhizome
COPTIDIS RHIZOMA

別名：黄連

オウレン *Coptis japonica* Makino, *Coptis chinensis* Franchet, *Coptis deltoidea* C.Y. Cheng et Hsiao又は *Coptis teeta* Wallich (Ranunculaceae)の根をほとんど除いた根茎である

性状 不整の円柱形で長さ2～4cm, まれに10cmに達し, 径0.2～0.7cmで多少湾曲し, しばしば分枝する. 外面は灰黄褐色を呈し, 輪節があり, 多数の根の基部を認める. おおむね一端に葉柄の残基がある. 折面はやや繊維性で, コルク層は淡灰褐色, 皮部及び髄は黄褐色～赤黄褐色, 木部は黄色～赤黄色である. 弱いにおいがあり, 味は極めて苦く, 残留性で, 唾液を黄色に染める

貯法 密閉容器

この生薬を含む主な医療用漢方処方 温清飲, 黄連解毒湯, 黄連湯, 荊芥連翹湯, 柴陥湯, 柴胡清肝湯, 三黄瀉心湯, 清上防風湯, 竹茹温胆湯, 女神散, 半夏瀉心湯, 竜胆瀉肝湯

オウレン末
Powdered Coptis Rhizome
COPTIDIS RHIZOMA PULVERATUM

別名：黄連末

「オウレン」を粉末としたものである

性状 黄褐色～灰黄褐色を呈し, 弱いにおいがあり, 味は極めて苦く, 残留性で, 唾液を黄色に染める

貯法 密閉容器

黄連解毒湯エキス
Orengedokuto Extract

製法

	1)	2)	3)	4)
オウレン	1.5g	1.5g	2g	2g
オウバク	1.5g	3g	2g	1.5g
オウゴン	3g	3g	3g	3g
サンシシ	2g	3g	2g	2g

1)～4)の処方に従い生薬をとり, エキス剤の製法により乾燥エキス又は軟エキスとする

性状 黄褐色～赤褐色の粉末又は黒褐色の軟エキスで, 特異なにおいがあり, 味は極めて苦い

貯法 気密容器

治療

効能・効果 比較的体力があり, のぼせぎみで顔色赤く, いらいらする傾向のある次の諸症：鼻出血, 高血圧, 不眠症, ノイローゼ, 胃炎, 二日酔, 血の道症, めまい, 動悸, 湿疹・皮膚炎, 皮膚そう痒症

用法・用量 **オースギ** **ジュンコウ** 1日4.5g又は(オースギ)15錠, 食前又は食間2～3回に分服(適宜増減)

クラシエ **コタロー** 1日6g又は(クラシエ)18錠又は(コタロー)6カプセル, 食前又は食間2～3回に分服(適宜増減)

三和 **太虎堂** 1日4.5g, 食前又は食間3回に分服(適宜増減)

JPS **ツムラ** 1日7.5g, 食前又は食間2～3回に分服(適宜増減)

テイコク 1日3回, 1回2.5g食前(適宜増減)

東洋 1日3回, 1回1.5g空腹時(適宜増減)

本草 1日7.5g, 食前又は食間3回に分服(適宜増減)

乙字湯エキス
Otsujito Extract

製法

	1)	2)	3)
トウキ	6g	6g	6g
サイコ	5g	5g	5g
オウゴン	3g	3g	3g
カンゾウ	2g	2g	3g
ショウマ	1.5g	1g	1g
ダイオウ	1g	0.5g	1g

1)～3)の処方に従い生薬をとり, エキス剤の製法により乾燥エキス又は軟エキスとする

性状 淡褐色～褐色の粉末又は黒褐色の軟エキスで, 僅かににおいがあり, 味は辛く, やや甘い

貯法 気密容器

治療

効能・効果 **コタロー** 痔核, 脱肛, 肛門出血, 痔疾の疼痛

三和 便秘がちで局所に痛みがあり, ときに少量の出血があるものの次の諸症：一般痔疾, 痔核, 脱肛, 肛門出血, 女子陰部そう痒症

ツムラ 病状がそれほど激しくなく, 体力が中位で衰弱していないものの次の諸症：切れ痔, イボ痔

その他 大便が硬くて便秘傾向のあるものの次の諸症：痔核(いぼ痔), 切れ痔, 便秘

用法・用量 **オースギ** **JPS** **ツムラ** 1日7.5g, 食前又は食間2～3回に分服(適宜増減)

クラシエ **ジュンコウ** 1日6g, 食前又は食間2～3回に分服(適宜増減)

コタロー 1日9g, 食前又は食間2～3回に分服(適宜増減)

三和 **太虎堂** **本草** 1日7.5g, 食前又は食間3回に分服(適宜増減)

テイコク 1日3回, 1回3g食前(適宜増減)

使用上の注意

禁忌 **テイコク** ①アルドステロン症の患者 ②ミオパチーのある患者 ③低カリウム血症のある患者 [①～③：これらの疾患及び症状が悪化するおそれがある]

オリブ油
Olive Oil
OLEUM OLIVAE

Olea europaea Linné (*Oleaceae*)の果実を圧搾して得た脂肪油である

性状 淡黄色の油で, 敗油性でない, 僅かなにおいがあり, 味は緩和である. ジエチルエーテル又は石油エーテルと混和する. エタノール(95)に溶けにくい. 0～6℃で一部又は全部が凝固する. 脂肪酸の凝固点：17～26℃

貯法 気密容器

オレンジ油
Orange Oil
OLEUM AURANTII

*Citrus*属諸種植物(*Rutaceae*)の食用に供する種類の果皮を圧搾して得た精油である

性状　黄色～黄褐色の液で，特異な芳香があり，味は僅かに苦い．等容量のエタノール(95)に濁って混和する

貯法　気密容器，遮光保存

オンジ
Polygala Root
POLYGALAE RADIX

別名：遠志

イトヒメハギ*Polygala tenuifolia*Willdenow(*Polygalaceae*)の根又は根皮である

性状　屈曲した細長い円柱形又は円筒形を呈し，主根は長さ10～20cm，径0.2～1cmで，ときには1～数個の側根が付いている．外面は淡灰褐色で，粗い縦じわがあり，また，ところどころに深い横じわがあって多少割れ込んでいる．折りやすく，折面は繊維性ではない．横切面は辺縁が不規則に起伏し，皮部は比較的厚く，ところどころに大きな裂け目があり，木部は通例，円形～楕円形，淡褐色で，しばしばくさび形に裂けている．弱いにおいがあり，味は僅かにえぐい

貯法　密閉容器

この生薬を含む主な医療用漢方処方　加味帰脾湯，帰脾湯，人参養栄湯

オンジ末
Powdered Polygala Root
POLYGALAE RADIX PULVERATA

別名：遠志末

「オンジ」を粉末としたものである

性状　淡黄灰褐色を呈し，弱いにおいがあり，味は僅かにえぐい

貯法　密閉容器

ガイヨウ
Artemisia Leaf
ARTEMISIAE FOLIUM

別名：艾葉

ヨモギ*Artemisia princeps* Pampanini又はオオヨモギ*Artemisia montana* Pampanini(*Compositae*)の葉及び枝先である

性状　縮んだ葉及びその破片からなり，しばしば細い茎を含む．葉の上面は暗緑色を呈し，下面は灰白色の綿毛を密生する．水に浸して広げると，形の整った葉身は長さ4～15cm，幅4～12cm，1～2回羽状中裂又は羽状深裂する．裂片は2～4対で，長楕円状ひ針形又は長楕円形で鋭尖頭，ときに鈍頭，辺縁は不揃いに切れ込むか全縁である．小型の葉は3中裂又は全縁で，ひ針形を呈する．特異なにおいがあり，味はやや苦い

この生薬を含む主な医療用漢方処方　芎帰膠艾湯

カカオ脂
Cacao Butter
OLEUM CACAO

カカオ*Theobroma cacao* Linné(*Sterculiaceae*)の種子から得た脂肪である

性状　黄白色の堅くてもろい塊で，僅かにチョコレート様のにおいがあり，敗油性のにおいはない．ジエチルエーテル又は石油エーテルに溶けやすく，沸騰エタノール(99.5)にやや溶けやすく，エタノール(95)に極めて溶けにくい．脂肪酸の凝固点：45～50℃．融点：31～35℃．ただし，試料は融解せずに毛細管に詰める

貯法　密閉容器

カゴソウ
Prunella Spike
PRUNELLAE SPICA

別名：夏枯草

ウツボグサ*Prunella vulgaris* Linné var. *lilacina* Nakai(*Labiatae*)の花穂である

性状　ほぼ円柱形で麦穂状を呈し，長さ3～6cm，径1～1.5cm，灰褐色である．花穂は多数の包葉及びがく筒を付け，上部にはしばしば花冠が残存する．通例，がく中に四分果があり，包葉は心形～偏心形で，がくと共に脈上に白色の毛がある．質は軽い．ほとんどにおい及び味がない

貯法　密閉容器

カシュウ
Polygonum Root
POLYGONI MULTIFLORI RADIX

別名：何首烏

ツルドクダミ*Polygonum multiflorum* Thunberg(*Polygonaceae*)の塊根で，しばしば輪切される

性状　ほぼ紡錘形を呈し，長さ10～15cm，径2～5cm．外面は赤褐色～暗褐色で，粗いしわがある．横切面は淡赤褐色又は淡灰褐色で，中央部に大型の維管束とその回りに小形の多数の異常維管束が不規則に散在する．質は重く堅い．特異な弱いにおいがあり，味は渋くてやや苦い

貯法　密閉容器

この生薬を含む主な医療用漢方処方　当帰飲子

ガジュツ
Curcuma Rhizome
CURCUMAE RHIZOMA

別名：莪蒁
莪朮

1) ガジュツ *Curcuma zedoaria* Roscoe, 2) *Curcuma phaeocaulis* Valeton又は3) *Curcuma kwangsiensis* S. G. Lee et C. F. Liang (*Zingiberaceae*)の根茎を，通例，湯通ししたものである

性状 ほぼ卵形～長卵形，又は円錐形を呈し，長さ2～8cm，径1.5～4cmである．外面は灰黄褐色～灰褐色で，節は環状に隆起し，節間は0.3～0.8cmで，根の跡及び分枝した根茎の跡からなる小隆起がある．質は堅い．横断面は皮層と中心柱が明瞭で，皮層は厚さ2～5mmである．横断面の色は，1) *Curcuma zedoaria*に由来するものは灰褐色，2) *Curcuma phaeocaulis*に由来するものは淡黄色～灰黄色又は淡黄緑色～灰黄緑色，3) *Curcuma kwangsiensis*に由来するものは帯紫褐色～暗紫褐色で，ときに光沢がある．特異なにおいがあり，味は辛くて苦く，かめば清涼感がある

貯法 密閉容器

カッコウ
Pogostemon Herb
POGOSTEMI HERBA

別名：藿香
広藿香

Pogostemon cablin Bentham (*Labiatae*)の地上部である

性状 茎及びこれに対生した葉からなる．葉はしわがよって縮み，水に浸してしわを伸ばすと，卵形～卵状長楕円形を呈し，長さ2.5～10cm，幅2.5～7cm，辺縁に鈍きょ歯があり，基部は広いくさび形で葉柄を付ける．葉の上面は暗褐色，下面は灰褐色を呈し，両面に密に毛がある．茎は方柱形，中実で，表面は灰緑色を呈し，灰白色～黄白色の毛があり，髄は大きく，類白色で海綿状を呈する．ルーペ視するとき，毛，腺毛及び腺りんを認める．特異なにおいがあり，味は僅かに苦い

貯法 密閉容器

カッコン
Pueraria Root
PUERARIAE RADIX

別名：葛根

クズ *Pueraria lobata* Ohwi (*Leguminosae*)の周皮を除いた根である

性状 通例，一辺約0.5cmの不正六面体に切断したもの，又は長さ20～30cm，幅5～10cm，厚さ約1cmの板状に縦割したもので，外面は淡灰黄色～灰白色を呈する．横切面には形成層の特殊な発育による同心性の輪層又はその一部が認められる．ルーペ視するとき，師部は淡灰黄色，木部は多数の道管が小点として認められ，放射組織はやや陥没する．縦切面には繊維性の木部と柔組織とが交互に縦紋を形成する．縦に割れやすく，折面は極めて繊維性である．ほとんどにおいがなく，味は僅かに甘く，後にやや苦い

貯法 密閉容器

この生薬を含む主な医療用漢方処方 葛根加朮附湯，葛根湯，葛根湯加川芎辛夷，桂枝加葛根湯，升麻葛根湯，参蘇飲

葛根湯エキス
Kakkonto Extract

製法

	1)	2)	3)	4)
カッコン	8g	4g	4g	4g
マオウ	4g	4g	3g	3g
タイソウ	4g	3g	3g	3g
ケイヒ	3g	2g	2g	2g
シャクヤク	3g	2g	2g	2g
カンゾウ	2g	2g	2g	2g
ショウキョウ	1g	1g	1g	2g

1)～4)の処方に従い生薬をとり，エキス剤の製法により乾燥エキス又は軟エキスとする

性状 淡褐色～褐色の粉末又は黒褐色の軟エキスで，特異なにおいがあり，味は初め甘く，後に辛く，やや苦い

貯法 気密容器

治療

効能・効果 **コタロー** 頭痛，発熱，悪寒がして，自然発汗がなく，項，肩，背等がこるもの，あるいは下痢するもの：感冒，鼻かぜ，蓄膿症，扁桃炎，結膜炎，乳腺炎，湿疹，蕁麻疹，肩こり，神経痛，片頭痛

三和 比較的体力があって頭痛，発熱，悪寒がして自然の発汗がなく肩や背等がこるものの次の諸症：感冒，鼻かぜ，扁桃腺炎，中耳炎，蓄膿症，結膜炎，乳腺炎，肩こり，腕神経痛

ツムラ 自然発汗がなく頭痛，発熱，悪寒，肩こり等を伴う比較的体力のあるものの次の諸症：感冒，鼻かぜ，熱性疾患の初期，炎症性疾患(結膜炎，角膜炎，中耳炎，扁桃炎，乳腺炎，リンパ節炎)，肩こり，上半身の神経痛，蕁麻疹

その他 感冒，鼻かぜ，頭痛，肩こり，筋肉痛，手や肩の痛み

用法・用量 **オースギ** **クラシエ** **コタロー** **JPS** **ツムラ** 1日7.5g，(オースギ)15錠又は(クラシエ)18錠，食前又は食間2～3回に分服(適宜増減)

三和 **太虎堂** **本草** 1日7.5g，食前又は食間3回に分服(適宜増減)

ジュンコウ **マツウラ** 1日6g，食前又は食間2～3回に分服(適宜増減)

テイコク 1日3回，1回2.5g食前(適宜増減)

東洋 1日3回，1回2g空腹時(適宜増減)

葛根湯加川芎辛夷エキス
Kakkontokasenkyushin'i Extract

製法

	1)	2)
カッコン	4g	4g
マオウ	4g	3g
タイソウ	3g	3g
ケイヒ	2g	2g
シャクヤク	2g	2g
カンゾウ	2g	2g
ショウキョウ	1g	1g
センキュウ	3g	2g
シンイ	3g	2g

1)又は2)の処方に従い生薬をとり，エキス剤の製法により乾燥エキス又は軟エキスとする

性状 淡褐色〜褐色の粉末又は黒褐色の軟エキスで，特異なにおいがあり，味は初め甘く，後に苦く，辛い

貯法 気密容器

治療

効能・効果 **コタロー** 蓄膿症，慢性鼻炎，鼻閉

その他 鼻づまり，蓄膿症，慢性鼻炎

用法・用量 **オースギ** **クラシエ** **JPS** **ツムラ** 1日7.5g又は(クラシエ)18錠，食前又は食間2〜3回に分服(適宜増減)

コタロー 1日9g，食前又は食間2〜3回に分服(適宜増減)

テイコク 1日3回，1回3g食前(適宜増減)

東洋 1日3回，1回2g空腹時(適宜増減)

本草 1日7.5g，食前又は食間3回に分服(適宜増減)

カッセキ
Aluminum Silicate Hydrate with Silicon Dioxide
KASSEKI

別名：滑石
軟滑石

鉱物であり，主として含水ケイ酸アルミニウム及び二酸化ケイ素からなる．鉱物学上の滑石とは異なる

性状 白色〜淡紅色の粉末性の結晶塊で，砕くと容易に微細な粉末となる．粉末はややざらつき，皮膚につきやすい．本品の粉末を水で潤すとき，やや暗色を帯び，可塑性となる．特異なにおいがあり，味はほとんどない．かめば細かい砂をかむような感じがある

貯法 密閉容器

この生薬を含む主な医療用漢方処方 五淋散，猪苓湯，猪苓湯合四物湯，防風通聖散

カノコソウ
Japanese Valerian
VALERIANAE FAURIEI RADIX

別名：吉草根

カノコソウ*Valeriana fauriei* Briquet(*Valerianaceae*)の根及び根茎である

性状 倒卵円形の短い根茎の周囲に多くの細長い根を付けたもので，外面は暗褐色〜灰褐色を呈する．根は長さ10〜15cm，径0.1〜0.3cm，外面に細かい縦じわがあり，折りやすい．根茎は長さ1〜2cm，径1〜2cm，上端には芽及び茎の残基があり，質は堅く折りにくい．その側面にストロンが付いていることがあり，ストロンは太くて短いか，又は細長くて極めて小さいりん片葉を持つ．根の横切面をルーペ視するとき，皮層は淡灰褐色で厚く，中心柱は灰褐色を呈する．強い特異なにおいがあり，味は僅かに苦い

貯法 気密容器

カノコソウ末
Powdered Japanese Valerian
VALERIANAE FAURIEI RADIX PULVERATA

別名：吉草根末

「カノコソウ」を粉末としたものである

性状 暗灰褐色を呈し，やや湿った感があり，強い特異なにおいがあり，味は僅かに苦い

貯法 気密容器

加味帰脾湯エキス
Kamikihito Extract

製法

	1)	2)	3)	4)
ニンジン	3g	3g	3g	3g
ビャクジュツ	3g			3g
ソウジュツ		3g	3g	
ブクリョウ	3g	3g	3g	3g
サンソウニン	3g	3g	3g	3g
リュウガンニク	3g	3g	3g	3g
オウギ	2g	3g	2g	3g
トウキ	2g	2g	2g	2g
オンジ	1.5g	2g	1g	2g
サイコ	3g	3g	3g	3g
サンシシ	2g	2g	2g	2g
カンゾウ	1g	1g	1g	1g
モッコウ	1g	1g	1g	1g
タイソウ	1.5g	2g	1g	2g
ショウキョウ	0.5g	1g	1g	0.5g
ボタンピ				2g

1)〜4)の処方に従い生薬をとり，エキス剤の製法により乾燥エキス又は軟エキスとする．又は2)の処方に従い生薬をとり，エキス剤の製法により浸出液を製し，「軽質無水ケイ酸」を添加し乾燥エキスとする

性状 淡黄褐色〜褐色の粉末又は黒褐色の軟エキスで，僅かににおいがあり，味は僅かに甘く，辛く，苦い

貯法 気密容器

治療

効能・効果 虚弱体質で血色の悪い人の次の諸症：貧血，不眠症，精神不安，神経症

用法・用量 **オースギ** 1日12g 食前又は食間2〜3回に分服(適宜増減)

クラシエ **ツムラ** 1日7.5g又は(クラシエ)27錠，食前又は食間2〜3回に分服(適宜増減)

太虎堂 1日7.5g，食前又は食間3回に分服(適宜増減)

東洋 1日3回，1回3g空腹時(適宜増減)

加味逍遙散エキス
Kamishoyosan Extract

製法

	1)	2)	3)	4)	5)	6)
トウキ	3g	3g	3g	3g	3g	3g
シャクヤク	3g	3g	3g	3g	3g	3g
ビャクジュツ	3g	−	3g	−	3g	3g
ソウジュツ	−	3g	−	3g	−	−
ブクリョウ	3g	3g	3g	3g	3g	3g
サイコ	3g	3g	3g	3g	3g	3g
ボタンピ	2g	2g	2g	2g	2g	2g
サンシシ	2g	2g	2g	2g	2g	2g
カンゾウ	2g	2g	1.5g	1.5g	1.5g	1.5g
ショウキョウ	1g	1g	1g	1g	1.5g	0.5g
ハッカ	1g	1g	1g	1g	1g	1g

1)〜6) の処方に従い生薬をとり，エキス剤の製法により乾燥エキス又は軟エキスとする

性状 黄褐色〜褐色の粉末又は黒褐色の軟エキスで，僅かににおいがあり，味は甘く，やや辛く，後に苦い

貯法 気密容器

治療

効能・効果 **コタロー** 頭痛，頭重，のぼせ，肩こり，倦怠感等があって食欲減退し，便秘するもの：神経症，不眠症，更年期障害，月経不順，胃神経症，胃アトニー症，胃下垂症，胃拡張症，便秘症，湿疹

その他 体質虚弱な婦人で，肩がこり，疲れやすく，精神不安等の精神神経症状，ときに便秘傾向のある次の諸症：冷え症，虚弱体質，月経不順，月経困難，更年期障害，血の道症

用法・用量 **オースギ** **コタロー** **JPS** **ツムラ** **マツウラ** 1日7.5g，食前又は食間2〜3回に分服(適宜増減)

クラシエ **ジュンコウ** 1日6g，食前又は食間2〜3回に分服(適宜増減)

太虎堂 1日6g，食前又は食間3回に分服(適宜増減)

テイコク 1日3回，1回3g食前(適宜増減)

東洋 1日3回，1回2.5g空腹時(適宜増減)

本草 1日7.5g，食前又は食間3回に分服(適宜増減)

カルナウバロウ
Carnauba Wax
CERA CARNAUBA

カルナウバヤシ *Copernicia cerifera* Mart(*Palmae*)の葉から得たろうである

性状 淡黄色〜淡褐色の堅くてもろい塊又は白色〜淡黄色の粉末で，僅かに特異なにおいがあり，味はほとんどない．水，エタノール(95)，ジエチルエーテル又はキシレンにほとんど溶けない．融点：80〜86℃

貯法 密閉容器

カロコン
Trichosanthes Root
TRICHOSANTHIS RADIX

別名：栝楼根

Trichosanthes kirilowii Maximowicz，キカラスウリ *Trichosanthes kirilowii* Maximowicz var. *japonica* Kitamura 又はオオカラスウリ *Trichosanthes bracteata* Voigt (*Cucurbitaceae*)のコルク層をできるだけ除いた根である

性状 不整の円柱形を呈し，長さ5〜10cm，径3〜5cm，しばしば縦割されている．外面は淡黄白色で，不規則な維管束の走行が帯褐黄色に認められる．折面はやや繊維性で淡黄色である．横切面をルーペ視するとき，幅の広い放射組織及び帯褐黄色の道管による斑点又は小孔を認める．ほとんどにおいがなく，味は僅かに苦い

貯法 密閉容器

この生薬を含む主な医療用漢方処方 柴胡桂枝乾姜湯，柴胡清肝湯

カンキョウ
Processed Ginger
ZINGIBERIS RHIZOMA PROCESSUM

別名：乾姜

ショウガ *Zingiber officinale* Roscoe(*Zingiberaceae*)の根茎を湯通し又は蒸したものである

性状 扁圧した不規則な塊状でしばしば分枝する．分枝した各部はやや湾曲した卵形又は長卵形を呈し，長さ2〜4cm，径1〜2cmである．外面は灰黄色〜灰黄褐色で，しわ及び輪節がある．折面は褐色〜暗褐色で透明感があり角質である．横切面をルーペ視するとき皮層と中心柱は区分され，全面に維管束が散在する．特異なにおいがあり，味は極めて辛い

貯法 密閉容器

この生薬を含む主な医療用漢方処方 黄連湯，桂枝人参湯，五積散，柴胡桂枝乾姜湯，小青竜湯，大建中湯，大防風湯，当帰湯，人参湯，半夏瀉心湯，半夏白朮天麻湯，附子理中湯，補中益気湯，苓甘姜味辛夏仁湯，苓姜朮甘湯

カンゾウ
Glycyrrhiza
GLYCYRRHIZAE RADIX

別名：甘草

Glycyrrhiza uralensis Fischer 又は *Glycyrrhiza glabra* Linné (*Leguminosae*)の根及びストロンで，ときには周皮を除いたもの(皮去りカンゾウ)である

性状 ほぼ円柱形を呈し，径0.5〜3cm，長さ1m以上に及ぶ．外面は暗褐色〜赤褐色で縦じわがあり，しばしば皮目，小芽及び鱗片葉を付ける．周皮を除いたものは外面が淡黄色で繊維性である．横切面では，皮部と木部の境界がほぼ明らかで，放射状の構造を現し，しばしば放射状に裂け目がある．ストロンに基づくものでは髄を認めるが，根に基づくものではこれを認めない．弱いにおいがあり，味は甘い

貯法 密閉容器

この生薬を含む主な医療用漢方処方 安中散，胃苓湯，温経湯，

越婢加朮湯，黄耆建中湯，黄芩湯，黄連湯，乙字湯，葛根加朮附湯，葛根湯，葛根湯加川芎辛夷，加味帰脾湯，加味逍遙散，甘草湯，甘麦大棗湯，桔梗湯，帰脾湯，芎帰膠艾湯，芎帰調血飲，九味檳榔湯，荊芥連翹湯，桂枝加黄耆湯，桂枝加葛根湯，桂枝加厚朴杏仁湯，桂枝加芍薬大黄湯，桂枝加芍薬湯，桂枝加朮附湯，桂枝加竜骨牡蛎湯，桂枝加苓朮附湯，桂枝湯，桂枝人参湯，桂芍知母湯，啓脾湯，桂麻各半湯，香蘇散，五虎湯，五積散，五淋散，柴陥湯，柴胡桂枝乾姜湯，柴胡桂枝湯，柴胡清肝湯，柴朴湯，柴苓湯，酸棗仁湯，滋陰降火湯，滋陰至宝湯，四逆散，四君子湯，梔子柏皮湯，芍薬甘草湯，芍薬甘草附子湯，十全大補湯，十味敗毒湯，潤腸湯，小建中湯，小柴胡湯，小柴胡湯加桔梗石膏，小青竜湯，消風散，升麻葛根湯，参蘇飲，神秘湯，清上防風湯，清暑益気湯，清心蓮子飲，清肺湯，川芎茶調散，疎経活血湯，大黄甘草湯，大防風湯，竹茹温胆湯，治打撲一方，治頭瘡一方，調胃承気湯，釣藤散，通導散，桃核承気湯，当帰飲子，当帰建中湯，当帰四逆加呉茱萸生姜湯，当帰湯，二朮湯，二陳湯，女神散，人参湯，人参養栄湯，排膿散及湯，麦門冬湯，半夏瀉心湯，白虎加人参湯，附子理中湯，平胃散，防已黄耆湯，防風通聖散，補中益気湯，麻黄湯，麻杏甘石湯，麻杏薏甘湯，薏苡仁湯，抑肝散，抑肝散加陳皮半夏，六君子湯，立効散，竜胆瀉肝湯，苓甘姜味辛夏仁湯，苓姜朮甘湯，苓桂朮甘湯

カンゾウ末
Powdered Glycyrrhiza
GLYCYRRHIZAE RADIX PULVERATA

別名：甘草末

「カンゾウ」を粉末としたものである

性状　淡黄褐色又は淡黄色～灰黄色(皮去りカンゾウの粉末)を呈し，弱いにおいがあり，味は甘い

貯法　密閉容器

カンゾウエキス
Glycyrrhiza Extract

別名：甘草エキス

製法　1)「カンゾウ」又は「カンゾウ」の規格に合致する同属植物(*Leguminosae*)由来の根及びストロンの細切1kgに「常水」,「精製水」又は「精製水(容器入り)」5Lを加え，2日間冷浸し，布ごしした後，更に「常水」,「精製水」又は「精製水(容器入り)」3Lを加え，12時間冷浸し，布ごしする．ろ液を合わせ，蒸発して3Lとし，冷後，「エタノール」1Lを加えて2日間冷所に放置した後，ろ過し，ろ液を蒸発して軟エキスとする

2)　適切な大きさとした「カンゾウ」又は「カンゾウ」の規格に合致する同属植物(*Leguminosae*)由来の根及びストロンを,「常水」,「精製水」又は「精製水(容器入り)」を浸出剤とし，エキス剤の製法により軟エキスとして製する．なお，水あめ様の稠度とする直前に，浸出液に「エタノール」,「無水エタノール」又はエタノール(99.5)を加え，冷所に放置した後，ろ過し，ろ液を濃縮して製する

性状　褐色～黒褐色の軟エキスで，特異なにおいがあり，味は甘い．水に澄明又は僅かに混濁して溶ける

貯法　気密容器

カンゾウ粗エキス
Crude Glycyrrhiza Extract

別名：甘草羔

製法　適切な大きさとした「カンゾウ」又は「カンゾウ」の規格に合致する同属植物(*Leguminosae*)由来の根及びストロンを,「常水」,「精製水」又は「精製水(容器入り)」を浸出剤とし，エキス剤の製法により乾燥エキスとして製する

性状　艶のある暗黄赤色～黒褐色の板状，棒状若しくは塊状又は黄褐色の粉末である．板状，棒状又は塊状のものは，寒冷時は砕きやすく，その破砕面は暗黄赤色で，貝殻のようで艶があり，温時は柔軟性である．特異なにおいがあり，味は甘い．水に混濁して溶ける

貯法　気密容器

カンテン
Agar
AGAR

別名：寒天

マクサ(テングサ)*Gelidium elegans* Kuetzing，その他同属植物(*Gelidiaceae*)又は諸種紅藻類(*Rhodophyta*)から得た粘液を凍結脱水したものである

性状　半透明な白色で，四面柱体，線状又はりん片状の細片で，四面柱体のものは長さ約26cm，切り口約4cm平方，線状のものは長さ約35cm，幅約3mm，りん片状のものは長さ約3mmの細片で，外面にしわ及び多少の光沢があり，質は軽くしなやかである．においがなく，味はないが粘滑性である．有機溶剤にほとんど溶けない．本品の沸騰水溶液(1→100)は中性である

貯法　密閉容器

カンテン末
Powdered Agar
AGAR PULVERATUM

別名：寒天末

「カンテン」を粉末としたものである

性状　白色を呈し，においはなく，味はないが粘滑性である．抱水クロラール試液によって透明となる．有機溶剤にほとんど溶けない．本品の沸騰水溶液(1→100)は中性である

貯法　気密容器

キキョウ
Platycodon Root
PLATYCODI RADIX

別名：桔梗根

キキョウ *Platycodon grandiflorus* A. De Candolle (*Campanulaceae*)の根である

性状　不規則なやや細長い紡錘形～円錐形を呈し，しばしば分

枝し，外面は灰褐色，淡褐色又は白色である．主根は長さ10～15cm，径1～3cmで，上端に茎を除いた跡がくぼみとなって残り，その付近に細かい横じわと縦溝があり，多少くびれている．根頭部を除く根の大部分には粗い縦じわ及び横溝があり，また皮目様の横線がある．質は堅いが折りやすい．折面は繊維性でなく，しばしば大きな隙間がある．横切面をルーペ視するとき，形成層の付近はしばしば褐色を帯びる．皮部の厚さは木部の径よりやや薄く，ほとんど白色で，ところどころに隙間があり，木部は白色～淡褐色を呈し，その組織は皮部よりもやや密である．僅かにおいがあり，味は初めなく，後にえぐくて苦い

貯法 密閉容器

この生薬を含む主な医療用漢方処方 桔梗石膏，桔梗湯，荊芥連翹湯，五積散，柴胡清肝湯，十味敗毒湯，小柴胡湯加桔梗石膏，参蘇飲，清上防風湯，清肺湯，竹茹温胆湯，排膿散及湯，防風通聖散

キキョウ末
Powdered Platycodon Root
PLATYCODI RADIX PULVERATA

別名：桔梗根末

「キキョウ」を粉末としたものである

性状 淡灰黄色～淡灰褐色を呈し，僅かににおいがあり，味は初めなく，後にえぐくて苦い

貯法 密閉容器

キキョウ流エキス
Platycodon Fluidextract

製法 1) 「キキョウ」の粗末をとり，25vol%エタノールを用い，流エキス剤の製法により製する．ただし，25vol%エタノールの代わりに「エタノール」，及び「精製水」又は「精製水(容器入り)」適量を用いて製することができる

2) 適切な大きさとした「キキョウ」を，25vol%エタノール又は薄めたエタノール(1→4)を浸出剤とし，流エキス剤の製法により製する

性状 赤褐色の液で，水に僅かに混濁して混和し，味は初め緩和で，後にえぐくて苦い

貯法 気密容器

キクカ
Chrysanthemum Flower
CHRYSANTHEMI FLOS

別名：菊花
キッカ

1) キク *Chrysanthemum morifolium* Ramatulle又は2) シマカンギク *Chrysanthemum indicum* Linné (*Compositae*) の頭花である

性状 1) *Chrysanthemum morifolium*に由来：径15～40mmの頭花で，総ほうは3～4列の総ほう片からなり，総ほうにはしばしば柄を伴う．総ほう外片は線形～ひ針形，内片は狭卵形～卵形を呈する．舌状花は多数で，類白色～黄色，管状花は少数で淡黄褐色を呈し，ときに退化して欠くことがある．総ほうの外面は緑褐色～褐色を呈する．質は軽く，砕きやすい．特有のにおいがあり，味は僅かに苦い

2) *Chrysanthemum indicum*に由来：径3～10mmの頭花で，総ほうは3～5列の総ほう片からなり，総ほうにはしばしば柄を伴う．総ほう外片は線形～ひ針形，内片は狭卵形～卵形を呈する．舌状花は一輪で，黄色～淡黄褐色，管状花は多数で淡黄褐色を呈する．総ほうの外面は黄褐色～褐色を呈する．質は軽く，砕きやすい．特有のにおいがあり，味は僅かに苦い

貯法 密閉容器

この生薬を含む主な医療用漢方処方 釣藤散

キササゲ
Catalpa Fruit
CATALPAE FRUCTUS

キササゲ *Catalpa ovata* G. Don又は *Catalpa bungei* C. A. Meyer (*Bignoniaceae*) の果実である

性状 細長い棒状を呈し，長さ30～40cm，径約0.5cmである．外面は暗褐色で，内部には多数の種子がある．種子は扁平又はやや半管状を呈し，長さ約3cm，幅約0.3cm，灰褐色で，その両端は毛状を呈し，毛状部は長さ各約1cmである．本品の果皮は薄く，折れやすい．弱いにおいがあり，味は僅かに渋い

貯法 密閉容器

キジツ
Immature Orange
AURANTII FRUCTUS IMMATURUS

別名：枳実

ダイダイ *Citrus aurantium* Linné var. *daidai* Makino，*Citrus aurantium* Linné又はナツミカン *Citrus natsudaidai* Hayata (*Rutaceae*) の未熟果実をそのまま又はそれを半分に横切したものである

性状 ほぼ球形で径1～2cm，又は半球形で径1.5～4.5cmである．外面は濃緑褐色～褐色で艶がなく，油室による多数のくぼんだ小点がある．横切面は周辺が厚さ約0.4cmの外果皮及び中果皮からなり，表皮に接する部分は黄褐色，その他は淡灰褐色を呈する．中心部は放射状に8～16個の小室に分かれ，各室は褐色を呈してくぼみ，しばしば未熟の種子を含む．特異なにおいがあり，味は苦い

貯法 密閉容器

この生薬を含む主な医療用漢方処方 荊芥連翹湯，五積散，四逆散，潤腸湯，参蘇飲，清上防風湯，大柴胡湯，大柴胡湯去大黄，大承気湯，竹茹温胆湯，通導散，排膿散及湯，茯苓飲，茯苓飲合半夏厚朴湯，麻子仁丸

牛脂
Beef Tallow
SEVUM BOVINUM

ウシ*Bos taurus* Linné var. *domesticus* Gmelin(*Bovidae*)の新鮮な脂肪組織に水を加え，加熱して溶出し，精製して得た脂肪である

性状　白色均質の塊で，僅かに特異なにおいがあり，味は緩和である．ジエチルエーテル又は石油エーテルに溶けやすく，エタノール(95)に極めて溶けにくく，水にほとんど溶けない．低温で砕くことができるが，30℃以上で軟化する．融点：42～50℃

貯法　密閉容器

キョウカツ
Notopterygium
NOTOPTERYGII RHIZOMA

別名：羌活

Notopterygium incisum Ting ex H. T. Chang 又は *Notopterygium forbesii* Boissieu(*Umbelliferae*)の根茎及び根である

性状　やや湾曲した円柱形～円錐形を呈し，長さ3～10cm，径5～20mm，ときに根茎は分枝する．外面は黄褐色～暗褐色である．根茎はその頂端にやや円形にくぼんだ茎の跡があり，ときには短い茎の残基を付け，外面には隆起した節があり，節間は，通例，短い．節にはいぼ状突起となった根の跡がある．根の外面には粗い縦じわ及びいぼ状突起となった側根の跡がある．質は軽くややもろくて折りやすい．横切面には多くの放射状の裂け目があり，皮部は黄褐色～褐色，木部は淡黄色～淡灰黄色，髄は灰白色～淡褐色を呈し，ルーペ視するとき，皮部及び髄には油道による褐色の細点を認める．特異なにおいがあり，初め僅かに特異な味があり，後にやや辛く，僅かに麻痺性である

貯法　密閉容器

この生薬を含む主な医療用漢方処方　川芎茶調散，疎経活血湯，大防風湯

キョウニン
Apricot Kernel
ARMENIACAE SEMEN

別名：杏仁

ホンアンズ*Prunus armeniaca* Linné，アンズ*Prunus armeniaca* Linné var. *ansu* Maximowicz又は*Prunus sibirica* Linné(*Rosaceae*)の種子である

性状　扁圧した左右やや不均等な卵形を呈し，長さ1.1～1.8cm，幅0.8～1.3cm，厚さ0.4～0.7cmである．一端は鋭くとがり，他の一端は丸みを帯びてここに合点がある．種皮は褐色で，外面にはすれて落ちやすい石細胞となった表皮細胞があって，粉をふいたようである．また，合点から多数の維管束が種皮全体に分枝しながら縦走し，その部分はややくぼんで縦じわとなっている．温水に入れて軟化するとき，種皮及び白色半透明の薄い胚乳は子葉からたやすく剥がれ，子葉は白色である．ほとんどにおいがなく，味は苦く，油様である

貯法　密閉容器

この生薬を含む主な医療用漢方処方　桂枝加厚朴杏仁湯，桂麻各半湯，五虎湯，潤腸湯，神秘湯，清肺湯，麻黄湯，麻杏甘石湯，麻杏薏甘湯，麻子仁丸，苓甘姜味辛夏仁湯

キョウニン水
Apricot Kernel Water

別名：杏仁水

製法　次のいずれかの方法により製する

(1)「キョウニン」を砕いて圧搾し，脂肪油をよく除いた後，適量の「常水」，「精製水」又は「精製水(容器入り)」を加えて水蒸気蒸留を行い，留液中のシアン化水素の含量を定量法によって測定し，約0.14w/v%に達したとき，蒸留をやめ，留液の約1/3容量の「エタノール」を加え，更に「精製水」又は「精製水(容器入り)」／「エタノール」混液(3：1)を加え，規定の含量に調節して製する

(2) 新たに製したマンデルニトリル7.5mLに「精製水」又は「精製水(容器入り)」／「エタノール」混液(3：1)1000mLを加え，よく振り混ぜて溶かし，ろ過する．この液のシアン化水素の含量を定量法によって測定し，その含量が超過するものは前の混液を加えて薄め，規定の含量に調節して製する

性状　無色～微黄色澄明の液で，ベンズアルデヒド様のにおい及び特異な味がある．pH：3.5～5.0

貯法　気密容器，遮光保存

クコシ
Lycium Fruit
LYCII FRUCTUS

別名：枸杞子

クコ*Lycium chinense* Miller又は*Lycium barbarum* Linné (*Solanaceae*)の果実である

性状　先のとがった紡錘形を呈し，長さ6～20mm，径3～8mm，果皮は赤色～暗赤色を呈し，表面に粗いしわがある．横切面をルーペ視するとき果実は2室に分かれ，内部に淡褐色～淡黄褐色で径約2mmの扁平な腎臓形の多数の種子がある．特異なにおいがあり，味は甘く，ときに僅かに苦い

貯法　密閉容器

クジン
Sophora Root
SOPHORAE RADIX

別名：苦参

クララ*Sophora flavescens* Aiton(*Leguminosae*)の根で，しばしば周皮を除いたものである

性状　円柱形を呈し，長さ5～20cm，径2～3cm，外面は暗褐色～黄褐色で，著しい縦じわがあり，また横長の皮目を認める．周皮を除いたものは黄白色で，表面は多少繊維性である．横切面は淡黄褐色で，皮部の厚さ0.1～0.2cm，形成層付近はや

や暗色を帯び，木部との間に隙間を生ずるものがある．僅かににおいがあり，味は極めて苦く，残留性である

貯法　密閉容器

この生薬を含む主な医療用漢方処方　三物黄芩湯，消風散

クジン末
Powdered Sophora Root
SOPHORAE RADIX PULVERATA

別名：苦参末

「クジン」を粉末としたものである

性状　淡褐色を呈し，僅かににおいがあり，味は極めて苦く，残留性である

貯法　密閉容器

苦味チンキ
Bitter Tincture
TINCTURA AMARA

製法

トウヒ，粗末	50g
センブリ，粗末	5g
サンショウ，粗末	5g
70vol%エタノール	適量
全量	1000mL

以上をとり，チンキ剤の製法により製する．ただし，70vol%エタノールの代わりに「エタノール」，及び「精製水」又は「精製水(容器入り)」適量を用いて製することができる

性状　黄褐色の液で，芳香があり，味は苦い

貯法　気密容器

ケイガイ
Schizonepeta Spike
SCHIZONEPETAE SPICA

別名：荊芥穂

ケイガイ*Schizonepeta tenuifolia* Briquet (*Labiatae*) の花穂である

性状　細長い穂状を呈し，長さ5～10cm，径0.5～0.8cm，帯紫緑褐色～緑褐色である．花穂は細かい唇形花又はしばしば果実を含むがく筒を付ける．花穂の下部にはときに葉を付けることがあり，葉は線状又は狭い針形である．花軸は方柱形で紫褐色を呈する．ルーペ視するとき，類白色の短毛を認める．特異な芳香があり，口に含むと僅かに清涼感がある

貯法　密閉容器

この生薬を含む主な医療用漢方処方　荊芥連翹湯，十味敗毒湯，消風散，清上防風湯，川芎茶調散，治頭瘡一方，当帰飲子，防風通聖散

桂枝茯苓丸エキス
Keishibukuryogan Extract

製法

	1)	2)
ケイヒ	4g	3g
ブクリョウ	4g	3g
ボタンピ	4g	3g
トウニン	4g	3g
シャクヤク	4g	3g

1)の処方に従い生薬をとり，エキス剤の製法により乾燥エキス若しくは軟エキスとする，又は2)の処方に従い生薬をとり，エキス剤の製法により浸出液を製し，「軽質無水ケイ酸」を添加し乾燥エキスとする

性状　淡褐色～褐色の粉末又は黒褐色の軟エキスで，特異なにおいがあり，味は初めやや甘く，後に僅かに苦い

貯法　気密容器

治療

効能・効果　**三和** のぼせ症で充血しやすく頭痛，肩こり，めまい，心悸亢進等があって冷えを伴い下腹部に圧痛を認めるものの次の諸症：月経困難，子宮内膜炎，子宮実質炎，卵巣炎，子宮周囲炎，月経過多，痔出血，湿疹，蕁麻疹，にきび，しみ，皮膚炎，凍傷，打撲，皮下出血

ツムラ 体格はしっかりしていて赤ら顔が多く，腹部は大体充実，下腹部に抵抗のあるものの次の諸症：子宮ならびにその付属器の炎症，子宮内膜炎，月経不順，月経困難，帯下，更年期障害(頭痛，めまい，のぼせ，肩こり等)，冷え症，腹膜炎，打撲症，痔疾患，睾丸炎

その他 比較的体力があり，ときに下腹部痛，肩こり，頭重，めまい，のぼせて足冷え等を訴える次の諸症：月経不順，月経異常，月経痛，更年期障害，血の道症，肩こり，めまい，頭重，打ち身(打撲症)，しもやけ，しみ

用法・用量　**オースギ**　**ジュンコウ**　**マツウラ** 1日4.5g，食前又は食間2～3回に分服(適宜増減)

クラシエ　**コタロー** 1日6g又は(クラシエ)18錠，食前又は食間2～3回に分服(適宜増減)

三和 1日4.5g，食前又は食間3回に分服(適宜増減)

JPS　**ツムラ** 1日7.5g，食前又は食間2～3回に分服(適宜増減)

太虎堂　**本草** 1日7.5g，食前又は食間3回に分服(適宜増減)

テイコク 1日3回，1回2.5g食前(適宜増減)

東洋 1日3回，1回2g空腹時(適宜増減)

ケイヒ
Cinnamon Bark
CINNAMOMI CORTEX

別名：桂皮

Cinnamomum cassia J. Presl (*Lauraceae*) の樹皮又は周皮の一部を除いた樹皮である

性状　通例，半管状又は巻き込んだ管状の皮片で，厚さ0.1～0.5cm，長さ5～50cm，径1.5～5cmである．外面は暗赤褐色を呈し，内面は赤褐色を呈し，平滑である．破折しやすく，折面はやや繊維性で赤褐色を呈し淡褐色の薄い層がある．特異な芳香があり，味は甘く，辛く，後にやや粘液性で，僅かに収れん性である

貯法　密閉容器

この生薬を含む主な医療用漢方処方　安中散，胃苓湯，茵蔯五苓散，温経湯，黄耆建中湯，黄連湯，葛根加朮附湯，葛根湯，

葛根湯加川芎辛夷，九味檳榔湯，桂枝加芍薬大黄湯，桂枝加芍薬湯，桂枝加朮附湯，桂枝加竜骨牡蛎湯，桂枝加苓朮附湯，桂枝湯，桂枝人参湯，桂枝茯苓丸，桂枝茯苓丸料加薏苡仁，桂芍知母湯，五積散，牛車腎気丸，五苓散，柴胡加竜骨牡蛎湯，柴胡桂枝乾姜湯，柴胡桂枝湯，柴苓湯，炙甘草湯，十全大補湯，小建中湯，小青竜湯，治打撲一方，桃核承気湯，当帰建中湯，当帰四逆加呉茱萸生姜湯，当帰湯，女神散，人参養栄湯，八味地黄丸，麻黄湯，木防已湯，薏苡仁湯，苓桂朮甘湯

ケイヒ末
Powdered Cinnamon Bark
CINNAMOMI CORTEX PULVERATUS

別名：桂皮末

「ケイヒ」を粉末としたものである

性状　赤褐色～褐色を呈し，特異な芳香があり，味は甘く，辛く，後にやや粘液性で，僅かに収れん性である

貯法　気密容器

ケイヒ油
Cinnamon Oil
OLEUM CINNAMOMI

別名：桂皮油

Cinnamomum cassia J. Preslの葉と小枝若しくは樹皮又は*Cinnamomum zeylanicum* Nees(*Lauraceae*)の樹皮を水蒸気蒸留して得た精油である

性状　黄色～褐色の液で，特異な芳香があり，味は甘くやくようである．エタノール(95)又はジエチルエーテルと混和する．水にほとんど溶けない．弱酸性で，長く保存するか又は空気中に長くさらすと色が濃くなり，粘性を増す

貯法　気密容器，遮光保存

ケツメイシ
Cassia Seed
CASSIAE SEMEN

別名：決明子

エビスグサ*Cassia obtusifolia* Linné又は*Cassia tora* Linné(*Leguminosae*)の種子である

性状　短円柱形を呈し，長さ3～6mm，径2～3.5mmで，一端は鋭くとがり，他の一端は平たんである．外面は緑褐色～褐色で艶があり，両側面に淡黄褐色の縦線又は帯がある．質は堅い．横切面は円形又は鈍多角形で，ルーペ視するとき，胚乳中に屈曲する暗色の子葉がある．砕くとき特異なにおい及び味がある

貯法　密閉容器

ケンゴシ
Pharbitis Seed
PHARBITIDIS SEMEN

別名：牽牛子

アサガオ*Pharbitis nil* Choisy(*Convolvulaceae*)の種子である

性状　球を縦に4～6等分した形を呈し，長さ4～6mm，幅3～5mmである．外面は黒色～灰赤褐色又は灰白色で，平滑であるが多少縮んで粗いしわがある．横切面はほぼ扇形で，淡黄褐色～淡灰褐色を呈し，質は密である．ルーペ視するとき，種皮の外面には短い毛が密生し，隆起線の下端にへそがくぼんでいる．種皮は薄く，外層は暗灰色，内層は淡灰色である．一端の横切面では不規則に縮んだ2枚の子葉があり，その間に背面の中央から隆起部に達する2枚の薄い隔膜がある．へそを有する他端の横切面では隔膜は認められない．子葉の切面には暗灰色の分泌物孔を認める．100粒の質量は約3.5gである．砕くとき僅かににおいがあり，味は油様で僅かに刺激性である

貯法　密閉容器

ゲンチアナ
Gentian
GENTIANAE RADIX

Gentiana lutea Linné(*Gentianaceae*)の根及び根茎である

性状　ほぼ円柱形を呈し，長さ10～50cm，径2～4cmで，外面は暗褐色である．根茎は短く，細かい横じわがあり，その上端には芽及び葉の残基を付けることがある．根は深い縦じわがあり，ややねじれている．折面は黄褐色で，繊維性ではなく，形成層付近は暗褐色を帯びる．特異なにおいがあり，味は初め甘く，後に苦く残留性である

貯法　密閉容器

ゲンチアナ末
Powdered Gentian
GENTIANAE RADIX PULVERATA

「ゲンチアナ」を粉末としたものである

性状　黄褐色を呈し，特異なにおいがあり，味は初め甘く，後に苦く，残留性である

貯法　気密容器

ゲンチアナ・重曹散
Gentian and Sodium Bicarbonate Powder

製法

ゲンチアナ末	300g
炭酸水素ナトリウム	700g
全量	1000g

以上をとり，散剤の製法により製する

性状　淡黄褐色で，味は苦い

貯法　密閉容器

ゲンノショウコ
Geranium Herb
GERANII HERBA

ゲンノショウコ *Geranium thunbergii* Siebold et Zuccarini (*Geraniaceae*) の地上部である

性状　茎及びこれに対生した葉からなり，茎は細長く緑褐色，葉は掌状に3～5裂し，長さ2～4cm，灰黄緑色～灰褐色を呈する．裂片は長楕円形～倒卵形で，その上部の辺縁に鈍きょ歯があり，葉柄は長い．茎，葉共に軟毛がある．僅かににおいがあり，味は渋い

貯法　密閉容器

ゲンノショウコ末
Powdered Geranium Herb
GERANII HERBA PULVERATA

「ゲンノショウコ」を粉末としたものである

性状　灰緑色～淡黄褐色を呈し，僅かににおいがあり，味は渋い

貯法　密閉容器

コウイ
Koi
KOI

別名：膠飴
粉末飴

トウモロコシ *Zea mays* Linné (*Gramineae*)，キャッサバ *Manihot esculenta* Crantz (*Euphorbiaceae*)，ジャガイモ *Solanum tuberosum* Linné (*Solanaceae*)，サツマイモ *Ipomoea batatas* Poiret (*Convolvulaceae*) 若しくはイネ *Oryza sativa* Linné (*Gramineae*) のデンプン又はイネの種皮を除いた種子を加水分解し，糖化したものである．1又は2の加工法により製したものであり，主にマルトースを含むほか，グルコース，マルトトリオースなどを含む場合がある

1　デンプンを塩酸，シュウ酸，アミラーゼ又は麦芽汁などで糖化し，濃縮乾燥し，粉末に加工する

2　デンプン又はデンプンに水を加えて加熱して糊化したものに，塩酸，シュウ酸，アミラーゼ又は麦芽汁などを加えて糖化し，乾燥加工又は濃縮加工する

1及び2の加工法により製したものを，それぞれコウイ1及びコウイ2とする．本品はその加工法を表示する

性状　1) コウイ1：白色の結晶性の粉末である．においはなく，味は甘い

2) コウイ2：無色～褐色，澄明～半澄明の塊又は粘性のある液である．においはなく，味は甘い

貯法　密閉容器

この生薬を含む主な医療用漢方処方　黄耆建中湯，小建中湯，大建中湯

コウカ
Safflower
CARTHAMI FLOS

別名：紅花
ベニバナ

ベニバナ *Carthamus tinctorius* Linné (*Compositae*) の管状花をそのまま又は黄色色素の大部分を除いたもので，ときに圧搾して板状としたものである

性状　赤色～赤褐色の花冠，黄色の花柱及び雄ずいからなり，まれに未熟の子房を混有することがある．全長は約1cm，花冠は筒状で5裂し，雄ずいは5本で，長い雌ずいを囲んでいる．花粉はほぼ球形で，径約50μm，黄色で表面に細かい突起がある．本品を板状にしたものは厚さ約0.5cm，多数の管状花の集合である．特異なにおいがあり，味は僅かに苦い

貯法　密閉容器，遮光保存

この生薬を含む主な医療用漢方処方　治頭瘡一方，通導散

コウジン
Red Ginseng
GINSENG RADIX RUBRA

別名：紅参

オタネニンジン *Panax ginseng* C. A. Meyer (*Panax schinseng* Nees) (*Araliaceae*) の根を蒸したものである

性状　細長い円柱形～紡錘形で，しばしばなかほどから2～5本の側根を分枝し，長さ5～25cm，主根は径0.5～3cm，外面はおおむね淡黄褐色～赤褐色を呈し，半透明で，縦じわがある．根頭部はややくびれて短い根茎を付けることがある．折面は平らで，質は角質様で堅い．特異なにおいがあり，味は初め僅かに甘く，後にやや苦い

貯法　密閉容器

コウブシ
Cyperus Rhizome
CYPERI RHIZOMA

別名：香附子

ハマスゲ *Cyperus rotundus* Linné (*Cyperaceae*) の根茎である

性状　紡錘形を呈し，長さ1.5～2.5cm，径0.5～1cmである．外面は灰褐色～灰黒褐色で，5～8個の不整な輪節があり，その部分に毛状になった繊維束がある．質は堅い．横切面は赤褐色～淡黄色で，ろう様の艶を帯び，皮層部の厚さは中心柱の径とほぼ等しいか又は僅かに薄い．これをルーペ視するとき，周辺には繊維束が褐色の斑点として輪状に並び，皮層部にはところどころに維管束が赤褐色の斑点として，また分泌細胞が黄褐色の微小な斑点として多数存在する．中心柱には多数の維管束が点又は線として散在する．特異なにおい及び味がある

貯法　密閉容器

この生薬を含む主な医療用漢方処方　芎帰調血飲，香蘇散，滋陰至宝湯，川芎茶調散，竹茹温胆湯，二朮湯，女神散

コウブシ末
Powdered Cyperus Rhizome
CYPERI RHIZOMA PULVERATUM

別名：香附子末

「コウブシ」を粉末としたものである

性状　淡赤褐色を呈し，特異なにおい及び味がある

貯法　気密容器

コウベイ
Brown Rice
ORYZAE FRUCTUS

別名：粳米

イネ*Oryza sativa* Linné (*Gramineae*) のえい果である

性状　楕円形を呈し，やや扁平で，長さ4〜6mmである．外面は半透明で，淡黄白色〜淡褐色を呈する．一端は僅かにくぼみ，白色の胚が認められる．他端には花柱の跡に由来する褐色の小点が認められる．表面には数本の長軸方向に走る溝がある．弱いにおいがあり，味は僅かに甘い

貯法　密閉容器

この生薬を含む主な医療用漢方処方　麦門冬湯，白虎加人参湯

コウボク
Magnolia Bark
MAGNOLIAE CORTEX

別名：厚朴

ホオノキ*Magnolia obovata* Thunberg (*Magnolia hypoleuca* Siebold et Zuccarini)，*Magnolia officinalis* Rehder et Wilson又は*Magnolia officinalis* Rehder et Wilson var. *biloba* Rehder et Wilson (*Magnoliaceae*) の樹皮である

性状　板状又は半管状の皮片で，厚さ2〜7mmである．外面は灰白色〜灰褐色を呈し，粗雑であるが，ときにコルク層が剥離され赤褐色を呈することもある．内面は淡褐色〜暗紫褐色，折面は極めて繊維性で淡赤褐色〜紫褐色を呈する．弱いにおいがあり，味は苦い

貯法　密閉容器

この生薬を含む主な医療用漢方処方　胃苓湯，九味檳榔湯，桂枝加厚朴杏仁湯，五積散，柴朴湯，潤腸湯，神秘湯，大承気湯，通導散，当帰湯，半夏厚朴湯，茯苓飲合半夏厚朴湯，平胃散，麻子仁丸

コウボク末
Powdered Magnolia Bark
MAGNOLIAE CORTEX PULVERATUS

別名：厚朴末

「コウボク」を粉末としたものである

性状　黄褐色を呈し，弱いにおいがあり，味は苦い

貯法　気密容器

ゴオウ
Oriental Bezoar
BEZOAR BOVIS

別名：牛黄

ウシ*Bos taurus* Linné var. *domesticus* Gmelin (*Bovidae*) の胆のう中に生じた結石である

性状　球形又は塊状を呈し，径1〜4cm，外面は黄褐色〜赤褐色で，質は軽くもろく砕きやすく，破砕面には黄褐色〜赤褐色の輪層紋があり，また，しばしば輪層中に白色の粒状物又は薄層を混じえる．弱いにおいがあり，味は初め僅かに苦く，後にやや甘い

貯法　密閉容器

ゴシツ
Achyranthes Root
ACHYRANTHIS RADIX

別名：牛膝

ヒナタイノコズチ*Achyranthes fauriei* Leveillé et Vaniot又は*Achyranthes bidentata* Blume (*Amaranthaceae*) の根である

性状　主根又は側根を伴う主根からなり，根頭は僅かに根茎を付けるか，又は根茎部は切除されている．主根は細長い円柱形でときにやや湾曲し，長さ15〜90cm，径0.3〜0.7cm，外面は灰黄色〜黄褐色で，多数の縦じわ及びまばらに側根の跡がある．折面は平らで，周辺部は灰白色〜淡褐色を呈し，中心部に黄白色の木部を認める．質は堅くてもろいか，又はやや柔軟である．僅かににおいがあり，味は僅かに甘く，粘液性である

貯法　密閉容器

この生薬を含む主な医療用漢方処方　牛車腎気丸，疎経活血湯，大防風湯

牛車腎気丸エキス
Goshajinkigan Extract

製法

	1)	2)
ジオウ	5g	5g
サンシュユ	3g	3g
サンヤク	3g	3g
タクシャ	3g	3g
ブクリョウ	3g	3g
ボタンピ	3g	3g
ケイヒ	1g	1g
ブシ末(ブシ末1)	1g	−
ブシ末(ブシ末2)	−	1g
ゴシツ	3g	3g
シャゼンシ	3g	3g

1)又は2)の処方に従い生薬をとり，エキス剤の製法により乾燥エキス又は軟エキスとする

性状　褐色〜暗褐色の粉末又は黒褐色の軟エキスで，僅かににおいがあり，味は酸味がある

貯法　気密容器

治療
効能・効果　疲れやすくて，四肢が冷えやすく尿量減少又は多尿で，ときに口渇がある次の諸症：下肢痛，腰痛，しびれ，老人のかすみ目，かゆみ，排尿困難，頻尿，むくみ
用法・用量　1日7.5g，食前又は食間2～3回に分服(適宜増減)

ゴシュユ
Euodia Fruit
EUODIAE FRUCTUS

別名：呉茱萸

Euodia officinalis Dode (*Evodia officinalis* Dode)，*Euodia bodinieri* Dode (*Evodia bodinieri* Dode) 又はゴシュユ*Euodia ruticarpa* Hooker filius et Thomson (*Evodia rutaecarpa* Bentham) (*Rutaceae*) の果実である

性状　扁球形又は球形を呈し，径2～5mmである．外面は暗褐色～灰褐色で，油室による多数のくぼんだ小点がある．しばしば果柄を付け，果柄は長さ2～5mmで，毛を密生する．成熟したものでは，果皮は5室に開裂し，各室中には倒卵球形又は球形の褐色～黒褐色又は帯青黒色の艶のある種子がある．特異なにおいがあり，味は辛く，後に残留性の苦味がある
貯法　密閉容器
この生薬を含む主な医療用漢方処方　温経湯，九味檳榔湯，呉茱萸湯，当帰四逆加呉茱萸生姜湯

呉茱萸湯エキス
Goshuyuto Extract

製法

	1)	2)	3)
ゴシュユ	3g	4g	3g
ショウキョウ	1g	1.5g	1.5g
ニンジン	2g	3g	2g
タイソウ	4g	3g	4g

1)～3)の処方に従い生薬をとり，エキス剤の製法により乾燥エキス又は軟エキスとする
性状　淡褐色～淡赤黄色の粉末又は黒褐色の軟エキスで，僅かににおいがあり，味は辛く，苦い
貯法　気密容器
治療
効能・効果　**コタロー**　頭痛を伴った冷え症で，胃部圧重感があり，悪心または嘔吐するもの：吃逆，片頭痛，発作性頭痛，嘔吐症
ジュンコウ　みぞおちが膨満して手足が冷えるものの次の諸症：頭痛，頭痛に伴う吐き気，しゃっくり
太虎堂　みぞおちが膨満して手足が冷えるものの次の諸症：頭痛に伴う吐き気，しゃっくり
ツムラ　手足の冷えやすい中等度以下の体力のものの次の諸症：習慣性偏頭痛，習慣性頭痛，嘔吐，脚気衝心
用法・用量　**コタロー**　**ツムラ**　1日7.5g，食前または食間2～3回に分服(適宜増減)
ジュンコウ　1日6g，食前または食間2～3回に分服(適宜増減)
太虎堂　1日7.5g，食前または食間3回に分服(適宜増減)

ゴボウシ
Burdock Fruit
ARCTII FRUCTUS

別名：牛蒡子

ゴボウ*Arctium lappa* Linné (*Compositae*) の果実である
性状　やや湾曲した倒長卵形のそう果で，長さ5～7mm，幅2.0～3.2mm，厚さ0.8～1.5mm，外面は灰褐色～褐色で，黒色の点がある．幅広い一端は径約1mmのくぼみがあり，他端は細まり平たんで不明瞭な縦の稜線がある．100粒の質量は1.0～1.5gである．ほとんどにおいがなく，味は苦く油様である
貯法　密閉容器
この生薬を含む主な医療用漢方処方　柴胡清肝湯，消風散

ゴマ
Sesame
SESAMI SEMEN

別名：胡麻

ゴマ*Sesamum indicum* Linné (*Pedaliaceae*) の種子である
性状　卵形～へら形を呈し，長さ3～4mm，幅約2mm，厚さ約1mmである．外面は暗褐色～黒色を呈し，まれに淡褐色～褐色のものも認められる．本品をルーペ視するとき，縁に細い稜が認められる．100粒の質量は0.2～0.3gである．においがなく，味は僅かに甘く，やや油様である
貯法　密閉容器
この生薬を含む主な医療用漢方処方　消風散

ゴマ油
Sesame Oil
OLEUM SESAMI

ゴマ*Sesamum indicum* Linné (*Pedaliaceae*) の種子から得た脂肪油である
性状　微黄色澄明の油で，においはないか又は僅かに特異なにおいがあり，味は緩和である．ジエチルエーテル又は石油エーテルと混和する．エタノール(95)に溶けにくい．0～－5℃で凝固する．脂肪酸の凝固点：20～25℃
貯法　気密容器

ゴミシ
Schisandra Fruit
SCHISANDRAE FRUCTUS

別名：五味子

チョウセンゴミシ *Schisandra chinensis* Baillon (*Schisandraceae*) の果実である
性状　不規則な球形～扁球形を呈し，径約6mmである．外面は暗赤色～黒褐色でしわがあり，また，ときに白い粉を付ける．種子は腎臓形を呈し，外面は黄褐色～暗赤褐色で，艶があり，背面に明らかな背線を認める．外種皮はたやすく剥がれるが，

内種皮は胚乳に密着する．弱いにおい及び酸味があり，後に渋くて苦い

貯法　密閉容器

この生薬を含む主な医療用漢方処方　小青竜湯，清暑益気湯，清肺湯，人参養栄湯，苓甘姜味辛夏仁湯

五苓散エキス
Goreisan Extract

製法

	1)	2)	3)	4)	5)
タクシャ	5g	6g	6g	4g	6g
チョレイ	3g	4.5g	4.5g	3g	4.5g
ブクリョウ	3g	4.5g	4.5g	3g	4.5g
ビャクジュツ	3g	4.5g	4.5g	－	－
ソウジュツ	－	－	－	3g	4.5g
ケイヒ	2g	2.5g	3g	1.5g	3g

1)～5)の処方に従い生薬をとり，エキス剤の製法により乾燥エキス又は軟エキスとする

性状　淡赤褐色～淡褐色の粉末又は黒褐色の軟エキスで，特異なにおいがあり，味は初め僅かに甘く，苦く，後にえぐい

貯法　気密容器

治療

効能・効果　**コタロー** 咽喉が渇いて，水を飲むにもかかわらず，尿量減少するもの，頭痛，頭重，頭汗，悪心，嘔吐，あるいは浮腫を伴うもの：急性胃腸カタル，小児・乳児の下痢，宿酔，暑気あたり，黄疸，腎炎，ネフローゼ，膀胱カタル

三和 口渇，めまい，頭痛，浮腫等のあるものの次の諸症：急性胃腸カタル，吐き気，ネフローゼ

ツムラ 口渇，尿量減少するものの次の諸症：浮腫，ネフローゼ，二日酔，急性胃腸カタル，下痢，悪心，嘔吐，めまい，胃内停水，頭痛，尿毒症，暑気あたり，糖尿病

その他 のどが渇いて，尿量が少なく，吐き気，嘔吐，腹痛，頭痛，むくみ等のいずれかを伴う次の諸症：水瀉性下痢，急性胃腸炎(しぶり腹のものには使用しない)，暑気あたり，頭痛，むくみ

用法・用量　**クラシエ**　**コタロー** 1日6gまたは(クラシエ)18錠，食前または食間2～3回に分服(適宜増減)

三和 1日7.5g，食前または食間3回に分服(適宜増減)

JPS　**ツムラ** 1日7.5g，食前または食間2～3回に分服(適宜増減)

ジュンコウ　**マツウラ** 1日4.5g，食前または食間2～3回に分服(適宜増減)

太虎堂 1日6g，食前または食間3回に分服(適宜増減)

テイコク 1日3回，1回2.5g食前(適宜増減)

東洋 1日3回，1回2g空腹時(適宜増減)

本草 1日5g，食前2回に分服(適宜増減)

コロンボ
Calumba
CALUMBAE RADIX

Jateorhiza columba Miers(*Menispermaceae*)の根を横切したものである

性状　円盤状の切片で，厚さ0.5～2cm，径3～8cm，多くは両面の中央部がくぼみ，多少反曲し，側面は灰褐色で，不規則なしわがある．切面は淡黄色で放射状に濃淡のしまがあり，粉性である．皮部はやや黄味を帯び，形成層の付近は淡灰褐色を呈し，中央部にはいぼ状の突起がある．質は堅いがもろい．特異なにおいがあり，味は苦い

貯法　密閉容器

コロンボ末
Powdered Calumba
CALUMBAE RADIX PULVERATA

「コロンボ」を粉末としたものである

性状　灰黄色を呈し，特異なにおいがあり，味は苦い

貯法　密閉容器

コンズランゴ
Condurango
CONDURANGO CORTEX

Marsdenia cundurango Reichenbach filius(*Asclepiadaceae*)の樹皮である

性状　管状又は半管状の皮片で，厚さ0.1～0.6cm，長さ4～15cmである．外面は灰褐色～暗褐色，ほとんど平滑で多数の皮目を帯びるか，又は多少りん片状できめが粗い．内面は淡灰褐色を呈し，縦線がある．折面の外側は繊維性であり，内側はおおむね粒状である．僅かに弱いにおいがあり，味は苦い

貯法　密閉容器

コンズランゴ流エキス
Condurango Fluidextract

製法　「コンズランゴ」の中末をとり，「精製水」又は「精製水(容器入り)」／「エタノール」／「グリセリン」混液(5：3：2)を第1浸出剤，「精製水」又は「精製水(容器入り)」／「エタノール」混液(3：1)を第2浸出剤として，流エキス剤の製法により製する

性状　褐色の液で，特異なにおいがあり，味は苦い

貯法　気密容器

サイコ
Bupleurum Root
BUPLEURI RADIX

別名：柴胡

ミシマサイコ*Bupleurum falcatum* Linné(*Umbelliferae*)の根である

性状　細長い円錐形～円柱形を呈し，単一又は分枝し，長さ10～20cm，径0.5～1.5cm，根頭には茎の基部を付けていること

とがある．外面は淡褐色～褐色で，深いしわがあるものもある．折りやすく，折面はやや繊維性である．横切面をルーペ視するとき，皮部の厚さは半径の1/3～1/2で，皮部にはしばしば接線方向に長い裂け目がある．特異なにおいがあり，味は僅かに苦い．

貯法 密閉容器

この生薬を含む主な医療用漢方処方 乙字湯，加味帰脾湯，加味逍遙散，荊芥連翹湯，柴陥湯，柴胡加竜骨牡蛎湯，柴胡桂枝乾姜湯，柴胡桂枝湯，柴胡清肝湯，柴朴湯，柴苓湯，滋陰至宝湯，四逆散，十味敗毒湯，小柴胡湯，小柴胡湯加桔梗石膏，神秘湯，大柴胡湯，大柴胡湯去大黄，竹茹温胆湯，補中益気湯，抑肝散，抑肝散加陳皮半夏

柴胡桂枝湯エキス
Saikokeishito Extract

製法

	1)	2)	3)	4)
サイコ	5g	5g	5g	5g
ハンゲ	4g	4g	4g	4g
オウゴン	2g	2g	2g	2g
シャクヤク	2g	2.5g	2g	2g
タイソウ	2g	2g	2g	2g
ニンジン	2g	2g	2g	2g
ケイヒ	2.5g	2.5g	2.5g	2g
カンゾウ	1.5g	1.5g	1.5g	2g
ショウキョウ	0.5g	1g	1g	1g

1)～4)の処方に従い生薬をとり，エキス剤の製法により乾燥エキス又は軟エキスとする．

性状 黄褐色の粉末又は黒褐色の軟エキスで，僅かににおいがあり，味は初めやや甘く，後に苦く，やや辛い．

貯法 気密容器

治療

効能・効果 **コタロー** 自然発汗があって，微熱，悪寒し，胸や脇腹に圧迫感があり，頭痛，関節痛があるもの，あるいは胃痛，胸痛，悪心，腹痛が激しく食欲減退等を伴うもの：感冒，胸膜炎

三和 自然発汗があって，微熱，悪寒がし，胸や脇腹に圧迫感があり，頭痛，関節痛，食欲不振，下痢，悪心等を伴うものの次の諸症：感冒，胃痛，腹痛，神経痛，胆嚢炎，胃酸過多症

ツムラ 発熱汗出て，悪寒し，身体痛み，頭痛，吐き気のあるものの次の諸症：感冒・流感・肺炎・肺結核等の熱性疾患，胃潰瘍・十二指腸潰瘍・胆嚢炎・胆石・肝機能障害・膵臓炎等の心下部緊張疼痛

その他 多くは腹痛を伴う胃腸炎，微熱・寒気・頭痛・吐き気等のある感冒，風邪の後期の症状

用法・用量 **オースギ** **JPS** **ツムラ** 1日7.5g，食前又は食間2～3回に分服(適宜増減)

クラシエ **コタロー** **ジュンコウ** **マツウラ** 1日6g又は(クラシエ)18錠，食前又は食間2～3回に分服(適宜増減)

三和 **太虎堂** 1日7.5g，食前又は食間3回に分服(適宜増減)

テイコク 1日3回，1回3g食前(適宜増減)

サイシン
Asiasarum Root
ASIASARI RADIX

別名：細辛

ケイリンサイシン *Asiasarum heterotropoides* F.Maekawa var. mandshuricum F. Maekawa又はウスバサイシン *Asiasarum sieboldii* F. Maekawa(*Aristolochiaceae*)の根及び根茎である．

性状 ほぼ円柱形の根茎に多くの細長い根を付けたものである．外面は淡褐色～暗褐色を呈する．根は長さ約15cm，径0.1cm，浅い縦じわがあり，折れやすい．根茎は長さ2～4cm，径0.2～0.3cm，しばしば分枝し，縦じわがある．節間は短く，各節には僅かに葉柄や花柄の残基及び数本の細長い根を付ける．特異なにおいがあり，味は辛く舌をやや麻痺させる．

貯法 密閉容器

この生薬を含む主な医療用漢方処方 小青竜湯，当帰四逆加呉茱萸生姜湯，麻黄附子細辛湯，立効散，苓甘姜味辛夏仁湯

柴朴湯エキス
Saibokuto Extract

製法

	1)	2)
サイコ	7g	7g
ハンゲ	6g	5g
ブクリョウ	5g	5g
オウゴン	3g	3g
コウボク	3g	3g
タイソウ	3g	3g
ニンジン	3g	3g
カンゾウ	2g	2g
ソヨウ	2g	2g
ショウキョウ	1g	1g

1)又は2)の処方に従い生薬をとり，エキス剤の製法により乾燥エキス又は軟エキスとする．

性状 淡褐色の粉末又は黒褐色の軟エキスで，僅かににおいがあり，味はやや甘く，後に苦い．

貯法 気密容器

治療

効能・効果 気分がふさいで，咽喉，食道部に異物感があり，ときに動悸，めまい，嘔気等を伴う次の諸症：小児喘息，気管支喘息，気管支炎，咳，不安神経症

用法・用量 1日7.5g，食前又は食間2～3回に分服(適宜増減)

生薬等サ

柴苓湯エキス
Saireito Extract

製法

	1)	2)
サイコ	7g	7g
ハンゲ	5g	5g
ショウキョウ	1g	1g
オウゴン	3g	3g
タイソウ	3g	3g
ニンジン	3g	3g
カンゾウ	2g	2g
タクシャ	6g	5g
チョレイ	4.5g	3g
ブクリョウ	4.5g	3g
ビャクジュツ	4.5g	−
ソウジュツ	−	3g
ケイヒ	3g	2g

1)又は2)の処方に従い生薬をとり，エキス剤の製法により乾燥エキスとする

性状　淡黄褐色の粉末で，僅かににおいがあり，味は甘く，後に僅かに苦い

貯法　気密容器

治療

効能・効果　吐き気，食欲不振，のどの渇き，排尿が少ない等の次の諸症：水瀉性下痢，急性胃腸炎，暑気あたり，むくみ

用法・用量　**クラシエ** 1日8.1g，食前又は食間2〜3回に分服（適宜増減）

ツムラ 1日9g，食前又は食間2〜3回に分服（適宜増減）

サフラン
Saffron
CROCUS

サフラン*Crocus sativus* Linné（*Iridaceae*）の柱頭である

性状　細いひも状で，暗黄赤色〜赤褐色を呈し　長さ1.5〜3.5cm，3分枝するか又は分離し，分枝する一端は広がり他方は次第に細まる．強い特異なにおいがあり，味は苦く，唾液を黄色に染める

貯法　密閉容器

サンキライ
Smilax Rhizome
SMILACIS RHIZOMA

別名：山帰来

Smilax glabra Roxburgh（*Liliaceae*）の塊茎である

性状　扁圧された不整円柱形を呈し，しばしば結節状に分枝し，通例，長さ5〜15cm，径2〜5cmである．外面は帯灰黄褐色〜黄褐色で，上面のところどころにこぶ状の茎の残基がある．横切面は不整楕円形〜鈍三角形を呈し，類白色〜帯赤白色で，皮層は極めて薄く，ほとんど中心柱からなる．僅かににおいがあり，味はほとんどない

貯法　密閉容器

サンキライ末
Powdered Smilax Rhizome
SMILACIS RHIZOMA PULVERATUM

別名：山帰来末

「サンキライ」を粉末としたものである

性状　淡黄褐色を呈し，僅かににおいがあり，味はほとんどない

貯法　密閉容器

サンザシ
Crataegus Fruit
CRATAEGI FRUCTUS

別名：山査子

1)サンザシ*Crataegus cuneata* Siebold et Zuccarini又は2)オオミサンザシ*Crataegus pinnatifida* Bunge var. *major* N. E. Brown（*Rosaceae*）の偽果をそのまま又は縦切若しくは横切したものである

性状　1)*Crataegus cuneata*に由来：ほぼ球形で，径8〜14mmである．外面は黄褐色〜灰褐色を呈し，細かい網目状のしわがあり，一端には径4〜6mmのくぼみがあって，その周辺にはしばしばがくの基部が残存し，他端には短い果柄又はその残基がある．真果は通例5室でしばしば5個に分裂する．この分果の長さは5〜8mm，淡褐色を呈し，通例，各々1個の種子を含む．ほとんどにおいがなく，僅かに酸味がある

2)*Crataegus pinnatifida* var. *major*に由来：1)と同様であるが，大形で，径17〜23mm，外面は赤褐色で艶があり，斑点状の毛の跡が明瞭である．一端にあるくぼみは径7〜9mm，分果は長さ10〜12mm，黄褐色を呈し，通例，成熟した種子を含まない．特異なにおいがあり，酸味がある

貯法　密閉容器

この生薬を含む主な医療用漢方処方　啓脾湯

サンシシ
Gardenia Fruit
GARDENIAE FRUCTUS

別名：山梔子

クチナシ*Gardenia jasminoides* Ellis（*Rubiaceae*）の果実で，ときには湯通し又は蒸したものである

性状　ほぼ長卵形〜卵形を呈し，長さ1〜5cm，幅1〜1.5cmである．外面は黄褐色〜黄赤色で，通例6本，まれに5本又は7本の明らかな隆起線がある．一端にはがく又はその跡があり，他端には果柄を付けているものもある．果皮の内面は黄褐色を呈し，平らで艶がある．内部は2室で，黄赤色〜暗赤色の胎座に種子の団塊が付く．種子はほぼ円形で扁平，長径約0.5cmで，黒褐色又は黄赤色である．弱いにおいがあり，味は苦い

貯法　密閉容器

この生薬を含む主な医療用漢方処方　茵蔯蒿湯，温清飲，黄連解毒湯，加味帰脾湯，加味逍遙散，荊芥連翹湯，五淋散，柴胡清肝湯，梔子柏皮湯，辛夷清肺湯，清上防風湯，清肺湯，防風通聖散，竜胆瀉肝湯

サンシシ末
Powdered Gardenia Fruit
GARDENIAE FRUCTUS PULVERATUS

別名：山梔子末

「サンシシ」を粉末としたものである

性状　黄褐色を呈し，弱いにおいがあり，味は苦い

貯法　密閉容器

サンシュユ
Cornus Fruit
CORNI FRUCTUS

別名：山茱萸

サンシュユ *Cornus officinalis* Siebold et Zuccarini (*Cornaceae*)の偽果の果肉である

性状　扁圧された長楕円形を呈し，長さ1.5～2cm，幅約1cmである．外面は暗赤紫色～暗紫色で艶があり，粗いしわがあり，真果を抜き取った裂け目がある．一端にがくの跡及び他端に果柄の跡がある．質は柔軟である．弱いにおいがあり，酸味があり，ときに僅かに甘い

貯法　密閉容器

この生薬を含む主な医療用漢方処方　牛車腎気丸，八味地黄丸，六味丸

サンショウ
Japanese Zanthoxylum Peel
ZANTHOXYLI PIPERITI PERICARPIUM

別名：山椒

サンショウ*Zanthoxylum piperitum* De Candolle(*Rutaceae*)の成熟した果皮で，果皮から分離した種子をできるだけ除いたものである

性状　2～3分果よりなるさく果の果皮で，各分果は扁球形を呈し，2片に開裂し，各片の径は約5mmである．果皮の外面は暗黄赤色～暗赤褐色で，油室による多数のくぼんだ小点がある．内面は淡黄白色である．特異な芳香があり，味は辛く舌を麻痺させる

貯法　密閉容器

この生薬を含む主な医療用漢方処方　大建中湯，当帰湯

サンショウ末
Powdered Japanese Zanthoxylum Peel
ZANTHOXYLI PIPERITI PERICARPIUM PULVERATUM

別名：山椒末

「サンショウ」を粉末としたものである

性状　暗黄褐色を呈し，強い特異な芳香があり，味は辛く舌を麻痺させる

貯法　気密容器

サンソウニン
Jujube Seed
ZIZIPHI SEMEN

別名：酸棗仁

サネブトナツメ*Ziziphus jujuba* Miller var. *spinosa* Hu ex H. F. Chou(*Rhamnaceae*)の種子である

性状　扁平な卵形～円形でレンズ状を呈し，長さ5～9mm，幅4～6mm，厚さ2～3mm，外面は褐色～暗赤褐色を呈し，艶がある．一端にはへそ，他端には合点がある．種皮はやや柔軟で，乳白色の内乳及び淡黄色の胚を包む．100粒の質量は3.0～4.5gである．僅かな油臭があり，緩和でやや油様である

貯法　密閉容器

この生薬を含む主な医療用漢方処方　加味帰脾湯，帰脾湯，酸棗仁湯

サンヤク
Dioscorea Rhizome
DIOSCOREAE RHIZOMA

別名：山薬

ヤマノイモ*Dioscorea japonica* Thunberg又はナガイモ*Dioscorea batatas* Decaisne(*Dioscoreaceae*)の周皮を除いた根茎(担根体)である

性状　円柱形～不整円柱形を呈し，長さ5～15cm，径1～4cm，ときには縦割又は横切したものである．外面は類白色～帯黄白色で，折面は類白色を呈し，平らで粉性である．質は堅いが，折りやすい．ほとんどにおい及び味がない

貯法　密閉容器

この生薬を含む主な医療用漢方処方　啓脾湯，牛車腎気丸，八味地黄丸，六味丸

サンヤク末
Powdered Dioscorea Rhizome
DIOSCOREAE RHIZOMA PULVERATUM

別名：山薬末

「サンヤク」を粉末としたものである

性状　帯黄白色～白色を呈し，ほとんどにおい及び味がない

貯法　気密容器

ジオウ
Rehmannia Root
REHMANNIAE RADIX

別名：地黄

アカヤジオウ*Rehmannia glutinosa* Liboschitz var. *purpurea* Makino 又は *Rehmannia glutinosa* Liboschitz (*Scrophulariaceae*)の根(乾ジオウ)又はそれを蒸したもの(熟ジオウ)である

性状　1)乾ジオウ：一端若しくは両端が細くなった塊状又は紡

錘形を呈し，長さ5～10cm，径0.5～3.0cmで，ときに折れ，又は著しく変形している．外面は黄褐色，黒褐色又は黒色を呈し，深い縦溝及びくびれがある．質は柔らかい．横切面は黄褐色，黒褐色又は黒色で，周辺部ほど色が濃い．特異なにおいがあり，味は初め僅かに甘く，後にやや苦い
2)熟ジオウ：不規則な塊状，一端若しくは両端が細くなった塊状又は紡錘形を呈し，長さ5～10cm，径0.5～3.0cmである．外面は黒色を呈し，通例光沢があり，深い縦溝及びくびれがある．質は柔らかく粘性である．横切面は黒色である．特異なにおいがあり，味は初め甘く，後に僅かに苦い

貯法　密閉容器

この生薬を含む主な医療用漢方処方　温清飲，芎帰膠艾湯，芎帰調血飲，荊芥連翹湯，牛車腎気丸，五淋散，柴胡清肝湯，三物黄芩湯，滋陰降火湯，七物降下湯，四物湯，炙甘草湯，十全大補湯，十全大補湯（熟ジオウ），潤腸湯，消風散，疎経活血湯，大防風湯，猪苓湯合四物湯，当帰飲子，人参養栄湯，八味地黄丸，竜胆瀉肝湯，六味丸

シゴカ
Eleutherococcus Senticosus Rhizome
ELEUTHEROCOCCI SENTICOSI RHIZOMA

別名：刺五加

エゾウコギ *Eleutherococcus senticosus* Maximowicz (*Acanthopanax senticosus* Harms) (*Araliaceae*)の根茎で，しばしば根を伴う

性状　やや曲った円柱形で，長さ15～30cm，径1～2.5cm，外面は灰褐色で，やや粗雑である．横切面は淡褐色を呈し，その大部分は木部で，皮層は薄く，中央部に髄がある．質は極めて堅い．僅かに特異なにおいがあり，味はほとんどないか僅かに甘く，収れん性がある

貯法　密閉容器

ジコッピ
Lycium Bark
LYCII CORTEX

別名：地骨皮

クコ *Lycium chinense* Miller又は *Lycium barbarum* Linné (*Solanaceae*)の根皮である

性状　厚さ1～6mmの管状又は半管状の皮片である．外側は淡褐色～淡黄褐色で，周皮はりん片状に剥がれやすい．内側は灰褐色を呈し，縦に条線がある．質はもろく，折面は灰白色を呈し，繊維性でない．特異な弱いにおいがあり，味は初め僅かに甘い

貯法　密閉容器

この生薬を含む主な医療用漢方処方　滋陰至宝湯，清心蓮子飲

シコン
Lithospermum Root
LITHOSPERMI RADIX

別名：紫根

ムラサキ *Lithospermum erythrorhizon* Siebold et Zuccarini (*Boraginaceae*)の根である

性状　やや細長い円錐形を呈し，しばしば分枝し，長さ6～10cm，径0.5～1.5cmである．外面は暗紫色を呈し，粗雑で薄く剥がれやすい．多くはねじれた深い縦溝があり，ときには木部まで達する．根頭には茎の残基を付けていることがある．折りやすく，折面は粒状で，裂け目が多い．横切面をルーペ視するとき，皮部の外側は暗紫色で，内側の淡褐色の部分は不規則な波状を呈し，木部は類黄色である．根頭部の中央はしばしば裂け目となり，その周辺は赤紫色を呈する．弱いにおいがあり，味は僅かに甘い

貯法　密閉容器

この生薬を含む主な医療用漢方処方　紫雲膏

シツリシ
Tribulus Fruit
TRIBULI FRUCTUS

別名：蒺藜子

ハマビシ *Tribulus terrestris* Linné (*Zygophyllaceae*)の果実である

性状　5角星状で，5個の分果からなり，径7～12mm，しばしば各分果に分離している．外面は灰緑色～灰褐色を呈し，各分果の外面に長短2対のとげがある．その1対は長さ3～7mm，他は長さ2～5mmである．肋線上に多くの小突起がある．果皮は堅く，切面は淡黄色を呈する．分果は1～3個の種子を含む．ほとんどにおいがなく，味は初め緩和で，後に苦い

貯法　密閉容器

この生薬を含む主な医療用漢方処方　当帰飲子

シャカンゾウ
Prepared Glycyrrhiza
GLYCYRRHIZAE RADIX PRAEPARATA

別名：炙甘草

「カンゾウ」を煎ったものである

性状　通例，切断したもので，外面は暗褐色～暗赤褐色で縦じわがあり，断面は褐色～淡黄褐色である．周皮が脱落したものは外面が褐色～淡黄褐色で繊維性である．横切面は，皮部と木部の境界がほぼ明らかで，放射状の構造を呈し，しばしば放射状に裂け目がある．香ばしいにおいがあり，味は甘く，後にやや苦い

貯法　密閉容器

この生薬を含む主な医療用漢方処方　炙甘草湯

シャクヤク
Peony Root
PAEONIAE RADIX

別名：芍薬

シャクヤク*Paeonia lactiflora* Pallas (*Paeoniaceae*) の根である

性状　円柱形を呈し，長さ7～20cm，径1～2.5cm，外面は褐色～淡灰褐色で，明らかな縦じわ及びいぼ状の側根の跡と横長の皮目がある．横切面は緻密で淡灰褐色を呈し，木部は淡褐色の放射状の線がある．特異なにおいがあり，味は初め僅かに甘く，後に渋くて僅かに苦い

貯法　密閉容器

この生薬を含む主な医療用漢方処方　温経湯，温清飲，黄耆建中湯，黄芩湯，葛根加朮附湯，葛根湯，葛根湯加川芎辛夷，加味逍遙散，芎帰膠艾湯，荊芥連翹湯，桂枝加黄耆湯，桂枝加葛根湯，桂枝加厚朴杏仁湯，桂枝加芍薬大黄湯，桂枝加芍薬湯，桂枝加朮附湯，桂枝加竜骨牡蛎湯，桂枝加苓朮附湯，桂枝湯，桂枝茯苓丸，桂枝茯苓丸料加薏苡仁，桂芍知母湯，桂麻各半湯，五積散，五淋散，柴胡桂枝湯，柴胡清肝湯，滋陰降火湯，滋陰至宝湯，四逆散，七物降下湯，四物湯，芍薬甘草湯，芍薬甘草附子湯，十全大補湯，小建中湯，小青竜湯，升麻葛根湯，真武湯，疎経活血湯，大柴胡湯，大柴胡湯去大黄，大防風湯，猪苓湯合四物湯，当帰飲子，当帰建中湯，当帰四逆加呉茱萸生姜湯，当帰芍薬散，当帰芍薬散加附子，当帰湯，人参養栄湯，排膿散及湯，防風通聖散，麻子仁丸，薏苡仁湯，竜胆瀉肝湯

シャクヤク末
Powdered Peony Root
PAEONIAE RADIX PULVERATA

別名：芍薬末

「シャクヤク」を粉末としたものである

性状　淡灰褐色を呈し，特異なにおいがあり，味は初め僅かに甘く，後に渋くて僅かに苦い

貯法　密閉容器

芍薬甘草湯エキス
Shakuyakukanzoto Extract

製法

	1)	2)
シャクヤク	6g	5g
カンゾウ	6g	5g

1) 又は2) の処方に従い生薬をとり，エキス剤の製法により乾燥エキス又は軟エキスとする

性状　淡褐色の粉末又は褐色の軟エキスで，僅かににおいがあり，味は甘い

貯法　気密容器

治療

効能・効果　急激に起こる筋肉の痙攣を伴う疼痛，筋肉・関節痛，胃痛，腹痛

用法・用量　**クラシエ**　**コタロー**　**マツウラ**　1日6g，食前又は食間2～3回に分服（適宜増減）

ジュンコウ　1日4.5g，食前又は食間2～3回に分服（適宜増減）

ツムラ　1日7.5g，食前又は食間2～3回に分服（適宜増減）

テイコク　1日3回，1回2.5g食前（適宜増減）

東洋　1日3回，1回1.5g空腹時（適宜増減）

本草　1日7.5g，食前又は食間3回に分服（適宜増減）

用法・用量に関連する使用上の注意　使用にあたっては，治療上必要な最小限の期間の投与にとどめる

使用上の注意

禁忌　①アルドステロン症の患者　②ミオパチーのある患者　③低カリウム血症のある患者［①～③：これらの疾患及び症状が悪化するおそれがある］

ジャショウシ
Cnidium Monnieri Fruit
CNIDII MONNIERIS FRUCTUS

別名：蛇床子

Cnidium monnieri Cusson (*Umbelliferae*) の果実である

性状　楕円体の双懸果で，しばしば分離している．長さ2～3mm，幅1～2mm，外面は淡褐色～褐色を呈し，各分果には通例5本の翼状を呈する隆起線がある．分果の接合面はほぼ平らである．特異なにおいがあり，かめば特異な香気があり，後やや麻痺性である

貯法　密閉容器

シャゼンシ
Plantago Seed
PLANTAGINIS SEMEN

別名：車前子

オオバコ*Plantago asiatica* Linné (*Plantaginaceae*) の種子である

性状　偏楕円体で，長さ2～2.5mm，幅0.7～1mm，厚さ0.3～0.5mm，外面は褐色～黄褐色を呈し，艶がある．ルーペ視するとき，ほぼ平滑で背面は弓状に隆起するが，腹面はややくぼんでいる．珠孔及び背線は認められない．100粒の質量は約0.05gである．ほとんどにおいがなく，味は僅かに苦く，粘液性である

貯法　密閉容器

この生薬を含む主な医療用漢方処方　牛車腎気丸，五淋散，清心蓮子飲，竜胆瀉肝湯

シャゼンソウ
Plantago Herb
PLANTAGINIS HERBA

別名：車前草

オオバコ*Plantago asiatica* Linné (*Plantaginaceae*) の花期の全草である

性状　通例，縮んでしわのよった葉及び花茎からなり，灰緑色～暗黄緑色を呈する．水に浸してしわを伸ばすと，葉身は卵形～広卵形で，長さ4～15cm，幅3～8cm，先端は鋭頭，基部は急に細まり，辺縁はやや波状を呈し，明らかな平行脈があ

り，無毛又はほとんど無毛である．葉柄は葉身よりやや長く，基部はやや膨らんで薄膜性の葉鞘を付ける．花茎は長さ10～50cmで，上部の1/3～1/2は穂状花序となり，小形の花を密に付け，しばしば花序の下部は結実してがい果を付ける．根は，通例，切除されているが，付けているものでは細いものが密生する．僅かににおいがあり，味はほとんどない

貯法 密閉容器

十全大補湯エキス
Juzentaihoto Extract

製法

	1)	2)	3)	4)
ニンジン	3g	3g	2.5g	3g
オウギ	3g	3g	2.5g	3g
ビャクジュツ	3g	－	3.5g	3g
ソウジュツ	－	3g	－	－
ブクリョウ	3g	3g	3.5g	3g
トウキ	3g	3g	3.5g	3g
シャクヤク	3g	3g	3g	3g
ジオウ	3g	3g	3.5g	3g
センキュウ	3g	3g	3g	3g
ケイヒ	3g	3g	3g	3g
カンゾウ	1.5g	1.5g	1g	1g

1)～4)の処方に従い生薬をとり，エキス剤の製法により乾燥エキス又は軟エキスとする

性状 淡褐色～褐色の粉末又は黒褐色の軟エキスで，僅かににおいがあり，味は甘く，苦い

貯法 気密容器

治療

効能・効果 **コタロー** 皮膚および粘膜が蒼白で，艶がなく，やせて貧血し，食欲不振や衰弱がはなはだしいもの．消耗性疾患，あるいは手術による衰弱，産後衰弱，全身衰弱時の諸症：低血圧症，貧血症，神経衰弱，疲労倦怠，胃腸虚弱，胃下垂

三和 貧血して皮膚及び可視粘膜が蒼白で，栄養不良，やせていて食欲がなく衰弱しているものの諸症：衰弱（産後，手術後，大病後）等の貧血症，低血圧症，白血病，痔ろう，カリエス，消耗性疾患による衰弱，出血，脱肛

その他 病後の体力低下，疲労倦怠，食欲不振，ねあせ，手足の冷え，貧血

用法・用量 **オースギ** 1日12g，食前又は食間2～3回に分服（適宜増減）

クラシエ **ジュンコウ** **ツムラ** 1日7.5g，食前又は食間2～3回に分服（適宜増減）

コタロー 1日15g，食前又は食間2～3回に分服（適宜増減）

三和 **本草** 1日9g，食前又は食間3回に分服（適宜増減）

テイコク 1日3回，1回3g食前（適宜増減）

東洋 1日3回，1回3g空腹時（適宜増減）

苦味重曹水
Sodium Bicarbonate and Bitter Tincture Mixture

製法

	1)
炭酸水素ナトリウム	30g
苦味チンキ	20mL
常水，精製水又は精製水（容器入り）	適量
全量	1000mL

以上をとり，用時製する

性状 類黄色澄明の液で，味は苦い

貯法 気密容器

ジュウヤク
Houttuynia Herb
HOUTTUYNIAE HERBA

別名：十薬

ドクダミ*Houttuynia cordata* Thunberg（*Saururaceae*）の花期の地上部である

性状 茎に互生した葉及び花穂からなり，茎は淡褐色を呈し，縦溝と隆起する節がある．水に浸してしわを伸ばすと，葉は広卵状心臓形で，長さ3～8cm，幅3～6cm，淡緑褐色を呈し，全縁で，先端は鋭くとがる．葉柄は長く，基部に膜質のたく葉が付いている．花穂は1～3cm，淡黄褐色で無花被の多数の小形の花を付け，その基部に長卵円形の淡黄色～淡黄褐色の総苞4枚がある．僅かににおいがあり，僅かに味がある

貯法 密閉容器

シュクシャ
Amomum Seed
AMOMI SEMEN

別名：縮砂

Amomum xanthioides Wallich（*Zingiberaceae*）の種子の塊である　*Amomum villosum* Loureiro var. *xanthioides* T. L. Wu & S. J. Chen，*Amomum villosum* Loureiro var. *villosum* 又は *Amomum longiligulare* T. L. Wu（*Zingiberaceae*）の種子の塊である

性状 ほぼ球形又は楕円球形を呈し，長さ1～1.5cm，径0.8～1cm，外面は灰褐色～暗褐色を呈し，石灰を散布して乾燥したものは白粉を付けている．種子塊は薄い膜で3部に分かれ，各部には仮種皮によって接合する10～20粒の種子がある．種子は多角形の粒状で，長さ0.3～0.5cm，径約0.3cm，外面には暗褐色で多数の細かい突起があり，質は堅い．種子を背線に沿って縦断し，ルーペ視するとき，切面は細長く，へそは深くくぼみ，合点はややくぼんでいる．周乳は白色で，淡黄色の内乳及び胚を包み，胚は細長い．砕くとき特異な芳香があり，味は辛い

貯法 密閉容器

この生薬を含む主な医療用漢方処方 安中散

シュクシャ末
Powdered Amomum Seed
AMOMI SEMEN PULVERATUM

別名：縮砂末

「シュクシャ」を粉末としたものである
性状　灰褐色を呈し，特異な芳香があり，味は辛い
貯法　気密容器

ショウキョウ
Ginger
ZINGIBERIS RHIZOMA

別名：生姜
乾生姜

ショウガ*Zingiber officinale* Roscoe(*Zingiberaceae*)の根茎で，ときに周皮を除いたものである
性状　扁圧した不規則な塊状でしばしば分枝する．分枝した各部はやや湾曲した卵形又は長卵形を呈し，長さ2～4cm，径1～2cmである．外面は灰白色～淡灰褐色で，しばしば白粉を付けている．折面はやや繊維性，粉性で，淡黄褐色を呈する．横切面をルーペ視するとき，皮層と中心柱は明瞭に区分され，その全面に維管束及び分泌物が暗褐色の細点として散在する．特異なにおいがあり，味は極めて辛い
貯法　密閉容器
この生薬を含む主な医療用漢方処方　胃苓湯，温経湯，越婢加朮湯，黄耆建中湯，黄連湯，葛根加朮附湯，葛根湯，葛根湯加川芎辛夷，加味帰脾湯，加味逍遙散，帰脾湯，芎帰調血飲，九味檳榔湯，桂枝加黄耆湯，桂枝加葛根湯，桂枝加厚朴杏仁湯，桂枝加芍薬大黄湯，桂枝加芍薬湯，桂枝加朮附湯，桂枝加竜骨牡蛎湯，桂枝加苓朮附湯，桂枝湯，桂芍知母湯，桂麻各半湯，香蘇散，五積散，呉茱萸湯，柴陥湯，柴胡加竜骨牡蛎湯，柴胡桂枝湯，柴朴湯，柴苓湯，四君子湯，炙甘草湯，十味敗毒湯，小建中湯，小柴胡湯，小柴胡湯加桔梗石膏，小青竜湯，小半夏加茯苓湯，升麻葛根湯，参蘇飲，真武湯，清肺湯，疎経活血湯，大柴胡湯，大柴胡湯去大黄，大防風湯，竹茹温胆湯，釣藤散，当帰建中湯，当帰四逆加呉茱萸生姜湯，二朮湯，二陳湯，排膿散及湯，半夏厚朴湯，半夏瀉心湯，半夏白朮天麻湯，茯苓飲，茯苓飲合半夏厚朴湯，平胃散，防已黄耆湯，防風通聖散，補中益気湯，六君子湯

ショウキョウ末
Powdered Ginger
ZINGIBERIS RHIZOMA PULVERATUM

別名：生姜末
乾生姜末

「ショウキョウ」を粉末としたものである
性状　淡灰褐色～淡灰黄色を呈し，特異なにおいがあり，味は極めて辛い
貯法　気密容器

小柴胡湯エキス
Shosaikoto Extract

製法

	1)	2)
サイコ	7g	6g
ハンゲ	5g	5g
ショウキョウ	1g	1g
オウゴン	3g	3g
タイソウ	3g	3g
ニンジン	3g	3g
カンゾウ	2g	2g

1)又は2)の処方に従い生薬をとり，エキス剤の製法により乾燥エキス又は軟エキスとする
性状　淡褐色～灰褐色の粉末又は黒灰褐色の軟エキスで，僅かににおいがあり，味は初めやや甘く，後にやや辛く，苦い
貯法　気密容器

治療

効能・効果　①体力中等度で上腹部がはって苦しく，舌苔を生じ，口中不快，食欲不振，ときにより微熱，悪心等のあるものの次の諸症：諸種の急性熱性病，肺炎，気管支炎，気管支喘息，感冒，リンパ腺炎，慢性胃腸障害，産後回復不全　②慢性肝炎における肝機能障害の改善
用法・用量　オースギ　コタロー　JPS　ツムラ　1日7.5g又は(オースギ)18錠，食前又は食間2～3回に分服(適宜増減)
クラシエ　ジュンコウ　マツウラ　1日6g又は(クラシエ)18錠，食前又は食間2～3回に分服(適宜増減)
三和　本草　1日7.5g，食前又は食間3回に分服(適宜増減)
太虎堂　1日6g，食前又は食間3回に分服(適宜増減)
テイコク　1日3回，1回2.5g食前(適宜増減)
東洋　1日3回，1回2.5g空腹時(適宜増減)

使用上の注意

警告　①投与により，間質性肺炎が起こり，早期に適切な処置を行わない場合，死亡等の重篤な転帰に至ることがあるので，患者の状態を十分観察し，発熱，咳嗽，呼吸困難，肺音の異常(捻髪音)，胸部X線異常等が現れた場合には，ただちに本剤を中止する　②発熱，咳嗽，呼吸困難等が現れた場合には，本剤を中止し，ただちに連絡するよう患者に対し注意を行う

禁忌　①インターフェロン製剤を投与中の患者　②肝硬変，肝癌の患者［間質性肺炎が起こり，死亡等の重篤な転帰に至ることがある］　③慢性肝炎における肝機能障害で血小板数が10万/mm^{3}以下の患者［肝硬変が疑われる］

ショウズク
Cardamon
CARDAMOMI FRUCTUS

別名：小豆蔲
小豆蔻

Elettaria cardamomum Maton(*Zingiberaceae*)の果実である．用時種子のみを用いる
性状　ほぼ長楕円球形を呈し，長さ1～2cm，径0.5～1cmである．外面は淡黄色で3本の鈍い稜と多数の縦線があり，一端には0.1～0.2cmの小突起がある．果皮は薄く軽く繊維性である．内部は薄い膜によって縦に3室に分かれ，各室中には仮種皮によって接合する3～7個の種子がある．種子は不整有角性の卵形を呈し，長さ0.3～0.4cmで，暗褐色～黒褐色であ

る．背部は凸形で，腹部には深い縦溝があり，外面には粗雑な小隆起がある．種子は特異な芳香があり，味は辛くて僅かに苦く，果皮は僅かに特異なにおいがあり，味はほとんどない

貯法　密閉容器

小青竜湯エキス
Shoseiryuto Extract

製法

	1)	2)
マオウ	3g	3g
シャクヤク	3g	3g
カンキョウ	3g	－
ショウキョウ	－	3g
カンゾウ	3g	3g
ケイヒ	3g	3g
サイシン	3g	3g
ゴミシ	3g	3g
ハンゲ	6g	6g

1)又は2)の処方に従い生薬をとり，エキス剤の製法により乾燥エキス又は軟エキスとする

性状　淡褐色～褐色の粉末又は黒褐色の軟エキスで，特異なにおいがあり，味は初め酸味があり，後に辛い

貯法　気密容器

治療

効能・効果　次の疾患における水様の痰，水様鼻汁，鼻閉，くしゃみ，喘鳴，咳嗽，流涙：気管支炎，気管支喘息，鼻炎，アレルギー性鼻炎，アレルギー性結膜炎，感冒

用法・用量　**オースギ**　**コタロー**　**JPS**　1日7.5g又は(オースギ)18錠，食前又は食間2～3回に分服(適宜増減)

クラシエ　1日6g又は18錠，食前又は食間2～3回に分服(適宜増減)

三和　1日9g，食前又は食間3回に分服(適宜増減)

太虎堂　**本草**　1日7.5g，食前又は食間3回に分服(適宜増減)

ツムラ　1日9g，食前又は食間2～3回に分服(適宜増減)

テイコク　1日3回，1回3g食前(適宜増減)

使用上の注意

禁忌　①アルドステロン症の患者　②ミオパチーのある患者　③低カリウム血症のある患者［①～③：これらの疾患及び症状が悪化するおそれがある］

ショウマ
Cimicifuga Rhizome
CIMICIFUGAE RHIZOMA

別名：升麻

サラシナショウマ*Cimicifuga simplex* Turczaninow，*Cimicifuga dahurica* Maximowicz，*Cimicifuga foetida* Linné又は*Cimicifuga heracleifolia* Komarov(*Ranunculaceae*)の根茎である

性状　結節状不整形を呈し，長さ6～18cm，径1～2.5cmである．外面は暗褐色～黒褐色で，多数の根の残基を付ける．また，しばしば地上茎の残基があり，その中央はくぼみ，周辺は色が薄く，放射状の模様を呈する．折面は繊維性で，髄は暗褐色を呈し，しばしばうつろになっている．質は軽くて堅い．ほとんどにおいがなく，味は苦くて僅かに渋い

貯法　密閉容器

この生薬を含む主な医療用漢方処方　乙字湯，升麻葛根湯，辛夷清肺湯，補中益気湯，立効散

シンイ
Magnolia Flower
MAGNOLIAE FLOS

別名：辛夷

タムシバ*Magnolia salicifolia* Maximowicz，コブシ*Magnolia kobus* De Candolle，*Magnolia biondii* Pampanini，*Magnolia sprengeri* Pampanini又はハクモクレン*Magnolia heptapeta* Dandy(*Magnolia denudata* Desrousseaux)(*Magnoliaceae*)のつぼみである

性状　紡錘形を呈し，長さ15～45mm，中央の径6～20mm，基部にしばしば木質の花柄を付ける．ほう葉は，通例，3枚で，外面には毛がまばらにあって褐色～暗褐色を呈するか，又は密毛があって灰白色～淡黄褐色を呈し，内面は平滑で暗褐色を呈する．内部に9枚又は12枚の花被片があり，花被片は同形又は外側の3枚が小さい．雄ずいは50～100本あり，雌ずいも多数ある．質はもろい．特有のにおいがあり，味は辛くて，やや苦い

貯法　密閉容器

この生薬を含む主な医療用漢方処方　葛根湯加川芎辛夷，辛夷清肺湯

シンギ
Hedysarum Root
HEDYSARI RADIX

別名：晋耆
紅耆

Hedysarum polybotrys Handel-Mazzetti(*Leguminosae*)の根である

性状　ほぼ円柱形を呈し，長さ20～100cm，径0.5～2.5cm，外面は黄褐色～赤褐色で，不規則な縦じわがあり，しばしば横長の皮目及び側根の跡がある．外皮は剥がれやすく，剥がれた跡は淡黄褐色～淡赤褐色を呈する．質は柔軟で折りにくく，折面は繊維性で，粉質である．横切面は皮部が類白色，形成層付近はやや褐色を帯び，木部は淡黄褐色を呈し，放射組織が明瞭である．僅かに特異なにおいがあり，味は僅かに甘い

貯法　密閉容器

真武湯エキス
Shimbuto Extract

製法

	1)	2)	3)	4)
ブクリョウ	5g	5g	5g	4g
シャクヤク	3g	3g	3g	3g
ビャクジュツ	3g	−	3g	−
ソウジュツ	−	3g	−	3g
ショウキョウ	1g	1g	0.8g	1.5g
ブシ(ブシ1)	1g	−	−	−
ブシ末(ブシ末1)	−	1g	−	0.5g
ブシ末(ブシ末2)	−	−	1g	−

1)〜4)の処方に従い生薬をとり，エキス剤の製法により乾燥エキスとする

性状 淡黄褐色〜褐色の粉末で，特異なにおいがあり，味は辛く，苦い

貯法 気密容器

治療

効能・効果 コタロー 冷え，倦怠感が強く，めまいや動悸があって尿量減少し，下痢しやすいもの：慢性下痢，胃下垂症，低血圧症，高血圧症，慢性腎炎，かぜ

三和 新陳代謝機能の衰退により，四肢や腰部が冷え，疲労倦怠感が著しく，尿量減少して，下痢しやすく動悸やめまいを伴うものの次の諸症：胃腸虚弱症，慢性胃腸カタル，慢性腎炎

JPS 新陳代謝が沈衰しているものの次の諸症：諸種の熱病，内臓下垂症，胃腸弛緩症，慢性腸炎，慢性腎炎，蕁麻疹，湿疹，脳出血，脊髄疾患による運動及び知覚麻痺

ツムラ 新陳代謝の沈衰しているものの次の諸症：胃腸疾患，胃腸虚弱症，慢性腸炎，消化不良，胃アトニー症，胃下垂症，ネフローゼ，腹膜炎，脳溢血，脊髄疾患による運動ならびに知覚麻痺，神経衰弱，高血圧症，心臓弁膜症，心不全で心悸亢進，半身不随，リウマチ，老人性そう痒症

用法・用量 コタロー 1日6g，食前又は食間2〜3回に分服(適宜増減)

三和 1日4.5g，食前又は食間3回に分服(適宜増減)

JPS ツムラ 1日7.5g，食前又は食間2〜3回に分服(適宜増減)

セッコウ
Gypsum
GYPSUM FIBROSUM

別名：石膏

天然の含水硫酸カルシウムで，組成はほぼ$CaSO_4 \cdot 2H_2O$である

性状 光沢のある白色の重い繊維状結晶塊で，砕くと容易に針状〜微細結晶性の粉末となる．におい及び味がない．水に溶けにくい

貯法 密閉容器

この生薬を含む主な医療用漢方処方 越婢加朮湯，桔梗石膏，五虎湯，小柴胡湯加桔梗石膏，消風散，辛夷清肺湯，釣藤散，白虎加人参湯，防風通聖散，麻杏甘石湯，木防已湯

焼セッコウ
Exsiccated Gypsum
GYPSUM EXSICCATUM

別名：焼石膏

ほぼ$CaSO_4 \cdot 1/2H_2O$の組成を有する

性状 白色〜灰白色の粉末で，におい及び味はない．水に溶けにくく，エタノール(95)にほとんど溶けない．空気中に放置するとき，徐々に水分を吸収して固結性を失う．200℃以上に加熱して無水物とするとき，固結性を失う

貯法 気密容器

生薬等セ

セネガ
Senega
SENEGAE RADIX

セネガ*Polygala senega* Linné又はヒロハセネガ*Polygala senega* Linné var. *latifolia* Torrey et Gray(*Polygalaceae*)の根である

性状 細長い円錐形を呈し，多くは分枝し，長さ3〜10cm，主根の径は0.5〜1.5cmである．外面は淡灰褐色〜灰褐色を呈し，多くの縦じわがあり，ときにはねじれた隆起線がある．根頭部は塊状で，茎の残基及び赤色の芽を付けることがある．分枝した側根はねじれて屈曲する．横切面の皮部は灰褐色，木部は類黄白色で，通例，円形であるが，ときにはくさび形〜半円形に欠け込み，その反対側の皮部は厚くなる．サリチル酸メチル様の特異なにおいがあり，味は初め甘く，後にえぐい

貯法 密閉容器

セネガ末
Powdered Senega
SENEGAE RADIX PULVERATA

「セネガ」を粉末としたものである

性状 淡褐色を呈し，サリチル酸メチル様の特異なにおいがあり，味は初め甘く，後にえぐい

貯法 密閉容器

セネガシロップ
Senega Syrup

製法

	1)
セネガ，中切	40g
白糖	780g
10vol%エタノール	適量
精製水又は精製水(容器入り)	適量
全量	1000mL

「セネガ」に10vol%エタノール400mLを加えて，1〜2日間浸漬し，浸出液をろ過し，残留物に更に10vol%エタノール少

量ずつを加えて洗い，洗液はろ過してろ液に合わせ，全量を約500mLとし，これに「白糖」を加え，必要ならば加温して溶かし，更に「精製水」又は「精製水(容器入り)」を加え，1000mLとして製する．ただし，10vol%エタノールの代わりに「エタノール」，及び「精製水」又は「精製水(容器入り)」適量を用いて製することができる

性状 黄褐色の濃稠な液で，サリチル酸メチル様の特異なにおいがあり，味は甘い

貯法 気密容器

センキュウ
Cnidium Rhizome
CNIDII RHIZOMA

別名：川芎

センキュウ*Cnidium officinale* Makino(*Umbelliferae*)の根茎を，通例，湯通ししたものである

性状 不規則な塊状を呈し，ときには縦割され，長さ5～10cm，径3～5cmである．外面は灰褐色～暗褐色で，重なり合った結節があり，その表面にこぶ状の隆起がある．縦断面は辺縁が不整に分枝し，内面は灰白色～灰褐色，半透明でときにはうつろがある．質は密で堅い．特異なにおいがあり，味は僅かに苦い

貯法 密閉容器

この生薬を含む主な医療用漢方処方 温経湯，温清飲，葛根湯加川芎辛夷，芎帰膠艾湯，芎帰調血飲，荊芥連翹湯，五積散，柴胡清肝湯，酸棗仁湯，七物降下湯，四物湯，十全大補湯，十味敗毒湯，清上防風湯，川芎茶調散，疎経活血湯，大防風湯，治打撲一方，治頭瘡一方，猪苓湯合四物湯，当帰飲子，当帰芍薬散，当帰芍薬散加附子，女神散，防風通聖散，抑肝散，抑肝散加陳皮半夏，竜胆瀉肝湯

センキュウ末
Powdered Cnidium Rhizome
CNIDII RHIZOMA PULVERATUM

別名：川芎末

「センキュウ」を粉末としたものである

性状 灰色～淡灰褐色を呈し，特異なにおいがあり，味は僅かに苦い

貯法 気密容器，遮光保存

ゼンコ
Peucedanum Root
PEUCEDANI RADIX

別名：前胡

1)*Peucedanum praeruptorum* Dunnの根(白花ゼンコ)又は2)ノダケ*Angelica decursiva* Franchet et Savatier(*Peucedanum decursivum* Maximowicz)(*Umbelliferae*)の根(紫花ゼンコ)である

性状 1)白花ゼンコ：細長い倒円錐形～円柱形を呈し，下部はときに二股になる．長さ3～15cm，根頭部の径は0.8～1.8cmである．外面は淡褐色～暗褐色を呈し，根頭部には多数の輪節状のしわがあり，毛状を呈する葉柄の残基を付けるものもある．根にはやや深い縦じわ及び側根を切除した跡がある．横切面は淡褐色～類白色を呈する．質はもろい．特異なにおいがあり，味は僅かに苦い

2)紫花ゼンコ：1)と同様であるが，根頭部に毛状を呈する葉柄の残基をつけない．特異なにおいがあり，味は僅かに苦い

貯法 密閉容器

この生薬を含む主な医療用漢方処方 参蘇飲

センコツ
Nuphar Rhizome
NUPHARIS RHIZOMA

別名：川骨

コウホネ*Nuphar japonica* De Candolle，ネムロコウホネ*Nuphar pumila* De Candolle又はそれらの種間雑種(*Nymphaeaceae*)の根茎を縦割したものである

性状 通例，不整円柱形を縦割した片で，ねじれ，曲がり又は多少押しつぶされている．長さ20～30cm，幅約2cmである．外面は暗褐色，断面は白色～灰白色を呈し，一面には径約1cmのほぼ円形～やや三角形の葉柄の跡があり，他面には径0.3cm以下の多くの根の跡がある．質は軽く海綿様で折りやすく，折面は平らで粉性である．横切面をルーペ視するとき，外辺は黒色で，内部は多孔性の組織からなり，維管束が散在する．弱いにおいがあり，味は僅かに苦く不快である

貯法 密閉容器

この生薬を含む主な医療用漢方処方 治打撲一方

センソ
Toad Cake
BUFONIS CRUSTUM

別名：蟾酥

アジアヒキガエル*Bufo gargarizans* Cantor又は*Bufo melanostictus* Schneider(*Bufonidae*)の耳腺の分泌物を集めたものである

性状 底面がくぼみ，上面が盛り上がった円盤形を呈し，径約8cm，厚さ約1.5cm，1個の質量80～90g，又は両面がほぼ平らな円盤形で，径約3cm，厚さ約0.5cm，1個の質量約8gである．外面は赤褐色～黒褐色で，やや艶があり，ほぼ均等な角質で堅く，折りにくい．破砕面はほぼ平らで，破片の辺縁は赤褐色，半透明である．においがない

貯法 密閉容器

センナ
Senna Leaf
SENNAE FOLIUM

Cassia angustifolia Vahl又は*Cassia acutifolia* Delile(*Leguminosae*)の小葉である

性状　ひ針形～狭ひ針形を呈し，長さ1.5～5cm，幅0.5～1.5cm，淡灰黄色～淡灰黄緑色である．全縁で先端はとがり，葉脚は非相称，小葉柄は短い．ルーペ視するとき，葉脈は浮き出て，一次側脈は辺縁に沿って上昇し，直上の側脈に合一する．下面は僅かに毛がある．弱いにおいがあり，味は苦い
貯法　密閉容器

センナ末
Powdered Senna Leaf
SENNAE FOLIUM PULVERATUM

「センナ」を粉末としたものである
性状　淡黄色～淡灰黄緑色を呈し，弱いにおいがあり，味は苦い
貯法　密閉容器

センブリ
Swertia Herb
SWERTIAE HERBA

別名：当薬

センブリ*Swertia japonica* Makinc (*Gentianaceae*)の開花期の全草である
性状　花，対生する葉，茎及び通例短い木質の根からなり，長さ10～50cmである．茎は方柱形で，径約2mm，しばしば分枝する．葉及び茎は暗緑色～暗紫色又は黄褐色で，花は白色～類白色，根は黄褐色を呈する．水に浸してしわを伸ばすと，葉は線形～狭ひ針形で，長さ1～4cm，幅0.1～0.5mm，全縁で無柄である．花冠は5深裂し，裂片は狭長楕円形で，ルーペ視するとき，内面の基部に2個の楕円形の蜜腺が並列し，その周辺はまつ毛状を呈する．雄ずいは5個で，花冠の筒部から生じ，花冠の裂片と交互に配列する．花柄は明らかである．僅かににおいがあり，味は極めて苦く，残留性である
貯法　密閉容器

センブリ末
Powdered Swertia Herb
SWERTIAE HERBA PULVERATA

別名：当薬末

「センブリ」を粉末としたものである
性状　灰黄緑色～黄褐色を呈し，僅かににおいがあり，味は極めて苦く，残留性である
貯法　密閉容器

センブリ・重曹散
Swertia and Sodium Bicarbonate Powder

製法

	1)
センブリ末	30g
炭酸水素ナトリウム	700g
デンプン，乳糖水和物又はこれらの混合物	適量
全量	1000g

以上をとり，散剤の製法により製する
性状　淡灰黄色で，味は苦い
貯法　密閉容器

ソウジュツ
Atractylodes Lancea Rhizome
ATRACTYLODIS LANCEAE RHIZOMA

別名：蒼朮

ホソバオケラ*Atractylodes lancea* De Candolle，シナオケラ*Atractylodes chinensis* Koidzumi又はそれらの種間雑種(*Compositae*)の根茎である
性状　不規則に屈曲した円柱形を呈し，長さ3～10cm，径1～2.5cm，外面は暗灰褐色～暗黄褐色である．横切面はほぼ円形で，淡褐色～赤褐色の分泌物による細点を認める．しばしば白色綿状の結晶を析出する．特異なにおいがあり，味は僅かに苦い
貯法　密閉容器
この生薬を含む主な医療用漢方処方　胃苓湯，茵蔯五苓散，越婢加朮湯，葛根加朮附湯，加味帰脾湯，加味逍遙散，桂枝加朮附湯，桂枝加苓朮附湯，桂枝人参湯，啓脾湯，五積散，五苓散，柴苓湯，滋陰降火湯，四君子湯，十全大補湯，消風散，真武湯，清暑益気湯，疎経活血湯，大防風湯，治頭瘡一方，当帰芍薬散，二朮湯，女神散，人参湯，半夏白朮天麻湯，茯苓飲，茯苓飲合半夏厚朴湯，平胃散，防已黄耆湯，補中益気湯，薏苡仁湯，抑肝散，抑肝散加陳皮半夏，六君子湯，苓桂朮甘湯

ソウジュツ末
Powdered Atractylodes Lancea Rhizome
ATRACTYLODIS LANCEAE RHIZOMA PULVERATUM

別名：蒼朮末

「ソウジュツ」を粉末としたものである
性状　黄褐色を呈し，特異なにおいがあり，味は僅かに苦い
貯法　気密容器
この生薬を含む主な医療用漢方処方　四苓湯

ソウハクヒ
Mulberry Bark
MORI CORTEX

別名：桑白皮

マグワ*Morus alba* Linné (*Moraceae*) の根皮である

性状　管状，半管状又は帯状の皮片で，厚さ1～6mm，しばしば細かく横切される．外面は白色～黄褐色を呈し，周皮を付けたものは，周皮が黄褐色で剥がれやすく，多くの細かい縦じわと赤紫色で横長の皮目が多数ある．内面は暗黄褐色で，平らである．横切面は繊維性で白色～淡褐色である．僅かににおい及び味がある

貯法　密閉容器

この生薬を含む主な医療用漢方処方　五虎湯，清肺湯

ソボク
Sappan Wood
SAPPAN LIGNUM

別名：蘇木

Caesalpinia sappan Linné (*Leguminosae*) の心材である

性状　切片，削片又は短い木片で，黄赤色～灰黄褐色を呈し，ときには淡褐色～灰白色の辺材を付けることがある．質は堅い．横断面には年輪様の紋様がある．におい及び味がほとんどない

貯法　密閉容器

この生薬を含む主な医療用漢方処方　通導散

ソヨウ
Perilla Herb
PERILLAE HERBA

別名：紫蘇葉
　　　蘇葉

シソ *Perilla frutescens* Britton var. *crispa* W. Deane (*Labiatae*) の葉及び枝先である

性状　通例，しわがよって縮んだ葉からなり，しばしば細い茎を含む．葉は両面とも帯褐紫色，又は上面は灰緑色～帯褐緑色で下面は帯褐紫色を呈する．水に浸してしわを伸ばすと，葉身は広卵形～倒心臓形で，長さ5～12cm，幅5～8cm，先端はややとがり，辺縁に鋸歯があり，基部は広いくさび状を呈する．葉柄は長さ3～5cmである．茎及び葉柄の横断面は方形である．葉をルーペ視するとき，両面に毛を認め，毛は葉脈上に多く，他はまばらである．下面には細かい腺毛を認める．特異なにおいがあり，味は僅かに苦い

貯法　密閉容器

この生薬を含む主な医療用漢方処方　九味檳榔湯，香蘇散，柴朴湯，参蘇飲，神秘湯，半夏厚朴湯，茯苓飲合半夏厚朴湯

ダイオウ
Rhubarb
RHEI RHIZOMA

別名：大黄

Rheum palmatum Linné, *Rheum tanguticum* Maximowicz, *Rheum officinale* Baillon, *Rheum coreanum* Nakai又はそれらの種間雑種 (*Polygonaceae*) の，通例，根茎である

性状　卵形，長卵形又は円柱形を呈し，しばしば横切又は縦割され，径4～10cm，長さ5～15cmである．皮層の大部分を除いたものでは，外面は平滑で，黄褐色～淡褐色を呈し，白色の細かい網目の模様が見られるものがあり，質は緻密で堅い．コルク層を付けているものでは，外面は暗褐色又は赤黒色を呈し，粗いしわがあり，質は粗くてもろい．破砕面は繊維性でない．横切面は灰褐色，淡灰褐色又は褐色で，黒褐色に白色及び淡褐色の入り組んだ複雑な模様がある．この模様は形成層の付近でしばしば放射状を呈し，また，髄では径1～3mmの褐色の小円の中心から放射状に走るつむじ様の組織からなり，環状に並ぶか，又は不規則に散在している．特異なにおいがあり，味は僅かに渋くて苦い．かめば細かい砂をかむような感じがあり，唾液を黄色に染める

貯法　密閉容器

この生薬を含む主な医療用漢方処方　茵蔯蒿湯，乙字湯，九味檳榔湯，桂枝加芍薬大黄湯，柴胡加竜骨牡蛎湯，三黄瀉心湯，潤腸湯，大黄甘草湯，大黄牡丹皮湯，大柴胡湯，大承気湯，治打撲一方，治頭瘡一方，調胃承気湯，通導散，桃核承気湯，防風通聖散，麻子仁丸

ダイオウ末
Powdered Rhubarb
RHEI RHIZOMA PULVERATUM

別名：大黄末

「ダイオウ」を粉末としたものである

性状　褐色を呈し，特異なにおいがあり，味は僅かに渋くて苦い．かめば細かい砂をかむような感じがあり，唾液を黄色に染める

貯法　密閉容器

複方ダイオウ・センナ散
Compound Rhubarb and Senna Powder

製法

センナ末	110g
ダイオウ末	110g
イオウ	555g
酸化マグネシウム	225g
全量	1000g

以上をとり，散剤の製法により製する

性状　黄褐色で，特異なにおいがあり，味は苦い

貯法　密閉容器

大黄甘草湯エキス
Daiokanzoto Extract

製法

	1)	2)
ダイオウ	4g	4g
カンゾウ	1g	2g

1)又は2)の処方に従い生薬をとり，エキス剤の製法により乾燥エキスとする

性状　褐色の粉末で，特異なにおいがあり，味は渋く，後に僅かに甘い

貯法　気密容器

治療

効能・効果　便秘症

用法・用量　**オースギ** 1日3g又は6錠，食前又は食間2～3回に分服(適宜増減)

ツムラ 1日7.5g，食前又は食間2～3回に分服(適宜増減)

無コウイ大建中湯エキス
Mukoi-Daikenchuto Extract

製法

	1)
サンショウ	2g
ニンジン	3g
カンキョウ	5g

1)の処方に従い生薬をとり，エキス剤の製法により乾燥エキスとする

性状　淡褐色の粉末で，僅かににおいがあり，味は辛い

貯法　気密容器

治療

効能・効果　〔大建中湯〕

コタロー 腹壁胃腸弛緩し，腹中に冷感を覚え，嘔吐，腹部膨満感があり，腸のぜん動亢進とともに，腹痛の甚だしいもの：胃下垂，胃アトニー，弛緩性下痢，弛緩性便秘，慢性腹膜炎，腹痛

ツムラ 腹が冷えて痛み，腹部膨満感のあるもの

用法・用量　〔大建中湯〕

コタロー 1日27g，食前又は食間2～3回に分服(適宜増減)

ツムラ 1日15g，食前又は食間2～3回に分服(適宜増減)

大柴胡湯エキス
Daisaikoto Extract

製法

	1)	2)	3)	4)	5)
サイコ	6g	6g	6g	6g	6g
ハンゲ	4g	4g	4g	3g	4g
オウゴン	3g	3g	3g	3g	3g
シャクヤク	3g	3g	3g	3g	3g
タイソウ	3g	3g	3g	3g	3g
キジツ	2g	2g	2g	2g	2g
ショウキョウ	1g	1g	2g	1g	1.5g
ダイオウ	1g	2g	1g	1g	2g

1)～5)の処方に従い生薬をとり，エキス剤の製法により乾燥エキス又は軟エキスとする

性状　淡黄褐色～褐色の粉末又は黒褐色の軟エキスで，僅かににおいがあり，味は初め辛く，後に苦い

貯法　気密容器

治療

効能・効果　**コタロー** 肝臓部圧迫感，またはみぞおちが固く張って，胸や脇腹にも痛みや圧迫感があり，便秘するもの，あるいはかえって下痢するもの，耳鳴，肩こり，疲労感，食欲減退等を伴うこともあるもの(高血圧，動脈硬化，常習便秘，肥満症，黄疸，胆石症，胆嚢炎，胃腸病，気管支喘息，不眠症，神経衰弱，陰萎，痔疾，半身不随)

三和 胸や脇腹に圧迫感や痛みがあって胃部が硬く，つかえて便秘するもの，あるいは下痢したり，耳鳴り，食欲減退，疲労等を伴うものの次の諸症(胆嚢炎，胆石症，黄疸，胃腸カタル，動脈硬化，高血圧症，脳溢血，半身不随，肥満症，喘息，神経衰弱，不眠症，常習便秘，痔疾，肋間神経痛)

ツムラ 比較的体力のある人で，便秘がちで，上腹部が張って苦しく，耳鳴り，肩こり等を伴うものの次の諸症(胆石症，胆嚢炎，黄疸，肝機能障害，高血圧症，脳溢血，蕁麻疹，胃酸過多症，急性胃腸カタル，悪心，嘔吐，食欲不振，痔疾，糖尿病，ノイローゼ，不眠症)

その他 がっしりとした体格で比較的体力があり，便秘の傾向のあるものの次の諸症(胃炎，常習便秘，高血圧に伴う肩こり・頭痛・便秘，肩こり，肥胖症)

用法・用量　**オースギ** **JPS** **ツムラ** 1日7.5gまたは18錠，食前または食間2～3回に分服(適宜増減)

クラシエ **ジュンコウ** 1日6gまたは18錠，食前または食間2～3回に分服(適宜増減)

コタロー 1日9g，食前または食間2～3回に分服(適宜増減)

三和 1日9g，食前または食間3回に分服(適宜増減)

太虎堂 1日6g，食前または食間3回に分服(適宜増減)

テイコク 1日3回，1回3g食前(適宜増減)

東洋 1日3回，1回2g空腹時(適宜増減)

本草 1日7.5g，食前または食間3回に分服(適宜増減)

ダイズ油
Soybean Oil
OLEUM SOJAE

ダイズ*Glycine max* Merrill(*Leguminosae*)の種子から得た脂肪油である

性状　微黄色澄明の油で，においはないか，又は僅かににおいがあり，味は緩和である．ジエチルエーテル又は石油エーテルと混和する．エタノール(95)に溶けにくく，水にほとんど溶けない．－10～－17℃で凝固する．脂肪酸の凝固点：22～27℃

貯法　気密容器

タイソウ
Jujube
ZIZIPHI FRUCTUS

別名：大棗

ナツメ *Ziziphus jujuba* Miller var. *inermis* Rehder (*Rhamnaceae*)の果実である

性状　楕円球形又は広卵形を呈し，長さ2～3cm，径1～2cmで

ある．外面は赤褐色で粗いしわがあるか，又は暗灰赤色で細かいしわがあり，いずれも艶がある．両端はややくぼみ，一端に花柱の跡，他端に果柄の跡がある．外果皮は薄く革質で，中果皮は厚く暗灰褐色を呈し，海綿様で柔らかく，粘着性があり，内果皮は極めて堅く紡錘形で，2室に分かれる．種子は卵円形で扁平である．弱い特異なにおいがあり，味は甘い

貯法　密閉容器

この生薬を含む主な医療用漢方処方　胃苓湯，越婢加朮湯，黄耆建中湯，黄芩湯，黄連湯，葛根加朮附湯，葛根湯，葛根湯加川芎辛夷，加味帰脾湯，甘麦大棗湯，帰脾湯，芎帰調血飲，桂枝加黄耆湯，桂枝加葛根湯，桂枝加厚朴杏仁湯，桂枝加芍薬大黄湯，桂枝加芍薬湯，桂枝加朮附湯，桂枝加竜骨牡蛎湯，桂枝加苓朮附湯，桂枝湯，桂麻各半湯，五積散，呉茱萸湯，柴陥湯，柴胡加竜骨牡蛎湯，柴胡桂枝湯，柴朴湯，柴苓湯，四君子湯，炙甘草湯，小建中湯，小柴胡湯，小柴胡湯加桔梗石膏，参蘇飲，清肺湯，大柴胡湯，大柴胡湯去大黄，大防風湯，当帰建中湯，当帰四逆加呉茱萸生姜湯，排膿散及湯，麦門冬湯，半夏瀉心湯，平胃散，防已黄耆湯，補中益気湯，六君子湯

タクシャ
Alisma Tuber
ALISMATIS TUBER

別名：沢瀉

サジオモダカ*Alisma orientale* Juzepczuk（*Alismataceae*）の塊茎で，通例，周皮を除いたものである

性状　球円形～円錐形を呈し，長さ3～8cm，径3～5cm，ときには2～4に分枝して不定形を呈するものがある．外面は淡灰褐色～淡黄褐色で，僅かに輪帯があり，根の跡が多数の小さいいぼ状突起として存在する．断面はほぼ密で，その周辺は灰褐色，内部は白色～淡黄褐色である．質はやや軽く，砕きにくい．僅かににおいがあり，味はやや苦い

貯法　密閉容器

この生薬を含む主な医療用漢方処方　胃苓湯，茵蔯五苓散，啓脾湯，牛車腎気丸，五淋散，五苓散，柴苓湯，猪苓湯，猪苓湯合四物湯，当帰芍薬散，当帰芍薬散加附子，八味地黄丸，半夏白朮天麻湯，竜胆瀉肝湯，六味丸

タクシャ末
Powdered Alisma Tuber
ALISMATIS TUBER PULVERATUM

別名：沢瀉末

「タクシャ」を粉末としたものである

性状　淡灰褐色を呈し，僅かににおいがあり，味はやや苦い

貯法　密閉容器

この生薬を含む主な医療用漢方処方　四苓湯

タンジン
Salvia Miltiorrhiza Root
SALVIAE MILTIORRHIZAE RADIX

別名：丹参

タンジン*Salvia miltiorrhiza* Bunge（*Labiatae*）の根である

性状　ほぼ円柱形で，長さ5～25cm，径0.3～1.5cm，やや湾曲し，しばしば側根を付ける．外面は赤褐色，暗赤褐色又は黒褐色で，不規則な粗い縦じわがある．質は堅く折りやすい．断面は緻密であるか又は粗く裂隙があり，皮部は灰黄白色又は赤褐色，木部は淡黄白色又は黒褐色を呈する．僅かににおいがあり，味は初め甘く，後に僅かに苦く渋い

貯法　密閉容器

単軟膏
Simple Ointment

製法

ミツロウ	330g
植物油	適量
全量	1000g

以上をとり，軟膏剤の製法により製する

性状　黄色で，弱いにおいがある

貯法　気密容器

チクセツニンジン
Panax Japonicus Rhizome
PANACIS JAPONICI RHIZOMA

別名：竹節人参

トチバニンジン*Panax japonicus* C. A. Meyer（*Araliaceae*）の根茎を，通例，湯通ししたものである

性状　不整の円柱形を呈し，明らかな節があり，長さ3～20cm，径1～1.5cm，節間1～2cm．外面は淡黄褐色で，細い縦溝がある．中央のくぼんだ茎の跡が上面に突出し，節間には根の跡がこぶ状に隆起している．折りやすく，折面はほぼ平らで淡黄褐色を呈し，角質様である．弱いにおいがあり，味は僅かに苦い

貯法　密閉容器

チクセツニンジン末
Powdered Panax Japonicus Rhizome
PANACIS JAPONICI RHIZOMA PULVERATUM

別名：竹節人参末

「チクセツニンジン」を粉末としたものである

性状　淡灰黄褐色を呈し，弱いにおいがあり，味は僅かに苦い

貯法　密閉容器

チモ
Anemarrhena Rhizome
ANEMARRHENAE RHIZOMA

別名：知母

ハナスゲ*Anemarrhena asphodeloides* Bunge（*Liliaceae*）の根茎である

性状　やや扁平なひも状を呈し，長さ3～15cm，径0.5～1.5cm，僅かに湾曲してしばしば分岐する．外面は黄褐色～褐色を呈し，上面には一条の縦溝と毛状となった葉しょうの残基又は跡が細かい輪節となり，下面には多数の円点状のくぼみとなった根の跡がある．質は軽くて折りやすい．横切面は淡黄褐色を呈し，これをルーペ視するとき，皮部は極めて狭く，中心柱は多孔性を示し，多くの維管束が不規則に点在する．弱いにおいがあり，味は僅かに甘く，粘液性で，後に苦い

貯法　密閉容器

この生薬を含む主な医療用漢方処方　桂芍知母湯，酸棗仁湯，滋陰降火湯，滋陰至宝湯，消風散，辛夷清肺湯，白虎加人参湯

チョウジ
Clove
CARYOPHYLLI FLOS

別名：丁香
丁子

チョウジ*Syzygium aromaticum* Merrill et Perry（*Eugenia caryophyllata* Thunberg）（*Myrtaceae*）のつぼみである

性状　暗褐色～暗赤色を呈し，長さ1～1.8cm，やや扁平な四稜柱状の花床と，その上端には厚いがく片4枚及び4枚の膜質花弁とがあり，花弁は重なり合いほぼ球形を呈する．花弁に包まれた内部には多数の雄ずいと1本の花柱とがある．強い特異なにおいがあり，味は舌をやくようで，後に僅かに舌を麻痺させる

貯法　密閉容器

この生薬を含む主な医療用漢方処方　治打撲一方，女神散

チョウジ末
Powdered Clove
CARYOPHYLLI FLOS PULVERATUS

別名：丁香末
丁子末

「チョウジ」を粉末としたものである

性状　暗褐色を呈し，強い特異なにおいがあり，味は舌をやくようで，後に僅かに舌を麻痺させる

貯法　気密容器

チョウジ油
Clove Oil
OLEUM CARYOPHYLLI

別名：丁子油

Syzygium aromaticum Merrill et Perry（*Eugenia caryophyllata* Thunberg）（*Myrtaceae*）のつぼみ又は葉を水蒸気蒸留して得た精油である

性状　無色～淡黄褐色澄明の液で，特異な芳香があり，味は舌をやくようである．エタノール(95)又はジエチルエーテルと混和する．水に溶けにくい．長く保存するか又は空気中にさらすと褐色に変わる

貯法　気密容器，遮光保存

チョウトウコウ
Uncaria Hook
UNCARIAE UNCIS CUM RAMULUS

別名：釣藤鉤
釣藤鈎

カギカズラ*Uncaria rhynchophylla* Miquel，*Uncaria sinensis* Haviland又は*Uncaria macrophylla* Wallich（*Rubiaceae*）の通例，とげで，ときには湯通し又は蒸したものである

性状　かぎ状のとげ又はとげが対生若しくは単生する短い茎からなる．とげは長さ1～4cmで，湾曲して先端はとがり，外面は赤褐色～暗褐色，又は灰褐色を呈し，毛を付けるものもある．横切面は長楕円形～楕円形で，淡褐色を呈する．茎は細長い方柱形～円柱形で，径2～5mm，外面は赤褐色～暗褐色，又は灰褐色を呈し，横切面は方形で，髄は淡褐色で方形～楕円形を呈するか又は空洞化している．質は堅い．ほとんどにおいがなく，味はほとんどない

貯法　密閉容器

この生薬を含む主な医療用漢方処方　七物降下湯，釣藤散，抑肝散，抑肝散加陳皮半夏

釣藤散エキス
Chotosan Extract

製法

	1)	2)
チョウトウコウ	3g	3g
チンピ	3g	3g
ハンゲ	3g	3g
バクモンドウ	3g	3g
ブクリョウ	3g	3g
ニンジン	2g	3g
ボウフウ	2g	3g
キクカ	2g	3g
カンゾウ	1g	1g
ショウキョウ	1g	1g
セッコウ	5g	3g

1)又は2)の処方に従い生薬をとり，エキス剤の製法により乾燥エキス又は軟エキスとする

性状　淡褐色～黄褐色の粉末又は黒褐色の軟エキスで，僅かににおいがあり，味は初め辛く，僅かに甘く，後に苦い

貯法　気密容器
治療
効能・効果　慢性に続く頭痛で中年以降，または高血圧の傾向のあるもの
用法・用量　1日7.5g，食前又は食間2～3回に分服（適宜増減）

チョレイ
Polyporus Sclerotium
POLYPORUS

別名：猪苓

チョレイマイタケ*Polyporus umbellatus* Fries（*Polyporaceae*）の菌核である
性状　不整の塊状を呈し，通例，長さ5～15cmである．外面は黒褐色～灰褐色を呈し，多数のくぼみと粗いしわがある．折りやすく，折面はやや柔らかくコルク様で，ほぼ白色～淡褐色を呈し，内部には白色のまだら模様がある．質は軽い．におい及び味はほとんどない
貯法　密閉容器
この生薬を含む主な医療用漢方処方　胃苓湯，茵蔯五苓散，五苓散，柴苓湯，猪苓湯，猪苓湯合四物湯

チョレイ末
Powdered Polyporus Sclerotium
POLYPORUS PULVERATUS

別名：猪苓末

「チョレイ」を粉末としたものである
性状　淡灰褐色～淡褐色を呈し，におい及び味はほとんどない
貯法　気密容器
この生薬を含む主な医療用漢方処方　四苓湯

チンピ
Citrus Unshiu Peel
CITRI UNSHIU PERICARPIUM

別名：陳皮

ウンシュウミカン*Citrus unshiu* Marcowicz又は*Citrus reticulata* Blanco（*Rutaceae*）の成熟した果皮である
性状　形が不ぞろいの果皮片で，厚さ約2mmである．外面は黄赤色～暗黄褐色で，油室による多数の小さなくぼみがある．内面は白色～淡灰黄褐色である．質は軽くてもろい．特異な芳香があり，味は苦くて，僅かに刺激性である
貯法　密閉容器
この生薬を含む主な医療用漢方処方　胃苓湯，芎帰調血飲，啓脾湯，香蘇散，五積散，滋陰降火湯，滋陰至宝湯，参蘇飲，神秘湯，清暑益気湯，清肺湯，疎経活血湯，竹茹温胆湯，釣藤散，通導散，二朮湯，二陳湯，人参養栄湯，半夏白朮天麻湯，茯苓飲，茯苓飲合半夏厚朴湯，平胃散，補中益気湯，抑肝散加陳皮半夏，六君子湯

ツバキ油
Camellia Oil
OLEUM CAMELLIAE

別名：椿油

ヤブツバキ（ツバキ）*Camellia japonica* Linné（*Theaceae*）の種皮を除いた種子から得た脂肪油である
性状　無色～微黄色澄明の油で，ほとんどにおい及び味がない．ジエチルエーテル又は石油エーテルと混和する．エタノール(95)に溶けにくい．－10℃で一部分，－15℃で全部凝固する
貯法　気密容器

テレビン油
Turpentine Oil
OLEUM TEREBINTHINAE

*Pinus*属諸種植物（*Pinaceae*）の材又はバルサムを水蒸気蒸留して得た精油である
性状　無色～微黄色澄明の液で，特異なにおいがあり，味は苦く刺激性である．本品1mLはエタノール(95)5mLに混和し，その液は中性である
貯法　気密容器，遮光保存

テンマ
Gastrodia Tuber
GASTRODIAE TUBER

別名：天麻

オニノヤガラ*Gastrodia elata* Blume（*Orchidaceae*）の塊茎を，湯通し又は蒸したものである
性状　不整にやや湾曲した偏円柱形～偏紡錘形を呈し，長さ5～15cm，幅2～5cm，厚さ1～2cmである．外面は淡黄褐色～淡黄白色を呈し，輪節及び不規則な縦じわがある．質は堅い．折面は暗褐色～黄褐色で艶があり，角質様でにかわ状を呈する．特異なにおいがあり，味はほとんどない
貯法　密閉容器
この生薬を含む主な医療用漢方処方　半夏白朮天麻湯

テンモンドウ
Asparagus Root
ASPARAGI RADIX

別名：天門冬

クサスギカズラ*Asparagus cochinchinensis* Merrill（*Liliaceae*）の根被の大部分を除いた根を，湯通し又は蒸したものである
性状　紡錘形～円柱形を呈し，長さ5～15cm，径5～20mm，外面は淡黄褐色～淡褐色を呈し，半透明で，しばしば縦じわがある．質は柔軟性であるか，又は堅い．折面は灰黄色で艶があり，やや角質様である．特異なにおいがあり，味は初め甘く，後わずかに苦い
貯法　密閉容器

この生薬を含む主な医療用漢方処方　滋陰降火湯，清肺湯

桃核承気湯エキス
Tokakujokito Extract

製法

	1)	2)	3)
トウニン	5g	5g	5g
ケイヒ	4g	4g	4g
ダイオウ	3g	3g	3g
カンゾウ	1.5g	1.5g	1.5g
無水ボウショウ	1g	0.9g	−
ボウショウ	−	−	2g

1)～3)の処方に従い生薬をとり，エキス剤の製法により乾燥エキスとする．又は2)の処方に従い生薬をとり，エキス剤の製法により浸出液を製し，「軽質無水ケイ酸」を添加し乾燥エキスとする

性状　緑黄褐色～濃い褐色の粉末で，特異なにおいがあり，味は塩味があり，やや渋く，後にやや甘い

貯法　気密容器

治療

効能・効果　**コタロー** 頭痛またはのぼせる傾向があり，左下腹部に圧痛や宿便を認め，下肢や腰が冷えて，尿量減少するもの：常習便秘，高血圧，動脈硬化，腰痛，痔核，月経不順による諸種の障害，更年期障害，にきび，しみ，湿疹，こしけ，坐骨神経痛

その他 比較的体力があり，のぼせて便秘しがちなものの次の諸症：月経不順，月経困難症，月経時や産後の精神不安，腰痛，便秘，高血圧の随伴症状(頭痛，めまい，肩こり)

用法・用量　**オースギ** 1日4.5g，食前又は食間2～3回に分服(適宜増減)

クラシエ　**コタロー**　**ジュンコウ** 1日6g又は(クラシエ)18錠，食前又は食間2～3回に分服(適宜増減)

JPS　**ツムラ** 1日7.5g，食前又に食間2～3回に分服(適宜増減)

テイコク 1日3回，1回2.5g食前(適宜増減)

本草 1日7.5g，食前又は食間3回に分服(適宜増減)

トウガシ
Benincasa Seed
BENINCASAE SEMEN

別名：冬瓜子

1)トウガン *Benincasa cerifera* Savi又は2) *Benincasa cerifera* Savi forma *emarginata* K. Kimura et Sugiyama (*Cucurbitaceae*)の種子である

性状　1) *Benincasa cerifera*に由来：扁平な卵形～卵円形を呈し，長さ10～13mm，幅6～7mm，厚さ約2mm，一端はややとがり，へそ及び発芽口の部分が2個の小突起となっている．表面は淡灰黄色～淡黄褐色を呈し，周辺にそって隆起帯がある．表面をルーペ視するとき，細かいしわ及びへこみを認める．においがなく，味は緩和で僅かに油様である

2) *Benincasa cerifera* forma *emarginata*に由来：扁平な卵形～楕円形を呈し，長さ9～12mm，幅5～6mm，厚さ約2mm，へその付近は1)と同様であるが，表面は淡灰黄色を呈し，平滑で，周辺には隆起帯がない．においがなく，味は緩和で僅かに油様である

貯法　密閉容器

この生薬を含む主な医療用漢方処方　大黄牡丹皮湯，腸癰湯

トウガラシ
Capsicum
CAPSICI FRUCTUS

別名：蕃椒

トウガラシ *Capsicum annuum* Linné (*Solanaceae*)の果実である

性状　長円錐形～紡錘形を呈し，しばしば曲がり，長さ3～10cm，幅約0.8cmで，外面は暗赤色～暗黄赤色で艶があり，果皮の内部はうつろで，通例，2室で多数の種子がある．種子はほぼ円形で扁平，淡黄赤色を呈し，径約0.5cmである．通例，がく及び果柄を付けている．弱い特異なにおいがあり，味はやくように辛い

貯法　密閉容器

トウガラシ末
Powdered Capsicum
CAPSICI FRUCTUS PULVERATUS

別名：蕃椒末

「トウガラシ」を粉末としたものである

性状　黄赤色を呈し，弱い特異なにおいがあり，味はやくように辛い

貯法　密閉容器

トウガラシチンキ
Capsicum Tincture

定量するとき，総カプサイシン((*E*)-カプサイシン及びジヒドロカプサイシン)0.010w/v%以上を含む

製法

トウガラシ，中切	100g
エタノール	適量
全量	1000mL

以上をとり，チンキ剤の製法により製する．

性状　黄赤色の液で，味はやくように辛い

貯法　気密容器，遮光保存

トウガラシ・サリチル酸精
Capsicum and Salicylic Acid Spirit

製法

トウガラシチンキ	40mL
サリチル酸	50g
液状フェノール	20mL
ヒマシ油	100mL
芳香剤	適量
エタノール	適量
全量	1000mL

以上をとり，酒精剤の製法により製する

性状 淡褐黄色の液である

貯法 気密容器

トウキ
Japanese Angelica Root
ANGELICAE ACUTILOBAE RADIX

別名：当帰

トウキ *Angelica acutiloba* Kitagawa又はホッカイトウキ *Angelica acutiloba* Kitagawa var. *sugiyamae* Hikino (*Umbelliferae*)の根を，通例，湯通ししたものである

性状 太くて短い主根から多数の根を分枝してほぼ紡錘形を呈し，長さ10～25cm，外面は暗褐色～赤褐色で，縦じわ及び横長に隆起した多数の細根の跡がある．根頭に僅かに葉しょうを残している．折面は暗褐色～黄褐色を呈し，平らである．特異なにおいがあり，味は僅かに甘く，後にやや辛い

貯法 密閉容器

この生薬を含む主な医療用漢方処方 温経湯，温清飲，乙字湯，加味帰脾湯，加味逍遙散，帰脾湯，芎帰膠艾湯，芎帰調血飲，荊芥連翹湯，五積散，五淋散，柴胡清肝湯，滋陰降火湯，滋陰至宝湯，紫雲膏，七物降下湯，四物湯，十全大補湯，潤腸湯，消風散，清暑益気湯，清肺湯，疎経活血湯，大防風湯，猪苓湯合四物湯，通導散，当帰飲子，当帰建中湯，当帰四逆加呉茱萸生姜湯，当帰芍薬散，当帰芍薬散加附子，当帰湯，女神散，人参養栄湯，防風通聖散，補中益気湯，薏苡仁湯，抑肝散，抑肝散加陳皮半夏，竜胆瀉肝湯

トウキ末
Powdered Japanese Angelica Root
ANGELICAE ACUTILOBAE RADIX PULVERATA

別名：当帰末

「トウキ」を粉末としたものである

性状 淡灰褐色を呈し，特異なにおいがあり，味は僅かに甘く，後にやや辛い

貯法 気密容器，遮光保存

当帰芍薬散エキス
Tokishakuyakusan Extract

製法

	1)	2)	3)	4)
トウキ	3g	3g	3g	3g
センキュウ	3g	3g	3g	3g
シャクヤク	6g	6g	4g	4g
ブクリョウ	4g	4g	4g	4g
ビャクジュツ	4g	4g	4g	－
ソウジュツ	－	－	－	4g
タクシャ	4g	5g	4g	4g

1)～4)の処方に従い生薬をとり，エキス剤の製法により乾燥エキス又は軟エキスとする

性状 淡褐色～褐色の粉末又は黒褐色の軟エキスで，特異なにおいがあり，味は初め僅かに甘く，後に苦い

貯法 気密容器

治療

効能・効果 **コタロー** 貧血，冷え症で胃腸が弱く，眼の周辺に薄黒いくまどりが出て，疲れやすく，頭重，めまい，肩こり，動悸等があって，排尿回数多く尿量減少し，咽喉が乾くもの，あるいは冷えて下腹部に圧痛を認めるか，又は痛みがあるもの，あるいは凍傷にかかりやすいもの：心臓衰弱，腎臓病，貧血症，産前産後あるいは流産による貧血症，痔核，脱肛，つわり，月経不順，月経痛，更年期神経症，にきび，しみ，血圧異常

三和 貧血，冷え性で顔色が悪く，頭重，めまい，肩こり，動悸，足腰の冷え等の不定愁訴があって，排尿回数が多くて尿量が少なく，下腹部が痛むものの次の諸症：貧血症，冷え症，婦人更年期症，不妊症，流産癖，妊娠腎，ネフローゼ，月経不順，子宮内膜炎，血圧異常，痔脱肛，尋常性ざ瘡

ツムラ 筋肉が一体に軟弱で疲労しやすく，腰脚の冷えやすいものの次の諸症：貧血，倦怠感，更年期障害(頭重，頭痛，めまい，肩こり等)，月経不順，月経困難，不妊症，動悸，慢性腎炎，妊娠中の諸病(浮腫，習慣性流産，痔，腹痛)，脚気，半身不随，心臓弁膜症

その他 比較的体力が乏しく，冷え症で貧血の傾向があり疲労しやすく，ときに下腹部痛，頭重，めまい，肩こり，耳鳴，動悸等を訴える次の諸症：月経不順，月経異常，月経痛，更年期障害，産前産後あるいは流産による障害(貧血，疲労倦怠，めまい，むくみ)，めまい，頭重，肩こり，腰痛，足腰の冷え症，しもやけ，むくみ，しみ

用法・用量 **オースギ** **JPS** **ツムラ** 1日7.5g又は(オースギ)18錠，食前又は食間2～3回に分服(適宜増減)

クラシエ **ジュンコウ** 1日6g，食前又は食間2～3回に分服(適宜増減)

コタロー 1日9g，食前又は食間2～3回に分服(適宜増減)

三和 **太虎堂** **本草** 1日7.5g，食前又は食間3回に分服(適宜増減)

テイコク 1日3回，1回2.5g食前(適宜増減)

東洋 1日3回，1回2.5g空腹時(適宜増減)

トウジン
Codonopsis Root
CODONOPSIS RADIX

別名：党参

ヒカゲノツルニンジン *Codonopsis pilosula* Nannfeldt又は *Codonopsis tangshen* Oliver (*Campanulaceae*)の根である

性状　ほぼ円柱形で，長さ8～30cm，径0.5～2.5cm，先端に向かって漸次細くなり，しばしば分枝する．外面は淡黄色～灰褐色で，基部から中央部にかけて輪状の横じわがあり，全体に明瞭な縦じわが認められる．根頭部には茎の跡からなる突起が多数あり，頂部は丸く窪む．側根の跡にはしばしば黒褐色のにかわ状の分泌物が存在する．質は柔軟で屈曲しやすいか又は堅く折れやすい．断面は皮部が黄白色～淡褐色，木部が淡黄色を呈し，皮部に裂隙が認められることがある．僅かに特異なにおいがあり，味はやや甘い

貯法　密閉容器

トウニン
Peach Kernel
PERSICAE SEMEN

別名：桃仁

モモ*Prunus persica* Batsch又は*Prunus persica* Batsch var. *davidiana* Maximowicz(*Rosaceae*)の種子である

性状　扁圧した左右不均等な卵円形を呈し，長さ1.2～2cm，幅0.6～1.2cm，厚さ0.3～0.7cmである．一端はややとがり，他の一端は丸みを帯びてここに合点がある．種皮は赤褐色～淡褐色で，外面にはすれて落ちやすい石細胞となった表皮細胞があって，粉をふいたようである．また，合点から多数の維管束が途中あまり分岐することなく種皮を縦走し，その部分はくぼんで縦じわとなっている．温水に入れて軟化するとき，種皮及び白色半透明の薄い胚乳は子葉からたやすく剥がれ，子葉は白色である．ほとんどにおいがなく，味は僅かに苦く，油様である

貯法　密閉容器

この生薬を含む主な医療用漢方処方　桂枝茯苓丸，桂枝茯苓丸料加薏苡仁，潤腸湯，疎経活血湯，大黄牡丹皮湯，腸癰湯，桃核承気湯

トウニン末
Powdered Peach Kernel
PERSICAE SEMEN PULVERATUM

別名：桃仁末

「トウニン」を粉末としたものである

性状　帯赤淡褐色～淡褐色を呈し　ほとんどにおいがなく，味は僅かに苦く，油様である

貯法　気密容器

トウヒ
Bitter Orange Peel
AURANTII PERICARPIUM

別名：橙皮

Citrus aurantium Linné又はダイダイ*Citrus aurantium* Linné var. *daidai* Makino(*Rutaceae*)の成熟した果皮である

性状　通例，ほぼ球面を四分した形であるが，ひずんだもの又は平たくなったものがあり，長さ4～8cm，幅2.5～4.5cm，厚さ0.5～0.8cmである．外面は暗赤褐色～灰黄褐色で，油室による多数の小さいくぼみがある．内面は白色～淡灰黄赤色で，維管束の跡がくぼんで不規則な網目を現す．質は軽くてもろい．特異な芳香があり，味は苦く，やや粘液性で，僅かに刺激性である

貯法　密閉容器

トウヒシロップ
Orange Peel Syrup

別名：橙皮シロップ

製法

トウヒチンキ	200mL
単シロップ	適量
全量	1000mL

以上をとり，シロップ剤の製法により製する．ただし，「単シロップ」の代わりに「白糖」，及び「精製水」又は「精製水(容器入り)」適量を用いて製することができる

性状　帯褐黄色～帯赤褐色の液で，特異な芳香があり，味は甘く，後に苦い

貯法　気密容器

トウヒチンキ
Orange Peel Tincture

別名：橙皮チンキ

製法

トウヒ，粗末	200g
70vol%エタノール	適量
全量	1000mL

以上をとり，チンキ剤の製法により製する．ただし，70vol%エタノールの代わりに「エタノール」，及び「精製水」又は「精製水(容器入り)」適量を用いて製することができる

性状　帯黄褐色の液で，特異な芳香があり，味は苦い

貯法　気密容器

トウモロコシ油
Corn Oil
OLEUM MAYDIS

トウモロコシ*Zea mays* Linné(*Gramineae*)の胚芽から得た脂肪油である

性状　淡黄色澄明の油で，においはないか又は僅かににおいがあり，味は緩和である．ジエチルエーテル又は石油エーテルと混和する．エタノール(95)に溶けにくく，水にほとんど溶けない．−7℃で軟膏様に凝固する

貯法　気密容器

生薬等ト

ドクカツ
Aralia Rhizome
ARALIAE CORDATAE RHIZOMA

別名：独活
ドッカツ

ウド*Aralia cordata* Thunberg(*Araliaceae*)の，通例，根茎である

性状　湾曲した不整円柱状～塊状を呈する根茎で，ときに短い根を付けることがある．長さ4～12cm，径2.5～7cm，しばしば縦割又は横切されている．上部には茎の跡による大きなくぼみが1～数個あるか，又は径1.5～2.5cmの茎の短い残基を1個付けるものがある．外面は暗褐色～黄褐色を呈し，縦じわがあり，根の基部又はその跡がある．横切面は灰黄褐色～黄褐色を呈し，油道による褐色の細点が散在し，多くの裂け目がある．特異なにおいがあり，味は僅かに苦い

貯法　密閉容器

この生薬を含む主な医療用漢方処方　十味敗毒湯

トコン
Ipecac
IPECACUANHAE RADIX

別名：吐根

Cephaelis ipecacuanha A. Richard又は*Cephaelis acuminata* Karsten(*Rubiaceae*)の根及び根茎である

性状　屈曲した細長い円柱形を呈し，長さ3～15cmで，径0.3～0.9cmである．多くはねじれ，ときには分枝する．外面は灰色，暗灰褐色又は赤褐色で，不規則な輪節状を呈する．根は折るとき，皮部は木部からたやすく分離し，折面の皮部は灰褐色で，木部は淡褐色である．皮部の厚さは肥厚部では直径の約2/3に達する．根茎は円柱状を呈し，対生する葉跡が認められる．弱いにおいがあり，その粉末は鼻粘膜を刺激し，味は僅かに苦く，辛く，不快である

貯法　密閉容器

トコン末
Powdered Ipecac
IPECACUANHAE RADIX PULVERATA

別名：吐根末

「トコン」を粉末としたもの又はこれに「バレイショデンプン」を加えたものである

性状　淡灰黄色～淡褐色を呈し，弱いにおいがあり，鼻粘膜を刺激し，味は僅かに苦く不快である

貯法　密閉容器

トコンシロップ
Ipecac Syrup

別名：吐根シロップ

製法　「トコン」の粗末をとり，「エタノール」／「精製水」又は「精製水(容器入り)」混液(3：1)を用い，流エキス剤の製法を準用して得た浸出液を，必要に応じて低圧(真空)で濃縮し，又は適量の「エタノール」，及び「精製水」又は「精製水(容器入り)」を加え，この液100mL当たりの総アルカロイド(エメチン及びセファエリン)の量が1.7～2.1gになるように調整し，本液70mLに「グリセリン」100mL及び適量の「単シロップ」を加え，シロップ剤の製法により，全量1000mLとして製する

性状　黄褐色の濃稠な液で，味は甘く，後に苦い

貯法　気密容器，遮光保存

トチュウ
Eucommia Bark
EUCOMMIAE CORTEX

別名：杜仲

トチュウ*Eucommia ulmoides* Oliver(*Eucommiaceae*)の樹皮である

性状　厚さ2～6mmの粗皮を除いた半管状又は板状の皮片である．外面は淡灰褐色～灰褐色で粗雑であるが，ときにコルク層が剥離され赤褐色を呈することもある．内面は暗褐色～褐色を呈し，平滑で細かい縦線があり，折ると白絹様のグッタペルカ(熱可塑性のゴム様物質)の糸が出る．僅かに特異なにおい及び味がある

貯法　密閉容器

この生薬を含む主な医療用漢方処方　大防風湯

トラガント
Tragacanth
TRAGACANTHA

Astragalus gummifer Labillardiere又はその他同属植物(*Leguminosae*)の幹から得た分泌物である

性状　白色～淡黄色半透明の角質様の湾曲した平板又は薄片で，厚さ0.5～3mmで，折りやすく，水中で膨化する．においがなく，味はないが粘滑性である

貯法　密閉容器

トラガント末
Powdered Tragacanth
TRAGACANTHA PULVERATA

「トラガント」を粉末としたものである

性状　白色～帯黄白色を呈し，においはなく，味はないが粘滑性である

貯法　気密容器

豚脂
Lard
ADEPS SUILLUS

ブタ*Sus scrofa* Linné var. *domesticus* Gray(*Suidae*)の脂肪である

性状　白色の柔らかいなめらかな塊で，僅かに特異なにおいがあり，味は緩和である．ジエチルエーテル又は石油エーテルに溶けやすく，エタノール(95)に極めて溶けにくく，水にほとんど溶けない．融点：36～42℃．脂肪酸の凝固点：36～42℃

貯法　密閉容器，30℃以下で保存

ナタネ油
Rape Seed Oil
OLEUM RAPAE

別名：菜種油

セイヨウアブラナ*Brassica napus* Linné又はアブラナ*Brassica rapa* Linné var. *oleifera* De Candolle(*Cruciferae*)の種子から得た脂肪油である

性状　微黄色澄明のやや粘性の油で，においはないか又は僅かににおいがあり，味は緩和である．ジエチルエーテル又は石油エーテルと混和する．エタノール(95)に溶けにくい

貯法　気密容器

ニガキ
Picrasma Wood
PICRASMAE LIGNUM

別名：苦木

ニガキ*Picrasma quassioides* Bennet (*Simaroubaceae*)の木部である

性状　淡黄色の切片，削片又は短い木片で，横切面には明らかな年輪及び放射状の細かい線がある．質は密である．においがなく，味は極めて苦く，残留性である

貯法　密閉容器

ニガキ末
Powdered Picrasma Wood
PICRASMAE LIGNUM PULVERATUM

別名：苦木末

「ニガキ」を粉末としたものである

性状　灰白色～淡黄色を呈し，においはなく，味は極めて苦く，残留性である

貯法　密閉容器

ニクジュヨウ
Cistanche Herb
CISTANCHIS HERBA

別名：肉蓯蓉
肉蓯蓉
ニクジュウヨウ

1) *Cistanche salsa* G. Beck, 2) *Cistanche deserticola* Y. C. Ma又は3) *Cistanche tubulosa* Wight(*Orobanchaceae*)の肉質茎である．ただし開花したものでは花序を除く

性状　1) *Cistanche salsa*に由来：扁平な円柱形で，長さ5～25cm，径1～2.5cmである．一端はやや細くなり湾曲しているものが多い．外面は褐色～黒褐色を呈し，肉質のりん片で覆われる．質は肉質で充実し，やや柔らかく油性を帯び，折りにくい．折面は黄褐色～褐色を呈し，淡褐色の維管束が波状の環を形成する．特異なにおいがあり，味は僅かに甘く，後に僅かに苦い

2) *Cistanche deserticola*に由来：扁平な円柱形で1)と同様であるが，大形で長さ5～50cm，径1～8cmである．特異なにおいがあり，味は僅かに甘く，後に僅かに苦い

3) *Cistanche tubulosa*に由来：扁平な紡錘形～円柱形で，やや湾曲し，長さ5～25cm，径2～9cmである．外面は褐色～黒褐色を呈し，肉質のりん片で覆われる．質は緻密で堅く，折りにくい．折面は淡灰褐色～黄褐色を呈し，黄白色の維管束が全体に散在する．特異なにおいがあり，味は僅かに甘く，後に僅かに苦い

貯法　密閉容器

ニクズク
Nutmeg
MYRISTICAE SEMEN

別名：肉豆蔲
肉豆蔻

ニクズク*Myristica fragrans* Houttuyn(*Myristicaceae*)の種子で，通例，種皮を除いたものである

性状　卵球形～長球形で，長さ1.5～3.0cm，径1.3～2.0cmである．外面は灰褐色を呈し，縦に走る広くて浅い溝と網目様の細かいしわがある．通例，一端には灰白色～灰黄色の僅かに突出したへそがあり，他端には灰褐色～暗褐色の僅かにくぼんだ合点がある．切面は暗褐色の薄い周乳が淡黄白色～淡褐色の内乳に不規則に入り込んで，大理石様の模様を呈する．特異な強いにおいがあり，味は辛くて僅かに苦い

貯法　密閉容器

ニンジン
Ginseng
GINSENG RADIX

別名：人参

オタネニンジン*Panax ginseng* C. A. Meyer(*Panax schinseng* Nees) (*Araliaceae*)の細根を除いた根又はこれを軽く湯通ししたものである

性状　細長い円柱形～紡錘形を呈し，しばしば中ほどから2～5

生薬等二

本の側根を分枝し，長さ5～20cm，主根は径0.5～3cm，外面は淡黄褐色～淡灰褐色を呈し，縦じわ及び細根の跡がある．根頭部はややくびれて短い根茎を付けることがある．折面はほぼ平らで，淡黄褐色を呈し，形成層の付近は褐色である．特異なにおいがあり，味は初め僅かに甘く，後にやや苦い

貯法　密閉容器

この生薬を含む主な医療用漢方処方　温経湯，黄連湯，加味帰脾湯，帰脾湯，桂枝人参湯，啓脾湯，呉茱萸湯，柴陥湯，柴胡加竜骨牡蛎湯，柴胡桂枝湯，柴朴湯，柴苓湯，四君子湯，炙甘草湯，十全大補湯，小柴胡湯，小柴胡湯加桔梗石膏，参蘇飲，清暑益気湯，清心蓮子飲，大建中湯，大防風湯，竹茹温胆湯，釣藤散，当帰湯，女神散，人参湯，人参養栄湯，麦門冬湯，半夏瀉心湯，半夏白朮天麻湯，白虎加人参湯，茯苓飲，茯苓飲合半夏厚朴湯，附子理中湯，補中益気湯，木防已湯，六君子湯

ニンジン末
Powdered Ginseng
GINSENG RADIX PULVERATA

別名：人参末

「ニンジン」を粉末としたものである

性状　淡黄白色～淡黄褐色を呈し，特異なにおいがあり，味は初め僅かに甘く，後にやや苦い

貯法　気密容器

ニンドウ
Lonicera Leaf and Stem
LONICERAE FOLIUM CUM CAULIS

別名：忍冬

スイカズラ*Lonicera japonica* Thunberg（*Caprifoliaceae*）の葉及び茎である

性状　葉及び短い茎に対生する葉からなる．葉は短い葉柄を付け，楕円形で全縁，長さ3～7cm，幅1～3cm，上面は緑褐色，下面は淡灰緑色を呈し，ルーペ視するとき，両面に軟毛をまばらに認める．茎は径1～4mm，外面は灰黄褐色～帯紫褐色で，横断面は円形，中空である．ほとんどにおいがなく，味は収れん性で，後僅かに苦い

貯法　密閉容器

この生薬を含む主な医療用漢方処方　治頭瘡一方

バイモ
Fritillaria Bulb
FRITILLARIAE BULBUS

別名：貝母

アミガサユリ*Fritillaria verticillata* Willdenow var. *thunbergii* Baker（*Liliaceae*）のりん茎である

性状　扁球形を呈し，肥厚した2個のりん片葉からなり，径2～3cm，高さ1～2cm，しばしば分離したものがある．外面及び内面は白色～淡黄褐色，内面の基部はやや暗色を呈する．石灰を散布して乾燥したものは白粉を付けている．折面は白色を呈し，粉性である．特異な弱いにおいがあり，味は苦い

貯法　密閉容器

この生薬を含む主な医療用漢方処方　滋陰至宝湯，清肺湯

バクガ
Malt
FRUCTUS HORDEI GERMINATUS

別名：麦芽

オオムギ*Hordeum vulgare* Linné（*Gramineae*）の成熟したえい果を発芽させて乾燥したものである

性状　卵形を呈し，長さ約10mm，径3～4mmで，片面に縦に腹溝が認められる．外面は淡黄色を呈し，幼芽を伴うことがあり，他端には毛があり，根をつけることがある．えい果の横折面は白色，粉性であり，質はつぶれやすく，軽い．僅かににおいがあり，味は僅かに甘い

貯法　密閉容器

この生薬を含む主な医療用漢方処方　半夏白朮天麻湯

バクモンドウ
Ophiopogon Root
OPHIOPOGONIS RADIX

別名：麦門冬

ジャノヒゲ*Ophiopogon japonicus* Ker-Gawler（*Liliaceae*）の根の膨大部である

性状　紡錘形を呈し，長さ1～2.5cm，径0.3～0.5cm，一端はややとがり，他端はやや丸みを帯びる．外面は淡黄色～淡黄褐色で，大小の縦じわがある．折るとき皮層は柔軟であるがもろく，中心柱は強じんである．皮層の折面は淡黄褐色を呈し，やや半透明で粘着性がある．僅かににおいがあり，味は僅かに甘く，粘着性である

貯法　密閉容器

この生薬を含む主な医療用漢方処方　温経湯，滋陰降火湯，滋陰至宝湯，炙甘草湯，辛夷清肺湯，清暑益気湯，清心蓮子飲，清肺湯，竹茹温胆湯，釣藤散，麦門冬湯

麦門冬湯エキス
Bakumondoto Extract

製法

	1）
バクモンドウ	10g
ハンゲ	5g
コウベイ	5g
タイソウ	3g
ニンジン	2g
カンゾウ	2g

1）の処方に従い生薬をとり，エキス剤の製法により乾燥エキス又は軟エキスとする

性状　淡黄色～淡褐色の粉末又は黒褐色の軟エキスで，僅かに

においがあり，味は甘い
貯法 気密容器
治療
効能・効果 **コタロー** こみあげてくるような強い咳をして，顔が赤くなるもの，通常喀痰は少量でねばく，喀出困難であり，ときには喀痰に血滴のあるもの，あるいはのぼせて咽喉が乾き，咽喉に異物感があるもの：気管支炎，気管支喘息，胸部疾患の咳嗽
その他 痰の切れにくい咳，気管支炎，気管支喘息
用法・用量 **コタロー** 1日15g，食前又は食間2～3回に分服（適宜増減）
JPS **ジュンコウ** **マツウラ** 1日7.5g，食前又は食間2～3回に分服（適宜増減）
ツムラ 1日9g，食前又は食間2～3回に分服（適宜増減）
テイコク 1日3回，1回3g食前（適宜増減）

八味地黄丸エキス
Hachimijiogan Extract

製法

	1)	2)	3)	4)
ジオウ	5g	5g	5g	6g
サンシュユ	3g	3g	3g	3g
サンヤク	3g	3g	3g	3g
タクシャ	3g	3g	3g	3g
ブクリョウ	3g	3g	3g	3g
ボタンピ	3g	3g	3g	2.5g
ケイヒ	1g	1g	1g	1g
ブシ（ブシ1）	1g	−	−	−
ブシ末（ブシ末1）	−	1g	−	0.5g
ブシ末（ブシ末2）	−	−	1g	−

1)～4)の処方に従い生薬をとり，エキス剤の製法により乾燥エキス又は軟エキスとする
性状 灰褐色～褐色の粉末又は黒褐色の軟エキスで，特異なにおいがあり，味はやや苦く，酸味がある
貯法 気密容器
治療
効能・効果 〔八味地黄丸〕
三和 下腹部軟弱，腰に冷痛あり，尿利減少又は頻数で，全身又は手足に熱感あるものの次の諸症：慢性腎炎，糖尿病，水腫，脚気のむくみ，膀胱カタル，腰痛，五十肩，肩こり
ツムラ 疲労，倦怠感著しく，尿利減少又は頻数，口渇し，手足に交互的に冷感と熱感のあるものの次の諸症：腎炎，糖尿病，陰萎，坐骨神経痛，腰痛，脚気，膀胱カタル，前立腺肥大，高血圧
その他 疲れやすくて，四肢が冷えやすく，尿量減少又は多尿で，ときに口渇がある次の諸症：下肢痛，腰痛，しびれ，老人のかすみ目，かゆみ，排尿困難，頻尿，むくみ
〔八味丸〕
コタロー 疲労倦怠感が著しく，四肢は冷えやすいのにかかわらず，ときにはほてることもあり，腰痛があって咽喉が渇き，排尿回数多く，尿量減少して残尿感がある場合と，逆に尿量が増大する場合があり，特に夜間多尿のもの：血糖増加による口渇，糖尿病，動脈硬化，慢性腎炎，ネフローゼ，萎縮腎，膀胱カタル，浮腫，陰萎，坐骨神経痛，産後脚気，更年期障害，老人性の湿疹，低血圧
その他 疲れやすくて，四肢が冷えやすく，尿量減少又は多尿で，ときに口渇がある次の諸症 下肢痛，腰痛，しびれ，老人のかすみ目，かゆみ，排尿困難，頻尿，むくみ
用法・用量 〔八味地黄丸〕
オースギ **JPS** **ツムラ** 1日7.5g又は（オースギ）18錠，食前又は食間2～3回に分服（適宜増減）
クラシエ 1日6g又は18錠，食前又は食間2～3回に分服（適宜増減）
三和 1日9g，食前又は食間3回に分服（適宜増減）
〔八味丸〕
ウチダ 1日3回，1回2g（20丸）食前又は食間（適宜増減）
コタロー 1日9g，食前又は食間2～3回に分服（適宜増減）
テイコク 1日3回，1回3g食前又は食間（適宜増減）
本草 1日7.5g，食前又は食間3回に分服（適宜増減）

ハチミツ
Honey
MEL

別名：蜂蜜

ヨーロッパミツバチ*Apis mellifera* Linné又はトウヨウミツバチ*Apis cerana* Fabricius（*Apidae*）がその巣に集めた甘味物を採集したものである
性状 淡黄色～淡黄褐色のシロップ様の液で，通例，透明であるが，しばしば結晶を生じて不透明となる．特異なにおいがあり，味は甘い
貯法 気密容器

ハッカ
Mentha Herb
MENTHAE HERBA

別名：薄荷

ハッカ*Mentha arvensis* Linné var. *piperascens* Malinvaud（*Labiatae*）の地上部である
性状 茎及びそれに対生する葉からなり，茎は方柱形で淡褐色～赤紫色を呈し，細毛がある．水に浸してしわを伸ばすと，葉は卵円形～長楕円形で，両端はとがり，長さ2～8cm，幅1～2.5cm，辺縁に不ぞろいのきょ歯があり，上面は淡褐黄色～淡緑黄色，下面は淡緑色～淡緑黄色を呈する．葉柄は長さ0.3～1cmである．ルーペ視するとき，毛，腺毛及び腺りんを認める．特異な芳香があり，口に含むと清涼感がある
貯法 密閉容器
この生薬を含む主な医療用漢方処方 加味逍遙散，荊芥連翹湯，柴胡清肝湯，滋陰至宝湯，清上防風湯，川芎茶調散，防風通聖散，竜胆瀉肝湯

ハッカ水
Mentha Water

製法

ハッカ油	2mL
精製水又は精製水（容器入り）	適量
全量	1000mL

以上をとり，芳香水剤の製法により製する
性状 無色澄明の液で，ハッカ油のにおいがある

貯法　気密容器

ハッカ油
Mentha Oil
OLEUM MENTHAE JAPONICAE

別名：薄荷油

ハッカ *Mentha arvensis* Linné var. *piperascens* Malinvaud (*Labiatae*)の地上部を水蒸気蒸留して得た油を冷却し，固形分を除去した精油である

性状　無色～微黄色澄明の液で，特異でそう快な芳香があり，味は初め舌をやくようで，後に清涼となる．エタノール(95)，エタノール(99.5)，温エタノール(95)又はジエチルエーテルと混和する．水にほとんど溶けない

貯法　気密容器

ハマボウフウ
Glehnia Root and Rhizome
GLEHNIAE RADIX CUM RHIZOMA

別名：浜防風

ハマボウフウ *Glehnia littoralis* Fr. Schmidt ex Miquel (*Umbelliferae*)の根及び根茎である

性状　円柱形～細長い円錐形を呈し，長さ10～20cm，径0.5～1.5cm，外面は淡黄褐色～赤褐色である．根茎は通例短く，細かい輪節があり，根には縦じわと多数の暗赤褐色のいぼ状の小突起又は横長の隆起がある．質はもろく極めて折りやすい．横切面は白色，粉性で，ルーペ視するとき油道が褐色の小点として散在する．弱いにおいがあり，味は僅かに甘い

貯法　密閉容器

この生薬を含む主な医療用漢方処方　荊芥連翹湯，桂芍知母湯，十味敗毒湯，消風散，清上防風湯，疎経活血湯，大防風湯，防風通聖散，竜胆瀉肝湯

ハンゲ
Pinellia Tuber
PINELLIAE TUBER

別名：半夏

カラスビシャク *Pinellia ternata* Breitenbach (*Araceae*)のコルク層を除いた塊茎である

性状　やや扁圧された球形～不整形を呈し，径0.7～2.5cm，高さ0.7～1.5cmである．外面は白色～灰白黄色で，上部には茎の跡がくぼみとなり，その周辺には根の跡がくぼんだ細点となっている．質は充実する．切面は白色，粉性である．ほとんどにおいがなく，味は初めなく，やや粘液性で，後に強いえぐ味を残す

貯法　密閉容器

この生薬を含む主な医療用漢方処方　温経湯，黄連湯，五積散，柴陥湯，柴胡加竜骨牡蛎湯，柴胡桂枝湯，柴朴湯，柴苓湯，小柴胡湯，小柴胡湯加桔梗石膏，小青竜湯，小半夏加茯苓湯，参蘇飲，大柴胡湯，大柴胡湯去大黄，竹茹温胆湯，釣藤散，当帰湯，二朮湯，二陳湯，麦門冬湯，半夏厚朴湯，半夏瀉心湯，半夏白朮天麻湯，茯苓飲合半夏厚朴湯，抑肝散加陳皮半夏，六君子湯，苓甘姜味辛夏仁湯

半夏厚朴湯エキス
Hangekobokuto Extract

製法

	1)	2)	3)	4)
ハンゲ	6g	6g	6g	6g
ブクリョウ	5g	5g	5g	5g
コウボク	3g	3g	3g	3g
ソヨウ	2g	3g	2g	2g
ショウキョウ	1g	1g	1.3g	1.5g

1)～4)の処方に従い生薬をとり，エキス剤の製法により乾燥エキス又は軟エキスとする

性状　淡褐色～暗褐色の粉末又は黒褐色の軟エキスで，特異なにおいがあり，味は初め苦く，渋く，後に辛い

貯法　気密容器

治療

効能・効果　**コタロー**　精神不安があり，咽喉から胸元にかけてふさがるような感じがして，胃部に停滞膨満感のあるもの，通常消化機能悪く，悪心や嘔吐を伴うこともあるもの：気管支炎，嗄声，咳嗽発作，気管支喘息，神経性食道狭窄，胃弱，心臓喘息，神経症，神経衰弱，恐怖症，不眠症，つわり，その他嘔吐症，更年期神経症，浮腫，神経性頭痛

三和　精神不安があって咽喉から胸もとにかけて，ふさがるような感じがして胃部が重苦しく，不眠・恐怖感，食欲不振，咳嗽等を伴うものの次の諸症：気管支喘息，気管支炎，百日咳，婦人悪阻，嗄声，胃神経症，更年期神経症，神経性咽頭痛，ノイローゼ

ツムラ　気分がふさいで，咽喉，食道部に異物感があり，ときに動悸，めまい，嘔気等を伴う次の諸症：不安神経症，神経性胃炎，つわり，咳，しわがれ声，神経性食道狭窄症，不眠症

その他　気分がふさいで，咽喉・食道部に異物感があり，ときに動悸，めまい，嘔気等を伴う次の諸症：不安神経症，神経性胃炎，つわり，咳，しわがれ声

用法・用量　**オースギ**　1日3g又は12錠，食前又は食間2～3回に分服(適宜増減)

クラシエ　コタロー　1日6g又は(クラシエ)12錠，食前又は食間2～3回に分服(適宜増減)

三和　太虎堂　1日4.5g，食前又は食間3回に分服(適宜増減)

JPS　ツムラ　1日7.5g，食前又は食間2～3回に分服(適宜増減)

ジュンコウ　1日4.5g，食前又は食間2～3回に分服(適宜増減)

テイコク　1日3回，1回2.5g食前(適宜増減)

東洋　1日3回，1回2g空腹時(適宜増減)

本草　1日7.5g，食前又は食間3回に分服(適宜増減)

半夏瀉心湯エキス
Hangeshashinto Extract

製法

	1)	2)	3)
ハンゲ	5g	6g	5g
オウゴン	2.5g	3g	2.5g
カンキョウ	2.5g	3g	−
ショウキョウ	−	−	2.5g
ニンジン	2.5g	3g	2.5g
カンゾウ	2.5g	3g	2.5g
タイソウ	2.5g	3g	2.5g
オウレン	1g	1g	1g

1)〜3)の処方に従い生薬をとり，エキス剤の製法により乾燥エキス又は軟エキスとする

性状 淡黄色〜黄褐色の粉末又は黒褐色の軟エキスで，僅かににおいがあり，味は辛く，苦く，僅かに甘い

貯法 気密容器

治療

効能・効果 **コタロー** 胃部がつかえ，悪心や嘔吐があり，食欲不振で舌苔や胃部に水分停滞感があり，腹鳴を伴って下痢するもの，あるいは軟便や粘液便を排出するもの：急性・慢性胃腸カタル，醗酵性下痢，消化不良，口内炎，つわり

三和 胃部がつかえて悪心や嘔吐があり，舌苔や胃部に水分停滞感があって，食欲不振で，腹鳴を伴って，下痢または軟便を排出するものの次の諸症：急性・慢性胃腸カタル，醗酵性下痢，口内炎，消化不良，胃下垂，胃アトニー症，胃および十二指腸潰瘍の軽症または予後，つわり

その他 みぞおちがつかえ，ときに悪心，嘔吐があり，食欲不振で腹が鳴って軟便または下痢の傾向のあるものの次の諸症：急・慢性胃腸カタル，醗酵性下痢，消化不良，胃下垂，神経性胃炎，胃弱，二日酔，げっぷ，胸やけ，口内炎，神経症

用法・用量 **オースギ** **コタロー** **JPS** **ツムラ** 1日7.5g，食前又は食間2〜3回に分服(適宜増減)

クラシエ **ジュンコウ** **マツウラ** 1日6g又は(クラシエ)18錠，食前又は食間2〜3回に分服(適宜増減)

三和 **本草** 1日7.5g，食前又は食間3回に分服(適宜増減)

太虎堂 1日6g，食前又は食間3回に分服(適宜増減)

テイコク 1日3回，1回3g食前(適宜増減)

東洋 1日3回，1回2g空腹時(適宜増減)

使用上の注意

禁忌 ①アルドステロン症の患者 ②ミオパチーのある患者 ③低カリウム血症のある患者［①〜③：これらの疾患及び症状が悪化するおそれがある］

ヒマシ油
Castor Oil
OLEUM RICINI

トウゴマ*Ricinus communis* Linné(*Euphorbiaceae*)の種子を圧搾して得た脂肪油である

性状 無色〜微黄色澄明の粘性の油で，僅かに特異なにおいがあり，味は初め緩和で，後に僅かにえぐい．エタノール(99.5)又はジエチルエーテルと混和する．エタノール(95)に溶けやすく，水にほとんど溶けない．0℃に冷却するとき，粘性を増し，徐々に混濁する

貯法 気密容器

加香ヒマシ油
Aromatic Castor Oil

製法

ヒマシ油	990mL
オレンジ油	5mL
ハッカ油	5mL
全量	1000mL

以上をとり，混和して製する

性状 無色〜類黄色澄明の濃稠な液で，芳香がある

貯法 気密容器

ビャクゴウ
Lilium Bulb
LILII BULBUS

別名：百合

オニユリ*Lilium lancifolium* Thunberg，ハカタユリ*Lilium brownii* F. E. Brown var. *colchesteri* Wilson，*Lilium brownii* F. E. Brown又は*Lilium pumilum* De Candolle(*Liliaceae*)の鱗片葉を，通例，蒸したものである

性状 頂端の細まった長楕円形，ひ針形又は長三角形の舟形を呈し，半透明で長さ1.3〜6cm，幅0.5〜2.0cmである．外面は乳白色〜淡黄褐色，ときに紫色を帯び，ほぼ平滑である．中央部はやや厚く，周辺部は薄くて僅かに波状，ときに内巻に曲がる．数条の縦に平行な維管束が，通例，透けて見える．質は堅いが折りやすく，折面は角質様で滑らかである．ほとんどにおいがなく，僅かに酸味及び苦味がある

貯法 密閉容器

この生薬を含む主な医療用漢方処方 辛夷清肺湯

ビャクシ
Angelica Dahurica Root
ANGELICAE DAHURICAE RADIX

別名：白芷

ヨロイグサ*Angelica dahurica* Bentham et Hooker filius ex Franchet et Savatier(*Umbelliferae*)の根である

性状 主根から多数の長い根を分枝してほぼ紡錘形又は円錐形を呈し，長さ10〜25cmである．外面は灰褐色〜暗褐色で，縦じわ及び横長に隆起した多数の細根の跡がある．根頭に僅かに葉しょうを残し，密に隆起した輪節がある．横切面の周辺は灰白色で，中央部は暗褐色を呈するものがある．特異なにおいがあり，味は僅かに苦い

貯法 密閉容器

この生薬を含む主な医療用漢方処方 荊芥連翹湯，五積散，清上防風湯，川芎茶調散，疎経活血湯

ビャクジュツ
Atractylodes Rhizome
ATRACTYLODIS RHIZOMA

別名：白朮

1)オケラ*Atractylodes japonica* Koidzumi ex Kitamuraの根茎(和ビャクジュツ)又は2)オオバナオケラ*Atractylodes macrocephala* Koidzumi (*Atractylodes ovata* De Candolle) (*Compositae*)の根茎(唐ビャクジュツ)である

性状 1)和ビャクジュツ：本品の周皮を除いたものは不整塊状又は不規則に屈曲した円柱状を呈し，長さ3～8cm，径2～3cmである．外面は淡灰黄色～淡黄白色で，ところどころ灰褐色である．周皮を付けているものは外面は灰褐色で，しばしば結節状に隆起し，粗いしわがある．折りにくく，折面は繊維性である．横切面には淡黄褐色～褐色の分泌物による細点がある．特異なにおいがあり，味は僅かに苦い

2)唐ビャクジュツ：不整に肥大した塊状を呈し，長さ4～8cm，径2～5cmで外面は灰黄色～暗褐色を呈し，ところどころにこぶ状の小突起がある．折りにくく，破砕面は淡褐色～暗褐色で，木部の繊維性が著しい．特異なにおいがあり，味は僅かに甘く，後に僅かに苦い

貯法 密閉容器

この生薬を含む主な医療用漢方処方 胃苓湯，加味帰脾湯，加味逍遙散，帰脾湯，芎帰調血飲，桂枝加苓朮附湯，桂枝人参湯，桂芍知母湯，啓脾湯，五積散，五苓散，柴苓湯，滋陰至宝湯，四君子湯，十全大補湯，真武湯，疎経活血湯，大防風湯，当帰芍薬散，当帰芍薬散加附子，二朮湯，人参湯，人参養栄湯，半夏白朮天麻湯，茯苓飲，附子理中湯，防已黄耆湯，防風通聖散，補中益気湯，薏苡仁湯，抑肝散，抑肝散加陳皮半夏，六君子湯，苓姜朮甘湯，苓桂朮甘湯

ビャクジュツ末
Powdered Atractylodes Rhizome
ATRACTYLODIS RHIZOMA PULVERATUM

別名：白朮末

「ビャクジュツ」を粉末としたものである

性状 淡褐色～黄褐色を呈し，特異なにおいがあり，味は僅かに苦いか，初め僅かに甘く，後僅かに苦い

貯法 気密容器

白虎加人参湯エキス
Byakkokaninjinto Extract

製法

	1)	2)
チモ	5g	5g
セッコウ	15g	15g
カンゾウ	2g	2g
コウベイ	8g	8g
ニンジン	1.5g	3g

1)又は2)の処方に従い生薬をとり，エキス剤の製法により乾燥エキス又は軟エキスとする

性状 ごく薄い黄褐色～淡褐色の粉末又は黒褐色の軟エキスで，僅かににおいがあり，味はやや甘く，僅かに苦い

貯法 気密容器

治療

効能・効果 のどの渇きとほてりのあるもの

用法・用量 **クラシエ** 1日6gまたは12錠，食前または食間2～3回に分服(適宜増減)

ツムラ 1日9g，食前または食間2～3回に分服(適宜増減)

コタロー 1日12g，食前または食間2～3回に分服(適宜増減)

テイコク 1日3回，1回3g食前(適宜増減)

ビワヨウ
Loquat Leaf
ERIOBOTRYAE FOLIUM

別名：枇杷葉

ビワ*Eriobotrya japonica* Lindley (*Rosaceae*)の葉である

性状 長楕円形～広ひ針形で，長さ12～30cm，幅4～9cm，先端はとがり，基部はくさび形で，短い葉柄を付け，辺縁には粗いきょ歯がある．ときに，短径5～10mm，長径数cmの短冊状に切裁されている．上面は緑色～緑褐色を呈し，下面は淡緑褐色で，淡褐色の綿毛を残存する．葉脈部は淡黄褐色を呈し，下面に突出している．僅かににおいがあり，味はほとんどない

貯法 密閉容器

この生薬を含む主な医療用漢方処方 辛夷清肺湯

ビンロウジ
Areca
ARECAE SEMEN

別名：檳榔子

ビンロウ*Areca catechu* Linné (Palmae)の種子である

性状 鈍円錐形～扁平なほぼ球形を呈し，高さ1.5～3.5cm，径1.5～3cmで，底面の中央にはへそがあり，通例，くぼんでいる．外面の色は灰赤褐色～灰黄褐色を呈し，色の薄い網目模様があり，質は堅い．切面は質が密で，灰褐色の種皮が白色の胚乳中に入り込んで大理石様の模様を呈し，種子の中央はしばしばうつろである．弱いにおいがあり，味は渋くて僅かに苦い

貯法 密閉容器

この生薬を含む主な医療用漢方処方 九味檳榔湯，女神散

ブクリョウ
Poria Sclerotium
PORIA

別名：茯苓

マツホド*Wolfiporia cocos* Ryvarden et Gilbertson (*Poria cocos* Wolf) (*Polyporaceae*)の菌核で，通例，外層をほとんど除いたものである

性状 塊状を呈し，径約10～30cm，重さ0.1～2kgに達し，通例，その破片又は切片からなる．白色又は僅かに淡赤色を帯びた白色である．外層が残存するものは暗褐色～暗赤褐色で，き

めが粗く，裂け目がある．質は堅いが砕きやすい．ほとんどにおいがなく，味はほとんどないがやや粘液様である

貯法　密閉容器

この生薬を含む主な医療用漢方処方　胃苓湯，茵蔯五苓散，加味帰脾湯，加味逍遙散，帰脾湯，芎帰調血飲，九味檳榔湯，桂枝加苓朮附湯，桂枝茯苓丸，桂枝茯苓丸料加薏苡仁，啓脾湯，五積散，牛車腎気丸，五淋散，五苓散，柴胡加竜骨牡蛎湯，柴朴湯，柴苓湯，酸棗仁湯，滋陰至宝湯，四君子湯，十全大補湯，十味敗毒湯，小半夏加茯苓湯，参蘇飲，真武湯，清心蓮子飲，清肺湯，疎経活血湯，竹茹温胆湯，釣藤散，猪苓湯，猪苓湯合四物湯，当帰芍薬散，当帰芍薬散加附子，二朮湯，二陳湯，人参養栄湯，八味地黄丸，半夏厚朴湯，半夏白朮天麻湯，茯苓飲，茯苓飲合半夏厚朴湯，抑肝散，抑肝散加陳皮半夏，六君子湯，苓甘姜味辛夏仁湯，苓姜朮甘湯，苓桂朮甘湯，六味丸

ブクリョウ末
Powdered Poria Sclerotium
PORIA PULVERATUM

別名：茯苓末

「ブクリョウ」を粉末としたものである

性状　白色～灰白色を呈し，ほとんどにおいはなく，味はほとんどないがやや粘液様である

貯法　密閉容器

この生薬を含む主な医療用漢方処方　四苓湯

ブシ
Processed Aconite Root
ACONITI RADIX PROCESSA

別名：加工ブシ

ハナトリカブト*Aconitum carmichaeli* Debeaux又はオクトリカブト*Aconitum japonicum* Thunberg (*Ranunculaceae*)の塊根を1，2又は3の加工法により製したものである

1　高圧蒸気処理により加工する

2　食塩，岩塩又は塩化カルシウムの水溶液に浸せきした後，加熱又は高圧蒸気処理により加工する

3　食塩の水溶液に浸せきした後，水酸化カルシウムを塗布することにより加工する

1，2及び3の加工法により製したものを，それぞれブシ1，ブシ2及びブシ3とする．本品はその加工法を表示する

性状　1)ブシ1：径10mm以下の不整な多角形に破砕されている．外面は暗灰褐色～黒褐色を呈する．質は堅く，切面は平らで，淡褐色～暗褐色を呈し，通常角質で光沢がある．弱い特異なにおいがある

2)ブシ2：ほぼ倒円錐形で，長さ15～30mm，径12～16mm，又は縦ときに横に切断され，長さ20～60mm，幅15～40mm，厚さ200～700μm，又は径12mm以下の不整な多角形に破砕されている．外面は淡褐色～暗褐色又は黄褐色を呈する．質は堅く，通例，しわはなく，切面は平らで，淡褐色～暗褐色又は黄白色～淡黄褐色を呈し，通常角質，半透明で光沢がある．弱い特異なにおいがある

3)ブシ3：径5mm以下の不整な多角形に破砕されている．外面は灰褐色を呈する．質は堅く，切面は平らで，淡灰褐色～灰白色を呈し，光沢がない．弱い特異なにおいがある

貯法　密閉容器

この生薬を含む主な医療用漢方処方　葛根加朮附湯，桂枝加朮附湯，桂枝加苓朮附湯，桂芍知母湯，芍薬甘草附子湯，真武湯，大防風湯，当帰芍薬散加附子，八味地黄丸，附子理中湯，麻黄附子細辛湯

ブシ末
Powdered Processed Aconite Root
ACONITI RADIX PROCESSA ET PULVERATA

別名：加工ブシ末

(1)1又は2の加工法により製した「ブシ」を粉末としたもの，又は(2)ハナトリカブト*Aconitum carmichaeli* Debeaux又はオクトリカブト*Aconitum japonicum* Thunberg (*Ranunculaceae*)の塊根を1の加工法で製した後粉末としたもの，又は(2)に「トウモロコシデンプン」又は「乳糖水和物」を加えたものである

1　高圧蒸気処理により加工する

2　食塩，岩塩又は塩化カルシウムの水溶液に浸せきした後，加熱又は高圧蒸気処理により加工する

1及び2の加工法により製したものを，それぞれブシ末1及びブシ末2とする．本品はその加工法を表示する

性状　1)ブシ末1：淡褐色を呈し，特異なにおいがある

2)ブシ末2：淡黄白色を呈し，特異なにおいがある

貯法　密閉容器

この生薬を含む主な医療用漢方処方　桂枝加朮附湯，桂枝加苓朮附湯，牛車腎気丸，真武湯，大防風湯，八味地黄丸，麻黄附子細辛湯

ベラドンナコン
Belladonna Root
BELLADONNAE RADIX

別名：ベラドンナ根

ベラドンナ*Atropa belladonna* Linné (*Solanaceae*)の根である

性状　円柱形を呈し，通例，長さ10～30cm，径0.5～4cm，しばしば横切又は縦割されている．外面は灰褐色～灰黄褐色を呈し，縦じわがある．周皮はしばしば除いてある．折面は淡黄色～淡黄褐色を呈し，粉性である．ほとんどにおいがない

貯法　密閉容器

ベラドンナエキス
Belladonna Extract

製法　「ベラドンナコン」の粗末1000gをとり，35vol%エタノール4000mLを加え，3日間冷浸後，圧搾し，その残留物に35vol%エタノール2000mLを注ぎ，更に2日間冷浸した後，前後の浸液を合わせ，2日間放置した後，ろ過し，以下エキス剤の製法により軟エキスとする．ただし，35vol%エタノールの代わりに「エタノール」，及び「精製水」又は「精製水(容器入り)」適量を用いて製することができる

性状　暗褐色で，特異なにおいがあり，味は苦い

貯法　気密容器，遮光して冷所に保存

ベラドンナ総アルカロイド
Belladonna Total Alkaloids

製法　「ベラドンナコン」から水又は含水エタノールで抽出されたエキスを精製して得た総アルカロイドである

性状　白色の結晶又は結晶性の粉末である．メタノールに極めて溶けやすく，エタノール(99.5)に溶けやすく，水に溶けにくい

貯法　気密容器，遮光保存

ヘンズ
Dolichos Seed
DOLICHI SEMEN

別名：扁豆

フジマメ*Dolichos lablab* Linné(*Leguminosae*)の種子である

性状　偏楕円形〜偏卵円形を呈し，長さ9〜14mm，幅6〜10mm，厚さ4〜7mmである．外面は淡黄白色〜淡黄色を呈し，平滑でやや艶がある．一辺に隆起する白色の半月形の種枕がある．質は堅い．においがほとんどなく，僅かに甘味と酸味がある

貯法　密閉容器

ボウイ
Sinomenium Stem and Rhizome
SINOMENI CAULIS ET RHIZOMA

別名：防已

オオツヅラフジ*Sinomenium acutum* Rehder et Wilson (*Menispermaceae*)のつる性の茎及び根茎を，通例，横切したものである

性状　円形又は楕円形の切片で，厚さ0.2〜0.4cm，径1〜4.5cmである．両切面の皮部は淡褐色〜暗褐色を呈し，木部は灰褐色の道管部と暗褐色の放射組織とが交互に放射状に配列する．側面は暗灰色で，縦溝と，いぼ状突起がある．ほとんどにおいがなく，味は苦い

貯法　密閉容器

この生薬を含む主な医療用漢方処方　疎経活血湯，防已黄耆湯，木防已湯

防已黄耆湯エキス
Boiogito Extract

製法

	1)	2)	3)
ボウイ	5g	5g	5g
オウギ	5g	5g	5g
ビャクジュツ	3g	3g	−
ソウジュツ	−	−	3g
ショウキョウ	0.8g	1g	1g
タイソウ	3g	3g	3g
カンゾウ	1.5g	1.5g	1.5g

1)〜3)の処方に従い生薬をとり，エキス剤の製法により乾燥エキス又は軟エキスとする．又は3)の処方に従い生薬をとり，エキス剤の製法により浸出液を製し，「軽質無水ケイ酸」を添加し乾燥エキスとする

性状　淡黄褐色〜帯赤褐色の粉末又は黒褐色の軟エキスで，僅かににおいがあり，味は初め甘く，後に僅かに辛く苦い

貯法　気密容器

治療

効能・効果　**コタロー**　水ぶとりで皮膚の色が白く，疲れやすくて，汗をかきやすいか，または浮腫があるもの：関節炎，関節リウマチ，肥満症，多汗症

ツムラ　色白で筋肉軟らかく水ぶとりの体質で疲れやすく，汗が多く，小便不利で下肢に浮腫をきたし，膝関節の腫痛するものの次の諸症：腎炎，ネフローゼ，妊娠腎，陰嚢水腫，肥満症，関節炎，よう，せつ，筋炎，浮腫，皮膚病，多汗症，月経不順

その他　色白で疲れやすく，汗のかきやすい傾向のある次の諸症：肥満症(筋肉にしまりのない，いわゆる水ぶとり)，関節痛，むくみ

用法・用量　**オースギ**　**クラシエ**　**コタロー**　**JPS**　**ツムラ**　1日7.5g又は(クラシエ)18錠，食前又は食間2〜3回に分服(適宜増減)

ジュンコウ　**マツウラ**　1日6g，食前又は食間2〜3回に分服(適宜増減)

太虎堂　**本草**　1日7.5g，食前又は食間3回に分服(適宜増減)

テイコク　1日3回，1回2.5g食前(適宜増減)

ボウコン
Imperata Rhizome
IMPERATAE RHIZOMA

別名：茅根

チガヤ*Imperata cylindrica* Beauvois(*Gramineae*)の細根及び鱗片葉をほとんど除いた根茎である

性状　細長い円柱形を呈し，径0.3〜0.5cm，ときに分枝している．外面は黄白色で，僅かな縦じわ及び2〜3cmごとに節がある．折りにくく，折面は繊維性である．横切面は不規則な円形で，皮層の厚さは中心柱の径よりも僅かに薄く，髄の組織はしばしばうつろとなる．横切面をルーペ視するとき，皮層は黄白色で，ところどころに褐色の斑点を認め，中心柱は黄褐色である．ほとんどにおいがなく，味は初めなく，後に僅かに甘い

貯法　密閉容器

ボウショウ
Sodium Sulfate Hydrate
SAL MIRABILIS

別名：芒硝
硫酸ナトリウム
硫酸ナトリウム十水塩

主として硫酸ナトリウム(Na_2SO_4)の十水和物である

性状 無色～白色の結晶又は結晶性の粉末で，においがなく，味は清涼感があり，塩辛い．水に溶けやすく，エタノール(99.5)にほとんど溶けない．空気中で速やかに風解し，約33℃でその結晶水中に溶け，100℃で結晶水を失う

貯法 密閉容器

無水ボウショウ
Anhydrous Sodium Sulfate
SAL MIRABILIS ANHYDRICUS

別名：乾燥ボウショウ
乾燥硫酸ナトリウム
無水芒硝
無水硫酸ナトリウム

主として結晶水を含まない硫酸ナトリウム(Na_2SO_4)である

性状 白色の結晶又は粉末で，においがなく，味は塩辛く，僅かに苦い．水に溶けやすく，エタノール(99.5)にほとんど溶けない

貯法 密閉容器

ボウフウ
Saposhnikovia Root and Rhizome
SAPOSHNIKOVIAE RADIX

別名：防風

Saposhnikovia divaricata Schischkin (*Umbelliferae*)の根及び根茎である

性状 細長い円錐形を呈し，長さ15～20cm，径0.7～1.5cmである．外面は淡褐色で，根茎には密に輪節状の横じわがあり，褐色の毛状になった葉しょうの残基を付けることがあり，根には多数の縦じわ及び細根の跡がある．横切面の皮部は灰褐色で，空げきが多く，木部は黄色である．弱いにおいがあり，味は僅かに甘い

貯法 密閉容器

この生薬を含む主な医療用漢方処方 荊芥連翹湯，十味敗毒湯，消風散，清上防風湯，川芎茶調散，疎経活血湯，大防風湯，治頭瘡一方，釣藤散，当帰飲子，防風通聖散，立効散

防風通聖散エキス
Bofutsushosan Extract

製法

	1)	2)	3)	4)	5)	6)
トウキ	1.2g	1.2g	1.2g	1.2g	1.2g	1.2g
シャクヤク	1.2g	1.2g	1.2g	1.2g	1.2g	1.2g
センキュウ	1.2g	1.2g	1.2g	1.2g	1.2g	1.2g
サンシシ	1.2g	1.2g	1.2g	1.2g	1.2g	1.2g
レンギョウ	1.2g	1.2g	1.2g	1.2g	1.2g	1.2g
ハッカ	1.2g	1.2g	1.2g	1.2g	1.2g	1.2g
ショウキョウ	0.3g	0.3g	0.4g	0.4g	1.2g	0.3g
ケイガイ	1.2g	1.2g	1.2g	1.2g	1.2g	1.2g
ボウフウ	1.2g	1.2g	1.2g	1.2g	1.2g	−
ハマボウフウ	−	−	−	−	−	1.2g
マオウ	1.2g	1.2g	1.2g	1.2g	1.2g	1.2g
ダイオウ	1.5g	1.5g	1.5g	1.5g	1.5g	1.5g
ボウショウ	−	1.5g	−	1.5g	−	−
無水ボウショウ	0.7g	−	0.75g	−	1.5g	0.75g
ビャクジュツ	2g	2g	2g	2g	2g	2g
キキョウ	2g	2g	2g	2g	2g	2g
オウゴン	2g	2g	2g	2g	2g	2g
カンゾウ	2g	2g	2g	2g	2g	2g
セッコウ	2g	2g	2g	2g	2g	2g
カッセキ	3g	3g	3g	3g	3g	3g

1)～6)の処方に従い生薬をとり，エキス剤の製法により乾燥エキス又は軟エキスとする

性状 黄褐色～褐色の粉末又は黒褐色の軟エキスで，僅かににおいがあり，味は甘く，僅かに苦い

貯法 気密容器

治療

効能・効果 **コタロー** 脂肪太りの体質で便秘し，尿量減少するもの：常習便秘，胃酸過多症，腎臓病，心臓衰弱，動脈硬化，高血圧，脳溢血これらに伴う肩こり

三和 脂肪太りの体質で便秘したりあるいは胸やけ・肩こり・尿量減少等が伴うものの次の諸症：肥満症，高血圧症，常習便秘，痔疾，慢性腎炎，湿疹

その他 腹部に皮下脂肪が多く，便秘がちなものの次の諸症：高血圧の随伴症状(動悸，肩こり，のぼせ)，肥満症，むくみ，便秘

用法・用量 **オースギ** **コタロー** 1日9g，食前又は食間2～3回に分服(適宜増減)

クラシエ **JPS** **ツムラ** 1日7.5g又は(クラシエ)27錠，食前又は食間2～3回に分服(適宜増減)

三和 1日9g，食前又は食間3回に分服(適宜増減)

太虎堂 **本草** 1日7.5g，食前又は食間3回に分服(適宜増減)

テイコク 1日3回，1回2.5g食前(適宜増減)

東洋 1日3回，1回2.5g空腹時(適宜増減)

ボクソク
Quercus Bark
QUERCUS CORTEX

別名：樸樕

クヌギ *Quercus acutissima* Carruthers，コナラ *Quercus serrata* Murray，ミズナラ *Quercus mongolica* Fischer ex Ledebour var. *crispula* Ohashi 又はアベマキ *Quercus variabilis* Blume (*Fagaceae*)の樹皮である

性状 板状又は半管状の皮片で，厚さ5～15mm，外面は灰褐色

生薬等ホ

〜暗褐色を呈し，内面は褐色〜淡褐色を呈する．外面は厚い周皮を付け，縦に粗い裂け目があり，内面には縦の隆起線がある．横切面は褐色〜淡褐色を呈し，ところどころに石細胞群による白色の細点を認める．におい及び味はほとんどない

貯法 密閉容器

この生薬を含む主な医療用漢方処方 十味敗毒湯，治打撲一方

ボタンピ
Moutan Bark
MOUTAN CORTEX

別名：牡丹皮

ボタン*Paeonia suffruticosa* Andrews(*Paeonia moutan* Sims)(*Paeoniaceae*)の根皮である

性状 管状〜半管状の皮片で，厚さ約0.5cm，長さ5〜8cm，径0.8〜1.5cmである．外面は暗褐色〜紫褐色で，横に長い小楕円形の側根の跡と縦じわがあり，内面は淡灰褐色〜帯紫褐色を呈し，平らである．折面はきめが粗い．内面及び折面にはしばしば白色の結晶を付着する．特異なにおいがあり，味は僅かに辛くて苦い

貯法 密閉容器

この生薬を含む主な医療用漢方処方 温経湯，加味帰脾湯，加味逍遙散，芎帰調血飲，桂枝茯苓丸，桂枝茯苓丸料加薏苡仁，牛車腎気丸，大黄牡丹皮湯，腸癰湯，八味地黄丸，六味丸

ボタンピ末
Powdered Moutan Bark
MOUTAN CORTEX PULVERATUS

別名：牡丹皮末

「ボタンピ」を粉末としたものである

性状 淡灰黄褐色を呈し，特異なにおいがあり，味は僅かに辛くて苦い

貯法 気密容器

補中益気湯エキス
Hochuekkito Extract

製法

	1)	2)	3)	4)	5)	6)
ニンジン	4g	4g	4g	4g	4g	4g
ビャクジュツ	4g	−	4g	−	4g	4g
ソウジュツ	−	4g	−	4g	−	−
オウギ	4g	4g	4g	4g	3g	4g
トウキ	3g	3g	3g	3g	3g	3g
チンピ	2g	2g	2g	2g	2g	2g
タイソウ	2g	2g	2g	2g	2g	2g
サイコ	2g	2g	1g	1g	2g	1g
カンゾウ	1.5g	1.5g	1.5g	1.5g	1.5g	1.5g
ショウキョウ	0.5g	0.5g	0.5g	0.5g	0.5g	−
カンキョウ	−	−	−	−	−	0.5g
ショウマ	1g	1g	0.5g	0.5g	1g	0.5g

1)〜6)の処方に従い生薬をとり，エキス剤の製法により乾燥エキス又は軟エキスとする

性状 淡褐色〜褐色の粉末又は黒褐色の軟エキスで，僅かににおいがあり，味は甘く，苦い

貯法 気密容器

治療

効能・効果 **コタロー** 胃腸機能減退し，疲労倦怠感があるもの，あるいは頭痛，悪寒，盗汗，弛緩性出血等を伴うもの：結核性疾患および病後の体力増強，胃弱，貧血症，夏やせ，虚弱体質，低血圧，腺病質，痔疾，脱肛

三和 体力が乏しく貧血ぎみで，胃腸機能が減退し，疲労倦怠感や食欲不振あるいは盗汗等あるものの次の諸症：病後・術後の衰弱，胸部疾患の体力増強，貧血症，低血圧症，夏やせ，胃弱，胃腸機能減退，多汗症

ツムラ 消化機能が衰え，四肢倦怠感著しい虚弱体質者の次の諸症：夏やせ，病後の体力増強，結核症，食欲不振，胃下垂，感冒，痔，脱肛，子宮下垂，陰萎，半身不随，多汗症

その他 元気がなく胃腸の働きが衰えて疲れやすいものの次の諸症：虚弱体質，疲労倦怠，病後の衰弱，食欲不振，寝汗

用法・用量 **オースギ** **コタロー** 1日12g，食前又は食間2〜3回に分服(適宜増減)

クラシエ **JPS** **ジュンコウ** **ツムラ** 1日7.5g又は(ジュンコウ)18錠，食前又は食間2〜3回に分服(適宜増減)

三和 1日9g，食前又は食間3回に分服(適宜増減)

太虎堂 **本草** 1日7.5g，食前又は食間3回に分服(適宜増減)

テイコク 1日3回，1回2.5g食前(適宜増減)

東洋 1日3回，1回2.5g空腹時(適宜増減)

ホミカ
Nux Vomica
STRYCHNI SEMEN

Strychnos nux-vomica Linné(*Loganiaceae*)の種子である

性状 円板状で，しばしば僅かに屈曲し，径1〜3cm，厚さ0.3〜0.5cmである．外面は淡灰黄緑色〜淡灰褐色を呈し，中央部から周辺に向かう光沢のある伏毛で密に覆われる．両面の周辺及び中央部はやや隆起し，周辺の一点には点状の珠孔があり，片面の中心点との間に，しばしば隆起した線を現す．質は極めて堅い．水に浸して割ると，種皮は薄く，内部は淡灰黄色で角質の内乳2枚からなり，中央部は狭い空間となっている．内乳の内面の一端に，長さ約0.7cmの白色の胚がある．においがない

貯法 密閉容器

ホミカエキス
Nux Vomica Extract

製法 「ホミカ」の粗末1000gをとり，ヘキサンで脱脂した後，「エタノール」750mL，「酢酸」10mL，及び「精製水」又は「精製水(容器入り)」240mLの混液を第1浸出剤とし，70vol%エタノールを第2浸出剤として，パーコレーション法により浸出し，全浸液を合わせ，以下エキス剤の製法により乾燥エキスとして製する．ただし，70vol%エタノールの代わりに「エタノール」，及び「精製水」又は「精製水(容器入り)」適量を用いて製することができる

性状 黄褐色〜褐色の粉末で，弱いにおいがあり，味は極めて

苦い
貯法　気密容器，遮光保存

ホミカエキス散
Nux Vomica Extract Powder

定量するとき，ストリキニーネ($C_{21}H_{22}N_2O_2$：334.41)0.61～0.68%を含む
製法

ホミカエキス	100g
デンプン，乳糖水和物又はこれらの混合物	適量
全量	1000g

「ホミカエキス」をとり，「精製水」又は「精製水(容器入り)」100mLを加え，加温しながらかき混ぜて軟化し，冷後，デンプン，「乳糖水和物」又はこれらの混合物800gを少量ずつ加えてよく混和し，なるべく低温で乾燥し，更にその適量を加えて均質とし，粉末として製する
性状　黄褐色～灰褐色の粉末で，僅かに弱いにおいがあり，味は苦い
貯法　気密容器，遮光保存

ホミカチンキ
Nux Vomica Tincture

製法

ホミカ，粗末	100g
70vol%エタノール	適量
全量	1000mL

以上をとり，チンキ剤の製法により製する．ただし，70vol%エタノールの代わりに「エタノール」，及び「精製水」又は「精製水(容器入り)」適量を用いて製することができる
性状　黄褐色の液で，味は極めて苦い
貯法　気密容器，遮光保存

ボレイ
Oyster Shell
OSTREAE TESTA

別名：牡蛎

カキ*Ostrea gigas* Thunberg(*Ostreidae*)の貝殻である
性状　不整に曲がった薬状又は薄い小片に砕いた貝殻で，完全な形のものは長さ6～10cm，幅2～5cm，上下2片からなり，上片は平たん，下片はややくぼんで，その辺縁は共に不整に屈曲して互いにかみ合っている．外面は淡緑灰褐色，内面は乳白色である．ほとんどにおい及び味がない
貯法　密閉容器
この生薬を含む主な医療用漢方処方　安中散，桂枝加竜骨牡蛎湯，柴胡加竜骨牡蛎湯，柴胡桂枝乾姜湯

ボレイ末
Powdered Oyster Shell
OSTREAE TESTA PULVERATA

別名：牡蛎末

「ボレイ」を粉末としたものである
性状　帯灰白色を呈し，ほとんどにおい及び味がない
貯法　気密容器

マオウ
Ephedra Herb
EPHEDRAE HERBA

別名：麻黄

Ephedra sinica Stapf，*Ephedra intermedia* Schrenk et C. A. Meyer又は*Ephedra equisetina* Bunge(*Ephedraceae*)の地上茎である
性状　細い円柱状～楕円柱状を呈し，径0.1～0.2cm，節間の長さ3～5cm，淡緑色～黄緑色である．外面に多数の平行する縦溝があり，節部にはりん片状の葉がある．葉は長さ0.2～0.4cm，淡褐色～褐色で，通例，対生し，その基部は合着して，筒状になっている．茎の横切面をルーペ視するとき，円形～楕円形で，周辺部は灰緑色～黄緑色を呈し，中心部は赤紫色の物質を充満するか又は中空である．節間部を折るとき，折面の周辺部は繊維性で，縦に裂けやすい．僅かににおいがあり，味は渋くて僅かに苦く，やや麻痺性である
貯法　密閉容器
この生薬を含む主な医療用漢方処方　越婢加朮湯，葛根加朮附湯，葛根湯，葛根湯加川芎辛夷，桂芍知母湯，桂麻各半湯，五虎湯，五積散，小青竜湯，神秘湯，防風通聖散，麻黄湯，麻黄附子細辛湯，麻杏甘石湯，麻杏薏甘湯，薏苡仁湯

麻黄湯エキス
Maoto Extract

製法

	1)
マオウ	5g
キョウニン	5g
ケイヒ	4g
カンゾウ	1.5g

1)の処方に従い生薬をとり，エキス剤の製法により乾燥エキス又は軟エキスとする．又は1)の処方に従い生薬をとり，エキス剤の製法により浸出液を製し，「軽質無水ケイ酸」を添加し乾燥エキスとする
性状　淡褐色の粉末又は黒褐色の軟エキスで，僅かににおいがあり，味は甘く苦く，後に僅かに渋い
貯法　気密容器
治療
効能・効果　**コタロー**　高熱悪寒があるにもかかわらず，自然の発汗がなく，身体痛，関節痛のあるもの，あるいは咳嗽や喘鳴のあるもの：感冒，鼻かぜ，乳児鼻づまり，気管支喘息
ツムラ　悪寒，発熱，頭痛，腰痛，自然に汗の出ないものの次の諸症：感冒，インフルエンザ(初期のもの)，関節リウマチ，喘息，乳児の鼻閉塞，哺乳困難

その他 風邪のひきはじめで，寒けがして，発熱　頭痛があり，身体のふしぶしが痛い場合の次の諸症：感冒，鼻かぜ

用法・用量 **クラシエ** **コタロー** 1日6g，食前又は食間2～3回に分服（適宜増減）

ジュンコウ 1日4.5g，食前又は食間2～3回に分服（適宜増減）

ツムラ **本草** 1日7.5g，食前又は食間2～3回に分服（適宜増減）

テイコク 1日3回，1回2.5g食前（適宜増減）

マクリ
Digenea
DIGENEA

別名：海人草

マクリ*Digenea simplex* C．Agardh（*Rhodomelaceae*）の全藻である

性状 丸いひも状を呈し，径2～3mm，暗赤紫色～暗灰赤色又は灰褐色である．不規則な二股状に数回分枝し，短い毛のような小枝で覆われる．しばしば石灰藻類や小形の海藻類を付けている．海藻臭があり，味は僅かに塩辛く不快である

貯法 密閉容器

マシニン
Hemp Fruit
CANNABIS FRUCTUS

別名：火麻仁
麻子仁

アサ*Cannabis sativa* Linné（*Moraceae*）の果実である

性状 僅かに扁平な卵球形を呈し，長さ4～5mm，径3～4mm，外面は灰緑色～灰褐色を呈する．一端はややとがり，他の一端には果柄の跡があり，両側には稜線がある．外面は艶があり，白色の網脈模様がある．果皮はやや堅い．種子はやや緑色を帯び，内部には灰白色の胚乳がある．100粒の質量は1.6～2.7gである．ほとんどにおいはないが，かめば香ばしく，味は緩和で油様である

貯法 密閉容器

この生薬を含む主な医療用漢方処方 炙甘草湯，潤腸湯，麻子仁丸

ミツロウ
Yellow Beeswax
CERA FLAVA

別名：黄蝋

ヨーロッパミツバチ*Apis mellifera* Linné又はトウヨウミツバチ*Apis cerana* Fabricius（*Apidae*）などのミツバチの巣から得たろうを精製したものである

性状 淡黄色～帯褐黄色の塊で，敗油性でない特異なにおいがある．冷時では比較的割りやすく，割面は非結晶粒状性である

貯法 密閉容器

この生薬を含む主な医療用漢方処方 紫雲膏

サラシミツロウ
White Beeswax
CERA ALBA

別名：白蝋

「ミツロウ」を漂白したものである

性状 白色～帯黄白色の塊で，特異なにおいがある．冷時では比較的割りやすく，割面は非結晶粒状性である．ジエチルエーテルに溶けにくく，水又はエタノール(99.5)にほとんど溶けない

貯法 密閉容器

この生薬を含む主な医療用漢方処方 紫雲膏

木クレオソート
Wood Creosote
CREOSOTUM LIGNI

別名：クレオソート

*Pinus*属諸種植物（*Pinaceae*），*Cryptomeria*属諸種植物（*Taxodiaceae*），*Fagus*属諸種植物（*Fagaceae*），*Afzelia*属植物（*Intsia* 属植物）（*Leguminosae*），*Shorea* 属植物（*Dipterocarpaceae*）又は*Tectona*属植物（*Verbenaceae*）の幹及び枝を乾留して得た木タールを原料とし，これを蒸留して180～230℃の留分を集め，更に精製・再蒸留して得られるフェノール類の混合物である

性状 無色～微黄色澄明の液で，特異なにおいがある．水に溶けにくい．メタノール又はエタノール(99.5)と混和する．本品の飽和水溶液は酸性である．光を強く屈折する．光又は空気によって徐々に変色する

貯法 気密容器，遮光保存

モクツウ
Akebia Stem
AKEBIAE CAULIS

別名：木通

アケビ*Akebia quinata* Decaisne又はミツバアケビ*Akebia trifoliata* Koidzumi（*Lardizabalaceae*）のつる性の茎を，通例，横切したものである

性状 円形又は楕円形の切片で厚さ0.2～0.3cm，径1～3cmである．両切面の皮部は暗灰褐色を呈し，木部は淡褐色の道管部と灰白色の放射組織とが交互に放射状に配列する．髄は淡灰黄色で，明らかである．側面は灰褐色で，円形又は横に長い楕円形の皮目がある．ほとんどにおいがなく，味は僅かにえぐい

貯法 密閉容器

この生薬を含む主な医療用漢方処方 五淋散，消風散，通導散，当帰四逆加呉茱萸生姜湯，竜胆瀉肝湯

モッコウ
Saussurea Root
SAUSSUREAE RADIX

別名：木香

Saussurea lappa Clarke (*Compositae*) の根である

性状　ほぼ円柱形を呈し，長さ5～20cm，径1～6cmである．僅かに湾曲するものがあり，ときに縦割されている．根頭のあるものでは上端部は茎の跡がくぼんでいる．外面は黄褐色～灰褐色で，粗い縦じわと細かい網目のしわ及び側根の残基がある．ときに周皮を除いたものもある．質は堅くて充実し，折りにくい．横切面は黄褐色～暗褐色で，形成層付近は暗色を呈する．ルーペ視するとき，放射組織は明らかで，ところどころに大きな裂け目があり，褐色の油室が散在している．老根では中央に髄があり，しばしばうつろになっている．特異なにおいがあり，味は苦い

貯法　密閉容器

この生薬を含む主な医療用漢方処方　加味帰脾湯，帰脾湯，九味檳榔湯，参蘇飲，女神散

ヤクチ
Bitter Cardamon
ALPINIAE FRUCTUS

別名：益智

Alpinia oxyphylla Miquel (*Zingiberaceae*) の果実である

性状　球形～紡錘形を呈し，長さ1～2cm，径0.7～1cmである．外面は褐色～暗褐色で，多数の縦に連なる小こぶ状の隆起線がある．果皮は厚さ0.3～0.5mmで，種子塊と密着し，はぎにくい．内部は薄い膜によって縦に3室に分かれ，各室には仮種皮によって接合する5～8個の種子がある．種子は不整多角形を呈し，径約3.5mmで褐色～暗褐色である．質は堅い．特異なにおいがあり，味は僅かに苦い

貯法　密閉容器

ヤクモソウ
Leonurus Herb
LEONURI HERBA

別名：益母草

メハジキ *Leonurus japonicus* Houttuyn 又は *Leonurus sibiricus* Linné (*Labiatae*) の花期の地上部である

性状　茎，葉及び花からなり，通例，横切したもの．茎は方柱形で，径0.2～3cm，黄緑色～緑褐色を呈し，白色の短毛を密生する．髄は白色で断面中央部の多くを占める．質は軽い．葉は対生し，有柄で3全裂～3深裂し，裂片は羽状に裂け，終裂片は線状ひ針形で鋭頭，又は鋭尖頭，上面は淡緑色を呈し，下面は白色の短毛を密生し，灰緑色を呈する．花は輪生し，がくは筒状で上端は針状に5裂し，淡緑色～淡緑褐色，花冠は唇形で淡赤紫色～淡褐色を呈する．僅かににおいがあり，味は僅かに苦く，収れん性である

貯法　密閉容器

この生薬を含む主な医療用漢方処方　芎帰調血飲

ヤシ油
Coconut Oil
OLEUM COCOIS

別名：椰子油

ココヤシ *Cocos nucifera* Linné (*Palmae*) の種子から得た脂肪油である

性状　白色～淡黄色の塊又は無色～淡黄色澄明の油で，僅かに特異なにおいがあり，味は緩和である．ジエチルエーテル又は石油エーテルに溶けやすく，水にほとんど溶けない．15℃以下で凝固し，堅くてもろい塊となる．融点：20～28℃

貯法　気密容器

ユウタン
Bear Bile
FEL URSI

別名：熊胆

Ursus arctos Linné又はその他近縁動物 (*Ursidae*) の胆汁を乾燥したものである

性状　不定形の小塊からなり，外面は黄褐色～暗黄褐色で，破砕しやすく，破砕面はガラス様の艶があり，湿潤していない．胆のう中に入っているが，ときには取り出されている．胆のうは繊維性の強じんな膜質からなり，長さ9～15cm，幅7～9cm，外面は暗褐色を呈し，半透明である．弱い特異なにおいがあり，味は極めて苦い

貯法　密閉容器

ユーカリ油
Eucalyptus Oil
OLEUM EUCALYPTI

ユーカリノキ *Eucalyptus globulus* Labillardiére又はその他近縁植物 (*Myrtaceae*) の葉を水蒸気蒸留して得た精油である

性状　無色～微黄色澄明の液で，特異な芳香及び刺激性の味がある．中性である

貯法　気密容器，遮光保存

ヨクイニン
Coix Seed
COICIS SEMEN

別名：薏苡仁

ハトムギ *Coix lacryma-jobi* Linné var. *mayuen* Stapf (*Gramineae*) の種皮を除いた種子である

性状　卵形～広卵形を呈し，長さ約6mm，幅約5mm，両端はややくぼみ，背面は丸く膨れ，腹面の中央には縦に深い溝がある．背面はほぼ白色，粉質で，腹面の溝に褐色膜質の果皮及び種皮が付いている．横切面をルーペ視するとき，腹面のくぼみには淡黄色の胚盤がある．質は堅い．弱いにおいがあり，味は僅かに甘く，歯間に粘着する

貯法　密閉容器
この生薬を含む主な医療用漢方処方　桂枝茯苓丸料加薏苡仁，腸癰湯，麻杏薏甘湯，薏苡仁湯

ヨクイニン末
Powdered Coix Seed
COICIS SEMEN PULVERATUM

別名：薏苡仁末

「ヨクイニン」を粉末としたものである
性状　帯褐灰白色～灰黄白色を呈し，弱いにおいがあり，味は僅かに甘い
貯法　気密容器

抑肝散エキス
Yokukansan Extract

製法

	1)	2)
トウキ	3g	3g
チョウトウコウ	3g	3g
センキュウ	3g	3g
ビャクジュツ	4g	−
ソウジュツ	−	4g
ブクリョウ	4g	4g
サイコ	2g	2g
カンゾウ	1.5g	1.5g

1)又は2)の処方に従い生薬をとり，エキス剤の製法により乾燥エキス又は軟エキスとする
性状　淡褐色～灰褐色の粉末又は黒褐色の軟エキスで，僅かににおいがあり，味は僅かに苦く，酸味がある
貯法　気密容器
治療
効能・効果　虚弱な体質で神経が高ぶるものの次の諸症：神経症，不眠症，小児夜泣き，小児疳症
用法・用量　1日7.5g，食前又は食間2～3回に分服(適宜増減)

ラッカセイ油
Peanut Oil
OLEUM ARACHIDIS

別名：落花生油

ラッカセイ*Arachis hypogaea* Linné(*Leguminosce*)の種子から得た脂肪油である
性状　微黄色澄明の油で，においはないか，又は僅かににおいがあり，味は緩和である．ジエチルエーテル又は石油エーテルと混和する．エタノール(95)に溶けにくい．脂肪酸の凝固点：22～33℃
貯法　気密容器

加水ラノリン
Hydrous Lanolin

「精製ラノリン」に水を加えたもので，「精製ラノリン」70～75%を含む(蒸発残分による)
性状　黄白色の軟膏様物質で，敗油性でない．僅かに特異なにおいがある．ジエチルエーテル又はシクロヘキサンに溶け，このとき，水分を分離する．水浴上で加熱して溶かすとき，澄明な油層及び水層に分離する．融点：約39℃
貯法　密閉容器，30℃以下で保存

精製ラノリン
Purified Lanolin
ADEPS LANAE PURIFICATUS

ヒツジ*Ovis aries* Linné(*Bovidae*)の毛から得た脂肪様物質を精製したものである
性状　淡黄色～帯黄褐色の粘性の軟膏様の物質で，敗油性でない，僅かに特異なにおいがある．ジエチルエーテル又はシクロヘキサンに極めて溶けやすく，テトラヒドロフラン又はトルエンに溶けやすく，エタノール(95)に極めて溶けにくい．水にほとんど溶けないが，2倍量の水を混和しても水を分離せず，軟膏様の粘性がある．融点：37～43℃
貯法　密閉容器，30℃以下で保存

六君子湯エキス
Rikkunshito Extract

製法

	1)	2)
ニンジン	4g	4g
ビャクジュツ	4g	−
ソウジュツ	−	4g
ブクリョウ	4g	4g
ハンゲ	4g	4g
チンピ	2g	2g
タイソウ	2g	2g
カンゾウ	1g	1g
ショウキョウ	0.5g	0.5g

1)又は2)の処方に従い生薬をとり，エキス剤の製法により乾燥エキス又は軟エキスとする
性状　淡褐色～褐色の粉末又は黒褐色の軟エキスで，においがあり，味は甘く，苦い
貯法　気密容器
治療
効能・効果　胃腸の弱いもので，食欲がなく，みぞおちがつかえ，疲れやすく，貧血性で手足が冷えやすいものの次の諸症：胃炎，胃アトニー，胃下垂，消化不良，食欲不振，胃痛，嘔吐
用法・用量　**オースギ**　**ツムラ** 1日7.5g，食前又は食間2～3回に分服(適宜増減)
クラシエ　**マツウラ** 1日6g，食前又は食間2～3回に分服(適宜増減)
コタロー 1日9g，食前又は食間2～3回に分服(適宜増減)
三和　**本草** 1日7.5g，食前又は食間3回に分服(適宜増減)

テイコク 1日3回，1回2.5g食前(適宜増減)
東洋 1日3回，1回2g空腹時(適宜増減)

リュウガンニク
Longan Aril
LONGAN ARILLUS

別名：竜眼肉

リュウガン*Euphoria longana* Lamarck(*Sapindaceae*)の仮種皮である

性状 扁圧された楕円体で，長さ1～2cm，幅約1cmである．黄赤褐色～黒褐色を呈し，質は柔らかくて粘性である．水に浸して放置するとき，鐘状を呈し，先端は数裂する．特異なにおいがあり，味は甘い

貯法 密閉容器

この生薬を含む主な医療用漢方処方 加味帰脾湯，帰脾湯

リュウコツ
Longgu
FOSSILIA OSSIS MASTODI

別名：竜骨

大型ほ乳動物の化石化した骨で，主として炭酸カルシウムからなる．本品のうち，エキス剤又は浸剤・煎剤に用いるものについては，その旨を表示する

性状 不定形の塊又は破片で，ときには円柱状の塊である．外面は淡灰白色を呈し，ところどころに灰黒色又は黄褐色の斑点を付けるものがある．外側部は質の緻密な2～10mmの層からなり，淡褐色を呈する多孔質部を包囲する．質は重くて堅いがややもろく，破砕すると小片及び粉末となる．におい及び味がない．なめるとき，舌に強く吸着する

貯法 密閉容器

この生薬を含む主な医療用漢方処方 桂枝加竜骨牡蛎湯，柴胡加竜骨牡蛎湯

リュウコツ末
Powdered Longgu
FOSSILIA OSSIS MASTODI PULVERATUM

別名：竜骨末

「リュウコツ」を粉末としたものである

性状 淡灰白色～淡灰褐色を呈し，におい及び味はない

貯法 密閉容器

リュウタン
Japanese Gentian
GENTIANAE SCABRAE RADIX

別名：竜胆

トウリンドウ*Gentiana scabra* Bunge，*Gentiana manshurica* Kitagawa又は*Gentiana triflora* Pallas(*Gentianaceae*)の根及び根茎である

性状 不整円柱状の短い根茎の周囲に多くの細長い根を付けたものである．外面は黄褐色～灰黄褐色を呈する．根は長さ10～15cm，径約0.3cmで，外面に粗い縦じわがあり，その質は柔軟である．折面は平らで，黄褐色を呈する．根茎は長さ約2cm，径約0.7cmで，上端に芽又は短い茎の残基を付ける．弱いにおいがあり，味は極めて苦く，残留性である

貯法 密閉容器

この生薬を含む主な医療用漢方処方 疎経活血湯，立効散，竜胆瀉肝湯

リュウタン末
Powdered Japanese Gentian
GENTIANAE SCABRAE RADIX PULVERATA

別名：竜胆末

「リュウタン」を粉末としたものである

性状 灰黄褐色を呈し，弱いにおいがあり，味は極めて苦く，残留性である

貯法 密閉容器

リョウキョウ
Alpinia Officinarum Rhizome
ALPINIAE OFFICINARUM RHIZOMA

別名：良姜

Alpinia officinarum Hance(*Zingiberaceae*)の根茎である

性状 やや湾曲した円柱形を呈し，しばしば分枝する．長さ2～8cm，径0.6～1.5cmである．外面は赤褐色～暗褐色を呈し，細かい縦じわ及び灰白色の輪節があり，ところどころに細根の跡がある．質は堅くて折りにくい．折面は淡褐色を呈し，繊維性で，皮層部の厚さは中心柱の径とほぼ等しい．特異なにおいがあり，味は極めて辛い

貯法 密閉容器

この生薬を含む主な医療用漢方処方 安中散

苓桂朮甘湯エキス
Ryokeijutsukanto Extract

製法

	1)	2)
ブクリョウ	6g	6g
ケイヒ	4g	4g
ビャクジュツ	3g	−
ソウジュツ	−	3g
カンゾウ	2g	2g

1)又は2)の処方に従い生薬をとり，エキス剤の製法により乾燥エキス又は軟エキスとする

性状　褐色の粉末又は黒褐色の軟エキスで，においがあり，味は甘く，後に苦い

貯法　気密容器

治療

効能・効果　**コタロー** 立ちくらみやめまい，あるいは動悸がひどく，のぼせて頭痛がし，顔面やや紅潮したり，あるいは貧血し，排尿回数多く，尿量減少して口唇部が渇くもの：神経性心悸亢進，神経症，充血，耳鳴，不眠症，血圧異常，心臓衰弱，腎臓病

三和 頭痛，頭重，のぼせ，めまい，立ちくらみ，動悸，心悸亢進等があって不眠，精神不安等を伴い尿量減少の傾向があるものの次の諸症：神経性心悸亢進症，心臓弁膜症，血圧異常，起立性めまい，メニエル氏症候群，神経衰弱，腎臓疾患

その他 めまい，ふらつきがあり，又は動悸があり尿量が減少するものの次の諸症：神経質，ノイローゼ，めまい，動悸，息切れ，頭痛

用法・用量　**オースギ**　**ジュンコウ**　**マツウラ** 1日4.5g，食前又は食間2～3回に分服（適宜増減）

クラシエ　**コタロー** 1日6g，食前又は食間2～3回に分服（適宜増減）

三和 1日4.5g，食前又は食間3回に分服（適宜増減）

JPS　**ツムラ** 1日7.5g，食前又は食間2～3回に分服（適宜増減）

太虎堂 1日6g，食前又は食間3回に分服（適宜増減）

東洋 1日3回，1回2g空腹時（適宜増減）

本草 1日7.5g，食前又は食間3回に分服（適宜増減）

レンギョウ
Forsythia Fruit
FORSYTHIAE FRUCTUS

別名：連翹

レンギョウ*Forsythia suspensa* Vahl（*Oleaceae*）の果実である

性状　さく果で，卵円形～長卵円形を呈し，長さ1.5～2.5cm，幅0.5～1cmである．先端はとがり，基部に果柄を残存するものがある．外面は淡褐色～暗褐色で淡灰色の小隆起点が散在し，2本の縦溝がある．縦溝に沿って裂開したものは先端がそり返る．裂開した果皮の内面は黄褐色で，中央に隔壁がある．種子は細長い長楕円形で，長さ0.5～0.7cm，通例，翼がある．弱いにおいがあり，味は僅かに苦い

貯法　密閉容器

この生薬を含む主な医療用漢方処方　荊芥連翹湯，柴胡清肝湯，清上防風湯，治頭瘡一方，防風通聖散，竜胆瀉肝湯

レンニク
Nelumbo Seed
NELUMBINIS SEMEN

別名：蓮肉

ハス*Nelumbo nucifera* Gaertner（*Nymphaeaceae*）の通例，内果皮の付いた種子でときに胚を除いたものである

性状　卵形体～楕円体で，一端には乳頭状の突起があり，その周辺はへこんでいる．長さ1.0～1.7cm，幅0.5～1.2cm，外面は淡赤褐色～淡黄褐色を呈し，突起部は暗赤褐色を呈する．内果皮は艶がなく，剥離しにくい．内部は黄白色の胚乳からなり，中央部にある胚は緑色である．ほとんどにおいがなく，味は僅かに甘く，やや油様で，胚は極めて苦い

貯法　密閉容器

この生薬を含む主な医療用漢方処方　啓脾湯，清心蓮子飲

ロジン
Rosin
RESINA PINI

別名：コロホニウム

*Pinus*属諸種植物（*Pinaceae*）の分泌物から精油を除いて得た樹脂である

性状　淡黄色～淡褐色，ガラス様透明の砕きやすい塊で，その外面はしばしば黄色の粉末で覆われ，破砕面は貝殻状で艶がある．弱いにおいがある．融解しやすく，黄褐色の炎を発して燃える．エタノール（95），酢酸（100）又はジエチルエーテルに溶けやすい．本品のエタノール（95）溶液は酸性である

貯法　密閉容器

ロートコン
Scopolia Rhizome
SCOPOLIAE RHIZOMA

ハシリドコロ*Scopolia japonica* Maximowicz，*Scopolia carniolica* Jacquin又は*Scopolia parviflora* Nakai（*Solanaceae*）の根茎及び根である

性状　主として不規則に分枝する多少曲がった根茎からなり，長さ約15cm，径3cmに達し，ときには縦割されている．外面は灰褐色でしわがあり，ところどころくびれて分節し，先端にはまれに茎の基部が残る．各節の上面には茎の跡があり，側面及び下面には根又はその残基がある．折面は粒状で灰白色～淡褐色を呈し，皮部の色はやや薄い．特異なにおいがある

貯法　密閉容器

ロートエキス
Scopolia Extract

製法　「ロートコン」の粗末をとり，35vol%エタノール，「常水」，「精製水」又は「精製水（容器入り）」を浸出剤として，

エキス剤の製法により軟エキスとする

性状　褐色〜暗褐色で，特異なにおいがあり，味は苦い．水に僅かに混濁して溶ける

貯法　気密容器，遮光して冷所に保存

ロートエキス散
Scopolia Extract Powder

定量するとき，総アルカロイド〔ヒヨスチアミン（$C_{17}H_{23}NO_3$：289.37）及びスコポラミン（$C_{17}H_{21}NO_4$：303.35）〕0.085〜0.110％を含む

製法

ロートエキス	100g
デンプン，乳糖水和物又はこれらの混合物	適量
全量	1000g

「ロートエキス」をとり，「精製水」又は「精製水（容器入り）」100mLを加え，加温しながらかき混ぜて軟化し，冷後，デンプン，「乳糖水和物」又はこれらの混合物800gを少量ずつ加えてよく混和し，なるべく低温で乾燥し，更にその適量を追加して均質とし，粉末として製する

性状　帯褐黄色〜灰黄褐色の粉末で，僅かに弱いにおいがあり，味は僅かに苦い

貯法　気密容器

ロートエキス・アネスタミン散
Scopolia Extract and Ethyl Aminobenzoate Powder

定量するとき，アミノ安息香酸エチル（$C_9H_{11}NO_2$：165.19）22.5〜27.5％を含む

製法

ロートエキス	10g
アミノ安息香酸エチル	250g
酸化マグネシウム	150g
炭酸水素ナトリウム	500g
デンプン，乳糖水和物又はこれらの混合物	適量
全量	1000g

以上をとり，散剤の製法により製する．ただし，「ロートエキス」の代わりに対応量の「ロートエキス散」を用いて製することができる

性状　僅かに褐色を帯びた白色の粉末で，味は僅かに苦く，舌を麻痺させる

貯法　密閉容器

ロートエキス・カーボン散
Scopolia Extract and Carbon Powder

製法

ロートエキス	5g
薬用炭	550g
天然ケイ酸アルミニウム	345g
デンプン，乳糖水和物又はこれらの混合物	適量
全量	1000g

以上をとり，散剤の製法により用時製する．ただし，「ロートエキス」の代わりに対応量の「ロートエキス散」を用いて製することができる

性状　黒色の飛散しやすい粉末で，味はない

貯法　密閉容器

複方ロートエキス・ジアスターゼ散
Compound Scopolia Extract and Diastase Powder

製法

ロートエキス	8g
ジアスターゼ	200g
沈降炭酸カルシウム	300g
炭酸水素ナトリウム	250g
酸化マグネシウム	100g
ゲンチアナ末	50g
デンプン，乳糖水和物又はこれらの混合物	適量
全量	1000g

以上をとり，散剤の製法により用時製する．ただし「ロートエキス」の代わりに対応量の「ロートエキス散」を用いて製することができる

性状　淡黄色の粉末で，味は苦い

貯法　密閉容器

ロートエキス・タンニン坐剤
Scopolia Extract and Tannic Acid Suppositories

製法

ロートエキス	0.5g
タンニン酸	1g
カカオ脂又は適当な基剤	適量

以上をとり，坐剤の製法により製し，10個とする

性状　淡褐色の坐剤である

貯法　密閉容器

ローヤルゼリー
Royal Jelly
APILAC

ヨーロッパミツバチ*Apis mellifera* Linné又はトウヨウミツバチ*Apis cerana* Fabricius（*Apidae*）の頭部にある分泌腺から分泌される粘稠性のある液又はそれを乾燥したものである．換算した生薬の乾燥物に対し，10-ヒドロキシ-2-(*E*)-デセン酸4.0〜8.0％を含む

性状　乳白色〜淡黄色のやや粘稠な液又は粉末で，特異なにおいがあり，収れん性の酸味がある

貯法　気密容器，10℃以下で保存

日本名索引

＊ゴシック体は医薬品各条項目名を，ゴシック体末尾の㊙は項目名別名を，
明朝体は先発医薬品等の製品名を表す

英数字

ア

イ

ウ

エ

オ

カ

キ

ク

ケ

コ

サ

シ

ス

セ

ソ

タ

チ

ツ

テ

ト

ナ

ニ

ネ

ノ

ハ

ヒ

フ

へ

ホ

マ

ミ

ム

メ

リ

ル

レ

ロ

ワ

INDEX

A

英名索引

B

C

英名索引

D

E

F

英名索引

G

H

I

N

O

P

英名索引

Q

R

S

T

U

V

W

X

Y

Z

β

INDEX NOMINUM

A

B

C

D

E

F

Q

R

S

T

U

V

Z

第十八改正 日本薬局方
医薬品情報 JP DI 2021

定価　本体23,000円（税別）

2021年 7 月15日　発　行
2022年10月20日　第 2 刷発行
2024年 9 月15日　第 3 刷発行

編　集　公益財団法人　日本薬剤師研修センター

発行人　武田 信

発行所　株式会社　じ ほ う

101-8421　東京都千代田区神田猿楽町1-5-15（猿楽町SSビル）
振替　00190-0-900481
＜大阪支局＞
541-0044　大阪市中央区伏見町2-1-1（三井住友銀行高麗橋ビル）
お問い合わせ　https://www.jiho.co.jp/contact/

組版・印刷　TOPPANクロレ(株)

ISBN 978-4-8407-5360-9